TALMUD BAVLI
תלמוד בבלי

THE SCHOTTENSTEIN DAF YOMI EDITION

מהדורת דף היומי

The ArtScroll Series®

THE HORN EDITION OF SEDER MOED

מסכת מועד קטן
TRACTATE MOED KATAN

THE HORN EDITION OF SEDER MOED

מסכת מועד קטן
TRACTATE MOED KATAN

Elucidated by
Rabbi Gedaliah Zlotowitz (chapter 1)
Rabbi Michoel Weiner (chapter 2)
Rabbis Nosson Dovid Rabinowich, Yosef Widroff (chapter 3)

under the General Editorship of
Rabbi Yisroel Simcha Schorr
and Rabbi Chaim Malinowitz
in collaboration with a team of Torah Scholars

R' Hersh Goldwurm זצ"ל
General Editor
תש"נ-תשנ"ג / 1990-1993

The Schottenstein Daf Yomi Edition

THE GEMARA: THE CLASSIC VILNA EDITION, WITH AN ANNOTATED, INTERPRETIVE ELUCIDATION, AS AN AID TO TALMUD STUDY

The Hebrew folios are reproduced from the newly typeset and enhanced Oz Vehadar Edition of the Classic Vilna Talmud

Published by

Mesorah Publications, ltd

We gratefully acknowledge the outstanding
Torah scholars who contributed to this volume:

Rabbi Yisroel Simcha Schorr, Rabbi Chaim Malinowitz
and **Rabbi Mordechai Marcus**
who reviewed and commented on the manuscript,

Rabbis Hillel Danziger, Yosef Davis, Eliezer Herzka, Nesanel Kasnett, Zev Meisels, Moshe Rosenblum, Eli Shulman, Feivel Wahl, Yosaif Asher Weiss, Avrohom Shereshevsky, and **Eliyahu Cohen**
who edited, contributed and assisted in the production of this volume.

Rabbi Yehezkel Danziger, Editorial Director

We are also grateful to our proofreaders: Mrs. Judi Dick, Mrs. Mindy Stern, and Mrs. Faigie Weinbaum,
our typesetters: Mr. Yaakov Hersh Horowitz, Mr. Shaya Sonnenschein,
Miss Rivkie Bruck, Miss Chumie Zaidman, Mrs. Estie Dicker, Mrs. Esther Feierstein, Mrs. Miryam Stavsky
and illustrator: Mrs. Mindy Schwartz

FULL-SIZE EDITION
First Impression . . . March 1999

DAF YOMI EDITION
First Impression . . . May 2004
Second Impression . . . January 2007

Published and Distributed by
MESORAH PUBLICATIONS, Ltd.
4401 Second Avenue
Brooklyn, New York 11232

Distributed in Europe by
LEHMANNS
Unit E, Viking Business Park
Rolling Mill Road
Jarrow, Tyne & Wear NE32 3DP
England

Distributed in Australia & New Zealand by
GOLDS WORLD OF JUDAICA
3-13 William Street
Balaclava, Melbourne 3183
Victoria Australia

Distributed in Israel by
SIFRIATI / A. GITLER — BOOKS
6 Hayarkon Street
Bnei Brak 51127

Distributed in South Africa by
KOLLEL BOOKSHOP
Ivy Common 105 William Road
Norwood 2192, Johannesburg, South Africa

THE ARTSCROLL SERIES® / SCHOTTENSTEIN DAF YOMI EDITION
TALMUD BAVLI / TRACTATE MOED KATAN

ISBN: 1-57819-651-5

Typography by CompuScribe at ArtScroll Studios, Ltd.
Custom bound by **Sefercraft, Inc.,** Brooklyn, N.Y.

A PROJECT OF THE

Mesorah Heritage Foundation

Dedication of the FULL-SIZE EDITION

This volume is lovingly dedicated to the memory of our dear parents and grandparents

R' Eliyahu and Sara Scharf ע"ה
R' Yosef Felder ע"ה

מזכרת נצח
לעילוי נשמות הורינו היקרים

כבוד מו"ר איש המורם מעם רחים ומוקיר רבנן
רודף צדקה וחסד אוהב ארץ ישראל ותורת ישראל
מותיקי חסידי באבוב
מוה"ר אליהו במהו"ר משה יעקב שארף ע"ה
מעיר ביאלא־ביליטץ
נפטר בשם טוב ובשיבה טובה ביום שבת קודש ח' שבט תש"מ לפ"ק
ומנ"כ בעיה"ק ירושלים ת"ו

וכבוד האשה החשובה והנכבדה
מרת שרה בת מוה"ר אלכסנדר זיסקינד (מבית פרייא) ע"ה
נפטרה בשם טוב ובשיבה טובה ביום כ"ו מנחם אב תשמ"א לפ"ק
ומנ"כ בעיה"ק ירושלים ת"ו

כבוד מו"ר איש אמת ובעל מדות למופת
נכד הנודע ביהודה ור' מנדל מרימנוב זצוק"ל
מותיקי חסידי טשורטקוב
מוה"ר יוסף בן צבי הירש פעלדער ע"ה
נפטר בשם טוב כ"ד אדר תשי"ז

תנצב"ה

Solomon and Leah Scharf
and their children
David and Tzipi Diamond, Alexander and Naomi Scharf
Joseph Scharf, Dovid and Chani Scharf

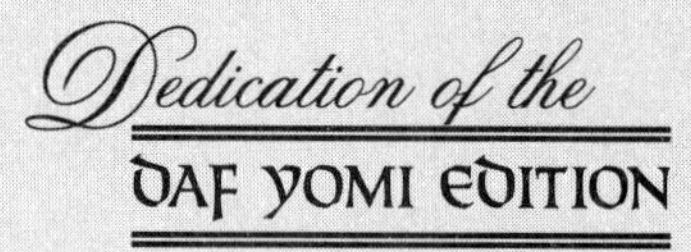

This volume is dedicated in honor
of our beloved parents

Jochanan and Barbara Klein שיחיו לאי"ט
יוחנן ושרה מאשה קליין שיחיו לאי"ט

of Sao Paulo, Brazil

They came to Brazil to build a new life for themselves and their children, after losing their dearest and closest family members in the Holocaust.

We can only imagine how much inner strength it took to survive and start with nothing in a strange land. They succeeded — and there are no words to express our gratitude to Hashem.

They raised a family devoted to Torah and mitzvos — according to the personal example they set for us. They did not hesitate to send their sons to yeshivos overseas, at a time when the cost was enormous and they would have to bear the pain of seeing their children only once a year.

How fortunate we are that our parents transmit their holy legacy to us, completely intact. And how special for our children to have such warm grandparents, who are so close to each of them and present in their daily lives. How can we thank them for this blessing and everything else they do?

By dedicating this volume to them, we bring their beloved Torah to countless thousands. May this be a z'chus for them for many, many years of good health, and nachas from their families that grow in their image, thanks to their teaching and example.

Leon and Olga Klein

Taly and Alexandre Korich, Jennifer and Freddy Sasson,
Daniel, Shelly, David, Alexandre, Sharon, Sheina

Allen and Sylvia Klein

Tammy and Benny Gammerman,
Richard, Kenneth, Bryan Nathan

Daniel and Esther Ollech

Yaakov and Ayelet, Moshe Yonathan,
Debbie and Chaim Farkash, David, Yossef, Tamar

The publishers pay tribute to
the memory of the unforgettable

Jerome Schottenstein ז״ל

whose wisdom, warmth, vision, and generosity wrote new chapters
of Jewish life and learning in America and around the world.
Generations from now, he will be remembered as the one
whose enlightened support made the Talmud accessible
to English-speaking Jews everywhere;

Geraldine Schottenstein תחי׳

who wears her mantle with unusual grace
and firm adherence to the values with which she set
the strong foundation of her family.
She sets a powerful and principled example
for her children and grandchildren.
We are grateful for her support and that of her children:

Jay and Jeanie Schottenstein,
Ann and Ari Deshe,
Susan and Jon Diamond,
and **Lori Schottenstein,**

friends from the start,
as staunch supporters who have been instrumental
in the ten years of the Talmud's success.
They bring energy, devotion, magnanimity, and graciousness
to a host of vital causes
in their native Columbus and throughout the world.

This edition — in a convenient new size
to serve the growing number of people
who are making the Talmud an indispensable part of their lives —
is dedicated by

Jay and Jeanie Schottenstein

and their children

Joseph Aaron and Lindsay Brooke, Jonathan Richard, and Jeffrey Adam

They dedicate it in honor of their cherished loved ones
who have left indelible marks on their own lives
and the lives of countless others,
as models of inspiration, generosity, integrity,
and devotion to the noblest causes of Jewish life.

They are:
his parents

Jerome ע״ה and Geraldine Schottenstein

her parents

Leonard and Heddy Rabe

and their uncle and aunt

Saul and Sonia Schottenstein

❦ ❦ ❦

Jay and Jeanie Schottenstein

have a perspective that transcends time and community.
Their names have become synonymous with
imaginative and effective initiatives
to bring Torah study and Jewish tradition to the masses of our people.

Through their magnanimous support of the various editions of

The Schottenstein Talmud

— this Daf Yomi Edition, the Hebrew Edition,
and the original full-size English Edition —
they spread Torah study around the globe and across generations.
Few people have ever had such a positive impact on Jewish life.
Myriads yet unborn will be indebted to them
for their vision and generosity.

PATRONS OF THE TALMUD ❖ DAF YOMI EDITION

With generosity, vision, and devotion to the perpetuation of Torah study,
the following patrons have dedicated individual volumes
of the Daf Yomi Edition of the Talmud

BERACHOS I: In memory of
Jerome Schottenstein ע״ה
יעקב מאיר חיים בן אפרים אליעזר הכהן ע״ה

BERACHOS II: **Zvi and Betty Ryzman**
and their children
Mickey and Shelly Fenig, Aliza, Yissachar David, Batsheva, and Aharon Yakov
Elie and Adina Ryzman, Leora, Yonatan Zev and Ari
Avi and Zahava Ryzman
Rafi
In memory of
Hagaon Harav Meir Shapiro זצ״ל, the unforgettable Rav of Lublin,
and in honor of
Hagaon Harav Yisrael Meir Lau שליט״א, Chief Rabbi of Israel

SHABBOS I: **Dr. Paul and Esther Rosenstock** **Jake and Dr. Helaine Harman**
Mrs. Faigy Harman
and their children and grandchildren
Nechama Mordechai Binyamin **Michelle Marc**
Yonina and Dov Wisnicki, Avi and Leora
Shira and Shlomie Rosenberg
in memory of our father, husband, and grandfather
מרדכי ב״ר אברהם ע״ה — Mordechai (Mottel) Harman

SHABBOS II: **Stanley and Ellen Wasserman**
and their children
Alan and Svetlana Wasserman Mark and Anne Wasserman
Neil and Yael Wasserman Stuart and Rivka Berger
and families
In loving memory of
יוסף בן דוב בער ע״ה בילא בת יעקב ע״ה — Joseph and Bess Wasserman ע״ה, and
שמריהו בן משה ע״ה רבקה בת הרב יוסף הכהן ע״ה — Sascha and Regina (Czaczkes) Charles ע״ה

SHABBOS III: **Stanley and Ellen Wasserman**
and their children
Alan and Svetlana Wasserman Mark and Anne Wasserman
Neil and Yael Wasserman Stuart and Rivka Berger
and families
in loving memory of
יוסף בן דוב בער ע״ה בילא בת יעקב ע״ה — Joseph and Bess Wasserman ע״ה, and
שמריהו בן משה ע״ה רבקה בת הרב יוסף הכהן ע״ה — Sascha and Regina (Czaczkes) Charles ע״ה

SHABBOS IV: **Malkie and Nachum Silberman**
Leonard and Cassia Friedlander
Elkie Friedlander
in honor of their mother
Gussie Friedlander שתחי׳ לאוי״ט
in memory of their father
ר׳ סיני ב״ר אריה לייב ז״ל — Sidney Friedlander ז״ל
and in memory of their grandparents
ר׳ יוסף דוד ב״ר משה ז״ל וזיסל בת ר׳ ישעיהו ע״ה — Joseph and Jennie Trattner ז״ל

ERUVIN: [two volumes] **Jerome and Geraldine Schottenstein Saul and Sonia Schottenstein**
Jay and Jeanie Schottenstein Ann and Ari Deshe
Susan and Jon Diamond Lori Schottenstein
in memory of
אפרים אליעזר בן יהושע הכהן ע״ה — Ephraim Schottenstein ע״ה
חנה בת צבי הירש ע״ה — Anna Schottenstein ע״ה

PESACHIM I: **Tommy and Judy Rosenthal**
Yitzchok and Tamar **Dani and Michali** **Michal**
in memory of his father
ר׳ יצחק ב״ר יעקב קאפיל ז״ל — Yitzchok Rosenthal
and יבלח״ט in honor of their parents עמו״ש
Magda Rosenthal שתחי׳
and her children שיחי׳
Moshe Yaakov and Beila Jakabovits שיחי׳
and their children שיחי׳

PESACHIM II: **Yisroel and Rochi Zlotowitz**
Gitty, Aaron and Sori
in memory of their beloved grandparents and great grandparents
הרב אהרן ב״ר מאיר יעקב זצ״ל והרבנית פרומא בת ר׳ חיים צבי ע״ה — Zlotowitz
ר׳ חיים חייקל ב״ר שמואל ז״ל וחיה בת הרב ישראל יהודה ע״ה — Schulman
הרב משה יהודה ב״ר יצחק צבי ז״ל ושרה בת הרב שבתי ע״ה — Maybloom
החבר שלום בן שבתי ז״ל וגיטל בת החבר פינחס צבי ע״ה — Goldman

PESACHIM III: **Lorraine and Mordy Sohn** **Ann and Pinky Sohn**
in memory of
ר׳ צבי ב״ר אלעזר ע״ה — Dr. Harry Sohn ע״ה
מרת הענדיל דבורה ב״ר אברהם שלמה ע״ה — Dora F. Sohn ע״ה
ר׳ יחזקאל ב״ר אליקים חנוך הלוי ע״ה — Harold Levine ע״ה
רבקה הענא בת שמעון הלוי ע״ה — Ruth Levine ע״ה
רייזל ב״ר שמשון ע״ה — Rosalie Sohn ע״ה

SHEKALIM: **Laibish and Tanya Kamenetsky**
in memory of his parents
מרדכי בן משה צבי הלוי ז״ל ובראנשע בת צבי הערש ע״ה — Max and Brenda Kamenetsky ז״ל
in memory of her father
דוד פישל בן יחיאל מאיר ז״ל — David Gottesman ז״ל
and in memory of their grandparents
משה צבי בן מרדכי הלוי ז״ל וצירל בת זעליג ע״ה — Kamenetsky
צבי הערש ז״ל וחיה לאה בת לייביש אליהו ע״ה — Berman
משה בן ישראל ז״ל ורעכיל בת משה בונם ע״ה — Bolag
יחיאל מאיר בן שמואל ושרה בת יהודה דוב ע״ה — Gottesman

BEITZAH: **Eric and Joyce Austein**
and their children
Ilana and Avi Lyons **Michael**
Jonathan and Ilana Miriam **Adam and Sara** **Eytan**
in honor of their parents and grandparents שיחי׳
Morris and Susi Austein
Leo and Shirley Schachter

ROSH HASHANAH: **Steve and Genie Savitsky**
and their children and families
Julie and Shabsi Schreier **Avi and Cheryl Savitsky**
Penina and Zvi Wiener **Yehuda and Estie Berman**
In honor of their mothers and grandmothers
Mrs. Hilda Savitsky שתחי׳ Mrs. Amelia Seif שתחי׳
And in honor of their grandparents
Mrs. Faye Raitzik שתחי׳ Max and Edith Grunfeld שתחי׳
לעילוי נשמות — And in loving memory of their grandparents
ר׳ שבתי בן ר׳ מיכאל הלוי ע״ה — Shabsi Raitzik ע״ה
ר׳ אשר זעליג בן ר׳ יהושע הלוי ע״ה רבקה בת ר׳ משה נתן ע״ה — Sigmund and Regina Schreier ע״ה
ר׳ ישראל יצחק בן ר׳ אלימלך הכהן ע״ה גולדה בת ר׳ דוד לייב ע״ה — Irving and Goldie Stein ע״ה
ר׳ שמואל סנדר בן ר׳ אליעזר ליפא ע״ה ריזל זלדה בת ר׳ שלום קלמן ע״ה — Sam and Rose Gottlieb ע״ה
ר׳ צבי הירש בן ר׳ נחום ע״ה חיה שרה גאלדא בת ר׳ יוסף ע״ה — Harry and Goldie Wiener ע״ה
And in loving memory of Cheryl Savitsky's father
ר׳ שמעון פייביש בן ר׳ ישראל יצחק הכהן ע״ה — Dr. Steven F. Stein ע״ה

PATRONS OF THE TALMUD ❖ DAF YOMI EDITION

YOMA I: **Mrs. Ann Makovsky**
Shmulie and Daryle Spero and children
Reuven and Dvora Makovsky and children
Leslie and Linda Spero and children
in memory of
משה דוד בן אברהם אשר ז״ל — Morris Makovsky ז״ל
אברהם אשר בן משה דוד ז״ל ופרומא דבורה בת אלחנן דוב ע״ה — Abraham Osher and Fanny Makovsky ז״ל
גמליאל בן שלמה ז״ל ורבקה בת אברהם חיים ע״ה — Meyer and Riva Nissen ז״ל

YOMA II: **Trudy and David Justin**
and their children
Daniel, Brandel, Nina, Adam and Ayala Justin
in honor of their parents and grandparents
Malka Karp תחי׳
Kitty and Zoltan Justin שיחיו
and in loving memory of
צבי בן דוב ז״ל — Hersh Karp ז״ל

SUCCAH II: **Reuven and Ruth Fasman and Family**
Rudolph and Esther Lowy and Family
Allan and Ettie Lowy and Family
in memory of their parents
מרדכי אריה בן ר׳ רפאל הלוי ז״ל — Marcus Lowy ז״ל
מינדל בת ר׳ שלמה זלמן ע״ה — Mina Lowy ע״ה

TAANIS: **The Bernstein Family**
David and Jean
Matthew Peter
Scott and Andrea Samara Jonah
in memory of
Anna and Harry Bernstein ע״ה
Sarah and Joseph Furman ע״ה

MEGILLAH: In memory of
Jerome Schottenstein ע״ה
יעקב מאיר חיים בן אפרים אליעזר הכהן ע״ה

MOED KATAN: In honor of our beloved parents
Jochanan and Barbara Klein שיחי׳ לאוי״ט (Sao Paulo, Brazil)
by their children
Leon and Olga Klein Allen and Sylvia Klein Daniel and Esther Ollech and Families

CHAGIGAH: **Benzi and Esther Dunner**
in memory of their grandparents
החבר ר׳ אורי יהודה ז״ל ב״ר אברהם אריה הכהן הי״ד — Reb Uri Cohen ז״ל
נפ׳ באמשטרדם כג כסלו תשס״א
מרת רבקה ע״ה בת ר׳ יצחק הי״ד — Mrs. Rivka Cohen ע״ה
נפ׳ באמשטרדם יב מרחשון תשס״א
הרה״צ ר׳ משה ב״ר שרגא פייבעל הי״ד — Reb Moshe Stempel הי״ד
נהרג על קדה״ש ד׳ מנחם אב תש״ב

YEVAMOS I: **Phillip and Ruth Wojdyslawski and Family**
In memory of his beloved parents
Abraham Michel and Ora Wojdyslawski ע״ה
ר׳ אברהם מיכאל ב״ר פינחס ע״ה
אורה בת ר׳ צבי הירש ע״ה

YEVAMOS II: **Phillip and Ruth Wojdyslawski and Family**
In memory of her beloved mother
Chaya (Cytryn) Valt ע״ה
חיה צירל בת ר׳ שלמה זלמן ע״ה

YEVAMOS III: **Phillip and Ruth Wojdyslawski and Family**
In honor of
Benjamin C. Fishoff לאוי״ט
To the public he is a leader with vision and dedication.
To us he has always been a role model, a father,
and a constant inspiration.

KESUBOS I: **The Fishoff Families**
in memory of their beloved mother
מינדל בת ר׳ ישראל ע״ה – Mrs. Marilyn Fishoff ע״ה
נפ׳ כד תשרי תשמ״ט
and in memory of their dear grandparents
ר׳ דוב ב״ר מנחם אשר ע״ה מרת מירל בת ר׳ מנחם מענדל ע״ה – Fishoff
ר׳ ישראל ב״ר אברהם ע״ה מרת חיה זיסא בת ר׳ שרגא פייוועל ע״ה – Neider

KESUBOS II: **Moise Hendeles** **Hayim and Miriam Hendeles** **Jerry and Cecille Cohen**
and their families
in memory of their beloved father and grandfather
אליעזר ב״ר משה ז״ל – Lazare Hendeles ז״ל
נפ׳ כ׳ ניסן ד׳ חוה״מ פסח תשס״א
and in honor of their loving mother and grandmother
Mrs. Moselle Hendeles שתחי׳

KESUBOS III: **Brenda and Isaac Gozdzik**
Tova Chava **Tzeryl Leah**
in memory of their beloved parents and grandparents
שרגא פייוועל בן משה הענדעלעס ז״ל – Fred Hendeles ז״ל
נפ׳ ה׳ אלול תשס״ג
ביילע בת אליהו הלוי פערשלייסער ע״ה – Betty Hendeles ע״ה
נפ׳ כ״ו בניסן תשנ״ט

NEDARIM I: **Fradie Rapp**
Raizy, Menachem, Shimshon, Bashie, Tzvi
in memory of their beloved husband and father
הרב ישראל בן יעקב ז״ל – David Rapp ז״ל
נפ׳ כ׳ מרחשון תשס״ד

NEDARIM II: In memory of
Laurence A. Tisch
לייבל בן אברהם ע״ה

NAZIR I: **Andrew and Nancy Neff**
Abigail, Esther, Barnet and Philip
in honor of our parents and grandparents
Alan and Joyce Neff
Sidney and Lucy Rabin

NAZIR II: **Andrew and Nancy Neff**
Abigail, Esther, Barnet and Philip
in honor of our brothers and sisters
Garth and Valerie Heald
Lauren Neff
Douglas and Vivian Rabin
Andrew and Liat Rabin

PATRONS OF THE TALMUD ✦ DAF YOMI EDITION

SOTAH: **Motty and Malka Klein and Family**
In memory of
ר׳ ישעי׳ נפתלי הירץ ב״ר אהרן ז״ל – Norman Newman

GITTIN I: **Mrs. Kate Tannenbaum**
Elliot and Debra Tannenbaum Edward and Linda Zizmor
and Families
in memory of beloved husband, father and grandfather
ר׳ נפתלי ב״ר יהודה אריה ע״ה – Fred Tannenbaum ע״ה
נפטר ח׳ ניסן תשנ״ב

GITTIN II: **Mrs. Kate Tannenbaum**
Elliot and Debra Tannenbaum Edward and Linda Zizmor
and Families
in memory of beloved husband, father and grandfather
ר׳ נפתלי ב״ר יהודה אריה ע״ה – Fred Tannenbaum ע״ה
נפטר ח׳ ניסן תשנ״ב

KIDDUSHIN I: **Ellis A. and Altoon Safdeye**
in memory of their beloved parents
המנוח יהודה אצלאן ומרת צלחה ויקטוריא ע״ה – Aslan and Victoria Safdeye ע״ה
המנוח יהודה ומרת מרגלית ע״ה – Judah and Margie Sultan ע״ה
and in memory of his brother יוסף ע״ה – Joseph Safdeye ע״ה

KIDDUSHIN II: **Malcolm and Joy Lyons**
in loving memory of her father
זיסל בן אברהם דוד ז״ל – Cecil Jacobs ז״ל
and in honour of their parents שיחי׳
Leo and Eve Lyons
Mona Jacobs

BAVA KAMMA I: **Yitzchok and Shoshana Ganger**
in honor of their children and grandchildren
Aviva and Moshe Sigler
Aliza Saul Chani
Ilana and Menachem Ostreicher
Dov Ber Miriam Binyomin Paltiel
Dovid and Penina Ganger
Yosef Yaakov Gavriel Moshe Ettie
Daniella
and in memory of their fathers
ר׳ יוסף יעקב ב״ר יצחק ישעיהו ע״ה – Joseph Ganger ע״ה
נפטר טז כסלו תשנ״ו
הרב אריה ליב ב״ר מתתיהו ע״ה – Rabbi Aria Leib Newman ע״ה
נפטר כח ניסן תשס״ד

BAVA KAMMA II: **The Magid Families** (Sao Paulo, Brazil)
לעילוי נשמת – in memory of their dear husband and father
ר׳ אברהם יהודה אביר בן ר׳ יהושע ז״ל – R' Abir Magid ז״ל
נלב״ע כ״ו אדר תשמ״ב
ולעילוי נשמות – and in memory of
ר׳ יהושע ב״ר צבי חיים ז״ל וזוגתו מרת שרה פייגא בת ר׳ יששכר דוב ע״ה
ר׳ יעקב ישראל ב״ר מרדכי ז״ל וזוגתו מרת אסתר פרומה בת ר׳ חיים ע״ה

BAVA KAMMA III: **Robert and Malka Friedlander** (Sao Paulo, Brazil)
Debby, David and Daniel
in memory of their fathers and grandfathers
הרב ישראל יעקב ב״ר יצחק מאיר ז״ל – Rabbi Israel Jacob Weisberger ז״ל
הרב נפתלי צבי נח ב״ר יהודה לייביש ז״ל – Rabbi Bela Friedlander ז״ל

BAVA METZIA I: **Drs. Robert and Susan Schulman** **Howard and Tzila Schulman**
Fred and Cindy Schulman
dedicated to our beloved parents
Milton ז״ל and Molly ע״ה Schulman
Stanley and Ruth Beck שיחי׳
Albert ז״ל and Sylvia תחי׳ Kuhr
Naftali שיחי׳ and Berta ע״ה Rendel

BAVA METZIA II: **Suzy and Yussie Ostreicher and Ricki** **Ilana and Menachem Ostreicher**
Miriam and Dovid Ostreicher **Shayna and Yitzchok Steg**
in honor of our parents and grandparents
Michael and Rose Pollack
Hershi and Helly Ostreicher

BAVA METZIA III: **Stephanie and George Saks**
in memory of
The Gluck Family
זאב בן דוד צבי ע״ה ואסתר בת אשר זעליג ע״ה – Zev and Esther Gluck ע״ה
ליבא, אשר זעליג, דוד צבי, שמואל, מנשה, יחזקאל שרגא ע״ה –
Lee, George, David H., Samuel C., Emanuel M., Henry ע״ה, and
in memory of their parents and grandparents
פייוועל בן אליה ע״ה ומלכה בת אברהם ע״ה – Philip and Mildred Pines ע״ה
יעקב יצחק בן זאב ע״ה ומיימי בת זאב ע״ה – Dr. Jack I. and Mrs. Mae Saks ע״ה
זאב בן חיים דוד ע״ה וחיה ביילע בת יצחק יעקב ע״ה – Wolf and Chaye Beilah Saks ע״ה
and in memory of
יחיאל בן משה ע״ה – Elie Neustadter ע״ה

BAVA BASRA I: **Nachum and Malkie Silberman**
in memory of his parents
ר׳ צבי ב״ר זאב הלוי ז״ל דבורה אסתר בת ר׳ ישראל ע״ה – Silberman
his paternal grandparents and their children who perished על קידוש השם in the Holocaust
ר׳ זאב ב״ר משה הלוי ז״ל הי״ד גיטל בת ר׳ אפרים אלימלך הכהן ע״ה הי״ד – Silberman
ובנותיהם רחל, לאה, ומרים ע״ה הי״ד
and his maternal grandparents
ר׳ ישראל ב״ר לוי משה ז״ל שיינדל רחל בת ר׳ יעקב ע״ה – Weitman

BAVA BASRA II: **Roger and Caroline Markfield**
and their children
Eric and **Maxine**
in memory of his parents
מרדכי ב״ר נתנאל ואודל בת ר׳ מאיר דוד ז״ל – Max and Eileen Markfield ז״ל
and his sister
זיסל ע״ה – Lynn Herzel ע״ה

BAVA BASRA III: **Jaime and Marilyn Sohacheski**
in honor of their children
Jasmine and David Brafman and their baby **Shlomo Zalman**
Melisa and her chatan Jonathan Beck
Lindsay and Bennett

SANHEDRIN I: **Martin and Rivka Rapaport**
and their children
Mordechai **Ezriel** **Yehuda Aryeh** **Miriam Dreizel** **Shimshon**
Leah **Penina** **Eliyahu** **Meir** **Bracha**
in memory of
ר׳ יהודה אריה ב״ר מרדכי הכהן ז״ל – Leo Rapaport ז״ל

PATRONS OF THE TALMUD ❖ DAF YOMI EDITION

SANHEDRIN II: **Martin and Rivka Rapaport**
and their children
Mordechai Ezriel Yehuda Aryeh Miriam Dreizel Shimshon Leah Penina Eliyahu Meir Bracha
in memory of
ר׳ ישראל דוב ב״ר מרדכי ז״ל — Albert Berger ז״ל
חנה גיטל בת ר׳ עזריאל ע״ה — Chana Gittel Berger ע״ה

SANHEDRIN III: **Marvin and Roz Samuels**
in memory of
ר׳ צבי יוסף ב״ר יצחק ז״ל — Joseph Samuels ז״ל
רחל בת ר׳ זכריה מנחם ע״ה — Rose Samuels ע״ה
of Scranton, PA
בנימין נח ב״ר ישראל הלוי ז״ל — Norman Newman ז״ל
אלטאביילא ראשקה בת נחמן הלוי ע״ה — Ruth Newman ע״ה

SHEVUOS: **Michael and Danielle Gross** (Herzlia and London)
in loving memory of their fathers
Paul Gross — פסח בן צבי הלוי ע״ה
David Beissah — דוד בן נתן ע״ה

MAKKOS: **The Tepper Families**
Beth and Yisroel Rabinowitz Jay and Sari Tepper
Hope and Moshe Abramson Neil and Leah Tepper
and children
in honor of their parents
David and Joan Tepper
and in memory of their grandparents
Tepper — ר׳ מנחם מענדל ב״ר יעקב ז״ל ומרת מינדל בת ר׳ אריה ליב ע״ה
Gralla — ר׳ ראובן ב״ר נחמיה ז״ל ומרת עטיל בת ר׳ ישראל נתן נטע ע״ה

AVODAH ZARAH I: **The Kuhl Family**
in memory of
יחיאל ב״ר יצחק אייזיק ע״ה Dr. Julius Kuhl ע״ה
פרומט בת ר׳ שמואל הלוי ע״ה Mrs. Yvonne Kuhl ע״ה
שמואל ב״ר יחיאל ע״ה Sydney Kuhl ע״ה

AVODAH ZARAH II: In memory of
Jerome Schottenstein ע״ה
יעקב מאיר חיים בן אפרים אליעזר הכהן ע״ה

HORAYOS-EDUYOS: **Woli and Chaja Stern** (Sao Paulo, Brazil)
in honor of their children
Jacques and Ariane Stern Jaime and Ariela Landau Michäel and Annete Kierszenbaum

ZEVACHIM I: **Robin and Warren Shimoff**
in memory of his parents
ישראל דוב ב״ר אהרן יעקב ז״ל — Irving Shimoff ז״ל
חיה רבקה לאה בת ר׳ אליעזר יהודה ע״ה — Lynn Shimoff ע״ה
and יבלח״ט in honor of their children שיחי׳
Lael Atara Alexander Ariana

ZEVACHIM II: **Abbie Spetner**
Ari and Chaya Sara and Dovi Nussbaum Chanoch Moshe
Rivkah Dinah Moshe Yosef
in honor of their father and grandfather
Kenneth Spetner שיחי׳ לאוי״ט
and in memory of their mother and grandmother
רבקה דינה בת ר׳ משה יעקב ע״ה — Rita Spetner ע״ה
נפ׳ ד׳ ניסן תשס״ב

ZEVACHIM III: **Yaakov and Yona Spinner**

Dovi Elisheva Yitzy Shiri Leora

in memory of their father and grandfather

ז״ל אפרים יצחק ב״ר אברהם ז״ל — Ephraim Spinner ז״ל

נפ׳ י״ז שבט תשנ״ז

and in memory of their grandparents and great-grandparents

משה יודה בן דוד ע״ה רחל בת חיים דוד יהודה הכהן ע״ה

אברהם בן יוסף משה ע״ה צירל בת אברהם אליהו ע״ה

משה שלמה בן יעקב ע״ה רבקה בת משה ע״ה

MENACHOS I: **Terumah Foundation**

MENACHOS II: **Terumah Foundation**

MENACHOS III: **Terumah Foundation**

CHULLIN I: **Rabbi Heshie and Rookie Billet**

in honor of their mothers Mrs. Pearl Billet and Mrs. Phyllis Katz

their children Daniel and Hadassa Jacobson David and Anouche Billet

Avraham and Chana Billet Moshe Billet Shira Billet Nava Billet

their grandchildren Miriam Tehila, Aharon Ariel, Yehuda Akiva, and Netanel Yedidya Jacobson

Aliza Miriam and Yehuda Yaakov Billet

and in memory of their fathers

ר׳ אהרן ב״ר יצחק הכהן כ״ץ ז״ל — Arthur Katz ז״ל

ר׳ יהודה יעקב ב״ר אברהם ז״ל — Jack Billet ז״ל

their daughter מרים רות ע״ה — Miriam Rus ע״ה

their granddaughter אליענה שרה ע״ה — Eliana Sara ע״ה

CHULLIN II: **Elly and Brochie Kleinman**

and their children **Deenie and Yitzy Schuss** **Yossie and Blimi Kleinman**

Aliza and Lavey Freedman and families

לעילוי נשמות their fathers

ר׳ אברהם אייזיק ב״ר אלכסנדר ז״ל — Avrohom Kleinman ז״ל

ר׳ מנחם דוד ב״ר מרדכי שמואל ז״ל — Mendel Indig ז״ל

his grandparents שנהרגו על קידוש השם

ר׳ אלכסנדר ב״ר צבי אריה ז״ל ומרת סימא לאה בת ר׳ אברהם ע״ה – הי״ד — Kleinman (Weiss)

הרב אלימלך ב״ר ישראל ז״ל ומרת יוטא ברכה בת ר׳ אברהם ע״ה – הי״ד — Fischman

her grandparents

ר׳ מרדכי שמואל ב״ר יוסף יעקב ז״ל שנהרג על קדה״ש הי״ד ומרת פרידה בת ר׳ מרדכי אריה ע״ה — Indig

ר׳ יעקב ב״ר שאול ז״ל ומרת חיה בת ר׳ יעקב ע״ה — Solomon

and יבלח״ט in honor of their mothers

Mrs. Ethel Kleinman שתחי׳ Mrs. Rose Indig שתחי׳

CHULLIN III: **Members of the International Board of Governors of the Mesorah Heritage Foundation**

as a source of merit for all our brethren wherever they are

CHULLIN IV: **Terumah Foundation**

BECHOROS I: **Jeff and Leslie Gould** **Jody and Sheldon Hirst**

Rachel Jacob **Marci Tracy**

in memory of their father

ראובן בן יוסף ע״ה — Rubin Gould ע״ה

BECHOROS II: **Hilda and Yitz Applbaum**

in honor of their children

Aaron Jacob Ariel Tsvi Miriam Gabriella Zahava

and in memory of their deceased parents

אהרן ב״ר יהודה לייב ז״ל ומרים בת ר׳ מנחם מענדל ע״ה — Aaron and Miriam Goetz ע״ה

טובה גיטל בת ר׳ אברהם יהושע העשיל ע״ה — Tova Gertrude Applbaum ע״ה

PATRONS OF THE TALMUD ✧ DAF YOMI EDITION

ARACHIN: **The Brown Family**
in memory of
בעריש דוב בן מרדכי אליהו ז״ל וטובא בת אברהם ע״ה — Bernard and Tillie Tublin ז״ל
אברהם בן בעריש דוב ז״ל ומייטא בת ישראל ע״ה — Abraham and Mae Tublin ז״ל
נחום בן אברהם ז״ל — Neil Tublin ז״ל
Harry and Molly Brown ז״ל
Beatrice Geller ע״ה
Sophie Noble Scherr ע״ה

TEMURAH: **Dr. Thomas and Anne Kohn** and their children
Dennis and Chayie Kohn **Yitzy and Dina Gunsburg** **Yaakov and Aviva Eisenberger**

Dr. Allan and Susan Seidenfeld and their children
Mordechai and Shaindy **Aaron and Dassi** **Dov and Chanala**
Yosef and Ahuva **Ahuva Libe** **Eliezer Chaim Yitzchok**
in honour of Eugene and Eva Kohn
in memory of מינדל בת חיים ע״ה (נפ׳ כ״ה אדר ב׳ תשס״ג) — Vera Rubinstein ע״ה
in honour of Daniel Rubinstein
in memory of חיה מירל בת אברהם ע״ה (נפ׳ כ״ה מרחשון תש״ס) — Margit Seidenfeld ע״ה
in honour of Salomon Seidenfeld

KEREISOS: לעילוי נשמת
מיסד ורוח החיים של רעיון הדף יומי
הגאון הרב ר׳ מאיר ב״ר יעקב שמשון שפירא זצ״ל
נפ׳ ז׳ חשון תרצ״ד
In memory of
Rabbi Meir Shapiro זצ״ל, the Lubliner Rav
whose revolutionary Daf Yomi initiative grows day by day.

ME'ILAH, TAMID, MIDDOS, KINNIM: **Steven and Renée Adelsberg**
Sarita and Rubin Gober **David** **Sammy** **Avi**
in loving memory of
שמואל שמעלקא ב״ר גדליה ז״ל — Samuel Adelsberg ז״ל
and יבלח״ט in honor of
Helen Adelsberg Weinberg שתחי׳
and
Chaim and Rose Fraiman שיחי׳

NIDDAH I: In memory of
Joseph and Eva Hurwitz ע״ה
יוסף ב״ר מרדכי הלוי וחוה פיגא ב״ר אליעזר הלוי ע״ה
and
Lorraine Hurwitz Greenblott — לאה בילא חיה בת ר׳ יוסף ע״ה
by
Marc and Rachel Hurwitz,
Elisheva Ruchama, Michal, and Nechama Leah;
Martin and Geraldine Schottenstein Hoffman,
Jay and Jeanie Schottenstein, Ann and Ari Deshe,
Susan and Jon Diamond, and Lori Schottenstein;
and Pam and Neil Lazaroff, Frank Millman, and Dawn and Avi Petel

NIDDAH II: In memory of
Jerome Schottenstein ע״ה
יעקב מאיר חיים בן אפרים אליעזר הכהן ע״ה

The Schottenstein Edition of the Talmud

This pioneering elucidation of the entire Talmud was named **THE SCHOTTENSTEIN EDITION** in memory of **EPHRAIM AND ANNA SCHOTTENSTEIN** ז״ל, of Columbus, Ohio. Mr. and Mrs. Schottenstein came to the United States as children, but they never surrendered the principles of Judaism or the love of Torah that they had absorbed in their native Lithuania. Tenacious was their devotion to the Sabbath, kashruth, and halachah; their support of needy Jews in a private, sensitive manner; their generosity to Torah institutions; and their refusal to speak ill of others.

They never surrendered the principles of Judaism or the love of Torah that they had absorbed in Lithuania.

This noble and historic gesture of dedication was made by their sons and daughters-in-law **JEROME** ז״ל **AND GERALDINE SCHOTTENSTEIN** and **SAUL AND SONIA SCHOTTENSTEIN.**

Jerome left numerous memorials of accomplishment and generosity, but surely the Schottenstein Edition of the Talmud – spanning centuries – will be the most enduring.

With the untimely passing of JEROME SCHOTTENSTEIN ז״ל, it became our sad privilege to rededicate THE SCHOTTENSTEIN EDITION to his memory, in addition to that of his parents.

Jerome Schottenstein ז״ל was a dear friend and inspirational patron. He saw the world through the lens of eternity, and devoted his mind, heart and resources to the task of assuring that the Torah would never be forgotten by its people. He left numerous memorials of accomplishment and generosity, but surely the **SCHOTTENSTEIN EDITION OF THE TALMUD** – spanning centuries – will be the most enduring.

The Schottensteins are worthy heirs to the traditions and principles of Jerome and his parents. Gracious and generous, kind and caring, they have opened their hearts to countless causes and people.

The Schottensteins are worthy heirs to the traditions and principles of Jerome and his parents. Gracious and generous, kind and caring, they have opened their hearts to countless causes and people. Quietly and considerately, they elevate the dignity and self-respect of those they help; they make their beneficiaries feel like benefactors; they imbue institutions with a new sense of mission to be worthy of the trust placed in them.

THE MESORAH HERITAGE FOUNDATION is proud and grateful to be joined with the Schottenstein family as partners in this monumental endeavor.

We pray that this great undertaking will be a source of merit for the continued health and success of the entire Schottenstein family, including the children and grandchildren:

JAY and JEANIE SCHOTTENSTEIN and their children, Joseph Aaron and Lindsay Brooke, Jonathan Richard, and Jeffrey Adam; **ANN and ARI DESHE** and their children, Elie Michael, David Scott, Dara Lauren, and Daniel Matthew; **SUSAN and JON DIAMOND** and their children, Jillian Leigh, Joshua Louis, and Jacob Meyer; and **LORI SCHOTTENSTEIN.**

The Schottensteins will be remembered with gratitude for as long as English-speaking Jews are nourished by the eternity of the Talmud's wisdom, for, thanks to them, millions of Jews over the generations will become closer to their heritage.

A Jew can accomplish nothing more meaningful or lasting in his sojourn on earth.

THE SCHOTTENSTEIN EDITION

TALMUD BAVLI

is reverently dedicated to the memory of
the patron of this Talmud
and of countless other noble causes in Jewish life

יעקב מאיר חיים בן אפרים אליעזר הכהן ע״ה

נפטר ה׳ אדר ב׳ תשנ״ב

Jerome Schottenstein ע״ה

and to the memory of his parents

אפרים אליעזר בן יהושע הכהן ע״ה **חנה בת צבי הירש ע״ה**

נפטר ב׳ אייר תשט״ז נפטרה ט״ו מנחם אב תשט״ו

Ephraim and Anna Schottenstein ע״ה

by

Geraldine Schottenstein

Saul and Sonia Schottenstein

and

Jay and Jeanie Schottenstein

and their children
Joseph Aaron and Lindsay Brooke, Jonathan Richard, Jeffrey Adam

Ann and Ari Deshe

and their children
Elie Michael, David Scott, Dara Lauren, Daniel Matthew

Susan and Jon Diamond

and their children
Jillian Leigh, Joshua Louis, Jacob Meyer

and

Lori Schottenstein

PATRONS OF THE SEDARIM

Recognizing the need for the holy legacy of the Talmud
to be available to its heirs in their own language,
these generous and visionary patrons have each dedicated
one of the six Sedarim/Orders of the Talmud.

THE FORMAN EDITION OF SEDER ZERAIM

is lovingly dedicated by

Mr. and Mrs. Sam Forman, Brett and Wendy

in memory of their beloved parents and grandparents

Mr. and Mrs. George Forman ע״ה **Dr. and Mrs. Morey Chapman ע״ה**

THE HORN EDITION OF SEDER MOED

is lovingly dedicated to the memory of

ר׳ משה מניס ב״ר יעקב יצחק ע״ה — Moishe Horn ע״ה

נפטר ב׳ מנחם אב תשנ״ד

by his wife **Malkie**

his parents **Jacob ע״ה and Genia Horn שתחי׳**

and her children

Shimmie and Alissa
Ari Shana Michal Tali

Devorah and Dov Elias
Moishe Ariella Eli Chaviva Tehilla

Shandi and Sruli Glaser
Ruthi Jack Miri

THE ELLIS A. SAFDEYE EDITION OF SEDER NASHIM

is reverently dedicated to the memory of

המנוח יהודה אצלאן ומרת צלחה ויקטוריא ע״ה

Aslan and Victoria Safdeye ע״ה

and

המנוח יהודה ומרת מרגלית ע״ה

Judah and Margie Sultan ע״ה

by their children

Ellis A. and Altoon Safdeye

and grandchildren

Alan Judah and Rachel Safdeye
Ezra and Victoria Esses
Joseph and Rochelle Safdeye
Michael and Bobbi Safdeye

PATRONS OF THE SEDARIM

THE DAVIDOWITZ FAMILY
RENOV STAHLER ROSENWALD PERLYSKY EDITION OF SEDER NEZIKIN

is lovingly dedicated to

Rozi and Morty Davis-Davidowitz

builders of this dynasty

by their children and grandchildren

Esti and Ushi Stahler

Jamie, Danny, Duvi, Lisi, Avi, Eli, Malka and Loni

Rivki and Lindsay Rosenwald

Doni, Joshy, Demi, Davey and Tamar Rina

Ruki and Kal Renov

Tova, Tani, Eli, Ari, Yoni, Yael, Emi and Benji

Laya and Dov Perlysky

Ayala Malka, Tova Batsheva, Naftali Yonatan, Atara Yael, Eitan Moshe, Shira Avital and Akiva Yair

and is lovingly dedicated to the memory of our grandparents

Emily and Nathan Selengut ע״ה

נפתלי ב״ר יעקב ע״ה ומלכה בת ר׳ אלתר חיים ע״ה

THE SCHWARTZ EDITION OF SEDER KODASHIM

is lovingly dedicated by

Avrohom Yeshaya and Sally Schwartz

and their children

Ari and Daniella, Moshe, Dani, and Dovi

in memory of their beloved parents and grandparents

Isaac and Rebecca Jarnicki ז״ל — ר׳ יצחק ב״ר אשר ז״ל וחיה רבקה בת הרב בצלאל הירש ז״ל

נפ׳ יג׳ תמוז תשנ״ז נפ׳ ג׳ אדר תשס״ד

and their beloved grandmother

Mrs. Pearl Septytor ע״ה — פערל בת ר׳ מרדכי ע״ה

and in honor of יבלח״ט their parents and grandparents

Rabbi and Mrs. Gedalia Dov Schwartz שליט״א

and in memory of our grandparents

Rabbi Eliezer and Pesha Chaya Poupko ז״ל **Abraham Schwartz ז״ל**

Betzalel Hersh and Hendel Berliner ז״ל **Asher and Gittel Jarnicki ז״ל**

PATRONS OF THE TALMUD ❖ FULL-SIZE EDITION

With generosity, vision, and devotion to the perpetuation of Torah study,
the following patrons have dedicated individual volumes of the Talmud

Reference/ Introduction: **George and Vita Kolber**
In loving memory of
Joseph and Frieda Hirschfeld **ע״ה**

BERACHOS I: In memory of
Jerome Schottenstein ע״ה
יעקב מאיר חיים בן אפרים אליעזר הכהן ע״ה

BERACHOS II: **Zvi and Betty Ryzman**
Mickey and Shelly Fenig — Aliza, Yissachar David, Batsheva and Aharon Yakov
Elie and Adina Ryzman — Leora, Yonatan Zev and Ari
Avi and Zahava Ryzman
Rafi
In honor of
Rabbi Yehoshua Heschel Ryzman שליט״א
in memory of
מרת הלינה שיינדל בת ר׳ צבי ע״ה נפ׳ ה׳ מנחם אב, תשנ״ז — Halina Shaindel Ryzman ע״ה
and in honor of
Mrs. Mila Kornwasser שתחי׳
and in memory of
הרב אהרן יעקב ב״ר אליעזר ז״ל נפ׳ ז׳ תמוז, תשס״ב — Rabbi Aharon Yaakov Kornwasser ז״ל
Malcolm and Joy Lyons
in honour of their parents שיחי׳
Eve Lyons
Cecil and Mona Jacobs
and in memory of his father
יהודה בן גרשון ע״ה נפ׳ כ״ב שבט תשס״ג — Leopold Lyons ע״ה

SHABBOS I: **Nachshon and Bruria Minucha [Nuchi] Draiman and Family**
in memory of
הר״ר יהודה ליב מנדלקורן זצ״ל בן הר״ר צבי הי״ו
Rabbi Yehuda Leib Mandelcorn זצ״ל — נפטר כ׳ תמוז, תשנ״ג

A Hebrew edition of the Talmud Bavli is now in progress.
The Hebrew edition is dedicated by

Jay and Jeanie Schottenstein

and their children

Joseph Aaron and Lindsay Brooke, Jonathan Richard, and Jeffrey Adam

— in honor of their cherished loved ones who have left indelible marks on their own lives and the lives of countless others, as models of inspiration, generosity, integrity, and devotion to the noblest causes in Jewish life:
his parents **JEROME ז״ל AND GERALDINE SCHOTTENSTEIN**,
her parents **LEONARD AND HEDDY RABE**
and **SAUL AND SONIA SCHOTTENSTEIN**

JAY AND JEANIE SCHOTTENSTEIN
have a perspective that transcends time and community.
Through their dedication of these editions of the Talmud, they spread Torah study around the globe and across generations.
Multitudes yet unborn will be indebted to them for their vision and generosity.

PATRONS OF THE TALMUD ❖ FULL-SIZE EDITION

SHABBOS II: **David and Bonnie Anfang** **Chaim and Ruthie Anfang**
Rachel, Julie and Elliot **Ariella Hope** **Michael Brett**
In loving memory of
ר׳ אריה ליב ב״ר דוד אביגדור ע״ה — Leib Anfang ע״ה
בשה לאה בת ר׳ אלימלך דוב ע״ה — Barbara Anfang ע״ה

Mimi and Steven Rosenbaum **Joseph and Sharon Prawer** **Alan and Louisa Prawer**
Stacey and Danny **Dena and Adam Ballew, Dovid, Alana, Naomi** **Ruben Pinchas**
In loving memory of
ר׳ פנחס ב״ר יוסף ברוך הלוי ע״ה גילה בת אשר יונה ע״ה — Pinkus and Genia Prawer ע״ה, and
שרה בת שמעון ליב ע״ה — Sarah Cukierman ע״ה

Rabbi Eliyahu and Yehudit Fishman
Rivka and Zvi Silberstein and Leah **Akiva Yitzchak Fishman**
Rabbi Yechiel Meir and Chagit Fishman **Rabbi Yosef and Aliza Fishman**
Talia Chanah, Ariel Yishai and Daniel
In loving memory of
ר׳ יוסף ב״ר טוביה ע״ה רודע רבקה בת ר׳ הירש מאיר ע״ה — Yosef and Rude Rivka Fishman ע״ה
and their children Yechiel Meir, Leah and Chanah הי״ד who perished in the Holocaust

SHABBOS III: **Stanley and Ellen Wasserman**
and their children
Alan and Svetlana Wasserman **Mark and Anne Wasserman**
Neil and Yael Wasserman **Stuart and Rivka Berger**
and families
In loving memory of
יוסף בן דוב בער ע״ה בילא בת יעקב ע״ה — Joseph and Bess Wasserman ע״ה, and
שמריהו בן משה ע״ה רבקה בת הרב יוסף הכהן ע״ה — Sascha and Regina (Czaczkes) Charles ע״ה

SHABBOS IV: לעילוי נשמות
הורינו היקרים **ר׳ לוי ב״ר יהודה הלוי ע״ה וצירל בת ר׳ מרדכי ע״ה לווינגר**
זקנינו היקרים **ר׳ יהודה ב״ר אליעזר צבי הלוי ע״ה וטלצא בת פרומט ע״ה לווינגר**
ר׳ מרדכי ב״ר שמואל ע״ה ומלכה בת ר׳ נתן ע״ה אדלר
אחינו **שמואל הלוי ע״ה יהודה הלוי ע״ה יהונתן הלוי הי״ד**
אחותנו **לאה בת ר׳ לוי סג״ל ע״ה ובעלה ר׳ טוביה ע״ה**
גיסינו **ר׳ מיכאל ב״ר ברוך שמואל ע״ה שוויצר ר׳ שמואל ב״ר יעקב ע״ה מיכל**
ולעילוי נשמות דודינו ודודותינו ויוצאי חלוציהם שנפטרו ושנהרגו על קידוש השם הי״ד
Dedicated by **Louis and Morris Lowinger**
Teri Schweitzer **Kato Michel** **Margit Baldinger** **Eva Lowinger**

ERUVIN: [two volumes] **Jerome and Geraldine Schottenstein** **Saul and Sonia Schottenstein**
Jay and Jeanie Schottenstein **Ann and Ari Deshe**
Susan and Jon Diamond **Lori Schottenstein**
in memory of
אפרים אליעזר בן יהושע הכהן ע״ה — Ephraim Schottenstein ע״ה
חנה בת צבי הירש ע״ה — Anna Schottenstein ע״ה

The Edmond J. Safra Edition of the Talmud Bavli in French, adapted from the Schottenstein Edition, is now in progress.

The Edmond J. Safra Edition
is dedicated by
Lily Safra
in memory of her beloved husband
Edmond J. Safra רפאל אדמון עזרא בן אסתר ע״ה

His desire is in the Torah of HASHEM, and in His Torah he meditates day and night.
He shall be like a tree deeply rooted alongside brooks of water;
that yields its fruit in due season, and whose leaf never withers,
and everything that he does will succeed (Psalms 1:2-3).

PATRONS OF THE TALMUD ❖ FULL-SIZE EDITION

PESACHIM I: **Vera and Soli Spira and Family**
in memory of
ברוך בן חיים ע״ה – Baruch Spira ע״ה
בילה בת נתן שלום ע״ה – Bella Spira ע״ה
שמואל בן אברהם ע״ה – Shmuel Lebovits ע״ה
and their respective families הי״ד who perished in the Holocaust
and in honor of
שפרה בת משה – Caroline Lebovits תחי׳

PESACHIM II: **Vera and Soli Spira and Family**
in memory of an uncle who was like a father
and a cousin who was like a brother
ישראל בן נתן שלום ע״ה – Israel Stern ע״ה
נתן שלום בן ישראל ע״ה – Noussi Stern ע״ה

PESACHIM III: **Lorraine and Mordy Sohn** **Ann and Pinky Sohn**
in memory of
ר׳ צבי ב״ר אלעזר ע״ה – Dr. Harry Sohn ע״ה
מרת הענדיל דבורה ב״ר אברהם שלמה ע״ה – Dora F. Sohn ע״ה
ר׳ יחזקאל ב״ר אליקים חנוך הלוי ע״ה – Harold Levine ע״ה
רבקה הענא בת שמעון הלוי ע״ה – Ruth Levine ע״ה
רייזל ב״ר שמשון ע״ה – Rosalie Sohn ע״ה

SHEKALIM: In loving memory of
Mr. Maurice Lowinger ז״ל
ר׳ מאיר משה ב״ר בן ציון הלוי ז״ל
נפ׳ כ״ז אדר תשס״א

YOMA I: **A. Joseph and Rochelle Stern**
Moshe Dov, Zev, Shani, Esty, and Shaye
in honor of their parents and grandparents
Eli and Frieda Stern שיחיו
Frida Weiss שתחי׳
and in memory of
ר׳ ישעי׳ בן ר׳ ישראל שמואל ווייס ז״ל

YOMA II: **A. Leibish and Edith Elbogen**
and Family
לזכר נשמות
מוה״ר אהרן בן מוה״ר יעקב קאפל עלבוגן ז״ל
וזו׳ אלטע חנה חיה מלכה בת מוה״ר חיים יצחק מאיר ע״ה
אחותי פערל עם בעלה ושבע בנים ובנות
ושלשה אחי: חיים יצחק מאיר, משה יוסף, יעקב קאפל הי״ד
בני אהרן עלבוגן שנהרגו עקד״ה
מוה״ר נתן פייטל בן מוה״ר אברהם וואלד ז״ל
וזו׳ ברכה בת מוה״ר דוד יהודה הי״ד שנאספה עקד״ה באוישוויץ

SUCCAH I: **Howard and Roslyn Zuckerman** **Steven and Shellie Zuckerman**
Leo and Rochelle Goldberg
in memory of their parents
ר׳ פסח יהודה ב״ר יצחק אייזיק ע״ה וחוה בת ר׳ יהודה לייב ע״ה – Philip and Evelyn Zuckerman ע״ה

in honor of their children
Yisroel and Shoshana Pesi Zuckerman שיחי׳
Pesach Yehudah and Asher Anshel שיחי׳
Michael (Ezra) and Lauren Zuckerman שיחי׳
Adrianne & Shawn Meller, Elliot, & Joshua Goldberg שיחי׳

in honor of their children
Glenn and Heidi, Jamie Elle, Benjamin,
Brett and Robin, Brandon Noah, Ross and T.J. שיחי׳
and in honor of their parents
Marilyn and Aaron Feinerman שיחי׳

in memory of
ר׳ ישראל צבי ב״ר ברוך ע״ה ושיינדל בת ר׳ ישראל ע״ה – Israel and Shaindel Ray ע״ה
and in memory of Mrs. Rose Ray (Glass) ע״ה

SUCCAH I: [continued] **Arthur and Randi Luxenberg**
in honor of their parents
Irwin and Joan Luxenberg שיחי' Bernard and Evelyn Beeber שיחי'
their children Elizabeth Jewel and Jacqueline Paige שיחי'
in memory of his grandparents
ר' אברהם בן אהרן מרדכי ז"ל ורחל בת ר' משה ע"ה — Abraham and Rose Luxenberg ע"ה
ישעיהו צבי בן הרב טוביה ז"ל ושרה צירל בת ר' יעקב ע"ה — Jesse and Celia Aronson ע"ה

SUCCAH II: **Thomas and Lea Schottenstein William and Amy Schottenstein**
in memory of
אריה ליב בן אפרים אליעזר הכהן ע"ה — Leon Schottenstein ע"ה
מאיר אבנר בן דוד הלוי ע"ה — Meir Avner Levy ע"ה
and in honor of
Mrs. Jean S. Schottenstein שתחי' Bertram and Corinne Natelson שיחי'
Mrs. Flory Levy שתחי'

BEITZAH: **Paul and Suzanne Peyser Irwin and Bea Peyser**
in memory of
דוד בן פינחס ע"ה פריידע רייזעל בת יהושע ע"ה — David and Rose Peyser ע"ה

ROSH HASHANAH: **Steve and Genie Savitsky David and Roslyn Savitsky**
In memory of
יואל בן אברהם ע"ה — Jerry J. Savitsky ע"ה
ישראל בן מנחם מאנעס ע"ה — Irving Tennenbaum ע"ה
שמואל בן יצחק ע"ה — George Hillelsohn ע"ה
רחל בת דוד הלוי ע"ה — Ruth Hillelsohn ע"ה
אהרן בן יהודה אריה ע"ה — Aaron Seif ע"ה

TAANIS: **David and Jean Bernstein, and Scott Matthew Bernstein**
Albert and Gail Nassi, Jessica and Garrett
in memory of
Mr. and Mrs. Harry Bernstein ע"ה Mr. and Mrs. Joseph Furman ע"ה
Mr. Samuel Nassi ע"ה

MEGILLAH: Special Commemorative Edition published in conjunction with the *Sh'loshim* of the patron of this edition of the Talmud
Jerome Schottenstein ע"ה
יעקב מאיר חיים בן אפרים אליעזר הכהן ע"ה

MOED KATAN: **Solomon T. and Leah Scharf**
and their children
David and Tzipi Diamond Alexander and Naomi Scharf
Joseph Scharf Dovid and Chani Scharf
לזכרון עולם
ר' אליהו בן משה יעקב ע"ה — R' Eliyahu Scharf ע"ה
שרה בת אלכסנדר זיסקינד ע"ה — Sara Scharf ע"ה
ר' יוסף בן צבי הירש ע"ה — R' Joseph Felder ע"ה

CHAGIGAH: **The Alvin E. Schottenstein Family**
In memory of
חיים אברהם יונה בן אפרים אליעזר הכהן ז"ל — Alvin E. Schottenstein ז"ל
יצחק אייזיק בן עקיבא הכהן ז"ל — Irving Altman ז"ל
הדס בת אברהם אביש ע"ה — Helen Altman ע"ה
שרגא פייוול בן יצחק אייזיק הכהן ז"ל — Frank Altman ז"ל

YEVAMOS I: **Phillip and Ruth Wojdyslawski and Family**
In memory of his beloved parents
Abraham Michel and Ora Wojdyslawski ע"ה
ר' אברהם מיכאל ב"ר פינחס ע"ה
אורה בת ר' צבי הירש ע"ה

YEVAMOS II: **Phillip and Ruth Wojdyslawski and Family**
In memory of her beloved mother
Chaya (Cytryn) Valt ע״ה
חיה צירל בת ר׳ שלמה זלמן ע״ה

YEVAMOS III: **Phillip and Ruth Wojdyslawski and Family**
In honor of
Benjamin C. Fishoff לאוי״ט
To the public he is a leader with vision and dedication.
To us he has always been a role model, a father,
and a constant inspiration.

KESUBOS I: **The Fishoff Families**
in memory of their beloved mother
מינדל בת ר׳ ישראל ע״ה — Mrs. Marilyn Fishoff ע״ה
נפ׳ כד תשרי תשמ״ט
and in memory of their dear grandparents
ר׳ דוב ב״ר מנחם אשר ע״ה מרת מירל בת ר׳ מנחם מענדל ע״ה — Fishoff
ר׳ ישראל ב״ר אברהם ע״ה מרת חיה זיסא בת ר׳ שרגא פייוועל ע״ה — Neider

KESUBOS II **Arthur A. and Carla Rand**
in memory of their parents
ר׳ ישראל ב״ר צבי Rand ומרת ליבא מלכה ב״ר יהודה Marcus ע״ה
ר׳ שלמה ב״ר מרדכי יהודה Ratzersdorfer ומרת חוה ב״ר חיים Finkelstein ע״ה
and in honor of their children
ר׳ אריה יהושע ב״ר אליהו דוב ומרת ליבא מלכה שיחי׳ — Lydia M. and Lionel S. Zuckier
ר׳ יואל אשר ב״ר חיים שלמה ומרת גנענדל חנה שיחי׳ — Gigi A. and Joel A. Baum
ר׳ ישראל יהודה ומרת צפורה געלא ב״ר יצחק חיים שיחי׳ — Jay J. and Cyndi G. Finkel-Rand
and grandchildren
דניאל יעקב, נפתלי צבי, חוה, בנימין, צפורה מרים, רחל, בתשבע Baum שיחי׳
שלמה יצחק, שירה חיה, צבי, שפרה לאה, בן ציון Zuckier שיחי׳
אליהו אריה לייב, יעקב שלמה, צבי, חסיה ליבא, מתתיהו דוד Rand שיחי׳

KESUBOS III **ישימך אלהים כשרה רבקה רחל ולאה**
May God make you like Sarah, Rebecca, Rachel and Leah

NEDARIM I: **Mrs. Goldy Golombeck**
Hyman P. and Elaine Golombeck **Blanche B. Lerer**
Moishe Zvi and Sara Leifer **Avrohom Chaim and Renee Fruchthandler**
In memory of
ר׳ משה יוסף ב״ר חיים פנחס ע״ה — Morris J. Golombeck ע״ה
and by Moishe Zvi and Sara Leifer in memory of
הרב ברוך יוסף ב״ר משה צבי ע״ה — האשה הצנועה מרים יוטא בת ר׳ לוי יצחק ע״ה
Mr. and Mrs. Baruch Leifer ע״ה

NEDARIM II: **The Rothstein Family**
In loving memory of
וועלוועל ב״ר יוסף ע״ה — Warren Rothstein ע״ה
David and Esther Rothstein ע״ה Max and Gussie Gottlieb ע״ה
and in honor of
Howard and Beatrice Rothstein

NAZIR I: **Albert and Gail Nassi**
Garrett A. Nassi
Jessica Lea Nassi
in memory of
Samuel Nassi ע״ה
Albert and Leona Nassi ע״ה
Benjamin and Adell Eisenberg ע״ה
Arthur and Sarah Dector ע״ה

Daniel and Susan Kane
Jessica, Adam and Stacey
in memory of
Abraham and Rose Kanofsky ע״ה
Benjamin and Sophie Gornstein ע״ה
Elie and Irma Darsa ע״ה
Mack and Naomi Mann ע״ה

NAZIR II: **Alan and Myrna Cohen, Alison and Matthew**
in memory of
Harry and Kate Cohen ע״ה Harry and Pauline Katkin ע״ה

SOTAH: **Motty and Malka Klein**
for the merit of their children שיחי׳
Esther and Chaim Baruch Fogel Dovid and Chavie Binyomin Zvi
Elana Leah and Natan Goldstein Moshe Yosef Yaakov Eliyahu
In honor of his mother שתחי׳
Mrs. Suri Klein לאוי״ט
In memory of his father
ר׳ יהודה ב״ר דוד הלוי ז״ל נפ׳ כ״ז אדר ב׳ תשס״ג – Yidel Klein
In memory of her parents
ר׳ אשר אנשיל ב״ר משה יוסף ז״ל נפ׳ ג׳ שבט תשנ״ט – Anchel Gross
שרה בת ר׳ חיים אליהו ע״ה נפ׳ כ״ד סיון תשס״א – Suri Gross
And in memory of their grandparents who perished על קידוש השם in the Holocaust
ר׳ דוד ב״ר יעקב הלוי ע״ה ופערל בת ר׳ צבי ע״ה הי״ד – Klein
ר׳ מרדכי ב״ר דוד הלוי ע״ה ולאה בת ר׳ יעקב הלוי ע״ה הי״ד – Klein
ר׳ משה יוסף ב״ר בנימין צבי ע״ה ומלכה בת ר׳ יחיאל מיכל ע״ה הי״ד – Gross
ר׳ חיים אליהו ב״ר מרדכי ע״ה ויוטא בת ר׳ שלמה אליעזר ע״ה הי״ד – Gartenberg

GITTIN I: **Mrs. Kate Tannenbaum**
Elliot and Debra Tannenbaum Edward and Linda Zizmor
and Families
commemorating the first *yahrzeit* of beloved husband, father and grandfather
ר׳ נפתלי ב״ר יהודה אריה ע״ה – Fred Tannenbaum ע״ה
נפטר ח׳ ניסן תשנ״ב

GITTIN II: **Richard and Bonnie Golding**
in honor of Julian and Frances Golding Lawrence Cohen and Helen Lee Cohen
and in memory of Vivian Cohen ע״ה
Irving and Ethel Tromberg Clarence and Jean Permut
in memory of
Benjamin and Sara Tromberg ע״ה Harry and Lena Brown ע״ה
Molly and Julius Permut ע״ה Lizzie and Meyer Moscovitz ע״ה

KIDDUSHIN I: **Ellis A. and Altoon Safdeye**
in memory of their beloved parents
המנוח יהודה אצלאן ומרת צלחה ויקטוריא ע״ה – Aslan and Victoria Safdeye ע״ה
המנוח יהודה ומרת מרגלית ע״ה – Judah and Margie Sultan ע״ה
and in memory of his brother יוסף ע״ה – Joseph Safdeye ע״ה

KIDDUSHIN II: **Mr. and Mrs. Ben Heller**
in memory of his father
יואל נתן ב״ר חיים הלוי ע״ה – Joseph Heller ע״ה
and in honor of his mother
צפורה שתחי׳ לאוי״ט בת ר׳ בנימין ע״ה – Fanya Gottesfeld-Heller שתחי׳

BAVA KAMMA I: **Yitzchok and Shoshana Ganger**
and Children
in memory of
ר׳ יצחק ישעיהו ב״ר שלמה זלמן ע״ה–רויזא גיטל בת ר׳ משה ע״ה – Ganger
מיכאל ב״ר אברהם מרדכי ע״ה–מרים יוכבד בת ר׳ בנימין ע״ה – Ferber
ר׳ משה דוד ב״ר יצחק זעליג מקוצק ע״ה–פיגא בת ר׳ אברהם מרדכי ע״ה – Morgenstern
ר׳ מתתיהו ב״ר שמואל דוב ע״ה–אסתר מלכה בת ר׳ אריה ליב ע״ה – Newman

PATRONS OF THE TALMUD ❖ FULL-SIZE EDITION

BAVA KAMMA II: **William and Esther Bein, and**
Joseph Hillel, Abraham Chaim Zev, and Bella Leah
In memory of parents and grandparents
מנחם מענדל ב"ר שמואל יצחק הכהן ע"ה – Edward (Mendus) Bein ע"ה
לאה בת חיים זאב הכהן ע"ה – Ilus Hartstein Bein ע"ה
מרדכי בן יוסף ע"ה – Mordochej Szer ע"ה
בילה בת אברהם ע"ה – Baila Silber Szer ע"ה
שמואל יצחק הכהן ושרה ביין ע"ה – חיים זאב הכהן ושרה הרטשטיין ע"ה
יוסף ויענטה שער ע"ה – אברהם ואסתר זילבר ע"ה

BAVA KAMMA III: **Dedicated to Klal Yisrael,**
and particularly to the Six Million.
הקב"ה שוכן בתוך בני ישראל והוא חד עם כנסת ישראל
"The Holy One Blessed is He dwells among the children of Israel;
He and the congregation of Israel are one." – *Tzidkas Hatzaddik* 179

BAVA METZIA I: **Drs. Robert and Susan Schulman**
Howard and Tzila Schulman Fred and Cindy Schulman
and Families
in memory of
מיכאל בן צבי הירש ע"ה ומלכה בת ר' יוסף ע"ה – Milton and Molly Schulman ע"ה

BAVA METZIA II: **Donald E. and Eydie R. Garlikov, and Jennifer**
in memory of beloved son and brother
צבי שלמה בן דן ע"ה – Kenneth Scott Garlikov ע"ה
and in memory of parents and grandparents
עזריאל װעלװיל ב"ר אנשיל ע"ה טשארנא בת ר' אריה לייב ע"ה
Irve W. and Cecelia (Kiki) Garlikov ע"ה
and in honor of parents and grandparents, brother and uncle
מרדכי ואסתר פריידל ריטטער – Marcus and Elfrieda Ritter
נפתלי חיים ריטטער – Dr. Nathaniel Ritter

BAVA METZIA III: **The David H. Gluck Foundation**
in memory of
The Gluck Family
זאב בן דוד צבי ע"ה ואסתר בת אשר זעליג ע"ה – Zev and Esther Gluck ע"ה
ליבא, אשר זעליג, דוד צבי, שמואל, מנשה, יחזקאל שרגא ע"ה –
Lee, George, David H., Samuel C., Emanuel M., Henry ע"ה, and
יעקב יצחק בן זאב ע"ה ומיימי בת זאב ע"ה – Dr. Jack I. and Mrs. Mae Saks ע"ה
and in memory of
זאב בן חיים דוד וחיה ביילע בת יצחק יעקב ע"ה – Wolf and Chaye Beilah Saks ע"ה
יחיאל בן משה ע"ה – Elie Neustadter ע"ה

BAVA BASRA I: In memory of
מנחם מענדל בן אלימלך יהושע העשל ע"ה
חיה בת יהושע הכהן ע"ה

BAVA BASRA II: **Paul and Beth Guez and Family**
in memory of
Felix (Mazal) Guez ע"ה

BAVA BASRA III: **Irving and Frances Schottenstein**
in honor of their beloved parents
מאיר בן יהושע הכהן ע"ה ליבא בת הרב יצחק משה ע"ה – Meyer and Libbie Schottenstein
טוביה ע"ה ויבדל"ח שיינדל תחי' – Tobias ע"ה and Jennie Polster תחי'
Melvin ע"ה and Lenore תחי' Schottenstein
in honor of their beloved parents
אברהם יוסף בן יהושע הכהן ע"ה ויבדל"ח בליה זילפה בת יצחק תחי'
Abe J. ע"ה and Bessie (Stone) תחי' Schottenstein
יצחק ע"ה ויבדל"ח שרה תחי' – Isadore J. ע"ה and Sophie תחי' Green

PATRONS OF THE TALMUD • FULL-SIZE EDITION

SANHEDRIN I: **Mortimer and Barbara Klaus** **Lester and Esther Klaus**
Arthur and Vivian Klaus
in memory of their beloved parents
ר׳ שמשון ב״ר יעקב ע״ה באשא בת ר׳ מרדכי נתן ע״ה
Samuel and Bessie Klaus ע״ה
and in memory of their sister
רייזל בת ר׳ שמשון ע״ה — **Rosalie Klaus Sohn**

SANHEDRIN II: Dedicated by a fellowship of people who revere the Talmud, its sanctity and wisdom, who foster its study, and who join in helping bring its treasures to future generations, the world over.

SANHEDRIN III: **Joseph and Adina Russak**
Dr. Leonard and Bobbee Feiner
Larry and Rochelle Russak
in memory of
צבי הירש ורחל רוסק ע״ה — Mr. and Mrs. Harry Russak ע״ה
אליעזר ובריינדל דייטש ע״ה — Mr. and Mrs. Eliezer Deutsch ע״ה
יעקב ורבקה לאה פיינר ע״ה — Mr. and Mrs. Jacob Feiner ע״ה

MAKKOS: **Mr. and Mrs. Marcos Katz**
in honor of הרב אפרים לייבוש בן הרב מרדכי דוד הכהן כ״ץ שליט״א
Rabbi Ephraim Leibush Katz שליט״א

SHEVUOS: Dedicated by
Michael and Danielle Gross
(London)

AVODAH ZARAH I: **The Kuhl Family**
in memory of
יחיאל ב״ר יצחק אייזיק ע״ה Dr. Julius Kuhl ע״ה
פרומט בת ר׳ שמואל הלוי ע״ה Mrs. Yvonne Kuhl ע״ה
שמואל ב״ר יחיאל ע״ה Sydney Kuhl ע״ה

AVODAH ZARAH II: In memory of
Jerome Schottenstein ע״ה
יעקב מאיר חיים בן אפרים אליעזר הכהן ע״ה

HORAYOS-EDUYOS: **Woli and Chaja Stern** (Sao Paulo, Brazil)
in memory of his parents
ר׳ צבי בן ר׳ חיים הלוי ומרת מרים ז״ל – Stern
מרת דאכא בת ר׳ פרץ ומרת ברכה ע״ה — Tager
and in memory of her parents
ר׳ דוד אריה בן ר׳ יעקב ומרת שיינדל ז״ל – Brenner
מרת איטלה בת ר׳ חיים ומרת מדל ע״ה — Stern
and in memory of their mechutanim
ר׳ ישראל מרדכי ב״ר צבי יוסף סג״ל ז״ל – Landau
ר׳ יששכר טוביה ב״ר יוסף ז״ל — Weitman
ר׳ שמואל עקיבא ב״ר שלמה צבי ז״ל — Kierszenbaum
and in memory of their brother and sister-in-law
ר׳ אריה בן ר׳ צבי הלוי ומרת דאכא ע״ה – Stern
מרת זלטה פסל בת ר׳ אברהם יעקב ומרת חנה גיטל ע״ה – Stern
and in honor of their children
Jacques and Ariane Stern Jaime and Ariela Landau Michaël and Annete Kierszenbaum

ZEVACHIM I: **Mr. and Mrs. Samson Bitensky**

ZEVACHIM II: **Victor Posner**

ZEVACHIM III: **Friends of Value City Department Stores**
In memory of
יעקב מאיר חיים בן אפרים אליעזר הכהן ע״ה — Jerome Schottenstein ע״ה

MENACHOS I: **Terumah Foundation**

MENACHOS II: **Terumah Foundation**

MENACHOS III: **Terumah Foundation**

CHULLIN I: **The Kassin Family**
in memory of
הרב יעקב שאול קצין זצ״ל — Rabbi Dr. Jacob Saul Kassin זצ״ל
The late Chief Rabbi of the Syrian-Sephardic Community
and in honor of
הרב שאול יעקב קצין שליט״א — Rabbi Saul Jacob Kassin שליט״א
Chief Rabbi of the Syrian-Sephardic Community

CHULLIN II: **Marty Silverman**
in memory of
Joseph and Fannie Silverman ע״ה and Dorothy Silverman ע״ה

CHULLIN III: **Harold and Ann Platt**
in memory of their beloved parents
אליעזר ושרה פיגא ע״ה — Eliezer and Sarah Feiga (Olshak) Platkowski ע״ה of Malkinia, Poland
ברוך ולאה ע״ה — Baruch and Laura Bienstock ע״ה of Lwow, Poland
and in memory of their entire families who perished in the Holocaust

CHULLIN IV: **Terumah Foundation**

BECHOROS I: **Howard Tzvi and Chaya Friedman**
Gabrielle Aryeh Yerachmiel Alexander and Daniella
in memory of their father and grandfather
הרב ירחמיאל ברוך בן הרה״ח ר׳ אלעזר ז״ל — Yerachmiel Friedman ז״ל

BECHOROS II: **Howard and Chaya Balter**
Nachum and Perri Augenbaum Naftali Aryeh Akiva
in memory of his mother and their grandmother
רחל בת ר׳ חיים ע״ה, נפ׳ ז׳ שבט תשנ״ט — **Ruth Balter** ע״ה
and in honor of their parents and grandparents שיחי׳
David Balter
Noah and Shirley Schall
and in beloved memory of their grandparents and great grandparents
ר׳ שלמה ב״ר דוד זאב ז״ל אדי בת ר׳ זאב ע״ה — Balter
ר׳ חיים ב״ר לייב ז״ל פערל בת ר׳ ביניש ע״ה — Lelling
ר׳ דוב בער ב״ר אליעזר ז״ל ליבה בת ר׳ ישראל ע״ה — Zabrowsky
ר׳ נפתלי ב״ר יעקב שלמה ז״ל שרה בת ר׳ רפאל ע״ה — Schall

ARACHIN: **Chanoch and Hadassah Weisz and Family**
in memory of his father:
לעי״נ אביו ר׳ צבי ב״ר שמחה הלוי ע״ה, נפ׳ כ״ז מנחם אב תשמ״ה — Weisz
his maternal grandfather:
לעי״נ ר׳ שלמה ב״ר יצחק ע״ה, נפ׳ ה׳ סיון תש״א — Grunwald
his maternal grandmother and their children who perished in the Holocaust:
לעי״נ מרת גנדל בת ר׳ חנוך העניך ע״ה, שנהרגה עקה״ש כ״ז סיון תש״ד הי״ד — Grunwald
ולעי״נ בניהם משה ב״ר שלמה, יעקב ב״ר שלמה, יצחק ב״ר שלמה, בנימין ב״ר שלמה,
שנהרגו עקה״ש כ״ז סיון תש״ד הי״ד
and in memory of her grandparents:
לעי״נ ר׳ חייא בן חכם ר׳ רפאל ע״ה, נפ׳ כ״ד מנחם אב תשל״ה — Aryeh
וזוגתו מרת מלכה בת ר׳ אליהו ע״ה, נפ׳ י״ח טבת תשל״ד

TEMURAH: **Dr. and Mrs. Walter Silver**
Shlomo, Chani, and Avi Cohen
Sheri, Terri, Jennifer and Michelle Kraut
Evan and Alison Silver
in memory of our parents, and great grandparents
צבי יצחק ב״ר שמואל ע״ה — Harry Silver ע״ה
שרה פיגא בת מענדל ע״ה — Sarah Silver ע״ה
אברהם משה בן הרב שלמה זאלי ע״ה — Morris Bienenfeld ע״ה
גוטקה טובה בת אברהם דוד ע״ה — Gertrude Bienenfeld ע״ה

KEREISOS: **Mouky and Charlotte Landau** (Antwerp)
in honor of their children
Natalie and Chemi Friedman **Yanky and Miriam Landau**
Steve and Nechama Landau
and in beloved memory of their parents
חיים יעקב ב״ר יהושע ז״ל — Chaim Yaakov Landau ז״ל
אסתר בת ר׳ יעקב קאפל הכהן ע״ה — Esther Landau ע״ה
בן ציון ב״ר יצחק צבי ז״ל — Benzion Gottlob ז״ל
צילה בת ר׳ שמואל יהודה לייב ע״ה — Cila Herskovic ע״ה
and in beloved memory of our partner
מורנו הרב ר׳ יוסף יצחק בן מורנו ורבנו הרה״ג ר׳ מרדכי רוטנברג זצ״ל אבדק״ק אנטווערפן

ME'ILAH, TAMID, MIDDOS, KINNIM: **Steven and Renée Adelsberg**
Sarita and Rubin Gober **David** **Sammy** **Avi**
in loving memory of
שמואל שמעלקא ב״ר גדליה ז״ל — Samuel Adelsberg ז״ל
and in honor of
Helen Adelsberg Weinberg שתחי׳
and
Chaim and Rose Fraiman שיחי׳

NIDDAH I: In memory of
Joseph and Eva Hurwitz ע״ה
יוסף ב״ר מרדכי הלוי וחוה פיגא ב״ר אליעזר הלוי ע״ה
and
Lorraine Hurwitz Greenblott — לאה בילא חיה בת ר׳ יוסף ע״ה
by
Marc and Rachel Hurwitz,
Elisheva Ruchama, Michal, and Nechama Leah;

Martin and Geraldine Schottenstein Hoffman,
Jay and Jeanie Schottenstein, Ann and Ari Deshe,
Susan and Jon Diamond, and Lori Schottenstein;

and Pam and Neil Lazaroff, Frank Millman, and Dawn Petel

NIDDAH II: In memory of
Jerome Schottenstein ע״ה
יעקב מאיר חיים בן אפרים אליעזר הכהן ע״ה

Guardians of the Talmud*

A society of visionary people who recognize the primacy of the Jewish people's commitment to intellect, ethics, integrity, law, and religion — and pursue it by presenting the treasures of the eternal Talmud in the language of today . . . for the generations of tomorrow.

David and Jean Bernstein
Matthew Bernstein
Scott and Andrea Bernstein

in memory of
Mr. and Mrs. Harry Bernstein ע״ה
Mr. and Mrs. Joseph Furman ע״ה

The publishers pay tribute to the memory of a couple that embodied Torah knowledge and service to our people

Rabbi Yitzchok Filler ז״ל — הרב יצחק בן ר׳ שמואל ז״ל
נפטר ל״ג בעומר תש״ל

Mrs. Dorothy Filler ע״ה — הרבנית דבורה בת ר׳ אברהם בצלאל ע״ה
נפטרה כ״א מרחשון תשס״ג

and the memory of a man of integrity and sensitivity

George May ז״ל — ר׳ יוסף בן הרב יהודה אריה ז״ל
נפטר כ״ז שבט תש״ס

תנצב״ה

We also honor a matriarch and role model
Mrs. Sylvia May תחי׳

Stephen L. and Terri Geifman and children
Leonard and Linda Comess and children
Alan and Cherie Weiss and children

in loving memory of
Morris M. Geifman — משה מרדכי בן יחיאל מיכאל ז״ל
and in honor of
Geraldine G. Geifman

Elliot and Debbie Gibber
Daniel and Amy Gibber and family, Jacob and Jennifer Gibber and family,
Marc, Michael, Mindy, and David

in memory of our parents and grandparents
Charles Goldner ז״ל — אלימלך חיים בן ירמיה הלוי ז״ל
נפ׳ כ׳ חשון תשס״ב
who completed Shas many times
Kate Ettlinger Goldner ע״ה — מינדל בת משולם ע״ה
נפ׳ כ״א תמוז תשכ״ח

*In formation

Guardians of the Talmud*

A society of visionary people who recognize the primacy of the Jewish people's commitment to intellect, ethics, integrity, law, and religion — and pursue it by presenting the treasures of the eternal Talmud in the language of today . . . for the generations of tomorrow.

❦ ❦ ❦

Milton and Rita Kramer

in honor of their 50th wedding anniversary and Milton's 80th birthday (April 1999),
in honor of the marriage of Ellen to George Gross (September 18, 2000),
and in honor of their children and grandchildren

Daniel and Gina Kramer and Children **Jonathan and Marian Kramer and Children**

Ellen K. and George Gross and their Children

and in everlasting memory of their beloved parents and grandparents
חיים שניאור זלמן הלוי (חזק) ופייגע דינה ע״ה — Hyman S. and Fannie D. Kramer ע״ה
חיים אלטער ושרה חנה ע״ה — Adolph H. and Sadie A. Gross ע״ה
משה אליעזר הלוי ורחל עלקא ע״ה — Morris L. and Rachel E. Kramer ע״ה
דוב בער הכהן ודבורה ע״ה — Barney and Dvorah Cohen ע״ה
משולם צבי ולאה ע״ה — Herman M. and Leah Gross ע״ה
פסח אלכסנדר וחנה ע״ה — Peisach and Hannah Neustadter ע״ה

❦ ❦ ❦

Helene and Moshe Talansky **Ida Bobrowsky** **Irene and Kalman Talansky** **Shoshana Silbert**

in honor of

Rebecca Talansky's 100th birthday עמו״ש

and in memory of
הרב דוד בן הרב אברהם חיים ז״ל — Rabbi David Talansky ז״ל
בלומא בת ר׳ שלמה הלוי ע״ה — Blanche Moshel ע״ה
ר׳ אברהם חיים בן הרב דוד ז״ל — Abraham R. Talansky ז״ל
הרב יעקב בן ר׳ אברהם ז״ל — Rabbi Jacob Bobrowsky ז״ל
תמר בת הרב יעקב ע״ה — Tema Bobrowsky ע״ה
ר׳ משה בן ר׳ לייב ז״ל – בריינה בת ר׳ זלמן ע״ה — Rebecca and Morris Weisinger ז״ל
הרב אברהם בן ר׳ נחמיה ז״ל — Rabbi Avraham Silbert ז״ל
ר׳ מרדכי בן ר׳ שאול ז״ל – שפרה רייזל בת ר׳ צבי ע״ה — Ruth and Marek Stromer ז״ל
ר׳ אהרון בן ר׳ שלמה אריה ז״ל – רחל בת ר׳ יהושע אהרון ע״ה — Rose and Aaron Lerer ז״ל

❦ ❦ ❦

Thomas R. and Janet F. Ketteler

in memory of his mentor

Jerome Schottenstein ע״ה

❦ ❦ ❦

Alan and Myrna Cohen

in honor of

their children

Alison and Matthew

*In formation

Guardians of the Talmud*

A society of visionary people who recognize the primacy of the Jewish people's commitment to intellect, ethics, integrity, law, and religion — and pursue it by presenting the treasures of the eternal Talmud in the language of today . . . for the generations of tomorrow.

❦ ❦ ❦

Rona and Edward Jutkowitz

In honor of our family's continuing commitment to Torah learning and Klal Yisrael.
We dedicate this volume to our daughters, **Rebecca and Mollie,**
who are the light of our lives and our blessings, and always fill our hearts with nachas;
and to their zeide, **Mr. Herman Jutkowitz**, who is a constant source of guidance and inspiration;

and in memory of our beloved parents
משה בן מאניס ז״ל ורחל בת אברהם הכהן ע״ה — Martin W. and Ruth Trencher ז״ל
ברכה בת שניאור זלמן ע״ה — Bernice Jutkowitz ע״ה

May our daughters have the honor to teach the value of Torah to their own children,
and may Torah be the guiding light for all of Klal Yisrael.

❦ ❦ ❦

לעילוי נשמת

הבחור מרדכי גדליהו ז״ל בן משה ואסתר שיחי׳ — Franky Ehrenberg

נפ׳ כ״ג סיון תשס״ג / June 22, 2003

With a life of Torah study and service to Klal Yisrael ahead of him,
our beloved son, brother, and uncle was plucked from this life at only twenty-three.

כי **מרדכי** . . . דרש טוב לעמו ודבר שלום לכל זרעו

Dr. Martin and Esther Ehrenberg

Scott Leon **Dr. Judy and Hillel Olshin**

Yonatan Eliezer **Sara Elisheva** **Shmuel Abba**

❦ ❦ ❦

Richard Bookstaber and Janice Horowitz

In memory of his son

May his memory be a blessing
to all those whose lives he touched.

❦ ❦ ❦

Michael and Patricia Schiff

Sophia, Juliette and Stefan

in memory and appreciation of

Jerome Schottenstein ז״ל

and in honor of beloved parents and grandparents

Shirlie and Milton Levitin **Solange and Joseph Fretas** **Judy and Robert Schiff**

and Torah scholars

Rabbi Mordechai Schiff ז״ל and **Rabbi Ephraim Schiff ז״ל**

May we all bring honor to Hashem

*In formation

The Written Word is Forever

Community Guardians of the Talmud

A community is more than a collection of individuals. It is a new entity that is a living expression of support of Torah and dedication to the heritage of Klal Yisrael.

In honor of

Rabbi Reuven Fink and the *maggidei shiur* of **Young Israel of New Rochelle**

Dr. Joey and Lisa Bernstein
in memory of
שרה אלטע בת אברהם ע״ה
Mrs. Sondra Goldman ע״ה

Stanley and Vivian Bernstein and children
in honor of their parents and grandparents
Jules and Adele Bernstein
Andrew and Renee Weiss

Aaron and Carol Greenwald
in honor of their children and grandchildren
Ira and Jamie Gurvitch and children
Shlomo and Tobi Greenwald and children

Meyer and Ellen Koplow
in honor of their children
Tovah and Michael Koplow,
Jonathan, and Aliza

Dr. Ronald and Susan Moskovich
in honor of their children
Adam Moshe, Leah Rivka, and David
"עשה תורתך קבע"

Karen and Michael Raskas and Family

Stanley and Sheri Raskas
in memory of his parents
ראובן ב״ר חיים שבתי לייב ע״ה וחנה בת הרב טוביה ע״ה
Ralph and Annette Raskas ז״ל

Drs. Arthur and Rochelle Turetsky
in honor of their children and grandson
Avi and Melissa, Jonathan and Nili, Yehuda
Shmuel Chaim

Mark and Anne Wasserman
in honor of their children
Joseph, Bailey, Erin, Rebeccah
and Jordyn

Stanley and Ellen Wasserman
in memory of
חיה פיגא בת שמריהו — Viola Charles ע״ה
רות גולדה בת שמריהו — Ruth Schreiber ע״ה
לאה בת יוסף — Lee Salzberg ע״ה

Gerald and Judith Ziering
in memory of
יחיאל מיכל בן אפרים פישל ז״ל וולטא בת נחמן ע״ה
Jesse and Laurette Ziering ז״ל

Daf Yomi shiur
in honor of their wives

Lakewood Links
in honor of
Rabbi Abish Zelishovsky

The Community of Great Neck, New York

YOUNG ISRAEL OF GREAT NECK
Rabbi Yaacov Lerner
Rabbi Eric Goldstein
Dr. Leeber Cohen
Professor Lawrence Schiffman

GREAT NECK SYNAGOGUE
Rabbi Ephraim R. Wolf ז״ל
Rabbi Dale Polakoff
Rabbi Shalom Axelrod
Rabbi Yoel Aryeh
Rabbi Yossi Singer

In Memoriam
Rabbi Ephraim R. Wolf ז״ל,
a pioneer of *harbotzas Torah,* a *kiruv* visionary, and a gifted spiritual leader. His legacy is the flourishing Torah community of Great Neck, New York.

The Community of Columbus, Ohio

In memory of **Jerome Schottenstein** Of Blessed Memory
and in honor of **Geraldine Schottenstein and Family**

Jay And Jeanie Schottenstein
Joseph, Jonathan, Jeffrey
Ann And Ari Deshe
Elie, David, Dara, Daniel
Susie And Jon Diamond
Jillian, Joshua, Jacob
Lori Schottenstein
Saul And Sonia Schottenstein

Sarah and Edward Arndt & Family
Irwin and Beverly Bain
Daniela & Yoram Benary
Liron & Alexandra, Oron, Doreen
Deborah & Michael Broidy
Michelle & Daniel
Families of Columbus Kollel
Naomi & Reuven Dessler
Sylvia & Murray Ebner & Family

Tod and Cherie Friedman
Rachel, Ross & Kara
Jim & Angie Gesler
Gerald & Karon Greenfield
Ben & Tracy Kraner & Family
Mike, Heidi, Brian, Deena & Leah Levey
Helene & Michael Lehv
Gary Narin
Ira & Laura Nutis & Family

Lea & Thomas Schottenstein & Family
Jeff & Amy Swanson
Jon
Marcy, Mark, Sam, & Adam Ungar
Drs. Philip & Julia Weinerman
Michael & Channa Weisz & Family
Dr. Daniel & Chaya Wuensch & Family
Main Street Synagogue
Howard Zack, Rabbi

The Written Word is Forever

The Talmud Associates*

A fellowship of benefactors dedicated to
the dissemination of the Talmud

Audrey and Sargent Aborn and Family

Dr. Mark and Dr. Barbara Bell,
Bentzion Yosef and Mordechai Yehudah

The Belz Family

Richard Bookstaber and Janice Horowitz
In memory of his son

Michael and Bettina Bradfield
Gabrielle and Matthew
(London)

Nachi and Zippi Brown,
Jessica, Daniella, Shachar and Mindy
in honor of their parents and grandparents

Columbus Jewish Foundation

Milton Cooper and Family

Dr. and Mrs. David Diamond

Nahum and Feige Hinde Dicker and Family

Sophia, Alberto and Rose Djmal

Dr. Richard Dubin

Kenneth and Cochava Dubin

Dr. Martin and Esther Ehrenberg

David and Simone Eshaghian

Louis, Reuben and Larry Feder and Family

Rabbi Judah and Ruth Feinerman

In honor of
Mr. and Mrs. Yehoshua Chaim Fischman
by their children

Mayer and Ruthy Friedman
Ari, Yitzy, Suri, Dovi

Dr. Michael and Susan Friedman
לזכות בניהם, כלתם, ונכדם; בנותיהם, וחתניהם שיחי׳

Yeshaya and Perel Friedman

Julius Frishman

David and Sally Frenkel
לזכות בניהם וכלתם היקרים שיחיו:
דניאל שמואל ומאשה שושנה, אורי גבריאל, רונית פרימיט

The Furmanovich Family

Sander and Tracy Gerber
לזכות בניהם היקרים יעקב עקיבא, אסתר פערל, טליה גולדה,
חנה טובה, ורותי רבקה שיחי׳ שיתעלו בתורה ויראת שמים

Leon and Agi Goldenberg
in honor of the marriage of their children
Mendy and Estie Blau

Robert and Rita Gluck
לרפו״ש טויבא רחל בת פריידא שתחי׳

Shari and Jay Gold and Family

Dr. Martin and Shera Goldman and Family

Esther Henzel

Hirtz, Adler and Zupnick Families

Hashi and Miriam Herzka

Norman and Sandy Nissel Horowitz

Mrs. Farokh Imanuel, Kamram Imanuel
Dr. Mehran and Sepideh Imanuel
Eli and Fariba Maghen

David and Trudy Justin and Family
in honor of their parents
Zoltan and Kitty Justin

Nosson Shmuel and Ann Kahn and Family
ולזכות בניהם היקרים שיחיו:
חיים דוד, צבי מנחם, אברהם יצחק, ומשפחתם
ולכבוד אמו מרת גיטל שתחי׳ לאויוש״ט

David J. and Dora Kleinbart

In honor of
Mr. and Mrs. Label Kutoff
by their children

The Landowne Family

Ezriel and Miriam Langer

Mr. and Mrs. Chaim Leibel

Yehuda and Rasie Levi

Donald Light

Rudolph and Esther Lowy

Raphael and Blimie Manela
לזכות בניהם היקרים שיחיו:
מתתיהו, ישראל, ישעיהו, חיים משה, ושמעון

Howard and Debra Margolin and Family

Mendy and Phyllis Mendlowitz

*In formation

The Written Word is Forever

The Talmud Associates*

A fellowship of benefactors dedicated to
the dissemination of the Talmud

Robby and Judy Neuman and Family
לזכות בניהם היקרים שיחיו:
אברהם לייב, שרה מאטיל, מרדכי שרגא, זיסל,
שמואל שמעלקא, רחל ברכה, ישראל זכריהו ומנשה ברוך

RoAnna and Moshe Pascher
לזכות בניהם היקרים שיחיו:
נח צבי, דוד ישראל, אילנה שירה בתיה

Naftali Binyomin and Zypora Perlman

Kenneth Ephraim and Julie Pinczower
לרפו״ש ישראל חיים בן פייגלא שיחי׳

Dr. Douglas and Vivian Rabin

Michael G. Reiff

Ingeborg and Ira Leon Rennert

Alan Jay and Hindy Rosenberg

Aviva and Oscar Rosenberg

John and Sue Rossler Family

Mr. and Mrs. David Rubin and Family

Dinah Rubinoff and Family

Ms. Ruth Russ

Mr. and Mrs. Alexander Scharf

Mark and Chani Scheiner

Avi and Michou Schnur

Rubin and Marta Schron

Rivie and Leba Schwebel and Family

Shlomo Segev (Smouha)

Bernard and Chaya Shafran
לזכות בניהם היקרים שיחיו:
דבורה, יעקב חיים, דוד זאב, אסתר מנוחה

Jeffrey and Catherine Shachat
in honor of Rabbeim Howard Zack and Judah Dardik

Steven J. Shaer

Joel and Malka Shafran
לזכות בניהם היקרים שיחיו:
אשר נחמן, טובה חיה, תמר פעסיל, שרה חוה

Robin and Warren Shimoff

Nathan B. and Malka Silberman

The Soclof Family

Dr. Edward L. and Judith Steinberg

Avrohom Chaim and Elisa Taub
Hadassah, Yaakov Yehuda Aryeh, Shifra, Faige,
Devorah Raizel, and Golda Leah

Max Taub
and his son Yitzchak

Jay and Sari Tepper

Walter and Adele Wasser

Melvin, Armond and Larry Waxman

William and Noémie Wealcatch

The Wegbreit Family

Robert and Rachel Weinstein and Family

Dr. Zelig and Evelyn (Gutwein) Weinstein
Yaakov, Daniella, Aliza and Zev

Erwin and Myra Weiss

Morry and Judy Weiss

Shlomo and Esther Werdiger

Leslie M. and Shira Westreich

Willie and Blimie Wiesner

The Yad Velvel Foundation

Moshe and Venezia Zakheim

Dr. Harry and Holly Zinn

Mrs. Edith Zukor and Family

*In formation

In Memoriam — לזכרון עולם

Dedicated by the Talmud Associates
to those who forged eternal links

Abraham — שמחה בן ר׳ יהודה לייב הכהן ע״ה
דוד חי ב״ר שלום הכהן ע״ה וחנה בת ר׳ עזרא ע״ה
אהרן בן חיים זאב ע״ה גאלדע בת ר׳ דוד ע״ה
Ashkenazy – ר׳ שלמה ב״ר יצחק זצ״ל ורעיתו עלי׳ מינדעל בת ר׳ יעקב ע״ה
Sarah T. Belz — שרה בת אהרן צבי הלוי ע״ה
Ben-Ari — אליעזר בן מרדכי ע״ה ושרה בת ר׳ אברהם ע״ה
Ben-Ari — מרדכי בן אליעזר ע״ה
Berber — משה ורחל
Bernath – מנשה ב״ר שמואל שמעלקא ע״ה Meizner – מרדכי חיים ב״ר זבולן יצחק חייא ע״ה
Biegeleisen — שמעון דוד ז״ל ב״ר יעקב שלמה שיחי׳ לאוי״ט
Blitz — דוב מאיר ב״ר דוד הכהן ע״ה
Freddy Bradfield — יעקב בן צבי ע״ה
אהרן ב״ר דוד הכהן ז״ל
Elihu Brodsky — אליהו ב״ר חיים ע״ה
Vera (Greif) Brodsky — יונה בת ר׳ פינחס ע״ה
Cooperberg — שימה רייזל בת ר׳ אהרן שלמה ע״ה
Cooperberg — אברהם אשר בן ר׳ מאיר ע״ה
Cumsky – דוב בער בן אברהם יששכר ע״ה ופעשא מאטלא בת יוסף ע״ה
צבי טעביל בן ישראל ע״ה וליבע בת דוד ע״ה
Diamant — אשר ב״ר יהושע מרדכי הכהן ע״ה
Diamant — שרה בת ר׳ אריה ע״ה
Diamant — ר׳ דוב ב״ר משה ע״ה ורייזל בת ר׳ אברהם ע״ה
Diamond — דר. ר׳ יצחק ב״ר ברוך בענדיט ע״ה
Dicker — מרדכי צבי ב״ר יעקב ע״ה
Dicker — קיילא בת ר׳ משה ע״ה
Djmal — טופיק טוביה בן משה ושושנה ע״ה
Paul and Jeannette Dubin ע״ה
Mollie Dubinsky ע״ה
Abram B. Efroymson ע״ה
Sylvia Spira Efroymson ע״ה
Ehrenberg — אברהם בן עמנואל ע״ה ויוכבד בת ר׳ אלימלך ע״ה
Einhorn — משה בן ברוך ז״ל ורבקה נעכא בת חיים צבי ע״ה
Eshaghian — אברהם בן דוד ע״ה
Esrig — דוד בן שלמה ע״ה וחיה אייגא בת שלום ע״ה
Feder — מלכה בת ירחמיאל הכהן ע״ה
Feiden — ישראל בן אהרן ע״ה
Feinerman — אליעזר בן יוסף ע״ה ולאה בת ישראל יצחק ע״ה
יוסף בן צבי יחזקאל ע״ה ושרה בת ר׳ משה ע״ה
Freier — ישעיה צבי ב״ר חיים אלכסנדר יוסף ע״ה
Freier — שיינדל בת ר׳ משה הלוי ע״ה
Freilich — הרב יצחק דוב ב״ר אברהם יעקב ז״ל
Frenkel – גרשון בן יחיאל דוד ע״ה Rottenstreich – דוד בן עקיבא ע״ה
Friedman — ר׳ אהרן ב״ר יעקב מאיר ע״ה
Friedman — ר׳ אברהם ב״ר אלטר יצחק אייזיק ע״ה
Frishman — מרים בת ר׳ יוסף מרדכי ע״ה

Frishman — יצחק אריה ב״ר יהודה ע״ה ומרים לאה בת ר׳ יצחק ע״ה
Furmanovich — לע״נ שרה הניה בת פסח הלוי ע״ה
Furmanovich — לע״נ גדליה דב בן אברהם יואל ז״ל
Goldman — אמו, שפרה בת ר׳ קלונימוס קלמן ע״ה
Goldberger — אברהם צבי בן מתתיהו ע״ה
Gugenheim — החבר אפרים בן רפאל ע״ה
Gugenheim — בריינדל בת החבר נתן הכהן ע״ה
Hanz — חיים בן מרדכי הי״ד
Henzel — אברהם בן ר׳ מנחם זאב ע״ה
Hirtz — אליעזר בן ישעיה ז״ל ולאה בת יוסף הלוי ע״ה
Horowitz – שלמה יהודה ב״ר זלמן יוסף הלוי ז״ל ומרים בת אברהם הכהן ע״ה
Imanuel — מרדכי בן רחמים ז״ל
Kahn — ר׳ ישראל אריה ב״ר שמואל הכהן ז״ל
Katzef — פרומה באדענה בת אלחנן ע״ה
Kleinbart — משה ב״ר אריה לייב ע״ה
Kleinbart — בתיה בת ר׳ משה אברהם ע״ה
Kriegel — רויזא מינצא בת הרב ישראל יהודה ע״ה
Kulefsky — הילד יהודה לייב ע״ה בן נתן נטע לאי״ט
Langer — משה בן יצחק הי״ד
Landowne — שלמה בן יוסף ע״ה
Lasry — שאול ב״ר אברהם ע״ה וזהרה אסתר בת משה ע״ה
Lazar — אליעזר שאול בן זאב מאיר ע״ה
Lefkovich — ר׳ זאב וועלוול ב״ר יצחק אייזיק ע״ה
Lemberger — יצחק בן אריה ע״ה
Leibel — יחזקאל שרגא ב״ר חיים ע״ה
Leibel — רויזא בת ר׳ אברהם משה ע״ה
Levi — הרב חיים מאיר בן ר׳ מנחם ע״ה
Levi — שושנה טייבא רייזל בת ר׳ יחזקאל גרשון ע״ה
Light — משה גבריאל בן אברהם אליהו ז״ל וחנה בת נתן ע״ה
Lowy – מרדכי אריה ב״ר רפאל הלוי ז״ל ומינדל בת ר׳ שלמה זלמן ע״ה
May — ר׳ יוסף בן הרב יהודה אריה ע״ה
Miller — אלטער משה יוסף ב״ר צבי אריה ז״ל
Moskowitz — אליעזר ב״ר אברהם ברוך ז״ל וזהבה בת ר׳ משה ע״ה
Neuman — יצחק אייזיק ב״ר אהרן ע״ה
Nissel — שלמה מאיר בן הרב חיים לייב עזריאל ז״ל
Paneth — אלטע חיה שרה ע״ה בת ר׳ פנחס שיחי׳ לאוי״ט
Parnes — אריה לייבש בן יוסף יצחק ועטיא בת אשר ראובן ע״ה
Parnes — הרב אברהם זאב ב״ר ישכר ע״ה
Parsons — משה זלמן בן אהרן דוב ע״ה
Perlman — יוסף ב״ר נפתלי בנימין ע״ה
Perlowitz — הרב משה ב״ר אליעזר הלל ע״ה
Pinczower — אפרים ב״ר ישראל חיים ופייגלא בת ר׳ יעקב ע״ה
Rabin — ישראל בן נחום ע״ה
Reiff — לוי יצחק ב״ר עזריאל ז״ל ויהודית בת ר׳ יצחק אייזיק ע״ה

תנצב״ה

In Memoriam — לזכרון עולם

Dedicated by the Talmud Associates
to those who forged eternal links

Rennert — שרה בת יצחק יעקב ע״ה
Rennert — יונה מנחם בן אהרן ע״ה
Rosenberg — חיים נחמן ב״ר דוד ולאה בת יוסף ע״ה
Sam and Leah Rosenbloom ע״ה
Roth — ר׳ צבי יהודה ז״ל ב״ר אברהם יצחק שיחי׳ לאוי״ט
Roth — משה ב״ר יעקב הכהן ע״ה Weisner — יצחק ב״ר זאב ע״ה
In memory of the Sanz-Klausenburger Rebbe זצוק״ל
כ״ק אדמו״ר אבדק״ק צאנז-קלויזענבורג זי״ע
מרן הרהגה״צ ר׳ יקותיאל יהודה בהרהגה״צ ר׳ צבי זצוק״ל
נלב״ע ש״ק פ׳ חקת, ט׳ תמוז תשנ״ד
William Shachat ע״ה and Israel Ira Shachat ע״ה
Scharf — אליהו ב״ר משה יעקב ושרה בת אלכסנדר זיסקינד ע״ה
Scherman — ר׳ אברהם דוב ב״ר שמואל נטע ע״ה
Scherman — ליבא בת ר׳ זאב וואלף ע״ה
Schnur — אברהם יצחק בן אהרן הי״ד וחנה בת חיים יעקב ע״ה
Schoenbrun — שרגא פייבל ב״ר יעקב הכהן ומאטל אסתר בת מרדכי הלוי ע״ה
Schron — אליעזר דוב בן חיים משה ע״ה
Schron — חוה בת שמעון ע״ה
Schulman — חיים חייקל בן ר׳ שמואל ע״ה
Schulman — חיה בת הרב ישראל יהודה ע״ה
Schwebel — אברהם זכריה מנחם בן יוסף ומחלה בת ישראל מרדכי ע״ה
Scherman — חיים שמואל ב״ר אברהם דוב ע״ה
Scherman — הילד אברהם דוב ע״ה ב״ר זאב יוסף שיחי׳
Sol Scheiner — שלמה טוביה בן יהושע מנחם הלוי ע״ה
Rose Schwartz — רייזל בת הרה״ג ר׳ אברהם יצחק ע״ה
Shafran — ר׳ יהושע ב״ר אברהם ע״ה
Shayovich — משה יעקב ב״ר נחום ועטיא פייגא בת מרדכי ע״ה
Shimoff — ר׳ ישראל דוב ב״ר אהרן יעקב ז״ל
Shimoff — חיה רבקה לאה בת ר׳ אליעזר יהודה ע״ה
Shubow — יוסף שלום בן משה ע״ה
Silberman — ר׳ צבי ב״ר זאב הלוי ע״ה
Silberman — דבורה אסתר בת ישראל ע״ה
Silbermintz — יהושע ב״ר יוסף שמריהו ע״ה
Singer — צבי בן ר׳ חיים ע״ה
Singer — הינדי בת ר׳ שלמה ע״ה

Soclof — אברהם אבא ב״ר שמריהו ע״ה
Soclof — חיה ברכה בת צבי הירש הלוי ע״ה
Smouha — הרב אליהו בן מאיר הלוי ע״ה
Steir — משה בן מיכאל ע״ה
Steinberg — יצחק גדליה בן יהודה לייב ע״ה
Steinberg — מלכה בת מאיר לוי ע״ה
Stern — ר׳ חיים מאיר ב״ר שמחה ז״ל ובינה בת ר׳ יוסף מרדכי ע״ה
Tabak — שיינא רחל בת יוסף מרדכי ע״ה
Taub — ר׳ יעקב ב״ר יהודה אריה ע״ה נפ׳ ד׳ מנחם אב תשל״ט
Taub — אליעזר יוסף בן מענדל ע״ה
Taub — מענדל בן אליעזר יוסף חיה בת הירש ע״ה
Taub — רויזא בת ר׳ משה ע״ה
Wealcatch — חיים דוב ב״ר זאב ואסתר בת ר׳ יוסף אייזיק ע״ה
Weiss — צבי בן יואל ע״ה
Weiss — גיטל בת ישראל ע״ה
Werdiger — ר׳ שלמה אלימלך ב״ר ישראל יצחק ע״ה
Westreich — הרב יהושע בן הרב יוסף יאסקא ז״ל
Leo Werter ע״ה
Wiesner — הרב שמעיה בן הרב זאב ע״ה
Wiesner — שרה לאה בת ר׳ צבי אריה ע״ה
Zakheim-Brecher — בתיה רחל ע״ה בת ר׳ משה יוסף שיחי׳ לאוי״ט
Zalstain — שמעון בן מרדכי יוסף הלוי ע״ה
Zimmer — ר׳ אברהם יעקב בן אהרן אליעזר ע״ה
הרב אהרן ב״ר מאיר יעקב ע״ה
הרבנית פרומא בת ר׳ חיים צבי ע״ה
Zinn — צבי יהודה בן שמעון ע״ה
Zinn — דבורה בת יחיאל מרדכי ע״ה
Leslie Zukor — ר׳ יצחק חיים ב״ר יוסף ע״ה
Zlatow — ר׳ שמואל דוד ב״ר מאיר יעקב ז״ל
הרב אהרן ב״ר מאיר יעקב זצ״ל
הרבנית פרומא בת ר׳ חיים צבי ע״ה
צבי יהודה ז״ל בן אברהם יצחק לאוי״ט
חיים מאיר בן שמחה ז״ל ובינה בת יוסף מרדכי הכהן ע״ה
אליעזר ב״ר אברהם ברוך ז״ל וגולדה זהבה בת משה הלוי ע״ה

תנצב״ה

We express our appreciation to the distinguished patrons
who have dedicated volumes in the

HEBREW ELUCIDATION OF THE SCHOTTENSTEIN EDITION OF THE TALMUD

Dedicated by

JAY AND JEANIE SCHOTTENSTEIN

and their children

Joseph Aaron and Lindsay Brooke, Jonathan Richard, and Jeffrey Adam

SEDER ZERA'IM: **Mrs. Margot Guez and Family**
Paul Vivianne Michelle Hubert Monique Gerard Aline Yves

SEDER NASHIM: **Ellis A. and Altoon Safdeye and Family**

SEDER NEZIKIN: **Yisrael and Gittie Ury and Family** (Los Angeles)

BERACHOS I: **Jay and Jeanie Schottenstein** (Columbus, Ohio)
BERACHOS II: **Zvi and Betty Ryzman** (Los Angeles)
SHABBOS I: **Moshe and Hessie Neiman** (New York)
SHABBOS II: **David and Elky Retter and Family** (New York)
SHABBOS III: **Mendy and Itta Klein** (Cleveland)
SHABBOS IV: **Mayer and Shavy Gross** (New York)
ERUVIN I: **The Schottenstein Family** (Columbus, Ohio)
ERUVIN II: **The Schottenstein Family** (Columbus, Ohio)
PESACHIM I: **Serge and Nina Muller** (Antwerp)
PESACHIM III: **Morris and Devora Smith** (New York / Jerusalem)
SHEKALIM: **The Rieder, Wiesen and Karasick Families**
YOMA I: **Peretz and Frieda Friedberg** (Toronto)
YOMA II: **Mr. and Mrs. Avrohom Noach Klein** (New York)
SUCCAH I: **The Pruwer Family** (Jerusalem)
SUCCAH II: **The Pruwer Family** (Jerusalem)
BEITZAH: **Chaim and Chava Fink** (Tel Aviv)
ROSH HASHANAH: **Avi and Meira Schnur** (Savyon)
TAANIS: **Mendy and Itta Klein** (Cleveland)
MEGILLAH: **In memory of Jerome Schottenstein ז"ל**
MOED KATTAN: **Yisroel and Shoshana Lefkowitz** (New York)
CHAGIGAH: **Steven and Hadassah Weisz** (New York)
YEVAMOS I: **Phillip and Ruth Wojdyslawski** (Sao Paulo, Brazil)
YEVAMOS II: **Phillip and Ruth Wojdyslawski** (Sao Paulo, Brazil)
YEVAMOS III: **Phillip and Ruth Wojdyslawski** (Sao Paulo, Brazil)
KESUBOS I: **Ben Fishoff and Family** (New York)
KESUBOS II: **Jacob and Esther Gold** (New York)
KESUBOS III: **David and Roslyn Lowy** (Forest Hills)
NEDARIM I: **Soli and Vera Spira** (New York / Jerusalem)
NEDARIM II: **Mr. and Mrs. Yehudah Klein Mr. and Mrs. Moshe Klein**
NAZIR: **Shlomo and Esther Ben Arosh** (Jerusalem)

פטרוני התלמוד

SOTAH: **Motty and Malka Klein** (New York)

GITTIN I: **Mrs. Kate Tannenbaum;**
Elliot and Debra Tannenbaum; Edward and Linda Zizmor

GITTIN II: **Mordchai Aron and Dvorah Gombo** (New York)

KIDDUSHIN I: **Ellis A. and Altoon Safdeye** (New York)

KIDDUSHIN II: **Jacqui and Patty Oltuski** (Savyon)

BAVA KAMMA I: **Lloyd and Hadassah Keilson** (New York)

BAVA KAMMA II: **Faivel and Roiza Weinreich** (New York)

BAVA METZIA I: **Joseph and Rachel Leah Neumann** (Monsey)

BAVA METZIA II: **Shlomo and Tirzah Eisenberg** (Bnei Brak)

BAVA METZIA III: **A. George and Stephanie Saks** (New York)

SANHEDRIN I: **Martin and Rivka Rapaport** (Jerusalem)

SANHEDRIN III: In honor of **Joseph and Anita Wolf** (Tel Aviv)

MAKKOS: **Hirsch and Raquel Wolf** (New York)

SHEVUOS: **Jacques and Miriam Monderer** (Antwerp)

HORAYOS-EDUYOS: **Woli and Chaja Stern** (Sao Paulo, Brazil)

ZEVACHIM I: **Mr. and Mrs. Eli Kaufman** (Petach Tikva)

ZEVACHIM II: **Mr. and Mrs. Eli Kaufman** (Petach Tikva)

CHULLIN I: **The Pluczenik Families** (Antwerp)

CHULLIN II: **Avrohom David and Chaya Baila Klein** (Monsey)

CHULLIN III: **Avrohom David and Chaya Baila Klein** (Monsey)

CHULLIN IV: **The Frankel Family** (New York)

BECHOROS II: **Howard and Chaya Balter** (New York)

ARACHIN: **Mr. and Mrs. Eli Kaufman** (Petach Tikva)

TEMURAH: **Abraham and Bayla Fluk** (Tel Aviv)

ME'ILAH, TAMID, MIDDOS KINNIM: In memory of **ר׳ אליהו אלעזר ב״ר יוסף ברוך ז״ל**

NIDDAH I: **Daniel and Margaret, Allan and Brocha, and David and Elky Retter and Families**

ACKNOWLEDGMENTS

We are grateful to the distinguished *roshei hayeshivah* and rabbinic leaders שליט"א in Israel and the United States whose guidance and encouragement have been indispensable to the success of this Talmud, from its inception. Their letters of approbation appear earlier in this volume.

A huge investment of time and resources was required to make this edition of the Talmud a reality. Only through the generous support of many people is it possible not only to undertake and sustain such a huge and ambitious undertaking, but to keep the price of the volumes within reach of the average family and student. We are grateful to them all.

The Trustees and Governors of the MESORAH HERITAGE FOUNDATION saw the need to support the scholarship and production of this and other outstanding works of Torah literature. Their names are listed on an earlier page.

JAY SCHOTTENSTEIN is chairman of the Board of Governors and has enlisted many others in support of this monumental project. In addition, he and his wife JEANIE have dedicated the HEBREW ELUCIDATION OF THE SCHOTTENSTEIN EDITION OF THE TALMUD and the DAF YOMI EDITION OF THE TALMUD in honor of their parents. But those are only formal identifications. The Schottensteins are deeply involved in a host of causes and their generosity is beyond description. Most recently they have undertaken sponsorship of the SCHOTTENSTEIN INTERLINEAR SERIES, which is bringing a new and innovative dimension of understanding to tefillah. Nevertheless, this Talmud is their *liebling*. They surpass every commitment to assure its continuity and it has justly become synonymous with their name.

HAGAON RAV DAVID FEINSTEIN שליט"א has been a guide, mentor, and friend since the first day of the ArtScroll Series. We are honored that, though complex halachic matters come to the Rosh Yeshivah from across the world, he regards our work as an important contribution to *harbatzas haTorah* and that he has graciously consented to be a trustee of the Foundation.

In addition, we are grateful to:

LAURENCE A. TISCH, JAMES S. TISCH and THOMAS J. TISCH, who have been more than gracious on numerous occasions; JOEL L. FLEISHMAN, Founding Trustee of the Foundation, whose sage advice and active intervention was a turning point in our work; ELLIS A. SAFDEYE, the dedicator of the SAFDEYE EDITION OF SEDER NASHIM, a legendary supporter of worthy causes and a warm, treasured friend; BENJAMIN C. FISHOFF, patron of several volumes of the Talmud, and a sensitive, visionary friend who has brought many people under the banner of this project; ZVI RYZMAN, patron of the HEBREW RYZMAN EDITION OF THE MISHNAH and of tractates in this Talmud edition, a dynamic and imaginative force for Torah life and scholarship, and a loyal, devoted friend; SOLI SPIRA, patron of Talmud volumes, who is respected on three continents for his learning and magnanimity; RABBI MEYER H. MAY, a man who devotes his considerable acumen and prestige to the service of Torah. He has been a proven and invaluable friend at many junctures; ABRAHAM BIDERMAN, a Trustee, whose achievement for Torah and community, here and abroad, are astounding; JUDAH SEPTIMUS, a Trustee, whose acumen and resources are devoted to numerous Torah causes; and RABBI SHLOMO GERTZULIN, whose competence and vision are invaluable assets to Klal Yisrael.

Loyal friends who have been instrumental in the success of our work and to whom we owe a debt of gratitude are, in alphabetical order:

Our very dear friends: RABBI RAPAHEL B. BUTLER, founder of the Afikim Foundation, a laboratory to create innovative Torah programs; RABBI ALAN CINER, whose warmth and erudition will draw Jews closer to Judaism in his new position in Palm Beach, Florida. RABBIS BUTLER and CINER were instrumental in moving this edition of the Talmud from dream to reality in its formative stage; REUVEN DESSLER, a good friend and respected leader who adds luster to a distinguished family lineage; ABRAHAM FRUCHTHANDLER, who has placed support for Torah institutions on a new plateau; LOUIS GLICK, who sponsored the ArtScroll Mishnah Series with the *Yad Avraham* commentary; SHIMMIE HORN, patron of the HORN EDITION OF SEDER MOED, a self-effacing gentleman to whom support of Torah is a priority; MOSHE REICHMANN, whose name is synonymous with visionary magnanimity for Torah study; DAVID RUBIN, dedicator of the RUBIN EDITION OF THE PROPHETS, whose visionary generosity is a vital force in his community and beyond; SHLOMO SEGEV of Bank Leumi, who has been a responsible and effective friend; HESHE SEIF, patron of the SEIF EDITION TRANSLITERATED PRAYER BOOKS, who has added our work to his long list of important causes; NATHAN SILBERMAN, who makes his skills and judgment available in too many ways to mention; A. JOSEPH STERN, patron of the SEFARD ARTSCROLL MACHZORIM and of tractates in this Talmud edition, whose warmth and concern for people and causes are justly legendary; ELLIOT TANNENBAUM, a warm and gracious patron of several volumes, whose example has motivated many others; STEVEN WEISZ, whose infectious zeal for our work has brought many others under its banner; and HIRSCH WOLF, a valued friend from our very beginning, and an energetic, effective leader in many causes.

We are grateful, as well, to many other friends who have come forward when their help was needed most: DR. YISRAEL BLUMENFRUCHT, YERUCHAM LAX, YEHUDAH LEVI, RABBI ARTHUR SCHICK, FRED SCHULMAN, and MENDY YARMISH.

We thank RABBI YEHOSHUA LEIFER, head of KOLLEL OZ VEHADAR, for permission to reproduce the folios from their new edition of the classic Vilna Talmud. Newly typeset and with many additions and enhancements, it establishes a new standard in Talmud publishing.

We conclude with gratitude to *Hashem Yisbarach* for His infinite blessings and for the privilege of being the vehicle to disseminate His word. May this work continue so that all who thirst for His word may find what they seek in the refreshing words of the Torah.

Rabbi Nosson Scherman / Rabbi Meir Zlotowitz

Iyar 5764
April, 2004

מסכת מועד קטן
TRACTATE MOED KATAN

מסכת מועד קטן / Tractate Moed Katan

General Introduction

Chol HaMoed

The festivals of Pesach and Succos begin and end with holy days [יום טוב, *Yom Tov*], during which most forms of labor are forbidden. The intermediate days of each festival are known as חול הַמּוֹעֵד, *Chol HaMoed,* literally: the ordinary part of the festival.[1] This name derives from the fact that, unlike the beginning and concluding days, the intermediate days are relatively חול, *ordinary,* in that many forms of work are permitted on them. The main purpose of this tractate is to delineate which labors are forbidden and which are permitted on Chol HaMoed.[2] Because these intermediate days are of lesser sanctity than the first and last days of the festival, the tractate is called מוֹעֵד קָטָן, *Moed Katan,* literally: minor festival.

The rules governing work on Chol HaMoed are complex and subject to numerous qualifications. The Gemara (12a) even warns against inferring the law in one situation through comparison to another situation (see note 48 there). The following summary is intended only to provide introductory guidelines to the main concepts.

מְלָאכָה – *Melachah,* labor on Chol HaMoed

Basically, the activities (*melachos*) forbidden on the Sabbath and Yom Tov are prohibited on Chol HaMoed as well. This applies to virtually all Biblical prohibitions; it is true of Rabbinic injunctions as well, except where specified otherwise.

Some authorities maintain that any work involving excessive exertion is forbidden on Chol HaMoed even if it is not a *melachah* (*Tosafos* to 12b ד״ה מכניס and to 19a ד״ה וטווה; see 12b note 48). Business transactions are forbidden because they could lead to undue effort (*Rosh* ch. 1 §23; see 13a note 13).

It is primarily in the following respects that Chol HaMoed is treated more leniently than the Sabbath and Yom Tov.

Categories of labor permitted on Chol HaMoed

◆ דָּבָר הָאָבֵד – something that will be lost

It is permitted to do work on Chol HaMoed that is needed to prevent loss of capital or damage to property (Mishnah 2a). [This dispensation applies only to the loss of what one already owns, as distinct from the loss of an opportunity to gain further capital or property (Gemara ibid.).]

◆ אֹכֶל נֶפֶשׁ – food for human consumption

One may prepare food on Chol HaMoed for consumption on the festival (Gemara 12b). [Even those *melachos* that are forbidden on Yom Tov for food preparation are permitted on Chol HaMoed.] This category includes: (a) direct preparation of the item to be eaten, e.g. harvesting, grinding, trapping; (b) preliminary acts that facilitate the actual food preparation, e.g. constructing an oven (Mishnah 10a).

◆ פּוֹעֵל שֶׁאֵין לוֹ מַה יֹּאכַל – a laborer who has nothing to eat

One who lacks certain staples may work on Chol HaMoed to earn money for the purchase of food (Mishnah 18b [2];

NOTES

1. In Eretz Yisrael, where the first and seventh days of Pesach and the first and eighth days of Succos enjoy the status of Yom Tov, Chol HaMoed lasts from the second through the sixth days of Pesach and from the second through the seventh days of Succos. Outside Eretz Yisrael, where each Yom Tov is celebrated for an extra day, Chol HaMoed begins on the third day of each festival.

2. The authorities debate whether the prohibition against labor on Chol HaMoed is of Biblical or Rabbinic origin. See 2a note 1.

see also 13a with note 21). He is not required to sell his personal possessions instead (*Mishnah Berurah* 542:8).

⸎ צָרְכֵי הַמּוֹעֵד – festival needs ⸎

These are activities required to fulfill a person's needs or enhance his pleasure during the festival (see 12b note 4). In this case, work requiring a degree of skill (e.g. carpentry, sewing) may not be done in a professional manner [מַעֲשֵׂה אוּמָן], but only in an amateur fashion [מַעֲשֵׂה הֶדְיוֹט]. A labor is considered to have been done in an amateur fashion if it was performed either by a novice, or by a craftsman who employs a deviation [שִׁנּוּי] which transforms his work into that of a novice (Mishnah 8b [2]). [It should be noted that there are special restrictions against haircutting and laundering on Chol HaMoed even for festival purposes (Mishnah 13b [2] and Gemara 14a).]

⸎ צָרְכֵי רַבִּים – communal needs ⸎

Enterprises that benefit the public at large are permitted on Chol HaMoed whether or not they are related to the festival. If, however, the work is not needed until after the festival, it must be done in an amateur fashion (Mishnah 2a and Gemara 5a).

Factors that prohibit work on Chol HaMoed

Work done for any of the purposes outlined above, which is generally permitted on Chol HaMoed, could be forbidden if performed in one of the following circumstances:[3]

⸎ מְכַוֵּין מְלַאכְתּוֹ לַמּוֹעֵד – scheduling one's work for Chol HaMoed ⸎

If, despite having the opportunity to do the work before or after the festival, one decides to do it on Chol HaMoed instead, it may not be done on Chol HaMoed (Mishnah, 11a and 12b).

⸎ טִירְחָא יְתֵירָא – excessive exertion ⸎

Work involving excessive exertion is forbidden on Chol HaMoed (Mishnah 2a).

⸎ דֶּרֶךְ שְׂכִירוּת – working for hire ⸎

Even permitted work may not be done for pay [except in the case of a laborer who needs money for food] (Gemara 12a; see note 11 there).

⸎ פַּרְהֶסְיָא – public setting ⸎

Another factor that must be taken into account is whether the individual doing the permitted work might be suspected by onlookers of violating the laws of Chol HaMoed. In such a case, it is preferable [and sometimes essential] to perform the work in a private setting (Gemara 12b and Mishnah 13b; see 12b note 55; 13b notes 8,11 and 38).

The third chapter of this tractate deals extensively with the laws of mourning. An introduction to these laws will appear at the beginning of that chapter.

♦ ♦ ♦

In preparing our commentary to this tractate, we have followed our customary practice of giving primacy to the commentary of *Rashi*. However, the commentary of *Rashi* printed in the standard Vilna edition is often at odds with the explanations of *Rashi* quoted by *Tosafos* and other Rishonim. It is also completely different from the commentary of *Rashi* printed alongside the *Rif* and in *Ein Yaakov.* The printed version of *Rashi* closely resembles the commentary of *Rabbeinu Gershom* published by *R' Mordechai Zaks* and included in the *Kovetz Rishonim* printed by *Mechon HaTalmud HaYisraeli.* A manuscript ascribed to *Rashi* was published in 5721 (1961) by *R' Ephraim Kopfer,* under the name of *Peirush Rashi HaAmiti.* This manuscript agrees closely with the *Rashi* on the *Rif* and in *Ein Yaakov,* as well as with the comments of *Rashi* quoted by the Rishonim. We refer to it as *Rashi ms.* (manuscript); this commentary appears in the margin of our Hebrew page under the heading רש״י כת״י. [The לקוטי רש״י that customarily appears in the margin has been moved to a separate section at the end of the volume.]

NOTES

3. These circumstances differ from each other in their impact on each of the permitted categories. It is beyond the scope of this introduction to specify the law in each case.

Chapter One

Mishnah Generally, the performance of labor on Chol HaMoed [the intermediate days of the festivals of Succos and Pesach] is forbidden. In contrast to Yom Tov, however, many categories of labor are permitted on Chol HaMoed, depending, for the most part, on the purpose for which the particular labor is needed. Among the permitted categories is one known as דָּבָר הָאָבֵד, *something that will be lost.* If by postponing the performance of a particular labor until after the festival a person will suffer a loss of principal (as opposed to merely forgo a profit), he may perform that act on Chol HaMoed. However this permissive rule has a limiting condition. Even where a given labor is necessary in order to avoid a loss of principal, it may be performed only if it is not overly strenuous. If, however, the labor involves טִירְחָא יְתֵירָה, *excessive exertion,* it is forbidden, the loss of principal notwithstanding. The Mishnah discusses these two rules – the permissive rule of דָּבָר הָאָבֵד and the restrictive rule of טִירְחָא יְתֵירָה – as they relate to the care of a field on Chol HaMoed. Additionally, since many of the field-related prohibitions of Chol HaMoed apply to *shemittah* [the Sabbatical year], the Mishnah discusses this period as well:[1]

מַשְׁקִין בֵּית הַשְּׁלָחִין – One may water an irrigated field[2] **בַּמּוֹעֵד וּבַשְּׁבִיעִית – during Chol HaMoed and during *shemittah,*** **בֵּין מִמַּעְיָין שֶׁיָּצָא בַּתְּחִילָּה – whether from a newly emerged spring** [i.e. one that has begun to flow just recently] **בֵּין מִמַּעְיָין שֶׁלֹּא יָצָא בַּתְּחִילָּה – or from a spring that is not newly emerged.**[3] **אֲבָל אֵין מַשְׁקִין – However, one may not water** even an irrigated field, **לֹא מִמֵּי הַגְּשָׁמִים וְלֹא מִמֵּי הַקִּילוֹן – neither from** a pool of **rainwater nor from the water of a well.**[4] **וְאֵין עוֹשִׂין עוּגִיוֹת לַגְּפָנִים – And one may not make ditches around the** roots of **grapevines** to collect rainwater.[5]

רַבִּי אֶלְעָזָר בֶּן עֲזַרְיָה אוֹמֵר – R' Elazar ben Azaryah says: **אֵין עוֹשִׂין אֶת הָאַמָּה בַּתְּחִילָּה בַּמּוֹעֵד וּבַשְּׁבִיעִית – One may not dig a new irrigation canal during Chol HaMoed or during *shemittah.*** [6] **וַחֲכָמִים אוֹמְרִים – But the Sages say:** **עוֹשִׂין אֶת הָאַמָּה בַּתְּחִילָּה בַּשְּׁבִיעִית – One may dig a new irrigation canal during *shemittah,*** **וּמְתַקְּנִין אֶת הַמְקוּלְקָלוֹת בַּמּוֹעֵד – and one may repair damaged ones during Chol HaMoed.**[7]

NOTES

1. Concerning the halachic status of the labor prohibition on Chol HaMoed we find contradictory indications. On the one hand, the Gemara (*Chagigah* 18a) derives the prohibition against work on Chol HaMoed from Scriptural verses. (One of these derivations is cited by *Rashi* and *Tosafos* here ד״ה משקין.) This would seem to indicate that the prohibition is Biblical. On the other hand, the fact that the Chol HaMoed restrictions are often relaxed depending on the reason for which they are needed (for example, to avoid a financial loss) is indicative of their being only Rabbinic.

In resolution of this seeming contradiction we find two basic schools of thought among the Rishonim. One (*Rashi, Rif* and others) holds that the Chol HaMoed prohibition is Biblical, but unlike other prohibitions which are specified and unconditional, here the Torah authorized the Rabbis to determine which forms of work to permit and which to prohibit [לֹא מְסָרָן הַכָּתוּב אֶלָּא לַחֲכָמִים לוֹמַר לְךָ אֵי זוֹ מְלָאכָה אֲסוּרָה וְאֵי זוֹ מְלָאכָה מוּתֶּרֶת – *Chagigah* ibid.]. The other view (*Tosafos, Rambam, Rosh* and others) holds that it is a Rabbinic enactment, and the verses cited by the Gemara are merely אַסְמַכְתּוֹת, Scriptural texts in support of a Rabbinic law; i.e. the Sages found their ordinance suggested, but not commanded, by the verse. See *Tur, Beis Yosef* and *Bach* to *Orach Chaim* 530 for further discussion of this matter.

2. [Such as] a field situated on a mountain, which cannot subsist on rainfall alone [since the water runs off the mountainside (*Matzeves Moshe* from *Rashi* to *Taanis* 3b ד״ה מעלי)], and therefore must be continuously watered in order to avoid irreparable damage to the crops growing there (*Rashi*).

Chol HaMoed is referred to in Mishnayos simply as מוֹעֵד, *Moed* (*Rambam, Commentary to Mishneh,* as emended by *Tos. Yom Tov*; see also Kafich edition).

3. Though the walls of a newly emerged spring are not yet sturdy (*Rashi*), we need not fear [as one Tanna cited in the Gemara below indeed maintains] that they will collapse and in order to restore them one will come to perform repairs involving excessive exertion, which, even for an irrigated field, is forbidden (see introduction to this Mishnah). Rather, any type of spring, whether newly emerged or of long standing, may be used.

We will learn in the next Mishnah (6b) that this permission to water an irrigated field is subject to a condition, namely, that watering has been performed to the field already before the holiday. In that case suspending the watering for the week of the festival may cause irreparable damage to the seeds that have begun to germinate. But if one did not water the field before Yom Tov, he may not water it on Chol HaMoed, since no loss of principal will result. Only a loss of *profit* may occur (the crops will not *start* to grow until after the festival), which is insufficient grounds to permit labor on Chol HaMoed (*Rashi* to *Rif; Nimukei Yosef*).

Some maintain that the condition that the field be one which is unable to subsist on rainfall alone (i.e. it is "an irrigated field") applies to *shemittah* as well (*Rambam, Hil. Shemittah VeYovel* 1:8). Others (*Rashi* to Mishnah cited by *Tosafos* 6b ד״ה מרביצין) hold that *any* field may be watered during *shemittah,* and that the Mishnah specified an irrigated field only because of Chol HaMoed. See Gemara below, 6b, and *Tosafos* there for further elaboration of this view.

4. *Rainwater* refers to a pool of rainwater adjacent to a garden or field. *Well water* is water contained in a deep pit, which requires the use of a pail, (קִילוֹן) to bring it to the surface. [קִילוֹן is the Aramaic word for pail. The verse in *Genesis* 24:14: *now tip over your pail,* is rendered by *Targum* אַרְכִינִי כְעַן קוּלְתִיךְ] (*Meiri*). The Gemara below (4a) explains that use of a well is forbidden because טִרְחָא יְתֵירָה, *excessive exertion,* is required to draw the water (see *Rashi*). As explained above, although the Rabbis permitted work to be done to avoid an irretrievable loss, excessive exertion must be avoided. In the case of watering from a spring, however, the amount of exertion involved is minimal, for one can simply trace a groove in the ground with his foot from the spring to the field and the water will flow to the field on its own (*Meiri*).

The reason for the prohibition against using a pool of rainwater will be discussed in the Gemara (4a).

5. This act too is prohibited because it entails excessive exertion. According to the majority of Rishonim (*Rashi* to *Rif; Meiri; Chidushei HaRan* and others) these last two restrictions (watering from collected rainwater or a well and digging ditches around vines) apply only to Chol HaMoed, not to *shemittah.* During *shemittah* there is no restriction on excessive exertion. Cf. *Ritva.*

6. An irrigation canal, is called אַמָּה, *amah,* because it is usually one cubit, or *amah,* deep and one cubit wide. The canal is used to direct water through the field or from field to field (*Rashi* to *Rif*). Digging such a canal is forbidden on Chol HaMoed because excessive exertion is required to dig a new irrigation canal in virgin soil (Gemara below, 4b). As far as *shemittah* is concerned, although we explained in the previous note that there is no restriction on excessive exertion, digging a new canal is still forbidden. The Gemara (4b) will explain R' Elazar ben Azaryah's reasoning.

7. If earth fell into a canal thereby preventing the water from flowing through freely, we may remove the earth and return the canal to its original dimensions, since the exertion involved is not that great (*Meiri*). [Though it was explained in note 3 that if a spring's walls were to collapse, repairing them would be forbidden, this is because such repairs involve actual construction, which is strenuous. Merely unclogging an irrigation canal from the earth that fell into it, by contrast, is not a difficult task (*Tos. HaRosh* ד״ה דאתי לאינפולי).]

משקין

א בית השלחין במועד ◦ ובשביעית בין ממעיין שיצא בתחילה בין ממעיין שלא יצא בתחילה ב אבל אין משקין לא ממי הגשמים ולא ממי הקילון ג ואין עושין (א) עוגיות לגפנים ר' אלעזר בן עזריה אומר אין עושין את האמה בתחילה במועד ובשביעית וחכמים אומרים ד עושין את האמה בתחילה בשביעית ה ומתקנין את המקולקלות במועד (א) ו ומתקנין את קלקולי המים שברשות הרבים וחוטטין אותן ז ומתקנין את הדרכים ואת הרחובות ואת (ב) מקוות המים ועושין כל צורכי הרבים ומציינין את הקברות ח ויוצאין אף על הכלאים: **גמ'** השתא יש לומר ממעיין שיצא בתחילה דאתי לאינפולי משקין ממעיין שלא יצא בתחילה דלא אתי לאינפולי מיבעיא אמרי אצטריך אי תנא מעיין שיצא בתחילה הוה אמינא הכא הוא דבית השלחין אין בית הבעל לא משום דאתי לאינפולי אבל מעיין שלא יצא בתחילה דלא אתי לאינפולי אימא אפילו בית הבעל נמי קא משמע לן לא שנא מעיין שיצא בתחילה ולא שנא מעיין שלא יצא בתחילה בית השלחין אין בית הבעל לא ומאי משמע דהאי בית השלחין לישנא דצחותא היא דכתיב (ג) א) ואתה עיף ויגע ומתרגמינן ואת משלהי ולאי ומאי משמע דהאי בית הבעל לישנא דמייתבותא היא דכתיב ב) כי יבעל בחור בתולה ומתרגמינן ארי כמה דמיתותב עולם עם בתולתא יתייתבון בגויך בנייך מאן תנא ט דפסידא אין הרווחה לא י ואפילו במקום פסידא מיטרח נמי לא טרחינן אמר רב הונא ר' אליעזר בן יעקב היא דתנן (ג) רבי אליעזר בן יעקב אומר מושכין את המים מאילן לאילן ובלבד שלא ישקה את השדה כולה אימור דשמעת ליה לרבי אליעזר הרווחה דלא טירחא במקום פסידא מי שמעת ליה אלא אמר רב פפא הא מני רבי יהודה היא דתניא (ד) מעיין היוצא בתחילה משקין ממנו אפילו שדה בית הבעל דברי רבי מאיר רבי יהודה אומר כ אין משקין אלא שדה בית השלחין שחרבה רבי אלעזר בן עזריה אומר לא כך ולא כך יתר על כן אמר רבי יהודה לא יפנה אדם אמת המים וישקה לגינתו ולחורבתו בחולו של מועד מאי חרבה אילימא חרבה ממש למה לי דמשקי לה (ג) אמר אביי שחרבה ממעיין זה ויצא לה מעיין אחר רבי אלעזר בן עזריה אומר לא כך ולא כך לא שנא חרב מעיינה ולא שנא לא חרב מעיינה מעיין שיצא בתחילה לא וממאי דלמא עד כאן לא קאמר רבי יהודה בית השלחין אין בית הבעל לא אלא מעיין שיצא בתחילה דלמא

משקין בית השלחין במועד. שדה שהיא עומדת בהר וצריך להשקותה תמיד משקין אותה אפילו בחולו של מועד לפי שהוא לו הפסד גדול אם אינו משקה אותה ודבר של הפסד התירו חכמים לטרוח בו בחולו של מועד כמו שאנו מוכיחין במסכת חגיגה (דף יח.) דכתיב (דברים טז) ששת ימים תאכל מצות וביום השביעי עצרת לה' אלהיך מה שביעי עצור בעשיית מלאכה אף ששה עצורים בעשיית מלאכה אי מה שביעי עצור בכל מלאכה אף ששה עצורין בכל מלאכה תלמוד לומר השביעי שביעי עצור בכל מלאכה ואין ששה עצורין בכל מלאכה הא לא מסרן הכתוב אלא לחכמים לומר לך איזו מלאכה אסורה בחוה"מ ואי זו מותרת ומלאכה שיש בה הפסד אם אינו עושה אותה כגון להשקות בית השלחין התירו חכמים: **ובשביעית.** מפרש בגמרא: **ממעיין שיצא בתחילה.** דעכשיו מתחיל לנבוע שעדיין לא החזיקה דרכה: **בין ממעיין שלא יצא בתחילה.** אלא מעיין נובע מזמן מרובה: **אבל לא ממי גשמים.** משום דאית ביה טירחא יתירא כדמפרש בגמרא: **גמ' דאתי לאינפולי.** הקרקע שסביבה דעדיין לא החזיקה דרכה: **משקין.** בחולו של מועד ולא חיישינן דלמא נפיל ואזיל וטרח טירחא יתירא: **מעיין שלא יצא בתחילה.** שכבר החזיק דרכו: **מיבעיא.** דמשקה ממנו בחולו של מועד: **בית הבעל.** שדה הוא בעמק ואינו צריך להשקותה ואין בה הפסד אם אין משקה אותה: **קא משמע לן.** מתניתין דתני בין ממעיין שלא יצא בתחילה: **בית השלחין אין בית הבעל.** אפילו ממעיין שלא יצא בתחילה לא: (ס נישלדהי). וה"א מתחלף בחי"ת: **מאן תנא.** למתני' דפסידא שרי למיטרח בה בחוה"מ כגון בית השלחין: **הרווחה לא.** כגון דבית הבעל דאסור להשקותה מאחר שאין בה הפסד שאין צריך להשקותה אלא להרווחה דמילתא לשויה אפלי חרפי: **אפילו במקום פסידא מיטרח לא טרחינן.** דקתני מתניתין אבל לא ממי גשמים כו' משום דאית ביה טירחא: **מושכין המים מאילן לאילן.** בחולו של מועד אם יש מים תחת אילן אחד עושין דרך קטן מאילן לאילן כדי שימשכו המים מאילן זה לאילן אחר: (ד) **לא ישקה את השדה כולה.** בבית הבעל קמיירי דהרווחה היא אלמא דהרווחה דמילתא אסר ר' אליעזר: **אילימא חרבה ממש.** שנעשה בור למה לי למשקה להיא דהא אין לה תקנה לעולם: **שחרבה ממעיין זה ויצא לה מעיין אחר.** שחרב מעיינה שרגילה לשתות ממנו דכיון שרגילה לשתות אי לא משקה לה עכשיו אית ליה פסידא יתירא אפילו הכי לא שרי ר' יהודה אלא ממעיין שיצא לה דלאו טירחא הוא אבל מי גשמים ומי קילון דטירחא הוא לא שרי אפילו לבית השלחין ועוד חזינן דקאמר רבי יהודה לא יפנה (ה) מים כו' אלמא דלא שרי ר' יהודה טירחא יתירא אלמא מתני' ר' יהודה היא דהא לאב"ע ל"ש חרב מעיינה ממעיין שיצא לה בתחילה ול"ש לא חרב תרוייהו אסר: דלמא

משקין בית השלחין. שדה שאינה מסתפקת במי גשמים וצריך להשקותה תמיד ואם אין משקין אותה תדיר נפסדת והלכך משקין אותה בחוה"מ ומשום פסידא שרו ליה רבנן כדאמרינן בפ' אין דורשין (חגיגה דף יח. ושם) תניא אידך ששת ימים תאכל מצות וביום השביעי עצרת לה' אלהיך מה שביעי עצור אף ששה עצורים אי מה שביעי עצור מכל מלאכה אף כל ששה עצורים מכל מלאכה תלמוד לומר השביעי ה"א יתירא השביעי עצור מכל מלאכה ואין הששה עצורים מכל מלאכה הא לא מסרן הכתוב אלא לחכמים ללמדך איזה יום אסור ואיזה יום מותר איזו מלאכה אסורה ואיזו מלאכה מותרת:

וחוטטין אותה. שאם נתמלא הבור מותר לחטוט להעמיקו שהעפר תיחוח אבל לחופרה בתחילה שהקרקע קשה לא משום דאיכא טירחא יתירא:

ומציינין. דליכא טירחא:

ויוצאין על הכלאים. מצוה הוא לצאת כדאמרינן בגמ' ולא דמי להני אחריני דקתני ומתקנין דהאי חובה הוא כדמוכח בגמרא:

עיף ויגע. צמא למים כדכתיב י) הרויתי נפש עיפה (ירמיה לא):

מאן תנא פסידא אין. משום דאשכחן לקמן דרבי מאיר פליג עלה דמתני' והאי סתם מתניתין לא אתיא אליביה כשאר סתמי משום הכי קבעי הש"ס מאן תנא:

מושכין אמת המים כו'. שאם יש שם מים תחת אילן זה יכול למושכם במועד תחת אילן אחר משום דאילן כבית השלחין דמי וצריכין למים טפי והא דתנא מושכין ולא תנא משקין אורחא דמילתא קתני דבענין זה רגילין להשקות אילנות: **יתר** על כן אמר רבי יהודה. עוד היה מחמיר יותר אפילו בבית השלחין קא אסר להפנות משום דהוי טירחא יתירא:

לגינתו ולחורבתו. של בית השלחין גינה מקום זרעים חורבה מקום שחרבו אילנותיו וחרשו וזרעו ונטעו ושמא הוא צריך למים יותר ולא זו אף זו קתני אי נמי חרב ביתו ועשאו גינה וצריכה מים תדיר יותר משאר בית השלחין ומשום דאיכא טירחא יתירא לא: אם

א א מיי' פ"ז מהלכות יו"ט הלכה ב ופ"א מהלכות שמטה הלכה ח סמג לאוין עה ועשין דרבנן ב טוש"ע א"ח סי' תקלז סעיף א:
ב ב מיי' פ"ז מהלכות יו"ט שם טוש"ע שם סעיף ב:
ג ג מיי' פ"ח מהלכות י"ט הלכה ג טוש"ע שם סעיף ה:
ד ד מיי' פ"א מהלכות שמטה הלכה ט:
ה ה מיי' פ"ח מהלכות יו"ט הלכה ג טוש"ע שם סעיף ו:
ו ו מיי' שם פ"ז הלכה י טוש"ע שם סי' תקמד סעיף ב:
ז ז מיי' שם טוש"ע שם סעיף א:
ח ח מיי' פ"ז מהלכות י"ט הלכה יא:
ט ט י מיי' שם הלכה ב טוש"ע שם סי' תקלז סעיף א ב:
י כ מיי' שם טוש"ע שם סעיף א:

רבינו חננאל

משקין בית השלחין במועד ובשביעי' בין ממעין שיצא בתחלה ובין ממעין כו' ומקשינן השתא יש לומר ממעין שיצא בתחלה דחיישינן דלמא אתי לאינפולי ובני ליה אמרת משקין ממעין שכבר יצא וניתקן ועמד מיבעיא. ופרקינן איצטריך לאשמועינן דאפי' ממעין ישן דליכא חששא דלמא נפיל ובני ליה אין משקין אלא בית השלחין שהן נטועין וצמאין למים מלשון שלהי כדמתרגמי' והוא עיף ומשלהי. אבל בית הבעל שכבר גדל והשריש שרשים בקרקע כמו בעל באשתו כדכתיב והולידה והצמיחה. בין ממעין שיצא בתחלה ובין ממעין שלא יצא בתחלה אין משקין שדה בית הבעל. ואמרינן מאן תנא דחייש לפסידא דבית השלחין כדי שלא יפסידו וייבשו והתיר להשקותם ואפי' הכי לא התיר אלא דבר שאין בו טורח. אבל להשקות ממי גשמים וכיוצא בהן שיש טורח בהן לא התיר. אמר רב הונא ר' אליעזר בן יעקב היא דתנא ר' אליעזר בן יעקב אומר מושכין מים מאילן לאילן אבל לא ישקה את כל השדה ודחינן אימור דשמעת לר' אליעזר דלא שרי הרווחה מדקתני לא ישקה את כל השדה אבל שלא להטריח במקום שיש פסידא מי שמעת ליה. ובא רב פפא ואוקמה לר' יהודה דתני אין משקין ממעין היוצא בתחלה אלא שדה בית השלחין שחרבה. ומקשינן אי חרבה למה לי השקאה אמר אביי מאי חרבה דקתני חרב מעיינה ויצא לה מעין אחר בתחלה וסבר ר' יהודה ל"ש מעין שיצא בתחלה ולא שנא מעין שלא יצא בתחלה אין משקין אלא בית השלחין. והא דקתני מעין שיצא בתחלה איידי דאמר ר' מאיר מעין שיצא בתחלה משקין ממנו אפי' שדה

מסורת הש"ס

א) [עי' פרש"י לקמן ד: ד"ה עוגיות], ב) [גי' הערוך בערך שלא ה דכתיב והוא עיף (בראשית כג) תרגומו והוא משלהי], ג) לקמן ו:, ד) [תוספתא פרק א], ה) [צ"ל משלהי], ו) [הנוסחא הישנה ונפש עיפה למים לא נמצא בתנ"ך עיין תוי"ט].

הגהות הב"ח

(א) מתני' ומתקנין את קלקולי המים. נ"ב עי' פרש"י בדף ה ע"א: (ב) שם ואת מקוואות המים ועושין: (ג) גמ' דמשקי לה ואמר אביי שחרבה כו' לא חרב מעיינה ממעיין שיצא בתחלה: (ד) רש"י ד"ה שלא ישקה: (ה) ד"ה שחרבה כו' דקאמר"י לא יפנה אדם אמת המים כו' אלמא וכו' ל"ש חרב מעיינה ול"ש לא חרב תרוייהו אסר ממעיין שיצא לה בתחילה כצ"ל והס"ד:

גליון הש"ס

מתני' ובשביעית בין ממעיין. עיין לקמן דף ו ע"ב תוס' ד"ה מרבילין:

תורה אור השלם

א) אֲשֶׁר קָרְךָ בַּדֶּרֶךְ וַיְזַנֵּב בְּךָ כָּל הַנֶּחֱשָׁלִים אַחֲרֶיךָ וְאַתָּה עָיֵף וְיָגֵעַ וְלֹא יָרֵא אֱלֹהִים: [דברים כה, יח]

ב) כִּי יִבְעַל בָּחוּר בְּתוּלָה יִבְעָלוּךְ בָּנָיִךְ וּמְשׂוֹשׂ חָתָן עַל כַּלָּה יָשִׂישׂ עָלַיִךְ אֱלֹהָיִךְ: [ישעיה סב, ה]

רש"י כת"י *)

*[בית השלחין. ארץ עייפה וצריכה למים תדיר. מי הגשמים. שנתכנסו בעומק (ס"א בעמק) במקום אחד. **את האמה.** שרגילין לעשות [בור] להתכנס בו מים ועושין חריצין בקרקע שבהן המים הולכים סביבות השדה ומשדה לשדה והנך חריצין קרי אמה לפי שיש להן רוחב אמה ברום אמה. **בתחילה.** אם לא היתה מעולם אין עושין אותה מתחלה במועד משום טירחא יתירה. **ובשביעית.** מפני שנראה (כחופר) [כעודר] כדמפרש בגמרא. **וחכמים אומרים עושין את האמה בתחילה בשביעית וכו'.** דלא הויא עבודה ובמועד אם היתה מקולקלת שנפל לתוכה עפר ואינו מקלחת מתקנים אותה אבל בתחלה אין עושין אותה במועד. **קלקולי המים.** המכונסין [בגומות] לשתיה [ונמשכים לתוכן זבלי רה"ר ומקלקלין אותן וסותמין החריצין שבהם הולך הזבל לבור]. **חוטטין.** (מנקין) [מנקרין] כמו שעושין (הבורות) [לבורות שלנו שמוציאין מתוכו צרורות וקיסמין ועפרורית שנופל בו]. **ומציינין את הקברות.** בסיד שממחה ושופך סימן להולכי [דרכים ועוסקי] טהרות שלא יעברו שם מפני טומאת אהל. **ויוצאין אף על הכלאים.** שלוחי ב"ד במועד לעיין בשדות אם נזרעו כלאים [ו]עוקרין אותן [רי"ף]. טעמא [דצריך למתני] דיוצאין על הכלאים במועד לאו משום דאין (עוקרין אלא משום) [יוצאין] דליכא טירחא במה שהוא יוצא ולא נסיב לן טעמא משום דאין עוקרין במועד אפי' במועד שרי ולא הוי מלאכה דליחייב כלל דמקלקל פטור והכי איצטריך יוצאין (לעיין דליכא טירחא יתירה) [למימר דזמן יציאתן הוא במועד ואין צריך לצאת קודם]. **דאתי לאינפולי.** מתוך שהוא חדש [צריך] לכרות עד שמוציאין מים ומתקנין אותו שמקלח כמעיין וסמוך לשדות היו עושין אותן. **בית הבעל.** מיושב [גניזה]. **מאן תנא פסידא.** מידי דמפסיד כגון בית השלחין שרי במועד. **הרווחה לא.** כגון בית הבעל שאם היו משקין אותו היה ממהר לבשל פירותיו. **ואפילו במקום פסידא.** כגון שלחין. **מטרח לא טרחינן.** [טירחא יתירה] דקתני אבל לא ממי הקילון [רי"ף]. **מושכין את המים.** שממשיכין זה לאילן אחר אע"ג דהוי הרוחה דהא ליכא טירחא ולא מידי. **אבל לא ישקה את השדה כולה.** ובבית הבעל קמיירי דהיינו הרוחה וכיון דאיכא טורח במקצת אינו משקה ועד כאן לא קאמר ר' אליעזר אלא בבית הבעל מידי דהוי הרוחה אבל לא בבית השלחין משקה כל השדה כולה קס"ד פסידא איו הרוחה לא. **טירחא.** יתירה כגון מי קילון במקום פסידא מי שמעת ליה דאין משקין ממנו. **אלא שדה בית השלחין שחרבה.** מעינה הראשון ויצא לה מעיין זה מחדש דכיון דהוה ליה מעין תחילתה והתחיל להשקות אי לא משקה לה פסידא אבל אי לא חרבה דלא הוה ליה אלא מעין אלא זהו תחילתו ואכתי לא שתי לא ישקנו עתה תחלה דלא פסדא אפי' לאותו שדה לא יפנה לה לאמת המים חדש משום טירחא יתירה. **גינתו.** גינה מיושבת בזרעים. **חורבתו.** פרדס שחרב מאילנותיו. לר' יהודה פסידא אין הרוחה לא דקתני בית השלחין ואפי' במקום פסידא טירחא יתירה לא דקתני לא יפנה וכו'. **וממאי.** דמתני' ר' יהודה היא הא קתני מתני' אפי' מעיין שלא יצא בתחלה בית הבעל לא ור' יהודה לא אסר אלא ביוצא תחלה.

*) הכת"י שוה בדרך כלל לפירוש רש"י שברי"ף ושבעין יעקב וכפי שהראשונים הביאו דברי רש"י. ובמקומות שיש שינוים ביניהם לכת"י הגהנו על פיהם את הכת"י. בחלק מהמקומות צוין מקור התיקון. במקום שהכתב יד משובש ולא ניתן לפענחו הבאנו שלש נקודות. בכת"י חסר מן ההתחלה עד דף ג' ע"א והשלמנו ע"פ הרש"י ברי"ף והוגה ע"פ הב"ח וע"פ גניזה קמברידז'. כן חסר בכת"י מדף י' ע"א עד סוף פרק ראשון ומדף כ"ח ע"א עד סוף המסכת והשלמנו ע"פ רש"י שברי"ף ושבעין יעקב. ההשלמות צוינו ע"י כוכב בתחילתן וכוכב בסופן.

Another category of labor permitted on Chol HaMoed is צָרְכֵי רַבִּים, [*work performed for*] *the communal need.*[8] The Mishnah gives examples of this type of labor:

וּמְתַקְּנִין אֶת קִלְקוּלֵי הַמַּיִם שֶׁבִּרְשׁוּת הָרַבִּים – **One may repair damaged cisterns in the public domain**[9] וְחוֹטְטִין אוֹתָן – **and one may clear them out.**[10] וּמְתַקְּנִין אֶת הַדְּרָכִים וְאֶת הָרְחוֹבוֹת – **And one may repair the roads, the streets**[11] וְאֶת מִקְווֹת הַמַּיִם – **and the *mikvehs,***[12] וְעוֹשִׂין כָּל צוֹרְכֵי הָרַבִּים – **and tend to all of the public needs.**[13] וּמְצַיְּינִין אֶת הַקְּבָרוֹת – **And one may mark the graves.**[14] וְיוֹצְאִין אַף עַל הַכִּלְאַיִם – **And [agents of the court] also go out** to inspect fields **for *kilayim.***[15]

Gemara The Mishnah stated that an irrigated field may be watered "whether from a newly emerged spring or from a spring that is not newly emerged." The Gemara asks:

הַשְׁתָּא יֵשׁ לוֹמַר מִמַּעְיָין שֶׁיָּצָא בַּתְּחִילָּה – **Now if from a newly emerged spring, where one could say** דְּאָתֵי לְאִינְפּוּלֵי – **that** the fear exists that **[the walls of the spring] may come to collapse,** מַשְׁקִין – **one may** nevertheless **water** on Chol HaMoed,[16] מִמַּעְיָין שֶׁלֹּא יָצָא בַּתְּחִילָּה – then **from a spring that is not newly emerged,** דְּלֹא אָתֵי לְאִינְפּוּלֵי – **where** because the spring's walls are firmly established we can assume that **they will not come to collapse,** מִיבַּעְיָא – **is it necessary** to state that watering is permitted?

The Gemara answers:

אָמְרֵי אִצְטְרִיךְ – **They said: It is necessary.** אִי תָּנָא מַעְיָין שֶׁיָּצָא בַּתְּחִילָּה – For **had [the Mishnah] stated** only that one may use **a newly emerged spring,** הֲוָה אֲמִינָא – **I might have said** that הָכָא הוּא דְּבֵית הַשְּׁלָחִין אִין בֵּית הַבַּעַל לֹא – **it is** only **in this case that an irrigated field may** be watered, but **a rain-watered field may not,** מִשּׁוּם דְּאָתֵי לְאִינְפּוּלֵי – **because** we are concerned that **[the walls of the spring] may come to collapse.**[17] אֲבָל מַעְיָין שֶׁלֹּא יָצָא בַּתְּחִילָּה – **But** regarding **a spring that is not newly emerged,** דְּלֹא אָתֵי לְאִינְפּוּלֵי – **where [its walls] will** presumably **not come to collapse,** אֵימָא אֲפִילּוּ בֵּית הַבַּעַל נַמִּי – **I might have said that even a rain-watered field** may **also** be watered from it. קָא מַשְׁמַע לָן – **[The Mishnah]** therefore **informs us** that לֹא שְׁנָא מַעְיָין שֶׁיָּצָא בַּתְּחִילָּה וְלֹא שְׁנָא מַעְיָין שֶׁלֹּא יָצָא בַּתְּחִילָּה – **no matter whether a newly emerged spring or a spring that is not newly emerged,** בֵּית הַשְּׁלָחִין אִין – **an irrigated field** may be watered from it whereas בֵּית הַבַּעַל לֹא – **a rain-watered field may not.**

The Gemara digresses to analyze the term used in the Mishnah to refer to an irrigated field:

וּמַאי מַשְׁמַע דְּהַאי בֵּית הַשְּׁלָחִין לִישְׁנָא דִּצְחוּתָא הִיא – **And what indication** is there **that this** term ***beis hashlachin*** **is an expression of thirst,** i.e. that the field is thirsty for water? דִּכְתִיב ,,וְאַתָּה עָיֵף וְיָגֵעַ'' – **For it is written:**[18] ***and you were faint and exhausted,***[19] וּמְתַרְגְּמִינַן וְאַתְּ מְשַׁלְהֵי וְלָאֵי – **and we render** this phrase in the *Targum* there as: ***and you were "meshalhei" and exhausted.***[20]

Having analyzed the term *beis hashlachin* used by the Mishnah to refer to an irrigated field, the Gemara proceeds to analyze the term used in the above answer to refer to a field which can subsist on rainwater alone:

וּמַאי מַשְׁמַע דְּהַאי בֵּית הַבַּעַל לִישְׁנָא דְּמִיַּיתְּבוּתָא הִיא – **And what indication** is there **that this** term ***beis habaal*** **is an expression of being settled,** i.e. that the field is satisfied with natural rainfall and there is no need to manually water it? דִּכְתִיב ,,כִּי־יִבְעַל בָּחוּר בְּתוּלָה'' – **For it is written: *As a young man lives*** *(yival)* ***with a virgin,*** *so shall your children live in you;*[21] וּמְתַרְגְּמִינַן – **and we render** this verse in the *Targum* there: אֲרֵי כְּמָה דְמִיתּוֹתַב עוּלֵּם עִם בְּתוּלְתָּא יִתְיַיתְּבוּן בְּגַוֵּיךְ בְּנַיִיךְ – ***As a young man settles down with a virgin, so will your children settle in you.***[22]

NOTES

8. Unlike the previous category of דָּבָר הָאָבֵד, work for the sake of the community may be done even if it entails excessive exertion (*Rosh* §6; *Meiri*).

9. I.e. cisterns used to collect drinking water (*Rashi* to *Rif;* cf. *Ritva, Meiri*). If some of the stones making up the walls of the cistern collapsed into it, they may be removed (*Rashi* to 5a ד״ה קלקולי). Alternatively, if these cisterns are cracked, and dirt or sewage is seeping into them and polluting the drinking water, they may be repaired for the sake of the community (*Hagahos HaBach* to *Rashi* to *Rif; Nimukei Yosef*).

10. I.e. we may clear them of any pebbles or splinters that may have fallen into them (*Rashi* below, 5a ד״ה חוטטין; cf. *Tosafos* here ד״ה וחוטטין).

11. דְּרָכִים, *roads,* refers to public thoroughfares. רְחוֹבוֹת, *streets,* refers to the streets behind the houses where the children play (*Nimukei Yosef*). Alternatively, רחובות are market streets (*Talmid R' Yechiel MiParis*).

12. [Literally: gatherings of water.] As the Gemara below (5a) explains, this means that if a *mikveh* [ritual bath] contains less than the required forty *se'ah* of rainwater, we are permitted to fill it to the required level during Chol HaMoed, as this, too, is deemed a public necessity (*Nimukei Yosef*).

13. The Gemara below (5a) will explain what additional activities this comes to include.

14. It was customary to mark graves by pouring lime over them, in order to caution passersby who eat *terumah* and had to remain *tahor* to keep a distance (*Rashi* below, 5a ד״ה מציינין את הקברות).

15. The Torah forbids the planting of *kilayim,* certain mixtures of diverse species. Not only is it forbidden to plant such species together, but it is also forbidden to allow the mixture to remain in the ground in one's field even if it was planted by a non-Jew or grew naturally (*Shulchan Aruch, Yoreh Deah* 297:2). Therefore, agents of the court would inspect the fields and uproot any *kilayim* which they found.

The Mishnah here is not coming to permit sending out agents, for it is obvious that this is permitted, since no excessive exertion is involved. Rather, the point of the Mishnah is to inform us that the time for sending out the agents is during the intermediate days of Pesach (*Talmid R' Yechiel MiParis, Nimukei Yosef*; see Gemara below, 6a,b). [The word אַף, *also,* in the phrase יוֹצְאִין אַף עַל הַכִּלְאַיִם is out of place here, and appears only because this same phrase appears in the first Mishnah in *Shekalim,* where the word אף is appropriate (*Tos. Yom Tov*).]

16. The Rabbis were not concerned that because the spring has not yet established a permanent course, its walls might collapse, causing the person to repair them through excessive exertion (*Rashi*).

17. A rain-watered field (*beis habaal*) is a field [such as one] situated in a valley, which can subsist on rainwater alone and does not need supplementary watering to prevent damage to its crops [although the crops would grow *better* and *faster* with extra watering] (*Rashi*). Since the watering is not essential to prevent a loss, I might have thought that the Sages were stringent and did not permit watering from a newly emerged spring, where there is the danger that the walls will collapse and the owner will come to repair them.

18. *Deuteronomy* 25:18.

19. "Faint" in this verse means faint from thirst (see *Rashi* ad loc.).

20. The letters ח and ה are interchangeable (*Rashi*). Thus the word שַׁלְהֵי, which we find in *Targum Onkelos,* means faint from thirst (see previous note), and is similar to the term שְׁלָחִין used in our Mishnah to refer to a thirsty field.

21. *Isaiah* 62:5. Just as a young man and a virgin are a fitting match, so too the Children of Israel and the Land of Israel are suited for each other (*Radak* there).

22. A young man who marries a virgin settles contentedly into his home and no longer wanders from place to place as he did when he was single (see *Nimukei Yosef*).

The term settle corresponds to the word בַּעַל. Thus, the phrase בית

משקין [א] בית השלחין במועד ובשביעית בין ממעיין שיצא בתחילה בין ממעיין שלא יצא בתחילה [ב] אבל אין משקין לא ממי הגשמים ולא ממי הקילון [ג] ואין עושין (א) עוגיות לגפנים ר' אלעזר בן עזריה אומר אין עושין את האמה בתחילה במועד ובשביעית וחכמים אומרים [ד] עושין את האמה בתחילה בשביעית [ה] ומתקנין את המקולקלות במועד (א) [ו] ומתקנין את קלקולי המים שברשות הרבים וחוטטין אותן [ז] ומתקנין את הדרכים ואת הרחובות ואת (ב) מקוות המים ועושין כל צורכי הרבים ומציינין את הקברות [ח] ויוצאין אף על הכלאים: **גמ'** השתא יש לומר ממעיין שיצא בתחילה דאתי לאינפולי משקין ממעיין שלא יצא בתחילה דלא אתי לאינפולי מיבעיא אמרי אצטריך אי תנא מעיין שיצא בתחילה הוה אמינא הכא הוא דבית השלחין אין בית הבעל לא משום דאתי לאינפולי אבל מעיין שלא יצא בתחילה דלא אתי לאינפולי אימא אפילו בית הבעל נמי קא משמע לן לא שנא מעיין שיצא בתחילה ולא שנא מעיין שלא יצא בתחילה בית השלחין אין בית הבעל לא ומאי משמע דהאי בית השלחין לישנא דצחותא היא דכתיב [ב] (א) ואתה עיף ויגע ומתרגמינן ואת משלהי ולאי ומאי משמע דהאי בית הבעל לישנא דמייתבותא היא דכתיב (ב) כי יבעל בחור בתולה ומתרגמינן ארי כמה דמיתותב עולם עם בתולתא יתייתבון בגויך בנייך מאן תנא [ט] דפסידא אין הרווחה לא [י] ואפילו במקום פסידא מיטרח נמי לא טרחינן אמר רב הונא ר' אליעזר בן יעקב היא דתנן [ג] רבי אליעזר בן יעקב אומר מושכין את המים מאילן לאילן ובלבד שלא ישקה את השדה כולה אימור דשמעת ליה לרבי אליעזר הרווחה דלא טירחא במקום פסידא מי שמעת ליה אלא אמר רב פפא הא מני רבי יהודה היא דתניא [ד] מעיין היוצא בתחילה משקין ממנו אפילו שדה בית הבעל דברי רבי מאיר רבי יהודה אומר [כ] אין משקין אלא שדה בית השלחין שחרבה רבי אלעזר בן עזריה אומר לא כך ולא כך יתר על כן אמר רבי יהודה לא יפנה אדם אמת המים וישקה לגינתו ולחורבתו בחולו של מועד מאי חרבה אילימא חרבה ממש למה לי דמשקי לה (ג) אמר אביי שחרבה ממעיין זה ויצא לה מעיין אחר רבי אלעזר בן עזריה אומר לא כך ולא כך לא שנא חרב מעיינה ולא שנא לא חרב מעיינה מעיין שיצא בתחילה לא וממאי דלמא עד כאן לא קאמר רבי יהודה בית השלחין אין בית הבעל לא אלא מעיין שיצא בתחילה

דלמא

רש"י

משקין בית השלחין במועד. שדה שהיא עומדת בהר וצריך להשקותה תמיד משקין אותה אפילו בחולו של מועד לפי שהוא לו הפסד גדול אם אינו משקה אותה ודבר של הפסד התירו חכמים לטרוח בו בחולו של מועד כמו שאנו מוצאין במסכת חגיגה (דף יח.) דכתיב (דברים יז) ששת ימים תאכל מצות וביום השביעי עצרת לה' אלהיך מה שביעי עצור בעשיית מלאכה אף ששה עצורים בעשיית מלאכה אי מה שביעי עצור בכל מלאכה אף ששה עצורין בכל מלאכה תלמוד לומר השביעי שביעי עצור בכל מלאכה ואין ששה עצורין בכל מלאכה הא לא מסרן הכתוב אלא לחכמים לומר לך איזו מלאכה אסורה בחוה"מ ואי זו מותרת ומלאכה שיש בה הפסד אם אינו עושה אותה כגון להשקות בית השלחין התירו חכמים: ובשביעית. מפרש בגמרא: ממעיין שיצא בתחילה. דעכשיו מתחיל לנבוע שעדיין לא החזיקה דרכה: בין ממעיין שלא יצא בתחילה. אלא מעיין נובע מזמן מרובה: אבל לא ממי גשמים. משום דאית ביה טירחא יתירא כדמפרש בגמרא: גמ' דאתי לאינפולי. הקרקע שסביבה דעדיין לא החזיקה דרכה: משקין. בחולו של מועד ולא חיישינן דלמא נפיל ואזיל וטרח טירחא יתירא: מעיין שלא יצא בתחילה. שכבר החזיק דרכו: מיבעיא. דמשקה ממנו בחולו של מועד: בית הבעל. שדה הוא בעמק ואינו צריך להשקותה ואין בה הפסד אם אין משקה אותה: קא משמע לן. מתניתין דתני בין ממעיין שלא יצא בתחילה: בית השלחין אין בית הבעל. אפילו ממעיין שלא יצא בתחילה לא: (ה) נישלהי). וה"א מתחלף בחי"ת: מאן תנא. דמתני' דפסידא שרי למיטרח בה בחוה"מ כגון בית השלחין: הרווחה לא. כגון דבית הבעל דאסור להשקותה מאחר שאין בה הפסד שאין צריך להשקותה אלא להרווחה דמילתא לשוויה אפלי חרפי: אפילו במקום פסידא מיטרח לא טרחינן. דקתני מתניתין אבל לא ממי גשמים כו' משום דאית ביה טירחא: מושכין המים מאילן לאילן. בחולו של מועד אם יש מים תחת אילן אחד עושין דרך קטן מאילן לאילן כדי שימשכו המים מאילן זה לאילן אחר: (ד) לא ישקה את השדה כולה. בבית הבעל קמיירי דהרווחה היא אלמא דהרווחה דמילתא אסר ר' אליעזר: אילימא חרבה ממש. שנעשה בור למה לי למשקה להיא דהא אין לה תקנה לעולם: שחרבה ממעיין זה ויצא לה מעיין אחר. שחרב מעיינה שרגילה לשתות ממנו דכיון שרגילה לשתות אי לא משקה לה עכשיו אית ליה פסידא יתירא אפילו הכי לא שרי ר' יהודה אלא ממעיין שיצא לה דלאו טירחא הוא אבל מי גשמים ומי קילון דטירחא הוא לא שרי אפילו לבית השלחין ועוד חזינן דקאמר רבי יהודה לא יפנה (ה) מים כו' אלמא דלא שרי ר' יהודה טירחא יתירא אלמא מתני' ר' יהודה היא דהא לראב"ע ל"ש חרב מעיינה ממעיין שיצא לה בתחילה ול"ש לא חרב תרוייהו אסר:

דלמא

תוספות

משקין בית השלחין. שדה שאינה מסתפקת במי גשמים וצריך להשקותה תמיד ואם אין משקין אותה תדיר נפסדת והלכך משקין אותה בחוה"מ ומשום פסידא שרו ליה רבנן כדאמרינן בפ' אין דורשין (חגיגה דף יח. ושם) תניא אידך ששת ימים תאכל מצות וביום השביעי עצרת לה' אלהיך מה שביעי עצור אף ששה עצורים אי מה שביעי עצור מכל מלאכה אף כל ששה עצורים מכל מלאכה תלמוד לומר השביעי ה"א יתירא השביעי עצור מכל מלאכה ואין הששה עצורים מכל מלאכה הא לא מסרן הכתוב אלא לחכמים ללמדך איזה יום אסור ואיזה יום מותר איזו מלאכה אסורה ואיזו מלאכה מותרת:

וחוטטין אותה. שאם נתמלא הבור מותר לחטט להעמיקו שהעפר תיחוח אבל לחופרה בתחילה שהקרקע קשה לא משום דאיכא טירחא יתירא:

ומציינין. דליכא טירחא:

ויוצאין על הכלאים. מצוה הוא לצאת כדאמרינן בגמ' ולא דמי להני אחריני דקתני ומתקנין דהאי חובה הוא כדמוכח בגמרא:

עיף ויגע. צמא למים כדכתיב (ו) הרויתי נפש עיפה (ירמיה לא):

מאן תנא פסידא אין. משום דאשכחן לקמן דרבי מאיר פליג עלה דמתני' והאי סתם מתניתין לא אתיא אליביה כשאר סתמי משום הכי קבעי הש"ס מאן תנא:

מושכין אמת המים כו'. שאם יש שם מים תחת אילן זה יכול למושכם במועד תחת אילן אחר משום דאילן כבית השלחין דמי וצריכין למים טפי והא דתנא מושכין ולא תנא משקין אורחא דמילתא קתני דבענין זה רגילין להשקות אילנות:

יותר על כן אמר רבי יהודה. עוד היה מחמיר יותר אפילו בבית השלחין קא אסר להפנות משום דהוי טירחא יתירא:

לגינתו ולחורבתו. של בית השלחין גינה מקום זרעים חורבה מקום שחרבו אילנותיו וחרשו וזרעו ונטעו ושמא הוא צריך למים יותר ולא זו אף זו קתני אי נמי חרב ביתו ועשאו גינה וצריכה מים תדיר יותר משאר בית השלחין ומשום דאיכא טירחא יתירא לא:

אם

מסורת הש"ס

א) [עי' פרש"י לקמן ד: ד"ה עוגיות], ב) [גי' הערוך בערך שלה ה דכתיב והוא עיף (בראשית כג) תרגומו והוא משלהי], ג) לקמן ו:, ד) [תוספתא פרק א], ה) [נ"ל משלהי], ו) [הטעמת הישנה ונפש עיפה למים לא נמצא בתנ"ך עיין תוי"ט].

הגהות הב"ח

(א) מתני' ומתקנין את קלקולי המים. נ"ב עי' פרש"י בדף ה ע"א: (ב) שם ואת מקוואות המים ועושין: (ג) גמ' דמשקי לה ואמר אביי שחרבה כו' לא חרב מעיינה ממעיין שיצא בתחלה: (ד) רש"י ד"ה שלא ישקה: (ה) ד"ה שחרבה כו' דקאמר"י לא יפנה אדם אמת המים כו' אלמא וכו' ל"ש חרב מעיינה ול"ש לא חרב תרוייהו אסר ממעיין שיצא לה בתחילה כצ"ל והס"ד:

גליון הש"ס

מתני' ובשביעית בין ממעיין. עיין לקמן דף ו ע"ב תוס' ד"ה מרבילין:

תורה אור השלם

א) אֲשֶׁר קָרְךָ בַּדֶּרֶךְ וַיְזַנֵּב בְּךָ כָּל הַנֶּחֱשָׁלִים אַחֲרֶיךָ וְאַתָּה עָיֵף וְיָגֵעַ וְלֹא יָרֵא אֱלֹהִים: [דברים כה, יח]

ב) כִּי יִבְעַל בָּחוּר בְּתוּלָה יִבְעָלוּךְ בָּנָיִךְ וּמְשׂוֹשׂ חָתָן עַל כַּלָּה יָשִׂישׂ עָלַיִךְ אֱלֹהָיִךְ: [ישעיה סב, ה]

רש"י כת"י *)

*[בית השלחין. ארץ עייפה וצריכה למים תדיר. מי הגשמים. שנתכנסו בעומק (ס"א בעמק) במקום אחד. את האמה. שרגילין לעשות [בור] להתכנס בו מים ועושין חריצין בקרקע שבהן המים הולכים סביבות השדה ומשדה לשדה והנך חריצין קרי אמה לפי שיש להן רוחב אמה ברום אמה. בתחילה. אם לא היתה מעולם אין עושין אותה מתחלה במועד משום טירחא יתירה. ובשביעית. מפני שנראה (כחופר) [כעודר] כדמפרש בגמרא. וחכמים אומרים עושין את האמה בתחילה בשביעית וכו'. דלא הויא עבודה ובמועד אם היתה מקולקלת שנפל לתוכה עפר ואינו מקלחת מתקנים אותה אבל בתחלה אין עושין אותה במועד. קלקולי המים. המכונסין [בגומות] לשתיה [ונמשכים לתוכן זבלי רה"ר ומקלקלין אותן] וסותמין החריצין שבהם הולך הזבל לבור]. חוטטין. (מנקין) [מנקרין] כמו שעושין (הבורות) [לבורות שלנו שמוציאין מתוכו צרורות וקיסמין ועפרורית שנופל בו]. ומציינין את הקברות. בסיד שממחה ושופך סימן להולכי [דרכים ועושקין] טהרות שלא יעברו שם מפני טומאת אהל. ויוצאין אף על הכלאים. שלוחי ב"ד במועד לעיין בשדות אם מרעו כלאים [ו]עוקרין אותן [רי"ף]. טעמא [דלריך למתני] דיוצאין על הכלאים במועד לאו משום דאין (עוקרין אלא משום) [יוצאין] דליכא טירחא במה שהוא יוצא ולא נסיב לן טעמא משום דאין עוקרין במועד דעקירה אפי' במועד שרי ולא הוי מלאכה דליחייב כלל דמקלקל פטור והכי אילטריך יוצאין (לעיין דליכא טירחא יתירה) [למימר דזמן יציאתן הוא במועד ואין לריך לצאת קודם]. דאתי לאינפולי. מתוך שהוא חדש [לריך] לכרות עד שמוציאין מים ומתקנין אותו שמקלא כמעיין וסמוך לשדות היו עושין אותן. בית הבעל. מיושב [בגיזה]. מאן תנא פסידא. מידי דמפסיד כגון בית השלחין שרי במועד. הרווחה לא. כגון בית הבעל שאם היו משקין אותו היה ממהר לגדל פירותיו. ואפילו במקום פסידא. כגון שלחין. מטרח לא טרחינן. [טירחה יתירה] דקתני אבל לא ממי הקילון [רי"ף]. מושכין את המים. שממשיכין זה לאילן אחר אע"ג דהוי הרווחה דהא ליכא טירחא ולא מידי. אבל לא ישקה את השדה כולה. ובבית הבעל קמיירי דהיינו הרווחה וכיון דאיכא טורח במקלת אינו משקה ועד כאן לא קאמר ר' אליעזר אלא בבית הבעל מידי דהוי הרווחה אבל לא בבית השלחין משקה כל השדה כולה קס"ד פסידא אינו הרווחה לא. טירחא. יתירה כגון מי קילון במקום פסידא מי שמעת ליה דלאו משקין ממנו. אלא שדה בית השלחין שחרבה. מעינה הראשון ויצא לה מעיין זה ממחדש דכיון דהוה ליה מעין תחילתה והתחיל להשקות אי לא משקה לה פסידא אבל אי לא חרבה דלא הוה ליה אלמא מעין אלא זהו תחילתו ואלמא לא שתי לא ישקנו עתה תחלה דלא פסדא אפי' לאותו שדה לא יפנה לה לאמת המים חדש משום טירחא יתירה. גינתו. גינה מיושבת בזרעים. חורבתו. פרדס שחרב מאילנותיו. לר' יהודה פסידא אין הרווחה לא דקתני בית השלחין ואפי' במקום פסידא טירחא יתירה לא דקתני לא יפנה וכו'. וממאי. דמתני' ר' יהודה היא הא קתני מתני' אפי' מעיין שלא יצא בתחלה בית הבעל לא ור' יהודה לא אסר אלא ביוצא תחלה.

*) הכת"י שוה בדרך כלל לפירוש רש"י שברי"ף ושבעין יעקב וכפי שהראשונים הביאו דברי רש"י. ובמקומות שיש שינוים ביניהם לכת"י הגהנו על פיהם את הכת"י. בחלק מהמקומות צוין מקור התיקון. במקום שהכתב יד משובש ולא ניתן לפענחו הנחנו שלש נקודות. בכת"י חסר מן ההתחלה עד דף ג' ע"א והשלמנו ע"פ הרש"י ברי"ף והוגה ע"פ הכ"מ וע"פ גניזה קמברידג'. כן חסר בכת"י מדף י' ע"א עד סוף פרק ראשון ומדף כ"ח ע"א עד סוף המסכת והשלמנו ע"פ רש"י שברי"ף ושבעין יעקב. ההשלמות צוינו ע"י כוכב בתחילתן וכוכב בסופן.

עין משפט נר מצוה

א א מיי' פ"ז מהלכות יו"ט הלכה ב ופ"א מהלכות שמטה הלכה ח סמג לאוין עה ועשין דרבנן ב טוש"ע א"ח סי' תקלז סעיף א:

ב ב מיי' פ"ז מהלכות יו"ט שם טוש"ע שם סעיף ב:

ג ג מיי' פ"ח מהלכות י"ט הלכה ג טוש"ע שם סעיף ה:

ד ד מיי' פ"א מהלכות שמטה הלכה ט:

ה ה מיי' פ"ח מהלכות יו"ט הלכה ג טוש"ע שם סעיף ו:

ו ו מיי' שם פ"ז הלכה י טוש"ע שם סי' תקמד סעיף ב:

ז ז מיי' שם טוש"ע שם סעיף א:

ח ח מיי' פ"ז מהלכות י"ט הלכה יא:

ט ט י מיי' שם הלכה ב טוש"ע שם סי' תקלז סעיף א ב:

י כ מיי' שם טוש"ע שם סעיף א:

רבינו חננאל

משקין בית השלחין במועד ובשביעי' בין ממעין שיצא בתחלה ובין ממעין כו' ומקשינן השתא יש לומר ממעין שיצא בתחלה דחיישינן דלמא אתי לאינפולי ובני ליה אמרת משקין ממעין שכבר יצא וניתקן ועמד מיבעיא. ופרקינן איצטריך לאשמועינן דאפי' ממעין ישן דליכא חששא דלמא נפיל ובני ליה אין משקין אלא בית השלחין שהן נטועין וצמאין למים מלשון שלהי כדמתרגמי' והוא עיף ומשלהי. אבל בית הבעל שכבר גדל והשריש שרשים בקרקע כמו בעל באשתו כדכתיב והולידה והצמיחה. בין ממעין שיצא בתחלה ובין ממעין שלא יצא בתחלה אין משקין שדה בית הבעל. ואמרינן מאן תנא דחייש לפסידא דבית השלחין כדי שלא יפסידו וייבשו והתיר להשקותם ואפי' הכי לא התיר אלא דבר שאין בו טורח. אבל להשקות ממי גשמים וכיוצא בהן שיש טורח בהן לא התיר. אמר רב הונא ר' אליעזר בן יעקב היא דתנא ר' אליעזר בן יעקב אומר מושכין מים מאילן לאילן אבל לא ישקה את כל השדה ודחינן אימור דשמעת לר' אליעזר דלא שרי הרווחה מדקתני לא ישקה את כל השדה אבל שלא להטריח במקום שיש פסידא מי שמעת ליה. ובא רב פפא ואוקמה לר' יהודה דתני אין משקין ממעין היוצא בתחלה אלא שדה בית השלחין שחרבה. ומקשינן אי חרבה למה לי השקאה אמר אביי מאי חרבה דקתני חרב מעיינה ויצא לה מעין אחר בתחלה וסבר ר' יהודה ל"ש מעין שיצא בתחלה ולא שנא מעין שלא יצא בתחלה אין משקין אלא בית השלחין. והא דקתני מעין שיצא בתחלה איידי דאמר ר' מאיר מעין שיצא בתחלה משקין ממנו אפי' שדה

The Mishnah rules that only an irrigated field may be watered on Chol HaMoed, for failure to do so will result in an irretrievable loss. Moreover, even an irrigated field may be watered only through methods that are not overly strenuous. Watering a field which can subsist on rainfall alone, however, and is watered only to improve its productivity, or watering even an irrigated field in a way that involves excessive exertion, such as from a well, is forbidden. The Gemara seeks to identify the Tanna who is of this opinion:

מַאן תַּנָּא דִּפְסֵידָא אֵין הַרְוָוחָה לֹא – **Who is the Tanna** who holds **that** to prevent **an** irretrievable **loss** one **may** perform labor on Chol HaMoed, whereas for the sake of **profit** one may **not** perform labor, וַאֲפִילּוּ בִּמְקוֹם פְּסֵידָא מִיטְרַח נַמִּי לֹא טַרְחִינַן – **and** that, furthermore, **even in the face of an** irretrievable **loss one may not perform** any labor that requires **excessive exertion?**

The Gemara answers:

אָמַר רַב הוּנָא – **Rav Huna said:** רַבִּי אֱלִיעֶזֶר בֶּן יַעֲקֹב הִיא – **It is R' Eliezer ben Yaakov.** דִּתְנַן – **For we learned in a Mishnah:**[23] רַבִּי אֱלִיעֶזֶר בֶּן יַעֲקֹב אוֹמֵר – R' ELIEZER BEN YAAKOV SAYS: מוֹשְׁכִין אֶת הַמַּיִם מֵאִילָן לְאִילָן – WE MAY DIVERT WATER FROM one TREE TO another TREE on Chol HaMoed, i.e. if a large amount of water is gathered under one tree, the grower may divert some of it to other trees in the field,[24] וּבִלְבַד שֶׁלֹּא יַשְׁקֶה אֶת הַשָּׂדֶה כּוּלָּהּ – PROVIDED THAT HE DOES NOT WATER THE ENTIRE FIELD, i.e. the area between the trees, for by doing so he is only improving the productivity of the field, not preventing a loss.[25] Thus R' Eliezer ben Yaakov's view is identical to that of our Mishnah which states that labor may not be performed on Chol HaMoed if it is done solely in order to improve productivity.[26]

The Gemara rejects this proof that R' Eliezer ben Yaakov is the Tanna of our Mishnah:

אֵימוּר דְּשָׁמְעַתְּ לֵיהּ לְרַבִּי אֱלִיעֶזֶר הַרְוָוחָה דְּלֹא – **Say that you have heard** from the Mishnah on 6b only that **R' Eliezer** does **not** permit labor on Chol HaMoed for the sake of **profiting** (i.e. to improve the productivity of a field).[27] טִירְחָא בִּמְקוֹם פְּסֵידָא מִי שְׁמַעְתְּ לֵיהּ – But **have you heard** from there that he forbids excessive **exertion in the face of an** irretrievable **loss?** Certainly not![28]

The Gemara suggests another answer:

אֶלָּא אָמַר רַב פָּפָּא – **Rather, Rav Pappa said:** הָא מַנִּי – **Who is** the Tanna of **this** Mishnah? רַבִּי יְהוּדָה הִיא – **It is R' Yehudah.** דְּתַנְיָא – **For it was taught in a Baraisa:** מַעְיָין הַיּוֹצֵא בַּתְּחִילָּה – A SPRING THAT IS JUST EMERGING, מַשְׁקִין מִמֶּנּוּ אֲפִילּוּ שְׂדֵה בֵּית הַבַּעַל – EVEN A RAIN-WATERED FIELD MAY BE WATERED WITH IT. דִּבְרֵי רַבִּי מֵאִיר – These are THE WORDS OF R' MEIR.[29] רַבִּי יְהוּדָה אוֹמֵר – R' YEHUDAH SAYS: אֵין מַשְׁקִין אֶלָּא שְׂדֵה בֵּית הַשְּׁלָחִין שֶׁחָרְבָה – ONE MAY WATER ONLY AN IRRIGATED FIELD THAT DRIED UP.[30] רַבִּי אֶלְעָזָר בֶּן עֲזַרְיָה אוֹמֵר – R' ELAZAR BEN AZARYAH SAYS: לֹא כָּךְ וְלֹא כָּךְ – NEITHER THIS NOR THAT.[31] יָתֵר עַל כֵּן אָמַר רַבִּי יְהוּדָה – MOREOVER, R' YEHUDAH SAID: לֹא יְפַנֶּה אָדָם אַמַּת הַמַּיִם וְיַשְׁקֶה לְגִינָּתוֹ וּלְחוּרְבָתוֹ בְּחוּלּוֹ שֶׁל מוֹעֵד – A PERSON MAY NOT CLEAN OUT AN IRRIGATION CANAL AND WATER from it HIS GARDEN OR HIS RUIN ON CHOL HAMOED.[32]

The Gemara explains the meaning of R' Yehudah's expression in the Baraisa "an irrigated field that dried up":

מַאי חָרְבָה – **What** does the term **"dried up"** mean? אִילֵימָא חָרְבָה מַמָּשׁ – **If you say** it means **literally dried up,** i.e. the field is useless and nothing is growing there, לָמָּה לִי דְּמַשְׁקֵי לָהּ – **what purpose is there in watering it?** אָמַר אַבַּיֵי – Rather, **Abaye said:** שֶׁחָרְבָה מִמַּעְיָין זֶה – It means **that it dried up insofar as this spring,** i.e. the spring from which it was watered until now dried up, וְיָצָא לָהּ מַעְיָין אַחֵר – **and another spring emerged on it** from which it can be watered. Since the field was accustomed to being watered from the first spring, R' Yehudah permits it to be watered from the new spring, for failure to do so would result in an irretrievable loss.[33] רַבִּי אֶלְעָזָר בֶּן עֲזַרְיָה אוֹמֵר – R' ELAZAR BEN AZARYAH SAYS: לֹא כָּךְ וְלֹא כָּךְ – NEITHER THIS NOR THAT, meaning, לֹא שְׁנָא חָרַב מַעְיָינָהּ וְלֹא שְׁנָא לֹא חָרַב מַעְיָינָהּ – **no matter whether its spring dried up or whether its spring did not dry up,** מַעְיָין שֶׁיָּצָא בַּתְּחִילָּה לֹא – in both instances **a**

NOTES

הַבַּעַל refers to a field which is settled (i.e. content) and does not have to be artificially watered.

23. Below, 6b.

24. The trees cannot subsist on rainfall alone and require additional watering. Watering them on Chol HaMoed is thus permitted (*Rashi* to Mishnah 6b ד״ה מושכין; *Tosafos* here).

25. The area between the trees may not be watered, since to ensure that the trees not be harmed it is sufficient to water the area directly beneath the trees. The only purpose in watering the area between the trees would be to increase the trees' productivity (since the trees' roots extend out to this area and would drink up this water as well). This is forbidden on Chol HaMoed (*Meiri,* second explanation; *Tos. HaRosh* in the name of *Raavad;* cf. *Rashi* to *Rif* to Mishnah 6b, and the explanation attributed to *Rashi* by *Ritva* and *Tos. HaRosh*).

26. The Sages in that Mishnah permit even watering the entire field, for they allow the performance of labor even to improve productivity. Our Mishnah, therefore, is not in accordance with their view. Rather, it is in accordance with R' Eliezer ben Yaakov, who permits watering only the individual trees (*Rashi* to *Rif* to the Mishnah on 6b).

27. This is clearly stated by R' Eliezer when he forbids watering the entire field just for the sake of improving its productivity.

28. Our Mishnah states two stringencies: (a) that work for profit is forbidden, and (b) that even work to forestall a loss is forbidden if it involves excessive exertion. We have seen from the Mishnah on 6b that R' Eliezer subscribes to the first point. But how do we know that he agrees with the second?

29. In contrast to our Mishnah, R' Meir permits watering even a rain-watered field, although the only purpose of this is to increase productivity. Moreover, he permits this even from a newly emerging spring.

30. This is explained below.

31. The Gemara will explain R' Elazar ben Azaryah's words.

32. If the irrigation canal became clogged with mud or debris, impeding the water flow, he may not dredge it in order to water his garden or ruin from it (*Tos. Rid, Meiri*). Alternatively the word should be vowelized יְפַנֶּה, meaning he may not *divert* an irrigation canal toward his garden or ruin (*Talmid R' Yechiel MiParis;* see also *Tos. HaRosh*). A garden, or a ruin, which is a plot of land upon which a house once stood and then, after the house collapsed, was cleared and used for planting, requires constant watering, even more so than an irrigated field (*Tosafos,* second explanation; *Talmid R' Yechiel MiParis*). Nevertheless [although the person will suffer a loss if he does not water these areas], he may not do so by dredging (or diverting) an irrigation canal, because this act involves excessive exertion [which is forbidden even to prevent a loss] (see *Tosafos*).

33. Unlike R' Meir, R' Yehudah permits watering only an irrigated field, since not doing so would result in an irretrievable loss. Regarding such a field, though, he agrees with R' Meir that even a newly emerged spring may be used. However, he states that this is true only if the field had been watered before Yom Tov, such as from a previously existing spring which subsequently dried up. In that case not watering the field will result in an irretrievable loss (because seedlings that have begun to be watered may not suddenly have their watering halted for a week without being damaged). However, if no spring existed before Yom Tov, and the field was therefore not watered, and now a water source emerged, the field may not be watered, because this would be a case of performing labor solely for generating a profit. [The same would presumably be true if a spring did exist in the field before Yom Tov but the owner simply did not bother to use it. He could not now use this spring – or any other water source for that matter – to water his field on Chol HaMoed, because this would be considered a labor to effect a gain, not avert a loss.] However, see note 3 above; see also below, 6b, notes 10, 12 and 13.

משקין

[א]בית השלחין במועד ° ובשביעית בין ממעיין שיצא בתחילה בין ממעיין שלא יצא בתחילה [ב]אבל אין משקין לא ממי הגשמים ולא ממי הקילון [ג]ואין עושין (א) עוגיות לגפנים ר' אלעזר בן עזריה אומר אין עושין את האמה בתחילה במועד ובשביעית וחכמים אומרים [ד]עושין את האמה בתחילה בשביעית [ה]ומתקנין את המקולקלות במועד (א) [ו]ומתקנין את קלקולי המים שברשות הרבים וחוטטין אותן [ז]ומתקנין את הדרכים ואת הרחובות ואת (ב) מקוות המים ועושין כל צורכי הרבים ומציינין את הקברות [ח]ויוצאין אף על הכלאים: **גמ'** השתא יש לומר ממעיין שיצא בתחילה דאתי לאינפולי משקין ממעיין שלא יצא בתחילה דלא אתי לאינפולי מיבעיא אמרי אצטריך אי תנא מעיין שיצא בתחילה הוה אמינא הכא הוא דבית השלחין אין בית הבעל לא משום דאתי לאינפולי אבל מעיין שלא יצא בתחילה דלא אתי לאינפולי אימא אפילו בית הבעל נמי קא משמע לן לא שנא מעיין שיצא בתחילה ולא שנא מעיין שלא יצא בתחילה בית השלחין אין בית הבעל לא ומאי משמע דהאי בית השלחין לישנא דצחותא היא דכתיב (ג א) ואתה עיף ויגע ומתרגמינן ואת משלהי ולאי ומאי משמע דהאי בית הבעל לישנא דמייתבותא היא דכתיב (ב) כי יבעל בחור בתולה ומתרגמינן ארי כמה דמיתותב עולם עם בתולתא יתייתבון בגויך בנייך מאן תנא [ט]דפסידא אין הרווחה לא [י]ואפילו במקום פסידא מיטרח נמי לא טרחינן אמר רב הונא ר' אליעזר בן יעקב היא דתנן (ג) רבי אליעזר בן יעקב אומר מושכין את המים מאילן לאילן ובלבד שלא ישקה את השדה כולה אימור דשמעת ליה לרבי אליעזר הרווחה דלא טירחא במקום פסידא מי שמעת ליה אלא אמר רב פפא הא מני רבי יהודה היא דתניא (ד) מעיין היוצא בתחילה משקין ממנו אפילו שדה בית הבעל דברי רבי מאיר רבי יהודה אומר [כ]אין משקין אלא שדה בית השלחין שחרבה רבי אלעזר בן עזריה אומר לא כך ולא כך יתר על כן אמר רבי יהודה לא יפנה אדם אמת המים וישקה לגינתו ולחורבתו בחולו של מועד מאי חרבה אילימא חרבה ממש למה לי דמשקי לה (ג) אמר אביי שחרבה ממעיין זה ויצא לה מעיין אחר רבי אלעזר בן עזריה אומר לא כך ולא כך לא שנא חרב מעיינה ולא שנא לא חרב מעיינה מעיין שיצא בתחילה לא וממאי דלמא עד כאן לא קאמר רבי יהודה בית השלחין אין בית הבעל לא אלא מעיין שיצא בתחילה

דלמא

רש"י

משקין בית השלחין במועד. שדה שהיא עומדת בהר וצריך להשקותה תמיד משקין אותה אפילו בחולו של מועד לפי שהוא לו הפסד גדול אם אינו משקה אותה ודבר של הפסד התירו חכמים לטרוח בו בחולו של מועד כמו שאנו מוצאין במסכת חגיגה (דף יח.) דכתיב (דברים יז) ששת ימים תאכל מצות וביום השביעי עצרת לה' אלהיך מה שביעי עצור בעשיית מלאכה אף ששה עצורים בעשיית מלאכה אי מה שביעי עצור בכל מלאכה אף ששה עצורין בכל מלאכה תלמוד לומר השביעי שביעי עצור בכל מלאכה ואין ששה עצורין בכל מלאכה הא לא מסרן הכתוב אלא לחכמים לומר לך איזו מלאכה אסורה בחוה"מ ואי זו מותרת ומלאכה שיש בה הפסד אם אינו עושה אותה כגון להשקות בית השלחין התירו חכמים: ובשביעית. מפרש בגמרא: ממעיין שיצא בתחילה. דעכשיו מתחיל לנבוע שעדיין לא החזיקה דרכה: בין ממעיין שלא יצא בתחילה. אלא מעיין נובע מזמן מרובה: אבל לא ממי גשמים. משום דאית ביה טירחא יתירא כדמפרש בגמרא: גמ' דאתי לאינפולי. הקרקע שסביבה דעדיין לא החזיקה דרכה: משקין. בחולו של מועד ולא חיישינן דלמא נפיל ואזיל וטרח טירחא יתירא: מעיין שלא יצא בתחילה. שכבר החזיק דרכו: מיבעיא. דמשקה ממנו בחולו של מועד: בית הבעל. שדה הוא בעמק ואינו צריך להשקותה ואין בה הפסד אם אין משקה אותה: קא משמע לן. מתניתין דתני בין ממעיין שלא יצא בתחילה: בית השלחין אין בית הבעל. אפילו ממעיין שלא יצא בתחילה לא: (ה) נישלהי). וה"א מתחלף בחי"ת: מאן תנא. דמתני' דפסידא שרי למיטרח בה בחוה"מ כגון בית השלחין: הרווחה לא. כגון דבית הבעל דאסור להשקותה מאחר שאין בה הפסד שאין צריך להשקותה אלא להרווחה דמילתא לשוויה אפלי חרפי: אפילו במקום פסידא מיטרח לא טרחינן. דקתני מתניתין אבל לא ממי גשמים כו' משום דאית ביה טירחא: מושכין המים מאילן לאילן. בחולו של מועד אם יש מים תחת אילן אחד עושין דרך קטן מאילן לאילן כדי שימשכו המים מאילן זה לאילן אחר: (ד) לא ישקה את השדה כולה. בבית הבעל קמיירי דהרווחה היא אלמא דהרווחה דמילתא אסר ר' אליעזר: אילימא חרבה ממש. שנעשה בור למה לי למשקה להאי דהא אין לה תקנה לעולם: שחרבה ממעיין זה ויצא לה מעיין אחר. שחרב מעיינה שרגילה לשתות ממנו דכיון שרגילה לשתות אי לא משקה לה עכשיו אית ליה פסידא יתירא אפילו הכי לא שרי ר' יהודה אלא ממעיין שיצא לה דלאו טירחא הוא אבל מי גשמים ומי קילון דטירחא הוא לא שרי אפילו לבית השלחין ועוד חזינן דקאמר רבי יהודה לא יפנה (ה) מים כו' אלמא דלא שרי ר' יהודה טירחא יתירא אלמא מתני' ר' יהודה היא דהא ראב"ע ל"ש חרב מעיינה ממעיין שיצא לה בתחילה ול"ש לא חרב תרוייהו אסר:

דלמא

תוספות

משקין בית השלחין. שדה שאינה מסתפקת במי גשמים וצריך להשקותה תמיד ואם אין משקין אותה תדיר נפסדת והלכך משקין אותה בחוה"מ ומשום פסידא שרו ליה רבנן כדאמרינן בפ' אין דורשין (חגיגה דף יח. ושם) תניא אידך ששת ימים תאכל מצות וביום השביעי עצרת לה' אלהיך מה שביעי עצור אף ששה עצורים אי מה שביעי עצור מכל מלאכה אף כל ששה עצורים מכל מלאכה תלמוד לומר השביעי ה"א יתירא השביעי עצור מכל מלאכה ואין הששה עצורים מכל מלאכה הא לא מסרן הכתוב אלא לחכמים ללמדך איזה יום אסור ואיזה יום מותר איזו מלאכה אסורה ואיזו מלאכה מותרת:

וחוטטין אותה. שאם נתמלא הבור מותר לחטוט להעמיקו שהעפר תיחוח אבל לחופרה בתחילה שהקרקע קשה לא משום דאיכא טירחא יתירא:

ומציינין. דליכא טירחא:

ויוצאין על הכלאים. מצוה הוא לצאת כדאמרינן בגמ' ולא דמי להני אחריני דקתני ומתקנין דהאי חובה הוא כדמוכח בגמרא:

עיף ויגע. צמא למים כדכתיב (ו) הרויתי נפש עיפה (ירמיה לא):

מאן תנא פסידא אין. משום דאשכחן לקמן דרבי מאיר פליג עלה דמתני' והאי סתם מתניתין לא אתיא אליביה כשאר סתמי משום הכי קבעי הש"ס מאן תנא:

מושכין אמת המים כו'. שאם יש שם מים תחת אילן זה יכול למושכם במועד תחת אילן אחר משום דאילן כבית השלחין דמי וצריכין למים טפי והא דתנא מושכין ולא תנא משקין אורחא דמילתא קתני דבענין זה רגילין להשקות אילנות:

יתר על כן אמר רבי יהודה. עוד היה מחמיר יותר אפילו בבית השלחין קא אסר להפנות משום דהוי טירחא יתירא:

לגינתו ולחורבתו. של בית השלחין גינה מקום זרעים חורבה מקום שחרבו אילנותיו וחרשו וזרעו ונטעו ושמא הוא צריך למים יותר ולא זו אף זו קתני אי נמי חרב ביתו ועשאו גינה וצריכה מים תדיר יותר משאר בית השלחין ומשום דאיכא טירחא יתירא לא:

אם

עין משפט נר מצוה

א א מיי' פ"ז מהלכות יו"ט הלכה ב וס"א מהלכות שמטה הלכה ח סמג לאוין עה ועשין דרבנן ג טוש"ע א"ח סי' תקלז סעיף א:

ב ב מיי' פ"ז מהלכות יו"ט שם טוש"ע שם סעיף ב:

ג ג מיי' פ"ח מהלכות י"ט הלכה ג טוש"ע שם סעיף ה:

ד ד מיי' פ"א מהלכות שמטה הלכה ט:

ה ה מיי' פ"ז מהלכות יו"ט הלכה ג טוש"ע שם סעיף ו:

ו ו מיי' שם הלכה י טוש"ע סי' תקמד סעיף ג:

ז ז מיי' שם טוש"ע שם סעיף א:

ח ח מיי' פ"ז מהלכות י"ט הלכה יא:

ט ט י מיי' שם הלכה ב טוש"ע שם סי' תקלז סעיף א ב:

י כ מיי' שם טוש"ע שם סעיף א:

רבינו חננאל

משקין בית השלחין במועד ובשביעי' בין ממעין שיצא בתחלה ובין ממעין כו' ומקשינן השתא יש לומר ממעין שיצא בתחלה דחיישינן דלמא אתי לאינפולי ובני ליה אמרת משקין ממעין שכבר יצא וניתקן ועמד מיבעיא. ופרקינן איצטריך לאשמועינן דאפי' ממעין ישן דליכא חששא דלמא נפיל ובני ליה אין משקין אלא בית השלחין שהן נטועין וצמאין למים מלשון שלהי כדמתרגמי' והוא עיף ומשלהי. אבל בית הבעל שכבר גדל והשריש שרשים בקרקע כמו בעל באשתו כדכתיב והולידה והצמיחה. בין ממעין שיצא בתחלה ובין ממעין שלא יצא בתחלה אין משקין שדה בית הבעל. ואמרינן מאן תנא דחייש לפסידא דבית השלחין כדי שלא יפסידו וייבשו והתיר להשקותם ואפי' הכי לא התיר אלא דבר שאין בו טורח. אבל להשקות ממי גשמים וכיוצא בהן שיש טורח בהן לא התיר. אמר רב הונא ר' אליעזר בן יעקב היא דתנא ר' אליעזר בן יעקב אומר מושכין מים מאילן לאילן אבל לא ישקה את כל השדה ודחינן אימור דשמעת לר' אליעזר דלא שרי הרווחה מדקתני לא ישקה את כל השדה אבל שלא להטריח במקום שיש פסידא מי שמעת ליה. ובא רב פפא ואוקמה לר' יהודה דתני אין משקין ממעין היוצא בתחלה אלא שדה בית השלחין שחרבה. ומקשינן אי חרבה למה לי השקאה אמר אביי מאי חרבה דקתני חרב מעיינה ויצא לה מעין אחר בתחלה וסבר ר' יהודה ל"ש מעין שיצא בתחלה ולא שנא מעין שלא יצא בתחלה אין משקין אלא בית השלחין. והא דקתני מעין שיצא בתחלה איידי דאמר ר' מאיר מעין שיצא בתחלה משקין ממנו אפי' שדה

מסורת הש"ס

א) [עי' פרש"י לקמן ד: ד"ה עוגיות], ב) [גי' הערוך בערך שלא ה דכתיב והוא עיף (בראשית כג) תרגומו והוא משלהי], ג) לקמן ו:, ד) [תוספתא פרק א], ה) [נ"ל משלהי], ו) [הנוסחא הישנה ונפש עיפה למים לא נמצא בתנ"ך עיין תוי"ט].

הגהות הב"ח

(א) מתני' ומתקנין את קלקולי המים. נ"ב עי' פרש"י בדף ה ע"א: (ב) שם ואת מקוואות המים ועושין: (ג) גמ' דמשקי לה ואמר אביי שחרבה כו' לא חרב מעיינה ממעיין שילא בתחלה: (ד) רש"י ד"ה שלא ישקה: (ה) ד"ה שחרבה כו' דקאר"י לא יפנה אדם אמת המים כו' אלמא וכו' ל"ש חרב מעיינה ול"ש לא חרב תרוייהו אסר ממעיין שילא לה בתחילה כצ"ל והס"ד:

גליון הש"ס

מתני' ובשביעית בין ממעיין. עיין לקמן דף ו ע"ב תוס' ד"ה מרבילין:

תורה אור השלם

א) אֲשֶׁר קָרְךָ בַּדֶּרֶךְ וַיְזַנֵּב בְּךָ כָּל הַנֶּחֱשָׁלִים אַחֲרֶיךָ וְאַתָּה עָיֵף וְיָגֵעַ וְלֹא יָרֵא אֱלֹהִים: [דברים כה, יח]

ב) כִּי יִבְעַל בָּחוּר בְּתוּלָה יִבְעָלוּךְ בָּנָיִךְ וּמְשׂוֹשׂ חָתָן עַל כַּלָּה יָשִׂישׂ עָלַיִךְ אֱלֹהָיִךְ: [ישעיה סב, ה]

רש"י כת"י *)

*בית השלחין. ארץ עיפה וצריכה למים תדיר. מי הגשמים. שנתכנסו בעומק (ס"א בעמק) במקום אחד. את האמה. שרגילין לעשות [בור] להתכנס בו מים ועושין חריצין בקרקע שבהן המים הולכים סביבות השדה ומשקה לשדה והנך חריצין קרי אמה לפי שיש להן רוחב אמה ברום אמה. בתחילה. אם לא היתה מעולם אין עושין אותה מתחלה במועד משום טירחא יתירה. ובשביעית. מפני שנראה (כחופר) [כעודר] כדמפרש בגמרא. וחכמים אומרים עושין את האמה בתחלה בשביעית. וכמועד אם היתה מקולקלת שנפל לתוכה עפר ואינו מקלחת מתקנים אותה אבל בתחלה אין עושין אותה במועד. קלקולי המים. המכונסין [בגומות] לשתיה [ונמשכים לתוכן זבלי רה"ר ומקלקלין אותן וסותמין החריצין שבהם הולך הזבל לבור]. חוטטין. (מנקין) [מנקרין] כמו שעושין (הבורות) [לבורות שלנו שמוציאין מתוכו צרורות וקיסמין ועפרורית שנופל בו]. ומציינין את הקברות. בסיד שממחה ושופך סימן להולכי [דרכים ועוסקי] טהרות שלא יעברו שם מפני טומאת אהל. ויוצאין אף על הכלאים. שלוחי ב"ד במועד לעיין בשדות אם נזרעו כלאים [ו]עוקרין אותן [רי"ף]. טעמא [דצריך למתני] דיוצאין על הכלאים במועד לאו משום דאין (עוקרין אלא משום) [יוצאין] דליכא טירחה במה שהוא יוצא ולא נסיב לן טעמא משום דאין עוקרין במועד דעקירה אפי' במועד שרי ולא הוי מלאכה דליחייב כלל דמקלקל פטור ולהכי איצטריך יוצאין (לעיין דליכא טירחה יתירה) [למימר דזמן יציאתן הוא במועד ואין צריך לצאת קודם]. דאתי לאינפולי. מתוך שהוא חדש [צריך] לכרות עד שמוציאין מים ומתקנין אותו שמקלא כמעיין וסמוך לשדות היו עושין אותן. בית הבעל. מיושב [גניזה]. מאן תנא פסידא. מידי דמפסיד כגון בית השלחין שרי במועד. הרווחה לא. כגון בית הבעל שאם היו משקין אותו היה ממהר לגדל פירותיו. ואפילו במקום פסידא. כגון שלחין. מטרח לא טרחינן. [טירחה יתירה] דקתני אבל לא מימי הקילון [רי"ף]. מושכין את המים. שמתמאילן זה לאילן אחר אע"ג דהוי הרוחה דהא ליכא טירחא ולא מידי. אבל לא ישקה את השדה כולה. ובבית הבעל קמיירי דהיינו הרוחה וכיון דאיכא טורח במקצת אינו משקה ועד כאן לא קאמר ר' אליעזר אלא בבית הבעל מידי דהוי הרוחה אבל לא בבית השלחין משקה כל השדה כולה קס"ד פסידא איו הרוחה לא. טירחא. יתירה כגון מי קילון במקום פסידא מי שמעת ליה דאין משקין ממנו. אלא שדה בית השלחין שחרבה. מעינה הראשון ויצא לה מעין זה מחדש דכיון דהוה ליה מעין תחילתה והתחיל להשקות אי לא משקה לה פסידא אבל אי לא חרבה דלא הוה ליה אכתי מעין אלא זהו תחילתו ואכתי לא שתי לא ישקנו עתה תחלה דלא פסדא אפי' לאותו שדה לא יפנה לה לאמת המים חדש משום טירחא יתירה. גינתו. גינה מיושבת בזרעים. חורבתו. פרדס שחרב מאילנותיו. לר' יהודה פסידא אין הרוחה לא דקתני בית השלחין ואפי' במקום פסידא טירחא יתירה לא דקתני לא יפנה וכו'. וממאי. דמתני' ר' יהודה היא הא קתני מתני' אפי' מעין שלא יצא בתחלה בית הבעל לא ור' יהודה לא אסר אלא ביוצא תחלה.

*) הכת"י שזה בדרך כלל לפירוש רש"י שבריו"ף ושבעין יעקב [illegible] בחלק המקומות צוין מקור התיקון. במקום שהכתב יד משובש ולא ניתן לפענחו הלכנו [illegible] נקודות. בכת"י חסר מן ההתחלה עד דף ג' ע"א [illegible] ושבעין יעקב. [illegible] בתחלתן ובסופן.

newly emerged spring may **not** be used.[34]

At any rate, we see that R' Yehudah (a) forbids labor for the sake of increasing profit (since he permits watering only a previously watered, irrigated field), and (b) forbids the use of excessive exertion even to avert a loss (since he prohibits cleaning out a clogged irrigation canal even for a plot that requires water).[35] These two rulings are identical to those of our Mishnah.

The Gemara objects to Abaye's proof:

וּמִמַּאי – **And on what basis** do you say that the Tanna of our Mishnah is R' Yehudah? **דִּלְמָא עַד כָּאן לֹא קָאָמַר רַבִּי יְהוּדָה בֵּית הַשְּׁלָחִין אֵין בֵּית הַבַּעַל לֹא** – **Perhaps R' Yehudah stated** his ruling that **an irrigated field may** be watered but a **rain-watered field** may **not** **אֶלָּא מַעְיָין שֶׁיָּצָא בַּתְּחִילָּה** – **only** with regard to **a newly emerged spring,**

NOTES

34. R' Elazar ben Azaryah maintains that a newly flowing spring may never be used, even where the watering is necessary to avert a loss. He is afraid that the walls of the spring will collapse and the person will come to repair it through excessive exertion (see *Rashi* with *Hagahos HaBach; Chidushei HaRan*).

35. [In addition, R' Yehudah permits watering a previously watered irrigated field only from a spring, not from a well. This is further proof that he prohibits excessive exertion (see *Rashi;* cf. *Ritva*).]

משקין

א בית השלחין במועד ° ובשביעית בין ממעיין שיצא בתחילה בין ממעיין שלא יצא בתחילה ב אבל אין משקין לא ממי הגשמים ולא ממי הקילון ג ואין עושין (א) עוגיות לגפנים ר' אלעזר בן עזריה אומר אין עושין את האמה בתחילה במועד ובשביעית וחכמים אומרים ד עושין את האמה בתחילה בשביעית ה ומתקנין את המקולקלות במועד (א) ו ומתקנין את קלקולי המים שברשות הרבים וחוטטין אותן ז ומתקנין את הדרכים ואת הרחובות ואת (ב) מקוות המים ועושין כל צורכי הרבים ומציינין את הקברות ח ויוצאין אף על הכלאים: **גמ'** השתא יש לומר ממעיין שיצא בתחילה דאתי לאינפולי משקין ממעיין שלא יצא בתחילה דלא אתי לאינפולי מיבעיא אמרי אצטריך אי תנא מעיין שיצא בתחילה הוה אמינא הכא הוא דבית השלחין אין בית הבעל לא משום דאתי לאינפולי אבל מעיין שלא יצא בתחילה דלא אתי לאינפולי אימא אפילו בית הבעל נמי קא משמע לן לא שנא מעיין שיצא בתחילה ולא שנא מעיין שלא יצא בתחילה בית השלחין אין בית הבעל לא ומאי משמע דהאי בית השלחין לישנא דצחותא היא דכתיב (ג) א) ואתה עיף ויגע ומתרגמינן ואת משלהי ולאי ומאי משמע דהאי בית הבעל לישנא דמייתבותא היא דכתיב ב) כי יבעל בחור בתולה ומתרגמינן ארי כמה דמיתותב עולם עם בתולתא יתייתבון בגויך בנייך מאן תנא ט דפסידא אין הרווחה לא י ואפילו במקום פסידא מיטרח נמי לא טרחינן אמר רב הונא ר' אליעזר בן יעקב היא דתנן כ רבי אליעזר בן יעקב אומר מושכין את המים מאילן לאילן ובלבד שלא ישקה את השדה כולה אימור דשמעת ליה לרבי אליעזר הרווחה דלא טירחא במקום פסידא מי שמעת ליה אלא אמר רב פפא הא מני רבי יהודה היא דתניא ד) מעיין היוצא בתחילה משקין ממנו אפילו שדה בית הבעל דברי רבי מאיר רבי יהודה אומר ב אין משקין אלא שדה בית השלחין שחרבה רבי אלעזר בן עזריה אומר לא כך ולא כך יתר על כן אמר רבי יהודה לא יפנה אדם אמת המים וישקה לגינתו ולחורבתו בחולו של מועד מאי חרבה אילימא חרבה ממש למה לי דמשקי לה (ג) אמר אביי שחרבה ממעיין זה ויצא לה מעיין אחר רבי אלעזר בן עזריה אומר לא כך ולא כך לא שנא חרב מעיינה ולא שנא לא חרב מעיינה מעיין שיצא בתחילה לא וממאי דלמא עד כאן לא קאמר רבי יהודה בית השלחין אין בית הבעל לא אלא מעיין שיצא בתחילה

דלמא

רש"י

משקין בית השלחין במועד. שדה שהיא עומדת בהר וצריך להשקותה תמיד משקין אותה לפי שהוא לו הפסד גדול אם אינו משקה אותה ודבר של הפסד התירו חכמים לטרוח בו בחולו של מועד כמו שאנו מוכחין במסכת חגיגה (דף יח.) דכתיב (דברים טז) ששת ימים תאכל מצות וביום השביעי עצרת לה' אלהיך מה שביעי עצור בעשיית מלאכה אף ששה עצורים בעשיית מלאכה אי מה שביעי עצור בכל מלאכה אף ששה עצורין בכל מלאכה תלמוד לומר השביעי שביעי עצור בכל מלאכה ואין ששה עצורין בכל מלאכה הא לא מסרן הכתוב אלא לחכמים לומר לך איזו מלאכה אסורה בחוה"מ ואי זו מותרת ומלאכה שיש בה הפסד אם אינו עושה אותה כגון להשקות בית השלחין התירו חכמים: **ובשביעית.** מפרש בגמרא: **ממעיין שיצא בתחילה.** דעכשיו מתחיל לנבוע שעדיין לא החזיקה דרכה: **בין ממעיין שלא יצא בתחילה.** אלא מעיין נובע מזמן מרובה: **אבל לא ממי גשמים.** משום דאית ביה טירחא יתירא כדמפרש בגמרא: **גמ' דאתי לאינפולי.** הקרקע שסביבה דעדיין לא החזיקה דרכה: **משקין.** בחולו של מועד ולא חיישינן דלמא נפיל ואזיל וטרח טירחא יתירא: **מעיין שלא יצא בתחילה.** שכבר החזיק דרכו: **מיבעיא.** דמשקה ממנו בחולו של מועד: **בית הבעל.** שדה הוא בעמק ואינו צריך להשקותה ואין בה הפסד אם אין משקה אותה: **קא משמע לן.** מתניתין דתני בין ממעיין שלא יצא בתחילה: **בית השלחין אין בית הבעל.** אפילו ממעיין שלא יצא בתחילה לא: (ה נישלהי). וה"א מתחלף בחי"ת: **מאן תנא.** דמתני' דפסידא שרי למיטרח בה בחוה"מ כגון בית השלחין: **הרווחה לא.** כגון דבית הבעל דאסור להשקותה מאחר שאין בה הפסד שאין צריך להשקותה אלא להרווחה דמילתא לשויה אפלי חרפי: **אפילו במקום פסידא מיטרח לא טרחינן.** דקתני מתניתין אבל לא ממי גשמים כו' משום דאית ביה טירחא: **מושכין המים מאילן לאילן.** בחולו של מועד אם יש מים תחת אילן אחד עושין דרך קטן מאילן לאילן כדי שימשכו המים מאילן זה לאילן אחר: (ד) **לא ישקה את השדה כולה.** בבית הבעל קמיירי דהרווחה היא אלמא דהרווחה דמילתא אסר ר' אליעזר: **אילימא חרבה ממש.** שנעשה בור למה לי למשקה להיא דהא אין לה תקנה לעולם: **שחרבה ממעיין זה ויצא לה מעיין אחר.** שחרב מעיינה שרגילה לשתות ממנו דכיון שרגילה לשתות אי לא משקה לה עכשיו אית ליה פסידא יתירא אפילו הכי לא שרי ר' יהודה אלא ממעיין שיצא לה דלאו טירחא הוא אבל מי גשמים ומי קילון דטירחא הוא לא שרי אפילו לבית השלחין ועוד חזינן דקאמר רבי יהודה לא יפנה (ה) מים כו' אלמא דלא שרי ר' יהודה טירחא יתירא אלמא מתני' ר' יהודה היא דהא לראב"ע ל"ש חרב מעיינה ממעיין שיצא לה בתחילה ול"ש לא חרב תרוייהו אסר:

דלמא

תוספות

משקין בית השלחין. שדה שאינה מסתפקת במי גשמים וצריך להשקותה תמיד ואם אין משקין אותה תדיר נפסדת והלכך משקין אותה בחוה"מ ומשום פסידא שרו ליה רבנן כדאמרינן בפ' אין דורשין (חגיגה דף יח. ושם) תניא אידך ששת ימים תאכל מצות וביום השביעי עצרת לה' אלהיך מה שביעי עצור אף ששה עצורים אי מה שביעי עצור מכל מלאכה אף כל ששה עצורים מכל מלאכה תלמוד לומר השביעי ה"א יתירא השביעי עצור מכל מלאכה ואין הששה עצורים מכל מלאכה הא לא מסרן הכתוב אלא לחכמים ללמדך איזה יום אסור ואיזה יום מותר איזו מלאכה אסורה ואיזו מלאכה מותרת:

וחוטטין אותה. שאם נתמלא הבור מותר לחטוט להעמיקו שהעפר תיחוח אבל לחופרה בתחילה שהקרקע קשה לא משום דאיכא טירחא יתירא:

ומציינין. דליכא טירחא:

ויוצאין על הכלאים. מצוה הוא לצאת כדאמרינן בגמ' ולא דמי להני אחריני דקתני ומתקנין דהאי חובה הוא כדמוכח בגמרא:

עיף ויגע. צמא למים כדכתיב (ו) הרויתי נפש עיפה (ירמיה לא):

מאן תנא פסידא אין. משום דאשכחן לקמן דרבי מאיר פליג עלה דמתני' והאי סתם מתניתין לא אתיא אליביה כשאר סתמי משום הכי קבעי הש"ס מאן תנא:

מושכין אמת המים כו'. שאם יש שם מים תחת אילן זה יכול למושכם במועד תחת אילן אחר משום דאילן כבית השלחין דמי וצריכין למים טפי והא דתנא מושכין ולא תנא משקין אורחא דמילתא קתני דבענין זה רגילין להשקות אילנות: **יתר** על כן אמר רבי יהודה. עוד היה מחמיר יותר אפילו בבית השלחין קא אסר להפנות משום דהוי טירחא יתירא:

לגינתו ולחורבתו. של בית השלחין גינה מקום זרעים חורבה מקום שחרבו אילנותיו וחרשו וזרעו ונטעו ושמא הוא צריך למים יותר ולא זו אף זו קתני אי נמי חרב ביתו ועשאו גינה וצריכה מים תדיר יותר משאר בית השלחין ומשום דאיכא טירחא יתירא לא:

אם

מסורת הש"ס

א) [עי' פרש"י לקמן ד: ד"ה עוגיות], ב) [גי' הערוך בערך שלח ה דכתיב והוא עיף (בראשית כג) תרגומו והוא משלהי], ג) לקמן ו., ד) [תוספתא פרק א], ה) [צ"ל משלהי], ו) [הנוסחא הישנה ונפש עיפה למים לא נמצא בתנ"ך עיין תוי"ט].

הגהות הב"ח

(א) מתני' ומתקנין את קלקולי המים. נ"ב עי' פרש"י בדף ה ע"א: (ב) שם ואת מקוואות המים ועושין: (ג) גמ' דמשקי לה ואמר אביי שחרבה כו' לא חרב מעיינה ממעיין שילא בתחלה: (ד) רש"י ד"ה שלא ישקה: (ה) ד"ה שחרבה כו' דקאמר"י לא יפנה אדם אמת המים כו' אלמא וכו' ל"ש חרב מעיינה ול"ש לא חרב תרוייהו אסר ממעיין שילא לה בתחילה כצ"ל והס"ד:

גליון הש"ס

מתני' ובשביעית בין ממעיין. עיין לקמן דף ו ע"ב תוס' ד"ה מרבילין:

תורה אור השלם

א) אֲשֶׁר קָרְךָ בַּדֶּרֶךְ וַיְזַנֵּב בְּךָ כָּל הַנֶּחֱשָׁלִים אַחֲרֶיךָ וְאַתָּה עָיֵף וְיָגֵעַ וְלֹא יָרֵא אֱלֹהִים: [דברים כה, יח]

ב) כִּי יִבְעַל בָּחוּר בְּתוּלָה יִבְעָלוּךְ בָּנָיִךְ וּמְשׂוֹשׂ חָתָן עַל כַּלָּה יָשִׂישׂ עָלַיִךְ אֱלֹהָיִךְ: [ישעיה סב, ה]

רש"י כת"י *

*]בית השלחין. ארץ עייפה וצריכה למים תדיר. מי הגשמים. שנתכנסו בעומק (ס"א בעמק) במקום אחד. את האמה. שרגילין לעשות [בור] להתכנס בו מים ועושין חריצין בקרקע שבהן המים הולכים סביבות השדה ומשדה לשדה והנך חריצין קרי אמה לפי שיש להן רוחב אמה ברום אמה. בתחילה. אם לא היתה מעולם אין עושין אותה מתחלה במועד משום טירחא יתירה. ובשביעית. מפני שנראה (כחופר) [כעודר] כדמפרש בגמרא. וחכמים אומרים עושין את האמה בתחילה בשביעית וכו'. דלא הויא עבודה ובמועד אם היתה מקולקלת שנפל לתוכה עפר ואינו מקלחת מתקנים אותה אבל בתחלה אין עושין אותה במועד. קלקולי המים. המכונסין [בגומות] לשתיה [ונמשכים לתוכן זבלי רה"ר ומקלקלין אותן וסותמין החריצין שבהם הולך הזבל לבור]. חוטטין. (מנקין) [מנקרין] כמו שעושין (הבורות) [לבורות שלנו שמוציאין מתוכו צרורות וקיסמין ועפרורית שנופל בו]. ומציינין את הקברות. בסיד שממחה ושופך סימן להולכי [דרכים ועוסקין] טהרות שלא יעברו שם מפני טומאת אהל. ויוצאין אף על הכלאים. שלוחי ב"ד במועד לעיין בשדות אם נזרעו כלאים [ו]עוקרין אותן [רי"ף]. טעמא [דצריך למתני] דיוצאין על הכלאים במועד לאו משום דאין (עוקרין אלא משום) [יוצאין] דליכא טירחה במה שהוא יוצא ולא נסיב לן טעמא משום דאין עוקרין במועד דעקירה אפי' במועד שרי ולא הוי מלאכה דליחייב כלל דמקלקל פטור ולהכי איצטריך יוצאין (לעיין דליכא טירחה יתירה) [למימר דזמן יציאתן הוא במועד ואין צריך לצאת קודם). דאתי לאינפולי. מתוך שהוא חדש [צריך] לכרות עד שמוציאין מים ומתקנין אותו שמקלקל כמעיין וסמוך לשדות היו עושין אותן. בית הבעל. מיושב [גניזה]. מאן תנא פסידא. מידי דמפסיד כגון בית השלחין שרי במועד. הרווחה לא. כגון בית הבעל שאם היו משקין אותו היה ממהר לבשל פירותיו. ואפילו במקום פסידא. כגון שלחין. מטרח לא טרחינן. [טירחה יתירה] דקתני אבל לא מימי הקילון [רי"ף]. מושכין את המים. שממשאילן זה לאילן אחר אע"ג דהוי הרווחה דהא ליכא טירחא ולא מידי. אבל לא ישקה את השדה כולה. ובבית הבעל קמיירי דהיינו הרווחה וכיון דאיכא טורח במקלת אינו משקה ועד כאן לא קאמר ר' אליעזר אלא בבית הבעל מידי דהוי הרווחה אבל לא בבית השלחין משקה כל השדה כולה קס"ד פסידא איו הרווחה לא. טירחא. יתירה כגון מי קילון במקום פסידא מי שמעת ליה דלאו משקין ממנו. אלא שדה בית השלחין שחרבה. מעינה הראשון ויצא לה מעיין זה מחדש דכיון דהוה ליה מעין תחילתה והתחיל להשקות אי לא משקה לה פסידא אבל אי לא חרבה דלא הוה ליה אלא מעין אלא זהו תחילתו ואכתי לא שתי לא ישקנו עתה תחלה דלא פסדא אפי' לאותו שדה לא יפנה לה לאמת המים חדש משום טירחא יתירה. גינתו. גינה מיושבת בזרעים. חורבתו. פרדס שחרב מאילנותיו. לר' יהודה פסידא אין הרווחה לא דקתני בית השלחין ואפי' במקום פסידא טירחא יתירה לא דקתני לא יפנה וכו'. וממאי. דמתני' ר' יהודה היא הא קתני מתני' אפי' מעיין שלא יצא בתחלה בית הבעל לא ור' יהודה לא אסר אלא ביוצא תחלה.

*) הכת"י שזה בדרך כלל לפירוש רש"י שברי"ף ושבעין יעקב וכפי שהראשונים הביאו דברי רש"י. ובמקומות שיש שינוים ביניהם לכת"י הגהנו על פיהם את הכת"י. בחלק מהמקומות צוין מקור התיקון. במקום שהכתב יד משובש ולא ניתן לפענחו הצבנו שלש נקודות. בכת"י חסר מן ההתחלה עד דף ג' ע"א והשלמנו ע"פ הרש"י ברי"ף והוגה ע"פ הב"ח וע"פ גניזה קמברידז'. כן חסר בכת"י מדף י' ע"א עד סוף פרק ראשון ומדף כ"ח ע"א עד סוף המסכת והשלמנו ע"פ רש"י שברי"ף ושבעין יעקב. ההשלמות צוינו ע"י כוכב בתחילתן וכוכב בסופן.

עין משפט נר מצוה

א א מיי' פ"ז מהלכות יו"ט הלכה ב ופ"א מהלכות שמטה הלכה ח סמג לאוין עה ועשין דרבנן ב טוש"ע א"ח סי' תקלז סעיף א:
ב ב מיי' פ"ז מהלכות יו"ט שם טוש"ע שם סעיף ב:
ג ג מיי' פ"ח מהלכות י"ט הלכה ג טוש"ע שם סעיף ה:
ד ד מיי' פ"א מהלכות שמטה הלכה ט:
ה ה מיי' פ"ח מהלכות יו"ט הלכה ג טוש"ע שם סעיף ו:
ו ו מיי' שם פ"ז הלכה י טוש"ע שם סי' תקמד סעיף ב:
ז ז מיי' שם טוש"ע שם סעיף א:
ח ח מיי' פ"ז מהלכות י"ט הלכה יא:
ט ט י מיי' שם הלכה ב טוש"ע שם סי' תקלז סעיף א ב:
י כ מיי' שם טוש"ע שם סעיף א:

רבינו חננאל

משקין בית השלחין במועד ובשביעי' בין ממעין שיצא בתחלה ובין ממעין כו' ומקשינן השתא יש לומר ממעין שיצא בתחלה דחיישינן דלמא אתי לאינפולי ובני ליה אמרת משקין ממעין שכבר יצא וניתקן ועמד מיבעיא. ופרקינן איצטריך לאשמועינן דאפי' ממעין ישן דליכא חששא דלמא נפיל ובני ליה אין משקין אלא בית השלחין שהן נטועין וצמאין למים מלשון שלהי כדמתרגמי' והוא עיף ומשלהי. אבל בית הבעל שכבר גדל והשריש שרשים בקרקע כמו בעל באשתו כדכתיב והולידה והצמיחה. בין ממעין שיצא בתחלה ובין ממעין שלא יצא בתחלה אין משקין שדה בית הבעל. ואמרינן מאן תנא דחייש לפסידא דבית השלחין כדי שלא יפסידו וייבשו והתיר להשקותם ואפי' הכי לא התיר אלא דבר שאין בו טורח. אבל להשקות ממי גשמים וכיוצא בהן שיש טורח בהן לא התיר. אמר רב הונא ר' אליעזר בן יעקב היא דתנא ר' אליעזר בן יעקב אומר מושכין מים מאילן לאילן אבל לא ישקה את כל השדה ודחינן אימור דשמעת לר' אליעזר דלא שרי הרווחה מדקתני לא ישקה את כל השדה אבל שלא להטריח במקום שיש פסידא מי שמעת ליה. ובא רב פפא ואוקמה לר' יהודה דתני אין משקין ממעין היוצא בתחלה אלא שדה בית השלחין שחרבה. ומקשינן אי חרבה למה לי השקאה אמר אביי מאי חרבה דקתני חרב מעיינה ויצא לה מעין אחר בתחלה וסבר ר' יהודה ל"ש מעין שיצא בתחלה ולא שנא מעין שלא יצא בתחלה אין משקין אלא בית השלחין. והא דקתני מעין שיצא בתחלה איידי דאמר ר' מאיר מעין שיצא בתחלה משקין ממנו אפי' שדה

דלמא אתי לאינפולי אבל מעיין שלא יצא בתחילה דלא אתי לאינפולי אפילו בית הבעל נמי אם כן מתניתין אמאן תרמייה אלא לרבי יהודה לא שנא מעיין שיצא בתחילה ולא שנא מעיין שלא יצא בתחילה בית השלחין אין בית הבעל לא והאי דקתני מעיין שיצא בתחילה להודיעך כחו דר' מאיר דאפילו מעיין היוצא בתחילה משקין ממנו אפילו שדה הבעל אתמר המנכש והמשקה מים לזרעים בשבת משום מאי מתרינן ביה רבה אמר משום חורש רב יוסף אמר [א] משום זורע אמר רבה כוותי דידי מסתברא מה דרכו של חורש לרפויי ארעא האי נמי מרפויי ארעא אמר רב יוסף כוותי דידי מסתברא מה דרכו של זורע לצמוחי פירא הכא נמי מצמח פירא אמר ליה אביי לרבה לדידך קשיא ולרב יוסף קשיא לדידך קשיא משום חורש אין משום זורע לא לרב יוסף קשיא משום זורע אין משום חורש לא וכי תימא כל היכא דאיכא תרתי לא מיחייב אלא חדא והאמר רב כהנא (א) [ב] זומר וצריך לעצים חייב שתים אחת משום נוטע ואחת משום קוצר קשיא איתיביה רב יוסף לרבה (ה) [ג] המנכש והמחפה לכלאים לוקה רבי עקיבא אומר אף (ג) המקיים בשלמא לדידי דאמינא משום זורע היינו דאסירא זריעה בכלאים אלא לדידך דאמרת משום חורש חרישה בכלאים מי אסירא אמר ליה משום מקיים והא מדקתני סיפא ר"ע אומר אף המקיים מכלל דתנא קמא לאו משום מקיים הוא כולה ר' עקיבא היא ומאי טעם קאמר מאי טעם המנכש והמחפה בכלאים לוקה משום מקיים שר"ע אומר אף המקיים מאי טעמא דר' עקיבא דתניא (א) שדך לא תזרע כלאים אין לי אלא זורע מקיים מניין תלמוד לומר כלאים שדך לא תנן משקין בית השלחין במועד ובשביעית בשלמא מועד משום טירחא הוא ובמקום פסידא שרו רבנן אלא שביעית בין למאן דאמר משום זורע ובין למאן דאמר משום חורש זריעה וחרישה בשביעית מי שרי אמר אביי בשביעית בזמן הזה ורבי היא דתניא (ד) רבי אומר (ב) וזה דבר השמטה שמוט [ד] בשתי שמיטות הכתוב מדבר אחת שמיטת קרקע ואחת שמיטת כספים בזמן שאתה משמט קרקע אתה משמט כספים ובזמן שאי אתה משמט קרקע אי אתה משמט כספים רבא אמר אפילו תימא רבנן אבות אסר רחמנא

רש"י

דלמא אתי לאינפולי. אבל ממעיין שלא יצא בתחילה אפילו בית הבעל נמי שרי רבי יהודה ומתניתין דקתני נמי ממעיין שלא יצא בתחילה בית השלחין אין בית הבעל לא לאו רבי יהודה היא: אם כן מתניתין אמאן תרמייה. לא ר"א בן יעקב כדאמרן ולא כר"מ דשרי אפילו בית הבעל ולא כר' אלעזר בן עזריה דאפילו בית השלחין לא שרי ממעיין שיצא בתחילה: אלא לרבי יהודה ולא שנא כו'. ומתניתין ר' יהודה היא: להודיעך כחו דרבי מאיר. דאפילו ממעיין שיצא בתחילה שרי אפילו לבית הבעל: מנכש. תולש עשבים רעים מתוך הטובים וכי עקרי להו למאי הני טפי: משקה מים בזרעים. שזורק מים בעיקרי העשבים: משום מאי מתרינן ביה. דמאי מלאכה קא חשבינן ליה דודאי קוצר לא חשבינן שאינו מתכוין ליטול העשבים אלא לתקן עשבים הטובים שבשדה: חורש וזורע וקוצר אבות מלאכות הן בפרק כלל גדול (שבת דף עג.): לרפויי. לרכך: משום חורש אין משום זורע לא. אמאי לא מיחייב בתרוייהו הא עביד תרוייהו ואשכחינן במלאכה דמיחייב תרתי: זומר. בשבת: וצריך לעצים חייב. משום קוצר שהרי צריך לעצים וחייב משום נוטע דמשום הזימור גדלי טפי: המחפה. שמכסה את הזרעים בעפר: לוקה. משום לא תזרע כלאים (ויקרא יט): אף המקיים. שרואה כלאים זרוע ואינו מבטלו: בשלמא לדידי דאמינא. דמנכש הוי משום זורע משום הכי מנכש בכלאים לוקה דהא אסירא זריעה בכלאים דכתיב לא תזרע: חרישה. לצורך זריעת כלאים מי אסירא דבשעת חרישה ליכא כלאים כלל: אמר ליה. מנכש אינו לוקה אלא משום מקיים: תלמוד לומר כלאים שדך לא. ואע"ג דכתיב לא תזרע כלאים (ה) גורעין ודורשין לא כלאים לא יהא כלאים מכל מקום שחייב אתה לבטלו: בשלמא מועד. משום הכי שרי דלא אסיר בשום מלאכה אלא משום טירחא: וכל מקום פסידא שרו רבנן. למיטרח בחולו של מועד במקום פסידא כדפרשינן לעיל: בין למאן דאמר משום חורש. דפליגי רבה ורב יוסף לעיל במשקה מים לזרעים דחד אמר משום חורש וחד אמר משום זורע: חרישה בשביעית מי שרי. הא נפקא מבחריש ובקציר תשבות דאמרינן אם אינו ענין לשבת שאינו צריך שהרי כבר נאמר כל מלאכה תנהו ענין לשביעית: בשביעית בזמן הזה. דרבנן: ורבי היא. דאמר דהוא מדרבנן ומילתא דפסידא שרו רבנן: וזה דבר השמטה שמוט. כתיב בהשמטת כספים שמטה שמוט: בזמן שאי אתה משמט קרקע כו'. מכלל דאיכא זמן דלא משמט קרקע ואיזה זה בזמן הזה: אפילו תימא רבנן. דפליגי עליה דרבי ואמרי דשביעית בזמן הזה דאורייתא: אבות מלאכות. אסר רחמנא בשביעית: תולדות

תוספות

אם כן אמאן תרמייה. ואם נפשך לומר מאחי דרמינן אליבא דר' יהודה יותר מר"א כמו דאקשינן לעיל לר"א הכי נמי פרכינן אליבא דרבי יהודה ומאי אלימא להש"ס מילתא דרבי יהודה דמוכח מיניה דמתניתין אתיא אליביה יותר מדרבי אליעזר איכא למימר משום דבתרתי מילי אשכחן בהדיא במילתיה דר"י כמו במתניתין דפסידא אין הרווחה לא ובמקום פסידא נמי מיטרח לא טרח אבל לר"א ליכא לאוכוחי ממילתיה אלא חד מילתא כדלעיל דהרווחה אסיר הלכך ניחא ליה לאוקמי כר' יהודה ולא כרבי אליעזר: **כחו** דר' מאיר דמיקל. ואם תאמר וליתני שלא יצאו בתחילה להודיעך כחו דר' יהודה דמחמיר (א) כח דהתירא עדיף:

משום מאי מתרינן. דאין אדם לוקה ולא נהרג אלא בהתראה שמתרין בו לא תעשה הך איסורא כדמפקינן בסנהדרין (דף מא.) מקרא דצריך לפרש שם האיסור בהדיא: **קא** מרפויי ארעא. דבתר עיקר המלאכה אזלינן ודומה לחורש ורב יוסף אע"ג דעיקר מלאכה דומה לחורש מחשבת הנפש לאו לרפויי ארעא ובהכי פליגי דרבה סבר לבתר המעשה מדמינן לה ולא אחר המחשבה ורב יוסף סבר בתר מחשבה אזלינן דהויא עיקר ולא אזלינן בתר הדמיון:

וצריך לעצים. אבל אם אין צריך לעצים לא נאמר בו דחייב משום קצירה דלא דמיא לקצירה דקוצרין למאכל או מידי שצריכין לאיזה דבר כגון רפואה וכיוצא בהן ואי לאו שקוצרין לצורך גופו פטור דלא מיחייב אפילו משום תולדה דתולדה צריך שתהא דמי לאב מלאכה: **חייב** שתים. קשיא לרבה דאזיל בתר הדמיון דהכא זומר לא דמי כלל לנוטע ואעפ"כ חייב משום נוטע וקשיא לרב יוסף דאפילו אינו מתכוין לצמוח הגפן כיון דודאי מצמחה מחמת הזימור חייב משום נוטע דהא סתם קאמר רב כהנא אפילו לא חישב ליטע ואי קשיא הא דאמרינן בדוכתא אחריתי (כתובות דף לז.) משום רשעה אחת אתה מחייבו ואי אתה מחייבו משום שתי רשעיות תריץ הכי כגון דאיכא מיתה ונלקות אבל תרתי מילי דאסירן דדמיין להדדי בשתי מלקיות תרווייהו חד רשעה הוא ולא ממעטי מרשעתו דכל שם מלקות חד רשעה הוא והכי נמי אמר במס' פסחים בפ' כל שעה (דף כד. ושם) אמר אביי אכל פוטיתא לוקה ארבע ואע"ג דרב כהנא אמורא הוא מקשי מיניה לרבה ורב יוסף משום דגברא רבה הוה כדאשכחן (ב"ק דף קיז.) במעשה דר' יוחנן דהוה חריף טובא ° וקשיא ל"ג כיון דלאו תנא הוא לא חשיב לה כל כך ופליגי עליה:

רבינו חננאל

שדה הבעל תנא איהו נמי מעין שיצא בתחלה. אתמר המנכש פי' החופר בית הזרעים והממשיך מים לזרעי' בשבת משום מאי מתרינן ביה. רבה אמר משום חורש מה דרך החורש לרפויי ארעא הכא נמי מרפי ארעא נינהו. ורב יוסף אמר משום זורע. מה דרך הזורע לאצמוחי פירא הכא נמי קא מצמחי פירא. ומקשי אביי לתרווייהו ואמאי לא מתרינן ביה משום חורש ומשום זורע דהא דמיא להא ודמיא נמי להא. וכי תימא כל היכא דאיכא מלאכה מעין שתים לא מחייבינן אלא חדא. והאמר רב כהנא הזומר וצריך לעצים חייב שתים אחת משום זורע ואחת משום קוצר ולא פירקו לנפשייהו איתיביה רב יוסף לרבה המנכש פי' חופר אצל הכלאים ולוקח העפר ומחפה בו את הכלאים כדי שיצמח והמחפה בכלאים לוקה. ר' עקיבא אומר אף המקיים. בשלמא לרב יוסף דא' מנכש משום זורע חייב היינו דאסירא זריעה בכלאים. אלא לרבה דאמר משום חורש חרישה בכלאים מי אסירא. ופריק רבה מאי לוקה דקתני משום מקיים בכלאים וכולה ר' עקיבא היא. ומה טעם קאמר והכי קתני המנכש והמחפה בכלאים לוקה. מ"ט משום מקיים שר' עקיבא אומר אף המקיים בכלאים לוקה. פי' מקיים בכלאים שמצא שדה זרועה כלאים ועבדה הוא וצמחה ונתקיים הכלאים בעבודתו שגורם לו הצמחה והפרחת פירי. מ"ט אמר קרא לא תזרע כרמך כלאים. אין לי אלא זורע תבואה בכרם מקיים מנין תלמוד לומר לא כלאים. כלומר האי לא דכתב רחמנא דרוש אותו בזורע דהוה ליה למכתב לא תזרע כרמך ולישתוק. ואנא ידענא דאין זריעה אלא בתבואה פי' וממילא שמעינן שאסר זריעת התבואה בכלאים. (א) למה עוד אמר כלאים דכתיב וזרעתם את השנה ההיא וגו' אבל באילנות נטיעה היא כדכתיב ונטעתם כל עץ מאכל. כלאים דכתב רחמנא למה לי לרבות המקיים בכלאים בלאו. ומקשינן לרבה ורב יוסף ממתניתין דתנן משקין בית השלחין במועד ובשביעית. בשלמא מועד משום טירחא הוא דאסורה וכל מקום פסידא שרו רבנן. אלא בשביעית בין למ"ד משקה מים לזרעים חייב משום זורע. ובין למ"ד חייב משום חורש תרווייהו חרישה וזריעה בשביעית אסירי היכי שרו ופירק אביי בשביעית בזמן הזה. ורבי היא דתניא רבי אומר וזה דבר השמטה שמוט כתיב שמיטה וכתיב שמוט בב' שמיטות הכתוב מדבר אחת שמיטת קרקע ואחת שמיטת כספים. בזמן שאתה משמט קרקע כו' והאידנא דאין שמיטה בקרקע שא"י בידי עובדי כוכבים היא. שביעית בזמן הזה דרבנן ובמקום פסידא שרו רבנן. רבא אמר לא תימא מתני' רבי היא ולא רבנן. אלא אפי' תימא רבנן הניכוש והחיפוי בכלאים תולדות נינהו ובשביעית

עין משפט נר מצוה

יא א מיי' פ"ח מהלכות שבת הלכה ב:
יב ב מיי' שם הלכה ד:
יג ג מיי' פ"א מהלכות כלאים הלכה ג סמג לאוין רעט טוש"ע י"ד סי' רצז סעיף א:
יד ד מיי' פ"ט מהלכות שמטה הלכה ג סמג לאוין ער וסמג עשין קמט:

מסורת הש"ס

א) [שבת דף עג:], ב) [תוספת' כלאים פ"א] מכות כא: ע"ז סד., ג) [שעשה להן סייג וגדר רש"י ע"ז סד. וע"ש בתוס'], ד) גיטין לו. קידושין לח:, ה) [ועי' פי' ריב"ן למכות ובכל מקום פי' בסגנון אחר].

הגהות הב"ח

(א) תוס' ד"ה כחו כו' דר' יהודה דמחמיר וי"ל כח דהתירא:

גליון הש"ס

תוס' ד"ה חייב שתים וכו' וקשיא ל"ג. עיין ב"ב דף נב ע"ב:

תורה אור השלם

א) אֶת חֻקֹּתַי תִּשְׁמֹרוּ בְּהֶמְתְּךָ לֹא תַרְבִּיעַ כִּלְאַיִם שָׂדְךָ לֹא תִזְרַע כִּלְאָיִם וּבֶגֶד כִּלְאַיִם שַׁעַטְנֵז לֹא יַעֲלֶה עָלֶיךָ: [ויקרא יט, יט]

ב) וְזֶה דְּבַר הַשְּׁמִטָּה שָׁמוֹט כָּל בַּעַל מַשֵּׁה יָדוֹ אֲשֶׁר יַשֶּׁה בְּרֵעֵהוּ לֹא יִגֹּשׂ אֶת רֵעֵהוּ וְאֶת אָחִיו כִּי קָרָא שְׁמִטָּה לַיְיָ: [דברים טו, ב]

רש"י כת"י

כחו דר' מאיר. דמיקל. מנכש. עוקר עשבים רעים שמכחישין את היפה וכי עקר להו מחייב ביה טפי משום חורש וזורע ועוקר וקוצר דאבות מלאכות הן בפרק כלל גדול. מנכש מרפא לארעא. כשעוקר את העשבים הרעים ומשקה נמי מרפא לארעא. מנכש ומשקה קא מלמח פירי. משום חורש. מתרינן ליה [אבל משום (הא נמי) זורע לא הוי] התראה בתמי' והוא קא מלמח פירי והוא נמי תולדה [בגזיזה].]* ע"כ השלמה.

חשק שלמה על ר"ח

א) לכאורה נראה שצ"ל שאסר זריעת התבואה בכלאים דכתיב וזרעתם את וכו' ונטעתם כל עץ מאכל למה עוד אמר כלאים לרבות המקיים כו'.

דִּלְמָא אָתֵי לְאִינְפּוּלֵי – for due to the concern that **perhaps [the walls of the spring] will come to collapse** it may not be used for a rain-watered field. אֲבָל מַעְיָין שֶׁלֹּא יָצָא בַּתְּחִילָּה דְּלֹא אָתֵי לְאִינְפּוּלֵי – **But a spring that is not newly emerged, where** we can assume that **[its walls] will not come to collapse,** אֲפִילּוּ בֵּית הַבַּעַל נַמִּי – perhaps R' Yehudah would say that **a rain-watered field** may **also** be watered with it. Thus, R' Yehudah might not necessarily concur with the view of our Mishnah that a rain-watered field may never be watered.[1] – ? –

The Gemara defends Abaye's proof:

אִם כֵּן מַתְנִיתִין אַמַּאן תִּרְמְיֵיהּ – But **if so,** i.e. if it is true as you propose that R' Yehudah permits watering even a rain-watered field with an old spring, then **to whom will you attribute** the ruling of **our Mishnah?**[2] אֶלָּא לְרַבִּי יְהוּדָה – **Rather,** you must conclude that **according to R' Yehudah,** לֹא שְׁנָא מַעְיָין שֶׁיָּצָא בַּתְּחִילָּה וְלֹא שְׁנָא מַעְיָין שֶׁלֹּא יָצָא בַּתְּחִילָּה – **no matter whether a newly emerged spring or a spring that is not newly emerged,** בֵּית הַשְּׁלָחִין – **an irrigated field may** be watered with it בֵּית הַבַּעַל אֵין לֹא – whereas **a rain-watered field** may **not.** וְהַאי דְּקָתָנֵי מַעְיָין שֶׁיָּצָא בַּתְּחִילָּה – **And the reason [the Baraisa] taught** the case specifically in regard to **a newly emerged spring** לְהוֹדִיעֲךָ כֹּחוֹ דְּרַבִּי מֵאִיר – **was to inform you of the extent of R' Meir's** lenient opinion, דַּאֲפִילּוּ מַעְיָין הַיּוֹצֵא בַּתְּחִילָּה מַשְׁקִין מִמֶּנּוּ אֲפִילּוּ שְׂדֵה הַבַּעַל – **that even a newly emerged spring may be used to water even a rain-watered field.**

The Gemara deviates from the topic at hand to discuss a law relating to the Sabbath:[3]

אִתְּמַר – **It was stated:** הַמְנַכֵּשׁ וְהַמַּשְׁקֶה מַיִם לִזְרָעִים בְּשַׁבָּת – **One who weeds and one who waters seeds on the Sabbath,**[4] מִשּׁוּם מַאי מַתְרִינַן בֵּיהּ – **on account of which** [*av melachah*] **can we warn him?**[5] רַבָּה אָמַר מִשּׁוּם חוֹרֵשׁ – **Rabbah said:** He is warned **on account of plowing.** רַב יוֹסֵף אָמַר מִשּׁוּם זוֹרֵעַ – **Rav Yosef said:** He is warned **on account of sowing.**[6]

The disputants explain their opinions:

אָמַר רַבָּה – **Rabbah said:** כְּווֹתִי דִּידִי מִסְתַּבְּרָא – **My opinion is the more reasonable one.** מַה דַּרְכּוֹ שֶׁל חוֹרֵשׁ לְרַפּוּיֵי אַרְעָא – For **just as the normal manner of plowing is to soften the earth,** הַאי נַמִּי מְרַפּוּיֵי אַרְעָא – **so too these** acts of weeding and watering **soften the earth.**[7] אָמַר רַב יוֹסֵף – **Rav Yosef said:** כְּווֹתִי דִּידִי מִסְתַּבְּרָא – On the contrary, **my opinion is the more reasonable one,** מַה דַּרְכּוֹ שֶׁל זוֹרֵעַ לְצַמּוּחֵי פֵּירָא – for **just as the normal manner of sowing is to promote the growth of the produce,** הָכָא נַמִּי מְצַמֵּחַ פֵּירָא – **so too here [weeding and watering] promote the growth of the produce.**[8]

The Gemara questions the opinions of both Amoraim:[9]

אָמַר לֵיהּ אַבָּיֵי לְרַבָּה – **Abaye said to Rabbah:** לְדִידָךְ קַשְׁיָא – **According to your [opinion] there is a difficulty,** וּלְרַב יוֹסֵף קַשְׁיָא – **and according to Rav Yosef's [opinion] there is a difficulty.** לְדִידָךְ קַשְׁיָא – **According to your [opinion] there is** the following **difficulty:** מִשּׁוּם חוֹרֵשׁ אִין מִשּׁוּם זוֹרֵעַ לֹא – **On account of plowing yes,** i.e. he may be warned, but **on account of sowing no,** i.e. he may not be warned? לְרַב יוֹסֵף קַשְׁיָא – **And according to Rav Yosef's [opinion] there is the** following

NOTES

1. R' Yehudah's first statement in the Baraisa was made in response to R' Meir's ruling that a newly flowing spring may be used to water even a rain-watered field. Thus when R' Yehudah countered that one may water only an irrigated field, perhaps his point was that the only time a *newly flowing* spring may be used is for an irrigated field. He agrees, however, that an old spring may be used even for a rain-watered field.

2. It is not in accordance with any of the Tannaim cited above. It does not follow R' Eliezer ben Yaakov, as the Gemara explained above on 2a. It also cannot follow R' Meir, for he permits watering even a rain-watered field. And it also cannot follow R' Elazar ben Azaryah, for he does not permit watering even an irrigated field with a spring that has just begun to flow (*Rashi*).

3. [The Gemara cites this Sabbath ruling here because the Gemara below refers to this ruling as a basis for questioning a portion of our Mishnah.]

4. Weeding involves pulling out the undesirable plants from among the desirable ones, thereby causing the desirable ones to grow better. Watering seeds refers to watering [the ground at] the base of the seedlings (*Rashi*).

5. The Mishnah in *Shabbos* (73a) lists thirty-nine labors, or *melachos,* which are forbidden on the Sabbath. These thirty-nine labors are actually thirty-nine *categories* of labor. Any activity similar either in method or function to one of those thirty-nine is equally prohibited. Since the thirty-nine listed in the Mishnah are the source for all the forbidden labors, they are known as אָבוֹת מְלָאכוֹת [*avos melachos*], *primary labors,* or simply *avos* [singular: *av*]. Activities whose prohibition is derived from one of these thirty-nine are known as תולדות [*toldos*], *derivative labors* [singular: *toladah*].

For one to be liable to court-imposed execution for intentional performance of a labor on the Sabbath, he must have first been given a legal warning not to perform that labor (see *Tosafos* ד״ה משום מאי). The warning must refer specifically to the *av melachah* being violated; a general warning against desecrating the Sabbath does not suffice. Moreover, a warning not to perform a *toladah* must specify the *av melachah* under which that *toladah* falls and not any other *av melachah.* (Whether a warning that specifies only the *toladah* itself is valid is a matter of dispute in the Rishonim; see *Tosafos* to *Shabbos* 73b ד״ה משום and *Minchas Chinuch* 32:2.) Accordingly, the Gemara inquires as to which *av melachah* we can specify to warn one who is about to weed or water plants.

6. The above-cited Mishnah in *Shabbos* lists חוֹרֵשׁ, *plowing,* and זוֹרֵעַ, *sowing,* as two of the thirty-nine labors forbidden on the Sabbath. Rabbah holds that weeding and watering are *tolados* of *plowing* while Rav Yosef holds that they are *tolados* of *sowing.* [Weeding does not fall under the heading of קוֹצֵר, *reaping* (another one of the thirty-nine labors), because reaping by definition implies an intent on the part of the person performing the act to make use of the object he cuts. One who weeds, however, has no need for the weeds, but rather intends to benefit the remaining plants through the weeds' removal (*Rashi;* see also *Tosafos* to *Shabbos* 73b ד״ה וצריך לעצים).]

7. By watering the ground the earth is made soft (*Mishnah Berurah* 336:26). Similarly, pulling up weeds loosens the soil in which they grow.

8. *Tosafos* explain the dispute between Rabbah and Rav Yosef in the following manner: The immediate effect of weeding and watering is the softening of the soil. This is, however, not the goal of the person performing these acts; his intention is to promote the growth of the produce. The dispute hinges on which of these effects is considered primary when deciding under which *av melachah* a particular *toladah* falls. Rabbah assigns primacy to the effect that is observable at the present moment; since right now the person is softening the ground, his act more closely resembles one of plowing than one of sowing. Rav Yosef, on the other hand, holds that the person's intention is the decisive factor (*Tosafos* ד״ה קא מרפויי ארעא).

It must be pointed out that the dispute between Rabbah and Rav Yosef is localized to cases in which the immediate effect of the act and the person's intention in performing it conflict. However, in cases in which only one of the above factors is present, all agree that that factor determines the *av melachah's* classification. For example, a person prunes a tree and does not need the branches that he cuts off. In that case the act cannot be classified under the *av melachah* of *reaping* (the immediate effect of the person's action), since reaping by definition means that the person needs the plant which he cuts. Accordingly even Rabbah agrees that we follows the person's intention, which is to aid in the tree's growth, and hold him liable for the *av melachah* of *sowing* (*Keren Orah* to *Shabbos* 73b, *Divrei David, Rashash* to *Tosafos* ד״ה חייב).

9. The underlying assumption of both Rabbah and Rav Yosef's opinions is that where a particular act resembles *av melachah* A in one respect and *av melachah* B in another respect, only one of the respects is considered significant and the other is ignored. Thus, weeding and watering are considered *tolados* of *either* plowing *or* sowing, but not of both. This assumption is now challenged.

דלמא אתי לאינפולי אבל מעיין שלא יצא בתחילה דלא אתי לאינפולי אפילו בית הבעל נמי אם כן מתניתין אמאן תרמייה אלא לרבי יהודה לא שנא מעיין שיצא בתחילה ולא שנא מעיין שלא יצא בתחילה בית השלחין אין בית הבעל לא והאי דקתני מעיין שיצא בתחילה להודיעך כחו דר' מאיר דאפילו מעיין היוצא בתחילה משקין ממנו אפילו שדה הבעל אתמר המנכש והמשקה מים לזרעים בשבת משום מאי מתרינן ביה רבה אמר משום חורש רב יוסף אמר א משום זורע אמר רבה כוותי דידי מסתברא מה דרכו של חורש לרפויי ארעא האי נמי מרפויי ארעא אמר רב יוסף כוותי דידי מסתברא מה דרכו של זורע לצמוחי פירא הכא נמי מצמח פירא אמר ליה אביי לרבה לדידך קשיא ולרב יוסף קשיא לדידך קשיא משום חורש אין משום זורע לא לרב יוסף קשיא משום זורע אין משום חורש לא וכי תימא כל היכא דאיכא תרתי לא מיחייב אלא חדא והאמר רב כהנא א) ב זומר וצריך לעצים חייב שתים אחת משום נוטע ואחת משום קוצר קשיא איתיביה רב יוסף לרבה ב) ג המנכש והמחפה לכלאים לוקה רבי עקיבא אומר אף ג) המקיים בשלמא לדידי דאמינא משום זורע היינו דאסירא זריעה בכלאים אלא לדידך דאמרת משום חורש חרישה בכלאים מי אסירא אמר ליה משום מקיים והא מדקתני סיפא ר"ע אומר אף המקיים מכלל דתנא קמא לאו משום מקיים הוא כולה ר' עקיבא היא ומאי טעם קאמר מאי טעם המנכש והמחפה בכלאים לוקה משום מקיים שר"ע אומר אף המקיים מאי טעמא דר' עקיבא דתניא א) שדך לא תזרע כלאים אין לי אלא זורע מקיים מניין תלמוד לומר כלאים שדך לא תנן משקין בית השלחין במועד ובשביעית בשלמא מועד משום טירחא הוא ובמקום פסידא שרו רבנן אלא שביעית בין למאן דאמר משום זורע ובין למאן דאמר משום חורש זריעה וחרישה בשביעית מי שרי אמר אביי בשביעית בזמן הזה ורבי היא דתניא ד) רבי אומר ב) וזה דבר השמטה שמוט ד בשתי שמיטות הכתוב מדבר אחת שמיטת קרקע ואחת שמיטת כספים בזמן שאתה משמט קרקע אתה משמט כספים ובזמן שאי אתה משמט קרקע אי אתה משמט כספים רבא אמר אפילו תימא רבנן אבות אסר רחמנא

רש"י

דלמא אתי לאינפולי. אבל ממעיין שלא יצא בתחילה אפילו בית הבעל נמי שרי רבי יהודה ומתניתין דקתני נמי ממעיין שלא יצא בתחילה בית השלחין אין בית הבעל לא לאו רבי יהודה היא: אם כן מתניתין אמאן תרמייה. לא ר"א בן יעקב כדאמרן ולא כר"מ דשרי אפילו בית הבעל ולא כר' אלעזר בן עזריה דאפילו בית השלחין לא שרי ממעיין שיצא בתחילה: אלא לרבי יהודה ולא שנא כו'. ומתניתין ר' יהודה היא: להודיעך כחו דרבי מאיר. דאפילו ממעיין שיצא בתחילה שרי אפילו לבית הבעל: מנכש. תולש עשבים רעים מתוך הטובים וכי עקרי להו למאי הני טפי: משקה מים בזרעים. שזורק מים בעיקרי העשבים: משום מאי מתרינן ביה. דמאי מלאכה קא חשבינן ליה דודאי קוצר לא חשבינן שאינו מתכוין ליטול העשבים אלא לתקן עשבים הטובים שבשדה: חורש וזורע וקוצר אבות מלאכות הן בפרק כלל גדול (שבת דף עג.): לרפויי. לרכך: משום חורש אין משום זורע לא. אמאי לא מיחייב בתרוייהו הא עביד תרוייהו ואשכחינן במלאכה דמיחייב תרתי: זומר. בשבת: וצריך לעצים חייב. משום קוצר שהרי צריך לעצים וחייב משום נוטע דמשום הזימור גדלי טפי: המחפה. שמכסה את הזרעים בעפר: לוקה. משום לא תזרע כלאים (ויקרא יט): אף המקיים. שרואה כלאים זרוע ואינו מבטלו: בשלמא לדידי דאמינא. דמנכש הוי משום זורע משום הכי מנכש בכלאים לוקה דהא אסירא זריעה בכלאים דכתיב לא תזרע: חרישה. לצורך זריעת כלאים מי אסירא דבשעת חרישה ליכא כלאים כלל: אמר ליה. מנכש אינו לוקה אלא משום מקיים: תלמוד לומר כלאים שדך לא. ואע"ג דכתיב לא תזרע כלאים ה) גורעין ודורשין לא כלאים לא יהא כלאים מכל מקום שחייב אתה לבטלו: בשלמא מועד. משום הכי שרי דלא אסיר בשום מלאכה אלא משום טירחא: וכל מקום פסידא שרו רבנן. למיטרח בחולו של מועד במקום פסידא כדפרשינן לעיל: בין למאן דאמר משום חורש. דפליגי רבה ורב יוסף לעיל במשקה מים לזרעים דחד אמר משום חורש וחד אמר משום זורע: חרישה בשביעית מי שרי. הא נפקא מבחריש ובקציר תשבות דאמרינן אם אינו ענין לשבת שאינו צריך שהרי כבר נאמר כל מלאכה תנהו ענין לשביעית: בשביעית בזמן הזה. דרבנן: ורבי היא. דאמר דהוא מדרבנן ומילתא דפסידא שרו רבנן: וזה דבר השמטה שמוט. כתיב בהשמטת כספים אמאי כתיב תרי זימני שמטה שמוט: בזמן שאי אתה משמט קרקע כו'. מכלל דאיכא זמן דלא משמט קרקע ואיזה זה בזמן הזה: אפילו תימא רבנן. דפליגי עליה דרבי ואמרי לשביעית בזמן הזה דאורייתא: אבות מלאכות. אסר רחמנא בשביעית:

תולדות

תוספות

אם כן אמאן תרמייה. ואם נפשך לומר ממאי דרמינן אליבא דר' יהודה יותר מר"א כמו דאקשינן לעיל לר"א הכי נמי פרכינן אליבא דרבי יהודה ומאי אלימא להש"ס מילתא דרבי יהודה דמוכח מיניה דמתניתין אתיא אליביה יותר מדרבי אליעזר איכא למימר משום דבתרתי מילי אשכחן בהדיא במילתיה דר"י כמו במתניתין דפסידא אין הרווחה לא ובמקום פסידא נמי מיטרח לא טרח אבל לר"א ליכא לאוכוחי ממילתיה אלא חד מילתא כדלעיל דהרווחה אסיר הלכך ניחא ליה לאוקמי כר' יהודה ולא כרבי אליעזר: **כחו** דר' מאיר דמיקל. ואם תאמר וליתני שלא יצאו בתחילה להודיעך כחו דר' יהודה דמחמיר (א) כח דהתירא עדיף: **משום** מאי מתרינן. דאין אדם לוקה ולא נהרג אלא בהתראה שמתרינן בו לא תעשה הך איסורא כדמפקינן בסנהדרין (דף מא.) מקרא דצריך לפרש שם האיסור בהדיא: **קא** מרפויי ארעא. דבתר עיקר המלאכה אזלינן ודומה לחורש ורב יוסף אע"ג דעיקר מלאכה דומה לחורש מחשבת הנפש לאו לרפויי ארעא ובהכי פליגי דרבה סבר לבתר המעשה מדמינן לה ולא אחר המחשבה ורב יוסף סבר בתר מחשבה אזלינן דהויא עיקר ולא אזלינן בתר הדמיון: **וצריך** לעצים. אבל אם אין צריך לעצים לא נאמר בו דחייב משום קצירה דלא דמיא לקצירה דקוצרין למאכל או מידי שצריכין לאיזה דבר כגון רפואה וכיוצא בהן ואי לאו שקוצרין לצורך גופו פטור דלא מיחייב אפילו משום תולדה דתולדה צריך שתהא דמי לאב מלאכה: **חייב** שתים. קשיא לרבה דאזיל בתר הדמיון דהכא זומר לא דמי כלל לנוטע ואעפ"כ חייב משום נוטע וקשיא לרב יוסף דאפילו אינו מתכוין לצמות הגפן כיון דודאי מצמחה מחמת הזימור חייב משום נוטע דהא סתם קאמר רב כהנא אפילו לא חישב ליטע ואי קשיא הא דאמרינן בדוכתא אחריתי (כתובות דף לג.) משום רשעה אחת אתה מחייבו ואי אתה מחייבו משום שתי רשעיות תריץ הכי כגון דאיכא מיתה ומלקות אבל תרתי מילי דאסירן דדמיין להדדי בשתי מלקיות תרוייהו חד רשעה הוא ולא ממעטי מרשעתו דכל שם מלקות חד רשעה הוא והכי נמי אמר במס' פסחים בפ' כל שעה (דף כד. ושם) אמר אביי אכל פוטיתא לוקה ארבע ואע"ג דרב כהנא אמורא הוא מקשי מיניה לרבה ורב יוסף משום דגברא רבה הוה כדאשכחן (ב"ק דף קיז.) במעשה דר' יוחנן דהוה חריף טובא ° וקשיא לר"י כיון דלאו תנא הוא לא חשיב לה כל כך ופליגי עליה:

אף

עין משפט נר מצוה

יא א מיי' פ"ח מהלכות שבת הלכה ג:
יב ב מיי' שם הלכה ד:
יג ג מיי' פ"א מהלכות כלאים הלכה ג סמג לאוין רעט טוש"ע י"ד סי' רצז סעיף א:
יד ד מיי' פ"ט מהלכות שמטה הלכה ג סמג לאוין ער וסמג עשין קמט:

רבינו חננאל

שדה הבעל תנא איהו נמי מעין שיצא בתחלה. אתמר המנכש פי' החופר בית הזרעים והממשיך מים לזרעי' בשבת משום מאי מתרינן ביה. רבה אמר משום חורש מה דרך החורש לרפויי ארעא הכא נמי מרפי ארעא נינהו. ורב יוסף אמר משום זורע. מה דרך הזורע לאצמוחי פירא הכא נמי קא מצמחי פירא. ומקשי אביי לתרווייהו ואמאי לא מתרינן ביה משום חורש ומשום זורע דהא דמיא להא ודמיא נמי להא. וכי תימא כל היכא דאיכא מלאכה מעין שתים לא מחייבינן אלא חדא. והאמר רב כהנא הזומר וצריך לעצים חייב שתים אחת משום זורע ואחת משום קוצר ולא פירקו לנפשייהו איתיביה רב יוסף לרבה המנכש פי' חופר אצל הכלאים ולוקח העפר ומחפה בו את הכלאים כדי שיצמח והמחפה בכלאים לוקה. ר' עקיבא אומר אף המקיים. בשלמא לרב יוסף דא' מנכש משום זורע חייב היינו דאסירא זריעה בכלאים. אלא לרבה דאמר משום חורש חרישה בכלאים מי אסירא. ופריק רבה מאי לוקה דקתני משום מקיים בכלאים וכולה ר' עקיבא היא. ומה טעם קאמר והכי קתני המנכש והמחפה בכלאים לוקה. מ"ט משום מקיים שר' עקיבא אומר אף המקיים בכלאים לוקה. פי' מקיים בכלאים שמצא שדה זרועה כלאים ועבדה הוא וצמחה ונתקיים הכלאים בעבודתו שגורם לו הצמחה והפרחת פירי. מ"ט אמר קרא לא תזרע כרמך כלאים. אין לי אלא זורע תבואה בכרם מקיים מנין תלמוד לומר לא כלאים. כלומר האי לא דכתב רחמנא דרוש אותו בזורע דהוה ליה למכתב לא תזרע כרמך ולישתוק. ואנא ידענא דאין זריעה אלא בתבואה פי' וממילא שמעינן שאסר זריעת התבואה בכלאים. א) למה עוד אמר כלאים כדכתיב וזרעתם את השנה ההיא וגו' אבל באילנות נטיעה היא כדכתיב ונטעתם כל עץ מאכל. כלאים דכתב רחמנא למה לי לרבות המקיים בכלאים בלאו. ומקשינן לרבה ורב יוסף ממתניתין דתנן משקין בית השלחין במועד ובשביעית. בשלמא מועד משום טירחא הוא דאסורה וכל מקום פסידא שרו רבנן. אלא בשביעית בין למ"ד משקה מים לזורעים חייב משום זורע. ובין למ"ד חייב משום חורש תרווייהו חרישה וזריעה בשביעית אסירי היכי שרו ופירק אביי בשביעית בזמן הזה. ורבי היא דתניא רבי אומר וזה דבר השמטה שמוט כתיב שמיטה וכתיב שמוט בב' שמיטות הכתוב מדבר אחת שמיטת קרקע ואחת שמיטת כספים. בזמן שאתה משמט קרקע כו' והאידנא דאין שמיטה בקרקע שא"י בידי עובדי כוכבים היא. שביעית בזמן הזה דרבנן ובמקום פסידא שרו רבנן. רבא אמר לא תימא מתני' רבי היא ולא רבנן. אלא אפי' תימא רבנן הניכוש והחיפוי בכלאים תולדות נינהו ובשביעית

מסורת הש"ס

א) [שבת דף עג:], ב) [תוספתא' כלאים פ"א] מכות כא: ע"ז סד., ג) [שעשה להן סייג וגדר רש"י ע"ז סד. וע"ש בתוס'], ד) גיטין לו. קידושין לח., ה) [ועי' פי' ריב"ן דמכות ובכל מקום פי' בסגנון אחר].

הגהות הב"ח

(א) תוס' ד"ה כחו כו' דר' יהודה דמחמיר וי"ל כח דהתירא:

גליון הש"ס

תוס' ד"ה חייב שתים וכו' וקשיא ל"ג. עיין ב"ב דף נב ע"ב:

תורה אור השלם

א) אֶת חֻקֹּתַי תִּשְׁמֹרוּ בְּהֶמְתְּךָ לֹא תַרְבִּיעַ כִּלְאַיִם שָׂדְךָ לֹא תִזְרַע כִּלְאָיִם וּבֶגֶד כִּלְאַיִם שַׁעַטְנֵז לֹא יַעֲלֶה עָלֶיךָ: [ויקרא יט, יט]

ב) וְזֶה דְּבַר הַשְּׁמִטָּה שָׁמוֹט כָּל בַּעַל מַשֵּׁה יָדוֹ אֲשֶׁר יַשֶּׁה בְּרֵעֵהוּ לֹא יִגֹּשׂ אֶת רֵעֵהוּ וְאֶת אָחִיו כִּי קָרָא שְׁמִטָּה לַייָ: [דברים טו, ב]

רש"י כת"י

כחו דר' מאיר. דמיקל. מנכש. עוקר עשבים רעים שמכחישין את היפה וכי עקר להו מחייב ביה טפי משום חורש וזורע ועוקר וקוצר דאבות מלאכות הן בפרק כלל גדול. מנכש מרפא לארעא. כשעוקר את העשבים הרעים ומשקה נמי מרפא לארעא. מנכש ומשקה קא מצמח לפירי. משום חורש. מתרינן ליה [אבל] משום (האי נמי) זורע לא הויא התראה בתמי' והא קא מצמח פירי והויא נמי תולדה [גניזה.]* ע"כ השלמה.

חשק שלמה על ר"ח

א) לכאורה נראה שצ"ל שאסר זריעת התבואה בכלאים דכתיב וזרעתם את וכו' ונטעתם כל עץ מאכל למה עוד אמר כלאים לרבות המקיים עכ"ל.

difficulty: מִשּׁוּם זוֹרֵעַ אֵין מִשּׁוּם חוֹרֵשׁ לֹא – **On account of sowing yes,** he may be warned, but **on account of plowing no,** he may not be warned? He should be subject to warning for either *melachah,* since his act both promotes the growth of the plants (like sowing) and softens the earth (like plowing)![10] וְכִי תֵּימָא כָּל הֵיכָא דְּאִיכָּא תַּרְתֵּי לֹא מִיחַיַּיב אֶלָּא חֲדָא – **And if you will say** that there cannot be a choice for which *melachah* to warn him, because **wherever there are two** forbidden labors involved in a single act, **[the person] is liable for only one** *melachah,* וְהָאָמַר רַב כַּהֲנָא – **but Rav Kahana said:** זוֹמֵר וְצָרִיךְ לָעֵצִים – If **one prunes** a vine on the Sabbath **and** also **needs the wood** for fuel, i.e. he intends to use the branches he cuts for firewood, חַיָּיב שְׁתַּיִם – **he is obligated to** bring **two** *chatas* offerings, אַחַת מִשּׁוּם נוֹטֵעַ – **one on account of planting** וְאַחַת מִשּׁוּם קוֹצֵר – **and one on account of reaping.**[11] Here too, then, when the person is weeding and watering he is actually transgressing both the *melachah* of plowing and the *melachah* of sowing. Accordingly, he should be subject to warning on account of either *melachah.* – ? –

The Gemara concludes:

קַשְׁיָא – This is **a difficulty.**[12]

The disputants debate the question among themselves:

אֵיתִיבֵיהּ רַב יוֹסֵף לְרַבָּה – **Rav Yosef challenged Rabbah** from a Baraisa: הַמְנַכֵּשׁ וְהַמְחַפֶּה לְכִלְאַיִם – ONE WHO PULLS OUT WEEDS, AND ONE WHO COVERS seeds with earth, thereby fostering the growth of ***KILAYIM,*** לוֹקֶה – INCURS LASHES.[13] רַבִּי עֲקִיבָא אוֹמֵר – R' AKIVA SAYS: אַף הַמְקַיֵּים – EVEN ONE WHO merely MAINTAINS *kilayim* incurs lashes.[14] בִּשְׁלָמָא לְדִידִי דְּאָמֵינָא מִשּׁוּם זוֹרֵעַ – Now, **it is well according to my [opinion], that I say** that one who pulls weeds from a field on the Sabbath is warned **on account of sowing,** הַיְינוּ דַּאֲסִירָא זְרִיעָה בְּכִלְאַיִם – for **that is why** one who pulls weeds from a field of *kilayim,* thereby fostering the growth of *kilayim,* is liable, because **sowing is** explicitly **forbidden in regard to *kilayim.***[15] אֶלָּא לְדִידָךְ דְּאָמְרַתְּ מִשּׁוּם חוֹרֵשׁ – **But according to your [opinion], that you say** that one who pulls weeds from a field on the Sabbath is warned **on account of plowing,** חֲרִישָׁה בְּכִלְאַיִם מִי אֲסִירָא – **why, is plowing in regard to *kilayim* forbidden?** Certainly not![16] We must therefore conclude that pulling weeds from a field is not a *toladah* of plowing but rather of sowing. – ? –

Rabbah responds:

אָמַר לֵיהּ – **He said to [Rav Yosef]:** מִשּׁוּם מְקַיֵּים – The Baraisa means that one who weeds is liable **on account of maintaining** *kilayim.*[17]

The Gemara questions this explanation:

וְהָא מִדְּקָתָנֵי סֵיפָא – **But from the fact that the latter part** of the Baraisa **states:** רַבִּי עֲקִיבָא אוֹמֵר אַף הַמְקַיֵּים – R' AKIVA SAYS: EVEN ONE WHO MAINTAINS *kilayim* is liable, מִכְּלָל דְּתַנָּא קַמָּא לָאו מִשּׁוּם מְקַיֵּים הוּא – **it is implied that the Tanna Kamma holds** that **[the liability] is not on account of maintaining.** – ? –

The Gemara answers:

כּוּלָּהּ רַבִּי עֲקִיבָא הִיא – Actually, **the entire [Baraisa] is** the opinion of **R' Akiva,** וּמַאי טַעַם קָאָמַר – **and** the second clause of **[the Baraisa] states the reason** for the first,[18] as follows: מַאי טַעַם הַמְנַכֵּשׁ וְהַמְחַפֶּה בְּכִלְאַיִם לוֹקֶה – **What is the reason that one who weeds or covers** seeds and thereby fosters the growth of ***kilayim* incurs lashes?** מִשּׁוּם מְקַיֵּים – **Because** he is guilty **of maintaining** *kilayim,* שֶׁרַבִּי עֲקִיבָא אוֹמֵר אַף הַמְקַיֵּים – **for R' Akiva says** that **even one who** merely **maintains** *kilayim* is liable to lashes.[19]

The Gemara elaborates on R' Akiva's opinion:

מַאי טַעְמָא דְּרַבִּי עֲקִיבָא – **What is R' Akiva's reason?** דְּתַנְיָא – **As it was taught in a Baraisa:** ,,שָׂדְךָ לֹא־תִזְרַע כִּלְאָיִם" – The verse states: ***YOUR FIELD DO NOT SOW WITH KILAYIM.***[20] אֵין לִי

NOTES

10. Since the acts of weeding and watering are similar to both plowing *and* sowing, they should be classified under both *avos.* Why assign the acts to one *av melachah* to the exclusion of the other? (*Divrei David,* first explanation).

11. Rav Kahana is discussing an inadvertent violation of the Sabbath [שוגג]. One who violates the Sabbath inadvertently is liable to a separate *chatas* sacrifice for each *melachah* performed. In the case at hand, Rav Kahana rules that the person is liable to two *chatas* offerings, one for the *melachah* of *planting,* since by pruning the vines he caused them to grow better, and one for the *melachah* of *reaping,* since he needs the branches that he cuts. Thus we see that where a single act has two results, we do not say that one result is primary and classify it only under the heading indicated by that result. Rather, we consider the person to have performed both *melachos* (*Divrei David,* first explanation; cf. *Tosafos*).

12. [In light of this conclusion of the Gemara, it would seem that the *halachah* should follow Abaye. Indeed, many Rishonim do rule that one who waters seeds is liable for both sowing and plowing (see *Mishnah Berurah* 336:26 with *Shaar HaTziyun*). *Rambam* (*Hil. Shabbos* 8:2), however, rules in accordance with Rav Yosef that he is liable only for sowing (see *Maggid Mishneh* there). See *Noda BiYehudah, Orach Chaim* vol. II §31 and *Minchas Chinuch* 32, *Masech HaShabbos* 2:2 for suggestions as to the rationale behind Rambam's ruling.]

13. *Kilayim* is the forbidden side-by-side planting of different crops. The prohibition against such co-mingling of seeds is derived from the verse (*Leviticus* 19:19): שָׂדְךָ לֹא־תִזְרַע כִּלְאָיִם, *your field you shall not plant with kilayim* (mixed seed).

14. I.e. he sees *kilayim* growing and does not uproot it (*Rashi* here; *Rivan* to *Makkos* 21b ד״ה מי משכחת; *Aruch* cited in *Tosafos* to *Avodah Zarah* 64a ד״ה רבי עקיבא).

[Others, however, dispute this explanation, proving from elsewhere in the Talmud that R' Akiva maintains that one does not incur lashes for a transgression in which no action is involved (לָאו שֶׁאֵין בּוֹ מַעֲשֶׂה). Accordingly, they explain that the case refers to where the person did some type of indirect action to assist in the growth of the *kilayim,* e.g. he protected it by building a fence around it (*Rashi* to *Avodah Zarah* 64a ד״ה אפילו לר׳ עקיבא, *Tosafos* ibid.; see *She'eilos U'Teshuvos Beis HaLevi* vol. I 35:13 for discussion of *Rashi's* explanation here).]

15. As it states (ibid.): שָׂדְךָ לֹא־תִזְרַע כִּלְאָיִם, *your field you shall not plant with kilayim* (*Rashi*). Any labor which is a *toladah* (derivative labor) of sowing is also included in this prohibition. Thus, according to Rav Yosef who holds that pulling weeds is a *toladah* of sowing, it too is included in the *kilayim* prohibition and is punishable with *malkus* (*Talmid R' Yechiel MiParis; see Derech Emunah* [*R' Chaim Kanievsky*] *Hil. Kilayim* 1:5 and *Beur HaHalachah* 1:2 ד״ה המנכש).

16. [We do not find anywhere that the Torah forbids plowing in a field of *kilayim* (*Tos. HaRosh, Rashash*).]

Alternatively, Rav Yosef questions how weeding can cause one to be liable on account of plowing when the act of plowing itself is generally done prior to seeding. Since at this stage there is no *kilayim* in the ground, the person cannot be liable for transgressing the *kilayim* prohibition, even if he plows with the intent to sow *kilayim* later (*Rashi; Talmid R' Yechiel MiParis*).

17. As far as the Sabbath is concerned, one who weeds is indeed liable for plowing. In regard to *kilayim,* however, where there is no prohibition against plowing, he is liable for maintaining *kilayim.*

18. Literally: it states, "What is the reason. . .?"

19. [It would appear according to this answer that even one who covers seeds is liable only for maintaining *kilayim.* Thus according to the Rabbis, who dispute R' Akiva and hold that one who maintains *kilayim* does not incur lashes, one who covers *kilayim* would likewise not be flogged. *Rashi* (ד״ה אמר ליה), however, indicates that even according to this answer, only one who weeds is liable only for maintaining, but one who covers *kilayim* is liable on account of sowing. Thus, he would be liable even according to the Rabbis (*Menachem Meishiv Nefesh;* see *Makkos* 21b; see also *Keren Orah* and *She'eilos U'Teshuvos Chasam Sofer, Yoreh Deah* 288).]

20. *Leviticus* 19:19.

עין משפט
נר מצוה

יא א מיי' פ"ח מהלכות שבת הלכה ג:
יב ב מיי' שם הלכה ד:
יג ג מיי' פ"א מהלכות כלאים הלכה ג סמג לאוין רעט טוש"ע י"ד סי' רצז סעיף א:
יד ד מיי' פ"ט מהלכות שמטה הלכה ג סמג לאוין ער וסמג עשין קמט:

רבינו חננאל

שדה הבעל תנא איהו נמי מעין שיצא בתחלה. אתמר המנכש פי' החופר בית הזרעים והממשיך מים לזרעי' בשבת משום מאי מתרינן ביה. רבה אמר משום חורש מה דרך החורש לרפויי ארעא הכא נמי מרפי ארעא נינהו. ורב יוסף אמר משום זורע. מה דרך הזורע לאצמוחי פירא הכא נמי קא מצמחי פירא. ומקשי אביי לתרווייהו ואמאי לא מתרינן ביה משום חורש ומשום זורע דהא דמיא להא ודמיא נמי להא. וכי תימא כל היכא דאיכא מלאכה מעין שתים לא מחייבינן אלא חדא. והאמר רב כהנא הזומר וצריך לעצים חייב שתים אחת משום זורע ואחת משום קוצר ולא פירקו לנפשייהו איתיביה רב יוסף לרבה המנכש פי' חופר אצל הכלאים ולוקח העפר ומחפה בו את הכלאים כדי שיצמח והמחפה בכלאים לוקה. ר' עקיבא אומר אף המקיים. בשלמא לרב יוסף דא' מנכש משום זורע חייב היינו דאסירא זריעה בכלאים. אלא לרבה דאמר משום חורש חרישה בכלאים מי אסירא. ופריק רבה מאי לוקה דקתני משום מקיים בכלאים וכולה ר' עקיבא היא. ומה טעם קאמר והכי קתני המנכש והמחפה בכלאים לוקה. מ"ט משום מקיים שר' עקיבא אומר אף המקיים בכלאים לוקה. פי' מקיים בכלאים שמצא שדה זרועה כלאים ועבדה הוא וצמחה ונתקיים הכלאים בעבודתו שגורם לו הצמחה והפרחת פירי. מ"ט אמר קרא לא תזרע כרמך כלאים. אין לי אלא זורע תבואה בכרם מקיים מנין תלמוד לומר לא כלאים. כלומר האי לא דכתב רחמנא דרוש אותו בזורע דהוה ליה למכתב לא תזרע כרמך ולישתוק. ואנא ידענא דאין זריעה אלא בתבואה פי' וממילא שמעינן שאסר זריעת התבואה בכלאים. א) למה עוד אמר כלאים כדכתיב וזרעתם את השנה ההיא וגו' אבל באילנות נטיעה היא כדכתיב ונטעתם כל עץ מאכל. כלאים דכתב רחמנא למה לי לרבות המקיים בכלאים בלאו. ומקשינן לרבה ולרב יוסף ממתניתין דתנן משקין בית השלחין במועד ובשביעית. בשלמא מועד משום טירחא הוא דאסורה וכל מקום פסידא שרו רבנן. אלא בשביעית בין למ"ד משקה מים לזורעים חייב משום זורע. ובין למ"ד חייב משום חורש תרווייהו חרישה וזריעה בשביעית אסירי היכי שרו ופירק אביי בשביעית בזמן הזה. ורבי היא דתניא רבי אומר וזה דבר השמטה שמוט שמוט כתיב שמיטה וכתיב שמוט בב' שמיטות הכתוב מדבר אחת שמיטת קרקע ואחת שמיטת כספים. בזמן שאתה משמט קרקע כו' והאידנא דאין שמיטה בקרקע שא"י בידי עובדי כוכבים היא. שביעית בזמן הזה דרבנן ובמקום פסידא שרו רבנן. רבא אמר לא תימא מתני' רבי היא ולא רבנן. אלא אפי' תימא רבנן הניכוש והחיפוי בכלאים תולדות נינהו ובשביעית

תוספות

אם כן אמאן תרמייה. ואם נפשך לומר ממאי דרמינן אליבא דר' יהודה יותר מר"א כמו דאקשינן לעיל לר"א הכי נמי פרכינן אליבא דרבי יהודה ומאי אלימא להש"ס מילתא דרבי יהודה דמוכח מיניה דמתניתין אתיא אליביה יותר מדרבי אליעזר איכא למימר משום דבתרתי מילי אשכחן בהדיא במילתיה דר"י כמו במתניתין דפסידא אין הרווחה לא ובמקום פסידא נמי מיטרח לא טרח אבל לר"א ליכא לאוכוחי ממילתיה אלא חד מילתא כדלעיל דהרווחה אסיר הלכך ניחא ליה לאוקמי כר' יהודה ולא כרבי אליעזר: **כחו** דר' מאיר דמיקל. ואם תאמר וליתני שלא יצאו בתחילה להודיעך כחו דר' יהודה דמחמיר (א) כח דהתירא עדיף: **משום** מאי מתרינן. דאין אדם לוקה ולא נהרג אלא בהתראה שמתרינן בו לא תעשה הך איסורא כדמפקינן בסנהדרין (דף מא.) מקרא דצריך לפרש שם האיסור בהדיא: **קא** מרפויי ארעא. דבתר עיקר המלאכה אזלינן ודומה לחורש ורב יוסף אע"ג דעיקר מלאכה דומה לחורש מחשבת הנפש לאו לרפויי ארעא ובהכי פליגי דרבה סבר לבתר המעשה מדמינן לה ולא אחר המחשבה ורב יוסף סבר בתר מחשבה אזלינן דהויא עיקר ולא אזלינן בתר הדמיון: **וצריך** לעצים. אבל אם אין צריך לעצים לא נאמר בו דחייב משום קצירה דלא דמיא לקצירה דקוצרין למאכל או מידי שצריכין לאיזה דבר כגון רפואה וכיוצא בהן ואי לאו שקוצרין לצורך גופו פטור דלא מיחייב אפילו משום תולדה דתולדה צריך שתהא דמי לאב מלאכה: **חייב** שתים. קשיא לרבה דאזיל בתר הדמיון דהכא זומר לא דמי כלל לנוטע ואעפ"כ חייב משום נוטע וקשיא לרב יוסף דאפילו אינו מתכוין לצמוח הגפן כיון דודאי מצמחה מחמת הזימור חייב משום נוטע דהא סתם קאמר רב כהנא אפילו לא חישב ליטע ואי קשיא הא דאמרינן בדוכתא אחריתי (כתובות דף לז.) משום רשעה אחת אתה מחייבו ואי אתה מחייבו משום שתי רשעיות תריץ הכי כגון דאיכא מיתה ומלקות אבל תרתי מילי דאסירן דדמיין להדדי בשתי מלקיות תרווייהו חד רשעה הוא ולא ממעטי מרשעתו דכל שם מלקות חד רשעה הוא והכי נמי אמר במס' פסחים בפ' כל שעה (דף כד. ושם) אמר אביי אכל פוטיתא לוקה ארבע ואע"ג דרב כהנא אמורא הוא מקשי מיניה לרבה ורב יוסף משום דגברא רבה הוה כדאשכחן (ב"ק דף קיז.) במעשה דר' יוחנן דהוה חריף טובא ° וקשיא ל"ג כיון דלאו תנא הוא לא חשיב לה כל כך ופליגי עליה: אף

גמרא

דלמא אתי לאינפולי אבל מעיין שלא יצא בתחילה דלא אתי לאינפולי אפילו בית הבעל נמי אם כן מתניתין אמאן תרמייה אלא לרבי יהודה לא שנא מעיין שיצא בתחילה ולא שנא מעיין שלא יצא בתחילה בית השלחין אין בית הבעל לא והאי דקתני מעיין שיצא בתחילה להודיעך כחו דר' מאיר דאפילו מעיין היוצא בתחילה משקין ממנו אפילו שדה הבעל אתמר המנכש והמשקה מים לזרעים בשבת משום מאי מתרינן ביה רבה אמר משום חורש רב יוסף אמר [א] משום זורע אמר רבה כוותי דידי מסתברא מה דרכו של חורש לרפויי ארעא האי נמי מרפויי ארעא אמר רב יוסף כוותי דידי מסתברא מה דרכו של זורע לצמוחי פירא הכא נמי מצמח פירא אמר ליה אביי לרבה לדידך קשיא ולרב יוסף קשיא לדידך קשיא משום חורש אין משום זורע לא לרב יוסף קשיא משום זורע אין משום חורש לא וכי תימא כל היכא דאיכא תרתי לא מיחייב אלא חדא והאמר רב כהנא [א] [ב] זומר וצריך לעצים חייב שתים אחת משום נוטע ואחת משום קוצר קשיא איתיביה רב יוסף לרבה [ג] [ג] המנכש והמחפה לכלאים לוקה רבי עקיבא אומר אף [ג] המקיים בשלמא לדידי דאמינא משום זורע היינו דאסירא זריעה בכלאים אלא לדידך דאמרת משום חורש חרישה בכלאים מי אסירא אמר ליה משום מקיים והא מדקתני סיפא ר"ע אומר אף המקיים מכלל דתנא קמא לאו משום מקיים הוא כולה ר' עקיבא היא ומאי טעם קאמר מאי טעם המנכש והמחפה בכלאים לוקה משום מקיים שר"ע אומר אף המקיים מאי טעמא דר' עקיבא דתניא [א] שדך לא תזרע כלאים אין לי אלא זורע מקיים מניין תלמוד לומר כלאים שדך לא תנן משקין בית השלחין במועד ובשביעית בשלמא מועד משום טירחא הוא ובמקום פסידא שרו רבנן אלא שביעית בין למאן דאמר משום זורע ובין למאן דאמר משום חורש זריעה וחרישה בשביעית מי שרי אמר אביי בשביעית בזמן הזה ורבי היא דתניא [ד] רבי אומר [ב] וזה דבר השמטה שמוט [ד] בשתי שמיטות הכתוב מדבר אחת שמיטת קרקע ואחת שמיטת כספים בזמן שאתה משמט קרקע אתה משמט כספים ובזמן שאי אתה משמט קרקע אי אתה משמט כספים רבא אמר אפילו תימא רבנן אבות אסר רחמנא

רש"י

דלמא אתי לאינפולי. אבל ממעיין שלא יצא בתחילה אפילו בית הבעל נמי שרי רבי יהודה ומתניתין דקתני נמי ממעיין שלא יצא בתחילה בית השלחין אין בית הבעל לא לאו רבי יהודה היא: אם כן מתניתין אמאן תרמייה. לא ר"א בן יעקב כדאמרן ולא כר"מ דשרי אפילו בית הבעל ולא כר' אלעזר בן עזריה דאפילו בית השלחין לא שרי ממעיין שיצא בתחילה: אלא לרבי יהודה ולא שנא כו'. ומתניתין ר' יהודה היא: להודיעך כחו דרבי מאיר. דאפילו ממעיין שיצא בתחילה שרי אפילו לבית הבעל: מנכש. תולש עשבים רעים מתוך הטובים וכי עקרי להו למחי הני טפי: משקה מים בזרעים. שזורק מים בעיקרי העשבים: משום מאי מתרינן ביה. דמאי מלאכה קא חשבינן ליה דודאי קוצר לא חשבינן שאינו מתכוין ליטול העשבים אלא לתקן עשבים הטובים שבשדה: חורש וזורע וקוצר אבות מלאכות הן בפרק כלל גדול (שבת דף עג.): לרפויי. לרכך: משום חורש אין משום זורע לא. אמאי לא מיחייב בתרווייהו הא עביד תרווייהו ואשכחינן במלאכה דמיחייב תרתי: זומר. בשבת: וצריך לעצים חייב. משום קוצר שהרי צריך לעצים וחייב משום נוטע דמשום הזימור גדלי טפי: המחפה. שמכסה את הזרעים בעפר: לוקה. משום לא תזרע כלאים (ויקרא יט): אף המקיים. שרואה כלאים זרוע ואינו מבטלו: בשלמא לדידי דאמינא. דמנכש הוי משום זורע משום הכי מנכש בכלאים לוקה דהא אסירא זריעה בכלאים דכתיב לא תזרע: חרישה. לצורך זריעת כלאים מי אסירא דבשעת חרישה ליכא כלאים כלל: אמר ליה. מנכש אינו לוקה אלא משום מקיים: תלמוד לומר כלאים שדך לא. ואע"ג דכתיב לא תזרע כלאים [ה] גורעין ודורשין לא כלאים לא יהא כלאים מכל מקום שחייב אתה לבטלו: בשלמא מועד. משום הכי שרי דלא אסיר בשום מלאכה אלא משום טירחא: וכל מקום פסידא שרו רבנן. למיטרח בחולו של מועד במקום פסידא כדפרשינן לעיל: בין למאן דאמר משום חורש. דפליגי רבה ורב יוסף לעיל במשקה מים לזרעים דחד אמר משום חורש וחד אמר משום זורע: חרישה בשביעית מי שרי. הא נפקא מבחריש ובקציר תשבות דאמרינן אם אינו ענין לשבת שאינו צריך שהרי כבר נאמר כל מלאכה תנהו ענין לשביעית: בשביעית בזמן הזה. דרבנן: ורבי היא. דאמר דהוא מדרבנן ומילתא דפסידא שרו רבנן: וזה דבר השמטה שמוט. כתיב בהשמטת כספים אמאי כתיב תרי זימני שמטה שמוט: בזמן שאי אתה משמט קרקע כו'. מכלל דאיכא זמן דלא משמט קרקע ואיזה זה בזמן הזה: אפילו תימא רבנן. דפליגי עליה דרבי ואמרי דשביעית בזמן הזה דאורייתא: אבות מלאכות. אסר רחמנא בשביעית: תולדות

מסורת הש"ס

א) [שבת דף עג:], ב) [תוספת' כלאים פ"א] מכות כא: ע"ז סד., ג) [שעשה להן סייג וגדר רש"י ע"ז סד. וע"ש בתוס'], ד) גיטין לו. קידושין לח:, ה) [ועי' פי' ריב"ן דמכות ובכל מקום פי' בסגנון אחר].

הגהות הב"ח

(א) תוס' ד"ה כחו כו' דר' יהודה דמחמיר וי"ל כח דהתירא:

גליון הש"ס

תוס' ד"ה חייב שתים וכו' וקשיא ל"ג. עיין ב"ב דף נב ע"ב:

תורה אור השלם

א) אֶת חֻקֹּתַי תִּשְׁמֹרוּ בְּהֶמְתְּךָ לֹא תַרְבִּיעַ כִּלְאַיִם שָׂדְךָ לֹא תִזְרַע כִּלְאָיִם וּבֶגֶד כִּלְאַיִם שַׁעַטְנֵז לֹא יַעֲלֶה עָלֶיךָ: [ויקרא יט, יט]

ב) וְזֶה דְּבַר הַשְּׁמִטָּה שָׁמוֹט כָּל בַּעַל מַשֵּׁה יָדוֹ אֲשֶׁר יַשֶּׁה בְּרֵעֵהוּ לֹא יִגֹּשׂ אֶת רֵעֵהוּ וְאֶת אָחִיו כִּי קָרָא שְׁמִטָּה לַייָ: [דברים טו, ב]

רש"י כת"י

כחו דר' מאיר. דמיקל. מנכש. עוקר עשבים רעים שמכחישין את היפה וכי עקר להו מחייב ביה טפי משום חורש וזורע ועוקר וקוצר דאבות מלאכות הן בפרק כלל גדול. מנכש מרפא לארעא. כשעוקר את העשבים הרעים ומשקה נמי מרפא לארעא. מנכש ומשקה קא מצמח לפירי. משום חורש. מתרינן ליה [אבל] משום (הא' נמי) זורע לא הויא התראה בתמי' והא קא מצמח פירי והויא נמי תולדה [גניזה.]* ע"כ השלמה.

חשק שלמה על ר"ח

א) לכאורה נראה שצ"ל שאסר זריעת התבואה בכלאים כדכתיב וזרעתם את וכו' ונטעתם כל עץ מאכל למה עוד אמר כלאים לרבות המקיים כו'.

אֶלָּא זוֹרֵעַ – From the simple reading of the verse I HAVE established ONLY that ONE WHO SOWS *kilayim* violates this prohibition. מְקַיֵּים מִנַּיִין – FROM WHERE do I derive that ONE WHO merely MAINTAINS *kilayim* is also liable? תַּלְמוּד לוֹמַר ,,כִּלְאַיִם שָׂדְךָ לֹא'' – THE TORAH therefore STATES: *KILAYIM [IN] YOUR FIELD, NO.*[21]

The Gemara returns to our Mishnah and poses a question: תְּנַן – **We learned in the Mishnah:** מַשְׁקִין בֵּית הַשְּׁלָחִין בַּמּוֹעֵד וּבַשְּׁבִיעִית – ONE MAY WATER AN IRRIGATED FIELD DURING CHOL HAMOED AND DURING *SHEMITTAH.* בִּשְׁלָמָא מוֹעֵד – Now, **it is understandable** that one may water an irrigated field on **Chol HaMoed,** מִשּׁוּם טִירְחָא הוּא – for **it is** merely **because of exertion** that labor was prohibited on Chol HaMoed, וּבִמְקוֹם פְּסֵידָא שָׁרוּ רַבָּנַן – **and in cases of** financial **loss the Rabbis permitted** it.[22] אֶלָּא שְׁבִיעִית – **But** with regard to ***shemittah,*** why should watering be permitted? בֵּין לְמַאן דְּאָמַר מִשּׁוּם זוֹרֵעַ – **Both according to the one who says** that watering seeds is prohibited **on account of sowing** וּבֵין לְמַאן דְּאָמַר מִשּׁוּם חוֹרֵשׁ – **and according to the one who says** that watering seeds is prohibited **on account of plowing,** זְרִיעָה וַחֲרִישָׁה בִּשְׁבִיעִית מִי שָׁרֵי – **why, are sowing and plowing during *shemittah* permissible?**[23] – ? –

The Gemara answers:

אָמַר אַבַּיֵי – **Abaye said:** בִּשְׁבִיעִית בִּזְמַן הַזֶּה – The Mishnah's ruling permitting watering a field during *shemittah* was stated **in regard to** the observance of ***shemittah* nowadays,** וְרַבִּי הִיא – **and it is** in accordance with **Rebbi,** who maintains that the observance of *shemittah* nowadays is only a Rabbinic precept.[24] דְּתַנְיָא – **As it was taught in a Baraisa:** רַבִּי אוֹמֵר – REBBI SAYS – ,,וְזֶה דְּבַר הַשְּׁמִטָּה שָׁמוֹט'' – in exposition of the verse: *AND THIS IS THE MATTER OF THE RELINQUISHMENT, RELINQUISH*[25] – בִּשְׁתֵּי שְׁמִיטּוֹת הַכָּתוּב מְדַבֵּר – THE VERSE SPEAKS OF TWO RELINQUISHMENTS: אַחַת שְׁמִיטַּת קַרְקַע וְאַחַת שְׁמִיטַּת כְּסָפִים – ONE IS THE RELINQUISHMENT OF LAND, i.e. the obligation of a farmer to refrain from farming his land during *shemittah,* AND ONE IS THE RELINQUISHMENT OF MONIES, i.e. the obligation of a creditor to desist from collecting debts which carried over the *shemittah* year. בִּזְמַן שֶׁאַתָּה מְשַׁמֵּט קַרְקַע אַתָּה מְשַׁמֵּט כְּסָפִים – Scripture compares the two to teach that AT A TIME THAT YOU RELINQUISH LAND, YOU MUST RELINQUISH MONIES that are owed to you. וּבִזְמַן שֶׁאִי אַתָּה מְשַׁמֵּט קַרְקַע אִי אַתָּה מְשַׁמֵּט כְּסָפִים – BUT AT A TIME THAT YOU DO NOT RELINQUISH LAND, such as nowadays, YOU DO NOT have the obligation to RELINQUISH MONIES.[26]

The Gemara offers an alternative answer to explain why the Mishnah permitted watering a field during *shemittah:*

רָבָא אָמַר – **Rava said:** אֲפִילּוּ תֵּימָא רַבָּנַן – **You can even say** that the Mishnah follows the view of **the Rabbis** who say that even nowadays *shemittah* is a Biblical precept. אָבוֹת אָסַר רַחֲמָנָא – For **the Merciful One prohibited** only ***avos*** [primary labors] during *shemittah,*

NOTES

21. The verse reads: בְּהֶמְתְּךָ לֹא־תַרְבִּיעַ כִּלְאַיִם שָׂדְךָ לֹא־תִזְרַע כִּלְאָיִם, *your animal do not mate as kilayim, your field do not sow with kilayim.* [Now, the syntax of the phrase שָׂדְךָ לֹא־תִזְרַע, with the object coming before the verb, is unusual for Scripture. Usually the verb precedes the object, as in the phrases לֹא תֹאכַל חָמֵץ, לֹא תְבַשֵּׁל גְּדִי (see *Malbim* to this verse).] The Torah purposely altered the syntax in this case, however, in order to position the words שָׂדְךָ לֹא next to the word כִּלְאַיִם and create the phrase כִּלְאַיִם שָׂדְךָ לֹא, *kilayim [in] your field, no,* i.e. you shall not suffer *kilayim* to exist in your field (see *Rashi* to *Avodah Zorah* 64a ד״ה ת״ל לא; *Talmid R' Yechiel MiParis;* cf. *Rivan* to *Makkos* 21b ד״ה בהמתך; and *Rashi* here whose explanation is difficult to understand, as pointed out by *Divrei David*).

22. The determination as to which activities to forbid on Chol HaMoed and which to permit was made by the Rabbis based on the amount of exertion involved. (Although many Rishonim maintain that the prohibition to perform labor on Chol HaMoed is Biblical, as explained in the first note to the Mishnah on 2a, these Rishonim agree that the Torah left the decision as to which specific acts to forbid to the Rabbis.) Accordingly, since it was the Rabbis who regulated the prohibition, it was within their power to be lenient in cases of financial loss. We therefore understand how it is possible for watering an irrigated field to be permissible on Chol HaMoed.

23. [Sowing during *shemittah* is openly forbidden by the verse (*Leviticus* 25:4): שָׂדְךָ לֹא תִזְרָע, *your field you shall not sow.* As far as plowing is concerned, its prohibition is derived from the verse (*Exodus* 34:21): בֶּחָרִישׁ וּבַקָּצִיר תִּשְׁבֹּת, *from plowing and harvesting you shall desist.* Although this verse in its plain meaning is discussing the Sabbath, it is expounded [by R' Akiva] on 3b-4a to refer to the *shemittah* period (*Rashi*). Accordingly, since these acts are forbidden by the Torah, the Rabbis have no right to permit them, even if a loss is involved (*Chidushei HaRan*).

24. Thus, the Rabbis have the power to relax its restrictions in cases of financial loss (*Rashi*).

25. *Deuteronomy* 15:2. The verse detailing the law of *shemittah's* cancellation of debts states: וְזֶה דְּבַר הַשְּׁמִטָּה שָׁמוֹט כָּל־בַּעַל מַשֵּׁה יָדוֹ אֲשֶׁר יַשֶּׁה בְּרֵעֵהוּ לֹא־יִגֹּשׂ אֶת־רֵעֵהוּ וְאֶת־אָחִיו כִּי־קָרָא שְׁמִטָּה לַה׳, *And this is the matter of the relinquishment: Every creditor shall relinquish that which he has a claim on his fellow man; he may not press his fellow or his brother for payment, for a relinquishment has been proclaimed unto Hashem.* Since the Hebrew text has the two words הַשְּׁמִטָּה שָׁמוֹט in succession, Rebbi expounds it to indicate a reference to two *shemittos* ["relinquishments"].

26. Rebbi holds that the *shemittah* laws pertain to land only when the *Yovel* laws apply. Thus, since the *Yovel* laws do not apply nowadays (since a majority of the Jewish nation is not settled in Eretz Yisrael – see *Arachin* 32b), neither do the laws of *shemittah* (from a Biblical standpoint). Furthermore, Rebbi teaches that the Torah's comparison of the two "relinquishments" indicates that the requirement to relinquish debts applies only at a time that the laws of *shemittah* apply to land (see *Rashi* to *Gittin* 36a ד״ה בשביעית).

At any rate, it is evident from Rebbi's words ("at a time that you do not relinquish land") that there is a time when there is no Biblical obligation to desist from cultivating one's land during *shemittah* – i.e. nowadays (*Rashi*).

The foregoing explanation follows *Rashi.* The Rishonim (*Tos. HaRosh, Meiri*), however, find it difficult for the following reason. Abaye has stated that our Mishnah follows the view of Rebbi who maintains that the obligation to refrain from cultivating the land nowadays is Rabbinic. To prove that this is Rebbi's view, Abaye cited the above-quoted Baraisa. But where in the Baraisa is it indicated that the opinion that *shemittah* nowadays is Rabbinic is held by Rebbi any more than the Rabbis? Rebbi merely states that in his view the leaving of the land to lie fallow and the relinquishing of debts are linked: Just as nowadays there is no Biblical obligation to allow the land to rest, so there is no obligation to desist from collecting debts. The only implication that may be drawn from this is that the Rabbis dispute the land-debt linkage. They may agree, however, to Rebbi's premise that the requirement to rest the land nowadays is not Biblical. See *Tos. HaRosh* here and *Tosafos* and the Rishonim to *Gittin* 36a for an alternative explanation of the Baraisa according to which this difficulty is resolved. See, however, *Beis HaLeivi* vol. 3, 1:5 for a defense of *Rashi's* view.

תּוֹלָדוֹת לֹא אָסַר רַחֲמָנָא – *tolados* (secondary labors) **the Merciful One did not prohibit.**[1] Therefore, since watering seeds is considered a *toladah,* it was not prohibited by Biblical law during *shemittah.*

The Gemara cites the source for this ruling that *tolados* are not prohibited Biblically during *shemittah* by Biblical law:

דִּכְתִיב – **For it is written:**[2] ,,וּבַשָּׁנָה הַשְּׁבִיעִת שַׁבַּת שַׁבָּתוֹן יִהְיֶה לָאָרֶץ . . . שָׂדְךָ לֹא תִזְרָע וגו׳ '' – ***But in the seventh year there shall be a complete rest for the land . . . your field you shall not sow* etc.** *and your vineyard you shall not prune. The aftergrowth of your harvest you shall not reap, and the grapes you had set aside for yourself you shall not pick.* מִכְּדִי – **Now,** let us see: זְמִירָה בִּכְלָל זְרִיעָה – **Pruning is included in** the labor of **sowing,** וּבְצִירָה בִּכְלָל קְצִירָה – **and picking grapes is included in** the labor of **reaping.**[3] לְמַאי הִלְכְתָא כַּתְבִינְהוּ רַחֲמָנָא – **For** the sake of teaching **which law,** then, **did the Merciful One write [pruning and picking grapes]?**[4] לְמֵימְרָא דְּאַהָנֵי תּוֹלָדוֹת מִיחַיֵּיב – **To teach that** only **for these** specific ***tolados*** **is one liable,** אַאַחֲרָנְיָיתָא לֹא מִיחַיֵּיב – but **for other [*tolados*] one is not liable.**[5]

The Gemara asks:

וְלֹא – **And** is it really so that one is **not** liable during *shemittah* for other *tolados*? וְהָתַנְיָא – **But it was taught in a Baraisa:** The verse states:[6] ,,שָׂדְךָ לֹא תִזְרָע וְכַרְמְךָ לֹא תִזְמֹר'' – ***YOUR FIELD YOU SHALL NOT SOW AND YOUR VINEYARD YOU SHALL NOT PRUNE.*** אֵין לִי אֶלָּא זֵירוּעַ וְזִימּוּר – From this alone **I KNOW ONLY** of a prohibition against **SOWING AND PRUNING.** מִנַּיִן לְנִיכּוּשׁ וּלְעִידּוּר וּלְכִיסּוּחַ – **FROM WHERE** do I derive the same **FOR WEEDING BY UPROOTING, HOEING AND WEEDING BY CUTTING?**[7] תַּלְמוּד לוֹמַר – **[THE TORAH] STATES** in the aforementioned verse: ,,שָׂדְךָ לֹא'' ,,כַּרְמְךָ לֹא'' – ***YOUR FIELD NOT . . . YOUR VINEYARD NOT,*** which implies: לֹא כָּל מְלָאכָה שֶׁבְּשָׂדְךָ – **NO MANNER OF WORK IN YOUR FIELD** וְלֹא כָּל מְלָאכָה שֶׁבְּכַרְמְךָ – **AND NO MANNER OF WORK IN YOUR VINEYARD.**[8] מִנַּיִן שֶׁאֵין מְקַרְסְמִין וְאֵין מְזָרְדִין וְאֵין מְפַסְּגִין בְּאִילָן – **FROM WHERE** do I derive **THAT, FOR A TREE, ONE MAY NOT TRIM ITS DRY BRANCHES, NOR TRIM ITS EXCESS BRANCHES, NOR SUPPORT IT?**[9] תַּלְמוּד לוֹמַר ,,שָׂדְךָ לֹא'' ,,כַּרְמְךָ לֹא'' – **[THE TORAH] STATES:** ***YOUR FIELD NOT . . . YOUR VINEYARD NOT,*** which implies: לֹא כָּל מְלָאכָה שֶׁבְּשָׂדְךָ וְלֹא כָּל מְלָאכָה שֶׁבְּכַרְמְךָ – **NO MANNER OF WORK IN YOUR FIELD AND NO MANNER OF WORK IN YOUR VINEYARD.** מִנַּיִן שֶׁאֵין מְזַבְּלִין וְאֵין מְפָרְקִין וְאֵין מְאַבְּקִין וְאֵין מְעַשְּׁנִין בְּאִילָן – **FROM WHERE** do I derive **THAT, FOR A TREE, ONE MAY NOT FERTILIZE** its roots, **NOR REMOVE** stones that are lying on its roots, **NOR APPLY DUST** to cover its exposed roots, **NOR FUMIGATE** it in order to rid it of worms? תַּלְמוּד לוֹמַר ,,שָׂדְךָ לֹא'' ,,כַּרְמְךָ לֹא'' – **[THE TORAH] STATES:** ***YOUR FIELD NOT . . . YOUR VINEYARD NOT,*** which implies: כָּל מְלָאכָה שֶׁבְּשָׂדְךָ לֹא וְכָל מְלָאכָה שֶׁבְּכַרְמְךָ לֹא – **ANY MANNER OF WORK IN YOUR FIELD, NO, AND ANY MANNER OF WORK IN YOUR VINEYARD, NO.**[10]

The Baraisa continues:

יָכוֹל לֹא יְקַשְׁקֵשׁ תַּחַת הַזֵּיתִים – **IT MIGHT** have been thought that **ONE MAY** also **NOT HOE UNDER OLIVE TREES,** וְלֹא יַעֲדֹר תַּחַת הַגְּפָנִים – **NOR HOE UNDER GRAPEVINES,** וְלֹא יְמַלֵּא נְקָעִים מַיִם – **NOR FILL THE CAVITIES** under trees **WITH WATER,** וְלֹא יַעֲשֶׂה עוּגִיּוֹת לַגְּפָנִים – **NOR MAKE DITCHES AROUND** the roots of **THE GRAPEVINES.** תַּלְמוּד לוֹמַר ,,שָׂדְךָ לֹא תִזְרָע'' – **[THE TORAH] STATES:** ***YOUR FIELD YOU SHALL NOT SOW.*** זְרִיעָה בִּכְלָל הָיְתָה – Now, **SOWING WAS INCLUDED** in the general prohibition against working the field during *shemittah* stated in the beginning of this verse: *But in the seventh year there shall be a complete rest for the land.* וְלָמָּה יָצְתָה – **WHY, THEN, WAS IT SINGLED OUT** for special mention? לְהַקִּישׁ אֵלֶיהָ לוֹמַר לְךָ – **TO COMPARE** the other labors of the field **TO IT** and **TO TELL YOU:** מַה זְּרִיעָה מְיוּחֶדֶת עֲבוֹדָה שֶׁבְּשָׂדֶה וְשֶׁבְּכֶרֶם – **JUST AS SOWING IS UNIQUE** in that it is **A LABOR WHICH IS** performed **IN** both **A FIELD AND A VINEYARD,** אַף כָּל שֶׁהִיא עֲבוֹדָה שֶׁבְּשָׂדֶה וְשֶׁבְּכֶרֶם – **SO TOO ANYTHING THAT IS A LABOR WHICH IS** performed **IN** both **A FIELD AND A VINEYARD** is forbidden. However, the last group of labors cited above are not performed in both a field and a vineyard and are therefore permitted.[11]

At any rate, the Baraisa lists numerous *tolados* that are

NOTES

1. Only those labors that were necessary for the construction of the Mishkan and are therefore considered *avos melachos* for the Sabbath, such as plowing and reaping, are forbidden by the Torah on *shemittah.* Those actions which for the Sabbath are considered only *tolados* (subcategories of the *avos*) are not Biblically forbidden (see *Rashi;* cf. *Maharsha; Rashash*).

2. *Leviticus* 25:4-5.

3. Pruning, which involves cutting off the dried branches from the vine, is a *toladah* of sowing, because the goal of both activities is to promote plant growth. Similarly, בְּצִירָה, which means harvesting grapes, is a *toladah* of קְצִירָה, *reaping grain* (*Rashi*). [In Hebrew, there is a distinctive term for the harvesting of each of the major types of crops grown in Eretz Yisrael; for example, קְצִירָה refers to harvesting grain, בְּצִירָה to harvesting grapes and מְסִיקָה to harvesting olives. The *av melachah,* however, is only קְצִירָה; all other types of harvesting, including בְּצִירָה, are classified as *tolados* of קְצִירָה (see *Rashi;* cf. *Rambam, Hil. Shabbos* 7:3,4).]

4. Once the Torah wrote that sowing and reaping are forbidden, it is self-understood that pruning vines and harvesting grapes, which are subcategories of sowing and reaping, are likewise prohibited. Why, then, did the Torah mention these two *tolados* explicitly?

5. For any other *tolados* of sowing and reaping one incurs no lashes. However for the *tolados* of pruning and picking grapes one does incur lashes, since these activities are specified by the Torah.

[Although pruning and picking grapes are specifically mentioned by the Torah, the Gemara still refers to them as *tolados* ("for these *tolados* one is liable"), apparently because they are considered *tolados* in regard to the Sabbath (*Ritva;* cf. *Rambam, Hil. Shabbos* 7:3-4). *Ritva* cites *Rashi,* however, who deletes the word תולדות from the Gemara, arguing that since the Torah mentions pruning and picking grapes explicitly, they are considered *avos* in regard to *shemittah.* See also *Rashi* to *Shabbos* 68a ד״ה את who states this openly. For a lengthy discussion of *Rashi's* comments here ד״ה תולדות וד״ה בצירה, see *Mishnas Yosef, Kuntres Avos V'Tolados B'Sheviis,* p. 21 §1.]

6. *Leviticus* 25:4.

7. The terms ניכוש and כיסוח both refer to weeding a grain field. ניכוש, however, refers to pulling up the unwanted plants from the ground together with their roots, whereas כיסוח denotes cutting them above the ground. עידור, *hoeing,* refers to digging under grapevines to loosen the dirt (*Rashi*).

8. The syntax we would expect in a verse such as this would be לא תזרע שדך ולא תזרע כרמך, with the verb preceding the object (see above, 2b note 21). Instead the Torah wrote the object first, forming the phrases שדך לא, כרמך לא, and implying that work in any form whatsoever is not permitted in a field or vineyard (*Rashi;* cf. *Rabbeinu Chananel*).

9. זימור and קירסום are identical labors meaning pruning dry branches; זימור is the term used with regard to a vineyard and קירסום with regard to trees. זירוד, also a form of pruning, refers to cutting off both good and bad branches from the tree, to reduce an overabundance of branches. פיסוג is the propping up of a tree that droops due to being overly supple (*Rashi*).

10. [Since the Tanna derived all of the aforementioned laws from the same lesson of the verse (שדך לא, כרמך לא), why did he separate them into three separate groups? Possibly, he heard them in separate groups, and recited them the way he heard them (*Talmid R' Yechiel MiParis,* first answer).] See also *Ritva.*

11. Our elucidation follows *Rashi* and *Tosafos.* It is somewhat difficult to understand, however, how some of the labors cited above as forbidden, such as pruning and trimming branches, can possibly apply to a grain field.

Other Rishonim explain the phrase שֶׁהִיא עֲבוֹדָה שֶׁבְּשָׂדֶה וְשֶׁבְּכֶרֶם

תולדות לא אסר רחמנא דכתיב [א] ובשנה השביעית שבת שבתון יהיה לארץ שדך לא תזרע וגו' מכדי זמירה בכלל זריעה ובצירה בכלל קצירה למאי הלכתא כתבינהו רחמנא [א] למימרא דאהני תולדות מיחייב אאחרנייתא לא מיחייב ולא והתניא שדך לא תזרע וכרמך לא תזמור אין לי אלא זירוע וזימור מנין לניכוש ולעידור ולכיסוח ת"ל שדך לא כרמך לא [ב] לא כל מלאכה שבשדך ולא כל מלאכה שבכרמך מנין שאין מקרסמין ואין מזרדין ואין מפסגין באילן ת"ל שדך לא כרמך לא [ג] לא כל מלאכה שבשדך ולא כל מלאכה שבכרמך מנין שאין מזבלין ואין מפרקין ואין [א] מאבקין ואין מעשנין באילן ת"ל שדך לא כרמך לא [ד] כל מלאכה שבשדך לא וכל מלאכה שבכרמך לא יכול לא יקשקש תחת הזיתים [ה] ולא יעדר תחת הגפנים [ו] ולא ימלא נקעים מים [ז] ולא יעשה עוגיות לגפנים ת"ל שדך לא תזרע זריעה בכלל היתה ולמה יצתה להקיש אליה לומר לך מה זריעה מיוחדת עבודה שבשדה ושבכרם אף כל שהיא עבודה שבשדה ושבכרם [ח] מדרבנן וקרא אסמכתא בעלמא [ב] וקשקוש בשביעית מי שרי והא כתיב [ב] והשביעית תשמטנה ונטשתה תשמטנה מלקשקש ונטשתה מלסקל אמר רב עוקבא בר חמא [ג] תרי קשקושי הוו חד אברויי אילני וחד סתומי פילי [ט] אברויי אילן אסור [י] סתומי פילי שרי איתמר החורש בשביעית ר' יוחנן ור' אלעזר חד אמר לוקה וחד אמר [כ] אינו לוקה לימא בדר' אבין אמר רבי אילעא קמיפלגי דאמר [ד] רבי אבין אמר ר' אילעא כל מקום שנאמר כלל בעשה ופרט בלא תעשה אין דנין אותו בכלל ופרט וכלל מאן דאמר לוקה לית ליה דרבי אבין אמר רבי אילעא ומאן דאמר אינו לוקה אית ליה דר' אבין לא דכולי עלמא לית ליה דרבי אבין אמר ר' אילעא מאן דאמר לוקה שפיר ומאן דאמר אינו לוקה אמר לך מכדי זמירה בכלל זריעה ובצירה בכלל קצירה למאי הלכתא כתבינהו רחמנא למימר דאהני תולדות הוא דמיחייב אתולדה אחרינא לא מיחייב ולא והתניא שדך לא תזרע וכרמך לא תזמור אין לי אלא זירוע וזימור [ס] מנין לעידור ולקישקוש ולכיסוח ת"ל שדך לא כרמך לא לא כל מלאכה שבשדך ולא כל מלאכה שבכרמך ומנין שאין מקרסמין ואין מזרדין ואין מפסגין באילן ת"ל שדך לא כרמך לא כל מלאכה שבשדך לא כל מלאכה שבכרמך לא מנין שאין מזבלין ואין מפרקין ואין מעשנין באילן ת"ל שדך לא כרמך לא כל מלאכה שבשדך לא וכל מלאכה שבכרמך לא יכול לא יקשקש תחת הזיתים ולא יעדר תחת הגפנים ולא ימלא נקעים מים ולא יעשה עוגיות לגפנים תלמוד לומר שדך לא תזרע זריעה בכלל היתה ולמה יצתה להקיש אליה לומר לך מה זריעה מיוחדת עבודה שבשדה ושבכרם אף כל שהיא עבודה שבשדה ושבכרם מדרבנן וקרא אסמכתא בעלמא

כי

תולדות. כגון משקה זרעים שלא היה במשכן לא אסר רחמנא: **זמירה בכלל זריעה.** שדרכו של זומר למוחי פירי כזורע: **בצירה** בענבים כקצירה בתבואה וקצירה אב מלאכה היא בפ' כלל גדול (שבת דף עג.) בצירה בכלל קצירה דשניהם תולשין: **זימור.** מחתך ענפים יבשין של גפן: **עידור.** שחופר תחת הגפנים לרפויי ארעא: **כיסוח.** בעשבים שחותך הרעים מן הטובים ולא היינו ניכוש דמעקר העיקרים מן הקרקע דלזה אין עוקרין אלא חותכין למעלה: **תלמוד לומר שדך לא כרמך לא.** מדלא כתיב לא תזרע שדך לא תזמור כרמך אלא שדך לא תזרע כרמך לא תזמור משמע שדך לא כרמך לא: **מקרסמין.** היינו זימור אלא שקרסום שייך באילנות: **מזרדין.** מחתך ענפים יבשים ולחים לפי שיש לאילן ענפים יותר מדאי: **מפסגין.** סומכים האילן שהוא רענן יותר מדאי: **מזבלין.** מניחים זבל בעיקרי האילן: **מפרקין.** אבנים שעל עיקרי האילן: **מאבקים.** ששרשיו נראין ומכסין אותו באבק: **מעשנין.** עושין עשן תחת האילן כדי שינשרו התולעים שעליו: **יקשקש.** היינו עידור אלא שעידור בגפנים וקשקוש בזיתים: **עוגיות.** חופר גומא תחת הגפן ליתן בו מים: **זריעה בכלל היתה.** ובשנה השביעית שבת שבתון וגו': **אף כל עבודה שהיא בשדה ובכרם.** כגון כל הני (א) פרטי יצא קשקוש ועידור ומים בנקעים ועוגיות שאינן בשניהן כו': **לא יקשקש תחת הזיתים ולא יעדר כו'.** ואם תקשי הא אסר עידור לעיל קא תריץ לקמן בעוגיות הא בחדתי והא בעתיקי והוא הדין לעידור: (ב) **כל הני מדרבנן.** אבל מדאורייתא לא הוי אלא זמירה ובצירה כדאמרינן לעיל הני אין מידי אחרינא לא: **מלסקל.** להוציא אבנים מן הכרם: (ג) **סתומי פילי.** שמסתם בקעים של אילן: **שרי.** דאית ביה משום פסידא: **אברויי אילני אסור.** דהוי משום רווחא והאי דשרי קשקוש היינו סתומי פילי והאי דאסיר היינו אברויי אילני: **כל מקום שנאמר כלל בעשה ופרט בלא תעשה.** כגון הכא דכתיב (ויקרא כה) ובשנה השביעית שבת שבתון יהיה לארץ כלל היינו עשה שדך לא תזרע וכרמך לא תזמור פרט היינו לא תעשה: **אין דנין אותו בכלל ופרט וכלל.** ואף על גב דכתיב כלל בתריה כגון הכא דכתיב בתריה ([ה] שבת) שבתון כלומר אין לו דין דשאר כלל ופרט וכלל שכתובין כולו בעשה או בלאו דאמר כלל ופרט וכלל אי אתה דן אלא כעין הפרט דמרבי כל מידי דדמי לפרט אלא דיינין ליה בכלל ופרט הואיל דנשתנה משאר כלל ופרט וכלל אמרינן אין בכלל אלא מה שבפרט הני אין מידי אחרינא לא: **דכולי עלמא לית להו דרבין כו' מאן דאמר לוקה שפיר.** כדאמר דדרשינן בכלל ופרט וכלל: **אחרינא לא.** להכי חורש אינו לוקה:

כי

אף כל שבשדה ושבכרם. וכל הני עבודות דלעיל נוהגות בין בשדה ובין בכרם ואפילו יש מהן שאין עתה נוהגין כן י"ל שבמקומן היו עושין כך ורגילין לעשותן בשדה ובכרם: **אין דנין אותו בכלל ופרט וכלל.** הכי הוה שמיע ליה לר' אילעא דכיון דהפרט בלא תעשה הכלל האחרון אינו מוציא הפרט ממשמעותיה ואינו כלל ופרט וכלל דדיינין ליה בכלל ופרט ולא נהירא לי דמנלן דרבי אילעא ס"ל הכי אימא דהפרט שהוא בלא תעשה בטל אבל הכלל עומד במקומו לפי דבריו ועוד לפי לשון זה קשה לי אמאי תירץ דכולי עלמא לית להו דר' אבין והא הוה מצי לתרולי דכולי עלמא אית להו דבכל מקום סוגיית הש"ס היא דכיון דמצי למימר דכולי עלמא אית להו סברת האמורא לא מתרצינן לית להו ולימא הכי דכולי עלמא אית להו דרבי אבין מאן דאמר אינו לוקה שפיר ומאן דאמר לוקה סבירא ליה כי הך ברייתא דמפקא ליה לתולדות מקרא וקסבר לאו אסמכתא הוא אלא דרשה גמורה היא ולי נראה דהא לימא בדר' אבין אמר ר' אילעא וכו' קאזיל בכה"ג דליכא הכא אלא כלל ופרט דכלל בתרא לא חשיב כיון דהאי כלל בקרא אחרינא וחשיב בכלל המרוחק זה מזה כיון דלא הוו בחד קרא דהכי מוכח בפ"ק דפסחים (דף ו: ושם) דאיכא למאן דאמר כיון דהוו בתרי קראי לא מיצטרפי למיהוי כלל ופרט וכלל והכא נמי לא הוי אלא כלל ופרט והכי איכא (ד) הגירסא [בירושלמי דכלאים] בפ"ח חד אמר לוקה סבר לה כרבי אילעא דאינו נדון בכלל ופרט כיון דהפרט בלא תעשה הפרט בטל והכלל במקומו עומד ולפיכך אמר כל החורש בשביעית לוקה וחד אמר החורש בשביעית אינו לוקה לא סבר להא דר' אילעא אלא דנין אותו בכלל ופרט הני אין מידי אחרינא לא ודחי לה דכולהו אית להו דרבי אילעא מאן דאמר לוקה שפיר ומאן דאמר אינו לוקה מכדי זמירה בכלל זריעה ובצירה כו' ואם נפשך לומר למאן דאמר לוקה אמאי כתב רחמנא זמירה ובצירה שמא קסבר ללאו יתירא אתי אי נמי קסבר כרם משדה לא הוה יליף הלכך הוצרך למיכתב בין בשדה בין בכרם:

מסורת הש"ס

א) [פי' מסירין האבק מעליהן. ערוך], ב) [סוכה מד:], ג) שם ע"ז נ:, ד) [סנהדר' קיג.], ה) צ"ל שנת, ו) רש"א.

עין משפט נר מצוה

טו א מיי' פ"א מהלכות שמטה הלכה ב ג:
טז ב ג ד מיי' שם הלכה ד ה:
יז ה מיי' שם הלכה ז:
יח ו ז מיי' שם הל' ט:
יט ח מיי' שם הלכה ג:
כ ט י מיי' שם הל' ז:
כא כ מיי' שם הל' ד:

הגהות הב"ח

(א) רש"י ד"ה אף כל כו' כל הני פרטי דפרט יצא קשקוש כו': (ב) ד"ה לא יקשקש וכו' וה"ה לעידור הס"ד ואח"כ מה"ד מדרבנן כל הני מדרבנן אבל מדאורייתא' כו': (ג) ד"ה סתומי פילי כו' נ"ב עי' פרש"י פ"ד דסוכה דף מד ע"ב: (ד) תוס' ד"ה אין כו'. והכי איתא הגירסא בפר"ח חד אמר:

גליון הש"ס

גמ' מנין לעידור ולקישקוש ולניכוש כצ"ל לענ"ד:

תורה אור השלם

א) וּבַשָּׁנָה הַשְּׁבִיעִת שַׁבַּת שַׁבָּתוֹן יִהְיֶה לָאָרֶץ שַׁבָּת לַייָ שָׂדְךָ לֹא תִזְרָע וְכַרְמְךָ לֹא תִזְמֹר: [ויקרא כה, ד]

ב) וְהַשְּׁבִיעִת תִּשְׁמְטֶנָּה וּנְטַשְׁתָּהּ וְאָכְלוּ אֶבְיֹנֵי עַמֶּךָ וְיִתְרָם תֹּאכַל חַיַּת הַשָּׂדֶה כֵּן תַּעֲשֶׂה לְכַרְמְךָ לְזֵיתֶךָ: [שמות כג, יא]

רבינו חננאל

ובשביעית אבות אסר רחמנא תולדות לא אסר רחמנא שמעינן לה מדכתיב שדך לא תזרע וכרמך לא תזמור. מכדי (זריעה) [זמירה] מכלל (זמירה) [זריעה] היא דכיון שזומר ועוזק צומח ובצירה בכלל קצירה למאי הלכתא דכ' רחמנא ללמדך דאהני תולדות מיחייב בשביעית אתולדות אחרנייתא לא מיחייב. איני והתניא שדך לא תזרע וכרמך לא וגו' אין לי שחייב בשביעית אלא זורע וזומר בלבד מנין למנכש ולעודר ולמכסח ת"ל שדך לא וגו' פי' הוה ליה למכתב לא תזרע ואנא ידענא דאין זריעה אלא בשדה. שדך דכתב רחמנא למה לי לרבות כל מלאכות שבשדה. מנין שאין מזבלין ואין מפרקין ואין מאבקין ואין מעשנין ת"ל כרמך לא לרבות כל מלאכות שבכרם שאסורות. קתני מיהא דמנכש אסור בשביעית ופרקינן האי איסורא מדרבנן היא וקרא אסמכתא כו'. יכול לא יקשקש תחת הזיתים ולא יעדר תחת הגפנים ולא ימלא נקעים מים ולא יעשה עוגיאיות לגפנים בין אילן לחברו ת"ל שדך לא תזרע. זריעה וזמירה בכלל שבת שבתון יהיה (לכם) [לארץ] היו ולמה יצאת להקיש אליה לומר לך מה זריע' מיוחד' עבודת שדות וכרמים אף כל עבודת שדות וכרמים למעוטי קשקוש ועידור וביקוע ועישון דעבודת אילנות הן ולא עבודת שדות וזרעים. והלכך שרי קשקוש בשביעית פי' א) תרי קישקושי הוו חד לאברויי אילני כלומ' להברות האילן כגון גיזום שאמרו במס' ע"ז ואסור וחד לסתומי פילי לסתום הסדקין ושרי. איתמר החורש בשביעית ר' יוחנן ור' אלעזר חד אמר לוקה. סבר לה כר' אלעא דא' מקום שאתה מוצא כלל בעשה כגון ובשנה השביעית שבת וגו' שבת לה' הרי כלל כל מלאכות שביעית. ועוד פרט בלא עשה שנאמר שדך לא תזרע וכרמך לא תזמור. א"ר אלעא כי האי גוונא אין דנין אותו בכלל ופרט ב) ונאמר אין בכלל אלא מה שבפרט. זריעה וזמירה וקצירה ובצירה אין מידי אחרינא לא אלא הריני דן בכלל ופרט וכלל שנאמר ואת ענבי נזירך לא תבצור שנת שבתון יהיה לארץ. ומרבה כל מלאכה ואפילו החורש בשביעית לוקה. וחד אמר החורש בשביעית אינו לוקה לא סבר לה דר' אלעא (דאמר) [אלא ס"ל] דנין אותו בכלל ובפרט. הני אין כלומר אלו בלבד המפורשין הם במלקות מידי אחרינא לא ודחינא לא דכ"ע אית להו דר' אלעא מ"ד לוקה שפיר. ומ"ד אינו לוקה מכדי זמירה בכלל זריעה ובצירה כו': ירושלמי בשביעית פ"ב (ה"ב) מיבלין מעבירין היבלת מפרקין בעלין מאבקין עושין להן אבק מעשנין מתנין להם מזהמין מתליעין בשביעית מה בין זוהם לעושה בית המזוהם אינו אלא כמושיב שומר. עושה בית מציל עליה והיא גדילה מחמתו. מה בין מחפה באבנים ובתבן ובקש שהוא מותר למחפה בעפר שאסור המחפה בקש ובתבן ובאבנים אינו אלא כמושיב שומר. המחפה בעפר עושה לו טינא והיא גדילה מחמתו: כי אתא רב

רש"י כת"י

[מה זריעה מיוחדת עבודה שבשדה ובכרם]. ...שנוהגין בשדה ובכרם שהן עבודה ומשבחין את הארץ בשדה הלבן או באילן דזריעה הויא עבודה בכרם כגון זריעת חרלין ... אבל כולהו הני קמאי זירוע זימור... כולהו... וקירסום וזירוד כולהון נמי עבודה באילן דהיינו בכרם דאילן בכלל... של כרם לגבי עבודה אבל קישקוש ועוגיאות אין עבודה לא בכרם ולא בשדה דאינן משביחין באילן אלא אוקומי אילנא בעלמא הוא הכי גמרינן לה בתורת כהנים (בהר א) זרע וזימר בכלל היו ולמה יצאו להקיש עליהם לומר לך מה זרע וזימר מיוחדין שהן עבודה בארץ ובאילן אף כל וכו' קתני מיהת כל הני קמאי ניכוש ועידור דתולדות נינהו. **מדרבנן.** אסירי תולדות. **וקרא אסמכתא בעלמא.** וגבי מתני' הואיל ובית השלחין דבר האבד הוא שרו רבנן אע"ג דהשקאה תולדה דחרישה הוא או דזריעה. **מלסקל.** אבנים שבתוכן. **אברויי.** לשון נקב כמו וברא אותהן (יחזקאל כג) בחרבותם וכמו (חולין מג:) אין חוששין שמא הבריא בשחיטת חולין שיש עליה קרקע יותר מדאי ומופרה ונוטלה מעליהן לשון אחר אברויי שנותנין עליו להבריא את האילן לשון בריא. **סתומי פילי** שמגלין השרשים ומכסין אותם וסותם פילי גומות הקרקע. **סתומי שרי.** דאוקמי אילנא הוא אברויי אסור דקא מהני לאילן והיא עבודה. **כלל בעשה.** שכתוב שבת שבתון יהיה לארץ פרט בלא תעשה לא תזרע ולא תזמור לא תקצור לא תבצור וכלל שבת שבתון יהיה לארץ חזר וכלל וכדר' אבין כיון דהוי כלל בעשה ופרט בלא תעשה לא דרשינן ליה בכלל ופרט וכלל. **מאן דאמר לוקה לית ליה דר' אבין.** אלא דיינין ליה בכלל ופרט וכלל ואיתרבו כל שעין הפרט עבודה שבשדה ושבכרם כגון חרישה ולוקה (מה הפרט מפורש דבר עבודה שבשדה ושבכרם לוקה אף כל דבר שהוא עבודה בשדה כגון חרישה ילקה). **ומאן דאמ' אינו לוקה אית ליה.** ולא מרבינן אלא הני דכתיבן לוקה אחריתא לא. ה"ג **דכולי עלמא (אית) [לית]** להו דר' אבין אמ' ר' אילעא מאן דאמר לוקה שפיר וכו' דאהני. זמירה ובצירה מיחייב מלקות אאחריתא לא ולא גרסינן הכא תולדות והתניא וכו' כדפרישית לעיל. **תלמוד לומר שדך לא.** אלמא דאהני נמי לוקה ומשני מדרבנן הן דאסורין בשביעית וקרא אסמכתא בעלמא הוא ולאו משום דלוקה.

חשק שלמה על ר"ח

א) נראה דחסר בדברי רבינו וצ"ל אינו והא כתיב והשביעית תשמטנה וכו' מלקשקש ומשנינן תרי קשקושי. ב) גירסת רבינו הובא בתוס' ד"ה אין דנין בשם רבינו לפי מה שהגיה הב"ח והדין עמו דלא בירושלמי שם אדרבה הגירסא כמו גירסת הש"ס כאן ע"ש.

forbidden by the verse, and you say that they are permitted?

The Gemara answers:

מִדְּרַבָּנָן – The prohibition of performing other *tolados* during *shemittah* is of **Rabbinic** origin, וּקְרָא אַסְמַכְתָּא בְּעָלְמָא – **and the verse is merely a** Scriptural **allusion.**[12]

The Baraisa stated that hoeing under olive trees is permitted during *shemittah*. The Gemara challenges this:

וְקִשְׁקוּשׁ בַּשְּׁבִיעִית מִי שָׁרֵי – **But is hoeing** under olive trees **indeed permissible during** *shemittah*? וְהָא כְּתִיב – **But it is written:**[13] ,,וְהַשְּׁבִיעִת תִּשְׁמְטֶנָּה וּנְטַשְׁתָּהּ" – ***AND ON THE SEVENTH YEAR, YOU SHALL LEAVE IT AND FORSAKE IT*** (i.e. the land).[14] ,,תִּשְׁמְטֶנָּה" מִלְּקַשְׁקֵשׁ – ***YOU SHALL LEAVE IT*** means to refrain **FROM HOEING** under olive trees; ,,וּנְטַשְׁתָּהּ" מִלְּסַקֵּל – ***AND FORSAKE IT*** means to refrain **FROM CLEARING** the land of rocks. We see from this that it is actually forbidden to hoe under an olive tree during the *shemittah* year, in opposition to the above Baraisa! – ? –

The Gemara answers:

אָמַר רַב עוּקְבָא בַּר חָמָא – **Rav Ukva bar Chama said:** תְּרֵי קִשְׁקוּשֵׁי הָווּ – **There are two hoeings** generally performed around olive trees. חַד אַבְרוּיֵי אִילָנֵי – **One** accomplishes **the piercing** and removal **of** the excess ground around **the trees,**[15] וְחַד סַתּוּמֵי פִּילֵי – **and the other** accomplishes **the covering of cracks** in the roots.[16] אַבְרוּיֵי אִילָן אָסוּר – **Piercing** the ground around **the tree is forbidden** during the *shemittah* year, since its purpose is to improve the trees. סַתּוּמֵי פִּילֵי שָׁרֵי – **Covering cracks** in the roots, however, **is permitted** during the *shemittah* year, since its purpose is to keep the trees from perishing.[17]

The Gemara discusses the prohibition of plowing during *shemittah*:

אִיתְּמַר – **It was stated:** הַחוֹרֵשׁ בַּשְּׁבִיעִית – Concerning **one who plows during** *shemittah*, רַבִּי יוֹחָנָן וְרַבִּי אֶלְעָזָר – there is a dispute between **R' Yochanan and R' Elazar.** חַד אָמַר לוֹקֶה – **One says he incurs lashes,** וְחַד אָמַר אֵינוֹ לוֹקֶה – **and** the other **one says he does not incur lashes.**[18]

The Gemara investigates the basis for this dispute:

לֵימָא בִּדְרַבִּי אָבִין אָמַר רַבִּי אִילְעָא קָמִיפַּלְגֵי – **Shall we say that they disagree in regard to** the rule laid down by **R' Avin in the name of R' Ila'a?** דְּאָמַר רַבִּי אָבִין אָמַר רַבִּי אִילְעָא – **For R' Avin said in the name of R' Ila'a:** כָּל מָקוֹם שֶׁנֶּאֱמַר כְּלָל בַּעֲשֵׂה וּפְרָט בְּלֹא תַעֲשֶׂה – **Wherever** in Scripture **there is stated a generalization as a positive commandment followed by a specification as a negative commandment,** אֵין דָּנִין אוֹתוֹ בִּכְלָל וּפְרָט וּכְלָל – **we do not expound it as a generalization** followed by **a specification** followed by a second **generalization.**[19] מַאן דְּאָמַר לוֹקֶה לֵית לֵיהּ דְּרַבִּי אָבִין אָמַר רַבִּי אִילְעָא – **The one who says that he incurs**

NOTES

differently, as follows: Just as sowing is a *significant* labor performed in the field or vineyard, as evidenced by the fact that it is performed but once a year, so too any labor which is significant is forbidden. [According to this explanation שֶׁבְּשָׂדֶה וְשֶׁבְּכֶרֶם means "in a field *or* in a vineyard."] This includes all the activities listed in the beginning of the Baraisa, since they too are performed only once each season. Hoeing, however, as well as filling the cavities under trees with water and digging ditches around vines, are considered insignificant labors, for they need to be performed many times each year (*Chidushei HaRan; Nimukei Yosef* to Mishnah; cf. *Rashi ms., Talmid R' Yechiel MiParis; Chazon Ish, Sheviis* 17:19 ד״ה שם מה זריעה).

Among the labors which the Baraisa permits is hoeing under grapevines. However we learned above (see note 7) that hoeing under grapevines is forbidden! *Rashi* resolves this contradiction by citing a Gemara below on 4b. The Gemara there challenges a ruling of Rav Yehudah permitting digging ditches around vines on Chol HaMoed from our Mishnah, which prohibits this practice. The Gemara answers that Rav Yehudah is discussing re-digging old ditches that have become stopped up, while the Mishnah refers to digging new ditches. The former activity is not very strenuous and is permitted while the latter involves excessive exertion and is forbidden. In a similar vein, *Rashi* explains, we can say that the Baraisa's stringent ruling refers to hoeing ground that was never hoed before, whereas when the Baraisa permits hoeing it is discussing hoeing in a place that was previously hoed. The commentators (*Keren Orah* to 4b, *Divrei David, Sfas Emes*), however, find this answer difficult, because the Gemara states clearly on 4b that exertion is not a factor on *shemittah,* only on Chol HaMoed. As for the contradiction in the Baraisa, they cite *Ritva* who states that the Baraisa's second reference to hoeing should be deleted. See *Talmid R' Yechiel MiParis, Tos. HaRosh* and *Rashash* for additional resolutions of the contradiction.

12. Biblically only the four activities mentioned explicitly by the Torah – sowing, reaping [grain], pruning a grapevine and picking its fruit – are forbidden by a negative prohibition during *shemittah*.

[It emerges from the Gemara that only the pruning of grapevines is Biblically forbidden during *shemittah;* pruning any other tree, called קִרְסוּם in the Baraisa, is prohibited only by Rabbinic edict. *Rambam* (*Hil. Shemittah VeYovel* 1:4), however, rules that pruning *any* tree incurs lashes. See *Eglei Tal, Meleches Zorei'a* §4 who suggests that *Rambam* had a different definition of the term קִרְסוּם. See also *Chazon Ish, Sheviis* 26:1.]

13. [וְהָא כְּתִיב, *But it is written,* should probably be emended to read וְהָא תַנְיָא, *But it was taught in a Baraisa,* as it appears in the parallel Gemara in *Succah* 44b.]

14. *Exodus* 23:11.

15. *Rashi ms.;* cf. *Rashi* to *Succah* 44b. This action strengthens the trees. [An alternative translation of the word אַבְרוּיֵי is "the strengthening of" rather than "the piercing of" (*Rashi ms.* and *Rashi* to *Succah* ibid; see *Rabbeinu Chananel*).]

16. This prevents the tree from drying out (*Rashi* to *Succah* ibid.).

17. Since hoeing is prohibited only according to Rabbinic law (as explained above), the Rabbis were lenient and permitted it in order to prevent a loss (*Rashi,* as explained by *Keren Orah*).

[*Sfas Emes* objects to this explanation by *Rashi,* because the Baraisa itself gives a different reason for permitting hoeing, namely, that hoeing is not an עֲבוֹדָה שֶׁבְּשָׂדֶה וְשֶׁבְּכֶרֶם. According to the alternative explanation of the phrase עֲבוֹדָה שֶׁבְּשָׂדֶה וְשֶׁבְּכֶרֶם cited in note 11, however, the Gemara can be explained to mean that hoeing to pierce the ground is considered a significant labor whereas hoeing to cover cracks in the roots, which merely serves to preserve the tree and prevent it from dying, is an insignificant labor (see *Rashi ms., Talmid R' Yechiel MiParis, Ritva*).]

18. Both opinions agree that plowing during *sheviis* is at least forbidden by the positive commandment (*Exodus* 34:21): בֶּחָרִישׁ וּבַקָּצִיר תִּשְׁבֹּת, *from plowing and harvesting you shall desist* – see *Rashi* above, 2b ד״ה חרישה בשביעית and note 23 there. One does not, however, incur lashes for transgressing a positive commandment. The dispute between R' Yochanan and R' Elazar is whether plowing is prohibited also by a *negative* commandment (see *Sfas Emes* ד״ה בגמ׳ תולדות לא אסרי).

19. The verses in *Leviticus* (25:4,5) which forbid working the fields during *shemittah* begin with a positive command – וּבַשָּׁנָה הַשְּׁבִיעִת שַׁבַּת שַׁבָּתוֹן יִהְיֶה לָאָרֶץ, *But in the seventh year there shall be a complete rest for the land* – which is a general command to let the field rest. This would seem to forbid any work on the field. This is followed by a negative command – שָׂדְךָ לֹא תִזְרָע וְכַרְמְךָ לֹא תִזְמֹר, *your field you shall not sow and your vineyard you shall not prune* – which is more specific: It prohibits only sowing and pruning, not other forms of work. This is followed by another positive command – שְׁנַת שַׁבָּתוֹן יִהְיֶה לָאָרֶץ, *it shall be a year of rest for the land* – which is again a general command to let the field rest.

Now there is a rule of Biblical hermeneutics that wherever the Torah states a general rule and then proceeds to describe a specific case where that rule applies, and then again states the general rule, the specific case is understood as merely one example of the general rule, and anything that is similar to the specification is included. This is known as: כְּלָל וּפְרָט וּכְלָל אִי אַתָּה דָן אֶלָּא כְּעֵין הַפְּרָט – *a generalization and a specification and a generalization, you cannot derive anything other than what is similar to the specification.* R' Avin, however, states in the name of R' Ila'a that this rule does not apply where the generalization

תולדות לא אסר רחמנא דכתיב [א] ובשנה השביעית שבת שבתון יהיה לארץ שדך לא תזרע וגו' מכדי זמירה בכלל זריעה ובצירה בכלל קצירה למאי הלכתא כתבינהו רחמנא [א] למימרא דאהני תולדות מיחייב אאחרנייתא לא מיחייב ולא והתניא שדך לא תזרע וכרמך לא תזמור אין לי אלא זירוע וזימור מנין לניכוש ולעידור ולכיסוח ת"ל שדך לא כרמך לא [ב] לא כל מלאכה שבשדך ולא כל מלאכה שבכרמך מנין שאין מקרסמין ואין מזרדין ואין מפסגין באילן ת"ל שדך לא כרמך לא [ג] לא כל מלאכה שבשדך ולא כל מלאכה שבכרמך מנין שאין מזבלין ואין מפרקין ואין [א] מאבקין ואין מעשנין באילן ת"ל שדך לא כרמך לא [ד] כל מלאכה שבשדך לא וכל מלאכה שבכרמך לא יכול לא יקשקש תחת הזיתים [ה] ולא יעדר תחת הגפנים [ו] ולא ימלא נקעים מים [ז] ולא יעשה עוגיות לגפנים ת"ל שדך לא תזרע זריעה בכלל היתה ולמה יצתה להקיש אליה לומר לך מה זריעה מיוחדת עבודה שבשדה ושבכרם אף כל שהיא עבודה שבשדה ושבכרם [ח] מדרבנן וקרא אסמכתא בעלמא [ב] וקשקוש בשביעית מי שרי והא כתיב [ב] והשביעית תשמטנה ונטשתה תשמטנה מלקשקש ונטשתה מלסקל אמר רב עוקבא בר חמא [ג] תרי קשקושי הוו חד אברויי אילני וחד סתומי פילי [ט] אברויי אילן אסור [י] סתומי פילי שרי איתמר החורש בשביעית ר' יוחנן ור' אלעזר חד אמר לוקה וחד אמר [כ] אינו לוקה לימא בדר' אבין אמר רבי אילעא קמיפלגי דאמר [ד] רבי אבין אמר ר' אילעא כל מקום שנאמר כלל בעשה ופרט בלא תעשה אין דנין אותו בכלל ופרט וכלל מאן דאמר לוקה לית ליה דרבי אבין אמר רבי אילעא ומאן דאמר אינו לוקה אית ליה דר' אבין לא דכולי עלמא לית ליה דרבי אבין אמר ר' אילעא מאן דאמר לוקה שפיר ומאן דאמר אינו לוקה אמר לך מכדי זמירה בכלל זריעה ובצירה בכלל קצירה למאי הלכתא כתבינהו רחמנא למימר דאהני תולדות הוא דמיחייב אתולדה אחרינא לא מיחייב ולא והתניא שדך לא תזרע וכרמך לא תזמור אין לי אלא זירוע וזימור ∘ מנין לעידור ולקישקוש ולכיסוח ת"ל שדך לא כרמך לא לא כל מלאכה שבשדך ולא כל מלאכה שבכרמך ומנין שאין מקרסמין ואין מזרדין ואין מפסגין באילן ת"ל שדך לא כרמך לא כל מלאכה שבשדך לא כל מלאכה שבכרמך לא מנין שאין מזבלין ואין מפרקין ואין מעשנין באילן ת"ל שדך לא כרמך לא כל מלאכה שבשדך לא וכל מלאכה שבכרמך לא יכול לא יקשקש תחת הזיתים ולא יעדר תחת הגפנים ולא ימלא נקעים מים ולא יעשה עוגיות לגפנים תלמוד לומר שדך לא תזרע זריעה בכלל היתה ולמה יצתה להקיש אליה לומר לך מה זריעה מיוחדת עבודה שבשדה ושבכרם אף כל שהיא עבודה שבשדה ושבכרם מדרבנן וקרא אסמכתא בעלמא

כי

רש"י

תולדות. כגון משקה זרעים שלא היה במשכן לא אסר רחמנא: **זמירה בכלל זריעה.** שדרכו של זומר לצמוחי פירי כזורע: **בצירה** בענבים כקצירה בתבואה וקצירה אב מלאכה היא בפ' כלל גדול (שבת דף עג.) בצירה בכלל קצירה דשניהם תולשין: **זימור.** מחתך ענפים יבשין של גפן: **עידור.** שחופר תחת הגפנים לרפויי ארעא: **כיסוח.** בעשבים שחותך הרעים מן הטובים ולא היינו ניכוש דמעקר העיקרים מן הקרקע דלזה אין עוקרין אלא חותכין למעלה: **תלמוד לומר שדך לא כרמך לא.** מדלא כתיב לא תזרע שדך לא תזמור כרמך אלא שדך לא תזרע כרמך לא תזמור משמע שדך לא כרמך לא: **מקרסמין.** היינו זימור אלא שקרסום שייך באילנות: **מזרדין.** מחתך ענפים יבשים ולחים לפי שיש לאילן ענפים יותר מדאי: **מפסגין.** סומכים האילן שהוא רענן יותר מדאי: **מזבלין.** מניחים זבל בעיקרי האילן: **מפרקין.** אבנים שעל עיקרי האילן: **מאבקים.** ששרשיו נראין ומכסין אותו באבק: **מעשנין.** עושין עשן תחת האילן כדי שינשרו התולעים שעליו: **יקשקש.** היינו עידור אלא שעידור בגפנים וקשקוש בזיתים: **עוגיות.** חופר גומא תחת הגפן ליתן בו מים: **זריעה בכלל היתה.** ובשנה השביעית שבת שבתון וגו': **אף כל עבודה שהיא בשדה ובכרם.** כגון כל הני (א) פרטי יצא קשקוש ועידור ומים בנקעים ועוגיות שאינן בשניהן כו': **לא יקשקש תחת הזיתים ולא יעדר כו'.** ואם תקשי הא אסר עידור לעיל קא תריץ לקמן בעוגיות הא בחדתי והא בעתיקי והוא הדין לעידור: (ב) **כל הני מדרבנן.** אבל מדאורייתא לא הוי אלא זמירה ובצירה כדאמרינן לעיל הני אין מידי אחרינא לא: **מלסקל.** להוציא אבנים מן הכרם: (ג) **סתומי פילי.** שמסתם בקעים של אילן: **שרי.** דאית ביה משום פסידא: **אברויי אילני אסור.** דהוי משום רווחא והאי דשרי קשקוש היינו סתומי פילי והאי דאסיר היינו אברויי אילני: **כל מקום שנאמר כלל בעשה ופרט בלא תעשה.** כגון הכא דכתיב (ויקרא כה) ובשנה השביעית שבת שבתון יהיה לארץ כלל היינו עשה שדך לא תזרע וכרמך לא תזמור פרט היינו לא תעשה: **אין דנין אותו בכלל ופרט וכלל.** ואף על גב דכתיב כלל בתריה כגון הכא דכתיב בתריה ([ה] שבת) שבתון כלומר אין לו דין דשאר כלל ופרט וכלל שכתובין כולו בעשה או בלאו דאמר כלל ופרט וכלל אי אתה דן אלא כעין הפרט דמרבי כל מידי דדמי לפרט אלא דיינינן ליה בכלל ופרט הואיל דנשתנה משאר כלל ופרט וכלל אמרינן אין בכלל אלא מה שבפרט הני אין מידי אחרינא לא: **דכולי עלמא לית להו דרבין כו' מאן דאמר לוקה שפיר.** כלומר דדרשינן בכלל ופרט וכלל: **אחרינא לא.** להכי חורש אינו לוקה:

תוספות

אף כל שבשדה ושבכרם. וכל הני עבודות דלעיל נוהגות בין בשדה ובין בכרם ואפילו שיש מהן שאין עתה נוהגין כן י"ל שבמקומן היו עושין כך ורגילין לעשותן בשדה ובכרם: **אין דנין אותו בכלל ופרט וכלל.** הכי הוה שמיע ליה לר' אילעא דכיון דהפרט בלא תעשה הכלל האחרון אינו מוציא הפרט ממשמעותיה ואינו כלל ופרט וכלל דדיינין ליה בכלל ופרט ולא נהירא לי דמנלן דרבי אילעא ס"ל הכי אימא דהפרט שהוא בלא תעשה בטל אבל הכלל עומד במקומו לפי דבריו ועוד לפי לשון זה קשה לי אמאי תירך דכולי עלמא לית להו דר' אבין והא הוה מצי לתרוצי דכולי עלמא אית להו דבכל מקום סוגיית הש"ס היא דכיון דמצי למימר דכולי עלמא אית להו סברת האמורא לא מתרצינן לית להו ולימא הכי דכולי עלמא אית להו דרבי אבין מאן דאמר אינו לוקה שפיר ומאן דאמר לוקה סבירא ליה כי הך ברייתא דמפקא ליה לתולדות מקרא וקסבר לאו אסמכתא הוא אלא דרשה גמורה היא ולי נראה דהא לימא בדר' אבין אמר ר' אילעא וכו' קאזיל בכה"ג דליכא הכא אלא כלל ופרט דכלל בתרא לא חשיב כיון דהאי כלל בקרא אחרינא וחשיב בכלל המרוחק זה מזה כיון דלא הוו בחד קרא דהכי מוכח בפ"ק דפסחים (דף ו: ושם) דאיכא למאן דאמר כיון דהוו בתרי קראי לא מילטרפי למיהוי כלל ופרט וכלל והכא נמי לא הוי אלא כלל ופרט והכי איכא (ד) הגירסא [ו] [בירושלמי דכלאים] בפ"ח חד אמר לוקה סבר לה כרבי אילעא דאינו נדון בכלל ופרט כיון דהפרט בלא תעשה הפרט בטל והכלל במקומו עומד ולפיכך אמר כל החורש בשביעית לוקה וחד אמר החורש בשביעית אינו לוקה לא סבר להא דר' אילעא אלא דנין אותו בכלל ופרט הני אין מידי אחרינא לא ודחי לה דכולהו אית להו דרבי אילעא מאן דאמר לוקה שפיר ומאן דאמר אינו לוקה מכדי זמירה בכלל זריעה ובצירה כו' ואם נפשך לומר למאן דאמר לוקה אמאי כתב רחמנא זמירה ובצירה שמא קסבר לאו יתירא אתי אי נמי קסבר כרם משדה לא הוה יליף הלכך הוצרך למיכתב בין בשדה בין בכרם:

עין משפט נר מצוה

טו א מיי' פ"א מהלכות שמטה הלכה ב ג:
טז ב ג ד מיי' שם הלכה ד ה:
יז ה מיי' שם הלכה ז:
יח ו ז מיי' שם הל' ט:
יט ח מיי' שם הלכה ג:
כ ט י מיי' שם הל' ז:
כא כ מיי' שם הל' ד:

רבינו חננאל

ובשביעית אבות אסר רחמנא תולדות לא אסר רחמנא שמעינן לה מדכתיב שדך לא תזרע וכרמך לא תזמור. מכדי (זריעה) [זמירה] מכלל (זמירה) [זריעה] היא דכיון שזומר ועוזק צומח ובצירה בכלל קצירה למאי הלכתא דכ' רחמנא ללמדך דאהני תולדות מיחייב בשביעית אתולדות אחרנייתא לא מיחייב. איני והתניא שדך לא תזרע וכרמך לא וגו' אין לי שחייב בשביעית אלא זורע וזומר בלבד מנין למנכש ולעודר ולמכסח ת"ל שדך לא וגו' פי' הוה ליה למכתב לא תזרע ואנא ידענא דאין זריעה אלא בשדה. שדך דכתב רחמנא למה לי לרבות כל מלאכות שבשדה. מנין שאין מזבלין ואין מפרקין ואין מאבקין ואין מעשנין ת"ל כרמך לא לרבות כל מלאכות שבכרם שאסורות. קתני מיהא דמנכש אסור בשביעית ופרקינן האי איסורא מדרבנן היא וקרא אסמכתא כו'. יכול לא יקשקש תחת הזיתים ולא יעדר תחת הגפנים ולא ימלא נקעים מים ולא יעשה עוגיאיות לגפנים בין אילן לחברו ת"ל שדך לא תזרע. זריעה וזמירה בכלל שבת שבתון יהיה (לכם) [לארץ] היו ולמה יצאת להקיש אליה לומר לך מה זריע' מיוחד' עבודת שדות וכרמים אף כל עבודת שדות וכרמים למעוטי קשקוש ועידור וביקוע ועישון דעבודת אילנות הן ולא עבודת שדות וזרעים. והלכך שרי קשקוש בשביעית פי' א) תרי קישקושי הוו חד לאברויי אילני כלומ' להברות האילן כגון גיזום שאמרו במס' ע"ז ואסור וחד לסתומי פילי לסתום הסדקין ושרי. איתמר החורש בשביעית ר' יוחנן ור' אלעזר חד אמר לוקה. סבר לה כר' אלעא דא' מקום שאתה מוצא כלל בעשה כגון ובשנה השביעית שבת וגו' שבת לה' הרי כלל כל מלאכות שביעית. ועוד פרט בלא עשה שנאמר שדך לא תזרע וכרמך לא תזמור. א"ר אלעא כי האי גוונא אין דנין אותו בכלל ופרט ב) ונאמר אין בכלל אלא מה שבפרט. זריעה וזמירה וקצירה ובצירה אין מידי אחרינא לא אלא הריני דן בכלל ופרט וכלל שנאמר ואת ענבי נזירך לא תבצור שנת שבתון יהיה לארץ. ומרבה כל

מסורת הש"ס

א) [פי' מסירין האבק מעליהן. ערוך], ב) [סוכה מד:], ג) שם ע"ז נ:, ד) [סנהדר' קיג.], ה) צ"ל שנת, ו) רש"א.

הגהות הב"ח

(א) רש"י ד"ה אף כל כו' כל הני פרטי דפרט יצא קשקוש כו': (ב) ד"ה לא יקשקש וכו' וה"ה לעידור הס"ד ואח"כ מה"ד מדרבנן כל הני מדרבנן אבל מדאורייתא כו': (ג) ד"ה סתומי פילי כו' נ"ב ע' פרש"י פ"ד דסוכה דף מד ע"ב: (ד) תוס' ד"ה אין כו'. והכי איתא הגירסא בפר"ח חד אמר:

גליון הש"ס

גמ' מנין לעידור ולקישקוש ולניכוש כצ"ל לענ"ד:

תורה אור השלם

א) וּבַשָּׁנָה הַשְּׁבִיעִת שַׁבַּת שַׁבָּתוֹן יִהְיֶה לָאָרֶץ שַׁבָּת לַייָ שָׂדְךָ לֹא תִזְרָע וְכַרְמְךָ לֹא תִזְמֹר: [ויקרא כה, ד]

ב) וְהַשְּׁבִיעִת תִּשְׁמְטֶנָּה וּנְטַשְׁתָּהּ וְאָכְלוּ אֶבְיֹנֵי עַמֶּךָ וְיִתְרָם תֹּאכַל חַיַּת הַשָּׂדֶה כֵּן תַּעֲשֶׂה לְכַרְמְךָ לְזֵיתֶךָ: [שמות כג, יא]

רש"י כת"י

[מה זריעה מיוחדת עבודה שבשדה ובכרם]. ...שנוהגין בשדה ובכרם שהן עבודה ומשבחין את הארץ בשדה הלבן או לאילן דזריעה הויא עבודה בכרם כגון זריעת תלכין ... אבל כולהו הני קמאי זירוע חימור... כולהו... וקירסום וזירוד כולהון נמי עבודה לאילן דהיינו בכרם דאילן בכלל... של כרם לגבי עבודה אבל קישקוש ועוגיאות אינן עבודה לא בכרם ולא בשדה דאילן משביחין באילן אלא אוקומי אילנא בעלמא הוא הכי גמרינן לה בתורת כהנים (בהר א) זרע וזימור בכלל היו ולמה יצאו להקיש עליהם לומר לך מה זרע וזימור מיוחדין שהן עבודה בארץ ובאילן אף כל וכו' קתני מיהת כל הני קמאי ניכוש ועידור דתולדות ניניהו. מדרבנן. אסורי תולדות. **וקרא אסמכתא בעלמא.** וגבי מתני' הואיל וכית השלחין דבר האבד הוא שרו רבנן אע"ג דהשקאה תולדה דחרישה הוא או דזריעה. **מלסקל.** אבנים שבתוכן. **אברויי.** לשון נקב כמו וברא אותהן (יחזקאל כג) במרבותם וכמו (חולין מג:) אין חוששין שמא הבריא בשחיטת חולין שיש עליה קרקע יותר מדאי וחופרה ונוטלה מעליהן לשון אחר אברויי שנותנין עליו להבריא את האילן לשון בריא. **סתומי פילי** שמגלין השרשים ומכסין אותם וסותם פילי גומות הקרקע. **סתומי שרי.** דאוקמי אילנא הוא אברויי אסור דקא מהני לאילן והיא עבודה. **כלל בעשה.** שכתוב שבת שבתון יהיה לארץ פרט בלא תעשה לא תזרע לא תקצור אין דנין אותו בכלל ופרט והכא איכא תרי כללי שבת שבתון יהיה לארץ כלל שדך לא תזרע ולא תזמור לא תקצור לא תבצור פרט שנת שבתון יהיה לארץ חזר וכלל וכדר' אבין כיון דהוי כלל בעשה ופרט בלא תעשה לא דרשינן ליה בכלל ופרט וכלל. **מאן דאמר לוקה לית ליה דר' אבין.** אלא דיינינן ליה בכלל ופרט וכלל ואיתרבו כל שעין הפרט עבודה שבשדה ושבכרם כגון חרישה ולוקה (מה הפרט מפורש דבר עבודה שבשדה ושבכרם לוקה אף כל דבר שהוא עבודה בשדה כגון חרישה ילקה). **ומאן דאמ' אינו לוקה אית ליה.** ולא מרבינן אלא הני דכתיבן לוקה אחריתא לא. ה"ג **דכולי עלמא (אית) [לית]** להו דר' אבין אמ' ר' **אילעא מאן דאמר לוקה שפיר וכו' דאהני.** זמירה ובצירה מיחייב מלקות אאחרנייתא לא ולא גרסינן הכא תולדות והתניא וכו' כדפרישית לעיל. **תלמוד לומר שדך לא.** אלמא דאהני נמי לוקה ומשני מדרבנן הן דאסורין בשביעית וקרא אסמכתא בעלמא הוא ולאו משום דלוקה.

מלאכה ואפילו החורש בשביעית לוקה. וחד אמר החורש בשביעית אינו לוקה לא סבר לה דר' אלעא (דאמר) [אלא ס"ל] דנין אותו בכלל ובפרט. הני אין כלומר אלו בלבד המפורשין הם במלקות מידי אחרינא לא ודחינא לא דכ"ע אית להו דר' אלעא מ"ד לוקה שפיר. ומ"ד אינו לוקה מכדי זמירה בכלל זריעה ובצירה כו': **ירושלמי** בשביעית פ"ב (ה"ב) מיבלין מעבירין היבלת מפרקין בעלין מאבקין עושין להן אבק מעשנין מתנינן לה מזהמין מתליעין בשביעית מה בין זוהם לעושה בית המזוהם אינו אלא כמושיב שומר. עושה בית מציל עליה והיא גדילה מחמתו. מה בין מחפה באבנים ובתבן ובקש שהוא מותר למחפה בעפר שאסור המחפה בקש ובתבן ובאבנים אינו אלא כמושיב שומר. המחפה בעפר עושה לו טינא והיא גדילה מחמתו: כי אתא

רב

חשק שלמה על ר"ח

א) נראה דחסר בדברי רבינו וצ"ל איני והא כתיב והשביעית תשמטנה וכו' מלקשקש ומשנינן תרי קשקושי. ב) גירסת רבינו הובא בתוס' ד"ה אין דנין בשם רבינו לפי מה שהגיה הב"ח והדין עמו דאלו בירושלמי שם אדרבה הגירסא כמו גירסת הש"ס כאן ע"ש.

lashes does not accept [the rule] of R' Avin in the name of R' Ila'a,[20] וּמַאן דְּאָמַר אֵינוֹ לוֹקֶה אִית לֵיהּ דְּרַבִּי אָבִין – **while the one who says that he does not incur lashes accepts [the rule] of R Avin.**[21]

The Gemara rejects this explanation of the dispute and puts forth another:

לֹא – **No.** דְּכוּלֵּי עָלְמָא לֵית לֵיהּ דְּרַבִּי אָבִין אָמַר רַבִּי אִילְעָא – **Actually, everyone** [R' Yochanan and R' Elazar] **does not accept [the rule] of R' Avin in the name of R' Ila'a.** מַאן דְּאָמַר לוֹקֶה שַׁפִּיר – Thus, **it is well** according to **the one who says that he incurs lashes.**[22] וּמַאן דְּאָמַר אֵינוֹ לוֹקֶה אָמַר לָךְ – **And the one who says that he does not incur lashes will tell you** the following reason: מִכְּדִי זְמִירָה בִּכְלַל זְרִיעָה – **Now,** let us see: **Pruning is included in** the labor of **sowing,** וּבְצִירָה בִּכְלַל קְצִירָה – **and picking grapes is included in** the labor of **reaping.** לְמַאי הִלְכְתָא כַּתְבִינְהוּ רַחֲמָנָא – **For** the sake of teaching **which law, then, did the Merciful One write [sowing and picking grapes]** explicitly? לְמֵימַר דְּאַהֲנֵי תּוֹלָדוֹת הוּא דְּמִיחַיַּיב – **To teach that** only **for these** specific *tolados* **is one liable,** אַתּוֹלָדָה אַחֲרִינָא לֹא מִיחַיַּיב – but **for any other** *toladah* **one is not liable.** Therefore, one is not liable to lashes for plowing the field during *shemittah,* for it is not one of the labors mentioned in the verse.

The Gemara asks:

וְלֹא – **And** is it really so that one is **not** liable for other *tolados*? וְהָתַנְיָא – **But it has been taught in a Baraisa:**[23] The verse states: ,,שָׂדְךָ לֹא תִזְרָע וְכַרְמְךָ לֹא תִזְמֹר" – ***YOUR FIELD YOU SHALL NOT SOW AND YOUR VINEYARD YOU SHALL NOT PRUNE.*** אֵין לִי אֶלָּא זֵירוּעַ וְזִימּוּר – From this alone **I KNOW ONLY** of a prohibition against **SOWING AND PRUNING.** מִנַּיִין לְעִידּוּר וּלְקִישְׁקוּשׁ וּלְכִיסּוּחַ – **FROM WHERE** do I derive the same **FOR HOEING, HOEING [UNDER OLIVE TREES]**[24] **AND WEEDING BY CUTTING?** תַּלְמוּד לוֹמַר ,,שָׂדְךָ לֹא", ,,כַּרְמְךָ לֹא" – **[THE TORAH] STATES** in the aforementioned verse: ***YOUR FIELD NOT ... YOUR VINEYARD NOT,*** which implies: לֹא כָּל מְלָאכָה שֶׁבְּשָׂדְךָ וְלֹא כָּל מְלָאכָה שֶׁבְּכַרְמְךָ – **NO MANNER OF WORK IN YOUR FIELD AND NO MANNER OF WORK IN YOUR VINEYARD.** וּמִנַּיִין שֶׁאֵין מְקַרְסְמִין וְאֵין מְזָרְדִין וְאֵין מְפַסְּגִין בְּאִילָן – **AND FROM WHERE** do I derive **THAT, FOR A TREE, ONE MAY NOT TRIM ITS DRY BRANCHES, NOR TRIM ITS EXCESS BRANCHES, NOR SUPPORT IT?** תַּלְמוּד לוֹמַר ,,שָׂדְךָ לֹא", ,,כַּרְמְךָ לֹא" – **[THE TORAH] STATES: *YOUR FIELD NOT ... YOUR VINEYARD NOT,*** which implies: כָּל מְלָאכָה שֶׁבְּשָׂדְךָ לֹא – **ANY MANNER OF WORK IN YOUR FIELD, NO,** כָּל מְלָאכָה שֶׁבְּכַרְמְךָ לֹא – and **ANY MANNER OF WORK IN YOUR VINEYARD, NO.** מִנַּיִין שֶׁאֵין מְזַבְּלִין וְאֵין מְפָרְקִין וְאֵין מְעַשְּׁנִין בְּאִילָן – **FROM WHERE** do I derive **THAT, FOR A TREE, ONE MAY NOT FERTILIZE** its roots, **NOR REMOVE** stones that are lying on it roots, **NOR FUMIGATE** it in order to rid it of worms? תַּלְמוּד לוֹמַר ,,שָׂדְךָ לֹא", ,,כַּרְמְךָ לֹא" – **[THE TORAH] STATES: *YOUR FIELD NOT ... YOUR VINEYARD NOT,*** which implies: כָּל מְלָאכָה שֶׁבְּשָׂדְךָ לֹא – **ANY MANNER OF WORK IN YOUR FIELD, NO,** וְכָל מְלָאכָה שֶׁבְּכַרְמְךָ לֹא – **AND ANY MANNER OF WORK IN YOUR VINEYARD, NO.** יָכוֹל לֹא יְקַשְׁקֵשׁ תַּחַת הַזֵּיתִים – **IT MIGHT** have been thought that **ONE MAY** also **NOT HOE UNDER OLIVE TREES,** וְלֹא יַעֲדֵר תַּחַת הַגְּפָנִים – **NOR HOE UNDER GRAPEVINES,** וְלֹא יְמַלֵּא נְקָעִים מַיִם – **NOR FILL THE CAVITIES** under trees **WITH WATER,** וְלֹא יַעֲשֶׂה עוּגִיּוֹת לַגְּפָנִים – **NOR MAKE DITCHES AROUND** the roots of **THE GRAPEVINES;** תַּלְמוּד לוֹמַר ,,שָׂדְךָ לֹא תִזְרָע" – **[THE TORAH] STATES: *YOUR FIELD YOU SHALL NOT SOW.*** זְרִיעָה בִּכְלָל הָיְתָה – Now, **SOWING WAS INCLUDED** in the general prohibition against working the field during *shemittah.* וְלָמָּה יָצְתָה – **WHY, THEN, WAS IT SINGLED OUT** for special mention? לְהַקִּישׁ אֵלֶיהָ לוֹמַר לָךְ – **TO COMPARE** the other labors of the field **TO IT,** and **TO TELL YOU:** מַה זְרִיעָה מְיוּחֶדֶת עֲבוֹדָה שֶׁבְּשָׂדֶה וְשֶׁבְּכֶרֶם – **JUST AS SOWING IS UNIQUE** in that it is **A LABOR WHICH IS** performed **IN** both **A FIELD AND A VINEYARD,** אַף כָּל שֶׁהִיא עֲבוֹדָה שֶׁבְּשָׂדֶה וְשֶׁבְּכֶרֶם – **SO ANYTHING THAT IS A LABOR WHICH IS** performed **IN** both **A FIELD AND A VINEYARD** is forbidden. This excludes the last group of labors, which are not performed both in a field and in a vineyard. At any rate, the Baraisa lists many other *tolados* that are forbidden by the verse. – **?** –

The Gemara answers:

מִדְּרַבָּנָן – The prohibition of performing *tolados* during *shemittah* is of **Rabbinic** origin; וּקְרָא אַסְמַכְתָּא בְּעָלְמָא – **and the verse is merely a** Scriptural **allusion.** Therefore, the person who plows does not incur lashes.

NOTES

is stated as a positive commandment and the specification as a negative commandment. Rather, in such a case we follow another rule of Biblical hermeneutics that the specific case is understood to be the *only* example of the generalization, known as כְּלָל וּפְרָט אֵין בִּכְלָל אֶלָּא מַה שֶּׁבִּפְרָט, *When a generalization is followed by a specification, the generalization includes only what is stated explicitly in the specification.* According to R' Avin, therefore, only those forms of work cited specifically in the verse are forbidden during *shemittah* [and are liable to lashes], not other forms of work [like plowing, which would not be liable to lashes] (*Rashi*).

20. Unlike R' Avin, he holds that we do apply the rule כְּלָל וּפְרָט וּכְלָל אִי אַתָּה דָן אֶלָּא כְּעֵין הַפְּרָט – *a generalization and a specification and a generalization, you cannot derive anything other than what is similar to the specification.* Therefore, the verse includes plowing, for plowing is a form of working the land similar to the specification (*Rashi ms.*).

21. He holds that we treat the verse as a כְּלָל וּפְרָט, where the specification is understood to be qualifying the generalization and limiting it to the specific example given by the Torah. Thus, the Torah forbids only sowing and pruning but not other forms of work.

[It is unclear why the rule of R' Avin in the name of R' Ila'a should dictate that the verse is not expounded as a כְּלָל וּפְרָט וּכְלָל yet at the same time allow it to be expounded as a כְּלָל וּפְרָט. Other Rishonim (see *Talmid R' Yechiel MiParis* and *Tos. HaRosh*) explain the Gemara as meaning simply that since the verse cannot be expounded as a כְּלָל וּפְרָט וּכְלָל, we have no source for prohibiting any other activity other than those specified by the Torah.]

22. As explained in note 20.

23. This Baraisa in its entirety has been explained above, notes 6 through 11.

24. The word קִישְׁקוּשׁ, *hoeing* [*under olive trees*], is a copyist's error and should be emended to read נִיכּוּשׁ, *weeding by uprooting,* as it appears in the Gemara above (*Rashash, Dikdukei Soferim*).

תולדות לא אסר רחמנא דכתיב (א) ובשנה השביעית שבת שבתון יהיה לארץ שדך לא תזרע וגו' מכדי זמירה בכלל זריעה ובצירה בכלל קצירה למאי הלכתא כתבינהו רחמנא [א]למימרא דאהני תולדות מיחייב אאחרנייתא לא מיחייב ולא והתניא שדך לא תזרע וכרמך לא תזמור אין לי אלא זירוע וזימור מנין לניכוש ולעידור ולכיסוח ת"ל שדך לא כרמך לא [ב]לא כל מלאכה שבשדך ולא כל מלאכה שבכרמך מנין שאין מקרסמין ואין מזרדין ואין מפסגין באילן ת"ל שדך לא כרמך לא [ג]לא כל מלאכה שבשדך ולא כל מלאכה שבכרמך מנין שאין מזבלין ואין מפרקין ואין (א) מאבקין ואין מעשנין באילן ת"ל שדך לא כרמך לא [ד]כל מלאכה שבשדך לא וכל מלאכה שבכרמך לא יכול לא יקשקש תחת הזיתים [ה]ולא יעדר תחת הגפנים [ו]ולא ימלא נקעים מים [ז]ולא יעשה עוגיות לגפנים ת"ל שדך לא תזרע זריעה בכלל היתה ולמה יצתה להקיש אליה לומר לך מה זריעה מיוחדת עבודה שבשדה ושבכרם אף כל שהיא עבודה שבשדה ושבכרם [ח]מדרבנן וקרא אסמכתא בעלמא (ג) וקשקוש בשביעית מי שרי והא כתיב (ב) והשביעית תשמטנה ונטשתה תשמטנה מלקשקש ונטשתה מלסקל אמר רב עוקבא בר חמא (ג) תרי קשקושי הוו חד אברויי אילני וחד סתומי פילי [ט]אברויי אילן אסור [י]סתומי פילי שרי איתמר החורש בשביעית ר' יוחנן ור' אלעזר חד אמר לוקה וחד אמר [כ]אינו לוקה לימא בדר' אבין אמר רבי אילעא קמיפלגי דאמר (ד) רבי אבין אמר ר' אילעא כל מקום שנאמר כלל בעשה ופרט בלא תעשה אין דנין אותו בכלל ופרט וכלל מאן דאמר לוקה לית ליה דרבי אבין אמר רבי אילעא ומאן דאמר אינו לוקה אית ליה דר' אבין לא דכולי עלמא לית ליה דרבי אבין אמר ר' אילעא מאן דאמר לוקה שפיר ומאן דאמר אינו לוקה אמר לך מכדי זמירה בכלל זריעה ובצירה בכלל קצירה למאי הלכתא כתבינהו רחמנא למימר דאהני תולדות הוא דמיחייב אתולדה אחרינא לא מיחייב ולא והתניא שדך לא תזרע וכרמך לא תזמור אין לי אלא זירוע וזימור ° מנין לעידור ולקישקוש ולכיסוח ת"ל שדך לא כרמך לא לא כל מלאכה שבשדך ולא כל מלאכה שבכרמך ומנין שאין מקרסמין ואין מזרדין ואין מפסגין באילן ת"ל שדך לא כרמך לא כל מלאכה שבשדך לא כל מלאכה שבכרמך לא מנין שאין מזבלין ואין מפרקין ואין מעשנין באילן ת"ל שדך לא כרמך לא כל מלאכה שבשדך לא וכל מלאכה שבכרמך לא יכול לא יקשקש תחת הזיתים ולא יעדר תחת הגפנים ולא ימלא נקעים מים ולא יעשה עוגיות לגפנים תלמוד לומר שדך לא תזרע זריעה בכלל היתה ולמה יצתה להקיש אליה לומר לך מה זריעה מיוחדת עבודה שבשדה ושבכרם אף כל שהיא עבודה שבשדה ושבכרם מדרבנן וקרא אסמכתא בעלמא

כי

רש"י

תולדות. כגון משקה זרעים שלא היה במשכן לא אסר רחמנא: זמירה בכלל זריעה. שדרכו של זומר לאמוחי פירי כזורע: בצירה בענבים כקצירה בתבואה וקצירה אב מלאכה היא בפ' כלל גדול (שבת דף עג.) בצירה בכלל קצירה דשניהם תולשין: זימור. מחתך ענפים יבשין של גפן: עידור. שחופר תחת הגפנים לרפויי ארעא: כיסוח. בעשבים שחותך הרעים מן הטובים ולא היינו ניכוש דמעקר העיקרים מן הקרקע דלזה אין עוקרין אלא חותכין למעלה: תלמוד לומר שדך לא כרמך לא. מדלא כתיב לא תזרע שדך לא תזמור כרמך אלא שדך לא תזרע כרמך לא תזמור משמע שדך לא כרמך לא: מקרסמין. היינו זימור אלא שקרסום שייך באילנות: מזרדין. מחתך ענפים יבשים ולחים לפי שיש לאילן ענפים יותר מדאי: מפסגין. סומכים האילן שהוא רענן יותר מדאי: מזבלין. מניחים זבל בעיקרי האילן: מפרקין. אבנים שעל עיקרי האילן: מאבקים. ששרשיו נראין ומכסין אותו באבק: מעשנין. עושין עשן תחת האילן כדי שינשרו התולעים שעליו: יקשקש. היינו עידור אלא שעידור בגפנים וקשקוש בזיתים: עוגיות. חופר גומא תחת הגפן ליתן בו מים: זריעה בכלל היתה. ובשנה השביעית שבת שבתון וגו': אף כל עבודה שהיא בשדה ובכרם. כגון כל הני (א) פרטי יצא קשקוש ועידור ומים בנקעים ועוגיות שאינן בשניהן כו': לא יקשקש תחת הזיתים ולא יעדר כו'. ואם תקשי הא אסר עידור לעיל קא תריץ לקמן בעוגיות הא בחדתי והא בעתיקי והוא הדין לעידור: (ב) כל הני מדרבנן. אבל מדאורייתא לא הוי אלא זמירה ובצירה כדאמרינן לעיל הני אין מידי אחרינא לא: מלסקל. להוציא אבנים מן הכרם: (ג) סתומי פילי. שמסתם בקעים של אילן: שרי. דאית ביה משום פסידא: אברויי אילני אסור. דהוי משום רווחא והאי דשרי קשקוש היינו סתומי פילי והאי דאסיר היינו אברויי אילני: כל מקום שנאמר כלל בעשה ופרט בלא תעשה. כגון הכא דכתיב (ויקרא כה) ובשנה השביעית שבת שבתון יהיה לארץ כלל היינו עשה שדך לא תזרע וכרמך לא תזמור פרט היינו לא תעשה: אין דנין אותו בכלל ופרט וכלל. ואף על גב דכתיב כלל בתריה כגון הכא דכתיב בתריה (שבת) שבתון כלומר אין לו דין דשאר כלל ופרט וכלל שכתובין כולו בעשה או בלאו דאמר כלל ופרט וכלל אי אתה דן אלא כעין הפרט דמרבי כל מידי דדמי לפרט אלא דיינינן ליה בכלל ופרט הואיל דנשתנה משאר כלל ופרט וכלל אמרינן אין בכלל אלא מה שבפרט הני אין מידי אחרינא לא: דכולי עלמא לית להו דרבין כו' מאן דאמר לוקה שפיר. כדאמר דדרשינן בכלל ופרט וכלל: אחרינא לא. להכי חורש אינו לוקה:

תוספות

אף כל שבשדה ושבכרם. וכל הני עבודות דלעיל נוהגות בין בשדה ובין בכרם ואפילו שיש מהן שאין עתה נוהגין כן י"ל שבמקומן היו עושין כך ורגילין לעשותן בשדה ובכרם: אין דנין אותו בכלל ופרט וכלל. הכי הוה שמיע ליה לר' אילעא דכיון דהפרט בלא תעשה הכלל האחרון אינו מוציא הפרט ממשמעותיה ואינו כלל ופרט וכלל דדיינינן ליה בכלל ופרט ולא נהירא לי דמנלן דרבי אילעא ס"ל הכי אימא דהפרט שהוא בלא תעשה בטל אבל הכלל עומד במקומו לפי דבריו ועוד לפי לשון זה קשה לי אמאי תירץ דכולי עלמא לית להו דר' אבין והא הוה מצי לתרוצי דכולי עלמא אית להו דבכל מקום סוגיית הש"ס היא דכיון דמצי למימר דכולי עלמא אית להו סברת האמורה לא מתרצינן לית להו ולימא הכי דכולי עלמא אית להו דרבי אבין מאן דאמר אינו לוקה שפיר ומאן דאמר לוקה סבירא ליה כי הך ברייתא דמפקא ליה לתולדות מקרא וקסבר לאו אסמכתא הוא אלא דרשה גמורה היא ולי נראה דהא לימא בדר' אבין אמר ר' אילעא וכו' קאזיל בכה"ג דליכא הכא אלא כלל ופרט דכלל בתרא לא חשיב כיון דהאי כלל בקרא אחרינא וחשיב בכלל המרוחק זה מזה כיון דלא הוו בחד קרא דהכי מוכח בפ"ק דפסחים (דף ו: ושם) דאיכא למאן דאמר כיון דהוו בתרי קראי לא מילטרפי למיהוי כלל ופרט וכלל והכא נמי לא הוי אלא כלל ופרט והכי איכא (ד) הגירסא [1] [בירושלמי דכלאים] בפ"ח חד אמר לוקה סבר לה כרבי אילעא דאינו נדון בכלל ופרט כיון דהפרט בלא תעשה הפרט בטל והכלל במקומו עומד ולפיכך אמר כל החורש בשביעית לוקה וחד אמר החורש בשביעית אינו לוקה לא סבר להא דר' אילעא אלא דנין אותו בכלל ופרט הני אין מידי אחרינא לא ודחי לה דכולהו אית להו דרבי אילעא מאן דאמר לוקה שפיר ומאן דאמר אינו לוקה מכדי זמירה בכלל זריעה ובצירה כו' ואם נפשך לומר למאן דאמר לוקה אמאי כתב רחמנא זמירה ובצירה שמא קסבר ללאו יתירא אתי אי נמי קסבר כרם משדה לא הוה יליף הלכך הוצרך למיכתב בין בשדה בין בכרם:

עין משפט נר מצוה

טו א מיי' פ"א מהלכות שמטה הלכה ב ג:
טז ב ג ד מיי' שם הלכה ד ה:
יז ה מיי' שם הלכה ז:
יח ו ז מיי' שם הל' ט:
יט ח מיי' שם הלכה ג:
כ ט י מיי' שם הל' ז:
כא כ מיי' שם הל' ד:

רבינו חננאל

ובשביעית אבות אסר רחמנא תולדות לא אסר רחמנא שמעינן לה מדכתיב שדך לא תזרע וכרמך לא תזמור. מכדי (זריעה) [זמירה] מכלל (זמירה) [זריעה] היא דכיון שזומר ועוזק צומח ובצירה בכלל קצירה למאי הלכתא דכ' רחמנא ללמדך דאהני תולדות מיחייב בשביעית אתולדות אחרנייתא לא מיחייב. איני והתניא שדך לא תזרע וכרמך לא וגו' אין לי שחייב בשביעית אלא זורע וזומר בלבד מנין למנכש ולעודר ולמכסח ת"ל שדך לא וגו' פי' הוה ליה למכתב לא תזרע ואנא ידענא דאין זריעה אלא בשדה. שדך דכתב רחמנא למה לי לרבות כל מלאכות שבשדה. מנין שאין מזבלין ואין מפרקין ואין מאבקין ואין מעשנין ת"ל כרמך לא לרבות כל מלאכות שבכרם שאסורות. קתני מיהא דמנכש אסור בשביעית ופרקינן האי איסורא מדרבנן היא וקרא אסמכתא כו'. יכול לא יקשקש תחת הזיתים ולא יעדר תחת הגפנים ולא ימלא נקעים מים ולא יעשה עוגיאות לגפנים בין אילן לחברו ת"ל שדך לא תזרע. זריעה וזמירה בכלל שבת שבתון יהיה (לכם) [לארץ] היו ולמה יצאת להקיש אליה לומר לך מה זריע' מיוחד' עבודת שדות וכרמים אף כל עבודת שדות וכרמים למעוטי קשקוש ועידור וביקוע ועישון דעבודת אילנות הן ולא עבודת שדות וזרעים. והלכך שרי קשקוש בשביעית פי' א) תרי קישקושי הוו חד לאברויי אילני כלומ' להברות האילן כגון גיזום שאמרו במס' ע"ז ואסור וחד לסתומי פילי לסתום הסדקין ושרי. איתמר החורש בשביעית ר' יוחנן ור' אלעזר חד אמר לוקה. סבר לה כר' אלעא דא' מקום שאתה מוצא כלל בעשה כגון ובשנה השביעית שבת וגו' שבת לה' הרי כלל כל מלאכות שביעית. ועוד פרט בלא עשה שנאמר שדך לא תזרע וכרמך לא תזמור. א"ר אלעא כי האי גוונא אין דנין אותו בכלל ופרט ב) ונאמר אין בכלל אלא מה שבפרט. זריעה וזמירה וקצירה ובצירה אין מידי אחרינא לא אלא הריני דן בכלל ופרט וכלל שנאמר ואת ענבי נזירך לא תבצור שנת שבתון יהיה לארץ. ומרבה כל מלאכה ואפילו החורש בשביעית לוקה. וחד אמר החורש בשביעית אינו לוקה לא סבר לה דר' אלעא (דאמר) [אלא ס"ל] דנין אותו בכלל ובפרט. הני אין כלומר אלו בלבד המפורשין הם במלקות מידי אחרינא לא ודחינא לא דכ"ע אית להו דר' אלעא מ"ד לוקה שפיר. ומ"ד אינו לוקה מכדי זמירה בכלל זריעה ובצירה כו': ירושלמי בשביעית פ"ב (ה"ב) מיבלין מעבירין היבלת מפרקין בעלין מאבקין עושין להן אבק מעשנין מתנינן לה מזהמין מתליעין בשביעית מה בין זוהם לעושה בית המזוהם אינו אלא כמושיב שומר. עושה בית מציל עליה והיא גדילה מחמתו. מה בין מחפה באבנים ובתבן ובקש שהוא מותר למחפה בעפר שאסור המחפה בקש ובתבן ובאבנים אינו אלא כמושיב שומר. המחפה בעפר עושה לו טינא והיא גדילה מחמתו: כי אתא רב

חשק שלמה על ר"ח

א) נראה דחסר כדברי רבינו ול"ל איני והא כתיב והשביעית תשמטנה וכו' מלקשקש ומשנינן תרי קשקושי. ב) גירסת רבינו הובא בתוס' ד"ה אין דנין בשם רבינו לפי מה שהגיה הב"ח והדין עמו דאלו בירושלמי שם אדרבה הגירסא כמו גירסת הש"ס כאן ע"ש.

מסורת הש"ס

א) [פי' מסירין האבק מעליהן. ערוך], ב) [סוכה מד:], ג) שם ע"ז נ:, ד) [סנהדר' קיג.], ה) ל"ל שנת, ו) רש"א.

הגהות הב"ח

(א) רש"י ד"ה אף כל כו' כל הני פרטי דפרט יצא קשקוש כו': (ב) ד"ה לא יקשקש וכו' וה"ה לעידור הס"ד ואח"כ מה"ד מדרבנן כל הני מדרבנן אבל מדאורית' כו': (ג) ד"ה סתומי פילי כו' נ"ב עי' פרש"י פ"ד דסוכה דף מד ע"ב: (ד) תוס' ד"ה אין כו'. והכי איתא הגירסא בפר"ח חד אמר:

גליון הש"ס

גמ' מנין לעידור ולקישקוש ולניכוש כצ"ל לענ"ד:

תורה אור השלם

א) וּבַשָּׁנָה הַשְּׁבִיעִת שַׁבַּת שַׁבָּתוֹן יִהְיֶה לָאָרֶץ שַׁבָּת לַיְיָ שָׂדְךָ לֹא תִזְרָע וְכַרְמְךָ לֹא תִזְמֹר: [ויקרא כה, ד]

ב) וְהַשְּׁבִיעִת תִּשְׁמְטֶנָּה וּנְטַשְׁתָּהּ וְאָכְלוּ אֶבְיֹנֵי עַמֶּךָ וְיִתְרָם תֹּאכַל חַיַּת הַשָּׂדֶה כֵּן תַּעֲשֶׂה לְכַרְמְךָ לְזֵיתֶךָ: [שמות כג, יא]

רש"י כת"י

[מה זריעה מיוחדת עבודה שבשדה ובכרם] [illegible] דחרישה הוא או דזריעה. מלסקל. אבנים שבתוכן. אברויי. לשון נקב כמו וברא אותהן (יחזקאל כג) בחרבותם וכמו (חולין מג:) אין חוששין שמא הבריא בשחיטת חולין שיש עליה קרקע יותר מדאי וחופרה ונוטלה מעליהן לשון אחר אברויי שנותנין עליו להבריא את האילן לשון בריא. סתומי פילי שמגלין השרשים ומכסין אותם וסותם פילי גומות הקרקע. סתומי שרי. דאוקמי אילנא הוא אברויי אסור דקא מהני לאילן והיא עבודה. כלל בעשה. שכתוב שבת שבתון יהיה לארץ פרט בלא תעשה לא תזרע לא תקצור אין דנין אותו בכלל ופרט והכא איכא תרי כללי שבת שבתון יהיה לארץ כלל שדך לא תזרע ולא תזמור לא תקצור לא תבצור פרט שנת שבתון יהיה לארץ חזר וכלל וכדר' אבין כיון דהוי כלל בעשה ופרט בלא תעשה לא דרשינן ליה בכלל ופרט וכלל. מאן דאמר לוקה לית ליה דר' אבין. אלא דיינינן ליה בכלל ופרט וכלל ואיתרבו כל שעין הפרט עבודה שבשדה ושבכרם לוקה (מה הפרט מפורש דבר עבודה שבשדה ושבכרם לוקה אף כל דבר שהוא עבודה בשדה כגון חרישה ילקה). ומאן דאמ' אינו לוקה אית ליה. ולא מרבינן אלא הני דכתיבן לוקה אחרניתא לא. ה"ג דכולי עלמא (אית) [לית] להו דר' אבין אמ' ר' אילעא מאן דאמר לוקה שפיר וכו' דאהני. זמירה ובצירה מיחייב מלקות אאחרנייתא לא ולא גרסינן הכא תולדות והתניא וכו' כדפרישית לעיל. תלמוד לומר שדך לא. אלמא דאהני נמי לוקה ומשני מדרבנן הן דאסורין בשביעית וקרא אסמכתא בעלמא הוא ולאו משום דלוקה.

כי אתא רב דימי אמר יכול ילקה על התוספת ונסיב לה תלמודא לפטורא ולא ידענא מאי תלמודא ומאי תוספת ר' אלעזר אמר חרישה והכי קאמר יכול ילקה על חרישה דאתיא מכלל ופרט וכלל ונסיב ליה תלמודא לפטורא דאם כן כל הני פרטי למה לי ור' יוחנן אמר ימים שהוסיפו חכמים לפני ראש השנה והכי קאמר יכול ילקה על תוספת ראש השנה דאתיא א) מבחריש ובקציר תשבות ונסיב לה תלמודא לפטורא כדבעינן למימר לקמן מאי ימים שלפני ראש השנה כדתנן א) עד מתי חורשין בשדה אילן ערב שביעית בית שמאי אומרים כל זמן שיפה לפרי וב"ה אומרים [א] א עד העצרת וקרובין דברי אלו להיות כדברי אלו ג) ועד מתי חורשין שדה הלבן ערב שביעית משתכלה הלחה וכל זמן שבני אדם חורשים ליטע מקשאות ומדלעות ר' שמעון אומר א"כ נתנה תורה שיעור לכל אחד ואחד בידו ב אלא בשדה הלבן עד הפסח ובשדה האילן עד העצרת (ג) וב"ה אומרים עד הפסח) ואמר ר' שמעון בן פזי אמר רבי יהושע בן לוי משום בר קפרא רבן גמליאל ובית דינו ג נמנו על שני פרקים הללו ובטלום אמר ליה רבי זירא לר' אבהו ואמרי לה ריש לקיש לר' יוחנן רבן גמליאל ובית דינו היכי מצו מבטלי תקנתא דב"ש וב"ה והא תנן ד) ד אין ב"ד יכול לבטל דברי בית דין חבירו אלא אם כן גדול ממנו בחכמה ובמנין ה) ב) אשתומם כשעה חדא אמר ליה אימור כך התנו ביניהן כל הרוצה לבטל יבוא ויבטל דידהו היא הלכה למשה מסיני היא דאמר ר' אסי אמר ר' יוחנן משום ר' נחוניא איש בקעת בית חורתן ו) ה עשר נטיעות ו ערבה ז וניסוך המים הלכה למשה מסיני אמר רבי יצחק כי גמירי הלכתא שלשים יום לפני ראש השנה ואתו הני תקון מפסח ומעצרת ואתנו בדידהו כל הרוצה לבטל יבוא ויבטל והני הלכתא נינהו קראי נינהו ז) (ח) דתנן) א) בחריש ובקציר תשבות ר' עקיבא אומר אין צריך לומר חריש וקציר של שביעית שהרי כבר נאמר ג) שדך לא תזרע וכרמך לא תזמור אלא חריש של ערב שביעית שנכנס

כי אתא רב דימי. מארץ ישראל לבבל: **אמר.** שמעית דאמרי בא"י יכול ילקה על תוספת: **ושמעית דנסיב עליה תלמודא לפטורא.** ולא ידענא מאי תוספת ולא פטור: **רבי אלעזר אמר חרישה.** בשביעית להכי קרי ליה תוספת דלא נפיק עיקרו מן התורה אלא מכלל ופרט וכלל כדאמרי' לעיל: **ונסיב תלמודא לפטורא.** כדאמרינן הני אין: **דאם כן.** דהוי לקי: **כל הני פרטי.** דפריט בהדיא דאסור בשביעית זריעה וזימור קצירה ובצירה: **למה לי.** דכתב רחמנא אלא למימרא דאהנך הוא דלוקה וכו' שמע מינה אחרישה לא לקי: **ימים שלפני ראש השנה.** של שביעית שהוא תוספת על השביעית: **דאתיא מבחריש ובקציר.** כדאמר לקמן אם אינו ענין לשביעית שהרי כתיב שדך לא תזרע וכרמך לא תזמור תנהו לענין ששית שנכנס לשביעית דבשביעית נמי אסור: **כדבעינן למימר לקמן.** גמר שבת שבתון משבת בראשית: **כל זמן שיפה לפרי.** כלומר כל זמן שחרישה יפה לפירות שגדלו בששית דהיינו נמי קרוב לעצרת אבל מכאן ואילך לא דהוי כמתקן פירות שביעית: **שדה לבן.** של תבואה: **שתכלה הלחה.** שכלין הגשמים של שנה ששית דעד ההיא שעתא מהני חרישה לזריעה דשנה זו אבל משתכלה הלחה אינו יכול לחרוש דמחזי כחורש לצורך שביעית דהיינו כל זמן שבני אדם חורשין ליטע מקשאות: **נתנה תורה שיעור לכל אחד ואחד בידו.** כלומר נתת דבריך לשיעורין שפעמים זה חורש קודם חבירו ליטע מקשאות: **על שני פרקים.** דפסח ועצרת: **ובטלום.** דחורשין עד ראש השנה: **תקנתא דשמאי והלל.** דרבי שמעון דאמר עד פסח ועד עצרת והיינו אליבא דב"ש וב"ה: **כך התנו.** שמאי והלל בשעת תקנתם: **דידהו היא.** תקנתם היא: **חורתן.** מקום: **י' נטיעות.** המפוזרות בתוך בית סאה שהוא נ' על נ' חורשין כל השדה שלה בשבילן בערב שביעית עד ר"ה ואמרי הני הואיל וילדות הן איכא פסידא יתירא לכך חורשין עד ראש השנה אבל זקינה אין חורשין עד ראש השנה אלמא דהלכה למשה מסיני הן: **וערבה.** להקיף המזבח: **כי גמירי הלכתא.** דאין חורשין לזקינה עד ראש השנה אבל חורשין עד שלשים יום לפני ראש השנה: (א) **ואתו.** בתקנה דידהו להרחיקו עד הפסח ועד העצרת: **וכל הרוצה לבטל יבא ויבטל.** ורבן גמליאל דבטל לא בטל אלא מפסח ומעצרת עד שלשים יום לפני ראש השנה: שנכנס

רבי אלעזר אומר חרישה. מהא ליכא למימר (ב) תסתיים דר' אלעזר לעיל דאמר אינו לוקה דאיכא למימר דרבי אלעזר לא שמיע ליה הא דאמר לקמן דהתירו תוספת שביעית הלכך הוה אמר הכי דליכא לפרש מילתא דרב דימי אלא בחרישה אבל לדידיה אסור ולוקה דלא ס"ל אי נמי דכיון דליתא בהדיא כי הך דלעיל במילי דחרישה אינו צריך לומר תסתיים דאין דרך הש"ס לומר תסתיים בדבר המפורש בהדיא כל כך:

יכול ילקה על תוספת של ראש השנה. ואם תאמר מלקות מנלן והלא לא כתיב בתוספת לאו אלא עשה גרידא בחריש ובקציר תשבות איכא למימר דמבחריש ובקציר מפקינן דצריך תוספת כלומר שהשביעית מתחלת משנה הששית וכל דין שביעית יהיה לששית דהכי קאמר רחמנא דשביעית מתחלת קודם שנת שביעית וא"כ הוא כשביעית:

עד עצרת. דהיינו יותר דבכל מקום בית שמאי לחומרא ובית הלל לקולא לבד מאותן דברים דקחשיב בעדיות (פ"ה):

וקרובים דברי אלו. קא משמע לן דאין ב"ש מחמירין אלא מעט על ב"ה ולאשמועינן מילתייהו דבית שמאי פירש הכי:

כל הרוצה לבטל יבא ויבטל. שמא יתקלקלו הקרקעות ואין מגדלין תבואה בלא חרישה לאחר זמן זה התנו שיהא כח להתיר לצריכים שחשו להפסד רבים שלא יגרמו רעה לעולם:

הלכה למשה מסיני. מהכא איכא לדקדק מדשרא רחמנא ילדה מכלל דזקינה אסורה הרי על ידי הלכה למשה מסיני נאסרה תוספת שביעית אבל להתירא לחוד לילדה לא אצטריך דמהיכא תיתי לאסור:

נטיעות. תנן במסכת שביעית פרק קמא עד אימתי נקראו נטיעות ר' אלעזר בן עזריה אומר עד שיחולו רבי יהושע אומר בת שבע שנים רבי עקיבא אומר נטיעה כשמה אילן שנגמם פירוש שנחתך והוציא חליפין מטפח ולמטה כנטיעה מטפח ולמעלה כאילן דברי רבי שמעון:

ניסוך המים. והא דאמרינן בעלמא (שבת דף קג:) מ"ם יו"ד מ"ם לרבות ניסוך המים מן התורה אינו אלא אסמכתא בעלמא כפר"ח:

שהרי כבר נאמר שדך לא תזרע וגו'. ואח"כ כתיב את ספיח קצירך לא תקצור אלמא קצירה לא אצטריך ואפילו אם תימצי לומר חרישה צריכה דאזהרת חרישה לא אשכחן אלא הכא מיהא קצירה לא אצטריך ולההיא דרשא דאתיא קצירה אתיא חרישה כיון דכתבינהו גבי הדדי אי נמי ס"ל לר"ע כי ההיא דאמרן לעיל דלוקה על חרישה וכדאמרינן טעמא לעיל סבר ר' עקיבא ותרוייהו מיותרין ואליבא דר' עקיבא קפריש ואזיל דר' עקיבא סבר אם אינו ענין לשבת תנהו גבי שביעית (ג) ובמשמעות שבא להחמיר ולא להקל ולא בעי לאוקמי בשבת כר' ישמעאל להקל דהכי עדיפא ליה ור' ישמעאל עדיפא ליה לאוקמי בשבת דפשטיה דקרא מיירי ביה ואפילו להקל מלאוקמי בשביעית דלא מיירי ביה ולהחמיר: אלא

עין משפט נר מצוה

כב א ב ג מיי' פ"ג מהלכות שמיטה הלכה א סמג לאוין רסו:

כג ד מיי' פ"ב מהלכות ממרים הלכה ב:

כד ה מיי' פ"ג מהל' שמיטה הלכה ה:

כה ו מיי' פ"ז מהלכות לולב הלכה כ:

כו ז מיי' פ"י מהלכות תמידין הלכה ו:

תורה אור השלם

א) שֵׁשֶׁת יָמִים תַּעֲבֹד וּבַיּוֹם הַשְּׁבִיעִי תִּשְׁבֹּת בֶּחָרִישׁ וּבַקָּצִיר תִּשְׁבֹּת: [שמות לד, כא]

ב) אֱדַיִן דָּנִיֵּאל דִּי שְׁמֵהּ בֵּלְטְשַׁאצַּר אֶשְׁתּוֹמַם כְּשָׁעָה חֲדָה וְרַעְיֹנֹהִי יְבַהֲלֻנֵּהּ עָנֵה מַלְכָּא וְאָמַר בֵּלְטְשַׁאצַּר חֶלְמָא וּפִשְׁרֵהּ אַל יְבַהֲלָךְ עָנֵה בֵלְטְשַׁאצַּר וְאָמַר מָרִי חֶלְמָא לְשָׂנְאָךְ וּפִשְׁרֵהּ לְעָרָךְ: [דניאל ד, טז]

ג) וּבַשָּׁנָה הַשְּׁבִיעִת שַׁבַּת שַׁבָּתוֹן יִהְיֶה לָאָרֶץ שַׁבָּת לַיְיָ שָׂדְךָ לֹא תִזְרָע וְכַרְמְךָ לֹא תִזְמֹר: [ויקרא כה, ד]

רבינו חננאל

רב דימי אמר יכול ילקה על התוספת ונסיב לה תלמודא לפטורא. מאי תוספת. ר' אלעזר אמר חרישה שהיא תוספת על הזריעה ועל הקצירה דאתיא מכלל ופרט א) א"כ כל הני פרטי למה לי והדין הוא תלמודא דנסיב לפטורא פרטיהן הזורע והזומר וקוצר ובוצר למה לי אלא ללמדך דאהני תולדות דזומר ובוצר הוא דמיחייב אתולדות אחרנייתא לא מיחייב. ור' יוחנן אמר ימים שהוסיפו חכמים לפני ר"ה להיות חורשין באילן ערב שביעית עד העצרת אע"פ שנהנה האילן בחרישה זו בשנה השביעית ובשדה הלבן עד הפסח. וכך אמרו יכול ילקה על תוספת ר"ה וכר"ע דמרבה להו מבחריש ובקציר תשבות ואמר אין צ"ל חריש וקציר של שביעית שהרי כתיב שדך לא תזרע אלא חריש של ערב שביעית שנכנס בשביעית כו' ונסיב לה קרא לפטורא כדאמרן. ירושלמי בשביעית [פ"ק ה"א] ב) באיסור ב' פרקים הללו התירו ובאו אחרי כן בשעה שאסרו והתירו למקרא סמכו בחריש (ובחריש) [ובקציר] איזהו חריש אסור בחריש שקצירו אסור. ואיזהו חריש של ערב שביעית שיצא למוצאי שביעית וכשהתירו אחריהן למקרא סמכו (והא) כתיב הכא בשביעית שבת. וכתיב בשבת בראשית שבת מה ערב שבת בראשית אתה מותר לעשות עד שתשקע החמה אף ערב שבת שביעית אתה מותר לעשות עד שתשקע החמה. א"כ למה נאמר עד העצרת שעד כאן יפה לפרי. ומיכן ואילך מנבל פירותיו. ומקשינן היכי מבטל ר"ג תקנת הלל ושמאי והתנן אין ב"ד יכול לבטל דברי ב"ד חבירו אא"כ גדול ממנו בחכמה ובמנין. ופרקינן תיקנו שמאי והלל תקנה זו והתנו שכל הרוצה לבטל יבוא ויבטל. ומקשינן וכי דבית הלל ושמאי הן והא הל"מ הן דא"ר יוחנן עשר נטיעות והן אלו ששנינו במס' [שביעית] פרק ראשון עשר נטיעות מפוזרות בתוך בית סאה חורשין כל בית סאה בשבילן עד ר"ה. פירוש מהכא שמעינן שהנטיעות הן שמותר לו לחרוש להן בששית עד ראש השנה. אבל האילנות שכבר עשו פירי וזיקנו אין חורשין להן בששית עד ר"ה ובתחלת פרק ראשון ממס' שביעית עד מתי חורשין שדה האילן ערב שביעית בש"א כל זמן שהוא יפה לפרי שהחרישה תועיל לפירות שבאילן שהן הפירות השנה הששית אבל אם נכנס הקיץ וגמרו הפירות ואין החרישה מועלת לאותן הפירות כלום נאסר בחרישה שהחרישה אותו העת אינה מועלת לשנה הששית כלום ונעשה כאילו הוא חורש בשביעית ושיערו ב"ה אותו העת עצרת וקרובים דברי אלו להיות כדברי אלו. ומנא תימרא דשני לן בין נטיעה לאילן כדתנן במס' שביעית פ"א עד אימתי נקראו נטיעות ר' אלעזר בן עזריה אומר עד שיחולו ר' יהושע אומר בת ז' שנים ר"ע אומר נטיעה כשמה. אילן שנגמם פי' שנחתך והוציא חילופין מטפח ולמטה כנטיעה מטפח ולמעלה כאילן. דברי ר' שמעון (מכיון) [אלמא] דשני לן בין נטיעה לאילן. ש"מ מדהתיר לחרוש לנטיעות עד

חשק שלמה על ר"ח

א) נראה דצ"ל ונסיב לה תלמודא לפטורא דא"כ כל הני. ב) נראה דצ"ל ר"ג ובית דינו התירו באיסור ב' פרקים הראשונים ר' אחא בשם ר"י בשעה שאסרו למקרא סמכו ובשעה שהתירו למקרא סמכו בחריש ובקציר איזהו חריש שקצירו אסור זהו חריש של ערב שביעית שנכנס לשביעית וקציר של שביעית שיוצא למוצאי שביעית וכו'.

מסורת הש"ס

א) שביעית פ"א מ"א, ב) שם פ"ב מ"א ע"ש, ג) [ליתא במשנה דשביעית], ד) מגילה ב. גיטין לו: עדיות פ"א מ"ה ע"ז לו., ה) [שבת מז. סוכה מד. קידושין לט. חולין כא.], ו) סוכה לד. מד. תענית ג. זבחים קי:, ז) שביעית פ"א מ"ד ר"ה ט. מכות ח:, ח) [נ"ל דתניא משום דבמשנ' דשביעית לא נזכר ר' עקיבא אלא סתמא דת"ק וגם הא דאמר הכא שהרי כבר נאמר כו' לא נזכר במשנה דהתם וכ"מ בהר"ש שם בפירושו בשביעית דהך דמייתי הכא וכן בר"ה ט. ברייתא היא לכך שפי' גרסי' דתניא].

הגהות הב"ח

(א) רש"י ד"ה ואתו ב"ש וב"ה וגזרו מפסח ומעצרת ואתו בתקנתא דידהו וכו' ועד העצרת דכל הרוצה לבטל כו' לא בטל אלא הפסח והעצרת עד ל' כו' כצ"ל והד"א: (ב) תוס' ד"ה ר"א כו' מהא ליכא למימר לעיל תסתיים דר"א דאמר וכו' לא שמיע ליה. נ"ב כלומר לא סבירא ליה הא דאמר דהתירו תוספת שביעית ולכך הוה אמר הכי משום דליכא לפרש כצ"ל: (ג) ד"ה שהרי כו' תנהו גבי שביעית ובמשמעותיה דקרא שבא להחמיר:

הגהות הגר"א

[א] גמ' ובה"א כו'. נ"ב בירושלמי [שביעית פ"א] ולמה לא תניתוה מקולי ב"ש ומחומרי ב"ה פעמים שאין הגשמים מצויין ואין הליחה מצויה [דלא כתוס' ד"ה עד עצרת]:

רש"י כת"י

כי אתא רב דימי אמ'. מתניתא חדא תנינא הכי יכול ילקה על התוספת ובהדיא מתניתא נסב תלמודא לפטורא דקתני יכול ילקה וכו' ת"ל לפטור ואינו לוקה. **ולא ידענא מאי היא (לא תוספת ולא פטור).** וקא בעי תלמודא מאי תוספת. **חרישה.** בשביעית דאינה כתובה בפסוק אלא מכלל ופרט אתא לה. **ונסיב ליה תלמודא [לפטורא].** (לא תזרע לא תזמור) דאם כן דלוקה כל הני פרטי זריעה זמירה בצירה למה לי דכתבינהו רחמנא למימר דאהנך לוקה אאחרנייתא לא. **לפני ראש השנה.** כדמפרש בסמוך דמבחריש אתיא כדאמרינן לקמן אין צריך לומר של שביעית וכו'. **ונסיב לה תלמודא לפטורא כדבעינן למימר לקמ'.** גזירה שוה משבת בראשית וקא מבעיא לן הא דאמרן לעיל החורש בשביעית ר' יוחנן ור' אלעזר חד אמ' לוקה וחד אמ' אינו וכו' אמאי לא קתני תלמודא תסתיים דר' אלעזר היא דאמ' [אינו] לוקה ור' יוחנן אמ' (אינו) לוקה ויש לומר דר' אלעזר לא איירי אלא לתרוצי ספיקא דרב דימי ואימר לדידיה לא סבירא ליה. ששית הנכנסת לשביעית קרי ערב שביעית. **כל זמן.** שהוא יפה לפירי של ששית מכאן ואילך לא דלצורך שביעית הוא חורש דעד עצרת יפה לפירי. והיינו קרובין דברי אלו וכו'. **שדה לבן.** שדה של תבואה שמתלבן בעת לקיטתן. בתרויהו גרסי' ערב שביעית. **(עד שתכלה) [משתכלה] הלחה.** כל זמן שהארץ לחה בימות הגשמים עד ההיא שעת' מהניא חרישה לזריעה דשנה זו אבל משתכלה אינו יכול לחרוש דמחזי כעובד לצורך שביעית והיינו כל זמן שבני אדם חורשין ליטע מקשאות ומדלעות שלהן לצורך שנה ששית. **מדלעת.** קרא. **מקשאות.** קשואים דלועים כשהן קטנים. **(תורת כל אחד בידו) [שעור לכל אחד ואחד].** דמקשאות ומדלעות כל זמן שרוצה נוטען דאין להם זמן קבוע. **שני פרקים.** שני זמנים פסח ועצרת. **דידהו הוא.** בתמיה וכי הם תקנו אותן זמנים והא הלכה למשה מסיני דאוקמי אילני שרי (הלכה למשה מסיני שחורשין הוא לאסור והיאך היו יכולין להתנות). **עשר.** ילדות נטיעות המפוזרות בבית סאה שהוא חמשים על חמשים הלכה למשה מסיני וחורשין כל בית סאה בשבילן עד ראש השנה בהכנסת שביעית וליכא למימר דאין חרישה בשביעית דכיון שנזרעו... ומפוזרות בשוה וריוח שביניהם שוה יניח כל אחד ואחד אלי... ומוליאם חרישת הארץ ולא תהא ... מאותה חרישה בשביעי'. השתא עשר נטיעות הלכה למשה מסיני ליכא למיסר קודם ראש השנ' אבל שאר זרעים אסורין לפני ראש השנה ורבן גמליאל האיך התיר הלכתא. **ערבה.** הקפת מזבח. **ונסוך המים.** בחג. ה"ג **ואתו בית שמאי ובית הלל ואמרי.** מפסח ועצרת ואותן הימים התנו. **והני ל' יום הלכתא נינהו.** בתמיה הא קרא נינהו. **בחריש וקציר תשבות.** בשביעית משמע קרא דאי בשבת מאי איריא חורש וקוצר אפילו [משאר] מלאכות נמי? שביתה אלא בשביעית משמעי קרא והכי קאמר ששת ימים תעבוד ואותן שש ימים שהתרתי לך לעבוד בחריש ובקציר תשבות דהיינו בשביעית ואם אינו צריך לחריש וקציר של שביעית תנהו ענין לחריש לפני שביעית הנכנסת בשביעית כגון הנך שלשים יום לפני ראש השנה. (...ההיא חרישה בשביעית).

Having cited a dispute as to whether one incurs lashes for plowing, the Gemara cites a related incident:

כִּי אֲתָא רַב דִּימִי אָמַר – When Rav Dimi came from Eretz Yisrael to Babylonia **he said:** I heard the scholars in Eretz Yisrael reciting the following Baraisa:[1] יָכוֹל יִלְקֶה עַל הַתּוֹסֶפֶת – "IT MIGHT have been thought that ONE INCURS LASHES FOR THE EXTENSION . . .," וְנָסִיב לָהּ תַּלְמוּדָא לִפְטוּרָא – **and** the Baraisa went on to state that in fact **a teaching was adduced as an exemption** from lashes, וְלָא יָדַעְנָא מַאי תַּלְמוּדָא וּמַאי תּוֹסֶפֶת – **but I do not know what teaching** the Baraisa referred to **nor** even, for that matter, **what** the Baraisa meant by "the **extension.**"

The Gemara seeks to clarify the Baraisa cited by Rav Dimi:[2] רַבִּי אֶלְעָזָר אָמַר – **R' Elazar said:** חֲרִישָׁה – The extension refers to **plowing** during *shemittah,*[3] וְהָכִי קָאָמַר – **and this is what [the Baraisa] means to say:** יָכוֹל יִלְקֶה עַל חֲרִישָׁה דְּאַתְיָא מִכְּלָל וּפְרָט וּכְלָל – **It might** have been thought that **one incurs lashes for plowing** during *shemittah,* **for it is derived through** ***a generalization and a specification and a generalization*** that plowing during *shemittah* is forbidden.[4] וְנָסִיב לֵיהּ תַּלְמוּדָא לִפְטוּרָא – **However, a teaching was adduced as an exemption,** דְּאִם כֵּן כָּל הָנֵי פְּרָטֵי לָמָּה לִי – **for if so,** i.e. if it is in fact true that plowing incurs lashes, **why do I** need the Torah to list **all those specific** labors with regard to *shemittah?*[5] Evidently only those specific labors listed in the Torah are subject to lashes, not other labors. Therefore, plowing, which is not listed in the Torah, does not incur lashes.[6]

Another, altogether different explanation of the Baraisa cited by Rav Dimi is offered:

וְרַבִּי יוֹחָנָן אָמַר – **And R' Yochanan said:** יָמִים שֶׁהוֹסִיפוּ חֲכָמִים לִפְנֵי רֹאשׁ הַשָּׁנָה – It refers to **the days that the Sages added** to the *shemittah* year **prior to Rosh Hashanah,**[7] וְהָכִי קָאָמַר – **and this is what [the Baraisa] means to say:** יָכוֹל יִלְקֶה עַל תּוֹסֶפֶת רֹאשׁ הַשָּׁנָה דְּאַתְיָא מִ,,בֶּחָרִישׁ וּבַקָּצִיר תִּשְׁבֹּת" – **It might** have been thought that **one incurs lashes for** working the land during **the extension of** the *shemittah* year before **Rosh Hashanah, for it** [the prohibition against working the land during this period] **is derived from** the verse: ***at the plowing and at the reaping you shall rest.***[8] וְנָסִיב לָהּ תַּלְמוּדָא לִפְטוּרָא כְּדִבְעֵינַן לְמֵימַר לְקַמָּן – However, **a teaching was adduced as an exemption** from lashes, **as will be stated later on.**[9]

The Gemara elaborates:

מַאי יָמִים שֶׁלִּפְנֵי רֹאשׁ הַשָּׁנָה – **What is** meant by **"the days prior to Rosh Hashanah"?** כְּדִתְנַן – **As we learned in a Mishnah:**[10] עַד מָתַי חוֹרְשִׁין בִּשְׂדֵה אִילָן עֶרֶב שְׁבִיעִית – UNTIL WHEN MAY ONE PLOW IN A FIELD OF TREES ON THE EVE OF THE SEVENTH year? בֵּית שַׁמַּאי אוֹמְרִים – BEIS SHAMMAI SAY: כָּל זְמַן שֶׁיָּפֶה לַפְּרִי – AS LONG AS IT IS GOOD FOR THE FRUIT presently growing in the field.[11] וּבֵית הִלֵּל אוֹמְרִים – AND BEIS HILLEL SAY: עַד הָעֲצֶרֶת – One may plow the field UNTIL the festival of SHAVUOS. וּקְרוֹבִין דִּבְרֵי אֵלּוּ לִהְיוֹת כְּדִבְרֵי אֵלּוּ – AND THE WORDS OF THESE ARE CLOSE TO BEING LIKE THE WORDS OF THESE, i.e. the opinions of Beis Shammai and Beis Hillel are almost identical, for the deadline of Beis Shammai falls very close to the festival of Shavuos.[12]

The Mishnah continues:[13]

וְעַד מָתַי חוֹרְשִׁין שְׂדֵה הַלָּבָן עֶרֶב שְׁבִיעִית – AND UNTIL WHEN MAY ONE PLOW A GRAIN FIELD ON THE EVE OF THE SEVENTH year? מִשֶּׁתִּכְלֶה

NOTES

1. *Rashi ms.*, see *Rashi* and *Talmid R' Yechiel MiParis.*

2. [The Gemara will go on to cite two explanations of the Baraisa's words, one by R' Elazar and one by R' Yochanan. It would seem that these two Amoraim offered their explanations in response to Rav Dimi's report upon his arrival in Babylonia. *Chazon Ish* (*Orach Chaim* 135) proves, however, that this cannot be the case, because R' Elazar and R' Yochanan both lived in Eretz Yisrael, not in Babylonia. Furthermore, it seems unlikely that R' Yochanan, who was Rav Dimi's teacher, would be coming to explain a statement overheard by his student. Rather, *Chazon Ish* suggests, what follows is all part of Rav Dimi's report. Rav Dimi stated that while in Eretz Yisrael he heard the scholars there repeating a Baraisa whose meaning was obscure even to them. (When Rav Dimi said וְלָא יָדַעְנָא, and *I* do not know, he really meant that he *along with the other scholars in Eretz Yisrael* could not explain it.) He then went on to cite two explanations of this Baraisa he heard offered in Eretz Yisrael, one by R' Elazar and the other by R' Yochanan.]

3. Plowing is referred to as "the extension" because it is not one of the forbidden labors explicitly mentioned in the Torah in regard to *shemittah* but is rather derived through *a generalization, a specification and a generalization* [כְּלָל וּפְרָט וּכְלָל], as stated above (*Rashi*).

4. See above, 3a note 20.

5. The verses in *Leviticus* (25:4,5) specifically list sowing, reaping, pruning and picking grapes as labors forbidden during *shemittah* (*Rashi*). But pruning and picking grapes are subcategories of sowing and reaping, as explained above. Why, then, did the Torah need to list them?

6. [The Rishonim ask: The Gemara above (3a) cited a dispute between R' Elazar and R' Yochanan as to whether plowing during *shemittah* is liable to lashes. It is apparent, however, that the Gemara did not know which Amora holds which opinion, for the Gemara merely states that "one of them" holds one way and "the other one" holds the other way (חַד אָמַר ... וְחַד אָמַר), without specifying which Amora holds which view. It seems clear from *here,* however, that R' Elazar holds that plowing during *shemittah* is not liable to lashes. Why, then, does the Gemara above not attribute that opinion to him? The Rishonim answer that no proof can be adduced from here, for perhaps R' Elazar was merely explaining the Baraisa cited by Rav Dimi, for lack of another explanation. However, he himself might not subscribe to this Baraisa's view [presumably because he was aware of the existence of an opposing Baraisa] (*Rashi ms.,* and first answer in *Tosafos* ד"ה רבי אלעזר; cf. second answer in *Tosafos* and *Ritva*).]

7. Although *shemittah* does not begin until Rosh Hashanah of the seventh year, the prohibition to plow one's field begins in advance of the seventh year. This additional period of prohibition, R' Yochanan suggests, is referred to in the Baraisa as "the extension."

8. *Exodus* 34:21. R' Akiva, in the Gemara below, explains how we derive from this verse the prohibition of working the field before *shemittah.*

Although one receives lashes only for transgressing a negative commandment [לֹא תַעֲשֶׂה], the Gemara assumes that we can derive the punishment of lashes for working the field during the days before the *shemittah* year from this verse, which is couched in terms of a positive commandment [עֲשֵׂה] (*at the plowing . . . you shall rest*). The reason for this is that since the Torah already stated a negative commandment in regard to *shemittah,* when the Torah states that the *shemittah* year should be extended, it is reasonable to assume that the Torah is merely extending the original commandment rather than adding a new one. Accordingly, whatever punishment applies to the original period applies to the extension period as well (*Tosafos* ד"ה יכול ילקה; cf. *Ritva* citing *Rashi*).

9. R' Yochanan himself below (4a) will derive by means of a *gezeirah shavah* between the word *Sabbath* here and the word *Sabbath* stated with regard to the weekly Sabbath that there is in fact no Biblical obligation to desist from working the land prior to *shemittah* (see *Rashi;* cf. *Talmid R' Yechiel MiParis*).

10. *Sheviis* 1:1.

11. As long as the plowing benefits the produce of the sixth year, it is permissible (*Rashi*).

Plowing during the spring helps to preserve the water content of the ground accumulated during the rainy season by allowing the moisture to penetrate deeper beneath the surface (*Rambam, Commentary to Mishnah, Sheviis* 2:1, ed. Kafich). Once the ground has been dried by the hot summer sun, however, plowing can be harmful to the tree and can cause it to drop its fruit (*Yerushalmi, Sheviis* 1:1). If a farmer continues to plow his field of trees even then, his objective is obviously to prepare the ground for the seventh year's crop. This is forbidden (*Rashi*).

12. (See *Tosafos* ד"ה עד עצרת and *Hagahos HaGra* in the name of *Yerushalmi* as to whether Beis Shammai's deadline falls slightly before or slightly after that of Beis Hillel.)

13. This part of the Mishnah appears in *Sheviis* 2:1.

כי אתא רב דימי אמר יכול ילקה על התוספת ונסיב לה תלמודא לפטורא ולא ידענא מאי תלמודא ומאי תוספת ר' אלעזר אמר חרישה והכי קאמר יכול ילקה על חרישה דאתיא מכלל ופרט וכלל ונסיב ליה תלמודא לפטורא דאם כן כל הני פרטי למה לי ור' יוחנן אמר ימים שהוסיפו חכמים לפני ראש השנה והכי קאמר יכול ילקה על תוספת ראש השנה דאתיא א) מבחריש ובקציר תשבות ונסיב לה תלמודא לפטורא כדבעינן למימר לקמן מאי ימים שלפני ראש השנה כדתנן א) עד מתי חורשין בשדה אילן ערב שביעית בית שמאי אומרים כל זמן שיפה לפרי וב"ה אומרים [א] א עד העצרת וקרובין דברי אלו להיות כדברי אלו ב) ועד מתי חורשין שדה הלבן ערב שביעית משתכלה הלחה וכל זמן שבני אדם חורשים ליטע מקשאות ומדלעות ר' שמעון אומר א"כ נתנה תורה שיעור לכל אחד ואחד בידו ב אלא בשדה הלבן עד הפסח ובשדה האילן עד העצרת (ג) וב"ה אומרים עד הפסח) ואמר ר' שמעון בן פזי אמר רבי יהושע בן לוי משום בר קפרא רבן גמליאל ובית דינו ג נמנו על שני פרקים הללו ובטלום אמר ליה רבי זירא לר' אבהו ואמרי לה ריש לקיש לר' יוחנן רבן גמליאל ובית דינו היכי מצו מבטלי תקנתא דב"ש וב"ה והא תנן ד) ד אין ב"ד יכול לבטל דברי בית דין חבירו אלא אם כן גדול ממנו בחכמה ובמנין ה) ב) אשתומם כשעה חדא אמר ליה אימור כך התנו ביניהן כל הרוצה לבטל יבוא ויבטל דידהו היא הלכה למשה מסיני היא דאמר ר' אסי אמר ר' יוחנן משום ר' נחוניא איש בקעת בית חורתן ו) ה עשר נטיעות ו ערבה ז וניסוך המים הלכה למשה מסיני אמר רבי יצחק כי גמירי הלכתא שלשים יום לפני ראש השנה ואתו הני תקון מפסח ומעצרת ואתנו בדידהו כל הרוצה לבטל יבוא ויבטל והני הלכתא נינהו קראי נינהו ז) (ח) דתנן א) בחריש ובקציר תשבות ר' עקיבא אומר אין צריך לומר חריש וקציר של שביעית שהרי כבר נאמר ג) שדך לא תזרע וכרמך לא תזמור אלא חריש של ערב שביעית שנכנס

רש"י

כי אתא רב דימי. מארץ ישראל לבבל: אמר. שמעית דאמרי בא"י יכול ילקה על תוספת: ושמעית דנסיב עליה תלמודא לפטורא. ולא ידענא מאי תוספת ולא פטור: רבי אלעזר אמר חרישה. בשביעית להכי קרי ליה תוספת דלא נפיק עיקרו מן התורה אלא מכלל ופרט וכלל כדאמרי' לעיל: ונסיב תלמודא לפטורא. כדאמרינן הני אין: דאם כן. דהוי לקי: כל הני פרטי. דפריט בהדיא דאסור בשביעית זריעה וזימור קצירה ובצירה: למה לי. דכתב רחמנא אלא למימרא דאהנך הוא דלוקה וכו' שמע מינה אחרישה לא לקי: ימים שלפני ראש השנה. של שביעית שהוא תוספת על השביעית: דאתיא מבחריש ובקציר. כדאמר לקמן אם אינו ענין לשביעית שהרי כתיב שדך לא תזרע וכרמך לא תזמור תנהו לענין ששית שנכנס לשביעית דבשביעית נמי אסור: כדבעינן למימר לקמן. גמר שבת שבתון משבת בראשית: כל זמן שיפה לפרי. כלומר כל זמן שחרישה יפה לפירות שגדלו בששית דהיינו נמי קרוב לעצרת אבל מכאן ואילך לא דהוי כמתקן פירות שביעית: שדה לבן. של תבואה: שתכלה הלחה. שכלין הגשמים של שנה ששית דעד ההיא שעתא מהני חרישה לזריעה דשנה זו אבל משתכלה הלחה אינו יכול לחרוש דמחזי כחורש לצורך שביעית דהיינו כל זמן שבני אדם חורשין ליטע מקשאות: נתנה תורה שיעור לכל אחד ואחד בידו. כלומר נתת דבריך לשיעורין שפעמים זה חורש קודם חבירו ליטע מקשאות: על שני פרקים. דפסח ועצרת: ובטלום. דחורשין עד ראש השנה: תקנתא דשמאי והלל. דרבי שמעון דאמר עד פסח ועד עצרת והיינו אליבא דב"ש וב"ה: כך התנו. שמאי והלל בשעת תקנתם: דידהו היא. תקנתם היא: חורתן. מקום: י' נטיעות. המפוזרות בתוך בית סאה שהוא נ' על נ' חורשין כל השדה שלה בשבילן בערב שביעית עד ר"ה ואמרי הני הואיל וילדות הן איכא פסידא יתירא לכך חורשין עד ראש השנה אבל זקינה אין חורשין עד ראש השנה אלמא דהלכה למשה מסיני הן: וערבה. להקיף המזבח: כי גמירי הלכתא. דאין חורשין לזקינה עד ראש השנה אבל חורשין עד שלשים יום לפני ראש השנה: (א) ואתו. בתקנה דידהו להרחיקו עד הפסח ועד העצרת: וכל הרוצה לבטל יבא ויבטל. ורבן גמליאל דבטל לא בטל אלא מפסח ומעצרת עד שלשים יום לפני ראש השנה:

תוספות

רבי אלעזר אומר חרישה. מהא ליכא למימר (ג) תסתייס דר' אלעזר לעיל דאמר אינו לוקה דאיכא למימר דרבי אלעזר לא שמיע ליה הא דאמר לקמן דהתירו תוספת שביעית הלכך הוה אמר הכי דליכא לפרש מילתא דרב דימי אלא בחרישה אבל לדידיה אסור ולוקה דלא ס"ל אי נמי דכיון דאיתא בהדיא כי הך דלעיל במילי דחרישה אינו צריך לומר תסתייס דאין דרך הש"ס לומר תסתייס בדבר המפורש בהדיא כל כך:

יכול ילקה על תוספת של ראש השנה. ואם תאמר מלקות מנלן והלא לא כתיב בתוספת לאו אלא עשה גרידא בחריש ובקציר תשבות איכא למימר דמבחריש ובקציר מפקינן דצריך תוספת כלומר שהשביעית מתחלת משנה הששית וכל דין שביעית יהיה לששית דהכי קאמר רחמנא דשביעית מתחלת קודם שנת שביעית וא"כ הוא כשביעית:

עד עצרת. דהיינו יותר דבכל מקום בית שמאי לחומרא ובית הלל לקולא לבד מאותן דברים דקחשיב בעדיות (פ"ה):

וקרובים דברי אלו. קא משמע לן דאין ב"ש מחמירין אלא מעט על ב"ה ולאשמועינן מילתייהו דבית שמאי פירש הכי:

כל הרוצה לבטל יבא ויבטל. שמא יתקלקלו הקרקעות ואין מגדלין תבואה בלא חרישה לאחר זמן זה התנו שיהא כח להתיר לצריכים שחשו להפסד רבים שלא יגרמו רעה לעולם:

הלכה למשה מסיני. מהכא איכא לדקדק מדשרא רחמנא ילדה מכלל דזקינה אסורה הרי על ידי הלכה למשה מסיני נאסרה תוספת שביעית אבל להתירא לחוד לילדה לא אצטריך דמהיכא תיתי לאסור:

נטיעות. תנן במסכת שביעית פרק קמא עד אימתי נקראו נטיעות ר' אלעזר בן עזריה אומר עד שיחולו רבי יהושע אומר בת שבע שנים רבי עקיבא אומר נטיעה כשמה אילן שנגמם פירוש שנחתך והוציא חליפין מטפח ולמטה כנטיעה מטפח ולמעלה כאילן דברי רבי שמעון:

ניסוך המים. והא דאמרינן בעלמא (שבת דף קג:) מ"ם יו"ד מ"ם לרבות ניסוך המים מן התורה אינו אלא אסמכתא בעלמא כפר"ח:

שהרי כבר נאמר שדך לא תזרע וגו'. ואח"כ כתיב את ספיח קצירך לא תקצור אלמא קצירה לא אצטריך ואפילו אם תימצי לומר חרישה צריכה דאזהרת חרישה לא אשכחן אלא הכא מיהא קצירה לא אצטריך ולהכי דרשא דאתיא קצירה אתיא חרישה כיון דכתבינהו גבי הדדי אי נמי ס"ל לר"ע כי ההיא דאמרן לעיל דלוקה על חרישה וכדאמרינן טעמא לעיל סבר ר' עקיבא ותרוייהו מיותרין ואליבא דר' עקיבא קפריס ואזיל דר' עקיבא סבר אם אינו ענין לשבת תנהו גבי שביעית (ג) ובמשמעות שבא להחמיר ולא להקל ולא בעי לאוקמי בשבת כר' ישמעאל להקל דהכי עדיפא ליה ור' ישמעאל עדיפא ליה לאוקמי בשבת דפשטיה דקרא מיירי ביה ואפילו להקל מלאוקמי בשביעית דלא מיירי ביה ולהחמיר: אלא

עין משפט נר מצוה

כב א ב ג מיי' פ"ג מהלכות שמיטה הלכה א סמג לאוין רסו:
כג ד מיי' פ"ב מהלכות ממרים הלכה ב:
כד ה מיי' פ"ג מהל' שמיטה הלכה ה:
כה ו מיי' פ"ז מהלכות לולב הלכה כ:
כו ז מיי' פ"י מהלכות תמידין הלכה ו:

תורה אור השלם

א) שֵׁשֶׁת יָמִים תַּעֲבֹד וּבַיּוֹם הַשְּׁבִיעִי תִּשְׁבֹּת בֶּחָרִישׁ וּבַקָּצִיר תִּשְׁבֹּת: [שמות לד, כא]

ב) אֱדַיִן דָּנִיֵּאל דִּי שְׁמֵהּ בֵּלְטְשַׁאצַּר אֶשְׁתּוֹמַם כְּשָׁעָה חֲדָה וְרַעְיֹנֹהִי יְבַהֲלֻנֵּהּ עָנֵה מַלְכָּא וְאָמַר בֵּלְטְשַׁאצַּר חֶלְמָא וּפִשְׁרֵא אַל יְבַהֲלָךְ עָנֵה בֵלְטְשַׁאצַּר וְאָמַר מָרִי חֶלְמָא לְשָׂנְאָךְ וּפִשְׁרֵהּ לְעָרָךְ: [דניאל ד, טז]

ג) וּבַשָּׁנָה הַשְּׁבִיעִת שַׁבַּת שַׁבָּתוֹן יִהְיֶה לָאָרֶץ שַׁבָּת לַיְיָ שָׂדְךָ לֹא תִזְרָע וְכַרְמְךָ לֹא תִזְמֹר: [ויקרא כה, ד]

וְכָל זְמַן שֶׁבְּנֵי הַלֵּחָה – UNTIL THE ground MOISTURE CEASES,[14] אָדָם חוֹרְשִׁים לִיטַּע מִקְשָׁאוֹת וּמִדְלָעוֹת – AND AS LONG AS PEOPLE PLOW TO PLANT THE SQUASH AND GOURD PLANTS.[15] רַבִּי שִׁמְעוֹן אוֹמֵר – R' SHIMON, however, SAYS: אִם כֵּן נָתְנָה תּוֹרָה שִׁיעוּר לְכָל אֶחָד וְאֶחָד בְּיָדוֹ – IF SO, i.e. if it is true that the deadline is dependent on when people stop plowing to plant squash and gourd, then THE TORAH HAS PLACED THE TIME FOR EACH INDIVIDUAL IN HIS OWN HANDS, for different people stop plowing for squash and gourds at different times![16] אֶלָּא בִּשְׂדֵה הַלָּבָן עַד הַפֶּסַח – RATHER, WITH REGARD TO A GRAIN FIELD, plowing may continue UNTIL PESACH; וּבִשְׂדֵה הָאִילָן עַד הָעֲצֶרֶת (ובית הלל אומרים עד הפסח)[17] – AND WITH REGARD TO A FIELD OF TREES, UNTIL SHAVUOS.

The Gemara discusses later legislation concerning plowing on the eve of the *shemittah* year:

וְאָמַר רַבִּי שִׁמְעוֹן בֶּן פַּזִּי אָמַר רַבִּי יְהוֹשֻׁעַ בֶּן לֵוִי מִשּׁוּם בַּר קַפָּרָא – **And R' Shimon ben Pazi said in the name of R' Yehoshua ben Levi who reported in the name of Bar Kappara:** רַבָּן גַּמְלִיאֵל וּבֵית דִּינוֹ נִמְנוּ עַל שְׁנֵי פְּרָקִים הַלָּלוּ וּבִטְּלוּם – **Rabban Gamliel**[18] **and his court took a vote concerning these two times** [i.e. the deadline of Pesach and Shavuos] **and nullified them,** i.e. they ruled that fields may be plowed up until Rosh Hashanah of the *shemittah* year.

The Gemara questions this statement:

אָמַר לֵיהּ רַבִּי זֵירָא לְרַבִּי אַבָּהוּ – **R' Zeira said to R' Abahu,** וְאָמְרֵי לָהּ רֵישׁ לָקִישׁ לְרַבִּי יוֹחָנָן – **and some say** it was **Reish Lakish** who said **to R' Yochanan:** רַבָּן גַּמְלִיאֵל וּבֵית דִּינוֹ הֵיכִי מָצוּ מְבַטְּלֵי תַּקַּנְתָּא דְּבֵית שַׁמַּאי וּבֵית הִלֵּל – **How could Rabban Gamliel and his court annul an enactment of Beis Shammai and Beis Hillel?**[19] וְהָא תְּנַן – **But we learned in a Mishnah:**[20] אֵין בֵּית דִּין יָכוֹל לְבַטֵּל דִּבְרֵי בֵּית דִּין חֲבֵירוֹ – A later COURT CANNOT ABOLISH THE EDICTS OF ANOTHER, earlier, COURT אֶלָּא אִם כֵּן גָּדוֹל מִמֶּנּוּ בְּחָכְמָה וּבְמִנְיָן – UNLESS IT IS GREATER THAN [THE EARLIER COURT] IN WISDOM AND NUMBER, and Rabban Gamliel's court was certainly not greater than that of Beis Shammai and Beis Hillel! – ? –

The Gemara records R' Abahu's (or R' Yochanan's) reaction:

אֶשְׁתּוֹמֵם כְּשָׁעָה חֲדָא – **He was confounded for a moment.**[21] אָמַר לֵיהּ – **He** then **said to him:** אֵימוּר כָּךְ הִתְנוּ בֵּינֵיהֶן – **Say that thus did [Beis Shammai and Beis Hillel] stipulate among themselves** at the time they promulgated their enactment, כָּל הָרוֹצֶה לְבַטֵּל יָבוֹא וִיבַטֵּל – that **whoever wishes to nullify** it in future years **may come and nullify** it.[22]

The foregoing discussion assumes that the prohibition against plowing on the eve of *shemittah* was promulgated by Beis Shammai and Beis Hillel. This assumption is challenged:

דִּידְהוּ הִיא – **Is it** [the prohibition against plowing in advance of *shemittah*] really **theirs,** i.e. Beis Shammai and Beis Hillel's own enactment? הֲלָכָה לְמֹשֶׁה מִסִּינַי הִיא – Why, **it is an** Oral **Law transmitted to Moses at Sinai!** דְּאָמַר רַבִּי אַסִּי אָמַר רַבִּי יוֹחָנָן מִשּׁוּם רַבִּי נְחוּנְיָא אִישׁ בִּקְעַת בֵּית חוֹרְתָן – **For R' Assi said in the name of R' Yochanan who reported in the name of R' Nechunya, a resident of the valley of Beis Chortan:** עֶשֶׂר נְטִיעוֹת – The laws regarding the plowing of a field of **ten saplings,**[23] עֲרָבָה – the Temple ***aravah*** ceremony on Succos,[24] וְנִיסּוּךְ הַמַּיִם – **and the libation of water** on Succos[25] הֲלָכָה לְמֹשֶׁה מִסִּינַי – are all known to us via an Oral **Law** transmitted **to Moses at Sinai.** Since the rule forbidding plowing prior to Rosh Hashanah is an Oral Law transmitted to Moses at Sinai, how could it have been nullified by a court?[26]

The Gemara answers:

אָמַר רַבִּי יִצְחָק – **R' Yitzchak said:** כִּי גְּמִירֵי הִלְכְתָא שְׁלֹשִׁים יוֹם לִפְנֵי רֹאשׁ הַשָּׁנָה – **The** Oral **Law** transmitted to Moses at Sinai **was received** only with regard to the **thirty days before Rosh Hashanah,** וְאָתוּ הָנֵי תִּקּוּן מִפֶּסַח וּמֵעֲצֶרֶת – **and [Beis Shammai and Beis Hillel] came and enacted** that the prohibition begin earlier, starting **from Pesach and from Shavuos** prior to the *shemittah* year. וְאַתְנוּ בְּדִידְהוּ – **And they stipulated regarding their** extension of the prohibition that כָּל הָרוֹצֶה לְבַטֵּל יָבוֹא וִיבַטֵּל – **whoever wishes to nullify** it **may come and nullify** it. Accordingly, Rabban Gamliel and his court nullified only the enactment of Beis Shammai and Beis Hillel which forbids plowing from Pesach and Shavuos, but the prohibition of plowing during the thirty days before Rosh Hashanah remained in place.

The Gemara has concluded that the restriction of not plowing during the month prior to the *shemittah* year is derived from an Oral Law transmitted to Moses at Sinai. The Gemara challenges this conclusion:

וְהָנֵי הִלְכְתָא נִינְהוּ – **And are these** thirty days indeed based on **an** Oral **Law** taught to Moses at Sinai? קְרָאֵי נִינְהוּ – Why, **they are**

NOTES

14. I.e. as long as the ground is still moist from the rainy season, for until that time the plowing is beneficial for this year's crop. Thereafter, it appears as if the field is being worked for the *shemittah* year (*Rashi*).

15. Up till this point, it is still permissible to plow in a grain field. Beyond this time, it is forbidden.

[According to our reading of וְכָל זְמַן, *"and" as long as,* this clause is separate from the preceding one. The Mishnah is coming to teach that even if the ground moisture has dried up, it is still permitted to plow provided that people are still plowing to plant squash and gourds, for if someone observes a farmer plowing at this time, he will assume that the farmer is doing so for the squash and gourds crop (*Ritva*). According to *Rashi,* however, the Mishnah reads כָּל זְמַן, *as long as* (without the conjunctive "and"), and is simply giving a way to determine when the ground moisture ceases.]

16. Adjusting the deadline according to the circumstances of each individual person allows for the possibility of transgressing (*Talmid R' Yechiel MiParis*).

17. These words are deleted by *Mesoras HaShas,* and they do not appear in the text of the Mishnah in *Sheviis.*

18. The son of R' Yehudah HaNasi (*Meleches Shlomo, Sheviis* 1:1 from *R' Shlomo Sirilio;* cf. *Rishon LeTzion* here).

19. According to R' Shimon, Beis Shammai and Beis Hillel both agree that Pesach and Shavuos are the deadline for plowing grain fields and tree fields respectively (*Rashi; Pnei Moshe* to *Yerushalmi Sheviis* 2:1).

20. *Eduyos* 1:5.

21. (This expression is borrowed from *Daniel* 4:16, which describes Daniel's reaction when ordered by King Nebuchadnezzar to interpret his dream.)

22. I.e. if a court in a later generation sees a need to nullify the enactment they may do so (see *Tosafos* ד״ה כל הרוצה and *Talmid R' Yechiel MiParis*).

23. In a field containing a density of ten saplings to every *beis se'ah* (2,500 square *amos*) it is permitted to plow until the very last day before *shemittah,* since without such plowing the trees will perish. However if the trees are mature ones, plowing before *shemittah* is forbidden *(Rashi).*

24. [On each day of Succos, a ceremony involving willow branches was performed in the Temple Courtyard. The Gemara in *Succah* (43b) presents two opinions as to how this ceremony was performed. According to some, willow branches were stood up against the wall of the Temple Altar, and the Kohanim would circle the Altar carrying the *lulav* and other species. According to others, they circled the Altar carrying the willow branches, and then stood them against the Altar wall. This law too is known through an oral transmission to Moses at Sinai.]

25. [On each of the seven days of Succos, a libation of water was poured on the Altar as an accompaniment to the morning *tamid* offering – in addition to the usual libation of wine. This ceremony is described in *Succah* 48a-b.]

26. *Rashi ms., Rabbeinu Chananel.*

עין משפט
נר מצוה

כב א ב ג מיי׳ פ״ג מהלכות שמיטה הלכה א סמג לאוין רסז:
כג ד מיי׳ פ״ב מהלכות ממרים הלכה ב:
כד ה מיי׳ פ״ג מהל׳ שמיטה הלכה ה:
כה ו מיי׳ פ״ז מהלכות לולב הלכה כ:
כו ז מיי׳ פ״י מהלכות תמידין הלכה ו:

תורה אור השלם

א) שֵׁשֶׁת יָמִים תַּעֲבֹד וּבַיּוֹם הַשְּׁבִיעִי תִּשְׁבֹּת בֶּחָרִישׁ וּבַקָּצִיר תִּשְׁבֹּת: [שמות לד, כא]

ב) אֱדַיִן דָּנִיֵּאל דִּי שְׁמֵהּ בֵּלְטְשַׁאצַּר אֶשְׁתּוֹמַם כְּשָׁעָה חֲדָה וְרַעְיֹנֹהִי יְבַהֲלֻנֵּהּ עָנֵה מַלְכָּא וְאָמַר בֵּלְטְשַׁאצַּר חֶלְמָא וּפִשְׁרֵא אַל יְבַהֲלָךְ עָנֵה בֵלְטְשַׁאצַּר וְאָמַר מָרִי חֶלְמָא לְשָׂנְאָךְ וּפִשְׁרֵהּ לְעָרָךְ: [דניאל ד, טז]

ג) וּבַשָּׁנָה הַשְּׁבִיעִת שַׁבַּת שַׁבָּתוֹן יִהְיֶה לָאָרֶץ שַׁבָּת לַיי שָׂדְךָ לֹא תִזְרָע וְכַרְמְךָ לֹא תִזְמֹר: [ויקרא כה, ד]

רבינו חננאל

רב דימי אמר יכול ילקה על התוספת ונסיב לה תלמודא לפטורא. מאי תוספת. ר׳ אלעזר אמר חרישה שהיא תוספת על הזריעה ועל הקצירה דאתיא מכלל ופרט א) א״כ כל הני פרטי למה לי והדין הוא תלמודא דנסיב לפטורא פרטיהן הזורע והזומר וקוצר ובוצר למה לי אלא ללמדך דאהני תולדות דזומר ובוצר הוא דמיחייב אתולדות אחרנייתא לא מיחייב. ור׳ יוחנן אמר ימים שהוסיפו חכמים לפני ר״ה להיות חורשין באילן ערב שביעית עד העצרת אע״פ שנהנה האילן בחרישה זו בשנה השביעית ובשדה הלבן עד הפסח. וכך אמרו יכול ילקה על תוספת ר״ה וכר״ע דמרבה להו מבחריש ובקציר תשבות ואמר אין צ״ל חריש וקציר של שביעית שהרי כתיב שדך לא תזרע אלא חריש של ערב שביעית שנכנס בשביעית כו׳ ונסיב לה קרא לפטורא כדאמרן. ירושלמי בשביעית [פ״ק ה״א] ב) באיסור ב׳ פרקים הללו התירו ובאו אחרי כן בשעה שאסרו והתירו למקרא סמכו בחריש (ובחריש) [ובקציר] איזהו חריש אסור בחריש שקצירו אסור. ואיזהו חריש של ערב שביעית שיצא למוצאי שביעית וכשהתירו אחריהן למקרא סמכו (והא) כתיב הכא בשביעית שבת. וכתיב בשבת בראשית שבת מה ערב שבת בראשית אתה מותר לעשות עד שתשקע החמה אף ערב שבת שביעית אתה מותר לעשות עד שתשקע החמה. א״כ למה נאמר עד העצרת שעד כאן יפה לפרי. ומיכן ואילך מנבל פירותיו. ומקשינן היכי מבטל ר״ג תקנת הלל ושמאי והתנן אין ב״ד יכול לבטל דברי ב״ד חבירו אא״כ גדול ממנו בחכמה ובמנין. ופרקינן תיקנו שמאי והלל תקנה זו והתנו שכל הרוצה לבטל יבוא ויבטל. ומקשינן וכי דבית הלל ושמאי הן והא הל״מ הן דא״ר יוחנן עשר נטיעות והן אלו ששנינו במס׳ [שביעית] פרק ראשון עשר נטיעות מפוזרות בתוך בית סאה חורשין כל בית סאה בשבילן עד ר״ה. פירוש מהכא שמעינן שהנטיעות הן שמותר לו לחרוש להן בששית עד ראש השנה. אבל האילנות שכבר עשו פירות וזקינו אין חורשין להן בששית עד ר״ה ובתחלת פרק ראשון ממס׳ שביעית עד מתי חורשין שדה האילן ערב שביעית בש״א כל זמן שהוא יפה לפרי ובה״א עד העצרת תועיל לפירות שהן פירות השנה הששית אבל אם נכנס הקיץ וגמרו הפירות ואין החרישה תועיל לאותן הפירות כלום נאסר שחרישה אותו העת אינה מועלת לשנה הששית כלום ונעשה כאילו הוא חורש בשביעית ושיערו ב״ה אותו העת עצרת וקרובים דברי אלו להיות כדברי אלו. ומנא תימרא דשני לן בין נטיעה לאילן. כדתנן במס׳ שביעית פ״א עד אימתי נקראו נטיעות ר׳ אלעזר בן עזריה אומר עד שיחולו ר׳ יהושע אומר בת ז׳ שנים ר״ע אומר נטיעה כשמה. אילן שנגמם פי׳ שנחתך והוציא חילופין מטפח ולמטה כנטיעה מטפח ולמעלה כאילן. דברי ר׳ שמעון (מכיון) [אלמא] דשני לן בין נטיעה לאילן. ש״מ מדהתיר לחרוש לנטיעות עד

חשק שלמה על ר״ח

א) נראה דצ״ל ונסיב לה תלמודא לפטורא דא״כ כל הני. ב) נראה דצ״ל ר״ג וב״ד דינו התירו לאיסור ב׳ פרקים הראשונים ר׳ אלא בשם ר״י בשעה שאסרו למקרא סמכו ובשעה שהתירו למקרא סמכו שנאמר בחריש ובקציר תשבות איזהו חריש שקצירו אסור זה חריש של ערב שביעית שנכנס לשביעית וקציר של שביעית שיוצא למוצאי שביעית וכו׳.

כי אתא רב דימי אמר יכול ילקה על התוספת ונסיב לה תלמודא לפטורא ולא ידענא מאי תלמודא ומאי תוספת ר׳ אלעזר אמר חרישה והכי קאמר יכול ילקה על חרישה דאתיא מכלל ופרט וכלל ונסיב ליה תלמודא לפטורא דאם כן כל הני פרטי למה לי ור׳ יוחנן אמר ימים שהוסיפו חכמים לפני ראש השנה והכי קאמר יכול ילקה על תוספת ראש השנה דאתיא א) מבחריש ובקציר תשבות ונסיב לה תלמודא לפטורא כדבעינן למימר לקמן מאי ימים שלפני ראש השנה כדתנן א) עד מתי חורשין בשדה אילן ערב שביעית בית שמאי אומרים כל זמן שיפה לפרי וב״ה אומרים [א] א עד העצרת וקרובין דברי אלו להיות כדברי אלו ב) ועד מתי חורשין שדה הלבן ערב שביעית משתכלה הלחה וכל זמן שבני אדם חורשים ליטע מקשאות ומדלעות ר׳ שמעון אומר א״כ נתנה תורה שיעור לכל אחד ואחד בידו ב אלא בשדה הלבן עד הפסח ובשדה האילן עד העצרת (ג) וב״ה אומרים עד הפסח) ואמר ר׳ שמעון בן פזי אמר רבי יהושע בן לוי משום בר קפרא רבן גמליאל ובית דינו ג נמנו על שני פרקים הללו ובטלום אמר ליה רבי זירא לר׳ אבהו ואמרי לה ריש לקיש לר׳ יוחנן רבן גמליאל ובית דינו היכי מצו מבטלי תקנתא דב״ש וב״ה והא תנן ד) ד אין ב״ד יכול לבטל דברי בית דין חבירו אלא אם כן גדול ממנו בחכמה ובמנין ה) ב) אשתומם כשעה חדא אמר ליה אימור כך התנו ביניהן כל הרוצה לבטל יבוא ויבטל דידהו היא הלכה למשה מסיני היא דאמר ר׳ אסי אמר ר׳ יוחנן משום ר׳ נחוניא איש בקעת בית חורתן ו) ה עשר נטיעות ו ערבה ז וניסוך המים הלכה למשה מסיני אמר רבי יצחק כי גמירי הלכתא שלשים יום לפני ראש השנה ואתו הני תקון מפסח ומעצרת ואתנו בדידהו כל הרוצה לבטל יבוא ויבטל והני הלכתא נינהו קראי נינהו ז) (ח) דתנן) א) בחריש ובקציר תשבות ר׳ עקיבא אומר אין צריך לומר חריש וקציר של שביעית שהרי כבר נאמר ג) שדך לא תזרע וכרמך לא תזמור אלא חריש של ערב שביעית

שנכנס

כי אתא רב דימי. מארץ ישראל לבבל: אמר. שמעית דאמרי בא״י יכול ילקה על תוספת: ושמעית דנסיב עליה תלמודא לפטורא. ולא ידענא מאי תוספת ולא פטור: רבי אלעזר אמר חרישה. בשביעית להכי קרי ליה תוספת דלא נפיק עיקרו מן התורה אלא מכלל ופרט וכלל כדאמרי׳ לעיל: ונסיב תלמודא לפטורא. כדאמרינן הני אין: דאם כן. דהוי לקי: כל הני פרטי. דפריט בהדיא לאסור בשביעית זריעה וזימור קצירה ובצירה: למה לי. דכתב רחמנא אלא למימרא דאהנך הוא דלוקה וכו׳ שמע מינה אחרישה לא לקי: ימים שלפני ראש השנה. של שביעית שהוא תוספת על השביעית: דאתיא מבחריש ובקציר. כדאמר לקמן אם אינו ענין לשביעית שהרי כתיב שדך לא תזרע וכרמך לא תזמור תנהו לענין ששית שנכנס לשביעית דבשביעית נמי אסור: כדבעינן למימר לקמן. גמר שבת שבתון משבת בראשית: כל זמן שיפה לפרי. כלומר כל זמן שחרישה יפה לפירות שגדלו בששית דהיינו נמי קרוב לעצרת אבל מכאן ואילך לא דהוי כמתקן פירות שביעית: שדה לבן. של תבואה: שתכלה הלחה. שכלין הגשמים של שנה ששית דעד ההיא שעתא מהני חרישה לזריעה דשנה זו אבל משתכלה הלחה אינו יכול לחרוש דמחזי כחורש לצורך שביעית דהיינו כל זמן שבני אדם חורשין ליטע מקשאות: נתנה תורה שיעור לכל אחד ואחד בידו. כלומר נתת דבריך לשיעורין שפעמים זה חורש קודם חבירו ליטע מקשאות: על שני פרקים. דפסח ועצרת: ובטלום. דחורשין עד ראש השנה: תקנתא דשמאי והלל. דרבי שמעון דאמר עד פסח ועד עצרת והיינו אליבא דב״ש וב״ה: כך התנו. שמאי והלל בשעת תקנתם: דידהו היא. תקנתם היא: חורתן. מקום: י׳ נטיעות. המפוזרות בתוך בית סאה שהוא נ׳ על נ׳ חורשין כל השדה שלה בשבילן בערב שביעית עד ר״ה ואמרי הני הואיל וילדות הן איכא פסידא יתירא לכך חורשין עד ראש השנה אבל זקינה אין חורשין עד ראש השנה אלמא דהלכה למשה מסיני הן: וערבה. להקיף המזבח: כי גמירי הלכתא. דאין חורשין לזקינה עד ראש השנה אבל חורשין עד שלשים יום לפני ראש השנה: (א) ואתו. בתקנה דידהו דהרחיקו עד הפסח ועד העצרת: וכל הרוצה לבטל יבא ויבטל. ורבן גמליאל דבטל לא בטל אלא מפסח ומעצרת עד שלשים יום לפני ראש השנה:

שנכנס

רבי אלעזר אומר חרישה. מהא ליכא למימר (ב) תסתיים דר׳ אלעזר לעיל דאמר אינו לוקה דאיכא למימר דרבי אלעזר לא שמיע ליה הא דאמר לקמן דהתירו תוספת שביעית הלכך הוה אמר הכי דליכא לפרש מילתא דרב דימי אלא בחרישה אבל לדידיה אסור ולוקה דלא ס״ל אי נמי דכיון דאיתא בהדיא כי הך דלעיל במילי דחרישה אינו צריך לומר תסתיים דאין דרך הש״ס לומר תסתיים בדבר המפורש בהדיא כל כך:

יכול ילקה על תוספת של ראש השנה. ואם תאמר מלקות מנלן והלא לא כתיב בתוספת לאו אלא עשה גרידא בחריש ובקציר תשבות איכא למימר דמבחריש ובקציר מפקינן דצריך תוספת כלומר שהשביעית מתחלת משנה הששית וכל דין שביעית יהיה לששית דהכי קאמר רחמנא דשביעית מתחלת קודם שנת שביעית וא״כ הוא כשביעית:

עד עצרת. דהיינו יותר דבכל מקום בית שמאי לחומרא ובית הלל לקולא לבד מאותן דברים דקחשיב בעדיות (פ״ה):

וקרובים דברי אלו. קא משמע לן דאין ב״ש מחמירין אלא מעט על ב״ה ולאשמועינן מילתייהו דבית שמאי פירש הכי:

כל הרוצה לבטל יבא ויבטל. שמא יתקלקלו הקרקעות ואין מגדלין תבואה בלא חרישה לאחר זמן זה התנו שיהא כח להתיר לצריכים שחשו להפסד רבים שלא יגרמו רעה לעולם:

הלכה למשה מסיני. מהכא איכא לדקדק מדשרא רחמנא ילדה מכלל דזקינה אסורה הרי על ידי הלכה למשה מסיני נאסרה תוספת שביעית אבל להתירא לחוד לילדה לא אצטריך דמהיכא תיתי לאסור:

נטיעות. תנן במסכת שביעית פרק קמא עד אימתי נקראו נטיעות ר׳ אלעזר בן עזריה אומר עד שיחולו רבי יהושע אומר בת שבע שנים רבי עקיבא אומר נטיעה כשמה אילן שנגמם פירוש שנחתך והוציא חליפין מטפח ולמטה כנטיעה מטפח ולמעלה כאילן דברי רבי שמעון:

ניסוך המים. והא דאמרינן בעלמא (שבת דף קג:) מ״ס יו״ד מ״ס לרבות ניסוך המים מן התורה אינו אלא אסמכתא בעלמא כפר״ח:

שהרי כבר נאמר שדך לא תזרע וגו׳. ואח״כ כתיב את ספיח קצירך לא תקצור אלמא קצירה לא אצטריך ואפילו אם תימצי לומר חרישה צריכה דאזהרת חרישה לא אשכחן אלא הכא מיהא קצירה לא אצטריך ולהכי דרשא דאתיא קצירה אתיא חרישה כיון דכתבינהו גבי הדדי אי נמי ס״ל לר״ע כי ההיא דאמרן לעיל דלוקה על חרישה וכדאמרינן טעמא לעיל סבר ר׳ עקיבא ותרוייהו מיותרין ואליבא דר׳ עקיבא קפריס ואזיל דר׳ עקיבא סבר אם אינו ענין לשבת תנהו גבי שביעית (ג) ובמשמעות שבא להחמיר ולא להקל ולא בעי לאוקמי בשבת כר׳ ישמעאל להקל דהכי עדיפא ליה ור׳ ישמעאל עדיפא ליה לאוקמי בשבת דפשטיה דקרא מיירי ביה ואפילו להקל מלאוקמי בשביעית דלא מיירי ביה ולהחמיר:

אלא

מסורת הש״ס

א) שביעית פ״א מ״א, ב) שם פ״ב מ״א ע״ש, ג) [ליתא במשנה דשביעית], ד) מגילה ב. גיטין לו: עדיות פ״א מ״ה ע״ז לו., ה) [שבת מז. סוכה מד. קידושין לט. חולין כח.], ו) סוכה לד. מד. תענית ג. זבחים קי:, ז) שביעית פ״א מ״ד ר״ה ט. מכות ח:, ח) [צ״ל דתניא משום דבמשנ׳ דשביעית לא נזכר ר׳ עקיבא אלא סתמא דת״ק וגם הא דאמר הכא שהרי כבר נאמר כו׳ לא נזכר במשנה דהתם וכ״מ בהר״ש שם בפירושו בשביעית דהך דמייתי הכא וכן בר״ה ט. ברייתא היא לכך שפי׳ גרסי׳ דתניא].

הגהות הב״ח

(א) רש״י ד״ה ואתו כ״ש וב״ה וגזרו מפסח ומעצרת ואתו בתקנתא דידהו וכו׳ ועד העצרת דכל הרוצה לבטל כו׳ לא בטל אלא הפסח והעצרת עד ל׳ כו׳ כצ״ל והד״א: (ב) תוס׳ ד״ה ר״א כו׳ מהא ליכא למימר לעיל תסתיים דר״א דאמר וכו׳ לא שמיע ליה. נ״ב כלומר לא סבירא ליה הא דאמר דהתירו תוספת שביעית ולכך הוה אמר הכי משום דליכא לפרש כצ״ל: (ג) ד״ה שהרי כו׳ תנהו גבי שביעית ובמשמעותיה דקרא שבא להחמיר:

הגהות הגר״א

[א] גמ׳ ובה״א כו׳. נ״ב בירושלמי [שביעית פ״א] ולמה לא תנינוה מקולי ב״ש ומחומרי ב״ה פעמים שאין הגשמים מצויין ואין הליחה מצויה [דלא כתוס׳ ד״ה עד עצרת]:

רש״י כת״י

כי אתא רב דימי אמ׳. מתניתא חדא תנינא הכי יכול ילקה על התוספת ובהדיא מתניתא נסב תלמודא לפטורא דקתני יכול ילקה וכו׳ ת״ל לפטור ואינו לוקה. ולא ידענא מאי היא (לא תוספת ולא פטור). וקא בעי תלמודא מאי תוספת. חרישה. בשביעית דאינה כתובה בפסוק אלא מכלל ופרט אתא לה. ונסיב ליה תלמודא [לפטורא]. (לא תזרע לא תזמור) דאם כן דלוקה כל הני פרטי זריעה זמירה בצירה למה לי דכתבינהו רחמנא למימר דאהנך לוקה אאחרנייתא לא. לפני ראש השנה. כדמפרש בסמוך דמבחריש אתיא כדאמרינן לקמן אין צריך לומר של שביעית וכו׳. ונסיב לה תלמודא לפטורא כדבעינן למימר לקמ׳. גזירה שוה משבת בראשית וקא מבעיא לן הא דאמרן לעיל החורש בשביעית ר׳ יוחנן ור׳ אלעזר חד אמ׳ לוקה וחד אמ׳ אינו וכו׳ אמאי לא קתני תלמודא תסתיים דר׳ אלעזר היא דאמ׳ [אינו] לוקה ור׳ יוחנן אמ׳ (אינו) לוקה ויש לומר דר׳ אלעזר לא איירי אלא לתרוצי ספיקא דרב דימי ואימר לדידיה לא סבירא ליה. ששית הנכנסת לשביעית קרי ערב שביעית. כל זמן. שהוא יפה לפירי של ששית מכאן ואילך לא דלצורך שביעית הוא חורש דעד עצרת יפה לפירי. והיינו קרובין דברי אלו וכו׳. שדה לבן. שדה של תבואה שמתלבן בעת לקיטתן. בתרוייהו גרסי׳ ערב שביעית. (עד שתכלה) [משתכלה] הלחה. כל זמן שהארץ לחה בימות הגשמים עד ההיא שעת׳ מהניא חרישה לזריעה דשנה זו אבל משתכלה אינו יכול לחרוש דמחזי כעובד לצורך שביעית והיינו כל זמן שבני אדם חורשין ליטע מקשאות ומדלעות שלהן לצורך שנה ששית. מדלעת. קרא. מקשאות. קשואים דלועים כשהן קטנים. (תורת כל אחד בידו) [שעור לכל אחד ואחד בידו]. דמקשאות ומדלעות כל זמן שרוצה נוטען דאין להם זמן קבוע. שני פרקים. שני זמנים פסח ועצרת. דידהו הוא. בתמיה וכי הם תקנו אותן זמנים והא הלכה למשה מסיני דאוקמי אילני שרי (הלכה למשה מסיני שחורשין הוא דאסור והיאך יכולין להתמם). עשר. ילדות נטיעות המפוזרות בבית סאה שהוא חמשים על חמשים הלכה למשה מסיני וחורשין כל בית סאה בשבילן עד ראש השנה בהכנסת שביעית וליכא למימר דאין חרישה בשביעית דכיון שנזרעו... ומפוזרות בשוה וריוח שביעית שבינייהו שוה יותר מלאחד ואחד תלי... ומוליאם חרישת הארץ ולא תהא ... מאותה חרישה בשביעי׳. השתא עשר נטיעות הלכה למשה מסיני ליכא למיסר קודם ראש השנ׳ אבל שאר זרעים אסורין לפני ראש השנה ורבן גמליאל האיך התיר הלכתא. ערבה. כמצוה לערבה וכו׳ ניסוך המים. בחג. ה״ג ואתו בית שמאי ובית הלל ואמרי. מפסח ועצרת ואותן הימים התנו. והני ל׳ יום הלכתא נינהו. בתמיה הא קרא נינהו. בחריש וקציר תשבות. בשביעית משמע קרא דאי בשבת מאי איריא חורש וקוצר אפילו [משאר] מלאכות נמי צריך שביתה אלא בשביעית משתעי קרא והכי קאמר שש ימים תעבוד ואותן שש ימים שהתרתי לך לעבוד בחריש ובקציר תשבות דהיינו בשביעית ואם אינו צריך לחרוש וקציר של שביעית תנהו ענין לחריש לפני שביעית הנכנסת לשביעית כגון הנך שלשים יום לפני ראש השנה. (...ההיא חרישה בשביעית).

based on **verses!**[27] דִּתְנַן – **For we learned in a Mishnah:**[28] "בֶּחָרִישׁ וּבַקָּצִיר תִּשְׁבֹּת", – The verse states: ***AT THE PLOWING AND AT THE REAPING YOU SHALL REST.***[29] רַבִּי עֲקִיבָא אוֹמֵר – **R' AKIVA** interprets the verse as discussing the *shemittah* year;[30] he therefore **SAYS:** אֵין צָרִיךְ לוֹמַר חָרִישׁ וְקָצִיר שֶׁל שְׁבִיעִית – **[THE VERSE] DOES NOT NEED TO SAY** that one should desist from performing the **PLOWING AND REAPING OF THE SEVENTH** year, שֶׁהֲרֵי כְּבָר נֶאֱמַר "שָׂדְךָ לֹא תִזְרָע וְכַרְמְךָ לֹא תִזְמֹר" – **FOR IT HAS ALREADY BEEN STATED** with regard to the *shemittah* year: ***YOUR FIELD YOU SHALL NOT SOW AND YOUR VINEYARD YOU SHALL NOT PRUNE.***[31] אֶלָּא חָרִישׁ שֶׁל עֶרֶב שְׁבִיעִית – **RATHER,** *at the plowing and at the reaping you shall rest* teaches that one must desist even from **THE PLOWING [OF THE YEAR] BEFORE THE SEVENTH,**

NOTES

27. And if the prohibition against plowing during the thirty days prior to Rosh Hashanah is based on a verse, the *Halachah LeMoshe MiSinai* must refer to the earlier period commencing from Pesach and Shavuos. The question therefore returns: How could Rabban Gamliel and his court have abolished this prohibition? (*Talmid R' Yechiel MiParis*).

28. [A Mishnah containing much of the information in the coming teaching appears in *Sheviis* 1:4. However, since several points in this teaching do not appear in that Mishnah, *Mesoras HaShas* emends the word דִּתְנַן to read דְּתַנְיָא, *for it was taught in a Baraisa.* This is indeed how it appears in *Rosh Hashanah* 9a.]

29. *Exodus* 34:21.

30. The full verse reads: שֵׁשֶׁת יָמִים תַּעֲבֹד וּבַיּוֹם הַשְּׁבִיעִי תִּשְׁבֹּת בֶּחָרִישׁ וּבַקָּצִיר תִּשְׁבֹּת, *Six days you shall work and on the seventh day you shall rest; at the plowing and at the reaping you shall rest.* The first segment of this verse is definitely speaking of the Sabbath, as is evident from the words, *Six days you shall work.* The second segment, however, is difficult to interpret as discussing the Sabbath, for why should the Torah single out the *melachos* of plowing and reaping from all the 39 categories of forbidden labor? R' Akiva therefore interprets this part of the verse as referring to *shemittah.* Thus, the verse is saying that although plowing and reaping are generally permissible on the six weekdays, with regard to *shemittah* they are forbidden even on these days (*Rashi ms.*).

31. *Leviticus* 25:4. The next verse continues: אֵת סְפִיחַ קְצִירְךָ לֹא תִקְצוֹר, *The aftergrowth of your harvest you shall not reap.* This verse explicitly forbids reaping during the *shemittah* year. Accordingly, there is no need for the Torah to state: *at the plowing and at the reaping you shall rest* with reference to the *shemittah* year (*Tosafos* ד״ה שהרי כבר נאמר). Therefore, R' Akiva derives that this verse means to add to the *shemittah* restriction a prohibition on plowing and reaping before and after the *shemittah* year.

The question arises: True, the verse in *Leviticus* already forbids *reaping* during *shemittah;* thus, R' Akiva is forced to explain the mention of reaping in the verse in *Exodus* to be referring to the period after *shemittah* has ended. However, nowhere besides the verse in *Exodus* do we ever find a prohibition against *plowing* during *shemittah.* How, then, can R' Akiva declare that the verse must be referring to the days before *shemittah*?

Tosafos (ibid. first answer) answer that since the verse in *Exodus* mentions plowing and reaping in a single phrase, once we have proven that the word reaping in that phrase is coming to teach an extension of the *shemittah* prohibition [i.e. to the time after *shemittah* has ended], we must assume that the companion word plowing likewise comes to teach of an extension [i.e. to the period prior to the commencement of *shemittah*] (cf. *Tosafos'* second answer).

שֶׁנִּכְנָס לַשְּׁבִיעִית – the benefit of **WHICH ENTERS INTO THE SEVENTH,**[1] וְקָצִיר שֶׁל שְׁבִיעִית שֶׁיָּצָא לְמוֹצָאֵי שְׁבִיעִית – **AND** that one must accord *shemittah* sanctity to **THE REAPINGS OF THE SEVENTH**-year produce the growth of **WHICH CONTINUED INTO THE YEAR AFTER THE SEVENTH.**[2] רַבִּי יִשְׁמָעֵאל אוֹמֵר – But **R' YISHMAEL** interprets the verse as discussing the Sabbath;[3] he therefore **SAYS:** מַה חָרִישׁ רְשׁוּת – The juxtaposition of plowing and reaping demonstrates that **JUST AS** the **PLOWING** prohibited by this verse **IS** strictly **DISCRETIONARY,**[4] אַף קָצִיר רְשׁוּת – **SO TOO IS** the **REAPING** prohibited by this verse **DISCRETIONARY.** An obligatory act of reaping, however, would be *permitted* on the Sabbath. יָצָא קְצִיר הָעוֹמֶר שֶׁהִיא מִצְוָה – This teaches that the **REAPING** of grain **FOR THE *OMER* OFFERING, WHICH IS** an **OBLIGATORY** act, **IS EXCLUDED** from this prohibition.[5]

At any rate, we see from R' Akiva that the prohibition against plowing thirty days in advance of *shemittah* is derived from verses in the Torah. Perforce, then, the Oral Law must be coming to extend the prohibition back to Pesach and Shavuos.[6]

The Gemara answers that in fact both the Oral Law and the verses discuss the restriction of the final thirty days. Nevertheless they are both necessary, because they discuss two different aspects of the law:

אֶלָּא אָמַר רַב נַחְמָן בַּר יִצְחָק – **Rather, Rav Nachman bar Yitzchak said:** כִּי גְמִירֵי הִלְכְתָא לְמִישְׁרֵי יַלְדָּה – **The** Oral **Law** transmitted to Moses at Sinai **was received to permit** plowing for the sake of **a sapling** (i.e. for cases in which there are ten saplings to a *beis se'ah*), קְרָאֵי לְמֵיסַר זְקֵינָה – while **the verses** come **to forbid** plowing for the sake of **a mature [tree].**[7]

The Gemara refutes this explanation:

וְכֵיוָן דְּהִלְכְתָא לְמִשְׁרֵי יַלְדָּה – **But once the** Oral **Law was** received **to permit** plowing for the sake of **a sapling,** לָאו מִמֵּילָא זְקֵינָה אֲסִירָה – **does it not automatically follow that** plowing for the sake of **a mature [tree] is forbidden?**[8]

The Gemara accepts this refutation and presents another way of accounting for the Oral Law and the verses:

אֶלָּא הִלְכְתָא לְרַבִּי יִשְׁמָעֵאל – **Rather,** the pre-*shemittah* restriction is derived from **an** Oral **Law according to R' Yishmael,** קְרָאֵי לְרַבִּי עֲקִיבָא – and from Scriptural **verses according to R' Akiva.**[9]

The Gemara has thus upheld its previous assertion that the pre-*shemittah* prohibition against plowing applies according to Torah law only to the last thirty days before Rosh Hashanah (derived either from a verse according to R' Akiva or through an Oral Tradition according to R' Yishmael). The court of Beis Shammai and Beis Hillel then came and extended this prohibition back to Pesach and Shavuos. When Rabban Gamliel and his court subsequently came and nullified the pre-*shemittah* restriction, they were referring specifically to that part of the prohibition imposed by Beis Shammai and Beis Hillel.

The Gemara now presents an explanation according to which Rabban Gamliel's court nullified the *entire* pre-*shemittah* restriction:

וְרַבִּי יוֹחָנָן אָמַר – **And R' Yochanan said:** רַבָּן גַּמְלִיאֵל וּבֵית דִּינוֹ מִדְּאוֹרַיְיתָא בָּטִיל לְהוּ – **Rabban Gamliel and his court nullified [the pre-*shemittah* restriction] based on a Biblical** source, and therefore were able to nullify even that part of the restriction which is Biblical (i.e. the prohibition of the last thirty days).[10] מַאי טַעְמָא – **What is the reason,** i.e. what was Rabban Gamliel's source? גָּמַר ,,שַׁבָּת״ ,,שַׁבָּת״ מִשַּׁבַּת בְּרֵאשִׁית – **He derived** this through a *gezeirah shavah* of the words ***"Sabbath," "Sabbath,"* from the Sabbath of Creation.**[11] It is written in *Exodus* 31:15

NOTES

1. This refers to the plowing in advance of *shemittah,* to aid the growth during the *shemittah* year (*Rashi*).

2. [This refers to grain that grew on its own from remnants of the previous year's harvest, or to grain that was planted illegally during the seventh year and continued growing into the following year (see *Rashi* to *Makkos* 8b ד״ה וקציר של שביעית).] Even though such grain is harvested in the eighth year, it must be treated like produce of the seventh year [since it was fit to be harvested then (*Rashi* to *Makkos* ibid.).] This means that it may not be used for transactional purposes, and it is subject to the laws of *biur* [i.e. removal of *shemittah* produce from the home when it is no longer readily available in the fields] (*Rashi ms.;* cf. second explanation cited in *Talmid R' Yechiel MiParis*).

3. As is implied in the words: *and on the seventh day you shall rest, at the plowing and at the reaping you shall rest.* The reason the verse singles out these two forms of forbidden labor is to teach a law concerning reaping on the Sabbath, as R' Yishmael goes on to explain (*Rashi ms.*).

4. I.e. it is not performed because one is *obligated* to do so, but simply because he elects to do so. We know this to be true because there is no case anywhere in the Torah in which one is *obligated* to perform an act of plowing (*Rashi ms.*).

[Although there are instances in which one's act of plowing does enable performance of a mitzvah, such as in the case of one who plows a field in which will be planted the grain for the *Omer* offering, this is not viewed as an obligatory act. For the law is that if one finds an already plowed field, he may use it for this planting; he is not obligated to plow another field for this specific use. Hence, the act of plowing can always only be termed "discretionary" (*Rashi* here and to *Rosh Hashanah* 9a ד״ה ר׳ ישמעאל).]

5. [The *Omer* offering was a *minchah* offering brought on the second day of the Pesach festival. It consisted of fine barley flour made from that year's new crop. The barley for this offering must be reaped on the night before the offering is brought.] The act of reaping the barley is a *mitzvah;* even if one finds barley that was cut for some other purpose, he must cut more for use in this offering specifically (*Rashi*).

6. And Rabban Gamliel and his court were therefore not empowered to nullify it (*Talmid R' Yechiel MiParis* above, 3b).

7. [The *Halachah LeMoshe MiSinai* did not, as R' Yitzchak suggested above, state explicitly that plowing thirty days in advance of *shemittah* is forbidden. This prohibition is in fact derived from Scripture. The function of the *Halachah LeMoshe MiSinai* was rather to teach that the prohibition taught by Scripture does not apply to a field of saplings.] Beis Shammai and Beis Hillel then came and extended the prohibition to the Pesach and Shavuos before the *shemittah* year (*Rashi*), and Rabban Gamliel's court nullified this extension.

8. Implied in the permission granted in the Oral Law to plow for saplings until Rosh Hashanah is a prohibition against plowing for mature trees at this time. Why, then, was it necessary for the pre-*shemittah* prohibition to be spelled out in the Written Torah for this same period?

9. Indeed, the *Halachah LeMoshe MiSinai* and the Scriptural verses are not both necessary according to any one opinion. Rather, R' Nechunya of Beis Chortan's statement that a *Halachah LeMoshe MiSinai* teaches that a field containing ten saplings within a *beis se'ah* may be plowed until Rosh Hashanah of *shemittah* – which implies that plowing in advance of *shemittah* in all other cases is forbidden – was made only in accordance with R' Yishmael. In R' Yishmael's opinion there is in fact no verse which teaches a pre-*shemittah* prohibition against plowing, because he interprets the verse *at the plowing and at the reaping you shall rest* to be teaching a law regarding the Sabbath (see *Rashi*). R' Akiva, on the other hand, who derives the pre-*shemittah* prohibition against plowing from the above-cited verse, disputes the very existence of a *Halachah LeMoshe MiSinai* regarding saplings. In his view, the permission to plow for the sake of saplings is derived from logic: Since the plowing for saplings planted in such a density is performed merely to prevent the trees from dying [rather than to benefit the fruit which will grow during *shemittah*], it is permitted (*Rashi ms.; Talmid R' Yechiel MiParis; Chazon Ish, Sheviis* 17:12; cf. *Turei Even* to *Rosh Hashanah* 9a ד״ה חריש and *Tos. R' Akiva Eiger* to *Sheviis* 1:8).

10. *Rashi ms., Talmid R' Yechiel MiParis, Ritva.* They found a support from a verse in the Torah which empowered them to do this (*Rashi*).

11. I.e. the weekly Sabbath. [The weekly Sabbath is referred to as the Sabbath of Creation to distinguish it from all the other festivals, which are also referred to as "Sabbaths" – see, for example, *Leviticus* 23:11,15,32. It is referred to in this manner because its sanctification

שנכנס לשביעית וקציר של שביעית שיצא למוצאי שביעית ר' ישמעאל אומר מה חריש רשות אף קציר רשות [א]יצא קציר העומר שהיא מצוה אלא אמר רב נחמן בר יצחק כי גמירי הלכתא למישרי ילדה קראי למיסר זקינה וכיון דהלכתא למשרי ילדה לאו ממילא זקינה אסירה אלא הלכתא לרבי ישמעאל קראי לר' עקיבא ור' יוחנן אמר רבן גמליאל ובית דינו מדאורייתא בטיל להו מאי טעמא גמר שבת שבת משבת בראשית מה להלן היא אסורה לפניה ולאחריה מותרין אף כאן היא אסורה לפניה ולאחריה מותרין מתקיף לה רב אשי מאן דאמר הלכתא אתיא גזרה שוה עקרה הלכתא ומאן דאמר קרא אתיא גזרה שוה עקרה קרא אלא אמר רב אשי רבן גמליאל ובית דינו סברי לה כרבי ישמעאל דאמר הלכתא גמירי לה וכי גמירי הלכתא בזמן שבית המקדש קיים דומיא דניסוך המים אבל בזמן שאין בית המקדש קיים לא: אבל לא ממי הגשמים וממי הקילון: (א) בשלמא מי קילון איכא טירחא יתירא אלא מי גשמים מאי טירחא איכא אמר ר' אילעא א"ר יוחנן גזירה מי גשמים אטו מי קילון רב אשי אמר מי גשמים גופייהו לידי מי קילון אתו וקמיפלגי בדר' זירא דאמר ר' זירא אמר רבה בר ירמיה אמר שמואל [ב]נהרות המושכין מים מן האגמים מותר להשקות מהן בחולו של מועד מר אית ליה דרבי זירא ומר לית ליה דרבי זירא גופא אמר ר' זירא אמר רבה בר ירמיה אמר שמואל נהרות המושכין מים מן האגמים מותר להשקות מהן בחולו של מועד איתיביה רבי ירמיה לרבי זירא אבל לא ממי גשמים ולא ממי קילון אמר ליה ירמיה ברי [ג]הני אגמים דבבל כמיא דלא פסקי דמו תנו רבנן [ד]הפסיקות והבריכות שנתמלאו מים מעיו"ט אסור להשקות מהן בחולו של מועד ואם היתה אמת המים עוברת ביניהן מותר אמר רב פפא והוא שרובה של אותה שדה שותה מאותה אמת המים רב אשי אמר [ה]אע"פ שאין רובה של אותה שדה שותה כיון דקא משכא ואתיא מימר אמר אי לא שתיא לחד יומא תשתי לתרי ותלתא יומי ת"ר [ו]בריכה שנוטפת מים משדה בית השלחין זו מותר להשקות ממנה שדה בית השלחין אחרת והא עבידא דפסקא אמר ר' ירמיה [ז]ועדיין היא מטפטפת אמר אביי [ח]והוא שלא פסק מעיין ראשון תניא ר' שמעון בן מנסיא אומר שתי ערוגות זו למעלה מזו לא ידלה מן התחתונה וישקה את העליונה יותר על כן אמר [א]רבי אלעזר בר שמעון [ט]אפילו ערוגה אחת חציה נמוך וחציה גבוה לא ידלה ממקום נמוך וישקה למקום גבוה תנו רבנן [י]מדלין לירקות כדי לאוכלן ואם בשביל לייפותן אסור רבינא ורבה תוספאה הוו קא אזלי באורחא חזו לההוא גברא דהוה דלי דוולא בחולא דמועדא אמר ליה רבה תוספאה לרבינא ליתי מר לשמתיה א"ל והתניא מדלין לירקות כדי לאוכלן א"ל מי סברת מאי מדלין מדלין מיא מאי

מדלין

רש"י

שנכנס לשביעית. כל שיש לו ליכנס לשביעית שאסור לחרוש לפני ר"ה: מה חריש רשות. בכל מקום: קציר העומר. מותר לקצור בשבת: שהיא של מצוה. אע"פ שמלא קצור קוצר דבעינן קצירה לשמה אבל אם מלא חרוש אינו חורש: הלכתא למישרא ילדה. עשר נטיעות עד ר"ה: קראי למיסר זקינה. שלשים יום קודם ראש השנה ואתו בית שמאי והלל וגזרו מפסח ועד עצרת: ממילא שמעת מינה. דזקינה אסור לחרוש: אלא הלכתא לרבי ישמעאל. דלא נפיק ליה מקראי דדריש לקרא לדרשה אחרינא להוציא קציר העומר: מדאורייתא בטלו. כלומר אשכחו סמך מן התורה להכי בטלו הלכתא: מאן דאמר הלכתא. דלפני ר"ה אסור: אתא גזירה שוה עקרה להלכתא. כלומר משום גזרה שוה דאינהו גמירו מנפשייהו משבת בטלו הלכתא הא אין אדם דן ג"ש מעצמו: כי גמירו הלכתא בזמן שבית המקדש קיים. וכי שרו רבן גמליאל ובית דינו בזמן שאין בית המקדש קיים: גזירה מי גשמים. דלמא אתי למעבד מי קילון: מי גשמים נמי אתי לידי מי קילון. כלומר כי מדלו מינה (ב) דלא הויא מליאה נעשית ממילא מי קילון שאינו מלא וטריחא מלתא: נהרות המושכין מן האגמים. השתא משמע ליה מי אגמים עבידא דפסקי: (ג) מותר להשקות מהן בחולו של מועד. ולא גזרי דלמא פסיקא מי אגמים ואזל וטרח ואייתי מן נהר אחר: ר' אילעא אמר ר' יוחנן דאמר גזרינן מי גשמים אפילו היכא דלא פסקי אטו מי קילון מדקאמר רב אשי מי גשמים לידי (ד) קילון אתי מכלל דר' יוחנן אסר אפילו דלא אתיא לידי מי קילון לית ליה דר' זירא דלא גזר: מיתיבי אבל לא מי קילון. דלמא מפסקי וטרח להוציא מן העמוק הכא נמי אמאי לא ניחוש דלמא מפסקי מי אגמים: א"ל כמיא דלא פסקי דמו. וליכא למיחש: פסיקות ובריכות. חדא מילתא היא: אם אמת המים עוברת ביניהן. בין הבריכות הללו מותר להשקות ממי גשמים דאי פסקי מי גשמים משקה מאמת המים: והוא שרובה של אותה שדה שותה מאותה אמת המים כו'. שיכול להשקות רוב השדה בפעם אחת מאותה אמת המים אבל אם אינו יכול להשקות בפעם אחת מאותה אמת המים רוב של שדה אינו משקה מפסיקות ובריכות דלמא מפסיק ואזיל: תישתי לתרי או תלתא יומי. מההיא אמת המים ולא טרח ומייתי מאמת המים אחרינא: בריכה שנוטפה משדה בית השלחין זו מותר להשקות ממנה בית השלחין אחר. בית השלחין שהיה גבוה והיה מעיין נובע מלדו ובלד אחד היה בית השלחין נמוך ובין אלו בית השלחין היה בלד השלחין הנמוך בריכה קטנה וכשמשקים בית השלחין הגבוה מן המעיין נוטף טיפין מן בית השלחין הגבוה לתוך הבריכה הנמוכה מותר להשקות אותו בית השלחין הנמוך מאותה בריכה אע"ג דבריכה עבידא דפסקא הואיל ומטפטף בו מבית השלחין הגבוה מים שבאו לו מחמת המעיין: והא עבידא דפסקא. בריכה ואזיל ומייתי (ה): עדיין היא מטפטפת. מבית השלחין גבוה לתוך הבריכה דודאי לא פסקא: אמר אביי והוא שלא פסק מעיין. המטפטף מבית השלחין גבוה לבריכה מותר להשקות מבריכה לבית השלחין נמוך אבל אי פסיק מעיין אע"ג דעדיין מטפטף מבית השלחין גבוה לתוך הבריכה אין משקין מן הבריכה לבית השלחין נמוך דלמא פסיק ואזיל וטרח ומייתי ממעיין אחר: לא ידלה מן התחתון וישקה לעליון. דאיכא טירחא יתירא: מדלין לירקות. משמע שהוא דולה מים ומשקה לירקות כדי לאוכלן בחולו של מועד: ואם בשביל ליפותן. שיגדלו הירקות אסור דהרווחה היא: דהוה דלי דוולא. דולה דליות מים לירקות וחכמים לא התירו כי אם לבית השלחין בלבד:

שלופי

תוספות

אלא אמר רב נחמן בר יצחק. האי אלא קאי אהאי דרבי יצחק (ו) לעיל כי גמירי הלכתא לשלשים יום לפני ראש השנה דהיינו באילנות זקנים לא תימא דלהכי אתיא הלכתא אלא סבר רב נחמן דאיסור שלשים לפני אומד חכמים ואף החמירו בהם בדבריהם ויש דמשבשי ליה להאי אלא דרב נחמן ואין להאריך בדבריהם:

מה להלן היא אסורה לפניה ולאחריה מותרין. ואי קשיא והא מפקינן מקרא במס' יומא פרק בתרא (דף פא:) דצריך לעשות תוספת גבי שבת בין בכניסתה בין ביציאתה להוסיפה מחול על הקודש איכא למימר ההוא פורתא לא קא חשיב כיון דלא הוי אלא כל שהוא וכי ההוא שיעורא נמי יהא מודה רבן גמליאל דצריך להוסיף: אלא אמר רב אשי רבן גמליאל כו'. כלומר ודאי מדאורייתא בטיל ולאו היינו טעמא כדקאמר אלא סבירא ליה כרבי ישמעאל וקא דייק רבן גמליאל מה שייכא תוספת שביעית גבי ניסוך שניתנו למשה גבי הדדי (ז) דבכל מקום שונה הני שלשה ביחד דלכך ניתנו אלא ודאי למילף סמכינהו רחמנא:

בשלמא מי קילון כו' אלא מי גשמים. מיירי בכי האי גוונא דקים לן דלא פסקי ולית בהו איסור אלא מהאי טעמא דמפרש אבל אי פסקי אית להו איסורא כדלקמן דבכל מידי דפסיק איכא איסורא משום דאזיל ומייתי ממקום רחוק כיון שהתחיל להשקות שלא יפסיד שדהו הלכך איכא לאוקמי הכא דלא פסקי:

א) [תוספתא פ"א].

עין משפט נר מצוה

כז א מיי' פ"ז מהלכות תמידין הלכה ו סמג עשין קלט:

כח ב ג ד ה ו ז ח מיי' פ"ח מהלכות יו"ט הלכה א טוש"ע א"ח סי' תקלז סעיף ג:

כט ט מיי' שם הלכה ב טוש"ע שם סעיף ב:

ל י מיי' שם טוש"ע שם סעיף ד:

הגהות הב"ח

(א) גמ' בשלמא מי קילון. נ"ב ל' הרמב"ם קילון כלומר בור עמוק וכן מי גשמים שמתקבצי' מהם אגמים וכשהגשמים פוסקים יתמו המים הבאים לאגמים ויצטרך להשקות מהם בדלי: (ב) רש"י ד"ה מי גשמים כו' כי מדלו מינה עד דלא הוי מליאה: (ג) ד"ה מותר כו' וד"ה רבי אילעא כו' הד"א: (ד) ד"ה ר' אילעא כו' לידי מי קילון: (ה) ד"ה והא עבידא כו' ואזיל ומייתי ממעיין אחר הס"ד: (ו) תוס' ד"ה אלא כו' אהאי דר' יצחק דלעיל דקאמר כי גמירי כו' לפי אומד חכמים הוא ואף: (ז) ד"ה אלא אר"א כו' דבכ"מ שונה הני שלשה ביחד. נ"ב אבל רש"י ז"ל פי' במס' סוכה דף לד דאלו שלשה נשאלו בבית המדרש ושמע השומע וגרסם כסדר ששמעם:

רבינו חננאל

עד ר"ה מכלל שאין חורשין לאילן עד ר"ה. ומן ההלכה שמענו. ולא מדב"ש וב"ה וערבה וניסוך המים הל"מ הן. ופריק ר' יצחק כי אתאי הלכתא א) פי' כדתנן בשביעית בפ' שני אין נוטעין ואין מבריכין ואין מרכיבין ערב שביעית פחות משלשים יום קודם ר"ה ואתו ב"ש ובית הלל התקינו מפסח לשדה לבן ומעצרת לשדה האילן ושקלו וטרו כי אתאי הלכתא למישרא ילדה. פי' כגון עשר נטיעות המפוזרות בבית סאה שהל"מ לחרוש להן כל בית סאה עד ר"ה למישרי ילדה להתיר החרישה לנטיעה שהיא ילדה. קראי למיסר זקינה פי' בחריש ובקציר שלמדנו ממנו איסור חרישה קודם ר"ה האיסור הזה לאילן שכבר עשה פרי וכבר זקן ואקשינן וכיון שהלכה להתיר החרישה לנטיעה הלא מתוך זאת אתה למד שהחרישה לאילן אסורה. (והשבנו שר' ישמעאל הוא שלמד איסור החרישה מן ההלכה דר' ישמעאל מוציא בחריש ובקציר לטעם אחר להתיר קצירת העומר בשבת ולפיכך הוא נצרך להלכה ללמד איסורי החרישה). ואסיקנא לה ר' ישמעאל סבר הל"מ הוא פי' כי הוא מוציא בחריש ובקציר לטעם אחר להתיר קצירת העומר [בשבת] ור"ע פליג עליה ואמר לאו הל"מ נינהו אלא קרא פי' מן בחריש ובקציר נינהו. ור' יוחנן אמר ר"ג מדאוריי' שרא להו גמר שבת שבת בראשית בג"ש מה ערב שבת בראשית מותר לעשות מלאכה עד שתחשך כלומר לפניה ולאחריה מותר אף ערב שביעית מותר עד ר"ה פירוש לפניה ולאחריה מותר. ודחי רב ששת מ"ד הלכה אתאי גזירה שוה ועקרתה להלכתא כו' אלא אמר רב אשי ר"ג ובית דינו סברי לה כר' ישמעאל דאמר הלכתא גמירי לה וכי גמירי הלכתא בזמן שבהמ"ק קיים דומיא דניסוך המים. אבל בזמן שאין בית המקדש קיים לא ולפיכך התיר. אבל אין משקין את השלחין לא ממי הגשמים ולא ממי הקילון ומקשינן בשלמא מי הקילון שהן כמו ביב מושך מים וצריך לדלות ולהשקות דאיכא טירחא לא. אלא מי גשמים דפתיחה סגי ליה מאי טירחא איכא. א"ר יוחנן גזירה כו'. רב אשי אמר גשמים גופייהו כשפוסק המטר אתי לידי מי קילון. כלומר צריך למלאות מהן בדלי במקום שנתקבצו ופליגא בהא דר' זעירא דאמר נהרות המושכין מן האגם מותר להשקות מהן בחולו של מועד. ר' יוחנן אית ליה דר' זירא. ואסיקנא דהני נהרות המושכין מן האגמים מותר משום דאגמי בבל כמיא דלא פסקי דמו. ת"ר הבריכות והפסיקות שנתמלאו מים ב) בחולו של מועד דחיישינן שמא יפסקו ויבואו למלאות בדלי ואם היתה אמת המים עוברת עליהן מותר. אמר רב אשי ואע"פ שאין רוב אותה שדה שותה מאותה אמת המים שרינן. מ"ט כיון דמשכה אותה אמת המים ואתיא לה לא חייש לפסידא מימר אמר אי לא שתי לחד יומא שתי לתרי יומא ותלת יומא: תנו רבנן בריכה שנטפה מים. כלומר נתמצו ונתקבצו בתוכה התמצית שלחין אחדא. תנינן המים המתמצין משדה בית השלחין משקה בית השלחין אחר כ"ז שמטפטפת ולא פסק מעין ראשון. ותניא ר"ש בן מנסיא אומר ב' ערוגות זו למעלה מזו לא ידלה מן התחתונה וישקה לעליונה ואפי' ערוגה אחת חציה נמוך וחציה גבוה לא ידלה מן הנמוך וישקה את הגבוה. ת"ר מדלין מים כו'. ואסיקנא

רש"י כת"י

וקציר. של תבואה הגדילה בשביעית כגון ספיחין או כגון שעבר וזרע בשביעית אתה נוהג מנהג שביעית בשמינית שחייבת בביעור ואין קוצרין בה. ר' (שמואל) [ישמעאל]. לעולם בשבת משתעי כדכתיב ביום השביעי בחריש ובקציר תשבות וקא אתי לאשמועינן מה חריש רשות שאין חריש של מצוה לעולם. יצא קציר העומר שהיא מצוה. אע"פ שמצא קצור קוצר דבעי קצירה לשמה אבל אם מצא חרוש אינו חורש. הלכתא למשרי ילדה. נטיעות לחרוש עד ראש השנה. קראי למיסר זקנה. שלשים יום ואתו בית הלל וגזור מפסח עד שביעית והתנו שכל הרוצה לבטל יבא ויבטל ורבן גמליאל בטלינהו ואוקמינהו אדאוריתא ל' יום קודם רא' השנ'. אלא הלכתא. דילדה עד ראש השנה וזקנה עד עצרת לר' ישמעאל דלא מוקים לה לקרא בשביעית ואתו קראי לר' עקיבא למיסר זקנה שלשים יום דלר' עקיבא לית ליה הלכתא למשרי ילדה וממילא הוא דקא שרי ר' עקיבא ילדה עד ראש השנה דאוקומי אילני בעלמא וזקינה למיסר מקראי ובית הלל אומר כר' ישמעאל או כר' עקיבא דתרויהו קא אסרי זקנ' ל' יום לפני ראש השנה ובית הלל גזרו מעצרת והתנו כל הרוצה לבטל יבטל. דאוריתא בטל. מדאורייתא ילפינן טעמיהו ולעולם עד ראש השנה. ככל שבת קרי שבת בראשית שבת שבתון יהיה לארץ [עי' ריטב"א]. אף כאן. שביעית לחוד בלא תוספת. ר' ישמעאל מאן דאמ' הלכתא אתיא גזירה שוה. דשבת שבתון ושבת. אלא אמר ר' אשי רבן גמליאל ובית דינו סברי לה כר' ישמע' דאמ'. הני שלשים יום הלכתא נינהו. בזמן שבית המקדש קיים דומיא דניסוך המים. שלא בזמן בית המקדש לא הלכך בטלום. מי גשמים. שנתכנסו בעמק במקום אחד (ברש"י בריה"ף - בעומק אחד) מאי טירחא איכא. גזירה מי גשמים. דאי שרית ליה אתי למישרי מי קילון לפי שהן מי גשמים ואיכא משום טרחא יתירא. מי גשמים. נמי דרכן להתכנס (בעמק) [בעומק] וכיון שנטל מליין העמיקן והוו מי קילון תירוצא הוא. נהרות. ארימא דדלאי נהר קטן. אגמים. מי גשמים נינהו ויש בהן רוב מים ונהרות המושכין ומקלחין מהן לא פסקי ר' יוחנן לית ליה דר' זירא דמדקאמ' רב אשי מי גשמים נמי לידי מי קילון אתי מכלל דר' יוחנן אסר אפילו בהנך דלא אתו [לידי] מי קילון שאין חסרין מחמת דילוי כגון הנהרות המושכין מן האגמים דגזר אטו מי קילון ורב אשי דמוקים למי גשמים דמתניתן בגשמים חסרים הבאין לידי מי קילון אבל מי גשמים שאינן חסרים כגון נהרות המושכין מן האגמים לא אסר דאית ליה דר' זירא. איתיביה ר' ירמיה. אבל לא ממי גשמים והני מי גשמים נינהו. אמ' ליה. ר' [זירא] ירמיה בני. הני אגמים דבבל וכו'. וכי קתני מתניתן אבל ממי גשמים החסרין ובאים לידי קילון קאמ' לא הני אגמי דבבל כמיא דלא פסקו דמי שיש בהן שפע מים ונהרות המשוכין מהן לא פסקו ר' ירמיה ור' זירא מבבל היו שבתחלה היו (ר') [רב] זירא ורב ירמיה ומשום הכי בקיא היה ר' זירא בארץ בבל וכשעלו נסמכו (לר') [לרבי]. פסיקות. חרילין שאינן מתוקנין. בריכות. גומות מתוקנין יפה ואע"פ שנתמלאו מערב יום טוב אסור להשקות מהן במועד משום דפסקי ואתי לאיתויי מנהרות רחוקים (להכי נקט מערב יום טוב לפי שהמים שאובין ומנושאין בכתף ומושלכין שם וטרחא כזו אינן יכולין לעשות לא ביום טוב ולא בחול של מועד). ואם היתה אמת המים. ממעיין. עוברת ביניהן מותר. להשקות מהן במוע' דלא פסקי. אמ' רב פפא. הא דקתני מותר הוא שרובה של אותה שדה יכולה לשתות מאותה אמת המים ודאי מיעוטא יכול להשקות מן הבריכות והפסיקות ולא טרח ומייתא מנהרא רחיקא. רב אשי אמ' אע"פ שאין רובה של אותה שדה. יכולה לשתות מאותה אמת המים מותר דכיון דקא משכה אמת המים מעט מעט מימר אמר בעל השדה כמה שאוכל להשקות היום מאמת המים והבריכות אשקה ומה שלא אוכל להשקות היום אניח עד למחר או עד ג' ימים שיתכנס המים באמה וימשכו מן המעיין ואשקנה הילכך מותר דלא טרח לאיתויי. בריכה שנוטפת. מעט מעט מבריכה שבשדה בית השלחין אחר מותר להשקות ממנה שדה בית השלחין זה ולא חיישינן דילמא פסקי וטרח ומייתי. והא עבידא דפסקה. ופסקה נמי בריכה זו ומטרח ומייתי קושיא היא. אמ' ר' ירמיה. כל זמן שמטפטפת בריכה ראשונה בה משקין ממנה אבל אינה מטפטפת אין משקין אע"ג דלאכתי לא פסיק. אמ' אביי והוא שלא פסק מעיין הראשון. הממלא בריכה ראשונה מותר להשקות אפילו מבריכה שניה אבל פסק מעיין ראשון אסור להשקות מהן דהא פסק ואתי לאיתויי ואינו משקה מן השנייה ואפילו ראשונה מטפטפת בתוכה. ערוגה. ערוגת ירק. לא ידלה (מן) [ממקום נמוך]. הפסקות שבתחתונה וישקה למקום גבוה דהיינו טירחא יתירה. ה"ג מדלין לירקות כדי לאכלן. כדי שיהיו (יפין) [לחין] מחמת השקאה ויהיו יפין לאוכלן במועד. ליפות. שיגדלו הירקות. אסור. דהרווחה הוא. דקא דייל דוולא. דולה דליים מים לירקות וחכמים לא התירו אלא לבית השלחין בלבד. מי סברת. דהאי מדלין לשון דליית מים ממש אינן אלא שלופי שסמוכין יותר ונוטל אחת מכניסים להרויחן ואם לאכלן אותן שנוטל מותר אם כדי ליפות שיגדלו הנותרים שירמיהו אסור.

חשק שלמה על ר"ח א) נ"ל כי אתאי הלכתא ל' יום לפני ר"ה פי' כדתנן וכו'. ב) נ"ל שנתמלאו מים מעיו"ט אסור להשקות מהן בחולו של מועד.

regarding the Sabbath of Creation: *and on the seventh day "a Sabbath" of rest holy onto Hashem,* and it is written in *Leviticus* 25:4 regarding *shemittah: but in the seventh year "a Sabbath" of rest for the land.* מַה לְהַלָּן הִיא אֲסוּרָה – **Just as there,** with regard to the Sabbath of Creation, **[the day of Sabbath]** itself **is forbidden** in the performance of labor, לְפָנֶיהָ וּלְאַחֲרֶיהָ מוּתָּרִין – but the periods immediately **prior to and following it are permitted,** אַף כָּאן הִיא אֲסוּרָה – **here too,** with regard to the *shemittah* year, **[the year]** itself **is forbidden,** לְפָנֶיהָ וּלְאַחֲרֶיהָ מוּתָּרִין – but the periods **prior to and following it are permitted.**[12]

This answer is rejected:

מַתְקִיף לָהּ רַב אַשִׁי – **Rav Ashi objected to this:** מַאן דְּאָמַר הִלְכְתָא – According to **the one who says** that the thirty days before the *shemittah* year are forbidden by means of an Oral **Law,** אַתְיָא גְּזֵרָה שָׁוָה עָקְרָה הִלְכְתָא – why, **can a** ***gezeirah shavah*** **come and uproot an** Oral **Law?** וּמַאן דְּאָמַר קְרָא – **And** similarly, according to **the one who says** that the thirty days before the *shemittah* year are forbidden by means of **a verse,** אַתְיָא גְּזֵרָה שָׁוָה עָקְרָה קְרָא – why, **can a** ***gezeirah shavah*** **come and uproot a verse?** Certainly not![13]

Rav Ashi therefore advances a different explanation:[14]

אֶלָּא אָמַר רַב אַשִׁי – **Rather, Rav Ashi said:** רַבָּן גַּמְלִיאֵל וּבֵית דִּינוֹ סָבְרֵי לָהּ כְּרַבִּי יִשְׁמָעֵאל דְּאָמַר הִלְכְתָא גְּמִירֵי לָהּ – **Rabban Gamliel and his court held in accordance with R' Yishmael who said** that **it** [the rule prohibiting plowing thirty days before the start of *shemittah*] **was received as an** Oral **Law.** וְכִי גְּמִירֵי הִלְכְתָא – **But** they taught that **when,** i.e. regarding which time period, **was the** Oral **Law received?** בִּזְמַן שֶׁבֵּית הַמִּקְדָּשׁ קַיָּים – Only **regarding the time that the Temple is standing,** דּוּמְיָא דְּנִיסּוּךְ הַמַּיִם – **similar to** the Oral Law regarding **the libation of water** on Succos, which likewise applies only to when the Temple is standing.[15] אֲבָל בִּזְמַן שֶׁאֵין בֵּית הַמִּקְדָּשׁ קַיָּים – **But regarding the time that the Temple is not standing,** לֹא – this law was **not** received.[16]

The Mishnah stated:

אֲבָל לֹא מִמֵּי הַגְּשָׁמִים וּמִמֵּי הַקִּילוֹן – HOWEVER one may not water even an irrigated field during Chol HaMoed NEITHER FROM a pool of RAINWATER NOR FROM THE WATER OF A WELL.

The Gemara asks:

בִּשְׁלָמָא מֵי קִילוֹן – **It is understandable** that the **water of a well** should be forbidden for use in watering, אִיכָּא טִירְחָא יְתֵירָא – for **there is excessive exertion** involved in such a task.[17] אֶלָּא מֵי גְשָׁמִים מַאי טִירְחָא אִיכָּא – **But** with regard to a pool of **rainwater, what exertion is there** in watering from it?[18]

NOTES

occurred at the time of creation, as the verse which discusses the first Sabbath states (*Genesis* 2:3): *And God blessed the seventh day and sanctified it* (*Rashbam* to *Bava Basra* 121a ד״ה שבת בראשית).]

12. Since Rabban Gamliel based his action on a *gezeirah shavah,* he was empowered to nullify even that portion of the pre-*shemittah* plowing prohibition which was Biblical.

[It was to this *gezeirah shavah* that R' Yochanan alluded on 3b in his explanation of the obscure Baraisa cited by Rav Dimi. Rav Dimi had quoted a Baraisa which stated that one might have thought that a person incurs lashes for violating "the extension," but that "a teaching" informs us that he is in fact not lashed. R' Yochanan explained this to mean that one could have thought that a person incurs lashes for plowing during the thirty days preceding *shemittah* ("the extension"), for the prohibition to plow during this period is derived from the verse *at the plowing ... you shall rest.* Nevertheless the *gezeirah shavah* of *Sabbath, Sabbath* ("a teaching") expounded by Rabban Gamliel and his court informs us that there is in fact no Biblical obligation to desist from plowing before *shemittah* (see *Rashi* to 3b ד״ה דאתיא and ד״ה כדבעינן).]

[The Rishonim ask: The Gemara in *Yoma* 81b derives from Scripture that we are required to take some part of the weekday, i.e. Friday afternoon and Saturday night, and append it to the holy day of the Sabbath, by refraining from performing *melachah* during these times just as we do on the Sabbath proper. Thus the prohibition to perform labor begins just before nightfall on Friday and extends into the first part of the night at the departure of the Sabbath. This is known as the law of תּוֹסֶפֶת שַׁבָּת, *supplement to the Sabbath.* How, then, can Rabban Gamliel state that only the day of Sabbath itself is forbidden in the Sabbath restrictions?

Tosafos (ד״ה מה להלן) answer that Rabban Gamliel was not discussing the law of תּוֹסֶפֶת שַׁבָּת, since the requirement to add onto the Sabbath imposed by this law pertains only to a very small amount of the weekday. Rabban Gamliel himself agrees that this small amount of time should be added to *shemittah* as well. He states only that there is no period *of substantive duration* before and after the Sabbath in which one is required to refrain from performing labor. Cf. *Ritva* and *Beur HaGra* to *Orach Chaim* 261:2.]

13. A *gezeirah shavah* is valid only if received from one's teacher who in turn received it from his teacher etc., all the way back to Moses at Sinai. How, then, could Rabban Gamliel come and formulate his own *gezeirah shavah* [since it obviously was not received from Sinai] and overturn an Oral Law or a law taught by Scripture? (*Rashi*).

14. Rav Ashi agrees with R' Yochanan that Rabban Gamliel nullified even the Biblical portion of the pre-*shemittah* prohibition. However he offers a different explanation as to the legal grounds for this nullification (*Tosafos*).

15. Since the laws of the ten saplings, the *aravah* service and the water libation were taught to Moses at one and the same time, they are assumed to be alike. Just as the law of the water libation is obviously applicable only when the Temple is standing, so too the law of the ten saplings applies at that time only. [The Gemara could likewise have said that the law of the ten saplings is like the law of the *aravah* service, which also applies only when the Temple is standing. However, because the law of *aravah* is practiced today by Rabbinic decree, the Gemara prefers to use the law of the water libation, which does not apply nowadays even Rabbinically, for its comparison (*Ritva*).]

16. [Thus Rabban Gamliel was not uprooting a Biblical law. He fully agrees that the thirty days before Rosh Hashanah are Biblically forbidden for plowing.] He taught, however, that this law *lapsed* with the destruction of the Temple (*Rashi*). Nowadays, therefore, plowing is permitted in all types of fields up until Rosh Hashanah.

According to this explanation of Rav Ashi, it is no longer necessary to say that Beis Shammai and Beis Hillel stipulated regarding their extension of the prohibition to Pesach and Shavuos that whoever would wish to nullify it could come and do so. Rather, they had instituted their extension as a safeguard for the Biblical prohibition. After the Temple was destroyed, the populace continued to observe the pre-*shemittah* restrictions, both Biblical and Rabbinic, believing that they were still in force. Rabban Gamliel and his court then arose and taught that the pre-*sheviis* prohibition had lapsed with the destruction of the Temple. At that point the additional periods of Beis Shammai and Beis Hillel, which were instituted only as safeguards for the Biblical prohibition, lapsed as well (*Tos. HaRosh*).

To summarize: The three Amoraic opinions given by the Gemara are as follows:

According to R' Shimon ben Pazi (cited on 3b), Rabban Gamliel and his court nullified only the additional periods of Beis Shammai and Beis Hillel, but not the Biblical periods. What they nullified was nullified even for the time that the Temple was standing, and what they did not nullify applies even nowadays.

According to R' Yochanan, Rabban Gamliel and his court nullified even the Biblical prohibition, and even for the time that the Temple was standing. [This opinion is rejected by the Gemara.]

According to Rav Ashi, both the Biblical prohibition and the prohibition added by Beis Shammai and Beis Hillel applied when the Temple was standing but, as per the teaching of Rabban Gamliel's court, no longer apply today. When the Temple will be rebuilt they will apply once again. [This opinion is accepted by the Rishonim as authoritative.]

17. Since a well is deep, watering from it requires drawing with a pail. This involves excessive exertion and is therefore forbidden during Chol HaMoed (*Chidushei HaRan*).

18. As explained above (2a note 4) "rainwater" refers to a pool filled with rainwater adjacent to a field. Since watering from such a pool does not

שנכנס לשביעית וקציר של שביעית שיצא למוצאי שביעית ר' ישמעאל אומר מה חריש רשות אף קציר רשות [א]יצא קציר העומר שהיא מצוה אלא אמר רב נחמן בר יצחק כי גמירי הלכתא למישרי ילדה קראי למיסר זקינה וכיון דהלכתא למשרי ילדה לאו ממילא זקינה אסירה אלא הלכתא לרבי ישמעאל קראי לר' עקיבא ור' יוחנן אמר רבן גמליאל ובית דינו מדאורייתא בטיל להו מאי טעמא גמר שבת שבת משבת בראשית מה להלן היא אסורה לפניה ולאחריה מותרין אף כאן היא אסורה לפניה ולאחריה מותרין מתקיף לה רב אשי מאן דאמר הלכתא אתיא גזרה שוה עקרה הלכתא ומאן דאמר קרא אתיא גזרה שוה עקרה קרא אלא אמר רב אשי רבן גמליאל ובית דינו סברי לה כרבי ישמעאל דאמר הלכתא גמירי לה וכי גמירי הלכתא בזמן שבית המקדש קיים דומיא דניסוך המים אבל בזמן שאין בית המקדש קיים לא: אבל לא ממי הגשמים וממי הקילון: (א) בשלמא מי קילון איכא טירחא יתירא אלא מי גשמים מאי טירחא איכא אמר ר' אילעא א"ר יוחנן גזירה מי גשמים אטו מי קילון רב אשי אמר מי גשמים גופייהו לידי מי קילון אתו וקמיפלגי בדר' זירא דאמר ר' זירא אמר רבה בר ירמיה אמר שמואל [ב]נהרות המושכין מים מן האגמים מותר להשקות מהן בחולו של מועד מר אית ליה דרבי זירא ומר לית ליה דרבי זירא גופא אמר ר' זירא אמר רבה בר ירמיה אמר שמואל נהרות המושכין מים מן האגמים מותר להשקות מהן בחולו של מועד איתיביה רבי ירמיה לרבי זירא אבל לא ממי גשמים ולא ממי קילון אמר ליה ירמיה ברי [ג]הני אגמים דבבל כמיא דלא פסקי דמו תנו רבנן [ד]הפסיקות והבריכות שנתמלאו מים מעיו"ט אסור להשקות מהן בחולו של מועד ואם היתה אמת המים עוברת ביניהן מותר אמר רב פפא והוא שרובה של אותה שדה שותה מאותה אמת המים רב אשי אמר [ה]אע"פ שאין רובה של אותה שדה שותה כיון דקא משכא ואתיא מימר אמר אי לא שתיא לחד יומא תשתי לתרי ותלתא יומי ת"ר [ו]בריכה שנוטפת מים משדה בית השלחין זו מותר להשקות ממנה שדה בית השלחין אחרת והא עבידא דפסקא אמר ר' ירמיה [ז]ועדיין היא מטפטפת אמר אביי [ח]והוא שלא פסק מעיין ראשון תניא ר' שמעון בן מנסיא אומר שתי ערוגות זו למעלה מזו לא ידלה מן התחתונה וישקה את העליונה יותר על כן אמר [א]רבי אלעזר בר שמעון [ט]אפילו ערוגה אחת חציה נמוך וחציה גבוה לא ידלה ממקום נמוך וישקה למקום גבוה תנו רבנן [י]מדלין לירקות כדי לאוכלן ואם בשביל לייפותן אסור רבינא ורבה תוספאה הוו קא אזלי באורחא חזו לההוא גברא דהוה דלי דוולא בחולא דמועדא אמר ליה רבה תוספאה לרבינא ליתי מר לשמתיה א"ל והתניא מדלין לירקות כדי לאוכלן א"ל מי סברת מאי מדלין מדלין מיא מאי מדלין

רש"י

שנכנס לשביעית. כל שיש לו ליכנס לשביעית שאסור לחרוש לפני ר"ה: מה חריש רשות. בכל מקום: קציר העומר. מותר לקצור בשבת: שהיא של מצוה. אע"פ שמצא קצור קוצר דבעינן קצירה לשמה אבל אם מצא חרוש אינו חורש: הלכתא למישרא ילדה. עשר נטיעות עד ר"ה: קראי למיסר זקינה. שלשים יום קודם ראש השנה ואתו בית שמאי והלל וגזרו מפסח ועד עצרת: ממילא שמעת מינה. דזקינה אסור לחרוש: אלא הלכתא לרבי ישמעאל. דלא נפיק ליה מקראי דדריש לקרא לדרשה אחרינא להוציא קציר העומר: מדאורייתא בטלו. כלומר אשכחו סמך מן התורה להכי בטלו הלכתא: מאן דאמר הלכתא. דלפני ר"ה אסור: אתא גזירה שוה עקרה להלכתא. כלומר משום גזרה שוה דאינהו גמירו מנפשייהו משבת בטלו הלכתא הא אין אדם דן ג"ש מעצמו: כי גמירו הלכתא בזמן שבית המקדש קיים. וכי שרו רבן גמליאל ובית דינו בזמן שאין בית המקדש קיים: גזירה מי גשמים. דלמא אתי למעבד מי קילון: מי גשמים נמי אתי לידי מי קילון. כלומר כי מדלו מינה (ג) דלא הויא מליאה נעשית ממילא מי קילון שאינו מלא וטריחא מלתא: נהרות המושכין מן האגמים. השתא משמע ליה מי אגמים עבידא דפסקי: (ג) מותר להשקות מהן בחולו של מועד. ולא גזרי דלמא פסיקא מי אגמים ואזל וטרח ואייתי מן נהר אחר: ר' אילעא אמר ר' יוחנן דאמר גזרינן מי גשמים אפילו היכא דלא פסקי אטו מי קילון מדקאמר רב אשי מי גשמים לידי (ד) קילון אתי מכלל דר' יוחנן אסר אפילו דלא אתיא לידי מי קילון לית ליה דר' זירא דלא גזר: מיתיבי אבל לא מי קילון. דלמא מפסקי וטרח להוציא מן העמוק הכא נמי אמאי לא ניחוש דלמא מפסקי מי אגמים: א"ל כמיא דלא פסקי דמו. וליכא למיחש: פסיקות ובריכות. חדא מילתא היא: אם אמת המים עוברת ביניהן. בין הבריכות הללו מותר להשקות ממי גשמים דאי פסקי מי גשמים משקה מאמת המים: והוא שרובה של אותה שדה שותה מאותה אמת המים כו'. שיכול להשקות רוב השדה בפעם אחת מאותה אמת המים אבל אם אינו יכול להשקות בפעם אחת מאותה אמת המים רוב של שדה אינו משקה מפסיקות ובריכות דלמא מפסיק ואזיל: תישתי לתרי או תלתא יומי. מההיא אמת המים ולא טרח ומייתי מאמת המים אחרינא: בריכה שנטפה משדה בית השלחין זו מותר להשקות ממנה בית השלחין אחר. בית השלחין שהיה גבוה והיה מעיין נובע אצלו ובצד אחד היה בית השלחין נמוך ובין אלו בית השלחין היה בצד השלחין הנמוך בריכה קטנה וכשמשקים בית השלחין הגבוה מן המעיין נוטף טיפין מן בית השלחין הגבוה לתוך הבריכה הנמוכה מותר להשקות אותו בית השלחין הנמוך מאותה בריכה אע"ג דבריכה עבידא דפסקא הואיל ומטפטף בו מבית השלחין הגבוה מים שבאו לו מחמת המעיין: והא עבידא דפסקא. בריכה ואזיל ומייתי (ה): עדיין היא מטפטפת. מבית השלחין גבוה לתוך הבריכה דודאי לא פסקא: אמר אביי והוא שלא פסק מעיין. המטפטף מבית השלחין גבוה לבריכה מותר להשקות מבריכה לבית השלחין נמוך אבל אי פסיק מעיין אע"ג דעדיין מטפטף מבית השלחין גבוה לתוך הבריכה אין משקין מן הבריכה לבית השלחין נמוך דלמא פסיק ואזיל וטרח ומייתי ממעיין אחר: לא ידלה מן התחתון וישקה לעליון. דאיכא טירחא יתירא: מדלין לירקות. משמע שהוא דולה מים ומשקה לירקות כדי לאוכלן בחולו של מועד: ואם בשביל לייפותן. שיגדלו הירקות אסור דהרווחה היא: דהוה דלי דוולא. דולה דליות מים לירקות וחכמים לא התירו כי אם לבית השלחין בלבד: שלופי

תוספות

אלא אמר רב נחמן בר יצחק. האי אלא קאי אהאי דרבי יצחק (ו) לעיל כי גמירי הלכתא לשלשים יום לפני ראש השנה דהיינו באילנות זקנים לא תימא דלהכי אתיא הלכתא אלא סבר רב נחמן דאיסור שלשים לפני אומד חכמים ואף החמירו בהם בדבריהם ויש דמשבשי ליה להאי אלא דרב נחמן ואין להאריך בדבריהם:

מה להלן היא אסורה לפניה ולאחריה מותרין. ואי קשיא והא מפקינן מקרא במס' יומא פרק בתרא (דף פא:) דצריך לעשות תוספת גבי שבת בין בכניסתה בין ביציאתה להוסיפה מחול על הקודש איכא למימר ההוא פורתא לא קא חשיב כיון דלא הוי אלא כל שהוא וכי ההוא שיעורא נמי יהא מודה רבן גמליאל דצריך להוסיף: אלא אמר רב אשי רבן גמליאל כו'. כלומר ודאי מדאורייתא בטיל ולאו היינו טעמא כדקאמר אלא סבירא ליה כרבי ישמעאל וקא דייק רבן גמליאל מה שייכא תוספת שביעית גבי ניסוך שניתנו למשה גבי הדדי (ז) דבכל מקום שונה הני שלשה ביחד דכך ניתנו אלא ודאי למילף סמכינהו רחמנא:

בשלמא מי קילון כו' אלא מי גשמים. מיירי בכי האי גוונא דקים לן דלא פסקי ולית בהו איסור אלא מהאי טעמא דמפרש אבל אי פסקי אית להו איסורא כדלקמן דבכל מידי דפסיק איכא איסורא משום דאזיל ומייתי ממקום רחוק כיון שהתחיל להשקות שלא יפסיד שדהו הלכך איכא לאוקמי הכא דלא פסקי:

עין משפט נר מצוה

כז א מיי' פ"ז מהלכות תמידין הלכה ו סמג עשין קלט:
כח ב ג ד ה ו ז ח מיי' פ"ח מהלכות יו"ט הלכה א טוש"ע א"ח סי' תקלז סעיף ג:
כט ט מיי' שם הלכה ב טוש"ע שם סעיף ב:
ל י מיי' שם טוש"ע שם סעיף ד:

רבינו חננאל

עד ר"ה מכלל שאין חורשין לאילן עד ר"ה. ומן ההלכה שמענו. ולא מדב"ש וב"ה וערבה וניסוך המים הל"מ הן. ופריק ר' יצחק כי אתאי הלכתא א) פי' כדתנן בשביעית בפ' שני אין נוטעין ואין מבריכין ואין מרכיבין ערב שביעית פחות משלשים יום קודם ר"ה ואתו ב"ש ובית הלל התקינו מפסח לשדה לבן ומעצרת לשדה האילן ושקלו וטרו כי אתאי הלכתא למישרא ילדה. פי' כגון עשר נטיעות המפוזרות בבית סאה שהל"מ לחרוש להן כל בית סאה עד ר"ה למישרי ילדה להתיר החרישה לנטיעה שהיא ילדה. קראי למיסר זקינה פי' בחריש ובקציר שלמדנו ממנו איסור חרישה קודם ר"ה האיסור הזה לאילן שכבר עשה פרי וכבר זקן ואקשינן וכיון שהלכה להתיר החרישה לנטיעה הלא מתוך זאת אתה למד שהחרישה לאילן אסורה. (והשבנו שר' ישמעאל הוא שלמד איסור החרישה מן ההלכה דר' ישמעאל מוציא בחריש ובקציר לטעם אחר להתיר קצירת העומר בשבת ולפיכך הוא נצרך להלכה ללמד איסורי החרישה). ואסיקנא לה ר' ישמעאל סבר הל"מ הוא פי' כי הוא מוציא בחריש ובקציר לטעם אחר להתיר קצירת העומר [בשבת] ור"ע פליג עליה ואמר לאו הל"מ נינהו אלא קרא פי' מן בחריש ובקציר נינהו. ור' יוחנן אמר ר"ג מדאורייתא שרא להו גמר שבת שבת בראשית בג"ש מה ערב שבת בראשית מותר לעשות מלאכה עד שתחשך כלומר לפניה ולאחריה מותר אף ערב שביעית מותר עד ר"ה פירוש לפניה ולאחריה מותר. ודחי רב ששת מ"ד הלכה אתאי גזרה שוה ועקרתה להלכתא כו' אלא אמר רב אשי ר"ג ובית דינו סברי לה כר' ישמעאל דאמר הלכתא גמירי לה וכי גמירי הלכתא בזמן שבהמ"ק קיים דומיא דניסוך המים. אבל בזמן שאין בית המקדש קיים לא ולפיכך התיר. אבל אין משקין את השלחין לא ממי הגשמים ולא ממי הקילון ומקשינן בשלמא מי הקילון שהן כמו ביב מושך מים וצריך לדלות ולהשקות דאיכא טירחא לא. אלא מי גשמים דפתיחה סגי ליה מאי טירחא איכא. א"ר יוחנן גזירה כו'. רב אשי אמר גשמים גופייהו כשפוסק המטר אתי לידי מי קילון. כלומר צריך למלאות מהן בדלי במקום

הגהות הב"ח

(א) גמ' בשלמא מי קילון. נ"ב ל' הרמב"ם קילון כלומר בור עמוק וכן מי גשמים שמתקבצי' מהם אגמים וכשהגשמים פוסקים יתמו המים הבאים לאגמים ויצטרך להשקות מהם בדלי: (ב) רש"י ד"ה מי גשמים כו' כי מדלו מינה עד דלא הוי מליאה: (ג) ד"ה מותר כו' וד"ה רבי אילעא כו' הד"א: (ד) ד"ה ר' אילעא כו' לידי מי קילון: (ה) ד"ה והא עבידא כו' ואזיל ומייתי ממעיין אחר הס"ד: (ו) תוס' ד"ה אלא כו' אהאי דר' יצחק דלעיל דקאמר כי גמירי כו' לפי אומד חכמים הוא ואף: (ז) ד"ה אלא אר"א כו' דבכ"מ שונה הני שלשה ביחד. נ"ב אבל רש"י ז"ל פי' במס' סוכה דף לד דאלו שלשה נשאלו בבית המדרש ושמע השומע וגרסם כסדר ששמעם:

רש"י כת"י

וקציר. של תבואה הגדילה בשביעית כגון ספיחין או כגון שעבר חרש בשביעית אתה נוהג מנהג שביעית בשמינית שחייבת בביעור ואין קוצרין בה. ר' (שמואל) [ישמעאל]. לעולם בשבת משתעי כדכתיב ביום השביעי בחריש ובקציר תשבות וקא אתי לאשמועינן מה חריש רשות שאין חריש של מצוה לעולם. יצא קציר העומר שהיא מצוה. אע"פ שמצא קצור קוצר דבעי קצירה לשמה אבל אם מצא חרוש אינו חורש. הלכתא למשרי ילדה. נטיעות לחרוש עד ראש השנה. קראי למיסר זקנה. שלשים יום ואתו בית הלל וגזור מפסח עד שביעית והתנו שכל הרוצה לבטל יבא ויבטל ורבן גמליאל בטלינהו ואוקמינהו אדאורייתא ל' יום קודם ראש השנ'. אלא הלכתא. דילדה עד ראש השנה וזקנה עד עצרת לר' ישמעאל דלא מוקים לה לקרא בשביעית ואתו קראי לר' עקיבא למיסר זקנה שלשים יום לר' עקיבא לית ליה הלכתא למשרי ילדה וממילא הוא דקא שרי ר' עקיבא ילדה עד ראש השנה דאוקומי אילני בעלמא וזקינה למיסר מקראי ובית הלל אומר כר' ישמעאל או כר' עקיבא לדבריהו קא אסרי זקנ' ל' יום לפני ראש השנה ובית הלל גזרו מעצרת והתנו כל הרוצה לבטל יבטל. דאוריתא בטל. מדאורייתא ילפינן טעמיהו ולעולם עד ראש השנה. ככל שבת קרי שבת כראשית שבת שבתון יהיה לארץ [עי' ריטב"א]. אף כאן. שביעית לחוד בלא תוספת. ר' ישמעאל מאן דאמ' הלכתא את"א גזירה שוה. לשבת שבתון ושבת. אלא אמר ר' אשי רבן גמליאל ובית דינו סברי לה כר' ישמע' דאמ'. הני שלשים יום הלכתא נינהו. בזמן שבית המקדש קיים דומיא דניסוך המים. שלא בזמן בית המקדש לא הלך בטלוס. מי גשמים. שנתכנסו בעמק במקום אחד (ברש"י בריי"ף - בעומק אחד) מאי טירחא איכא. גזירה מי גשמים. דאי שרית ליה אתי למישרי מי קילון לפי שהן מי גשמים ואיכא משום טרחא יתירא. מי גשמים. נמי דרכן להתכנס (בעמק) [בעומק] וכיון שנטל מליין העמיקן והוו מי קילון מירולא הוא. נהרות. אריתא דדלאי נהר קטן. אגמים. מי גשמים נינהו ויש בהן רוב מים ונהרות המושכין ומקלחין מהן לא פסקי ר' יוחנן לית ליה דר' זירא דמדקאמ' רב אשי מי גשמים נמי לידי מי קילון אתי מכלל דר' יוחנן אסר אפילו בהנך דלא אתו [לידי] מי קילון שאין חסרין מחמת דילוי כגון הנהרות המושכין מן האגמים דגזר אטו מי קילון ורב אשי דמוקים למי גשמים דמתניתן בגשמים חסרים הבאין לידי מי קילון אבל מי גשמים שאינן חסרים כגון נהרות המושכין מן האגמים לא אסר דאית ליה דר' זירא. איתיביה ר' ירמיה. אבל לא ממי גשמים והני מי גשמים נינהו. אמ' ליה. ר' [זירא] ירמיה בני. הני אגמים דבבל וכו'. וכי קתני מתניתן אבל ממי גשמים החסרין ובאים לידי קילון קאמ' לא הני אגמי דבבל כמיא דלא פסקו דמי שיש בהן שפע מים [illegible]

שנתקבצו ופליגא בהא ר' זעירא דאמר נהרות המושכין מן האגם מותר להשקות מהן בחולו של מועד. ר' יוחנן אית ליה דר' זירא. ואסיקנא הני אגמים דבבל כמיא דלא פסקי דמו. ת"ר הבריכות והפסיקות שנתמלאו מים כו' בחולו של מועד אמת המים עוברת עליהן מותר. אמר רב אשי ואע"פ שאין רובה שותה אמת המים ואתיא לה לא חייש בתוכה המצפית שלחין אחרא. תנינן בריכה שנוטפת מים. כלומר נתמצו ונתקבצו מעיין ראשון. ותניא ר"ש בן מנסיא אומר ב' ערוגות זו למעלה מזו לא ידלה מן התחתונה וישקה לעליונה ואפי' ערוגה אחת חציה נמוך וחציה גבוה לא ידלה מן הנמוך וישקה את הגבוה. ת"ר מדלין מים כו'.

ואסיקנא

חשק שלמה על ר"ח א) נ"ל מן אתאי הלכתא ל' יום לפני ר"ה פי' כדתנן וכו'. ב) נ"ל שנתמלאו מים מעיו"ט אסור להשקות מהן בחולו של מועד.

[illegible]

The Gemara presents two answers:

אָמַר רַבִּי אִילְעָא אָמַר רַבִּי יוֹחָנָן – **R' Ill'a said in the name of R' Yochanan:** גְּזֵירָה מֵי גְשָׁמִים אַטּוּ מֵי קִילוֹן – **Rainwater is** prohibited as **a precaution on account of water of a well.**[19] רַב אַשִׁי אָמַר – **Rav Ashi,** however, **said:** מֵי גְשָׁמִים גּוּפַיְיהוּ לִידֵי מֵי קִילוֹן אָתוּ – The pool of **rainwater itself will** eventually **come to be** like the **water of a well,** i.e. it will require a pail.[20]

The Gemara comments:

וְקָמִיפַלְגֵי בִּדְרַבִּי זֵירָא – **And they** [R' Yochanan and Rav Ashi] **disagree with regard to** the teaching of **R' Zeira.** דְּאָמַר רַבִּי זֵירָא אָמַר רַבָּה בַּר יִרְמְיָה אָמַר שְׁמוּאֵל – **For R' Zeira said in the name of Rabbah bar Yirmiyah who said in the name of Shmuel:** נְהָרוֹת הַמּוֹשְׁכִין מַיִם מִן הָאֲגַמִּים – **Streams that draw water from ponds** containing rainwater, מוּתָּר לְהַשְׁקוֹת מֵהֶן בְּחוּלּוֹ שֶׁל מוֹעֵד – **it is permitted to water from them during Chol HaMoed.**[21] מַר אִית לֵיהּ דְּרַבִּי זֵירָא – One **master** [Rav Ashi] **subscribes to [the view] of R' Zeira** וּמַר לֵית לֵיהּ דְּרַבִּי זֵירָא – **whereas** the other **master** [R' Yochanan] **does not subscribe to [the view] of R' Zeira.**[22]

The Gemara discusses the ruling of R' Zeira:

גּוּפָא – The text **itself** stated: אָמַר רַבִּי זֵירָא אָמַר רַבָּה בַּר יִרְמְיָה אָמַר שְׁמוּאֵל – **R' Zeira said in the name of Rabbah bar Yirmiyah who said in the name of Shmuel:** נְהָרוֹת הַמּוֹשְׁכִין מַיִם מִן הָאֲגַמִּים – **Streams that draw water from ponds,** מוּתָּר לְהַשְׁקוֹת מֵהֶן בְּחוּלּוֹ שֶׁל מוֹעֵד – **it is permitted to water from them during Chol HaMoed.**

This ruling is challenged:[23]

אֵיתִיבֵיהּ רַבִּי יִרְמְיָה לְרַבִּי זֵירָא – **R' Yirmiyah challenged R' Zeira** on the basis of our Mishnah: אֲבָל לֹא מִמֵּי גְשָׁמִים וְלֹא מִמֵּי קִילוֹן – **HOWEVER** one may not water even an irrigated field **NEITHER FROM** a pool of **RAINWATER NOR FROM THE WATER OF A WELL,** because of the fear that the water level will decrease and cause the person to draw from the depths. Accordingly, here too we should be concerned that the water level in the ponds will drop. – ? –

R' Zeira answers:

אָמַר לֵיהּ – **He said to [R' Yirmiyah]:** יִרְמְיָה בְּרִי – **Yirmiyah, my son,** הָנֵי אֲגַמִּים דְּבָבֶל כְּמַיָּא דְּלָא פָּסְקִי דָּמוּ – **these ponds of Babylonia are like water which does not stop.**[24]

A related teaching:

תָּנוּ רַבָּנָן – **The Rabbis taught in a Baraisa:** הַפְּסִיקוֹת וְהַבְּרֵיכוֹת שֶׁנִּתְמַלְּאוּ מַיִם מֵעֶרֶב יוֹם טוֹב – **DITCHES AND POOLS THAT WERE FILLED WITH WATER FROM BEFORE THE FESTIVAL,** אָסוּר לְהַשְׁקוֹת מֵהֶן בְּחוּלּוֹ שֶׁל מוֹעֵד – **IT IS FORBIDDEN TO WATER FROM THEM DURING CHOL HAMOED.**[25] וְאִם הָיְתָה אַמַּת הַמַּיִם עוֹבֶרֶת בֵּינֵיהֶן מוּתָּר – **BUT IF A** spring-fed **WATER CHANNEL PASSES BETWEEN THEM, IT IS PERMITTED.**[26]

The Gemara cites an Amoraic dispute regarding this ruling:

אָמַר רַב פָּפָּא – **Rav Pappa said:** וְהוּא שֶׁרוּבָּהּ שֶׁל אוֹתָהּ שָׂדֶה שׁוֹתָה מֵאוֹתָהּ אַמַּת הַמַּיִם – **And this is** true **provided that a majority of that field drinks** (i.e. is capable of being watered) **from that water channel** at one time.[27] רַב אַשִׁי אָמַר – **Rav Ashi,** however, **said:** אַף עַל פִּי שֶׁאֵין רוּבָּהּ שֶׁל אוֹתָהּ שָׂדֶה שׁוֹתָה – **Even though the majority of that field does not drink** (cannot be watered) from the water channel at one time, nevertheless, כֵּיוָן דְּקָא מַשְׁכָא וְאָתְיָא – **since [the water] is constantly coming,** מֵימַר אָמַר – **[the person] will say:** אִי לָא שָׁתְיָא לְחַד יוֹמָא תִּשְׁתֵּי לִתְרֵי וּתְלָתָא יוֹמֵי – **If [the field] cannot drink on one day, it will drink over the next two or three days.**[28] He will therefore not go through the trouble of bringing water from a different source.[29]

NOTES

require the exertion of having to draw from it with a pail, for one simply guides the water [by tracing a path in the ground with his foot from the pool to the field and the water flows through automatically (see *Meiri* to Mishnah, 2a)], it should be permitted during Chol HaMoed (*Chidushei HaRan*).

19. I.e. although watering a field from a pool of rainwater should be permitted during Chol HaMoed, the Sages were concerned that if this were allowed people would come to draw water from a well (see *Rashi*), since a well too is comprised of rainwater (*Rashi ms.;* cf. *Chidushei HaRan*).

20. As water is removed from the pool, the water level will drop. Ultimately, therefore, even a rainwater pool will require the exertive activity of drawing with a pail (*Rashi*).

21. The ponds contain an abundance of rainwater, such that the streams which they feed are not in danger of running dry (*Rashi ms.; Talmid R' Yechiel MiParis*). [The standard *Rashi* contains at this point a comment (ד״ה נהרות המושכין) which states that the Gemara presently thinks that the ponds *are* capable of running dry. The consensus of Acharonim (*Keren Orah; Divrei David; Chazon Ish, Orach Chaim* 135), however, is that this comment is misplaced and belongs on the *next* piece of Gemara – see below, note 23).]

22. Rav Ashi stated that the only reason watering from a pool of rainwater is prohibited is the fear that the water level will drop to a point where it would become necessary to draw the water with a pail. Were it not for this concern, however, Rav Ashi would permit watering from a pool of rainwater. Accordingly, he subscribes to the view of R' Zeira who says that in the case of the pond-fed streams, where there is no fear of the water dropping to a low level, watering from them during Chol HaMoed is permissible. R' Yochanan, however, who says that even where there is no fear of the water level dropping we prohibit using a pool of rainwater because of a decree that one may come to draw water from a well, does not subscribe to the view of R' Zeira (*Rashi*).

23. The Gemara is currently under the impression that the ponds discussed by R' Zeira are capable of drying up (*Rashi* ד״ה נהרות המושכין – see above, note 21).

24. [R' Zeira had quoted his ruling in the name of Shmuel, who lived in Babylonia and was discussing the ponds and streams of his own country.] Since there is an abundance of water [in the ponds of Babylonia], there is no concern that the water will stop flowing into the streams. In the case of the Mishnah, however, there is reason to worry that the water level will drop, thereby creating the need to draw from the depths (*Rashi ms.*).

Although R' Zeira was in Eretz Yisrael at the time of this discussion with R' Yirmiyah, he was originally from Babylonia (see *Kesubos* 110b; see also *Rashi* below, 25b ד״ה רבי זירא). [He therefore could describe the conditions in Babylonia from firsthand knowledge] (see *Rashi ms.*).

25. פְּסִיקוֹת and בְּרֵיכוֹת both refer to reservoirs in which rainwater is kept (see *Rashi*), the difference being only that פסיקות are imperfectly finished whereas בְּרֵיכוֹת are well built (*Rashi ms.*). Since the amount of water in these reservoirs is limited, we are concerned that their water level will drop and the person will come to draw water with a pail (*Tos. HaRosh* in the name of *Raavad; Meiri*) or bring water from a distant water source, which would involve excessive exertion (*Rashi ms.*).

26. For even if the water in the reservoirs should become depleted, the person will be able to water from the channel (*Rashi*), which is constantly being fed from a spring (*Rashi ms.*).

27. [Though the channel is fed by a natural spring, siphoning off a large amount of water from it at one time can cause it to run dry temporarily.] Rav Pappa states that if at least a majority of the field can be watered from it before this occurs, one may water from the reservoirs (i.e. the ditches and pools), for between the channel and the reservoirs there is bound to be enough water to water the entire field (*Rashi ms.*). However, if a majority of the field cannot be watered at one time from the water channel, he may not use the water from the reservoirs, because of the fear that the water will be depleted (*Rashi*), and he will come to draw water with a pail or bring it from a distant source (see above).

28. Whatever watering I can accomplish today from the existing supply in the channel and reservoirs I will do, and whatever cannot be done today, I will do after the channel refills (*Rashi ms.*).

29. [*Raavad* (cited by *Nimukei Yosef*) and *Meiri* maintain that Rav Ashi's leniency applies only where the water channel empties into the reservoirs. In that case we say that the person will wait patiently until

שנכנס לשביעית וקציר של שביעית שיצא למוצאי שביעית ר' ישמעאל אומר מה חריש רשות אף קציר רשות [א]יצא קציר העומר שהיא מצוה אלא אמר רב נחמן בר יצחק כי גמירי הלכתא למישרי ילדה קראי למיסר זקינה וכיון דהלכתא למשרי ילדה לאו ממילא זקינה אסירה אלא הלכתא לרבי ישמעאל קראי לר' עקיבא ור' יוחנן אמר רבן גמליאל ובית דינו מדאורייתא בטיל להו מאי טעמא גמר שבת שבת משבת בראשית מה להלן היא אסורה לפניה ולאחריה מותרין אף כאן היא אסורה לפניה ולאחריה מותרין מתקיף לה רב אשי מאן דאמר הלכתא אתיא גזרה שוה עקרה הלכתא ומאן דאמר קרא אתיא גזרה שוה עקרה קרא אלא אמר רב אשי רבן גמליאל ובית דינו סברי לה כרבי ישמעאל דאמר הלכתא גמירי לה וכי גמירי הלכתא בזמן שבית המקדש קיים דומיא דניסוך המים אבל בזמן שאין בית המקדש קיים לא: אבל לא ממי הגשמים וממי הקילון: (א) בשלמא מי קילון איכא טירחא יתירא אלא מי גשמים מאי טירחא איכא אמר ר' אילעא א"ר יוחנן גזירה מי גשמים אטו מי קילון רב אשי אמר מי גשמים גופייהו לידי מי קילון אתו וקמיפלגי בדר' זירא דאמר ר' זירא אמר רבה בר ירמיה אמר שמואל [ב]נהרות המושכין מים מן האגמים מותר להשקות מהן בחולו של מועד מר אית ליה דרבי זירא ומר לית ליה דרבי זירא גופא אמר ר' זירא אמר רבה בר ירמיה אמר שמואל נהרות המושכין מים מן האגמים מותר להשקות מהן בחולו של מועד איתיביה רבי ירמיה לרבי זירא אבל לא ממי גשמים ולא ממי קילון אמר ליה ירמיה ברי [ג]הני אגמים דבבל כמיא דלא פסקי דמו תנו רבנן [ד]הפסיקות והבריכות שנתמלאו מים מעיו"ט אסור להשקות מהן בחולו של מועד ואם היתה אמת המים עוברת ביניהן מותר אמר רב פפא והוא שרובה של אותה שדה שותה מאותה אמת המים רב אשי אמר [ה]אע"פ שאין רובה של אותה שדה שותה כיון דקא משכא ואתיא מימר אמר אי לא שתיא לחד יומא תשתי לתרי ותלתא יומי ת"ר [ו]בריכה שנוטפת מים משדה בית השלחין זו מותר להשקות ממנה שדה בית השלחין אחרת והא עבידא דפסקא אמר ר' ירמיה [ז]ועדיין היא מטפטפת אמר אביי [ח]והוא שלא פסק מעיין ראשון תניא ר' שמעון בן מנסיא אומר שתי ערוגות זו למעלה מזו לא ידלה מן התחתונה וישקה את העליונה יותר על כן אמר (א) רבי אלעזר בר שמעון [ט]אפילו ערוגה אחת חציה נמוך וחציה גבוה לא ידלה ממקום נמוך וישקה למקום גבוה תנו רבנן [י]מדלין לירקות כדי לאוכלן ואם בשביל לייפותן אסור רבינא ורבה תוספאה הוו קא אזלי באורחא חזו לההוא גברא דהוה דלי דוולא בחולא דמועדא אמר ליה רבה תוספאה לרבינא ליתי מר לשמתיה א"ל והתניא מדלין לירקות כדי לאוכלן א"ל מי סברת מאי מדלין מדלין מיא מאי

מדלין

רש"י

שנכנס לשביעית. כל שיש לו ליכנס לשביעית שאסור לחרוש לפני ר"ה: מה חריש רשות. בכל מקום: קציר העומר. מותר לקצור בשבת: שהיא של מצוה. אע"פ שמלא קצור קוצר דבעינן קצירה לשמה אבל אם מלא חרוש אינו חורש: הלכתא למישרא ילדה. עשר נטיעות עד ר"ה: קראי למיסר זקינה. שלשים יום קודם ראש השנה ואתו בית שמאי והלל וגזרו מפסח ועד עצרת: ממילא שמעת מינה. דזקינה אסור לחרוש: אלא הלכתא לרבי ישמעאל. דלא נפיק ליה מקראי דדריש לקרא לדרשה אחרינא להוציא קציר העומר: מדאורייתא בטלו. כלומר אשכחו סמך מן התורה להכי בטלו הלכתא: מאן דאמר הלכתא. דלפני ר"ה אסור: אתא גזירה שוה עקרה להלכתא. כלומר משום גזרה שוה דאינהו גמירו מנפשייהו משבת בטלו הלכתא הא אין אדם דן ג"ש מעצמו: כי גמירו הלכתא בזמן שבית המקדש קיים. וכי שרו רבן גמליאל ובית דינו בזמן שאין בית המקדש קיים: גזירה מי גשמים. דלמא אתי למעבד מי קילון: מי גשמים נמי אתי לידי מי קילון. כלומר כי מדלו מינה (ב) דלא הויא מליאה נעשית ממילא מי קילון שאינו מלא וטריחא מלתא: נהרות המושכין מן האגמים. השתא משמע ליה מי אגמים עבידא דפסקי: (ג) מותר להשקות מהן בחולו של מועד. ולא גזרי דלמא פסיקא מי אגמים ואזל וטרח ואייתי מן נהר אחר: ר' אילעא אמר ר' יוחנן דאמר גזרינן מי גשמים אפילו היכא דלא פסקי אטו מי קילון מדקאמר רב אשי מי גשמים לידי (ד) קילון אתי מכלל דר' יוחנן אסר אפילו דלא אתיא לידי מי קילון לית ליה דר' זירא דלא גזר: מיתיבי אבל לא מי קילון. דלמא מפסקי וטרח להוציא מן העמוק הכא נמי אמאי לא ניחוש דלמא מפסקי מי אגמים: א"ל כמיא דלא פסקי דמו. וליכא למיחש: פסיקות ובריכות. חדא מילתא היא: אם אמת המים עוברת ביניהן. בין הבריכות הללו מותר להשקות ממי גשמים דאי פסקי מי גשמים משקה מאמת המים: והוא שרובה של אותה שדה שותה מאותה אמת המים כו'. שיכול להשקות רוב השדה בפעם אחת מאותה אמת המים אבל אם אינו יכול להשקות בפעם אחת מאותה אמת המים רוב של שדה אינו משקה מפסיקות ובריכות דלמא מפסיק ואזיל: תישתי לתרי או תלתא יומי. מההיא אמת המים ולא טרח ומייתי מאמת המים אחרינא: בריכה שנטפה משדה בית השלחין זו מותר להשקות ממנה בית השלחין אחר. בית השלחין שהיה גבוה והיה מעיין נובע מלדו ובלד אחד היה בית השלחין נמוך ובין אלו בית השלחין היה בלד השלחין הנמוך בריכה קטנה וכשמשקים בית השלחין הגבוה מן המעיין נוטף טיפין מן בית השלחין הגבוה לתוך הבריכה הנמוכה מותר להשקות אותו בית השלחין הנמוך מאותה בריכה אע"ג דבריכה עבידא דפסקא הואיל ומטפטף בו מבית השלחין הגבוה מים שבאו לו מחמת המעיין: והא עבידא דפסקא. בריכה ואזיל ומייתי (ה): עדיין היא מטפטפת. מבית השלחין גבוה לתוך הבריכה דודאי לא פסקא: אמר אביי והוא שלא פסק מעיין. המטפטף מבית השלחין גבוה לבריכה מותר להשקות מבריכה לבית השלחין נמוך אבל אי פסיק מעיין אע"ג דעדיין מטפטף מבית השלחין גבוה לתוך הבריכה לבית השלחין נמוך דלמא פסיק ואזיל וטרח ומייתי ממעיין אחר: לא ידלה מן התחתון וישקה לעליון. דאיכא טירחא יתירא: מדלין לירקות. משמע שהוא דולה מים ומשקה לירקות כדי לאוכלן בחולו של מועד: ואם בשביל ליפותן. שיגדלו הירקות אסור דהרווחה היא: דהוה דלי דוולא. דולה דליות מים לירקות וחכמים לא התירו כי אם לבית השלחין בלבד:

שלופי

תוספות

אלא אמר רב נחמן בר יצחק. האי אלא קאי אהאי דרבי יצחק (ו) לעיל כי גמירי הלכתא לשלשים יום לפני ראש השנה דהיינו באילנות זקנים לא תימא דלהכי אתיא הלכתא אלא סבר רב נחמן דאיסור שלשים לפי אומד חכמים ואף החמירו בהם בדבריהם ויש דמשבשי ליה להאי אלא דרב נחמן ואין להאריך בדבריהם:

מה להלן היא אסורה לפניה ולאחריה מותרין. ואי קשיא והא מפקינן מקרא במס' יומא פרק בתרא (דף פא:) דצריך לעשות תוספת גבי שבת בין בכניסתה בין ביציאתה להוסיפה מחול על הקודש איכא למימר ההוא פורתא לא קא חשיב כיון דלא הוי אלא כל שהוא וכי ההוא שיעורא נמי יהא מודה רבן גמליאל דצריך להוסיף: **אלא** אמר רב אשי רבן גמליאל כו'. כלומר ודאי מדאורייתא בטיל ולאו היינו טעמא כדקאמר אלא סבירא ליה כרבי ישמעאל וקא דייק רבן גמליאל מה שייכא תוספת שביעית גבי ניסוך שניתנו למשה גבי הדדי (ז) דבכל מקום שונה הני שלשה ביחד דלכך ניתנו אלא ודאי למילף סמכינהו רחמנא:

בשלמא מי קילון כו' אלא מי גשמים. מיירי בכי האי גוונא דקים לן דלא פסקי ולית בהו איסור אלא מהאי טעמא דמפרש אבל אי פסקי אית להו איסורא כדלקמן דבכל מידי דפסיק איכא איסורא משום דאזיל ומייתי ממקום רחוק כיון שהתחיל להשקות שלא יפסיד שדהו הלכך איכא לאוקמי הכא דלא פסקי:

מדלין

עין משפט נר מצוה

כז א מיי' פ"ז מהלכות תמידין הלכה ו סמג עשין קלט:

כח ב ג ד ה ו ז ח מיי' פ"ח מהלכות יו"ט הלכה א טוש"ע א"ח סי' תקלז סעיף ג:

כט ט מיי' שם הלכה ב טוש"ע שם סעיף ב:

ל י מיי' שם טוש"ע שם סעיף ד:

רבינו חננאל

עד ר"ה מכלל שאין חורשין לאילן עד ר"ה. ומן ההלכה שמענו. ולא מדב"ש וב"ה וערבה וניסוך המים הל"מ הן. ופריק ר' יצחק כי אתאי הלכתא א) פי' כדתנן בשביעית בפ' שני אין נוטעין ואין מבריכין ואין מרכיבין ערב שביעית פחות משלשים יום קודם ר"ה ואתו ב"ש ובית הלל התקינו מפסח לשדה לבן ומעצרת לשדה האילן ושקלו וטרו כי אתאי הלכתא למישרא ילדה. פי' כגון עשר נטיעות המפוזרות בבית סאה שהל"מ לחרוש להן כל בית סאה עד ר"ה למישרי ילדה להתיר החרישה לנטיעה שהיא ילדה. קראי למיסר זקינה פי' בחריש ובקציר שלמדנו ממנו איסור חרישה קודם ר"ה האיסור הזה לאילן שכבר עשה פרי וכבר זקן ואקשינן וכיון שהלכה להתיר החרישה לנטיעה הלא מתוך זאת אתה למד שהחרישה לאילן אסורה. (והשבנו שר' ישמעאל הוא שלמד איסור החרישה מן ההלכה דר' ישמעאל מוציא בחריש ובקציר לטעם אחר להתיר קצירת העומר בשבת ולפיכך הוא נצרך להלכה ללמד איסורי החרישה). ואסיקנא לה ר' ישמעאל סבר הל"מ הוא פי' כי הוא מוציא בחריש ובקציר לטעם אחר להתיר קצירת העומר [בשבת] ור"ע פליג עליה ואמר לאו הל"מ נינהו אלא קרא פי' מן בחריש ובקציר נינהו. ור' יוחנן אמר ר"ג מדאורייי' שרא להו גמר שבת שבת בראשית בג"ש מה ערב שבת בראשית מותר לעשות מלאכה עד שתחשך כלומר לפניה ולאחריה מותר אף ערב שביעית מותר עד ר"ה פירוש לפניה ולאחריה מותר. ודחי רב ששת מ"ד הלכה אתאי גזרה שוה ועקרתה להלכתא כו' אלא אמר רב אשי ר"ג ובית דינו סברי לה כר' ישמעאל דאמר הלכתא גמירי לה וכי גמירי הלכתא בזמן שבהמ"ק קיים דומיא דניסוך המים. אבל בזמן שאין בית המקדש קיים לא ולפיכך התיר. אבל אין משקין את השלחין לא ממי הגשמים ולא ממי הקילון ומקשינן בשלמא מי הקילון שהן כמו ביב מושך מים וצריך לדלות ולהשקות דאיכא טירחא לא. אלא מי גשמים דפתיחה סגי ליה מאי טירחא איכא. א"ר יוחנן גזירה כו'. רב אשי אמר גשמים גופייהו כשפוסק המטר אתי לידי מי קילון. כלומר צריך למלאות מהן בדלי במקום

מסורת הש"ס

א) [תוספתא פ"א].

הגהות הב"ח

(א) גמ' בשלמא מי קילון. נ"ב ל' הרמב"ם קילון כלומר בור עמוק וכן מי גשמים שמתקבצי' מהם אגמים וכשהגשמים פוסקים יתמו המים הבאים לאגמים ויצטרך להשקות מהם בדלי: (ב) רש"י ד"ה מי גשמים כו' כי מדלו מינה עד דלא הוי מליאה: (ג) ד"ה מותר כו' וד"ה רבי אילעא כו' הד"א: (ד) ד"ה ר' אילעא כו' לידי מי קילון: (ה) ד"ה והא עבידא כו' ואזיל ומייתי ממעיין אחר הס"ד: (ו) תום' ד"ה אלא כו' אהאי דר' יצחק דלעיל דקאמר כי גמירי כו' לפי אומד חכמים הוא ואף: (ז) ד"ה אלא אר"א כו' דבכ"מ שונה הני שלשה ביחד. נ"ב אבל רש"י ז"ל פי' במס' סוכה דף לד דאלו שלשה נשאלו בבית המדרש ושמע השומע וגרסם כסדר ששמעם:

רש"י כת"י

וקציר. של תבואה הגדילה בשביעית כגון ספיחין או כגון שעבר וזרע בשביעית אתה נוהג מנהג שביעית בשמינית שחייבת בביעור ואין סוחרין בה. ר' (שמואל) [ישמעאל]. לעולם בשבת משתעי כדכתיב ביום השביעי בחריש ובקציר תשבות וקא אתי לאשמועינן מה חריש רשות שאין חריש של מצוה לעולם. יצא קציר העומר שהיא מצוה. אע"פ שמלא קצור קוצר דבעי קצירה לשמה אבל אם מלא חרוש אינו חורש. הלכתא למשרי ילדה. נטיעות לחרוש עד ראש השנה. קראי למיסר זקנה. שלשים יום ואתו בית הלל וגזור מפסח עד שביעית והתנו שכל הרוצה לבטל יבא ויבטל ורבן גמליאל בטלינהו ואוקמינהו אדאוריתא ל' יום קודם רא' השנ'. אלא הלכתא. דילדה עד ראש השנה וזקנה עד עצרת לר' ישמעאל דלא מוקים לה לקרא בשביעית ואתו קראי לר' עקיבא למיסר זקנה שלשים יום דלר' עקיבא לית ליה הלכתא למשרי ילדה וממילא הוא דקא שרי ר' עקיבא ילדה עד ראש השנה דאוקומי אילני בעלמא וזקינה למיסר מקראי ובית הלל אומר כר' ישמעאל או כר' עקיבא דתרויהו קא אסרי זקנ' ל' יום לפני ראש השנה ובית הלל גזרו מעצרת והתנו כל הרוצה לבטל יבטל. דאוריתא בטל. מדאורייתא ילפינן טעמייהו ולעולם עד ראש השנה. ככל שבת קרי שבת בראשית שבת שבתון יהיה לארץ [עי' ריטב"א]. אף כאן. שביעית לאוד בלא תוספת. ר' ישמעאל מאן דאמ' הלכתא אתיא גזירה שוה. דשבת שבתון ושבת. אלא אמר ר' אשי רבן גמליאל ובית דינו סברי לה כר' ישמע' דאמ'. המקדש קיים דומיא דניסוך המים.

Another teaching on the topic of watering fields:

תָּנוּ רַבָּנָן – **The Rabbis taught in a Baraisa:** בְּרֵיכָה שֶׁנּוֹטֶפֶת מַיִם מִשָּׂדֶה בֵּית הַשְּׁלָחִין זוֹ – **A POOL INTO WHICH WATER TRICKLES FROM ONE IRRIGATED FIELD,** מוּתָּר לְהַשְׁקוֹת מִמֶּנָּה שָׂדֶה בֵּית הַשְּׁלָחִין אַחֶרֶת – **IT IS PERMITTED TO WATER FROM [THAT POOL] ANOTHER IRRIGATED FIELD.**[30]

The Gemara asks:

וְהָא עֲבִידָא דְּפַסְקָא – **But** the water in **[the pool] is likely to run out,** and this will cause the person to draw water from another source. Why then is it permitted?

The Gemara answers:

אָמַר רַבִּי יִרְמְיָה – **R' Yirmiyah said:** וַעֲדַיִין הִיא מְטַפְטֶפֶת – The case is **where [water] is still trickling** from the upper irrigated field into the pool. Thus we are not concerned that the pool will dry up.

The Gemara qualifies this ruling:

אָמַר אַבַּיֵי – **Abaye said:** וְהוּא שֶׁלֹּא פָּסַק מַעְיָין רִאשׁוֹן – **And this is provided that the first spring** which flows into the upper irrigated field **has not stopped** running.[31]

Another teaching on the topic of watering fields:

תַּנְיָא – **It was taught in a Baraisa:** רַבִּי שִׁמְעוֹן בֶּן מְנַסְיָא אוֹמֵר – **R' SHIMON BEN MENASYA SAYS:** שְׁתֵּי עֲרוּגוֹת זוֹ לְמַעְלָה מִזּוֹ – **TWO BEDS** in a field, **ONE HIGHER THAN THE OTHER,** לֹא יַדְלֶה מִן הַתַּחְתּוֹנָה וְיַשְׁקֶה אֶת הָעֶלְיוֹנָה – **ONE MAY NOT DRAW FROM** the water supply in **THE LOWER ONE AND WATER THE UPPER ONE,** because this involves excessive exertion. יוֹתֵר עַל כֵּן אָמַר רַבִּי אֶלְעָזָר בַּר שִׁמְעוֹן – **MOREOVER R' ELAZAR BAR SHIMON SAID:** אֲפִילוּ עֲרוּגָה אַחַת חֶצְיָהּ נָמוּךְ וְחֶצְיָהּ גָּבוֹהַּ – **EVEN ONE BED, HALF OF WHICH IS** on a **LOWER** level **AND HALF** on a **HIGHER** level, לֹא יַדְלֶה מִמָּקוֹם נָמוּךְ וְיַשְׁקֶה לְמָקוֹם גָּבוֹהַּ – **ONE MAY NOT DRAW FROM** the water supply in **THE LOWER PLACE AND WATER THE UPPER PLACE.**

Yet another teaching on the topic of watering fields:

תָּנוּ רַבָּנָן – **The Rabbis taught in a Baraisa:** מַדְלִין לִירָקוֹת כְּדֵי לְאוֹכְלָן – **WE MAY DRAW** (*madlin*) **FOR THE SAKE OF VEGETABLES IN ORDER TO EAT THEM** on Chol HaMoed.[32] וְאִם בִּשְׁבִיל לְיַיפּוֹתָן אָסוּר – **HOWEVER, IF** this is done **FOR THE SAKE OF IMPROVING THEM,** i.e. so that they should grow better for picking after the festival, **IT IS FORBIDDEN.**[33]

A related incident:

רָבִינָא וְרַבָּה תּוֹסְפָאָה הֲווּ קָא אָזְלֵי בְּאוֹרְחָא – **Ravina and Rabbah Tosfaah**[34] **were traveling along the road.** חֲזוּ לְהַהוּא גַּבְרָא דַּהֲוָה דָּלֵי דַּוְולָא בְּחוּלָּא דְמוֹעֲדָא – **They saw a certain man who was drawing** water **with a pail on Chol HaMoed** and watering a vegetable patch. אָמַר לֵיהּ רַבָּה תּוֹסְפָאָה לְרָבִינָא – **Rabbah Tosfaah said to Ravina:** לֵיתֵי מָר לְשַׁמְּתֵיהּ – **Let master come** and **excommunicate him** for violating a Rabbinic precept![35] אָמַר לֵיהּ – **[Ravina] said to [Rabbah Tosfaah]:** וְהָתַנְיָא – **But was it not taught in a Baraisa:** מַדְלִין לִירָקוֹת כְּדֵי לְאוֹכְלָן – **WE MAY DRAW FOR VEGETABLES IN ORDER TO EAT THEM?** Accordingly, this fellow, who may be watering the vegetables for the sake of eating them on Chol HaMoed, is doing no wrong. אָמַר לֵיהּ – **[Rabbah Tosfaah] responded:** מִי סָבְרַתְּ מַאי מַדְלִין מַדְלִין מַיָּא – **Do you think** that **what is** meant by ***madlin*** is **drawing water?** Certainly not! מַאי – Rather, **what is** meant by

NOTES

the reservoirs are replenished and will not hasten to draw water with a pail or bring it from a different source. But if the water channel merely passes *through* the field, but does not feed the reservoirs, watering from the reservoirs is forbidden. *Ritva,* however, disagrees and maintains that watering is permitted in either case.]

30. Two irrigated fields are situated on an incline, one higher than the other. There is a flowing spring adjacent to the upper field, and there is a pool between the upper and lower fields. Thus, when the upper field is watered from the spring, some of the water trickles into the lower pool. The Baraisa states that it is permitted to water the lower field from the water of this pool (*Rashi;* cf. *Rashi ms.* and *Tos. HaRosh*).

31. However, if the spring which waters the upper field stops flowing [as small springs are wont to do (*Chidushei HaRan*)], even though water is still dripping from the upper field into the pool, one may not water the lower field from the pool, because of the concern that the water will stop and he will come to labor to bring water from a different spring (*Rashi*).

32. At present the Gemara understands this to mean that one may draw *water* for the sake of *watering* vegetables if he intends to pluck and eat those vegetables on Chol HaMoed (*Rashi*), and the watering is necessary to keep them moist and fresh (*Rashi ms.; Talmid R' Yechiel MiParis*).

33. The Baraisa is discussing watering through means that do not involve exertion. We learned on 2a that while one may water an irrigated field on Chol HaMoed, for not to do so the entire festival may result in an irretrievable loss, watering a field which can subsist on rainwater is forbidden. The Baraisa now states that even a rain-watered field may be watered if the purpose in doing so is to enhance the plants growing there for consumption on Chol HaMoed. If, however, the person's intention is to improve the vegetables for use after the festival, watering is forbidden (*Rashi,* as explained by *Keren Orah*).

The foregoing explanation follows *Rashi.* Many commentators object to it, however, because the word מַדְלִין (and the words דָּלֵי דַּוְולָא in the story that follows) implies drawing with a pail, which involves exertion (*Tos. HaRosh; Rashash*). Rather, they explain the Baraisa to be discussing the restriction of excessive exertion. The Mishnah stated that even an irrigated field may not be watered through means that are overly strenuous. The Baraisa now teaches that even such means are permitted if this will provide for a festival need [צוֹרֶךְ הַמּוֹעֵד]). Accordingly, drawing water with a pail is permitted if the purpose is to moisten the vegetables for consumption on the festival (*Talmid R' Yechiel MiParis; Tos. HaRosh; Ritva*). [According to this explanation, when the Baraisa states that watering the vegetables to improve them [לְיַיפּוֹתָן] is forbidden, it is being imprecise, for watering through excessive exertion is prohibited even to avoid a loss. What the Baraisa really means is that any exertive watering performed *not for the sake of the festival* is forbidden, an *example* of which is watering vegetables to improve them for after the festival (*Maggid Mishneh, Hil. Yom Tov* 8:2; see *Bach* to *Orach Chaim* 537 ד״ה ירקות and *Hagahos R' Akiva Eiger* to *Taz* 537:3 for other ways of accounting for the word לְיַיפּוֹתָן according to this explanation).]

34. [See *Doros HaRishonim* vol. 6 ch. 10 for a discussion of the appellation "Tosfaah."]

35. The vegetables subsisted on rainwater, yet the man was watering them. The Rabbis permitted watering only an irrigated field (*Rashi*).

According to the alternative explanation cited in the previous note, the vegetable patch indeed required artificial watering for its growth. Rabbah Tosfaah objected to the man's deed, however, because he was drawing the water with a pail, which is strenuous labor and therefore forbidden even in an irrigated field *(Talmid R' Yechiel MiParis; Tos. HaRosh).*

שנכנסם לשביעית וקציר של שביעית שיצא למוצאי שביעית ר' ישמעאל אומר מה חריש רשות אף קציר רשות [א]יצא קציר העומר שהיא מצוה אלא אמר רב נחמן בר יצחק כי גמירי הלכתא למישרי ילדה קראי למיסר זקינה וכיון דהלכתא למשרי ילדה לאו ממילא זקינה אסירה אלא הלכתא לרבי ישמעאל קראי לר' עקיבא ור' יוחנן אמר רבן גמליאל ובית דינו מדאורייתא בטיל להו מאי טעמא גמר שבת שבת משבת בראשית מה להלן היא אסורה לפניה ולאחריה מותרין אף כאן היא אסורה לפניה ולאחריה מותרין מתקיף לה רב אשי מאן דאמר הלכתא אתיא גזרה שוה עקרה הלכתא ומאן דאמר קרא אתיא גזרה שוה עקרה קרא אלא אמר רב אשי רבן גמליאל ובית דינו סברי לה כרבי ישמעאל דאמר הלכתא גמירי לה וכי גמירי הלכתא בזמן שבית המקדש קיים דומיא דניסוך המים אבל בזמן שאין בית המקדש קיים לא: אבל לא ממי הגשמים וממי הקילון: (א) בשלמא מי קילון איכא טירחא יתירא אלא מי גשמים מאי טירחא איכא אמר ר' אילעא א"ר יוחנן גזירה מי גשמים אטו מי קילון רב אשי אמר מי גשמים גופייהו לידי מי קילון אתו וקמיפלגי בדר' זירא דאמר ר' זירא אמר רבה בר ירמיה אמר שמואל [ב]נהרות המושכין מים מן האגמים מותר להשקות מהן בחולו של מועד מר אית ליה דרבי זירא ומר לית ליה דרבי זירא גופא אמר ר' זירא אמר רבה בר ירמיה אמר שמואל נהרות המושכין מים מן האגמים מותר להשקות מהן בחולו של מועד איתיביה רבי ירמיה לרבי זירא אבל לא ממי גשמים ולא ממי קילון אמר ליה ירמיה ברי [ג]הני אגמים דבבל כמיא דלא פסקי דמו תנו רבנן [ד]הפסיקות והבריכות שנתמלאו מים מעיו"ט אסור להשקות מהן בחולו של מועד ואם היתה אמת המים עוברת ביניהן מותר אמר רב פפא והוא שרובה של אותה שדה שותה מאותה אמת המים רב אשי אמר [ה]אע"פ שאין רובה של אותה שדה שותה כיון דקא משכא ואתיא מימר אמר אי לא שתיא לחד יומא תשתי לתרי ותלתא יומי ת"ר [ו]בריכה שנוטפת מים משדה בית השלחין זו מותר להשקות ממנה שדה בית השלחין אחרת והא עבידא דפסקא אמר ר' ירמיה [ז]ועדיין היא מטפטפת אמר אביי [ח]והוא שלא פסק מעיין ראשון תניא ר' שמעון בן מנסיא אומר שתי ערוגות זו למעלה מזו לא ידלה מן התחתונה וישקה את העליונה יותר על כן אמר (א) רבי אלעזר בר שמעון [ט]אפילו ערוגה אחת חציה נמוך וחציה גבוה לא ידלה ממקום נמוך וישקה למקום גבוה תנו רבנן [י]מדלין לירקות כדי לאוכלן ואם בשביל לייפותן אסור רבינא ורבה תוספאה הוו קא אזלי באורחא חזו לההוא גברא דהוה דלי דוולא בחולא דמועדא אמר ליה רבה תוספאה לרבינא ליתי מר לשמתיה א"ל והתניא מדלין לירקות כדי לאוכלן א"ל מי סברת מאי מדלין מיא מאי מדלין

רש"י

שנכנם לשביעית. כל שיש לו ליכנס לשביעית שאסור לחרוש לפני ר"ה: מה חריש רשות. בכל מקום: קציר העומר. מותר לקצור בשבת: שהיא של מצוה. אע"פ שמלא קצור קוצר דבעינן קצירה לשמה אבל אם מלא חרוש אינו חורש: הלכתא למישרא ילדה. עשר נטיעות עד ר"ה: קראי למיסר זקינה. שלשים יום קודם ראש השנה ואתו בית שמאי והלל וגזרו מפסח ועד עצרת: ממילא שמעת מינה. דזקינה אסור לחרוש: אלא הלכתא לרבי ישמעאל. דלא נפיק ליה מקראי דדריש לקרא לדרשה אחרינא להוציא קציר העומר: מדאורייתא בטלו. כלומר אשכחו סמך מן התורה להכי בטלו הלכתא: מאן דאמר הלכתא. דלפני ר"ה אסור: אתא גזירה שוה עקרה להלכתא. כלומר משום גזרה שוה דאינהו גמירו מנפשייהו משבת בטלו הלכתא הא אין אדם דן ג"ש מעצמו: כי גמירו הלכתא בזמן שבית המקדש קיים. וכי שרו רבן גמליאל ובית דינו בזמן שאין בית המקדש קיים: גזירה מי גשמים. דלמא אתי למעבד מי קילון: מי גשמים נמי אתי לידי מי קילון. כלומר כי מדלו מינה (ב) דלא הויא מליאה נעשית ממילא מי קילון שאינו מלא וטריחא מלתא: נהרות המושכין מן האגמים. השתא משמע ליה מי אגמים עבידא דפסקי: (ג) מותר להשקות מהן בחולו של מועד. ולא גזרי דלמא פסיקא מי אגמים ואזל וטרח ואייתי מן נהר אחר: ר' אילעא אמר ר' יוחנן דאמר גזרינן מי גשמים אפילו היכא דלא פסקי אטו מי קילון מדקאמר רב אשי מי גשמים לידי (ד) קילון אתי מכלל דר' יוחנן אסר אפילו דלא אתיא לידי מי קילון לית ליה דר' זירא דלא גזר: מיתיבי אבל לא מי קילון. דלמא מפסקי וטרח להוציא מן העמוק הכא נמי אמאי לא ניחוש דלמא מפסקי מי אגמים: א"ל כמיא דלא פסקי דמו. וליכא למיחש: פסיקות ובריכות. חדא מילתא היא: אם אמת המים עוברת ביניהן. בין הבריכות הללו מותר להשקות ממי גשמים דאי פסקי מי גשמים משקה מאמת המים: והוא שרובה של אותה שדה שותה מאותה אמת המים כו'. שיכול להשקות רוב השדה בפעם אחת מאותה אמת המים אבל אם אינו יכול להשקות בפעם אחת מאותה אמת המים רוב של שדה אינו משקה מפסיקות ובריכות דלמא מפסיק ואזיל: תישתי לתרי או תלתא יומי. מההיא אמת המים ולא טרח ומייתי מאמת המים אחרינא: בריכה שנטפה משדה בית השלחין זו מותר להשקות ממנה בית השלחין אחר. בית השלחין שהיה גבוה והיה מעיין נובע מלדו ובלד אחד היה בית השלחין נמוך ובין אלו בית השלחין היה בלד השלחין הנמוך בריכה קטנה וכשמשקים בית השלחין הגבוה מן המעיין נוטף טיפין מן בית השלחין הגבוה לתוך הבריכה הנמוכה מותר להשקות אותו בית השלחין הנמוך מאותה בריכה אע"ג דבריכה עבידא דפסקא הואיל ומטפטף בו מבית השלחין הגבוה מים שבאו לו מחמת המעיין: והא עבידא דפסקא. בריכה ואזיל ומייתי (ה): עדיין היא מטפטפת. מבית השלחין גבוה לתוך הבריכה דודאי לא פסקא: אמר אביי והוא שלא פסק מעיין. המטפטף מבית השלחין גבוה לבריכה מותר להשקות מבריכה לבית השלחין נמוך אבל אי פסיק מעיין אע"ג דעדיין מטפטף מבית השלחין גבוה לתוך הבריכה אין משקין מן הבריכה לבית השלחין נמוך דלמא פסיק ואזיל וטרח ומייתי ממעיין אחר: לא ידלה מן התחתון וישקה לעליון. דאיכא טירחא יתירא. מדלין לירקות. משמע שהוא דולה מים ומשקה לירקות כדי לאוכלן בחולו של מועד: ואם בשביל ליפותן. שיגדלו הירקות אסור דהרווחה היא: דהוה דלי דוולא. דולה דליות מים לירקות וחכמים לא התירו כי אם לבית השלחין בלבד:

תוספות

אלא אמר רב נחמן בר יצחק. האי אלא קאי אהאי דרבי יצחק (ו) לעיל כי גמירי הלכתא לשלשים יום לפני ראש השנה דהיינו באילנות זקנים לא תימא דלהכי אתיא הלכתא אלא סבר רב נחמן דאיסור שלשים לפי אומד חכמים ואף החמירו בהם בדבריהם ויש דמשבשי ליה להאי אלא דרב נחמן ואין להאריך בדבריהם:

מה להלן היא אסורה לפניה ולאחריה מותרין. ואי קשיא והא מפקינן מקרא במס' יומא פרק בתרא (דף פא:) דצריך לעשות תוספת גבי שבת בין בכניסתה בין ביציאתה להוסיפה מחול על הקודש איכא למימר ההוא פורתא לא קא חשיב כיון דלא הוי אלא כל שהוא וכי ההוא שיעורא נמי יהא מודה רבן גמליאל דצריך להוסיף:

אלא אמר רב אשי רבן גמליאל כו'. כלומר ודאי מדאורייתא בטיל ולאו היינו טעמא כדקאמר אלא סבירא ליה כרבי ישמעאל וקא דייק רבן גמליאל מה שייכא תוספת שביעית גבי ניסוך שניתנו למשה גבי הדדי (ז) דבכל מקום שונה הני שלשה ביחד דלכך ניתנו אלא ודאי למילף סמכינהו רחמנא:

בשלמא מי קילון כו' אלא מי גשמים. מיירי בכי האי גוונא דקים לן דלא פסקי ולית בהו איסור אלא מהאי טעמא דמפרש אבל אי פסקי אית להו איסורא כדלקמן דבכל מידי דפסיק איכא איסורא משום דאזיל ומייתי ממקום רחוק כיון שהתחיל להשקות שלא יפסיד שדהו הלכך איכא לאוקמי הכא דלא פסקי:

מדלין

מסורת הש"ס

א) [תוספתא פ"א].

הגהות הב"ח

(א) גמ' בשלמא מי קילון. נ"ב ל' הרמב"ם קילון כלומר בור עמוק וכן מי גשמים שמתקבצי' מהם אגמים וכשהגשמים פוסקים יתמו המים הבאים לאגמים ויצטרך להשקות מהם בדלי: (ב) רש"י ד"ה מי גשמים כו' כי מדלו מינה עד דלא הוי מליאה: (ג) ד"ה מותר כו' וד"ה רבי אילעא כו' הד"א: (ד) ד"ה ר' אילעא כו' לידי מי קילון: (ה) ד"ה והא עבידא כו' ואזיל ומייתי ממעיין אחר הס"ד: (ו) תוס' ד"ה אלא כו' אהאי דר' יצחק דלעיל דקאמר כי גמירי כו' לפי אומד חכמים הוא ואף: (ז) ד"ה אלא אר"א כו' דבכ"מ שונה הני שלשה ביחד. נ"ב אבל רש"י ז"ל פי' במס' סוכה דף לד דאלו שלשה נשאלו בבית המדרש ושמע השומע וגרסם כסדר ששמעם:

רש"י כת"י

וקציר. של תבואה הגדילה בשביעית כגון ספיחין או כגון שעבר וזרע בשביעית אתה נוהג מנהג שביעית בשמינית שחייבת בביעור ואין סותרין בה. ר' (שמואל) [ישמעאל]. לעולם בשבת משתעי כדכתיב ביום השביעי בחריש ובקציר תשבות וקא אתי לאשמועינן מה חריש רשות שאין חריש של מצוה לעולם. יצא קציר העומר שהיא מצוה. אע"פ שמלא קצור קוצר דבעי קצירה לשמה אבל אם מלא חרוש אינו חורש. הלכתא למשרי ילדה. נטיעות לחרוש עד ראש השנה. קראי למיסר זקנה. שלשים יום ואתו בית הלל וגזור מפסח עד שביעית והתנו שכל הרוצה לבטל יבא ויבטל ורבן גמליאל בטלינהו ואוקמינהו אדאוריתא ל' יום קודם רא' השנ'. אלא הלכתא. דילדה עד ראש השנה וזקנה עד עלרת לר' ישמעאל דלא מוקים לה לקרא בשביעית ואתו קראי לר' עקיבא למיסר זקנה שלשים יום דלר' עקיבא לית ליה הלכתא למשרי ילדה וממילא הוא דקא שרי ר' עקיבא ילדה עד ראש השנה דאוקומי אילני בעלמא חקינה למיסר מקראי ובית הלל אומר כר' ישמעאל או כר' עקיבא דתרויהו קא אסרי זקנ' ל' יום לפני ראש השנה ובית הלל גזרו מעלרת והתנו כל הרוצה לבטל יבטל. דאוריתא בטל. מדאורייתא ילפינן טעמיהו ולעולם עד ראש השנה. ככל שבת קרי שבת בראשית שבת שבתון יהיה לארץ [עי' ריטב"א]. אף כאן. שביעית לחוד בלא תוספת. ר' ישמעאל מאן דאמ' הלכתא אתיא גזירה שוה. דשבת שבתון ושבת. אלא אמר ר' אשי רבן גמליאל ובית דינו סברי לה כר' ישמע' דאמ'. הני שלשים יום הלכתא נינהו. בזמן שבית המקדש קיים דומיא דניסוך המים. שלא בזמן בית המקדש לא הלכך בטלום. מי גשמים. שנתכנסו בעמק במקום אחד (ברש"י בריי"ף - בעומק אחד) מאי טירחא איכא. גזירה מי גשמים. דאי שרית ליה אתי למישרי מי קילון לפי שהן מי גשמים [illegible]

עין משפט נר מצוה

כז א מיי' פ"ז מהלכות תמידין הלכה ו סמג עשין קלט:

כח ב ג ד ה ו ז ח מיי' פ"ח מהלכות יו"ט הלכה א טוש"ע א"ח סי' תקלז סעיף ג:

כט ט מיי' שם הלכה ב טוש"ע שם סעיף ב:

ל י מיי' שם טוש"ע שם סעיף ד:

רבינו חננאל

עד ר"ה מכלל שאין חורשין לאילן עד ר"ה. ומן ההלכה שמענו. ולא מדב"ש וב"ה וערבה וניסוך המים הל"מ הן. ופריק ר' יצחק כי אתאי הלכתא א) פי' כדתנן בשביעית בפ' שני אין נוטעין ואין מבריכין ואין מרכיבין ערב שביעית פחות משלשים יום קודם ר"ה ואתו ב"ש ובית הלל התקינו מפסח לשדה לבן ומעצרת לשדה האילן ושקלו וטרו כי אתאי הלכתא למישרא ילדה. פי' כגון עשר נטיעות המפוזרות בבית סאה שהל"מ לחרוש להן כל בית סאה עד ר"ה למישרי ילדה להתיר החרישה לנטיעה שהיא ילדה. קראי למיסר זקינה פי' בחריש ובקציר שלמדנו ממנו איסור חרישה קודם ר"ה האיסור הזה לאילן שכבר עשה פרי וכבר זקן ואקשינן וכיון שהלכה להתיר החרישה לנטיעה הלא מתוך זאת אתה למד שהחרישה לאילן אסורה. (והשבנו שר' ישמעאל הוא שלמד איסור החרישה מן ההלכה דר' ישמעאל מוציא בחריש ובקציר לטעם אחר להתיר קצירת העומר בשבת ולפיכך הוא נצרך להלכה ללמד איסורי החרישה). ואסיקנא לה ר' ישמעאל סבר הל"מ הוא פי' כי הוא מוציא בחריש ובקציר לטעם אחר להתיר קצירת העומר [בשבת] ור"ע פליג עליה ואמר לאו הל"מ נינהו אלא קרא פי' מן בחריש ובקציר נינהו. ור' יוחנן אמר ר"ג מדאוריי' שרא להו גמר שבת שבת בראשית בג"ש מה ערב שבת בראשית מותר לעשות מלאכה עד שתחשך כלומר לפניה ולאחריה מותר אף ערב שביעית מותר עד ר"ה פירוש לפניה ולאחריה מותר. ודחי רב ששת מ"ד הלכה אתאי גזרה שוה ועקרתה להלכתא כו' אלא אמר רב אשי ר"ג ובית דינו סברי לה כר' ישמעאל דאמר הלכתא גמירי לה וכי גמירי הלכתא בזמן שבהמ"ק קיים דומיא דניסוך המים. אבל בזמן שאין בית המקדש קיים לא ולפיכך התיר. אבל אין משקין את השלחין לא ממי הגשמים ולא ממי הקילון ומקשינן בשלמא מי הקילון שהן כמו ביב מושך מים וצריך לדלות ולהשקות דאיכא טירחא לא. אלא מי גשמים דפתיחה סגי ליה מאי טירחא איכא. א"ר יוחנן גזירה כו'. רב אשי אמר גשמים גופייהו כשפוסק המטר אתי לידי מי קילון. כלומר צריך למלאות מהן בדלי במקום שנתקבצו ופליגא בהא דר' זעירא דאמר נהרות המושכין מן האגם מותר להשקות מהן בחולו של מועד. ר' יוחנן אית ליה דר' זירא. ואסיקנא דהני נהרות המושכין מן האגמים מותר משום דאגמי בבל כמיא דלא פסקי דמו. ת"ר הבריכות והפסיקות שנתמלאו מים ב) בחולו של מועד דחיישינן שמא יפסקו ויבואו למלאות בדלי ואם היתה אמת המים עוברת עליהן מותר. אמר רב אשי ואע"פ שאין רוב אותה שדה שותה מאותה אמת המים שרינן. [illegible]

חשק שלמה על ר"ח: [illegible]

[illegible]

מדלין שלופי כדתנן [א] המידל בגפנים כשם שהוא מידל בשלו כך הוא מידל בשל עניים דברי ר' יהודה רבי מאיר אומר בשלו רשאי ואינו רשאי בשל עניים אמר ליה והתניא מדלין מים לירקות כדי לאוכלן אמר ליה [ב] אי תניא תניא: ואין עושין עוגיות לגפנים: מאי עוגיות אמר רב יהודה בנבי [ג] תניא נמי הכי אלו הן עוגיות בדידין שבעיקרי זיתים ושבעיקרי גפנים איני והא רב יהודה שרא לבני בר ציתאי למעבד בנבי לכרמיהון לא קשיא [א] הא בחדתי הא בעתיקי: ר' אלעזר בן עזריה אומר אין עושין את האמה: בשלמא מועד משום דקא טרח אלא שביעית מאי טעמא פליגו בה רבי זירא ורבי אבא בר ממל חד אמר מפני שנראה כעודר וחד אמר מפני שמכשיר אגפיה לזריעה מאי בינייהו איכא בינייהו דקא אתו מיא בתריה מאן דאמר מפני שמכשיר אגפיה לזריעה איכא ומ"ד מפני שנראה כעודר ליכא ולמאן דאמר מפני שנראה כעודר ליחוש מפני שמכשיר אגפיה לזריעה אלא איכא בינייהו דקא שקיל מיניה ושדי לבראי למאן דאמר מפני שמכשיר אגפיה לזריעה ליכא למ"ד מפני שנראה כעודר איכא ולמ"ד מפני שמכשיר אגפיה לזריעה ליחוש מפני שנראה כעודר עודר נמי כי קא שקיל בדוכתיה מנח ליה אמימר מתני לה מפני שנראה כעודר וקשיא ליה דרבי אלעזר בן עזריה אדר' אלעזר בן עזריה ומי אמר ר' אלעזר בן עזריה כל שנראה כעודר אסור ורמינהי [ז] [ב] עושה אדם את זבלו אוצר ר' מאיר אוסר עד שיעמיק שלשה טפחים או עד שיגביה ג' טפחים היה לו דבר מועט מוסיף עליו והולך רבי אלעזר בן עזריה אוסר עד שיעמיק שלשה או עד שיגביה שלשה או עד שיתן על הסלע ר' זירא ור' אבא בר ממל חד אמר כגון שהעמיק וחד אמר זיבלו מוכיח עליו: ומתקנין את המקולקלת במועד: מאי מקולקלת אמר רבי אבא [ג] שאם היתה עמוקה טפח מעמידה על ששה טפחים פשיטא חצי טפח על שלשה טפחים כיון דלא עבר מיא לא כלום הוא טפחיים על שנים עשר דקא טרח טירחא יתירא לא טפחיים על שבעה מהו [ד] הכא חמשה קא מעמיק והכא חמשה קא מעמיק או דלמא כיון דאיכא טפח יתירא איכא טירחא טפי תיקו אביי [ה] שרא לבני בר המדך לשחופי נהרא רבי ירמיה [ו] שרא להו לבני סכותא למיכרא נהרא טמימא רב אשי שרא להו לבני מתא מחסיא לאקדוחי נהר בורניץ אמר כיון דשתו מיניה רבים כרבים דמי ותנן עושין כל צורכי רבים: ומתקנין את

קילקולי

רש"י

שלופי. כשהירקות רצופין נוטל מהן מבינתיים לאוכלן מותר ליפותן אסור בשביל ליפותן אותם שנשארים: **המידל.** תולש בגפנים שישנן ביחד יותר מדאי: **בשל עניים.** בפאה א"נ עוללות שאין לו לא כתף ולא נטף: **בנבי.** בורות תחת הגפנים וזיתים ונותן בהם מים: **עוגיות.** עגול סביב כמו עג עוגה ועמד בתוכה (תענית דף יט.) ובדידין נמי הן גומות: **ציתאי.** מקום: **למעבד בנבי.** עוגיות והיכי שרי והא תנן אין עושין עוגיות: **הא בחדתי.** שמעולם לא היו שם עוגיות אסור לעשות בחולו של מועד דאיכא טירחא יתירא אבל עתיקי שכבר היו לו שם עוגיות ונסתמו מותר לחזור ולחופרן בחולו של מועד: **מפני שנראה כעודר.** לצורך שביעית שהרי חופר כעודר: **שמכשיר אגפיה לזריעה.** כשחופר האמה ומניח העפר שבאמה על שפת האמה מתקן אגפיה לזריעה דעביד לה ארעא רכיכא: **דקא אתו מיא בתריה.** דכי חפר באמה אתו לאלתר מים בהדי חפירה: **מ"ד מפני שמכשיר אגפיה לזריעה איכא.** אע"ג דאתי מיא בתריה דהא שדא ארעא רכיכא אגפי האמה: **ומ"ד מפני שנראה כעודר ליכא.** דהא אתי מיא ובעודר ליכא מים ולכך לא דמי לעודר: **אלא.** לעולם דלא אתו מיא בתריה ואיכא בינייהו דשקיל ושדי לבראי דחפיר באמה ושדי עפר לבראי רחוק מאגפי אמה דלא מכשיר אגפיה לזריעה: **מאן דאמר מפני שנראה כעודר איכא.** דהא חפיר ולא אתו מיא בתריה: **בדוכתיה מנח ליה.** דלא שדי ארעא לבראי דלא עביד אלא מרכך ארעא אבל הכא שדי לבראי לכך לא דמי לעודר: **אמימר מתני.** בהדיא הא דאמר ר' אלעזר אין עושין את האמה בשביעית מפני שנראה כעודר: **עושה אדם זבלו אוצר.** שמכניס כל זבלו בשביעית בשדה ולא אמרינן דנראה כמזבל שדהו בשביעית: **עד שיעמיק שלשה טפחים.** ומכניס הזבל לשם דמוכחא מלתא דלא עביד כדי לזבל שדהו בשביעית: **היה לו מעט זבל.** באותה שדה קודם שביעית מוסיף עליו זבל והולך בשביעית ואין צריך להעמיק: **רבי אלעזר אוסר.** אפילו אם היה שם מעט זבל קודם שביעית להוסיף עליו בשביעית: **עד שיעמיק שלשה.** או שיתן הזבל על הסלע שבשדה דלא נראה כמזבל והיכי שרי רבי אלעזר לחפור ולהעמיק בשביעית ולא חייש לנראה כעודר: **כגון שהעמיק.** קודם לכן כלומר הא דאמר רבי אלעזר עד שיעמיק לא אמר עד שיעמיק בשביעית אלא שהיה עמוק קודם שביעית: **זבלו מוכיח עליו.** כלומר אע"ג דמעמיק בשביעית הוא נראה כעודר ואסור הכא מותר שהרי זבלו שמניח לשם מוכיח עליו דלא עביד משום עודר: **שאם היתה עמוקה טפח.** כלומר שלכתחילה היה שם אמת המים בת ששה טפחים ונסתמה עד טפח (א) מעמידה על ששה טפחים כלומר חוזר ומעמיק אותן חמשה טפחים שנסתמה: **חצי טפח על שלשה.** אם היתה בתחלה בת שלשה טפחים ונסתמה עד חצי טפח דודאי אינו חוזר וחופר אותן שני טפחים ומחצה אע"ג דהוי דומיא דהיתה עמוקה טפח ומעמידה על ו' טפחים: **כיון דמעיקרא לא עברי בה מיא.** כלומר ודאי באמה בת שלשה טפחים לא עברי בה מיא שפיר לא קודם לכן ולא עכשיו הוי טירחא דלא צריך: **טפחיים על שנים עשר.** דלכתחילה היתה של שנים עשר ונסתמה עד שני טפחים אסור להעמיק עוד עד י' טפחים על אותן שנים הראשונים משום דהוי טירחא יתירא דקא מעמיק כל כך ולהגביה קרקעית הגומא למעלה מששה טפחים: **טפחיים על שבעה טפחים.** ונסתמה עד שני טפחים: **מהו.** להעמיק אותן חמשה שנסתיירו: **הכא חמשה קא מעמיק.** דהיתה עמוקה טפח ומעמידה על ששה ולא הוי טירחא יתירא להעמיק כל כך בקרקע: **והכא.** נמי לא מעמיק במועד אלא חמשה טפחים: **כיון דאיכא טפח יתירא.** דלא צריך כל הטפח [דסגי בד']: **איכא טירחא טפי.** ששוהה עצמו בשביל אותו טפח יותר מדאי: **לשחופי נהרא.** לעקור ענפי אילנות הגדלים בנהר: **למיכרא נהרא טמימא.** לפנות מקור המעיין שנסתם: **לאקדוחי נהרא.** לפנות שירטון שבאמצע הנהר: **בורניץ.** שם הנהר:

קילקולי

תוספות

[ה] **מדלין** לירקות. ממקום עמוק קרי דילוי ואע"ג דאיכא טירחא יתירא בשביל לאכול התירו אבל לייפות אפילו ליכא טירחא לא התירו: **כך** מידל בשל עניים. דכי אסר רחמנא ליקט עוללות ה"מ בשעת בצירה כדכתיב (דברים כד) כי תבצור כרמך לא תעולל איסור עוללות עלייהו:

מפני שמכשיר אגפיה לזריעה. ונראית חרישה ממש שסבורין הרואין שלכך מתכוין אי נמי חשיב ליה עבודת קרקע ממש ואע"ג שאינו מתכוין לכך מיהו מלאכה היא ואע"ג דאמר ר' שמעון דבר שאין מתכוין מותר הא אמרינן [ו] מודה ר' שמעון בפסיק רישיה ולא ימות ורבנן סברי כיון דע"י שינוי עביד ליה לאו מלאכה היא ומותר דלא שמיה חרישה:

זבלו מוכיח עליו. דליכא למיחש להא דמאן דחזי החפירה ([ז] לא) חזי ליה (ב) לזבל שבחפירה:

בדוכתא מנח ליה בסמוך ואינו מפזרו. **אמימר מתני לה.** למתני' בהדיא טעמ' דר' אליעזר גבי שביעית לפי שנראה כעודר. **את זבלו אוצר.** שרשאי לצבור אותו ולאספו בשביעית במקום אחד דמוכח מילתא דלאוצר קא עביד'. **ר' מאיר אוסר.** מפני שמזבל את מקומו. **עד שיגביה שלשה.** גל של עלים או של אבנים גבוה שלשה וזרקן עליו או שיעשה לו גומא שלשה טפחים דאינו נראה כמזבל דאינו יכול לזרוע שם לאחר שהעביר את זבלו אלא אם כן ממלאהו קרקע. **היה לו.** שם מעט קודם לכן אינו נראה כמזבל. **עד שיעמיק שלשה.** והא הכי דכי חופר בשביעית להעמיק שלשה לזבל נראה כעודר וקא שרי. **שהעמיק.** קודם לכן קודם שביעית. **ומתקנין את המקולקלת** אפי' לר' אליעזר. אמת המים רחבה אמה ועמוקה אמה ועל שם כך נקראת אמה והכי נקט על ששה טפחים באמה בת ששה טפחים. **שאם היתה עמוקה טפח.** שנתקלקלה ונמלאה עפר עד שעמדה לטפח או שאין בה אלא טפח שלא חפר בה אלא טפח מתקנין אותה ומעמידין אותה על ששה טפחים. **פשיט'.** בניחותא. **חצי טפח.** אם היתה האמה עמוקה [חצי] טפח ורוצה להעמידה על ג' דהיינו ו' חצאי (זיתים) [טפחים]. **לא כלום הוא.** דאע"ג דכי אית ביה טפח מעמידה על ששה טפחים כי לית ביה אלא חצי טפח אינו יכול להעמידה על ו' חצאי טפחים דחצי טפח לא חשיב ולא מידי והוי כאילו התחלה ואסור. **טפחיים על שנים עשר.** טפחים שרוצה להוסיף פי ששה חלקים שהיו בה דהיינו נמי דקאמ' היתה עמוקה טפח מעמידה על ששה דקא טרח בחתירה טירחא יתירא כשכורה וזורק הקרקע לחוץ. **המדך.** שם הכפר. (לסחופי) [לשחופי]. לנקות מחמת עפר וצרורות שנפלו בו קורי"ש בלע"ז. **למיכרא נהרא טמימא.** לכרות נהר שנטמם מחמת עפר וצרורות שנפלו בו ומעכבין את המים מלקלח. **לאקדוחי.** לשון מקדח כלומר להרוית נקב כדי שיקלחו מימיו יפה וטירחא יתירא היא. **נהרא בירן.** [שם מקום].

עין משפט נר מצוה

לא א מיי' פ"ח מהלכות י"ט הלכה ג טוש"ע א"ח סי' תקלז סעיף ה:

לב ב מיי' פ"ב מהלכות שמיטה הלכה ב:

לג ג ד מיי' פ"ח מהל' י"ט הלכה ג סמג לאוין עה טוש"ע א"ח סי' תקלז סעיף ו:

לד ה ו מיי' שם הלכה ד סמג שם טוש"ע א"ח סי' תקמד ס"ב:

רבינו חננאל

ואסיקנא מדלין מים לירקות כדי לאוכלן ואם בשביל לייפותן אסור. ולית האי מדלין מלשון שלופי כדתנן המדל בגפנים כו' [ואין עושין עוגיות] פי' עוגה והן בדידין שבעיקרי אילנות כדתנן במס' כלים פ' כ"ט יד הבדיד ד' והנ"מ בחדתא אבל בעתיקא למיעבד בנבי שרי: (מתני') [פיסקא] ר' אלעזר בן עזריה אומר אין עושין את האמה בתחלה בין [במועד ובין] בשביעית. ומקשינן בשלמא במועד משום טירחא אלא שביעית אמאי לא. ופרקינן כיון שחופר נראה כעושה מלאכה בשביעית בשדה. וי"א מפני שמכשיר אגפיה לזריעה כלומר כיון שחופר נמצא כחורש באמצע ומכשיר הצדדין לזריעה כו'. אמימר מתני לה מפני שנראה כעודר. וקשיא ליה ומי א"ר אלעזר הכי שכל החופר ומעמיק נראה כעודר. והא איהו דאמר שחופר עד ג' ולא גזר משום עודר דתנן במס' שביעית פ"ג עושה אדם זבלו אוצר ר"מ אוסר עד שיעמיק ג' טפחים או עד שיגביה ג' או שיתן על הסלע ופרקינן ר' זירא ור' אבא בר ממל חד אמר כגון שהעמיק קודם לכן וחד אמר זבלו מוכיח עליו שאינו עודר: **פיסקא.** וחכ"א עושה אדם אמת המים בתחלה בשביעית ומתקנין את המתקלקלות במועד. מאי מקולקלות. א"ר אבהו שאם היתה עמוקה טפח חופרה ומעמידה עד ששה טפחים נמצא מוסיף ה' טפחים. ומיבעיא לן אמה שיש בה טפחיים מהן לחפור ה' האחרות ולהעמידה על ז' טפחים דחמשה נמי הוא וקא מוסיף ועלתה בתיקו: ומתקנין קילקולי המים שברה"ר. אביי שרא לבני בר הרמך לסחופי נהרא. ור' ירמיה שרא לבני סכותא למכרא נהרא סתום ולפותחו ור' אסי שרא לאקדוחי נהר ביצין אמר כיון דשתו מיניה רבים כרבים דמי ותנן עושין כל צורכי רבים:

פיסקא

מסורת הש"ס

א) פאה פרק ז מ"ה, ב) [שבת קטו: וש"נ], ג) [תוספתא פ"א ע"ש תוספתא דשביעית פ"א], ד) [שביעית פ"ג מ"ג], ה) שייך מעב"ל, ו) שבת עה., ז) [צ"ל הא וכן איתא בתוי"ט דשביעית פ"ג מ"ג].

הגהות הב"ח

(א) רש"י ד"ה שאם היתה כו' ונסתמה עד טפח וחזר ומעמידה עד ששה: (ב) תוס' ד"ה זבלו כו' חזי ליה נמי לזבל:

רש"י כת"י

המידל בגפנים. שמוכות האשכולות ביותר ונוטל מבינתים להרוית הגפן ולתקנן. **כך [הוא] מידל.** עוקר בשל עניים פאה שהוא עתיד להניח בסוף שדהו או נמי עוללות שאין בה לא כתף ולא נטף מודל אותו ועוקרו כדי להרוית הגפן. **ר' מאיר אומ'.** אינו רשאי לעקור את של עניים שנות להם הרבה ביעונים יפים ממעט ומשובחים. ה"ג **והתניא מדלין מים לירקות כדי לאכלן.** מדקתני מים אלמא לאו שלופי הוא. **אי תניא תניא.** כיון דמשכחת בריתא דמדלין לשון דליית מים תניא בריתא עיקר הוא. (דרך גפנים לעשות עוגיאות להתכנס מים). **(באנבי) [בנבין].** חריץ שעושין סביב לגפן בלכי לשון ארמי הוא. **(עוגיאות) [עוגיות].** דרך גפנים לעשות עוגיאות עגול סביב להתכנס מים. עגול סביב כמו עג עוגה ועמד בתוכה. (...קים להו עיגולאות לא קים להו שבעיקרי זיתים וכו' בעיקרי הגפן...). **שרא (להו) למעבד (באנבי) [בנבי].** ואם היינו עוגיאות היכי שרי להו והתנן אין עושין וכו'. **(ברציתא) [בני בר ציתאי].** שם. **בחדתי.** חדשות אסור לעשותן במועד בתחלה. **בעתיקי** שנתקלקלו ועפר נפל לתוכן מתקנין אותן במועד. **אמה בשביעית.** מאי טעמא לא. **כעודר.** כחופר לצורך שביעית. **שמכשיר.** מתקן אגפיה לזריעה שזורק קרקע שנוטל מן האמה על האגפים ויכול לזרוע עליו שהוא מיתום הילכך אסור בשביעית. **דקא אתו מיא בתריה.** שמתחיל וחופר מצד המים וכל שעה שהולך וחופר המים באין ואין זה כעודר. **ושדי לבראי.** לחוץ ברחוק משם ומתפזרת אילך ואילך ואינה נכשרת לזרוע עליה. **עודר נמי.** ליכא דעודר לחרישה כי קא שקיל וחפר ליה

מַדְלִין – *madlin*? שְׁלוּפֵי – **Pulling out** vegetables from among other vegetables.[1] Where do we find the word *madlin* used in this sense? כִּדְתְנַן – **As we learned in a Mishnah:**[2] הַמֵּידֵל בַּגְּפָנִים – ONE WHO THINS OUT (*meidel*) VINES, i.e. he uproots some of the vines of a group that is planted too densely together, כְּשֵׁם שֶׁהוּא מֵידֵל בְּשֶׁלּוֹ כָּךְ הוּא מֵידֵל בְּשֶׁל עֲנִיִּים – JUST AS HE THINS OUT WITHIN HIS OWN vines, SO MAY HE THIN OUT WITHIN [THE VINES] OF THE POOR.[3] דִּבְרֵי רַבִּי יְהוּדָה – These are THE WORDS OF R' YEHUDAH. רַבִּי מֵאִיר אוֹמֵר – R' MEIR SAYS: בְּשֶׁלּוֹ רַשַּׁאי – WITHIN HIS OWN vines HE IS PERMITTED to thin out, וְאֵינוֹ רַשַּׁאי בְּשֶׁל עֲנִיִּים – BUT HE IS NOT PERMITTED to do so WITHIN THOSE OF THE POOR.[4] Thus, the Baraisa above does not mean that we may water a vegetable patch, and, accordingly, this person who watered his vegetable patch is deserving of excommunication. אֲמַר לֵיהּ – [Ravina] said to [Rabbah Tosfaah]: וְהָתַנְיָא – **But it was** specifically **taught in a** different **Baraisa:** מַדְלִין מַיִם לִירָקוֹת כְּדֵי לְאוֹכְלָן – WE MAY DRAW *WATER* FOR VEGETABLES IN ORDER TO EAT THEM.[5] אֲמַר לֵיהּ – [Rabbah Tosfaah] said to [Ravina]: אִי תַּנְיָא תַּנְיָא – **If it was taught in a Baraisa, it was taught,** and I retract my opinion.

The Mishnah stated:
וְאֵין עוֹשִׂין עוּגִיּוֹת לַגְּפָנִים – ONE MAY NOT MAKE *UGIYOS* FOR THE GRAPEVINES.

The Gemara inquires:
מַאי עוּגִיּוֹת – **What are** *ugiyos*?

The Gemara answers:
אָמַר רַב יְהוּדָה – **Rav Yehudah said:** בִּנְכֵי – **Ditches** (*binkei*) dug around the roots of the grapevines for the sake of gathering water.[6]

The Gemara cites support for this definition:
תַּנְיָא נַמִּי הָכִי – **It was also taught so in a Baraisa:** אֵלּוּ הֵן עוּגִיּוֹת – WHAT ARE *UGIYOS*? בְּדִידִין שֶׁבְּעִיקְּרֵי זֵיתִים וְשֶׁבְּעִיקְּרֵי גְפָנִים – DITCHES dug ABOUT THE ROOTS OF THE OLIVE TREES AND ABOUT THE ROOTS OF THE GRAPEVINES.

The Gemara asks:
אֵינִי – **Is it** really **so** that *ugiyos* means ditches around grapevines? וְהָא רַב יְהוּדָה שָׁרָא לִבְנֵי בַּר צִיתַאי לְמֶעְבַּד בִּנְכֵי לְכַרְמֵיהוֹן – **But Rav Yehudah permitted the people of Bar Tzisai**[7] **to make ditches for their vineyards** during Chol HaMoed! – ? –

The Gemara answers:
לֹא קַשְׁיָא – **There is no difficulty.** הָא בְּחַדְתֵי – **This** one [the Mishnah's ruling] refers **to new [ditches],** הָא בְּעַתִּיקֵי – whereas **that** one [the ruling of Rav Yehudah] refers **to old ones.**[8]

The Mishnah stated:
רַבִּי אֶלְעָזָר בֶּן עֲזַרְיָה אוֹמֵר אֵין עוֹשִׂין אֶת הָאַמָּה – R' ELAZAR BEN AZARYAH SAYS: ONE MAY NOT DIG A new IRRIGATION CANAL during Chol HaMoed and *shemittah*.

The Gemara asks:
בִּשְׁלָמָא מוֹעֵד – **It is understandable** that digging a new irrigation canal is forbidden during **Chol HaMoed,** מִשּׁוּם דְּקָא טָרַח – **because** by doing so **[the person] is exerting himself.** אֶלָּא שְׁבִיעִית מַאי טַעְמָא – **But** with regard to ***shemittah*, what is the reason**?[9]

The Gemara answers:
פְּלִיגוּ בָהּ רַבִּי זֵירָא וְרַבִּי אַבָּא בַּר מַמָּל – **R' Zeira and R' Abba bar Mammal disagree about [the matter].** חַד אָמַר – **One says** the reason is מִפְּנֵי שֶׁנִּרְאֶה כְּעוֹדֵר – **because he appears as if he is hoeing** for the sake of the crops of the *shemittah* year.[10] וְחַד אָמַר – **And** the other **one says** מִפְּנֵי שֶׁמַּכְשִׁיר אֲגַפֶּיהָ לִזְרִיעָה – it **is because he** thereby **prepares [the canal's] banks for sowing.**[11]

The Gemara analyzes the two views:
מַאי בֵּינַיְיהוּ – **What is** the practical difference **between them?** אִיכָּא בֵּינַיְיהוּ דְּקָא אָתוּ מַיָּא בַּתְרֵיהּ – **The difference between them is** in a case **where** as he digs, **water** immediately **enters after him** into the canal.[12] מַאן דְּאָמַר מִפְּנֵי שֶׁמַּכְשִׁיר אֲגַפֶּיהָ לִזְרִיעָה – According to **the one who says** it is **because he prepares its banks for sowing,** אִיכָּא – **there is** still reason to prohibit the digging, וּמַאן דְּאָמַר מִפְּנֵי שֶׁנִּרְאֶה כְּעוֹדֵר – **whereas** according to **the one who says** it is **because he appears as if he is hoeing,** לֵיכָּא – **there is no** reason to forbid it.[13]

NOTES

1. [The word מַדְלִין, which means "draw out," refers not to drawing water but to uprooting ("drawing") vegetables from the ground.]

When vegetables are too densely concentrated [their normal capacity for drawing nourishment is hampered, and this stifles their growth]. The grower will therefore sometimes uproot a number of them in order to improve the growth of the remaining ones. This is permitted during Chol HaMoed, provided that the vegetables which are uprooted will be eaten on the festival. [Although obviously the person also intends to benefit the remaining vegetables, or else he would pull out the vegetables consecutively rather than every other one, it is still permitted, since he *also* intends to eat the vegetable he picks (*Talmid R' Yechiel MiParis; Ritva*).] If, however, the picking is done [*only*] for the sake of improving the remaining vegetables, it is prohibited (*Rashi*).

2. *Pe'ah* 7:5.

3. Along with his own vines, he may thin out the vines belonging to the poor.

"Those of the poor" refers to vines growing in the section of the vineyard that the owner designates as *pe'ah* [literally: corner; a part of the crop which must be left standing and is designated as the property of the poor], or to the *oleilos* [clusters of grapes that have not developed normally, and are also the property of the poor (see Mishnah, *Pe'ah* 7:4)] (see *Rashi*). This is permitted, for by so doing he improves the remaining crop (*Rashi ms.*; cf. *Tosafos* ד״ה כך מידל). Presumably the poor would approve of this.

4. R' Meir maintains that the poor would rather have an abundance of average quality crops than a lesser amount of high quality crops (*Rashi ms.*)

5. This Baraisa mentions the word *mayim,* water, which makes it clear that the expression *madlin* refers to drawing water and not to plucking vegetables (*Rashi ms.*).

6. [*Binkei,* the Aramaic word for ditches, was more familiar to the Jews of Babylonia that the Mishnaic word *ugiyos* (*Rashi ms.*).]

7. [*Rashi.* Other texts have לְבֵי בַּר צִיתַאי, *to the family of Bar Tzisai.* According to this reading, Bar Tzisai is the name of a person (*Talmid R' Yechiel MiParis;* see also *Yevamos* 21b where this family is mentioned; see also *Rashash*).]

8. The Mishnah was referring to digging new ditches in virgin soil. This involves strenuous labor and is therefore forbidden on Chol HaMoed. Rav Yehudah's ruling, however, referred to unclogging old ditches [from the dirt that fell into them (*Rashi ms.*)]. This is a relatively easy task and is therefore permitted (*Rashi*).

9. Since this is not a labor which is related to growing crops, why should it be forbidden during *shemittah*? It cannot be because of exertion, for exertion during *shemittah* is not forbidden (*Talmid R' Yechiel MiParis*).

10. Since digging is similar to hoeing (*Rashi*).

11. By digging the canal and placing the earth on the banks of the canal, he prepares the banks for planting, for the earth that he places there is now soft and loose (*Rashi*). [Although the person does not *intend* to prepare the banks for sowing, since this is an *inevitable consequence* of his action, it is forbidden (*Tosafos,* second explanation).]

12. I.e. he starts digging the canal next to water so that, as he digs, water flows in (*Rashi ms.*).

13. The fact that water immediately fills the space dug up shows that he has no intention for hoeing that spot. The banks are nevertheless prepared for sowing (*Rashi*).

עין משפט
נר מצוה

לא א מיי' פ"ח מהלכות י"ט הלכה ג טוש"ע א"ח סי' תקלז סעיף ה:
לב ב מיי' פ"ב מהלכות שמיטה הלכה ג:
לג ג ד מיי' פ"ח מהל' י"ט הלכה ג סמג לאוין עה טוש"ע א"ח סי' תקלז סעיף ו:
לד ה ו מיי' שם הלכה ד סמג שם טוש"ע א"ח סי' תקמד ס"ב:

רבינו חננאל

ואסיקנא מדלין מים לירקות כדי לאוכלן ואם בשביל לייפותן אסור. ולית האי מדלין מלשון שלופי כדתנן המדל בגפנים כו' [ואין עושין עוגיות] פי' עוגה והן בדידין שבעיקרי אילנות כדתנן במס' כלים פ' כ"ט יד הבדיד ד' והנ"מ בחדתא אבל בעתיקא למיעבד בנכי שרי: (מתני') [פיסקא] ר' אלעזר בן עזריה אומר אין עושין את האמה בתחלה בין [במועד ובין] בשביעית. ומקשינן בשלמא במועד משום טירחא אלא שביעית אמאי לא. ופרקינן כיון שחופר נראה כעושה מלאכה בשביעית בשדה. וי"א מפני שמכשיר אגפיה לזריעה כלומר כיון שחופר נמצא כחורש באמצע ומכשיר הצדדין לזריעה כו'. אמימר מתני לה מפני שנראה כעודר. וקשיא ליה ומי א"ר אלעזר הכי שכל החופר ומעמיק נראה כעודר. והא איהו דאמר שחופר עד ג' ולא גזר משום עודר דתנן במס' שביעית פ"ג עושה אדם זבלו אוצר ר"מ אוסר עד שיעמיק ג' טפחים או עד שיגביה ג' או שיתן על הסלע ופרקינן ר' זירא ור' אבא בר ממל חד אמר כגון שהעמיק קודם לכן וחד אמר זבלו מוכיח עליו שאינו עודר: פיסקא. וחכ"א עושה אדם אמת המים בתחלה בשביעית ומתקנין את המתקלקלות במועד. מאי מקולקלות. א"ר אבהו שאם היתה עמוקה טפח חופרה ומעמידה עד ששה טפחים נמצא מוסיף ה' טפחים ומיבעיא לן אם שיש בה טפחיים מהן לחפור ה' האחרות ולהעמידה על ז' טפחים דחמשה נמי הוא דקא מוסיף ועלתה בתיקו: ומתקנין קילקולי המים שבר"ה. אביי שרא לבני בר הרמך לסחופי נהרא. ור' ירמיה שרא לבני סכותא למכרא נהרא סתום ולפותחו ור' אסי שרא לאקדוחי נהר ביצין אמר כיון דשתו מיניה רבים כרבים דמי ותנן עושין כל צורכי רבים: פיסקא

מסורת הש"ס

א) פאה פרק ז מ"ה, ב) [שבת קטו: וש"נ], ג) [תוספתא פ"א ע"ש תוספתא דשביעית פ"א], ד) [שביעית פ"ג מ"ג], ה) שייך מעב"ל, ו) שבת עה., ז) [נ"ל הא וכן איתא בתוי"ט דשביעית פ"ג מ"ג].

הגהות הב"ח

(א) רש"י ד"ה שאם היתה כו' ונסתמה עד טפח וחוזר ומעמידה עד ששה: (ב) תוס' ד"ה זבלו כו' חזי ליה נמי לזבל:

רש"י כת"י

המידל בגפנים. שסמוכות האשכולות ביותר ונוטל מבינתים להרויח הגפן ולתקנן. כך [הוא] מידל. עוקר בשל עניים פאה שהוא עתיד להניח בסוף שדהו אי נמי עוללות שאין בה לא כתף ולא נטף מודל אותו ועוקרו כדי להרויח הגפן. ר' מאיר אומ'. אינו רשאי לעקור את של עניים שנות להם הרבה בינונים יפים ממעט ומשובחים. ה"ג והתניא מדלין מים לירקות כדי לאכלן. מדקתני מים אלמא לאו שלופי הוא. אי תניא תניא. כיון דמשכחת בריתא דמדלין לשון דליית מים תניא בריתא עיקר הוא. (דרך גפנים לעשות עוגיאות להתכנס מים). (באנכי) [בנכי]. חריץ שעושין סביב לגפן באנכי לשון ארמי הוא. (עוגיאות) [עוגיות]. דרך גפנים לעשות עוגיאות עגול סביב להתכנס מים]. עגול סביב כמו עג עוגה ועמד בתוכה. (...קים להו עיגואיו לא קים להו שבעיקרי זיתים וכו' בעיקרי הגפן...). שרא (להו) למעבד (באנכי) [בנכי]. ואם היינו עוגיאות היכי שרי להו והתנן אין עושין וכו'. (ברציתא) [בני בר ציתאי]. שם. בחדתי. חדשות אסור לעשותן במועד בתחלה. בעתיקי שנתקלקלו ועפר נפל לתוכן מתקנין אותן במועד. אמה בשביעית. מאי טעמא לא. בעודר. כחופר לצורך שביעית. שמכשיר. מתקן אגפיה לזריעה שזורק קרקע שנוטל מן האמה על האגפיים ויכול לזרוע עליו שהוא תיחום הילכך אסור בשביעית. דקא אתו מיא בתריה. שמתחיל וחופר מצד המים וכל שעה שהולך וחופר המים באין ואין זה כעודר. ושדי לבראי. לחוץ ברחוק משם ומתפזרת אילך ואילך ואינה נכשרת לזרוע עליה. עודר נמי. ליכא דעודר לחרישה כי קא שקיל וחפר ליה

מדלין שלופי כדתנן [א] המדל בגפנים כשם שהוא מידל בשלו כך הוא מידל בשל עניים דברי ר' יהודה רבי מאיר אומר בשלו רשאי ואינו רשאי בשל עניים אמר ליה והתניא מדלין מים לירקות כדי לאוכלן אמר ליה [ב] אי תניא תניא: ואין עושין עוגיות לגפנים: מאי עוגיות אמר רב יהודה בנכי [ג] תניא נמי הכי אלו הן עוגיות בדידין שבעיקרי זיתים ושבעיקרי גפנים איני והא רב יהודה שרא לבני בר ציתאי למעבד בנכי לכרמיהון לא קשיא [א] הא בחדתי הא בעתיקי: ר' אלעזר בן עזריה אומר אין עושין את האמה: בשלמא מועד משום דקא טרח אלא שביעית מאי טעמא פליגו בה רבי זירא ורבי אבא בר ממל חד אמר מפני שנראה כעודר וחד אמר מפני שמכשיר אגפיה לזריעה מאי בינייהו איכא בינייהו דקא אתו מיא בתריה מאן דאמר מפני שמכשיר אגפיה לזריעה איכא ומ"ד מפני שנראה כעודר ליכא ולמאן דאמר מפני שנראה כעודר ליחוש מפני שמכשיר אגפיה לזריעה אלא איכא בינייהו דקא שקיל מיניה ושדי לבראי למאן דאמר מפני שמכשיר אגפיה לזריעה ליכא למ"ד מפני שנראה כעודר איכא ולמ"ד מפני שמכשיר אגפיה לזריעה ליחוש מפני שנראה כעודר עודר נמי כי קא שקיל בדוכתיה מנח ליה אמימר מתני לה מפני שנראה כעודר וקשיא ליה דרבי אלעזר בן עזריה אדר' אלעזר בן עזריה ומי אמר ר' אלעזר בן עזריה כל שנראה כעודר אסור ורמינהי [ד] [ב] עושה אדם את זבלו אוצר ר' מאיר אוסר עד שיעמיק שלשה טפחים או עד שיגביה ג' טפחים היה לו דבר מועט מוסיף עליו והולך רבי אלעזר בן עזריה אוסר עד שיעמיק שלשה או עד שיגביה שלשה או עד שיתן על הסלע ר' זירא ור' אבא בר ממל חד אמר כגון שהעמיק וחד אמר זיבלו מוכיח עליו: ומתקנין את המקולקלת במועד: מאי מקולקלת אמר רבי אבא [ג] שאם היתה עמוקה טפח מעמידה על ששה טפחים פשיטא חצי טפח על שלשה טפחים כיון דלא עבר מיא לא כלום הוא טפחיים על שנים עשר דקא טרח טירחא יתירא לא טפחיים על שבעה מהו [ד] הכא חמשה קא מעמיק והכא חמשה קא מעמיק או דלמא כיון דאיכא טפח יתירא איכא טירחא טפי תיקו אביי [ה] שרא לבני בר המדך לשחופי נהרא רבי ירמיה [ו] שרא להו לבני סכותא למיכרא נהרא טמימא רב אשי שרא להו לבני מתא מחסיא לאקדוחי נהר בורניץ אמר כיון דשתו מיניה רבים כרבים דמי ותנן עושין כל צורכי רבים: ומתקנין את

קילקולי

[ה] **מדלין** לירקות. ממקום עמוק קרי דילוי ואע"ג דליכא טירחא יתירא בשביל לאכול התירו אבל לייפות אפילו ליכא טירחא לא התירו: **כך** מידל בשל עניים. דכי אסר רחמנא ליקח עוללות ה"מ בשעת בצירה כדכתיב (דברים כד) כי תבצור כרמך לא תעולל איסור עוללות עלייהו: **מפני** שמכשיר אגפיה לזריעה. ונראית חרישה ממש שסבורין הרואין שלכך מתכוין אי נמי חשיב ליה עבודת קרקע ממש ואע"ג שאינו מתכוין לכך מיהו מלאכה היא ואע"ג דאמר ר' שמעון דבר שאין מתכוין מותר הא אמרינן [ו] מודה ר' שמעון בפסיק רישיה ולא ימות ורבנן סברי כיון דע"י שינוי עביד ליה לאו מלאכה היא ומותר דלא שמיה חרישה: **זבלו** מוכיח עליו. דליכא למיחש להא דמאן דחזי החפירה ([ז] לא) חזי ליה (ב) לזבל שבחפירה:

לאתויי

שלופי. כשהירקות רצופין נוטל מהן מבינתיים לאוכלן מותר ליפותן אסור בשביל ליפותן אותם שנשארים: המידל. תולש בגפנים שישנן ביחד יותר מדאי: בשל עניים. בפאה א"נ עוללות שאין לו לא כתף ולא נטף: בנכי. בורות תחת הגפנים וזיתים ונותן בהם מים: עוגיות. עגול סביב כמו עג עוגה ועמד בתוכה (תענית דף יט.) ובדידין נמי הן גומות: ציתאי. מקום: למעבד בנכי. עוגיות והיכי שרי והא תנן אין עושין עוגיות: הא בחדתי. שמעולם לא היו שם עוגיות אסור לעשות בחולו של מועד דאיכא טירחא יתירא אבל עתיקי שכבר היו לו שם עוגיות ונסתמו מותר לחזור ולחופרן בחולו של מועד: מפני שנראה כעודר. לצורך שביעית שהרי חופר כעודר: שמכשיר אגפיה לזריעה. כשחופר האמה ומניח העפר שבאמה על שפת האמה מתקן אגפיה לזריעה דעביד לה ארעא רכיכא: דקא אתו מיא בתריה. דכי חפר באמה אתו לאלתר מים בהדי חפירה: מ"ד מפני שמכשיר אגפיה לזריעה איכא. אע"ג דאתי מיא בתריה דהא שדא ארעא רכיכא אגפי האמה: ומ"ד מפני שנראה כעודר ליכא. דהא אתי מיא ובעודר ליכא מים ולכך לא דמי לעודר: אלא. לעולם דלא אתו מיא בתריה ואיכא בינייהו דשקיל ושדי לבראי דחפיר באמה ושדי עפר לבראי רחוק מאגפי אמה דלא מכשיר אגפיה לזריעה: מאן דאמר מפני שנראה כעודר איכא. דהא חפיר ולא אתו מיא בתריה: בדוכתיה מנח ליה. דלא שדי ארעא לבראי דלא עביד אלא מרכך ארעא אבל הכא שדי לבראי לכך לא דמי לעודר: אמימר מתני. בהדיא הא דאמר ר' אלעזר אין עושין את האמה בשביעית מפני שנראה כעודר: עושה אדם זבלו אוצר. שמכניס כל זבלו בשביעית בשדה ולא אמרינן דנראה כמזבל שדהו בשביעית: עד שיעמיק שלשה טפחים. ומכניס הזבל לשם דמוכחא מלתא דלא עביד כדי לזבל שדהו בשביעית: היה לו מעט זבל. באותה שדה קודם שביעית מוסיף עליו זבל והולך בשביעית ואין צריך להעמיק: רבי אלעזר אוסר. אפילו אם היה שם מעט זבל קודם שביעית להוסיף עליו בשביעית: עד שיעמיק שלשה. או שיתן הזבל על הסלע שבשדה דלא נראה כמזבל והיכי שרי רבי אלעזר לחפור ולהעמיק בשביעית ולא חיים לנראה כעודר: כגון שהעמיק. קודם לכן כלומר הא דאמר רבי אלעזר עד שיעמיק לא אמר עד שיעמיק בשביעית אלא שהיה עמוק קודם שביעית: זבלו מוכיח עליו. כלומר אע"ג דמעמיק בשביעית הוא נראה כעודר ואסור הכא מותר שהרי זבלו שמניח לשם מוכיח עליו דלא עביד משום עודר: שאם היתה עמוקה טפח. כלומר שלכתחילה היה שם אמת המים בת ששה טפחים ונסתמה עד טפח (א) מעמידה על ששה טפחים כלומר חוזר ומעמיק אותן חמשה טפחים שנסתמה: חצי טפח על שלשה. אם היתה בתחלה בת שלשה טפחים ונסתמה עד חצי טפח דודאי אינו חוזר וחופר אותן שני טפחים ומחצה אע"ג דהוי דומיא דהיתה עמוקה טפח ומעמידה על ו' טפחים: כיון דמעיקרא לא עברי בה מיא. כלומר ודאי באמה בת שלשה טפחים לא עברי בה מיא שפיר לא קודם לכן ולא עכשיו הוי טירחא דלא צריך: טפחיים על שנים עשר. דלכתחילה היתה של שנים עשר ונסתמה עד שני טפחים אסור להעמיק עוד עד י' טפחים על אותן שנים הראשונים משום דהוי טירחא יתירא דקא מעמיק כל כך ולהגביה קרקעית הגומא למעלה מששה טפחים: טפחיים על שבעה טפחים. ונסתמה עד שני טפחים: מהו. להעמיק אותן חמשה שנסתיירו: הכא חמשה קא מעמיק. דהיתה עמוקה טפח ומעמידה על ששה ולא הוי טירחא יתירא להעמיק כל כך בקרקע: והכא. נמי לא מעמיק במועד אלא חמשה טפחים: כיון דאיכא טפח יתירא. דלא צריך כל הטפח [דסגי בד']: איכא טירחא טפי. שטוחה עצמו בשביל אותו טפח יותר מדאי: לשחופי נהרא. לעקור ענפי אילנות הגדלים בנהר: למיכרא נהרא טמימא. לפנות מקור המעיין שנסתם: לאקדוחי נהרא. לפנות שירטון שבאמצע הנהר: בורניץ. שם הנהר:

קילקולי

בדוכתא מנח ליה בסמוך ואינו מפוזר. אמימר מתני לה. למתני' בהדיא טעמ' דר' אליעזר גבי שביעית לפי שנראה כעודר. את זבלו אוצר. שרשאי לפזר אותו ולאספו בשביעית במקום אחד דמוכח מילתא דלאוצר קא עביד'. ר' מאיר אוסר. מפני שמזבל את מקומו. עד שיגביה שלשה. גל של עלים או של אבנים גבוה שלשה וזרקין עליו או שיעשה לו גומא שלשה טפחים דאינו נראה כמזבל דאינו יכול לזרוע שם לאחר שהעביר את זבלו אלא אם כן ממלאהו קרקע. היה לו. שם מעט קודם לכן אינו נראה כמזבל. עד שיעמיק שלשה. והא הכי דכי חופר בשביעית להעמיק שלשה לזבל נראה כעודד וקא שרי. שהעמיק. קודם לכן קודם שביעית. ומתקנין את המקולקלת אפי' לר' אליעזר. אמת המים רחבה אמה ועמוקה אמה ועל שם כך נקראת אמה והכי נקט על ששה טפחים באמה בת ששה טפחים. שאם היתה עמוקה טפח. שנתקלקלה ונמלאה עפר עד שעמדה לטפח או שאין בה אלא טפח שלא חפר בה אלא טפח מתקנין אותה ומעמידין אותה על ששה טפחים. פשיט'. בניחותא. חצי טפח. אם היתה האמה עמוקה [חצי] טפח ורוצה להעמידה על ג' דהיינו ו' חצאי (זיתים) [טפחים]. לא כלום הוא. דלאע"ג דכי אית ביה טפח מעמידה על ששה טפחים כי לית ביה אלא חצי טפח אינו יכול להעמידה על ו' חצאי טפחים דחצי טפח לא חשיב ולא מידי והוי כאילו התחלה ואסור. טפחיים על שנים עשר. טפחים שרוצה להוסיף פי ששה חלקים שהיו בה דהיינו נמי דקאמ' היתה עמוקה טפח מעמידה על ששה דקא טרח במחירה טירחא יתירא כשכורה וזורק הקרקע לחוץ. המדך. שם הכפר. (לסחופי) [לשחופי]. לנקות מחמת עפר וצרורות שנפלו בו קורי"ש בלע"ז. למיכרא נהרא טמימא. לכרות נהר שנטמס מחמת עפר וצרורות שנפלו בו ומעכבין את המים מלכלת. לאקדוחי. לשון מקדח כלומר להרויח נקב כדי שיקלחו מימיו יפה וטירחא יתירא היא. נהרא בירן. [שם מקום].

The Gemara challenges this analysis:

וּלְמַאן דְּאָמַר מִפְּנֵי שֶׁנִּרְאֶה כְּעוֹדֵר – And according to the one who says it is because **he appears as if he is hoeing,** **לֵיחוּשׁ מִפְּנֵי שֶׁמַּכְשִׁיר אֲגַפֶּיהָ לִזְרִיעָה – let him** also **be concerned** for the reason **that he prepares its banks for sowing.**[14] Why then would he permit digging the canal even where the water immediately enters the canal?

The Gemara therefore adopts the position that both R' Zeira and R' Abba bar Mammal agree to the reason of preparing the banks for sowing. Their dispute is only whether the reason of appearing like one who is hoeing *also* applies. Accordingly, the Gemara presents a different scenario in which a practical difference between these two opinions would emerge:

אֶלָּא אִיכָּא בֵּינַיְיהוּ – Rather, the difference **between them is** **דְּקָא שָׁקִיל מִינֵּיהּ וְשָׁדֵי לְבָרַאי – where he takes [the earth] from [the canal] and throws it outside,** far away from the banks of the canal, so that the earth scatters.[15] **לְמַאן דְּאָמַר מִפְּנֵי שֶׁמַּכְשִׁיר אֲגַפֶּיהָ לִזְרִיעָה – According to the one who says** it is **because he prepares its banks for sowing,** **לֵיכָּא – there is no** reason to prohibit the digging, **לְמַאן דְּאָמַר מִפְּנֵי שֶׁנִּרְאֶה כְּעוֹדֵר –** whereas **according to the one who says** it is **because he appears as if he is hoeing,** **אִיכָּא – there is** reason.

The Gemara asks:

וּלְמַאן דְּאָמַר מִפְּנֵי שֶׁמַּכְשִׁיר אֲגַפֶּיהָ לִזְרִיעָה – And according to the one who says it is **because he prepares its banks for sowing,** **לֵיחוּשׁ מִפְּנֵי שֶׁנִּרְאֶה כְּעוֹדֵר – let him** also **be concerned** for the reason **that he appears as if he is hoeing.**[16] Why then would he permit digging the canal even where the earth is flung far away from the banks of the canal?

The Gemara answers:

עוֹדֵר נַמִּי – He maintains that the reason of **hoeing also** does not apply, **כִּי קָא שָׁקִיל בִּדְוּכְתֵּיהּ מַנַּח לֵיהּ –** for **when one** hoes and **takes** up the earth with his spade, **he puts it** back down **in its place.**[17]

The Gemara cites an alternative version of our Mishnah which contains an expanded version of R' Elazar ben Azaryah's ruling:

אֲמֵימַר מַתְנֵי לָהּ מִפְּנֵי שֶׁנִּרְאֶה כְּעוֹדֵר – Ameimar taught [the Mishnah] as stating explicitly that the reason R' Elazar ben Azaryah forbids digging a canal during *shemittah* is **because [the person] appears as if he is hoeing.**[18] **וְקַשְׁיָא לֵיהּ דְּרַבִּי אֶלְעָזָר בֶּן עֲזַרְיָה אַדְּרַבִּי אֶלְעָזָר בֶּן עֲזַרְיָה – Accordingly, he had** the following **difficulty** reconciling this ruling of **R' Elazar ben Azaryah with** another ruling of **R' Elazar ben Azaryah.** **וּמִי אָמַר רַבִּי אֶלְעָזָר בֶּן עֲזַרְיָה כָּל שֶׁנִּרְאֶה כְּעוֹדֵר אָסוּר – Did R' Elazar ben Azaryah** indeed **say** that **anything that appears like hoeing is prohibited** during *shemittah*? **וּרְמִינְהִי – But contrast** this with the following Mishnah:[19] **עוֹשֶׂה אָדָם אֶת זִבְלוֹ אוֹצָר – A PERSON MAY PLACE HIS DUNG IN A STOCKPILE** in his field during *shemittah.*[20] **רַבִּי מֵאִיר אוֹסֵר – R' MEIR FORBIDS** this, **עַד שֶׁיַּעֲמִיק שְׁלֹשָׁה טְפָחִים – UNLESS HE LOWERS** the dumpsite **THREE *TEFACHIM*** into the ground, **אוֹ עַד שֶׁיַּגְבִּיהַּ שְׁלֹשָׁה טְפָחִים – OR UNLESS HE RAISES IT THREE *TEFACHIM*** above the ground.[21] **הָיָה לוֹ דָּבָר מוּעָט – If HE HAD A SMALL AMOUNT** of dung there from before *shemittah,* **מוֹסִיף עָלָיו וְהוֹלֵךְ – HE MAY ADD TO IT CONTINUALLY** during *shemittah,* even without lowering or raising it three *tefachim.* **רַבִּי אֶלְעָזָר בֶּן עֲזַרְיָה אוֹסֵר – R' ELAZAR BEN AZARYAH,** however, **FORBIDS** even this case, **עַד שֶׁיַּעֲמִיק שְׁלֹשָׁה – UNLESS HE LOWERS** the dumpsite **THREE** *tefachim* into the ground, **אוֹ עַד שֶׁיַּגְבִּיהַּ שְׁלֹשָׁה – OR RAISES** it **THREE** *tefachim* above the ground, **אוֹ עַד שֶׁיִּתֵּן עַל הַסֶּלַע – OR UNLESS HE PUTS** it **ON A BOULDER.** Now, how can R' Elazar ben Azaryah offer the suggestion of digging three *tefachim* into the ground during *shemittah* when he is of the opinion that digging appears like hoeing?[22]

The Gemara offers two answers:

רַבִּי זֵירָא וְרַבִּי אַבָּא בַּר מַמָּל – R' Zeira and R' Abba bar Mammal dispute the matter. **חַד אָמַר כְּגוֹן שֶׁהֶעֱמִיק – One says** that the case is **where he lowered** the dumpsite already before *shemittah.*[23] **וְחַד אָמַר זִיבְלוֹ מוֹכִיחַ עָלָיו – And** the other **one says** that in this case there is no appearance of hoeing, because **his dung** being placed there **attests for him** that his intention is not for the sake of hoeing.[24]

NOTES

14. [The Gemara feels that this reason is as good as the reason of appearing as one who hoes. Thus, everyone should agree to it.]

15. Since the earth is diffused over a wide area it does not become fit for planting (*Rashi ms.*).

16. [The Gemara sees no reason why this too should not be a concern.]

17. Since the labor of hoeing is done to soften the earth, the earth is simply turned over and redeposited in its place; it is not moved away. Accordingly, in this case where the earth is moved away, it is not similar to hoeing, and is therefore permitted during *shemittah* (*Rashi*).

[The Gemara does not mean to say that digging a canal does not appear like hoeing (according to that opinion) only in a case in which the earth is flung far away from the banks. Rather, this opinion maintains that digging a canal *never* appears like hoeing, since the earth is placed outside of the canal rather than back down into it. Accordingly, R' Zeira and R' Abba bar Mammal's dispute as to the reason for R' Elazar ben Azaryah's ruling applies even in the ordinary case in which the earth is placed right next to the canal's banks. One Amora holds that the reason of appearing like one who hoes and the reason of preparing the banks for sowing both apply, while the other Amora maintains that only the reason of preparing the banks for sowing applies. The *practical difference* between these two views emerges in a case in which the earth is flung far away from the canal. The first opinion forbids even such digging, since the person still appears to be hoeing, while the second opinion permits it, since the canal's banks are not prepared for sowing (see *Chazon Ish, Sheviis* 17:20 ד״ה שם ולמד; cf. *Keren Orah; Tos. R' Akiva Eiger* to this Mishnah).]

18. Ameimar had a different version of our Mishnah according to which the Mishnah not only cites the opinion of R' Elazar ben Azaryah, but also gives the reason for it, namely, because the person appears to be hoeing (*Rashi*).

19. *Sheviis* 3:3.

20. I.e. he is permitted to pile all his dung into a field during *shemittah,* and we do not say that by doing so it appears as if he is fertilizing the field [which is forbidden during *shemittah*] (*Rashi;* see Mishnah ibid. for further details).

21. R' Meir maintains that merely placing the dung on the ground is forbidden, because he is thereby fertilizing that spot (*Rashi ms.*). Accordingly, it is permitted only if the location of the dung heap is dug out to a depth of at least three *tefachim* or else raised to a height of at least three *tefachim* above ground level [by placing it upon a pile of wood or stones (*Rashi ms.*)], for this clearly indicates that the dung is not being placed there in order to fertilize the field (*Rashi*).

22. Had Ameimar's version of the Mishnah not given the reason for R' Elazar ben Azaryah's ruling as being because the person appears as if he is hoeing, we could have suggested that the reason is because he prepares the canal's banks for sowing. Accordingly, we could have answered the contradiction by saying that when the person digs the hole for the dumpsite, he must fling the earth far away, so that the earth removed from the hole is not prepared for planting (*Tos. HaRosh, Sefer HaMichtam;* cf. *Ritva*). But given Ameimar's version of the Mishnah, how are we to resolve the contradiction?

23. R' Elazar ben Azaryah does not mean to suggest that he should excavate the dumpsite *during* the *shemittah* year. Rather, if he excavated it *before* Rosh Hashanah, he may bring his dung there during *shemittah* (*Rashi*).

24. [And we are not concerned for what people will think *until* he brings his dung there, because the case is where he already has some dung next to the site (see *Hagahos Yavetz; Chazon Ish, Moed Katan* 135).]

מדלין שלופי כדתנן [א]המידל בגפנים כשם שהוא מידל בשלו כך הוא מידל בשל עניים דברי ר' יהודה רבי מאיר אומר בשלו רשאי ואינו רשאי בשל עניים אמר ליה והתניא מדלין מים לירקות כדי לאוכלן אמר ליה [ב]אי תניא תניא: ואין עושין עוגיות לגפנים: מאי עוגיות אמר רב יהודה בנכי [ג]תניא נמי הכי אלו הן עוגיות בדידין שבעיקרי זיתים ושבעיקרי גפנים איני והא רב יהודה שרא לבני בר ציתאי למעבד בנכי לכרמיהון לא קשיא [א]הא בחדתי הא בעתיקי: ר' אלעזר בן עזריה אומר אין עושין את האמה: בשלמא מועד משום דקא טרח אלא שביעית מאי טעמא פליגו בה רבי זירא ורבי אבא בר ממל חד אמר מפני שנראה כעודר וחד אמר מפני שמכשיר אגפיה לזריעה מאי בינייהו איכא בינייהו דקא אתו מיא בתריה מאן דאמר מפני שמכשיר אגפיה לזריעה איכא ומ"ד מפני שנראה כעודר ליכא ולמאן דאמר מפני שנראה כעודר ליחוש מפני שמכשיר אגפיה לזריעה אלא איכא בינייהו דקא שקיל מיניה ושדי לבראי למאן דאמר מפני שמכשיר אגפיה לזריעה ליכא למ"ד מפני שנראה כעודר איכא ולמ"ד מפני שמכשיר אגפיה לזריעה ליחוש מפני שנראה כעודר עודר נמי כי קא שקיל בדוכתיה מנח ליה אמימר מתני לה מפני שנראה כעודר וקשיא ליה דרבי אלעזר בן עזריה אדר' אלעזר בן עזריה ומי אמר ר' אלעזר בן עזריה כל שנראה כעודר אסור ורמינהי [ד][ב]עושה אדם את זבלו אוצר ר' מאיר אוסר עד שיעמיק שלשה טפחים או עד שיגביה ג' טפחים היה לו דבר מועט מוסיף עליו והולך רבי אלעזר בן עזריה אוסר עד שיעמיק שלשה או עד שיגביה שלשה או עד שיתן על הסלע ר' זירא ור' אבא בר ממל חד אמר כגון שהעמיק וחד אמר זיבלו מוכיח עליו: ומתקנין את המקולקלת במועד: מאי מקולקלת אמר רבי אבא [ג]שאם היתה עמוקה טפח מעמידה על ששה טפחים פשיטא חצי טפח על שלשה טפחים כיון דלא עבר מיא לא כלום הוא טפחיים על שנים עשר דקא טרח טירחא יתירא לא טפחיים על שבעה מהו [ד]הכא חמשה קא מעמיק והכא חמשה קא מעמיק או דלמא כיון דאיכא טפח יתירא איכא טירחא טפי תיקו אביי [ה]שרא לבני בר המדך לשחופי נהרא רבי ירמיה [ו]שרא להו לבני סכותא למיכרא נהרא טמימא רב אשי שרא להו לבני מתא מחסיא לאקדוחי נהר בורניץ אמר כיון דשתו מיניה רבים כרבים דמי ותנן עושין כל צורכי רבים: ומתקנין את

קילקולי

רש"י

שלופי. כשהירקות רצופין נוטל מהן מבינתיים לאוכלן מותר ליפותן אסור בשביל ליפותן אותם שנשארים: המידל. תולש בגפנים שישנן ביחד יותר מדאי: בשל עניים. בפאה א"נ עוללות שאין לו לא כתף ולא נטף: בנכי. בורות תחת הגפנים וזיתים ונותן בהם מים: עוגיות. עגול סביב כמו עג עוגה ועמד בתוכה (תענית דף יט.) ובדידין נמי הן גומות: ציתאי. מקום: למעבד בנכי. עוגיות והיכי שרי והא תנן אין עושין עוגיות: הא בחדתי. שמעולם לא היו שם עוגיות אסור לעשות בחולו של מועד דאיכא טירחא יתירא אבל עתיקי שכבר היו לו שם עוגיות ונסתמו מותר לחזור ולחופרן בחולו של מועד: מפני שנראה כעודר. לצורך שביעית שהרי חופר כעודר: שמכשיר אגפיה לזריעה. כשחופר האמה ומניח העפר שבאמה על שפת האמה מתקן אגפיה לזריעה דעביד לה ארעא רכיכא: דקא אתו מיא בתריה. דכי חפר באמה אתו לאלתר מים בהדי חפירה: מ"ד מפני שמכשיר אגפיה לזריעה איכא. אע"ג דאתי מיא בתריה דהא שדא ארעא רכיכא אגפי האמה: ומ"ד מפני שנראה כעודר ליכא. דהא אתי מיא ובעודר ליכא מים ולכך לא דמי לעודר: אלא. לעולם דלא אתו מיא בתריה ואיכא בינייהו דשקיל ושדי לבראי דחפיר באמה ושדי עפר לבראי רחוק מאגפי אמה דלא מכשיר אגפיה לזריעה: מאן דאמר מפני שנראה כעודר איכא. דהא חפיר ולא אתו מיא בתריה: בדוכתיה מנח ליה. דלא שדי ארעא לבראי דלא עביד אלא מרכך ארעא אבל הכא שדי לבראי לכך לא דמי לעודר: אמימר מתני. בהדיא הא דאמר ר' אלעזר אין עושין את האמה בשביעית מפני שנראה כעודר: עושה אדם זבלו אוצר. שמכניס כל זבלו בשביעית בשדה ולא אמרינן דנראה כמזבל שדהו בשביעית: עד שיעמיק שלשה טפחים. ומכניס הזבל לשם דמוכחא מלתא דלא עביד כדי לזבל שדהו בשביעית: היה לו מעט זבל. באותה שדה קודם שביעית מוסיף עליו זבל והולך בשביעית ואין צריך להעמיק: רבי אלעזר אוסר. אפילו אם היה שם מעט זבל קודם שביעית להוסיף עליו בשביעית: עד שיעמיק שלשה. או שיתן הזבל על הסלע שבשדה דלא נראה כמזבל והיכי שרי רבי אלעזר לחפור ולהעמיק בשביעית ולא חייש לנראה כעודר: כגון שהעמיק. קודם לכן כלומר הא דאמר רבי אלעזר עד שיעמיק לא אמר עד שיעמיק בשביעית אלא שהיה עמוק קודם שביעית: זבלו מוכיח עליו. כלומר אע"ג דמעמיק בשביעית הוא נראה כעודר ואסור הכא מותר שהרי זבלו שמניח לשם מוכיח עליו דלא עביד משום עודר: שאם היתה עמוקה טפח. כלומר שלכתחילה היה שם אמת המים בת ששה טפחים ונסתמה עד טפח (א) מעמידה על ששה טפחים כלומר חוזר ומעמיק אותן חמשה טפחים שנסתמה: חצי טפח על שלשה. אם היתה בתחלה בת שלשה טפחים ונסתמה עד חצי טפח דודאי אינו חוזר וחופר אותן שני טפחים ומחצה אע"ג דהוי דומיא דהיתה עמוקה טפח ומעמידה על ו' טפחים: כיון דמעיקרא לא עברי בה מיא. כלומר ודאי באמה בת שלשה טפחים לא עברי בה מיא שפיר לא קודם לכן ולא עכשיו הוי טירחא דלא צריך: טפחיים על שנים עשר. דלכתחילה היתה של שנים עשר ונסתמה עד שני טפחים אסור להעמיק עוד עד י' טפחים על אותן שנים הראשונים משום דהוי טירחא יתירא דקא מעמיק כל כך ולהגביה קרקעית הגומא למעלה מששה טפחים: טפחיים על שבעה טפחים. ונסתמה עד שני טפחים: מהו. להעמיק אותן חמשה שנסתיירו: הכא חמשה קא מעמיק. דהיתה עמוקה טפח ומעמידה על ששה ולא הוי טירחא יתירא להעמיק כל כך בקרקע: והכא. נמי לא מעמיק במועד אלא חמשה טפחים: כיון דאיכא טפח יתירא. דלא צריך כל הטפח [דסגי בד']: איכא טירחא טפי. ששוהה עצמו בשביל אותו טפח יותר מדאי: לשחופי נהרא. לעקור ענפי אילנות הגדלים בנהר: למיכרא נהרא טמימא. לפנות מקור המעיין שנסתם: לאקדוחי נהרא. לפנות סירטון שבאמצע הנהר: בורניץ. שם הנהר:

קילקולי

תוספות

[ה]מדלין לירקות. ממקום עמוק קרי דילוי ואע"ג דאיכא טירחא יתירא בשביל לאכול התירו אבל לייפות אפילו ליכא טירחא לא התירו: כך מידל בשל עניים. דכי אסר רחמנא ליקח עוללות ה"מ בשעת בצירה כדכתיב (דברים כד) כי תבצור כרמך לא תעולל איסור עוללות עלייהו: מפני שמכשיר אגפיה לזריעה. ונראית חרישה ממש שסבורין הרואין שלכך מתכוין אי נמי חשיב ליה עבודת קרקע ממש ואע"ג שאינו מתכוין לכך מיהו מלאכה היא ואע"ג דאמר ר' שמעון דבר שאין מתכוין מותר הא אמרינן [ו]מודה ר' שמעון בפסיק רישיה ולא ימות ורבנן סברי כיון דע"י שינוי עביד ליה לאו מלאכה היא ומותר דלא שמיה חרישה: זבלו מוכיח עליו. דליכא למיחש להא דמאן דחזי החפירה ([ז]לא) חזי ליה (ג) לזבל שבחפירה:

לאתויי

עין משפט נר מצוה

לא א מיי' פ"ח מהלכות י"ט הלכה ג טוש"ע א"ח סי' תקלז סעיף ה:
לב ב מיי' פ"ב מהלכות שמיטה הלכה ב:
לג ג ד מיי' פ"ח מהל' י"ט הלכה ג סמג לאוין עה טוש"ע א"ח סי' תקלז סעיף ו:
לד ה ו מיי' שם הלכה ד סמג שם טוש"ע א"ח סי' תקמד ס"ב:

רבינו חננאל

ואסיקנא מדלין מים לירקות כדי לאוכלן ואם בשביל לייפותן אסור. ולית האי מדלין מלשון שלופי כדתנן המדל בגפנים כו' [ואין עושין עוגיות] פי' עוגה והן בדידין שבעיקרי אילנות כדתנן במס' כלים פ' כ"ט יד הבדיד ד' והנ"מ בחדתא אבל בעתיקא למיעבד בנכי שרי: (מתני') [פיסקא] ר' אלעזר בן עזריה אומר אין עושין את האמה בתחלה בין [במועד ובין] בשביעית. ומקשינן בשלמא במועד משום טירחא אלא שביעית אמאי לא. ופרקינן כיון שחופר נראה כעושה מלאכה בשביעית בשדה. וי"א מפני שמכשיר אגפיה לזריעה כלומר כיון שחופר נמצא כחורש באמצע ומכשיר הצדדין לזריעה כו'. אמימר מתני לה מפני שנראה כעודר. וקשיא ליה ומי א"ר אלעזר הכי שכל החופר ומעמיק נראה כעודר. והא איהו דאמר שחופר עד ג' ולא גזר משום עודר דתנן במס' שביעית פ"ג עושה אדם זבלו אוצר ר"מ אוסר עד שיעמיק ג' טפחים או עד שיגביה ג' או שיתן על הסלע ופרקינן ר' זירא ור' אבא בר ממל חד אמר כגון שהעמיק קודם לכן וחד אמר זבלו מוכיח עליו שאינו עודר: פיסקא. וחכ"א עושה אדם אמת המים בתחלה בשביעית ומתקנין את המתקלקלות במועד. מאי מקולקלות. א"ר אבהו שאם היתה עמוקה טפח חופרה ומעמידה עד ששה טפחים נמצא מוסיף ה' טפחים. ומיבעיא לן אמה שיש בה טפחיים מהן לחפור ה' האחרות ולהעמידה על ז' טפחים דחמשה נמי הוא דקא מוסיף ועלתה בתיקו: ומתקנין קילקולי המים שברה"ר. אביי שרא לבני בר הרמך לסחופי נהרא. ור' ירמיה שרא לבני סכותא למכרא נהרא סתום ולפותחו ור' אסי שרא לאקדוחי נהר ביצין אמר כיון דשתו מיניה רבים כרבים דמי ותנן עושין כל צורכי רבים:

פיסקא

מסורת הש"ס

א) פאה פרק ז מ"ה, ב) [שבת קטו: וש"נ], ג) [תוספתא פ"א ע"ש תוספתא דשביעית פ"א], ד) [שביעית פ"ג מ"ג], ה) שייך מעב"ל, ו) שבת עה., ז) [נ"ל הא וכן איתא בתוי"ט דשביעית פ"ג מ"ג].

הגהות הב"ח

(א) רש"י ד"ה שאם היתה כו' ונסתמה עד טפח וחוזר ומעמידה עד ששה: (ב) תום' ד"ה זבלו כו' חזי ליה נמי לזבל:

רש"י כת"י

המידל בגפנים. שסמוכות האשכולות ביותר ונוטל מבינתים להרויח הגפן ולתקנן. כך [הוא] מידל. עוקר בשל עניים פאה שהוא עתיד להניח בסוף שדהו אי נמי עוללות שאין בה לא כתף ולא נטף מודל אותו ועוקרו כדי להרויח הגפן. ר' מאיר אומ'. אינו רשאי לעקור את של עניים שנוח להם הרבה בינונים יפים ממעט ומשובחים. ה"ג והתניא מדלין מים לירקות כדי לאכלן. מדקתני מים אלמא לאו שלופי הוא. אי תניא תניא. כיון דמשכחת בריתא דמדלין לשון דליית מים תניא בריתא עיקר הוא. (דרך גפנים לעשות עוגיאות להתכנס מים). (באנבי) [בנכין]. חריץ שעושין סביב לגפן באנכי לשון ארמי הוא. (עוגיאות) [עוגיות]. דרך גפנים לעשות עוגיאות עגול סביב להתכנס מים]. עגול סביב כמו עג עוגה ועמד בתוכה. (...קים להו עיגואיות לא קים להו שבעיקרי זיתים וכו' בעיקרי הגפן...). שרא (להו) למעבד (באנבי) [בנכי]. ואם היינו עוגיאות היכי שרי להו והתנן אין עושין וכו'. (ברציתא) [בני בר ציתאי]. שם. בחדתי. חדשות אסור לעשותן במועד בתחלה. בעתיקי שנתקלקלו ועפר נפל לתוכן מתקנין אותן במועד. אמה בשביעית. מאי טעמא לא. כעודר. כחופר לצורך שביעית. שמכשיר. מתקן אגפיה לזריעה שזורק קרקע שנוטל מן האמה על האגפיים ויכול לזרוע עליו שהוא מימוח הילכך אסור בשביעית. דקא אתו מיא בתריה. שמתחיל וחופר מצד המים וכל שעה שהולך וחופר המים באין ואין זה כעודר. ושדי לבראי. לחוץ ברחוק משם ומתפזרת אילך ואילך ואינה נכשרת לזרוע עליה. עודר נמי. ליכא דעודר לחרישה כי קא שקיל וחפר ליה בדוכתא מנח ליה בסמוך ואינו מפוזר. אמימר מתני לה. למתני' בהדיא טעמ' דר' אליעזר גבי שביעית לפי שנראה כעודר. את זבלו אוצר. שרשאי לפזר אותו ולאספו בשביעית במקום אחד דמוכח מילתא דלאוצר קא עביד'. ר' מאיר אוסר. מפני שמזבל את מקומו. עד שיגביה שלשה. גל של עפר או של אבנים גבוה שלשה וזרקין עליו או שיעשה לו גומא שלשה טפחים דאינו נראה כמזבל דאינו יכול לזרוע שם לאחר שהעביר את זבלו אלא אם כן ממלאהו קרקע. היו לו. שם מעט קודם לכן אינו נראה כמזבל. עד שיעמיק שלשה. והא הכי דכי חופר בשביעית להעמיק שלשה לזבל נראה כעודר וקא שרי. שהעמיק. קודם לכן קודם שביעית. ומתקנין את המקולקלת אפי' לר' אליעזר. אמת המים רחבה אמה ועמוקה אמה ועל שם כך נקראת אמה ואהכי נקט על ששה טפחים באמה בת ששה טפחים. שאם היתה עמוקה טפח. שנתקלקלה ונמלאה עפר עד שעמדה לטפח או שאין בה אלא טפח שלא חפר בה אלא טפח מתקנין אותה ומעמידין אותה על ששה טפחים. פשיט'. בניחותא. חצי טפח. אם היתה האמה עמוקה [חצי] טפח ורוצה להעמידה על ג' דהיינו ו' חצאי (זיתים) [טפחים]. לא כלום הוא. דלע"ג דכי אית ביה טפח מעמידה על ששה טפחים כי לית ביה אלא חצי טפח אינו יכול להעמידה על ו' חצאי טפחים דחצי טפח לא חשיב ולא מידי והוי כאילו התחלה ואסור. טפחיים על שנים עשר. טפחים שרוצה להוסיף פי ששה חלקים שהיו בה דהיינו נמי דקאמ' היתה עמוקה טפח מעמידה על ששה דקא טרח בחתירה טירחא יתירא כשכורה וזורק הקרקע לחוץ. המדך. שם הכפר. (לסחופי) [לשחופי]. לנקות מחמת עפר וצרורות שנפלו בו קורי"ש בלע"ז. למיכרא נהרא טמימא. לכרות נהר שנטמם מחמת עפר וצרורות שנפלו בו ומעכבין את המים מלכלת. לאקדוחי. לשון מקדח כלומר להרוים נקב כדי שיקלחו מימיו יפה וטירחא יתירא היא. נהרא בירן. [שם מקום].

The Mishnah stated:
וּמְתַקְּנִין אֶת הַמְקוּלְקֶלֶת בַּמּוֹעֵד – **AND ONE MAY REPAIR A DAMAGED [IRRIGATION CANAL] DURING** *CHOL HAMOED.*

The Gemara inquires:
מַאי מְקוּלְקֶלֶת – **What is** considered **damaged?**

The Gemara answers:
אָמַר רַבִּי אַבָּא – **R' Abba said:** שֶׁאִם הָיְתָה עֲמוּקָּה טֶפַח מַעֲמִידָהּ עַל שִׁשָּׁה טְפָחִים – It means **that if [the canal] is** now **one** ***tefach*** **deep, it may be restored to** a depth of **six** ***tefachim.***[25]

The Gemara discusses repairs to canals of various other dimensions:
פְּשִׁיטָא – **It is obvious** חֲצִי טֶפַח עַל שְׁלֹשָׁה טְפָחִים – that in a case in which the canal is now **a half** ***tefach*** deep, and he wishes to restore it **to** its original depth of **three** ***tefachim,*** כֵּיוָן דְּלֹא עָבַר מַיָּא לֹא כְלוּם הוּא – **since water does not pass** well in such a canal, **it is nothing,** i.e. he will accomplish nothing with his digging and it is therefore forbidden.[26] טְפָחַיִים עַל שְׁנֵים עָשָׂר – Similarly, in a case in which the canal is now **two** ***tefachim*** deep, and he wishes to restore it **to** its original depth of **twelve** *tefachim,* דְּקָא טָרַח טִירְחָא יְתֵירָא – **since he is exerting himself excessively,** לֹא – it may **not** be done.[27] טְפָחַיִים עַל שִׁבְעָה מַהוּ – However, in a case in which the canal is now **two** ***tefachim*** deep, and he wishes to restore it **to** its original depth of **seven** *tefachim,* **what is [the law]?** הָכָא חֲמִשָּׁה קָא מַעֲמִיק – Do we say that just as **here** in the case of digging from one *tefach* to six *tefachim,* it is permitted even though **he is excavating five** *tefachim,* וְהָכָא חֲמִשָּׁה קָא מַעֲמִיק – so too, **here,** it should be permitted since he is **excavating** the same **five** *tefachim;* אוֹ דִלְמָא – **or perhaps,** כֵּיוָן דְּאִיכָּא טֶפַח יְתֵירָא – **since there is the additional** ***tefach*** which is not necessary for the performance of the canal, אִיכָּא טִירְחָא טְפֵי – **there is too much exertion** involved and it should be forbidden?[28]

The Gemara concludes:
תֵּיקוּ – **Let [the question] stand** unresolved.

The Gemara cites other examples of cases where it is permitted to clear out a water source that is being blocked:
אַבַּיֵי שָׁרָא לִבְנֵי בַּר הַמְדָּךְ לְשַׁחוּפֵי נַהֲרָא – **Abaye permitted the people of Bar Hamdach to clear out a river** during Chol HaMoed from the branches of the trees that were growing in it.[29] רַבִּי יִרְמְיָה שָׁרָא לְהוּ לִבְנֵי סִכְוָתָא לְמִיכְרָא נַהֲרָא טְמִימָא – **R' Yirmiyah permitted the people of Sechavta to dig away the** source of **a river that had become clogged.** רַב אַשִׁי שָׁרָא לְהוּ לִבְנֵי מָתָא מְחַסְיָא לְאַקְדוּחֵי נְהַר בּוּרְנִיץ – **Rav Ashi permitted the people of Masa Mechasya to clear away** a sandbank from the middle of **the river Burnitz.**[30] אָמַר – **He said:** כֵּיוָן דְּשָׁתוּ מִינֵּיהּ רַבִּים – **Since the public drinks from there,** כְּרַבִּים דָּמֵי – **it is like** the needs of **the public,** וּתְנַן – **and we learned in the Mishnah:** עוֹשִׂין כָּל צוֹרְכֵי רַבִּים – **ONE MAY TEND TO ALL OF THE PUBLIC NEEDS** during Chol HaMoed.[31]

The Mishnah stated:
וּמְתַקְּנִין אֶת – **ONE MAY REPAIR THE**

NOTES

25. Originally, the canal was six *tefachim* deep, which is the standard depth for irrigation canals. [It is called an *amah* on account of its depth. An *amah* comprises six *tefachim* (*Rashi*).] Subsequently it became filled with dirt, and now is only one *tefach* deep. The Mishnah teaches that he may dig out the five *tefachim* to restore it to its original depth (*Rashi*).

26. Even though digging a canal from half a *tefach* to three *tefachim* is proportionally identical to digging it from one *tefach* to six *tefachim,* it may not be done. This is because water does not flow well through a canal that is only three *tefachim* deep. Accordingly, digging such a canal is deemed an unnecessary exertion (*Rashi*).

An alternative explanation: Since the canal is now only half a *tefach* deep, and thus too shallow to be a conduit for water, it is as though it does not exist at all (לֹא כְּלוּם הוּא). Accordingly, digging at this spot is tantamount to digging a totally new canal, which is forbidden (*Rashi ms., Tos. HaRosh, Ritva*).

27. Even though in this case also he merely wishes to dig six times its current depth, it is forbidden, because lifting dirt from the bottom of a twelve-*tefach* canal to its ground level is excessively strenuous (see *Rashi*).

28. Since the person must bend over unnecessarily for the extra *tefach* (*Rashi*).

29. *Rashi.* Another explanation is that it refers to clearing it out from dirt and pebbles which fell into it (*Rashi ms.*).

30. *Rashi.* Another explanation: He permitted them to widen the hole through which the water flowed into the river, in order to enable the water to flow better (*Rashi ms.; cf. Meiri*).

31. Rav Ashi's point (and that of the other two sages) was to teach that even though strenuous labor is needed to clear a river, it is permitted on Chol HaMoed since the work is being done to fulfill a public need (*Rosh* §6, citing *Raavad*).

קִילְקוּלֵי הַמַּיִם שֶׁבִּרְשׁוּת הָרַבִּים וכו׳ – **DAMAGED CISTERNS IN THE PUBLIC DOMAIN etc.** and one may clear them out [of debris].

The Gemara draws an inference from the Mishnah's words: חֲטִיטָה אִין חֲפִירָה לֹא – **Clearing** the cisterns of debris **is** permitted during Chol HaMoed, but **digging** new cisterns is **not**.

This law is qualified:

אָמַר רַבִּי יַעֲקֹב אָמַר רַבִּי יוֹחָנָן – **R' Yaakov said in the name of R' Yochanan:** לֹא שָׁנוּ אֶלָּא שֶׁאֵין רַבִּים צְרִיכִין לָהֶם – **They did not teach** that digging new cisterns is forbidden **except where the public does not need them** for the festival, אֲבָל רַבִּים צְרִיכִין לָהֶם אֲפִילּוּ חֲפִירָה מוּתָּר – **but where the public needs them, even digging** new cisterns **is permitted.**[1]

The Gemara asks:

וְכִי רַבִּים צְרִיכִין לָהֶם מִי שָׁרֵי – **And where the public needs [the cisterns], is [digging] indeed permitted?** וְהָתַנְיָא – **But it has been taught in a Baraisa:** חוֹטְטִין בּוֹרוֹת שִׁיחִין וּמְעָרוֹת שֶׁל יָחִיד – **WE MAY CLEAR OUT PITS** (i.e. wells), **DITCHES AND CAVES**[2] **OF AN INDIVIDUAL** during Chol HaMoed, וְאֵין צָרִיךְ לוֹמַר שֶׁל רַבִּים – **AND IT NEED NOT BE STATED** that this is so with regard to those **OF THE PUBLIC.** וְאֵין חוֹפְרִין בּוֹרוֹת שִׁיחִין וּמְעָרוֹת שֶׁל רַבִּים – But **WE MAY NOT DIG NEW PITS, DITCHES AND CAVES OF THE PUBLIC,** וְאֵין צָרִיךְ לוֹמַר שֶׁל יָחִיד – **AND IT NEED NOT BE STATED** that this is so with regard to those **OF AN INDIVIDUAL.** מַאי לָאו בְּשֶׁרַבִּים צְרִיכִין לָהֶם – Now, **is it not** true that the Baraisa refers to **where the public needs them** (the pits etc.) for the festival, and nevertheless the Baraisa states that they may not be newly dug?[3]

The Gemara answers:

לֹא – **No.** בְּשֶׁאֵין רַבִּים צְרִיכִין לָהֶם – The Baraisa refers to **where the public does not need [the pits].**

The Gemara analyzes the validity of this explanation:

דִּכְווָתָהּ גַּבֵּי יָחִיד – **But then the parallel to this in the case of** the pits of **the individual** mentioned in the beginning of the Baraisa **would be** שֶׁאֵין יָחִיד צָרִיךְ לָהֶם – **where the individual does not need them.** Nevertheless, the Baraisa rules that they may be cleared out. חֲטִיטָה מִי שָׁרֵי – But **is clearing out** the pits of an individual on Chol Hamoed **permitted** even where they are not needed? וְהָתַנְיָא – **Why, it has been taught in a** different **Baraisa:** בּוֹרוֹת שִׁיחִין וּמְעָרוֹת שֶׁל יָחִיד כּוֹנְסִין מַיִם לְתוֹכָן – **WE MAY GATHER WATER INTO PITS, DITCHES AND CAVES OF AN INDIVIDUAL** during Chol HaMoed,[4] אֲבָל לֹא חוֹטְטִין – **BUT WE MAY NOT CLEAR** them **OUT** of debris, וְלֹא שָׁפִין אֶת סִדְקֵיהֶן – **NOR MAY WE PLASTER THEIR CRACKS.**[5] וְשֶׁל רַבִּים – **AND WITH REGARD TO** pits, ditches and caves **OF THE PUBLIC,** חוֹטְטִין אוֹתָן – **WE MAY CLEAR THEM OUT** of debris, וְשָׁפִין אֶת סִדְקֵיהֶן – **AND WE MAY PLASTER THEIR CRACKS.** Now, it is well if you say that the earlier Baraisa, which permits the clearing out of debris from pits of an individual, refers to where the pits are needed for the festival, for then we can say that this Baraisa, which prohibits such action, refers to where the pits are not needed. But if you say that the earlier Baraisa refers to where the pits are not needed, and yet the Baraisa still permits an individual's pits to be cleared out, how will you explain the present Baraisa, which forbids such labor?

The Gemara counters:

וְאֶלָּא מַאי – **But what** do you suggest – that we explain the first Baraisa as discussing בְּשֶׁיָּחִיד צָרִיךְ לָהֶם – **where the individual needs [the pits]?** דִּכְווָתָהּ גַּבֵּי רַבִּים – **But then the parallel to this in the case of the public** pits in the end of the Baraisa **would be** בְּשֶׁרַבִּים צְרִיכִין לָהֶם – **where the public needs [the pits].** Nevertheless, the Baraisa forbids digging new pits. חֲפִירָה מִי אָסִיר – But **is digging** new pits then **forbidden** where the public needs them? וְהָתַנְיָא – **Why, it has been taught in a** different **Baraisa:** בּוֹרוֹת שִׁיחִין וּמְעָרוֹת שֶׁל יָחִיד כּוֹנְסִין מַיִם לְתוֹכָן – **WE MAY GATHER WATER INTO PITS, DITCHES AND CAVES OF AN INDIVIDUAL,** וְחוֹטְטִין אוֹתָן – **AND WE MAY CLEAR THEM OUT** of debris, אֲבָל לֹא שָׁפִין אֶת סִדְקֵיהֶן – **BUT WE MAY NOT PLASTER THEIR CRACKS,**[6] וְלֹא חוֹטְטִין לְתוֹכָן – **AND WE MAY NOT CLEAR INTO THEM,**[7] וְלֹא סָדִין אוֹתָן בְּסִיד – **AND WE MAY NOT SMEAR THEM WITH LIME.**[8] וְשֶׁל רַבִּים – **AND** with regard to **THOSE OF THE PUBLIC,** חוֹפְרִין אוֹתָן – **WE MAY DIG THEM,** וְסָדִין אוֹתָן בְּסִיד – **AND WE MAY SMEAR THEM WITH LIME.** This Baraisa, which is at least referring to where the public needs the pits, states clearly that they may be dug.

Conceding the validity of this proof, the Gemara asks:

אֶלָּא קַשְׁיָא הַךְ קַמַּיְיתָא – **But** then **this first** Baraisa, which apparently forbids digging new public pits even where the public needs them, **is difficult**, because it contradicts the last-cited Baraisa, which permits such digging. – ? –

The Gemara is therefore forced to emend the first Baraisa:

תָּרֵיץ הָכִי – **Rather, revise** the first Baraisa to read **as follows:** חוֹטְטִין בּוֹרוֹת שֶׁל יָחִיד – **WE MAY CLEAR OUT PITS,** ditches and caves **OF AN INDIVIDUAL** בְּשֶׁיָּחִיד צָרִיךְ לָהֶם – **WHERE THE INDIVIDUAL NEEDS THEM;** וְאֵין צָרִיךְ לוֹמַר בְּשֶׁל רַבִּים – **AND IT NEED NOT BE STATED** that this is so with regard to **THOSE OF THE PUBLIC** כְּשֶׁרַבִּים צְרִיכִין לָהֶם – **WHERE THE PUBLIC NEEDS THEM,** דַּאֲפִילּוּ חֲפִירָה מוּתָּר – **FOR EVEN DIGGING** new pits **IS PERMITTED** where the public needs them.[9] וְאֵין חוֹפְרִין בּוֹרוֹת שִׁיחִין וּמְעָרוֹת שֶׁל רַבִּים – **BUT WE MAY NOT DIG** new **PITS, DITCHES AND CAVES** בְּשֶׁאֵין רַבִּים צְרִיכִין לָהֶם – **WHERE THE PUBLIC DOES NOT NEED THEM;** וְאֵין צָרִיךְ לוֹמַר שֶׁל יָחִיד – **AND IT NEED NOT BE STATED** that this is so with regard to **THOSE OF AN INDIVIDUAL,** דְּכִי אֵין יָחִיד צָרִיךְ לָהֶם אֲפִילּוּ חֲטִיטָה נַמִּי אָסוּר – **FOR** in cases **WHERE THE INDIVIDUAL DOES NOT NEED THEM, EVEN** merely **CLEARING** them **OUT IS FORBIDDEN.**

The Gemara adduces support for this ruling that where the

NOTES

1. If the public needs new cisterns dug in order to have water to drink on the festival, they may dig them (*Rashi* to *Rif,* as elaborated on by *Ritva;* cf. *Ramban, Ritva*).

According to this statement of R' Yaakov in the name of R' Yochanan, the reason the Mishnah stresses that the cisterns are in the public domain is not to imply that the public *needs* the cisterns but rather to indicate that they *belong* to the public (*Rashi ms.; Talmid R' Yechiel MiParis*).

2. A בּוֹר, *pit,* is round; a שִׁיחַ, *ditch,* is long and narrow; a מְעָרָה, *cave,* is square and covered (*Rashi* to *Bava Kamma* 50b ד״ה חריצין).

3. From the fact that the Baraisa states that the pits are "of the public" rather than "in the public domain," the Gemara assumes that the case is where the public needs the water of the pits for the festival (*Talmid R' Yechiel MiParis*).

4. I.e. water may be directed into these reservoirs through [existing (*Shaar HaTziyun* 544:16)] water canals (*Ritva* citing *Rashi;* cf. *Chidushei HaRan, Meiri, Nimukei Yosef*).

5. I.e. if the plaster between the stones falls off, we may not apply new plaster (*Talmid R' Yechiel MiParis*).

6. *Rif, Rambam* (*Hil. Yom Tov* 8:4; see *Lechem Mishneh*) and *Rosh* have the reading וְשָׁפִין אֶת סִדְקֵיהֶן, *and we* may *plaster their cracks* (*Dikdukei Soferim* §8).

7. The meaning of these words is unclear. *Dikdukei Soferim* (ibid.) deletes this phrase. See also *Lechem Mishneh* ibid.

8. This refers to smearing not only the cracks but the entire pit (*Talmid R' Yechiel MiParis*). [According to the reading of *Rif* etc. cited in note 6, the Baraisa states that although the cracks in the pit may be plastered, one may not plaster the entire pit.]

9. Thus the Baraisa does not contradict R' Yochanan, who said above that where the public needs the cisterns even digging new ones is permitted (*Rashi*).

עין משפט נר מצוה

לה א מיי' פ"ח מהל' י"ט הלכה ד סמג לאוין עה טוש"ע א"ח סי' תקמד סעיף ג:

לו ב ג מיי' פ"ז שם הלכה י סמג לאוין שם טוש"ע שם:

לז ד מיי' שם פ"ח הלכה ד סמג וטוש"ע שם:

לח ה מיי' שם פ"ז הלכה י סמג שם טוש"ע שם סעיף א:

לט ו מיי' פ"ח מהלכות טומאת מת הלכה ט סמג עשין רלח:

מ ז מיי' פ"י מהלכות טומאת צרעת הלכה ו סמג עשין רלה:

גמרא

קילקולי המים שברה"ר וכו': חטיטה אין חפירה לא אמר ר' יעקב אמר ר' יוחנן לא שנו אלא שאין רבים צריכין להם אבל רבים צריכין להם אפילו חפירה מותר וכי רבים צריכין להם מי שרי והתניא חוטטין בורות שיחין ומערות של יחיד ואין צריך לומר של רבים ואין חופרין בורות שיחין ומערות של רבים ואין צריך לומר של יחיד מאי לאו בשרבים צריכין להם לא בשאין רבים צריכין להם דכוותה גבי יחיד שאין יחיד צריך להם חטיטה מי שרי והתניא בורות שיחין ומערות של יחיד כונסין מים לתוכן אבל לא חוטטין (א) ולא שפין את סדקיהן ושל רבים חוטטין אותן ושפין את סדקיהן ואלא מאי בשיחיד צריך להם דכוותה גבי רבים בשרבים צריכין להם חפירה מי אסיר והתניא בורות שיחין ומערות של יחיד כונסין מים לתוכן וחוטטין אותן אבל לא שפין את סדקיהן ולא חוטטין לתוכן ולא סדין אותן בסיד ושל רבים חופרין אותן וסדין אותן בסיד אלא קשיא הך קמייתא תריץ הכי חוטטין בורות של יחיד בשיחיד צריך להם ואין צריך לומר בשל רבים כשרבים צריכין להם דאפילו חפירה מותר ואין חופרין בורות שיחין ומערות של רבים בשאין רבים צריכין להם ואין צריך לומר של יחיד דכי אין יחיד צריך להם דאפילו חטיטה נמי אסור אמר רב אשי מתניתין נמי דיקא דקתני עושין כל צורכי רבים כל לאתויי מאי לאו לאתויי חפירה לא לאתויי הא דתניא יוצאין לקווץ את הדרכים ולתקן את הרחובות ואת האסטרטאות ולמוד את המקוואות וכל מקוה שאין בו ארבעים סאה מרגילין לתוכו ארבעים סאה ומנין שאם לא יצאו ועשו כל אלו שכל דמים שנשפכו שם מעלה עליהם הכתוב כאילו הם שפכום ת"ל והיה עליך דמים הא בהדיא קתני לה ומתקנין את הדרכים ואת הרחובות ואת המקואות ועושין כל צורכי רבים לאתויי מאי לאו לאתויי חפירה שמע מינה: מציינין את הקברות: אמר ר"ש בן פזי רמז לציון קברות מן התורה מנין תלמוד לומר וראה עצם אדם ובנה אצלו ציון א"ל רבינא לרב אשי והא מקמי דליתי יחזקאל מאן אמר ולטעמיך הא דאמר רב חסדא דבר זה מתורת משה רבינו לא למדנו מדברי יחזקאל בן בוזי למדנו כל בן נכר ערל לב וערל בשר לא יבא אל מקדשי (לשרתני) מקמי דליתי יחזקאל מאן אמר אלא גמרא גמירי לה ואתא יחזקאל ואסמכה אקרא הכא נמי גמרא גמירי לה ואתא יחזקאל ואסמכה אקרא רבי אבהו אמר מהכא וטמא טמא יקרא טומאה קוראה לו ואומרת לו פרוש וכן אמר רבי עוזיאל בר בריה דרבי עוזיאל רבה טומאה קוראה לו ואומרת לו פרוש והאי להכי הוא דאתא ההוא מיבעי ליה לכדתניא וטמא טמא יקרא צריך להודיע צערו לרבים ורבים מבקשין עליו רחמים א"כ ליכתוב וטמא יקרא מאי וטמא טמא שמעת מינה תרתי אביי אמר מהכא ולפני עור לא תתן מכשול רב פפא אמר (ג) ואמר סלו סלו פנו דרך רב חיננא אמר הרימו מכשול מדרך עמי ר' יהושע בריה דרב אידי אמר והודעת להם את הדרך (אשר) ילכו בה מר זוטרא אמר והזרתם את בני ישראל מטומאתם רב אשי אמר ושמרתם את משמרתי עשו משמרת למשמרתי רבינא אמר ושם דרך אראנו בישע אלהים אריב"ל כל השם אורחותיו זוכה ורואה בישועתו של הקדוש ברוך הוא שנאמר ושם דרך אל תקרי ושם אלא ושם דרך אראנו בישע אלהים רבי ינאי הוה ליה ההוא תלמידא דכל יומא הוה מקשי ליה בשבתא דריגלא לא הוה מקשי ליה קרי

רש"י

קילקולי המים. כגון אבנים שנפלו מתחת הבור: חוטטין. נפלו צרורות בקרקעית הבור מעלה אותן במועד: אבל לא חוטטין אותן. אי אמרת בשלמא הא דקתני ההיא ברייתא שלמעלה (ג) של יחיד היינו בשיחיד צריך לו איכא לאוקמי האי דקתני האי ברייתא אבל לא חוטטין בשאין יחיד צריך לו אלא אי אוקמת לה הא דחוטטין בשאין יחיד צריך לו א"כ האי דקתני אבל לא חוטטין במאי מוקמת לה: אלא מאי בשיחיד צריך לו כו'. כלומר במאי מוקמת האי דקתני חוטטין בשרבים צריכין להן והתניא כו' של רבים חופרין אותן: אלא קשיא קמייתא. דקתני אין חופרין בורות של רבים בשרבים צריכין לו קשיא להא ברייתא דקתני הכא של רבים חופרין אותן: אלא תריץ הכי. ואין צריך לומר בשל רבים דאפילו חפירה מותר ולא קשיא לרבי יוחנן דאמר לא שנו כו': מתניתין נמי דיקא. דבשרבים צריכין לו דחפירה נמי מותר: לקווץ את הדרכים. לפנות קוצים שבדרכים: מרגילין להיות בתוכו ארבעים סאה. שמרגילין שיהא (ד) נוגע במקוה אמת המים כדי שיהא בו ארבעים סאה: כל דמים שנשפכו שם. כגון בקוצים שבדרכים: הא. דקאמרת דלאתויי הני נמי בהדיא קתני במתני' מתקנין כו' אלא ודאי הא דקתני ועושין כל צורכי רבים לאתויי חפירה קא אתו: מציינין את הקברות. שעושין סימנים על הקברות בסיד כדאמר במרובה (ב"ק דף סט.) של קברות בסיד דחוור כעצמות כדי שלא ילכו אוכלי תרומה לשם: דכתיב וראה עצם וכו'. יחזקאל מתנבא על העתיד לבא שיעשו ישראל ציונים על עצמות הפגרים המושלכין (ה) ורמז הוא שלא בא הכתוב אלא להזהיר וללמד שיהא אדם עושה ציון: כל בן נכר (ו) וערל בשר. שמתו אחיו מחמת מילה ולא רצו למולו שיראים פן ימות גם הוא כאחיו לא יבא אל מקדשי לשרתני שאסורין בעבודה: גמירי. מסיני: טומאה קוראה לו פרוש. כלומר עושים סימנים על הטומאה כדי שיהא מרגיש ופורש: (ז) לפני עור לא תתן מכשול. כלומר עשו דבר על הטומאה שלא יהו נכשלים בה נושאי תרומה וטהרות: והזרתם. ומתרגמינן ותפרשון: עשו משמרת למשמרתי. עשו משמרת לאוכלי תרומה דכתיב בה משמרת דכתיב (במדבר יח) ואני נתתי לך את משמרת תרומותי שלא יהו מטמאים: ושם דרך. שעושין סימן באיזה דרך ילכו: אראנו בישע אלהים. זה השם אורחותיו המחשב הפסד מצוה כנגד שכרה ושכר עבירה כנגד הפסדה ושם כמו שמין: בשבתא דריגלא לא הוה מקשי ליה. משום דאתו כולי עלמא לפירקא ולא מקשי ליה ולא הוה מצי לפרוקי הוה מכסיף: קרי

תוספות

לאתויי הך דתניא. קא סלקא דעתיה דהאי דקפריך הכא דבכלל מתקנין הדרכים לא הוי קוץ דרכים דתיקון משמע שמתקן הגבשושיות והגומות הלכך פריך הכי ומתרץ כל אלו בהדיא קתני להו דהוו בכלל מתקנין כו' א"נ האי דמקשה הך קושיא לא היתה מתניתא שגורה בפיו ולא הוי ידע דגרס בה ומתקנין את הדרכים: והיה עליך דמים. פי' רבינו חננאל נקיט ליה להאי קרא מפרשת מעקה דדמי להאי דהוי מכשול ממתני' עם הגמרא יש ללמד שאסור להשקות קרקעות אלא אותן דהוו דבר האבד שיתקלקלו התבואה והאילנות הנטועים בה והוא הדין לשאר עבודת קרקע אסור בחולו של מועד והא דאמרינן דמותר להשקות הני מילי כגון מאמת המים העוברת בשדה עצמו דליכא טירחא יתירא ומותר לתקן בורות שיחין ומערות של יחיד ושל רבים מותר לחפור לכתחילה כיון דצריכי למים דהכי תניא לעיל כדפרישית: רמז לציון. דהאי קרא לא כתיב אלא לעתיד אבל לא בזמן הזה ומיהו משני דאיכא למילף מהתם: הא מקמי דליתי יחזקאל. כלומר לדידך דאמרת דבזמן הזה הוי אין מדאורייתא אם כן מקמי דליתי יחזקאל הוה ליה להקדוש ברוך הוא לאשמועינן דצריך ציון ומתרץ הרבה דברים דקים לן דאסורין מן התורה דלא כתיב בקרא אלא בהלכה עד דאתא יחזקאל והאי הכי נמי: רב פפא אמר סלו סלו. כל חד וחד נקיט מאי דהוה מסיק אדעתיה ולא פליגי אלא אורחיה דמלתא דכל חד מסיק אדעתיה מאי דלא מסיק חבריה אדעתיה: בשבתא דריגלא. שבת של יום הרגל שהיו דורשין והיו מתקבלין כל בני העיר לשמוע הלכות של רגל: אין

רבינו חננאל

פיסקא וחוטטין אותו חטיטה אין חפירה לא ותריצנא הכי חוטטין בורות שיחין ומערות יחיד בשיחיד צריך להן ואצ"ל של רבים וכי רבים צריכין להם אפי' חפירה נמי שרי ואין חופרין של יחיד דכי אין יחיד צריך להן אפי' חטיטה נמי אסור אמר רב אשי מתניתין נמי דיקא דקתני עושין כל צרכי רבים לאתויי מאי לאו לאתויי חפירה. ודחינן לא לאתויי הא דתניא יוצאין לקווץ את הדרכי' ולתקן את הרחובות והאסטרטאות ולמוד המקואות וכל מקוה שאין בו מ' סאה מרגילין לתוכו מ' סאה. ומניין שאם לא יצאו ותיקנו כל אלו כל דמים שנשפכו שם מעלה אני עליהם כאילו הם שפכום שנאמר ועשית מעקה לגגך וגו' וכתיב והיה עליך דמים. ופריק הא בהדיא קתני לה. מתקנין את הדרכים כו' כל צרכי רבים לאתויי מאי לאתויי חפירה של רבים שהיא מותרת ש"מ. תניא בורות שיחין ומערות של יחיד כונסין לתוכן מים במועד אבל לא חוטטין אותן ולא שפין את סדקיהן ושל רבים חופרין אותן וסדין אותן בסיד. ומציינין את הקברות רמז לציון מנא לן מדכתיב וראה עצם אדם ובנה אצלו ציון ועד דלא אתא יחזקאל מאן אמרה אלא גמרה גמירי לה ויחזקאל אסמכה אקרא. רבי אבהו אמר מהכא וטמא טמא יקרא. טומאה קוראה לו ואומרת פרוש פרוש וש"מ נמי כל מי שאירע בו דבר כגון המצורע וכיוצא בו צריך להודיע לרבים ורבים מבקשין עליו רחמים שנא' וטמא טמא יקרא ורבנן אחריני נמי אמרי מהני קראי. ולפני עור לא תתן מכשול. וכתיב הרימו מכשול מדרך עמי והודעת להם את הדרך ילכו בה. רב אשי אמר ושמרתם את משמרתי עשו משמרת למשמרתי. רבינא אמר ושם דרך אראנו בישע אלהים. וכל השם אורחותיו זוכה ויושב ורואה בישועתו של הקב"ה שנאמר ושם דרך אראנו בישע אלהים קרי ביה ושם דרך. ר' ינאי הוה ליה ההוא תלמידא כל שתא הוה מקשי

תורה אור השלם

א) וְלֹא יִשָּׁפֵךְ דָּם נָקִי בְּקֶרֶב אַרְצְךָ אֲשֶׁר יְיָ אֱלֹהֶיךָ נֹתֵן לְךָ נַחֲלָה וְהָיָה עָלֶיךָ דָּמִים: [דברים יט, י]
ב) וְעָבְרוּ הָעֹבְרִים בָּאָרֶץ וְרָאָה עֶצֶם אָדָם וּבָנָה אֶצְלוֹ צִיּוּן עַד קָבְרוּ אֹתוֹ הַמְקַבְּרִים אֶל גֵּיא הֲמוֹן גּוֹג: [יחזקאל לט, טו]
ג) כֹּה אָמַר אֲדֹנָי אֱלֹהִים כָּל בֶּן נֵכָר עֶרֶל לֵב וְעֶרֶל בָּשָׂר לֹא יָבוֹא אֶל מִקְדָּשִׁי לְכָל בֶּן נֵכָר אֲשֶׁר בְּתוֹךְ בְּנֵי יִשְׂרָאֵל: [יחזקאל מד, ט]
ד) וְהַצָּרוּעַ אֲשֶׁר בּוֹ הַנֶּגַע בְּגָדָיו יִהְיוּ פְרֻמִים וְרֹאשׁוֹ יִהְיֶה פָרוּעַ וְעַל שָׂפָם יַעְטֶה וְטָמֵא טָמֵא יִקְרָא: [ויקרא יג, מה]
ה) לֹא תְקַלֵּל חֵרֵשׁ וְלִפְנֵי עִוֵּר לֹא תִתֵּן מִכְשֹׁל וְיָרֵאתָ מֵּאֱלֹהֶיךָ אֲנִי יְיָ: [ויקרא יט, יד]
ו) וְאָמַר סֹלּוּ סֹלּוּ פַּנּוּ דָרֶךְ הָרִימוּ מִכְשׁוֹל מִדֶּרֶךְ עַמִּי: [ישעיה נז, יד]
ז) וְהִזְהַרְתָּה אֶתְהֶם אֶת הַחֻקִּים וְאֶת הַתּוֹרֹת וְהוֹדַעְתָּ לָהֶם אֶת הַדֶּרֶךְ יֵלְכוּ בָהּ וְאֶת הַמַּעֲשֶׂה אֲשֶׁר יַעֲשׂוּן: [שמות יח, כ]
ח) וְהִזַּרְתֶּם אֶת בְּנֵי יִשְׂרָאֵל מִטֻּמְאָתָם וְלֹא יָמֻתוּ בְּטֻמְאָתָם בְּטַמְּאָם אֶת מִשְׁכָּנִי אֲשֶׁר בְּתוֹכָם: [ויקרא טו, לא]
ט) וּשְׁמַרְתֶּם אֶת מִשְׁמַרְתִּי לְבִלְתִּי עֲשׂוֹת מֵחֻקּוֹת הַתּוֹעֵבֹת אֲשֶׁר נַעֲשׂוּ לִפְנֵיכֶם וְלֹא תִטַּמְּאוּ בָּהֶם אֲנִי יְיָ אֱלֹהֵיכֶם: [ויקרא יח, ל]
י) זֹבֵחַ תּוֹדָה יְכַבְּדָנְנִי וְשָׂם דֶּרֶךְ אַרְאֶנּוּ בְּיֵשַׁע אֱלֹהִים: [תהלים נ, כג]

public requires it, even digging new cisterns is permitted: אָמַר רַב אַשִׁי – **Rav Ashi said:** מַתְנִיתִין נַמִּי דַּיְקָא – **A precise reading of our Mishnah also indicates this.** דְּקָתָנֵי – **For the Mishnah states:** עוֹשִׂין כָּל צוֹרְכֵי רַבִּים – AND ONE MAY TEND TO ALL OF THE PUBLIC NEEDS. כָּל לְאַתּוּיֵי מַאי – Now, **what does** the term **"all"** come to **include?** לָאו לְאַתּוּיֵי חֲפִירָה – **Does it not** come to **include digging** a new cistern?

The Gemara seeks to reject this proof:

לֹא – **No,** לְאַתּוּיֵי הָא דְּתַנְיָא – it comes **to include such** cases **as were taught in** the following **Baraisa:** יוֹצְאִין לְקַוֵּוץ אֶת הַדְּרָכִים – [AGENTS OF THE COURT] GO OUT during Chol HaMoed TO CLEAR THE ROADS OF THORNS, וּלְתַקֵּן אֶת הָרְחוֹבוֹת וְאֶת הָאִסְטְרַטָּאוֹת – TO REPAIR THE ROADS AND MARKET STREETS, וְלָמוֹד אֶת הַמִּקְוָאוֹת – AND TO MEASURE THE *MIKVEHS*.[10] וְכָל מִקְוֶה שֶׁאֵין בּוֹ אַרְבָּעִים סְאָה – AND ANY *MIKVEH* THAT DOES NOT HAVE IN IT the required FORTY *SE'AH* of water, מַרְגִּילִין לְתוֹכוֹ אַרְבָּעִים סְאָה – WE DIRECT INTO IT water to complete the FORTY *SE'AH*.[11] וּמִנַּיִן שֶׁאִם לֹא יָצְאוּ וְעָשׂוּ כָּל אֵלּוּ – AND FROM WHERE is it known THAT IF [THE AGENTS OF THE COURT] DO NOT GO OUT AND DO ALL THESE things, שֶׁכָּל דָּמִים שֶׁנִּשְׁפְּכוּ שָׁם מַעֲלֶה עֲלֵיהֶם הַכָּתוּב כְּאִילּוּ הֵם שְׁפָכוּם – THAT ANY BLOOD THAT IS SPILLED THERE as a result IS CONSIDERED BY SCRIPTURE AS IF THEY [the court of that city] HAD SPILLED IT?[12] תַּלְמוּד לוֹמַר – THE TORAH STATES: ,,וְהָיָה עָלֶיךָ דָּמִים" – *Innocent blood shall not be shed in the midst of your Land . . . FOR THEN BLOOD WILL BE UPON YOU.*[13]

The Gemara counters that these cases cannot be what the term "all" in the Mishnah is coming to include:

הָא בְּהֶדְיָא קָתָנֵי לָהּ – **But these** cases **are explicitly stated in the Mishnah,** for the Mishnah states: וּמְתַקְּנִין אֶת הַדְּרָכִים וְאֶת הָרְחוֹבוֹת וְאֶת הַמִּקְוָאוֹת – AND ONE MAY REPAIR THE ROADS, THE STREETS AND THE *MIKVEHS*. Accordingly, the term "all" is not needed for these cases.

The Gemara, therefore, returns to the original explanation:

וְעוֹשִׂין כָּל צוֹרְכֵי רַבִּים לְאַתּוּיֵי מַאי – **Rather, what does** the term "AND TEND TO ALL THE PUBLIC NEEDS" come to **include?** לָאו לְאַתּוּיֵי חֲפִירָה – Does it **not** come **to include digging** a new cistern? שְׁמַע מִינָּהּ – **Learn from this** that digging a new cistern for the public need is permitted.

The Mishnah stated:

מְצַיְּינִין אֶת הַקְּבָרוֹת – ONE MAY MARK THE GRAVES.

In connection with the Mishnah's mention that graves may be marked on Chol HaMoed, the Gemara seeks a Scriptural source for the basic rule that graves should be marked to protect people from unwittingly contracting *tumah*:

אָמַר רַבִּי שִׁמְעוֹן בֶּן פַּזִּי – **R' Shimon ben Pazi said:** רֶמֶז לְצִיּוּן קְבָרוֹת מִן הַתּוֹרָה מִנַּיִן – **Where** do we find **an allusion that the marking of graves** is required **by the Torah?**[14] תַּלְמוּד לוֹמַר – **For Scripture states:** ,,וְרָאָה עֶצֶם אָדָם וּבָנָה אֶצְלוֹ צִיּוּן" – ***and when one sees a human bone he will build a marker near it.***[15]

An objection is raised:

אָמַר לֵיהּ רָבִינָא לְרַב אַשִׁי – **Ravina said to Rav Ashi:** הָא מִקַּמֵּי דְּלֵיתֵי יְחֶזְקֵאל מַאן אָמַר – **But before Ezekiel came** and spoke this verse, **who said** that graves are to be marked?[16]

Rav Ashi responds:

וְלִיטַעְמִיךְ – **And according to your premise,** הָא דְּאָמַר רַב חִסְדָּא – how do you explain **that which Rav Chisda said:** דָּבָר זֶה מִתּוֹרַת מֹשֶׁה רַבֵּינוּ לֹא לָמַדְנוּ – **This matter** – that a Kohen who is, for any reason, uncircumcised may not perform the Temple Service[17] – **we did not learn from the Torah of Moses our teacher,** i.e the Pentateuch; מִדִּבְרֵי יְחֶזְקֵאל בֶּן בּוּזִי לָמַדְנוּ – rather, **we learned** it **from the words of** the prophet **Ezekiel the son of Buzi,** who said: ,,כָּל־בֶּן־נֵכָר עֶרֶל לֵב וְעֶרֶל בָּשָׂר לֹא יָבוֹא אֶל־מִקְדָּשִׁי (לשרתני)" – ***No stranger, uncircumcised of heart or uncircumcised of flesh, shall come into My Temple . . .***[18] This verse disqualifies any uncircumcised Kohen from serving in the Temple. מִקַּמֵּי דְּלֵיתֵי יְחֶזְקֵאל מַאן אָמַר – According to your reasoning, here too you should ask: **Before Ezekiel came** and spoke this verse, **who said** that an uncircumcised Kohen may not serve? אֶלָּא גְּמָרָא גְּמִירֵי לָהּ – **Rather,** you

NOTES

10. To check if the summer heat has not caused the water in the *mikveh* to evaporate to below the requisite level (*Rashi ms.*).

11. We divert a water channel into it until it fills up (*Talmid R' Yechiel MiParis; see Rashi* and *Hagahos HaBach*).

12. For example, if someone was injured by the thorns (*Rashi, Rashi ms.*), or was chased by enemies on those roads, and, because the roads were not in proper shape, was unable to flee and was killed (*Rashi ms.*).

13. *Deuteronomy* 19:10. The verses there relate the requirement incumbent upon *beis din* to adjudicate cases of murder. If this is not done, the Torah counts it as if the blood that was spilled is upon the heads of *beis din*.

14. R' Shimon ben Pazi holds that there is a *Biblical* obligation to mark graves in order to protect people who eat *terumah* from *tumah* (*Tosafos* ד"ה הא; see also *Rashi* ד"ה גמירי). Others maintain that the expression "by the Torah" is used loosely here, for the requirement is merely Rabbinic (*Tosafos* to *Bava Basra* 147a ד"ה מנין, based on Gemara *Niddah* 57a).

15. *Ezekiel* 39:15. Ezekiel prophesied about the aftermath of the future "war of Gog and Magog," when Eretz Yisrael will be littered with the corpses of Gog's army. He states that even after the land has been mainly cleansed, whoever sees a remnant human bone *will build a marker near it.* Thus, we see that it is proper to mark graves.

However, the verse merely contains an *allusion* to the law that graves should be marked to protect against contamination. One cannot derive from it that this is obligatory [because in the scenario that it describes the marker is not needed to protect against contamination]. Markers are required only for corpses that transmit *tumah* through the method of "roof" [אֹהֶל]. That is, in a situation where a corpse would convey *tumah* to a person passing over it even if it was buried, there is a need to mark it in order to alert people to keep their distance. Where the article conveys *tumah* only through contact [מַגָּע] or being moved [הֶיסֵּט], burying it suffices, since this eliminates the concern for *tumah* (*Rashi ms.;* see also *Hagahos HaBach*). A bone from one of Gog's soldiers would not transmit *tumah* through the method of "roof," since individual bones generally convey *tumah* only through contact or being moved (see top of 5b). Furthermore, according to some opinions, non-Jewish corpses – even if they are whole – do not transmit *tumah* via a "roof." Thus, in the situation that the verse discusses, burial would obviate the need for a marker (see *Yevamos* 61a with *Tosafos* ד"ה ממגע and *Rambam, Hil. Tumas Meis* 1:13; cf. *Tosafos* to *Niddah* 57a ד"ה ובנה and *Talmid R' Yechiel MiParis*).

16. I.e. since R' Shimon ben Pazi assumes that *Biblical* law provides for the marking of graves, how can the verse in *Ezekiel* be the only source for this rule. [It should have been written in the Pentateuch] (*Tosafos;* cf. *Tosafos* to *Bava Basra* 147a ד"ה מנין).

17. The Mishnah elsewhere (*Zevachim* 15b) counts a person who is uncircumcised among those whose participation in a Temple service invalidates it. The Gemara (ibid. 22b) inquires as to the source of this law. Rav Chisda replies that the law regarding such a Kohen is not indicated in the Pentateuch but rather in the Prophets.

18. *Ezekiel* 44:9. The term *uncircumcised of heart* refers to a Kohen whose deeds have turned strange to his Father in heaven, thus being disqualified from serving in the Temple due to a faithlessness of heart, i.e. apostasy (*Rashi ms., from Zevachim* 22b). The term *uncircumcised of flesh* refers to a Kohen who is not a renegade, but was unable to circumcise himself because two of his brothers died as a result of circumcision. [In such a situation, circumcision is forbidden because of the concern that he, too, might die (see *Yevamos* 64b). Nevertheless,] the Kohen is disqualified from serving in the Temple (*Rashi; cf. Tosafos* to *Zevachim* 22b ד"ה ערל).

קילקולי המים שברה"ר וכו': חטיטה אין חפירה לא אמר ר' יעקב אמר ר' יוחנן לא שנו אלא שאין רבים צריכין להם אבל רבים צריכין להם אפילו חפירה מותר וכי רבים צריכין להם מי שרי והתניא חוטטין בורות שיחין ומערות של יחיד ואין צריך לומר של רבים ואין חופרין בורות שיחין ומערות של רבים ואין צריך לומר של יחיד מאי לאו בשרבים צריכין להם לא בשאין רבים צריכין להם דכוותה גבי יחיד שאין יחיד צריך להם חטיטה מי שרי והתניא בורות שיחין ומערות של יחיד כונסין מים לתוכן אבל לא חוטטין (א) ולא שפין את סדקיהן ושל רבים חוטטין אותן ושפין את סדקיהן ואלא מאי בשיחיד צריך להם דכוותה גבי רבים בשרבים צריכין להם חפירה מי אסיר והתניא בורות שיחין ומערות של יחיד כונסין מים לתוכן וחוטטין אותן אבל לא שפין את סדקיהן ולא חוטטין לתוכן ולא סדין אותן בסיד ושל רבים חופרין אותן וסדין אותן בסיד אלא קשיא הך קמייתא תריץ הכי חוטטין בורות של יחיד [א] בשיחיד צריך להם ואין צריך לומר בשל רבים כשרבים צריכין להם [ב] דאפילו חפירה מותר ואין חופרין בורות שיחין ומערות של רבים [ג] בשאין רבים צריכין להם ואין צריך לומר של יחיד דכי אין יחיד צריך להם [ד] אפילו חטיטה נמי אסור אמר רב אשי מתניתין נמי דיקא דקתני עושין כל צורכי רבים כל לאתויי מאי לאו לאתויי חפירה לא לאתויי הא דתניא [ה] יוצאין לקווץ את הדרכים ולתקן את הרחובות ואת (א) האסטרטאות ולמוד את המקואות וכל מקוה שאין בו ארבעים סאה מרגילין לתוכו ארבעים סאה ומנין שאם לא יצאו ועשו כל אלו שכל דמים שנשפכו שם מעלה עליהם הכתוב כאילו הם שפכום ת"ל (א) והיה עליך דמים הא בהדיא קתני לה ומתקנין את הדרכים ואת הרחובות ואת המקואות ועושין כל צורכי רבים לאתויי מאי לאו לאתויי חפירה שמע מינה: [ו] מציינין את הקברות: אמר ר"ש בן פזי רמז לציון קברות (ל) מן התורה מנין [ז] תלמוד לומר (ב) וראה עצם אדם ובנה אצלו ציון א"ל רבינא לרב אשי הא מקמי דליתי יחזקאל מאן אמר וליטעמיך הא (ג) דאמר רב חסדא דבר זה מתורת משה רבינו לא למדנו מדברי יחזקאל בן בוזי למדנו (ג) כל בן נכר ערל לב וערל בשר לא יבא אל מקדשי ((ד) לשרתני) מקמי דליתי יחזקאל מאן אמר אלא גמרא גמירי לה ואתא יחזקאל ואסמכה אקרא הכא נמי גמרא גמירי לה ואתא יחזקאל ואסמכה אקרא רבי אבהו אמר מהכא (ד) וטמא טמא יקרא טומאה קוראה לו ואומרת לו פרוש וכן אמר רבי עוזיאל בר בריה דרבי עוזיאל רבה טומאה קוראה לו ואומרת לו פרוש והאי להכי הוא דאתא ההוא מיבעי ליה לכדתניא וטמא טמא יקרא (ה) [ח] צריך להודיע צערו לרבים ורבים מבקשין עליו רחמים א"כ ליכתוב וטמא יקרא מאי וטמא טמא שמעת מינה תרתי אביי אמר מהכא (ה) ולפני עור לא תתן מכשול רב פפא אמר (ב) (ו) ואמר סלו סלו פנו דרך רב חיננא אמר (ו) הרימו מכשול מדרך עמי ר' יהושע בריה דרב אידי אמר (ז) והודעת להם את הדרך (אשר) ילכו בה מר זוטרא אמר (ח) והזרתם את בני ישראל מטומאתם רב אשי אמר [י] (ט) ושמרתם את משמרתי עשו משמרת למשמרתי רבינא אמר (י) ושם דרך אראנו בישע אלהים אריב"ל [ט] כל השם אורחותיו זוכה ורואה בישועתו של הקדוש ברוך הוא שנאמר ושם דרך אל תקרי ושם אלא ושם דרך אראנו בישע אלהים רבי ינאי הוה ליה ההוא תלמידא דכל יומא הוה מקשי ליה בשבתא דריגלא לא הוה מקשי ליה

קרי

רש"י

קילקולי המים. כגון אבנים שנפלו מתחת הבור: חוטטין. נפלו לרוחות בקרקעית הבור מעלה אותן במועד: אבל לא חוטטין אותן. אי אמרת בשלמא הא דקתני ההיא ברייתא שלמעלה (ג) של יחיד היינו בשיחיד צריך לו איכא לאוקמי האי דקתני האי ברייתא אבל לא חוטטין בשאין יחיד צריך לו אלא אי אוקמת לה הא דחוטטין בשאין יחיד צריך לו א"כ האי דקתני אבל לא חוטטין במאי מוקמת לה: אלא מאי בשיחיד צריך לו כו'. כלומר במאי מוקמת האי דקתני חוטטין בשרבים צריכין להן והתניא כו' של רבים חופרין אותן: אלא קשיא קמייתא. דקתני אין חופרין בורות של רבים בשרבים צריכין לו קשיא להא ברייתא דקתני הכא של רבים חופרין אותן: אלא תריץ הכי. ואין צריך לומר בשל רבים דאפילו חפירה מותר ולא קשיא לרבי יוחנן דאמר לא שנו כו': מתניתין נמי דיקא. דבשרבים צריכין לו דחפירה נמי מותר: לקווץ את הדרכים. לפנות קוצים שבדרכים: מרגילין להיות בתוכו ארבעים סאה. שמרגילין שיהא (ד) נוגע במקוה אמת המים כדי שיהא בו ארבעים סאה: כל דמים שנשפכו שם. כגון בקוצים שבדרכים: הא. דקאמרת דלאתויי הני נמי בהדיא קתני במתני' מתקנין כו' אלא ודאי הא דקתני ועושין כל צורכי רבים לאתויי חפירה קא אתו: (ט) מציינין את הקברות. שעושין סימנים על הקברות בסיד כדאמר במרובה (ב"ק דף סט.) של קברות בסיד דחוור כעצמות כדי שלא ילכו אוכלי תרומה לשם: דכתיב וראה עצם וכו'. יחזקאל מתנבא על העתיד לבא שיעשו ישראל ציונים על עצמות הפגרים המושלכין (ה) ורמז הוא שלא בא הכתוב (ט) אלא להזהיר וללמד שיהא אדם עושה ציון: כל בן נכר (ו) וערל בשר. שמתו אחיו מחמת מילה ולא רצו למולו שיראים פן ימות גם הוא כאחיו לא יבא אל מקדשי לשרתני שאסורין בעבודה: גמירי. מסיני: טומאה קוראה לו פרוש. כלומר עושים סימנים על הטומאה כדי שיהא מרגיש ופורש: (ז) לפני עור לא תתן מכשול. כלומר עשו דבר על הטומאה שלא יהו נכשלים בה נושאי תרומה וטהרות: והזרתם. ומתרגמינן ותפרשון: עשו משמרת למשמרתי. עשו משמרת לאוכלי תרומה דכתיב בה משמרת דכתיב (במדבר יח) ואני נתתי לך את משמרת תרומותי שלא יהו מטמאים: ושם דרך. שעושין סימן באיזה דרך ילכו: אראנו בישע אלהים. זה השם אורחותיו המחשב הפסד מצוה כנגד שכרה ושכר עבירה כנגד הפסדה ושם כמו שמין: בשבתא דריגלא לא הוה מקשי ליה. משום דאתו כולי עלמא לפירקא ואי מקשי ליה ולא הוה מצי לפרוקי הוה מכסיף:

תוספות

לאתויי הך דתניא. קא סלקא דעתיה דהאי דקפריך הכא דבכלל מתקנין הדרכים לא הוי קוון דרכים דתיקון משמע שמתקן הגבשושיות והגומות הלכך פריך הכי ומתרץ כל אלו בהדיא קתני להו דהוו בכלל מתקנין כו' א"נ האי דמקשה הך קושיא לא היתה מתניתא שגורה בפיו ולא הוי ידע [י] דגרס בה ומתקנין את הדרכים: והיה עליך דמים. פי' רבינו חננאל נקיט ליה להאי קרא מפרשת [כ] מעקה דדמי להאי דהוי מכשול ממתני' עם הגמרא יש ללמד שאסור להשקות קרקעות אלא אותן דהוו דבר האבד שיתקלקלו התבואה והאילנות הנטועים בה והוא הדין לשאר עבודת קרקע אסור בחולו של מועד והא דאמרינן דמותר להשקות הני מילי כגון מאמת המים העוברת בשדה עצמו דליכא טירחא יתירא ומותר לתקן בורות שיחין ומערות של יחיד ושל רבים מותר לחפור לכתחילה כיון דצריכי למים דהכי תניא לעיל כדפרישית: רמז לציון. דהאי קרא לא כתיב אלא לעתיד אבל לא בזמן הזה ומיהו משני דאיכא למילף מהתם: הא מקמי דליתי יחזקאל. כלומר לדידך דאמרת דבזמן הזה הוי אן [ל] מדאורייתא אם כן מקמי דליתי יחזקאל הוה ליה להקדוש ברוך הוא לאשמועינן דצריך ציון ומתרץ הרבה דברים דקים לן דאסורין מן התורה דלא כתיב בקרא אלא בהלכה עד דאתא יחזקאל והאי הכי נמי: רב פפא אמר סלו סלו. כל חד וחד נקיט מאי דהוה מסיק אדעתיה ולא פליגי אלא אורחיה דמלתא דכל חד מסיק אדעתיה מאי דלא מסיק חבריה אדעתיה: בשבתא דריגלא. שבת של יום הרגל שהיו דורשין והיו מתקבלין כל בני העיר לשמוע הלכות של רגל:

אין

מסורת הש"ס

א) [פי' דרכים המפולשין], ב) [עי' תוס' ב"ב קמז. ד"ה מנין], ג) תענית יז: יומא עא: סנהדרין כב: פג: זבחים יח: [כב:], ד) [ליתא בקרא], ה) [סוטה לב:] נדה סו. שבת סז. חולין עח., ו) [יבמות כא.], ז) [סוטה ה:], ח) [שייך במשנה דלעיל ב.], ט) ברש"י בעין יעקב ליתא תיבת אלא, י) [עי' תוס' פסחים לז. ד"ה אלא וכו'], כ) [משם לא מוכח מידי ושם כתיב קרא אחרינא ונראה דצ"ל מפ' מקלט. העתק מחילופי גרסאות], ל) [ועי' תוס' ב"ב קמז. ד"ה מנין].

עין משפט נר מצוה

לה א מיי' פ"ח מהל' י"ט הלכה ד סמג לאוין עה טוש"ע א"ח סי' תקמד סעיף ב:

לו ב ג מיי' פ"ז שם הלכה י סמג לאוין שם טוש"ע שם:

לז ד מיי' שם פ"ח הלכה ד סמג וטוש"ע שם:

לח ה מיי' שם פ"ז הלכה י סמג שם טוש"ע שם סעיף א:

לט ו מיי' פ"ח מהלכות טומאת מת הלכה ט סמג עשין רלח:

מ ז מיי' פ"י מהלכות טומאת צרעת הלכה ו סמג עשין רלה:

רבינו חננאל

פיסקא וחוטטין אותו חטיטה אין חפירה לא ותריצנא הכי חוטטין בורות שיחין ומערות יחיד בשיחיד צריך להן וא"צ"ל של רבים וכי רבים צריכין להם אפי' חפירה נמי שרי ואין חופרין של יחיד דכי אין יחיד צריך להן אפי' חטיטה נמי אסור אמר רב אשי מתניתין נמי דיקא דקתני עושין כל צרכי רבים לאתויי מאי לאו לאתויי חפירה. ודחינן לא לאתויי הא דתניא יוצאין לקווץ את הדרכי' ולתקן את הרחובות והאסטרטאות ולמוד המקואות וכל מקוה שאין בו מ' סאה מרגילין לתוכו מ' סאה. ומניין שאם לא יצאו ותיקנו כל אלו כל דמים שנשפכו שם מעלה אני עליהם כאילו הם שפכום שנאמר ועשית מעקה לגגך וגו' וכתיב והיה עליך דמים. ופריק הא בהדיא קתני לה. מתקנין את הדרכים כו' כל צרכי רבים לאתויי מאי לאתויי חפירה של רבים שהיא מותרת ש"מ. תניא בורות שיחין ומערות של יחיד כונסין לתוכן מים במועד אבל לא חוטטין אותן ולא שפין את סדקיהן ושל רבים חופרין אותן וסדין אותן בסיד. ומציינין את הקברות רמז לציון מנא לן מדכתיב וראה עצם אדם ובנה אצלו ציון ועד דלא אתא יחזקאל מאן אמרה אלא גמרה גמירי לה ויחזקאל אסמכה אקרא. רבי אבהו אמר מהכא וטמא טמא יקרא. טומאה קוראה לו ואומרת פרוש פרוש וש"מ נמי כל מי שאירע בו דבר כגון המצורע וכיוצא בו צריך להודיע לרבים ורבים מבקשין עליו רחמים שנא' וטמא טמא יקרא ורבנן אחריני נמי אמרי מהני קראי. ולפני עור לא תתן מכשול. וכתיב הרימו מכשול מדרך עמי והודעת להם את הדרך ילכו בה. רב אשי אמר ושמרתם את משמרתי עשו משמרת למשמרתי. רבינא אמר ושם דרך אראנו בישע אלהים. וכל השם אורחותיו זוכה ויושב ורואה בישועתו של הקב"ה שנאמר ושם דרך אראנו בישע אלהים קרי ביה ושם דרך. ר' ינאי הוה ליה ההוא תלמידא כל שתא הוה מקשי

הגהות הב"ח

(א) גמ' אבל לא חוטטין אותן ולא שפין: (ב) שם רב פפא אמר מהכא ואמר סלו כו' רב חיננא אמר מהכא הרימו כו' ר"י בריה דר"א אמר מהכא והודעת כו' מר זוטרא אמר מהכא והזרתם כו' רב אשי אמר מהכא ושמרתם כו' רבינא אמר מהכא ושם דרך כו': (ג) רש"י ד"ה אבל כו' ברייתא שלמעלה חוטטין של יחיד היינו: (ד) ד"ה מרגילין כו' שיהא נוגע במקום כו' ונ"ב נראה דפי' זה הוא של רבינו הלוי דס"ל דזכה טעונה מים חיים אבל לדעת רש"י דס"ל דלא בעי' מים חיים צ"ל מרגילין לתוכו מ' סאה היינו מי גשמים עי' בפ' במה אשה שבת דף סה ע"ב ובבכורות דף כה ע"ב: (ה) ד"ה דכתיב כו' הפגרים המושלכין בארץ ורמז הוא (שלא בא הכתוב וכו' עושה ציון) תא"מ ונ"ב ס"א שלא בא הכתוב להזהיר ואמר שיהא אדם עושה ציון דמש"ה א"צ ציון דכיון שאין מטמא באהל מכסהו בקרקע ואין צריך לציין: (ו) ד"ה כל בן נכר ערל לב שנתנכרו מעשיו לאביו שבשמים שנעשה ערל לב ועע"ז כדמפרש בפ"ב דמנחות וערל בשר שמתו כו': (ז) ד"ה לפני כו' וטהרות הס"ד ואח"כ מה"ד פנו דרך. עשו דרך פנוי ללכת בו הס"ד:

הגהות מהר"ב רנשבורג

אן תוס' ד"ה הא מקמי וכו' מדאורייתא. נ"ב עיין נדה דף נז ע"א דמדרבנן הוא וצ"ע. ועיין בב"ב קמז ע"א תוס' ד"ה מנין כו' ודו"ק שוב נדפס ספר יד דוד וראיתי שהרגיש בזה:

גליון הש"ס

גמ' ת"ל וראה עצם אדם. עי' נדה דף נז ע"א תוס' ד"ה ובנה:

תורה אור השלם

א) וְלֹא יִשָּׁפֵךְ דָּם נָקִי בְּקֶרֶב אַרְצְךָ אֲשֶׁר יְיָ אֱלֹהֶיךָ נֹתֵן לְךָ נַחֲלָה וְהָיָה עָלֶיךָ דָּמִים: [דברים יט, י] ב) וְעָבְרוּ הָעֹבְרִים בָּאָרֶץ וְרָאָה עֶצֶם אָדָם וּבָנָה אֶצְלוֹ צִיּוּן עַד קָבְרוּ אֹתוֹ הַמְקַבְּרִים אֶל גֵּיא הֲמוֹן גּוֹג: [יחזקאל לט, טו] ג) כֹּה אָמַר אֲדֹנָי אֱלֹהִים כָּל בֶּן נֵכָר עֶרֶל לֵב וְעֶרֶל בָּשָׂר לֹא יָבוֹא אֶל מִקְדָּשִׁי לְכָל בֶּן נֵכָר אֲשֶׁר בְּתוֹךְ בְּנֵי יִשְׂרָאֵל: [יחזקאל מד, ט] ד) וְהַצָּרוּעַ אֲשֶׁר בּוֹ הַנֶּגַע בְּגָדָיו יִהְיוּ פְרֻמִים וְרֹאשׁוֹ יִהְיֶה פָרוּעַ וְעַל שָׂפָם יַעְטֶה וְטָמֵא טָמֵא יִקְרָא: [ויקרא יג, מה] ה) לֹא תְקַלֵּל חֵרֵשׁ וְלִפְנֵי עִוֵּר לֹא תִתֵּן מִכְשֹׁל וְיָרֵאתָ מֵּאֱלֹהֶיךָ אֲנִי יְיָ: [ויקרא יט, יד] ו) וְאָמַר סֹלּוּ סֹלּוּ פַּנּוּ דָרֶךְ הָרִימוּ מִכְשׁוֹל מִדֶּרֶךְ עַמִּי: [ישעיה נז, יד] ז) וְהִזְהַרְתָּה אֶתְהֶם אֶת הַחֻקִּים וְאֶת הַתּוֹרֹת וְהוֹדַעְתָּ לָהֶם אֶת הַדֶּרֶךְ יֵלְכוּ בָהּ וְאֶת הַמַּעֲשֶׂה אֲשֶׁר יַעֲשׂוּן: [שמות יח, כ] ח) וְהִזַּרְתֶּם אֶת בְּנֵי יִשְׂרָאֵל מִטֻּמְאָתָם וְלֹא יָמֻתוּ בְּטֻמְאָתָם בְּטַמְּאָם אֶת מִשְׁכָּנִי אֲשֶׁר בְּתוֹכָם: [ויקרא טו, לא] ט) וּשְׁמַרְתֶּם אֶת מִשְׁמַרְתִּי לְבִלְתִּי עֲשׂוֹת מֵחֻקּוֹת הַתּוֹעֵבֹת אֲשֶׁר נַעֲשׂוּ לִפְנֵיכֶם וְלֹא תִטַּמְּאוּ בָּהֶם אֲנִי יְיָ אֱלֹהֵיכֶם: [ויקרא יח, ל] י) זֹבֵחַ תּוֹדָה יְכַבְּדָנְנִי וְשָׂם דֶּרֶךְ אַרְאֶנּוּ בְּיֵשַׁע אֱלֹהִים: [תהלים נ, כג]

רש"י כת"י

ומתקנין את קלקולי המים. כמו בורות שיחין ומערות לשתייה אם נתקלקל מקורן מתקנין אותן כדי שיזובו מימיו ויש בהן טורח לתקנן [ולפי שהן לשתיה מותר לתקנן] [רש"י רי"ף]. חוטטין. אם יש עפר או צרור בשולי הבור יכול ליטלה ולהעמיקה כדי שיתמלא מקום האבן מים. חפירה לא. לחפור מתחלה לא בניחותא. לא שנו. חטיטה אין חפירה לא. רבים צריכים. שיש להם הרבה מים לשתות מהן והאי דקתני ברשות הרבים לא משום דרבים צריכין להם אלא שהם של רבים לשתיה. מתיבי חוטטין וכו'. מאי לאו דמיתוקמא בשרבים צריכין וקתני אין חופרין. חטיטה. ליחיד כשאינו צריך מי שרי. שפין. טחין. ושל רבים חוטטין אותן וכו'. אי אמרת בשלמא הא דקתני חוטטין בורות שיחין ומערות של יחיד בשיחיד צריך והאי דקתני אין חוטטין בשאין צריך ומשום הכי אין חוטטין והא קמיפלא בשיחיד צריך ודכוותה גבי רבים בשצריכין והדרא קושיין לדוכתא דהא קתני אין חופרין בורות של רבים. אלא מאי וכו'. חפירה לגבי רבים כשצריכין מי איכא איסורי והא תניא וכו' ושל רבים חופרין אותן ודאי בשצריכין לו קתני והכי חופרין אותה. (ומהדר דהא בשצריכין קמיירי). קשיא הך קמיתא. דקתני אין חופרין ואוקימנא בשרבים צריכין להם. עושין כל צורכי רבים לאיתויי מאי. דאי טעיתא תנא ליה ואי תיקון רבים תני ליה אלא לאיתויי חפירה דלא תנן. לקווץ. ליטול קוצים מן הדרכים דשפיי"ר כמו (איוב לא) כל תבואתי תשרש דשוליי"ר. למוד שמודד אמה על אמה כדי שיהא בו ארבעים סאה ואם המקוה ארוך וקצר יכול הוא למוד לפי המדה זאת (כ"ש) [כך שמעתי]. ונראה בעיני שחופר גומא בסמוך של אמה על אמה ברום שלש אמות ועושין חריץ קטן כדי שילכו המים לתוך הגומא ועל ידי שאיכא כלי אי אפשר ואהכי בעי מדידה דמשתמא קמלי מיי מרב הכל בקין. רחובות. שיושבין שם בני העיר. אסטרטיאות. שווקים לסחורה אם נתקלקלו שיש בהן גומות מתקנין אותן במועד. מרגילין. מביאין ממים מחוברין ולא מן השאובין. כל הדמים שנשפכו שם. באותן רחובות שבאו עליהן אויבים ולא יכלו לברוח מהרה ונהרגו או שחוק אדם בהם שנפל ונתקל באותן קוצים או שנפל לתוך אותן מימות ומת. מעלין עליהן. על בית דין של אותה העיר. והיה עליך. דכתוב לעיל לא ישפך דם נקי וגו' בפרשת רוצח וכתוב והיה עליך דמים שאם אינו עושה דין מעלה עליו הכתוב כאלו שופכו. וראה עצם אדם ובנה אצלו. יחזקאל היה מתנבא על העתיד לבא שיעשו ישראל ציונין על הפגרים המושלכים בארץ ורמז הוא שלא בא הכתוב להזהיר ולומר שיהא אדם עושין ציון דמשום היסטא אין צריך ציון כיון דאינו מטמא באוהל מכסהו בקרקע ואין צריך לציון. כל בן נכר ערל לב. כהן שנתנכרו מעשיו לאביו שבשמים ונעשה ערל לב... ועבד ע"ז כדמפ' (בפרק קמא דמנחות) [בפ"ב דזבחים (כב:)]. ובהן ערל בשר. שמתו אחיו מחמת מילה וחשו בו למולו. אל יבא אל (הקדש) [מקדשי] לשרתני. שאסורין בעבודה. גמירי לה. מסיני. טמא טמא יקרא. רמז של טומאה קוראה פרוש ולא תבוא הלום ואיזה זה ציון. אביי אמר. ציון מהכא. לא תתן מכשול. עשו ציון שלא יכשלו בני אדם באותה טומאה לשרוף טהרותיהן. פנו דרך פנו. ללכת וכיון שנעשה הציון מיד פונה דרך ללכת בו. והזרתם. הפרישן כל חד וחד טעמיה דנפשיה קאמ'. משמרת. היינו תרומה דכתיב משמרת תרומתי שצריכה שימור מטומאה. עשו לה משמרת. ציון שלא תטמא. ושם דרך. משים דרך שעושה ציון. השם אורחותיו. משוה הפסד מצוה כנגד שכרה. אל תקרא ושם אלא ושם. [אל תקרא ושם בשמאל אלא ושם בימין] [רש"י ע"י].

must say that **it was a received tradition** dating back to Moses at Sinai, but not recorded in the Pentateuch, **וְאָתָא יְחֶזְקֵאל וְאַסְמְכָה אַקְרָא – and Ezekiel came and gave it Scriptural support.** **הָכָא נַמִי – Here too, גְּמָרָא גְּמִירֵי לָהּ – it was a received tradition** that graves should be marked, **וְאָתָא יְחֶזְקֵאל וְאַסְמְכָה אַקְרָא – and Ezekiel came and gave it Scriptural support!**

The Gemara cites another Scriptural allusion to the practice of marking graves:

רַבִּי אַבָּהוּ אָמַר מֵהָכָא – R' Abahu said: The allusion is **from here:** ,,וְטָמֵא טָמֵא יִקְרָא" – ***and he*** (a *metzora*) ***shall call out, "Tamei, tamei."***[19] **טוּמְאָה קוֹרְאָה לוֹ וְאוֹמֶרֶת לוֹ פְּרוֹשׁ** – We see here that ***tumah*** **calls out to [the passerby] and says to him: "Keep away!"**[20] **וְכֵן אָמַר רַבִּי עוּזִּיאֵל בַּר בְּרֵיהּ דְּרַבִּי עוּזִּיאֵל רַבָּה – And so said R' Uziel the grandson of R' Uziel the Great** in expounding this verse: **טוּמְאָה קוֹרְאָה לוֹ וְאוֹמֶרֶת לוֹ פְּרוֹשׁ** – ***Tumah*** **calls out to [the passerby] and says to him: "Keep away!"**

The Gemara questions this interpretation:

וְהַאי לְהָכִי הוּא דְּאָתָא – But does this verse **come to** teach **this** rule? **הַהוּא מִיבָּעֵי לֵיהּ לִכְדְתַנְיָא** – Why, **this** verse **is needed for** another rule, **as was taught in the** following **Baraisa:** ,,וְטָמֵא טָמֵא יִקְרָא" – *AND HE SHALL CALL OUT, "TAMEI, TAMEI."* **צָרִיךְ לְהוֹדִיעַ צַעֲרוֹ לָרַבִּים** – This teaches that [THE *METZORA*] MUST INFORM THE PUBLIC OF HIS MISFORTUNE, **וְרַבִּים מְבַקְּשִׁין עָלָיו רַחֲמִים** – SO THAT THE PUBLIC WILL BEG ON HIS BEHALF FOR MERCY. Thus, the cry of *"Tamei, tamei"* is not intended to alert passersby to the existence of *tumah,* but to arouse their sympathy for the afflicted person. – ? –

The Gemara responds:

אִם כֵּן – If it is **so,** that the verse merely instructs the *metzora* to elicit the public's sympathy, **לִיכְתּוֹב וְטָמֵא יִקְרָא – it should have written:** ***and he shall call out, "Tamei."*** ,,וְטָמֵא טָמֵא" **מַאי** – **What is** the purpose of writing ***and** he shall call out* ***"Tamei, tamei"***? **שְׁמַעַתְּ מִינָּהּ תַּרְתֵּי – Learn from this** double expression **two** points, i.e. that there is a twofold purpose to the *metzora's* cry. He informs others of his misfortune so that they will plead for mercy on his behalf; and he alerts them of his *tumah* so that they may keep away.[21]

The Gemara cites various additional Scriptural allusions to the requirement of marking graves:[22]

אַבַּיֵי אָמַר מֵהָכָא – Abaye said: The allusion is **from here:** ,,וְלִפְנֵי עִוֵּר לֹא תִתֵּן מִכְשֹׁל" – ***and before a blind person you shall not place a stumbling block.***[23] **רַב פָּפָּא אָמַר – Rav Pappa said:** The allusion is from here: ,,וְאָמַר סֹלּוּ־סֹלּוּ פַּנּוּ־דָרֶךְ" – ***He will say, "Pave, pave, clear the road."***[24] **רַב חִינָנָא אָמַר – Rav Chinana said:** The allusion is from the end of the verse: ,,הָרִימוּ מִכְשׁוֹל מִדֶּרֶךְ עַמִּי" – ***remove the obstacle from My people's path.*** **רַב יְהוֹשֻׁעַ בְּרֵיהּ דְּרַב אִידִי אָמַר – Rav Yehoshua the son of Rav Idi said:** The allusion is from here: ,,וְהוֹדַעְתָּ לָהֶם אֶת־הַדֶּרֶךְ (אשר) יֵלְכוּ בָהּ" – ***and you shall make known to them the path in which they should go.***[25] **מַר זוּטְרָא אָמַר – Mar Zutra said:** The allusion is from here: ,,וְהִזַּרְתֶּם אֶת־בְּנֵי־יִשְׂרָאֵל מִטֻּמְאָתָם" – ***And you shall separate the Children of Israel from their tumah.***[26] **רַב אַשִׁי אָמַר – Rav Ashi said:** The allusion is from here: ,,וּשְׁמַרְתֶּם אֶת־מִשְׁמַרְתִּי" – ***And you shall safeguard My charge,***[27] meaning, **עֲשׂוּ מִשְׁמֶרֶת לְמִשְׁמַרְתִּי – make a safeguard for** *terumah,* which is called **"My charge."**[28] **רָבִינָא אָמַר – Ravina said:** The allusion is from here: ,,וְשָׂם דֶּרֶךְ אַרְאֶנּוּ בְּיֵשַׁע אֱלֹהִים" – ***and one who sets the way, I will show him the salvation of God.***[29]

The Gemara digresses to cite another teaching in connection with the last verse:

אָמַר רַבִּי יְהוֹשֻׁעַ בֶּן לֵוִי – R' Yehoshua ben Levi said: כָּל הַשָּׁם אוֹרְחוֹתָיו – Whoever appraises his ways[30] **זוֹכֶה וְרוֹאֶה בִּישׁוּעָתוֹ שֶׁל הַקָּדוֹשׁ בָּרוּךְ הוּא – will merit to witness the salvation of the Holy One, Blessed is He.**[31] **שֶׁנֶּאֱמַר ,,וְשָׂם דֶּרֶךְ" – For it is stated:** ***vesam*** *(and one who sets)* ***the way*** etc. **אַל תִּקְרֵי ,,וְשָׂם" – Do not read** this as ***"vesam"*** *(and one who sets)*; **אֶלָּא וְשָׁם דֶּרֶךְ אַרְאֶנּוּ בְּיֵשַׁע אֱלֹהִים – rather,** read it as ***"vesham"*** *(and one who appraises)* ***the way, I will show him the salvation of God.***[32]

A related incident is cited:

רַבִּי יַנַּאי הֲוָה לֵיהּ הַהוּא תַּלְמִידָא – R' Yannai had a certain student דְּכָל יוֹמָא הֲוָה מַקְשֵׁי לֵיהּ – who would challenge [R' Yannai] daily with questions during his lecture. **בְּשַׁבְּתָא דְרִיגְלָא לֹא הֲוָה מַקְשֵׁי לֵיהּ** – However, **on the Sabbath of the festival** discourse[33] **he would not challenge [R' Yannai],** because the discourse was widely attended and R' Yannai would be embarrassed if he could not respond.

NOTES

19. *Leviticus* 13:45.

20. [The verse requires the *metzora* to alert others that he is *tamei.*] R' Abahu derives from this that any *tumah* should be clearly marked so that people will recognize it and keep their distance (*Rashi; R' Shlomo ben HaYasom*). [Our translation of the verse follows *Targum Onkelos;* cf. *Malbim, Leviticus* loc. cit.]

21. *R' Shlomo ben HaYasom;* cf. *Malbim* ibid. See *Rashi* to *Shabbos* 67a ד"ה טמא טמא and to *Sotah* 32b ד"ה טמא טמא יקרא with *Maharsha.*

22. The following Amoraim do not argue with each other. Rather, each one cites a verse that strikes him, particularly, as providing an allusion to the principle that graves should be marked to protect people carrying *terumah* from contamination (*Tosafos* ד"ה רב פפא אמר; cf. *Maharsha*).

23. *Leviticus* 19:14. The verse intends that one should not cause an unsuspecting person to transgress a commandment (*Toras Kohanim* ad loc.). It follows that one should take precautions to *prevent* people from unknowingly committing a misdeed (see *Maharsha*). Accordingly, it is proper to mark off a place where there is *tumah* (e.g. a grave), so that passersby who are carrying *terumah* should not go there and contaminate it (*Rashi*), thereby necessitating its burning (*Rashi ms.*). [It is forbidden to contaminate *terumah* – see note 28.]

24. *Isaiah* 57:14. Marking graves is a means of clearing a path for people to travel without fear of contamination (*Rashi ms.*).

25. *Exodus* 18:20.

26. *Leviticus* 15:31.

27. Ibid. 18:30.

28. The Torah states (*Numbers* 18:8): ,,וַאֲנִי הִנֵּה נָתַתִּי לְךָ אֶת־מִשְׁמֶרֶת תְּרוּמֹתָי, *And I* (God) – *behold! I have given you the charge of My terumos.* [This teaches that those who have *terumah* are charged with protecting it from contamination (*Rashi* ad loc.).] The verse ,,וּשְׁמַרְתֶּם אֶת־מִשְׁמַרְתִּי, *And you shall safeguard My charge,* alludes that we should provide an *added* measure of protection for those who possess *terumah* by clearly marking off locations of *tumah* for them to avoid (*Rashi*).

29. *Psalms* 50:23. One "sets the way" by providing signs to indicate where people may travel (*Rashi*).

30. I.e. he consistently weighs the loss that he may incur by doing a mitzvah against the eternal reward that it will bring, and the gain that he may realize through a sin against the far greater loss that will result (*Rashi*). In this manner, he attains genuine righteousness and is protected from every sin (*Ritva*).

31. I.e. he will witness the salvation of Israel through the Holy One, Blessed is He (*Ritva;* see there for an alternative explanation).

32. [The middle letter of וְשָׂם should not be read as a שׂ, *sin,* but as a שׁ, *shin.* The Gemara does not intend to emend the Masoretic vowelization, but to uncover an additional layer of meaning contained in the unvowelized Scriptural text.]

33. I.e. on a Sabbath that fell during the thirty days preceding a festival, when teachers would expound the laws of the festival (*Rashi* to *Sanhedrin* 7b ד"ה בשבתא דרגלא).

קילקולי המים שברה"ר וכו': חטיטה אין חפירה לא אמר ר' יעקב אמר ר' יוחנן לא שנו אלא שאין רבים צריכין להם אבל רבים צריכין להם אפילו חפירה מותר וכי רבים צריכין להם מי שרי והתניא חוטטין בורות שיחין ומערות של יחיד ואין צריך לומר של רבים ואין חופרין בורות שיחין ומערות של רבים ואין צריך לומר של יחיד מאי לאו בשרבים צריכין להם לא בשאין רבים צריכין להם דכוותה גבי יחיד שאין יחיד צריך להם חטיטה מי שרי והתניא בורות שיחין ומערות של יחיד כונסין מים לתוכן אבל לא חוטטין (א) ולא שפין את סדקיהן ושל רבים חוטטין אותן ושפין את סדקיהן ואלא מאי בשיחיד צריך להם דכוותה גבי רבים בשרבים צריכין להם חפירה מי אסיר והתניא בורות שיחין ומערות של יחיד כונסין מים לתוכן וחוטטין אותן אבל לא שפין את סדקיהן ולא חוטטין לתוכן ולא סדין אותן בסיד ושל רבים חופרין אותן וסדין אותן בסיד אלא קשיא הך קמייתא תריץ הכי חוטטין בורות של יחיד בשיחיד צריך להם ואין צריך לומר בשל רבים כשרבים צריכין להם דאפילו חפירה מותר ואין חופרין בורות שיחין ומערות של רבים בשאין רבים צריכין להם ואין צריך לומר של יחיד דכי אין יחיד צריך להם אפילו חטיטה נמי אסור אמר רב אשי מתניתין נמי דיקא דקתני עושין כל צורכי רבים כל לאתויי מאי לאו לאתויי חפירה לא לאתויי הא דתניא יוצאין לקווץ את הדרכים ולתקן את הרחובות ואת האסטרטאות ולמוד את המקואות וכל מקוה שאין בו ארבעים סאה מרגילין לתוכו ארבעים סאה ומנין שאם לא יצאו ועשו כל אלו שכל דמים שנשפכו שם מעלה עליהם הכתוב כאילו הם שפכום ת"ל א) והיה עליך דמים הא בהדיא קתני לה ומתקנין את הדרכים ואת הרחובות ואת המקואות ועושין כל צורכי רבים לאתויי מאי לאו לאתויי חפירה שמע מינה: **ומציינין את הקברות:** אמר ר"ש בן פזי רמז לציון קברות מן התורה מנין תלמוד לומר ב) וראה עצם אדם ובנה אצלו ציון א"ל רבינא לרב אשי הא מקמי דליתי יחזקאל מאן אמר וליטעמיך הא דאמר רב חסדא דבר זה מתורת משה רבינו לא למדנו מדברי יחזקאל בן בוזי למדנו ג) כל בן נכר ערל לב וערל בשר לא יבא אל מקדשי (לשרתני) מקמי דליתי יחזקאל מאן אמר אלא גמרא גמירי לה ואתא יחזקאל ואסמכה אקרא הכא נמי גמרא גמירי לה ואתא יחזקאל ואסמכה אקרא רבי אבהו אמר מהכא ד) וטמא טמא יקרא טומאה קוראה לו ואומרת לו פרוש וכן אמר רבי עוזיאל בר בריה דרבי עוזיאל רבה טומאה קוראה לו ואומרת לו פרוש והאי להכי הוא דאתא ההוא מיבעי ליה לכדתניא וטמא טמא יקרא צריך להודיע צערו לרבים ורבים מבקשין עליו רחמים א"כ ליכתוב וטמא יקרא מאי וטמא טמא שמעת מינה תרתי אביי אמר מהכא ה) ולפני עור לא תתן מכשול רב פפא אמר (ב) ו) ואמר סלו סלו פנו דרך רב חיננא אמר ז) הרימו מכשול מדרך עמי ר' יהושע בריה דרב אידי אמר ח) והודעת להם את הדרך (אשר) ילכו בה מר זוטרא אמר ט) והזרתם את בני ישראל מטומאתם רב אשי אמר י) ושמרתם את משמרתי עשו משמרת למשמרתי רבינא אמר כ) ושם דרך אראנו בישע אלהים אריב"ל כל השם אורחותיו זוכה ורואה בישועתו של הקדוש ברוך הוא שנאמר ושם דרך אל תקרי ושם אלא ושם דרך אראנו בישע אלהים רבי ינאי הוה ליה ההוא תלמידא דכל יומא הוה מקשי ליה בשבתא דריגלא לא הוה מקשי ליה קרי

רש"י

קילקולי המים. כגון אבנים שנפלו מחמת הבור: **חוטטין.** נפלו צרורות בקרקעית הבור מעלה אותן במועד: **אבל לא חוטטין אותן.** אי אמרת בשלמא הא דקתני ההיא ברייתא שלמעלה (ג) של יחיד היינו בשיחיד צריך לו איכא לאוקמי האי דקתני האי ברייתא אבל לא חוטטין בשאין יחיד צריך לו אלא אי אוקמת לה הא דחוטטין בשאין יחיד צריך לו א"כ האי דקתני אבל לא חוטטין במאי מוקמת לה: **אלא מאי בשיחיד צריך לו כו'.** כלומר במאי מוקמת האי דקתני חוטטין בשרבים צריכין להן והתניא כו' של רבים חופרין אותן: **אלא קשיא קמייתא.** דקתני אין חופרין בורות של רבים בשרבים צריכין לו קשיא להא ברייתא דקתני הכא של רבים חופרין אותן: **אלא תריץ הכי.** ואין צריך לומר בשל רבים דאפילו חפירה מותר ולא קשיא לרבי יוחנן דאמר לא שנו כו': **מתניתין נמי דיקא.** דבשרבים צריכין לו דחפירה נמי מותר: **לקווץ את הדרכים.** לפנות קוצים שבדרכים: **מרגילין להיות בתוכו ארבעים סאה.** שמרגילין שיהא (ד) נוגע במקוה אמת המים כדי שיהא בו ארבעים סאה: **כל דמים שנשפכו שם.** כגון בקוצים שבדרכים: **הא.** דקאמרת לאתויי הני נמי בהדיא קתני במתני' מתקנין כו' אלא ודאי הא דקתני ועושין כל צורכי רבים לאתויי חפירה קא אתו: **מציינין את הקברות.** שעושין סימנים על הקברות בסיד כדאמר במרובה (ב"ק דף סט.) של קברות בסיד דחוור כעצמות כדי שלא ילכו אוכלי תרומה לשם: **דכתיב וראה עצם וכו'.** יחזקאל מתנבא על העתיד לבא שיעשו ישראל ציונים על עצמות הפגרים המושלכין (ה) ורמז הוא שלא בא הכתוב ט) אלא להזהיר וללמד שיהא אדם עושה ציון: **כל בן נכר (ו) וערל בשר.** שמתו אחיו מחמת מילה ולא רצו למולו שיראים פן ימות גם הוא כאחיו לא יבא אל מקדשי לשרתני שאסורין בעבודה: **גמירי.** מסיני: **טומאה קוראה לו פרוש.** כלומר עושים סימנים על הטומאה כדי שיהא מרגיש ופורש: (ז) **לפני עור לא תתן מכשול.** כלומר עשו דבר על הטומאה שלא יהו נכשלים בה נושאי תרומה וטהרות: **והזרתם.** ומתרגמינן ותפרשון: **עשו משמרת למשמרתי.** עשו משמרת לאוכלי תרומה דכתיב בה משמרת דכתיב (במדבר יח) ואני נתתי לך את משמרת תרומותי שלא יהו מטמאים: **ושם דרך.** שעושין סימן באיזה דרך ילכו: **אראנו בישע אלהים.** זה השם אורחותיו המחשב הפסד מצוה כנגד שכרה ושכר עבירה כנגד הפסדה ושם כמו שמין: **בשבתא דריגלא לא הוה מקשי ליה.** משום דאתו כולי עלמא לפירקא ואי מקשי ליה ולא הוה מצי לפרוקי הוה מכסיף: קרי

תוספות

לאתויי הך דתניא. קא סלקא דעתיה דהאי דקפריך הכא דבכלל מתקנין הדרכים לא הוי קוון דרכים דתיקון משמע שמתקן הגבשושיות והגומות הלכך פריך הכי ומתרץ כל אלו בהדיא קתני להו דהוו בכלל מתקנין כו' א"נ האי דמקשה הך קושיא לא היתה מתניתא שגורה בפיו ולא הוי ידע י) דגרס בה ומתקנין את הדרכים: **והיה** עליך דמים. פי' רבינו חננאל נקיט ליה להאי קרא מפרשת כ) מעקה דדמי להאי דהוי מכשול ממתני' עם הגמרא יש ללמד שאסור להשקות קרקעות אלא אותן דהוו דבר האבד שיתקלקלו התבואה והאילנות הנטועים בה והוא הדין לשאר עבודת קרקע אסור בחולו של מועד והא דאמרינן דמותר להשקות הני מילי כגון מאמת המים העוברת בשדה עצמו דליכא טירחא יתירא ומותר לתקן בורות שיחין ומערות של יחיד ושל רבים מותר לחפור לכתחילה כיון דצריכי למים דהכי תניא לעיל כדפרישית: **רמז** לציון. דהאי קרא לא כתיב אלא לעתיד אבל לא בזמן הזה ומיהו משני דאיכא למילף מהתם: **הא** מקמי דליתי יחזקאל. כלומר לדידך דאמרת דבזמן הזה הוי אן ל) מדאורייתא אם כן מקמי דליתי יחזקאל הוה ליה להקדוש ברוך הוא לאשמועינן דצריך ציון ומתרץ הרבה דברים דקים לן דאסורין מן התורה דלא כתיב בקרא אלא בהלכה עד דאתא יחזקאל והאי הכי נמי: **רב** פפא אמר סלו סלו. כל חד וחד נקיט מאי דהוה מסיק אדעתיה ולא פליגי אלא אורחיה דמלתא דכל חד מסיק אדעתיה מאי דלא מסיק חבריה אדעתיה: **בשבתא** דריגלא. שבת של יום הרגל שהיו דורשין והיו מתקבצין כל בני העיר לשמוע הלכות של רגל: אין

עין משפט נר מצוה

לה א מיי' פ"ח מהל' י"ט הלכה ד סמג לאוין עה טוש"ע א"ח סי' תקמד סעיף ב:

לו ב ג מיי' פ"ח שם הלכה י סמג לאוין שם טוש"ע שם:

לז ד מיי' שם פ"ח הלכה ד סמג וטוש"ע שם:

לח ה מיי' פ"ח הלכה י סמג שם טוש"ע שם סעיף א:

לט ו מיי' פ"ח מהלכות טומאת מת הלכה ט סמג עשין רלג:

מ ז מיי' פ"י מהלכות טומאת צרעת הלכה ו סמג עשין רלה:

רבינו חננאל

פיסקא וחוטטין אותו חטיטה אין חפירה לא ותריצנא הכי חוטטין בורות שיחין ומערות יחיד בשיחיד צריך להן ואצ"ל של רבים וכי רבים צריכין להם אפי' חפירה נמי שרי ואין חופרין של יחיד דכי אין יחיד צריך להן אפי' חטיטה נמי אסור אמר רב אשי מתניתין נמי דיקא דקתני עושין כל צרכי רבים לאתויי מאי לאו לאתויי חפירה. ודחינן לא לאתויי הא דתניא יוצאין לקווץ את הדרכי' ולתקן את הרחובות והאסטרטאות ולמוד המקואות וכל מקוה שאין בו מ' סאה מרגילין לתוכו מ' סאה. ומניין שאם לא יצאו ותיקנו כל אלו כל דמים שנשפכו שם מעלה אני עליהם כאילו הם שפכום שנאמר ועשית מעקה לגגך וגו' וכתיב והיה עליך דמים. ופריק הא בהדיא קתני לה. מתקנין את הדרכים כו' כל צרכי רבים לאתויי מאי לאתויי חפירה של רבים שהיא מותרת ש"מ. תניא בורות שיחין ומערות של יחיד כונסין לתוכן מים במועד אבל לא חוטטין אותן ולא שפין את סדקיהן ושל רבים חופרין אותן וסדין אותן בסיד. ומציינין את הקברות רמז לציון מנא לן מדכתיב וראה עצם אדם ובנה אצלו ציון ועד דלא אתא יחזקאל מאן אמרה אלא גמרה גמירי לה ויחזקאל אסמכה אקרא. רבי אבהו אמר מהכא וטמא טמא יקרא. טומאה קוראה לו ואומרת פרוש פרוש וש"מ נמי כל מי שאירע בו דבר כגון המצורע וכיוצא בו צריך להודיע לרבים ורבים מבקשין עליו רחמים שנא' וטמא טמא יקרא ורבנן אחריני נמי אמרי מהני קראי. ולפני עור לא תתן מכשול. וכתיב הרימו מכשול מדרך עמי והודעת להם את הדרך ילכו בה. רב אשי אמר ושמרתם את משמרתי עשו משמרת למשמרתי. רבינא אמר ושם דרך אראנו בישע אלהים. וכל השם אורחותיו זוכה ויושב ורואה בישועתו של הקב"ה שנאמר ושם דרך אראנו בישע אלהים קרי ביה ושם דרך. ר' ינאי הוה ליה ההוא תלמידא כל שתא הוה מקשי

תורה אור השלם

א) וְלֹא יִשָּׁפֵךְ דָּם נָקִי בְּקֶרֶב אַרְצְךָ אֲשֶׁר יְיָ אֱלֹהֶיךָ נֹתֵן לְךָ נַחֲלָה וְהָיָה עָלֶיךָ דָּמִים: [דברים יט, י] ב) וְעָבְרוּ הָעֹבְרִים בָּאָרֶץ וְרָאָה עֶצֶם אָדָם וּבָנָה אֶצְלוֹ צִיּוּן עַד קָבְרוּ אֹתוֹ הַמְקַבְּרִים אֶל גֵּיא הֲמוֹן גּוֹג: [יחזקאל לט, טו] ג) כֹּה אָמַר אֲדֹנָי אֱלֹהִים כָּל בֶּן נֵכָר עֶרֶל לֵב וְעֶרֶל בָּשָׂר לֹא יָבוֹא אֶל מִקְדָּשִׁי לְכָל בֶּן נֵכָר אֲשֶׁר בְּתוֹךְ בְּנֵי יִשְׂרָאֵל: [יחזקאל מד, ט] ד) וְהַצָּרוּעַ אֲשֶׁר בּוֹ הַנֶּגַע בְּגָדָיו יִהְיוּ פְרֻמִים וְרֹאשׁוֹ יִהְיֶה פָרוּעַ וְעַל שָׂפָם יַעְטֶה וְטָמֵא טָמֵא יִקְרָא: [ויקרא יג, מה] ה) לֹא תְקַלֵּל חֵרֵשׁ וְלִפְנֵי עִוֵּר לֹא תִתֵּן מִכְשֹׁל וְיָרֵאתָ מֵּאֱלֹהֶיךָ אֲנִי יְיָ: [ויקרא יט, יד] ו) וְאָמַר סֹלּוּ סֹלּוּ פַּנּוּ דָרֶךְ הָרִימוּ מִכְשׁוֹל מִדֶּרֶךְ עַמִּי: [ישעיה נז, יד] ז) וְהִזְהַרְתָּה אֶתְהֶם אֶת הַחֻקִּים וְאֶת הַתּוֹרֹת וְהוֹדַעְתָּ לָהֶם אֶת הַדֶּרֶךְ יֵלְכוּ בָהּ וְאֶת הַמַּעֲשֶׂה אֲשֶׁר יַעֲשׂוּן: [שמות יח, כ] ח) וְהִזַּרְתֶּם אֶת בְּנֵי יִשְׂרָאֵל מִטֻּמְאָתָם וְלֹא יָמֻתוּ בְּטֻמְאָתָם בְּטַמְּאָם אֶת מִשְׁכָּנִי אֲשֶׁר בְּתוֹכָם: [ויקרא טו, לא] ט) וּשְׁמַרְתֶּם אֶת מִשְׁמַרְתִּי לְבִלְתִּי עֲשׂוֹת מֵחֻקּוֹת הַתּוֹעֵבֹת אֲשֶׁר נַעֲשׂוּ לִפְנֵיכֶם וְלֹא תִטַּמְּאוּ בָּהֶם אֲנִי יְיָ אֱלֹהֵיכֶם: [ויקרא יח, ל] י) זֹבֵחַ תּוֹדָה יְכַבְּדָנְנִי וְשָׂם דֶּרֶךְ אַרְאֶנּוּ בְּיֵשַׁע אֱלֹהִים: [תהלים נ, כג]

מסורת הש"ס

א) [פי' דרכים המקולקלין], ב) [עי' תוס' ב"ק קמז. ד"ה מנין], ג) תענית יז: יומא עה. סנהדרין כב: פג: זבחים יח: [כב:], ד) [ליתא בקרא], ה) [סוטה לב:] נדה סו. ו) [יבמות כח.], ז) [סוטה ה:], ח) [שייך במשנה יעקב לישא תיבת אלא], ט) [עי' תוס' פסחים לז. ד"ה אלא וכו'], י) [מסס לא מוכח מידי וגם כתיב קרא אחרינא ונראה דצ"ל מפי' מקולקלין. והעתק מהלוכי נרקסים], ל) [ועי' תוס' ב"ק קמז. ד"ה מנין].

הגהות הב"ח

(א) גמ' אבל לא חוטטין אותן ולא שפין: (ב) שם ואמר סלו סלו אמר מהכא ואמר סלו כו' רב חיננא אמר מהכא הרימו כו' והודעת כו' מר זוטרא אמר מהכא והזרתם כו' רב אשי אמר מהכא ושמרתם כו' רבינא אמר מהכא ושם דרך כו': (ג) רש"י ד"ה אבל כו' בריית' שלמעלה חוטטין של יחיד היינו: (ד) ד"ה מרגילין כו' שיהא נוגע במקום דפי' זה הוא של רבינו הלוי דפ"ל דזכה טעונה מים חיים אבל לא בעי' מים חיים ד"ל דלא בעי' לתוכו מ' סאה היינו מ' גשמים כו' נב' כמה אמה שבת דף סה ע"ב ובבכורות דף נה ע"ב: (ה) ד"ה וכו' הספגרים המושלכין באלם ורמז הוא (שלא בא הכתוב וכו' עושה ציון) תא"מ וכ"ב ס"א בא הכתוב להזהיר וללמד שיהא אדם עושה ציון וכו' ובא"ל ליון דליון שאין טמאה באהל מכסהו בקרקע ואין רבר לציון: (ו) ד"ה כל בן נכר ערל כל דמתו אחיו כו' שנתמכרו מעשיו לאביו שבשמים ושמא ערל לב וערל בשר כדמתפרש בפ"ב דתענית ערל בשר שמתו כו': (ז) ד"ה לפני כו' וטהרות כו' ופן ד"ה עשו משמרת פו' גו דרך. עשו דבר סגי כהיא לוכים בל הס"ד:

הגהות מהר"ב רנשבורג

א) תוס' ד"ה הא מקמי וכו' מדאורייתא. נ"ב עיין נדה דף נו ע"א דמדרבנן קמו ע"א תוס' ד"ה מנין כו' ותו"ק וע"ע נוב נפש ספר יד דוד ובאלית שהרגים בזה:

גליון הש"ס

גמ' ת"ל וראה עצם אדם. עי' נדה דף נז ע"א תוס' ד"ה ובנה:

רש"י כת"י

ומתקנין את קלקולי המים. כמו בורות שיחין ומערות לשתייה אם נתקלקל מקורן מתקנין אותן כדי שיחזרו מימיו ויש בהן טורח לתקן [ולפי שהן לשתיה מותר לתקן] [רש"י רי"ף]. **חוטטין.** אם יש עפר או צרור בשולי הבור יכול ליטלה ולהעמיקה כדי שיתמלא מקום האבן מים. **חפירה לא.** לחפור מתחלה לא בניותא. **לא שנו.** חטיטה אין חפירה לא. **רבים צריכים.** שיש להם הרבה מים לשתות מהן והאי דקתני ברשות הרבים לא משום דרבים צריכין להם אלא שהם של רבים לשתיה. **מתיבי חוטטין וכו'.** מאי לאו דמיתוקמא בשרבים צריכין וקתני אין חופרין. **חטיטה.** ליחיד כשאינו צריך מי שרי. **שפין.** טחין. **ושל רבים חוטטין אותן וכו'.** אי אמרת בשלמא הא מתניתא דקתני חוטטין בורות שיחין ומערות של יחיד בשצריך והאי דקתני אין חוטטין בורות של יחיד בשאין צריך ומשום הכי אין חוטטין והא קמיתא בשיחיד צריך ודכוותה גבי רבים בשצריכין והדרא קושיין לדוכתא דהא קתני אין חופרין בורות של רבים. **אלא מאי וכו'.** חפירה לגבי רבים כשצריכין מי איכא איסורי והא תניא וכו' ושל רבים חופרין אותן דהא ודאי בשצריכין לו קתני ואהכי חופרין אותה. (ומהדר דהא בשצריכין קמייר'). **קשיא הך קמיתא.** דקתני אין חופרין ואוקימנא בשרבים צריכין להם. **עושין כל צורכי רבים לאיתויי מאי.** דאי חטיטה תנא ליה ואי תיקון רבים תני ליה אלא לאיתויי חפירה דלא תנן. **לקווץ.** ליטול קוצים מן הדרכים [illegible]

קרי עליה ושם דרך אראנו בישע אלהים

תנו רבנן אין מציינין לא על כזית מן המת ולא על עצם כשעורה ולא על דבר שאינו מטמא באהל אבל מציינין על השדרה ועל הגולגולת על רוב בנין ועל רוב מנין המת ואין מציינין על הוודאות אבל מציינין על הספיקות ואלו הן הספיקות סככות ופרעות ובית הפרס ואין מעמידין ציון במקום טומאה שלא להפסיד את הטהרות ואין מרחיקין ציון ממקום טומאה שלא להפסיד את ארץ ישראל וכזית מן המת אינו מטמא באהל והא (תניא) אלו שמטמאין באהל כזית מן המת אמר רב פפא הכא בכזית מצומצם עסקינן דסוף סוף מיחסר חסר מוטב ישרפו עליו תרומה וקדשים לפי שעה ואל ישרפו עליו לעולם ואלו הן הספיקות סככות ופרעות סככות אילן המיסך על הארץ פרעות [א] אבנים פרועות היוצאות מן הגדר בית הפרס כדתנן החורש את הקבר הרי הוא עושה בית הפרס וכמה הוא עושה מלא מענה מאה אמה ובית הפרס מי מטמא באהל והאמר רב יהודה אמר שמואל מנפח אדם בית הפרס והולך ורב יהודה בר אמי משמיה דעולא אמר בית הפרס שנידש טהור אמר רב פפא לא קשיא כאן בשדה שאבד בה קבר כאן בשדה שנחרש בה קבר ושדה [ב] שנחרש בה קבר בית הפרס קרי ליה אין והתנן שלשה בית הפרס הן שדה שנאבד בה קבר ושדה שנחרש בה קבר ושדה [ג] בוכין מאי שדה בוכין רב יהושע בר אבא משמיה דעולא אמר שדה שמפטירין בה מתים וטעמא מאי אמר אבימי משום יאוש בעלים נגעו בה ושדה שנחרש בה קבר לא בעי ציון והא תניא מצא שדה מצויינת ואין ידוע מה טיבה יש בה אילנות בידוע שנחרש בה קבר אין בה אילנות בידוע שאבד בה קבר ר' יהודה אומר עד שיהא שם זקן או תלמיד לפי שאין הכל בקיאין בדבר אמר רב פפא כי תניא ההיא בשדה שאבד בה קבר דציינוה יש בה אילנות בידוע שנחרש בה קבר אין בה אילנות בידוע שאבד בה קבר וליחוש דלמא אילנות מגואי וקבר מבראי כדאמר עולא בעומדין על הגבולין הכא נמי בעומדין על הגבולין ודלמא

רש"י

קרי עליה ושם דרך. שמחשב בשעות אי זה מהן להקשות אי זה מהן שלא להקשות: אבל מציינין על השדרה. שאע"פ שאינה אלא עצם אחד מטמא טומאה באהל: רוב בנינו. כגון עצמות גדולות כגון קוליות אע"פ שאין בו רוב מנינו: רוב מנינו. רוב העצמות ואע"פ שאין בו רוב בנינו: אין מציינין על הוודאות. הואיל דברור לכולי עלמא דאית ביה טומאה ודאית לא מטלטלי באותו מקום טהרות: אבל מציינין על הספיקות. שיש עליהן אהל כגון סככות ופרעות (א) הסמוכות לרה"ר הסמוך לבית הקברות דמספקא לן בהו טומאה דכיון דיש עליהן אהל רגילים לקבור שם במקום צנוע: סככות ופרעות ובית הפרס. מפרש לקמן: אין מעמידין הציון על הטומאה שלא להפסיד טהרות. שאם הטומאה ממש תחת הציון אינו מרגיש עד שבא על הציון פתאום ויטמאו הטהרות שהרי הטומאה תחת הציון אלא עושין הציון סמוך לטומאה ברחוק כל שהוא וכשבא על הציון מרגיש מן הטומאה ואינו הולך עליה: אין מרחיקין את הציון ממקום טומאה. יותר מכל שהוא: שלא להפסיד ארץ ישראל. שכשרואה הסימן מיד פורש ונמלא ארץ ישראל בטומאה שלא לצורך: וכזית מן המת אינו מטמא באהל. דקתני אין מציינין על כזית מן המת ולא על כל דבר שאינו מטמא באהל: אמר רב פפא. לעולם כזית מטמא באהל והא דקתני אין מציינין בכזית מצומצם עסקינן דמחסר חסר בקרקע ולהכי אין מציינין: ישרפו עליו [תרומות] וטהרות שעה אחת. דכל העובר על אותו כזית כשנקבר מחדש שורפין טהרותיו דעדיין לא חסר: ואל ישרפו עליו לעולם. שאם מציינין אותו שורפין עליו (על) כל תרומה שעוברין על אותו ציון לעולם שלא לצורך שהרי חסר וזימנין דלא חזי ליה כגון בלילה וכי הדר חזי ליה ואמר נטמאת תרומתי ושרף לה והיא לא נטמאת דההיא כזית כבר חסר וכשאין מציינין אותו אין שורפין עליו אלא מחדש שלא חסר: אילן המיסך על הארץ. וטומאה תחת נוף אחד ואינו יודע תחת איזה נוף עושה ציון: בית הפרס. חלי מענה תלם אחד של מאה אמה: מנפח אדם. ההולך לשחוט פסחו דאם יש עצם כשעורה המטמא בהיסט מתפזר ברוח ועושה פסח בבית הפרס אזיל לו ואי מטמא באהל היכי אזיל עליה: בשדה שאבד בה קבר. קתני דמציינין דמטמא באהל אבל בשדה שנחרש בה קבר אין צריך לציין ולא מטמא באהל דנימא מחרישה סלקיה לטומאה: שלשה בית הפרס הן. שאין הולכין בו אוכלי תרומה: שמפטירין בה את המתים. שכשמביאין מתים ממקום למקום לקבור כשבאין בשדה סמוך לעיר נפטרין אלו שהביאום ממקומן והולכין להם ובאין אנשי המקום (ב) ומקבלין אותן ורוחצין אותן שם וקוברין אותן: וטעמא מאי. חוששין ביה משום טומאה: משום יאוש בעלים. לפי שהביאום ממקום רחוק נדלדל אבר ונפל שם ונתייאשו אלו על אלו והניחוהו שם: ושדה שנחרש בה קבר לא בעי ציון. דקא מתרצת הא דקתני מנפח אדם בית הפרס כשנחרש: ואינו יודע מה טיבה. אם הוא שדה שנחרש בה קבר ויכול לילך בניפוח ואם מפני שנאבד בה קבר ואינו יכול להכנס בה בנפיחה דמטמא באהל: יש בה אילנות בידוע שנחרש. השדה לצורך האילנות ויכול להלך שאינו מטמא באהל אלמא מדקתני בה מלא שדה מצויינת דמציינין בית הפרס שנחרש: אין בה אילנות בידוע שאבד בה קבר. ולא נחרש ומטמא באהל: רבי יהודה אומר. לעולם לא הוי בחזקת שנחרש עד שיהא שם זקן או ת"ח שיהא יודע שנחרש: אמר רב פפא. לעולם בית הפרס שנחרש לא בעי ציון והאי דקתני בידוע שנחרש בה קבר בשדה שאבד בה קבר וציינה לאלתר: יש בה אילנות בידוע שנחרש. לאחר שציינוה ולעולם בית הפרס שנחרש לא בעי ציון: אין בה אילנות בידוע שאבד בה קבר. ולא נחרש: וליחוש דלמא אילנות מגואי וטומאה מאבראי. ולא נחרש במקום טומאה מבחוץ לאילנות אלא בין האילנות והוי שדה שאבד בה קבר ולא נחרש ואמאי קאמר בידוע שנחרש בה קבר: בעומדין האילנות על הגבולין. של רשות הרבים דודאי ליכא טומאה מבראי דלא קברי אינשי ברשות הרבים אלא בין האילנות הויא טומאה ונחרש בשביל האילנות: ודלמא

תוספות

אין מציינין. אין צריך ציון ואי גבי יום טוב מיירי הברייתא איכא לפרש אסור לציין (ג) ואסור לטרוח ביום טוב: עצם כשעורה. והוא הדין יותר מכשעורה כדמוכח בסמוך אינו מטמא באהל והאי דנקט כשעורה משום דבהאי שיעורא מטמא במגע דהכי הלכה למשה מסיני כדאמרינן בשחיטת חולין (חולין דף קכו:): שאינו מטמא באהל. א] כגון תרווד רקב כדאיתא בהעור והרוטב (חולין דף קכו: ושם) ושדה שנחרש בה קבר כדלקמן בשמעתין ואפילו איכא ספק טומאה שמטמא בהיסט בלא נגיעה לא הצריכום ציון דהיסט לאו מילתא דשכיחא היא שידרוס על קנה שטומאה עליו ולכך לא החמירו חכמים לציין משום היסט: אילן המיסך על הארץ. סמוך לבית הקברות דמספקא לן אי איכא טומאה תחתיו אי לא מסתמא אמרינן דמת תחתיו כיון דדרך מקום צנוע הוא ולכך בעי ציון ע"א דידעינן ודאי דאיכא טומאה תחת נוף אחד של אילן ויש הפרש בין נוף לחבירו ואין ידוע באיזה מקום ישנה והכי נמי איכא לפרש גבי אבנים שיש אבנים זו אצל זו הבולטות מן הגדר: מנפח אדם בית הפרס והולך. דמסתמא ליכא למימר שהגיעה המחרישה עד המת וליכא לאחזוקי מקום טהור בטמא מספק אלא חכמים החמירו משום חומרא דטהרות ומשום הכי הקילו (ד) דליכא ספיקא דאורייתא הם אמרו והם אמרו ולא היו רגילים לקבור מתים בעומק כי השתא בזמן הזה הילכך לא חיישינן שמא המת בעומק תחת המחרישה ומן הדין אפילו נפוח לא צריך כי אם חומרא בטהרות שהחמירו חכמים בדבר ואמאי לא חייש שיהא מת בקרקע ואין נוגע בו ומטמא באהל אי נמי בלא המאהילים מן הצדדים הוו מטמאין לאדם באהל אלא שמע מינה דלא מטמא באהל: יש בה אילנות בידוע שנחרש בה קבר אין בה אילנות בידוע שאבד בה קבר. דתניא התם (תוספתא דאהלות פי"ז) שדה שאבד בה קבר אינה ניטעת כל נטע וכגון שראויה לאילנות ויש לנו לומר דמסתמא אם לא שאבד בה קבר היו נוטעים בתוכה ° אי נמי בידוע לאו דוקא ואגב דנקט רישא בידוע נקט סיפא בידוע וכן נ"ל לפי' הקונטרס: אם

עין משפט נר מצוה

מא א ב ג ד ה מיי' פ"ח מהל' טומאת מת הלכה ט סמג עשין רלג:
מב ו מיי' שם פ"ב הל"א סמג עשין רלג:
מג ז ח מיי' פ"ו מהל' ק"פ הלכה ט:
מד ט מיי' פ"י מהל' טומאת מת הלכה ד סמג עשין רלג:
מה י מיי' שם פ"ח הלכה ה סמג שם:
מו כ מיי' שם פ"ח הלכה ד:
מז ל מיי' שם הלכה ו ופ"י הלכה ז:
מח מ מיי' שם פ"י הל"ג:

רבינו חננאל

ובשבתא דריגלא לא הוה מקשי והוה קרי עליה ושם דרך אראנו בישע אלהים: ת"ר אין מציינין על כזית מצומצמת מן [המת] דסופו מיחסר חסר. ותנן באהלות פרק שני אלו אם חסרו טהורין כזית מן המת כזית נצל כו' ולא על הבשר שסופו מתאכל והולך ולא על דבר שאינו מטמא באהל כגון עצם כשעורה ולא על כל דבר שאינו מטמא באהל אבל מציינין על השדרה ועל הגלגולת ועל רוב בנינו של מת ועל רוב מנינו. ואין מציינין על הוודאות אלא על הספיקות. ואלו הן הספיקות סככות ופרעות פי' דתנן באהלות פ' ח' הזיזין והגזוזטרות (א) כו' עד והסככות והפרעות (אינן) [שהן] יכולין לקבל מעזיבה כו' ואלו הן הסככות אילן המיסך על הארץ והפרעות אבנים היוצאות מן הגדר ומציינין על בית הפרס בשדה שאבד בה קבר ואין מעמידין ציון במקום טומאה עצמה שלא להפסיד את הטהרות אלא מרחיקין מעט. ואין מרחיקין ציון ממקום טומאה שלא להפסיד את א"י. ואין מציינין על השדה שנחרש בה קבר וכ"ש שנידש. תניא ג' בית הפרס הן. שדה שנחרש בה קבר ושנאבד בה קבר ושדה בוכים. פי' דתנן באהלות פרק י"ח ג' בית הפרס הן החורש את הקבר נוטעת כל נטע כו'. עד ומטמאין במגע ובמשא ואינן מטמאין באהל. שדה שנאבד בה קבר בתוכה כו' עד ומטמאה במגע ובמשא ובאהל. מאי שדה בוכים שמפטירין בתוכה מתים. פי' דתנן באהלות פרק י"ח שדה בוכים לא נטעת ולא נזרעת ועפרה טהור כו' מ"ט יאוש בעלים נגעו בה ומקשינן שדה שנחרש בה קבר לא בעיא ציון והתניא מצא שדה מצויינת ואין ידוע מה טיבה. אם יש בה אילנות בידוע שנחרש בה קבר. אין בה אילנות בידוע שאבד בה קבר. ופריק רב פפא כי תניא ההיא בשדה שאבד בה קבר וציינוה אם יש בה אילנות בידוע שאחרי שציינוה שנחרש אותו הקבר. וניחוש דלמא אילנות גואי. פי' לא חרשו מקום הטומאה וטומאה מבראי קאי. ואמרינן בשאילנות עומדין

חשק שלמה על ר"ח

א) שם במשנה איתא והגזוזטראות.

מסורת הש"ס

א) [תוספ' שקלים פ"א], ב) [ע' גירסת התוס' לקמן ו. ד"ה דאמר], ג) [לקמן ו.], ד) [נ"ל תנן], ה) [אהלות פי"ג], ו) [אהלות פ"ח מ"ב נזיר נד:], ז) [תוספתא דאהלות פ"ט], ח) אהלות פי"ז מ"א [תמורה לג. ע"ש], ט) ברכות יט: ערכין לב: פסחים צב: חגיגה כה: כתובות כח: נדה נז. בכורות כט., י) [ועי' מש"כ עה"ג ברכות יט:], כ) אהלות פי"ח מ"ג, ל) תוספתא דאהלות פי"ז, מ) [עיין תוס' כתובות כח: ד"ה בית הפרס], נ) נ"ל שלא מלא.

הגהות הב"ח

(א) רש"י ד"ה אבל מציינין כו' כגון סככות ופרעות הסמוכות לרשות הרבים. נ"ב ע"ש פרש"י במס' נדה דף נז ע"ב וז"ל אילן המיסך על הארץ והוא סמוך לדרך בית הקברות וזימנין דמתרמי בין השמשות וקברי התם כו': (ב) ד"ה שמפטירין כו' ובאין אנשי המקום כו'. נ"ב לשון הערוך בערך בך ונקרא בוכים שכן דרך כשמועדים יחד אלו עם אלו בוכים שם ועי' בתוס' פ"ק דכתובות כח: (ג) תוס' ד"ה אין כו' אסור לציין דאסור לטרוח: (ד) ד"ה מנפח כו' ומשום הכי הקילו דליכא ספיקא:

הגהות הגר"א

[א] גמ' פרעות אבנים פרועות היוצאין מן הגדר כל"ל (כ"ה במתני' דאהלות פ"ח מ"ב ובנזיר נד ב ועי' תוס' דאהלות שם): [ב] שנחרש. נ"ל שאבד: [ג] בוכין. נ"ל בוכים ובתוספתא דאהלות (פי"ז) גרסינן סוכין (וכן פי' ערוך לחד פי').

הגהות מהר"ב רנשבורג

א] תוס' ד"ה שאינו וכו' כגון תרווד רקב וכו'. נ"ב דבריהם תמוהים דמשנה שם מפורש דמטמא באהל וכן הוא משנה מפורשת פ"ב דאהלות ויעוי' בספר שושנים לדוד עמד על דבריהם ועי' גם בספר יד דוד:

גליון הש"ס

תוס' ד"ה יש בה אילנות וכו' אי נמי בידוע לאו דוקא. עיין נדה דף סד ע"ב תוס' ד"ה ע"ג כולם:

תורה אור השלם

א) זֹבֵחַ תּוֹדָה יְכַבְּדָנְנִי וְשָׂם דֶּרֶךְ אַרְאֶנּוּ בְּיֵשַׁע אֱלֹהִים: [תהלים נ, כג]

רש"י כת"י

על כזית מן המת. לקמן מפרש טעמ'. עצם כשעורה. אינו מטמא באהל דהלכתא גמירי לה. ולא על כל דבר שאינו מטמא באהל. שאפי' הוא מטמא בהיסט כשהולך ומסיטן אין צריך ציון דאי הוי בתוך הקרקע ליכא משום היסט ולא משום מגע ואי דרמי אארעא בניפוח סגי כדאמרי' מנפח אדם בית הפרס והולך. שדרה וגלגולת. של מת אפילו עצמות בלא בשר מטמא באהל בבכורות מפר' רוב בנינו שתי שוקים וירך אחת אע"פ שאין רוב מניינו הואיל ואית ביה גובהן רוב מניינו רוב מנין איבריו באדם רמ"ח איברים ורוב... כגון ידים ורגלים שיש בהן הרבה איברים דקים. על הוודאות. כגון בית הקברות שהכל יודעין ופורשין ואין צריך ציון. אבל מציינין על הספיקות. שיש עליהן אהל כגון סככות ופרעות הסמוכות לבית הקברות דמספקא לן בהו טומאה דכיון דיש עליהן אהל רגילין לקבור שם במקום לנוע. סככות ופרעות ובית הפרס מפרש לקמיה. ואין מעמידין ציון על הטומאה. ממש. שלא להפסיד (על) [את] הטהרות. זמנין דלאו אינש עד הציון שהוא על הטומאה ממש וטהרותיו בידו ויהיו טמאים ואתי לשורפם והוי הפסד. ואין מרחיקין ציון ממקום טומאה שלא להפסיד את ארץ ישראל. שאין דרך לחרוש ולזרוע שם ועוד שמעמידה בחזקת טומאה שלא להשתמש שם. כל ציון מד' רוחות לטומאה עושין אותן. כזית מצומצם מכוון אין מליינין דסוף סוף מיחסר חסר שמלטמק ויבש עד אין בו כזית ואינו מטמא באהל. ומוטב שישרפו תרומה לפי שעה. עד שלא חסר. ואל ישרפו עליו תרומה לעולם דזמנא דלא חזי ליה לציון כגון בלילה ועייל להתם והדר חזי ליה לציון ואמ' נטמאת תרומתי והיא לא נטמאת דהא חסר כבר. סככות פרעות. בסמוכות לבית הקברות עסקינן. פרועות. גדולות כמו ואת ראשו לא יפרע. בית הפרס דתניא החורש וכו' ל"ג הכא משום דלא מלי מתרץ הא מירולא דמשני בסמוך כאן בשדה שאבד בה קבר וכו'. והאמ' ר' יהודה מנפח אדם בית הפרס והולך. ההולך לשחוט את פסחו ולמול את בנו מנפח בית הפרס והולך דאם יש עצם כשעורה דמטמא בהיסט מתפזר ברוח. שנדש. אחר שנחרש בה קבר ונדש ברגלי אדם וברגלי בהמה טהור ואין צריך ניפוח בידוע שאין שם קבר ועצם כשעורה אלמא בית הפרס אין בו משום אהל דהא בניפוח סגי ליה. שדה שאבד בה קבר. מטמא באהל ובעיא ציון שלא יכנסו לתוכה. שדה שנחרש בה קבר וחרש ונשתברו העצמות ולא מטמא באהל דעצם כשעור' אינו מטמא באהל. דתניא החורש. בית הקברות הרי הוא בית הפרס. וכמה הוא עושה. בית הפרס. חצי מענה. מריך של מחרישה שעל ידי המחרישה נשתברו ונתפזרו העצמות וכל ספק עד מלאי מענה. ובית הפרס משמע שנחרש ונפרסו ונשתברו העצמות וכל שדה ספק טומאה קרי ליה בית פרס כשדה הנחרש. רבי יהודה אמ' שמואל ור' יהודה בר אמי לא פליגי אלא מר אמ' בית הפרס יש לו בדיקה בניפוח ומר אמ' אם נדש הרי זו בדיקה. שדה בוכין. שבוכין בו למת. שמפטירין שם מתים. כשמביאין מת או עצמות מעיר לעיר ויש שם בעיר שקוברין בה שדה העשויה לכך שמביאין אותו בני עירו לאותה שדה ויוצאין בני עיר לקראתם והראשונים נפטרין והולכין ואילו מתעסקין בו ונושאין אותו לבית הקברות שלהן וכיון שאינם בעלים חיישינן שמא לא יזהרו בו ויפלו ממנו אבר באותה שדה. אי נמי (הללו שניס) [הלכו הראשונים] ונתייאשו והניחו את המת לשם ובא אדם מעלמא וקוברו שם. ואינו יודע מה טיבה. אם ליינוהו מפני שנחרש בה קבר ויכול ליכנס בנפיחה ואם מפני שנאבד בה קבר ואינו יכול ליכנס בה כלל שמטמאה באהל. יש בה אילנות בידוע שנחרש בה קבר. אגב אילנות חרשוה ואינה מטמאה באהל שאין נוטעין אילנות בלא חרישה ולכך ליינוה שלא יכנס שם אלא על ידי נפיחה. אין בה אילנות בידוע שיש בה קבר. ולא נחרש ומטמאה באהל דמסתמא אין אדם רשע להיות חורש את בית הקבר ועוד דאסור בהנאה כדאמרינן בעלמא (מגילה כט.) דאין חורשין וזורען ואפילו אמת המים העוברת לתוך בית הקברות אין שוטין הימנה. ר' יהודה אומ' לעולם מטמא באהל. עד שיהא שם. בעיר. זקן או תלמיד. יודע למה ליינוהו והכי נקט תלמיד כדמפרש לקמיה דכל מילי דמתא רמי אתלמיד ובידוע שהוא ליינה ויודע מה טיבה אבל שאר בני העיר אינו יודעין מה טיבו דאינו סומך עליהן לפי שאין הכל בקיאין ש"מ בית הפרס שנחרש בעי ציון. כי תניא ההיא בשדה שאבד בה קבר. והכי קאמ' מלא שדה מצויינת ואינו יודע מה טיבה אם נחרש לאחר ציון או לא. יש בה אילנות בידוע. שמחרישה לאחר ציון ואינה מטמאת באהל אבל אי חרשי לה מעיקרא תו לא בעי ציון ומשום היסט אין צריך ציון שהרי יכול לכסותו העצם בקרקע. וליחוש דילמא אילנות מגואי. בתוך שדה וספק טומא' מאבראי לאילנות ולא חרש זה אלא מקום האילנות ומקום הבדוק לו אלא לו (אלא) [ולא] מקום הספק דלא הוחזק רשע לחרוש מאבראי אילנות ואכתי הוה ליה מאבראי שדה שאבד בה קבר דהאי דחרש קים ליה דספק טומאה לא הוי אלא מאילנות ולחוץ. בעומדין על הגבולין. דשדה דלאו טומאה איבראי וזה לא חרש אלא בין אילנות שלא היה שם טומאה אלא מקום הספק לא חרש מעולם הואיל ואין שם אילנות.

קָרֵי עֲלֵיהּ – [R' Yannai] applied to him the verse: ,,וְשָׂם דֶּרֶךְ אַרְאֶנּוּ בְּיֵשַׁע אֱלֹהִים" – *and one who appraises the way, I will show him the salvation of God.*[1]

The Gemara cites a Baraisa that defines which sources of *tumah* require marking:

תָּנוּ רַבָּנַן – **The Rabbis taught in a Baraisa:** אֵין מְצַיְּינִין – **WE DO NOT MAKE A MARKER,**[2] לֹא עַל כְּזַיִת מִן הַמֵּת – **NEITHER FOR AN OLIVE'S VOLUME** of flesh **FROM A CORPSE,** וְלֹא עַל עֶצֶם כִּשְׂעוֹרָה – **NOR FOR A BONE THE SIZE OF A BARLEY GRAIN,** וְלֹא עַל דָּבָר שֶׁאֵינוֹ מְטַמֵּא בְּאֹהֶל – **NOR FOR ANYTHING** else **THAT DOES NOT TRANSMIT *TUMAH* BY WAY OF A ROOF.**[3] אֲבָל מְצַיְּינִין עַל הַשִּׁדְרָה וְעַל הַגּוּלְגּוֹלֶת – **HOWEVER, WE DO MAKE A MARKER FOR THE SPINAL COLUMN OR SKULL** of a corpse,[4] עַל רוֹב בִּנְיַן וְעַל רוֹב מִנְיַן הַמֵּת – and **FOR** a pile of bones that make up **THE MAJORITY OF THE** skeletal **FRAME OR THE NUMERICAL MAJORITY** of the bones in the skeleton **OF A CORPSE,**[5] since these do transmit *tumah* by way of a roof.[6]

The Baraisa continues:

וְאֵין מְצַיְּינִין עַל הַוַּודָּאוֹת – **WE DO NOT MAKE MARKERS FOR THE [SITES OF] DEFINITE** *tumah;*[7] אֲבָל מְצַיְּינִין עַל הַסְּפֵיקוֹת – **RATHER, WE MAKE MARKERS FOR THE [SITES OF] QUESTIONABLE** *tumah.*[8] וְאֵלּוּ הֵן הַסְּפֵיקוֹת – **AND THESE ARE THE [SITES OF] QUESTIONABLE** *tumah* for which we make markers: סְכָכוֹת וּפְרָעוֹת וּבֵית הַפְּרָס – branchy **CANOPIES, PROTRUSIONS**[9] **AND A *BEIS HAPRAS,*** i.e. a field in which a grave was plowed over.[10]

The Baraisa concludes:

וְאֵין מַעֲמִידִין צִיּוּן בִּמְקוֹם טוּמְאָה – **AND WE DO NOT PLACE A MARKER** directly **OVER THE LOCATION OF THE *TUMAH,*** שֶׁלֹּא לְהַפְסִיד אֶת הַטְּהָרוֹת – **SO AS NOT TO WASTE *TAHOR* ARTICLES.**[11] וְאֵין מַרְחִיקִין צִיּוּן מִמְּקוֹם טוּמְאָה – **NOR DO WE DISTANCE THE MARKER** excessively **FROM THE LOCATION OF THE *TUMAH,*** שֶׁלֹּא לְהַפְסִיד אֶת אֶרֶץ יִשְׂרָאֵל – **SO AS NOT TO WASTE** any land in **ERETZ YISRAEL.**[12]

NOTES

1. *Psalms* 50:23. The student wisely assessed which was a proper time for him to question his teacher and which was an improper time (*Rashi*). [*Ritva* explains thus: The student weighed the issues and concluded that the possible loss engendered by publicly embarrassing his teacher outweighed the benefit of learning the answer to his difficulty. This assessment would be justified even if he would never learn the answer, and it was certainly correct since he would later be able to ask R' Yannai privately. See *Maharsha* for yet another explanation.]

2. I.e. there is no requirement to make a marker for any of the following sources of *tumah* (*Tosafos* ד״ה אין מציינין; see also *Rashi ms.* cited above, 5a note 15; but see *Chidushei R' Akiva Eiger*). [The Baraisa may be referring to Chol HaMoed, in which case it means that we are *not allowed* to make markers for the following things because it is an unnecessary exertion on the festival (*Tosafos*).]

3. A human corpse (or certain parts of it) can transmit *tumah* to a person by various modes. These include: (1) direct contact (מַגָּע); (2) if the corpse is carried (מַשָּׂא), even without direct contact (e.g. in a box) [this category includes any movement of the corpse, even indirect (הֶיסֵט) – see *Ritva*]; and (3) through roof-association (אֹהֶל, *ohel*). Transmission of *tumah* by way of *ohel* occurs in one of three ways: (a) when the source of *tumah* and the person or object are both under a common roof (so that the roof transmits *tumah* from one to the other); (b) when the source of *tumah* is directly over the person or object (thereby forming a "roof" over the recipient); (c) when the person or object is directly over the source of *tumah* without any intervening separation (thereby forming a "roof" over the source). Thus, if part of a person's body enters the airspace above a corpse, he becomes *tamei* (*Rambam, Hil. Tumas Meis* 1:3,6,7,10; see also ibid. 2:5).

While a whole corpse and certain distinct parts of it [such as the spinal column or skull] can convey *tumah* through any of these methods, some minor portions of a corpse are excluded from transmitting *tumah* by means of *ohel.* For example, an ordinary bone that is the size of a barley grain or greater conveys *tumah* through contact or being carried, but not through *ohel* (*Tosafos* ד״ה עצם). The same applies to a spinal column or skull that is not whole. A *neveilah* (animal carcass) or *sheretz* (creeping creature) also does not convey *tumah* through *ohel* (*Ritva;* see *Keren Orah*). The Baraisa teaches that there is no requirement to mark off a source of *tumah* that is in this category, for there is no possibility of unwitting contamination. If it is in the open people can see and avoid it, and if it is buried they are unable to touch or move it (*Ritva;* see *Rashi ms.*).

It is noteworthy, however, that an olive's volume (*kezayis*) of corpse flesh does transmit *tumah* by way of *ohel.* The Gemara explains below why no marker is needed for it (*Rashi ms.*).

4. A complete spinal column containing all the vertebrae (see *Oholos* 2:3) and a complete skull each transmit *tumah* by way of *ohel,* even though there is only one bone (*Rashi;* see also *Rambam, Tumas Meis* 2:8; but see *Nazir* 52a, where the Gemara considers the possibility that both together are needed). [The Mishnah (*Oholos* 1:8) counts the spinal column as *eighteen* bones. Ordinarily, however, even eighteen small bones do not convey *tumah* through *ohel.* Perhaps, when *Rashi* states that there is only *one* bone, he means that the spinal column is without the skull.]

5. The Gemara (*Bechoros* 45a) defines the majority of the skeletal frame as consisting of the two lower legs (shinbones) plus a thighbone, since these bones account for the bulk of the height of the adult frame. The majority of the number of bones is defined as 125, on the basis that the total number of bones in the human skeleton is 248 (*Oholos* 1:8).

6. Mishnah *Oholos* 2:1. [The Mishnah there lists additional corpse parts that transmit *tumah* by way of *ohel,* including a quarter-*kav* of bones, even if they are less than the majority of the skeletal frame or total number of bones. In all cases of potential *tumah* by way of *ohel,* a marker is required (*Rambam, Hil. Tumas Meis* 8:9).]

7. When it is publicly known that there is definite *tumah* in a certain place – for example, a graveyard – no marker is needed, since people are anyway cautious not to transport *tahor* articles there (*Rashi; Rashi ms.*).

8. As the Baraisa goes on to explain, wherever there is reason to believe that a burial was made – i.e. it is a convenient location where people are *likely* to have made a burial – we assume that this did occur, and we therefore make a marker even in absence of direct evidence (*Rashi;* first explanation of *Tosafos* ד״ה אילן; *Ritva*). [Certainly, we must also make a marker for a location of definite *tumah* that is not widely publicized, such as an isolated grave. The Baraisa means to inform us, however, that even though a graveyard does not require marking, certain areas near a graveyard do require marking (*Chazon Ish, Orach Chaim* §135; *Sidrei Taharos, Oholos* §131 and §241 ד״ה ואין).]

9. The reference is to areas on the roads leading to graveyards that are overhung by tree branches or by stones protruding from adjacent walls. Since these canopied areas afford a degree of privacy, people often bury their dead there (*Rashi;* see Gemara below). I.e. if twilight comes during a funeral procession and people cannot reach the graveyard before nightfall, they make the burial under the nearest canopy (*Rashi* to *Niddah* 57a ד״ה אילן המיסך על הארץ; see, however, *Talmid R' Yechiel MiParis;* cf. *Ritva,* who explains that the concern is for a funeral procession that is delayed on the eve of the Sabbath).

10. The Gemara explains this below (*Rashi*).

11. If the marker was placed directly over the corpse, a person carrying *terumah* might not realize that the area is *tamei* until he suddenly finds himself upon the marker, by which time the *terumah* will have been contaminated. We therefore distance the marker slightly from the source of *tumah* on all four sides, to provide advance warning (*Rashi, Rashi ms.*). [The marker consists of lime. When poured directly upon the ground, it might not be discerned by a pedestrian until he is standing on its edge. Thus, it needs to protrude from the *tumah* on all four sides. However, if a stone is coated with lime and placed over the *tumah* it does not have to protrude, since its elevation makes it visible from a distance (*Rashi* to 6a ד״ה מצא אבן אחת מצויינת).]

12. We extend the marker the least possible distance from the grave, since people will assume that all the land behind the marker is *tamei* and we do not wish to needlessly remove parts of Eretz Yisrael from use (*Rashi*). People will refrain from sowing land in which they think a corpse has been buried (*Rashi ms.*). [The marking of graves is a requirement in Eretz Yisrael, where people commonly have *terumah* in their possession.]

עין משפט נר מצוה

מא א ב ג ד ה מיי' פ"ח מהל' טומאת מת הלכה ט סמג עשין רלג:
מב ו מיי' שם פי"ט הל"א סמג עשין רלג:
מג ז ח מיי' פ"ו מהל' ק"פ הלכה ח:
מד ט מיי' פ"ח מהל' טומאת מת הלכה א סמג עשין לג:
מה י מיי' שם פ"י הלכה א סמג שם:
מו כ מיי' שם פ"ח הלכה ד:
מז ל מיי' שם הלכה י ופ"י הלכה י:
מח מ מיי' שם פ"י הל"י:

קרי עליה ושם דרך אראנו בישע אלהים תנו רבנן אין מציינין לא על כזית מן המת ולא על עצם כשעורה ולא על דבר שאינו מטמא באהל אבל מציינין על השדרה ועל הגולגולת על רוב בנין ועל רוב מנין המת ואין מציינין על הוודאות אבל מציינין על הספיקות ואלו הן הספיקות סככות ופרעות ובית הפרס ואין מעמידין ציון במקום טומאה שלא להפסיד את הטהרות ואין מרחיקין ציון ממקום טומאה שלא להפסיד את ארץ ישראל וכזית מן המת אינו מטמא באהל והא (תניא) אלו שמטמאין באהל כזית מן המת אמר רב פפא הכא בכזית מצומצם עסקינן דסוף סוף מיחסר חסר מוטב ישרפו עליו תרומה וקדשים לפי שעה ואל ישרפו עליו לעולם ואלו הן הספיקות סככות ופרעות סככות אילן המיסך על הארץ פרעות [א] אבנים פרועות היוצאות מן הגדר בית הפרס כדתנן החורש את הקבר הרי הוא עושה בית הפרס וכמה הוא עושה מלא מענה מאה אמה ובית הפרס מי מטמא באהל והאמר רב יהודה אמר שמואל מנפח אדם בית הפרס והולך ורב יהודה בר אמי משמיה דעולא אמר בית הפרס שנידש טהור אמר רב פפא לא קשיא כאן בשדה שאבד בה קבר כאן בשדה שנחרש בה קבר ושדה [ב] שנחרש בה קבר בית הפרס קרי ליה אין והתנן שלשה בית הפרס הן שדה שנאבד בה קבר ושדה שנחרש בה קבר ושדה [ג] בוכין מאי שדה בוכין רב יהושע בר אבא משמיה דעולא אמר שדה שמפטירין בה מתים וטעמא מאי אמר אבימי משום יאוש בעלים נגעו בה ושדה שנחרש בה קבר לא בעי ציון והא תניא מצא שדה מצויינת ואין ידוע מה טיבה יש בה אילנות בידוע שנחרש בה קבר אין בה אילנות בידוע שאבד בה קבר ר' יהודה אומר עד שיהא שם זקן או תלמיד לפי שאין הכל בקיאין בדבר אמר רב פפא כי תניא ההיא בשדה שאבד בה קבר דציינוה יש בה אילנות בידוע שנחרש בה קבר אין בה אילנות בידוע שאבד בה קבר וליחוש דלמא אילנות מגואי וקבר מבראי כדאמר עולא בעומדין על הגבולין הכא נמי בעומדין על הגבולין ודלמא

קרי עליה ושם דרך. שמחשב בשעות אי זה מהן להקשות אי זה מהן שלא להקשות: אבל מציינין על השדרה. שאע"פ שאינה אלא עצם אחד מטמא טומאה באהל: רוב בנינו. כגון עצמות גדולות כגון קוליות אע"פ שאין בו רוב מנינו: רוב מנינו. רוב העצמות ואע"פ שאין בו רוב בנינו: אין מציינין על הוודאות. הואיל דברור לכולי עלמא דאית ביה טומאה ודאית לא מטלטלי באותו מקום טהרות: אבל מציינין על הספיקות. שיש עליהן אהל כגון סככות ופרעות (א) הסמוכות לרה"ר הסמוך לבית הקברות דמספקא לן בהו טומאה דכיון דיש עליהן אהל רגילים לקבור שם במקום צנוע: סככות ופרעות ובית הפרס. מפרש לקמן: אין מעמידין הציון על הטומאה שלא להפסיד טהרות. שאם הטומאה ממש תחת הציון אינו מרגיש עד שבא על הציון פתאום ויטמאו הטהרות שהרי הטומאה תחת הציון אלא עושין הציון סמוך לטומאה ברחוק כל שהוא וכשבא על הציון מרגיש מן הטומאה ואינו הולך עליה: אין מרחיקין את הציון ממקום טומאה. יותר מכל שהוא: שלא להפסיד ארץ ישראל. שכשרואה הסימן מיד פורש ונמצא ארץ ישראל בטומאה שלא לצורך: וכזית מן המת אינו מטמא באהל. דקתני אין מציינין על כזית מן המת ולא על כל דבר שאינו מטמא באהל: אמר רב פפא. לעולם כזית מטמא באהל והא דקתני אין מציינין בכזית מצומצם עסקינן דמחסר חסר בקרקע ולהכי אין מציינין: ישרפו עליו [תרומות] וטהרות שעה אחת. דכל העובר על אותו כזית כשנקבר מחדש שורפין טהרותיו דעדיין לא חסר: ואל ישרפו עליו לעולם. שאם מציינין אותו שורפין עליו (על) כל תרומה שעוברין על אותו ציון לעולם שלא לצורך שהרי חסר וזימנין דלא חזי ליה כגון בלילה וכי הדר חזי ליה ואמר נטמאת תרומתי ושרף לה והיא לא נטמאת דההיא כזית כבר חסר וכשאין מציינין אותו אין שורפין עליו אלא מחדש שלא חסר: אילן המיסך על הארץ. וטומאה תחת נוף אחד ואינו יודע תחת איזה נוף עושה ציון: בית הפרס. חצי מענה תלם אחד של מאה אמה: מנפח אדם. ההולך לשחוט פסחו דאם יש עצם כשעורה המטמא בהיסט מתפזר ברוח ועושה פסח בבית הפרס אזיל נו ואי מטמא באהל היכי אזיל עליה: בשדה שאבד בה קבר. קתני דמציינין דמטמא באהל אבל בשדה שנחרש בה קבר אין צריך לציין ולא מטמא באהל דנימא מחרישה סלקיה לטומאה: שלשה בית הפרס הן. שאין הולכין בו אוכלי תרומה: שמפטירין בה את המתים. שכשמביאין מתים ממקום למקום לקבור כשבאין בשדה סמוך לעיר נפטרין אלו שהביאום ממקומן והולכין להם ובאין אנשי המקום (ב) ומקבלין אותן ורוחצין אותן שם וקוברין אותן: וטעמא מאי. חוששין ביה משום טומאה: משום יאוש בעלים. לפי שהביאום ממקום רחוק נדלדל אבר ונפל שם ונתייאשו אלו על אלו והניחוהו שם: ושדה שנחרש בה קבר לא בעי ציון. דקא מתרלת הא דקתני מנפח אדם בית הפרס כשנחרש: ואינו יודע מה טיבה. אם הוא שדה שנחרש בה קבר ויכול לילך בניפוח ואם מפני שנאבד בה קבר ואינו יכול להכנס בה בנפיחה דמטמא באהל: יש בה אילנות בידוע שנחרש. השדה לצורך האילנות ויכול להלך שאינו מטמא באהל אלמא מדקתני בה מצא שדה מצויינת דמציינין בית הפרס שנחרש: אין בה אילנות בידוע שאבד בה קבר. ולא נחרש ומטמא באהל: רבי יהודה אומר. לעולם לא הוי בחזקת שנחרש עד שיהא שם זקן או ת"ח שיהא יודע שנחרש: אמר רב פפא. לעולם בית הפרס שנחרש לא בעי ציון והאי דקתני בידוע שנחרש בה קבר בשדה שאבד בה קבר וציינה לאלתר: יש בה אילנות בידוע שנחרש. לאחר שציינוה ולעולם בית הפרס שנחרש לא בעי ציון: אין בה אילנות בידוע שאבד בה קבר. ולא נחרש: וליחוש דלמא אילנות מגואי וטומאה מאבראי. ולא נחרש במקום טומאה מבחוץ לאילנות אלא בין האילנות והוי שדה שאבד בה קבר ולא נחרש ואמאי קאמר בידוע שנחרש בה קבר: בעומדין האילנות על הגבולין. של רשות הרבים דודאי ליכא טומאה מבראי דלא קברי אינשי ברשות הרבים אלא בין האילנות הויא טומאה ונחרש בשביל האילנות:

ודלמא

אין מציינין. אין צריך ציון ואי גבי יום טוב מיירי הברייתא איכא לפרש אסור לציין (ג) ואסור לטרוח ביום טוב: **עצם** כשעורה. והוא הדין יותר מכשעורה כדמוכח בסמוך אינו מטמא באהל והאי דנקט כשעורה משום דהאי שיעורא מטמא במגע דהכי הלכה למשה מסיני כדאמרינן בשחיטת חולין (חולין דף קכו:): **שאינו** מטמא באהל. א] כגון תרווד רקב כדאיתא בהעור והרוטב (חולין דף קכו: ושם) ושדה שנחרש בה קבר כדלקמן בשמעתין ואפילו איכא ספק טומאה שמטמא בהיסט בלא נגיעה לא הצריכום ציון דהיסט לאו מילתא דשכיחא היא שידרוס על קנה שטומאה עליו ולכך לא החמירו חכמים לציין משום היסט: **אילן** המיסך על הארץ. סמוך לבית הקברות דמספקא לן אי איכא טומאה תחתיו אי לא מסתמא אמרינן דמת תחתיו כיון דדרך מקום צנוע הוא ולכך בעי ציון ע"א דידעינן ודאי דאיכא טומאה תחת נוף אחד של אילן ויש הפרש בין נוף לחבירו ואין ידוע באיזה מקום ישנה והכי נמי איכא לפרש גבי אבנים שיש אבנים זו אצל זו הבולטות מן הגדר: **מנפח** אדם בית הפרס והולך. דמסתמא ליכא למימר שהגיעה המחרישה עד המת וליכא לאחזוקי מקום טהור בטמא מספק אלא חכמים החמירו משום חומרא דטהרות ומשום הכי הקילו (ד) דליכא ספיקא דאורייתא הם אמרו והם אמרו ולא היו רגילים לקבור מתים בעומק כי השתא בזמן הזה הילכך לא חיישינן שמא המת בעומק תחת המחרישה ומן הדין אפילו נפוח לא צריך כי אם חומרא בטהרות שהחמירו חכמים בדבר ואמאי לא חיים שיהא מת בקרקע ואין נוגע בו ומטמא באהל אי נמי בלא המאהילים מן הצדדים הוו מטמאין לאדם באהל אלא שמע מינה דלא מטמא באהל: **יש** בה אילנות בידוע שנחרש בה קבר אין בה אילנות בידוע שאבד בה קבר. דתניא התם (תוספתא דאהלות פי"ז) שדה שאבד בה קבר אינה ניטעת כל נטע וכגון שראויה לאילנות ויש לנו לומר דמסתמא אם לא שאבד בה קבר היו נוטעים בתוכה אי נמי בידוע לאו דוקא ואגב דנקט רישא בידוע נקט סיפא בידוע וכן נ"ל לפי' הקונטרס:

רבינו חננאל

ובשבתא דריגלא לא הוה מקשי והוה קרי עליה ושם דרך אראנו בישע אלהים: ת"ר אין מציינין על כזית מצומצמת מן [המת] דסופו מיחסר חסר. ותנן באהלות פרק שני אלו אם חסרו טהורין כזית מן המת כזית נצל כו' ולא על הבשר שסופו מתאכל והולך ולא על עצם כשעורה ולא על כל דבר שאינו מטמא באהל אבל מציינין על השדרה ועל הגלגולת ועל רוב בנינו של מת ועל מנינו. ואין מציינין על הוודאות אלא על הספיקות. ואלו הן הספיקות סככות ופרעות פי' דתנן באהלות פ' ח' הזיזין א) והגודריות כו' עד והסככות והפרעות (אינן) [שהן] יכולין לקבל מעזיבה כו' ואלו הן הסככות אילן המיסך על הארץ והפרעות אבנים היוצאות מן הגדר ומציינין על בית הפרס בשדה שאבד בה קבר ואין מעמידין ציון במקום טומאה עצמה שלא להפסיד את הטהרות אלא מרחיקין מעט. ואין מרחיקין ציון ממקום הטומאה שלא להפסיד את א"י. ואין מציינין על השדה שנחרש בה קבר וכ"ש שנידש. תניא ג' בית הפרס הן. שדה שנחרש בה קבר ושנאבד בה קבר ושדה בוכים. פי' דתנן באהלות פרק י"ח ג' בית הפרס הן החורש את הקבר נוטעת כל נטע כו'. עד ומטמאין במגע ובמשא ואינן מטמאין באהל. שדה שנאבד בה קבר בתוכה כו' עד ובאהל. מאי שדה בוכים שדה שמפטירין בתוכה מתים. פי' דתנן באהלות פרק י"ח שדה בוכים לא ניטעת ולא נזרעת ועפרה טהור כו' מ"ט יאוש בעלים נגעו בה ומקשינן שדה שנחרש בה קבר לא בעיא ציון והתניא מצא שדה מצויינת ואין ידוע מה טיבה. יש בה אילנות בידוע שנחרש בה קבר. אין בה אילנות בידוע שאבד בה קבר. ופריק רב פפא כי תניא ההיא בשדה שאבד בה קבר וצייינה אם יש בה אילנות בידוע שאחרי שציינוה שנחרש אותו הקבר. וניחוש דלמא אילנות גואי. פי' לא חרשו מקום הטומאה וטומאה מבראי קאי. ואמרינן בשאילנות עומדין

חשק שלמה על ר"ח

א) שם במשנה איתא והגיזריות.

מסורת הש"ס

א) [תוספ' שקלים פ"א], ב) [עי' גירסת התוס' לקמן ו. ד"ה דאמר], ג) [לקמן ו.], ד) [נ"ל תנן], ה) [אהלות רפ"ב], ו) [אהלות פי"ח מ"ב נזיר נד:], ז) [תוספתא דאהלות פ"טז], ח) [אהלות פי"ח מ"א [תמורה יב. ע"ש], ט) ברכות יט: עירובין ל: פסחים לב: חגיגה כה: כתובות כח: נדה נז: בכורות כט:, י) [ועי' מש"כ עפ"ר ברכות יט:], כ) [אהלות פי"ח מ"ג מ"ד, ל) תוספתא דאהלות פי"ז, מ) [עיין תוס' כתובות כח: ד"ה בית הפרס], נ) נ"ל שצ"ל מלא.

הגהות הב"ח

(א) רש"י ד"ה אבל מציינין כו' כגון סככות ופרעות הסמוכות לרשות הרבים. נ"ב ע"ש פרש"י במס' נדה דף נז ע"א וז"ל אילן המיסך על הארץ והוא סמוך לדרך בית הקברות חיימנין דמתרמי בין השמשות וקברי התם כו': (ב) ד"ה שמפטירין כו' ובאין אנשי המקום כו'. נ"ב לשון הערוך הערך בך וגרסינן בוכים שכן דרך כשמתועדין יחד אלו עם אלו כולם בוכים ועי' בתוס' פ"ק דס הנדה: (ג) תוס' ד"ה אין כו' אסור לציין ואסור לטרוח: (ד) ד"ה מנפח כו' ומשום הכי הקילו דכיון דליכא ספיקא:

הגהות הגר"א

[א] גמ' פרעות פרעות היוצאין מן הגדר כל"ל (כ"ה במתני' דאהלות פי"ח מ"ב ובנזיר נד ב ועי' תוס' שם): [ב] שנחרש. נ"ל שאבד: [ג] בוכין. נ"ב דאהלות ובתוספתא (פי"ז) גרסינן כוכין (וכן פי' בערוך לגד פי')

הגהות מהר"ב רנשבורג

א] תוס' ד"ה שאינו וכו' כגון תרווד רקב וכו'. נ"ב דבריהם מוטעים דבזבחים שם מפורש דמטמא באהל וכן הוא משנה מפורשת פ"ב דאהלות ועיין באהלות בספר שושנים לדוד עמד על דבריהם ועי' גם בספר יד דוד:

גליון הש"ס

תוס' ד"ה יש בה אילנות וכו' אי נמי בידוע לאו דוקא. עיין נדה דף נז ע"ב תוס' ד"ה כולם:

תורה אור השלם

א) זֹבֵחַ תּוֹדָה יְכַבְּדָנְנִי וְשָׂם דֶּרֶךְ אַרְאֶנּוּ בְּיֵשַׁע אֱלֹהִים: [תהלים נ, כג]

רש"י כת"י

על כזית מן המת. לקמן מפרש טעמ'. עצם כשעורה. אינו מטמא באהל דהלכתא גמירי לה. ולא על כל דבר שאינו מטמא באהל. שאפי' הוא מטמא בהיסט כשהולך ומסיטן אין צריך ציון דאי הוי בתוך הקרקע ליכא משום היסט ולא משום מגע ואי דרמי אארעא בניפוח סגי כדאמרי' מנפח אדם בית הפרס והולך. שדרה וגלגולת. של מת אפילו עצמות בלא בשר מטמא באהל בבכורות מפר' רוב בנינו שתי שוקים וירך אחת אע"פ שאין רוב מניינו הואיל ואית ביה גובהן רוב מניינו רוב מנין איבריו באדם רמ"ח איברים ורוב... כגון ידים ורגלים שיש בהן הרבה איברים דקים. על הוודאות. כגון בית הקברות שהכל יודעין ופורשין ואין צריך ציון. אבל מציינין על הספיקות. שיש עליהן אהל כגון סככות ופרעות הסמוכות לבית הקברות דמספקא לן בהו טומאה דכיון דיש עליהן אהל רגילין לקבור שם במקום צנוע. סככות ופרעות ובית הפרס מפרש לקמיה. ואין מעמידין ציון על הטומאה. ממש. שלא להפסיד (על) [את] הטהרות. זמנין דאתי איניש עד הציון שהוא על הטומאה ממש וטהרותיו בידו ויהיו טמאים ואתי לשורפם וזהו ההפסד. ואין מרחיקין ציון ממקום טומאה שלא להפסיד את ארץ ישראל. שאין דרך לחרוש ולזרוע שם ועוד שמעמידה בחזקת טומאה שלא להשתמש שם. כל ציון מד' רוחות לטומאה עושין אותן. כזית מצומצם מכוון אין מציינין דסוף סוף מיחסר חסר שמצטמק ויבש עד אין בו כזית ואינו מטמא באהל. ומוטב שישרפו תרומה לפי שעה. עד שלא חסר. ואל ישרפו עליו תרומה לעולם דזמנא דלא חזי ליה לציון כגון בלילה ועייל להתם והדר חזי ליה לציון ואמ' נטמאת תרומתי והיא לא נטמאת דהא חסר כבר. סככות פרעות. בסמוכות לבית הקברות עסקינן. פרועות. גדולות כמו ואת ראשו לא יפרע. בית הפרס דתניא החורש וכו' ל"ג הכא משום דלא מצי מתרץ האי פירוקא דמשני בסמוך כאן בשדה שאבד בה קבר וכו'. והאמ' ר' יהודה מנפח אדם בית הפרס והולך. ההולך לשחוט את פסחו ולמול את בנו מנפח בית הפרס והולך דאם יש עצם כשעורה דמטמא בהיסט מתפזר ברוח. שנדש. אחר שנחרש בה קבר ונדש ברגלי אדם וברגלי בהמה טהור ואין צריך ניפוח בידוע שאין שם קבר ועצם כשעורה אלמא בית הפרס אין בו משום אהל דהא בניפוח סגי ליה. שדה שאבד בה קבר. מטמא באהל ובעיא ציון שלא יכנסו לתוכה. שדה שנחרש בה קבר וחרש ונשתברו העצמות ולא מטמא באהל דעצם כשעור' אינו מטמא באהל. דתניא החורש. בית הקברות הרי הוא בית הפרס. וכמה הוא עושה. בית הפרס. חצי מענה. חריץ של מחרישה שעל ידי המחרישה נשתברו ונתפזרו העצמות וכל ספק עד לחצי מענה. ובית הפרס משמע שנחרש ונפרצו ונשתברו העצמות וכל שדה ספק טומאה קרי ליה בית הפרס כשדה הנחרש. רבי יהודה אמ' שמואל ור' יהודה בר אמי לא פליגי אלא מר אמ' בית הפרס יש לו בדיקה בניפוח ומר אמ' אם נדש הרי זו בדיקה. שדה בוכין. שבוכין בו למת. שמפטירין שם מתים. כשמביאין מת או עצמות מעיר לעיר ויש שם בעיר שקוברין בה שדה העשויה לכך שמביאין אותו בני עירו לאותה שדה ויוצאין בני עיר לקראתם והראשונים נפטרין והולכין ואילו מתעסקין בו ונושאין אותו לבית הקברות שלהן וכיון שאינם בעלים הראשונים חיישינן שמא לא יזהרו בו ויפלו ממנו אבר באותה שדה. אי נמי (הללו שנים) [הלכו הראשונים] ונתיאשו והניחו את המת לשם ובא אדם מעלמא וקוברו שם. ואינו יודע מה טיבה. אם ציינוהו מפני שנחרש בה קבר ויכול ליכנס בנפיחה ואם מפני שנאבד בה קבר ואינו יכול ליכנס בה כלל שמטמא באהל. יש בה אילנות בידוע שנחרש בה קבר. אגב אילנות חרשוה ואינה מטמאה באהל שאין נוטעין אילנות בלא חרישה ולכך ציינוה שלא יכנס שם אלא על ידי נפיחה. אין בה אילנות בידוע שיש בה קבר. ולא נחרש ומטמאה באהל דמסתמא אין אדם רשע להיות חורש את בית הקבר ועוד דאסור בהנאה כדאמרינן בעלמא (מגילה כט.) דאין חורשין וזורעין ואפילו אמת המים העוברת לתוך בית הקברות אין שותין הימנה. ר' יהודה אומ'. לעולם מטמא באהל. עד שיהא שם. בעיר. זקן או תלמיד. יודע למה ציינוהו להכי נקט תלמיד כדמפרש לקמיה דכל מילי דמתא רמי אתלמיד ובידוע שהוא ציינה ויודע מה טיבה אבל שאר בני העיר אינו יודעין מה טיבו דאינו סומך עליהן לפי שאין הכל בקיאין ש"מ בית הפרס שנחרש בעי ציון. כי תניא ההיא בשדה שאבד בה קבר. והכי קאמ' מצא שדה מצויינת ואינו יודע מה טיבה אם נחרש לאחר ציון או לא. יש בה אילנות בידוע. שחרישה לאחר ציון ואינה מטמאת באהל אבל אי חרשי לה מעיקרא מו לא בעי ציון ומשום היסט אין צריך ציון שהרי יכול לכסותו העצם בקרקע. וליחוש דילמא אילנות מגואי. בתוך שדה וספק טומא' מאברי לאילנות ולא חרש זה אלא מקום האילנות ומקום הבדוק לו אלא לו (אלא) [ולא] מקום הספק דלא הוחזק רשע לחרוש מאבראי אילנות ואכתי הוה ליה מאבראי שדה שאבד בה קבר דהאי דחרש קים ליה דספק טומאה לא הוי אלא מאילנות ולגוו. בעומדין על הגבולין. דשדה דאין טומאה איבראי וחרש אגב אילנו'. וליחוש דילמא ספק טומאת הקבר גואי ואילנות איבראי וזה לא חרש אלא בין אילנות שלא היה שם טומאה אלא מקום הספק לא חרש מעולם הואיל ואין שם אילנות.

The Gemara questions the Baraisa's ruling that we do not make a marker for an olive's volume of corpse-flesh nor for anything else that does not transmit *tumah* by way of a roof:

וּכְזַיִת מִן הַמֵּת אֵינוֹ מְטַמֵּא בְּאֹהֶל – Does an olive's volume of flesh **from a corpse not transmit** ***tumah*** **by way of a roof? וְהָא (תניא) [תְּנַן] – But we learned in a Mishnah:**[13] אֵלּוּ שֶׁמְּטַמְּאִין בְּאֹהֶל – THESE ARE the articles THAT TRANSMIT *TUMAH* BY WAY OF A ROOF: כְּזַיִת מִן הַמֵּת – ... AN OLIVE'S VOLUME of flesh FROM A CORPSE. Accordingly, we should be required to make a marker for it. – ? –

The Gemara answers:

אָמַר רַב פַּפָּא – Rav Pappa said: הָכָא בִּכְזַיִת מְצוּמְצָם עַסְקִינַן – **Here,** in the Baraisa, **we are dealing with** a piece of corpse-flesh that is **precisely an olive's volume,** and although it does transmit *tumah* by way of a roof we do not make a marker for it **דְּסוֹף סוֹף מִיחְסַר חָסֵר – because it will inevitably** shrivel and **decrease** to less than an olive's volume. Thus, although a marker would be advantageous now, it will become problematic later.[14] **מוּטָב יִשָּׂרְפוּ עָלָיו תְּרוּמָה וְקָדָשִׁים לְפִי שָׁעָה – It is better** that ***terumah*** **and** ***kodashim*** **be burnt over it for the** short **while** that it has not yet decomposed, **וְאַל יִשָּׂרְפוּ עָלָיו לְעוֹלָם – and that they not be burnt over it forever,** i.e. after it has decomposed.[15]

The Gemara quotes a segment of the Baraisa and explains it:

וְאֵלּוּ הֵן הַסְּפֵיקוֹת סְכָכוֹת וּפְרָעוֹת – AND THESE ARE THE [SITES OF] QUESTIONABLE *tumah* for which we make markers: branchy CANOPIES, PROTRUSIONS and a *beis hapras.* **סְכָכוֹת אִילָן הַמֵּיסֵךְ עַל הָאָרֶץ** – Branchy CANOPIES refers to **a tree that overhangs the ground. פְּרָעוֹת אֲבָנִים פְּרוּעוֹת הַיּוֹצְאוֹת מִן הַגָּדֵר** – PROTRUSIONS refers to **protruding stones that extend from a wall.**[16] **בֵּית הַפְּרָס** – The definition of a *BEIS HAPRAS* is **כִּדְתְנַן – as we learned in a Mishnah:**[17] **הַחוֹרֵשׁ אֶת הַקֶּבֶר הֲרֵי הוּא עוֹשֶׂה בֵּית הַפְּרָס** – ONE WHO PLOWS OVER A GRAVE THEREBY RENDERS the field A *BEIS HAPRAS.*[18] **וְכַמָּה הוּא עוֹשֶׂה** – AND HOW MUCH of the field DOES HE so RENDER? **מְלֹא מַעֲנָה מֵאָה אַמָּה** – A FURROW'S LENGTH, which is ONE HUNDRED *AMOS,* from the grave.[19]

The Gemara questions the ruling that a *beis hapras* requires marking, on the basis of the Baraisa's earlier ruling that markers are needed only when the *tumah* can be conveyed by way of a roof: **וּבֵית הַפְּרָס מִי מְטַמֵּא בְּאֹהֶל – Does a** ***beis hapras*** **transmit** ***tumah*** **by way of a roof? וְהָאָמַר רַב יְהוּדָה אָמַר שְׁמוּאֵל – But Rav Yehudah said in the name of Shmuel:** מְנַפֵּחַ אָדָם בֵּית הַפְּרָס וְהוֹלֵךְ – One **blows on** the ground of **the** ***beis hapras*** **and** is permitted to **walk** through it.[20] **וְרַב יְהוּדָה בַּר אַמֵּי מִשְּׁמֵיהּ דְּעוּלָּא**

NOTES

13. *Oholos* 2:1.

14. Currently, the marker is needed to alert people that there is *tumah* buried here. However, once the flesh has been reduced to less than a *kezayis,* someone who unwittingly crosses the marker (e.g. at night) with *terumah* or *kodashim* (sacrificial meat) will think that it has been contaminated and will wrongly burn the sacred food (*Rashi*).

15. Whoever passes over the unmarked *kezayis* of flesh when it is freshly buried will need to burn any sacred food that he is carrying. However, this temporary danger is preferable to the permanent danger that would exist if we would make a marker. In that case, for all time to come people who unwittingly cross the marker will burn their sacred food – and the burning will be in vain, since less than a *kezayis* of flesh does not transmit *tumah* by way of *ohel* (*Rashi*).

The question arises: In absence of a marker, let us be concerned that before the flesh decomposes to less than a *kezayis* someone may pass over it with *terumah* and will not be aware that it became *tamei,* and he will come to eat *tamei terumah* or *kodashim* – which is a most serious violation! The answer is that during the short period of time between the burial and reduction to less than a *kezayis* people will still be aware that the flesh was buried there, and even if someone passes over it he will certainly be notified before eating his *terumah* or *kodashim* (*Talmid R' Yechiel MiParis;* cf. *Ritva*).

The Baraisa states its rule specifically concerning a precise *kezayis* of corpse-flesh, which decomposes quickly and which ceases to convey *tumah* by way of *ohel* with the minutest decrease in size. Other body parts, such as a spinal column or skull, decompose more slowly, and furthermore, convey *tumah* by way of *ohel* until they decompose significantly. The longer period of potential *tumah* makes a marker necessary, even though it might ultimately lead to the wrongful burning of *terumah* and *kodashim* (*Ritva*).

16. *Rashi ms.* follows the explanation presented by *Rashi* above, i.e. we are dealing with canopied areas that are near graveyards (see note 9). However, the printed version of *Rashi* explains differently here: סְכָכוֹת, *branchy canopies,* refers to the case of a tree that has branches extending in several directions and it is known that there is *tumah* under one of the branches, but it is not known which branch this is. [Each branch is at least a *tefach* wide, so that it has the minimum measurement of a "roof" (*ohel*) that has the capacity to convey *tumah* (*Oholos* 3:7). However, there is also a space between each of the branches, so that the *tumah* does not cross over to the area under the other branches.] The area under *all* the branches must be marked off as *tamei* out of doubt, even though only one of them is actually *tamei.*

Accordingly, פְּרָעוֹת, *protrusions,* similarly means that there are several *tefach*-wide stones protruding from a wall and it is known that there is *tumah* underneath one of them, but it is not known which one this is (*Tosafos* ד״ה אילן המיסך, second explanation; *Tos. HaRosh;* see *Ritva* and *Meiri* for yet another explanation; see also *Rashi* to *Niddah* 57a ד״ה אילן המיסך and *Tosafos* there ד״ה אילן המיסך).

[The term פְּרָעוֹת is derived from the verse (*Leviticus* 21:10) אֶת־רֹאשׁוֹ לֹא יִפְרָע, *his head* (i.e. his hair) *he should not grow wild.* The stones extending from a wall resemble a wild growth (*Rashi ms.*).]

17. *Oholos* 17:1.

18. Since the grave has been plowed over, there is a concern that fragments of bone may be scattered throughout the plowed area – and bone fragments that are as large as a barley grain generate corpse *tumah.* The Rabbis therefore declared the entire area a *beis hapras* – literally: home of the fragment – and decreed that anyone who enters the area be deemed *tamei* (*Rashi ms., Rashi* to *Niddah* 57a ד״ה בית הפרס and ד״ה פרס; cf. *Rambam, Commentary* to *Oholos* 17:1). Under Biblical law, however, the entire area does not generate *tumah.* For discussion of the reason, see *Tosafos* ד״ה מנפח אדם with *Chidushei R' Akiva Eiger* and *Keren Orah; Ritva; Tosafos* to *Kesubos* 28b ד״ה בית הפרס.

19. This is how far the plowshare could reasonably have transported bone fragments (*Rashi ms.;* see *Temurah* 12b-13a).

Rashi ms. and others (*Ritva, Talmid R' Yechiel MiParis*) delete from the text the sentence defining *beis hapras* as a field in which a grave was plowed over, for the Gemara below states that in our context the term *beis hapras* refers to a field that is deemed entirely *tamei* on account of a different uncertainty.

20. This refers to one who must remain *tahor* because he is on his way to slaughter the *pesach* sacrifice. As stated above, the reason a *beis hapras* renders one *tamei* is because of the possibility that it is strewn with bone fragments. The Rabbis feared that one walking through the field would acquire corpse *tumah* by moving a fragment with his foot. However, if a person must pass through the field in order to offer the *pesach* in time, the Rabbis allowed him to do so, provided he blows on the ground before him in advance of taking each step. Thus, he will blow any minute fragments out of his path, and he will notice any large pieces and avoid treading on them (*Rashi* here and to *Pesachim* 92b ד״ה מנפח and ד״ה שנידש).

Since we permit walking through a *beis hapras* by merely blowing the bone chips to the side, and we are not concerned about bone chips that lie beneath the ground, it is obvious that a *beis hapras* does not transmit *tumah* by way of *ohel.* If it would, the blowing would be useless, since the person might be passing over a buried chip! (*Rashi*). [The reason the *beis hapras* does not transmit *tumah* by way of *ohel* is that we assume that the bones were ground up and the minimum measure required for *ohel* (see notes 3-6) is not gathered in one place. However, the concern for transmission of *tumah* through moving a bone is present, since even a chip the size of a barley grain suffices for this (*Rashi* ד״ה בשדה שאבד בה קבר; *Talmid R' Yechiel MiParis*).]

עין משפט
נר מצוה

מא א ב ג ד ה מיי' פ"ח מהל' טומאת מת הלכה ט סמג עשין רלג:
מב ו מיי' שם פ"י הל"א סמג עשין רלא:
מג ז ח מיי' פ"ו מהל' ק"פ הלכה ח:
מד ט מיי' פ"ח מהל' טומאת מת הלכה א סמג עשין לא:
מה י מיי' שם פ"י הלכה א סמג שם:
מו כ מיי' שם פ"ח הלכה ד:
מז ל מיי' שם הלכה י ופ"י הלכה י:
מח מ מיי' שם פ"י הל"י:

רבינו חננאל

ובשבתא דריגלא לא הוה מקשי והוה קרי עליה ושם דרך אראנו בישע אלהים: ת"ר אין מציינין על כזית מצומצמת מן [המת] דסופו מיחסר חסר. ותנן באהלות פרק שני אלו אם חסרו טהורין כזית מן המת כזית נצל כו' ולא על הבשר שסופו מתאכל והולך ולא על עצם כשעורה ולא על כל דבר שאינו מטמא באהל אבל מציינין על השדרה ועל הגלגולת ועל רוב בנינו של מת ועל מנינו. ואין מציינין על הוודאות אלא על הספיקות. ואלו הן הספיקות סככות ופרעות פי' דתנן באהלות פ' ח' הזיזין א) והגודריות כו' עד והסככות והפרעות (אינן) [שהן] יכולין לקבל מעזיבה כו' ואלו הן הסככות אילן המיסך על הארץ והפרעות אבנים היוצאות מן הגדר ומציינין על בית הפרס בשדה שאבד בה קבר ואין מעמידין ציון במקום טומאה עצמה שלא להפסיד את הטהרות אלא מרחיקין מעט. ואין מרחיקין ציון ממקום הטומאה שלא להפסיד את א"י. ואין מציינין על השדה שנחרש בה קבר וכ"ש שנידש. תניא ג' בית הפרס הן. שדה שנחרש בה קבר ושנאבד בה קבר ושדה בוכים. פי' דתנן באהלות פרק י"ח ג' בית הפרס הן החורש את הקבר נוטעת כל נטע כו'. עד ומטמאין במגע ובמשא ואינן מטמאין באהל. שדה שנאבד בה קבר בתוכה כו' עד ומטמא במגע ובמשא ובאהל. מאי שדה בוכים שדה שמפטירין בתוכה מתים. פי' דתנן באהלות פרק י"ח שדה בוכים לא ניטעת ולא ניזרעת ועפרה טהור כו' מ"ט יאוש בעלים נגעו בה ומקשינן שדה שנחרש בה קבר לא בעיא ציון והתניא מצא שדה מצויינת ואין ידוע מה טיבה. יש בה אילנות בידוע שנחרש בה קבר. אין בה אילנות בידוע שאבד בה קבר. ופריק רב פפא כי תניא ההיא בשדה שאבד בה קבר וצייניה אם יש בה אילנות בידוע שאחרי שציינוה שנחרש אותו הקבר. וניחוש דלמא אילנות גואי. פי' לא חרשו מקום הטומאה וטומאה מבראי קאי. ואמרינן בשאילנות עומדין

חשק שלמה על ר"ח

א) שם במשנה איתא והגזוזטראות.

אין מציינין. אין צריך ציון ואי גבי יוס טוב מיירי הברייתא איכא לפרש אסור לציין (ג) ואסור לטרוח ביום טוב:
עצם כשעורה. והוא הדין יותר מכשעורה כדמוכח בסמוך אינו מטמא באהל והאי דנקט כשעורה משום דבהאי שיעורא מטמא במגע דהכי הלכה למשה מסיני כדאמרינן בשחיטת חולין (חולין דף קכו:): **שאינו** מטמא באהל. אן כגון תרווד רקב כדאיתא בהעור והרוטב (חולין דף קכו: ושם) ושדה שנחרש בה קבר כדלקמן בשמעתין ואפילו איכא ספק טומאה שמטמא בהיסט בלא נגיעה לא הצריכו ציון דהיסט לאו מילתא דשכיחא היא שידרוס על קנה שטומאה עליו ולכך לא החמירו חכמים לציין משום היסט:
אילן המיסך על הארץ. סמוך לבית הקברות דמספקא לן אי איכא טומאה תחתיו אי לא מסתמא אמרינן דמת תחתיו כיון דדרך מקום לנוע הוא ולכך בעי ציון ע"א דידעינן ודאי דאיכא טומאה תחת נוף אחד של אילן ויש הפרש בין נוף לחבירו ואין ידוע באיזה מקום ישנה והכי נמי איכא לפרש גבי אבנים שיש אבנים זו אצל זו הבולטות מן הגדר:
מנפח אדם בית הפרס והולך. דמסתמא ליכא למימר שהגיעה המחרישה עד המת וליכא לאחזוקי מקום טהור בטמא מספק אלא חכמים החמירו משום חומרא דטהרות ומשום הכי הקילו (ד) דליכא ספיקא דאורייתא הם אמרו והם אמרו ולא היו רגילים לקבור מתים בעומק כי השתא בזמן הזה הילכך לא חיישינן שמא המת בעומק תחת המחרישה ומן הדין אפילו נפוח לא צריך כי אם חומרא בטהרות שהחמירו חכמים בדבר ואמאי לא חייש שיהא מת בקרקע ואין נוגע בו ומטמא באהל אי נמי בלא המאהילים מן הצדדים הוו מטמאין לאדם באהל אלא שמע מינה דלא מטמא באהל:
יש בה אילנות בידוע שנחרש בה קבר אין בה אילנות בידוע שאבד בה קבר. דתניא התם (תוספתא דאהלות פי"ז) שדה שאבד בה קבר אינה ניטעת כל נטע וכגון שראויה לאילנות ויש לנו לומר דמסתמא אם לא שאבד בה קבר היו נוטעים בתוכה ° אי נמי בידוע לאו דוקא ואגב דנקט רישא בידוע נקט סיפא בידוע וכן נ"ל לפי' הקונטרס: אם

קרי עליה א) ושם דרך אראנו בישע אלהים
תנו רבנן א) [א]אין מציינין לא על כזית מן המת ולא על עצם כשעורה ולא על דבר שאינו מטמא באהל אבל מציינין על השדרה ועל הגולגולת על רוב בנין ועל רוב מנין המת [ב]ואין מציינין על הוודאות אבל מציינין על הספיקות ואלו הן הספיקות סככות ופרעות ובית הפרס ב) [ג]ואין מעמידין ציון במקום טומאה שלא להפסיד את הטהרות ג) [ד]ואין מרחיקין ציון ממקום טומאה שלא להפסיד את ארץ ישראל וכזית מן המת אינו מטמא באהל והא (ד) תניא) ה) אלו שמטמאין באהל כזית מן המת אמר רב פפא הכא בכזית [ה]מצומצם עסקינן דסוף סוף מיחסר חסר מוטב ישרפו עליו תרומה וקדשים לפי שעה ואל ישרפו עליו לעולם ואלו הן הספיקות סככות ופרעות ו) סככות אילן המיסך על הארץ פרעות [א] ז) אבנים פרועות היוצאות מן הגדר בית הפרס כדתנן ח) [ו]החורש את הקבר הרי הוא עושה בית הפרס וכמה הוא עושה מלא מענה מאה אמה ובית הפרס מי מטמא באהל ט) והאמר רב יהודה אמר שמואל [ז]מנפח אדם בית הפרס והולך ורב יהודה בר י) אמי משמיה דעולא אמר [ח]בית הפרס שנידש טהור אמר רב פפא לא קשיא כאן בשדה שאבד בה קבר כאן בשדה שנחרש בה קבר ושדה [ב] שנחרש בה קבר בית הפרס קרי ליה אין והתנן כ) שלשה בית הפרס הן [ט]שדה שנאבד בה קבר [י]ושדה שנחרש בה קבר [כ]ושדה [ג] בוכין מאי שדה בוכין רב יהושע בר אבא משמיה דעולא אמר שדה שמפטירין בה מתים וטעמא מאי אמר אבימי משום יאוש בעלים נגעו בה ושדה שנחרש בה קבר לא בעי ציון והא תניא ל) [ל]מצא שדה מצויינת ואין ידוע מה טיבה יש בה אילנות מ) בידוע שנחרש בה קבר אין בה אילנות בידוע שאבד בה קבר [מ]ר' יהודה אומר עד שיהא שם זקן או תלמיד לפי שאין הכל בקיאין בדבר אמר רב פפא כי תניא ההיא בשדה שאבד בה קבר דציינוה יש בה אילנות בידוע שנחרש בה קבר אין בה אילנות בידוע שאבד בה קבר וליחוש דלמא אילנות מגואי וקבר מבראי כדאמר עולא בעומדין על הגבולין הכא נמי בעומדין על הגבולין
ודלמא

קרי עליה ושם דרך. שמחשב בשעות אי זה מהן להקשות אי זה מהן שלא להקשות: אבל מציינין על השדרה. שאע"פ שאינה אלא עצם אחד מטמא טומאה באהל: רוב בנינו. כגון עצמות גדולות כגון קוליות אע"פ שאין בו רוב מנינו: רוב מנינו. רוב העצמות ואע"פ שאין בו רוב בנינו: אין מציינין על הוודאות. הואיל דברור לכולי עלמא דאית ביה טומאה ודאית לא מטלטלי באותו מקום טהרות: אבל מציינין על הספיקות. שיש עליהן אהל כגון סככות ופרעות (א) הסמוכות לרה"ר הסמוך לבית הקברות דמספקא לן בהו טומאה דכיון דיש עליהן אהל רגילים לקבור שם במקום לנוע: סככות ופרעות ובית הפרס. מפרש לקמן: אין מעמידין הציון על הטומאה שלא להפסיד טהרות. שאם הטומאה ממש תחת הציון אינו מרגיש עד שבא על הציון פתאום ויטמאו הטהרות שהרי הטומאה תחת הציון אלא עושין הציון סמוך לטומאה ברחוק כל שהוא וכשבא על הציון מרגיש מן הטומאה ואינו הולך עליה: אין מרחיקין את הציון ממקום טומאה. יותר מכל שהוא: שלא להפסיד ארץ ישראל. שכשרואה הסימן מיד פורש ונמצא ארץ ישראל בטומאה שלא לצורך: וכזית מן המת אינו מטמא באהל. דקתני אין מציינין על כזית מן המת ולא על כל דבר שאינו מטמא באהל: אמר רב פפא. לעולם כזית מטמא באהל והא דקתני אין מציינין בכזית מצומצם עסקינן דמחסר חסר בקרקע ולהכי אין מציינין: ישרפו עליו [תרומות] וטהרות שעה אחת. דכל העובר על אותו כזית כשנקבר מחדש שורפין טהרותיו דעדיין לא חסר: ואל ישרפו עליו לעולם. שאם מציינין אותו שורפין עליו (על) כל תרומה שעוברין על אותו ציון לעולם שלא לצורך שהרי חסר וזימנין דלא חזי ליה כגון בלילה וכי הדר חזי ליה ואמר נטמאת תרומתי ושרף לה והיא לא נטמאת דההיא כזית כבר חסר וכשאין מציינין אותו אין שורפין עליו אלא מחדש שלא חסר: אילן המיסך על הארץ. וטומאה תחת נוף אחד ואינו יודע תחת איזה נוף עושה ציון: בית הפרס. י) חצי מענה תלם אחד של מאה אמה: מנפח אדם. ההולך לשחוט פסחו דאם יש עצם כשעורה המטמא בהיסט מתפזר ברוח ועושה פסח בבית הפרס אזיל לו ואי מטמא באהל היכי אזיל עליה: בשדה שאבד בה קבר. קתני דמציינין דמטמא באהל אבל בשדה שנחרש בה קבר אין צריך לציין ולא מטמא באהל דנימא מחרישה סלקיה לטומאה: שלשה בית הפרס הן. שאין הולכין בו אוכלי תרומה: שמפטירין בה את המתים. שכשמביאין מתים ממקום למקום לקבור כשבאין בשדה סמוך לעיר נפטרין אלו שהביאום ממקומן והולכין להם ובאין אנשי המקום (ב) ומקבלין אותן ורואלין אותן שם וקוברין אותן: וטעמא מאי. חוששין ביה משום טומאה: משום יאוש בעלים. לפי שהביאום ממקום רחוק נדלדל אבר ונפל שם ונתייאשו אלו על אלו והניחוהו שם: ושדה שנחרש בה קבר לא בעי ציון. דקא מתרלת הא דקתני מנפח אדם בית הפרס כשנחרש: ואינו יודע מה טיבה. אם הוא שדה שנחרש בה קבר ויכול לילך בניפוח ואם מפני שנאבד בה קבר ואינו יכול להכנס בה בנפיחה דמטמא באהל: יש בה אילנות בידוע שנחרש. השדה לצורך האילנות ויכול להלך שאינו מטמא באהל אלמא מדקתני בה מצא שדה מצויינת דמציינין בית הפרס שנחרש: אין בה אילנות בידוע שאבד בה קבר. ולא נחרש ומטמא באהל: רבי יהודה אומר. לעולם לא הוי בחזקת שנחרש עד שיהא שם זקן או ת"ח שיהא יודע שנחרש: אמר רב פפא. לעולם בית הפרס שנחרש לא בעי ציון והאי דקתני בידוע שנחרש בה קבר בשדה שאבד בה קבר וציינה לאלתר: יש בה אילנות בידוע שנחרש. לאחר שציינוה ולעולם בית הפרס שנחרש לא בעי ציון: אין בה אילנות בידוע שאבד בה קבר. ולא נחרש: וליחוש דלמא אילנות מגואי וטומאה מאבראי. ולא נחרש במקום טומאה מבחוץ לאילנות אלא בין האילנות והוי שדה שאבד בה קבר ולא נחרש ואמאי קאמר בידוע שנחרש בה קבר: בעומדין האילנות על הגבולין. של רשות הרבים דודאי ליכא טומאה מבראי דלא קברי אינשי ברשות הרבים אלא בין האילנות הויא טומאה ונחרש בשביל האילנות:
ודלמא

מסורת הש"ס

א) [תוספ' שקלים פ"ח], ב) [עי' גירסת התוס' לקמן ו. ד"ה דאמר], ג) [לקמן ו.], ד) [צ"ל תנן], ה) [אהלות רפ"ב], ו) [אהלות פ"ח מ"ב נזיר נד:], ז) [תוספתא דאהלות פ"ט], ח) אהלות פי"ז מ"א [תמורה יג. ע"ש], ט) ברכות יט: עירובין ל: פסחים לב: חגיגה כה: כתובות כח: נדה נז. בכורות כט., י) [ועי' מס"כ עה"ג ברכות יט:], כ) אהלות פי"ח מ"ב מ"ג מ"ד, ל) תוספתא דאהלות פי"ז, מ) [עיין תוס' כתובות כח: ד"ה בית הפרס], נ) נ"ל שצ"ל מלא.

הגהות הב"ח

(א) רש"י ד"ה אבל מציינין כו' כגון סככות ופרעות הסמוכות לרשות הרבים. נ"ב עי' פרש"י במס' נדה דף נז ע"א וז"ל אילן המיסך על הארץ והוא סמוך לדרך בית הקברות וזימנין דמתרמי בין השמשות וקברי התם כו': (ב) ד"ה שמפטירין כו' ובאין אנשי המקום כו'. נ"ב לשון הערוך בערך בך ונקרא בוכים שכן דרך כשמתועדין יחד אלו עם אלו כולם בוכים ועי' בתוס' ס"פ דם הנדה: (ג) תוס' ד"ה אין כו' אסור לציין ואסור לטרוח: (ד) ד"ה מנפח כו' ומשום הכי הקילו דכיון דליכא ספיקא:

הגהות הגר"א

[א] גמ' פרעות פרעות היוצאין מן הגדר כצ"ל (כ"ה במתני' דאהלות פ"ח מ"ב ובנזיר נד ב ועי' תוי"ט באהלות שם): [ב] שנחרש. נ"ל שאבד: [ג] בוכין. נ"ב ובתוספתא (פי"ז דאהלות) גרסינן כוכין (וכן פי' בערוך לחד פי'):

הגהות מהר"ב רנשבורג

אן תוס' ד"ה שאינו וכו' כגון תרווד רקב וכו'. נ"ב דבריהם תמוהים דמשמע דזה מפורש למטמא באהל וכן הוא משנה מפורשת פ"ב דאהלות ויש"ש דאיתא בספר שושנים לדוד עמד על דבריהם ועי' גם בספר יד דוד:

גליון הש"ס

תוס' ד"ה יש בה אילנות וכו' אי נמי בידוע לאו דוקא. עיין נדה דף נז ע"ב תוס' ד"ה ע"ג כולם:

תורה אור השלם

א) זֹבֵחַ תּוֹדָה יְכַבְּדָנְנִי וְשָׂם דֶּרֶךְ אַרְאֶנּוּ בְּיֵשַׁע אֱלֹהִים: [תהלים נ, כג]

רש"י כת"י

על כזית מן המת. לקמן מפרש טעמ'. עצם כשעורה. אינו מטמא באהל דהלכתא גמירי לה. ולא על כל דבר שאינו מטמא באהל. שאפי' הוא מטמא בהיסט כשהולך ומסיטו אין צריך ציון דאי הוי בתוך הקרקע ליכא משום היסט ולא משום מגע ואי דרמי אארעא בניפוח סגי כדאמרי' מנפח אדם בית הפרס והולך. של מת אפילו עצמות בלא בשר מטמא באהל בבכורות מפר' רוב בנינו שתי שוקים וירך אחת אע"פ שאין רוב מניינו הואיל ואית ביה גובהן רוב מניין רוב מנין איבריו באדם רמ"ח איברים ורוב... כגון ידים ורגלים שיש בהן הרבה איברים דקים. על הוודאות. כגון בית הקברות שהכל יודעין ופורשין ואין צריך ציון. אבל מציינין על הספיקות. שיש עליהן אהל כגון סככות ופרעות הסמוכות לבית הקברות דמספקא לן בהו טומאה דכיון דיש עליהן אהל רגילין לקבור שם במקום לנוע. סככות ופרעות ובית הפרס מפרש לקמיה. ואין מעמידין ציון על הטומאה. ממש. שלא להפסיד (על) [את] הטהרות. זמנין דלאו אינש עד הציון שהוא על הטומאה ממש וטהרותיו בידו ויהיו טמאים ואתי לשורפם וזהו הפסד. ואין מרחיקין ציון ממקום טומאה שלא להפסיד את ארץ ישראל. שאין דרך לחרוש ולזרוע שם ועוד שמעמידה בחזקת טומאה שלא להשתמש שם. כל ציון מד' רוחות לטומאה עושין אותן. כזית מצומצם מכוון אין מציינין דסוף סוף מיחסר חסר שמצטמק ויכא עד אין בו כזית ואינו מטמא באהל. ומוטב שישרפו תרומה לפי שעה. עד שלא חסר. ואל ישרפו עליו תרומה לעולם דזמנא דלא חזי ליה לציון כגון בלילה ועייל להתם והדר חזי ליה לציון ואמ' נטמאת תרומתי והיא לא נטמאת דהא חסר כבר. סככות פרעות. בסמוכות לבית הקברות עסקינן. פרועות. גדולות כמו ואת ראשו לא יפרע. בית הפרס דתניא החורש וכו' ל"ג הכא משום דלא מצי מתרץ האי מילתא למשני בסמוך כאן בשדה שאבד בה קבר וכו'. והאמ' ר' יהודה מנפח אדם בית הפרס והולך. ההולך לשחוט את פסחו ולמול את בנו מנפח בית הפרס והולך דאם יש עצם כשעורה דמטמא בהיסט מתפזר ברוח. שנדש. אחר שנחרש בה קבר ונדש ברגלי אדם וברגלי בהמה טהור ואין צריך ניפוח בידוע שאין שם קבר ועצם כשעורה אלמא בית הפרס אין בו משום אהל דהא בניפוח סגי ליה. שדה שאבד בה קבר. מטמא באהל ובעיא ציון שלא יכנסו לתוכה. שדה שנחרש בה קבר וחרש ונשתברו העצמות ולא מטמא באהל דעצם כשעור' אינו מטמא באהל. דתניא החורש. בית הקברות הרי הוא בית הפרס. וכמה הוא עושה. בית הפרס. חצי מענה. מריך של מחרישה שעל ידי המחרישה נשתברו ונתפזרו העצמות וכל ספק עד לחצי מענה. ובית הפרס משמע שנחרש ונפרסו ונשתברו העצמות וכל שדה ספק טומאה קרי ליה בית הפרס כשדה הנחרש. רבי יהודה אמ' שמואל ור' יהודה בר אמי לא פליגי אלא מר אמ' בית הפרס יש לו בדיקה בניפוח ומר אמ' אם נדש הרי זו בדיקה. שדה בוכין. שבוכין בו למת. שמפטירין שם מתים. כשמביאין מת או עצמות מעיר לעיר ויש שם בעיר שקוברין בה שדה העשויה לכך שמביאין אותו בני עירו לאותה שדה ויוצאין בני עיר לקראתם והראשונים נפטרין והולכין ואילו מתעסקין בו ונושאין אותו לבית הקברות שלהן וכיון שאינם בעלים הראשונים חיישינן שמא לא יזהרו בו ויפלו ממנו אבר באותה שדה. אי נמי (הללו שנים) [הללו הראשונים] ונתייאשו והניחו את המת לשם ובא אדם מעלמא וקוברו שם. ואינו יודע מה טיבה. אם ליינותו מפני שנחרש בה קבר ויכול ליכנס בנפיחה ואם מפני שנאבד בה קבר ואינו יכול ליכנס בה כלל שמטמאת באהל. יש בה אילנות בידוע שנחרש בה קבר. אגב אילנות חרשוה ואינה מטמאה באהל שאין נוטעין אילנות בלא חרישה ולכך ליינוה שלא יכנס שם אלא על ידי נפיחה. אין בה אילנות בידוע שיש בה קבר. ולא נחרש ומטמאה באהל דמסתמא אין אדם רשע להיות חורש את בית הקבר ועוד לאסור בהנאה כדאמרינן בעלמא (מגילה כט.) דאין חורשין וזורעין ואפילו אמת המים העוברת לתוך בית הקברות אין שותין הימנה. ר' יהודה אומ'. לעולם מטמא באהלה. עד שיהא שם. בעיר. זקן או תלמיד. יודע למה ליינוהו להכי נקט תלמיד כדמפרש לקמיה דכל מילי דמתא רמי אתלמיד ובידוע שהוא ליינה ויודע מה טיבה אבל שאר בני העיר אינו יודעין מה טיבו דאינו סומך עליהן לפי שאין הכל בקיאין ש"מ בית הפרס שנחרש בעי ציון. כי תניא ההיא בשדה שאבד בה קבר. והכי קאמ' מצא שדה מצויינת ואינו יודע מה טיבה אם נחרש לאחר ציון ואינה מטמאה באהל אבל אי חרשי לה מעיקרא תו לא בעי ציון או לא. יש בה אילנות בידוע. שחרישה לאחר ציון אם נחרש לאחר ציון ומשום היסט אין צריך ציון שהרי יכול לכסותו כשעצם בקרקע. וליחוש דילמא אילנות מגואי. בתוך שדה וספק טומא' מאברי לאילנות ולא חרש זה אלא מקום האילנות ומקום הבדוק לו אלא לו (אלא) [ולא] מקום הספק דלא הוזקק רשע לחרוש מאברי אילנות ואכתי הוה ליה מאברי שדה שאבד בה קבר דהאי דחרש קים ליה דספק טומאה לא הוי אלא מאילנות ולחוץ. בעומדין על הגבולין. לשדה דלאין טומאה מיבראי וליחוש דילמא ספק טומאת הקבר גוואי ואילנות איבראי וזה לא חרש אלא בין אילנות שלא היה שם טומאה אלא מקום הספק לא חרש מעולם הואיל ואין שם אילנות.

אָמַר – **And Rav Yehudah bar Ami said in the name of Ulla:** בֵּית הַפְּרָס שֶׁנִּידַשׁ טָהוֹר – **A** ***beis hapras*** **that was trampled** by many people **is** ***tahor.***[21] Since we are not concerned about bone fragments that lie beneath the ground, it is evident that a *beis hapras* does not transmit *tumah* by way of a roof. Why, then, does the Baraisa state that it needs to be marked?

The Gemara answers by expanding the definition of *beis hapras*:

אָמַר רַב פָּפָּא – **Rav Pappa said:** לֹא קַשְׁיָא – **There is no difficulty.** כָּאן בְּשָׂדֶה שֶׁאָבַד בָּהּ קֶבֶר – **Here,** in the Baraisa which requires a marker for a *beis hapras,* we are dealing with **a field in which a grave was lost.** This type of *beis hapras* does transmit *tumah* by way of a roof.[22] כָּאן בְּשָׂדֶה שֶׁנֶּחֱרַשׁ בָּהּ קֶבֶר – But **here,** where Shmuel permitted blowing a path through a *beis hapras,* we are dealing with **a field in which a grave was plowed over.** This type of *beis hapras* does not need to be marked since it does not transmit *tumah* by way of a roof.

The Gemara wonders:

וְשָׂדֶה (שנחרש) [שֶׁאָבַד] בָּהּ קֶבֶר בֵּית הַפְּרָס קָרֵי לֵיהּ – **But is a field in which a grave was lost called a *"beis hapras"*?**[23]

The Gemara answers:

אִין – **Yes,** it is! וְהָתְנַן – **And so did we learn in the Mishnah:**[24] שְׁלֹשָׁה בֵּית הַפְּרָס הֵן – THERE ARE THREE categories of *BEIS HAPRAS:*[25] שָׂדֶה שֶׁנֶּאֱבַד בָּהּ קֶבֶר – A FIELD IN WHICH A GRAVE WAS LOST, וְשָׂדֶה שֶׁנֶּחֱרַשׁ בָּהּ קֶבֶר – A FIELD IN WHICH A GRAVE WAS PLOWED OVER, וּשְׂדֵה בּוֹכִין – AND A WAILING FIELD.

The Gemara inquires:

מַאי שְׂדֵה בּוֹכִין – **What is a wailing field?**

The Gemara answers:

רַב יְהוֹשֻׁעַ בַּר אַבָּא מִשְּׁמֵיהּ דְּעוּלָּא אָמַר – **Rav Yehoshua bar Abba said in the name of Ulla:** שָׂדֶה שֶׁמַּפְטִירִין בָּהּ מֵתִים – It is **a field where they take leave of the dead.**[26]

The Gemara asks:

וְטַעְמָא מַאי – **And what is the reason** that it is in the category of *beis hapras*?

The Gemara answers:

אָמַר אֲבִימִי – **Avimi said:** מִשּׁוּם יֵאוּשׁ בְּעָלִים נָגְעוּ בָּהּ – It is **because of the owners' abandonment** that **[the Rabbis] applied this** law.[27]

The Gemara questions Rav Pappa's conclusion that a marker is not needed for a field in which a grave was plowed over:

וְשָׂדֶה שֶׁנֶּחֱרַשׁ בָּהּ קֶבֶר לֹא בָּעֵי צִיּוּן – **Does a field in which a grave was plowed over not require marking?** וְהָא תַּנְיָא – **But it was taught in a Baraisa:** מָצָא שָׂדֶה מְצוּיֶּינֶת וְאֵין יָדוּעַ מַה טִּיבָהּ – IF ONE COMES ACROSS A MARKED FIELD WHOSE NATURE IS UNKNOWN, i.e. he does not know whether it contains a plowed-over grave or a lost but intact one,[28] he may rely upon the following indicator of its status: יֵשׁ בָּהּ אִילָנוֹת בְּיָדוּעַ שֶׁנֶּחֱרַשׁ בָּהּ קֶבֶר – If THERE ARE TREES IN [THE FIELD], IT IS KNOWN THAT A GRAVE WAS PLOWED OVER IN IT;[29] אֵין בָּהּ אִילָנוֹת בְּיָדוּעַ שֶׁאָבַד בָּהּ קֶבֶר – but if THERE ARE NO TREES IN [THE FIELD], IT IS KNOWN THAT an intact GRAVE WAS LOST IN IT.[30] רַבִּי יְהוּדָה אוֹמֵר – R' YEHUDAH SAYS: עַד שֶׁיְּהֵא שָׁם זָקֵן אוֹ תַלְמִיד – The field is presumed to contain an intact grave UNLESS THERE IS AN ELDER sage OR A Torah STUDENT IN THAT PLACE who can testify that it was plowed, לְפִי שֶׁאֵין הַכֹּל

NOTES

21. For the heavy traffic ensures that any bone chips will be reduced to less than the size of a grain of barley, the smallest measure at which they will generate corpse *tumah* (*Rashi* to *Eruvin* 30b ד״ה טהור). Alternatively, any bone fragments lying in the path will inevitably be pushed to the side by the constant tramping of many feet (*Rashi* to *Pesachim* 92b ד״ה שנידש).

Ulla adds a leniency to the ruling of Shmuel. He teaches that blowing the path is unnecessary in a case where the *beis hapras* was trampled by many people (*Rashi ms.*).

22. I.e. the field contains an *intact* grave whose precise location is unknown. This type of field is also called *"beis hapras"* (see below). Since an intact grave does convey *tumah* by way of *ohel,* anyone entering the field is considered *tamei* because of the possibility that he passed over the grave. Therefore, the field requires marking (*Rashi*). [In this case, too, it is only under Rabbinic law that there is a presumption of contamination when one enters any part of the field (see *Tosafos* to *Kesubos* 28b ד״ה בית הפרס).]

23. As has been explained, the term בֵּית הַפְּרָס means literally *home of the fragment* (*Rashi ms.* and to *Niddah* 57a ד״ה פרס; cf. *Rambam, Commentary* to *Oholos* 17:1). This title is fitting only for a field in which a grave was plowed over. [Our emendation of the text follows *Ritva, Talmid R' Yechiel MiParis* and *Hagahos HaGra.*]

24. The following is not a direct quote from a Mishnah, but a combination of three separate Mishnah segments in *Oholos* (18:2,3,4). Some have the reading דְּתַנְיָא, *For it was taught in a Baraisa* (*Ritva, Talmid R' Yechiel MiParis*).

25. A person who eats *terumah* and who must therefore remain *tahor* may not enter any of these fields (*Rashi*). The term *beis hapras* is used in a borrowed sense to describe *any* field upon which the Rabbis imposed a presumption of *tumah* (*Rashi ms., Ritva*).

26. When a corpse is transported from one town to another for burial, it is brought to a field on the outskirts of the city, where those who transported it take their leave and depart, and the local buriers take custody. The local people cleanse the corpse in that field to prepare it for burial and then transport it to the cemetery (*Rashi*). This is called a "wailing field" because when the two groups meet there they all cry (*Aruch,* cited by *Bach*).

27. Since the corpse was brought from afar, there is a possibility that it began to decompose and a loosened limb fell off in that field. The original "owners" of the corpse and the buriers who receive it might each rely upon the other to ensure that no body part is left there, and this could result in a limb being abandoned in the field (*Rashi*). Additionally, a corpse may sometimes arrive near nightfall, and as the original owners hasten to take their leave and the buriers hasten to complete their duties, a limb may be abandoned there. It might be hidden by the grass, or someone may come along and bury it in that place. The Rabbis therefore declared the field *tamei* out of doubt (*Talmid Rabbeinu Yechiel MiParis*).

Others explain that there is actually no concern for *tumah* in the "wailing field." Rather, in order to ensure that such a field remain available for funerals and not be used for any other purpose, the Rabbis decreed that anyone entering the area be considered *as if* he were *tamei.* The expression "owner's abandonment" means that if the public appropriated a private field for this purpose and the owner did not voice objection, he has abandoned his rights to the field and may not plant it again (*Rash, Oholos* 18:4; *Ritva;* see *Beur HaGra, Choshen Mishpat* 377:2).

28. Thus, he does not know whether he may traverse the field by blowing on the ground in his path or not (*Rashi;* see notes 20 and 22).

29. For the field was certainly plowed for the benefit of the trees. Thus, it does not transmit *tumah* by way of *ohel,* and it is safe [for a person going to make the *pesach* offering] to enter the field by blowing on the ground in his path (*Rashi*). One might ask: Perhaps the corpse was buried in the field *after* the trees had been planted, and it was never plowed again!? The answer is that we are dealing with trees whose maintenance requires regular plowing of the surrounding ground. Clearly, the field was plowed after the burial (*Ritva,* in explanation of *Rashi;* see *Rashi ms.;* cf. *Ritva's* own explanation, *Talmid R' Yechiel MiParis, Rash* to *Oholos* 18:5) [and the marker was made to alert people who need to remain *tahor* not to enter the field without blowing a path through it].

30. I.e. we *presume* that there is an intact grave lost in it. People are generally not so wicked as to plow over a grave. Furthermore, it is forbidden to plant anything in a graveyard. Therefore, when there is no evidence that the field has been plowed, we interpret the marker as indicating that it contains an intact grave. Thus, it conveys *tumah* by means of *ohel* and may not be traversed by one who wishes to remain *tahor* – even if he blows on his path (*Tosafos* ד״ה יש בה and *Tos. HaRosh;* see *Ritva*).

קרי עליה א) ושם דרך אראנו בישע אלהים תנו רבנן א) א אין מציינין לא על כזית מן המת ולא על עצם כשעורה ולא על דבר שאינו מטמא באהל אבל מציינין על השדרה ועל הגולגולת על רוב בנין ועל רוב מנין המת ב ואין מציינין על הוודאות אבל מציינין על הספיקות ואלו הן הספיקות סככות ופרעות ובית הפרס ב) ג ואין מעמידין ציון במקום טומאה שלא להפסיד את הטהרות ג) ד ואין מרחיקין ציון ממקום טומאה שלא להפסיד את ארץ ישראל וכזית מן המת אינו מטמא באהל והא (ד) תניא) ה) אלו שמטמאין באהל כזית מן המת אמר רב פפא הכא בכזית ה מצומצם עסקינן דסוף סוף מיחסר חסר מוטב ישרפו עליו תרומה וקדשים לפי שעה ואל ישרפו עליו לעולם ואלו הן הספיקות סככות ופרעות ו) סככות אילן המיסך על הארץ פרעות [א] ז) אבנים פרועות היוצאות מן הגדר בית הפרס כדתנן ח) ו החורש את הקבר הרי הוא עושה בית הפרס וכמה הוא עושה מלא מענה מאה אמה ובית הפרס מי מטמא באהל ט) והאמר רב יהודה אמר שמואל ז מנפח אדם בית הפרס והולך ורב יהודה בר י) אמי משמיה דעולא אמר ח בית הפרס שנידש טהור אמר רב פפא לא קשיא כאן בשדה שאבד בה קבר כאן בשדה שנחרש בה קבר ושדה [ב] שנחרש בה קבר בית הפרס קרי ליה אין והתנן כ) שלשה בית הפרס הן ט שדה שנאבד בה קבר י ושדה שנחרש בה קבר כ ושדה [ג] בוכין מאי שדה בוכין רב יהושע בר אבא משמיה דעולא אמר שדה שמפטירין בה מתים וטעמא מאי אמר אבימי משום יאוש בעלים נגעו בה ושדה שנחרש בה קבר לא בעי ציון והא תניא ל) ל מצא שדה מצויינת ואין ידוע מה טיבה יש בה אילנות מ) בידוע שנחרש בה קבר אין בה אילנות בידוע שאבד בה קבר מ ר' יהודה אומר עד שיהא שם זקן או תלמיד לפי שאין הכל בקיאין בדבר אמר רב פפא כי תניא ההיא בשדה שאבד בה קבר דציינוה יש בה אילנות בידוע שנחרש בה קבר אין בה אילנות בידוע שאבד בה קבר וליחוש דלמא אילנות מגואי וקבר מבראי כדאמר עולא בעומדין על הגבולין הכא נמי בעומדין על הגבולין ודלמא

אין מציינין. אין צריך ציון ואי גבי יום טוב מיירי הברייתא איכא לפרש אסור לציין (ג) ואסור לטרוח ביום טוב:
עצם כשעורה. והוא הדין יותר מכשעורה כדמוכח בסמוך אינו מטמא באהל והאי דנקט כשעורה משום דבהאי שיעורא מטמא במגע דהכי הלכה למשה מסיני כדאמרינן בשחיטת חולין (חולין דף קכו:):
שאינו מטמא באהל. א] כגון תרווד רקב כדאיתא בהעור והרוטב (חולין דף קכו: ושם) ושדה שנחרש בה קבר כדלקמן בשמעתין ואפילו איכא ספק טומאה שמטמא בהיסט בלא נגיעה לא הצריכום ציון דהיסט לאו מילתא דשכיחא היא שידרוס על קנה שטומאה עליו ולכך לא החמירו חכמים לציין משום היסט:
אילן המיסך על הארץ. סמוך לבית הקברות דמספקא לן אי איכא טומאה תחתיו אי לא מסתמא אמרינן דמת תחתיו כיון דדרך מקום לנוע הוא ולכך בעי ציון ע"א דידעינן ודאי דאיכא טומאה תחת נוף אחד של אילן ויש הפרש בין נוף לחבירו ואין ידוע באיזה מקום ישנה והכי נמי איכא לפרש גבי אבנים שיש אבנים זו אצל זו הבולטות מן הגדר:
מנפח אדם בית הפרס והולך. דמסתמא ליכא למימר שהגיעה המחרישה עד המת וליכא לאחזוקי מקום טהור בטמא מספק אלא חכמים החמירו משום חומרא דטהרות ומשום הכי הקילו (ד) דליכא ספיקא דאורייתא הם אמרו והם אמרו ולא היו רגילים לקבור מתים בעומק כי השתא בזמן הזה הילכך לא חיישינן שמא המת בעומק תחת המחרישה ומן הדין אפילו נפוח לא צריך כי אם חומרא בטהרות שהחמירו חכמים בדבר ואמאי לא חיים שיהא מת בקרקע ואין נוגע בו ומטמא באהל אי נמי בלא המאהילים מן הצדדים הוו מטמאין לאדם באהל אלא שמע מינה דלא מטמא באהל:
יש בה אילנות בידוע שנחרש בה קבר אין בה אילנות בידוע שאבד בה קבר. דתניא התם (תוספתא דאהלות פי"ז) שדה שאבד בה קבר אינה ניטעת כל נטע וכגון שראויה לאילנות ויש לנו לומר דמסתמא אם לא שאבד בה קבר היו נוטעים בתוכה ° אי נמי בידוע לאו דוקא ואגב דנקט רישא בידוע נקט סיפא בידוע וכן נ"ל לפי' הקונטרס:
אם

קרי עליה ושם דרך. שמחשב בשעות אי זה מהן להקשות אי זה מהן שלא להקשות: **אבל מציינין על השדרה.** שאע"פ שאינה אלא עלם אחד מטמא טומאה באהל: **רוב בנינו.** כגון עלמות גדולות כגון קוליות אע"פ שאין בו רוב מנינו: **רוב מנינו.** רוב העלמות ואע"פ שאין בו רוב בנינו: **אין מציינין על הוודאות.** הואיל דברור לכולי עלמא דאית ביה טומאה ודאית לא מטלטלי באותו מקום טהרות: **אבל מציינין על הספיקות.** שיש עליהן אהל כגון סככות ופרעות (א) הסמוכות לרה"ר הסמוך לבית הקברות דמספקא לן בהו טומאה דכיון דיש עליהן אהל רגילים לקבור שם במקום לנוע: **סככות ופרעות ובית הפרס.** מפרש לקמן: **אין מעמידין הציון על הטומאה שלא להפסיד טהרות.** שאם הטומאה ממש תחת הציון אינו מרגיש עד שבא על הציון פתאום ויטמאו הטהרות שהרי הטומאה תחת הציון אלא עושין הציון סמוך לטומאה ברחוק כל שהוא וכשבא על הציון מרגיש מן הטומאה ואינו הולך עליה: **אין מרחיקין את הציון ממקום טומאה.** יותר מכל שהוא: **שלא להפסיד ארץ ישראל.** שכשרואה הסימן מיד פורש ונמלא ארץ ישראל בטומאה שלא לצורך: **וכזית מן המת אינו מטמא באהל.** דקתני אין מציינין על כזית מן המת ולא על כל דבר שאינו מטמא באהל: **אמר רב פפא.** לעולם כזית מטמא באהל והא דקתני אין מציינין בכזית מצומצם עסקינן דמחסר חסר בקרקע ולהכי אין מציינין: **ישרפו עליו [תרומות] וטהרות שעה אחת.** דכל העובר על אותו כזית כשנקבר מחדש שורפין טהרותיו דעדיין לא חסר: **ואל ישרפו עליו לעולם.** שאם מציינין אותו שורפין עליו (על) כל תרומה שעוברין על אותו ציון לעולם שלא לצורך שהרי חסר וזימנין דלא חזי ליה כגון בלילה וכי הדר חזי ליה ואמר נטמאת תרומתי ושרף לה והיא לא נטמאת דההיא כזית כבר חסר וכשאין מציינין אותו אין שורפין עליו אלא מחדש שלא חסר: **אילן המיסך על הארץ.** וטומאה תחת נוף אחד ואינו יודע תחת איזה נוף עושה ציון: **בית הפרס.** ° חצי מענה תלם אחד של מאה אמה: **מנפח אדם.** ההולך לשחוט פסחו דאם יש עלם כשעורה המטמא בהיסט מתפזר ברוח ועושה פסח בבית הפרס אזיל לו ואי מטמא באהל היכי אזיל עליה: **בשדה שאבד בה קבר.** קתני דמציינין דמטמא באהל אבל בשדה שנחרש בה קבר אין צריך לציין ולא מטמא באהל דנימא מחרישה סלקיה לטומאה: **שלשה בית הפרס הן.** שאין הולכין בו אוכלי תרומה: **שמפטירין בה את המתים.** שכשמביאין מתים ממקום למקום לקבור כשבאין בשדה סמוך לעיר נפטרין אלו שהביאום ממקומן והולכין להם ובאין אנשי המקום (ג) ומקבלין אותן ורוחלין אותן שם וקוברין אותן: **וטעמא מאי.** חוששין ביה משום טומאה: **משום יאוש בעלים.** לפי שהביאום ממקום רחוק נדלדל אבר ונפל שם ונתייאשו אלו על אלו והניחוהו שם: **ושדה שנחרש בה קבר לא בעי ציון.** דקא מתרלת הא דקתני מנפח אדם בית הפרס כשנחרש: **ואינו יודע מה טיבה.** אם הוא שדה שנחרש בה קבר ויכול לילך בניפוח ואם מפני שנאבד בה קבר ואינו יכול להכנס בה בנפיחה דמטמא באהל: **יש בה אילנות בידוע שנחרש.** השדה לצורך האילנות ויכול להלך שאינו מטמא באהל אלמא מדקתני בה מלא שדה מצויינת דמציינין בית הפרס שנחרש: **אין בה אילנות בידוע שאבד בה קבר.** ולא נחרש ומטמא באהל: **רבי יהודה אומר.** לעולם לא הוי בחזקת שנחרש עד שיהא שם זקן או ת"ח שיהא יודע שנחרש: **אמר רב פפא.** לעולם בית הפרס שנחרש לא בעי ציון והאי דקתני בידוע שנחרש בה קבר בשדה שאבד בה קבר וציינה לאלתר: **יש בה אילנות בידוע שנחרש.** לאחר שציינוה ולעולם בית הפרס שנחרש לא בעי ציון: **אין בה אילנות בידוע שאבד בה קבר.** ולא נחרש: **וליחוש דלמא אילנות מגואי וטומאה מאבראי.** ולא נחרש במקום טומאה מבחוץ לאילנות אלא בין האילנות והוי שדה שאבד בה קבר ולא נחרש ואמאי קאמר בידוע שנחרש בה קבר: **בעומדין האילנות על הגבולין.** של רשות הרבים דודאי ליכא טומאה מבראי דלא קברי אינשי ברשות הרבים אלא בין האילנות הויא טומאה ונחרש בשביל האילנות:
ודלמא

עין משפט נר מצוה

מא א ב ג ד ה מיי' פ"ח מהל' טומאת מת הלכה ט סמג עשין רלג:
מב ו מיי' שם פ"י הל"א סמג עשין רלג:
מג ז ח מיי' פ"ו מהל' ק"פ הלכה ח:
מד ט מיי' פ"ח מהל' טומאת מת הלכה א סמג עשין לא:
מה י מיי' שם פ"י הלכה א סמג שם:
מו כ מיי' שם פ"ח הלכה ד:
מז ל מיי' שם הלכה י ופ"י הלכה י:
מח מ מיי' שם פ"י הל"י:

רבינו חננאל

ובשבתא דריגלא לא הוה מקשי והוה קרי עליה ושם דרך אראנו בישע אלהים: ת"ר אין מציינין על כזית מצומצמת מן [המת] דסופו מיחסר חסר. ותנן באהלות פרק שני אלו אם חסרו טהורין כזית מן המת כזית נצל כו' ולא על הבשר שסופו מתאכל והולך ולא על עצם כשעורה ולא על כל דבר שאינו מטמא באהל אבל מציינין על השדרה ועל הגלגולת ועל רוב בנינו של מת ועל מנינו. ואין מציינין על הוודאות אלא על הספיקות. ואלו הן הספיקות סככות ופרעות פי' דתנן באהלות פ' ח' הזיזין א) והגודריות כו' עד והסככות והפרעות (אינן) [שהן] יכולין לקבל מעזיבה כו' ואלו הן הסככות אילן המיסך על הארץ והפרעות אבנים היוצאות מן הגדר ומציינין על בית הפרס בשדה שאבד בה קבר ואין מעמידין ציון במקום טומאה עצמה שלא להפסיד את הטהרות אלא מרחיקין מעט. ואין מרחיקין ציון ממקום הטומאה שלא להפסיד את א"י. ואין מציינין על השדה שנחרש בה קבר וכ"ש שנידש. תניא ג' בית הפרס הן. שדה שנחרש בה קבר ושנאבד בה קבר ושדה בוכים. פי' דתנן באהלות פרק י"ח ג' בית הפרס הן החורש את הקבר נוטעת כל נטע כו'. עד ומטמאין במגע ובמשא ואינן מטמאין באהל. שדה שנאבד בה קבר כו' עד ומטמאין במגע ובמשא ובאהל. מאי שדה בוכים שדה שמפטירין בה מתים. פי' דתנן באהלות פרק י"ח שדה בוכים לא ניטעת ולא נזרעת ועפרה טהור כו' מ"ט יאוש בעלים נגעו בה ושדה שנחרש בה קבר לא בעיא ציון והתניא מצא שדה מצויינת ואין ידוע מה טיבה. יש בה אילנות בידוע שנחרש בה קבר. אין בה אילנות בידוע שאבד בה קבר. ופריק רב פפא כי תניא ההיא בשדה שאבד בה קבר וציינוה אם יש בה אילנות בידוע שאחרי שציינוה שנחרש אותו הקבר. וניחוש דלמא אילנות גואי. פי' לא חרשו מקום הטומאה וטומאה מבראי קאי. ואמרינן בשאילנות עומדין

חשק שלמה על ר"ח

א) שם במשנה איתא והגיורות.

מסורת הש"ס

א) [תוספ' שקלים פ"ח], ב) [עי' גירסת התוס' לקמן ו. ד"ה דאמר], ג) [לקמן ו.], ד) [נ"ל תנן], ה) [אהלות רפ"ב], ו) [אהלות פ"ח מ"ב נזיר נד:], ז) [תוספתא דאהלות פ"ט], ח) אהלות פי"ז מ"א [תמורה יג. ע"ש], ט) ברכות יט: עירובין ל: פסחים לב: חגיגה כה: כתובות כח: נדה נז. בכורות כט., י) [ועי' מש"כ עה"ג ברכות יט:], כ) אהלות פי"ח מ"ב מ"ג מ"ד, ל) תוספתא דאהלות פי"ז, מ) [עיין תוס' כתובות כח: ד"ה בית הפרס], נ) נ"ל שאל"ל מלא.

הגהות הב"ח

(א) רש"י ד"ה אבל מציינין כו' כגון סככות ופרעות הסמוכות לרשות הרבים. נ"ב עי' פרש"י במס' נדה דף נז ע"א וז"ל אילן המיסך על הארץ והוא סמוך לדרך בית הקברות וזימנין דמתרמי בין השמשות וקברי התם כו': (ב) ד"ה שמפטירין כו' ובאין אנשי המקום כו'. נ"ב לשון הערוך בערך בך ונקרא בוכים שכן דרך כשמתועדין יחד אלו עם אלו כולם בוכים ועי' בתוס' ס"פ דם הנדה: (ג) תוס' ד"ה אין כו' אסור לציין דאסור לטרוח: (ד) ד"ה מנפח כו' ומשום הכי הקילו דכיון דליכא ספיקא:

הגהות הגר"א

[א] גמ' פרעות פרעות היוצאין מן הגדר כצ"ל (כ"ה במתני' דאהלות פ"ח מ"ב ובנזיר נד ב ועי' תוי"ט באהלות שם): [ב] שנחרש. נ"ל שאבד: [ג] בוכין. נ"ב ובתוספתא (פי"ז דאהלות) גרסינן כוכין (וכן פי' בערוך לחד פי'):

הגהות מהר"ב רנשבורג

א] תוס' ד"ה שאינו וכו' כגון תרווד רקב וכו'. נ"ב דבריהם תמוהים דמשום זה מטמא באהל וכן הוא משנה מפורשת פ"ב דאהלות ועיי"ש באהלות בספר שושנים לדוד עמוד על דבריהם ועי' גם בספר יד דוד:

גליון הש"ס

תוס' ד"ה יש בה אילנות וכו' אי נמי בידוע לאו דוקא. עיין נדה דף סד ע"ב תוס' ד"ה ע"ג כולם:

תורה אור השלם

א) זֹבֵחַ תּוֹדָה יְכַבְּדָנְנִי וְשָׂם דֶּרֶךְ אַרְאֶנּוּ בְּיֵשַׁע אֱלֹהִים: [תהלים נ, כג]

רש"י כת"י

על כזית מן המת. לקמן מפרש טעמ'. **עצם כשעורה.** אינו מטמא באהל דהלכתא גמירי לה. **ולא על כל דבר שאינו מטמא באהל.** שאפי' הוא מטמא בהיסט כשהולך ומסיטו אין צריך ציון דאי הוי בתוך הקרקע ליכא משום היסט ולא משום מגע ואי דרמי אארעא בניפוח סגי כדאמרי' מנפח אדם בית הפרס והולך. **שדרה וגלגולת.** של מת אפילו עצמות בלא בשר מטמא באהל בבכורות מפר' רוב בנינו שתי שוקים וירך אחת אע"פ שאין רוב מנינו הואיל ואית ביה גובהן רוב מנינו רוב מנין איבריו באדם רמ"ח איברים ורוב... כגון ידים ורגלים שיש בהן הרבה איברים דקים. **על הוודאות.** כגון בית הקברות שהכל יודעין ופורשין ואין צריך ציון. **אבל מציינין על הספיקות.** שיש עליהן אהל כגון סככות ופרעות הסמוכות לבית הקברות דמספקא לן בהו טומאה דכיון דיש עליהן אהל רגילין לקבור שם במקום לנוע. **סככות ופרעות** ובית הפרס מפרש לקמיה. **ואין מעמידין ציון על הטומאה.** ממש. **שלא להפסיד (על) [את] הטהרות.** זמנין דלאו אינש עד הציון שהוא על הטומאה ממש וטהרותיו בידו ויהיו טמאים ואתי לשורפס וזהו הפסדן. **ואין מרחיקין ציון ממקום טומאה שלא להפסיד את ארץ ישראל.** שאין דרך לחרוש ולזרוע שם ועוד שמעמידה בחזקת טומאה שלא להשתמש שם. כל ציון מד' רוחות לטומאה עושין אותן. **כזית מצומצם** מכוון אין מציינין דסוף סוף מיחסר חסר שמלטמק ויבש עד אין בו כזית ואינו מטמא באהל. **ומוטב שישרפו תרומה לפי שעה.** עד שלא חסר. **ואל ישרפו עליו תרומה לעולם** דזמנא דלא חזי ליה לציון כגון בלילה ועייל להתם והדר חזי ליה לציון ואמ' נטמאת תרומתי והיא לא נטמאת דהא חסר כבר. **סככות פרעות.** בסמוכות לבית הקברות עסקינן. **פרועות.** גדולות כמו ואת ראשו לא יפרע. בית הפרס דתניא החורש וכו' ל"ג הכא משום דלא מצי מתרץ האי תירוצא דמשני בסמוך כאן בשדה שאבד בה קבר וכו'. **והאמ' ר' יהודה מנפח אדם בית הפרס והולך.** ההולך לשחוט את פסחו ולמול את בנו מנפח בית הפרס והולך דאם יש עצם כשעורה דמטמא בהיסט מתפזר ברוח. **שנדש.** אחר שנחרש בה קבר ונדש ברגלי אדם וברגלי בהמה טהור ואין צריך ניפוח בידוע שאין שם קבר ועצם כשעורה אלמא בית הפרס אין בו משום אהל דהא בניפוח סגי ליה. **שדה שאבד בה קבר.** מטמא באהל ובעיא ציון שלא יכנסו לתוכה. **שדה שנחרש בה קבר** וחרש ונשתברו העצמות ולא מטמא באהל דעצם כשעור' אינו מטמא באהל. **דתניא החורש.** בית הקברות הרי הוא בית הפרס. **וכמה הוא עושה.** בית הפרס. **חצי מענה.** חריץ של מחרישה שעל ידי המחרישה נשתברו ונתפזרו העצמות וכל ספק עד לחצי מענה. ובית הפרס משמע שנחרש ונפרסו ונשתברו העצמות וכל שדה ספק טומאה קרי ליה בית הפרס כשדה הנחרש. רבי יהודה אמ' שמואל ור' יהודה בר אמי לא פליגי אלא מר אמ' בית הפרס יש לו בדיקה בניפוח ומר אמ' אם נדש הרי זו בדיקה. **שדה בוכין.** שבוכין בו למת. **שמפטירין שם מתים.** כשמביאין מת או עצמות מעיר לעיר ויש שם בעיר שקוברין בה שדה העשויה לכך שמביאין אותו בני עירו לאותה שדה ויוצאין בני עיר לקראתם והראשונים נפטרין והולכין ואלו מתעסקין בו ונושאין אותו לבית הקברות שלהן וכיון שאינם בעלים הראשונים חיישינן שמא לא יזהרו בו ויפלו ממנו אבר באותה שדה. אי נמי (הללו שנים) [הלכו הראשונים] ונתייאשו והניחו את המת לשם ובא אדם מעצמו וקברו שם. **ואינו יודע מה טיבה.** אם ציינוהו מפני שנחרש בה קבר ויכול ליכנס בניפוח ואם מפני שנאבד בה קבר ואינו יכול ליכנס בה כלל שמטמא באהל. **יש בה אילנות בידוע שנחרש בה קבר.** אגב אילנות חרשוה ואינה מטמאה באהל שאין נוטעין אילנות בלא חרישה ולכך ציינוה שלא יכנס שם אלא על ידי נפיחה. **אין בה אילנות בידוע שיש בה קבר.** ולא נחרש ומטמאה באהל דמסתמא אין אדם רשע להיות חורש את בית הקבר ועוד דאסור בהנאה כדאמרינן בעלמא (מגילה כט.) דאין חורשין וזורען ואפילו אמת המים העוברת לתוך בית הקברות אין שותין הימנה. **ר' יהודה אומ'.** לעולם מטמא בהלה. **עד שיהא שם.** בעיר. **זקן או תלמיד.** יודע למה ציינוהו להכי נקט תלמיד כדמפרש לקמיה דכל מילי דמתא רמי אתלמיד ובידוע שהוא ציינה ויודע מה טיבה אבל שאר בני העיר אינו יודעין מה טיבו דאינו סומך עליהן לפי שאין הכל בקיאין ש"מ בית הפרס שנחרש בעי ציון. **כי תניא ההיא בשדה שאבד בה קבר.** והכי קאמ' מצא שדה מצויינת ואינו יודע מה טיבה אם נחרש לאחר ציון או לא. **יש בה אילנות בידוע.** שחרישה לאחר ציון ואינה מטמאה באהל אבל אי חרשי לה מעיקרא תו לא בעי ציון ומשום היסט אין צריך ציון שהרי יכול לכסותו העצם בקרקע. **וליחוש דילמא אילנות מגואי.** בתוך שדה וספק טומא' מאבראי לאילנות ולא חרש זה אלא מקום האילנות ומקום הבדוק לו אלא לו (אלא) [ולא] מקום הספק דלא הוחזק רשע לחרוש מאבראי אילנות ולכתי הוה ליה מאבראי שדה שאבד בה קבר דהאי לא חרש קים ליה דספק טומאה לא הוי אלא מאילנות ולחוץ. **בעומדין על הגבולין.** דשדה דאין טומאה איבראי וחרש אגב אילנו'. וליחוש דילמא ספק טומאת הקבר גואי ואילנות איבראי וזה לא חרש אלא בין אילנות שלא היה שם טומאה אלא מקום הספק לא חרש מעולם הואיל ואין שם אילנות.

בְּקִיאִין בַּדָּבָר – BECAUSE NOT EVERYONE IS EXPERT IN THIS MATTER.[31] We see from the Baraisa that a marker is placed even by a field containing a plowed-over grave. – ? –

The difficulty is resolved:

אָמַר רַב פָּפָּא – **Rav Pappa said:** כִּי תַנְיָא הַהִיא – **In what regard was this Baraisa taught?** בְּשָׂדֶה שֶׁאָבַד בָּהּ קֶבֶר דְּצִיְּינוּהָ – It is **regarding a field in which** an intact **grave was lost, so that they** immediately **marked it.**[32] If a person needs to determine whether the field was *subsequently* plowed, he may rely upon the following indicator: יֵשׁ בָּהּ אִילָנוֹת בְּיָדוּעַ שֶׁנֶּחֱרַשׁ בָּהּ קֶבֶר – If **there are trees in [the field], it is known that the grave was plowed over in it,** אֵין בָּהּ אִילָנוֹת בְּיָדוּעַ שֶׁאָבַד בָּהּ קֶבֶר – but if **there are no trees in [the field], it is known that the grave is** still intact and remains **lost in it.**

The Gemara wonders about the reliability of this indicator:

וְלֵיחוּשׁ דִּלְמָא אִילָנוֹת מִגַּוַּאי וְקֶבֶר מִבָּרַאי – **But let us be concerned** that **perhaps the trees are on the interior** portion of the field **and the grave is in** its **exterior** portion. Thus, it is possible that the area of the grave was not plowed.[33] – ? –

The Gemara answers:

כִּדְאָמַר עוּלָּא – **As Ulla said** elsewhere:[34] בְּעוֹמְדִין עַל הַגְּבוּלִין – "We are dealing with a case **where [the trees] are situated on the boundaries** of the field." הָכָא נַמִּי בְּעוֹמְדִין עַל הַגְּבוּלִין – Therefore, **here too,** we may answer that we are dealing with a case **where [the trees] are situated on the boundaries.** Clearly, the grave is not located outside of the trees.[35]

NOTES

31. I.e. only a Torah scholar is deemed reliable for this testimony, because he makes it his business to be informed about all halachic matters affecting the town and will know why the marker was placed there. Others are less attentive to such matters (*Rashi ms.;* see Gemara 6a). R' Yehudah holds that we may not judge the status of the field on the basis of trees and must treat it stringently unless there is reliable testimony that the grave was plowed over (cf. *Rambam* and *Raavad, Hil. Tumas Meis* 10:10; *Ritva*).

32. A field in which a grave was plowed over does *not* initially require marking. Here, however, the field was marked while the lost grave was intact. There is merely a question whether it was *later* plowed over (*Rashi*).

33. In a case where only the middle of the marked field is planted, it certainly seems plausible that the person who did the planting knew that the lost grave was somewhere on the field's perimeter and therefore avoided plowing that area (*Rashi ms.*).

34. See *Nedarim* 42b.

35. The trees run along the boundary between the field and the public domain. Obviously, no corpse was buried outside the trees in the public thoroughfare. Rather, the grave is lost somewhere among the trees and was certainly plowed over (*Rashi;* see *Chazon Ish, Orach Chaim* §135).

The Gemara asks further:

וְדִלְמָא טוּמְאָה מִגַּוַּאי וְאִילָנוֹת מִבָּרַאי – **But perhaps the *tumah,*** i.e. the grave, **is in the interior** portion of the field **and the trees are on** its **exterior** portion. – ? –

The Gemara answers:

בִּמְסוּבָּכִין – The case is **where [the trees] are intertwined** over the entire field.[1]

An alternative answer is presented:

וְאִיבָּעִית אֵימָא – **Or, if you prefer, say** that the trees are located only on the boundary, הָא אֲמָרַן אֵין מַרְחִיקִין צִיּוּן מִמְּקוֹם טוּמְאָה – **but we said** above that **we do not distance the marker from the location of the *tumah,*** שֶׁלֹּא לְהַפְסִיד אֶת אֶרֶץ יִשְׂרָאֵל – **so as not to waste** any land in **Eretz Yisrael.**[2] Since the marker is found near the trees, we can be certain that the grave was plowed over.[3]

The final segment of the Baraisa is quoted:

רַבִּי יְהוּדָה אוֹמֵר – R' YEHUDAH SAYS: עַד שֶׁיְּהֵא שָׁם זָקֵן אוֹ תַּלְמִיד – The field is presumed to contain an intact grave **UNLESS THERE IS AN ELDER** sage **OR A** Torah **STUDENT IN THAT PLACE** who can testify that it was plowed, לְפִי שֶׁאֵין הַכֹּל בְּקִיאִין בַּדָּבָר – **BECAUSE NOT EVERYONE IS EXPERT IN THIS MATTER.**

The Gemara derives a lesson from this statement:

אָמַר אַבָּיֵי – **Abaye said:** שְׁמַע מִינָּהּ – **Learn from this** that צוּרְבָּא מֵרַבָּנָן דְּאִיכָּא בְּמָתָא – **when there is a young Torah scholar in a city,** כָּל מִילֵּי דְּמָתָא עֲלֵיהּ רְמִיָא – **all of the city's matters are incumbent upon him.**[4]

The Gemara continues its discussion regarding markings for *tumah:*

אָמַר רַב יְהוּדָה – **Rav Yehudah said:** מָצָא אֶבֶן מְצוּיֶּינֶת – **If one found a** single **stone** that is **marked** with lime, this indicates that תַּחְתֶּיהָ טָמֵא – the area directly **beneath [the stone] is *tamei.***[5] שְׁתַּיִם – If one found **two** such stones in proximity, the area between them is judged as follows:[6] אִם יֵשׁ סִיד בֵּינֵיהֶן – **If there is lime** on the ground **between [the stones],** בֵּינֵיהֶן טָמֵא – the area **between them is** judged ***tamei.***[7] וְאִם אֵין סִיד בֵּינֵיהֶן – **But if there is no lime between [the stones],** בֵּינֵיהֶן טָהוֹר – the area **between them is** judged ***tahor.***

The Gemara questions the latter ruling:

וְאַף עַל גַּב דְּלֵיכָּא חוֹרֵשׁ – Does this mean that **even though there is no** indication of **plowing** having been done between the stones, the area is deemed *tahor* if there is no lime?[8] וְהָתַנְיָא – **But it was taught in a Baraisa:** מָצָא אֶבֶן אַחַת מְצוּיֶּינֶת – **IF ONE FINDS A SINGLE MARKED STONE,** תַּחְתֶּיהָ טָמֵא – **THE** area directly **BENEATH IT IS *TAMEI.*** שְׁתַּיִם – If he finds **TWO** marked stones in proximity, the area between them is judged as follows: אִם יֵשׁ חוֹרֵשׁ בֵּינֵיהֶן – **IF THERE IS** an indication of **PLOWING** having been done **BETWEEN [THE STONES],** בֵּינֵיהֶן טָהוֹר – the area **BETWEEN THEM IS** judged ***TAHOR.***[9] וְאִם לַאו בֵּינֵיהֶן טָמֵא – **BUT IF NOT,** the area **BETWEEN THEM IS** judged ***TAMEI.***[10] Thus, we see that even if there is no lime between the stones the area is judged *tamei* unless it has been plowed. – ? –

The Gemara answers:

אָמַר רַב פָּפָּא – **Rav Pappa said:** הָכָא – **Here,** in the Baraisa which teaches that all depends upon an indication of plowing, we are dealing with a case כְּשֶׁהַסִּיד שָׁפוּךְ עַל רָאשֵׁיהֶן וּמְרוּדֶּה לְכָאן וּלְכָאן – **where the lime is poured on the tops of [the stones] and is spread thinly here and there,** i.e. between them, so that it seems to have fallen there from the tops of the stones.[11] אִי אִיכָּא חוֹרֵשׁ בֵּינֵיהֶן – **If there is** an indication of **plowing** having been done **between [the stones],** בֵּינֵיהֶן טָהוֹר – the area **between them is** judged ***tahor,*** דְּאֵימוֹר מֵחֲמַת חוֹרֵשׁ הוּא (דאיקפל) [דְּאִיקְלַף] – **because** it is reasonable to **say that due to the plowing** the lime **was peeled** from the stones and fell between them, where it became stuck to the ground.[12] וְאִי לֹא – **But if** the land between the stones has **not** been plowed, we must assume that סִיד דְּבֵינֵי בֵּינֵי הוּא וְטָמֵא – **this is lime that** belongs **between** the stones,[13] **and** the area is judged ***tamei.*** However, when there is no lime between the stones, it is obvious that the area is *tahor* even though it has not been plowed, as Rav Yehudah ruled.

Another teaching on this topic is cited:

אָמַר רַבִּי אַסִּי – **R' Assi said:** מֵצַר אֶחָד מְצוּיָּן – **If one boundary** strip of a field **is marked** for *tumah,* הוּא טָמֵא וְכָל הַשָּׂדֶה כּוּלָּהּ טְהוֹרָה – this means that **it is *tamei* and the rest of the field is**

NOTES

1. I.e. they are not merely standing in a row along the boundary, but are also planted tightly together throughout the field – from the boundary all the way to the center. It is therefore obvious that every part of the field was plowed for the sake of the trees (*Rashi, Rashi ms.;* see *Ritva*).

2. See 5b note 12.

3. When the marker is on the boundary of a field, we know that there was a grave only in that specific area, and the existence of trees on the boundary proves that it was plowed over (*Rashi*). Alternatively, even if there were more graves in the interior portion of the field where there are no trees, we can assume that they were plowed over, for we have evidence that the plower was not deterred by the presence of graves (*Rashi ms.*).

[*Ritva* explains that the current answer applies even if the trees are neither intertwined nor planted along the boundary, but are placed in only one portion of the field. Since the entire field is marked, we know that there is *tumah* throughout the field (see below), so that there is presumably a grave near the trees that was plowed over; we thus assume that any grave in the field was plowed over as well.]

4. Because a Torah student is knowledgeable [in all matters] (*Rashi*). He makes sure to remember things such as why a certain field was marked for *tumah,* because he is involved in all major issues that affect the residents' lives and Torah observance (*Talmid R' Yechiel MiParis*).

5. Since the stone has some height and is visible from a distance, it does not have to protrude beyond the boundary of the *tumah.* By contrast, when lime is poured upon the ground as a marker, it does have to extend beyond the precise location of the buried *tumah,* since it might not be noticed by a pedestrian until he is upon it (*Rashi, Ritva;* see 5b note 11; cf. *Yerushalmi* cited by *Tos. HaRosh* and *Meiri*).

6. The area underneath each of the stones is certainly *tamei.* This is not always true regarding the area between them (*Rashi, Meiri;* cf. *Tos. HaRosh*).

7. For the lime was presumably poured between the stones as a marker (*Rashi*).

8. I.e. does the lack of lime on the ground in between prove that it is *tahor* even if it does not seem to have ever been plowed? (*Rashi*). See *Tosafos* ד״ה אע״ג דליכא חרס for an alternative reading and explanation. See also *Rambam* and *Raavad, Hil. Tumas Meis* 8:11.

9. The reason (according to the Gemara's current understanding) is as follows: Since it is not known with certainty that there was ever *tumah* between the stones, and even if there was once *tumah* it may have been scattered by the plowing, we assume that the area is *tahor.* Alternatively, we assume that the person who plowed the area knew that there was no *tumah* there (*Rashi,* as explained by *Tosafos* ד״ה אמר רב פפא and *Ritva;* see *Tosafos* for additional explanations).

10. Even though there is no lime! The presumption is that the stones mark the two ends of a grave and the person who emplaced them did not bother to mark the ground in between (*Rashi*).

11. *Talmid R' Yechiel MiParis.*

12. *Ritva.* [The emendation of the text follows *Bach.*]

13. I.e. it was intentionally placed there to alert people that the *tumah* is not limited to the area beneath the stones (*Rashi*). [In absence of the supporting evidence of plowing, we are compelled to accept the lime between the stones as an indicator of *tumah* (see *Talmid R' Yechiel MiParis*).]

ודלמא טומאה מגואי ואילנות מבראי במסובכין ואיבעית אימא הא אמרן [א] אין מרחיקין ציון ממקום טומאה שלא להפסיד את א"י ר' יהודה אומר עד שיהא שם זקן או תלמיד לפי שאין הכל בקיאין בדבר אמר אביי שמע מינה צורבא מרבנן דאיכא במתא כל מילי דמתא עליה רמיא אמר רב יהודה [א] מצא אבן מצויינת תחתיה טמא שתים אם יש סיד ביניהן טמא ואם אין סיד ביניהן טהור ואע"ג דליכא חורש והתניא [ב] מצא אבן אחת מצויינת תחתיה טמא שתים אם יש חורש ביניהן ביניהן טהור ואם לאו ביניהן טמא אמר רב פפא [ב] הכא כשהסיד שפוך על ראשיהן ומרודה לכאן ולכאן אי איכא חורש ביניהן טהור דאימור מחמת חורש הוא (א) דאיקפל ואי לא סיד דביני ביני הוא וטמא א"ר אסי [ג] מצר אחד מצוין הוא טמא וכל השדה כולה טהורה שנים הם טמאין וכל השדה כולה טהורה שלשה הם טמאין וכל השדה כולה טהורה ארבעה הן טהורין וכל השדה כולה טמאה דאמר מר [ג] אין מרחיקין ציון ממקום טומאה שלא להפסיד את א"י: ויוצאין אף על הכלאים: ואכלאים בחולו של מועד נפקינן ורמינהו [ד] [ד] באחד באדר משמיעין על השקלים [ה] ועל הכלאים [ו] בחמשה עשר בו קורין את המגילה בכרכים ויוצאין לקווץ את הדרכים ולתקן הרחובות ולמוד המקואות ועושין כל צורכי רבים ומציינין את הקברות ויוצאין על הכלאים רבי אלעזר ורבי יוסי בר חנינא חד אמר [ז] כאן בבכיר כאן באפיל וחד אמר כאן בזרעים כאן בירקות א"ר אסי א"ר יוחנן [ח] לא שנו אלא שאין ניצן ניכר אבל ניצן ניכר יוצאין עליהן מאי שנא בחולו של מועד דנפקינן אמר רבי יעקב אמר רבי יוחנן משום שכר פעולה דמוזלי גבן אמר רב זביד ואיתימא רב משרשיא שמע מינה כי יהבינן להו שכר מתרומת הלשכה יהבינן להו דאי סלקא דעתך מדידהו יהבינן להו מאי נפקא לן מינייהו כל כמה דבעו ליתן להו ועד כמה אמר רב שמואל בר יצחק [ט] כאותה ששנינו [ו] כל סאה שיש בה רובע

רש"י

ודלמא טומאה מגואי. ולא בין האילנות ולא נחרש במקום טומאה: (ב) מסובכין. שאינן עומדין בשורה אחת סביב הגבולין אלא מעורבין בכל השדה דודאי נחרש כל השדה בשביל האילנות: הא אמרן אין מרחיקין ציון ממקום טומאה. וכיון שסמוך לאילנות הציון ודאי טומאה בין האילנות היא ונחרש בשביל האילנות: כל מילי דמתא עליה רמיא. דתלמיד בקי הוא: מצא אבן אחת מצויינת. בסיד תחתיה טמא ומפי מורי הזקן אבן אחת מצויינת שיש סיד על גבה דאינו צריך להרחיק הציון מן האבן לפי שהאבן גבוה על גבי קרקע ורואה את הציון מיד קודם שיהא נוגע בו אבל בשדה מרחיקין לה ציון בסמוך דזמנין לא חזי ציון עד דאתי ונגע ומאהיל: שתים. מצויינות תחתיהן טמא אבל ביניהן אם יש סיד ביניהם על הארץ טמא דמשום ציון הוא: אע"ג דליכא חורש. שלא חרש ביניהם מעולם טהור כי ליכא סיד: אם אין חורש ביניהן טמא. ואע"ג דליכא סיד לפי שציין את האבנים שמכאן ומכאן לא חשש לציין ביניהם: הכא. דקתני כי ליכא חורש טמא כגון סיד שפוך על ראשי אבנים ומרודה לכאן ולכאן ביניהן דאי איכא חורש מחמת חורש הוא (ג) דאיקלף שנקלף מן האבנים ונפלו שם ביניהם וטהור ואי לא סיד דביני ביני הוא ומחמת ציון נעשה שם להודיע שיש גם ביניהם טומאה: אין מרחיקין ציון ממקום טומאה. ולהכי ציין כל ארבעה מצריו דתהא כל השדה נטמאה ובציון דמצר אחד לא סגי לכולה דאין מרחיקין ציון ממקום טומאה: ואכלאים בחולו של מועד נפקינן ורמינהו באחד באדר משמיעין על השקלים. שיהו ישראל מביאין תרומת שקלים בניסן דכתיב בחדשו לחדשי השנה חדש והבא לי קרבן מתרומה חדשה: בכרכים. המוקפין חומה מימות יהושע בן נון: ואת מקואות המים. מקואות המים של מ' סאה שמוטטין אותן מן הזבל שנכנס לתוכן כל ימות הגשמים והאי דלא פריך נמי בגמרא אשאר מתני' דתני ומתקנים הדרכים והרחובות בחולו ש"מ והכא תנא בט"ו באדר משום דלאו פירכא הוא דבדין הוא דמתקנין להו תרי זימני דכי מתקן בט"ו באדר אתו גשמים ומקלקלי להו והדרי ומתקני להו בחולו של מועד אבל אכלאים כיון דעקרו להו לגמרי בחמשה עשר באדר למה לי למיפק בו בחולו של מועד ולהכי קא מיבעיא: כאן בבכיר כאן באפיל. על הבכירות יוצאים בט"ו באדר על האפילות בחולו של מועד דפסח: בזרעים. על התבואה יוצאין בט"ו באדר שקודמין לירקות: לא שנו. דאין יוצאין עליהם קודם אדר וקודם חולו של מועד: משום שכר פעולה דמוזלי גבן. כלומר שיכול לשכור פועלין בזול לפי שאינן עוסקין במלאכה בחולו של מועד: שמע מינה. מדעסקינן לשכור פועלים בזול: כי יהבינן להו. שכירות לפועלים דבטלי כלאים: דאי סלקא דעתך מדידהו. דבעל הבית (ד) יהיב להו אמאי יוצאין להכי בחולו של מועד משום שכר פעולה לבטלו בכל זמן אף על גב דליכא שכר פעולה בזול וכל מה דבעי ליתב להו אלא מתרומת הלשכה יהבינן להו וכל כמה דמלינן לגמלם מעות דהקדש עבדינן: ועד כמה. הוי כלאים דחייב לבטלו:

רובע

תוספות

אם יש סיד ביניהם. הציון הוא מסיד כדתנן פרק ה' דמעשר שני (מ"א) ומייתי לה פרק מרובה (ב"ק סט. ושם) אם יש סיד ביניהם לא ידענא כמה: אע"ג דליכא חרש. גרסינן ומלאתי מפרש חרש דומה הוא לחרסית ואין לבן כמו סיד וצ"ל פירושו אם יש חרסית ביניהם (ה) דומה שמציינין להודיע שהוא טהור שעד שם אין בית הקברות שאינה לבן בינתים:

אמר רב פפא כשהסיד שפוך. פירוש ודאי כי ליכא סיד וחרסית טהורין אבל כשהוא מרודה ושפוך על ראשו אז צריך חרסית שאם יש חרסית יש לתלות שנתן לצידי האבן חרסית והסיד נתחבר בו ולרפו הסיד שעל ראשו עמה ואם אין חרסית א"כ סיד הוא של ציון בינתים ולפירוש הקונטרס גרסינן אף על גב דליכא חורש (ו) ומפרש ביניהם טהור דאינתקא לה טומאה דהוי לה קבר שנחרש ותימה לי נהי דטהור מטומאת אהל טהור לא הוי דהוי כמו שדה שנחרש בה קבר וטמא טהור מאהל קאמר א"נ לגמרי ע"י דישה וניפוח א"נ ביניהם איכא טובא ספיקות ושרי ספק אי איכא ציון (ז) הטומאה שביניהם אי לא ואפילו איכא ציון הרי נחרש ומלאתי מפרש דהשתא סלקא דעתיה דה"פ אם יש ביניהם חורש טהור דודאי לא היה שם טומאה דאם היה ביניהם לא היה חורשו אדם תימה לי אמאי לא פריך דקתני בקמייתא אם יש סיד ביניהם בינתים טמא אע"ג דאיכא חורש והכא קתני אם יש חורש ביניהם טהור ואע"ג דאיכא סיד וצ"ל דסלקא דעתיה דהך בתרייתא איירי בדליכא סיד דכי איכא סיד לא היה טהור לעולם דהא אין מציינין אם לאו על הטומאה (ח) וכי חורשו לא יהא טהור ולהכי לא מקשה כי אם מסיפא דברייתא קמייתא דאיירי בדליכא סיד: דאמר מר אין מרחיקים. כך פירש בתוספתא ובקונט' ובספרים מלאתי דאמר מר אין מעמידין ציון כו' ולפי זה אינו נותן טעם למה כל השדה טמא אלא נותן טעם למה תחתיהן טהורין דאין מעמידין ציון במקום הטומאה ונהי דברוח אחד או שנים או שלשה יש לנו לומר דכל תחתיה טמא כי אין הטומאה בפחות מן הציון אבל בארבעה יש לתלות הטומאה בכל השדה לפיכך תחתיהן טהורים: ואכלאים בחולו של מועד נפקינן. במשנה פי' מאי טעמא לא מקשה על אינך ובירושל' מקשה מציינין על הקברות ולא כבר ציינו ומתרץ כגון שירד שטף מים של גשמים ושטפו:

בט"ו קורין את המגילה. הוי מצי למתני בי"ד בו [י] (בכפרים) אלא משום דט"ו זמן לדברים אחרים הוא כגון ומתקנין את הדרכים וכו':

דמוזלי גבן. למ"ד לקמן (דף יג.) שכר פעולה שאין לו מה יאכל שרי ניחא שיכולין ליטול שכרן אלא למאן דאמר אסור לא ידעינן היכן ישכרו פועלים במועד ושמא יש לומר דהני דמלות התירו:

מתרומת הלשכה. אין להקשות הא אית בהן מעילה דלב ב"ד מתנה עלייהו ובפרק בתרא דכתובות (דף קו. ושם) איכא מילי טובא שנוטלין שכרן מתרומת הלשכה:

שיש בה רובע. פירוש כשרוצה לזרוע דהא קתני סיפא ר' יוסי אומר יבור והא לא שייך בנזרע כבר ובפרק המוכר פירות (ב"ב דף לד. ושם) מייתי לה מיהו בשמעתין דאיירי בנזרע כבר יש לומר דלא פליגי: ואין

מסורת הש"ס

א) [לעיל ה:], ב) [תוספתא שקלים פ"א], ג) [לעיל ה:], ד) מגילה יג: כט. שקלים פ"א מ"א, ה) כלאים פ"ב מ"א ב"ב לד., ו) [נ"ל בשאר עיירות].

הגהות הב"ח

(א) גמ' דאימור מחמת חורש הוא דאיקלף ואי לא סיד: (ב) רש"י ד"ה מסובכין נ"ל במסובכין: (ג) שם ד"ה הכא כו' מחמת חורש הוא הס"ד ואח"כ מה"ד דאיקלף כו' וטהור הס"ד ומה"ד ואי לא כו': (ד) ד"ה דאי ס"ד מדידהו דבעל הבית יהבינן להו אמאי: (ה) תוס' ד"ה אע"ג כו' אם יש חרסית ביניהם שאינה לבן בינתים דומה שמציינין וכו' אין בית הקברות הס"ד: (ו) ד"ה אמר כו' אע"ג דליכא חורש ביניהם טהור ומפרש דאינתקא כו': (ז) בא"ד אי איכא ציון על הטומאה שביניהן: (ח) בא"ד אם לאו על הטומאה ואפילו חורשו לא:

רש"י כת"י

במסובכין. וסמוכין זה לזה שכל השדה מליאה אילנות וסמוכין ביותר ואגב אילנות חרש זה כל השדה כולה הילכך כי יש בה אילנות בכולה בידוע שנחרש בה קבר ומותר ליכנס דאין כאן טומאת אוהל. ואיבעית אימא. שלא במסובכין ואפי' הכי מותר ליכנס לתוך אותה השדה בנפיחה דאי לאו הוה נמי ספק טומאה על הגבולין לא היה שם ציון דהא אמרן אין מרחיקין וכו' ועל כרחך אילנות שאצל הציון בחזקת ספק טומאה ואעפ"כ חרשן זה אלמא הוחזק זה לחרוש ספק קברות הילכך כולה שדה נמי חרש וכן עיקר מפי מורי. אבן אחת מצויינת. שיש סיד על גבה דאינו צריך להרחיק ציון מזה אבן לפי שהוא גבוה מעל גבי הקרקע ורואה את הציון מיד קודם שהוא נוגע אבל בשדה מרחיקין לו ציון בסמוך זימנין דלא חזי ליה עד דאתא ונוגע ומאהיל. שתיים. מצויינות תחתיהן טמא אבל ביניהן אם יש סיד ביניהן על הארץ [טמא] דמשום ציון הוא. ואע"ג דליכא חרש. דליכא חרישה ביניהן טהור כי ליכא סיד. ואם. אין חרש ביניהן טמא ואע"ג דליכא סיד דאיכא למימר לפי שציין האבנים מכאן ומכאן לא חש לציון בינתים. הכא. דקתני כי ליכא חורש טמא כגון שיש סיד שפוך על ראש האבנים ומרודה לכאן ולכאן אי איכא חרש מחמת חרש הוא. דאיקפל. שנקפל מן האבן ונפל שם ביניהם וטהור. ואם לא סיד דביני ביני הוא. ומחמת ציון הוא נעשה שם להודיע שיש גם ביניהם טומאה. מצר. שסביב השדה גבוה מציון שהסיד על גביו דומיא דאבן כדפרישית. הוא. תחתיו. כל השדה כולה טהורה. שאם היתה טמאה היה לה ציון מארבע רוחות. ארבעה [הן] טהורין. ולא אמרינן להוו טמאין והשדה טהורה דציון שהן כשאר ספק טומאה מצוינת מד' רוחותיה מחזקינן לה להא שדה כולה בחזקת טומאה משום הכי כולה טמא ולא אמרינן דמקלתן מחזקינן ולא כולה ויכול ליכנס סמוך למצר דאם איתא דאינה טמאה ... לא היה מרחיק הציון למצריה כדאמרי' אין מרחיקין [ממקום טומאה והן] טהורין ולא אמרינן להוי נמי טמאין כדרך שאר שדות דאם איתא דהוי ספק טומאה במצרים היה מציין על המצרין עצמן אף על פי שנראין דומיא דאבן מצויינת משו' דלא מסקי אינשי אדעתיהו דספק טומא' במצרין ואמרינן ציון זה אינו מחמתן אלא סביב למצרים מבחוץ היה מציין להודיע דספק טומאה במצרים והא דאמרן לעיל [מלא] שדה מצויינת [היינו] שמצויינת חוץ לגבולין שלה ולהכי קיימי גבולין בספק טומאה. בחולו של מועד נפקי. דקתני ויוצאין דמשמע זמן קבוע שמתחילין לצאת מעכשיו משו' דזמן הנך תבואה הא מקמי הכי נפקי. באחד באדר משמיעין על השקלים. שהיו ישראל מביאין תרומת שקלים בניסן דכתי' בחדשו לחדשי השנה חדש והבא קרבן מתרומה חדשה. ועל הכלאים. משמיעין שלא יזרע כלאים. בכרכים. המוקפים חומה מימות יהושע בן נון. ומתקנין את הדרכי'. שנפסדו בימות הגשמים. ואת מקוות המים. שמוטטין אותם מן הזבל שנטף בתוכן כל ימות הגשמים קורי"ר בלע"ז כדי שיהיו מכוונין לטבילה. ומציינין על הקברות. שהגשמים שטפו הציונין. ויוצאין על הכלאים לעקור אלמא מחמשה עשר באדר שלוחין יוצאין ... דקתני מתחילין בחולו של מוע' ויוצאין משמע זמן קבוע שטרשי יוצאין דכלאים לא הוי אסור ויוצאין מעכשו משום זמן תבואה הוא ומתקנין אמתקנין דמתניתן לא קשיא דמתקנין משמע כל שעה מתקנין הדרכים וכי קתני דמתניתי' מתקנין לאו משום דהשתא משמע עכשיו זמן קבוע לצאת ולתקן שעה קמא'. בבכיר. דבר המבוכר בזרעים. (באדר) [באפיל]. בדבר המתעכב שאין זורעין אותו עד סמוך לפסח שכשיצאו שלוחין בט"ו באדר לעקור אכתי לא מטא זמניה דהאי הילכך הדרי ונפקי בחולו של מועד. בזרעים. בכלאי (הכרם) [זרעים] כגון תבואה או שאר מיני זרעים יוצאין באדר. ירקות. אין דרך לזורען עד זמן הקיץ (ר' יוסי ב"ר חנינא) [והאי קמא] לא שני ליה בין [זרעים לירקות] אלא כל דבר המתעכב קאמ'. כלאי זרעים וירקות דרבנן דמדאורייתא אינו אלא כלאי הכרם. לא שנו. זמן קבוע לצאת בכלאים אלא שאין ניצר ניכר. ומאי שנא בחולו של מועד. ליפקו לפני מועד שני ימים או שלשה משעת הנך תבואה. משום שכר פעולה. שהיו ב"ד מוצאין לעקור בשכר דמוזלי גבן במועד טפי לפי שאין עושין במלאכה. מדנפקי במועד כי היכי דלוזיל גבי דידן. מדידהו. משל בעלים. עד כמה. יש כלאים דמחייבין ליה לעקור ואותה משנה שנינו גבי כלאים.

עין משפט נר מצוה

מט א ב ג מיי' פ"ח מהלכות טומאת מת הלכה יא:
נ ד מיי' פ"א מהלכות שקלים הלכה ט סמג עשין מה:
נא ה מיי' פ"ב מהל' כלאים הלכה טו:
נב ו מיי' פ"א מהל' מגילה הל' ד סמג עשין דרבנן ד טוש"ע א"ח סי' תרפח סעיף א:
נג ז ח מיי' פ"ב מהל' כלאים הלכה טו והלכה יז:
נד ט מיי' שם הלכה טז:

רבינו חננאל

עומדין על הגבולין וניחוש דלמא טומאה גואי ואילנות על הגבולין בראי. ופרקינן במסובכין. איבעית אימא כדאמר אין מרחיקין ציון ממקום הטומאה שלא להפסיד את א"י. ר' יהודה אומר עד שיהא שם זקן או תלמיד שתיקן זה הציון לפי שאין הכל בקיאין בדבר. ש"מ צורבא מדרבנן דאיתיה במתא כל מילי דמתא עליה רמיא. אמר רב יהודה מצא אבן אחת מצויינת תחתיה טמא שתים אם יש סיד ביניהן טמא ואם לאו טהור ואם היה הסיד שפוך על ראשיהן ומרודה לכאן ולכאן אי א) איכא חרש ביניהן טמא דאמרי' מחמת חרש הוא דאיקפל ואם לאו סיד דביני ביני הוא וטהור. א"ר אסי מצא ציון מצד אחד הוא הצד טמא וכל השדה טהורה וכן ג' הן טמאין וכל השדה טהורה ד' השדה כולה טמאה והציונין שהציון בהן טהורין. דאמר מר אין מרחיקין ציון ממקום טומאה שלא להפסיד את א"י כו': ויוצאין אף על הכלאים. ומקשינן איני דבחולו של מועד יוצאין על הכלאים והתנן בט"ו באדר יוצאין על הכלאים. ופרקינן בבכיר יוצאין בט"ו באדר. באפיל יוצאין בחולו של מועד וי"א כאן בזרעים וכאן בירקות וא"ר יוחנן לא שנו בחולו של מועד אלא שאין ניצן ניכר פי' ציץ שלהן ניכר. אבל אם הציץ שלהן ניכר שהוא כלאים יוצאין לאלתר ואין שוהין אותן עד חולו של מועד. ומ"ש בחולו של מועד יוצאין על הכלאים א"ר יוחנן משום שכר פעולה עת שהפועלים בטלין ונשכרין בזול לעקור הזרעים ולהשליכן ובעינן למיתן להו אגרייהו מתרומת הלשכה. והני מילי במשנה שהתקינו להיות עוקרין הכלאים בלבד מתוך התבואה ומשליכין. אבל מה שהתקינו להיות מפקירין כל השדה כולה יוצאין אפי' בשאר הימים. ועושין כל צרכי רבים. ירושלמי אלו הן צרכי רבים דנין דיני נפשות ודיני ממונות ודיני מכות ופדיון שבוים ודיני ערכין והחרמין וההקדשות וההשקאות ועריפת עגלה וטהרת מצורע ורציעת עבד עברי. וכן מפרקין מנעל מעל האמום אבל אין מחזירין. ומציינין על הקברות. והלא ציין באדר כגון שרבו המים ושטפום.

גליון הש"ס

ויוצאין אף על הכלאים והלא כבר יצאו מאדר תיפתר שהיתה השנה אפילה ולא היו הצמחים ניכרים באדר:

חשק שלמה על ר"ח

א) אולי צ"ל אי איכא חרש ביניהן טהור כו' דביני ביני הוא וטמא ואולי דרבינו היה לו גרסא אחרת.

tahor.[14] שְׁנַיִם – If **two** of a field's boundary strips are marked, הֵם טְמֵאִין וְכָל הַשָּׂדֶה כּוּלָּהּ טְהוֹרָה – **they are *tamei* and the rest of the field is *tahor*.** שְׁלֹשָׁה – If **three** boundary strips are marked, הֵם טְמֵאִין וְכָל הַשָּׂדֶה כּוּלָּהּ טְהוֹרָה – **they are *tamei* and the rest of the field is *tahor*.** אַרְבָּעָה – However, if all **four** boundary strips are marked for *tumah,* הֵן טְהוֹרִין וְכָל הַשָּׂדֶה כּוּלָּהּ טְמֵאָה – this means that **they are *tahor* and the entire field** that they surround **is *tamei*.**[15] דְּאָמַר מַר – **For the master said** above: אֵין מַרְחִיקִין צִיּוּן מִמְּקוֹם טוּמְאָה – WE DO NOT DISTANCE THE MARKER FROM THE LOCATION OF THE *TUMAH,* שֶׁלֹּא לְהַפְסִיד אֶת אֶרֶץ יִשְׂרָאֵל – SO AS NOT TO WASTE any land in ERETZ YISRAEL.[16]

The Mishnah stated:

וְיוֹצְאִין אַף עַל הַכִּלְאַיִם – AND [AGENTS OF THE COURT] ALSO GO OUT to inspect fields FOR *KILAYIM.*

The Mishnah means that agents are sent out on Chol HaMoed of Pesach to inspect for *kilayim* and uproot that which they find.[17]

The Gemara questions this ruling:

וְאַכִּלְאַיִם בְּחוּלּוֹ שֶׁל מוֹעֵד נַפְקִינַן – **Do they go out for** the inspection of ***kilayim* on Chol HaMoed** of Pesach and not earlier? וּרְמִינְהוּ – **But contrast [this with the following Mishnah]**[18] and note the contradiction: בְּאֶחָד בַּאֲדָר מַשְׁמִיעִין עַל הַשְּׁקָלִים וְעַל הַכִּלְאַיִם – ON THE FIRST OF ADAR, THEY [the Sanhedrin] PROCLAIM REGARDING the payment of the *SHEKALIM,*[19] AND REGARDING *KILAYIM.*[20] בַּחֲמִשָּׁה עָשָׂר בּוֹ קוֹרִין אֶת הַמְּגִילָּה בַּכְּרַכִּים – ON THE FIFTEENTH OF [ADAR] THEY READ THE SCROLL of Esther IN THE CITIES that were surrounded by walls at the time of Joshua son of Nun;[21] וְיוֹצְאִין לְקַוֵּץ אֶת הַדְּרָכִים וּלְתַקֵּן הָרְחוֹבוֹת – AND THEY GO OUT TO CLEAR THORNS FROM THE ROADS AND REPAIR THE STREETS;[22] וְלָמוֹד הַמִּקְוָאוֹת – AND TO MEASURE THE RITUAL BATHS and ensure that they contain the required forty *se'ah* of water;[23] וְעוֹשִׂין כָּל צוֹרְכֵי רַבִּים – THEY ATTEND TO ALL OF THE PUBLIC NEEDS; וּמְצַיְּינִין אֶת הַקְּבָרוֹת – THEY MARK THE GRAVES;[24] וְיוֹצְאִין עַל הַכִּלְאַיִם – AND THEY GO OUT to inspect the fields FOR *KILAYIM* and uproot it. Thus, we see that the *kilayim* inspectors were dispatched on 15 Adar. Why does our Mishnah state that they went out on Chol HaMoed of Pesach, which is more than a month later?[25]

The answers of two Amoraim are cited:

רַבִּי אֶלְעָזָר וְרַבִּי יוֹסֵי בַּר חֲנִינָא – **R' Elazar and R' Yose bar Chanina** each resolved this contradiction. חַד אָמַר – **One** of

NOTES

14. In Talmudic times, fields were commonly separated by narrow boundary strips that were higher or lower than the fields themselves (*Rashbam, Bava Basra* 53b ד״ה או דלמא). R' Assi deals with an elevated boundary strip on one side of a field that is covered with lime. Since only one side of the field is marked, the indication is that the *tumah* is confined to that area. And since the elevated boundary strip is visible from a distance, its marking indicates that all the ground beneath it is *tamei* (*Rashi ms.*).

15. Although the boundary strips are elevated the ground beneath them is deemed *tahor,* because since all the borders are marked it is obvious that the intent is to designate the *field* as a *tamei* one. And when markers are used to surround a *tamei* area, they are *not* placed over the extremity of the *tumah* itself – even if they are elevated. Since they are meant to designate the area inside them, they are placed *around* the *tumah.* A marker is placed directly above the *tumah* only when it covers the entire *tamei* area (*Rashi ms., Ritva*).

16. This comes to explain why when all four boundaries are marked the *entire* field is deemed *tamei.* Since we are not supposed to distance the marker from the *tumah,* one must assume that the *tamei* area begins from the very inner edge of the marker and not deeper in the field. Thus, one cannot cross over the boundary at all without becoming *tamei* (*Rashi ms., Ritva*).

According to the printed version of *Rashi,* the latter clause comes to explain why all four sides of the field must be marked to indicate that the entire field is *tamei.* Marking only one boundary is insufficient to indicate that the entire field is *tamei,* since we do not distance the marker from the *tumah.* [However, this explanation is difficult to understand, for how would a marker on one side of a field indicate how far the *tumah* extends in the other direction? And if it would be understood as marking the entire field, it could be placed right where the *tumah* begins, so that it would not be distant from the location of the *tumah!* See *Chazon Ish* §135 for an explanation of *Rashi*; see also *Tosafos* ד״ה דאמר מר, who cite a variant version of the text.]

17. The expression "They go out etc." implies that it is not merely *permitted* for the agents of *beis din* to inspect for *kilayim* on Chol HaMoed, but rather, this is the set time at which they are sent out. The reason is because Pesach is when the grain begins to grow and any *kilayim* becomes noticeable (*Rashi ms., Tos. HaRosh, Talmid R' Yechiel MiParis;* see also 2a note 15).

18. The following citation parallels the Mishnah in *Shekalim* 1:1, but is worded somewhat differently. *Rashi* and *Talmid R' Yechiel MiParis* seem to have had a different text, according to which the language here is identical with the text in *Shekalim.*

19. Each adult Jewish male was required to give a half-*shekel* to the Temple fund annually for the purpose of buying communal sacrifices. The Torah (*Numbers* 28:14) states: זֹאת עֹלַת חֹדֶשׁ בְּחָדְשׁוֹ לְחָדְשֵׁי הַשָּׁנָה, *this is the offering of the new moon at its renewal for the months of the year.* And the Gemara (*Rosh Hashanah* 7a) derives from this that each year the communal offerings must be "renewed," i.e. brought from newly donated funds. The new donations were required by Rosh Chodesh Nissan, and therefore, a proclamation was issued thirty days earlier, on Rosh Chodesh Adar, to remind everyone that their *shekalim* were due in the Temple (*Rashi*).

20. [With the approach of spring,] they warned people not to plant *kilayim* (*Rashi ms.;* cf. *Rav, Shekalim* 1:1).

21. *Rashi;* see *Megillah* 2a-b. [In other towns, the Scroll is read on 14 Adar. The Mishnah focuses on the reading of 15 Adar because it has an entire list of events that occurred on this day (*Tosafos* ד״ה בט״ו).]

22. In Tractate *Shekalim,* the text reads וּמְתַקְּנִין אֶת הַדְּרָכִים וְאֶת הָרְחוֹבוֹת, *and they repair the roads and streets.* Any thoroughfare that suffered damage during the winter would be repaired so that people would be able to make the pilgrimage to Jerusalem for Passover (*Talmid R' Yechiel MiParis;* see *Rav* to *Shekalim*).

23. The text in Tractate *Shekalim* reads וְאֶת מִקְוָאוֹת הַמַּיִם, *[and they repair] . . . the ritual baths.* The Rishonim explain that the public servants cleansed the pools of the mud and other debris that accumulated in them as a result of the winter rains. Thus, the *mikvaos* could be filled to capacity before Pesach, when people would need to purify themselves in order to be able to make the festival offering (*Rashi, Talmid R' Yechiel MiParis*).

24. Since some markers might have been obliterated during the winter months (*Rashi ms.;* cf. *Talmid R' Yechiel MiParis*).

25. One might wonder why the Gemara focuses only on this contradiction and not on the numerous other contradictions between our Mishnah and the one in *Shekalim.* Our Mishnah teaches that roads, streets and ritual baths are repaired and graves are marked on Chol HaMoed, whereas the Mishnah in *Shekalim* states that all these things are done on 15 Adar!? Realistically, however, these rulings are not contradictory at all, since all those chores might have been done on both dates. Even if the repairs were completed on 15 Adar, more rain might fall and create further damage, thus necessitating additional repairs. With regard to *kilayim,* however, once the agents of the court uproot all the new growth on 15 Adar, there is nothing left for them to uproot on Chol HaMoed (*Rashi*).

Rashi ms. and *Talmid R' Yechiel MiParis* explain further that since repairs must often be repeated, our Mishnah does not mean that these *must* be done on Chol HaMoed, but that they *may* be done on Chol HaMoed. Thus, the work began on 15 Adar, as stated in *Shekalim,* but if it was not completed before Pesach, or new damage occurred, further repairs were permitted on Chol HaMoed. *Kilayim,* on the other hand, needs to be uprooted only once each season. Thus, when our Mishnah states that the agents go out for this purpose on Chol HaMoed, it obviously means that they *should* do it on Chol HaMoed, because by that time the new crop has grown enough for any *kilayim* to be identified. This contradicts the Mishnah in *Shekalim,* which states that the proper time is 15 Adar. See Gemara below.

ודלמא טומאה מגואי ואילנות מבראי במסובבין ואיבעית אימא הא אמרן (א) אין מרחיקין ציון ממקום טומאה שלא להפסיד את א"י ר' יהודה אומר עד שיהא שם זקן או תלמיד לפי שאין הכל בקיאין בדבר אמר אביי שמע מינה צורבא מרבנן דאיכא במתא כל מילי דמתא עליה רמיא אמר רב יהודה [א]מצא אבן מצויינת תחתיה טמא שתים אם יש סיד בינהן טמא ואם אין סיד בינהן טהור ואע"ג דליכא חורש והתניא (ב)מצא אבן אחת מצויינת תחתיה טמא שתים אם יש חורש בינהן טהור ואם לאו בינהן טמא אמר רב פפא [ב]הכא כשהסיד שפוך על ראשיהן ומרודה לכאן ולכאן אי איכא חורש בינהן טהור דאימור מחמת חורש הוא (א) דאיקפל ואי לא סיד דביני ביני הוא וטמא א"ר אסי [ג]מצר אחד מצוין הוא טמא וכל השדה כולה טהורה שנים הם טמאין וכל השדה כולה טהורה שלשה הם טמאין וכל השדה כולה טהורה ארבעה הן טהורין וכל השדה כולה טמאה דאמר מר (ג)אין מרחיקין ציון ממקום טומאה שלא להפסיד את א"י: ויוצאין אף על הכלאים: ואכלאים בחולו של מועד נפקינן ורמינהו (ד)[ד]באחד באדר משמיעין על השקלים [ה]ועל הכלאים [ו]בחמשה עשר בו קורין את המגילה בכרכים ויוצאין לקווץ את הדרכים ולתקן הרחובות ולמוד המקואות ועושין כל צורכי רבים ומציינין את הקברות ויוצאין על הכלאים רבי אלעזר ורבי יוסי בר חנינא חד אמר [ז]כאן בבכיר כאן באפיל וחד אמר כאן בזרעים כאן בירקות א"ר אסי א"ר יוחנן [ח]לא שנו אלא שאין ניצן ניכר אבל ניצן ניכר יוצאין עליהן מאי שנא בחולו של מועד דנפקינן אמר רבי יעקב אמר רבי יוחנן משום שכר פעולה דמוזלי גבן אמר רב זביד ואיתימא רב משרשיא שמע מינה כי יהבינן להו שכר מתרומת הלשכה יהבינן להו דאי סלקא דעתך מדידהו יהבינן להו מאי נפקא לן מינייהו כל כמה דבעו ליתן להו ועד כמה אמר רב שמואל בר יצחק [ט]כאותה ששנינו (ה)כל סאה שיש בה

רובע

רש"י

ודלמא טומאה מגואי. ולא בין האילנות ולא נחרש במקום טומאה: (ב) מסובבין. שאינן עומדין בשורה אחת סביב הגבולין אלא מעורבין בכל השדה דודאי נחרש כל השדה בשביל האילנות: הא אמרן אין מרחיקין ציון ממקום טומאה. וכיון שסמוך לאילנות הציון ודאי טומאה בין האילנות היא ונחרש בשביל האילנות: כל מילי דמתא עליה רמיא. דתלמיד בקי הוא: מצא אבן אחת מצויינת. בסיד תחתיה טמא ומפי מורי הזקן אבן אחת מצויינת שיש סיד על גבה דאינו צריך להרחיק הציון מן האבן לפי שהאבן גבוה על גבי קרקע ורואה את הציון מיד קודם שיהא נוגע בו אבל בשדה מרחיקין לה ציון בסמוך דזמנין לא חזי ציון עד דאתי ונגע ומאהיל: שתים. מצויינות תחתיהן טמא אבל ביניהן אם יש סיד ביניהם על הארץ טמא דמשום ציון הוא: אע"ג דליכא חורש. שלא חרש ביניהם מעולם טהור כי ליכא סיד: אם אין חורש ביניהן טמא. ואע"ג דליכא סיד לפי שציין את האבנים שמכאן ומכאן לא חשש לציין בינתים: הכא. דקתני כי ליכא חורש טמא כגון סיד שפוך על ראשי אבנים ומרודה לכאן ולכאן ביניהן דאי איכא חורש מחמת חורש הוא (ג) דאיקלף שנקלף מן האבנים ונפלו שם ביניהם וטהור ואי לא סיד דביני ביני הוא ומחמת ציון נעשה שם להודיע שיש גם ביניהם טומאה: אין מרחיקין ציון ממקום טומאה. ולהכי ציין כל ארבעה מצריו דתהא כל השדה נטמאה ובציון דמצר אחד לא סגי לכולה דאין מרחיקין ציון ממקום טומאה: ואכלאים בחולו של מועד נפקינן ורמינהו באחד באדר משמיעין על השקלים. שיהו ישראל מביאין תרומת שקלים בניסן דכתיב בחדשו לחדשי השנה חדש והבא לי קרבן מתרומה חדשה: בכרכים. המוקפין חומה מימות יהושע בן נון: ואת מקואות המים. מקוות המים של מ' סאה שחוטטין אותן מן הזבל שנכנס לתוכן כל ימות הגשמים והאי דלא פריך נמי בגמרא אשאר מתני' דתני ומתקנים הדרכים והרחובות בחולו ש"מ והכא תנא בט"ו באדר משום דלאו פירכא הוא דבדין הוא דמתקנין להו תרי זימני דכי מתקן בט"ו באדר אתו גשמים ומקלקלי להו והדרי ומתקני להו בחולו של מועד אבל אכלאים כיון דעקרו להו לגמרי בחמשה עשר באדר למה לי למיפק בו בחולו של מועד ולהכי קא מיבעיא: כאן בבכיר כאן באפיל. על הבכירות יוצאים בט"ו באדר על האפילות בחולו של מועד דפסח: בזרעים. על התבואה יוצאין בט"ו באדר שקודמין לירקות: לא שנו. דאין יוצאין עליהם קודם אדר וקודם חולו של מועד: משום שכר פעולה דמוזלי גבן. כלומר שיכול לשכור פועלין בזול לפי שאינן עוסקין במלאכה בחולו של מועד: שמע מינה. מדעסקינן לשכור פועלים בזול: כי יהבינן להו. שכירות לפועלים דבטלי כלאים: דאי סלקא דעתך מדידהו. דבעל הבית (ד) יהיב להו אמאי יוצאין להכי בחולו של מועד משום שכר פעולה לבטלו בכל זמן אף על גב דליכא שכר פעולה בזול וכל מה דבעי ליתב להו אלא מתרומת הלשכה יהבינן להו וכל כמה דמצינן לצמצם מעות דהקדש עבדינן: ועד כמה. הוי כלאים דחייב לבטלו:

תוספות

אם יש סיד ביניהם. הציון הוא מסיד כדתנן פרק ה' דמעשר שני (מ"א) ומייתי לה פרק מרובה (ב"ק סט. ושם) אם יש סיד ביניהם לא ידענא כמה: אע"ג דליכא חרש. גרסינן ומצאתי מפרש חרש דומה הוא לחרסית ואין לבן כמו סיד וי"ל פירושו אם יש חרסית ביניהם (ה) דומה שמציינין להודיע שהוא טהור שעד שם אין בית הקברות שאינה לבן בינתים: אמר רב פפא כשהסיד שפוך. פירוש ודאי כי ליכא סיד וחרסית טהורין אבל כשהוא מרובה ושפוך על ראשו אז צריך חרסית שאם יש חרסית יש לתלות שנתן לצידי האבן חרסית והסיד נתחבר בו ונרפו הסיד שעל ראשו עמה ואם אין חרסית א"כ סיד הוא של ציון בינתים ולפירוש הקונטרס גרסינן אף על גב דליכא חורש (ו) ומפרש ביניהם טהור דאינתקא לה טומאה דהוי לה קבר שנחרש ותימה לי נהי דטהור מטומאת אהל טהור לא הוי דהוי כמו שדה שנחרש בה קבר ושמא טהור מאהל קאמר א"נ לגמרי ע"י דישה וניפוח א"נ ביניהם איכא טובא ספיקות ושרי ספק אי איכא ציון (ז) הטומאה שביניהם אי לא ואפילו איכא ציון הרי נחרש ומצאתי מפרש דהשתא סלקא דעתיה דה"פ אם יש ביניהם חורש טהור דודאי לא היה שם טומאה דאם היה ביניהם לא היה חורשו אדם תימה לי אמאי לא פריך דקתני בקמייתא אם יש סיד ביניהם בינתים טמא אע"ג דאיכא חורש והכא קתני אם יש חורש ביניהם טהור ואע"ג דאיכא סיד וי"ל דסלקא דעתיה דהך בתרייתא איירי בדליכא סיד דכי איכא סיד לא היה טהור לעולם דהא אין מציינין אם לאו על הטומאה (ח) וכי חורשו לא יהא טהור ולהכי לא מקשה כי אם מסיפא דברייתא קמייתא דאיירי בדליכא סיד: דאמר מר אין מרחיקים. כך פירש בתוספתא ובקונט' ובספרים מצאתי דאמר מר אין מעמידין ציון כו' ולפי זה אינו נותן טעם למה כל השדה טמא אלא נותן טעם למה תחתיהן טהורין דאין מעמידין ציון במקום הטומאה ונהי דברות אחד או שנים או שלשה יש לנו לומר דכל תחתיה טמא כי אין הטומאה בפחות מן הציון אבל בארבעה יש לתלות הטומאה בכל השדה לפיכך תחתיהן טהורים: ואכלאים בחולו של מועד נפקינן. במשנה פי' מאי טעמא לא מקשה על אינך ובירושל' מקשה מציינין על הקברות ולא כבר ציינו ומתרץ כגון שירד שטף מים של גשמים ושטפו: בט"ו קורין את המגילה. הוי מצי למתני בי"ד בו (בכפרים) אלא משום דט"ו זמן דדברים אחרים הוא כגון ומתקנין את הדרכים וכו': דמוזלי גבן. למ"ד לקמן (דף יג.) שכר פעולה שאין לו מה יאכל שרי ניחא שיכולין ליטול שכרן אלא למאן דאמר אסור לא ידעינן היכן ישכרו פועלים במועד ושמא יש לומר דהני דמצות התירו: מתרומת הלשכה. אין להקשות הא אית בהן מעילה דלב ב"ד מתנה עלייהו ובפרק בתרא דכתובות (דף קו. ושם) איכא מילי טובא שנוטלין שכרן מתרומת הלשכה: שיש בה רובע. פירוש כשרואה לזרוע דהא קתני סיפא ר' יוסי אומר יבור והא לא שייך בנזרע כבר ובפרק המוכר פירות (ב"ב דף לד. ושם) מייתי לה מיהו בשמעתין דאיירי בנזרע כבר יש לומר דלא פליגי:

ואין

מסורת הש"ס

א) [לעיל ה:], ב) [תוספתא שקלים פ"א], ג) [לעיל ה:], ד) מגילה יג: כט. שקלים פ"א מ"א, ה) כלאים פ"ב מ"א ב"ב לד., ו) [צ"ל בשאר עיירות].

הגהות הב"ח

(א) גמ' דאימור מחמת חורש הוא דאיקלף ואי לא סיד: (ב) רש"י ד"ה מסובכין נ"ל במסובכין: (ג) שם ד"ה הכא כו' מחמת חורש הוא הס"ד ואח"כ מה"ד דאיקלף כו' וטהור הס"ד ומה"ד ואי לא כו': (ד) ד"ה דאי ס"ד מדידהו דבעל הבית יהבינן להו אמאי: (ה) תוס' ד"ה אע"ג כו' אם יש חרסית ביניהם שאינה לבן בינתים דומה שמציינין וכו' אין בית הקברות הס"ד: (ו) ד"ה אמר כו' אע"ג דליכא חורש ביניהם טהור ומפרש דאינתקא כו': (ז) בא"ד אי איכא ציון על הטומאה שביניהן: (ח) בא"ד אם לאו על הטומאה ואפילו חורשו לא:

רש"י כת"י

במסובכין. וסמוכין זה לזה שכל השדה מליאה אילנות וסמוכין ביותר ואגב אילנות חרש זה כל השדה כולה הילכך כי יש בה אילנות בכולה בידוע שנחרש בה קבר ומותר ליכנס דאין כאן טומאת אוהל. ואיבעית אימא. שלא במסובכין ואפי' הכי מותר ליכנס לתוך אותה השדה בנפיחה דאי לאו הוה נמי ספק טומאה על הגבולין לא היה שם ציון דהא אמרן אין מרחיקין וכו' ועל כרחיך אילנות שאצל הציון בחזקת ספק טומאה ואעפ"כ חרשן זה אלמא הוחזק זה לחרוש ספק קברות הילכך כולה שדה נמי חרש וכן עיקר מפי מורי. אבן אחת מצויינת. שיש סיד על גבה דאינו צריך להרחיק ציון מזה אבן לפי שהוא גבוה מעל גבי הקרקע ורואה את הציון מיד קודם שהוא נוגע אבל בשדה מרחיקין לו ציון בסמוך זימנין דלא חזי ליה עד דאתא ונוגע ומאהיל. שתיים. מצויינות תחתיהן טמא אבל ביניהן אם יש סיד ביניהן על הארץ [טמא] דמשום ציון הוא. ואע"ג דליכא חרש. דליכא חרישה ביניהן טהור כי ליכא סיד. ואם. אין חרש ביניהן טמא ואע"ג דליכא סיד דאיכא למימר לפי שציין האבנים מכאן ומכאן לא חש לציין בינתים. הכא. דקתני כי ליכא חורש טמא כגון שיש סיד שפוך על ראש האבנים ומרודה לכאן ולכאן אי איכא חרש מחמת חרש הוא. דאיקפל. שנקפל מן האבן ונפל שם ביניהם וטהור. ואם לא סיד דביני ביני הוא. ומחמת ציון הוא נעשה שם להודיע שיש גם ביניהם טומאה. מצר. שסביב השדה גבוה מציון שהסיד על גביו דומיא דאבן כדפרישית. הוא. תחתיו. כל השדה כולה טהורה. שאם היתה טומאה היה לה ציון מארבע רוחות. ארבעה [הן] טהורין. ולא אמרינן דלהוו טמאין והשדה טהורה דכיון שהן כשאר ספק טומאה מצויינת מד' רוחותיה מחזקינן לה לאה שדה כולה בחזקת טומאה משום הכי כולה טמא ולא אמרינן דמקצתן מחזקינן ולא כולה ויכול ליכנס סמוך למצר דאם איתא דאינה טמאה ... לא היה מרחיק הציון למצריה [ממקום טומאה והן] טהורין ולא אמרינן דלהוי נמי טמאין אלא מחזקינן ואמרינן שלא העמיד ציון במקום טומאה הואיל ומצויין כדרך שאר שדות דאם איתא דהוי ספק טומאה במצרים היה מציין על המצרין עצמן אף על פי שנראין דומיא ... לגבולין שלה ולהכי קיימי גבולין [illegible]

עין משפט נר מצוה

מט א ב ג מיי' פ"ח מהלכות טומאת מת הלכה יא:
נ ד מיי' פ"א מהלכות שקלים הלכה ט סמג עשין מה:
נא ה מיי' פ"ב מהל' כלאים הלכה טו:
נב ו מיי' פ"א מהל' מגילה הל' ד סמג עשין דרבנן ד טוש"ע א"ח סי' תרפח סעיף א:
נג ז ח מיי' פ"ב מהל' כלאים הלכה טו והלכה יז:
נד ט מיי' שם הלכה טז:

רבינו חננאל

עומדין על הגבולין וניחוש דלמא טומאה גואי ואילנות על הגבולין בראי. ופרקינן במסובכין. איבעית אימא כדאמר אין מרחיקין ציון ממקום הטומאה שלא להפסיד את א"י. ר' יהודה אומר עד שיהא שם זקן או תלמיד שתיקן זה הציון לפי שאין הכל בקיאין בדבר. ש"מ צורבא מדרבנן דאיתיה במתא כל מילי דמתא עליה רמיא. אמר רב יהודה מצא אבן אחת מצויינת תחתיה טמא שתים אם יש סיד ביניהן טמא ואם לאו טהור ואם היה הסיד שפוך על ראשיהן ומרודה לכאן ולכאן אי א) איכא חרש ביניהן טמא דאמרי' מחמת חרש הוא דאיקפל ואם לאו סיד דביני ביני הוא וטהור. א"ר אסי מצא ציון מצד אחד הוא הצד טמא וכל השדה טהורה וכן ג' הן טמאין וכל השדה טהורה ד' השדה כולה טמאה והציונין שהציון בהן טהורין. דאמר מר אין מרחיקין ציון ממקום טומאה שלא להפסיד את א"י כו': ויוצאין אף על הכלאים. ומקשינן איני דבחולו של מועד יוצאין על הכלאים והתנן בט"ו באדר יוצאין על הכלאים. ופרקינן בבכיר יוצאין בט"ו באדר. באפיל יוצאין בחולו של מועד וי"א כאן בזרעים וכאן בירקות וא"ר יוחנן לא שנו בחולו של מועד אלא שאין ניצן ניכר פי' ציץ שלהן ניכר. אבל אם הציץ שלהן ניכר שהוא כלאים יוצאין לאלתר ואין שוהין אותן עד חולו של מועד. ומ"ש בחולו של מועד יוצאין על הכלאים א"ר יוחנן משום שכר פעולה עת שהפועלים בטלין ונשכרין בזול לעקור הזרעים ולהשליכן ובעינן למיתן להו אגרייהו מתרומת הלשכה. והני מילי במשנה שהתקינו להיות עוקרין הכלאים בלבד מתוך התבואה ומשליכין. אבל מה שהתקינו להיות מפקירין כל השדה כולה יוצאין אפי' בשאר הימים. ועושין כל צרכי רבים. ירושלמי אלו הן צרכי רבים דנין דיני נפשות ודיני ממונות ודיני מכות ופדיון שבוים ודיני ערכין והחרמין וההקדשות וההשקאות ועריפת עגלה וטהרת מצורע ורציעת עבד עברי. וכן מפרקין מנעל מעל האמום אבל אין מחזירין. ומציינין על הקברות. והלא ציין באדר כגון שרבו המים ושטפום. ויוצאין אף על הכלאים והלא כבר יצאו מאדר תיפתר שהיתה השנה אפילה ולא היו הצמחים ניכרים באדר:

חשק שלמה על ר"ח א) אולי צ"ל אי איכא חרש ביניהן טהור כו' דביני ביני הוא וטמא ואולי דרבינו היה לו גרסא אחרת.

them **said:** כָּאן בְּבָכִּיר כָּאן בְּאָפִיל – **Here** the Mishnah deals **with the early crop,** whereas **here** it deals **with the late crop.**[26] וְחַד אָמַר – **And** the other **one said:** כָּאן בִּזְרָעִים כָּאן בִּירָקוֹת – **Here** the Mishnah deals **with grains,** whereas **here** it deals **with vegetables.**[27]

The Gemara qualifies the preceding rules:

אָמַר רַבִּי אַסִּי אָמַר רַבִּי יוֹחָנָן – **R' Assi said in the name of R' Yochanan:** לֹא שָׁנוּ אֶלָּא שֶׁאֵין נִיצָן נִיכָּר – **They taught** that agents go out to inspect the crops no earlier than 15 Adar and Chol HaMoed of Pesach **only** regarding a season **when their sprouts are not recognizable** before these dates. אֲבָל נִיצָן נִיכָּר יוֹצְאִין עֲלֵיהֶן – **But if their sprouts are recognizable** earlier, **they go out for them** immediately.[28]

The Gemara inquires:

מַאי שְׁנָא בְּחוּלוֹ שֶׁל מוֹעֵד דְּנַפְקִינַן – **What is special about Chol HaMoed that we go out** just then to search for *kilayim*? Let us go out before or after the festival.[29] – ? –

The Gemara answers:

אָמַר רַבִּי יַעֲקֹב אָמַר רַבִּי יוֹחָנָן – **R' Yaakov said in the name of R' Yochanan:** מִשּׁוּם שְׂכַר פְּעוּלָּה דְּמוּזְלֵי גַּבָּן – It is **because of the** inspectors' **wages, which they reduce for us** when they work on Chol HaMoed.[30]

An inference is drawn from this:

אָמַר רַב זְבִיד וְאִיתֵּימָא רַב מְשַׁרְשְׁיָא – **Rav Zevid, and some say** it was **Rav Mesharshiya, said:** שְׁמַע מִינָּהּ כִּי יָהֲבִינַן לְהוּ שָׂכָר – **Learn from this** that **when we pay [the inspectors]** their **wages,** מִתְּרוּמַת הַלִּשְׁכָּה יָהֲבִינַן לְהוּ – **we pay them from** funds **withdrawn from the chamber** of the Temple treasury.[31] דְּאִי סַלְקָא דַּעְתָּךְ מִדִּידְהוּ יָהֲבִינַן לְהוּ – **For if it would enter your mind** to say that **we pay them from** funds that are **theirs,** i.e. that we extract their pay from violators whose *kilayim* must be uprooted,[32] מַאי נַפְקָא לָן מִינַּיְיהוּ – **what difference do they make to us?**[33] כָּל כַּמָּה דְּבָעוּ לִיתֵּן לְהוּ – **Whatever [the inspectors] request should be given to them,** and there should be no reason to hire them on Chol HaMoed for the sake of reducing the cost! Clearly, we pay them from communal funds of the Temple treasury.

The Gemara investigates the requirement to uproot *kilayim*:

וְעַד כַּמָּה – **Up to what amount** of a variant species in a field is considered *kilayim* that we are required to uproot?[34] אָמַר רַב שְׁמוּאֵל בַּר יִצְחָק – **Rav Shmuel bar Yitzchak said:** כְּאוֹתָהּ שֶׁשָּׁנִינוּ – The amount is **like that which we learned in a Mishnah:**[35] כָּל סְאָה שֶׁיֵּשׁ בָּהּ – Concerning ANY *SE'AH* THAT CONTAINS

NOTES

26. The agents go out on 15 Adar to inspect for *kilayim* in the early-sprouting crop, and on Chol HaMoed Pesach they go out to inspect the late-growing crop (*Rashi*).

27. Grains are planted early enough (e.g. winter wheat; *Talmid R' Yechiel MiParis*) for the fields to be inspected in Adar, whereas vegetable patches which are planted in the spring cannot be inspected until Chol HaMoed Pesach (*Rashi, Rashi ms.*). This answer differs from the previous one in that it states that the inspectors focused on specific species on each of the inspection dates, rather than searching in general for "early" and "late" sprouting fields (*Rashi ms., Talmid R' Yechiel MiParis; see Sfas Emes*).

28. The dates of 15 Adar and Chol HaMoed Pesach were established as the normative times for inspection, because it is safe to assume that by these times any *kilayim* will have grown enough to be discerned by the inspectors. However, these were not strictly ordained as the *earliest* dates of inspection (*Talmid R' Yechiel MiParis*).

29. Since it is clear that the Mishnah does not mean to *permit* the *kilayim* inspection on Chol HaMoed, but to establish Chol HaMoed Pesach as the *proper* time for this inspection, the Gemara wonders why it must be done specifically during the festival [when labor is restricted]. The late-sprouting crop could just as well be inspected several days earlier or later (*Rashi ms., Talmid R' Yechiel MiParis*).

30. Since people do not perform their regular jobs on Chol HaMoed, it is possible for the court to hire inspectors at a cheaper rate (*Rashi*).

Tosafos ד״ה דמוזלי wonder how it is permitted for the people to hire themselves out as inspectors on Chol HaMoed, when working for pay is forbidden. They note that according to the Amoraic opinion (see below, 13a) that someone who has no money for food may hire himself out on Chol HaMoed, we may be dealing with such a person. However, the difficulty persists according to the opinion (ibid.) that even a destitute person may not hire himself out. *Tosafos* suggest that the Rabbis provided a dispensation for work that involves a mitzvah, such as the uprooting of *kilayim*. This means that even a person who has ample funds may hire himself out for such a purpose on Chol HaMoed (*Beis Yosef,* end of *Orach Chaim* §544, in explanation of *Tosafos;* see also *Magen Avraham* 544:5). Others explain that the inspection for and uprooting of *kilayim* is considered a public need, for which one may accept wages on Chol HaMoed (*Taz* 544:1, *Keren Orah;* for further discussion, see *Beur Halachah* 544:1 ד״ה צרכי רבים).

31. I.e. we use some of the funds that had been donated for the purchase of communal offerings (see note 19). [Some of these funds were also diverted to various other communal projects (see *Shekalim* 4:2-3 and *Kesubos* 106a-b). See *Tosafos* ד״ה מתרומת for the explanation of why this diversion of the funds was permitted. Cf. *Talmid R' Yechiel MiParis, Sfas Emes.*]

At any rate, since we pay the inspectors with funds from the Temple treasury, we seek to reduce the expense as much as possible (*Rashi*).

32. *Meiri.*

33. Why should we schedule the inspection for Chol HaMoed, if the payment will not come from public funds? (see *Rashi*). [*Meiri* explains as follows: Why should we take pains to lower the fees that are assessed to violators?]

34. *Rashi.* It is not unusual for a small amount of variant seeds to be mixed with the species that one plants. When this occurs inadvertently, the small amount is nullified and planting it does not constitute a violation (*Rash, Kilayim* 2:1; *Rambam, Hil. Kilayim* 2:1-6). The Gemara inquires concerning the case where inspectors find *kilayim* in a field: What is the measure that they are required to uproot, and what amount may they leave in place? Although it has not been stated that *anything* may be left in place, the one who asked the question knew that there is a threshold in this regard, and he presented the question as a way of leading up to his answer (*Ritva;* see *Chazon Ish, Kilayim* 1:16 and 6b note 2; cf. *Meiri*).

35. *Kilayim* 2:1.

ודלמא טומאה מגואי ואילנות מבראי במסובבין ואיבעית אימא הא אמרן [א] אין מרחיקין ציון ממקום טומאה שלא להפסיד את א"י ר' יהודה אומר עד שיהא שם זקן או תלמיד לפי שאין הכל בקיאין בדבר אמר אביי שמע מינה צורבא מרבנן דאיכא במתא כל מילי דמתא עליה רמיא אמר רב יהודה [א] מצא אבן מצויינת תחתיה טמא שתים אם יש סיד ביניהן טמא ואם אין סיד ביניהן טהור ואע"ג דליכא חורש והתניא [ב] מצא אבן אחת מצויינת תחתיה טמא שתים אם יש חורש ביניהן טהור ואם לאו ביניהן טמא אמר רב פפא [ב] הכא כשהסיד שפוך על ראשיהן ומרודה לכאן ולכאן אי איכא חורש ביניהן טהור דאימור מחמת חורש הוא (א) דאיקפל ואי לא סיד דביני ביני הוא וטמא א"ר אסי [ג] מצר אחד מצוין הוא טמא וכל השדה כולה טהורה שנים הם טמאין וכל השדה כולה טהורה שלשה הם טמאין וכל השדה כולה טהורה ארבעה הן טהורין וכל השדה כולה טמאה דאמר מר [ג] אין מרחיקין ציון ממקום טומאה שלא להפסיד את א"י: ויוצאין אף על הכלאים: ואכלאים בחולו של מועד נפקינן ורמינהו [ד] [ד] באחד באדר משמיעין על השקלים [ה] ועל הכלאים [ו] בחמשה עשר בו קורין את המגילה בכרכים ויוצאין לקווץ את הדרכים ולתקן הרחובות ולמוד המקואות ועושין כל צורכי רבים ומציינין את הקברות ויוצאין על הכלאים רבי אלעזר ורבי יוסי בר חנינא חד אמר [ז] כאן בבכיר כאן באפיל וחד אמר כאן בזרעים כאן בירקות א"ר אסי א"ר יוחנן [ח] לא שנו אלא שאין ניצן ניכר אבל ניצן ניכר יוצאין עליהן מאי שנא בחולו של מועד דנפקינן אמר רבי יעקב אמר רבי יוחנן משום שכר פעולה דמוזלי גבן אמר רב זביד ואיתימא רב משרשיא שמע מינה כי יהבינן להו שכר מתרומת הלשכה יהבינן להו דאי סלקא דעתך מדידהו יהבינן להו מאי נפקא לן מינייהו כל כמה דבעו ליתן להו ועד כמה אמר רב שמואל בר יצחק [ט] כאותה ששנינו [ה] כל סאה שיש בה רובע

רש"י

ודלמא טומאה מגואי. ולא בין האילנות ולא נחרש במקום טומאה: (ב) מסובבין. שאינן עומדין בשורה אחת סביב הגבולין אלא מעורבין בכל השדה דודאי נחרש כל השדה בשביל האילנות: הא אמרן אין מרחיקין ציון ממקום טומאה. וכיון שסמוך לאילנות הציון ודאי טומאה בין האילנות היא ונחרש בשביל האילנות: כל מילי דמתא עליה רמיא. דתלמיד בקי הוא: מצא אבן אחת מצויינת. בסיד תחתיה טמא ומפי מורי הזקן אבן אחת מצויינת שיש סיד על גבה דאינו צריך להרחיק הציון מן האבן לפי שהאבן גבוה על גבי קרקע ורואה את הציון מיד קודם שיהא נוגע בו אבל בשדה מרחיקין לה ציון בסמוך דזמנין לא חזי ציון עד דאתי ונגע ומאהיל: שתים. מצויינות תחתיהן טמא אבל ביניהן אם יש סיד ביניהם על הארץ טמא דמשום ציון הוא: אע"ג דליכא חורש. שלא חרש ביניהם מעולם טהור כי ליכא סיד: אם אין חורש ביניהן טמא. ואע"ג דליכא סיד לפי שציין את האבנים שמכאן ומכאן לא חשש לציין בינתים: הכא. דקתני כי ליכא חורש טמא כגון סיד שפוך על ראשי אבנים ומרודה לכאן ולכאן ביניהן דאי איכא חורש מחמת חורש הוא (ג) דאיקלף שנקלף מן האבנים ונפלו שם ביניהם וטהור ואי לא סיד דביני ביני הוא ומחמת ציון נעשה שם להודיע שיש גם ביניהם טומאה: אין מרחיקין ציון ממקום טומאה. ולהכי ציין כל ארבעה מצריו דתהא כל השדה נטמאה ובציון דמצר אחד לא סגי לכולה דאין מרחיקין ציון ממקום טומאה: ואכלאים בחולו של מועד נפקינן ורמינהו באחד באדר משמיעין על השקלים. שיהו ישראל מביאין תרומת שקלים בניסן דכתיב בחדשו לחדשי השנה חדש והבא לי קרבן מתרומה חדשה: בכרכים. המוקפין חומה מימות יהושע בן נון: ואת מקואות המים. מקואות המים של מ' סאה שחוטטין אותן מן הזבל שנכנס לתוכן כל ימות הגשמים והאי דלא פריך נמי בגמרא אשאר מתני' דתני ומתקנים הדרכים והרחובות בחולו ש"מ והכא תנא בט"ו באדר משום דלאו פירכא הוא דבדין הוא דמתקנין להו תרי זימני דכי מתקן בט"ו באדר אתו גשמים ומקלקלי להו והדרי ומתקני להו בחולו של מועד אבל אכלאים כיון דעקרו להו לגמרי בחמשה עשר באדר למה לי למיפק בו בחולו של מועד ולהכי קא מיבעיא: כאן בבכיר כאן באפיל. על הבכירות יוצאים בט"ו באדר על האפילות בחולו של מועד דפסח: בזרעים. על התבואה יוצאין בט"ו באדר שקודמין לירקות: לא שנו. דאין יוצאין עליהם קודם אדר וקודם חולו של מועד: משום שכר פעולה דמוזלי גבן. כלומר שיכול לשכור פועלין בזול לפי שאינן עוסקין במלאכה בחולו של מועד: שמע מינה. מדעסקינן לשכור פועלים בזול: כי יהבינן להו. שכירות לפועלים דבטלי כלאים: דאי סלקא דעתך מדידהו. דבעל הבית (ד) יהיב להו אמאי יוצאין להכי בחולו של מועד משום שכר פעולה לבטלו בכל זמן אף על גב דליכא שכר פעולה בזול וכל מה דבעי ליתב להו אלא מתרומת הלשכה יהבינן להו וכל כמה דמצינן לנמנם מעות דהקדש עבדינן: ועד כמה. הוי כלאים דחייב לבטלו:

תוספות

אם יש סיד ביניהם. הציון הוא מסיד כדתנן פרק ה' דמעשר שני (מ"א) ומייתי לה פרק מרובה (ב"ק סט. ושם) אם יש סיד ביניהם לא ידענא כמה: אע"ג דליכא חרס. גרסינן ומלאתי מפרש חרס דומה הוא לחרסית ואין לבן כמו סיד וצ"ל פירושו אם יש חרסית ביניהם (ה) דומה שמציינין להודיע שהוא טהור שעד שם אין בית הקברות שאינה לבן בינתים: אמר רב פפא כשהסיד שפוך. פירוש ודאי כי ליכא סיד וחרסית טהורין אבל כשהוא מרודה ושפוך על ראשו אז צריך חרסית שאם יש חרסית יש לתלות שנתן לצידי האבן חרסית והסיד נתחבר בו ונרפו הסיד שעל ראשו עמה ואם אין חרסית א"כ סיד הוא של ציון בינתים ולפירוש הקונטרס גרסינן אף על גב דליכא חורש (ו) ומפרש ביניהם טהור דאינתקא לה טומאה דהוי לה קבר שנחרש ותימה לי נהי דטהור מטומאת אהל טהור לא הוי דהוי כמו שדה שנחרש בה קבר ושמא טהור מאהל קאמר א"נ לגמרי ע"י דישה וניפוח א"נ ביניהם איכא טובא ספיקות ושרי ספק אי איכא ציון (ז) הטומאה שביניהם אי לא ואפילו איכא ציון הרי נחרש ומלאתי מפרש דהשתא סלקא דעתיה דה"פ אם יש ביניהם חורש טהור דודאי לא היה שם טומאה דאם היה ביניהם לא היה חורשו אדם תימה לי אמאי לא פריך דקתני בקמייתא אם יש סיד ביניהם בינתים טמא אע"ג דאיכא חורש והכא קתני אם יש חורש ביניהם טהור ואע"ג דאיכא סיד וצ"ל דסלקא דעתיה דהך בתרייתא איירי בדליכא סיד דכי איכא סיד לא היה טהור לעולם דהא אין מציינין אם לאו על הטומאה (ח) וכי חורשו לא יהא טהור ולהכי לא מקשה כי אם מסיפא דברייתא קמייתא דאיירי בדליכא סיד: דאמר מר אין מרחיקים. כך פירש בתוספתא ובקונט' ובספרים מלאתי דאמר מר אין מעמידין ציון כו' ולפי זה אינו נותן טעם למה כל השדה טמא אלא נותן טעם למה תחתיהן טהורין דאין מעמידין ציון במקום הטומאה ונהי דברות אחד או שנים או שלשה יש לנו לומר דכל תחתיה טמא כי אין הטומאה בפחות מן הציון אבל בארבעה יש לתלות הטומאה בכל השדה לפיכך תחתיהן טהורים: ואכלאים בחולו של מועד נפקינן. במשנה פי' מאי טעמא לא מקשה על אינך ובירושל' מקשה מציינין על הקברות ולא כבר ציינו ומתרץ כגון שירד שטף מים של גשמים ושטפו:

בט"ו קורין את המגילה. הוי מצי למתני בי"ד בו [י] (בכפרים) אלא משום דט"ו זמן לדברים אחרים הוא כגון ומתקנין את הדרכים וכו':

דמוזלי גבן. למ"ד לקמן (דף יג.) שכר פעולה שאין לו מה יאכל שרי ניחא שיכולין ליטול שכרן אלא למאן דאמר אסור לא ידעינן היכן ישכרו פועלים במועד ושמא יש לומר דהני דמלות התירו:

מתרומת הלשכה. אין להקשות הא אית בהן מעילה דלב ב"ד מתנה עלייהו ובפרק בתרא דכתובות (דף קו. ושם) איכא מילי טובא שנוטלין שכרן מתרומת הלשכה:

שיש בה רובע. פירוש כשרולה לזרוע דהא קתני סיפא ר' יוסי אומר יבור והא לא שייך בנזרע כבר ובפרק המוכר פירות (ב"ב דף לד. ושם) מייתי לה מיהו בשמעתין דאיירי בנזרע כבר יש לומר דלא פליגי: ואין

עין משפט נר מצוה

מט א ב ג מיי' פ"ח מהלכות טומאת מת הלכה יא:
נ ד מיי' פ"א מהלכות שקלים הלכה ט סמג עשין מה:
נא ה מיי' פ"ב מהל' כלאים הלכה טו:
נב ו מיי' פ"א מהל' מגילה הל' ו סמג עשין דרבנן ד טוש"ע א"ח סי' תרפח סעיף א:
נג ז ח מיי' פ"ב מהל' כלאים הלכה טו והלכה יז:
נד ט מיי' שם הלכה טו:

רבינו חננאל

עומדין על הגבולין וניחוש דלמא טומאה גואי ואילנות על הגבולין בראי. ופרקינן במסובבין. איבעית אימא כדאמר אין מרחיקין ציון ממקום הטומאה שלא להפסיד את א"י. ר' יהודה אומר עד שיהא שם זקן או תלמיד שתיקן זה הציון לפי שאין הכל בקיאין בדבר. ש"מ צורבא מדרבנן דאיתיה במתא כל מילי דמתא עליה רמיא. אמר רב יהודה מצא אבן אחת מצויינת תחתיה טמא שתים אם יש סיד ביניהן טמא ואם לאו טהור ואם היה הסיד שפוך על ראשיהן ומרודה לכאן ולכאן אי א) איכא חרש ביניהן טמא דאמרי' מחמת חרש הוא דאיקפל ואם לאו סיד דביני ביני הוא וטהור. א"ר אסי מצא ציון מצד אחד הוא הצד טמא וכל השדה טהורה וכן ג' הן טמאין וכל השדה טהורה ד' השדה כולה טמאה והציונין שהציון בהן טהורין. דאמר מר אין מרחיקין ציון ממקום טומאה שלא להפסיד את א"י כו': ויוצאין אף על הכלאים. ומקשינן איני דבחולו של מועד יוצאין על הכלאים והתנן בט"ו באדר יוצאין על הכלאים. ופרקינן בבכיר יוצאין בט"ו באדר. באפיל יוצאין בחולו של מועד וי"א כאן בזרעים וכאן בירקות וא"ר יוחנן לא שנו בחולו של מועד אלא שאין ניצן ניכר פי' ציץ שלהן ניכר. אבל אם הציץ שלהן ניכר שהוא כלאים יוצאין לאלתר ואין שוהין אותן עד חולו של מועד. ומ"ש בחולו של מועד יוצאין על הכלאים א"ר יוחנן משום שכר פעולה עת שהפועלים בטלין ונשכרין בזול לעקור הזרעים ולהשליכן ובעינן למיתן להו אגריהו מתרומת הלשכה. והני מילי במשנה שהתקינו להיות עוקרין הכלאים בלבד מתוך התבואה ומשליכין. אבל מה שהתקינו להיות מפקירין כל השדה כולה יוצאין אפי' בשאר הימים. ועושין כל צרכי רבים. ירושלמי אלו הן צרכי רבים דנין דיני נפשות ודיני ממונות ודיני מכות ופדיון שבוים ודיני ערכין והחרמין וההקדשות וההשקאות ועריפת עגלה וטהרת מצורע ורציעת עבד עברי. וכן מפרקין מנעל מעל האמום אבל אין מחזירין. ומציינין על הקברות. והלא ציין באדר כגון שרבו המים ושטפום.

מסורת הש"ס

א) [לעיל ה:], ב) [תוספתא שקלים פ"א], ג) [לעיל ה:], ד) מגילה יג: כט. שקלים פ"א מ"א, ה) כלאים פ"ב מ"א ב"ב לד., ו) [צ"ל בשאר עיירות].

הגהות הב"ח

(א) גמ' דאימור מחמת חורש הוא דאיקלף ואי לא סיד: (ב) רש"י ד"ה מסובבין נ"ל במסובבין: (ג) שם ד"ה הכא כו' מחמת חורש הוא דאיקלף ואח"כ מה"ד דאיקלף כו' וטהור הס"ד ומה"ד ואי לא כו': (ד) ד"ה דאי כו' מ"ד מדידהו דבעל הבית יהבינן להו מאי: (ה) תוס' ד"ה אע"ג כו' אם יש חרסית ביניהם שאינה לבן בינתים דומה שמציינין וכו' אין בית הקברות: (ו) ד"ה אמר כו' אע"ג דליכא חורש ביניהם טהור ומפרש דאינתקא כו': (ז) בא"ד אי איכא ציון הטומאה שביניהם: (ח) בא"ד אם לאו על הטומאה ואפילו חורשו לא:

רש"י כת"י

במסובבין. ומכוין זה לזה שכל השדה מלאה אילנות ומכוין ביותר ואגב אילנות חרש הוא כל השדה כולה הילכך כי יש בה אילנות בכולה בידוע שנחרש בה קבר ומותר ליכנס דאין טומאת אוהל. ואיבעית אימא. שלא במסובבין ואפ"ה מותר ליכנס לתוך אותה השדה כשהיה דלא הוי נמי ספק טומאה על הגבולין לא היה שם ציון דהא אמרן אין מרחיקין וכו' ועל כרחך שלא הציון בחזקת ספק טומאה. ... מצויינת. שיש סיד על גבה דאינו צריך להרחיק ציון מזה אבן לפי שהוא גבוה מעל גבי קרקע ורואה אם האבן מיד קודם שהוא נוגע בה אבל בשדה מרחיקין הציון בסמוך דזמנין לא חזי ליה עד דאתי ונגע ומאהיל. שתיים. מצויינות תחתיהן טמא אבל ביניהן אם יש סיד ביניהן טמא דמשום ציון הוא. ואע"ג דליכא חרש. ... הכא. דקתני כי ליכא חורש טמא כגון שיש סיד שפוך על ראשי אבנים ומרודה לכאן ולכאן ולאו ליכא חרש מחמת חרש הוא. דאיקלף. שנקלף מן האבן ונפל שם ביניהם וטהור. ואם לא סיד דביני ביני הוא. ומחמת ציון הוא נעשה שם להודיע שיש גם ביניהם טומאה. מצר. שסביב השדה גבוה מציון שהסיד על גביו דומיא דאבן כדפרישית. הוא. תחתיו. כל השדה כולה טהורה. שאם היתה טומאה היה לה ציון מארבע רוחות. ארבעה [הן] טהורין. ולא אמרינן דלהוו טמאין והשדה טהורה דכיון שכן כשאר ספק טומאה מצויינת מד' רוחותיה מחזקינן לה להא שדה כולה בחזקת טומאה משום הכי כולה טמא ולא אמרינן דמקלתן מחזקינן ולא כולה ויכול ליכנס סמוך למצר דאם איתא דאינה טמאה ... לא היה מרחיק הציון למצריה כדאמרי' אין מרחיקין [ממקום טומאה והן] טהורין ולא אמרינן דלהוי נמי טמאין כדרך שאר שדות דאם איתא דהוי ספק טומאה במצרים היה מציין על המצרין עצמן אף על פי שנראין דומיא דאבן מצויינת משו' דלא מסקי אינשי אדעתייהו דספק טומא' במצרין ואמרינן ציון זה אינו מחמתן אלא סביב למצרים מבחוץ היה מצוין להודיע דספק טומאה במצרים והא דאמרן לעיל [מצא] שדה מצויינת [היינו] שמצויינת חוץ לגבולין שלה והכי קיימי גבולין בספק טומאה. בחולו של מועד נפקי. דקתני ויוצאין דמשמע זמן קבוע שמתחילין לצאת מעכשיו משו' דזמן הנך תבואה הא מקמי הכי נפקי. באחד באדר משמיעין על השקלים. שהיו ישראל מביאין תרומת שקלים בניסן דכתי' בחדשו לחדשי השנה חדש והבא קרבן מתרומה חדשה. ועל הכלאים. משמיעין שלא יזרע כלאים. בכרכים. המוקפים חומה מימות יהושע בן נון. ומתקנין את הדרכי'. שנפסדו בימות הגשמים. ואת מקוות המים. שחוטטין אותם מן הזבל שנטף בתוכן כל ימות הגשמים קוריי"ר בלע"ז כדי שיהיו מכוונין לטבילה. שהגשמים שטפי הציונין. ומציינין על הקברות. ויוצאין על הכלאים לעקור אלמא מחמשה עשר באדר שלוחין יוצאין ... דקתני מתחילין בחולו של מוע' ויוצאין משמע זמן קבוע שעדשי יוצאין דכלאים לא הוי אסור ויוצאין מעכשו משום זמן תבואה הוא ומתקנין אמתקנין דמתניתא לא קשיא דמתקנין משמע כל שעה מתקנין הדרכים וכי קתני דמתניתי' מתקנין לאו משום דהשתא משמע עכשיו זמן קבוע לצאת ולתקן שעה קמא'. בבקיר. דבר המבוקר בזרעים. (באדר) [באפיל]. בדבר המתעכב שאין זורעין אותו עד סמוך לפסח שכשיצאו שלוחין בט"ו באדר לעקור אכתי לא מטו דמינה דהאי הילכך הדרי ונפקי בחולו של מועד. בזרעים. כלאי (הכרם) [זרעים] כגון תבואה או שאר מיני זרעים יוצאין באדר. ירקות. אין דרך לזורען עד זמן הקיץ (ר' יוסי ב"ר חנינא) [והאי קמא] לא שני ליה בין [זרעים לירקות] דלא שנו לי' בין זרעים וירקות דרבנן דמדאורייתא אינו אלא כלאי הכרם. לא שנו. דכלאי זרעים וירקות אלא כל דבר המתעכב קמא'. זמן קבוע לצאת בכלאים אלא שאין ניצו ניכר. ומאי שנא בחולו של מועד. ליפקו לפני מועד שני ימים או שלשה משעת הנך תבואה. שיהו ב"ד מולאין לעקור בשכר דמוזלי גבן במועד טפי לפי שאין עושין במלאכה. מדנפקי במועד כי היכי דלוזיל גבי דידן. מתרומת שהיא של צבור. מדידהו. משל בעלים. עד כמה. יש כלאים דמחייבין ליה לעקור ואותה משנה שנינו גבי כלאים.

חשק שלמה על ר"ח

ויוצאין אף על הכלאים והלא כבר יצאו מאדר תיפתר שהיתה השנה אפילה ולא היו הצמחים ניכרים באדר:

א) אולי צ"ל אי איכא חרש בינייהו טהור כו' דביני ביני הוא וטמא ואולי דרבינו היה לו גרסא אחרת.

רובע זרע ממין אחר [א]ימעט והתניא התקינו שיהו מפקירין כל השדה כולה לא קשיא כאן קודם תקנה כאן לאחר תקנה דתניא (א) [ב]בראשונה היו עוקרין ומשליכין לפני בהמתן והיו בעלי בתים שמחין שתי שמחות אחת שמנכשין להם שדותיהן ואחת שמשליכין לפני בהמתם התקינו שיהו עוקרין ומשליכין על הדרכים ועדיין היו שמחין שמחה גדולה שמנכשין שדותיהן התקינו שיהו מפקירין כל השדה כולה:

מתני' [ג]ר"א בן יעקב אומר [ג]מושכין את המים מאילן לאילן ובלבד שלא ישקה את כל השדה [ד]זרעים שלא שתו לפני המועד לא ישקם במועד וחכמים מתירין בזה ובזה:

גמ' אמר רב [ג]יהודה [ה]אם היתה שדה מטוננת מותר תניא נמי הכי [ד]כשאמרו אסור להשקותן במועד לא אמרו אלא בזרעים שלא שתו מלפני המועד אבל זרעים ששתו לפני המועד מותר להשקותן במועד ואם היתה שדה מטוננת מותר ואין [א] משקין שדה גריד במועד וחכמים מתירין בזה ובזה אמר [ה]רבינא שמע מינה האי תרביצא שרי לתרבוצי בחולא דמועדא שדה גריד מאי טעמא דאפלא משוי לה חרפא ה"נ אפלא משוי לה חרפא ת"ר [ב] מרביצין שדה לבן בשביעית אבל לא במועד והא תניא [ו] [ו]מרביצין בין במועד בין בשביעית אמר רב הונא לא קשיא הא ר"א בן יעקב הא רבנן תניא אידך מרביצין שדה לבן ערב שביעית כדי שיצאו ירקות בשביעית ולא עוד אלא שמרביצין שדה לבן בשביעית כדי שיצאו ירקות למוצאי שביעית:

מתני' צדין את האישות ואת העכברים משדה האילן ומשדה הלבן כדרכו במועד ובשביעית [ז] [ז]וחכ"א משדה האילן כדרכו ומשדה הלבן שלא כדרכו [ח]ומקרין את הפירצה במועד [ט]ובשביעית בונה כדרכו:

גמ' מאי אישות אמר רב יהודה בריה שאין לה עינים אמר רבא בר ישמעאל ואיתימא רב ייմר בר שלמיא מאי קרא [א]כמו שבלול תמם יהלך נפל אשת בל חזו שמש ת"ר צדין את האישות ואת העכברים משדה הלבן ומשדה האילן כדרכו [ח]ומחריבין חורי נמלים כיצד מחריבין רשב"ג אומר מביא עפר מחור זה ונותן לתוך חור זה והן חונקין זה את זה אמר רב יימר בר שלמיא משמיה דאביי והוא דקאי בתרי עברי נהרא והוא דליכא גשרא והוא דליכא גמלא והוא דליכא מצרא

עד

רש"י

רובע. הקב אחד מכ"ד בסאה: הכי גרס ימעט. שאם זרע רובע הקב ימעטנו ויעקרנו: והתניא כל השדה כולה. ולא אמרת ימעט: שמנכשין שדותיהן. שלוקי ב"ד משלהן דכשנוטלין הכלאים מאליו מתנכש: **מתני'** מושכין המים מאילן לאילן. דהוי כשדה בית השלחין דפסידא יתירא איכא אבל לא ישקה את השדה כולה שדה בית הבעל: זרעים שלא שתו לפני המועד. שלא היו מלומדין לשתות תמיד לפני המועד: לא ישקם במועד. דהואיל ולא משקה להו תדיר לפני המועד לא הוי ליה פסידא אי לא משקה להו במועד: וחכמים מתירים בזה ובזה. להשקות את כל השדה כולה ולהשקות במועד זרעים שלא שתו לפני המועד והאי חכמים היינו ר"מ דאמר לעיל (דף ג.) משקין ממנו אפי' שדה בית הבעל: **גמ'** אמר רב יהודה. הא דאמר ר"א אבל לא ישקה [ג] את השדה כולה אבל אם היתה שדה מטוננת לחה ויבשה מותר להשקותה אע"ג דהוה שדה בית הבעל דכיון דהויא לחה עד השתא אי לא משקה לה הוי פסידא יתירא: שדה גריד. יבשה מעולם שאין צריך להשקותה: בזה ובזה. בשדה גריד ובזורעים שלא שתו לפני המועד: תרביצא. גינה: שרי לתרבוצי. לזלף עליה מים אע"ג דליכא פסידא לתרבוצי להשקות לשון אין מכבדין ואין מרבילין היינו השקאה פורתא כדי שילאו הירקות וכדמפרש באידך ברייתא לקמיה ומשקין היינו השקאה גמורה של בית השלחין: אפלא לשווי חרפא. דליכא פסידא ואפ"ה שרי להשקותה כך ולהשביחה ה"נ בגינה מרבילין: שדה לבן. בית הבעל: הא. דקתני אבל לא ישקם במועד היינו ר"א בן יעקב דאמר אבל לא ישקה את כל השדה כולה והא דתני בין במועד בין בשביעית היינו חכמים דמתירין להשקות אפי' כל השדה: כדי שיצאו בשביעית. אבל לא ישקה בשביעית כדי שילאו בשביעית: **מתני'** צדין האישות. בשדה האילן במועד מפני שמפסידין בו: כדרכו. שאין צריך לשנות בלידה: ובשביעית. אע"ג דמתקן השדה: בשדה האילן. לד כדרכו מפני שהפסד מרובה הוא: ובשדה לבן שלא כדרכו. ואינו יכול ללוד כדרכו בשדה לבן משום דלא מפסיד כולי האי בשדה לבן: ומקרין את הפירצה. שאם נפלה מקלתה חוזר ומתקנה במועד: ובשביעית בונה כדרכו. מתחילה אע"ג דמיחזי דעביד נטירותא לפירי: **גמ'** בריה שאין לה עינים. וחופר בקרקע: מאי קרא. דאישות בריה שאין לה עינים: דכתיב כמו שבלול תמם יהלך. שבלול שקורין לימצו"ן תמם יהלך כלומר כשיולא חוץ מנרתיקו (א) לירות נופלות ממנו עד שהוא נימוח ומת תמם כמו ונמס: נפל אשת בל חזו שמש. כלומר כך אישות נופלות פתאום לארץ ומתים דלא חזו: וחונקין זו את זו. מפני שמריחין את העפר ואין מכירין באותו עפר: והוא דקאי בתרי עברי נהרא. דכיון דאיכא הפסק מים בין הני תרתי חורי נמלים אין מכירים הני בעפר דהני: גישרא. גשר: גמלא. שאין לו גשר אלא מנסר אחד: ומצרא. עדיין קטן מגמלא אין יכול להלך עליו אלא כשקושרים חבל אחד משני עברי הנהר בשתי יתידות ואוחזין בו והולכין על אותו גשר צר אבל אי איכא חד מהן מכירין הני בחורי דהני:

עד

תוספות

ואין משקין שדה גריד. פי' בית הבעל לפי שהוא רגיל להיות יבש וגריד בדל"ת וכן פירש בערוך [ובתוס'] הרב ברי"ש כמו תמרא מיגרר גריד (פסחים דף קז:):

וחכמים מתירין בזה ובזה. והני תרי פלוגתא דבהך ברייתא היינו כעין פלוגתא במתניתין ות"ק דהכא הוא ר"א בן יעקב: **שרי** לתרבוצי. וקשה הא קיימא לן משנת ר"א (ב) קב ונקי ועוד הקשה בתוספות דרבינא גופיה דאמר לעיל (דף ד.) מדלין ירקות כדי לאוכלן אבל לייפותן אסור אלמא הרווחא אסור ותירץ דתרבילא אינה כ"א השקאה פורתא ולפ"ז נראה דה"פ דהאי תרבילא שרי לתרבוצי אפילו לראב"י דכי היכי דשרו רבנן אפלא לשווי חרפא גם לראב"י יתיר ג"כ השקאה פורתא או שמא סבר כר"א בהשקאה ופליג בהרבצה וי"מ דפלוגתא דשדה גריד לאו היינו פלוגתא דמתני' דמיירי בה ראב"י וחכמים ופליגי באפלא לשווי חרפא ת"ק חשיב ליה הרווחא ואסור ורבנן סברי דלאו היינו הרווחא דיש אוהב יותר אפלא ויהיו נגמרים יותר ומבושלים בטוב ור"ח פי' אמר רבינא שמע מינה האי תרבילא פי' שדה שאין זרוע עדיין שכבר השקוהו קודם מותר להשקותו במועד לזורעו אחר המועד דסבר לה כראב"י דאמר זרעים ששתו לפני המועד (ג) וקסבר תרבילא הוי כמו זרעים ששתו לפני המועד דהיינו שם תרבילא שהרבילוהו קודם המועד (ד) ומקשינן עלה שדה גריד אסור משום דאי משקי ליה האידנא יבכיר קודם אבל לא פסיד תרבילא נמי אי משקה האידנא קדים ובכיר ולא פסיד וזה השיטה הולכת דסבירא לן כראב"י. כך פירש ר"ח: **מרביצין** שדה לבן בשביעית. לגבי שביעית פי' הקונטרס השקאה פורתא ונראה שחזר בו ממה שפירש במשנה משקין בית השלחין במועד ולגבי שביעית שרי אפילו בית הבעל ואני פירשתי במשנה דשביעית נמי לא שרי אלא בבית השלחין כדפי' בקונטרס כאן אבל ק"ל שמא הכא איירי בהשקאה גמורה דפליגי לגבי מועד ראב"י ורבנן ופלוגתייהו הוי בהשקאה מרובה ואדרבה נראה לי דמיירי בהשקאה גמורה אלא לגבי שלחין שצריך השקאה נקט משקין וגבי בית הבעל קרוי הרבצה לכן נראה יותר פי' הקונטרס שבמשנה ולפי' דהכא נ"ל דהשקאה גמורה אסורה בבית הבעל והרבצה מועטת שרי בשביעית ובמועד אסור אפילו הרבצה מועטת לר"א בן יעקב ולרבנן שרי אפי' השקאה גמורה:

צדין את האישות במועד ובשביעי'. תימה מאי קמ"ל בשביעית והלא אין זו עבודת קרקע ורבי יהודה מאי טעמא דאסר כדרכו וי"ל דודאי צריך למיסקל אבנים מתוך שדהו כשמפנה האישות ותנן פ"ג דשביעית המסקל שדהו נוטל העליונות ומניח התחתונות הנוגעות בארץ וכן גרגיר של צרורות וכו' אישות מפורש בירושלמי חולדה:

עד

עין משפט נר מצוה

נה א מיי' פ"ב מהל' כלאים הלכה א טוש"ע י"ד סי' רלז סעיף ה:
נו ב מיי' שם הל' טו:
נז ג מיי' פ"ח מהל' יו"ט הלכה ג סמג לאוין עה טוש"ע א"ח סי' תקלז סעיף ז:
נח ד מיי' שם הל' ד:
נט ה מיי' שם הל' ג טוש"ע שם:
ס ו מיי' פ"א מהלכות שמיטה הלכה ט ופ"ח מהלכות יו"ט הלכה ג:
סא ז מיי' פ"ח מהלכות יו"ט הלכה ה טוש"ע א"ח סי' תקלז סעיף יג:
סב ח מיי' שם הלכה ו טוש"ע שם סי' תקמ סעיף א:
סג ט מיי' פ"ב מהל' שמיטה הלכה יד:

רבינו חננאל

מתני' ר' אליעזר בן יעקב אומר מושכין המים כו' אמר רב הונא אם היתה השדה מטוננת פי' לחה כגון שרבו המים מקודם ועדיין ליחלוחיתה קיימת מותר. תניא כוותיה כשאמרו אסור להשקות במועד לא אמרו אלא זרעים שלא שתו מלפני המועד אבל זרעים ששתו מלפני המועד מותר להשקותן. ואם היתה שדה מטוננת מותר ואין משקין שדה גריד במועד פי' כדתנן בנזיקין בפ' איזהו נשך כל ימי גריד אחד כל ימי רביעה אחד. וחכמים מתירין בזה ובזה. אמר רב כהנא ש"מ האי תרביצא פי' שדה זרועה (א) עדיין שכבר השקוה מקודם מותר להשקותה גם במועד לזורעה אחר המועד. ומקשינן עלה גריד אמאי אסור משום דאי משקת ליה האידנא מקדים ליה ובכיר. תרביצא נמי אי משקת ליה האידנא קדים ומציץ בכיר. ולא איפריק והא דתניא מרביצין בשביעית אבל לא במועד ר' אליעזר בן יעקב היא והא דתניא מרביצין בין במועד בין בשביעית רבנן היא. תניא מרביצין שדה לבן בערב שביעית כדי שיצמחו ירקות בשביעית ולא עוד אלא שמרביצין שדה לבן בשביעית כדי שיצמחו ירקות במוצאי שביעית. אישות פי' בריה שאין לה עינים כדכתיב נפל אשת בל חזו שמש: ירושלמי אישות זה חולדה: ת"ר צדין את האישות ואת העכברים משדה אילן ומשדה הלבן. ומחריבין חורי נמלים. כיצד עושה מביא עפר תיחוח עם הנמלים מחור זה ונותן לתוך חור זה והן חונקין זה את זה. והוא דקיימי אילן החורין בתרי עברי נהרא וליכא התם לא גשר ולא גמלא ולא מיצרא ולא תיתורא שיכולין לחזור בחור שלהן וכמה יהא בין חור לחור פרסה. רבי

חשק שלמה על ר"ח

(א) נ"ל שדה שאינה זרועה עדיין וכו' תרבילא נמי וכו' קדים ובכיר כל"ל וכ"ה בתוס' כאן בשם רבינו.

מסורת הש"ס

א) [שקלים ג. עוד שם פ"א מ"ב], ב) לעיל ב., ג) [בשאלתות פ' הברכה אי' רב הונא], ד) [בשאלתות פרשת הברכה סי' קע איתא ר"א בן יעקב אומר כשאמרו כו'], ה) [שם אי' רבא], ו) [עיין ר"ש פ"ב דשביעית מ"י], ז) ס"א ר' יהודה וכן גירסת התוספות [וכן ברי"ף והרא"ש וכן בשאלתות פרשת הברכה סי' קע וכן בפיסק' דלקמן ז. ר' יהודה אומר וכו'], ח) [תוספת' פ"א].

הגהות הב"ח

(א) רש"י ד"ה דכתיב כו' רירות נופלות. נ"ב כלומר כל שעה שהולך ליחה נופלת ממנו: (ב) תום' ד"ה שרי וכו' משנת ר"א בן יעקב קב: (ג) בא"ד ששתו לפני המועד מותר להשקותן במועד וקסבר תרבילא כו': (ד) בא"ד ומקשינן עלה שדה. נ"ב לשון הרי"ף ח"ל דהא דקאמר שדה גריד מ"ט כו' הוא קושיא על רבינא ולא פריק ולכך לית הלכתא כוותיה ע"ש:

הגהות הגר"א

[א] גמ' משקין נ"ל מרבילין (וע' נ"י): [ב] שם ת"ר אין מרביצין שדה לבן בשביעית ולא במועד כל"ל: [ג] רש"י ד"ה אמר רב יהודה הא דאמר ר"א אבל לא ישקה כו'. נ"ב אבל הטור פי' דקאי אסיפא אזרעים שלא שתו (וכן פי' הנ"י):

תורה אור השלם

א) כְּמוֹ שַׁבְּלוּל תֶּמֶס יַהֲלֹךְ נֵפֶל אֵשֶׁת בַּל חָזוּ שָׁמֶשׁ: [תהלים נח, ט]

רש"י כת"י

רובע. הקב אחד מעשרים וארבעה בסאה ובכלאי זרעים דרבנן קמיירי וכל מדת חכמים כן הוא. ה"ג ימעטו. שאם זרע רובע הקב ימעטנו שיעקרנו. והתניא וכו'. דכל השדה כולה אסורה ואת אמרת ימעט. מושכין את המים וכו'. כדפרישית ברי' פירקי'. (דקתני בית השלחין אין בית הבעל לא). זרעים שלא שתו לפני המועד. לא פסדי. בזה ובזה. בזרעים ובשדה כולה דרבנן שרי להשקות שדה בית הבעל דהכי אוקימ' בריש פירקין דהא תני בית השלחין אין בית הבעל לא ר' אליעזר בן יעקב היא ולא רבנן. מטוננית לשון טיט כלומר שהיו לחין (המרעים) [הזרעים] שהשדה מטוננת ונתייבשו דהוו כזרעים ששתו לפני המועד ופסדי [רש"י רי"ף ועי"ש בב"ח] אי לא הדר ומשקה להו ואפי' ר' אליעזר מודה. שדה גריד. יבש ובית הבעל הא אלא שלא נפלו גשמים זה זמן מרובה.

תרביצא. גנה של ירקות. ל"א נוהגין היו להשקות שדה לאחר קצירה מיד לפי שיוצאין בו ירקות [וכשמשקין אותה ממהרות לצאת אותן ירקות] [רש"י רי"ף]. חרפא. כדי שיהא' חריף וממהר לבשל פירו' שרו ליה רבנן ולא משום פסידא דשדה בעל ליכא פסידא תרבילא נמי משקין לה משום הרווחה ולא משום פסידא. מרביצין. היינו השקאה פורתא כדי שילאו ירקות וכדמפ' באידך ברייתא לקמיה ומשקין השקאה גמורה דבית השלחין לישנא אחרינא תרבילא לשון משקין ממש על ידי שפעת מים אלא מזה מעט מפני אבק שעולה האבק שעולה על הירקות לשעות ואינו מניח לגדל אותן וכשהוא משליך עליהן מעט מים מתישב העפר וגדלו הירקות שבתרבץ ועל כן נקרא תרבילא ואין מכבדין את הבית מישבין את האבק. מפי ר' יצחק. הא ר' אליעזר. דאמ' במתניתן זרעים שלא שתו לפני המועד לא ישקם במועד והא דקתני מרבילין במועד רבנ' דפליגי עליה ושרו. כדי שיצא ירקות. ואוכלן בשביעית עד זמן הביעור השקאה אינה עבודת קרקע בשביעית. כדי שיצאו ירקות במוצאי שביעית. וכל שכן כדי שילאו בשביעית. צדין את האישות. שמפסידין את השדות. בשדה אילן. מפסדי טפי ולהפסד [מרובה] חששו בשביעית. בונה כדרכו. דלאו עבודת קרקע הוא. כמו שבלול. לימצ"א. תמם יהלוך. שהולך ומתמסמס שכל שעה שהולך ליחה נופלת ממנו וכמו נפל נפילת האשה שלא חזה שמש עטלף שאין לו עינים טלפא בן הרשעים. מביא עפר מחור זה. ונמלים עמו והן חונקין זה את זו מפני שאין מכירין אלו את אלו. גשרא. גשר מעולה בבנין דאי איכא גשרא אתי הני להני ומכירין זה את זה ואינן חונקין. גמלא. דף. מצרא. החבל שאוחזין בו בעוד שעוברין על הדף קצר. הוצין. של דקל.

רוֹבַע זֶרַע מִמִּין אַחֵר – A QUARTER-*kav* OF A DIFFERENT SPECIES mixed within it,[1] יְמַעֵט – ONE MUST REDUCE the amount of foreign matter in the mixture to less than a quarter-*kav*.[2]

The Gemara questions the assumption that the inspectors rectify the violation by removing the foreign growth:

וְהָתַנְיָא – But it was taught in a Baraisa: הִתְקִינוּ שֶׁיְּהוּ מַפְקִירִין כָּל הַשָּׂדֶה כּוּלָּהּ – [THE SAGES] INSTITUTED THAT [THE INSPECTORS], upon discovering *kilayim* in a field, SHOULD DECLARE the produce of THE ENTIRE FIELD OWNERLESS.[3] – ? –

The Gemara answers:

לֹא קַשְׁיָא – There is **no difficulty.** כָּאן קוֹדֶם תַּקָּנָה – **Here,** where we say that the inspectors uprooted the foreign growth, we refer to the period **prior to the enactment** that they should declare all the produce of the field ownerless, כָּאן לְאַחַר תַּקָּנָה – whereas **here,** in the Baraisa just cited, the reference is to the period **following the enactment.** דְּתַנְיָא – **As it was taught in the Baraisa** explicitly: בָּרִאשׁוֹנָה הָיוּ עוֹקְרִין וּמַשְׁלִיכִין לִפְנֵי בְהֶמְתָּן – ORIGINALLY, [THE INSPECTORS] WOULD simply UPROOT the *kilayim* AND THROW IT BEFORE [THE HOMEOWNERS'] ANIMALS as fodder,[4] וְהָיוּ בַּעֲלֵי בָּתִּים שְׂמֵחִין שְׁתֵּי שְׂמָחוֹת – AND THE HOMEOWNERS REJOICED A DOUBLE REJOICING.[5] אַחַת שֶׁמְּנַכְּשִׁין לָהֶם שְׂדוֹתֵיהֶן – ONE cause for their rejoicing was THAT [THE INSPECTORS] WEEDED THEIR FIELDS FOR THEM,[6] וְאַחַת שֶׁמַּשְׁלִיכִין לִפְנֵי בְהֶמְתָּם – AND ANOTHER cause was THAT THEY THREW [THE *KILAYIM*] BEFORE THEIR ANIMALS as fodder. הִתְקִינוּ שֶׁיְּהוּ עוֹקְרִין וּמַשְׁלִיכִין עַל הַדְּרָכִים – [THE SAGES] therefore INSTITUTED THAT [THE INSPECTORS] SHOULD UPROOT the *kilayim* AND THROW IT UPON THE ROADS. וַעֲדַיִין הָיוּ שְׂמֵחִין שִׂמְחָה גְּדוֹלָה – HOWEVER, [THE HOMEOWNERS] STILL REJOICED A GREAT REJOICING, שֶׁמְּנַכְּשִׁין שְׂדוֹתֵיהֶן – BECAUSE [THE INSPECTORS] WEEDED THEIR FIELDS for them.[7] הִתְקִינוּ שֶׁיְּהוּ מַפְקִירִין כָּל הַשָּׂדֶה כּוּלָּהּ – [THE SAGES] therefore INSTITUTED THAT [THE INSPECTORS] SHOULD DECLARE the produce of THE ENTIRE FIELD OWNERLESS.

Mishnah The Mishnah continues its discussion of watering crops on Chol HaMoed:

רַבִּי אֱלִיעֶזֶר בֶּן יַעֲקֹב אוֹמֵר – **R' Eliezer ben Yaakov says:** מוֹשְׁכִין אֶת הַמַּיִם מֵאִילָן לְאִילָן – **We may divert water from** one **tree to** another **tree** on Chol HaMoed,[8] וּבִלְבַד שֶׁלֹּא יַשְׁקֶה אֶת כָּל הַשָּׂדֶה – **provided that one does not water the entire field.**[9] זְרָעִים שֶׁלֹּא שָׁתוּ לִפְנֵי הַמּוֹעֵד – **Plants that were not watered** regularly **before the festival** לֹא יַשְׁקֵם בַּמּוֹעֵד – may not be watered on Chol HaMoed.[10] וַחֲכָמִים מַתִּירִין בָּזֶה וּבָזֶה – **But the Sages permit** the watering both **in this** instance **and in that** instance.[11]

Gemara R' Eliezer ben Yaakov's ruling is qualified:

אָמַר רַב יְהוּדָה – **Rav Yehudah said:** אִם הָיְתָה שָׂדֶה מְטוּנֶּנֶת מוּתָּר – **If the field had been naturally moist** and it dried up, **it is permitted** to water it.[12]

NOTES

1. A quarter-*kav* is 1/24 of a *se'ah* [there are six *kabin* to a *se'ah*] (*Rashi*).

2. *Rashi* implies that the Mishnah in *Kilayim* refers directly to the case in which *kilayim* has grown in a field. The owner is obligated only to weed out enough of the foreign species to reduce its measure to less than a quarter-*kav* per *se'ah.* He may leave the remainder because when the foreign species is not significant, the mixture is not classified as *kilayim.* When inspectors discover *kilayim* in a field, they, too, follow this guideline (*Tos. HaRosh* in explanation of *Rashi; see also Tosafos* to *Bava Basra* 94a ד״ה סאה).

[Others explain that the Mishnah refers to one who wishes to plant seed that has a foreign kind mixed in. Before planting, he must reduce the foreign species to less than a quarter-*kav* per *se'ah.* When this minimal amount is planted, it is nullified and the mixture does not constitute *kilayim.* However, if more than a quarter-*kav* was planted and took root, it constitutes *kilayim* and *all of it* must be uprooted. Accordingly, the Gemara means to describe the threshold at which the inspectors must begin to uproot *kilayim.* If they find a field containing less than a quarter-*kav* of foreign growth per *se'ah,* they may leave it as is, but when they discover a field that has a greater amount of foreign growth they must uproot all of it (*Tos. HaRosh;* see also *Rash, Kilayim* 2:1, and *Tosafos,* 6a ד״ה שיש בה רובע; cf. *Ritva*).]

3. They penalized the owner of the field for not uprooting the *kilayim* himself upon hearing the *Beis Din's* announcement on the first of Adar (*Ritva*). To this end, they declared the *produce* ownerless [not the field itself (*Chazon Ish, Kilayim* 1:16)]. At any rate, we see that rather than merely reducing the illegal growth, *all* the produce was confiscated (see *Chazon Ish* ibid., who discusses whether they would declare the produce ownerless *and* uproot it, or merely declare it ownerless).

4. The inspectors would not penalize the violators at all, but would allow them to feed the uprooted growth to their animals. It is permitted to derive benefit from *kilayim* except where the illegal mixture includes grapevines (*Ritva;* see *Chullin* 115a). [*Rav* to *Shekalim* 1:2 explains that the inspectors threw the illegal growth on the ground in front of the homeowners to embarrass them, and the homeowners would feed it to their animals. However, that explanation is based on the text of the Mishnah in *Shekalim* ibid., which differs slightly from that of our Baraisa. See also *Meiri.*]

5. Rather than being humbled by the discovery of their violation, they displayed arrogance towards the court.

6. The removal of the foreign growth was beneficial to the main crop (*Rashi;* cf. *Chazon Ish* ibid.).

7. I.e. they continued to act arrogantly as before, though they had less cause to brag.

8. I.e. if water has pooled under a tree, one may make a small channel from there to another tree and divert the water to where it is needed (*Rashi* to 2a). Trees are similar to crops that grow in an irrigated field, since there is a danger of considerable loss in the event that they are not watered regularly. For this reason, watering them is permitted on Chol HaMoed (*Rashi;* cf. *Rashi* to *Rif,* cited in following note).

9. The Mishnah speaks of trees growing in a rainwatered field [בֵּית הַבַּעַל]. The trees need to be irrigated, but the grains growing there can survive on rainfall alone (*Rashi*). The Mishnah teaches that although the area under each tree may be watered on Chol HaMoed, the land in between may not be watered. To be sure, watering the entire field would benefit the trees as well as the grains, since the trees' roots are spread widely, but this is not *essential* to the trees' survival (see 2a note 25).

[*Rashi* to *Rif* explains that even the trees can survive on rainfall alone, and the watering merely enhances their growth. What R' Eliezer ben Yaakov permits here is not the *digging* of a channel, but the opening of an existing one. Since this requires no exertion at all, R' Eliezer ben Yaakov allows the watering even though no loss would be incurred without it. However, watering the entire field is forbidden, since this does require exertion (see also appendix to *Rashi ms., Ritva, Talmid R' Yechiel MiParis* to 2a; cf. *Tos. HaRosh* to 2a).]

10. Since they are not accustomed to being watered on a regular basis, no harm will come to them if water is withheld on Chol HaMoed (*Rashi;* cf. *Rambam, Commentary, Nimukei Yosef*). [Here, the reference is to an irrigated field (*Ritva* here, *Rashi* to *Rif,* and *Meiri* above 2a ד״ה כיון שהתחיל). *Sfas Emes,* however, understands *Rashi* as explaining the rule of the Mishnah to refer only to a rainwatered field. The implication is that an irrigated field may be watered on Chol HaMoed even for the first time (see *Chazon Ish* to *Sheviis* 15:1).]

11. The Sages permit watering the entire field, and they permit watering plants that were not watered regularly before Yom Tov. These "Sages" are none other than R' Meir (cited on 2a), who holds that even a rainwatered field may be watered on Chol HaMoed for the sake of enhancing its growth (*Rashi, Ritva*).

12. The reference is to R' Eliezer ben Yaakov's first ruling – that one may not water an entire rainwatered field on account of its trees. Rav Yehudah teaches that there is an exception regarding a field that

רובע זרע ממין אחר [א]ימעט והתניא התקינו שיהו מפקירין כל השדה כולה לא קשיא כאן קודם תקנה כאן לאחר תקנה דתניא א) [ב]בראשונה היו עוקרין ומשליכין לפני בהמתן והיו בעלי בתים שמחין שתי שמחות אחת שמנכשין להם שדותיהן ואחת שמשליכין לפני בהמתם התקינו שיהו עוקרין ומשליכין על הדרכים ועדיין היו שמחין שמחה גדולה שמנכשין שדותיהן התקינו שיהו מפקירין כל השדה כולה:

מתני' ב) ר"א בן יעקב אומר [ג]מושכין את המים מאילן לאילן ובלבד שלא ישקה את כל השדה [ד]זרעים שלא שתו לפני המועד לא ישקם במועד וחכמים מתירין בזה ובזה:

גמ' אמר רב ג) יהודה [ה]אם היתה שדה מטוננת מותר תניא נמי הכי ד) כשאמרו אסור להשקותן במועד לא אמרו אלא בזרעים שלא שתו מלפני המועד אבל זרעים ששתו לפני המועד מותר להשקותן במועד ואם היתה שדה מטוננת מותר ואין [א] משקין שדה גריד במועד וחכמים מתירין בזה ובזה אמר ה) רבינא שמע מינה האי תרביצא שרי לתרבוצי בחולא דמועדא שדה גריד מאי טעמא דאפלא משוי לה חרפא ה"נ אפלא משוי לה חרפא ת"ר [ב] מרביצין שדה לבן בשביעית אבל לא במועד והא תניא ו) [ו]מרביצין בין במועד בין בשביעית אמר רב הונא לא קשיא הא ר"א בן יעקב הא רבנן תניא אידך מרביצין שדה לבן ערב שביעית כדי שיצאו ירקות בשביעית ולא עוד אלא שמרביצין שדה לבן בשביעית כדי שיצאו ירקות למוצאי שביעית:

מתני' צדין את האישות ואת העכברים משדה האילן ומשדה הלבן כדרכו במועד ובשביעית ז) [ז]וחכ"א משדה האילן כדרכו ומשדה הלבן שלא כדרכו [ח]ומקרין את הפירצה במועד [ט]ובשביעית בונה כדרכו:

גמ' מאי אישות אמר רב יהודה בריה שאין לה עינים אמר רבא בר ישמעאל ואיתימא רב יימר בר שלמיא מאי קרא א) כמו שבלול תמס יהלך נפל אשת בל חזו שמש ת"ר צדין את האישות ואת העכברים משדה הלבן ומשדה האילן כדרכו ח) ומחריבין חורי נמלים כיצד מחריבין רשב"ג אומר מביא עפר מחור זה ונותן לתוך חור זה והן חונקין זה את זה אמר רב יימר בר שלמיא משמיה דאביי והוא דקאי בתרי עברי נהרא והוא דליכא גשרא והוא דליכא גמלא והוא דליכא מצרא

עד

רש"י

רובע. הקב אחד מכ"ד בסאה: הכי גרס ימעט. שאם זרע רובע הקב ימעטנו ויעקרנו: והתניא כל השדה כולה. ואת אמרת ימעט: שמנכשין שדותיהן. שלוקי ב"ד משלהן דכשנוטלין הכלאים מאליו מתנכש: **מתני'** מושכין המים מאילן לאילן. דהוי כשדה בית השלחין דפסידא יתירא איכא אבל לא ישקה את השדה כולה שדה בית הבעל: זרעים שלא שתו לפני המועד. שלא היו מלומדין לשתות תמיד לפני המועד: לא ישקם במועד. דהואיל ולא משקה להו תדיר לפני המועד לא הוי ליה פסידא אי לא משקה להו במועד: וחכמים מתירים בזה ובזה. להשקות את כל השדה כולה ולהשקות במועד זרעים שלא שתו לפני המועד והאי חכמים היינו ר"מ דאמר לעיל (דף ב.) משקין ממנו אפי' שדה בית הבעל: **גמ'** אמר רב יהודה. הא דאמר ר"א אבל לא ישקה [ג] את השדה כולה אבל אם היתה שדה מטוננת לחה ויבשה מותר להשקותה אע"ג דהוה שדה בית הבעל דכיון דהויא לחה עד השתא אי לא משקה לה הוי פסידא יתירא: שדה גריד. יבשה מעולם שאין צריך להשקותה: בזה ובזה. בשדה גריד ובזורעים שלא שתו לפני המועד: תרביצא. גינה: שרי לתרבוצי. לזלף עליה מים אע"ג דליכא פסידא לתרבוצי להשקות לשון אין מכבדין ואין מרבצין היינו השקאה פורתא כדי שיצאו הירקות וכדמפרש באידך ברייתא לקמיה ומשקין היינו השקאה גמורה של בית השלחין: אפלא לשוויי חרפא. דליכא פסידא ואפ"ה שרי להשקותה כך ולהשביחה ה"נ בגינה מרבצין: שדה לבן. בית הבעל: הא. דקתני אבל לא ישקם במועד היינו ר"א בן יעקב דאמר אבל לא ישקה את כל השדה כולה והא דתני בין במועד בין בשביעית היינו חכמים דמתירין להשקות אפי' כל השדה: כדי שיצאו בשביעית. אבל לא ישקה בשביעית כדי שיאכלו בשביעית: **מתני'** צדין האישות. בשדה האילן במועד מפני שמפסידין בו: כדרכו. שאין צריך לשנות בצידה: ובשביעית. אע"ג דמתקן השדה: בשדה האילן. צד כדרכו מפני שהפסד מרובה הוא: ובשדה לבן שלא כדרכו. ואינו יכול לצוד כדרכו בשדה לבן משום דלא מפסיד כולי האי בשדה לבן: ומקרין את הפירצה. שאם נפלה מקצתה חוזר ומתקנה במועד: ובשביעית בונה כדרכו. מתחילה אע"ג דמיחזי דעביד נטירותא לפירי: **גמ'** בריה שאין לה עינים. וחופר בקרקע: מאי קרא. דאישות בריה שאין לה עינים: דכתיב כמו שבלול תמס יהלך. שבלול שקורין לימצו"ן תמס יהלך כלומר כשיוצא חוץ מנרתיקו (א) רירות נופלות ממנו עד שהוא נימוח ומת תמס כמו ונמס: נפל אשת בל חזו שמש. כלומר כך אישות נופלות פתאום לארץ ומתים דלא חזו: וחונקין זו את זו. מפני שמריחין את העפר ואין מכירין באותו עפר: והוא דקאי בתרי עברי נהרא. דכיון דאיכא הפסק מים בין הני תרתי חורי נמלים אין מכירים הני בעפר דהני: גישרא. גשר: גמלא. שאין לו גשר אלא מנסר אחד: ומצרא. עדיין קטן מגמלא אין יכול להלך עליו אלא כשקושרים חבל אחד משני עברי הנהר בשתי יתידות ואוחזין בו והולכין על אותו גשר צר אבל אי איכא חד מהן מכירין הני בחורי דהני:

עד

תוספות

ואין משקין שדה גריד. פי' בית הבעל לפי שהוא רגיל להיות יבש וגריד בלל"ת וכן פירש בערוך [ובתוס'] הרב ברי"ש כמו תמרא מיגרר גריד (פסחים דף קז.):

וחכמים מתירין בזה ובזה. והני תרי פלוגתא דהכך ברייתא היינו כעין פלוגתא במתניתין ות"ק דהכא הוא ר"א בן יעקב: שרי לתרבוצי. וקשה הא קיימא לן משנת ר"א (ב) קב ונקי ועוד הקשה בתוספות דרבינא גופיה דאמר לעיל (דף ד.) מדלין ירקות כדי לאוכלן אבל לייפותן אסור אלמא הרווחא אסור ותירץ דתרבילא אינה כ"א השקאה פורתא ולפ"ז נראה דה"פ דהאי תרבילא שרי לתרבולי אפילו לראב"י דכי היכי דשרו רבנן אפלא לשווי חרפא גם לראב"י יתיר ג"כ השקאה פורתא או שמא סבר כר"א בהשקאה ופליג בהרבצה וי"מ דפלוגתא דשדה גריד לאו היינו פלוגתא דמתני' דמיירי בה ראב"י וחכמים ופליגי באפלא לשווי חרפא ת"ק חשיב ליה הרווחא ואסור ורבנן סברי דלאו היינו הרווחא דיש אוהב יותר אפלא ויהיו נגמרים יותר ומבושלים בטוב ור"ח פי' אמר רבינא שמע מינה האי תרבילא פי' שדה שאין זרוע עדיין שכבר השקוהו קודם מותר להשקותו במועד לזורעו אחר המועד דסבר לה כראב"י דאמר זרעים ששתו לפני המועד (ג) וקסבר תרבילא הוי כמו זרעים ששתו לפני המועד דהיינו שם תרבילא שהרבילוהו קודם המועד (ד) ומקשינן עלה שדה גריד אסור משום דאי משקי ליה האידנא יבכיר קודם אבל לא פסיד תרבילא נמי אי משקה האידנא קדים ובכיר ולא פסיד וזה השיטה הולכת דסבירא לן כראב"י. כך פירש ר"ח: מרביצין שדה לבן בשביעית. לגבי שביעית פי' הקונטרס השקאה פורתא ונראה שחזר בו ממה שפירש במשנה משקין בית השלחין במועד ולגבי שביעית שרי אפילו בית הבעל ואני פירשתי במשנה דשביעית נמי לא שרי אלא בבית השלחין כדפי' בקונטרס כאן אבל ק"ל שמא הכא איירי בהשקאה גמורה דפליגי לגבי מועד ראב"י ורבנן ופלוגתייהו הוי בהשקאה מרובה ואדרבה נראה לי דמיירי בהשקאה גמורה אלא לגבי שלחין שצריך השקאה נקט משקין וגבי בית הבעל קרוי הרבצה לכן נראה יותר פי' הקונטרס שבמשנה ולפי' דהכא נ"ל דהשקאה גמורה אסורה בבית הבעל והרבצה מועטת שרי בשביעית ובמועד אסור אפילו הרבצה מועטת לר"א בן יעקב ולרבנן שרי אפי' השקאה גמורה:

צדין את האישות במועד ובשביעי'. תימה מאי קמ"ל בשביעית והלא אין זו עבודת קרקע ורבי יהודה מאי טעמא דאסר כדרכו וי"ל דודאי צריך למיסקל אבנים מתוך שדהו כשמפנה האישות ותנן פ"ג דשביעית המסקל שדהו נוטל העליונות ומניח התחתונות הנוגעות בארץ וכן גרגיר של צרורות וכו' אישות מפורש בירושלמי חולדה:

עד

עין משפט נר מצוה

נה א מיי' פ"ב מהל' כלאים הלכה א טוש"ע י"ד סי' רלז סעיף ה:
נו ב מיי' שם הל' טז:
נז ג מיי' פ"ח מהל' יו"ט הלכה ג סמג לאוין עה טוש"ע א"ח סי' תקלז סעיף ז:
נח ד מיי' שם הל' ד:
נט ה מיי' שם הל' ג טוש"ע שם:
ס ו מיי' פ"א מהלכות שמיטה הלכה ט ופ"ח מהלכות יו"ט הלכה ג:
סא ז מיי' פ"ח מהלכות יו"ט הלכה ה טוש"ע א"ח סי' תקלז סעיף יג:
סב ח מיי' שם הלכה ו טוש"ע שם סי' תקמ סעיף א:
סג ט מיי' פ"ב מהל' שמיטה הלכה יד:

רבינו חננאל

מתני' ר' אליעזר בן יעקב אומר מושכין המים כו' אמר רב הונא אם היתה השדה מטוננת פי' לחה כגון שרבו המים מקודם ועדיין ליחלוחיתה קיימת מותר. תניא כוותיה כשאמרו אסור להשקות במועד לא אמרו אלא זרעים שלא שתו מלפני המועד אבל זרעים ששתו מלפני המועד מותר להשקותן. ואם היתה שדה מטוננת מותר ואין משקין שדה גריד במועד פי' כדתנן בנזיקין בפ' איזהו נשך כל ימי גריד אחד כל ימי רביעה אחד. וחכמים מתירין בזה ובזה. אמר רב כהנא ש"מ האי תרביצא פי' שדה זרועה א) עדיין שכבר השקוה מקודם מותר להשקותה גם במועד לזורעה אחר המועד. ומקשינן עלה גריד אמאי אסור משום דאי משקת ליה האידנא מקדים ליה ובכיר. תרביצא נמי אי משקת ליה האידנא קדים ומציץ בכיר. ולא איפריק והא דתניא מרביצין בשביעית אבל לא במועד ר' אליעזר בן יעקב היא והא דתניא מרביצין בין במועד בין בשביעית רבנן היא. תניא מרביצין שדה לבן בערב שביעית כדי שיצמחו ירקות בשביעית ולא עוד אלא שמרביצין שדה לבן בשביעית כדי שיצמחו ירקות במוצאי שביעית. אישות פי' בריה שאין לה עינים כדכתיב נפל אשת בל חזו שמש: ירושלמי אישות זה חולדה: ת"ר צדין את האישות ואת העכברים משדה אילן ומשדה הלבן. ומחריבין חורי נמלים. כיצד עושה מביא עפר תיחוח עם הנמלים מחור זה ונותן לתוך חור זה והן חונקין זה את זה. והוא דקיימי אילן החורין בתרי עברי נהרא וליכא התם לא גשר ולא גמלא ולא מיצרא ולא תיתורא שיכולין לחזור בחור שלהן וכמה יהא בין חור לחור פרסה.
רבי

חשק שלמה על ר"ח

א) נ"ל שדה שאינה זרועה עדיין וכו' תרבילא נמי וכו' קדים ובכיר כצ"ל וכ"ה בתוס' כאן בשם רבינו.

מסורת הש"ס

א) [שקלים ג. עוד שם פ"א מ"ב], ב) לעיל ב., ג) [בשאלתות פ' הברכה אי' רב הונא], ד) [בשאלתות פרשת הברכה סי' קע איתא ר"א בן יעקב אומר כשאמרו כו'], ה) [שם אי' רבא], ו) [עיין ר"ש פ"ב דשביעית מ"י], ז) ס"א ר' יהודה וכן גירסת התוספות [וכן ברי"ף והרא"ש וכן בשאלתות פרשת הברכה סי' קע וכן בפיסק' לקמן ז. ר' יהודה אומר וכו'], ח) [תוספת' פ"א].

הגהות הב"ח

(א) רש"י ד"ה דכתיב כו' רירות נופלות. נ"ב כלומר כל שעה שהולך ליחה נופלת ממנו: (ב) תוס' ד"ה שרי וכו' משנת ר"א בן יעקב קב: (ג) בא"ד ששתו לפני המועד מותר להשקותן במועד וקסבר תרבילא כו': (ד) בא"ד ומקשינן עלה שדה. נ"ב לשון הרי"ף וז"ל דהא דקאמר שדה גריד מ"ט כו' הוא קושיא על רבינא ולא פריק ולכן לית הלכתא כוותיה ע"ש:

הגהות הגר"א

[א] גמ' משקין נ"ל מרבילין (וע' נ"י): [ב] שם ת"ר אין מרביצין שדה לבן בשביעית ולא במועד כצ"ל: [ג] רש"י ד"ה אמר רב יהודה הא דאמר ר"א אבל לא ישקה כו'. נ"ב אבל הטור פי' דקאי אסיפא אזרעים שלא שתו (וכן פי' הנ"י):

תורה אור השלם

א) כְּמוֹ שַׁבְּלוּל תֶּמֶס יַהֲלֹךְ נֵפֶל אֵשֶׁת בַּל חָזוּ שָׁמֶשׁ: [תהלים נח, ט]

רש"י כת"י

רובע. הקב אחד מעשרים וארבעה בסאה ובכלאי זרעים דרבנן קמיירי וכל מדת חכמים כן הוא. ה"ג ימעט. שאם זרע רובע הקב ימעטנו שיעקרנו. והתניא וכו'. דכל השדה כולה אסורה ואת אמרת ימעט. מושכין את המים וכו'. כדפרישית ברי' פירקי'. (דקתני בית השלחין אין בית הבעל לא). זרעים שלא שתו לפני המועד. לא פסדי. בזה ובזה. בזורעים ובשדה כולה דרבנן שרי להשקות שדה בית הבעל דהכי אוקימ' בריש פירקין דהא תני בית השלחין אין בית הבעל לא ר' אליעזר בן יעקב היא ולא רבנן. מטוננית לשון טיט כלומר שהיו לחין (הנזרעים) [הזרעים] שהשדה מטוננת ונתייבשו דהוו כזרעים ששתו לפני המועד ופסדי] [רש"י רי"ף ועי"ש בב"ח] אי לא הדר ומשקה להו ואפי' ר' אליעזר מודה. שדה גריד. יבש ובית הבעל הא אלא שלא נפלו גשמים זה זמן מרובה.

תרביצא. גנה של ירקות. ל"א נוהגין היו להשקות שדה לאחר קצירה מיד לפי שיוצאין בו ירקות [וכשמשקין אותה ממהרות לצאת אותן ירקות] [רש"י רי"ף]. חרפא. כדי שיצא' חריף וממהר לבשל פירו' שרו ליה רבנן ולא משום פסידא דשדה בעל ליכא פסידא תרבילא נמי משקין לה משום הרוחה ולא משום פסידא. מרביצין. היינו השקאה פורתא כדי שיצאו ירקות וכדמפ' באידך ברייתא לקמיה ומשקין השקאה גמורה דבית השלחין לישנא אחרינא תרבילא לשון משקין ממש על ידי שפעת מים אלא מזה מעט מפני אבק שעולה האבק שעולה על הירקות לשעות ואינו מניח לגדל אותן וכשהוא מטליך עליהן מעט מים מתישב העפר וגדלו הירקות שבתרבץ ועל כן נקרא תרבילא ואין מכבדין את הבית מישבין את האבק. מפי ר' יצחק. הא ר' אליעזר. דאמ' במתניתין זרעים שלא שתו לפני המועד לא ישקם במועד והא דקתני מרבילין במועד רבנ' דפליגי עליה ושרו. כדי שיצא ירקות. ואוכלן בשביעית עד זמן הביעור השקאה אינה עבודת קרקע בשביעית. כדי שיצאו ירקות במוצאי שביעית. וכל שכן כדי שיאכלו בשביעית. צדין את האישות. שמפסידין את השדות. בשדה אילן. מפסדי טפי ולהפסד [מרובה] חששו בשביעית. בונה כדרכו. דלאו עבודת קרקע הוא. כמו שבלול. לימצ"א. תמם יהלוך. שהולך ומתמסמס שכל שעה שהולך ליחה נופלת ממנו וכמו נפל נפילת האשה שלא חזה שמש עטלף שאין לו עינים טלפא כן הרשעים. מביא עפר מחור זה. ונמלים עמו והן חונקין זה את זו מפני שאין מכירין אלו את אלו. גשרא. גשר מעולה בבנין דאי איכא גשרא אתי הני להני ומכירין זה את זה ואינן חונקין. גמלא. דף. מצרא. החבל שאוחזין בו בעוד שעוברין על הדף קצר. הוצין. של דקל.

The Gemara adduces support for this ruling:

תַּנְיָא נַמִּי הָכִי – **It was similarly taught in a Baraisa:** כְּשֶׁאָמְרוּ אָסוּר לְהַשְׁקוֹתָן בַּמּוֹעֵד – WHEN THEY SAID that IT IS PROHIBITED TO WATER THEM ON CHOL HAMOED,[13] לֹא אָמְרוּ אֶלָּא בִּזְרָעִים שֶׁלֹּא שָׁתוּ מִלִּפְנֵי הַמּוֹעֵד – THEY SAID it ONLY REGARDING PLANTS THAT WERE NOT WATERED regularly BEFORE THE FESTIVAL. אֲבָל זְרָעִים שֶׁשָּׁתוּ לִפְנֵי הַמּוֹעֵד – BUT as for PLANTS THAT WERE WATERED regularly BEFORE THE FESTIVAL, מוּתָּר לְהַשְׁקוֹתָן בַּמּוֹעֵד – IT IS PERMITTED TO WATER THEM ON CHOL HAMOED. וְאִם הָיְתָה שָׂדֶה מְטוּנֶּנֶת מוּתָּר – AND IF THE FIELD HAD BEEN NATURALLY MOIST and it dried up, IT IS PERMITTED to water it.[14] וְאֵין מַשְׁקִין שָׂדֶה גָּרִיד בַּמּוֹעֵד – BUT WE MAY NOT WATER A naturally DRY FIELD ON CHOL HAMOED.[15] וַחֲכָמִים מַתִּירִין בָּזֶה וּבָזֶה – HOWEVER, THE SAGES PERMIT the watering both IN THIS case AND IN THAT case.[16]

An additional ruling is deduced from the Baraisa:

אָמַר רָבִינָא – **Ravina said:** שְׁמַע מִינָּהּ – **Learn from this** that הַאי תַּרְבִּיצָא – concerning **a garden patch,** שָׁרֵי לְתַרְבּוּצֵי בְּחוּלָּא דְמוֹעֲדָא – **it is permitted to sprinkle** it with water **on Chol HaMoed.**[17] Ravina explains how he infers this from the Baraisa: שְׂדֵה גָּרִיד מַאי טַעְמָא – Concerning **a dry field, what is the reason** that one irrigates it (according to the Sages) and does not rely upon rainfall alone? דְּאַפְלָא מְשַׁוֵּי לָהּ חָרְפָא – It is because **[the irrigation]** accelerates the growth and **renders the late crop into an early crop,** but not because the crops are in danger of being ruined. Nevertheless, the Sages permit the irrigation on Chol HaMoed. הָכָא נַמִּי אַפְלָא מְשַׁוֵּי לָהּ חָרְפָא – **Here, too,** in the case of a garden patch, **[the sprinkling] renders the late crop into an early crop** and is permitted.[18]

A related Baraisa is cited:

תָּנוּ רַבָּנָן – **The Rabbis taught in a Baraisa:** מַרְבִּיצִין שְׂדֵה לָבָן בַּשְּׁבִיעִית – WE MAY SPRINKLE A GRAIN FIELD with water DURING *SHEMITTAH* אֲבָל לֹא בַּמּוֹעֵד – BUT NOT ON CHOL HAMOED.[19]

The Gemara notes a contradiction concerning Chol HaMoed:

וְהָא תַּנְיָא – **But it was taught in a** different **Baraisa:** מַרְבִּיצִין בֵּין בַּמּוֹעֵד בֵּין בַּשְּׁבִיעִית – WE MAY SPRINKLE a grain field with water BOTH ON CHOL HAMOED AND DURING THE *SHEMITTAH* year. – ? –

The contradiction is resolved:

אָמַר רַב הוּנָא – **Rav Huna said:** לֹא קַשְׁיָא – There is **no difficulty.** הָא רַבִּי אֱלִיעֶזֶר בֶּן יַעֲקֹב – **This** Baraisa which forbids the sprinkling on Chol HaMoed reflects the opinion of **R' Eliezer ben Yaakov,** הָא רַבָּנָן – whereas **this** Baraisa which permits it reflects the opinion of **the Rabbis.**[20]

Another related Baraisa is cited:

תַּנְיָא אִידָךְ – **It was taught in another Baraisa:** מַרְבִּיצִין שְׂדֵה לָבָן עֶרֶב שְׁבִיעִית – WE MAY SPRINKLE A GRAIN FIELD with water ON THE EVE OF *SHEMITTAH,* כְּדֵי שֶׁיֵּצְאוּ יְרָקוֹת בַּשְּׁבִיעִית – SO THAT VEGETABLES SHOULD SPROUT DURING *SHEMITTAH.*[21] וְלֹא עוֹד –

NOTES

was originally moist [thanks to an underground water source] and subsequently dried up. Failing to water such a field would lead to an irretrievable loss, since the plants are accustomed to an abundance of moisture (*Rashi;* cf. *Rambam, Commentary* and *Hil. Yom Tov* 8:3; see *Shaar HaTziyun* 537:25).

[Others explain Rav Yehudah as referring to R' Eliezer ben Yaakov's latter ruling – that a field that was not watered regularly before the festival may not be watered on Chol HaMoed. A naturally moist field is regarded as one that was consistently watered, and thus, if it dried up it may be watered on Chol HaMoed even for the very first time (*Rashi* to *Rif, Ritva, Nimukei Yosef*).]

13. I.e. the plants in a rainwatered field (*Sfas Emes,* based on *Rashi*).

14. The Tanna of this Baraisa must be R' Eliezer ben Yaakov, for he is the one who differentiates between plants that were previously watered and those that were not previously watered. We see here that he permits the watering of a naturally moist field that dried up (*Talmid R' Yechiel MiParis; She'iltos DeRav Achai* §170 cites the Baraisa as explicitly quoting R' Eliezer ben Yaakov).

15. This refers to a field that generally subsists on rainwater alone, but its earth is naturally dry. Since it is accustomed to dryness, it can go without water on Chol HaMoed (*Rashi, Tosafos* ד״ה ואין). [Even during an arid season it may not be watered on Chol HaMoed (*Rashi ms.*).]

16. The Sages permit the watering of a naturally dry field, as well as an ordinary field that was not watered regularly before the festival (*Rashi*). The dispute in the Baraisa parallels that of the Mishnah, where the Sages disagreed with both rulings of R' Eliezer ben Yaakov (*Tosafos* ד״ה וחכמים).

17. Although the patch will not be ruined if left unwatered, one is permitted to sprinkle it lightly in order to bring up the vegetables (*Rashi*). [*Rashi* contrasts the term לְתַרְבּוּצֵי (from הַרְבָּצָה), which the Gemara uses here, with the word הַשְׁקָאָה (or מַשְׁקִין), which it generally uses in regard to irrigated fields. הַרְבָּצָה refers to a mere sprinkling, whereas הַשְׁקָאָה refers to a thorough watering.]

18. Ravina seems to base his ruling on the opinion of the Sages, who permit the watering of a naturally dry field (see *Baal HaMaor* and *Raavad, Hil. Yom Tov* 8:3). However, *Tosafos* (ד״ה שרי) find this difficult, for there is a rule that the halachah follows R' Eliezer ben Yaakov whenever his opinion is cited in a Mishnah! *Tosafos* therefore explain Ravina's reasoning as follows: Since the Sages permit even the *thorough* watering of a field for the sake of accelerating its growth, it stands to reason that R' Eliezer ben Yaakov concedes that the light sprinkling of a garden patch is permitted for this purpose [since hardly any effort is required].

[See *Tosafos* and *Talmid R' Yechiel MiParis* for alternative explanations. See also *Rif, Rosh, Chidushei HaRan* and *Ritva* for a variant reading and explanation.]

19. The reference is to a rainwatered field (*Rashi*). [A grain field is referred to as שְׂדֵה הַלָּבָן, literally: white field, because the grain turns white when it ripens. Alternatively, this term is used because there are no trees to provide shade (*Rash* to *Pe'ah* 3:1; see also *Aruch* v. לבן 1).]

The Baraisa permits the *sprinkling* of a rainwatered field during *shemittah.* As explained on 2b-3a, the watering of crops during *shemittah* is not prohibited Biblically. The Rabbis, too, did not prohibit the watering of an irrigated field, since this is necessary to protect against irretrievable loss (*Rashi* to 2b ד״ה ורבי היא), but they prohibited the watering of a rainwatered field. Here, we learn that the mere sprinkling of a rainwatered field is permitted during *shemittah.* However, even this is forbidden on Chol HaMoed (*Rashi,* as explained by *Tosafos* ד״ה מרביצין). [*Tosafos* comment that originally *Rashi* had explained that even the regular watering of a rainwatered field is permitted during *shemittah,* but he retracted this view.]

20. R' Eliezer ben Yaakov, who stated in the Mishnah that it is forbidden to *water* an entire field on account of some trees, forbids even *sprinkling* a field, as stated in the first Baraisa. The Rabbis of the Mishnah, however, permit watering the entire field and they [certainly] permit sprinkling, as stated in the latter Baraisa (*Rashi*).

[*Tosafos* (ד״ה מרביצין, as explained by *Maharsha*) wonder how the Gemara can assume that R' Eliezer ben Yaakov forbids even the light sprinkling of a field. Perhaps, in the Mishnah he means to forbid only a thorough watering, which involves true exertion, but he concedes that merely sprinkling a field is permitted (as he concedes concerning a garden patch – see note 18). *Tosafos* therefore explain that the terms מַרְבִּיצִין or הַרְבָּצָה refer not to sprinkling, but to the normal watering of a rainwatered field [which requires only a light treatment]. The terms מַשְׁקִין or הַשְׁקָאָה, by contrast, are used in regard to an irrigated field [which requires a heavy treatment]. Thus, the Baraisa which forbids הַרְבָּצָה on Chol HaMoed reflects precisely the ruling of R' Eliezer ben Yaakov in the Mishnah – that it is forbidden to water a rainwatered field. See *Rashi ms.*

According to our Gemara, R' Eliezer ben Yaakov permits הַרְבָּצָה during *shemittah.* However, this is at odds with his opinion in the Mishnah, *Sheviis* 2:10. See *Hagahos HaGra* here, and *Rash* to *Sheviis* 2:10, who cite variant readings of our text, according to which there is no contradiction.]

21. It was common for people to sprinkle their fields immediately after harvesting the grain, so as to trigger the sprouting of dormant vegetable seeds (*Rashi ms.* ד״ה תרביצא). Now, certain aspects of the *shemittah*

רובע זרע ממין אחר א ימעט והתניא התקינו שיהו מפקירין כל השדה כולה לא קשיא כאן קודם תקנה כאן לאחר תקנה דתניא א) ב בראשונה היו עוקרין ומשליכין לפני בהמתן והיו בעלי בתים שמחין שתי שמחות אחת שמנכשין להם שדותיהן ואחת שמשליכין לפני בהמתם התקינו שיהו עוקרין ומשליכין על הדרכים ועדיין היו שמחין שמחה גדולה שמנכשין שדותיהן התקינו שיהו מפקירין כל השדה כולה:

מתני' ב) ר"א בן יעקב אומר ג מושכין את המים מאילן לאילן ובלבד שלא ישקה את כל השדה ד זרעים שלא שתו לפני המועד לא ישקם במועד וחכמים מתירין בזה ובזה:

גמ' אמר רב ג) יהודה ה אם היתה שדה מטוננת מותר תניא נמי הכי ד) כשאמרו אסור להשקותן במועד לא אמרו אלא בזרעים שלא שתו מלפני המועד אבל זרעים ששתו לפני המועד מותר להשקותן במועד ואם היתה שדה מטוננת מותר ואין [א] משקין שדה גריד במועד וחכמים מתירין בזה ובזה אמר ה) רבינא שמע מינה האי תרביצא שרי לתרבוצי בחולא דמועדא שדה גריד מאי טעמא דאפלא משוי לה חרפא ה"נ אפלא משוי לה חרפא ת"ר [ב] מרביצין שדה לבן בשביעית אבל לא במועד והא תניא ו) ו מרביצין בין במועד בין בשביעית אמר רב הונא לא קשיא הא ר"א בן יעקב הא רבנן תניא אידך מרביצין שדה לבן ערב שביעית כדי שיצאו ירקות בשביעית ולא עוד אלא שמרביצין שדה לבן בשביעית כדי שיצאו ירקות למוצאי שביעית:

מתני' צדין את האישות ואת העכברים משדה האילן ומשדה הלבן כדרכו במועד ובשביעית ז) ז וחכ"א משדה האילן כדרכו ומשדה הלבן שלא כדרכו ח ומקרין את הפירצה במועד ט ובשביעית בונה כדרכו:

גמ' מאי אישות אמר רב יהודה בריה שאין לה עינים אמר רבא בר ישמעאל ואיתימא רב יימר בר שלמיא מאי קרא א) כמו שבלול תמס יהלך נפל אשת בל חזו שמש ת"ר צדין את האישות ואת העכברים משדה הלבן ומשדה האילן כדרכו ח) ומחריבין חורי נמלים כיצד מחריבין רשב"ג אומר מביא עפר מחור זה ונותן לתוך חור זה והן חונקין זה את זה אמר רב יימר בר שלמיא משמיה דאביי והוא דקאי בתרי עברי נהרא והוא דליכא גשרא והוא דליכא גמלא והוא דליכא מצרא

עד

רש"י

רובע. הקב אחד מכ"ד בסאה: הכי גרס ימעט. שאם זרע רובע הקב ימעטנו ויעקרנו: והתניא כל השדה כולה. ולא אמרת ימעט: שמנכשין שדותיהן. שלוחי ב"ד משלהן דכשנוטלין הכלאים מאליו מתנכש: **מתני'** מושכין המים מאילן לאילן. דהוי כשדה בית השלחין דפסידא יתירא איכא אבל לא ישקה את השדה כולה שדה בית הבעל: זרעים שלא שתו לפני המועד. שלא היו מלומדין לשתות תמיד לפני המועד: לא ישקם במועד. דהואיל ולא משקה להו תדיר לפני המועד לא הוי ליה פסידא אי לא משקה להו במועד: וחכמים מתירים בזה ובזה. להשקות את כל השדה כולה ולהשקות במועד זרעים שלא שתו לפני המועד והאי חכמים היינו ר"מ דאמר לעיל (דף ב.) משקין ממנו אפי' שדה בית הבעל: **גמ'** אמר רב יהודה. הא דאמר ר"א אבל לא ישקה [ג] את השדה כולה אבל אם היתה שדה מטוננת לחה ויבשה מותר להשקותה אע"ג דהוה שדה בית הבעל דכיון דהויא לחה עד השתא אי לא משקה לה הוי פסידא יתירא: שדה גריד. יבשה מעולם שאין צריך להשקותה: בזה ובזה. בשדה גריד ובזורעים שלא שתו לפני המועד: תרביצא. גינה: שרי לתרבוצי. לזלף עליה מים אע"ג דליכא פסידא לתרבוצי להשקות לשון אין מכבדין ואין מרבצין היינו השקאה פורתא כדי שיצאו הירקות וכדמפרש באידך ברייתא לקמיה ומשקין היינו השקאה גמורה של בית השלחין: אפלא לשוויי חרפא. דליכא פסידא ואפ"ה שרי להשקותה כך ולהשביחה ה"נ בגינה מרבצין: שדה לבן. בית הבעל: הא. דקתני אבל לא ישקם במועד היינו ר"א בן יעקב דאמר אבל לא ישקה את כל השדה כולה והא דתני בין במועד בין בשביעית היינו חכמים דמתירין להשקות אפי' כל השדה: כדי שיצאו בשביעית. אבל לא ישקה בשביעית כדי שיצאו בשביעית: **מתני'** צדין האישות. בשדה האילן במועד מפני שמפסידין בו: כדרכו. שאין צריך לשנות בצידה: ובשביעית. אע"ג דמתקן השדה: בשדה האילן. צד כדרכו מפני שהפסד מרובה הוא: ובשדה לבן שלא כדרכו. ואינו יכול לצוד כדרכו בשדה לבן משום דלא מפסיד כולי האי בשדה לבן: ומקרין את הפירצה. שאם נפלה מקצתה חוזר ומתקנה במועד: ובשביעית בונה כדרכו. מתחילה אע"ג דמיחזי דעביד נטירותא לפירי: **גמ'** בריה שאין לה עינים. וחופר בקרקע: מאי קרא. דאישות בריה שאין לה עינים: דכתיב כמו שבלול תמס יהלך. שבלול שקורין לימצו"ן תמס יהלך כלומר כשיוצא חוץ מנרתיקו (א) רירות נופלות ממנו עד שהוא נימוח ומת תמס כמו ונמס: נפל אשת בל חזו שמש. כלומר כך אישות נופלות פתאום לארץ ומתים דלא חזו: וחונקין זו את זו. מפני שמריחין את העפר ואין מכירין באותו עפר: והוא דקאי בתרי עברי נהרא. דכיון דאיכא הפסק מים בין הני תרתי חורי נמלים אין מכירים הני בעפר דהני: גישרא. גשר: גמלא. שאין לו גשר אלא מנסר אחד: ומצרא. עדיין קטן מגמלא אין יכול להלך עליו אלא כשקושרים חבל אחד משני עברי הנהר בשתי יתידות ואוחזין בו והולכין על אותו גשר צר אבל אי איכא חד מהן מכירין הני בחורי דהני:

עד

תוספות

ואין משקין שדה גריד. פי' בית הבעל לפי שהוא רגיל להיות יבש וגריד בדל"ת וכן פירש בערוך [ובתוס'] הרב ברי"ש כמו תמרא מיגרר גריר (פסחים דף קז:):

וחכמים מתירין בזה ובזה. והני תרי פלוגתא דהכא בברייתא היינו כעין פלוגתא במתניתין ות"ק דהכא הוא ר"א בן יעקב:

שרי לתרבוצי. וקשה הא קיימא לן משנת ר"א (ב) קב ונקי ועוד הקשה בתוספות דרבינא גופיה דאמר לעיל (דף ד.) מדלין ירקות כדי לאוכלן אבל לייפותן אסור אלמא הרווחא אסור ותירץ דתרבילא אינה כ"א השקאה פורתא ולפ"ז נראה דה"פ דהאי תרבילא שרי לתרבולי אפילו לראב"י דכי היכי דשרו רבנן אפלא לשווי חרפא גם לראב"י יתיר ג"כ השקאה פורתא או שמא סבר כר"א בהשקאה ופליג בהרבצה וי"מ דפלוגתא דשדה גריד לאו היינו פלוגתא דמתני' דמיירי בה ראב"י וחכמים ופליגי באפלא לשווי חרפא ת"ק חשיב ליה הרווחא ואסור ורבנן סברי דלאו היינו הרווחא דיש אוהב יותר אפלא ויהיו נגמרים יותר ומבושלים בטוב ור"ח פי' אמר רבינא שמע מינה האי תרבילא פי' שדה שאין זרוע עדיין שכבר השקוהו קודם מותר להשקותו במועד לזורעו אחר המועד דסבר לה כראב"י דאמר זרעים ששתו לפני המועד (ג) וקסבר תרבילא הוי כמו זרעים ששתו לפני המועד דהיינו שם תרבילא שהרבילוהו קודם המועד (ד) ומקשינן עלה שדה גריד אסור משום דאי משקי ליה האידנא יבכיר קודם אבל לא פסיד תרבילא נמי אי משקה האידנא קדים ובכיר ולא פסיד וזה השיטה הולכת דסבירא לן כראב"י. כך פירש ר"ח:

מרביצין שדה לבן בשביעית. לגבי שביעית פי' הקונטרס השקאה פורתא ונראה שחזר בו ממה שפירש במשנה משקין בית השלחין במועד ולגבי שביעית שרי אפילו בית הבעל ואני פירשתי במשנה דשביעית נמי לא שרי אלא בבית השלחין כדפי' בקונטרס כאן אבל ק"ל שמא הכא איירי בהשקאה גמורה דפליגי לגבי מועד ראב"י ורבנן ופלוגתייהו הוי בהשקאה מרובה ואדרבה נראה לי דמיירי בהשקאה גמורה אלא לגבי שלחין שצריך השקאה נקט משקין וגבי בית הבעל קרוי הרבצה לכן נראה יותר פי' הקונטרס שבמשנה ולפי' דהכא צ"ל דהשקאה גמורה אסורה בבית הבעל והרבצה מועטת שרי בשביעית ובמועד אסור אפילו הרבצה מועטת לר"א בן יעקב ולרבנן שרי אפי' השקאה גמורה:

צדין את האישות במועד ובשביעי'. תימה מאי קמ"ל בשביעית והלא אין זו עבודת קרקע ורבי יהודה מאי טעמא דאסר כדרכו וי"ל דודאי צריך למיסקל אבנים מתוך שדהו כשמפנה האישות ותנן פ"ג דשביעית המסקל שדהו נוטל העליונות ומניח התחתונות הנוגעות בארץ וכן גרגיר של צרורות וכו' אישות מפורש בירושלמי חולדה:

עד

עין משפט נר מצוה

נה א מיי' פ"ב מהל' כלאים הלכה א טוש"ע י"ד סי' רלו סעיף ה:
נו ב מיי' שם הל' טז:
נז ג מיי' פ"ח מהל' יו"ט הלכה ג סמג לאוין עה טוש"ע א"ח סי' תקלז סעיף ז:
נח ד מיי' שם הל' ד:
נט ה מיי' שם הל' ג טוש"ע שם:
ס ו מיי' פ"א מהלכות שמיטה הלכה ט ופ"ח מהלכות יו"ט הלכה ג:
סא ז מיי' פ"ח מהלכות יו"ט הלכה ה טוש"ע א"ח סי' תקלז סעיף יג:
סב ח מיי' שם הלכה ו טוש"ע שם סי' תקמ סעיף א:
סג ט מיי' פ"ב מהל' שמיטה הלכה יד:

רבינו חננאל

מתני' ר' אליעזר בן יעקב אומר מושכין המים כו' אמר רב הונא אם היתה השדה מטוננת פי' לחה כגון שרבו המים מקודם ועדיין ליחלוחיתה קיימת מותר. תניא כוותיה כשאמרו אסור להשקות במועד לא אמרו אלא זרעים שלא שתו מלפני המועד אבל זרעים ששתו מלפני המועד מותר להשקותן. ואם היתה שדה מטוננת מותר ואין משקין שדה גריד במועד פי' כדתנן בנזיקין בפ' איזהו נשך כל ימי גריד אחד כל ימי רביעה אחד. וחכמים מתירין בזה ובזה. אמר רב כהנא ש"מ האי תרביצא פי' שדה זרועה א) עדיין שכבר השקוה מקודם מותר להשקותה גם במועד לזורעה אחר המועד. ומקשינן עלה גריד אמאי אסור משום דאי משקת ליה האידנא מקדים ליה ובכיר. תרביצא נמי אי משקת ליה האידנא קדים ומצניץ בכיר. ולא איפריק והא דתניא מרביצין בשביעית אבל לא במועד ר' אליעזר בן יעקב היא והא דתניא מרביצין בין במועד בין בשביעית רבנן היא. תניא מרביצין שדה לבן בערב שביעית כדי שיצמחו ירקות בשביעית ולא עוד אלא שמרביצין שדה לבן בשביעית כדי שיצמחו ירקות במוצאי שביעית. אישות פי' בריה שאין לה עינים כדכתיב נפל אשת בל חזו שמש: ירושלמי אישות זה חולדה: ת"ר צדין את האישות ואת העכברים משדה אילן ומשדה הלבן. ומחריבין חורי נמלים. כיצד עושה מביא עפר תיחוח עם הנמלים מחור זה ונותן לתוך חור זה והן חונקין זה את זה. והוא דקיימי אילן החורין בתרי עברי נהרא וליכא התם לא גשר ולא גמלא ולא מיצרא ולא תיתורא שיכולין לחזור בחור שלהן וכמה יהא בין חור לחור פרסה.

רבי

חשק שלמה על ר"ח

א) נ"ל שדה שאינה זרועה עדיין וכו' תרבילא נמי וכו' קדים ובכיר כצ"ל וכ"ה בתוס' כאן בשם רבינו.

מסורת הש"ס

א) [שקלים ג. עוד שם פ"א מ"ב], ב) לעיל ג., ג) [בשאלתות פ' הברכה אי' רב הונא], ד) [בשאלתות פרשת הברכה סי' קע איתא ר"א בן יעקב אומר כשאמרו כו'], ה) [שם אי' רבא], ו) [עיין ר"ש פ"ב דשביעית מ"י], ז) ס"א ר' יהודה וכן גירסת התוספות [וכן ברי"ף והרא"ש וכן בשאלתות פרשת הברכה סי' קע וכן בפיסקי דלקמן ז. ר' יהודה אומר וכו'], ח) [תוספ' פ"א].

הגהות הב"ח

(א) רש"י ד"ה דכתיב כו' רירות נופלות. נ"ב כלומר כל שעה שהולך ליחה נופלת ממנו: (ב) תוס' ד"ה שרי וכו' משנת ר"א בן יעקב קב: (ג) בא"ד ששתו לפני המועד מותר להשקותן במועד וקסבר תרבילא כו': (ד) בא"ד ומקשינן עלה שדה. נ"ב לשון הרי"ף ח"ל דהא דקאמר שדה גריד מ"ט כו' הוא קושיא על רבינא ולא פריק ולכך לית הלכתא כוותיה ע"ש:

הגהות הגר"א

[א] גמ' משקין נ"ל מרבילין (וע' נ"י): [ב] שם ת"ר אין מרביצין שדה לבן בשביעית ולא במועד כצ"ל: [ג] רש"י ד"ה אמר רב יהודה הא דאמר ר"א אבל לא ישקה כו'. נ"ב אבל הטור פי' דקאי אסיפא אזרעים שלא שתו (וכן פי' הנ"י):

תורה אור השלם

א) כְּמוֹ שַׁבְּלוּל תֶּמֶס יַהֲלֹךְ נֵפֶל אֵשֶׁת בַּל חָזוּ שָׁמֶשׁ: [תהלים נח, ט]

רש"י כת"י

רובע. הקב אחד מעשרים וארבעה בסאה וכלאי זרעים דרבנן קמיירי וכל מדת חכמים כן הוא. ה"ג ימעט. שאם זרע רובע הקב ימעטנו שיעקרנו. והתניא וכו'. דכל השדה כולה אסורה ולא אמרת ימעט. מושכין את המים וכו'. כדפרישית בריש פירקי'. דקתני בית השלחין אין בית הבעל לא). זרעים שלא שתו לפני המועד. לא פסדי. בזה ובזה. בזרעים ובשדה כולה דרבנן שרי להשקות שדה בית הבעל דהכי אוקימ' בריש פירקין דהא תני בית השלחין אין בית הבעל לא ר' אליעזר בן יעקב היא ולא רבנן. מטוננת לשון טיט כלומר שהיו לחין (הזורעים) [הזרעים] שהשדה מטוננת ומתייבשו דהוו כזרעים ששתו לפני המועד ופסדי] [רש"י רי"ף ועי"ש בב"ח] אי לא הדר ומשקה להו ואפי' ר' אליעזר מודה. שדה גריד. יבש ובית הבעל הא אלא שלא נפלו גשמים זה זמן מרובה.

תרביצא. גנה של ירקות. ל"א נוהגין היו להשקות שדה לאחר קצירה מיד לפי שיוצאין בו ירקות [וכשמשקין אותה ממהרות לצאת אותן ירקות] [רש"י רי"ף]. חרפא. כדי שיהא' חריף וממהר לבשל פירו' שרו ליה רבנן ולא משום פסידא דשדה בעל ליכא פסידא תרבילא נמי משקין לה משום הרוחה ולא משום פסידא. מרביצין. היינו השקאה פורתא כדי שיצאו ירקות וכדמפ' באידך ברייתא לקמיה ומשקין השקאה גמורה דבית השלחין לישנא אחרינא תרבילא לשון משקין ממש על ידי שפעת מים אלא מזה מעט מפני אבק שעולה האבק על הירקות לשעות ואינו מניח לגדל אותן וכשהוא משליך עליהן מעט מים מתישב העפר וגדלו הירקות שבתרבץ ועל כן נקרא תרבילא ואין מכבדין את הבית מישבין את האבק. מפי ר' יצחק. הא ר' אליעזר. דאמ' במתניתן זרעים שלא שתו לפני המועד לא ישקם במועד והא דקתני מרבילין במועד רבנ' דפליגי עליה ושרו. כדי שיצא ירקות. ואוכלן בשביעית עד זמן הביעור השקאה אינה עבודת קרקע בשביעית. כדי שיצאו ירקות במוצאי שביעית. וכל שכן כדי שיצאו בשביעית. צדין את האישות. שמפסידין את השדות. בשדה אילן. מפסדי טפי והפסד [מרובה] חששו בשביעית. בונה כדרכו. דלאו עבודת קרקע הוא. כמו שבלול. לימצ"א. תמס יהלוך. שהולך ומתמסמס שכל שעה שהולך ליחה נופלת ממנו וכמו נפל נפילת האשה שלא חזה שמש עטלף שאין לו עינים טלפא כן הרשעים. מביא עפר מחור זה. ונמלים עמו והן חונקין זה את זו מפני שאין מכירין אלו את אלו. גשרא. גשר מעולה בבנין דאי איכא גשרא אתי הני להני ומכירין זה את זה ואינן חונקין. גמלא. דף. מצרא. החבל שאוחזין בו בעוד שעוברין על הדף קצר. הוצין. של דקל.

AND FURTHERMORE, אֶלָּא שֶׁמַּרְבִּיצִין שְׂדֵה לָבָן בַּשְּׁבִיעִית – **WE MAY EVEN SPRINKLE A GRAIN FIELD** with water **DURING *SHEMITTAH*,** כְּדֵי שֶׁיֵּצְאוּ יְרָקוֹת לְמוֹצָאֵי שְׁבִיעִית – **SO THAT VEGETABLES SHOULD SPROUT AFTER THE CONCLUSION OF *SHEMITTAH*.**[22]

Mishnah We have learned that in many instances work may be done on Chol HaMoed to prevent an irretrievable loss. The following Mishnah teaches that there are times when the work must be performed in an unusual manner:

צָדִין אֶת הָאִישׁוּת וְאֶת הָעַכְבָּרִים – **We may trap the *ishus***[23] **and the mice** מִשְּׂדֵה הָאִילָן וּמִשְּׂדֵה הַלָּבָן – **from an orchard and from a grain field,** כְּדַרְכּוֹ – in the usual manner, בַּמּוֹעֵד וּבַשְּׁבִיעִית – **on Chol HaMoed and during the *shemittah* year.**[24] וַחֲכָמִים אוֹמְרִים – **But the Sages say:**[25] מִשְּׂדֵה הָאִילָן כְּדַרְכּוֹ – **From an orchard,** we may trap them **in the usual manner,** וּמִשְּׂדֵה הַלָּבָן שֶׁלֹּא כְּדַרְכּוֹ – **but from a grain field** we must trap them only **in an unusual manner.**[26]

וּמְקָרִין אֶת הַפִּירְצָה בַּמּוֹעֵד – **We may close a breach** in a fence surrounding a field **on Chol HaMoed,**[27] וּבַשְּׁבִיעִית בּוֹנֶה כְּדַרְכּוֹ – **and in *shemittah* one may build** even a new wall **in the usual manner.**[28]

Gemara The Gemara investigates the identity of the obscure creature named in the Mishnah:

מַאי אִישׁוּת – **What is an *ishus*?** אָמַר רַב יְהוּדָה – **Rav Yehudah said:** בְּרִיָּה שֶׁאֵין לָהּ עֵינַיִם – It is **a** certain **creature that has no eyes.**[29]

The Gemara cites a Scriptural source for this definition:

אָמַר רָבָא בַּר יִשְׁמָעֵאל וְאִיתֵּימָא רַב יֵימַר בַּר שֶׁלֶמְיָא – **Rava bar Yishmael, and some say Rav Yeimar bar Shelemya, said:** מַאי קְרָא – **What is the verse** that teaches that an *ishus* is unable to see? It is the following: "כְּמוֹ שַׁבְּלוּל תֶּמֶס יַהֲלֹךְ נֵפֶל אֵשֶׁת בַּל־חָזוּ שָׁמֶשׁ" – ***Like the snail that melts and slithers away, the falling of an "eishes" that never saw the sun.***[30]

A related Baraisa is cited:

תָּנוּ רַבָּנַן – **The Rabbis taught in a Baraisa:** צָדִין אֶת הָאִישׁוּת וְאֶת הָעַכְבָּרִים מִשְּׂדֵה הַלָּבָן וּמִשְּׂדֵה הָאִילָן כְּדַרְכּוֹ – **WE MAY TRAP THE *ISHUS* AND THE MICE FROM A GRAIN FIELD AND FROM AN ORCHARD IN THE USUAL MANNER,** וּמַחֲרִיבִין חוֹרֵי נְמָלִים – **AND WE MAY DESTROY ANT HOLES** on Chol HaMoed. כֵּיצַד מַחֲרִיבִין – **HOW DO WE DESTROY** ant holes? רַבָּן שִׁמְעוֹן בֶּן גַּמְלִיאֵל אוֹמֵר – **RABBAN SHIMON BEN GAMLIEL SAID:** מֵבִיא עָפָר מֵחוֹר זֶה וְנוֹתֵן לְתוֹךְ חוֹר זֶה – **ONE BRINGS DIRT FROM THIS** ant **HOLE AND PLACES IT IN THAT** ant **HOLE,** וְהֵן חוֹנְקִין זֶה אֶת זֶה – **AND [THE ANTS] CHOKE EACH OTHER** to death.[31]

The Gemara qualifies this method:

אָמַר רַב יֵימַר בַּר שֶׁלֶמְיָא מִשְּׁמֵיהּ דְּאַבַּיֵי – **Rav Yeimar bar**

NOTES

prohibitions set in before the beginning of the *shemittah* year. Cultivation of a field is forbidden towards the end of the pre-*shemittah* year, when its purpose is merely to provide benefit during *shemittah* (see *Sheviis* 1:1,4; 2:1,6). The Baraisa teaches that sprinkling the field is permitted (based on *Rashi,* but see following note).

22. However, we may not sprinkle the field during *shemittah* for the purpose of making it sprout during *shemittah* (*Rashi;* see *Chazon Ish, Sheviis* 16:4, for an explanation of this view). [*Rashi ms.* states the opposite: We may certainly sprinkle it during *shemittah* for the purpose of making it sprout that very year! As mentioned above, watering a field is not prohibited Biblically during *shemittah.* Thus, we may engage in the sprinkling to bring forth vegetables which can then be harvested during *shemittah* without further cultivation.

Any vegetables that sprout during *shemittah* are sanctified and may be eaten only within the guidelines applicable to *shemittah* growth (*Rashi ms.*).]

23. The Gemara defines this creature.

24. Since these rodents ruin the crops, it is permitted to engage in the task of trapping them on Chol HaMoed in order to prevent an irretrievable loss.

One might wonder why it is necessary for the Tanna to teach that this is permitted during *shemittah,* when only the cultivation of land is forbidden, but other labor is unrestricted. Trapping is a labor that might be forbidden on a festival, but there seems no reason to prohibit it during *shemittah! Rashi* explains that by trapping these creatures one is deemed to be improving the field. Presumably, this means that the removal of creatures that are harmful to its produce is considered a benefit to the field itself (see first explanation of *Talmid R' Yechiel MiParis*). Thus, it might have been thought to fall under the category of land-improvement that is forbidden in *shemittah. Tosafos* (ד״ה צדין את האישות) explain that in the process of trapping the rodents it is necessary to clear the field of stones, and this is normally a restricted activity, as stated in *Sheviis* 3:7.

Others explain that there is no real improvement to the land. However, when one digs holes for the traps he appears as if he is plowing the land. The Tanna teaches that although in *shemittah* we are normally concerned even about the *appearance* of cultivation, in this case the digging is permitted (*Meiri;* see also *Nimukei Yosef*).

25. The Gemara below, 7a, quotes this segment of the Mishnah as reading: *R' Yehudah says.* This is also the version of *Tosafos* ד״ה צדין, *Rif* and *Rosh.*

26. The rodents do not damage a grain field as significantly as they damage an orchard [where they eat at the roots of the trees; *Talmid R' Yechiel MiParis*]. Since the potential loss in a grain field is relatively minor, the trapping must be done in an unusual manner (*Rashi*). The Gemara (7a) explains how this is accomplished.

Tosafos ד״ה צדין את האישות, following their view that when one traps the rodents he improves the land, understand the Rabbis' restrictive ruling as applying to both Chol HaMoed and *shemittah.* Others, following the view that there is no real improvement here, explain that the Rabbis' ruling applies only on Chol HaMoed, when the labor of trapping is what concerns us. In *shemittah,* however, where the only concern could be for the *appearance* of cultivation, the Rabbis concede that the trapping may be done as usual even in a grain field (*Meiri;* see also second explanation of *Talmid R' Yechiel MiParis*).

27. If part of the wall fell it may be repaired on Chol HaMoed (*Rashi*). The Gemara below (7a) discusses in what manner this may be done.

28. Despite the fact that it appears as though one is building the wall in order to guard his fruit from strangers, which is forbidden during *shemittah* (*Rashi;* see 7a note 12).

29. And burrows under the ground (*Rashi*). *Tosafos* (end of ד״ה צדין), citing *Yerushalmi,* identify the אישות as a mole. Indeed, the mole has tiny eyes that are sometimes covered with skin, leaving it blind. Moreover, since it spends much time underground, when it emerges it is blinded by the sunlight.

30. *Psalms* 58:9. [The psalmist curses evildoers by wishing upon them the fate of these unfortunate creatures.] The translation follows *Rashi,* who explains that when a snail emerges from its shell, mucous matter oozes from it until it dissolves and dies, and the אֵשֶׁת too, because of its blindness, suddenly collapses on the ground and dies (cf. *Rashi* ms. and *Talmid R' Yechiel MiParis*). At any rate, the verse uses the term אֵשֶׁת in reference to the blind creature. This is the same as the אישות of our Mishnah, except that the Mishnaic sages used a variation of the Scriptural word (*Talmid R' Yechiel MiParis*).

31. When the ants smell the foreign soil, they panic and kill each other (*Rashi*). [Alternatively: The soil from the other hole contains some ants, and the two groups attack each other (*Rashi ms., Rabbeinu Chananel*).] The Baraisa informs us this to teach what is permitted on Chol HaMoed (*Talmid R' Yechiel MiParis*).

רובע זרע ממין אחר [א]ימעט והתניא התקינו שיהו מפקירין כל השדה כולה לא קשיא כאן קודם תקנה כאן לאחר תקנה דתניא (א) [ב]בראשונה היו עוקרין ומשליכין לפני בהמתן והיו בעלי בתים שמחין שתי שמחות אחת שמנכשין להם שדותיהן ואחת שמשליכין לפני בהמתם התקינו שיהו עוקרין ומשליכין על הדרכים ועדיין היו שמחין שמחה גדולה שמנכשין שדותיהן התקינו שיהו מפקירין כל השדה כולה:

מתני' (ג) ר"א בן יעקב אומר [ג]מושכין את המים מאילן לאילן ובלבד שלא ישקה את כל השדה [ד]זרעים שלא שתו לפני המועד לא ישקם במועד וחכמים מתירין בזה ובזה:

גמ' אמר רב (ג) יהודה [ה]אם היתה שדה מטוננת מותר תניא נמי הכי (ד) כשאמרו אסור להשקותן במועד לא אמרו אלא בזרעים שלא שתו מלפני המועד אבל זרעים ששתו לפני המועד מותר להשקותן במועד ואם היתה שדה מטוננת מותר ואין [א] משקין שדה גריד במועד וחכמים מתירין בזה ובזה אמר (ה) רבינא שמע מינה האי תרביצא שרי לתרבוצי בחולא דמועדא שדה גריד מאי טעמא דאפלא משוי לה חרפא ה"נ אפלא משוי לה חרפא ת"ר [ב] מרביצין שדה לבן בשביעית אבל לא במועד והא תניא (ו) [ו]מרביצין בין במועד בין בשביעית אמר רב הונא לא קשיא הא ר"א בן יעקב הא רבנן תניא אידך מרביצין שדה לבן ערב שביעית כדי שיצאו ירקות בשביעית ולא עוד אלא שמרביצין שדה לבן בשביעית כדי שיצאו ירקות למוצאי שביעית:

מתני' צדין את האישות ואת העכברים משדה האילן ומשדה הלבן כדרכו במועד ובשביעית (ז) [ז]וחכ"א משדה האילן כדרכו ומשדה הלבן שלא כדרכו [ח]ומקרין את הפירצה במועד [ט]ובשביעית בונה כדרכו:

גמ' מאי אישות אמר רב יהודה בריה שאין לה עינים אמר רבא בר ישמעאל ואיתימא רב יימר בר שלמיא מאי קרא (א) כמו שבלול תמס יהלך נפל אשת בל חזו שמש ת"ר צדין את האישות ואת העכברים משדה הלבן ומשדה האילן כדרכו (ח) ומחריבין חורי נמלים כיצד מחריבין רשב"ג אומר מביא עפר מחור זה ונותן לתוך חור זה והן חונקין זה את זה אמר רב יימר בר שלמיא משמיה דאביי והוא דקאי בתרי עברי נהרא והוא דליכא גשרא והוא דליכא גמלא והוא דליכא מצרא

עד

רש"י

רובע. הקב אחד מכ"ד בסאה: הכי גרס ימעט. שאם זרע רובע הקב ימעטנו ויעקרנו: והתניא כל השדה כולה. ולא אמרת ימעט: שמנכשין שדותיהן. שלוחי ב"ד משלהן דכשנוטלין הכלאים מאליו מתנכש: **מתני'** מושכין המים מאילן לאילן. דהוי כשדה בית השלחין דפסידא יתירא איכא אבל לא ישקה את השדה כולה שדה בית הבעל: זרעים שלא שתו לפני המועד. שלא היו מלומדין לשתות תמיד לפני המועד: לא ישקם במועד. דהואיל ולא משקה להו תדיר לפני המועד לא הוי ליה פסידא אי לא משקה להו במועד: וחכמים מתירים בזה ובזה. להשקות את כל השדה כולה ולהשקות במועד זרעים שלא שתו לפני המועד והאי חכמים היינו ר"מ דאמר לעיל (דף ב.) משקין ממנו אפי' שדה בית הבעל: **גמ'** אמר רב יהודה. הא דאמר ר"א אבל לא ישקה [ג] את השדה כולה אבל אם היתה שדה מטוננת לחה ויבשה מותר להשקותה אע"ג דהוה שדה בית הבעל דכיון דהויא לחה עד השתא אי לא משקה לה הוי פסידא יתירא: שדה גריד. יבשה מעולם שאין צריך להשקותה: בזה ובזה. בשדה גריד ובזורעים שלא שתו לפני המועד: תרביצא. גינה: שרי לתרבוצי. לזלף עליה מים אע"ג דליכא פסידא לתרבולי להשקות לשון אין מכבדין ואין מרבילין היינו השקאה פורתא כדי שיצאו הירקות וכדמפרש באידך ברייתא לקמיה ומשקין היינו השקאה גמורה של בית השלחין: אפלא לשווייה חרפא. דליכא פסידא ואפ"ה שרי להשקותה כך ולהשביחה ה"נ בגינה מרבילין: שדה לבן. בית הבעל: הא. דקתני אבל לא ישקם במועד היינו ר"א בן יעקב דאמר אבל לא ישקה את כל השדה כולה והא דתני בין במועד בין בשביעית היינו חכמים דמתירין להשקות אפי' כל השדה: כדי שיצאו בשביעית. אבל לא ישקה בשביעית כדי שיצאו בשביעית: **מתני'** צדין האישות. בשדה האילן במועד מפני שמפסידין בו: כדרכו. שאין צריך לשנות בצידה: ובשביעית. אע"ג דמתקן השדה: בשדה האילן. צד כדרכו מפני שהפסד מרובה הוא: ובשדה לבן שלא כדרכו. ואינו יכול לצוד כדרכו בשדה לבן משום דלא מפסיד כולי האי בשדה לבן: ומקרין את הפירצה. שאם נפלה מקלתה חוזר ומתקנה במועד: ובשביעית בונה כדרכו. מתחילה אע"ג דמיחזי דעביד נטירותא לפירי: **גמ'** בריה שאין לה עינים. וחופר בקרקע: מאי קרא. דאישות בריה שאין לה עינים: דכתיב כמו שבלול תמס יהלך. שבלול שקורין לימצו"ן תמס יהלך כלומר כשיוצא חוץ מנרתיקו (א) רירות נופלות ממנו עד שהוא נימוח ומת תמס כמו ונמס: נפל אשת בל חזו שמש. כלומר כך אישות נופלות פתאום לארץ ומתים דלא חזו: וחונקין זו את זו. מפני שמריחין את העפר ואין מכירין באותו עפר: והוא דקאי בתרי עברי נהרא. דכיון דאיכא הפסק מים בין הני תרתי חורי נמלים אין מכירים הני בעפר דהני: גישרא. גשר: גמלא. שאין לו גשר אלא מנסר אחד: ומצרא. עדיין קטן מגמלא אין יכול להלך עליו אלא כשקושרים חבל אחד משני עברי הנהר בשתי יתידות ואוחזין בו והולכין על אותו גשר צר אבל אי איכא חד מהן מכירין הני בחורי דהני:

עד

תוספות

ואין משקין שדה גריד. פי' בית הבעל לפי שהוא רגיל להיות יבש וגריד בדל"ת וכן פירש בערוך [ובתוס'] הרב ברי"ש כמו חמרא מיגרר גריר (פסחים דף קז:):

וחכמים מתירין בזה ובזה. והני תרי פלוגתא דהכן ברייתא היינו כעין פלוגתא במתניתין ות"ק דהכא הוא ר"א בן יעקב: **שרי** לתרבוצי. וקשה הא קיימא לן משנת ר"א (ב) קב ונקי ועוד הקשה בתוספות דרבינא גופיה דאמר לעיל (דף ד.) מדלין ירקות כדי לאוכלן אבל לייפותן אסור אלמא הרווחא אסור ותירץ דתרבילא אינה כ"א השקאה פורתא ולפ"ז נראה דה"פ דהאי תרבילא שרי לתרבולי אפילו לראב"י דכי היכי דשרו רבנן אפלא לשווי חרפא גם לראב"י יתיר ג"כ השקאה פורתא או שמא סבר כר"א בהשקאה ופליג בהרבצה וי"מ דפלוגתא דשדה גריד לאו היינו פלוגתא דמתני' דמיירי בה ראב"י וחכמים ופליגי באפלא לשווי חרפא ת"ק חשיב ליה הרווחא ואסור ורבנן סברי דלאו היינו הרווחא דיש אוהב יותר אפלא ויהיו נגמרים יותר ומבושלים בטוב ור"ח פי' אמר רבינא שמע מינה האי תרבילא פי' שדה שאין זרוע עדיין שכבר השקוהו קודם מותר להשקותו במועד לזורעו אחר המועד דסבר לה כראב"י דאמר זרעים ששתו לפני המועד (ג) וקסבר תרבילא הוי כמו זרעים ששתו לפני המועד דהיינו שם תרבילא שהרבילוהו קודם המועד (ד) ומקשינן עלה שדה גריד אסור משום דאי משקי ליה האידנא יבכיר קודם אבל לא פסיד תרבילא נמי אי משקה האידנא קדים ובכיר ולא פסיד וזה השיטה הולכת דסבירא לן כראב"י. כן פירש ר"ח: **מרביצין** שדה לבן בשביעית. לגבי שביעית פי' הקונטרס השקאה פורתא ונראה שחזר בו ממה שפירש במשנה משקין בית השלחין במועד ולגבי שביעית שרי אפילו בית הבעל ואני פירשתי במשנה דשביעית נמי לא שרי אלא בבית השלחין כדפי' בקונטרס כאן אבל ק"ל שמא הכא איירי בהשקאה גמורה דפליגי לגבי מועד ראב"י ורבנן ופלוגתייהו הוי בהשקאה מרובה ואדרבה נראה לי דמיירי בהשקאה גמורה אלא לגבי שלחין שצריך השקאה נקט משקין וגבי בית הבעל קרוי הרבצה לכן נראה יותר פי' הקונטרס שבמשנה ולפי' דהכא צ"ל דהשקאה גמורה אסורה בבית הבעל והרבצה מועטת שרי בשביעית ובמועד אסור אפילו הרבצה מועטת לר"א בן יעקב ולרבנן שרי אפי' השקאה גמורה:

צדין את האישות במועד ובשביעי'. תימה מאי קמ"ל בשביעית והלא אין זו עבודת קרקע ורבי יהודה מאי טעמא לאסר כדרכו וי"ל דודאי צריך למיסקל אבנים מתוך שדהו כשמפנה האישות ותנן פ"ג דשביעית המסקל שדהו נוטל העליונות ומניח התחתונות הנוגעות בארץ וכן גרגיר של צרורות וכו' אישות מפורש בירושלמי חולדה:

עד

עין משפט נר מצוה

נה א מיי' פ"ב מהל' כלאים הלכה א טוש"ע י"ד סי' רלז סעיף ה:
נו ב מיי' שם הל' טו:
נז ג מיי' פ"ח מהל' יו"ט הלכה ג סמג לאוין עה טוש"ע א"ח סי' תקלז סעיף ז:
נח ד מיי' שם הל' ד:
נט ה מיי' שם הל' ג טוש"ע שם:
ס ו מיי' פ"א מהלכות שמיטה הלכה ט ופ"ח מהלכות יו"ט הלכה ג:
סא ז מיי' פ"ח מהלכות יו"ט הלכה ה טוש"ע א"ח סי' תקלז סעיף יג:
סב ח מיי' שם הלכה ו טוש"ע שם סי' תקמ סעיף א:
סג ט מיי' פ"ב מהל' שמיטה הלכה יד:

רבינו חננאל

מתני' ר' אליעזר בן יעקב אומר מושכין המים כו' אמר רב הונא אם היתה השדה מטוננת פי' לחה כגון שרבו המים מקודם ועדיין ליחלוחיתה קיימת מותר. תניא כוותיה כשאמרו אסור להשקות במועד לא אמרו אלא זרעים שלא שתו מלפני המועד אבל זרעים ששתו מלפני המועד מותר להשקותן. ואם היתה שדה מטוננת מותר ואין משקין שדה גריד במועד פי' כדתנן בנזיקין בפ' איזהו נשך כל ימי גריד אחד כל ימי רביעה אחד. וחכמים מתירין בזה ובזה. אמר רב כהנא ש"מ האי תרביצא פי' שדה זרועה (א) עדיין שכבר השקוה מקודם מותר להשקותה גם במועד לזורעה אחר המועד. ומקשינן עלה גריד אמאי אסור משום דאי משקת ליה האידנא מקדים ליה ובכיר. תרביצא נמי אי משקת ליה האידנא קדים ומציץ בכיר. ולא איפריק והא דתניא מרביצין בשביעית אבל לא במועד ר' אליעזר בן יעקב היא והא דתניא מרביצין בין במועד בין בשביעית רבנן היא. תניא מרביצין שדה לבן בערב שביעית כדי שיצמחו ירקות בשביעית ולא עוד אלא שמרביצין שדה לבן בשביעית כדי שיצמחו ירקות במוצאי שביעית. אישות פי' בריה שאין לה עינים כדכתיב נפל אשת בל חזו שמש: ירושלמי אישות זה חולדה: ת"ר צדין את האישות ואת העכברים משדה אילן ומשדה הלבן. ומחריבין חורי נמלים. כיצד עושה מביא עפר תיחוח עם הנמלים מחור זה ונותן לתוך חור זה והן חונקין זה את זה. והוא דקיימי אילן החורין בתרי עברי נהרא וליכא התם לא גשר ולא גמלא ולא מיצרא ולא תיתורא שיכולין לחזור בחור שלהן וכמה יהא בין חור לחור פרסה.

רבי

חשק שלמה על ר"ח

(א) נ"ל שדה שאינה זרועה עדיין וכו' תרבילא נמי וכו' קדים ובכיר כצ"ל וכ"ה בתוס' כאן בשם רבינו.

מסורת הש"ס

א) [שקלים ג. עוד שם פ"א מ"ב], ב) לעיל ב., ג) [בשאלתות פ' הברכה אי' רב הונא], ד) [בשאלתות פרשת הברכה סי' קע איתא ר"א בן יעקב אומר כשאמרו כו'], ה) [שם אי' רבא], ו) [עיין ר"ש פ"ב דשביעית מ"י], ז) ס"א ר' יהודה וכן גירסת התוספות [וכן ברי"ף והרא"ש וכן בשאלתות פרשת הברכה סי' קע וכן בפיסק' דלקמן ז. ר' יהודה אומר וכו'], ח) [תוספת' פ"א].

הגהות הב"ח

(א) רש"י ד"ה דכתיב כו' רירות נופלות. נ"ב כלומר כל שעה שהולך ליחה נופלת ממנו: (ב) תום' ד"ה שרי וכו' משנת ר"א בן יעקב קב: (ג) בא"ד ששתו לפני המועד מותר להשקותן במועד וקסבר תרבילא כו': (ד) בא"ד ומקשינן עלה שדה. נ"ב לשון הרי"ף וז"ל דהא דקאמר שדה גריד מ"ט כו' הוא קושיא על רבינא ולא פריק ולכן לית הלכתא כוותיה ע"ש:

הגהות הגר"א

[א] גמ' משקין נ"ל מרבילין (וע' נ"י): [ב] שם ת"ר אין מרביצין שדה לבן בשביעית ולא במועד כצ"ל: [ג] רש"י ד"ה אמר רב יהודה הא דאמר ר"א אבל לא ישקה כו'. נ"ב אבל הטור פי' דקאי אסיפא אזרעים שלא שתו (וכן פי' הנ"י):

תורה אור השלם

א) כְּמוֹ שַׁבְּלוּל תֶּמֶס יַהֲלֹךְ נֵפֶל אֵשֶׁת בַּל חָזוּ שָׁמֶשׁ: [תהלים נח, ט]

רש"י כת"י

רובע. הקב אחד מעשרים וארבעה בסאה ובכלאי זרעים דרבנן קמיירי וכל מדת חכמים כן הוא. ה"ג ימעט. שאם זרע רובע הקב ימעטנו שיעקרנו. והתניא וכו'. דכל השדה כולה אסורה ואת אמרת ימעט. מושכין את המים וכו'. כדפרישית בריש פירקי'. (דקתני בית השלחין אין בית הבעל לא). זרעים שלא שתו לפני המועד. לא פסדי. בזה ובזה. בזורעים ובשדה כולה דרבנן שרי להשקות שדה בית הבעל דהכי אוקימ' בריש פירקין דהא תני בית השלחין אין בית הבעל לא ר' אליעזר בן יעקב היא ולא רבנן. מטוננית לשון טיט כלומר שהיו לחין (המזרעים) [הזורעים] שהשדה מטוננת ונתייבשו דהוו כזרעים ששתו לפני המועד ופסדין [רש"י רי"ף ועי"ש בב"ח] אי לא הדר ומשקה להו ואפי' ר' אליעזר מודה. שדה גריד. יבש ובית הבעל הא אלא שלא נפלו גשמים זה זמן מרובה.

תרביצא. גנה של ירקות. ל"א נוהגין היו להשקות שדה לאחר קצירה מיד לפי שיוצאין בו ירקות [וכשמשקין אותה ממהרות לצאת אותן ירקות] [רש"י רי"ף]. **חרפא.** כדי שיהא' חריף וממהר לבשל פירו' שרו ליה רבנן ולא משום פסידא דשדה בעל ליכא פסידא תרבילא נמי משקין לה משום הרווחה ולא משום פסידא. **מרביצין.** היינו השקאה פורתא כדי שילאו ירקות וכדמפ' באידך ברייתא לקמיה ומשקין השקאה גמורה דבית השלחין לישנא אחרינא תרבילא לשון משקין ממש על ידי שפעת מים אלא מזה מעט מפני אבק שעולה האבק שעולה על הירקות לשעות ואינו מניח לגדל אותן וכשהוא משליך עליהן מעט מים מתישב העפר וגדלו הירקות שבתרבץ ועל כן נקרא תרבילא ואין מכבדין את הבית מישבין את האבק. מפי ר' ילחק. **הא ר' אליעזר.** דלאו' במתניתין זרעים שלא שתו לפני המועד לא ישקם במועד והא דקתני מרבילין במועד רבנ' דפליגי עליה ושרו. **כדי שיצא ירקות.** ואוכלן בשביעית עד זמן הביעור השקאה אינה עבודת קרקע בשביעית. **כדי שיצאו ירקות במוצאי שביעית.** וכל שכן כדי שילאו בשביעית. **צדין את האישות.** שמפסידין את השדות. **בשדה אילן.** מפסדי טפי והפסד [מרובה] חששו בשביעית. **בונה כדרכו.** דלאו עבודת קרקע הוא. **כמו שבלול.** לימצ"א. **תמם יהלוך.** שהולך ומתמסמס שכל שעה שהולך ליחה נופלת ממנו וכמו נפל נפילת האשה שלא חזה שמש עטלף שאין לו עינים טלפא כן הרשעים. **מביא עפר מחור זה.** ונמלים עמו והן חונקין זה את זו מפני שאין מכירין אלו את אלו. **גישרא.** גשר מעולה בבנין דאי איכא גשרא אתי הני להני ומכירין זה את זה ואין חונקין. **גמלא.** דף. **מצרא.** החבל שאוחזין בו בעוד שעוברין על הדף קצר. הוצין. של דקל.

Shelemya said in the name of Abaye: וְהוּא דְקָאֵי בִּתְרֵי עִבְרֵי נַהֲרָא – **This is** effective only **where** the two holes **are located on two sides of a river,**[32] וְהוּא דְלֵיכָּא גִּשְׁרָא – **and** only **where there is no bridge** across the river, וְהוּא דְלֵיכָּא גַּמְלָא – **and where there is no plank** laid across it, וְהוּא דְלֵיכָּא מִצְרָא – **and where there is no rope** stretched across it.[33]

NOTES

32. Only then is the soil of the other hole foreign to these ants (*Rashi*).

33. A "plank" is narrower than a bridge, but is still wide enough for one to cross it unassisted. A "rope" refers to a situation where the river is spanned by a very narrow board, and one walking across keeps his balance by holding onto a rope that is stretched from one riverbank to the other. If any of these crossings are present, the ants will recognize the dirt that is brought from the other side of the river (*Rashi*).

The Gemara inquires:
עַד כַּמָּה – **Until what [distance]** are the ant holes considered too close together?[1]

The Gemara answers:
עַד פַּרְסָה – **Until a *parsah*.**[2]

The Mishnah stated:
רַבִּי יְהוּדָה אוֹמֵר מִשְּׂדֵה הָאִילָן כְּדַרְכּוֹ וּמִשְּׂדֵה הַלָּבָן שֶׁלֹּא כְּדַרְכּוֹ – **R' YEHUDAH SAYS:**[3] **FROM AN ORCHARD** we may trap the rodents **IN THE USUAL MANNER,** but **FROM A GRAIN FIELD** we must trap them **IN AN UNUSUAL MANNER.**

The Gemara cites a Baraisa which defines the usual and unusual manners of trapping:
תָּנוּ רַבָּנָן – **The Rabbis taught in a Baraisa:** כֵּיצַד כְּדַרְכּוֹ – **HOW** does one trap them **"IN THE USUAL MANNER"?** חוֹפֵר גּוּמָא וְתוֹלֶה בָּהּ מְצוּדָה – **ONE DIGS A HOLE AND SUSPENDS A TRAP IN IT.**[4] כֵּיצַד שֶׁלֹּא כְּדַרְכּוֹ – **HOW** does one trap them **"IN AN UNUSUAL MANNER"?** נוֹעֵץ שַׁפּוּד וּמַכֶּה בְּקוּרְדּוֹם – **ONE THRUSTS A SPIT** into the ground above their quarters **AND STRIKES** it **WITH A HAMMER,** וּמְרַדֶּה הָאֲדָמָה מִתַּחְתֶּיהָ – **AND** thus, **FLATTENS THE GROUND BENEATH IT,** so that they are caught underneath the falling earth and crushed.[5]

The Gemara cites a Baraisa that qualifies R' Yehudah's stringent ruling:[6]
תַּנְיָא – **It was taught in a Baraisa:** רַבִּי שִׁמְעוֹן בֶּן אֶלְעָזָר אוֹמֵר – **R' SHIMON BEN ELAZAR SAYS:** כְּשֶׁאָמְרוּ מִשְּׂדֵה לָבָן שֶׁלֹּא כְּדַרְכּוֹ – **WHEN THEY SAID** that we must trap rodents **FROM A GRAIN FIELD IN AN UNUSUAL MANNER,** לֹא אָמְרוּ אֶלָּא בִּשְׂדֵה לָבָן הַסְּמוּכָה לָעִיר – **THEY SAID THIS ONLY REGARDING A GRAIN FIELD THAT IS NEAR THE TOWN.** אֲבָל בִּשְׂדֵה לָבָן הַסְּמוּכָה לִשְׂדֵה הָאִילָן – **BUT REGARDING A GRAIN FIELD THAT IS NEAR AN ORCHARD,** the rule is that אֲפִילּוּ כְּדַרְכּוֹ – we may trap them **EVEN IN THE USUAL MANNER,** שֶׁמָּא יֵצְאוּ מִשְּׂדֵה הַלָּבָן וְיַחֲרִיבוּ אֶת הָאִילָנוֹת – because of the concern that **PERHAPS THEY WILL GO OUT FROM THE GRAIN FIELD AND DESTROY THE TREES** of the orchard.

The Mishnah stated:
וּמְקָרִין אֶת הַפִּירְצָה בַּמּוֹעֵד – **WE MAY CLOSE A BREACH** in a fence surrounding a field **ON CHOL HAMOED,** and in *shemittah* we may build even a new wall in the usual manner.

The Gemara inquires as to how the repair is done on Chol HaMoed:
כֵּיצַד מְקָרִין – **How do we close** the breach?

The Gemara answers:
רַב יוֹסֵף אָמַר – **Rav Yosef said:** בְּהוּצָא וְדַפְנָא – **With palm fronds and laurel.**[7]

An alternative answer:
בְּמַתְנִיתָא תָּנָא – **In a Baraisa it was taught:** צָר בִּצְרוֹר וְאֵינוֹ טָח בְּטִיט – **ONE PILES** it **WITH STONES BUT DOES NOT SMEAR** them **WITH PLASTER.**[8]

The Mishnah's ruling – that on Chol HaMoed the breach may merely be closed but the wall may not be rebuilt – is qualified:
אָמַר רַב חִסְדָּא – **Rav Chisda said:** לֹא שָׁנוּ אֶלָּא כּוֹתֶל הַגִּינָּה – **They taught** this **only** concerning **the wall of a garden.**[9] אֲבָל כּוֹתֶל הֶחָצֵר – **But** concerning **the wall of a courtyard,** בּוֹנֶה כְּדַרְכּוֹ – the rule is that **it may be built in the usual manner.**[10]

The Gemara seeks to support Rav Chisda's ruling:
לֵימָא מְסַיֵּיע לֵיהּ – **Let us say that [the following Baraisa] supports him:** כּוֹתֶל הַגּוֹחֶה לִרְשׁוּת הָרַבִּים – Concerning **A** courtyard **WALL THAT IS LEANING** precariously **INTO THE PUBLIC DOMAIN,** סוֹתֵר וּבוֹנֶה כְּדַרְכּוֹ – **ONE SHOULD DEMOLISH AND REBUILD** it **IN THE USUAL MANNER** on Chol HaMoed, מִפְּנֵי הַסַּכָּנָה – **BECAUSE OF THE DANGER** that it might collapse and injure pedestrians. Thus, we see that a courtyard wall is different than a garden wall![10a]

The proof is rejected:
הָתָם כִּדְקָתָנֵי טַעְמָא – **There, the reason** for the lenient ruling **is as the Baraisa** itself **teaches:** מִפְּנֵי הַסַּכָּנָה – **BECAUSE OF THE DANGER** that the wall might collapse and injure pedestrians. Thus, the Baraisa offers no support to Rav Chisda's ruling, for in that case the wall had already fallen.[11]

The Gemara cites another version of how this Baraisa was cited in connection with Rav Chisda's ruling:
וְאִיכָּא דְּאָמְרֵי – **And there are those who say** that the Baraisa was cited as a challenge to Rav Chisda, as follows: תָּא שְׁמַע – **Come, learn** a refutation of Rav Chisda's ruling from the following Baraisa: כּוֹתֶל הַגּוֹחֶה לִרְשׁוּת הָרַבִּים – Concerning **A** courtyard **WALL THAT IS LEANING** precariously **INTO THE PUBLIC DOMAIN,** סוֹתֵר וּבוֹנֶה כְּדַרְכּוֹ מִפְּנֵי הַסַּכָּנָה – **ONE SHOULD DEMOLISH AND**

NOTES

1. When there *is* a river between the two holes and no means of crossing it, how far apart must the holes be for the ants to be unable to recognize soil from the other side (*Rashi,* second explanation of *Tosafos* ד״ה עד כמה)? Alternatively: What is the distance that precludes recognition when there is *no* river between the holes (*Rashi ms.,* first explanation of *Tosafos* ד״ה עד כמה).

2. A *parsah* equals four *mil,* which is the same as 8,000 *amos* (between 2.3 and 3 miles).

3. See 6b note 25.

4. The hole provides the rodents with an exit from their underground quarters which leads them into the trap (*Rashi ms.*)

5. *Rashi. Rashi ms.* has the reading וּמְדַדֶּה הָאֲדָמָה, *and shakes the earth.* He explains that one moves the sunken spit about until the rodents emerge, and they then enter a previously prepared above-ground trap. See also *Meiri;* cf. *Chidushei HaRan.*

[The underground quarters of moles are often identified by small mounds of earth (molehills), and their tunnels are characterized by small ridges along the ground.]

6. This explanation follows our version of the Baraisa's text. See *Tosafos* ד״ה תניא for a discussion of variant versions. See also *Rif* and *Rosh.*

7. One uses the palm fronds to braid the laurel branches together and form a barrier (*Rashi*).

8. I.e. he does not cement the stones together. Thus, the wall is repaired in a nonprofessional manner. Repairing it professionally is prohibited. The Baraisa does not contradict Rav Yosef, but offers an alternative method of repair (see Gemara, 11a, and *Rambam, Hil. Yom Tov* 8:6; cf. *Talmid R' Yechiel MiParis*).

9. For no great loss will be incurred if people break through the poorly repaired breach and enter the garden (*Rashi*).

10. For leaving the breach improperly repaired can lead to a significant loss, as it might allow thieves to enter the dwellings that are within the courtyard and make off with valuables (*Rashi*). It follows that the broken wall of a house may certainly be repaired in the usual manner on Chol HaMoed (*Talmid R' Yechiel MiParis* below).

10a. The Gemara sssumes that we are dealing with a *courtyard* wall, for concerning a garden wall one would definitely not be permitted to rebuild it in its usual manner (*Talmid R' Yechiel MiParis*).

11. [Hence, the Baraisa may be dealing even with a garden wall. Due to the danger involved, one is permitted to rebuild it in its usual manner.]

One wonders why the Gemara even attempted to support Rav Chisda on the basis of this Baraisa! *Ritva* explains that the Gemara assumed that the concern for danger to pedestrians only allows the wall to be demolished. But once the danger is gone, this is no different than any other wall around a courtyard. Since the Baraisa allows it to be rebuilt in the usual manner, we learn that this is allowed in all cases. The Gemara responds, however, that the initial concern for danger is also the reason for allowing the wall to be rebuilt. For as explained below, if we would not allow the rebuilding, the owner would be unwilling to demolish it in the first place, and the danger would persist. Cf. *Talmid R' Yechiel MiParis.*

עד כמה עד פרסה: רבי יהודה אומר משדה האילן כדרכו ומשדה הלבן שלא כדרכו: תנו רבנן [א]כיצד כדרכו חופר גומא ותולה בה מצודה כיצד שלא כדרכו נועץ שפוד ומכה בקורדום (א) ומרדה האדמה מתחתיה תניא ([ב]ר"ש בן אלעזר) אומר [ב]כשאמרו משדה לבן שלא כדרכו לא אמרו אלא בשדה לבן הסמוכה לעיר אבל בשדה לבן הסמוכה לשדה האילן אפילו כדרכו שמא יצאו משדה הלבן ויחריבו את האילנות: ומקרין את הפירצה במועד: כיצד מקרין רב יוסף אמר [ג][ג]בהוצא ודפנא במתניתא תנא [ד]צר בצרור ואינו טח בטיט אמר רב חסדא לא שנו אלא כותל הגינה אבל [ה]כותל החצר בונה כדרכו לימא מסייע ליה [ד][ו]כותל [ה]הגוחה לרשות הרבים סותר ובונה כדרכו מפני הסכנה התם כדקתני טעמא מפני הסכנה ואיכא דאמרי תא שמע כותל הגוחה לרה"ר סותר ובונה כדרכו מפני הסכנה מפני הסכנה אין שלא מפני הסכנה לא לימא תיהוי תיובתיה דרב חסדא אמר לך רב חסדא התם סותר ובונה הכא בונה ולא סותר התם נמי ליסתור ולא ליבני א"כ מימנע ולא סותר אמר רב אשי מתניתין נמי דיקא דקתני ובשביעית בונה כדרכו דהיכא אילימא דחצר צריכא למימר אלא לאו דגינה ואע"ג דמיחזי כמאן דעביד נטירותא לפירי שמע מינה:

מתני' ר' מאיר אומר רואין את הנגעים ([ו]בתחילה) להקל אבל לא להחמיר [ז]וחכמים אומרים לא להקל ולא להחמיר:

גמ' תניא רבי מאיר אומר [ז]רואין את הנגעים להקל אבל לא להחמיר רבי יוסי אומר לא להקל ולא להחמיר שאם אתה נזקק לו להקל נזקק לו אף להחמיר אמר רבי נראין דברי רבי מאיר במוסגר ודברי רבי יוסי במוחלט אמר רבא בטהור כ"ע לא פליגי דלא חזו ליה [א] בהסגר ראשון דכ"ע לא פליגי דחזי ליה כי פליגי בהסגר

רש"י

עד כמה. מרוחקין הני תרי חורי נמלים דכי איכא נהרא בינייהו וליכא גישרא דאין מכירין הני בחורי דהני: עד פרסה. אי ליכא פרסה בינייהו אע"ג דאיכא נהרא וליכא מעבר מכירין הני בחורי דהני: נועץ שפוד. במקום שהן מלוין ומרדה האדמה וממעך אותן: הוצא. (א) ענפי דקל דתמרים: דפנא. בייר וקעבד גדר מדפנא ומגדל אותה מהוצי הדקל: צר בצרור. מניח אבנים זה על גב זה: אמר רב חסדא לא שנו. דאמר מתני' מקרין אבל אינו בונה כדרכו: בכותל גינה. דליכא פסידא יתירא אי עיילי בה אינשי: אבל בכותל חצר בונה כדרכו. דאיכא פסידא יתירא אי עיילי בה גנבי וגנבי ממוניה: גוחה. שוחה ונטוי: סותר ובונה כדרכו. דהיינו כותל חצר מסייע ליה לרב חסדא: מפני הסכנה. שלא תפול על הולכי ברשות הרבים: שלא מפני הסכנה לא. קשיא לרב חסדא דאמר בכותל חצר בונה כדרכו אע"פ דליכא סכנה: תריץ. לא קשיא לרב חסדא דהא דקתני במקום סכנה היינו דסתר לה כשגוחה ובונה לה שפיר: הכא. דקאמר רב חסדא שלא במקום סכנה בונה כדרכה כשהיא סתורה קודם לכן אבל לא סתר לה במועד: התם. במקום סכנה לסתור משום דאיכא סכנה ולא ליבני דבבנין ליכא סכנה: א"כ. דלא בני: ממנעי ולא סתרי. והוי סכנה: מתניתין נמי דיקא. כרב חסדא דגינה אינו בונה במועד כדרכו: אלא לאו בגינה. ובשביעית בונה כדרכו אבל במועד אינו בונה כדרכו: **מתני'** רואין את הנגעים להקל. כלומר רואה הכהן נגע לרעת במועד לטהר: לא להחמיר. שאם רואה הכהן שהוא טמא אינו אומר כלום שאם מטמאו נמצא מצערו במועד ורחמנא אמר (דברים טז) ושמחת בחגך: **גמ'** שאם אתה נזקק לו להקל אתה נזקק לו להחמיר. כלומר מאחר שרואהו הכהן אומר בין הוא טמא בין הוא טהור: א"ר נראין לי דברי ר' מאיר במוסגר. שרואין ודברי רבי יוסי במוחלט: בהסגר ראשון. שאם מטהר ליה משמח ליה אי לא מטהר ליה לא מטמא ליה יותר מדמעיקרא אלא מסגר ליה פעם שניה:

תוספות

עד כמה עד פרסה. דאין מכירין זה את זה ביותר מפרסה אפי' בלא נהר א"נ ה"פ כשיש נהר מתי קרויין מכירין עד פרסה אבל ביותר מיקרי אין מכירין ודוקא דאיכא נהר:

תניא ר"ש בן אלעזר אומר. לא ידענא מה הוא אם הוא תנא שלישי או שמא מילתיה דת"ק מפרש או שמא י"ל דרבי יהודה מודה בשדה לבן הסמוכה לשדה האילן וחכמים מיירי בשדה הסמוכה לבית השלחין לא בשדה הסמוכה לבית האילן ונראה לי דגרסינן הכי באיזה שדה לבן מתירין חכמים ויש ספרים שכתוב בהן כשאמרו בשדה לבן שלא כדרכו לא אמרו אלא בשדה לבן הסמוכה לעיר וקאי על דברי רבי יהודה כו':

אמר רב אשי מתניתין נמי דיקא. פסק בתוס' דהר"ר פרץ דהלכתא הכי דכותל חצר מותר לבנותו ופירש דהיינו דוקא במקום סמוך לרה"ר שיש לו לחוש לגנבים אבל בין חצר לחצר ומשום בני חצר אסור לבנותו כדרכו:

אמר רבי נראין דברי ר"מ במוסגר. מה שפירש בקונטרס דמוסגר אסור בתשמיש המטה לא נדע מנין לו דהא תנן בפרק קמא דמגילה (ד' ח:) אין בין מוסגר למוחלט אלא פריעה ופרימה משמע דלענין תשמיש המטה שוין דלמאן דאמר מוחלט מותר כל שכן דמוסגר מותר ולמ"ד דמוחלט אסור ה"ה מוסגר אסור דהא מוחלט מאי טעמא דאסור משום דאיכא ק"ו לימי חלוטו כדאמרינן בשמעתין והכי נמי ק"ו לימי הסגירו וגמרינן ימי הסגר מימי ספרו ואי משום דאין טעון פריעה ופרימה בימי ספרו נמי אין טעון פריעה ופרימה והא דקאמר התם בגמרא הא לענין שילוח טומאה זה וזה שוין ה"ה לענין תשמיש המטה הן שוין אלא לא פסיק ליה לאיסור או להיתר וגם מה שפירש בקונט' דמוסגר אינו משתלח חוץ לג' מחנות מזה חזר בו דהא בפרק קמא דמגילה (ד' ח:) קאמר הא לענין שילוח זה וזה שוין ולפי זה קשה מאי שייך צוותא דאשתו וצוותא דעלמא במוסגר ובמוחלט בשלמא צוותא דעלמא יש ליישב שהוא [ט]צריך פריעה ופרימה כשהוא מוחלט וטמא טמא יקרא ופורש מבני אדם בימי חלוטו יותר מבימי הסגירו אבל לתשמיש שניהן שוין ע"כ נראה דהא דקאמר מר סבר צוותא דעלמא ניחא ליה ומר סבר צוותא דאשתו עדיף אמוחלט קאי וה"פ נראין דברי ר' מאיר במוחלט דרואין דאי מטמא ליה תחילה נמי טמא הוה ואי מטהר ליה מאי אפסדיה דלצוותא דאשתו אינו חושש דצוותא דעלמא עדיפא ליה ונראין דברי ר' יוסי במוסגר דמטמא ליה ופסיד צוותא דעלמא שיהיה טעון פריעה ופרימה וטמא טמא יקרא וצריך לפרוש מבני אדם וגם יפסיד שילטער שעד עתה היה מצפה להיות טהור ואין מצפה עתה ליטהר ותנא אחרינא סבר צוותא דאשתו ניחא ליה והכי פירושו נראין דברי ר' מאיר דרואין במוסגר דאי מטמא ליה לא יפסיד דשניהן מוסגר ומוחלט דינם שוה חוץ מפריעה ופרימה ובהן הפסד אינו חושש אפי' קרינא ליה הפסד צוותא דעלמא כדפי' אינו חושש אלא אצוותא דאשתו אבל מוחלט אין רואין דאי מטהר ליה יפסיד צוותא דאשתו דקסבר צוותא דאשתו עדיפא ליה מצוותא דעלמא וקצת ק"ל מהו נראין דברי ר"מ הא לית ליה לרבי מאיר כלל דהכהן מחויב לומר ואי בעי שתיק ור' (ג) קסבר דלעולם כהן אינו רשאי לשתוק כלל ולדברי ר' לא תמצא בשום אחד רואין להקל ולא להחמיר דאינו רשאי לשתוק כלל והכי הוה ליה למימר נראין דברי ר' יוסי כו' ואין נראין דברי רבי יוסי כו' והכי איתא בשמעתין דטיפת חלב (חולין ד' קט.):

בהסגר ראשון כולי עלמא לא פליגי. מה שפירש בקונטרס בסוף הסגר ראשון ומשום הכי רואין אי טהור שפיר ואי עומד בעיניו תחילה נמי בבית הכלא היה עומד וקשה דלמא פשה הנגע ויהיה טמא מוחלט והכי משמע בנגעים פ"א דארבע מראות הללו מצטרפין זה עם זה לפטור את העומד סוף שבוע שני להחליט את שנולד בו מחיה או שער לבן בתחילה בסוף שבוע ראשון או בסוף שני לאחר הפטור להחליט את שנולד בו פיסיון בסוף שבוע ראשון או בסוף שבוע שני ויש לפרש בהסגר ראשון כ"ע לא פליגי דחזי ליה הוי הטעם משום דלטהרו או לטמאו לא שייך למדרש עד שעה שצריך לטמאותו דהיינו בסוף הסגר שני אבל בסוף הסגר ראשון ראוי הוא להסגיר עוד ולא יטמאנו וכל זה דוחק לכך נראה דדברי רבינו יצחק בהסגר ראשון היינו תחילת הסגר ראשון שיכול (ג) לשמח בכהן דהא לא שייך לטהרו או לטמאו בהסגר שני שמא אינו יכול לשתוק והוא הדין בסוף הסגר שני: לטהרו

שביעי שלו של הסגר ראשון בתולו של מועד יכול כהן לראותו דאי מטהר ליה שמחה הוא לו ואי מצריך ליה שבעת ימים שנית מאי אפסדיה אי לא חזי ליה בבית הכלא נמי הוה עומד אלא אם בא שביעי של שבע' ימי הסגר שני בחולו של מועד ר' מאיר אומר רואהו כהן להקל אם טהור (או טמא) [אומר טהור] ואם טמא שתיק ואינו מצריכו שילוח חוץ למחנה דנוח לו לזה שיהא אדם ואל יצא חוץ למחנה מוחלט אע"פ שיהא שם מותר בתשמיש [המטה] דקא סבר ר' מאיר צוותא דעלמא ניחא ליה ר' יוסי אומר לא להקל ולא להחמיר [שאם רואהו להקל יבוא להחמיר] אם אי לשתוק ויהא מצריכו שילוח חוץ למחנה [ואימא האי בצוותא בעלמא ניחא ליה והכי נמי פליגי במוחלט שכבר יצא חוץ למחנה] שאם נרפא מן הצרעת ורוצה להראות אל הכהן אם נתרפא ויטהר ר' רואין דאי טהור אומר לו טהור ואי טמא אומ' לו טמא והכא ליכא למימר אבל לא להחמיר [דלא היינו חומרא] דמעיקרא טמא והשתא טמא לדברי ר' יוסי אין רואין דאי אומ' לו טהור נמצא תשמיש וכדלקמן ואע"ג דהוה ליה צוותא בעלמא איכא דניחא ליה בצוותא דאשתו והיינו דקאמר ר' נראין דברי ר' מאיר וכו' דרואין נגעים במוסגר שני דממה נפשך אי מטהר ליה הרי שמחה היא שילוח שמחה היא לו שמתירו בתשמיש ודברי ר' יוסי ודברי ר' יוסי דאמר אין רואין במוחלט דממה נפשך (אין רואין) אין שם שמחה דאי מטמא ליה מאי אהני ליה ואי שם המטה כל שבעת ימי ספירו לצוותא דאשתו ניחא ליה ע"פ רש"י ברי"ף. אמ' (ר') [רבין] נראין. כלומר רואה אני דברי ר' מאיר דלאית ליה רואין במוסגר ואיסור ראיה דר' יוסי אני רואה במוחלט אמ' רבה בהסגר ראשו' וכו'. כדפרישית ר' מאיר סבר באמירת כהן תלא רחמנא אי בעית אימא איבעי שתוק וכל כמה דלא אמ' טמא לא הוי טמא ואי טמא שתיק והלכך רואין ר' יוסי סבר אין רשאי לטמאו אי זה שירצה יאמר וכל כמה דלא חזי לא... אמ' (ר') [רבין] נראין דברי ר' מאיר במוסגר והתניא איפכא. אמ' ר' נראין דברי ר' מאיר במוחלט ודברי ר' יוסי במוסגר. [מכא שייך לע"ב]
תנאי הוא ואליבא דר'. כלומר [תנא] קמא דסבירא ליה לר' צוותא דאשתו עדיפא ליה הילכך נראין דברי ר' מאיר במוסגר ודברי ר' יוסי במוחלט כולה שיטה כדפרשית ותנא בתרא דסבירא ליה לר' דצוותא דעלמא עדיפא ליה הילכך מטהר ליה שמחה היא לו דצוותא דעלמא ניחא ליה טפי מצוותא דאשתו ודברי ר' יוסי דאמ' אין רואין במוסגר דילמא מטמא ליה ואסר ליה בצוותא דעלמא אע"ג (דקאי הסגר) [אע"ג דכשהוא מחליטו יהיה טפי. כללא דמילתא ר' מאיר סבר צוותא דעלמא עדיפא ליה ור' יוסי סבר איכא דניחא ליה בדעלמא ואיכא דניחא ליה בדאשתו ור' סבירא ליה כר' יוסי דאין כהן רשאי לשתוק וסבירא ליה דצוותא דאשתו עדיף ליה ולמ דליה. צוותא דעלמא. ייחוד בני אדם שול"ץ בלע"ז ובחולו של מועד קא מיירי אבל ביום טוב אין רואין לימים פשפש בשמועה ומדשה כשמלה (מאן) [מאי] תנא אליבא דר' נראין דברי ר' מאיר במוסגר סבר צוו טהור בין אמ' ליה טמא לא מצער דאי אמ' ליה טהור שמח דיהיב צוותא דעלמא וצוותא דאשתו דעד השתא אסור ליכנס לפנים מן החומה כדאמרינן בפרק קמא דמגילה (ח:) ימי כל ימי לרבות מצורע מוסגר ל שהוא אומ' לו טהור מכניסו מן החומה ולפנים ומותר בתשמי' ואי אמ' ליה טמא ומחליט ליה אע"ג דקא מצער ליה עד השתא היה תלוי ואומר שמא יאמר לו כהן טהור לגמרי וכשהוא מחליטו מצ

עין משפט נר מצוה

סד א מיי' פ"ח מהל' י"ט הל' ה טוש"ע א"ח סי' תקלז סעיף יג:

סה ב מיי' שם טוש"ע שם:

סו ג ד ה ו מיי' פ"ח מהל' י"ט הלכה ו סמג לאוין עה טוש"ע א"ח סי' תקמ סעיף א:

סז ז מיי' פ"ז מהל' י"ט הלכה טז:

הגהות הב"ח

(א) רש"י ד"ה הוצא הוצי דקל הס"ד ומה"ד דפנא ענפי עץ שקורין לו"ר ופרי שלו קורין ביי"ש וקעבד גדר: (ב) תוס' ד"ה אמר רבי כו' ואי בעי שתיק ורבי יוסי קסבר דלעולם כו' ולדברי ר' יוסי לא תמצא: (ג) ד"ה בהסגר כו' תחילת הסגר ראשון שיכול לשתוק דהא:

הגהות הגר"א

[א] גמ' בהסגר שני דכ"ע ל"פ דחזי ליה כי פליגי בהסגר ראשון כצ"ל:

גליון הש"ס

תוס' ד"ה אמר רבי נראין וכו' צריך פריעה ופרימה כשהוא מוחלט וטמא טמא יקרא. עיין תוי"ט פ"א מ"ז דמגילה:

רבינו חננאל

ר' יהודה אומר צדין משדה האילן כדרכו ומשדה הלבן שלא כדרכו: ת"ר כיצד כדרכו חופר גומא ותולה בה מצודה. כיצד שלא כדרכו נועץ שפוד ומכה בקורדום ומרדה בעפר תחתיה: ומקרין הפירצה במועד. רב יוסף אמר בהוצא ודפנא במתניתא תנא צר בצרור כלומר עולה באבנים זו על גב זו ואינו טח בטיט. אמר רב חסדא לא שנו שמקרין את הפירצה אלא כותל גינה [אבל כותל חצר] שנפל בונה כדרכו אמר רב אשי מתני' נמי דיקא דעל כותל גינה אמר' המשנה ומקרין את הפירצה במועד דקתני ובשביעית בונה כדרכו דהיכא אי נימא דחצר צריכא למימר דבונה בשביעית וכי בנין בשביעית מי אסיר אלא לאו דגינה א) (ובונה כדרכו מפני הסכנה שלא יפול על בני אדם) ואע"ג דמיחזי כמאן דעביד נטירותא לפירי. תניא כותל הגוחה לרה"ר סותר ובונה כדרכו מפני הסכנה שלא יפול על בני אדם: מתני' רמ"א רואין את הנגעים וכו' תניא ר' מאיר אומר רואין את הנגעים להקל כדי לטהרו אבל לא להחמיר שאם אתה נזקק לו להקל אתה נזקק לו להחמיר שנא' לטהרו או לטמאו. א"ר נראין דברי רבי מאיר במוסגר כי רואין להקל לטהר אבל לא להחמיר שאם יראה כי הוא טמא ישתוק ואוקמה רבה בהסגר שני. ור' מאיר סבר בכהן תליא מילתא

חשק שלמה על ר"ח

א) אלו תיבות המוקפים נראה שמיותרים הס.

מסורת הש"ס

א) [נ"ל ומרדד כך אי' בתוספ' פ"א וכ"א בשאלתות], ב) [בשאלתות אי' ר"א ב"י], ג) [לקמן יא.], ד) [תוספתא פ"א לקמן יג.], ה) [בערוך אי' הגוהה וכ"א בשאלתות וכ"ה בתוספתא ולקמן יג.], ו) [עי' בתוי"ט], ז) [תוספתא פ"א].

רש"י כת"י

ועד כמה. יהיו רחוקים בלא נהר שלא יכירו זה את זה. חופר גומא. ומניח שם מצודה שילאו דרך הגומא ונאחזין במצודה. מכה בקרדום. על השפוד כדי שיכנס בקרקע ויעשה גומא ואחר כך מושכו ודוחפו אילך ואילך. ומדרדה. מנענע מעט מעט כדי שילאו משם ויהיו נצודין אבל דרך חפירה ממש לא דכמה דאפשר לשנוי משנינן. דפנא. הולין של עץ לוריי"ר וגדלין בו ביי"ש. צר בצרור. נותן ומסדר את האבנים דרך בנין זו על גב זו ואינו טח בנמים. כותל הגינה. שיכול לגדור פרלתו באבנים אבל אינו טח בנמים. בונה כדרכו. מפני הגנבים שלא יגנבו את כליו. הגוחה. הנוטה ומשופע לרשות הרבים. סותר ובונה כדרכו מפני הגנבים שלא יתמרוהו מתוך שהוא סמוך לרשות הרבים. ה"ג בדקתני טעמ' מפני הסכנה. ה"ג איכא דאמרי ת"ש. ותיובתא הוא. מפני הסכנה אין שלא מפני הסכנה לא. סכנה שמא תפול על האדם ברשות הרבים וימות. התם. מפני הסכנה סותר. אלא לאו דגינה. ולהכי איצטריך בשביעית דבונה דקד"א עבודת שדה הוא דעביד נטירותא לפירות מחוברין אי נמי דקא עבר אקרא דכתי' (שמות כג) ואכלו אביוני עמ' דהפקר ניהו קמ"ל. רואין את הנגעים בחולו של מועד. להקל. שאם טהור הוא אומר לו טהור אתה ששמחה הוא לו. אבל לא להחמיר. שאם טמא הוא ישתוק ולא יטמאהו ויצריכנו ללאת חוץ למחנה מפני שאבל הוא לו במועד. לא להקל. שמתוך שנזקק לראותו אם הוא טהור דהיינו להקל עליו הוא נזקק להחמיר שאם טמא אומר לו טמא [אתה] שאין כהן רשאי לשתוק ומועט שלא יהיו רואין כלל דכל זמן שלא ראהו הכהן ולא אמ' לו טמא הרי הוא כטהור גמור דבכהן תליא מילתא דכל זמן שלא ראהו טהור ובהסגר שני קא מפלגי ר' מאיר ור' יוסי כדמפרש רבה בסמוך דבטהור ממתחלתן אם נתנגע כולי עלמא לא פליגי דלא חזי ליה דאי חזי לא מהני ליה ליה ולא מידי דלר' [מאיר] דלמ' רואין להקל ולא להחמיר טהור הוא לא מהני ולא מידי ואי טמא הוא שתיק הילכך אין רואין ולר' יוסי (דלמ') [נמי] ודאי אין רואין דהא אין כהן רשאי לשתוק ושמא יטמאנו לזה ובהסגר

REBUILD it **IN THE USUAL MANNER** on Chol HaMoed, **BECAUSE OF THE DANGER** that it might collapse and injure pedestrians. This implies: מִפְּנֵי הַסַּכָּנָה אֵין – **Because of the danger,** it may **indeed** be rebuilt in the usual manner, שֶׁלֹּא מִפְּנֵי הַסַּכָּנָה לֹא – but if it were **not because of the danger,** one would **not** be allowed to rebuild in the usual manner. לֵימָא תֶּיהֱוֵי תְּיוּבְתֵּיהּ דְּרַב חִסְדָּא – **Shall we say that this is a refutation of Rav Chisda,** who permits the rebuilding of a courtyard wall even where no danger is involved. – ? –

The Gemara answers:

אָמַר לָךְ רַב חִסְדָּא – **Rav Chisda would tell you:** הָתָם סוֹתֵר וּבוֹנֶה – **There,** where a danger exists, **one may** even **demolish and** then **rebuild** the wall. הָכָא בּוֹנֶה וְלֹא סוֹתֵר – **Here,** in case of an ordinary courtyard wall, **one may rebuild** the wall if it was breached, **but one may not demolish** it for the purpose of rebuilding.

The Gemara questions why the Baraisa allows the wall to be rebuilt:

הָתָם נַמִּי לִיסְתּוֹר וְלֹא לִיבְנֵי – **There too,** in the Baraisa's case, **let him** be allowed to **demolish** the wall and eliminate the danger, **but not** to **rebuild** it on Chol HaMoed. – ? –

The Gemara answers:

אִם כֵּן מִימְנַע וְלֹא סוֹתֵר – **If so,** that we do not allow him to rebuild it, **he will refrain and not** even **demolish** it so as not to leave his courtyard unprotected. In order to ensure the elimination of the danger, we must permit him even to rebuild the wall.

The Gemara adduces support for Rav Chisda's explanation that the Mishnah refers to a wall around a garden and not a courtyard:

אָמַר רַב אַשִׁי – **R' Ashi said:** מַתְנִיתִין נַמִּי דַּיְקָא – **A precise** reading **of our Mishnah also** indicates this. דְּקָתָנֵי – **For the Mishnah states:** וּבַשְּׁבִיעִית בּוֹנֶה כְּדַרְכּוֹ – **AND IN** ***SHEMITTAH*** **ONE MAY BUILD** even a new wall **IN THE USUAL MANNER.** דְּהֵיכָא – Now, **where** is the wall to which this refers? אִילֵימָא דְּחָצֵר – **If you say** that the Mishnah refers to the wall **of a courtyard,** צְרִיכָא לְמֵימַר – **is it necessary** for the Mishnah **to state** that it may be built in the usual manner during *shemittah*? This is obvious, as all residential construction is permitted in the *shemittah* year! אֶלָּא לָאו דְּגִינָּה – **Rather,** is it **not** obvious that the Mishnah refers to the wall **of a garden,** and it needs to teach that this wall may be built during *shemittah* וְאַף עַל גַּב דְּמִיחֲזֵי כְּמַאן דְּעָבֵיד נְטִירוּתָא לְפֵירֵי – **even though it appears as though one is making a protection for** his **produce,** which would be forbidden?[12] שְׁמַע מִינָּהּ – **Learn from this** that the Mishnah refers to the wall of a garden and not of a courtyard. Thus, a garden wall may merely be repaired temporarily on Chol HaMoed, but a courtyard wall may be rebuilt.

Mishnah The Mishnah discusses whether a Kohen may inspect a person for *tzaraas* on Chol HaMoed:[13] רַבִּי מֵאִיר אוֹמֵר – **R' Meir said:** רוֹאִין אֶת הַנְּגָעִים (בתחילה) לְהָקֵל – **[A Kohen] may inspect** *tzaraas* **afflictions** on Chol HaMoed **to render** a **lenient** verdict, אֲבָל לֹא לְהַחֲמִיר – **but not to render** a **stringent** one.[14] וַחֲכָמִים אוֹמְרִים – **But the Sages say:** לֹא לְהָקֵל וְלֹא לְהַחֲמִיר – A Kohen may not inspect a *tzaraas* affliction at all, **neither to render** a **lenient** verdict, **nor to render** a **stringent** one.[15]

Gemara The Gemara cites a Baraisa which expands upon the views stated in the Mishnah:

תַּנְיָא – **It was taught in a Baraisa:** רַבִּי מֵאִיר אוֹמֵר – **R' MEIR SAYS:** רוֹאִין אֶת הַנְּגָעִים לְהָקֵל – **[A KOHEN] MAY INSPECT** *tzaraas* **AFFLICTIONS** on Chol HaMoed **TO RENDER** a **LENIENT** verdict, אֲבָל לֹא לְהַחֲמִיר – **BUT NOT TO RENDER** a **STRINGENT** one. רַבִּי יוֹסֵי אוֹמֵר – **R' YOSE SAYS:** לֹא לְהָקֵל וְלֹא לְהַחֲמִיר – A Kohen may not inspect them at all, **NEITHER TO RENDER** a **LENIENT** verdict, **NOR TO RENDER** a **STRINGENT** verdict, שֶׁאִם אַתָּה נִזְקָק לוֹ לְהָקֵל – **FOR IF YOU INVOLVE YOURSELF WITH [THE VICTIM] TO RENDER** a **LENIENT** verdict, נִזְקָק לוֹ אַף לְהַחֲמִיר – you are automatically **INVOLVED WITH HIM TO RENDER** a **STRINGENT** verdict.[16] אָמַר

NOTES

12. The building of a garden wall might appear like labor for the benefit of the crop, which is forbidden in *shemittah*. Alternatively, one might argue that by building the wall the person violates the Biblical commandment (*Exodus* 23:11) to allow paupers to partake of his land's produce in *shemittah*. The Mishnah therefore needs to inform us that this is not so, and building the garden wall is permitted (*Rashi ms.*). The commandment to allow paupers in can be fulfilled by leaving the garden gate open (*R' Shlomo ben HaYasom;* see, however, *Mechilta* cited by *Nimukei Yosef*).

13. *Tzaraas* is a unique skin affliction, described in *Leviticus* ch. 13. The person afflicted with this condition is called a *metzora.* The basic *tzaraas* consists of a patch of skin that has turned very white in color and appears deeper than the surrounding skin. It may sometimes contain white hair, and might also contain a small spot of natural skin in its interior.

If a person notices a suspicious patch of skin on his body, he must be examined by a Kohen. Should the Kohen determine that the patch has the whiteness of *tzaraas* and *additionally* has white hairs or a spot of natural flesh inside it, he immediately declares the man a מְצוֹרָע מוּחְלָט, *confirmed metzora.* If the patch is sufficiently white but the additional symptoms are lacking, the *metzora* is isolated for a seven-day period, known as הֶסְגֵּר, *confinement.* Upon completion of these seven days the development of the condition is observed and re-evaluated by the Kohen. If the full symptoms for *tzaraas* are still not present and the whiteness has not spread, the *metzora* is isolated for another seven days. If no change has occurred by the end of the second seven-day confinement, the *metzora* is released. However, if at any point afterward the Kohen finds one of the additional symptoms, or he determines that the whiteness has spread, he pronounces the man a confirmed *metzora* (*Negaim* 1:3; *Rambam, Tumas Tzaraas* 1:10; see *Rashi* and *Ramban* to *Leviticus* 13:6). Both the confined *metzora* and the confirmed one are *tamei.* However, each is subject to specific restrictions, as shall be explained below.

There are several other types of *tzaraas,* all described in *Leviticus* ch. 13, including *tzaraas* of the head or beard and *tzaraas* of a healed wound or burn. These are subject to similar rules, though certain details are different.

14. According to R' Meir, a Kohen may examine the suspicious patch, and he should declare the person *tahor* if it is not *tzaraas,* but he should refrain from issuing the *tamei* verdict if he finds the condition to be *tzaraas.* Declaring the person *tamei* would cause him distress during the festival, and the Torah states (*Deuteronomy* 16:14): וְשָׂמַחְתָּ בְּחַגֶּךָ, *you shall rejoice on your festival* (*Rashi*).

The Gemara (7b) explains that the Torah has made the person's status dependent upon the Kohen's verdict. Even if his affliction is symptomatic of *tzaraas,* he is not legally *tamei* until the Kohen pronounces him so. R' Meir holds that the Kohen has the right to withhold his verdict even though he has examined the affliction and knows it to be *tamei.* The effect of his silence is that the victim will remain *tahor* throughout the festival.

[It is evident from the Gemara that the Mishnah should not contain the parenthesized word, בַּתְּחִילָּה (see *Tos. Yom Tov*).]

15. The Sages hold that the Kohen must render a decision upon viewing *tzaraas.* Accordingly, if the Kohen were to examine it in the hope of rendering a lenient decision, he would be forced to render a stringent one if it is indeed *tzaraas.* Thus, it is preferable to completely refrain from examination, for as long as the Kohen does not examine the stricken person, he is not considered *tamei* (*Rashi ms.,* from Gemara).

16. I.e. once the Kohen examines the affliction, he is not allowed to refrain from issuing his ruling of either *tahor* or *tamei.* The Gemara (top of 7b) will cite a Scriptural source for this rule.

עד כמה. מרוחקין הני תרי חורי נמלים דכי איכא נהרא בינייהו וליכא גישרא דאין מכירין הני בחורי דהני: **עד פרסה.** אי ליכא פרסה בינייהו אע"ג דאיכא נהרא וליכא מעבר מכירין הני בחורי דהני: **נועץ שפוד.** במקום שהן מלוין ומרדה האדמה וממעך אותן: **הוצא.** (א) ענפי דקל דתמרים: **דפנא.** בייר וקעבד גדר מדפנא ומגדל אותה מהוצי הדקל: **צר בצרור.** מניח אבנים זה על גב זה: **אמר רב חסדא לא שנו.** דאמר מתני' מקרין אבל אינו בונה כדרכו: **בכותל גינה.** דליכא פסידא יתירא אי עיילי בה אינשי: **אבל בכותל חצר בונה כדרכו.** דאיכא פסידא יתירא אי עיילי בה גנבי וגנבי ממוניה: **גוחה.** שוחה ונטוי: **סותר ובונה כדרכו.** דהיינו כותל חצר מסייע ליה לרב חסדא: **מפני הסכנה.** שלא תפול על הולכי ברשות הרבים: **שלא מפני הסכנה לא.** קשיא לרב חסדא דאמר בכותל חצר בונה כדרכו אע"פ דליכא סכנה: **תריץ.** לא קשיא לרב חסדא דהא דקתני במקום סכנה היינו דסתר לה כשגוחה ובונה לה שפיר: **הכא.** דקאמר רב חסדא שלא במקום סכנה בונה כדרכה כשהיא סתורה קודם לכן אבל לא סתר לה במועד: **התם.** במקום סכנה לסתור משום דאיכא סכנה ולא ליבני דבנין ליכא סכנה: **א"כ.** דלא בני: **ממנעי ולא סתרי.** והוי סכנה: **מתניתין נמי דיקא.** כרב חסדא דגינה אינו בונה במועד כדרכו: **אלא לאו בגינה.** ובשביעית בונה כדרכו אבל במועד אינו בונה כדרכו: **מתני' רואין את הנגעים להקל.** כלומר רואה הכהן נגע לרעת במועד לטהר: **לא להחמיר.** שאם רואה הכהן שהוא טמא אינו אומר כלום שאם מטמאו נמצא מצערו במועד ורחמנא אמר (דברים טז) ושמחת בחגך: **גמ' שאם אתה נזקק לו להקל אתה נזקק לו להחמיר.** כלומר מאחר שרואהו הכהן אומר בין הוא טמא בין הוא טהור: **א"ר נראין לי דברי ר' מאיר במוסגר.** שרואין ודברי רבי יוסי במוחלט: **בהסגר ראשון.** שאם מטהר ליה משמח ליה אי לא מטהר ליה לא מטמא ליה יותר מדמעיקרא אלא מסגר ליה פעם שניה: **בהסגר**

עד כמה עד פרסה. דאין מכירין זה את זה ביותר מפרסה אפי' בלא נהר א"נ ה"פ כשיש נהר מתי קרויין מכירין עד פרסה אבל ביותר מיקרי אין מכירין ודוקא דאיכא נהר:

תניא ר"ש בן אלעזר אומר. לא ידענא מה הוא אם הוא תנא שלישי או שמא מילתיה דת"ק מפרש או שמא י"ל דרבי יהודה מודה בשדה לבן הסמוכה לשדה האילן וחכמים מיירי בשדה הסמוכה לבית השלחין לא בשדה הסמוכה לבית האילן ונראה לי דגרסינן הכי באיזה שדה לבן מתירין חכמים ויש ספרים שכתוב בהן כשאמרו בשדה לבן שלא כדרכו לא אמרו אלא בשדה לבן הסמוכה לעיר וקאי על דברי רבי יהודה כו':

אמר רב אשי מתניתין נמי דיקא. פסק בתוס' דהר"ר פרץ דהלכתא הכי דכותל חצר מותר לבנותו ופירש דהיינו דוקא במקום סמוך לרה"ר שיש לו לחוש לגנבים אבל בין חצר לחצר ומשום בני חצר אסור לבנותו כדרכו:

אמר רבי נראין דברי ר"מ במוסגר. מה שפירש בקונטרס דמוסגר אסור בתשמיש המטה לא נדע מנין לו דהא תנן בפרק קמא דמגילה (ד' ח:) אין בין מוסגר למוחלט אלא פריעה ופרימה משמע דלענין תשמיש המטה שוין דלמאן דאמר מוחלט מותר כל שכן דמוסגר מותר ולמ"ד דמוחלט אסור ה"ה מוסגר אסור דהא מוחלט מאי טעמא דאסור משום דאיכא ק"ו לימי חלוטו כדאמרינן בשמעתין והכי נמי ק"ו לימי הסגירו וגמרינן ימי הסגר מימי ספרו ואי משום דאין טעון פריעה ופרימה בימי ספרו נמי אין טעון פריעה ופרימה והא דקאמר התם בגמרא הא לענין שילוח טומאה זה וזה שוין ה"ה לענין תשמיש המטה הן שוין אלא לא פסיק ליה לאיסור או להיתר וגם מה שפירש בקונט' דמוסגר אינו משתלח חוץ לג' מחנות מזה חזר בו דהא בפרק קמא דמגילה (ד' ח:) קאמר הא לענין שילוח זה וזה שוין ולפי זה קשה מאי שייך צוותא דאשתו וצוותא דעלמא במוסגר ובמוחלט בשלמא צוותא דעלמא יש ליישב שהוא ° צריך פריעה ופרימה כשהוא מוחלט וטמא טמא יקרא ופורש מבני אדם בימי חלוטו יותר מבימי הסגירו אבל לתשמיש שניהן שוין ע"כ נראה דהא דקאמר מר סבר צוותא דעלמא ניחא ליה ומר סבר צוותא דאשתו עדיף אמוחלט קאי וה"פ נראין דברי ר' מאיר במוחלט דרואין דאי מטמא ליה תחילה נמי טמא הוה ואי מטהר ליה מאי אפסדיה דלצוותא דאשתו אינו חושש דלצוותא דעלמא עדיפא ליה ונראין דברי ר' יוסי במוסגר דמטמא ליה ופסיד צוותא דעלמא שיהיה טעון פריעה ופרימה וטמא טמא יקרא וצריך לפרוש מבני אדם וגם יפסיד שיצטער שעד עתה היה מצפה להיות טהור ואין מצפה עתה ליטהר ותנא אחרינא סבר צוותא דאשתו ניחא ליה והכי פירושו נראין דברי ר' מאיר דרואין במוסגר דאי מטמא ליה לא יפסיד דשניהן מוסגר ומוחלט דינם שוה חוץ מפריעה ופרימה ובהן הפסד אינו חושש אפי' קרינא ליה הפסד צוותא דעלמא כדפי' אינו חושש אלא אצוותא דאשתו אבל מוחלט אין רואין דאי מטהר ליה יפסיד צוותא דאשתו דקסבר צוותא דאשתו עדיפא ליה מצוותא דעלמא וקצת ק"ל מהו נראין דברי ר"מ הא לית ליה לרבי מאיר כלל דהכהן מחויב לומר ואי בעי שתיק ור' (ג) קסבר דלעולם כהן אינו רשאי לשתוק כלל ולדברי ר' לא תמצא בשום אחד רואין להקל ולא להחמיר דאינו רשאי לשתוק כלל והכי הוה ליה למימר נראין דברי ר' יוסי כו' ואין נראין דברי רבי יוסי כו' והכי איתא בשמעתין דטיפת חלב (חולין ד' קט.): **בהסגר** ראשון כולי עלמא לא פליגי. מה שפירש בקונטרס בסוף הסגר ראשון ומשום הכי רואין אי טהור שפיר ואי עומד בעיניו תחילה נמי בבית הכלא היה עומד וקשה דלמא פשה הנגע ויהיה טמא מוחלט והכי משמע בנגעים פ"א דארבע מראות הללו מצטרפין זה עם זה לפטור את העומד סוף שבוע שני להחליט את שנולד בו מחיה או שער לבן בתחילה בסוף שבוע ראשון או בסוף שני לאחר הפטור להחליט את שנולד בו פיסיון בסוף שבוע ראשון או בסוף שבוע שני ויש לפרש בהסגר ראשון כ"ע לא פליגי דחזי ליה הוי הטעם משום דלטהרו או לטמאו לא שייך למדרש עד שעה שצריך לטמאותו דהיינו בסוף הסגר שני אבל בסוף הסגר ראשון ראוי הוא להסגיר עוד ולא יטמאנו וכל זה דוחק לכך נראה לדברי רבינו יצחק בהסגר ראשון היינו תחילת הסגר ראשון שיכול (ג) לשמח כהן דהא לא שייך לטהרו או לטמאו בהסגר שני והוא בתחילת הסגר שני שמא אינו יכול לשתוק והוא הדין בסוף הסגר שני: לטהרו

עד כמה עד פרסה: רבי יהודה אומר משדה האילן כדרכו ומשדה הלבן שלא כדרכו: תנו רבנן [א]כיצד כדרכו חופר גומא ותולה בה מצודה כיצד שלא כדרכו נועץ שפוד ומכה בקורדום (א) ומרדה האדמה מתחתיה תניא ((ב) ר"ש בן אלעזר) אומר [ב]כשאמרו משדה לבן שלא כדרכו לא אמרו אלא בשדה לבן הסמוכה לעיר אבל בשדה לבן הסמוכה לשדה האילן אפילו כדרכו שמא יצאו משדה הלבן ויחריבו את האילנות: ומקרין את הפירצה במועד: כיצד מקרין רב יוסף אמר (ג) [ג]בהוצא ודפנא במתניתא תנא [ד]צר בצרור ואינו טח בטיט אמר רב חסדא לא שנו אלא כותל הגינה אבל [ה]כותל החצר בונה כדרכו לימא מסייע ליה (ד) [ו]כותל (ה) הגוחה לרשות הרבים סותר ובונה כדרכו מפני הסכנה התם כדקתני טעמא מפני הסכנה ואיכא דאמרי תא שמע כותל הגוחה לרה"ר סותר ובונה כדרכו מפני הסכנה אין שלא מפני הסכנה לא לימא תיהוי תיובתיה דרב חסדא אמר לך רב חסדא התם סותר ובונה הכא בונה ולא סותר התם נמי ליסתור ולא ליבני א"כ מימנע ולא סותר אמר רב אשי מתניתין נמי דיקא דקתני ובשביעית בונה כדרכו דהיכא אילימא דחצר צריכא למימר אלא לאו דגינה ואע"ג דמיחזי כמאן דעביד נטירותא לפירי שמע מינה: **מתני'** ר' מאיר אומר רואין את הנגעים ((ו) בתחילה) להקל אבל לא להחמיר [ו]וחכמים אומרים לא להקל ולא להחמיר: **גמ'** תניא רבי מאיר אומר [ז]רואין את הנגעים להקל אבל לא להחמיר רבי יוסי אומר לא להקל ולא להחמיר שאם אתה נזקק לו להקל נזקק לו אף להחמיר אמר רבי נראין דברי רבי מאיר במוסגר ודברי רבי יוסי במוחלט אמר רבא בטהור כ"ע לא פליגי דלא חזו ליה [א] בהסגר ראשון דכ"ע לא פליגי דחזי ליה כי פליגי בהסגר

מסורת הש"ס

א) [נ"ל ומרדכי קך אי' בתוספ' פ"א וכ"א בשאלתות], ב) בשאלתות אי' ר"א בי"ן, ג) [לקמן יג.], ד) [תוספתא פ"א לקמן יג.], ה) [בערוך אי' הגוהה וכ"ה בשאלתות ולקמן יג.], ו) [ע' בתוי"ט], ז) [תוספתא פ"א].

רש"י כת"י

ועד כמה. יהיו רחוקים בלא נהר שלא יכירו זה את זה. חופר גומא. ומניח שם מצודה שילכו דרך הגומא ונלכדין במצודה. [illegible]

עין משפט נר מצוה

סד א מיי' פ"ח מהל' י"ט הל' ה טוש"ע א"ח סי' תקלז סעיף יא:
סה ב מיי' שם טוש"ע שם:
סו ג ד ה ו מיי' פ"ח מהל' י"ט הלכה ו סמג לאוין עה טוש"ע א"ח סי' תקמא סעיף א:
סז ז מיי' פ"י מהל' י"ט הלכה טז:

הגהות הב"ח

(א) רש"י ד"ה הוצא הוצי דקל הס"ד ואח"כ ד"ה דפנא ענפי עץ שקורין לוי"ר ופרי שלו קורין ביי"ש וקעבד גדר: (ב) תוס' ד"ה אמר רבי כו' ואי בעי שתיק ורבי יוסי קסבר לעולם כו' ולדברי ר' יוסי לא תמצא: (ג) ד"ה בהסגר כו' תחילת הסגר ראשון שיכול לשתוק דהא:

הגהות הגר"א

[א] גמ' בהסגר שני דכ"ע ל"פ דחזו ליה כי פליגי בהסגר ראשון כצ"ל:

גליון הש"ס

תוס' ד"ה אמר רבי נראין וכו' צריך פריעה ופרימה כשהוא מוחלט וטמא טמא יקרא. עיין תוי"ט פ"א מ"ז דמגילה:

רבינו חננאל

ר' יהודה אומר צדין משדה האילן כדרכו ומשדה הלבן שלא כדרכו: ת"ר כיצד כדרכו חופר גומא ותולה בה מצודה. כיצד שלא כדרכו נועץ שפוד ומכה בקורדום ומרדה בעפר תחתיה: ומקרין את הפירצה במועד. רב יוסף אמר בהוצא ודפנא במתניתא תנא צר בצרור כלומר עולה באבנים זו על גב זו ואינו טח בטיט. אמר רב חסדא לא שנו שמקרין את הפירצה אלא כותל גינה [אבל כותל חצר] שנפל בונה כדרכו אמר רב אשי מתני' נמי דיקא דעל כותל גינה אמר' המשנה ומקרין את הפירצה במועד דקתני ובשביעית בונה כדרכו דהיכא אי נימא דחצר צריכא למימר דבונה בשביעית וכי בנין בשביעית מי אסיר אלא לאו דגינה (א) [ובונה] כדרכו מפני הסכנה כי יפול על בני אדם ואע"ג דמיחזי כמאן דעביד נטירותא לפירי. תניא כותל הגוחה לרה"ר סותר ובונה כדרכו מפני הסכנה שלא יפול על בני אדם: מתני' רמ"א רואין את הנגעים וכו' תניא ר' מאיר אומר רואין את הנגעים להקל כדי לטהרו אבל לא להחמיר שאם אתה נזקק לו להקל אתה נזקק לו להחמיר שנא' לטהרו או לטמאו. א"ר נראין דברי רבי מאיר במוסגר כבר רואין להקל לטהר אבל לא להחמיר כי שמא יראה כי הוא טמא ישתוק ומותיבה רבה בהסגר ראשון. ור' מאיר סבר בכהן תליא מילתא

חשק שלמה על ר"ח

א) אלו תיבות המוקפים נראה שמיותרים הם.

[illegible]

רַבִּי – REBBI SAID: נִרְאִין דִּבְרֵי רַבִּי מֵאִיר בְּמוּסְגָּר – THE WORDS OF R' MEIR, that a Kohen may inspect the affliction on Chol HaMoed, APPEAR correct WITH RESPECT TO A CONFINED [*METZORA*],[17] וְדִבְרֵי רַבִּי יוֹסֵי בְּמוּחְלָט – AND THE WORDS OF R' YOSE, that the Kohen may not do the inspection, appear correct WITH RESPECT TO A CONFIRMED ONE.[18]

The dispute between R' Meir and R' Yose is qualified:

אָמַר רָבָא – **Rava said:** בְּטָהוֹר – **Regarding one who is** completely ***tahor,*** i.e. he was never examined, כּוּלֵּי עָלְמָא לֹא פְּלִיגֵי דְּלֹא חָזוּ לֵיהּ – **all** [even R' Meir] **agree that [a Kohen] does not examine him** on Chol HaMoed.[19] בְּהֶסְגֵּר רִאשׁוֹן – And **regarding** one who is at the end of **the first confinement,**[20] דְּכוּלֵּי עָלְמָא לֹא פְּלִיגֵי דְּחָזֵי לֵיהּ – **all** [even R' Yose] **agree** that **[a Kohen] examines him** on Chol HaMoed.[21] כִּי פְּלִיגֵי – **Where do they disagree?**

NOTES

17. I.e. it is permitted to examine a confined *metzora* on Chol HaMoed to determine whether he should be declared *tahor* and released from confinement, or he should be confirmed as a *metzora* (*Rashi* here and to 7b; see following note).

18. I.e. a Kohen may not examine a confirmed *metzora* on Chol HaMoed to determine whether his condition has healed (*Rashi* here and to 7b).

Rebbi essentially concurs with R' Yose that once the Kohen examines an afflicted person he is required to render a decision. However, Rebbi holds that any verdict that the Kohen renders in the case of a confined *metzora* will not deter him from rejoicing on the festival. On the other hand, in the case of a confirmed *metzora,* the Kohen's decision might disturb his festival joy (*Rashi* to 7b; *Tosafos* end of ד״ה אמר רבי). Rebbi's reasoning will be explained on 7b.

19. In this case, examining the person cannot improve his situation, and can only worsen it. For as long as the Kohen does not examine him, he remains *tahor* even if he has the symptoms of *tzaraas.* The only practical change that could be brought about through the inspection would be for the Kohen to pronounce him *tamei.* It is clearly better that his inspection wait until after the festival (*Rashi ms.*).

20. I.e. he was already confined for seven days, due to the partial presence of *tzaraas* symptoms, and the seventh day – when his condition is due for re-evaluation – fell on Chol HaMoed (*Rashi*).

21. In this case, examining him could only improve his situation, not worsen it. For if upon examining him the Kohen is able to pronounce him *tahor,* he is freed from confinement. And if the Kohen finds that he must remain confined for another seven days, he is not any worse off than he would have been if the Kohen had not examined him (*Rashi*).

Tosafos (ד״ה בהסגר ראשון) wonder about this explanation: It is certainly possible for the *metzora's* situation to be worsened. For if upon examining him the Kohen finds that the affliction has spread or additional symptoms have appeared, he will have to declare the person a confirmed *metzora* – according to R' Yose, who holds that the Kohen may not remain silent! Why should R' Yose agree that the examination is allowed? *Tosafos* explain that even according to R' Yose the Kohen is *required* to render a verdict only at the end of the second week of confinement, when the *metzora* must be declared either *tahor* or *tamei.* At the earlier stage, when there is the option of confining him further, the Kohen is not obligated to state a definitive opinion. Thus, even according to R' Yose, the *metzora* has nothing to lose by being examined after the first week. Cf. *Mishneh LaMelech, Hil. Yom Tov* 7:16 ד״ה והנראה, who offers a different resolution of *Rashi's* approach. See *Tosafos* for an alternative explanation.

עד כמה עד פרסה: רבי יהודה אומר משדה האילן כדרכו ומשדה הלבן שלא כדרכו: תנו רבנן [א]כיצד כדרכו חופר גומא ותולה בה מצודה כיצד שלא כדרכו נועץ שפוד ומכה בקורדום [א]ומרדה האדמה מתחתיה תניא ([ג]ר"ש בן אלעזר) אומר [ב]כשאמרו משדה לבן שלא כדרכו לא אמרו אלא בשדה לבן הסמוכה לעיר אבל בשדה לבן הסמוכה לשדה האילן אפילו כדרכו שמא יצאו משדה הלבן ויחריבו את האילנות: ומקרין את הפירצה במועד: כיצד מקרין רב יוסף אמר [ג][ג]בהוצא ודפנא במתניתא תנא [ד]צר בצרור ואינו טח בטיט אמר רב חסדא לא שנו אלא כותל הגינה אבל [ה]כותל החצר בונה כדרכו לימא מסייע ליה [ד][ו]כותל [ה]הגוחה לרשות הרבים סותר ובונה כדרכו מפני הסכנה התם כדקתני טעמא מפני הסכנה ואיכא דאמרי תא שמע כותל הגוחה לרה"ר סותר ובונה כדרכו מפני הסכנה מפני הסכנה אין שלא מפני הסכנה לא לימא תיהוי תיובתיה דרב חסדא אמר לך רב חסדא התם סותר ובונה הכא בונה ולא סותר התם נמי ליסתור ולא ליבני א"כ מימנע ולא סותר אמר רב אשי מתניתין נמי דיקא דקתני ובשביעית בונה כדרכו דהיכא אילימא דחצר צריכא למימר אלא לאו דגינה ואע"ג דמיחזי כמאן דעביד נטירותא לפירי שמע מינה:

מתני' ר' מאיר אומר רואין את הנגעים ([ו]בתחילה) להקל אבל לא להחמיר [ז]וחכמים אומרים לא להקל ולא להחמיר:

גמ' תניא רבי מאיר אומר [ז]רואין את הנגעים להקל אבל לא להחמיר רבי יוסי אומר לא להקל ולא להחמיר שאם אתה נזקק לו להקל נזקק לו אף להחמיר אמר רבי נראין דברי רבי מאיר במוסגר ודברי רבי יוסי במוחלט אמר רבא בטהור כ"ע לא פליגי דלא חזו ליה [א] בהסגר ראשון דכ"ע לא פליגי דחזי ליה כי פליגי בהסגר

רש"י

עד כמה. מרוחקין הני תרי חורי נמלים דלי איכא נהרא בינייהו וליכא גישרא דאין מכירין הני בחורי דהני: עד פרסה. אי ליכא פרסה בינייהו אע"ג דאיכא נהרא וליכא מעבר מכירין הני בחורי דהני: נועץ שפוד. במקום שהן מלוין ומרדה האדמה וממעט אותן: הוצא. (א) ענפי דקל דתמרים: דפנא. בייר וקעבד גדר מדפנא ומגדל אותה מהולי הדקל: צר בצרור. מניח אבנים זה על גב זה: אמר רב חסדא לא שנו. דאמר מתני' מקרין אבל אינו בונה כדרכו: בכותל גינה. דליכא פסידא יתירא אי עיילי בה אינשי: אבל בכותל חצר בונה כדרכו. דאיכא פסידא יתירא אי עיילי בה גנבי וגנבי ממוניה: גוחה. שוחה ונטוי: סותר ובונה כדרכו. דהיינו כותל חצר מסייע ליה לרב חסדא: מפני הסכנה. שלא תפול על הולכי ברשות הרבים: שלא מפני הסכנה לא. קשיא לרב חסדא דאמר בכותל חצר בונה כדרכו אע"פ דליכא סכנה: תריץ. לא קשיא לרב חסדא דהא דקתני במקום סכנה היינו דסתר לה כשגוחה ובונה לה שפיר: הכא. דקאמר רב חסדא שלא במקום סכנה בונה כדרכה כשהיא סתורה קודם לכן אבל לא סתר לה במועד: התם. במקום סכנה לסתור משום דאיכא סכנה ולא ליבני דבבנין ליכא סכנה: א"כ. דלא בני: ממנעי ולא סתרי. והוי סכנה: מתניתין נמי דיקא. כרב חסדא דגינה אינו בונה במועד כדרכו: אלא לאו בגינה. ובשביעית בונה כדרכו אבל במועד אינו בונה כדרכו: מתני' רואין את הנגעים להקל. כלומר רואה הכהן נגע צרעת במועד לטהר: לא להחמיר. שאם רואה הכהן שהוא טמא אינו אומר כלום שאם מטמאו נמצא מצערו במועד ורחמנא אמר (דברים טז) ושמחת בחגך: גמ' שאם אתה נזקק לו להקל אתה נזקק לו להחמיר. כלומר מאחר שרואהו הכהן אומר בין הוא טמא בין הוא טהור: א"ר נראין לי דברי ר' מאיר במוסגר. שרואין ודברי רבי יוסי במוחלט: בהסגר ראשון. שאם מטהר ליה משמח ליה אי לא מטהר ליה לא מטמא ליה יותר מדמעיקרא אלא מסגר ליה פעם שניה:

בהסגר

תוספות

עד כמה עד פרסה. דאין מכירין זה את זה ביותר מפרסה אפי' בלא נהר א"נ ה"פ כשיש נהר מתי קרויין מכירין עד פרסה אבל ביותר מיקרי אין מכירין ודוקא דאיכא נהר:

תניא ר"ש בן אלעזר אומר. לא ידענא מה הוא אם הוא תנא שלישי או שמא מילתיה דת"ק מפרש או שמא י"ל דרבי יהודה מודה בשדה לבן הסמוכה לשדה האילן וחכמים מיירי בשדה הסמוכה לבית השלחין לא בשדה הסמוכה לבית האילן ונראה לי דגרסינן הכי באיזה שדה לבן מתירין חכמים ויש ספרים שכתוב בהן כשאמרו בשדה לבן שלא כדרכו לא אמרו אלא בשדה לבן הסמוכה לעיר וקאי על דברי רבי יהודה כו':

אמר רב אשי מתניתין נמי דיקא. פסק בתוס' דהר"ר פרץ דהלכתא הכי דכותל חצר מותר לבנותו ופירש דהיינו דוקא במקום סמוך לרה"ר שיש לו לחוש לגנבים אבל בין חצר לחצר ומשום בני חצר אסור לבנותו כדרכו:

אמר רבי נראין דברי ר"מ במוסגר. מה שפירש בקונטרס דמוסגר אסור בתשמיש המטה לא נדע מנין לו דהא תנן בפרק קמא דמגילה (ד' ח:) אין בין מוסגר למוחלט אלא פריעה ופרימה משמע דלענין תשמיש המטה שוין דלמאן דאמר מוחלט מותר כל שכן דמוסגר מותר ולמ"ד דמוחלט אסור ה"ה מוסגר אסור דהא מוחלט מאי טעמא דאסור משום דאיכא ק"ו לימי חלוטו כדאמרינן בשמעתין והכי נמי ק"ו לימי הסגירו וגמרינן ימי הסגר מימי ספרו ואי משום דאין טעון פריעה ופרימה בימי ספרו נמי אין טעון פריעה ופרימה והא דקאמר התם בגמרא הא לענין שילוח טומאה זה וזה שוין ה"ה לענין תשמיש המטה הן שוין אלא לא פסיק ליה לאיסור או להיתר וגם מה שפירש בקונט' דמוסגר אינו משתלח חוץ לג' מחנות מזה חזר בו דהא בפרק קמא דמגילה (ד' ח:) קאמר הא לענין שילוח זה וזה שוין ולפי זה קשה מאי שייך לוותא דאשתו ולוותא דעלמא במוסגר ובמוחלט בשלמא לוותא דעלמא יש ליישב שהוא [ח]צריך פריעה ופרימה כשהוא מוחלט וטמא טמא יקרא ופורש מבני אדם בימי חלוטו יותר מבימי הסגירו אבל לתשמיש שניהן שוין ע"כ נראה דהא דקאמר מר סבר לוותא דעלמא ניחא ליה ומר סבר לוותא דאשתו עדיף אמוחלט קאי וה"פ נראין דברי ר' מאיר במוחלט דרואין דאי מטמא ליה תחילה נמי טמא הוה ואי מטהר ליה מאי אפסדיה דלוותא דאשתו אינו חושש דלוותא דעלמא עדיפא ליה ונראין דברי ר' יוסי במוסגר דמטמא ליה ופסיד לוותא דעלמא שיהיה טעון פריעה ופרימה וטמא טמא יקרא וצריך לפרוש מבני אדם וגם יפסיד שילטער שעד עתה היה מצפה להיות טהור ואין מצפה עתה ליטהר ותנא אחרינא סבר לוותא דאשתו ניחא ליה והכי פירושו נראין דברי ר' מאיר דרואין במוסגר דאי מטמא ליה לא יפסיד דשניהן מוסגר ומוחלט דינם שוה חוץ מפריעה ופרימה ובהך הפסד אינו חושש אפי' קרינא ליה הפסד לוותא דעלמא כדפי' אינו חושש אלא אלוותא דאשתו אבל מוחלט אין רואין דאי מטהר ליה יפסיד לוותא דאשתו דקסבר לוותא דאשתו עדיפא ליה מלוותא דעלמא וקצת ק"ל מהו נראין דברי ר"מ הא לית ליה לרבי מאיר כלל דהכהן מחויב לומר ואי בעי שתיק ור' (ב) קסבר דלעולם כהן אינו רשאי לשתוק כלל ולדברי ר' לא תמצא בשום אחד רואין להקל ולא להחמיר דאינו רשאי לשתוק כלל והכי הוה ליה למימר נראין דברי ר' יוסי כו' ואין נראין דברי רבי יוסי כו' והכי איתא בשמעתין דטיפת חלב (חולין ד' קט.):

בהסגר ראשון כולי עלמא לא פליגי. מה שפירש בקונטרס בסוף הסגר ראשון ומשום הכי רואין אי טהור שפיר ואי עומד בעיניו תחילה נמי בבית הכלא היה עומד וקשה דלמא פשה הנגע ויהיה טמא מוחלט והכי משמע בנגעים פ"א דארבע מראות הללו מצטרפין זה עם זה לפטור את העומד סוף שבוע שני להחליט את שנולד בו מחיה או שער לבן בתחילה בסוף שבוע ראשון או בסוף שני לאחר הפטור להחליט את שנולד בו פיסיון בסוף שבוע ראשון או בסוף שבוע שני ויש לפרש בהסגר ראשון כ"ע לא פליגי דחזי ליה הוי הטעם משום דלטהרו או לטמאו לא שייך למדרש עד שעה שצריך לטמאותו דהיינו בסוף הסגר שני אבל בסוף הסגר ראשון ראוי הוא להסגיר עוד ולא יטמאנו וכל זה דוחק לכך נראה דברי רבינו יצחק בהסגר ראשון היינו תחילת הסגר ראשון שיכול (ג) לשמח בהן דהא לא שייך לטהרו או לטמאו בהסגר שני שמא אינו יכול לשתוק והוא הדין בסוף הסגר שני:

לטהרו

מסורת הש"ס

א) [נ"ל ומרדד כך אי' בתוספ' פ"א וכ"א בשאלתות], ב) [בשאלתות אי' ר"א ב"י], ג) [לקמן יא.], ד) [תוספתא פ"א לקמן יג.], ה) [בערוך אי' הגוהה וכ"א בשאלתות וכ"ה בתוספתא ולקמן יג.], ו) [עי' בתוי"ט], ז) [תוספתא פ"א].

רש"י כת"י

ועד כמה. יהיו רחוקים בלא נהר שלא יכירו זה את זה. חופר גומא. ומניח שם מצודה שילאו דרך הגומא ונאחזין במצודה. מכה בקרדום. על השפוד כדי שיכנס בקרקע ויעשה גומא ואחר כך מושכו ודוחפו אילך ואילך. ומדדה. מנענע מעט מעט כדי שילאו משם ויהיו נצודין אבל דרך חפירה ממש לא דכמה דאפשר לשנוי משנינן. דפנא. הולין של עץ לורי"ר וגדלין בו ביי"ש. צר בצרור. נותן ומסדר את האבנים דרך בנין זו על גב זו ואינו טח בנתים. כותל הגינה. שיכול לגדור פרלתו באבנים אבל אינו טח בנתים. בונה כדרכו. מפני הגנבים שלא יגנבו את כליו. הגוחה. הנוטה ומשופע לרשות הרבים. סותר ובונה כדרכו מפני הגנבים שלא יחתרוהו מתוך שהוא סמוך לרשות הרבים. ה"ג כדקתני טעמ' מפני הסכנה. ה"ג איכא דאמרי ת"ש. ותיובתא הוא. מפני הסכנה אין שלא מפני הסכנה לא. סכנה שמא תפול על האדם ברשות הרבים וימות. התם. מפני הסכנה סותר. אלא לאו דגינה. ולהכי איצטריך בשביעית דבונה דסד"א עבודת שדה הוא דעביד נטירותא לפירות מחוברין אי נמי דקא עבר אקרא דכתו' (שמות כג) ואכלו אביוני עמ' דהפקר ניהו קמ"ל. רואין את הנגעים בחולו של מועד. להקל. שאם טהור הוא אומר לו טהור אתה ששמחה הוא לו. אבל לא להחמיר. שאם טמא הוא ישתוק ולא יטמאנו ויצריכנו לצאת חוץ למחנה מפני שאבל הוא לו במועד. לא להקל. שמתוך שנזקק לראותו אם הוא טהור דהיינו להקל עליו הוא נזקק להחמיר שאם טמא אומר לו טמא [אתה] שאין כהן רשאי לשתוק ומוטב שלא יהיו רואין כלל דכל זמן שלא ראהו הכהן ולא אמ' לו טמא הרי הוא כטהור גמור דבכהן תליא מילתא דכל זמן שלא ראהו טהור והסגר שני קא מפלגי ר' מאיר ור' יוסי כדמפרש רבה בסמוך דבטהור מתחלתן אם נתנגע כולי עלמא לא פליגי דלא חזי ליה דאי חזי לא מהני ליה ליה ולא מידי דלר' [מאיר] דאמ' רואין להקל ולא להחמיר טהור הוא לא מהני ולא מידי ואי טמא הוא שתיק הילכך אין רואין ולר' יוסי (דאמ') [נמי] ודאי אין רואין דהא אין כהן רשאי לשתוק ושמא יטמאנו לזה ובהסגר ראשון נמי כולי עלמא לא פליגי דחזי ליה שאם חל שביעי שלו של הסגר ראשון בחולו של מועד יכול כהן לראותו דאי מטהר ליה שמחה הוא לו ואי מצריך ליה שבעת ימים שנית מאי אפסדיה אי לא חזי ליה בבית הכלא נמי הוה עומד אלא בהסגר שני קא מפלגי אם בא שביעי של שבע' ימי הסגר שני בחולו של מועד ר' מאיר אומר רואהו כהן להקל אם טהור (או טמא) [אומר טהור] ואם טמא שתיק ואינו מצריכו שילוח חוץ למחנה דנוח לו לזה שיהא מוסגור וישמע קול בני אדם ואל יצא חוץ למחנה מוחלט אע"פ שיהא שם מותר בתשמיש [המטה] דקא סבר ר' מאיר לוותא דעלמא ניחא ליה ר' יוסי אומר לא להקל ולא להחמיר [שאם רואהו להקל יבוא להחמיר] אם הוא טמא דאין כהן רשאי לשתוק ויהא מצריכו שילוח חוץ למחנה [ואימא האי בלוותא בעלמא ניחא ליה והכי נמי פליגי במוחלט שכבר יצא חוץ למחנה] שאם נרפא מן הצרעת ורוצה להראות אל הכהן אם נתרפא ויטהר את עצמו לדברי ר' מאיר רואין דאי טהור אומר לו טהור ואי טמא אומ' לו טמא והכא ליכא למימר אבל לא להחמיר [דלא הייני חומרא] דמעיקרא טמא והשתא טמא לדברי ר' יוסי אין רואין דאי אומ' לו טהור נמצא מחמיר עליו שאוסרו בתשמיש וכדלקמן ואע"ג דהוה ליה לוותא בעלמא איכא דניחא ליה בלוותא דאשתו והיינו דקאמר ר' נראין דברי ר' מאיר וכו' דרואין נגעים במוסגר שני דממה נפשך אי מטהר ליה הרי שמחה היא לו ואי מטמא ליה ורכי שילוח שמחה היא לו שמתירו בתשמיש דקסבר ר' בלוותא דאשתו ניחא ליה טפי ודברי ר' יוסי דאמר אין רואין במוחלט דממה נפשך (אין רואין) אין שם שמחה דאי מטמא ליה מאי אהני ליה ואי מטהר ליה אוסרו בתשמיש המטה כל שבעת ימי ספירו דלוותא דאשתו ניחא ליה [ע"פ רש"י ברי"ף]. אמ' (ר') [רבין] נראין. כלומר רואה אני דברי ר' מאיר דלאית ליה רואין במוסגר ואיסור ראיה דר' יוסי אני רואה במוחלט וטעמא דנפשיה קאמ' ר'. אמ' רבה בהסגר ראשו' וכו'. כדפרישית ר' מאיר סבר באמירת כהן תלא רחמנא אי בעית אימא איבעי שתוק וכל כמה דלא אמ' טמא לא הוי טמא ואי טמא שתיק והלכך רואין ר' יוסי סבר אין רשאי לשתוק ולכתוב לטהרו או לטמאו אי זה שירצה יאמר וכל כמה דלא חזי לא... אמ' (ר') [רבין] נראין דברי ר' מאיר במוסגר והתניא איפכא. אמ' ר' נראין דברי ר' מאיר במוחלט ודברי ר' יוסי במוסגר. [מכא שייך לע"ב]

עין משפט נר מצוה

סד א מיי' פ"ח מהל' י"ט הל' ה טוש"ע א"ח סי' תקלז סעיף יג:

סה ב מיי' שם טוש"ע שם:

סו ג ד ה ו מיי' פ"ח מהל' י"ט הלכה ו סמג לאוין עה טוש"ע א"ח סי' תקמ סעיף א:

סז ז מיי' פ"ז מהל' י"ט הלכה טו:

הגהות הב"ח

(א) רש"י ד"ה הוצא הולי דקל הס"ד ומה"ד דפנא ענפי עץ שקורין לו"ר ופרי שלו קורין ביי"ש וקעבד גדר: (ב) תוס' ד"ה אמר רבי כו' ואי בעי שתיק ורבי יוסי קסבר דלעולם כו' ולדברי ר' יוסי לא תמצא: (ג) ד"ה בהסגר כו' תחילת הסגר ראשון שיכול לשתוק דהא:

הגהות הגר"א

[א] גמ' בהסגר שני דכ"ע ל"פ דחזי ליה כי פליגי בהסגר ראשון כצ"ל:

גליון הש"ס

תוס' ד"ה אמר רבי נראין וכו' צריך פריעה ופרימה כשהוא מוחלט וטמא טמא יקרא. עיין תוי"ט פ"א מ"ז דמגילה:

רבינו חננאל

ר' יהודה אומר צדין משדה האילן כדרכו ומשדה הלבן שלא כדרכו: ת"ר כיצד כדרכו חופר גומא ותולה בה מצודה. כיצד שלא כדרכו נועץ שפוד ומכה בקורדום ומרדה בעפר תחתיה: ומקרין הפירצה במועד. רב יוסף אמר בהוצא ודפנא במתניתא תנא צר בצרור כלומר עולה באבנים זו על גב זו ואינו טח בטיט. אמר רב חסדא לא שנו שמקרין את הפירצה אלא כותל גינה [אבל כותל חצר] שנפל בונה כדרכו אמר רב אשי מתני' נמי דיקא דעל כותל גינה אמר' המשנה ומקרין את הפירצה במועד דקתני ובשביעית בונה כדרכו דהיכא אי נימא דחצר צריכא למימר דבונה בשביעית וכי בנין בשביעית מי אסיר אלא לאו דגינה א) (ובונה כדרכו מפני הסכנה שלא יפול על בני אדם) ואע"ג דמיחזי כמאן דעביד נטירותא לפירי. תניא כותל הגוחה לרה"ר סותר ובונה כדרכו מפני הסכנה שלא יפול על בני אדם: מתני' רמ"א רואין את הנגעים וכו' תניא ר' מאיר אומר רואין את הנגעים להקל כדי לטהרו אבל לא להחמיר שאם אתה נזקק לו להקל אתה נזקק לו להחמיר שנא' לטהרו או לטמאו. א"ר נראין דברי רבי מאיר במוסגר כי רואין להקל לטהר אבל לא להחמיר שאם יראה כי הוא טמא ישתוק ואוקמה רבה בהסגר שני. ור' מאיר סבר בכהן תליא מילתא

תנאי הוא ואליבא דר'. כלומר [תנא] קמא דסבירא ליה לר' לוותא דאשתו עדיפא ליה הלכך נראין דברי ר' מאיר במוסגר ודברי ר' יוסי במוחלט כולה שיטה כדפרשית ותנא בתרא דסבירא ליה לר' דלוותא דעלמא עדיפא ליה הילכך נראין דברי ר' מאיר דאמר רואין במוחלט דאי מטהר ליה שמחה היא לו דלוותא דעלמא ניחא ליה טפי מלוותא דאשתו ור' יוסי דאמ' אין רואין במוסגר דילמא מטמא ליה ואסר ליה בלוותא דעלמא אע"ג (דקאי הסגר) [אע"ג דכשהוא מחליטו יהיה מותר בתשמיש] בקול שמיעת בני אדם ניחא ליה טפי. כללא דמילתא ר' מאיר סבר לוותא דעלמא עדיפה ליה ור' יוסי סבר איכא דניחא ליה בדעלמא ואיכא דניחא בדאשתו ור' סבירא ליה כר' יוסי דאין כהן רשאי לשתוק וסבירא ליה דלוותא דאשתו עדיף ליה ולמאן דתני איפכא סבירא ליה דר' לוותא דעלמא עדיף ליה. צוותא דעלמא. ייחוד בני אדם שול"ך בלע"ז ובחולו של מועד קא מיירי אבל ביום טוב אין רואין לימים פספס בשמועה ומדשה כשמלה (מאן) [מאי] תנא אליבא דר' נראין דברי ר' מאיר במוסגר סבר לוותא דאשתו עדיף ליה הילכך במוסגר דבין אמ' טהור בין אמ' ליה טמא לא מנער דאי אמ' ליה טהור שמח דיהיב לוותא דעלמא ולוותא דאשתו דעד השתא אסור ליכנס לפנים מן החומה כדאמרינן בפרק קמא דמגלה (ח:) ימי כל ימי לרבות מצורע מוסגר לשילוח והיה אסור נמי בתשמיש שהרי עכשיו כשהוא אומ' לו טהור מכניסו מן החומה ולפנים ומותר בתשמי' ואי אמ' ליה טמא ומחליט ליה אע"ג דקא מנער ליה עד השתא היה תלוי ואומר שמא יאמר לו כהן טהור לגמרי וכשהוא מחליטו מנערו ביום טוב אפילו

חשק שלמה על ר"ח

א) אלו תיבות המוקפים נראה שמיותרים הם.

סח א מיי' פ"י מהל' טומאת צרעת הל' ו סמג עשין רלה:
סט ב מיי' פ"ט שם הלכה ח:

רבינו חננאל

אי טהור א"ל טהור אי טמא שתיק דבמילתא דכהן תליא מילתא ועד שאמר טמא בחזקה קאי ואמר ר' נראין דברי ר' יוסי שאמר אין רואין כלל במוחלט והתניא איפכא נראין דברי ר' מאיר במוחלט ודברי ר' יוסי במוסגר ופרקינן תרי תנאי ואליבא דרבי. האי תנא דתני אמר רבי נראין דברי רבי מאיר במוחלט שרואין סבר דלמא אחזי ליה לטהרו וצוותא דעלמא עדיפא ליה מצוותא דאשתו והאי תנא דתני אמר ר' נראין דברי ר' יוסי במוחלט סבר אי חזי ליה טהרה מצריכו לספירת שבעה ואוסרו באשתו שהיה מותר בה כל ימי חלוטו וצוותא דאשתו עדיפא ליה מצוותא דעלמא לפיכך קתני נראין דברי ר' יוסי דאמר אין רואין במוחלט כו' ואמרינן למימרא דר' סבר מוחלט מותר באשתו. ואמר הין. והתניא דרבי סבר המוחלט מותר באשתו דתניא וישב מחוץ לאהלו שבעת ימים שיהא כמנודה וכאבל שאסור בתשמיש המטה ואין אהלו אלא אשתו כדכתיב שובו לכם לאהליכם בז' ימי ספרו ולא בז' ימי חלוטו דברי רבי ורבי יוסי אומר א) דנתי לפני ר' לימדתנו רבינו יותם לא היה לעוזיהו אלא בימי חלוטו א"ל אף אני אומר כן כי בימי חלוטו מותר הוא ואינו אסור בתשמיש המטה אלא בימי ספרו ולא אמרינן ק"ו אלא בימי ספרו דגלי רחמנא ביה איסורא אסיר אבל חלוט דלא גלי ביה רחמנא איסורא שרי. למימרא דבדיבורא דכהן תליא מילתא דכתיב וביום הראות בו בשר חי יטמא ות"ל ובהראות בו יטמא וביום למה לי אלא יש יום שאתה רואה בו ויש יום שאי אתה רואה בו מכאן אמרו חתן שנולד בו נגע נותנין לו ז' ימי המשתה ולאיצטליתו ולכסותו וכן ברגל נותנין לו כל ימי הרגל דברי רבי ר' יוסי אומר אינו צריך הרי הוא אומר וצוה הכהן ופנו את הבית אם ממתינין לו לפנות את ביתו כדי שלא יטמא דבר רשות ק"ו שממתינין לו בימי חתנותו ובימי הרגל שמצוה לשמוח בהן. ור' יהודה מצוה ג) בכהן לא גמרי' דחדוש הוא דהא עצים ואבנים בעלמא לא מיטמו והכא מיטמו בנגעים הלכך חדוש הוא ומחדושא לא גמרינן ופשוטה היא.

בהסגר שני מר סבר בכהן תליא מילתא אי טהור אמר ליה טהור ואי טמא שתיק ומר סבר א) לטהרו או לטמאו כתיב אמר מר אמר רבי נראין דברי רבי יוסי במוחלט ודברי ר' מאיר במוסגר והתניא איפכא תנאי היא אליבא דרבי מר סבר צוותא דעלמא עדיף ליה ומר סבר צוותא דאשתו עדיפא ליה למימרא דמוחלט מותר בתשמיש המטה א אין והתניא א) ב) וישב מחוץ לאהלו שבעת ימים שיהא אסור בתשמיש המטה ואין אהלו אלא אשתו שנאמר ג) לך אמור להם שובו לכם לאהליכם אן ר' יהודה אומ' ד) שבעת ימים יספרו לו ג) ימי ספירו ולא ימי חלוטו ר' יוסי בר' יהודה אומר ז' ימי ספירו ק"ו לימי חלוטו וא"ר חייא דנתי לפני רבי לימדתנו רבינו יותם לא היה לו לעוזיהו אלא בימי חלוטו אמר לו אף אני כך אמרתי במאי קמיפלגי ר' יוסי בר' יהודה סבר גלי רחמנא בימי ספירו וכ"ש בימי חלוטו ומר סבר ג) מאי דגלי גלי ומאי דלא גלי לא גלי למימרא דבכהן תליא מילתא אין והתניא ה) וביום הראות בו יש יום שאתה רואה בו ויש יום שאי אתה רואה בו מכאן אמרו ד) חתן שנולד בו נגע נותנין לו ז' ימי המשתה לו ולביתו ולכסותו וכן ברגל נותנין לו שבעת ימי הרגל דברי רבי יהודה אן ר' אומר אינו צריך ב הרי הוא אומר ו) וצוה הכהן ופנו את הבית אם ממתינים לו לדבר הרשות כל שכן לדבר מצוה מאי בינייהו אמר אביי משמעות דורשין איכא בינייהו ורבא אמר דבר הרשות איכא בינייהו ורבי יהודה מהתם לא גמרינן דחידוש הוא דהא

לטהרו או לטמאו כתיב. בפ' בתרא דנזיר (דף סה: ושם) דריש מיניה פתח הכתוב בטהרה תחילה גבי ספק שער לבן קודם לבהרת והתם דריש מדכתיב לטהרו ברישא והכא דריש מגופיה דקרא: **ה"ג** בתורת כהנים שבעת ימים ימי ספירו וכו'. ואגב שנכתב (א) בפסוק בתר ואחרי טהרתו וגו' כתבוהו כאן:

יותם לא היה לו לעוזיהו אלא בימי חלוטו. פירש הר"ר קלונימוס דכתיב (ישעיה ז) ובעוד ששים וחמש שנה יחת אפרים מעם והיינו מנבואת עמוס אע"פ שישעיה אמרה וישעיה נתנבא בשעה שנתנגע עוזיהו כדמוכח קראי שהיה רעש ע"י שרעשו עליונים לשורפו ותחתונים לבלעו הוא מונה לנבואת עמוס שנתנבא שנתים לפני הרעש וישראל גלה יגלה מעל אדמתו (עמוס ז) שאז נגזרה גזירה וכמה יש עד גלות הושע בן אלה שהיה בשנת שש לחזקיהו תשבונו ס"ה שנים ב' שנים קודס נגעו וכ"ה דנגעו דעוזיהו נתנגע כ"ה שנים לפני מותו וי"ו דיותם ושש עשרה דאחז ושש לחזקיה היה הגלות הרי ס"ה שנים ויותם בן כ"ה שנים כשמלך וא"כ היה עיבורו בימי חלוטו מכל מקום אין ר' יוסי בר' יהודה מוקשה די"ל דנתנגע בסוף השנה ועיבורו היתה בתחילת השנה ובפי' נביאים פרש"י חשבון זה וכן מוכיח בסדר עולם ומאחר שזה אמת נמלא שצריך לישב והלא עוזיהו וירבעם מלכו כאחת דהא ירבעם מלך מ"א שנה וא"כ כשמת היה מ"א למלכות עוזיהו והכתוב אומר בשנת שלשים ושמנה לעזריה מלך יהודה מלך זכריה בן ירבעם וא"כ חסר ג' שנים וי"ל דמלך ג' שנים בחיי אביו וכן הגיה במקלת פירושים דהכי הוה מעשה דזכריה מלך בחיי ירבעם אביו ג' שנים:

מאי דלא גלי לא גלי. יש מקשין למה אין רבי דורש ק"ו הא אדם דן ק"ו מעלמו ה) ושמא יש שם פירכא או שמא מלורע חידוש הוא א"נ ז' ימים משמע מיעוט לאפוקי ימי חלוטו ואידך דמלטריך לגופיה מיהו (ב) מדכתיב ביה לו שמע מינה למעוטי: בן **יש** יום שאי אתה רואה בו. תימה לר"מ למה אינו רואה להקל ועוד למאי דפי' רבינו ילחק דלכולי עלמא בתחילת הסגר רואין להקל לעולם יכול לראות ועוד ופינו את הבית עד שיראו למה טורח לפנות שמא ימלא טהור:

משמעות דורשין איכא בינייהו. ר' דורש מופינו וביום אלטריך למידרש ביום ולא בלילה כדלקמן וי"ו לא משמע ליה ור' יהודה דורש מוביום אבל ופינו את הבית שמא אלטריך לרבי יהודה אפי' חבילי קש וחבילי עלים כדתנן בנגעים (פ' י"ב מ"ה) לרבי יהודה:

דבר הרשות איכא בינייהו. דרבי יהודה סבר חידוש הוא ואין ללמוד הימנה שאר המתנות ומביום הראות בו לא משמע אלא המתנה דמלוה דמשמע דתלוי הדבר בקביעת היום כגון רגל והוא הדין לחתן ורבי סבר לרבות נמי המתנה שאינה מלוה וגמרינן שפיר להמתנה מופינו כל דבר הרשות בבית לא פליגי דהא בהדיא כתיב ופינו את הבית אלא דבר הרשות דגופיה איכא בינייהו ואין נראה לפרש שאר דברי רשות כגון חבילי קש ופליגי בבתים גן דלרבי יהודה דאמר חידוש הוא לא ילפינן:

דהא

בהסגר שני. דאי מטמא ליה מחליט ליה בטומאה חמורה ומלער ליה: מר. ר"מ דאמר רואה להקל לטהר אבל לא לטמא: סבר בכהן תלא רחמנא. דאי מטמא ליה הוי טמא ואי לא בעי מטמא ליה לא הוי טמא ולהכי חזי ליה להקל אבל לא להחמיר דאי חזי ליה דהוי טמא לא לימא ליה כלום ולא הוי טמא: ומר. ר' יוסי דאמר לא להקל: סבר לטהרו ולטמאו כתיב. דכי חזי ליה כהן דטמא לא מצי למשתק ודלמא הוי טמא ונמלא מלערו שמטמאו במועד: והא תניא איפכא. דברי ר"מ במוחלט דברי ר' יוסי במוסגר: מר סבר צוותא דאשתו עדיף ליה. ולהכי חזי ליה במועד בהסגר שני דאי מטהרו משמחו ואפי' מטמא ליה ומחליט ליה ומשדר ליה חוץ מג' מחנות ולית ליה צוותא דאינשי דעלמא אפ"ה לית ליה צערא דהא אית ליה צוותא דאשתו ומותר הוא באשתו להתיחד עמה בימי חלוטו ודברי ר' יוסי במוחלט דאפי' מטהר ליה דאע"ג דשרי ליה למחנה ישראל אית ליה צערא דלית ליה צוותא דאשתו דאסור הוא דכיון דמטהר ליה מחלוטו מיבעי ליה למימני שבע ימי ספירו ובימי ספירו אסור בתשמיש המטה דכתיב וישב מחוץ לאהלו שבעת ימים ואהלו זו אשתו דכתיב שובו לכם לאהליכם: ומר סבר צוותא דעלמא עדיף ליה. האי תנא דאמר א"ר נראין דברי ר"מ במוחלט ודברי ר' יוסי במוסגר סבר צוותא דעלמא עדיף ליה ולהכי חזי בימי חלוטו דאי מטמאו לא מטמא יותר מדמעיקרא ואי מטהרו משמחו דאית ליה צוותא דעלמא אף על גב דאסור בתשמיש המטה צוותא דעלמא עדיף ליה ודברי רבי יוסי במוסגר דלא חזי ליה דלמא מטמא ליה חוץ לג' מחנות ולית ליה צוותא דעלמא ומלער ליה: ימי ספירו. אסור בתשמיש המטה ולא ימי חלוטו: יותם לא היה לעוזיהו אלא בימי חלוטו. כלומר לא נתעברה אמו דיותם אלא בימי חלוטו דעוזיהו היה מלורע ולא נזקק לאשתו בימי ספירו אלא בימי חלוטו: אף אני כך אמרתי. דמלורע מותר בתשמיש המטה דוישב מחוץ לאהלו בימי ספירו כתיב: ורבי סבר מאי דגלי גלי. להכי אמרי' ימי ספירו ולא ימי חלוטו: למימרא דבכהן תליא מילתא. פריך בין לר"מ בין לרבי יוסי דר"מ אומר בהדיא אי טמא שתיק ורבי יוסי קאמר אין רואין כלל מכלל דרבי יוסי סבר אי לא בעי לא חזי ליה ולא הוי טמא: נותנין לו ז' ימי המשתה. דלא חזי ליה דלמא מטמא ליה: ולכסותו. אם נראה הנגע בכסותו: אם ממתינין לדבר הרשות. הרי ממתינין לו שאין מטמאין עד שמפנה כל הכלים שבבית וילפי' מינה דבטומאה דגופיה נמי ממתין לדבר הרשות דומיא דהכא כיון דאשכחן דבטומאה דגופיה ממתינין לו לדבר הרשות כ"ש דממתינין לו לדבר מלוה כגון חתן ורגל: משמעות דורשין. דמר דריש מהאי קרא ומר דריש מהאי קרא: דבר הרשות איכא בינייהו. רבי יהודה דמפיק מביום הראות בו ומכאן אמרו חתן ורגל דהיינו מלוה ממתינין לו אבל לדבר הרשות אין ממתינין לו בטומאה דגופיה ורבי סבר דבדבר רשות נמי ממתינין לו כדאמרי' לעיל דרבי יליף טומאה דגופיה להמתין לו מטומאה דביתו: לא גמרינן. דהוי חידוש ומחידוש לא ילפינן דכל היכא דאיכא חידוש אין לך דבר בו אלא חידושו:

דהא

מסורת הש"ס

א) לקמן טו:, ב) [תוספתא נגעים פ"ח], ג) [זבחים ז: יד: מנחות נב:], ד) נגעים פ"ג מ"ב [בכורות לד:], ה) [בדלעיל נדה יט.].

הגהות הב"ח

(א) תוס' ד"ה ה"ג כו' ואגב שנכתב בפסוק בתרא ואחרי טהרתו. נ"ב פירוש דהאי קרא דיחזקאל שבעת ימים יספרו לו מיירי אם נטמא לכהן במקום דהתורה בפרק בתרא דף ט"ו מפרש"י והתוס' בהדיא לשם מה לא היה צריך להאי דמוישב מחוץ לאהלו גרידא דריש ימי ספירו ולא ימי חלוטו אלא אגב דמייתי לאי קרא בפ' בתרא כתבוהו כאן: (ב) ד"ה מאי כו' מדכתיב ביה לו. נ"ב עיין בספרי דדרש לו משמע ימי ספירו ולא ימי חלוטו.

הגהות מהר"ב רנשבורג

אן גמ' רבי אומר אינו צריך כו'. נ"ב ותימה דבסמוך קאמרינן אליבא דרבא ורבי אומר אינצריך וכו' וא"כ מאי אינו צריך דקאמר הכא ולע"ג וי"ל דכוונת הברייתא דא"ל לקרא לדבר מצוה וה"ל רק לכתוב לדבר הרשות דגופיה וכ"ש לדבר מצוה דגופיה והכי כמילתא דאתיא בק"ו טרח וכתב לה קרא וכמ"ש תוס' בדף הסמוך בד"ה נפקא לן וכו' יעויש"ה ועפי"ז מיושב מה שתמה מהרש"א שם על דבריהם כנלע"ד ודוק היטב: בן תוס' ד"ה יש יום שאי אתה רואה בו. עי' על דבריהם במשנה למלך פ"ט מהלכות יו"ט הלכה ט"ו: גן ד"ה דבר הרשות איכא בינייהו כו' דלר' יהודה דאמר חידוש הוא לא ילפינן. עיין קרבן אהרן פ' תזריע דף קל"ז:

הגהות מהר"י לנדא

אן גמ' רבי יהודה אומר שבעת ימים יספרו לו. נ"ל רבי אומר וכן הוא בתורת כהנים ועיין במס' חולין דף קמא ע"א ודו"ק:

תורה אור השלם

א) זֹאת תּוֹרַת נֶגַע צָרַעַת בֶּגֶד הַצֶּמֶר אוֹ הַפִּשְׁתִּים אוֹ הַשְּׁתִי אוֹ הָעֵרֶב אוֹ כָּל כְּלִי עוֹר לְטַהֲרוֹ אוֹ לְטַמְּאוֹ: [ויקרא יג, נט]

ב) וְכִבֶּס הַמִּטַּהֵר אֶת בְּגָדָיו וְגִלַּח אֶת כָּל שְׂעָרוֹ וְרָחַץ בַּמַּיִם וְטָהֵר וְאַחַר יָבוֹא אֶל הַמַּחֲנֶה וְיָשַׁב מִחוּץ לְאָהֳלוֹ שִׁבְעַת יָמִים: [ויקרא יד, ח] ג) לֵךְ אֱמֹר לָהֶם שׁוּבוּ לָכֶם לְאָהֳלֵיכֶם: [דברים ה, כז] ד) וְאַחֲרֵי טָהֳרָתוֹ שִׁבְעַת יָמִים יִסְפְּרוּ לוֹ: [יחזקאל מד, כו] ה) וּבְיוֹם הֵרָאוֹת בּוֹ בָּשָׂר חַי יִטְמָא: [ויקרא יג, יד] ו) וְצִוָּה הַכֹּהֵן וּפִנּוּ אֶת הַבַּיִת בְּטֶרֶם יָבֹא הַכֹּהֵן לִרְאוֹת אֶת הַנֶּגַע וְלֹא יִטְמָא כָּל אֲשֶׁר בַּבָּיִת וְאַחַר כֵּן יָבֹא הַכֹּהֵן לִרְאוֹת אֶת הַבָּיִת: [ויקרא יד, לו]

חשק שלמה על ר"ח א) גי' רבינו צ"ע לכאורה ואולי דט"ס וצ"ל דברי ר' ר' יוסי בר"י אומר בימי ספירו ק"ו לימי חלוטו וא"ר חייא דנתי וכו'. ב) אולי צ"ל מצוה מכלים לא גמרינן.

רש"י כת"י [תחילת הפירוש ששייך לכאן נדפס בע"א] טוב אפילו הכי לא קפיד לצוותא דאשתו עדיפא ליה ולא חייש לאותו לער של תליה הואיל והוא מתירו בתשמיש דמוחלט מותר בתשמיש אבל למוחלט אין רואין דמוחלט אית ליה צוותא דאשתו ולית ליה צוותא דעלמא דנכנס לפנים מן החומה כדכתוב ואחר יבא אל המחנה כיון שאוסרו בתשמיש שצריך לו למנות ז' ימים ויהא אסור בתשמיש המטה כדלקמן וישב מחוץ לאהלו לא ניחא ליה ומאן דתני אליבא דר' נראין דברי ר' מאיר במוחלט סבר צוותא דעלמ' עדיף ליה הילכך רואין למוחלט דבין אמר ליה טמא בין אמר ליה טהור ניח' ליה אע"ג דאוסרו בתשמיש כיון דיהיב ליה צוותא דעלמא שמתירו ליכנס במחנה ניחא ליה בצוותא דעלמא ולא חייש לצוותא דאשתו אבל למוסגר אין רואין דמוסגר לית ליה צוותא דאשתו ואי אמ' ליה טהור נהי דניחא ליה שמתירו בצוותא דעלמא ובתשמיש אבל אי אמ' ליה [טמא] לא ניחא ליה דאע"ג דכשהוא אמר ליה טמא עשאהו מוחלט ומתירו בתשמיש אפי' הכי מלער ליה דעד השתא היה תלוי (ילא) [שמא ימלא] לו טהרה אבל עכשיו כשמחליטו נמלא מלערו ביום טוב וכן הישר. **מדקאמ'**. משום צוותא דאשתו למימרא דמוחלט מותר בתשמיש. **מחוץ לאהלו שאסור בתשמיש המטה כמנודה וכאבל**. שמנודלין ומנפרשין ואסורין בתשמיש המט' והאי דקתני ואסור בתשמיש משום דעיקר קרא כדמפר' אהלו זו אשתו. **שבעת ימים**. דכתוב וישב מחוץ לאהלו שבעת ימים דהיינו שבעת ימי ספורו שהוא מונה לטהרתו ה"ג שבעת ימים ספירו וכו' ולא גרסינן תספרו לו דמההיא קרא נמי קמ'. **לאהליכם**. שאמ' משה לישראל והיו נכונים לשלשת ימים וגו' והיה צריך להתירם ולומר שובו לכם לאהליכם שכל דבר שבמנין צריך מנין אחר להתירו. ר' יוסי דלעי' לאו ר' יוסי בר' יהודה אלא ר' יוסי בר' חלפתא. **יותם לא היה [לו] לעוזיהו**. משנצטרע אלא בימי חלוטו כילד עוזיהו מלך חמשים ושתים שנה ונתנגע בעשרים ושבעה לירבעם וירבעם ועוזיהו מלכו כאחד זה על ישראל וזה על יהודה והיה מנוגע כ"ו שנה וכשמת עוזיהו מלך יותם ויותם בר כמה הוי כשמלך בר עשרין וחמש [עבורו] אימת בכ"ז לעוזיהו אשתכח דבימי חלוטו (איעד) [נתעברה] ור' יוסי בר יהודה אמ' ליה לא בתחלת שנה של כ"ז (דעוזיהו) [דירבעם] נתנגע עוזיהו אלא בסוף השנה ועיבורו מקמי הכא הוה בתחלת השנה בשאלתות דרב אחא (מלורע ח) מפרש כן דהכי מסתמי קראי בשנת עשרים ושבע לירבעם מלך ישראל מלך (עוזיהו) [עוזיה] בן אמליהו מלך יהודה (מלכים ב טו, א) ועזריה זה עוזיהו וכי אפשר לומר כן והכתו' בשנת שלשים ושמונה לעוזיהו מלך יהודה מלך זכריה בן ירבעם (שם, ח) וזכריה סמוך למיתת אביו מלך ונמלא כשמת ירבעם עברו ימי ממלכתו של עוזיהו ל"ח שנה כל"ח שנים מלך ירבעם ונמלאת אומ' שלא קדמו ירבעם אלא ג' שנים שהרי מ"א שנה היו ימי מלכותו והיינו ג' שנים על ל"ח שנים ומעכשיו האיך יתקיים מקרא זה שכתוב שקדמו ירבעם לעוזיהו כ"ז שנה כדכתו' בשנת עשרים ושבע מלך ישראל מלך (עוזיהו) [עוזיה] ואין לומר בזכריה שלא מלך סמוך למיתת אביו וכן היה מעשה שבכ"ז לירבעם מלך עוזיהו והיו אותן ט"ו שנים שנשתיירו ממלכות ירבעם ... וכ"ג היתה ממלכות ישראל בטלה ואחר כ"ג שנים מלך זכריה והיינו בל"ה לעוזיהו שהרי מקראות מוכיחין שאינן כן (שהרי מלכותו שלא היתה) כדכתוב במלכים ובשנת חמשים ושתים (לזכריה) מלך פקח (שם, כז) ויותם בנו של עוזיה בשנה האחרת אחר מותו כדכתוב קרא ובשנת שתים לפקח מלך יותם (שם, לב) והיה בן כ"ה שנה כשמלך ועתה אם אמ' שבכ"ז לירבעם מלך דהתחיל עוזיהו למלך ושלמה מלכותו של ירבעם בשנת ט"ו למלכו' עוזיהו ונמלאת אומר שלא [ראה] יותם את ירבעם שכשאתה מונה כ"ה שנים שהיו ליותם כשמלך אחר מיתת אביו נמלאת אומר כ"ד [שנולד יותם כ"ה] קודם השלמת מלכות אביו דהיינו (בכ"ט) [בכ"ז] שנים למלכות אביו וירבעם מת קודם לכן בט"ו שנים למלכות עוזיהו ונמלאת שלא ראה יותם את ירבעם ואי אפשר לומר כן [שהרי] בימי יותם בן עוזיהו ובימי ירבעם בן יואש (דה"י א ה, יז) ואמרי' בסדר עולם (פי"ט) אי אפשר לומר כן שיותם היה מלך בימי ירבעם שמת עוזיה אביו קודם ירבעם והלא עוזיה קבר ממשה (בישראל) מלכים בישראל ירבעם זכריה שלום מנחם פקח כדכתוב בפירוש במלכים (מלכים ב טו) אלא כל אותן הימים שהיה עוזיה מלורע יותם בנו שופט על הארץ והילכך על כרחך ראה יותם את ירבעם והיה שופט בימיו ואם כן שבכ"ז לירבעם התחיל עוזיה למלוך היאך ראה יותם לירבעם (הרי לא היה לו בן אלה) [שהרי] בן כ"ה שנה היה כשמת אביו אלא שמלך מלכות מנוגעת שבכ"ז לירבעם נתנגע והיתה לו כמלכות חדשה ועכשיו [המשך בדף ח.]

בְּהֶסְגֵּר שֵׁנִי – It is **regarding** one who is at the end of **the second confinement.**[1] מַר סָבַר בְּכֹהֵן תַּלְיָא מִילְתָא – One **master** [i.e. R' Meir] **maintains that the matter** of becoming confirmed as a *metzora* **is dependent upon** the verdict of **the Kohen.** Thus, the examination may take place on Chol HaMoed, with the following criteria: אִי טָהוֹר אָמַר לֵיהּ טָהוֹר – **If he is *tahor,* [the Kohen] tells him, *"Tahor,"*** וְאִי טָמֵא שָׁתִיק – **and if he is *tamei,* [the Kohen] remains silent** and avoids rendering him a confirmed *metzora.* Accordingly, the man has only to gain from the examination. וּמַר סָבַר – **But** the other **master** [i.e. R' Yose] **maintains** that the matter indeed depends upon the Kohen, but he cannot remain silent, ,,לְטַהֲרוֹ אוֹ לְטַמְּאוֹ" כְּתִיב – for **it is written: *to declare it*** (the affliction) ***tahor or to declare it tamei.***[2] Accordingly, the Kohen must not examine the man on Chol HaMoed, for he might be forced to proclaim him a confirmned *metzora,* thereby causing him distress on the festival.[3]

The Gemara returns to the Baraisa cited above, and notes a contradiction:

אָמַר מַר – **Master said:** אָמַר רַבִּי – **REBBI SAID:** נִרְאִין דִּבְרֵי רַבִּי יוֹסֵי בְּמוּחְלָט – **THE WORDS OF R' YOSE,** that a Kohen may not inspect the affliction on Chol HaMoed, **APPEAR** correct **WITH RESPECT TO A CONFIRMED [*METZORA*],** וְדִבְרֵי רַבִּי מֵאִיר בְּמוּסְגָּר – **AND THE WORDS OF R' MEIR,** that the Kohen may do the inspection, appear correct **WITH RESPECT TO A CONFINED ONE.**[4] וְהַתַנְיָא אִיפְּכָא – **But in a** different **Baraisa the opposite was taught!** Another Baraisa quotes Rebbi as saying that the words of R' Meir appear correct with respect to a confirmed *metzora,* whereas the words of R' Yose appear correct with respect to a confined one.[5] – ? –

The Gemara answers that these are indeed two versions of Rebbi's opinion:

תַּנָּאֵי הִיא אַלִּיבָּא דְּרַבִּי – **It is a** matter of **Tannaic dispute according to** the opinion **of Rebbi.** מַר סָבַר צַוְותָא דְעָלְמָא עֲדִיף לֵיהּ – One **master maintains** that according to Rebbi **the company of the world at large is preferable to [the *metzora*],**[6] וּמַר סָבַר צַוְותָא דְאִשְׁתּוֹ עֲדִיפָא לֵיהּ – **and** the other **master maintains** that according to Rebbi **the company of his wife is preferable to him.**[7]

NOTES

1. I.e. the final day of his second confinement period fell on Chol HaMoed. At this point, there can be no further confinement – either the man must be declared a confirmed *metzora*, or he is to be treated as *tahor.* Becoming a confirmed *metzora* would be distressful to the victim, for (as shall be explained below) a confirmed *metzora* is treated more stringently than a confined one (*Rashi*).

2. *Leviticus* 13:59. This implies that the Kohen must render the verdict of either *tahor* or *tamei* (*Rashi*).

3. R' Meir and R' Yose are also in disagreement as to whether a *metzora* who had been confirmed *tamei* may be examined on Chol HaMoed for the possibility of declaring him *tahor.* This shall be clarified in the notes below.

4. According to this Baraisa, Rebbi does not allow a Kohen to examine a confirmed *metzora* on Chol HaMoed to see whether his condition has healed, but he does allow a Kohen to examine a confined *metzora* to determine whether he should be declared *tahor* or confirmed as a *metzora* (*Rashi*).

5. According to the latter Baraisa, Rebbi does allow the examination of a confirmed *metzora* to determine whether he has been healed, but he does not allow the examination of a confined one to determine whether he should be declared *tahor* or confirmed (*Rashi*).

The differences between a confined *metzora* and a confirmed *metzora*

Let us pause at this juncture to examine the differences between a confined *metzora* and a confirmed one. According to *Rashi* here, a confined *metzora* is permitted to remain in the Israelite camp – i.e. he may dwell in a walled city in Eretz Yisrael. A confirmed *metzora,* however, is banished from the camp. The confirmed *metzora* is further required to wear rent garments, let his hair go unshorn and call out, *"Tamei, Tamei"* (see *Leviticus* 13:45-46 and below, 15a-b). Whether he is "confined" or "confirmed," the *metzora* is permitted to cohabit with his wife (cf. *Rashi ms.* and *Mishneh LaMelech, Hil. Yom Tov* 7:16; see *Tosafos* to 7a ד״ה אמר רבי). When a Kohen determines that the *tzaraas* has healed, the *metzora* goes through a seven-day period of purification, culminating in his bringing of purification offerings on the eighth day. During these seven days, he is permitted inside the camp, but *forbidden* to be with his wife (see *Leviticus* 14:1-20). Thus, when a confined *metzora* becomes a confirmed one, he is banished from the camp but remains permitted to be with his wife, and when a confirmed one is declared healed, he is allowed to re-enter the camp but is now forbidden to be with his wife. [This represents the view of *Rashi,* as presented in our *sugya;* see below for further discussion.]

Now, the Gemara stated above that R' Meir and R' Yose disagree whether a *metzora* may be examined after his second confinement, and the dispute centers on whether the Kohen may remain silent. Evidently, all agree that if the Kohen would declare the man a confirmed *metzora* and banish him from the camp his festival joy would be marred, even though his wife would remain permitted to him. Therefore, R' Meir says that the Kohen should examine him and render a verdict only if it is a lenient one, and R' Yose says that the Kohen should not perform the examination. However, the Gemara did not discuss what R' Meir and R' Yose hold concerning a confirmed *metzora*: May a Kohen examine him on Chol HaMoed to determine whether his affliction has healed? If the Kohen does declare him *tahor,* he will gain by being allowed to re-enter the camp, but he will lose the company of his wife for seven days. Should this deter the Kohen from performing the evaluation during the festival? [This question does not hinge on the Tannaic opinions. For if we say that declaring the man *tahor* does disrupt his festival enjoyment, R' Meir will concede that the Kohen should not examine him, since the only point of the examination would be to declare him *tahor.* Rather, the question of whether the examination should be performed is a valid issue in its own right (see *Tosafos* to 7a end of ד״ה אמר רבי; cf. *Mishneh LaMelech* ibid.).]

Rebbi addresses both issues – whether we examine a confined *metzora* to determine if he should be released or confirmed, and whether we examine a confirmed *metzora* to determine if he should begin counting his seven days of purification. However, the Baraisos are contradictory as to Rebbi's opinion. According to the first Baraisa, Rebbi permits the examination of a confined *metzora* on Chol HaMoed [even though this might lead to his being confirmed and banished from the camp], but he forbids the examination of a confirmed *metzora* to determine whether he has been healed [because this would separate him from his wife on the festival]. The latter Baraisa states the opposite: Rebbi forbids the examination of a confined *metzora* on Chol HaMoed [because this might lead to his being confirmed and banished from the camp], but he permits the examination of a confirmed *metzora* to determine whether he has been healed [even though this would separate him from his wife on the festival].

6. The latter Baraisa holds that a man's main concern is with being allowed into society, and he desires this even if it means that he may not be with his wife at this time. Thus, it is permitted for a Kohen to examine a confirmed *metzora* on Chol HaMoed. If he determines that the man is still *tamei,* he is no worse off than he was before. And if the Kohen declares him *tahor,* thereby allowing him to re-enter the camp, his festival will be joyful even though his wife will be forbidden to him for seven days.

On the other hand, the Kohen may not examine a confined *metzora* on Chol HaMoed, because if the man is confirmed as a *metzora* he will be banished from the camp and this will mar his festival joy even though his wife remains permitted to him (*Rashi*). [As has been mentioned (7a note 18), Rebbi concurs with R' Yose that the Kohen does not have the right to remain silent.]

7. The first Baraisa holds that a man prefers being permitted to be with his wife even at the expense of being banned from interaction with others. Thus, a Kohen may examine a confined *metzora* on Chol HaMoed to determine whether he should be declared *tahor* or confirmed. If the Kohen declares him *tahor* he certainly gains [for a *metzora* who is declared *tahor* after merely being *confined* does not need the seven-day purification and remains permitted to be with his wife]. Even if the Kohen declares him a confirmed *metzora* and banishes him from the camp, it will not seriously mar his festival enjoyment since he will be allowed to live with his wife outside the camp.

On the other hand, a Kohen may not examine a confirmed *metzora* to determine whether he has become *tahor.* For if the man is declared *tahor,* he will become forbidden to be with his wife and this will mar his enjoy-

עין משפט
נר מצוה

סח א מיי' פ"י מהל' טומאת צרעת הל' ו סמג עשין רלה:
סט ב מיי' פ"ט שם הלכה ח:

בהסגר שני מר סבר בכהן תליא מילתא אי טהור אמר ליה טהור ואי טמא שתיק ומר סבר [א] לטהרו או לטמאו כתיב אמר מר אמר רבי נראין דברי רבי יוסי במוחלט ודברי ר' מאיר במוסגר והתניא איפכא תנאי היא אליבא דרבי מר סבר צוותא דעלמא עדיף ליה ומר סבר צוותא דאשתו עדיפא ליה למימרא דמוחלט מותר בתשמיש המטה אין והתניא [ב] וישב מחוץ לאהלו שבעת ימים שיהא אסור בתשמיש המטה ואין אהלו אלא אשתו שנאמר [ג] לך אמור להם שובו לכם לאהליכם [א] ר' יהודה אומ' [ד] שבעת ימים יספרו לו ימי ספירו ולא ימי חלוטו ר' יוסי בר' יהודה אומר ז' ימי ספירו ק"ו לימי חלוטו וא"ר חייא דנתי לפני רבי לימדתנו רבינו יותם לא היה לו לעוזיהו אלא בימי חלוטו אמר לו אף אני כך אמרתי במאי קמיפלגי ר' יוסי בר' יהודה סבר גלי רחמנא בימי ספירו וכ"ש בימי חלוטו ומר סבר מאי דגלי גלי ומאי דלא גלי לא גלי למימרא דבכהן תליא מילתא אין והתניא [ה] וביום הראות בו יש יום שאתה רואה בו ויש יום שאי אתה רואה בו מכאן אמרו [ד] חתן שנולד בו נגע נותנין לו ז' ימי המשתה לו ולביתו ולכסותו וכן ברגל נותנין לו שבעת ימי הרגל דברי רבי יהודה [א] ר' אומר אינו צריך [ב] הרי הוא אומר [ו] וצוה הכהן ופנו את הבית אם ממתינים לו לדבר הרשות כל שכן לדבר מצוה מאי בינייהו אמר אביי משמעות דורשין איכא בינייהו ורבא אמר דבר הרשות איכא בינייהו ורבי יהודה מהתם לא גמרינן דחידוש הוא דהא

לטהרו או לטמאו כתיב. בפ' בתרא דנזיר (דף סה: ושם) דריש מיניה פתח הכתוב בטהרה תחילה גבי ספק שער לבן קודם לבהרת והתם דריש מדכתיב לטהרו ברישא והכא דריש מגופיה דקרא: **ה"ג** בתורת כהנים שבעת ימים ימי ספירו וכו'. ולאגב שנכתב (א) בפסוק בתר ואחרי טהרתו וגו' כתבוהו כאן:

יותם לא היה לו לעוזיהו אלא בימי חלוטו. פירש הר"ר קלונימוס דכתיב (ישעיה ז) ובעוד ששים וחמש שנה יחת אפרים מעם והיינו מנבואת עמוס אע"פ שישעיה אמרה וישעיה נתנבא בשעה שנתנגע עוזיהו כדמוכח קראי שהיה רעש ע"י שרעשו עליונים לשורפו ותחתונים לבלעו הוא מונה לנבואת עמוס שנתנבא שנתים לפני הרעש וישראל גלה יגלה מעל אדמתו (עמוס ז) שאז נגזרה גזירה וכמה יש עד גלות הושע בן אלה שהיה בשנת שש לחזקיהו חשבונו ס"ה שנים ב' שנים קודם נגעו וכ"ה דנגעו דעוזיהו נתנגע כ"ה שנים לפני מותו וי"ו דיותם ושש עשרה דאחז ושש לחזקיה היה הגלות הרי ס"ה שנים ויותם בן כ"ה שנים כשמלך וא"כ היה עיבורו בימי חלוטו מכל מקום אין ר' יוסי בר' יהודה מוקשה די"ל דנתנגע בסוף השנה ועיבורו היתה בתחילת השנה ובפי' נביאים פרש"י חשבון זה וכן מוכיח בסדר עולם ומאחר שזה אמת נמצא שצריך ליישב והלא עוזיהו וירבעם מלכו כאחת דהא ירבעם מלך מ"א שנה וא"כ כשמת היה מ"א למלכות עוזיהו והכתוב אומר בשנת שלשים ושמנה לעזריה מלך יהודה מלך זכריה בן ירבעם וא"כ חסר ג' שנים וי"ל דמלך ג' שנים בחיי אביו וכן הגיה במקלת פירושים דהכי הוה מעשה דזכריה מלך בחיי ירבעם אביו ג' שנים:

מאי דלא גלי לא גלי. יש מקשין למה אין רבי דורש ק"ו הא אדם דן ק"ו מעצמו [ה] ושמא יש שם פירכא או שמא מצורע חידוש הוא א"נ ז' ימים משמע מיעוט לאפוקי ימי חלוטו ואידך דמצטריך לגופיה מיהו (ב) מדכתיב ביה לו שמע מינה למעוטי: [ב] **יש** יום שאי אתה רואה בו. תימה לר"מ למה אינו רואה להקל ועוד למאי דפי' רבינו יצחק דלכולי עלמא בתחילת הסגר רואין להקל לעולם יכול לראות ועוד ופינו את הבית עד שיראו למה טורח לפנות שמא ימצא טהור:

משמעות דורשין איכא בינייהו. ר' דורש מופינו וביום אצטריך למידרש ביום ולא בלילה כדלקמן וי"ו לא משמע ליה ור' יהודה דורש מוביום אבל ופינו את הבית שנא אצטריך לרבי יהודה אפי' חבילי קש וחבילי עצים כדתנן בנגעים (פ' י"ב מ"ה) לרבי יהודה:

דבר הרשות איכא בינייהו. דרבי יהודה סבר חידוש הוא ואין ללמוד הימנה שאר המתנות ומביום הראות בו לא משמע אלא המתנה דמצוה דמשמע דתלוי הדבר בקביעת היום כגון רגל והוא הדין לחתן ורבי סבר לרבות נמי המתנה שאינה מצוה וגמרינן שפיר להמתנה מופינו כל דבר הרשות בבית לא פליגי דהא בהדיא כתיב ופינו את הבית אלא דבר הרשות דגופיה איכא בינייהו ואין נראה לפרש שאר דברי רשות כגון חבילי קש ופליגי בבתים [ג] דלרבי יהודה דאמר חידוש הוא לא ילפינן:

בהסגר שני. דאי מטמא ליה מחליט ליה בטומאה חמורה ומצער ליה: מר. ר"מ דאמר רואה להקל לטהר אבל לא לטמא: סבר בכהן תלא רחמנא. דאי מטמא ליה הוי טמא ואי לא בעי מטמא ליה לא הוי טמא ולהכי חזי ליה להקל אבל לא להחמיר דאי חזי ליה דהוי טמא לא לימא ליה כלום ולא הוי טמא: ומר. ר' יוסי דאמר לא להקל: סבר לטהרו ולטמאו כתיב. דכי חזי ליה כהן דטמא לא מצי למשתק ודלמא הוי טמא ונמצא מצערו שמטמאו במועד: והא תניא איפכא. דברי ר"מ במוחלט ודברי ר' יוסי במוסגר: מר סבר צוותא דאשתו עדיף ליה. ולהכי חזי ליה במועד בהסגר שני דאי מטהרו משמחו ואפי' מטמא ליה ומחליט ליה ומשדר ליה חוץ מג' מחנות ולית ליה צוותא דאינשי דעלמא אפ"ה לית ליה צערא דהא אית ליה צוותא דאשתו ומותר הוא באשתו להתיחד עמה בימי חלוטו ודברי ר' יוסי במוחלט דאפי' מטהר ליה דאע"ג דשרי ליה למחנה ישראל אית ליה צערא דלית ליה צוותא דאשתו דאסור הוא דכיון דמטהר ליה מחלוטו מיבעי ליה למימני שבע ימי ספירו ובימי ספירו אסור בתשמיש המטה דכתיב וישב מחוץ לאהלו שבעת ימים ואהלו זו אשתו דכתיב שובו לכם לאהליכם: ומר סבר צוותא דעלמא עדיף ליה. האי תנא דאמר א"ר נראין דברי ר"מ במוחלט ודברי ר' יוסי במוסגר סבר צוותא דעלמא עדיף ליה ולהכי חזי בימי חלוטו דאי מטמאו לא מטמא יותר מדמעיקרא ואי מטהרו משמחו דאית ליה צוותא דעלמא אף על גב דאסור בתשמיש המטה צוותא דעלמא עדיף ליה ודברי רבי יוסי במוסגר דלא חזי ליה דלמא מטמא ליה חוץ לג' מחנות ולית ליה צוותא דעלמא ומצער ליה: ימי ספירו. אסור בתשמיש המטה ולא ימי חלוטו: יותם לא היה לעוזיהו אלא בימי חלוטו. כלומר לא נתעברה אמו דיותם אלא בימי חלוטו דעוזיהו דעוזיהו היה מצורע ולא נזקק לאשתו בימי ספירו אלא בימי חלוטו: אף אני כך אמרתי. דמצורע מותר בתשמיש המטה דוישב מחוץ לאהלו בימי ספירו כתיב: ורבי סבר מאי דגלי גלי. להכי אמרי' ימי ספירו ולא ימי חלוטו: למימרא דבכהן תליא מילתא. פריך בין לר"מ בין לרבי יוסי דר"מ אומר בהדיא אי טמא שתיק ורבי יוסי קאמר אין רואין כלל מכלל דרבי יוסי סבר אי לא בעי לא חזי ליה ולא הוי טמא: נותנין לו ז' ימי המשתה. דלא חזי ליה דלמא מטמא ליה: ולכסותו. אם נראה הנגע בכסותו: אם ממתינין לדבר הרשות. הרי ממתינין לו שאין מטמאין עד שמפנה כל הכלים שבבית וילפי' מינה דבטומאה דבגופיה נמי ממתין לדבר הרשות דומיא דהכא כיון דאשכחן דבטומאה דגופיה ממתינין לו לדבר הרשות כ"ש דממתינין לו לדבר מצוה כגון חתן וברגל: משמעות דורשין. דמר דריש מהאי קרא ומר דריש מהאי קרא: דבר הרשות איכא בינייהו. רבי יהודה דמפיק מביום הראות בו ומכאן אמרו חתן ורגל דהיינו מצוה ממתינין לו אבל לדבר הרשות אין ממתינין לו בטומאה דגופיה ורבי סבר דלדבר רשות נמי ממתינין לו כדאמרי' לעיל דרבי יליף טומאה דגופיה להמתין לו מטומאה דביתו: לא גמרינן. דהוי חידוש ומחידוש לא ילפינן דכל היכא דאיכא חידוש אין לך דבר בו אלא חידושו:

רבינו חננאל

אי טהור א"ל טהור אי טמא שתיק דבמילתא דכהן תליא מילתא ועד שאמר טמא בחזקה קאי ואמר ר' נראין דברי ר' יוסי שאמר אין רואין כלל במוחלט והתניא איפכא נראין דברי ר' מאיר במוחלט ודברי ר' יוסי במוסגר ופרקינן תרי תנאי ואליבא דרבי. האי תנא דתני אמר רבי נראין דברי רבי מאיר במוחלט שרואין סבר דלמא אחזי ליה לטהרו וצוותא דעלמא עדיפא ליה מצוותא דאשתו והאי תנא דתני אמר ר' נראין דברי ר' יוסי במוחלט סבר אי חזי ליה טהרה מצריכו לספירת שבעה ואוסרו באשתו שהיה מותר בה כל ימי חלוטו וצוותא דאשתו עדיפא ליה מצוותא דעלמא לפיכך קתני נראין דברי ר' יוסי דאמר אין רואין במוחלט כו' ואמרינן למימרא דר' סבר מוחלט מותר באשתו. ואמר הין. והתניא דרבי סבר המוחלט מותר באשתו דתניא וישב מחוץ לאהלו שבעת ימים שיהא כמנודה וכאבל שאסור בתשמיש המטה ואין אהלו אלא אשתו כדכתיב שובו לכם לאהליכם בז' ימי ספרו ולא בז' ימי חלוטו דברי רבי ורבי יוסי אומר א) דנתי לפני ר' לימדתנו רבינו יותם לא היה לעוזיהו אלא בימי חלוטו א"ל אף אני אומר כן כי בימי חלוטו מותר הוא ואינו אסור בתשמיש המטה אלא בימי ספרו ולא אמרינן ק"ו אלא בימי ספרו דגלי רחמנא ביה איסורא אסיר אבל חלוט דלא גלי ביה רחמנא איסורא שרי. למימרא דבדיבורא דכהן תליא מילתא דכתיב וביום הראות בו בשר חי יטמא ומה ת"ל וביום לימא ובהראות בו יטמא וביום למה לי אלא יש יום שאתה רואה ויש יום שאי אתה רואה מכאן אמרו חתן שנולד בו נגע נותנין לו ז' ימי המשתה ולאיצטליתו ולכסותו וכן ברגל נותנין לו כל ימי הרגל דברי ר' יוסי אומר אינו צריך הרי הוא אומר וצוה הכהן ופנו את הבית אם ממתינין לו לפנות את כליו שהוא דבר הרשות ק"ו שממתינין לו בימי חתנותו ובימי הרגל שמצוה לשמוח בהן. ור' יהודה מצוה ג) בכהן לא גמרי' דחדוש הוא דהא עצים ואבנים בעלמא לא מיטמו והכא מיטמו בנגעים הלכך חדוש הוא ומחדושא לא גמרינן ופשוטה היא.

מסורת הש"ס

א) לקמן טו., ב) [תוספת' נגעים פ"ח], ג) [זבחים ז: יד: מנחות נג:], ד) נגעים פ"ג מ"ב [בכורות לד:], ה) [כלאיתא נדה יט:].

הגהות הב"ח

(א) תוס' ד"ה ה"ג כו' ולאגב שנכתב בפרק בתרא ואחרי טהרתו. נ"ב פירוש דהאי קרא דימזקאל שבעת ימים יספרו לו מיירי אם נצטרע כדמוכח בפרק בתרא דף ט"ו מפרש"י והתוס' בהדיא לשם מ"מ לא היה צריך להאי דמושב מחוץ לאהלו גרידא דריש ימי ספירו ולא ימי חלוטו אלא אגב דמייתי להאי קרא בפ' בתרא כתבוהו כאן: (ב) ד"ה מאי כו' מדכתיב ביה לו. נ"ב עיין בספרי דדרשינן לו משמע ימי ספירו ולא ימי חלוטו:

הגהות מהר"ב רנשבורג

א] גמ' רבי אומר אינו צריך כו'. נ"ב ותימה דבסמוך קאמרינן אליבא דרבא ורבי אומר אצטריך וכו' וא"כ מאי אינו צריך דקאמר הכא ולע"ג וי"ל דכוונת הברייתא דא"צ לקרא לדבר מצוה וה"ל רק לכתוב לדבר הרשות דגופיה וכ"ש לדבר מצוה דגופיה והוי כמילתא דאתיא בק"ו טרח וכתב לה קרא וכמ"ש תוס' בדף הסמוך בד"ה נפקא ליה וכו' יעוש"ה ועפ"י מיושב מה שתמה מהרש"א שם על דבריהם כנלע"ד ודוק היטב: **ב] תוס' ד"ה יש יום שאי אתה רואה בו.** עי' על דבריהם במשנה למלך פ"ז מהלכות יו"ט הלכה ט"ו: **ג] ד"ה דבר הרשות איכא בינייהו כו' דלר' יהודה דאמר חידוש הוא לא ילפינן.** עיין קרבן אהרן פ' תזריע דף קל"ס:

הגהות מהר"י לנדא

א] גמ' רבי יהודה אומר שבעת ימים יספרו לו. נ"ל רבי אומר וכן הוא בתורת כהנים ועיין במס' חולין דף קמא ע"א ודו"ק:

תורה אור השלם

א) זֹאת תּוֹרַת נֶגַע צָרַעַת בֶּגֶד הַצֶּמֶר אוֹ הַפִּשְׁתִּים אוֹ הַשְּׁתִי אוֹ הָעֵרֶב אוֹ כָּל כְּלִי עוֹר לְטַהֲרוֹ אוֹ לְטַמְּאוֹ: [ויקרא יג, נט]

ב) וְכִבֶּס הַמִּטַּהֵר אֶת בְּגָדָיו וְגִלַּח אֶת כָּל שְׂעָרוֹ וְרָחַץ בַּמַּיִם וְטָהֵר וְאַחַר יָבוֹא אֶל הַמַּחֲנֶה וְיָשַׁב מִחוּץ לְאָהֳלוֹ שִׁבְעַת יָמִים: [ויקרא יד, ח] ג) לֵךְ אֱמֹר לָהֶם שׁוּבוּ לָכֶם לְאָהֳלֵיכֶם: [דברים ה, כז] ד) וְאַחֲרֵי טָהֳרָתוֹ שִׁבְעַת יָמִים יִסְפְּרוּ לוֹ: [יחזקאל מד, כו] ה) וּבְיוֹם הֵרָאוֹת בּוֹ בָּשָׂר חַי יִטְמָא: [ויקרא יג, יד] ו) וְצִוָּה הַכֹּהֵן וּפִנּוּ אֶת הַבַּיִת בְּטֶרֶם יָבֹא הַכֹּהֵן לִרְאוֹת אֶת הַנֶּגַע וְלֹא יִטְמָא כָּל אֲשֶׁר בַּבָּיִת וְאַחַר כֵּן יָבֹא הַכֹּהֵן לִרְאוֹת אֶת הַבָּיִת: [ויקרא יד, לו]

חשק שלמה על ר"ח א) גי' רבינו צ"ע לכאורה ואולי דטס"ה וצ"ל דברי ר' ר' יוסי בר"י אומר בימי ספירו ק"ו לימי חלוטו וא"ר חייא דנתי וכו'. ב) אולי צ"ל מצוה מכלים לא גמרינן.

רש"י כת"י [תחילת הפירוש ששייך לכאן נדפס בע"א] טוב אפילו הכי לא קפיד לצוותא דאשתו עדיפא ליה ולא חייש לאותו צער של תליה הואיל והוא מתירו בתשמיש דמוחלט מותר בתשמיש אבל למוחלט אין רואין דמוחלט אית ליה צוותא דאשתו ולית ליה צוותא דעלמא ונפי אי אמ' ליה טמא לא מצער ליה אבל אי אמר ליה טהור מצער אע"ג דיהיב ליה צוותא דעלמא דנכנס לפנים מן החומה כדכתוב ואחר יבא אל המחנה כיון שאוסרו בתשמיש שצריך לו למנות ז' ימים ויהא אסור בתשמיש המטה כדלקמן וישב מחוץ לאהלו לא ניחא ליה ומאן דתני אליבא דר' מאיר במוחלט סבר צוותא דעלמ' עדיף ליה הילכך רואין למוחלט דבין אמר ליה טמא בין אמר ליה טהור ניח' ליה אע"ג דאוסרו בתשמיש כיון דיהיב ליה צוותא דמעלמא שמתירו ליכנס במחנה ניחא ליה בצוותא דעלמא ולא חייש לצוותא דאשתו אבל למוסגר אין רואין למוסגר לית ליה צוותא דאשתו ואי אמ' ליה [טמא] לא ניחא ליה דאע"ג דכשהוא אמר ליה טמא עשאהו מוחלט ומתירו בתשמיש אפי' הכי מצער ליה דעד השתא היה תלוי (ילא) [שמא ימצא] לו טהרה אבל עכשיו כשמחליטו נמצא מצערו ביום טוב וכן הישר. מדקאמ'. משום צוותא דאשתו למימרא דמוחלט מותר בתשמיש. **מחוץ לאהלו שאסור בתשמיש המטה כמנודה וכאבל.** שמובדלין ומופרשין ואסורין בתשמיש המט' והאי דקתני ואסור בתשמיש משום דעיקר קרא בתשמיש כתי' כדמפר' אהלו זו אשתו. **שבעת ימים.** דכתוב וישב מחוץ לאהלו שבעת ימים דהיינו שבעת ימי ספורו שהוא מונה לטהרתו ה"ג שבעת ימים ספירו וכו' ולא גרסינן תספרו לו דמההיא קרא נמי קאמ'. **לאהליכם.** שאמ' משה לישראל והיו נכונים לשלשת ימים וגו' והיה צריך להתירם ולומר שובו לכם לאהליכם שכל דבר שבמנין צריך מנין אחר להתירו. ר' יוסי דלעי' לאו ר' יוסי בר' יהודה אלא ר' יוסי בר' חלפתא. **יותם לא היה [לו] לעוזיהו.** משנצטרע אלא בימי חלוטו כיצד עוזיהו מלך חמשים ושתים שנה ונתנגע בעשרים ושבעה לירבעם וירבעם ועוזיהו מלכו כאחד זה על ישראל וזה על יהודה והיה מנוגע כ"ו שנה וכשמת עוזיהו מלך יותם ויותם בר כמה הוי כשמלך בר עשרין וחמש [עבורו] אימת בכ"ו לעוזיהו אשתכח דבימי חלוטו (איעד) [נתעברה] ור' יוסי בר יהודה אמ' ליה לא בתחלת שנה של כ"ו (לעוזיהו) [דירבעם] נתנגע עוזיהו אלא בסוף השנה ועיבורו מקמי הכא הוה בתחלת השנה בשאלתות דרב אחא (מצורע ח) מפרש כן דהכי מסתמי קראי בשנת עשרים ושבע לירבעם מלך ישראל מלך (עוזיהו) [עזריה] בן אמציהו מלך יהודה (מלכים ב טו, א) ועזריה זה עוזיהו וכי אפשר לומר כן והכתו' בשנת שלשים ושמונה לעוזיהו מלך יהודה מלך זכריה בן ירבעם (שם, ח) וזכריה סמוך למיתת אביו מלך ונמצא כשמת ירבעם עברו ימי ממלכתו של עוזיהו ל"ח שנה כל"ח שנים מלך ירבעם ונמצאת אומ' שלא קדמו ירבעם אלא ג' שנים שהרי מ"א שנה היו ימי מלכותו והיינו ג' שנים על ל"ח שנים ועכשיו היאך יתקיים מקרא זה שכתוב שקדמו ירבעם לעוזיהו כ"ז שנה כדכתו' בשנת עשרים ושבע מלך ישראל מלך (עוזיהו) [עזריה] ואין לומר בזכריה שלא מלך סמוך למיתת אביו וכן היה מעשה שבכ"ז לירבעם מלך עוזיהו והיו אותן ט"ו שנים שנשתיירו ממלכות ירבעם ... וכ"ג היתה ממלכות ישראל בטלה ואחר כ"ג שנים מלך זכריה והיינו בל"ה לעוזיהו שהרי מקראות מוכיחין שאין כן (שהרי מלכותו שלא היתה) (לזכריה) מלך פקח (שם, כז) ויותם בנו של עוזיה בשנה האחרת אחר מותו כדכתוב במלכים ובשנת חמשים ושתים לפקח מלך יותם (שם, לב) והיה בן כ"ה שנה כשמלך ועתה אם אמ' שבכ"ז לירבעם מלך להתחיל עוזיהו למלך ושלמה מלכותו של ירבעם בשנת ט"ו למלכו' עוזיהו ונמצאת אומר שלא [ראה] יותם את ירבעם שכשמלך מונה כ"ה שנים שהיו ליותם כשמלך אחר מיתת אביו נמצאת אומר כ"ד [שנולד יותם כ"ה] קודם השלמת מלכות אביו דהיינו (בכ"ט) [בכ"ז] שנים למלכות אביו וירבעם מת קודם לכן בט"ו שנים למלכות עוזיהו ונמצאת שלא ראה יותם את ירבעם ולא איפשר לומר כן [שהרי] בימי ירבעם היה יותם שופט [דכתיב] בימי יותם בן עוזיהו ובימי ירבעם בן יואש (דה"י ה, יז) ואמרי' בסדר עולם (פי"ט) אי אפשר לומר כן שיותם היה מלך בימי ירבעם שמת עוזיה אביו קודם ירבעם קבר מנשה (בישראל) מלכים בישראל ירבעם זכריה שלום מנחם פקח כדכתוב בפירוש במלכים (מלכים ב טו) אלא כל אותן הימים שהיה עוזיה מצורע יותם בנו שופט על הארץ והילכך על כרחך ראה יותם את ירבעם והיה שופט בימיו ואם כן שבכ"ז לירבעם התחיל עוזיה למלוך היאך ראה יותם לירבעם (הרי לא היה לו בן אלא) [שהרי] בן כ"ה שנה היה כשמת אביו אלא שמלך מלכות מנוגעת שבכ"ז לירבעם נתנגע והיתה לו כמלכות חדשה ועכשו [המשך בדף ח.]

The Gemara wonders:

לְמֵימְרָא דְמוּחְלָט מוּתָּר בְּתַשְׁמִישׁ הַמִּטָּה – Does this mean **to say that a confirmed [*metzora*] is permitted** to engage **in marital relations?**

The Gemara answers:

אִין – **Yes!** According to Rebbi he is permitted. וְהָתַנְיָא – **And so was it taught in a Baraisa:** ,,וְיָשַׁב מִחוּץ לְאָהֳלוֹ שִׁבְעַת יָמִים" – The Torah states regarding a confirmed *metzora* who has been declared healed: ***AND HE SHALL DWELL OUTSIDE HIS TENT FOR SEVEN DAYS.***[8] שֶׁיְּהֵא אָסוּר בְּתַשְׁמִישׁ הַמִּטָּה – This means **THAT HE SHALL BE FORBIDDEN** to engage **IN MARITAL RELATIONS** during those seven days. וְאֵין אָהֳלוֹ אֶלָּא אִשְׁתּוֹ – **FOR** the term ***"HIS TENT"*** in this context **MEANS NOTHING OTHER THAN *"HIS WIFE,"*** שֶׁנֶּאֱמַר ,,לֵךְ אֱמֹר לָהֶם שׁוּבוּ לָכֶם לְאָהֳלֵיכֶם" – **AS IT IS STATED** elsewhere: ***GO SAY TO THEM, "RETURN TO YOUR TENTS,"*** meaning "your wives."[9] Thus, we learn that during his purification the *metzora* may not be with his wife. רַבִּי יְהוּדָה אוֹמֵר – **R' YEHUDAH SAYS:** ,,שִׁבְעַת יָמִים יִסְפְּרוּ־לוֹ" – Scripture states concerning the *metzora*: ***THEY SHALL COUNT SEVEN DAYS FOR HIM.***[10] יְמֵי סְפִירוֹ וְלֹא יְמֵי חִלּוּטוֹ – Marital relations are forbidden only during **HIS DAYS OF COUNTING, BUT NOT** during **HIS DAYS OF CONFIRMED [*TZARAAS*].**[11] רַבִּי יוֹסֵי בְּרַבִּי יְהוּדָה אוֹמֵר – **R' YOSE THE SON OF R' YEHUDAH SAYS:** שִׁבְעַת יְמֵי סְפִירוֹ – Since the Torah mentions the prohibition regarding **HIS SEVEN DAYS OF COUNTING,** when he is already healed, קַל וָחוֹמֶר לִימֵי חִלּוּטוֹ – it follows **ALL THE MORE SO** that marital relations are prohibited **DURING HIS DAYS OF CONFIRMED [*TZARAAS*],** when he is yet afflicted.[12] Thus, we see that there is a Tannaic dispute whether a confirmed *metzora* is allowed to engage in marital relations. וְאָמַר רַבִּי חִיָּיא – **And R' Chiya said:** דַּנְתִּי לִפְנֵי רַבִּי – **I reasoned before Rebbi** as follows: לִימַּדְתָּנוּ רַבֵּינוּ – **You taught us, Master,** יוֹתָם לֹא הָיָה לוֹ לְעוּזִּיָּהוּ אֶלָּא בִּימֵי חִלּוּטוֹ – that **Yosam was** conceived **from Uziyahu at no other** time **than during his days of confirmed [*tzaraas*].**[13] This implies that you concur with R' Yehudah that a confirmed *metzora* is permitted to engage in marital relations! אָמַר לוֹ – And **[Rebbi]** replied **to [R' Chiya]:** אַף אֲנִי כָּךְ אָמַרְתִּי – **Indeed, I did say this!** Thus, we see that Rebbi permits a confirmed *metzora* to engage in marital relations. However, a healed *metzora* may not engage in marital relations during his purification period. Therefore, according to the view that one prefers his wife's company to that of all others, it is considered a detriment to the festival joy for a confirmed *metzora* to be declared healed. That is why one Baraisa quotes Rebbi as forbidding the examination of a confirmed *metzora* during the festival.

The Gemara clarifies the basis of the dispute between R' Yehudah and his son R' Yose in the preceding Baraisa:

בְּמַאי קָמִיפַּלְגֵי – **In what** issue **do they disagree?**[14] It is the following: רַבִּי יוֹסֵי בְּרַבִּי יְהוּדָה סָבַר – **R' Yose the son of R' Yehudah holds** that גַּלֵּי רַחֲמָנָא בִּימֵי סְפִירוֹ – **the Merciful One revealed** that marital relations are forbidden **during the [*metzora's*]** seven **days of counting,** וְכָל שֶׁכֵּן בִּימֵי חִלּוּטוֹ – **and** it follows that this **certainly** applies **during his days as a confirmed [*metzora*].**[15] וּמָר סָבַר – **But** the other **master** (R' Yehudah) **holds** that מַאי דְּגַלֵּי גַּלֵּי – **that which [the Merciful One] revealed** as being under the prohibition (i.e. the seven days of counting), **He revealed,** וּמַאי דְּלָא גַּלֵּי לָא גַּלֵּי – **but that which**

NOTES

ment of the festival even though he is allowed to re-enter the camp (*Rashi*).

[*Tosafos* (7a ד״ה אמר רבי) argue, based on the Gemara in *Megillah* (8b), that even a confined *metzora* is banished from the camp. *Tosafos* note that although *Rashi* originally wrote otherwise he ultimately retracted this view and conceded that the confined *metzora* is banished (see *Rashi ms.*). Thus, the confirmed *metzora* is no worse off than the confined one in this respect. Nevertheless, they explain that a confirmed *metzora* is somewhat more removed from society than a confined one because he is required to wear rent garments, let his hair go unshorn and call out *"Tamei, Tamei,"* thus repelling people from socializing with him (see *Mishneh LaMelech* ibid. ד״ה והוראיתי). Accordingly, *Rashi's* basic approach to the *sugya* remains intact.

The explanation of *Rashi ms.* differs somewhat from the one presented here, but is rejected by *Tosafos.* See there for complete discussion of the issues. See also *Mishneh LaMelech* ibid. for a thorough discussion of our *sugya.*]

8. *Leviticus* 14:8. The verse refers to the seven-day period of purification.

9. *Deuteronomy* 5:26. For three days prior to the Giving of the Torah the Jews were forbidden to engage in marital relations, as stated (*Exodus* 19:15): *do not draw near a woman.* After the Torah was given, the ban was lifted. The verse states this euphemistically, telling the Jews to return to their "tents" (*Rashi ms.;* see *Beitzah* 5b for discussion of why the ban on marital relations was not annulled automatically once the Torah had been given).

10. *Ezekiel* 44:26.

11. *Rashi ms.* and *Tosafos* (ד״ה ה״ג) delete the citation of the verse in *Ezekiel* from the text. Rather, they maintain that R' Yehudah derives this rule from the original verse – *and he shall dwell outside his tent for* ***seven days*** – for it implies that the injunction is specific to these seven days and not the earlier period of *tzaraas* (see note 13). Indeed, in *Toras Kohanim* (*Metzora, parshasa* 2 §11, which is the source of this Baraisa), the derivation is from the original verse itself.

12. For the *metzora* is treated more stringently during his period of confirmed *tzaraas* than during his period of purification. For example, he is banned from the camp while confirmed but permitted inside it during purification (*Talmid R' Yechiel MiParis*). [There is no difference between a confirmed *metzora* and a confined one with respect to marital relations. According to R' Yehudah both are permitted to be with their wives, and according to R' Yose neither may be with his wife. The *kal vachomer* presented by R' Yose applies to a confined *metzora* as well as a confirmed one (see *Tosafos* to 7a ד״ה אמר רבי, who note that *Rashi ms.* says otherwise but express surprise at his view).]

13. Uziyahu (also known as Azariah) reigned as king of Judah for fifty-two years. He became afflicted with *tzaraas* while king and remained so afflicted until his death. When he died, the throne was inherited by his son, Yosam, who was twenty-five years old at the time (see *II Kings* 15:1-7,32-33 and *II Chronicles* ch. 26).

Now, Uziyahu became a *metzora* in the twenty-seventh year of his reign. [This is the meaning of the verse (*II Kings* 15:1) which states that he became king during the twenty-seventh year of the reign of Yeroboam ben Yoash, king of Israel (the Northern Kingdom). An examination of the chronology of the various kings reveals that Uziyahu and Yeroboam ascended to their respective thrones in the same year. (For details, see *Rashi* to *II Kings* 15:1,8.) Perforce, the verse means that Uziyahu became the *afflicted* king – who could no longer rule from inside the camp – in the twenty-seventh year of Yeroboam's reign, which was also the twenty-seventh year of his own reign.]

R' Chiya was taught by Rebbi that Uziyahu became a *metzora* at the *beginning* of his twenty-seventh year as king, so that he actually reigned *tzaraas*-free for only twenty-six years, and as a *metzora* for twenty-six years. Since Yosam was only twenty-five years old when Uziyahu died, he must have been conceived after Uziyahu became a *metzora.* This proves that a confirmed *metzora* is permitted to engage in marital relations.

R' Yose the son of R' Yehudah, who forbids a confirmed *metzora* to engage in marital relations, is of the opinion that Uziyahu became a *metzora* at the *end* of the twenty-seventh year of his reign. Thus, he fathered Yosam before being afflicted (*She'iltos DeRav Achai* §88, cited by *Rashi ms.; Tosafos* ד״ה יותם; see *Rashi ms.* for a slightly different reckoning; see also *Baal HaMaor,* who deals with this matter at length).

14. [Although, as explained, they disagree whether Uziyahu became afflicted at the beginning or the end of his twenty-seventh year as king, this chronological disagreement is an *outgrowth* of their *halachic* dispute whether a *metzora* is allowed to engage in marital relations. At the root of their dispute, however, there must be differing interpretations of the Scriptural passage concerning the *metzora,* so that there is a basis for the halachic disagreement.]

15. See note 12.

בהסגר שני מר סבר בכהן תליא מילתא אי טהור אמר ליה טהור ואי טמא שתיק ומר סבר א) לטהרו או לטמאו כתיב אמר מר אמר רבי נראין דברי רבי יוסי במוחלט ודברי ר' מאיר במוסגר והתניא איפכא תנאי היא אליבא דרבי מר סבר צוותא דעלמא עדיף ליה ומר סבר צוותא דאשתו עדיפא ליה למימרא דמוחלט מותר בתשמיש המטה א אין והתניא א) ב) וישב מחוץ לאהלו שבעת ימים שיהא אסור בתשמיש המטה ואין אהלו אלא אשתו שנאמר ג) לך אמור להם שובו לכם לאהליכם א] ר' יהודה אומ' ד) שבעת ימים יספרו לו ג) ימי ספירו ולא ימי חלוטו ר' יוסי בר' יהודה אומר ז' ימי ספירו ק"ו לימי חלוטו וא"ר חייא דנתי לפני רבי לימדתנו רבינו יותם לא היה לו לעוזיהו אלא בימי חלוטו אמר לו אף אני כך אמרתי במאי קמיפלגי ר' יוסי בר' יהודה סבר גלי רחמנא בימי ספירו וכ"ש בימי חלוטו ומר סבר ג) מאי דגלי גלי ומאי דלא גלי לא גלי למימרא דבכהן תליא מילתא אין והתניא ה) וביום הראות בו יש יום שאתה רואה בו ויש יום שאי אתה רואה בו מכאן אמרו ד) חתן שנולד בו נגע נותנין לו ז' ימי המשתה לו ולביתו ולכסותו וכן ברגל נותנין לו שבעת ימי הרגל דברי רבי יהודה א] ר' אומר אינו צריך ב הרי הוא אומר ו) וצוה הכהן ופנו את הבית אם ממתינים לו לדבר הרשות כל שכן לדבר מצוה מאי בינייהו אמר אביי משמעות דורשין איכא בינייהו ורבא אמר דבר הרשות איכא בינייהו ורבי יהודה מהתם לא גמרינן דחידוש הוא

דהא

רש"י

בהסגר שני. דאי מטמא ליה מחליט ליה בטומאה חמורה ומצער ליה: מר. ר"מ דאמר רואה להקל לטהר אבל לא לטמא: סבר בכהן תלא רחמנא. דאי מטמא ליה הוי טמא ואי לא בעי מטמא ליה לא הוי טמא ולהכי חזי ליה להקל אבל לא להחמיר דאי חזי ליה דהוי טמא לא לימא ליה כלום ולא הוי טמא: ומר. ר' יוסי דאמר לא להקל: סבר לטהרו ולטמאו כתיב. דכי חזי ליה כהן דטמא לא מצי למשתק ודלמא הוי טמא ונמצא מצערו שמטמאו במועד: והא תניא איפכא. דברי ר"מ במוחלט דברי ר' יוסי במוסגר: מר סבר צוותא דאשתו עדיף ליה. ולהכי חזי ליה במועד בהסגר שני דאי מטהרו משמחו ואפי' מטמא ליה ומחליט ליה ומשדר ליה חוץ מג' מחנות ולית ליה צוותא דאינשי דעלמא אפ"ה לית ליה צערא דהא אית ליה צוותא דאשתו ומותר הוא באשתו להתיחד עמה בימי חלוטו ודברי ר' יוסי במוחלט דאפי' מטהר ליה דאע"ג דשרי ליה למחנה ישראל אית ליה צערא דלית ליה צוותא דאשתו דאסור הוא דכיון דמטהר ליה מחלוטו מיבעי ליה למימני שבע ימי ספירו ובימי ספירו אסור בתשמיש המטה דכתיב וישב מחוץ לאהלו שבעת ימים ואהלו זו אשתו דכתיב שובו לכם לאהליכם: ומר סבר צוותא דעלמא עדיף ליה. האי תנא דאמר א"ר נראין דברי ר"מ במוחלט ודברי ר' יוסי במוסגר סבר צוותא דעלמא עדיף ליה ולהכי חזי בימי חלוטו דאי מטמאו לא מטמא יותר מדמעיקרא ואי מטהרו משמחו דאית ליה צוותא דעלמא אף על גב דאסור בתשמיש המטה צוותא דעלמא עדיף ליה ודברי רבי יוסי במוסגר דלא חזי ליה דלמא מטמא ליה חוץ לג' מחנות ולית ליה צוותא דעלמא ומצער ליה: ימי ספירו. אסור בתשמיש המטה ולא ימי חלוטו: יותם לא היה לעוזיהו אלא בימי חלוטו. כלומר לא נתעברה אמו דיותם אלא בימי חלוטו דעוזיהו דעוזיהו היה מצורע ולא נזקק לאשתו בימי ספירו אלא בימי חלוטו: אף אני כך אמרתי. דמצורע מותר בתשמיש המטה דוישב מחוץ לאהלו בימי ספירו כתיב: ורבי סבר מאי דגלי גלי. להכי אמרי' ימי ספירו ולא ימי חלוטו: למימרא דבכהן תליא מילתא. פריך בין לר"מ בין לרבי יוסי דר"מ אומר בהדיא אי טמא שתיק ורבי יוסי קאמר אין רואין כלל מכלל דרבי יוסי סבר אי לא בעי לא חזי ליה ולא הוי טמא: נותנין לו ז' ימי המשתה. דלא חזי ליה דלמא מטמא ליה: ולכסותו. אם נראה הנגע בכסותו: אם ממתינין לדבר הרשות. הרי ממתינין לו שאין מטמאין עד שמפנה כל הכלים שבבית וילפי' מינה דבטומאה דבגופיה נמי ממתין לדבר הרשות דומיא דהכא כיון דאשכחן דבטומאה דגופיה ממתינין לו לדבר הרשות כ"ש דממתינין לו לדבר מצוה כגון חתן ורגל: משמעות דורשין. דמר דריש מהאי קרא ומר דריש מהאי קרא: דבר הרשות איכא בינייהו. רבי יהודה דמפיק מביום הראות בו ומכאן אמרו חתן ורגל דהיינו מצוה ממתינין לו אבל לדבר הרשות אין ממתינין לו בטומאה דגופיה ורבי סבר דבדבר רשות נמי ממתינין לו כדאמרי' לעיל דרבי יליף טומאה דגופיה להמתין לו מטומאה דביתו: לא גמרינן. דהוי חידוש ומחידוש לא ילפינן דכל היכא דאיכא חידוש אין לך דבר בו אלא חידושו:

דהא

תוספות

לטהרו או לטמאו כתיב. בפ' בתרא דנזיר (דף סה: ושם) דריש מיניה פתח הכתוב בטהרה תחילה גבי ספק שער לבן קודם לבהרת והתם דריש מדכתיב לטהרו ברישא והכא דריש מגופיה דקרא: ה"ג בתורת כהנים שבעת ימים ימי ספירו וכו'. ואגב שנכתב (א) בפסוק בתר ואחרי טהרתו וגו' כתבוהו כאן:

יותם לא היה לו לעוזיהו אלא בימי חלוטו. פירש הר"ר קלונימוס דכתיב (ישעיה ז) ובעוד ששים וחמש שנה יחת אפרים מעם והיינו מנבואת עמוס אע"פ שישעיה אמרה וישעיה נתנבא בשעה שנתנגע עוזיהו כדמוכח קרא שהיה רעש ע"י שרעשו עליונים לשורפו ותחתונים לבלעו הוא מונה לנבואת עמוס שנתנבא שנתים לפני הרעש וישראל גלה יגלה מעל אדמתו (עמוס ז) שאז נגזרה גזירה וכמה יש עד גלות הושע בן אלה שהיה בשנת שש לחזקיהו חשבונו ס"ה שנים ב' שנים קודם נגעו וכ"ה דנגעו דעוזיהו נתנגע כ"ה שנים לפני מותו וי"ו דיותם ושש עשרה דאחז ושש לחזקיה היה הגלות הרי ס"ה שנים ויותם בן כ"ה שנים כשמלך וא"כ היה עיבורו בימי חלוטו מכל מקום אין ר' יוסי בר' יהודה מוקשה די"ל דנתנגע בסוף השנה ועיבורו היתה בתחילת השנה ובפי' נביאים פרש"י חשבון זה וכן מוכיח בסדר עולם ומאחר שזה אמת נמצא שצריך ליישב והלא עוזיהו וירבעם מלכו כאחת דהא ירבעם מלך מ"א שנה וא"כ כשמת היה מ"א למלכות עוזיהו והכתוב אומר בשנת שלשים ושמנה לעוזיה מלך יהודה מלך זכריה בן ירבעם וא"כ חסר ג' שנים וי"ל דמלך ג' שנים בחיי אביו וכן הגיה במקצת פירושים דהכי הוה מעשה דזכריה מלך בחיי ירבעם אביו ג' שנים:

מאי דלא גלי לא גלי. יש מקשין למה אין רבי דורש ק"ו הא אדם דן ק"ו מעצמו [ה] ושמא יש שם פירכא או שמא מצורע חידוש הוא א"נ ז' ימים משמע מיעוט לאפוקי ימי חלוטו ואידך דמצטריך לגופיה מיהו (ב) מדכתיב ביה לו שמע מינה למעוטי: ב] יש יום שאי אתה רואה בו. תימה לר"מ למה אינו רואה להקל ועוד למאי דפי' רבינו יצחק דלכולי עלמא בתחילת הסגר רואין להקל לעולם יכול לראות ועוד ופינו את הבית עד שיראו למה טורח לפנות שמא ימצא טהור:

משמעות דורשין איכא בינייהו. ר' דורש מופינו וביום אצטריך למידרש ביום ולא בלילה כדלקמן וי"ו לא משמע ליה ור' יהודה דורש מוביום אבל ופינו את הבית שמא אצטריך לרבי יהודה אפי' חבילי קש וחבילי עצים כדתנן בנגעים (פ' י"ב מ"ה) לרבי יהודה:

דבר הרשות איכא בינייהו. דרבי יהודה סבר חידוש הוא ואין ללמוד הימנה שאר המתנות ומביום הראות בו לא משמע אלא המתנה דמצוה דמשמע דתלוי הדבר בקביעת היום כגון רגל והוא הדין לחתן ורבי סבר לרבות נמי המתנה שאינה מצוה וגמרינן שפיר להמתנה מופינו כל דבר הרשות בבית לא פליגי דהא בהדיא כתיב ופינו את הבית אלא דבר הרשות דגופיה איכא בינייהו ואין נראה לפרש שאר דברי רשות כגון חבילי קש ופליגי בבתים ג] דלרבי יהודה דאמר חידוש הוא לא ילפינן:

דהא

עין משפט נר מצוה

סח א מיי' פ"י מהל' טומאת צרעת הל' ו סמג עשין רלה:
סט ב מיי' פ"ט שם הלכה ח:

רבינו חננאל

אי טהור א"ל טהור אי טמא שתיק דבמילתא דכהן תליא מילתא ועד שאמר טמא בחזקה קאי ואמר ר' נראין דברי ר' יוסי שאמר אין רואין כלל במוחלט והתניא איפכא נראין דברי ר' מאיר במוחלט ודברי ר' יוסי במוסגר ופרקינן תרי תנאי ואליבא דרבי. האי תנא דתני אמר רבי נראין דברי רבי מאיר במוחלט שרואין סבר דלמא אחזי ליה לטהרו וצוותא דעלמא עדיפא ליה מצוותא דאשתו והאי תנא דתני אמר ר' נראין דברי ר' יוסי במוחלט סבר אי חזי ליה טהרה מצריכו לספירת שבעה ואוסרו באשתו שהיה מותר בה כל ימי חלוטו וצוותא דאשתו עדיפא ליה מצוותא דעלמא לפיכך קתני נראין דברי ר' יוסי דאמר אין רואין במוחלט כו' ואמרינן למימרא דר' סבר מוחלט מותר באשתו. ואמר הין. והתניא דרבי סבר המוחלט מותר באשתו דתניא וישב מחוץ לאהלו שבעת ימים שיהא כמנודה וכאבל שאסור בתשמיש המטה ואין אהלו אלא אשתו כדכתיב שובו לכם לאהליכם בז' ימי ספרו ולא בז' ימי חלוטו דברי רבי ורבי יוסי אומר א) דנתי לפני ר' לימדתנו רבינו יותם לא היה לעוזיהו אלא בימי חלוטו א"ל אף אני אומר כן כי בימי חלוטו מותר הוא ואינו אסור בתשמיש המטה אלא בימי ספרו ולא אמרינן ק"ו אלא בימי ספרו דגלי רחמנא ביה איסורא אסיר אבל חלוט דלא גלי ביה רחמנא איסורא שרי. למימרא דבדיבורא דכהן תליא מילתא דכתיב וביום הראות בו בשר חי יטמא ומה ת"ל וביום לימא ובהראות בו יטמא וביום למה לי אלא יש יום שאתה רואה ויש יום שאי אתה רואה מכאן אמרו חתן שנולד בו נגע נותנין לו ז' ימי המשתה ולאיצטליתו ולכסותו וכן ברגל נותנין לו כל ימי הרגל דברי רבי ר' יוסי אומר אינו צריך הרי הוא אומר וצוה הכהן ופנו את הבית אם ממתינין לו לפנות את כליו שהוא דבר הרשות ק"ו שממתינין לו בימי חתונתו ובימי הרגל שמצוה לשמוח בהן. ור' יהודה מצוה ב) בכהן לא גמרי' דחדוש הוא דהא עצים ואבנים בעלמא לא מיטמו והכא מיטמו בנגעים הלכך חדוש הוא ומחדושא לא גמרינן ופשוטה היא.

חשק שלמה על ר"ח א) גי' רבינו צ"ע לכאורה ואולי דט"ס וצ"ל דברי ר' ר' יוסי בר"י אומר בימי ספירו ק"ו לימי חלוטו וא"ר חייא דנתי וכו'. ב) אולי צ"ל מצוה מכלים לא גמרינן.

מסורת הש"ס

א) לקמן טו:, ב) [תוספתא נגעים פ"ח], ג) [זבחים ז: יד: מנחות נג:], ד) נגעים פ"ג מ"ב [בכורות לד:], ה) [כדאיתא נדה יט:].

הגהות הב"ח

(א) תוס' ד"ה ה"ג כו' ואגב שנכתב בפרק בתרא ואחרי טהרתו. נ"ב פירוש דהאי קרא דיחזקאל שבעת ימים יספרו לו מיירי אם נטמא כדמוכח בפרק בתרא דף ט"ו מפרש"י והתוס' בהדיא לשם מ"מ לא היה צריך להאי דמוישב מחוץ לאהלו גרידא דריש ימי ספירו ולא ימי חלוטו אלא אגב דמייתי להאי קרא בפ' בתרא כתבוהו כאן: (ב) ד"ה מאי כו' מדכתיב ביה לו. נ"ב עיין בספרי דדרשינן לו משמע ימי ספירו ולא ימי חלוטו:

הגהות מהר"ב רנשבורג

א] גמ' רבי אומר אינו צריך כו'. נ"ב ותימה דבסמוך קאמרינן אליבא דרבא ורבי אומר איצטריך וכו' וא"כ מאי אינו צריך דקאמר הכא ולע"ג וי"ל דכוונת הברייתא דא"צ לקרא לדבר מצוה וה"ל רק לכתוב לדבר הרשות דגופיה וכ"ש לדבר מצוה דגופיה והוי כמילתא דאתיא בק"ו טרח וכתב לה קרא וכמ"ש תוס' בדף הסמוך בד"ה נפקא ליה וכו' יעוש"ה ועפי"ז מיושב מה שתמה מהרש"א שם על דבריהם כנלע"ד ודוק היטב: ב] תוס' ד"ה יש יום שאי אתה רואה בו. עי' על דבריהם במשנה למלך פ"ט מהלכות יו"ט הלכה ט"ו: ג] ד"ה דבר הרשות איכא בינייהו כו' דלר' יהודה דאמר חידוש הוא לא ילפינן. עיין קרבן אהרן פ' מזריע דף קל"ח:

הגהות מהר"י לנדא

א] גמ' רבי יהודה אומר שבעת ימים יספרו לו. נ"ל רבי אומר וכן הוא בתורת כהנים ועיין בתוס' חולין דף קמא ע"א ודו"ק:

תורה אור השלם

א) זֹאת תּוֹרַת נֶגַע צָרַעַת בֶּגֶד הַצֶּמֶר אוֹ הַפִּשְׁתִּים אוֹ הַשְּׁתִי אוֹ הָעֵרֶב אוֹ כָּל כְּלִי עוֹר לְטַהֲרוֹ אוֹ לְטַמְּאוֹ: [ויקרא יג, נט]
ב) וְכִבֶּס הַמִּטַּהֵר אֶת בְּגָדָיו וְגִלַּח אֶת כָּל שְׂעָרוֹ וְרָחַץ בַּמַּיִם וְטָהֵר וְאַחַר יָבוֹא אֶל הַמַּחֲנֶה וְיָשַׁב מִחוּץ לְאָהֳלוֹ שִׁבְעַת יָמִים: [ויקרא יד, ח]
ג) לֵךְ אֱמֹר לָהֶם שׁוּבוּ לָכֶם לְאָהֳלֵיכֶם: [דברים ה, כו]
ד) וְאַחֲרֵי טָהֳרָתוֹ שִׁבְעַת יָמִים יִסְפְּרוּ לוֹ: [יחזקאל מד, כו]
ה) וּבְיוֹם הֵרָאוֹת בּוֹ בָּשָׂר חַי יִטְמָא: [ויקרא יג, יד]
ו) וְצִוָּה הַכֹּהֵן וּפִנּוּ אֶת הַבַּיִת בְּטֶרֶם יָבֹא הַכֹּהֵן לִרְאוֹת אֶת הַנֶּגַע וְלֹא יִטְמָא כָּל אֲשֶׁר בַּבָּיִת וְאַחַר כֵּן יָבֹא הַכֹּהֵן לִרְאוֹת אֶת הַבָּיִת: [ויקרא יד, לו]

רש"י כת"י

[תחילת הפירוש ששייך לכאן נדפס בע"א] טוב אפילו הכי לא קפיד לצוותא דאשתו עדיפא ליה ולא חייש לאותו צער של תליה הואיל והוא מתירו בתשמיש דמוחלט מותר בתשמיש אבל למוחלט אין רואין דמוחלט אית ליה צוותא דאשתו ולית ליה צוותא דעלמא ונהי אי אמ' ליה טמא לא מצער ליה אבל אי אמר ליה טהור מצער אע"ג דיהיב ליה צוותא דעלמא דנכנס לפנים מן החומה כדכתוב ואחר יבא אל המחנה כיון שאוסרו בתשמיש שצריך לו למנות ז' ימים ויהא אסור בתשמיש המטה כדלקמן וישב מחוץ לאהלו לא ניחא ליה ומאן דתני אליבא דר' נראין דברי ר' מאיר במוחלט סבר צוותא דעלמ' עדיף ליה הילכך רואין למוחלט דבין אמר ליה טמא בין אמר ליה טהור ניח' ליה אע"ג דאוסרו בתשמיש כיון דיהיב ליה צוותא דמעלמא שמתירו ליכנס במחנה ניחא ליה בצוותא דעלמא ולא חייש לצוותא דאשתו אבל למוסגר אין רואין דמוסגר לית ליה צוותא דאשתו ואי אמ' ליה טהור נהי דניחא ליה שמתירו בצוותא דעלמא ובתשמיש אבל אי אמ' ליה [טמא] לא ניחא ליה דאע"ג דכשהוא אמר ליה טמא עשאוהו מוחלט ומתירו בתשמיש אפי' הכי מצער ליה דעד השתא היה תלוי (יצא) [שמא יצא] לו טהרה אבל עכשיו כשמחליטו נמצא מצערו ביום טוב וכן היסר. מדקאמ'. משום צוותא דאשתו למימרא דמוחלט מותר בתשמיש. מחוץ לאהלו שאסור בתשמיש המטה כמנודה וכאבל. שמובדלין ומופרשין ואסורין בתשמיש המט' והאי דקתני ואסור בתשמיש משום דעיקר קרא בתשמיש כתו' כדמפר' אהלו זו אשתו. שבעת ימים. דכתוב וישב מחוץ לאהלו שבעת ימים דהיינו שבעת ימי ספורו שהוא מונה לטהרתו ה"ג שבעת ימים ספירו וכו' ולא גרסינן תספרו לו דמההיא קרא נמי קאמ'. לאהליכם. שאמ' משה לישראל והיו נכונים לשלשת ימים וגו' והיה צריך להתירם ולומר שובו לכם לאהליכם שכל דבר שבמנין צריך מנין אחר להתירו. ר' יוסי דלעי' לאו ר' יוסי בר' יהודה אלא ר' יוסי בר' חלפתא. יותם לא היה [לו] לעוזיהו. משנצטרע אלא בימי חלוטו כילד עוזיהו מלך חמשים ושתים שנה ונתנגע בעשרים ושבעה לירבעם וירבעם ועוזיהו מלכו כאחד זה על ישראל וזה על יהודה והיה מנוגע כ"ו שנה וכשמת עוזיהו מלך יותם ויותם בר כמה הוי כשמלך בר עשרין וחמש [עבורו] אימת בכ"ז לעוזיהו אשתכח דבימי חלוטו (איעד) [נתעברה] ור' יוסי בר יהודה אמ' ליה לא בתחלת שנה של כ"ז (דעוזיהו) [דירבעם] נתנגע עוזיהו אלא בסוף השנה ועיבורו מקמי הכא הוה בתחלת השנה בשאלתות דרב אחא (מצורע ח) מפרש כן דהכי מסתמי קראי בשנת עשרים ושבע לירבעם מלך ישראל מלך (עוזיהו) [עזריה] בן אמציהו מלך יהודה (מלכים ב טו, א) ועזריה זה עוזיהו וכי אפשר לומר כן והכתו' בשנת שלשים ושמונה לעוזיהו מלך יהודה מלך זכריה בן ירבעם (שם, ח) וזכריה סמוך למיתת אביו מלך ונמצא כשמת ירבעם עברו ימי ממלכתו של עוזיהו ל"ח שנה כל"ח שנים מלך ירבעם ונמצאת אומ' שלא קדמו ירבעם אלא ג' שנים שהרי מ"א שנה היו ימי מלכותו והיינו ג' שנים על ל"ח שנים ומעכשיו האיך יתקיים מקרא זה שכתוב שקדמו ירבעם לעוזיהו כ"ז שנה כדכתו' בשנת עשרים ושבע מלך ישראל מלך (עוזיהו) [עזריה] ואין לומר בזכריה שלא מלך סמוך למיתת אביו וכן היה מעשה שבכ"ז לירבעם מלך עוזיהו והיו אותן ט"ו שנים שנשתיירו ממלכות ירבעם ... וכ"ג היתה ממלכות ישראל בטלה ואחר כ"ג שנים מלך זכריה והיינו בל"ה לעוזיהו שהרי מקראות מוכיחין שאינן כן (שהרי מלכותו שלא היתה) כדכתוב במלכים ובשנת חמשים ושתים (לזכריה) מלך פקח (שם, כז) ויותם בנו של עוזיה בשנה האחרת אחר מותו כדכתוב קרא ובשנת שתים לפקח מלך יותם (שם, לב) והיה בן כ"ה שנה כשמלך ועתה אם אמ' שבכ"ז לירבעם מלך דהתחיל עוזיהו למלך ושלמה מלכותו של ירבעם בשנת ט"ו למלכו' עוזיהו נמצאת אומר שלא [ראה] יותם את ירבעם שכשאתה מונה כ"ה שנים שהיו ליותם כשמלך אחר מיתת אביו נמצאת אומר כ"ד [שנולד יותם כ"ה] קודם השלמת מלכות אביו דהיינו (בכ"ט) [בכ"ז] שנים למלכות אביו וירבעם מת קודם לכן בט"ו שנים למלכות עוזיהו ונמצאת שלא ראה יותם את ירבעם ואי איפשר לומר כן [שהרי] בימי ירבעם היה יותם שופט (יחסו) [כדכתיב] בימי יותם בן עוזיהו ובימי ירבעם בן יואש (דה"י א ה, יז) ואמרי' בסדר עולם (פי"ט) אי אפשר לומר כן שיותם היה מלך בימי ירבעם שמת עוזיה אביו קודם ירבעם והלא עוזיה קבר חמשה (בישראל) מלכים בישראל ירבעם זכריה שלום מנחם פקח כדכתוב בפירוש במלכים (מלכים ב טו) אלא כל אותן הימים שהיה עוזיה מצורע יותם בנו שופט על הארץ והילך על כרחך ראה יותם את ירבעם והיה שופט בימיו ואם כן שבכ"ז לירבעם התחיל עוזיה למלוך היאך ראה יותם לירבעם (הרי לא היה לו בן אלא) [שהרי] בן כ"ה שנה היה כשמת אביו אלא שמלך מלכות מנוגעת שבכ"ז לירבעם נתנגע והיתה לו כמלכות חדשה ועכשו [המשך בדף ח.]

He did not reveal as included (i.e. the days as a confirmed *metzora*), **He did not reveal,** and it is excluded.[16]

R' Meir and R' Yose disagreed above whether the Kohen may refrain from stating his decision concerning a *tzaraas* that he has examined. All agree, however, that until the Kohen examines the affliction and issues his verdict the person is not deemed *tamei,* even if his condition is truly symptomatic of *tzaraas.*[17] The Gemara examines this rule:

לְמֵימְרָא דִּבְכֹהֵן תַּלְיָא מִילְּתָא – Is this **to say that the matter** of becoming a *metzora*[18] **is dependent upon** the verdict of **the Kohen?**

The Gemara responds:

אִין – **Yes!** וְהָתַנְיָא – **And so was it taught in a Baraisa:** "וּבְיוֹם הֵרָאוֹת בּוֹ" – The Torah states: ***BUT ON THE DAY** healthy flesh **IS OBSERVED IN IT**, it shall be tamei.*[19] יֵשׁ יוֹם שֶׁאַתָּה רוֹאֶה בּוֹ – **THERE IS A DAY ON WHICH YOU** (the Kohen) **OBSERVE** *tzaraas* to determine its status, וְיֵשׁ יוֹם שֶׁאִי אַתָּה רוֹאֶה בּוֹ – **BUT THERE IS A DAY ON WHICH YOU DO NOT OBSERVE** *tzaraas.*[20] מִכָּאן אָמְרוּ – **FROM HERE [THE SAGES] SAID:** חָתָן שֶׁנּוֹלַד בּוֹ נֶגַע – **A GROOM WHO DEVELOPS A** *tzaraas* **AFFLICTION,** נוֹתְנִין לוֹ שִׁבְעַת יְמֵי הַמִּשְׁתֶּה – **WE GRANT HIM THE SEVEN DAYS OF HIS** wedding **CELEBRATION** before examining it. לוֹ וּלְבֵיתוֹ וְלִכְסוּתוֹ – We grant this dispensation **FOR** the groom **HIMSELF, FOR HIS HOUSE AND FOR HIS CLOTHING.**[21] וְכֵן בָּרֶגֶל – **AND SIMILARLY,** if anybody develops an affliction **ON A FESTIVAL,** נוֹתְנִין לוֹ שִׁבְעַת יְמֵי הָרֶגֶל – **WE GRANT HIM THE SEVEN DAYS OF THE FESTIVAL** before examining it.[22] דִּבְרֵי רַבִּי יְהוּדָה – **THESE ARE THE WORDS OF R' YEHUDAH.** רַבִּי אוֹמֵר – **REBBI SAID:** אֵינוֹ צָרִיךְ – **[THIS EXPOSITION] IS NOT NECESSARY.** הֲרֵי הוּא אוֹמֵר – **WHY, IT SAYS:** "וְצִוָּה הַכֹּהֵן וּפִנּוּ אֶת־הַבַּיִת" – ***THE KOHEN SHALL COMMAND, AND THEY SHALL CLEAR THE HOUSE** before the Kohen comes to look at the affliction, so that everything in the house shall not become tamei; and afterward the Kohen shall come to look at the house.*[23] Thus, we see that the Kohen delays his inspection even for the purpose of saving the victim's property from *tumah.*[24] אִם מַמְתִּינִים לוֹ לִדְבַר הָרְשׁוּת – We can now reason: **IF WE POSTPONE** the inspection **FOR [THE VICTIM] FOR A DISCRETIONARY MATTER,** such as the avoidance of monetary loss, כׇּל שֶׁכֵּן לִדְבַר מִצְוָה – **CERTAINLY** we should delay it **FOR A MITZVAH MATTER.** It is therefore obvious that we do not examine the affliction of a groom during his wedding celebration, nor of any person during a festival, for they are commanded to rejoice in these times. At any rate, whether we follow R' Yehudah's exposition or Rebbi's, we learn that until the Kohen inspects an affliction and delivers his verdict the afflicted person or object remains *tahor.*

Having cited the Baraisa containing the conflicting expositions of the two Tannaim, the Gemara inquires:

מַאי בֵּינַיְיהוּ – **What is** the practical **difference between them?**

The Gemara replies:

אָמַר אַבַּיֵּי – **Abaye said:** מַשְׁמָעוּת דּוֹרְשִׁין אִיכָּא בֵּינַיְיהוּ – **The subtlety of Scriptural interpretation is** at issue **between them.** They differ only regarding the source of the law, not its content.[25] וְרָבָא אָמַר – **But Rava said:** דְּבַר הָרְשׁוּת אִיכָּא בֵּינַיְיהוּ – Postponing the examination of an affliction on a person's *body* for the sake of **a discretionary matter is** at issue **between them.** According to Rebbi this is permitted, for he considers *tzaraas* on the body analogous to *tzaraas* of a house in this regard.[26] According to R' Yehudah, however, it is not permitted.[27]

The Gemara explains why R' Yehudah does not derive the law of bodily-*tzaraas* from that of house-*tzaraas,* as does Rebbi:

וְרַבִּי יְהוּדָה – **R' Yehudah** holds that מֵהָתָם לֹא גָּמְרִינַן – **we cannot derive** the law of body-*tzaraas* **from there** (i.e. house-*tzaraas*), דְּחִידּוּשׁ הוּא – **because [the contamination of a house with *tzaraas*] is a novelty –**

NOTES

16. *Tosafos* (ד״ה מאי) wonder how R' Yehudah can ignore the *kal vachomer* cited by R' Yose. We always derive laws through this method of reasoning! *Tosafos* offer three possible answers: (a) R' Yehudah had some basis for refuting the *kal vachomer.* (b) He held that since this is a novel rule it cannot be extended beyond that which is stated explicitly. (c) The verse *and he shall dwell outside his tent for* ***seven days*** implies that the earlier period of confirmed *tzaraas* is excluded. [According to *Talmid R' Yechiel MiParis,* the implication is that the *metzora* remains "outside his tent" only when there is a set number of days (seven) for complete purification; he is not banned from "his tent" while he is afflicted and must wait indefinitely for healing.]

17. That is why R' Yose states that in certain instances the Kohen should not view the affliction on Chol HaMoed (*Rashi*).

18. The elucidation follows *Rashi* and *Rashi ms.* See also *Mishneh LaMelech, Hil. Yom Tov* 7:16 ד״ה ודע דבגמרא; cf. *Keren Orah.*

19. *Leviticus* 13:14. The verse refers to a man whose entire body from head to foot has been covered with a *tzaraas* affliction. Such a person is considered *tahor.* However, if a small portion of flesh returns to normal, he becomes *tamei,* since the *tzaraas* no longer covers his *entire* body. The Baraisa focuses on the opening word of the verse, וּבְיוֹם, *But on the day.*

20. I.e. on certain days the Kohen should not view *tzaraas* afflictions. As the Baraisa proceeds to explain, these are days on which declaring the victim *tamei* would interfere with his rejoicing as commanded. [The Gemara below (8a) elaborates upon this exposition.]

21. I.e. whether the affliction appears on the groom's body, his clothing or his house (all of which are subject to specific rules of *tzaraas,* as stated in *Leviticus* 13:47-59 and 14:33-57), the Kohen's examination is postponed until the seven-day wedding celebration has ended (*Rashi*).

22. As was explained above, all agree that we do not make the initial evaluation of a *tzaraas*-type affliction during a festival, since the person can only lose through it (see 7a note 19, but see *Tosafos* ד״ה יש). Since the verse teaches that on certain days we do not examine an affliction, it is obvious that the victim is not deemed *tamei* until the inspection has been done and the verdict rendered. If the symptoms themselves would cause *tumah,* there would be no point in postponing the inspection (*Mishneh LaMelech* ibid.).

23. *Leviticus* 14:36. If a house is determined to be afflicted with *tzaraas,* everything inside becomes *tamei.* The verse therefore instructs that when a Kohen is called upon to inspect a house in which there is a suspicion of *tzaraas,* he shall command that everything be cleared out of it before his arrival, so that should he declare it *tamei* everything inside it will not become *tamei.* [Here, too, we see that the *tzaraas* is not considered *tamei* until the Kohen declares it so.]

24. And since he postpones the inspection of a house for this purpose, it follows that he postpones the inspection of an affliction on the body for any similar purpose [such as sparing the victim monetary loss] (*Rashi*).

25. [Both agree that the Kohen may delay the examination for either a discretionary matter or a mitzvah matter.] See *Tosafos* (ד״ה משמעות דורשין) for a discussion of why each Tanna prefers his own exposition.

26. Rebbi argues that since in the case of house-*tzaraas* the Torah permits the postponement for the sake of a discretionary matter, it is obvious that postponement is permitted for the sake of a mitzvah matter, such as festival enjoyment. But with regard to festival enjoyment we are dealing with body-*tzaraas*! Clearly, Rebbi considers the two categories of *tzaraas* analogous, and he holds that a discretionary matter is sufficient cause to postpone even the viewing of body-*tzaraas* (*Rashi*).

27. R' Yehudah concedes that in the case of house-*tzaraas* we postpone the viewing for the sake of a discretionary matter, since the Torah states explicitly that the Kohen should not come until the utensils are removed! However, he maintains that body-*tzaraas* is treated more stringently; no postponement is granted for discretionary matters. Therefore, he needs to derive from the other verse (*But on the day* etc.) that even in the case of body-*tzaraas* a postponement is sometimes granted. However, this is limited to cases involving a mitzvah, such as a groom during his wedding celebration and every person during a festival (*Rashi*).

דְּהָא עֵצִים וַאֲבָנִים בְּעָלְמָא לֹא מִטַּמְּאוּ – **for wood and stones are generally not susceptible to *tumah*,**[1] וְהָכָא מִטַּמְּאוּ – **yet here they do become *tamei*.**[2] Since this law is an anomaly, we cannot derive other contexts from it.[3]

The Gemara now clarifies Rebbi's opinion. It explains why, if we do derive the law of bodily-*tzaraas* from that of house-*tzaraas*, we need a special verse to teach that postponement is allowed in the case of bodily-*tzaraas:*

וְרַבִּי אָמַר – **And Rebbi says:** אִצְטְרִיךְ – **It is necessary** for the Torah to state both verses. דְּאִי כָּתַב רַחֲמָנָא "וּבְיוֹם הֵרָאוֹת בּוֹ" – **For if the Merciful One had written** only ***But on the day healthy flesh is observed in it,*** הֲוָה אָמִינָא לִדְבַר מִצְוָה אֵין לִדְבַר הָרְשׁוּת לֹא – **I would have said** that **for a mitzvah matter** it is **indeed** permitted to postpone the examination, but **for a discretionary matter** it is **not** permitted to postpone the examination. כָּתַב רַחֲמָנָא "וְצִוָּה הַכֹּהֵן" – **The Merciful One** therefore **wrote:** ***The Kohen shall command** and they shall clear the house,* to teach that the examination may be postponed even for a discretionary matter. וְאִי כָּתַב רַחֲמָנָא "וְצִוָּה הַכֹּהֵן" – **And if the Merciful One had written** only ***The Kohen shall command** and they shall clear the house,* הֲוָה אָמִינָא הָנֵי אֵין – **I would have said** that for **this** (the affliction of a house) the examination may **indeed** be delayed, דְּלָאו טוּמְאָה דְגוּפֵיהּ – **because this is not** a case of ***tumah* of [a person's] body.** אֲבָל טוּמְאָה דְגוּפֵיהּ אֵימָא מֵיחֱזָא חַזְיָא לֵיהּ – **But** regarding the case of ***tumah* of [a person's] body** (i.e. bodily *tzaraas*), **I would say** that **[the Kohen] must view it** without delay.[4] The Merciful One therefore stated *But on the day healthy flesh is observed in it,* to teach that postponement is permitted even in the case of bodily-*tzaraas*.[5] צְרִיכָא – Thus, both verses are **necessary.**

The Gemara revisits part of the Baraisa it cited above:

אָמַר מָר – **The master said:** Since the Torah states, *But on the day healthy flesh is observed in it,* we learn that יֵשׁ יוֹם שֶׁאַתָּה רוֹאֶה בּוֹ וְיֵשׁ יוֹם שֶׁאִי אַתָּה רוֹאֶה בּוֹ – THERE IS A DAY ON WHICH YOU OBSERVE *tzaraas* to determine its status, AND THERE IS A DAY ON WHICH YOU DO NOT OBSERVE *tzaraas.* מַאי מַשְׁמַע – **How does [the verse] imply** this? Perhaps it is merely to be understood literally, as teaching that whenever healthy flesh appears in a *tzaraas* it is deemed *tamei*. – ? –

The Gemara answers:

אָמַר אַבַּיֵי – **Abaye said:** אִם כֵּן – **If** it were **so,** that the verse is intended only in its literal sense, לִיכְתּוֹב רַחֲמָנָא בְּיוֹם – **the Merciful One should have written *beyom*** (*on the day*). מַאי "וּבְיוֹם" – **What is** the purpose of writing ***uveyom*** (*But on the day*), with the extra letter *vav*? שְׁמַע מִינָּהּ – **Learn from this** an additional allusion: יֵשׁ יוֹם שֶׁאַתָּה רוֹאֶה בּוֹ וְיֵשׁ יוֹם שֶׁאִי אַתָּה רוֹאֶה בּוֹ – **There is a day on which you observe** *tzaraas,* **and there is a day on which you do not observe** it.[6]

An alternate answer is presented:

רָבָא אָמַר – **Rava said:** כּוּלֵּהּ קְרָא יְתֵירָא הוּא – **The entire verse,** i.e. the entire word *uveyom* (*But on the day*), **is superfluous.** דְּאִם כֵּן – **For if** it were **so,** that the verse is intended only in its literal sense, לִכְתּוֹב רַחֲמָנָא וּבְהֵרָאוֹת – **the Merciful One should have written *"But when healthy flesh* is *observed.*** מַאי "וּבְיוֹם" – **What is** the purpose of adding the word ***"But on the day"***? שְׁמַע מִינָּהּ – **Learn from this** the additional allusion: יֵשׁ יוֹם שֶׁאַתָּה רוֹאֶה בּוֹ וְיֵשׁ יוֹם שֶׁאִי אַתָּה רוֹאֶה בּוֹ – **There is a day on which you observe** *tzaraas,* **and there is a day on which you do not observe** it.

The Gemara explains why Abaye considers only the letter *vav* superfluous:

וְאַבַּיֵי – **But Abaye** says that הַהוּא מִיבָּעֵי לֵיהּ – **that** word **is needed** to teach that בַּיּוֹם וְלֹא בַּלַּיְלָה – *tzaraas* may be examined only **by day and not by night.**[7]

The Gemara asks:

וְרָבָא – **And Rava,** who considers the word superfluous, בַּיּוֹם וְלֹא בַּלַּיְלָה מְנָא לֵיהּ – **from where does he** derive the law that *tzaraas* may be examined only **by day and not by night?**

The Gemara answers:

נָפְקָא לֵיהּ מִ"לְכָל־מַרְאֵה עֵינֵי הַכֹּהֵן" – **He derives** it **from** the verse: ***wherever the eyes of the Kohen can see.***[8]

The Gemara presents Abaye's rebuttal:

וְאַבַּיֵי – **But Abaye** argues that הַהוּא מִיבָּעֵי לֵיהּ לְמַעוּטֵי סוּמָא בְּאַחַת מֵעֵינָיו – **that** verse **is needed to exclude** a Kohen who is **blind in one of his eyes** from examining *tzaraas*.[9] Thus, it is not available to teach that *tzaraas* may not be examined at night.

The Gemara therefore asks:

וְרָבָא נַמִּי – **And** according to **Rava, too,** מִיבָּעֵי לֵיהּ לְהָכִי – **[this verse] is needed to** teach **this** law – the exclusion of a Kohen who is blind in one of his eyes from the examination. – ? –

The Gemara concedes and proposes an alternative explanation of Rava's opinion:

אֵין הָכִי נַמִּי – **Yes,** this is **indeed so.** וְאֶלָּא בַּיּוֹם וְלֹא בַּלַּיְלָה מְנָא לֵיהּ

NOTES

1. Wood becomes susceptible to *tumah* only if it is fashioned into a utensil that has a receptacle (see *Rashi*).

2. The walls of a house can become contaminated with *tzaraas* even though the beams and stones of which it is constructed are in all other cases impervious to *tumah* (*Talmid R' Yechiel MiParis; Mishneh LaMelech, Hil. Tumas Tzaraas* 14:4; *Noda BiYehudah II, Yoreh Deah* §37; *Keren Orah; Melo HaRo'im; Chazon Ish, Negaim* 9:10; cf. *Tosafos* ד״ה דהא עצים).

3. An anomalous matter cannot serve as the source of any law regarding other contexts (*Rashi* on bottom of 7b). R' Yehudah maintains that although the law of *tzaraas* in a house is novel in its *stringency,* whereas the law that we may postpone the Kohen's inspection for the sake of a discretionary matter is a *leniency,* we nevertheless cannot extend it to other contexts. For it is an unshakable rule that whatever is stated in a novel context is unique to that context (*Tosafos* end of ד״ה נפקא ליה). Rebbi's reasoning will be explained below.

[Others explain R' Yehudah's reasoning as follows: Perhaps it is *because* the *tumah* of a house is a radical stringency that the Torah was lenient regarding postponement of its inspection. The Torah does not object if a radical application of *tumah* is delayed. We cannot derive from here that the Torah is as lenient concerning the standard *tumah* of bodily-*tzaraas* (*Talmid R' Yechiel MiParis, Noda BiYehudah* ibid.).]

4. I.e. if the Torah had not indicated that in the case of bodily-*tzaraas* postponement is permitted at least for a mitzvah matter, we would not have been able to derive the *entire* law of postponement from the novel case of house-*tzaraas*. For as explained above, house-*tzaraas* is a novel concept, and we would have said that postponement is permitted only in this context (*Rashi*).

5. This verse teaches that postponement is permitted for a mitzvah matter. And once the Torah indicated that postponement is permitted for bodily-*tzaraas* at least in the case of a mitzvah matter, we can derive from the case of house-*tzaraas* that it is permitted even for a discretionary matter – despite the fact that house-*tzaraas* is a novel concept (*Rashi;* cf. *Talmid R' Yechiel MiParis*).

6. The superfluous letter indicates that the word וּבְיוֹם, *But on the day,* should be expounded beyond its simple meaning (see *Tosafos* ד״ה מאי). We therefore interpret it as alluding that *tzaraas* may be viewed only on certain days.

7. The Kohen may not rely upon candlelight to evaluate it at night.

8. *Leviticus* 13:12. This automatically implies that he must view the *tzaraas* during daylight, when he can see it with his eyes (*Rashi*).

9. For it states *wherever the* **eyes** *of the Kohen can see,* implying that he must be able to see it with both of his eyes.

מסורת הש"ם

א) שמחות פרק י"ב, ב) [בהרא"ש ובב"י איתא ואמרי לה כו'], ג) [וע"ע תוספות מנחות נא: ד"ה וי"ו ותוספות סנהדרין יד. ד"ה ור"ש], ד) [כדאיתא ריש חגיגה], ה) [וכ"כ תוספות מגילה כ. ובסנהדרין לד: בד"ה דכתי' ובזבחים קיז. ד"ה והתורה], ו) [בגמ' שם לא מייתי שום קרא ערש"י שם ותוספות], ז) וקיימא פירכא דלעיל דמגופי' ואיצטריך וביום הראות והא אית ליה לאביי משמעות כו' עד לא דריש ומופינו הוי דריש ליה נמי שפיר ע"כ נרא' לי כצ"ל וכ"ה בחילופי גרסאות, ח) [וע"ע תוס' סנהדרין כז. ד"ה אין לך].

הגהות הב"ח

(א) תוס' ד"ה נפקא כו' ועוד י"ל כיון דלאורו לא אינו אלא משום דאינו יכול לראות בלא נר כו' קפידא בראייה כגון עולי רגלים: (ב) בא"ד וי"ל דאורחיה דהש"ס כו'. נ"ב וכה"ג כתבו התוס' במסכת סוכה בדף כד ובדף ל ע"ש: (ג) בא"ד היינו תחלת דין הס"ד ואח"כ מה"ד ואביי אי מהתם ה"א הני מילי טומאה דלאו דגופי' וקשה דלעיל משמע דלא ס"ל פירכא דמגופיה דאית ליה לאביי כו' דמשמע דר' יהודה דלא דריש מופינו הוה דריש ליה נמי שפיר אלא דאיצטריך לחבילי קש וחבילי עצים לכך דריש וביום הראות כו' דמופינו ה"א ה"מ טומאה דלאו כו' הימנו קולא דקאמר הכא חידוש הוא כו' ממנה אלא דכוותיה דהכי אמרינן פ' כל הבשר כו' ופירש רבינו יעקב דזהו חידוש ליה. נ"ב שם בדף קח קאמר בסתם דבשר בחלב חידוש הוא דחידושו דשמים מין היתר זה לבדו הוא וכשנתערבו נאסרו והקשו עליו דטעם לא יתכן דבפרק אלו עוברין דף מד ופ' ג' מינים דף לה לא קאמר בהדיה דאין זה חידושו דהא כלאים נמי הכי הוה אלא דהא חידושו לאי תרו כו':

הגהות מהר"ב רנשבורג

אן תוס' ד"ה דהא וכו' דרבי נמי מודה לר' יהודה. עיין רמב"ם פי"ב מהלכות טומאת צרעת הלכה ד ודוק: בן תוס' ד"ה נפקא לי' כו' ולפי' שפי' דמצריך ופינו בעצים ובאבנים ניחא. נ"ב עיין במ"ל הנ"ל: גן בא"ד נ"ל היינו תחלת דין. נ"ב כאן הס"ד ואח"כ מה"ד ואביי כו'. וכ"כ ועי' בקרבן אהרן דף קלח ריש ע"ב: דן בא"ד ומלתא דאתי' מק"ו טרח וכתב לה קרא. נ"ב כוונת דבריהם כמ"ש לעיל עה"ג דלא היה צריך קרא דוביום הראות וגו' לכתוב משמעותו לדבר מצוה רק הו"ל לפרש להדי' דבר הרשות דגופי' ולק"מ קו' מהרש"א בזה על התוס' ודו"ק כי משמעות קרא דביום משמע להדי' לדבר מצוה וכמ"ש תוס' לעיל ד"ה דבר הרשות כו':

עין משפט נר מצוה

עא א מיי' פ"ט מהלכות טומאת צרעת הלכה ו סמג עשין רלד:
עא ב מיי' שם הל' ה:
עב ג מיי' פי"א מהל' אבל הלכה ג סמג לאוין עה ועשין דרבנן ב טוש"ע י"ד סי' תג סעיף ד:
עג ד מיי' שם הלכה ו ופ"ו מהלכות י"ט הלכה כד סמג לאוין עה טוש"ע א"ח סי' תקמז סעיף ג וטוש"ע י"ד סי' שמז סעיף א:
עד ה ו מיי' פי"ב מהל' אבל הלכה ח טור ש"ע י"ד סי' תג סעיף א:

רבינו חננאל

ועוד אמר ר"מ מלקט אדם עצמות אביו ואמו במועד: א) אוקמא מפני ששמחת הרגל עליו ואינו מתאבל עליהן אבל בשאר הימים זולתי המועד המלקט עצמ' אביו ואמו מתאבל עליהן כל היום ולערב אינו מתאבל עליהן אמר רב חסדא ואפילו צרורין בסדינין: ירושלמי תני המעביר ארון ממקום למקום אין בו משום ליקוט עצמות ר' יוסי אומר לעולם אין בהן משום ליקוט אלא אם (חסר בכ"י) ב) כר' אחא דאמר יש ליקוט עצמות בארון של עץ והורה לו שלא להטמאות כר' יוסי דאמר אין ליקוט עצמות בארון ואפי' של עץ תני ליקוט עצמות אין אומרים עליהן קינין ונהי. ואין אומרין עליהן ברכת אבלים ולא תנחומי אבלים ואלו הן ברכת אבלים שאומרים בבהכ"נ. ותנחומי אבלים שאומרים בשורה. תני' אבל אומרים עליהן דברי' רבנן דקיסרי אמרי (רבנן) קילוסין. ולא יעורר על מתו. איזהו עירעור מזכירו בין המתים. הספד מספידו בפני עצמו. תני אשה לא תעורר על לווייתה

חשק שלמה על ר"ח

א) נ"ל אמר אביי אימא מפני וכו'. ב) לפנינו בירושלמי הגי' אלא המעביר באפיקרסין ממקום למקום וכו' ר' מנא הורי לר' הלל לקרוע ולהתאבל כר' אחא דאמר כו'.

הגהות מהר"י לנדא

אן תוס' ד"ה נפקא לי' וכו' משמע כשהאיסור חידוש אין ללמוד ממנו קולא. נ"ל כשההיתר חידוש אין ללמוד ממנו איסור. ועי' בתוס' סנהדרין כז ע"א בד"ה ואין לך וכו'. ועי' בנודע ביהודה תנינא בהשמטות לסי' ל"ז בחלק י"ד:

גליון הש"ם

תוס' ד"ה נפקא ליה וכו' וספר כריתות איצטריך לדרשה אחרינא. וע"ע תוס' זבחים דף קיז ע"א ד"ה והתורה ובכריתות דף טו ע"א תוס' ד"ה ערות:

תורה אור השלם

א) וְאִם פָּרוֹחַ תִּפְרַח הַצָּרַעַת בָּעוֹר וְכִסְּתָה הַצָּרַעַת אֵת כָּל עוֹר הַנֶּגַע מֵרֹאשׁוֹ וְעַד רַגְלָיו לְכָל מַרְאֵה עֵינֵי הַכֹּהֵן: [ויקרא יג, יב]
ב) וּבָא אֲשֶׁר לוֹ הַבַּיִת וְהִגִּיד לַכֹּהֵן לֵאמֹר כְּנֶגַע נִרְאָה לִי בַּבָּיִת: [ויקרא יד, לה]

דהא עצים ואבנים בעלמא לא מטמאו והכא מטמאו ורבי אמר אצטריך דאי כתב רחמנא וביום הראות בו הוה אמינא לדבר מצוה אין לדבר הרשות לא כתב רחמנא וצוה הכהן ואי כתב רחמנא וצוה הכהן הוה אמינא הני אין דלאו טומאה דגופיה אבל טומאה דגופיה אימא מיחזא חזיא ליה צריכא אמר מר יש יום שאתה רואה בו ויש יום שאי אתה רואה בו מאי משמע אמר אביי א"כ ליכתוב רחמנא ביום מאי וביום שמע מינה יש יום שאתה רואה בו ויש יום שאי אתה רואה בו רבא אמר כולה קרא יתירא הוא דא"כ לכתוב רחמנא ובהראות מאי וביום שמע מינה יש יום שאתה רואה בו ויש יום שאי אתה רואה בו ואביי ההוא מיבעי ליה [א]ביום ולא בלילה ורבא ביום ולא בלילה מנא ליה נפקא ליה א) מלכל מראה עיני הכהן ואביי ההוא מיבעי ליה [ב]למעוטי סומא באחת מעיניו ורבא נמי מיבעי ליה להכי אין הכי נמי ואלא ביום ולא בלילה מנא ליה נפקא ליה ב) מכנגע נראה לי בבית לי ולא לאורי ואביי אי מהתם הוה אמינא הני מילי טומאה דלאו דגופיה אבל טומאה דגופיה אפילו לאורו נמי קא משמע לן: **מתני'** ועוד אמר ר' מאיר מלקט אדם עצמות אביו ואמו מפני ששמחה היא לו ר' יוסי אומר [ג]אבל הוא לו [ד]לא יעורר אדם על מתו ולא יספידנו קודם לרגל שלשים יום: **גמ'** ורמינהו א) [ה]המלקט עצמות אביו ואמו הרי זה מתאבל עליהם כל היום ולערב אין מתאבל עליהן ואמר רב חסדא [ו]אפילו צרורין לו בסדינו אמר אביי אימא מפני ששמחת הרגל עליו: ולא יערער על מתו: מאי לא יערער על מתו אמר רב כד הדר ספדנא במערבא אמרי יבכון עמיה כל מרירי ליבא: קודם הרגל שלשים יום: מאי שנא שלשים יום אמר רב כהנא [ז]אמר רב יהודה אמר רב מעשה באדם אחד שכינס מעות לעלות לרגל ובא ספדן ועמד על פתח ביתו ונטלתן אשתו ונתנתן לו ונמנע ולא עלה באותה שעה אמרו לא יעורר על מתו ולא יספידנו קודם לרגל שלשים יום ושמואל אמר לפי

דהא עצים. פשוטי כלי עץ לא מקבלי טומאה: ורבי אמר אצטריך. כלומר אע"ג דיליף טומאה דגופיה מטומאה דלאו גופיה לדבר הרשות מולוה הכהן אצטריך ביום הראות בו: אבל טומאה דגופיה אימא לא. דלא יליף טומאה דגופיה מטומאה דלאו גופיה לדבר הרשות מולוה הכהן דהוה אמינא חידוש הוא קמ"ל וביום הראות דהיינו טומאה דגופיה דממתינין לו לדבר מצוה והואיל ואשכחן דממתינין לו לטומאה דגופיה מיהא לדבר מצוה אית ליה נמי כח למילף מולוה הכהן דממתינין לטומאה דגופיה לדבר הרשות נמי אף על גב דחידוש הוא: כולה קרא יתירא. כלומר כולה תיבה דביום הראות קרא יתירא: מראה עיני הכהן. משמע ביום שיכול לראות: לי ולא לאורי. שאין צריך לאור הנר דהיינו ביום ובההוא שעתא נמי ובא הכהן אלמא דאין רואין אלא ביום: קמ"ל. וביום הראות בו דבו היינו טומאה דגופיה: מתני' מלקט אדם עצמות אביו ואמו. ומוליכן למקום אחר לקוברן בקברות אבותם: מפני ששמחה היא לו. שקוברן בקברי אבותיו ולא מצטער במועד: ר' יוסי אומר. לא ילקט מפני שאבל הוא לו: לא יערער על מתו. אם מת לו מת חדש או חדשים קודם המועד לא יערער מפרש בגמ' כד הדר ספדנא במערבא כלומר שלא ישכור ספדן לחזור על קרוביו לומר בכו עמי כל מרי נפש: לא יספידנו. שאם מת לו מת בתוך שלשים יום לפני הרגל לא ישכור ספדן להספידו ושלשים יום אתרוייהו קאי וטעמא דשלשים יום מפרש בגמ': גמ' הרי הוא מתאבל עליהן. וקשיא לרבי מאיר דאמר מפני ששמחה היא לו: אפילו צרורין בסדינו. שאינו מלקטן ואינו רואה אותן הרי זה מתאבל כל זמן שלא נקברו: מפני ששמחת הרגל עליו. כלומר הרבה הוא עוסק בשמחת הרגל ואינו מצטער במלקט עצמות אביו ואמו: יבכון עמיה. (אפילו) הכי אסור למימר במועד היינו לא יעורר על מתו: אמר רב (נחמן) מעשה כו'. כלומר שהיו לו מעות מזומנין לצורך לעלות לרגל ונתנתן אשתו להספדנים ונמנע מלעלות לרגל: לפי

דהא עצים ואבנים לא מטמאו. ואפ"ה מטמאו כאן עצים ואבנים לאו דוקא דהא תנן במסכת נגעים (פי"ב מ"ה) לרבי יהודה אפילו חבילי קש וחבילי תבן וא"כ צריך לומר אן דרבי נמי מודה לר' יהודה וכן משמע מדלא מסיק דרבי סבר לה כר' שמעון דפליג התם:

מאי וביום יש יום שאתה רואה. משמע לאביי דר' יהודה דריש וי"ו וכן פ"ק דסנהדרין (דף יד. ושם) גבי ושופטיך ופ' אלו מציאות (ב"מ דף כ.) גבי ומלאת וקשה איהו גופיה לא דריש וי"ו דואם המר ימיר בפ"ק דתמורה (דף ב:) ובסוף פרק טרף בקלפי (יומא ד' מה.) גבי והאש ושמא דריש ליה לדרשה אחרינא מיהו הכא קשה טפי כיון דר' יהודה דריש וי"ו מאי טעמא לא אמר רבא דהכא נמי דריש וי"ו למה חולק על אביי היה לו להזכירה ושמא רבא קאמר אפילו לא דריש ר' יהודה וי"ו הכא להאי דרשה יש ליישבה [ג]:

נפקא ליה מכנגע נראה לי ולא לאורי. תימה דהא לעיל אמר רבא לר' יהודה חידוש הוא ולא גמרינן מיניה בן ולפירוש שפירש דרבי יהודה לטעמיה דמצריך ופינו בעצים ובאבנים ניחא דלענין פינו דוקא חידוש ועי"ל כיון דלאורו (א) אינו יכול לראות בלא נר א"כ פוסל מטעם ראיה יש לנו ללמוד הימנו כיון דחזינן דבעלמא נמי אשכחנא קפידא בראיה טפי מעולי רגלים [ד] דבעינן שתי עינים ובעינן נמי שלא יהא יום המעונן ותימה דהכא משמע דרבא ממעט לילה מהאי קרא ובפ' אחד דיני ממונות (סנהדרין ד' לד: ושם) מייתי קרא וביום הראות בו והיינו כאביי (ב) וי"ל דאורחיה דהש"ס [ה] לאתויי דרשות הפשוטים יותר ושמא אי לא כתב כנגע נראה לי הוה מוקמינן וביום הראות למעוטי לילה וכן בפ"ב דמגילה (דף כ.) ולא מוהלין אלא ביום דריש התם מביום השמיני ביום ולא בלילה ובפ' ר' אליעזר דמילה (שבת קלב. ושם) דריש מיניה ביום אפילו בשבת ומבן שמונת ימים דרשינן ימים ולא לילות ובפ' [ו] החובל (ב"ק דף פז.) מייתי שבח נעורים לאביה מבנעוריה בית אביה ובריש פ"ק דקדושין (דף ג:) מוקי לה בהפרת נדרים דוקא ושבח נעורים נפקי מוכי ימכור וגו' וכן בפ' קמא דקדושין (ג: יד.) מייתי ספר כורתה ואין דבר אחר כורתה מספר כריתות ובפרק [המביא גט] (גיטין דף כא:) מפקי לה רבנן מוכתב לה ° וספר כריתות אצטריך לדרשה אחרינא ומיהו תימה היאך נוכל ליישב הסוגיא דפרק אחד דיני ממונות (סנהדרין דף לד:) אליבא דרבא דמייתי לה התם למיגמר דין ביום מנגעים ובשלמא אי מייתי מוביום הראות בו מצינו לאוקמי בגמר דין אלא כנגע גן נראה לי היינו תחילת דין (ג) ואביי דאמר אי מהתם הני מילי דטומאה לאו דגופיה [ז] וקיימא פירכא דלעיל דמגופיה דאית ליה לאביי משמעות דורשין איכא בינייהו דמשמע דרבי יהודה לא דריש מופינו הוה דריש ליה נמי שפיר ואצטריך וביום הראות ע"כ נראה לי דה"פ לעיל משמעות דורשין איכא בינייהו רבי סבר דביום הראות אצטריך לדרשה אחרינא דביום ולא בלילה כדפרישית נמי לעיל ורבי יהודה סבר דתרוייהו דרשינן ואיצטריך לתרי קראי כי היכי דלאית ליה לרבי דמופינו ה"א טומאה דלאו גופיה קמ"ל וביום ומביום לא שמעינן אלא לדבר מצוה קמ"ל ופינו ולפי זה לכ"ע ממתינין לדבר הרשות דהא תרוייהו דרשי ופינו כדפרישית דן ומלתא דאתיא מק"ו טרח וכתב לה קרא דהיינו דבר מצוה וקשה קצת אליבא דרבי יהודה שמה שיש בחומרא חידוש אין ללמוד הימנו קולא דקאמר משום דחידוש הוא דהא עצים ואבנים לא מטמאו אין ללמוד ממנה אלא דכוותיה אמרינן פרק כל הבשר (חולין ד' קח. ושם) בשר בחלב חידוש הוא ופירש רבינו יעקב דאי תרי ליה כולי יומא בחלבא שרי וכי מבשל ליה אסור והחידוש אינו מן האיסור דבהדי הדדי אסור והאי לחודיה והאי לחודיה שרי דהא כלאים נמי כל חדא שרי ובהצטרפות אסירי כדמסיק בפ' אלו עוברין (פסחים דף מד:) אן משמע כשהאיסור חידוש אין ללמוד ממנו קולא מהאי טעמא היה מיישב רבינו יצחק בר אברהם ההיא דעדים זוממין דחידוש הוא [ח]: **ורמינהו** המלקט כו'. במס' שמחות (פרק יב ע"ש) והוה מצי לשנויי הא מני ר' יוסי היא דאמר במשנה אבל הוא לו: **ולערב** אינו מתאבל ואמר רב חסדא. בלא דרב חסדא הקשה היטב אלא כך רגילות הש"ס אגב גררא להביא פירוש הברייתא דאפילו צרורין לו בסדינו אינו מתאבל לערב ויש מפרשים דארישא קאי אפילו צרורין לו בסדינו כמה ימים צריך להתאבל כל זמן שרואה אותן ופי' קמא ניחא טפי אבל לא שייך הכא כל כך לפירוש ראשון דהא מסיפא אינו מתאבל לערב לא מצי להקשות על המשנה כי אם מרישא וצריך לומר דמייתי סיפא אגב גררא והא דרב חסדא אגב גררא לגררא:

דקא

רש"י כת"י

לכל הספחות כמה שנים יש משנתנגע עוזיה עד (שמלך יותם) [שמת ירבעם] ט"ו שנים שנשתיירו להשלים מלכות ירבעם בן נבט (כשנתנגע) [כשמת ירבעם] שלמו ל"ח למלכות עוזיה דכתוב בשנת שלשים ושמנה שנה לעזריה מלך זכריה בן ירבעם ובשאתה פושת ט"ו שנים (להשלים למלכותו לכ"ב שנה) [מל"ה של עוזיהו שהיו לו כשמלך זכריהו נשארו כ"ג ונמצא שבן כ"ג למלכותו נתנגע והוא מלך נ"ב שנה נמצא שהיה מנוגע כ"ח שנים] [ע"פ ר"ן בשם רש"י] וכל אותן שנים היה מנוגע ויותם בנו הואיל ולא היה לו אלא (כ"ד) [כ"ה] שנים כשמלך נמצא שנולד אחר ימי נגעו של אביו ג' שנים שהרי כל כ"ח שנים נתנגע ונמצא יותם נולד לעוזיהו בימי מלוטו ובסדר עולם (שם) אמרינ' עזריה בנה אילת וישיבה ליהודה אחרי שכב המלך אביו אמציה עם אבותיו מלמד שמלך בימי אבותיו שבימי אמציה היה עזיה מלך יהודה ונמצאת למד שתחלת מלכותו לא היה כב"ן לירבעם שהרי ירבעם לא מלך בימי אמציה אלא ט"ו שנה כדכתו' בשנת חמש עשרה לאמציה ואמציה לא מלך אלא כ"ט שנה אלא מלכות מלך בשנת עשרים ושבע לירבעם והכי מוקמינן לה בסדר עולם (שם) וכי אפשר לומר כן והלא עוזיה וירבעם מלכו כאחד לא כאחד ממש שהרי ירבעם קדמו לעוזיהו ג' שנים כדפרישית ומאן דאמר מצורע אסור בתשמיש המטה אי אפשר (שלא) [ש]הולידו אביו בימי מלוטו וכל שכן ימי (מלוטו) [ספורו] דהא מובדל הוא מכל אדם לגמרי כך שמעתי ומגוגם. למימרא דבכהן תליא מלתא. כלומר כל כמה דלא חזי ליה לא מטמא מדפליג במתני' בראיית נגעים אלא משום שמחה ואבל מכלל דבראייה דידיה תליא מלתא דלא אתי הסגר והוחלט אלא על ידי כהן. ה"ג אין והא תניא יום שאתה רואה בו. למשמע ביום כו בזמן שירצה לכהן נפיק מריבויא וכו' כדלקמן. נוהגין היו לעשות שבעת ימי המשתה לחתן נותנין לו שלא יראה לכהן הואיל ועדיין לא נראה לכהן לא יתחיל לכתחלה [בימי חתונה וכן] ברגל אלא עומד בטהרתו. משמעות. מקראות. דורשין. מה דריש ליה האי קרא ומר דריש ליה האי קרא. דבר הרשות. שצריך לדבר הרשות לר' ממתיני' דיליף לנגעי בתים לדבר הרשות הוא. ור' יהודה מהתם וכו'. ר' סבר ממתיני דקא חזינן בהדיא מנגעי בתים אבל מלתיה דר' יהוד' אצטריך למימר אמאי לא גמרינן לכל מה שכתוב בנגעי בתים חדוש הוא. [ע"כ שייך לדף ז:] ורבי. סבר מהתם גמרינן ותרויהו איצטריכו טומאה דלאו דגופיה דומיא דבית בנין דסותר. מאי משמע. דהאי וביום הראות בו היינו יום.... וה"ג מלקט אדם עצמות אביו ואמו לקברן במקום אחר [הגון] [רש"י רי"ף]. ששמחה היא לו. כשרואה אותם. לא יעורר על מתו. [אם מת המת חדש או שני חדשים קודם המועד] [רש"י רי"ף]. לא יעורר על מתו. מפרש בגמרא כד הדר ההוא ספדנא כלומר לא ישכור לו ספדן לחזור על קרוביו לומר בכו עמי כל מר לב. ולא יספידנו. שאם מת לו מת לפני הרגל לא ישכור להספיד לפני מטתו ושלשים יום אתרוייהו קאי וטעמ' מפרש בגמרא. מתאבל. כל היום עליהם מפני [כבוד] אביו ואמו ומדרבנן דהא אפילו מוטל מת לפניו היה מתאונן כל אותו היום מדאורייתא ומו לא כדכתוב ואחריתה כיום מר והשתא כשרואה עצמות אביו רמו עליה רבנן אנינות כל אותו היום (ברש"י ברי"ף - כאותו היום). ולערב. משתשכיה אין צריך להתאבל דאפילו אנינות דאורייתא [אינה] אלא ביום כדכתוב ואחריתה כיום מר. ואפי' צרורין לו בסדינו. כמה ימים ביום שרואה אותן מתאבל עליהן כל היום והך דמייתי הכא ורמינהי וכו' ואמ' ר' חסדא וכו' ולא ידענא היכא ואדר' מאיר קא מותיב והוה בידיה לשנויי הא מני ר' יוסי דפליג עליה דר' מאיר במתניתין אלא לא שני ליה הכי דלא ניחא ליה למימר דסבר שום תנא דליקוט עצמות הוי שמחה והכי אהדר ומשני הוא מפני ששמחה הרגל הוא לו דקאמ' ליה ר' מאיר לאו אליקוט עצמות קאי אלא אשמחת הרגל קאמ' והכי קאמ' מלקט אדם וכו' מפני ששמחת הרגל עליו... אלא מתוך שהוא שמח בשמחת הרגל. ולא יערער. לא ישכור ספדן לערער על מתו שמת זה ימים רבים לחזור על קרובו. אמ' ר' כד הדר ספדנא. לכך שמחזור הספדן ואמ' בכו עמי כל מרי לב ומי שלבו דוה עליו הולך ומספיד על קרובו. לא יספידנו. לא ישכור על מתו שמת לו עכשיו. באותה שעה. ומשום הכי נקט שלשים יום דאמרי' שואלין בהלכות החג קודם החג שלשים יום ודרך בני אדם לכנס מעות מל' יום קודם לפי ששמע [שדורשין] בהלכות החג.

– **Rather, from where does he** derive the law that *tzaraas* may be examined only **by day and not by night?** נַפְקָא לֵיהּ מִ,,כְּנֶגַע נִרְאָה לִי בַּבָּיִת" – **He derives** it **from** the verse: ***Something like an affliction has appeared to me on the house,***[10] which implies: לִי וְלֹא לְאוֹרִי – it appeared **to me** myself, **but not by my light.**[11]

The Gemara explains why Abaye does not derive this law from this verse:

וְאַבַּיֵי – **But Abaye** argues: אִי מֵהָתָם – **If** we would need to derive the exclusion of nighttime examination **from there** (the passage of house-*tzaraas*), הֲוָה אָמִינָא – **I would have said:** הָנֵי מִילֵּי טוּמְאָה דְּלָאו דְּגוּפֵיהּ – **This** exclusion **applies** only with regard to ***tumah* that is not of** [**a person's**] **body.** אֲבָל טוּמְאָה דְּגוּפֵיהּ אֲפִילּוּ לְאוֹרוֹ נַמִּי – **But** with regard to **the *tumah* of** [**a person's**] **body,** I would say that it should **even** be examined **by his light,** at night.[12] קָא מַשְׁמַע לָן – [**The Torah**] therefore **informs us,** by stating *But on the day healthy flesh is observed in it,* that even bodily-*tzaraas* is examined only by day. And since this verse is needed to teach this law, only the letter *vav* is superfluous to teach that there are some days on which we do not observe *tzaraas.*

Mishnah Since the previous Mishnah taught one lenient ruling of R' Meir concerning Chol HaMoed, we continue here with another one:

וְעוֹד אָמַר רַבִּי מֵאִיר – **And R' Meir said further:**[13] מְלַקֵּט אָדָם עַצְמוֹת אָבִיו וְאִמּוֹ – **A person may gather the bones of his father and mother** and reinter them on Chol HaMoed,[14] מִפְּנֵי שֶׁשִּׂמְחָה הִיא לוֹ – **because it is a** source of **joy for him.**[15] רַבִּי יוֹסֵי אוֹמֵר – **R' Yose said:** אֵבֶל הוּא לוֹ – **It is a** source of **mourning for him,** and therefore, he may not do it during the festival.

The Mishnah cites a related ruling:

לֹא יְעוֹרֵר אָדָם עַל מֵתוֹ – **A person may not inspire** lamentations **for his dead** relative,[16] וְלֹא יַסְפִּידֶנּוּ – **nor eulogize him,**[17] קוֹדֶם לָרֶגֶל שְׁלֹשִׁים יוֹם – during the **thirty days preceding the festival.**[18]

Gemara The Gemara questions R' Meir's lenient ruling concerning the gathering of one's parents' bones on Chol HaMoed:

וּרְמִינְהוּ – **But contrast this with** [**the following Baraisa**] and note the contradiction: הַמְלַקֵּט עַצְמוֹת אָבִיו וְאִמּוֹ – ONE WHO GATHERS THE BONES OF HIS FATHER OR MOTHER הֲרֵי זֶה מִתְאַבֵּל עֲלֵיהֶם כָּל הַיּוֹם – IS required TO MOURN FOR THEM THAT ENTIRE DAY, וְלָעֶרֶב אֵין מִתְאַבֵּל עֲלֵיהֶן – BUT IN THE EVENING HE IS NOT required TO MOURN FOR THEM.[19] וְאָמַר רַב חִסְדָּא – **And Rav Chisda said:** אֲפִילּוּ צְרוּרִין לוֹ בִּסְדִינוֹ – One must mourn **even if** [**the bones**] **are wrapped up in one's sheet.**[20] Thus, we see that gathering a parent's bones brings on a period of mourning. How

NOTES

10. *Leviticus* 14:35. [This is how a person is supposed to report his discovery of an affliction to a Kohen. Even if he is learned in the laws of *tzaraas,* he should not say definitively that it *is* a *tzaraas* (*Negaim* 12:5).]

11. I.e. it was apparent to me without the assistance of candlelight. This indicates that the person noticed it in daylight. The next verse states that the Kohen then comes to the house to examine it, implying that his examination, too, occurs during the daytime (*Rashi*).

12. For bodily *tumah* must be identified as soon as possible (*Talmid R' Yechiel MiParis;* see end of note 3).

13. This ruling is totally unrelated to the previous one. The Mishnah states that R' Meir said "further" because what follows is his second consecutive lenient decision concerning the laws of Chol HaMoed (*Talmid R' Yechiel MiParis*).

14. I.e. he may transfer his parents' remains to their ancestral burial plot (*Rashi*). In a case where one was initially unable to bury them in the family plot (e.g. he had no means of transporting them there), he would inter them in a temporary grave until the flesh decayed, and then gather the bones and transfer them to the ancestral burial grounds (*Talmid R' Yechiel MiParis*). Alternatively, the Mishnah means that if one's parents' grave was in danger of being looted or inundated with water, he may gather the bones and reinter them elsewhere (*Rashi* to *Rif,* as elaborated by *Or Zarua, Hil. Aveilus* §420).

[*Yerushalmi* (1:5, cited by *Rosh* and *Talmid R' Yechiel MiParis*) states that it was once customary to bury the dead without coffins in deep pits, so that the flesh would decompose rapidly. Once the corpse was reduced to bones, it would be disinterred, placed in a cedar coffin and reinterred in a fitting plot. See also Tractate *Semachos* Ch. 12, and *Rosh,* end of §13.]

15. He is gratified at having his parents buried next to their ancestors, and therefore, the reinterment does not cause him distress on the festival (*Rashi,* but see Gemara; cf. *Rashi ms.*).

16. I.e. he may not hire a eulogist to go around to the members of his family and arouse them to grieve over a relative who died a month or two earlier (*Rashi;* see note 18).

17. I.e. he may not hire someone to deliver a eulogy for a relative who just died (*Rashi;* see note 18).

18. The Gemara explains why both of these things are forbidden for thirty days prior to the festival (*Rashi*).

[*Rashi* explains the Mishnah in accordance with Rav's opinion in the Gemara, that the restriction is against *hiring* a eulogist within thirty days of the festival. Shmuel disputes this explanation, and his interpretation of the Mishnah will be presented below, 8b note 2.]

19. The Rabbis imposed a one-day mourning period due to the disinterment of his parents' remains. Under Biblical law, when one's parent or other immediate relative dies, he mourns for that day only, until nightfall. The Rabbis extended the period of mourning to seven days (*shivah*) from the time of burial. In the case of disinterment, where there is no Biblical mourning at all, the Rabbis imposed only the period of mourning that is normally required Biblically (*Rashi ms.;* cf. *Tur Yoreh Deah* 398, who cites the view of numerous Rishonim that there is *never* a Biblical obligation to mourn, for even the first day of mourning was ordained by the Rabbis).

On the day of disinterment, the person must abide by all the laws of a regular mourner — he may not wear shoes, nor bathe, etc. There is an opinion that until the reinterment he is subject to the laws of an *onein* (one whose deceased relative has not yet been buried), and is thus forbidden to eat meat or drink wine (*Maharam MeRotenburg,* cited by *Rosh* 3:56; see also *Rashi ms.*). However, this view is rejected by others, who place him in the category of an ordinary mourner even before the reinterment (*Rosh* ibid.; *Talmid R' Yechiel MiParis; Shulchan Aruch, Yoreh Deah* 403:1).

Rashi ms. and *Talmid R' Yechiel MiParis* imply that the day of mourning is imposed only in honor of a parent, but not when one gathers the remains of another close relative. However, others maintain that it applies to all immediate relatives over whom one normally mourns (*Rosh* §10, *Chidushei HaRan, Shulchan Aruch* ibid.).

20. I.e. if he did not yet reinter the bones in a proper grave he remains in his state of mourning indefinitely, even if they are wrapped up and he does not see them (*Rashi*).

Another explanation is that [if the bones remain wrapped he is not required to mourn, but] each day that he unwraps them and sees them he must mourn anew, because it is like another disinterment (*Rashi ms.,* as explained by *Meiri;* second explanation of *Tosafos* ד"ה ולערב).

According to both of these explanations, Rav Chisda came to state a stringent ruling that expands the Baraisa's opening law. Others explain Rav Chisda as stating a lenient ruling that pertains to the Baraisa's latter clause: In the evening after the disinterment one is no longer required to mourn, even if the bones are merely wrapped up in a sheet and have not yet been reinterred (first explanation of *Tosafos* ד"ה ולערב; *Rambam, Hil. Aveil* 12:8; *Shulchan Aruch* ibid.).

דהא עצים ואבנים בעלמא לא מטמאו והכא מטמאו ורבי אמר אצטריך דאי כתב רחמנא וביום הראות בו הוה אמינא לדבר מצוה אין לדבר הרשות לא כתב רחמנא וצוה הכהן ואי כתב רחמנא וצוה הכהן הוה אמינא הני אין דלאו טומאה דגופיה אבל טומאה דגופיה אימא מיחזא חזיא ליה צריכא אמר מר יש יום שאתה רואה בו ויש יום שאי אתה רואה בו מאי משמע אמר אביי א"כ ליכתוב רחמנא ביום מאי וביום שמע מינה יש יום שאתה רואה בו ויש יום שאי אתה רואה בו רבא אמר כולה קרא יתירא הוא דא"כ לכתוב רחמנא ובהראות מאי וביום שמע מינה יש יום שאתה רואה בו ויש יום שאי אתה רואה בו ואביי ההוא מיבעי ליה [א]ביום ולא בלילה ורבא ביום ולא בלילה מנא ליה נפקא ליה [א]מלכל מראה עיני הכהן ואביי ההוא מיבעי ליה [ב]למעוטי סומא באחת מעיניו ורבא נמי מיבעי ליה להכי אין הכי נמי ואלא ביום ולא בלילה מנא ליה נפקא ליה [ב]מכנגע נראה לי בבית לי ולא לאורי ואביי אי מהתם הוה אמינא הני מילי טומאה דלאו דגופיה אבל טומאה דגופיה אפילו לאורו נמי קא משמע לן: **מתני'** ועוד אמר ר' מאיר מלקט אדם עצמות אביו ואמו מפני ששמחה היא לו ר' יוסי אומר [ג]אבל הוא לו [ד]לא יעורר אדם על מתו ולא יספידנו קודם לרגל שלשים יום: **גמ'** ורמינהו [א][ה]המלקט עצמות אביו ואמו הרי זה מתאבל עליהם כל היום ולערב אין מתאבל עליהן ואמר רב חסדא [ו]אפילו צרורין לו בסדינו אמר אביי אימא מפני ששמחת הרגל עליו. ולא יעורר על מתו: מאי לא יעורר על מתו אמר רב כד הדר ספדנא במערבא אמרי יבכון עמיה כל מרירי ליבא: קודם הרגל שלשים יום: מאי שנא שלשים יום אמר רב כהנא [ג]אמר רב יהודה אמר רב מעשה באדם אחד שכינס מעות לעלות לרגל ובא ספדן ועמד על פתח ביתו ונטלתן אשתו ונתנתן לו ונמנע ולא עלה באותה שעה אמרו לא יעורר על מתו ולא יספידנו קודם לרגל שלשים יום ושמואל אמר לפי

דהא עצים. פשוטי כלי עץ לא מקבלי טומאה: **ורבי אמר אצטריך.** כלומר אע"ג דיליף טומאה דגופיה מטומאה דלאו גופיה לדבר הרשות מלוה הכהן אצטריך ביום הראות בו: **אבל טומאה דגופיה אימא לא.** דלא יליף טומאה דגופיה מטומאה דלאו גופיה לדבר הרשות מלוה הכהן דהוה אמינא חידוש הוא קמ"ל ביום הראות דהיינו טומאה דגופיה דממתינין לו לדבר מלוה והואיל ואשכחן דממתינין לו לטומאה דגופיה מיהא לדבר מלוה אית ליה נמי כח למילף מלוה הכהן דממתינין לטומאה דגופיה לדבר הרשות נמי אף על גב דחידוש הוא: **כולה קרא יתירא.** כלומר כולה תיבה דביום הראות קרא יתירא: **מראה עיני הכהן.** משמע ביום שיכול לראות: **לי ולא לאורי.** שאין צריך לאור הנר דהיינו ביום ובההוא טעמא נמי ובא הכהן אלמא דאין רואין אלא ביום: **קמ"ל. וביום** הראות בו דהיינו טומאה דגופיה: **מתני' מלקט אדם עצמות אביו ואמו.** ומוליכן למקום אחר לקוברן בקברות אבותיו: **מפני ששמחה היא לו.** שקוברן בקברי אבותיו ולא מלטער במועד: **ר' יוסי אומר. לא** ילקט מפני שאבל הוא לו: **לא יעורר על מתו.** אם מת לו מת חדש או חדשים קודם המועד לא יעורר מפרש בגמ' כד הדר ספדנא במערבא כלומר שלא ישכור ספדן לחזור על קרוביו לומר בכו עמי כל מרי נפש: **לא יספידנו.** שאם מת לו מת בתוך שלשים יום לפני הרגל לא ישכור ספדן להספידו ושלשים יום אחרויהו קאי וטעמא דשלשים יום מפרש בגמ': **גמ' הרי הוא מתאבל** עליהן. וקשיא לרבי מאיר דאמר מפני ששמחה היא לו: **אפילו צרורין בסדינו.** שאינו מלקטן ואינו רואה אותן הרי זה מתאבל כל זמן שלא נקברו: **מפני ששמחת הרגל עליו.** כלומר הרגל הוא עוסק בשמחת הרגל ואינו מלטער במלקט עלמות אביו ואמו: **יבכון עמיה. (אפילו)** הכי אסור למימר במועד היינו לא יעורר על מתו: **אמר רב (נחמן) מעשה כו'.** כלומר שהיו לו מעות מזומנין לצורך לעלות לרגל ונתנתן אשתו להספידים ונמנע מלעלות לרגל: לפי

דהא עצים ואבנים לא מטמאו. ולפ"ה דמטמאו כאן עלים ואבנים לאו דוקא דהא תנן במסכת נגעים (פי"ב מ"ה) לרבי יהודה אפילו חבילי קש וחבילי תבן וה"נ לריך לומר או לרבי נמי מודה לר' יהודה וכן משמע מדלא מסיק דרבי סבר לה כר' שמעון דפליג התם:

מאי וביום יש יום שאתה רואה. משמע לאביי דר' יהודה דריש וי"ו וכן פ"ק דסנהדרין (דף יד. ושם) גבי ושופטיך וס' אלו מליאות (ב"מ דף כז.) גבי ולמלאת וקשה איהו גופיה לא דריש וי"ו דולס המר ימיר בפ"ק דתמורה (דף ג:) ובסוף פרק טרף בקלפי (יומא דף מה.) גבי והאש ושמא דריש ליה לדרשה אחרינא מיהו הכא קשה טפי כיון דר' יהודה דריש וי"ו מאי טעמא לא אמר רבא דהכא נמי דריש וי"ו למה חולק על אביי הכא לו להזכיה ושמא רבא קאמר אפילו לא דריש ר' יהודה וי"ו הכא לההיא דרשה יש לייסבה:

נפקא ליה מכנגע נראה לי ולא לאורי. תימה דהא לעיל אמר רבא לר' יהודה חידוש הוא ולא גמרינן מיניה [ב]ולפירוש שפירש דרבי יהודה לטעמיה דמלריך ופינו בעלים ובאבנים ניחא דלענין פינו דוקא חידוש ועי"ל כיון דלאורו [א] אינו יכול לראות בלא נר א"כ פוסל מטעם ראיה יש לנו ללמוד הימנו כיון דחזינן דבעלמא נמי דאשכחנה קפידא בראיה טפי מעולי רגלים [ד]דבעינן שתי עיניו ובעינן נמי שלא יהא יום המעונן ותימה דהכא משמע דרבא ממעט לילה מהאי קרא ובפ' אחד דיני ממונות (סנהדרין ד' לד: ושם) מייתי קרא וביום הראות בו והיינו כאביי [ג] וי"ל דלורחיה דהש"ס [ה]לאתויי דרשות הפשוטים יותר ושמא אי לא כתב כנגע נראה לי הוה מוקמינן וביום הראות למעוטי לילה וכן בפ"ב דמגילה (דף כ.) ולא מוהלין אלא ביום דריש התם מביום השמיני ביום ולא בלילה ובפ' ר' אליעזר דמילה (שבת קלב. ושם) דריש מיניה ביום אפילו בשבת ומבן שמונת ימים דרשינן ימים ולא לילות ובפ' המזבל (כ"ק דף סו.) מייתי שבת נעורים לאביה מבנעוריה בית אביה ודריש פ"ק דקדושין (דף ג:) מוקי לה בהפרת נדרים דוקא ושבח נעורים נפקי מוכי ימכור וגו' וכן בפ' קמא דקדושין (ג: יד.) מייתי ספר כורתה ולאין דבר אחר כורתה מספר כריתות ובפרק [המביא גט] (גיטין דף כא:) מפקי לה רבנן מוכתב לה [ט] וספר כריתות אלטריך לדרשה אחרינא ומיהו תימה היאך נוכל ליישב הסוגיא דפרק אחד דיני ממונות (סנהדרין דף לד:) אליבא דרבא דמייתי לה התם למיגמר דין ביום מנגעים ובשלמא אי מייתי מוביום הראות בו אלא כנגע נראה לי היינו תחילת דין [ג] ואביי דאמר אי מהתם הני מילי דטומאה דלאו דגופיה [ו] וקיימא פירכא דלעיל דמגופיה דאית ליה לאביי משמעות דורשין איכא ביניהו משמע דרבי יהודה לא דריש מופינו הוה דריש ליה נמי שפיר אי לאו דאלטריך לדרשה אחרינא דביום ולא בלילה לר' יהודה לו לי ה"מ לעיל משמעות דורשין איכא ביניהו רבי סבר דביום הראות אלטריך ור' יהודה סבר דמתרויהו דרשינן ואיצטריך לכדפרישית נמי לעיל ורבי יהודה סבר לה כר' קרא דלית ליה כרבי דמופינו ה"א טומאה דלאו גופיה קמ"ל וביום ומביום לא ממעינן אלא לדבר מלוה קמ"ל ופינו ולפי זה לכ"ע ממתינין לדבר הרשות מתרויהו דרשי ופינו לכדפרישית [ז]ומלתא דלאתיא מק"ו טרח וכתב לה קרא דהיינו דבר מלוה וקשה קצת אליבא דרבי יהודה שמה יש בתוספת חידוש אין ללמוד הימנו קולא דקאמר משום דחידוש הוא דהא עלים ואבנים לא מטמאו אין ללמוד ממנו אלא דכוותיה אמרינן פרק כל הבשר (חולין ד' קח. ושם) בשר בחלב חידוש הוא ופירש רבינו יעקב דלא תרי ליה כולי יומא בחלבא שרי וכי מבשל ליה אסור והחידוש אינו מן האיסור דבהדי הדדי אסור לחודיה והאי לחודיה שרי דהא כלאים נמי כל חדא וחדא שרי והצטרפות אסירי דלמפסיק בפ' אלו עוברין (פסחים דף מד:) [ח] או משמע כשהאיסור חידוש אין ללמוד ממנו קולא מהאי טעמא היה מיישב רבינו יעקב בר אברהם הסיה לעדים זוממין דחידוש הוא [ט]: **ורמינהו** המלקט כו'. במס' שמחות (פרק יב ע"ש) והוה מצי לשנויי הא מני ר' יוסי היא דאמר במשנה אבל הוא לו: **ולערב** אינו מתאבל ואמר רב חסדא. בלא רב חסדא הקשה היטב אלא לך רגילות הש"ס אגב גררא להביא פירוש הברייתא דאפילו צרורין לו בסדינו אינו מתאבל לערב ויש מפרשים דלרישא קאי אפילו צרורין לו בסדינו כמה ימים לריך להתאבל כל זמן שרואה אותן ופי' קמא ניחא טפי אבל לא שייך הכא כל כך פירוש ראשון דהא מסיפא אינו מתאבל לערב לא מלי לאקשות על המשנה כי אם מרישא ולריך לומר דמייתי סיפא אגב גררא והא לרב חסדא הוא אגב גררא: דקא

רבינו חננאל

ועוד אמר ר"מ מלקט אדם עצמות אביו ואמו במועד: א) אוקמא מפני ששמחת הרגל עליו ואינו מתאבל עליהן אבל בשאר הימים זולתי המועד המלקט עצמי אביו ואמו מתאבל עליהן כל היום ולערב אינו מתאבל עליהן אמר רב חסדא ואפילו צרורין בסדינו: ירושלמי תני המעביר ארון ממקום למקום אין בהן משום ליקוט עצמות ר' יוסי אומר לעולם אין בהן משום ליקוט אלא אם (חסר בכי"י) כר' אחא דאמר יש ליקוט עצמות בארון אם של עץ ויהודה יהי שלא להטמאות כר' יוסי דאמר אין ליקוט עצמות בארון ואפי' של עץ תני ליקוט עצמות אין אומרים עליהן קינין ונהי. ואין אומרין עליהן ברכת אבלים ולא תנחומי אבלים ואלו הן ברכת אבלים שאומרים בבהכ"נ. ותנחומי אבלים שאומרים בשורה. תני אבל אומרים עליהן דברי ארבן דקיסרי אמרי (רבנן) קילוסין. ולא יעורר על מתו. איזהו עידעור מזכירו בין המתים. הספד מספידו בפני עצמו. תני אשה לא תעורר על לווייתה

חשק שלמה על ר"ח

א) נ"ל דמר אביי אימא מפני וכו'. ב) כלפנינו בירושלמי הגי' אלא המעביר מלפיקסין ממקום למקום וכו' או מגא הוי' כר' כלל לקרוע ולהתאבל כר' אחא דאמר כו':

הגהות מהר"י לנדא

[א] תוס' ד"ה נפקא לי' וכו' משמע כשהאיסור חידוש אין ללמוד ממנו קולא. נ"ל כשהסיתר חידוש אין ללמוד ממנו איסור. ועי' נתום' סנהדרין מ ע"א בד"ה ואין לך וכו' ועי' בנודע ביהודה תנינא בהשמטות לסי' ו"ן בחלק יו"ד:

גליון הש"ס

תוס' ד"ה נפקא ליה וכו' וספר כריתות איצטריך לדרשה אחרינא. וע"ע תוס' זבחים דף קה ע"ב ד"ה והתורה ובכורות דף טו ע"א תוס' ד"ה עלים:

תורה אור השלם

א) וְאִם פָּרוֹחַ תִּפְרַח הַצָּרַעַת בָּעוֹר וְכִסְּתָה הַצָּרַעַת אֵת כָּל עוֹר הַנֶּגַע מֵרֹאשׁוֹ וְעַד רַגְלָיו לְכָל מַרְאֵה עֵינֵי הַכֹּהֵן: [ויקרא יג, יב]
ב) וּבָא אֲשֶׁר לוֹ הַבַּיִת וְהִגִּיד לַכֹּהֵן לֵאמֹר כְּנֶגַע נִרְאָה לִי בַּבָּיִת: [ויקרא יד, לה]

א) שמחות פרק י"ב, ב) [בכתה"י ובב"י איתא ואמרי לה בנן], ג) [וע"ע תוספות מנחות לו: ד"ה וי"ו ותוספות סנהדרין יד. ד"ה ור"ש], ד) [בלמלית ריש חגיגה], ה) [וכ"ה תוספות מגילה כ. וסנהדרין קח. ד"ה דכתיב ובזבחים קח. ד"ה מייתי שום קרא ע"ש ותוספות], ו) [בגמ' איתא], ז) וקיימא פירכא דלעיל דמגופיה ולאיצטריך וביום הראות והא אית ליה לאביי משמעות כו' עד לא דריש ופינו הוי דריש ליה נמי שפיר ע"ב נראה לי צ"ל וכ"ה בחולין וכרלאות, ח) [וע"ע תוס' סנהדרין מ. ד"ה אין לך].

הגהות הב"ח

(א) תוס' ד"ה נפקא כו' ועוד י"ל כיון דלאורו לא אינו אלא משום דאינו יכול לראות בלא נר כו' קפידא בראיה כגון עולי רגלים: (ב) באו"ד ו"ל דלאורחיה דהש"ס כו'. נ"ב כתבו התוס' במסכת סוכה בדף לב ע"ב: (ג) באו"ד היינו תחלת דין הס"ד ואח"כ מה"ד ואביי ההוא מיבעי ליה היינו תחלת דין הס"ד ואח"כ מה"ד ה"מ הני מילי טומאה דלאו דגופי וקשה דלעיל ממשמע כלל פירכא דמגופיה דאית ליה לאביי כו' דמשמע דר' יהודה דלא דריש ופינו שפיר אלא דאיצטריך לחבילי קש וחבילי תבן כו' דריש וביום הראות כו' דממעט דלאו ה"מ טומאה דלאו כו' היינו דקאמר דקאמר פשוטים אלא חידוש הוא כו' מנגעים הכי ממתינין פ' כשבר ופירש רבינו יעקב דאינו חידוש דלא תרי ליה. נ"ב שם בדף קח ע"א בסופו דבר בחלב חידוש הוא ופירש בקונטרס דחידוש דשניהם מין היתר הם לבדו ומה תערובתן נאסרין ובתוס' הקשו עליו תעמם זה לא יתכן לקמן אלו עוברין דף מד וכתבו ב' מיני טעם דהא קאמר בהדיא דאין זה חידוש דהא כלאים נמי הכי סבירא אלא ונכון דבר לחודיה שרי:

הגהות מהר"ב רנשבורג

א] תוס' ד"ה דהא וכו' דרבי נמי מודה לר' יהודה. נ"ב ע' בס"ל פי"ד מהלכות טומאת לרעת הלכה ד ודוק: **ב]** בד"ה נפקא לי' וכו' ולפי' שפי' דר"י לטעמיה דמצריך ופינו עצים ובאבנים ניחא. עיין כט"ל: **ג]** באו"ד היינו תחלת דין. נ"ב כאן לפירושו של מהרש"א שס"ד ואח"כ מתחיל הדיבור ואביי וכו'. וכ"כ בס' שמע שלמה פ' מזריע ועיין בקנין פרי ריש ע"ב: **ד]** באו"ד ומלתא דאתיא מק"ו טרח וכתב לה קרא. נ"ב כוונת דבריהם כמ"ש קרא לדוקים הראות בו ויבוא לכתוב משמעותו לדבר מלוה או לפסוק מלו הרמב"ן:

עין משפט נר מצוה

ע א מיי' פ"ט מהלכות טומאת לרעת הלכה ו סמג עשין רלד:
עא ב מיי' שם הל' ה:
עב ג מיי' פי"א מהל' אבל הלכה ב סמג לאוין עה ועשין דרבנן ב טוש"ע י"ד סי' תג סעיף ד:
עג ד מיי' שם הלכה ו ופ"ו מהלכות י"ט הלכה כד סמג לאוין עה טוש"ע א"ח סי' תקמח סעיף ג וטוש"ע י"ד סי' שמז סעיף א:
עד ה ו מיי' פי"ב מהל' אבל הלכה ח טור ש"ע י"ד סי' תג סעיף א:

רש"י כת"י

[a dense block of manuscript Rashi commentary at the foot of the page, printed in very small type:] לכל הפחות כמה שנים יש שנמנע עזיה מלך יותם [מלך יותם] בשנת ירבעם בן נבט ... מלך יהודה ... יספידנו ... קודם שלשים יום ... לפי שמשכחין עליו ... ושמענו שכל מרי נפש ... [שדוכין] בהלכות המה.

can R' Meir say that it is permitted on Chol HaMoed because it is a source of joy?[21]

The Gemara answers:

אָמַר אַבַּיֵי – **Abaye said:** אֵימָא מִפְּנֵי שֶׁשִּׂמְחַת הָרֶגֶל עָלָיו – Say that R' Meir means **because the joy of the festival is upon him.**[22]

The Mishnah stated:

וְלֹא יְעַרְעֵר עַל מֵתוֹ – A person MAY NOT INSPIRE lamentations FOR HIS DEAD relative.

The Gemara inquires:

מַאי לֹא יְעַרְעֵר עַל מֵתוֹ – **What is** the meaning of **"may not inspire** lamentations **for his dead** relative?"

The Gemara answers;

אָמַר רַב – **Rav said:** כַּד הָדַר סַפְדָּנָא בְּמַעֲרְבָא – **When the eulogist would travel around in the West,** i.e. Eretz Yisrael, אָמְרֵי – **they would say:** יִבְכּוּן עִמֵּיהּ כָּל מְרִירֵי לִיבָּא – **"Weep with him, all who are brokenhearted."**[23]

The Mishnah stated the time frame for the restriction against inspiring lamentations or eulogizing:

קוֹדֶם הָרֶגֶל שְׁלֹשִׁים יוֹם – During the THIRTY DAYS PRECEDING THE FESTIVAL.

The Gemara inquires:

מַאי שְׁנָא שְׁלֹשִׁים יוֹם – **Why** is it forbidden **specifically thirty days** before the festival?

The Gemara answers:

אָמַר רַב כַּהֲנָא אָמַר רַב יְהוּדָה אָמַר רַב – **Rav Kahana said** the following explanation **in the name of Rav Yehudah, who said** it **in the name of Rav:** מַעֲשֶׂה בְּאָדָם אֶחָד – There was **an incident with a certain man** שֶׁכִּינֵּס מָעוֹת לַעֲלוֹת לָרֶגֶל – **who gathered money to ascend** to Jerusalem **for the festival** pilgrimage. וּבָא סַפְדָן וְעָמַד עַל פֶּתַח בֵּיתוֹ – **A eulogist came and stood by the entrance to his house** to lament the loss of the man's relative, וּנְטָלָתַן אִשְׁתּוֹ וּנְתָנָתַן לוֹ – **and his wife took [the funds] and gave them to [the eulogist]** as his wage. וְנִמְנַע וְלֹא עָלָה – **Thus, [her husband]** was forced to **refrain and did not ascend** to Jerusalem for the festival. בְּאוֹתָהּ שָׁעָה אָמְרוּ – **At that time, [the Sages] said:** לֹא יְעוֹרֵר עַל מֵתוֹ וְלֹא יַסְפִּידֶנּוּ – **[A person] may not inspire** lamentations **for his dead** relative, **nor eulogize him,** קוֹדֶם לָרֶגֶל שְׁלֹשִׁים יוֹם – during the **thirty days preceding the festival.**[24]

An alternative answer is presented:

וּשְׁמוּאֵל אָמַר – **But Shmuel said:**

NOTES

21. One could easily say that the Baraisa reflects the opinion of R' Yose, and is disputed by R' Meir. However, the Gemara considers it odd that any Tanna should deem the reinterment of one's parents' remains a "joy" (*Rashi ms.*).

22. I.e. he is so absorbed with the joy of the festival that the reinterment does not pain him (*Rashi*). [At first glance this explanation seems incomprehensible, since it would nevertheless be wrong to initiate a formal period of mourning during the festival! *Nimukei Yosef* explains the Gemara as answering that the obligation to be joyful on the festival *exempts* the person from mourning, since even the period of mourning for a newly deceased relative is pushed aside by the festival. According to *Rashi,* it would seem that the Gemara understood this from the outset. However, the Gemara meant to ask that since the Rabbis saw fit to impose a day of mourning upon reinterment, this activity obviously awakens sad emotions in a person, and thus, it should be deemed inappropriate for Chol HaMoed. The Gemara answers that the person's preoccupation with the festival will save him from the anguish that usually accompanies a reinterment.

In the Mishnah, when *Rashi* explained R' Meir as saying that the reinterment itself is a cause of joy because one is gratified at having his parents buried in their ancestral plot, he apparently meant to present the Gemara's initial understanding. We have now been taught an entirely different interpretation of R' Meir's words (cf. *Sfas Emes*).]

23. I.e. the call would go out to all grieving people to join the eulogist and lament their own dead (*Ritva;* see also *Rashi ms.*). It is forbidden to hire a eulogist to call together one's relatives to lament during [the thirty days prior to] the festival (*Rashi*).

24. Since the study of the festival laws begins thirty days in advance of it (see *Pesachim* 6a), this is when people commonly begin setting aside money for festival use. The prohibition against hiring a eulogist therefore applies for thirty days (*Rashi ms.*). The prohibition is in force even nowadays, when there is no Temple, since extra funds are needed for general festival expenses (see *Ramban* cited by *Rosh, Ritva;* cf. *R' Yitzchak ibn Gei'as,* cited by *Rosh*).

דהא עצים ואבנים בעלמא לא מטמאו והכא מטמאו ורבי אמר אצטריך דאי כתב רחמנא וביום הראות בו הוה אמינא לדבר מצוה אין לדבר הרשות לא כתב רחמנא וצוה הכהן ואי כתב רחמנא וצוה הכהן הוה אמינא הני אין דלאו טומאה דגופיה אבל טומאה דגופיה אימא מיחזא חזיא ליה צריכא אמר מר יש יום שאתה רואה בו ויש יום שאי אתה רואה בו מאי משמע אמר אביי א"כ ליכתוב רחמנא ביום מאי וביום שמע מינה יש יום שאתה רואה בו ויש יום שאי אתה רואה בו רבא אמר כולה קרא יתירא הוא דא"כ לכתוב רחמנא ובהראות מאי וביום שמע מינה יש יום שאתה רואה בו ויש יום שאי אתה רואה בו ואביי ההוא מיבעי ליה [א]ביום ולא בלילה ורבא ביום ולא בלילה מנא ליה נפקא ליה א) מלכל מראה עיני הכהן ואביי ההוא מיבעי ליה [ב]למעוטי סומא באחת מעיניו ורבא נמי מיבעי ליה להכי אין הכי נמי ואלא ביום ולא בלילה מנא ליה נפקא ליה ב) מכנגע נראה לי בבית לי ולא לאורי ואביי אי מהתם הוה אמינא הני מילי טומאה דלאו דגופיה אבל טומאה דגופיה אפילו לאורו נמי קא משמע לן: **מתני'** ועוד אמר ר' מאיר מלקט אדם עצמות אביו ואמו מפני ששמחה היא לו ר' יוסי אומר [ג]אבל הוא לו [ד]לא יעורר אדם על מתו ולא יספידנו קודם לרגל שלשים יום: **גמ'** ורמינהו א) [ה]המלקט עצמות אביו ואמו הרי זה מתאבל עליהם כל היום ולערב אין מתאבל עליהן ואמר רב חסדא [ו]אפילו צרורין לו בסדינו אמר אביי אימא מפני ששמחת הרגל עליו: ולא יערער על מתו: מאי לא יערער על מתו אמר רב כד הדר ספדנא במערבא אמרי יבכון עמיה כל מרירי ליבא: קודם הרגל שלשים יום: מאי שנא שלשים יום אמר רב כהנא ג) אמר רב יהודה אמר רב מעשה באדם אחד שכינס מעות לעלות לרגל ובא ספדן ועמד על פתח ביתו ונטלתן אשתו ונתנתן לו ונמנע ולא עלה באותה שעה אמרו לא יעורר על מתו ולא יספידנו קודם לרגל שלשים יום ושמואל אמר לפי

דהא עצים. פשוטי כלי עץ לא מקבלי טומאה: **ורבי אמר אצטריך.** כלומר אע"ג דיליף טומאה דגופיה מטומאה דלאו גופיה לדבר הרשות מוצוה הכהן אצטריך ביום הראות בו: **אבל טומאה דגופיה אימא לא.** דלא יליף טומאה דגופיה מטומאה דלאו גופיה לדבר הרשות מוצוה הכהן דהוה אמינא חידוש הוא קמ"ל וביום הראות דהיינו טומאה דגופיה דממתינין לו לדבר מצוה והואיל ואשכחן דממתינין לו לטומאה דגופיה מיהא לדבר מצוה אית ליה נמי כח למילף מוצוה הכהן דממתינין לטומאה דגופיה לדבר הרשות נמי אף על גב דחידוש הוא: **כולה קרא יתירא.** כלומר כולה תיבה דביום הראות קרא יתירא: **מראה עיני הכהן.** משמע ביום שיכול לראות: **לי ולא לאורי.** שאין צריך לאור הנר דהיינו ביום ובההוא שעתא נמי ובא הכהן אלמא דאין רואין אלא ביום: קמ"ל. וביום הראות בו דבו היינו טומאה דגופיה: **מתני' מלקט אדם עצמות אביו ואמו.** ומוליכן למקום אחר לקוברן בקברות אבותם: **מפני ששמחה היא לו.** שקוברן בקברי אבותיו ולא מצטער במועד: **ר' יוסי אומר.** לא ילקט מפני שאבל הוא לו: **לא יערער על מתו.** אם מת לו מת חדש או חדשים קודם המועד לא יערער מפרש בגמ' כד הדר ספדנא במערבא כלומר שלא ישכור ספדן לחזור על קרוביו לומר בכו עמי כל מרי נפש: **לא יספידנו.** שאם מת לו מת בתוך שלשים יום לפני הרגל לא ישכור ספדן להספידו ושלשים יום אתרוייהו קאי וטעמא דשלשים יום מפרש בגמ': **גמ' הרי הוא מתאבל עליהן.** וקשיא לרבי מאיר דאמר מפני ששמחה היא לו: **אפילו צרורין בסדינו.** שאינו מלקטן ואינו רואה אותן הרי זה מתאבל כל זמן שלא נקברו: **מפני ששמחת הרגל עליו.** כלומר הרבה הוא עוסק בשמחת הרגל ואינו מצטער במלקט עצמות אביו ואמו: **יבכון עמיה.** (אפילו) הכי אסור למימר במועד היינו לא יעורר על מתו: **אמר רב (נחמן) מעשה כו'.** כלומר שהיו לו מעות מזומנין לצורך לעלות לרגל ונתנתן אשתו להספדנים ונמנע מלעלות לרגל:

דהא עצים ואבנים לא מטמאו. ואפ"ה מטמאו כאן עצים ואבנים לאו דוקא דהא תנן במסכת נגעים (פי"ב מ"ה) לרבי יהודה אפילו חבילי קש וחבילי תבן וא"כ צריך לומר או דרבי נמי מודה לר' יהודה וכן משמע מדלא מסיק דרבי סבר לה כר' שמעון דפליג התם:

מאי וביום יש יום שאתה רואה. משמע לאביי דר' יהודה דריש וי"ו וכן פ"ק דסנהדרין (דף יד. ושם) גבי ושופטיך ופ' אלו מציאות (ב"מ דף כז.) גבי ומצאת וקשה איהו גופיה לא דריש וי"ו דואם המר ימיר בפ"ק דתמורה (דף ב:) ובסוף פרק טרף בקלפי (יומא ד' מה.) גבי והאש ושמא דריש ליה לדרשה אחרינא מיהו הכא קשה טפי כיון דר' יהודה דריש וי"ו מאי טעמא לא אמר רבא דהכא נמי דריש וי"ו ולמה חולק על אביי היה לו להזכירה ושמא רבא קאמר אפילו לא דריש ר' יהודה וי"ו הכא להאי דרשה יש ליישבה ג):

נפקא ליה מכנגע נראה לי ולא לאורי. תימה דהא לעיל אמר רבא לר' יהודה חידוש הוא ולא גמרינן מיניה ב) ולפירוש שפירש דרבי יהודה לטעמיה דמצריך ופינו בעצים ובאבנים ניחא דלענין פינו דוקא חידוש ועי"ל כיון דלאורו (א) אינו יכול לראות בלא נר א"כ פוסל מטעם ראיה יש לנו ללמוד הימנו כיון דחזינן דבעלמא נמי אשכחנא קפידא בראיה טפי מעולי רגלים ד) דבעינן שתי עינים ובעינן נמי שלא יהא יום המעונן ותימה דהכא משמע דרבא ממעט לילה מהאי קרא ובפ' אחד דיני ממונות (סנהדרין ד' לד: ושם) מייתי קרא וביום הראות בו והיינו כאביי (ב) וי"ל דאורחיה דהש"ס ה) לאתויי דרשות הפשוטים יותר ושמא אי לא כתב כנגע נראה לי הוה מוקמינן וביום הראות למעוטי לילה וכן בפ"ב דמגילה (דף כ.) ולא מוהלין אלא ביום דריש התם מביום השמיני ביום ולא בלילה ובפ' ר' אליעזר דמילה (שבת קלב. ושם) דריש מיניה ביום אפילו בשבת ומבן שמונת ימים דרשינן ימים ולא לילות ובפ' ו) החובל (ב"ק דף פז.) מייתי שבת נעורים לאביה מבנעוריה בית אביה ובריש פ"ק דקדושין (דף ג:) מוקי לה בהפרת נדרים דוקא ושבח נעורים נפקי מולי ימכור וגו' וכן בפ' קמא דקדושין (ג: יד.) מייתי ספר כורתה ואין דבר אחר כורתה מספר כריתות ובפרק [המביא גט] (גיטין דף כא:) מפקי לה רבנן מוכתב לה ° וספר כריתות אצטריך לדרשה אחרינא ומיהו תימה היאך נוכל ליישב הסוגיא דפרק אחד דיני ממונות (סנהדרין דף לד:) אליבא דרבא דמייתי לה התם למיגמר דין ביום מנגעים ובשלמא אי מייתי מוביום הראות בו מצינו לאוקמי בגמר דין אלא כנגע ג) נראה לי היינו תחלת דין (ג) ואביי דאמר אי מהתם הני מילי דטומאה לאו דגופיה ז) וקיימא פירכא דלעיל דמגופיה דאית ליה לאביי משמעות דורשין איכא בינייהו דמשמע דרבי יהודה לא דריש מופינו הוה דריש ליה נמי שפיר ואצטריך וביום הראות ע"כ נראה לי דה"פ לעיל משמעות דורשין איכא בינייהו רבי סבר דביום הראות אצטריך לדרשה אחרינא דביום ולא בלילה כדפרישית נמי לעיל ורבי יהודה סבר דתרוייהו דרשינן ואיצטריך לתרי קראי כי היכי דאית ליה לרבי דמופינו ה"א טומאה דלאו גופיה קמ"ל וביום ומביום לא שמעינן אלא לדבר מצוה קמ"ל ופינו ולפי זה לכ"ע ממתינין לדבר הרשות דהא תרוייהו דרשי ופינו כדפרישית ד) ומלתא דאתיא מק"ו טרח וכתב לה קרא דהיינו דבר מצוה וקשה קצת אליבא דרבי יהודה שמה שיש בחומרא חידוש אין ללמוד הימנו קולא דקאמר משום דחידוש הוא דהא עצים ואבנים לא מטמאו אין ללמוד ממנה אלא דכוותיה אמרינן פרק כל הבשר (חולין ד' קח. ושם) בשר בחלב חידוש הוא ופירש רבינו יעקב דאי תרי ליה כולי יומא בחלבא שרי וכי מבשל ליה אסור והחידוש אינו מן האיסור דבהדי הדדי אסור והאי לחודיה והאי לחודיה שרי דהא כלאים נמי כל חדא שרי ובהצטרפות אסירי כדמסיק בפ' אלו עוברין (פסחים דף מד:) או משמע כשהאיסור חידוש אין ללמוד ממנו קולא מהאי טעמא היה מיישב רבינו יצחק בר אברהם ההיא דעדים זוממין דחידוש הוא ח): **ורמינהו** המלקט כו'. במס' שמחות (פרק יב ע"ש) והוה מצי לשנויי הא מני ר' יוסי היא דאמר במשנה אבל הוא לו: **ולערב** אינו מתאבל ואמר רב חסדא. בלא דרב חסדא הקשה היטב אלא כך רגילות הש"ס אגב גררא להביא פירוש הברייתא דאפילו צרורין לו בסדינו אינו מתאבל לערב ויש מפרשים דארישא קאי אפילו צרורין לו בסדינו כמה ימים צריך להתאבל כל זמן שרואה אותן ופי' קמא ניחא טפי אבל לא שייך הכא כל כך לפירוש ראשון דהא מסיפא אינו מתאבל לערב לא מצי להקשות על המשנה כי אם מרישא וצריך לומר דמייתי סיפא אגב גררא והא דרב חסדא אגב גררא לגררא: דקא

א) וְאִם פָּרוֹחַ תִּפְרַח הַצָּרַעַת בָּעוֹר וְכִסְּתָה הַצָּרַעַת אֵת כָּל עוֹר הַנֶּגַע מֵרֹאשׁוֹ וְעַד רַגְלָיו לְכָל מַרְאֵה עֵינֵי הַכֹּהֵן: [ויקרא יג, יב] ב) וּבָא אֲשֶׁר לוֹ הַבַּיִת וְהִגִּיד לַכֹּהֵן לֵאמֹר כְּנֶגַע נִרְאָה לִי בַּבָּיִת: [ויקרא יד, לה]

עין משפט נר מצוה

ע א מיי' פ"ט מהלכות טומאת צרעת הלכה ו סמג עשין רלד:
עא ב מיי' שם הל' ה:
עב ג מיי' פי"א מהל' אבל הלכה ג סמג לאוין עה ועשין דרבנן ב טוש"ע י"ד סי' תג סעיף ד:
עג ד מיי' שם הלכה ו ופ"ו מהלכות י"ט הלכה כד סמג לאוין עה טוש"ע א"ח סי' תקמז סעיף ג וטוש"ע י"ד סי' שמז סעיף א:
עד ה ו מיי' פי"ב מהל' אבל הלכה ח טור ש"ע י"ד סי' תג סעיף א:

רבינו חננאל

ועוד אמר ר"מ מלקט אדם עצמות אביו ואמו במועד: א) אוקמא מפני ששמחת הרגל עליו ואינו מתאבל עליהן אבל בשאר הימים זולתי המועד המלקט עצמו' אביו ואמו מתאבל עליהן כל היום ולערב אינו מתאבל עליהן אמר רב חסדא ואפילו צרורין בסדינין: **ירושלמי** תני המעביר ארון ממקום למקום אין בו משום ליקוט עצמות ר' יוסי אומר לעולם אין בהן משום ליקוט אלא אם (חסר בכ"י) ב) כר' אחא דאמר יש ליקוט עצמות בארון של עץ והורה לו שלא להטמאות כר' יוסי דאמר אין ליקוט עצמות בארון ואפי' של עץ תני ליקוט עצמות אין אומרים עליהן קינין ונהי. ואין אומרין עליהן ברכת אבלים ולא תנחומי אבלים ואלו הן ברכת אבלים שאומרים בבהכ"נ. ותנחומי אבלים שאומרים בשורה. תני' אבל אומרים עליהן דברי' רבנן דקיסרי אמרי (רבנן) קילוסין. ולא יעורר על מתו. איזהו עירעור מזכירו בין המתים. הספד מספידו בפני עצמו. תני אשה לא תעורר על לווייתה

חשק שלמה על ר"ח

א) נ"ל אמר אביי אימא מפני וכו'. ב) לפנינו בירושלמי הגי' אלא המעביר בפליקטין ממקום למקום וכו' ר' מנא הורי לר' הלל לקרוע ולהתאבל כר' אחא דאמר כו'.

הגהות מהר"ץ לנדא

א] תוס' ד"ה נפקא לי' וכו' משמע כשהאיסור חידוש אין ללמוד ממנו קולא. נ"ל כשהסיפור חידוש אין ללמוד ממנו איסור. ועי' תוס' סנהדרין כו ע"א בד"ה ואין לך וכו'. ועי' בנודע ביהודה תנינא בהשמטות לספר י"ו בחלק י"ד:

גליון הש"ס

תוס' ד"ה נפקא ליה וכו' וספר כריתות איצטריך לדרשה אחרינא. וע"ע תוס' זבחים דף קיז ע"א ד"ה והתורה ובכריתות דף טו ע"א תוס' ד"ה ערות:

תורה אור השלם

מסורת הש"ס

א) שמחות פרק י"ב, ב) [בהרא"ש ובב"י איתא ואמרי לה כו'], ג) [וע"ע תוספות מנחות נא: ד"ה וי"ו ותוספות סנהדרין יד. ד"ה ור"ש], ד) [כדאיתא ריש חגיגה], ה) [וכ"כ תוספות מגילה כ. ובסנהדרין לד: בד"ה דכתי' ובזבחים קיז. ד"ה והתורה], ו) [בגמ' שם לא מייתי שום קרא ערש"י שם ותוספות], ז) וקיימא פירכא דלעיל דמגופי' ואיצטריך וביום הראות והא אית ליה לאביי משמעות כו' עד לא דריש ומופינו הוי דריש ליה נמי שפיר ע"כ נרא' לי כצ"ל וכ"ה בחילופי גרסאות, ח) [וע"ע תוס' סנהדרין כז. ד"ה אין לך].

הגהות הב"ח

(א) תוס' ד"ה נפקא כו' ועוד י"ל כיון דלאורו לא אינו אלא משום דאינו יכול לראות בלא נר כו' קפידא בראייה כגון עולי רגלים: (ב) בא"ד וי"ל דאורחיה דהש"ס כו'. נ"ב וכה"ג כתבו התוס' במסכת סוכה בדף כד ובדף ל ע"ש: (ג) בא"ד היינו תחלת דין הס"ד ואח"כ מה"ד ואביי אי מהתם ה"א הני מילי טומאה דלאו דגופי' וקשה דלעיל משמע דלא ס"ל פירכא דמגופיה דאית ליה לאביי כו' דמשמע דר' יהודה לא דריש מופינו הוה דריש ליה נמי שפיר אלא דאיצטריך לחבילי קש וחבילי עצים לכך דריש וביום הראות כו' דמופינו ה"א ה"מ טומאה דלאו כו' הימנו קולא דקאמר הכא חידוש הוא כו' ממנה אלא דכוותיה דהכי אמרינן פ' כל הבשר כו' ופירש רבינו יעקב דזהו חידושו דאי תרו ליה. נ"ב שם בדף קח קאמר בהדיא דבשר בחלב חידוש הוא ופירש בקונטרס דחידושו דשניהם מין היתר זה לבדו וזה לבדו וכשנתערבו נאסרין ובתוס' הקשו עליו דטעם זה לא יתכן דבפרק אלו עוברין דף מד ובפ' ג' מינים דף לח קאמר בהדיא דאין זה חידושו [illegible]

הגהות מהר"ב רנשבורג

א] תוס' ד"ה דהא וכו' דרבי נמי מודה לר' יהודה. ע"ב פי"ב מהלכות טומאת צרעת הלכה ד ודוק: ב] תוס' ד"ה נפקא לי' וכו' ולפי' שפי' דר"י לטעמיה דמצריך ופינו בעצים ובאבנים ניחא. נ"ב עיין במ"ל הנ"ל: ג] בא"ד נ"ל היינו תחלת דין. נ"ב כאן הס"ד ואח"כ מתחיל הדיבור ואביי וכו'. וכ"כ בס' שמע שלמה פ' תוריע ועי' בקרבן אהרן דף קלא ריש ע"ב: ד] בא"ד ומלתא דאתי' מק"ו טרח וכתב לה קרא. נ"ב כוונת דבריהם כמ"ש לעיל עה"ג דלא היה צריך קרא דוביום הראות וגו' לכתוב משמעותו לדבר מצוה רק הו"ל לפרש להדי' דבר הרשות דגופי' ולק"מ קו' מהרש"א בזה על התוס' ודו"ק כי משמעות קרא דביום משמע להדי' לדבר מצוה וכמ"ש תוס' לעיל ד"ה דבר הרשות כו':

רש"י כת"י לכל הפחות כמה שנים יש משנתנגע עוזיה עד (שמלך יותם) [שמת ירבעם] ע"ו שנים שנשתיירו להשלים מלכות ירבעם בן נבט (כשנתנגע) [כשמת ירבעם] שלמו ל"ח למלכות עוזיה כדכתוב בשנת שלשים ושמנה שנה לעזריה מלך זכריה בן ירבעם וכשאתה פוחת ע"ו שנים (להשלים למלכותו לכ"ב שנה) [מל"ה של עוזיהו שהיו לו כשמלך זכריהו נשארו כ"ג למלכותו נתנגע והוא מלך נ"ב שנה נמצא שהיה מנוגע כ"ח שנים] [ע"פ רד"ן בשם רש"י] וכל אותן שנים היה מנוגע ויותם בנו הואיל ולא היה לו אלא (כ"ד) [כ"ה] שנים כשמלך נמצא שנולד אחר ימי נגעו של אביו ג' שנים שהרי כל כ"ח שנים נתנגע ונמצא יותם נולד לעוזיהו בימי חלוטו ובסדר עולם (שם) אמרינן עזריה בנה אילת וישביה ליהודה אחרי שכב המלך אביו אמציה עם אבותיו מלמד שמלך בימי אבותיו שבימי אמציה היה עזיה מלך יהודה ונמצאת למד שתחלת מלכותו לא היה בכ"ז לירבעם שהרי ירבעם לא מלך בימי אמציה אלא ט"ו שנה כדכתו' בשנת חמש עשרה לאמציה ואמציה לא מלך אלא כ"ט שנה אלא מלכות מלך בשנת עשרים ושבע לירבעם והכי מוקמינן לה בסדר עולם (שם) וכי אפשר לומר כן והלא עוזיה וירבעם מלכו כאחד לא כאחד ממש שהרי ירבעם קדמו לעוזיהו ג' שנים כדפרישית ומאן דאמר מצורע אסור בתשמיש המטה אי אפשר (שלא) [ש]הולידו אביו בימי חלוטו וכל שכן ימי (חלוטו) [ספורו] דהא מובדל הוא מכל אדם לגמרי כך שמעתי ונמגוס. **למימרא דבכהן תליא מלתא.** כלומר כל כמה דלא חזי ליה לא מטמא מדפליג במתני' בראיית נגעים אלא משום שמחה ואבל מכלל דבראייה דידיה תליא מלתא דלא אתי הסגר והוחלט אלא על ידי כהן. ה"ג **אין והא תניא יום שאתה רואה בו.** למשמע ביום כו בזמן שירצה לכהן נפיק מריבויא וכו' כדלקמן. נוהגין היו לעשות שבעת ימי המשתה לחתן נותנין לו שלא יראה לכהן הואיל ועדין לא נראה לכהן לא יתחיל לכתחלה [בימי חתונה וכן] ברגל אלא עומד בטהרתו. **משמעות.** מקראות. **דורשין.** מה דריש ליה האי קרא ומר דריש ליה האי קרא. **דבר הרשות.** שצריך לדבר הרשות הוא. ור' **יהודה מהתם וכו'.** ר' סבר ממתיני דקא חזינן בהדיא מנגעי בתים אבל מלתיה דר' יהוד' אצטריך למימר אמאי לא גמרינן לכל מה שכתוב בנגעי בתים חדוש הוא. [ע"כ שייך לדף ז:] **ורבי.** סבר מהתם גמרינן ותרויהו איצטריכו טומאה דלאו דגופיה דומיא דבית בנין דסותר. **מאי משמע.** דהאי וביום הראות בו היינו יום.... וה"ג **מלקט אדם עצמות אביו ואמו** לקברן במקום אחר [הגון] [רש"י רי"ף]. **ששמחה היא לו.** כשרואה אותם. **לא יעורר על מתו.** [אם מת המת חדש או שני חדשים קודם המועד] [רש"י רי"ף]. **לא יעורר על מתו.** מפרש בגמרא כד הדר הוא ספדנא כלומר לא ישכור לו ספדן לחזור על קרוביו לומר בכו עמי כל מר לב. **ולא יספידנו.** שאם מת לו מת לפני הרגל לא ישכור להספיד לפני מטתו ושלשים יום אתרוייהו קאי וטעמ' מפרש בגמרא. **מתאבל.** כל היום עליהם מפני [כבוד] אביו ואמו ומדלרבנן דהא אפילו מוטל מת לפניו היה מתאונן כל אותו היום מדאורייתא ותו לא כדכתוב ואחריתה כיום מר והשתא כשרואה עצמות אביו רמו עליה רבנן אנינות כל אותו היום (ברש"י ברי"ף - כאותו היום). **ולערב.** משחשיכה אין צריך להתאבל דאפילו אנינות דאורייתא [ליכא] אלא ביום כדכתוב ואחריתה כיום מר. **ואפי' צרורין לו בסדינו.** כמה ימים ביום שרואה אותן מתאבל עליהן כל היום והך דמייתי הכא ורמינהי וכו' ומא' ר' חסדא וכו' ולא ידענא היכא ואדר' מאיר קא מותיב והוה בידיה לשנויי הא מני ר' יוסי דפליג עליה דר' מאיר במתניתין אלא לא שני ליה הכי דלא ניחא ליה למימר דסבר שום תנא דליקוט עצמות הוי שמחה ואהכי אהדר ומשני הוא מפני שמחה הרגל הוא לו דקאמ' ליה ר' מאיר לאו אליקוט עצמות קאי אלא אשמחת הרגל קאמ' והכי קאמ' מלקט אדם וכו' מפני ששמחת הרגל עליו... אלא מתוך שהוא שמח בשמחת הרגל. **ולא יערער.** לא ישכור ספדן לערער על מתו שמת זה ימים רבים לחזור על קרובו. **אמ' ר' כד הדר ספדנא.** כלרך שמחזור הספדן ואמ' בכו עמי כל מרי לב ומי שלבו דוה עליו הולך ומספיד על קרובו. **לא יספדנו.** לא ישכור על מתו שמת לו עכשיו. **באותה שעה.** ומשום הכי נקט שלשים יום דאמרי' שואלין בהלכות החג קודם החג שלשים יום ודרך בני אדם לכנס מעות מל' יום קודם לפי ששמע [שדורשין] בהלכות החג.

א לפי שאין המת משתכח מן הלב שלשים יום מאי בינייהו איכא בינייהו דקעביד בחנם: **מתני'** ב אין חופרין כוכין וקברות במועד ג אבל מחנכין את הכוכין במועד ד ועושין נברכת במועד וארון עם המת בחצר רבי יהודה אוסר אלא אם כן יש עמו נסרים: **גמ'** מאי כוכין ומאי קברות אמר רב יהודה כוכין בחפירה וקברות בבנין תניא נמי הכי אלו הן כוכין ואלו הן קברות כוכין בחפירה וקברות בבנין: אבל מחנכין את הכוכין: כיצד מחנכין אמר רב יהודה ה שאם היה ארוך מקצרו במתניתא תנא ו מאריך בו ומרחיב בו: ועושין נברכת כו': מאי נברכת אמר רב יהודה זו בקיע והתניא הנברכת והבקיע אמר אביי ואיתימא רב כהנא גיהא ובר גיהא: וארון עם המת בחצר: תנינא להא דתנו רבנן ז עושין כל צורכי המת גוזזין לו שערו ומכבסין לו כסותו ועושין לו ארון מנסרין המנוסרין מערב יו"ט רבן שמעון בן גמליאל אומר אף מביאין עצים ומנסרן בצינעא בתוך ביתו: **מתני'** ח אין נושאין נשים במועד לא בתולות ולא אלמנות ולא מייבמין מפני ששמחה היא לו אבל מחזיר הוא את גרושתו ט ועושה אשה תכשיטיה במועד רבי יהודה אומר לא תסוד מפני שניוול הוא לה י ההדיוט תופר כדרכו כ והאומן מכליב ל ומסרגין את המטות רבי יוסי אומר ממתחין: **גמ'** וכי שמחה היא לו מאי הוי אמר רב יהודה אמר שמואל וכן אמר רבי אלעזר אמר רבי אושעיא ואמרי לה אמר ר' אלעזר אמר ר' חנינא לפי שאין מערבין שמחה בשמחה רבה בר [רב] הונא אמר מפני שמניח שמחת הרגל ועוסק בשמחת אשתו אמר ליה אביי לרב יוסף הא דרבה בר [רב] הונא דרב הוא דאמר רב דניאל בר קטינא אמר רב ה מנין שאין נושאין נשים במועד שנאמר א) ושמחת בחגך ולא באשתך עולא אמר מפני הטורח רבי יצחק נפחא אמר מפני ביטול פריה ורביה מיתיבי כל אלו שאמרו אסורין לישא במועד מותרין

רש"י

לפי שאין המת משתכח מן הלב שלשים יום. כלומר כיון דמת אין משתכח מן הלב שלשים יום אם מספידו פחות משלשים יום לפני הרגל אתי למיספד ברגל דעדיין לא שכחו: דעביד בחנם. מ"ד משום מעות שזימן לרגל כיון דספדן עביד בחנם שפיר דמי ומ"ד לפי שאין המת משתכח מן הלב שלשים יום בחנם נמי אסור: **מתני'** אין חופרין כוכין וקברות. לצורך מתים שדרכן לחפור כוכין וקברות לזמנן לצורך מתים שימותו דטירחא יתירא הוא: מחנכין. מפרש בגמ': נברכת. בריכה של כובסין ולית ביה טירחא כולי האי: וארון עם המת בחצר. שהמת שם מותר לעשות ארון ולנסר הנסרים מתחילה לצורך הארון ולעשותו כולו אבל לא בחצר אחרת שלא יאמרו מלאכה אחרת היא: ר' יהודה אוסר. להביא עצים ולעשותן נסרים לצורך הארון אא"כ היו מנוסרים בתחילה קודם יו"ט: **גמ'** גיהא ובר גיהא. (א) בריכה גדולה שעושין בחצר שיכנסו בו כל השופכים בקיע בר גיהא בריכה קטנה שעושין סמוך לגדולה כדי שיכנסו המים היולאין מן הגדולה לקטנה שהיא מליאה ונכנסין לקטנה: וארון עם המת בחצר. כלומר כשמת בחצר (שפיר דמי) דמוכחא מילתא דלצורך המת עבידא מלי למיעבד ארון ובאותה חצר: מנסרין המנוסרין. יש עמו נסרין מתוקנין מערב המועד דטורח גדול לעשותן במועד: **מתני'** מפני ששמחה היא לו. מפרש בגמ': מחזיר גרושתו. דאינה שמחה כל כך: ועושה אשה תכשיטיה. הני תכשיטין דקא מפרש בגמ': לא תסוד. בסיד מפני שניוול הוא אלה עכשיו במועד שהיא תסוד בסיד ומלטערת: ומסרגין את המטות. בגמ' מפרש: **גמ'** מאי הוי. וכי שמחה אסורה ביו"ט: דאין מערבין שמחה בשמחה. כלומר בעינן דליסמח בשמחת מועד לחודיה: מפני הטורח. ליטרח לצורך נישואין וטירחא במועד אסור: משום ביטול פריה ורביה. דאי שרי נשואין ביו"ט אין אדם נושא אשה כל השנה כולה אלא ממתין עד המועד שיהא עושה סעודה אחת למועד ולנשואין:

תוספות

דקא עביד בחנם. ונראה דהלכה כרב באיסורי ו) ואפילו לשמואל י"ל דלא אסירי אלא ע"י ספדנא אבל הוא עלמו שרי יותר מתאפק מלערו על ידי לעקה וישמח לאחר זמן: **אין** חופרין כוכין וקברות במועד. פי' בקונטרס לצורך מתים הוא עושה אפילו כאן צריך עתה כדתנן בהמוכר פירות (ב"ב דף ק:) המוכר מקום לחבירו לעשות לו קבר עושה רחבה של מערה אבל לצורך המת שמת כבר מותר אפילו ביו"ט שני למיגז ליה גלימא ולמיגז ליה אסא כדאמר בפ"ק דבילה (דף ו. ושם) כ"ש חול המועד ואע"פ שיש לחלק דחול המועד דאורייתא ויו"ט שני דרבנן כמו יו"ט שני דעלרת ויו"ט שני דשביעי של פסח ושמיני עלרת אין נראה דבכל יום שני קאמר בבילה ועוד כל ענין מלאכה חמיר טפי י"ט שני מחול המועד וכמו שפירש בקונטרס דאיירי בחופר מחיים כך פר"ח אבל לאחר מיתה שרי והא דתנינן כוכין וקברות אפילו בלא מת וארון דוקא עם המת שמא כשחופר הוא רגיל לחפור בבית והוי הכירא דצריך למת נראה לי והא דלא שרי הכא לר' יהודה אלא מנסרים המנוסרים מערב יו"ט והתם שרי למיגז ליה גלימא ואסא שמא נסרים יכולים למצוא מנוסרים הרבה אבל גלימא ואסא לא ימצא עשויים או שמא בנסירת נסרים יש קול ופירסום גדול וי"מ דאין חופרין מיירי אפילו לאחר מיתה דומיא דמחנכין דמשמע לאחר מיתה דמפרש בגמ' שאם היה ארוך מקצרו ומחיים אין רגילות לשנותו כי אינו יודע מי ישים בו ויש לפרש שעושה לצורכו או לצורך אחר וכמו שפירש שהיו עושין והא דשרינן בפ"ק דבילה (דף ו. ושם) למיגז ליה גלימא ואסא היינו דוקא כדפרישית שלא ימצא גלימא ואסא עשוי מערב יו"ט אבל כוכין וקברות ימצא הרבה שהיו רגילים לחפור מחיים ומהאי טעמא יכול להיות מותר בזמן הזה לפי שאין עושין כוכין וקברות מחיים:

ועושין נברכת במועד. תימה ואמאי צריך במועד והלא אין מכבסין במועד וי"ל לצורך כל אותם שהתירו חכמים לכבס לקמן בפרק בתרא (דף יג:) וי"מ לרחוץ את המת ותכריכין:

וארון עם המת בחצר. אמרינן בירושלמי אמר רבי מנא הדא דאמר במת שאינו מפורסם אבל במת שמפורסם עושין לו ארון אפילו בשוק כהדא דרבי חנינא חברייהו דרבנן דמך בחול המועד עבדי ליה ארון בשוקא ונראה דלדידן שיש קהלות מועטין חשבינן להו מפורסם לכולהו מתים: **גיהא** ובר גיהא. פי' ר"ח מחמלן ונדיין דפרק לא יחפור (ב"ב דף יט.) וליתא דהתם תנן מרחיקין את הנברכת שלשה טפחים וקאמרינן בגמ' לא שנו אלא מן החמלן אבל מן הנדיין ארבע אמות ובתוספתא ז) תני מרחיקין את הנברכת ואת הבקיעה שלשה טפחים: **ומנסרן** בצנעא. ואסור בפרהסיא ויש ליתן טעם דלא דמי להיא (שבת דף קמו:) דכל שאסרו חכמים משום מראית העין כו' ודמי טפי להיא דפ' אע"פ (כתובות ס. ושם) ליגור שעלו בו קשקשים כו': **אבל** מחזיר גרושתו. בירושלמי הדא דתימא מהנישואין פירוש גרשה אחר נישואין והחזיר אבל לא מן האירוסין: **לפי** שאין מערבין שמחה בשמחה. גזירת הכתוב כדדריש לקמן מקרא דשלמה ובירושלמי דריש מדכתיב מלא שבוע זאת וטעם נראה קלת דכמו שאין עושין מלות חבילות ח) דבעינן שיהא לבו פנוי למלוה אחת ולא יפנה עלמו הימנה וכן שמחה בשמחה יהיה לבו פנוי בשמחה: **בחגך** ולא באשתך. ט עיקר דרשה הוא ולא אסמכתא כדאמרינן פ"ק דחגיגה (ד' ח: ושם) ורב אשי האי בחגך מאי דריש ביה: **מפני** הטורח. ומתניתין הכי פי' מפני ששמחה היא לו וטורח בה יותר מדאי: **מפני** ביטול פריה ורביה. ומתני' ה"פ מפני ששמחה היא לו ומשהה אותה ברלון עד הרגל שיהא שמח או שיהיה פנוי והא דקתני אבל מחזיר גרושתו שאין שמחה לו ולא שייך עירוב (ב) בשמחה ולא מניח שמחת הרגל וגם אין טורח בה וגם ביטול פריה ורביה אין כאן שהיה לו אשה כבר וסתמא דמילתא יש לו בנים וגם אין רגיל לשהות דבר זה עד הרגל וסעודת ברית מילה מותר לעשות בחול המועד דליכא שמחה כדאמרינן פ' קמא דכתובות (ד' ח.) דלא מברכין שהשמחה במעונו משום דאית ליה לערא לינוקא אי נמי כיון שזמנו קבוע אין לבטל זה מפני זה אבל סעודת פדיון הבן לריך עיון אם מותר לעשות במועד ואין לומר הא זמנה קבוע תינח בזמנה שלא בזמנה היאך יהא מותר ונראה לי דקיימא לן כרב אשי דדריש בחגיגה בפ"ק (ד' ח: ושם) בחגך ולא באשתך ואינו אסור לערב שמחה בשמחה ועי"ל דלא חשיבי שמחה בשמחה כי אם סעודת נישואין לבד:

עין משפט נר מצוה

עה א מיי' פי"א מהלכות אבל הלכה ו:

עו ב ג מיי' פ"ח מהל' י"ט הלכה ח סמג לאוין עה טוש"ע א"ח סי' תקמז סעיף יא:

עז ד מיי' שם הלכה ד:

עח ה מיי' שם הלכה ח טוש"ע שם:

עט ו מיי' פ"ז מהלכות י"ט הלכה טו סמג לאוין עה טוש"ע שם סעיף י:

פ ז מיי' פ"ז מהלכות י"ט הלכה טו ופ"י מהלכות אישות הלכה יד סמג לאוין שם טוש"ע שם סי' תקמו סעיף א ב וטוש"ע אה"ע סי' סד סעיף ו:

פא ח מיי' פ"ז מהלכות י"ט הלכה כ טוש"ע א"ח שם סעיף ה:

פב ט י מיי' פ"ז מהל' י"ט הלכה ה טור ש"ע שם סי' תקמא סעיף ה:

פג כ מיי' שם פ"ח הלכה יג טוש"ע שם סעיף ב:

פד ל מיי' שם פ"ז הלכה טז ופ"י מהל' אישות הלכה יד טוש"ע אה"ע סי' סב סעיף ב:

הגהות הב"ח

(א) רש"י ד"ה גיהא ובר גיהא נברכת בריכה גדולה שעושין כו' היולאין מן הגדולה כשהיא מליאה כו' כצ"ל ותיבת לקטנה נמחק: (ב) תוס' ד"ה מפני ביטול כו' ולא שייך עירוב שמחה בשמחה ולא:

תורה אור השלם

א) וְשָׂמַחְתָּ בְּחַגֶּךָ אַתָּה וּבִנְךָ וּבִתֶּךָ וְעַבְדְּךָ וַאֲמָתֶךָ וְהַלֵּוִי וְהַגֵּר וְהַיָּתוֹם וְהָאַלְמָנָה אֲשֶׁר בִּשְׁעָרֶיךָ: [דברים טז, יד]

רבינו חננאל

במועד שנאמר העתידין עורר לויתן: קודם לרגל שלשים יום. דאמר רב מעשה באחד שקבץ מעות לרגל בא ספדן ועמד על פתח ביתו נטלן ונתנן לו ונמנע לעלות לרגל התקינו שלא יעורר כו': [מתני'] אין חופרין כוכין וקברות במועד. פי' להקבר בהן לאחר הרגל תניא הן הן כוכין הן הן קברות אלא שהכוכין בחפירה והקברו' בבנין. ומחנכין את הכוכין. כיצד מחנכין אותן. אמר רב יהודה אם היה ארוך מקצרו במתניתא תנא מאריך ומרחיב בו. ועושין נברכת במועד. מאי נברכת. גוהא בר גוהא פי' ירושלמי נברכת זה בקיע. ועושין ארון עם המת בחצר. פי' שאם יעשו את הארון בחוץ יאמרו כל העם מותר לעשות במועד שאינן יודעין שמת לו מת. כדתניא עושין כל צרכי המת גוזזין שערו ומכבסין את כסותו ועושין לו ארון מנסרין את המנוסרין מעיו"ט. ר"ש בן גמליאל אף מביא עצים ומנסרן בצינעא לתוך ביתו: ירושלמי ל"ש אלא באדם שאינו מפורסם כלומר אינו אדם חשוב אבל אם הוא אדם חשוב עושין לו ארון אפילו בשוק כד דמך ר' חנינא חברין דרבנן עבדו ליה ארון בשוק. והכל מודים שלא יקוץ ארזים ודכוותיה לא יחצוב לו אבנים ואם היו חצובות פלוגתא דר' יהודה ורבנן: מתני' אין נושאין נשים במועד כו'. מ"ט א"ר חנינא מפני שמערבין שמחת הרגל בשמחת אשתו רב אמר משום שנאמר ושמחת בחגך ולא באשתך. עולא אמר מפני הטורח רבי יצחק נפחא אומר משום ביטול פריה ורביה שאם אתה מתירו להכניסה במועד אף מעבירה הוא בכל השנה כולה שלא יבטל ממלאכתו ומכניסה ברגל ונמצא מבטל כל אותה שנה. ומותבינן כל אלו שאמרו כגון בתולות אלמנות כו' אסורות לישא במועד ומותרין בערב הרגל קשיא

מסורת הש"ס

א) [ברכות נח: ע"ש], ב) [תוספתא פ"א], ג) [לקמן יח:], ד) [לקמן יג. פסחים נה:], ה) חגיגה ח:, ו) [כדאיתא בכורות מט:], ז) [דב"ב פ"א], ח) [ברכות מט.].

גליון הש"ס

תוס' ד"ה בחגך כו' עיקר דרשה כו'. ועי' כתובות דף מז ע"א תוס' ד"ה דמסר:

רש"י כת"י

דקא עביד. ספדן בחנם מאן דאמ' משום מעשה שהיה ליכא. אין חופרין. במועד לצורך מתים שדרכן לחפור כוכין וקברות בזמנן לצורך מתים שימותו דטירחא יתירא הוא והא דאמרינן בעלמא (ביצה ו.) דאפילו ביום שני יתעסקו בו ישראל הני מילי כגון טלטול ושאר דברים שאין בו טורח כגון לכבס ולגזוז שער אבל חפירה לא. מחנכין. מפרש בגמרא. נברכת. של כובסין ולית בזה טורח כולי האי. וארון עם המת בחצר. שהמת שם מותר לעשות לו ארון ולנסר נסרים לעשותן ארון לכתחילה (ס"א - לעשותו כולו כתחילה) אבל לא בחצר אחרת שלא יאמרו מלאכה אחרת הוא. ר' יהודה אוסר. להביא עצים ולעשות נסרי לצורך הארון אלא אם כן מנסרין הנסרים מתחלה קודם יום טוב. כוכין. קרקע המיוחד לבית הקברות וחופרין חפירה באמצע מעט ופותח בתוך אותה חפורה למטה כוכין הרבה לכל צד כזה ... בקוע. גומא למים. הנברכת והבקיע. (אמר ליה) [אלמא] תרי מיני נינהו. גיהא ובר גיהא. בקיע קטן הסמוך לגדול ומריך מתוקן מזה ומזה לזה כשהגדול מלא הולכין המים לקטן. תנינא. במתני' להא דתנו רבנן בברייתא אלמא ברייתא עיקר. מנסרים המנוסרים. דטורח גדול הן לעשותן במועד. מפני ששמחה הוא לו. כדמפרש בגמרא. מחזיר גרושתו. אינה שמחה כל כך דאין שמחה אלא באשה שלא היתה לו מעולם. *[ומסרגין את המטות. אורגים בחבלים. וממתחין. אם היה רפוי [שנארג] זה ימים רבים ורפו החבלין ממתחן]* [רש"י רי"ף]. מאי הוי. שמחה ביום טוב מי אסירא. שאין מערבין שמחה בשמחת החג כדיליף לקמן. ושמחת בחגיך ולא באשתך. והכא באשתך ולא בחגך דמשום [חביבות] אשתו מניח שמחת הרגל לגמרי אבל שאר שמחה (שהיא) [שאינם של אשתו] מבטל שמחת החג ... בשבילה אית ליה לרב דמערבין שמחה וקראי לקמן ... לא דריש. מפני הטורח. שיש טורח גדול בסעודה וקא טרח טירחא יתירא במועד והיינו דקתני מפני שהרגל שמחה הוא וטורח הוא בו ולמאן דאמ' נמי משום פריה ורביה מתרץ לה נמי במתני' הכי שמתבטל מפריה ורביה וממתין לה עד המועד ששמחה הוא לו וחייב לשמוח בו בסעודה דקסבר כי עבד במועד הוה ליה רווחא דסליק סעודתיה מהכא ולהכא ומתבטל ואינו נושא עד המועד. *[מפני ביטול פריה ורביה. אם נזדמנה לו אשה קודם המועד [לא ישאנה אלא בחג דאומר אמתין] לישאנה עד החג מפני סעודת החג דסבר [דהוי] ליה רווחא ופלקין ליה סעודתו להכי ולהכי ומתבטל ואינו נושא אשה עד המועד.]* [רש"י רי"ף]. כל אלו שאמרו. כגון הנושא בתולה והנושא את יבמתו דקתני מתניתין מותרין לישא ערב הרגל ואע"ג דהשתא הוו שבעת ימי המשתה של נישואין ברגל אלמא טעמ' דמתניתין לאו משום שמחה ולאו משום טורח ולאו פריה ורביה ואם איתא אפילו (עבר) [ערב הרגל] ליתסר נמי וקשי' לכולהו.

לְפִי שֶׁאֵין הַמֵּת מִשְׁתַּכֵּחַ מִן הַלֵּב שְׁלֹשִׁים יוֹם – The reason is **because a dead person is not forgotten from the heart** for **thirty days.**[1]

The Gemara points out a practical difference between these two reasons:

מַאי בֵּינַיְיהוּ – **What is** the practical difference **between them?** אִיכָּא בֵּינַיְיהוּ דְּקָעָבִיד בְּחִנָּם – **There is** a difference **between them** regarding a case **where [the eulogist] does** it **for free.**[2]

Mishnah אֵין חוֹפְרִין כּוּכִין וּקְבָרוֹת בַּמּוֹעֵד – **We may not hew burial niches nor** build **tombs during Chol HaMoed,**[3] אֲבָל מְחַנְּכִין אֶת הַכּוּכִין בַּמּוֹעֵד – **but we may adapt burial niches during Chol HaMoed.**[4] וְעוֹשִׂין נִבְרֶכֶת בַּמּוֹעֵד – **We may create a wash pond during Chol HaMoed,**[5] וְאָרוֹן עִם הַמֵּת בֶּחָצֵר – and construct **a coffin in the courtyard with the deceased.**[6] רַבִּי יְהוּדָה אוֹסֵר – **R' Yehudah,** however, **forbids** this אֶלָּא אִם כֵּן יֵשׁ עִמּוֹ נְסָרִים – **unless there are boards with him.**[7]

Gemara The Gemara investigates the meaning of the first clause:

מַאי כּוּכִין וּמַאי קְבָרוֹת – **What are "niches" and what are "tombs"?**

The Gemara answers:

אָמַר רַב יְהוּדָה – **Rav Yehudah said:** כּוּכִין בַּחֲפִירָה – **Niches** are made **by digging** into the walls of a crypt,[8] וּקְבָרוֹת בְּבִנְיָן – **and tombs** are made **by building** above the ground.[9]

NOTES

1. Thus, if he were to be eulogized within thirty days of the festival, the memory would still be fresh during the festival and people might come to eulogize him even then (*Rashi; Taz, Orach Chaim* 547:1). Others explain simply that the freshness of the pain would mar one's festival joy (*Mishnah Berurah* 547:2).

According to Shmuel, the prohibition against eulogizing pertains only to one who died more than thirty days before the festival. If someone dies within thirty days of the festival he may be eulogized then, since the grief of his death is still fresh in the heart and a eulogy will not add to it (*Rosh; Shulchan Aruch, Orach Chaim* 547:3 with *Magen Avraham* §1 and *Beur HaGra*).

2. According to Rav this is permitted, since the only concern is that one might spend his festival funds to pay the eulogist, as in the incident that occurred. But according to Shmuel it is forbidden, since the eulogy will cause the person's grief to extend into the festival (*Rashi*). Shmuel agrees, however, that it is permitted for a mourner himself to eulogize his relative, because releasing his emotions now will bring him relief in time for the festival. [This relief supercedes the restriction, mentioned in the previous note, against eulogizing during this period lest people come to eulogize on the festival itself] (*Tosafos* ד״ה דקא עביד בחנם; cf. *Mishbetzos Zahav* 547:1, cited by *Mishnah Berurah* 547:2).

[There seems to be another practical difference between Rav and Shmuel – whether one may hire someone to eulogize a relative who died within thirty days of the festival. According to Shmuel this is permitted, as explained in the previous note. But according to Rav it would seem to be forbidden (see *Rashi* to the Mishnah, cited above, 8a note 17). Indeed, *Rosh* §13 and *Beur HaGra* (*Orach Chaim* 547:3) imply that this difference exists between them (cf. *Ramban* cited by *Rosh*). It is unclear, however, why the Gemara fails to mention it (*Sfas Emes*).

On 8a, *Rashi* explained the Mishnah in accordance with Rav's view that the prohibition pertains to hiring a eulogist (see notes 16-18 there). According to Shmuel, the Mishnah means to forbid inspiring lamentations or eulogizing a deceased who passed away prior to the thirty-day prefestival period (see *Rosh*, and *Shulchan Aruch, Orach Chaim* 547:3).]

3. [The Gemara explains the terms "niches" and "tombs."] It was common to prepare burial places in advance so that they would be available when needed. This may not be done on Chol HaMoed because it involves strenuous labor (*Rashi, Rif*). However, if a burial vault is needed on Chol HaMoed for a dead person, it may be prepared (*Tosafos* ד״ה אין חופרין; see following note for an alternative explanation).

4. The Gemara explains this as meaning that they may be lengthened or shortened. According to the explanation of *Rashi* (see *Rosh*) and *Rif*, that the restriction against making new niches or tombs pertains only to those that are not needed for Chol HaMoed use, the permission to "adapt" also applies to those in this category. One might wonder why adapting them should be permitted. Although this is not as strenuous as creating new ones, it involves the forbidden labor of building! *Ramban* (see *Milchamos Hashem*, and passage from *Toras HaAdam* cited in *Chidushei Ramban*) explains that since all people eventually need to be buried, the preparation of burial vaults is considered a "public necessity." The rule is that for a nonimmediate public necessity, *excessive* exertion [טִרְחָא יְתֵירָה] and *professional* work [מַעֲשֵׂה אוּמָּן] are prohibited, but normal labor is permitted. Thus, we learned above (5a) that new water cisterns may not be dug on Chol HaMoed for nonimmediate use, but existing ones may be repaired even though they are not needed immediately. The digging of burial vaults is a nonimmediate necessity that is analogous to the preparation of water cisterns. New burial vaults may not be built, but existing ones may be adjusted (see also *Rambam, Hil. Yom Tov* 8:8, and *Rosh*).

Others reject the notion that the digging of extra burial vaults is in the category of a "public necessity." Rather, they explain the Mishnah as referring to burial vaults that are needed for immediate use on Chol HaMoed. A new "niche" or "tomb" may not be made even for a dead person, since there is no pressing need to bury the deceased in this type of vault [whose crafting involves considerable labor]. However, an existing niche or tomb may be adapted for Chol HaMoed use. If the niche or tomb is not needed immediately, even adapting it is forbidden. And if a person died and no "niche" or "tomb" is available for adaptation, a simple pit (like a modern-day grave) should be dug for the corpse (*Raavad, Hil. Yom Tov* 8:4,8, also cited by *Rosh;* second explanation of *Tosafos; Baal HaMaor*).

[*Rashi ms.* seems to waver between the two explanations. See *Rosh*, who discusses his words at length and elucidates them in accordance with the first approach. See the alternative elucidation of *Yam Shel Shlomo, Beitzah* 1:11, cited by *Korban Nesanel* to *Rosh* here. For yet another interpretation of the Mishnah, see *Nimukei Yosef.*]

5. I.e. we may dig a pond in which to wash laundry. This is permitted because it does not involve strenuous labor (*Rashi*). Though laundering is normally prohibited on Chol HaMoed, in certain instances it is permitted (see below, 13b). The Tanna here permits digging ponds for those exceptional cases, when they are needed for immediate use (*Tosafos* ד״ה ועושין). [This ruling is inserted here because, like the previous ones, it relates to digging (*Ritva, Nimukei Yosef*).]

Alternatively, the ponds referred to are those used for washing the dead and their shrouds (*Tosafos* ibid.; cf. *Raavad* ibid.).

6. If the work is done in the same courtyard in which the deceased is lying (i.e. in a house that opens into the same courtyard as the one containing the corpse, or out in the courtyard itself), then it is permitted to saw the boards for the coffin and to assemble it. However, if the deceased is not in the same courtyard it is forbidden, for people will suspect the person of working on a nonessential construction project during Chol HaMoed (*Rashi;* see note 15). If, however, the deceased was well known, or in a small community where the demise of any person is known to all, this provision does not apply, as people will be aware of the reason for the work (*Tosafos* ד״ה וארון עם המת; *Shulchan Aruch, Orach Chaim* 547:10).

7. R' Yehudah prohibits the sawing of boards from raw lumber even in the courtyard where the deceased is lying [because this involves excessive exertion (*Rashi* to Gemara)]. Therefore, he forbids the construction of a coffin unless the boards were previously prepared (*Rashi*).

8. In Talmudic times it was customary to bury the dead in catacombs. They would dig a subterranean crypt and then hew a series of horizontal recesses into the walls of the crypt, each recess being large enough to contain one corpse. The niches served as the actual graves, with a corpse being slid into each one (see *Rashi ms.* and *Bava Basra* 100b-101a). See diagram.

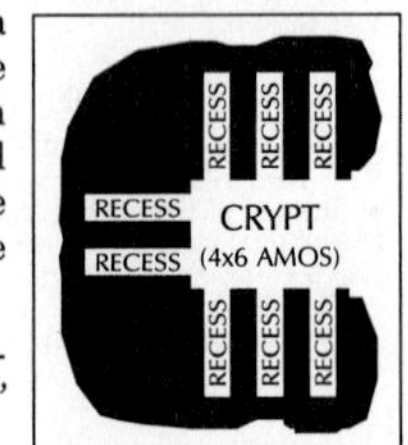

9. They would build above-ground burial chambers of hewn stone covered with lime (*Talmid R' Yechiel MiParis*).

[א]לפי [א] שאין המת משתכח מן הלב שלשים יום מאי בינייהו איכא בינייהו דקעביד בחנם: **מתני'** [ב]אין חופרין כוכין וקברות במועד [ג]אבל מחנכין את הכוכין במועד [ד]ועושין נברכת במועד וארון עם המת בחצר רבי יהודה אוסר אלא אם כן יש עמו נסרים: **גמ'** מאי כוכין ומאי קברות אמר רב יהודה כוכין בחפירה וקברות בבנין תניא נמי הכי אלו הן כוכין ואלו הן קברות כוכין בחפירה וקברות בבנין: אבל מחנכין את הכוכין: כיצד מחנכין אמר רב יהודה [ה]שאם היה ארוך מקצרו במתניתא תנא [ב] מאריך בו ומרחיב בו: ועושין נברכת כו': מאי נברכת אמר רב יהודה זו בקיע והתניא הנברכת והבקיע אמר אביי ואיתימא רב כהנא גיהא ובר גיהא: וארון עם המת בחצר: תנינא להא דתנו רבנן [ו]עושין כל צורכי המת גוזזין לו שערו ומכבסין לו כסותו ועושין לו ארון מנסרין המנוסרין מערב יו"ט רבן שמעון בן גמליאל אומר אף מביאין עצים ומנסרן בצינעא בתוך ביתו: **מתני'** [ג] [ז]אין נושאין נשים במועד לא בתולות ולא אלמנות ולא מייבמין מפני ששמחה היא לו אבל מחזיר הוא את גרושתו [ח]ועושה אשה תכשיטיה במועד רבי יהודה אומר לא תסוד מפני שניוול הוא לה [ד] [ט]ההדיוט תופר כדרכו [י]והאומן מכליב [כ]ומסרגין את המטות רבי יוסי אומר ממתחין: **גמ'** וכי שמחה היא לו מאי הוי אמר רב יהודה אמר שמואל וכן אמר רבי אלעזר אמר רבי אושעיא ואמרי לה אמר ר' אלעזר אמר ר' חנינא [ל]לפי שאין מערבין שמחה בשמחה רבה בר [רב] הונא אמר מפני שמניח שמחת הרגל ועוסק בשמחת אשתו אמר ליה אביי לרב יוסף הא דרבה בר [רב] הונא דרב הוא דאמר רב דניאל בר קטינא אמר רב [ה] מנין שאין נושאין נשים במועד שנאמר [א] ושמחת בחגך ולא באשתך עולא אמר מפני הטורח רבי יצחק נפחא אמר מפני ביטול פריה ורביה מיתיבי כל אלו שאמרו אסורין לישא במועד מותרין

רש"י

לפי שאין המת משתכח מן הלב שלשים יום. כלומר כיון דמת אין משתכח מן הלב שלשים יום אם מספידו פחות משלשים יום לפני הרגל אתי למיספד ברגל דעדיין לא שכחו: דעביד בחנם. מ"ד משום מעות שזימן לרגל כיון דספדן עביד בחנם שפיר דמי ומ"ד לפי שאין המת משתכח מן הלב שלשים יום בחנם נמי אסור: **מתני'** אין חופרין כוכין וקברות. לצורך מתים שדרכן לחפור כוכין וקברות לזמנן לצורך מתים שימותו דטירחא יתירא הוא: מחנכין. מפרש בגמ': נברכת. בריכה של כובסין ולית ביה טירחא כולי האי: וארון עם המת בחצר. שהמת שם מותר לעשות ארון ולנסר הנסרים מתחילה לצורך הארון ולעשותו כולו אבל לא בחצר אחרת שלא יאמרו מלאכה אחרת היא: ר' יהודה אוסר. להביא עצים ולעשותן נסרים לצורך הארון אא"כ היו מנוסרים בתחילה קודם י"ט: **גמ'** גיהא ובר גיהא. (א) בריכה גדולה שעושין בחצר שיכנסו בו כל השופכים בקיע בר גיהא בריכה קטנה שעושין סמוך לגדולה כדי שיכנסו המים היוצאין מן הגדולה לקטנה שהיא מליאה ונכנסין לקטנה: וארון עם המת בחצר. כלומר כשמת בחצר (שפיר דמי) דמוכחא מילתא דלצורך המת עבידא מלי למיעבד ארון ובאותה חצר: מנסרין המנוסרין. יש עמו נסרין מתוקנין מערב המועד דטורח גדול לעשותן במועד: **מתני'** מפני ששמחה היא לו. מפרש בגמ': מחזיר גרושתו. דאינה שמחה כל כך: ועושה אשה תכשיטיה. הני תכשיטין דקא מפרש בגמ': לא תסוד. בסיד מפני שניוול הוא אלא עכשיו במועד שהיא תסוד בסיד ומצטערת: ומסרגין את המטות. בגמ' מפרש: **גמ'** מאי הוי. וכי שמחה אסורה ביו"ט: דאין מערבין שמחה בשמחה. כלומר בעינן דליסמח בשמחת מועד לחודיה: מפני הטורח. ליטרח לצורך נישואין וטירחא במועד אסור: משום ביטול פריה ורביה. דאי שרי נשואין ביו"ט אין אדם נושא אשה כל השנה כולה אלא ממתין עד המועד שיהא עושה סעודה אחת למועד ולנשואין:

מותרין

תוספות

דקא עביד בחנם. ונראה דהלכה כרב באיסורי [י] ואפילו לשמואל י"ל דלא אסירי אלא ע"י ספדנא אבל הוא עצמו שרי יותר מתאפק מצערו על ידי צעקה וישמח לאחר זמן: **אין** חופרין כוכין וקברות במועד. פי' בקונטרס לצורך מתים הוא עושה אפילו כשאין צריך עתה כדתנן בהמוכר פירות (ב"ב דף ק:) המוכר מקום לחבירו לעשות לו קבר עושה רחבה של מערה אבל לצורך המת שמת כבר מותר אפילו ביו"ט שני למיגז ליה גלימא ולמיגז ליה אסא כדאמר בפ"ק דבילה (דף ו. ושם) כ"ש חול המועד ואע"פ שיש לחלק דחול המועד דאורייתא ויו"ט שני דרבנן כמו יו"ט שני דעצרת ויו"ט שני דשביעי של פסח ושמיני עצרת אין נראה דבכל יום שני קאמר בבילה ועוד כל ענין מלאכה חמיר טפי י"ט שני מחול המועד וכמו שפירש בקונטרס דאיירי בחופר מחיים כך פר"ח אבל לאחר מיתה שרי והא דתנינן כוכין וקברות אפילו בלא מת וארון דוקא עם המת שמא כשחופר הוא רגיל לחפור בבית והוי הכירא דצריך למת נראה לי והא דלא שרי הכא לר' יהודה אלא מנסרים המנוסרים מערב יו"ט והתם שרי למיגז ליה גלימא ואסא שמא נסרים יכולים למצוא מנוסרים הרבה אבל גלימא ואסא לא ימצא עשויים או שמא בנסירת נסרים יש קול ופירסום גדול וי"מ דאין חופרין מיירי אפילו לאחר מיתה דומיא דמחנכין דמשמע לאחר מיתה דמפרש בגמ' שאם היה ארוך מקצרו ומחיים אין רגילות לשנותו כי אינו יודע מי ישים בו ויש לפרש שעושה לצורכו או לצורך אחר וכמו שפירש שהיו עושין והא דשרינן בפ"ק דבילה (דף ו. ושם) למיגז ליה גלימא ואסא היינו דוקא כדפרישית שלא ימצא גלימא ואסא עשוי מערב יו"ט אבל כוכין וקברות ימצא הרבה שהיו רגילים לחפור מחיים ומהאי טעמא יכול להיות מותר בזמן הזה לפי שאין עושין כוכין וקברות מחיים: **ועושין** נברכת במועד. תימה ואמאי צריך במועד והלא אין מכבסין במועד וי"ל לצורך כל אותם שהתירו חכמים לכבס לקמן בפרק בתרא (דף יג:) וי"מ לרחוץ את המת ותכריכין: **וארון** עם המת בחצר. אמרינן בירושלמי אמר רבי מנא הדא דאמר במת שאינו מפורסם אבל במת שמפורסם עושין לו ארון אפילו בשוק כהדא דרבי חנינא חברייהו דרבנן דמך בחול המועד עבדי ליה ארון בשוקא ונראה לדידן שיש קהלות מועטין חשבינן להו מפורסם לכולהו מתים: **גיהא** ובר גיהא. פי' ר"ח מחמצן ונדיין דפרק לא יחפור (ב"ב דף יט.) וליתא דהתם תנן מרחיקין את הנברכת שלשה טפחים וקאמרינן בגמ' לא שנו אלא מן החמצן אבל מן הנדיין ארבע אמות ובתוספתא [ז] תני מרחיקין את הנברכת ואת הבקיעה שלשה טפחים: **ומנסרן** בצנעא. ואסור בפרהסיא ויש ליתן טעם דלא דמי להיא (שבת דף קמו:) דכל שאסרו חכמים משום מראית העין כו' ודמי טפי להיא דפ' אע"פ (כתובות ס. ושם) ליגור שעלו בו קשקשים כו': **אבל** מחזיר גרושתו. בירושלמי הדא דתימא מהנישואין פירוש גרשה אחר נישואין והחזיר אבל לא מן האירוסין: **לפי** שאין מערבין שמחה בשמחה. גזירת הכתוב כדדריש לקמן מקרא דשלמה ובירושלמי דריש מדכתיב מלא שבוע זאת וטעם נראה קצת דכמו שאין עושין מצות חבילות [ח] דבעינן שיהא לבו פנוי למצוה אחת ולא יפנה עצמו הימנה וכן שמחה בשמחה יהיה לבו פנוי בשמחה: **בחגך** ולא באשתך. [ט] עיקר דרשה הוא ולא אסמכתא כדאמרינן פ"ק דחגיגה (ד' ח: ושם) ורב אשי האי בחגך מאי דריש ביה: **מפני** הטורח. ומתניתין הכי פי' מפני ששמחה היא לו וטורח בה יותר מדאי: **מפני** ביטול פריה ורביה. ומתני' ה"פ מפני ששמחה היא לו ומשהה אותה ברצון עד הרגל שיהא שמח או שיהיה פנוי והא דקתני אבל מחזיר גרושתו שאין שמחה לו ולא שייך עירוב (ב) בשמחה ולא מניח שמחת הרגל וגם אין טורח בה וגם ביטול פריה ורביה אין כאן שהיה לו אשה כבר וסתמא דמילתא יש לו בנים וגם אין רגיל לשהות דבר זה עד הרגל וסעודת ברית מילה מותר לעשות בחול המועד דליכא שמחה כדאמרינן פ' קמא דכתובות (ד' ח.) דלא מברכין שהשמחה במעונו משום דאית ליה צערא לינוקא אי נמי כיון שזמנו קבוע אין לבטל זה מפני זה אבל סעודת פדיון הבן צריך עיון אם מותר לעשות במועד ואין לומר הא זמנה קבוע תינח בזמנה שלא בזמנה היאך יהא מותר ונראה לי דקיימא לן כרב אשי דדריש בחגיגה בפ"ק (ד' ח: ושם) בחגך ולא באשתך ואינו אסור לערב שמחה בשמחה ועי"ל דלא חשיבי שמחה בשמחה כי אם סעודת נישואין לבד:

איבעי

עין משפט נר מצוה

עה א מיי' פ"א מהלכות אבל הלכה ו:

עו ב ג מיי' פ"ח מהל' י"ט הלכה ח סמג לאוין עה טוש"ע א"ח סי' תקמז סעיף יא:

עז ד מיי' שם הלכה ד:

עח ה מיי' שם הלכה ח טוש"ע שם:

עט ו מיי' פ"ז מהלכות י"ט הלכה טו סמג לאוין עה טוש"ע שם סעיף י:

פ ז מיי' פ"ז מהלכות י"ט הלכה טו ופ"י מהלכות אישות הלכה יד סמג לאוין שם טוש"ע שם סי' תקמו סעיף א ב וטוש"ע אה"ע סי' סד סעיף ו:

פא ח מיי' פ"ז מהלכות י"ט הלכה כ טוש"ע א"ח שם סעיף ה:

פב ט י מיי' פ"ז מהל' י"ט הלכה ה טוש"ע שם סי' תקמא סעיף ב:

פג כ מיי' שם הלכה ח טוש"ע שם סעיף ג:

פד ל מיי' שם פ"ז הלכה טו ופ"י מהל' אישות הלכה יד טוש"ע אה"ע סי' סד סעיף ג:

הגהות הב"ח

(א) רש"י ד"ה גיהא ובר גיהא נ"ב ברכה גדולה שעושין כו' היוצאין מן הגדולה כשהיא מליאה כצ"ל ותיבת לקטנה נמחק: (ב) תוס' ד"ה מפני ביטול כו' ולא שייך עירוב שמחה בשמחה ולא.

תורה אור השלם

א) וְשָׂמַחְתָּ בְּחַגֶּךָ אַתָּה וּבִנְךָ וּבִתֶּךָ וְעַבְדְּךָ וַאֲמָתֶךָ וְהַלֵּוִי וְהַגֵּר וְהַיָּתוֹם וְהָאַלְמָנָה אֲשֶׁר בִּשְׁעָרֶיךָ: [דברים טז, יד]

רבינו חננאל

במועד שנאמר העתידין עורר לויתן: קודם לרגל שלשים יום. דאמר רב מעשה באחד שקבץ מעות לרגל בא ספדן ועמד על פתח ביתו נטלן ונתנן לו ונמנע לעלות לרגל התקינו שלא יעורר כו': [מתני'] אין חופרין כוכין וקברות במועד. פי' להקבר בהן לאחר הרגל תניא הן הן כוכין הן הן קברות אלא שהכוכין בחפירה והקברו' בבנין. ומחנכין את הכוכין. כיצד מחנכין אותן. אמר רב יהודה אם היה ארוך מקצרו במתניתא תנא מאריך ומרחיב בו. ועושין נברכת במועד. מאי נברכת. גוהא בר גוהא פי' ירושלמי נברכת זה בקיע. ועושין ארון עם המת בחצר. פי' שאם יעשו את הארון בחוץ יאמרו כל העם מותר לעשות במועד שאינן יודעין שמת לו מת. כדתניא עושין כל צרכי המת גוזזין שערו ומכבסין את כסותו ועושין לו ארון מנסרין את המנוסרין מעיו"ט. ר"ש בן גמליאל אף מביא עצים ומנסרן בצינעא לתוך ביתו: ירושלמי ל"ש אלא באדם שאינו מפורסם כלומר אינו אדם חשוב אבל אם הוא אדם חשוב עושין לו ארון אפילו בשוק כד דמך ר' חנינא חברין דרבנן עבדו ליה ארון בשוק. והכל מודים שלא יקוץ ארזים ודכותיה לא יחצוב לו אבנים ואם היו חצובות פלוגתא דר' יהודה ורבנן: מתני' אין נושאין נשים במועד כו'. מ"ט א"ר חנינא מפני שמערבין שמחת הרגל בשמחת אשתו רב אמר משום שנאמר ושמחת בחגך ולא באשתך. עולא אמר מפני הטורח רבי יצחק נפחא אומר משום ביטול פריה ורביה שאם אתה מתירו להכניסה במועד אף מעבירה הוא בכל השנה כולה שלא יבטל ממלאכתו ומכניסה ברגל ונמצא מבטל כל אותה שנה. ומותבינן כל אלו שאמרו כגון בתולות אלמנות כו' אסורות לישא במועד ומותרין בערב הרגל

קשיא

מסורת הש"ס

א) [ברכות נח: ע"ש], ב) [תוספתא פ"א], ג) [לקמן יח:], ד) [לקמן יג. פסחים נה:], ה) חגיגה ח:, ו) [מכילתא בכורות מט:], ז) [דב"ב פ"א], ח) [ברכות מט.].

גליון הש"ס

תוס' ד"ה בחגך כו' עיקר דרשה כו'. ועי' כתובות דף מז ע"ב תוס' ד"ה דמפר:

רש"י כת"י

לה נמי במתני' הכי שמתבטל מפריה ורביה וממתין לה עד המועד שהשמחה הוא לו וחייב לשמוח בו בסעודה דקסבר כי עבד במועד הוה ליה רווחא דסליק סעודתיה מהכא ולהכא ומתבטל ואינו נושא עד המועד. *[מפני ביטול פריה ורביה. אם נזדמנה לו אשה קודם המועד [לא ישאנה אלא בחג דאומר אמתין] לישאנה עד החג מפני סעודת החג דסגי [הכי] ליה רווחא וסלקין ליה סעודתו להכי ולהכי ומתבטל ואינו נושא אשה עד המועד.]* [רש"י רי"ף]. כל אלו שאמרו. כגון הנושא בתולה והנושא את יבמתו דקתני מתניתין מותרין לישא ערב הרגל ואע"ג דהשתא הוו שבעת ימי המשתה של נישואין ברגל אלמא טעמא דמתניתין לאו משום שמחה ולאו משום טורח ולאו פריה ורביה ואם איתא אפילו (עבר) [ערב הרגל] ליתסר נמי וקשי' כולהו.

This explanation is supported:
תַּנְיָא נַמִּי הָכִי – **It was taught similarly in a Baraisa:** אֵלּוּ הֵן כּוּכִין וְאֵלּוּ הֵן קְבָרוֹת – THESE ARE NICHES AND THESE ARE TOMBS: כּוּכִין בַּחֲפִירָה – NICHES are made BY DIGGING, וּקְבָרוֹת בְּבִנְיָן – AND TOMBS are made BY BUILDING above the ground.

The Mishnah stated:
אֲבָל מְחַנְּכִין אֶת הַכּוּכִין – BUT WE MAY ADAPT NICHES.
The Gemara inquires:
כֵּיצַד מְחַנְּכִין – **How do we "adapt"** niches?
The Gemara answers:
אָמַר רַב יְהוּדָה – **Rav Yehudah said:** שֶׁאִם הָיָה אָרוֹךְ מְקַצְּרוֹ – This means **that if [the niche] was** too **long one may shorten it.**[10]
The Gemara adds:
בְּמַתְנִיתָא תָּנָא – **In a Baraisa it was taught:** מַאֲרִיךְ בּוֹ וּמַרְחִיב בּוֹ – **One may lengthen [the niche] or widen it,** as needed.[11]

The Mishnah stated:
וְעוֹשִׂין נִבְרֶכֶת כו׳ – WE MAY CREATE A WASH POND (*nivreches*) **etc.**
The Gemara inquires as to the meaning of *nivreches:*
מַאי נִבְרֶכֶת – **What is a *nivreches*?**
The Gemara answers:
אָמַר רַב יְהוּדָה – **Rav Yehudah said:** זוֹ בָּקִיעַ – **It is a *bakia*,** i.e. a pond.

The Gemara questions this explanation:
וְהָתַנְיָא – **But it was taught in a Baraisa:** הַנִּבְרֶכֶת וְהַבָּקִיעַ – A *NIVRECHES* AND A *BAKIA*. Thus, we see that these are two different things. – ? –
The Gemara answers:
אָמַר אַבַּיֵּי וְאִיתֵּימָא רַב כַּהֲנָא – **Abaye said, and some say** it was **Rav Kahana** who said: גִּיהָא וּבַר גִּיהָא – A *nivreches* and *bakia* are **a primary pond and a secondary pond.**[12]

The Mishnah stated:
וְאָרוֹן עִם הַמֵּת בֶּחָצֵר – AND construct A COFFIN IN THE COURTYARD WITH THE DECEASED.
The Gemara notes:
תְּנֵינָא לְהָא דְּתָנוּ רַבָּנָן – **We have learned in** our **Mishnah what the Rabbis taught in the** following **Baraisa:**[13] עוֹשִׂין כָּל צוֹרְכֵי הַמֵּת – WE MAY PERFORM ALL THE NEEDS OF A CORPSE on Chol HaMoed; גּוֹזְזִין לוֹ שְׂעָרוֹ – WE MAY CUT HIS HAIR FOR HIM, וּמְכַבְּסִין לוֹ כְּסוּתוֹ – WASH HIS SHROUD FOR HIM, וְעוֹשִׂין לוֹ אָרוֹן מִנְּסָרִין הַמְנוּסָּרִין מֵעֶרֶב יוֹם טוֹב – AND CONSTRUCT A COFFIN FOR HIM OUT OF BOARDS THAT WERE PREPARED FROM THE EVE OF THE FESTIVAL.[14] רַבָּן שִׁמְעוֹן בֶּן גַּמְלִיאֵל אוֹמֵר – RABBAN SHIMON BEN GAMLIEL SAID: אַף מְבִיאִין עֵצִים וּמְנַסְּרָן בְּצִינְעָא בְּתוֹךְ בֵּיתוֹ – ONE MAY EVEN BRING WOOD AND SAW THEM INTO BOARDS PRIVATELY IN HIS HOUSE.[15]

Mishnah The Mishnah discusses marriage on Chol HaMoed: אֵין נוֹשְׂאִין נָשִׁים בַּמּוֹעֵד – **We may not marry women on Chol HaMoed,**[16] לֹא בְּתוּלוֹת וְלֹא אַלְמָנוֹת – **neither virgins nor widows,** וְלֹא מְיַיבְּמִין – **and we may not perform *yibum*,**[17] מִפְּנֵי שֶׁשִּׂמְחָה הִיא לוֹ – **because it** (any of these ceremonies) **is a source of joy for him.**[18] אֲבָל מַחֲזִיר הוּא אֶת גְּרוּשָׁתוֹ – **However, he may take back his divorced wife** on Chol HaMoed.[19]

The Mishnah continues with a ruling concerning personal hygiene and grooming:
וְעוֹשָׂה אִשָּׁה תַּכְשִׁיטֶיהָ בַּמּוֹעֵד – **And a woman may make her adornments during Chol HaMoed.**[20] רַבִּי יְהוּדָה אוֹמֵר – **R' Yehudah said:** לֹא תָסוּד מִפְּנֵי שֶׁנִּיווּל הוּא לָהּ – **She may not apply lime** to her skin as a depilatory,[21] **because it is a disfigurement to her.**[22]

The Mishnah continues with the laws of sewing on Chol HaMoed:
הַהֶדְיוֹט תּוֹפֵר כְּדַרְכּוֹ – **An unskilled person may sew in his usual manner,**[23] וְהָאוּמָּן מַכְלִיב – **whereas a skilled**

NOTES

10. [By inserting some stone.]

11. The Baraisa teaches an additional leniency. We permit not only shortening a niche, which is relatively easy, but even lengthening or widening it, which involves more strenuous labor (*Talmid R' Yechiel MiParis*).

12. The *nivreches* was a relatively large pond in which all the laundry water was gathered, and the *bakia* was a small adjacent pool that was connected by a channel to the *nivreches* and received its overflow (*Rashi, Rashi ms.;* cf. *Talmid R' Yechiel MiParis*).

13. Our Mishnah corroborates, and therefore authenticates, the Baraisa (*Rashi ms.*).

14. This accords with the opinion of R' Yehudah in our Mishnah (*Talmid R' Yechiel MiParis*).

15. [Within the courtyard containing the corpse.] Rabban Shimon ben Gamliel concurs with the Tanna Kamma of the Mishnah (*Talmid R' Yechiel MiParis; Raavad* cited by *Tos. HaRosh;* see also *Rif*). Note, however, that although they are in agreement concerning the basic law, there is a subtle difference between them. The Tanna Kamma of the Mishnah stated merely that the coffin may be built in the same courtyard as the corpse, implying that even the sawing of lumber may take place in the courtyard (see *Rashi* there). Rabban Shimon ben Gamliel states that if lumber must be sawed it should be done in the privacy of a house, not outside in the courtyard. The assembly of the coffin, however, may be done in the courtyard (see *Ramban,* and *Shulchan Aruch, Orach Chaim* 547:10; cf. *Tur Orach Chaim* 547:10; see *Sfas Emes*; see also *Mishnah Berurah* 547:20).

16. The Mishnah speaks of *nisuin,* the second stage of marriage, wherein the wife enters the husband's home and the marriage is consummated. Concerning *erusin* (the first stage of marriage), see below, 18b.

17. The Torah declares that when a man who dies childless is survived by one or more brothers, his widow may not remarry someone from the general population. Instead, a brother of the deceased (known as the *yavam*) must either take her (the *yevamah*) as his wife through a process known as *yibum* (*Deuteronomy* 25:5), or perform the ceremony of *chalitzah* (see Glossary). *Yibum* may not be performed on Chol HaMoed.

18. The Gemara explains why this added joy is forbidden on Chol HaMoed (*Rashi*).

In arranging these three rulings, the Mishnah follows the format of לא זו אף זו (*not only this [case], but even this [case]*). I.e. not only is it forbidden to marry a virgin on Chol HaMoed, where there is the most joy, but even marrying a widow, where there is less joy, is forbidden. In addition, not only does the ruling apply in the case of a widow, but even in the case of *yibum,* where one might assume that it would be permitted since there is a bond linking the *yavam* and *yevamah* even before they are married (*Talmid R' Yechiel MiParis*).

19. The joy in this case is not as intense as that experienced when taking a new bride (*Rashi ms.*).

20. The Gemara explains that this refers to matters of personal hygiene and grooming, such as the application of cosmetics.

21. This was the purpose of the lime application according to the explanation of *Tos. Yom Tov* and *Tiferes Yisrael.* However, *Talmid R' Yechiel MiParis* explains that lime was applied to the face to create a reddish complexion.

22. Since the lime is a disfigurement while it is on her, and it therefore causes her distress, she may not apply it on Chol HaMoed [even though improvement in her appearance will ultimately result when the lime is removed] (see *Rashi*).

23. The Gemara below (10a) defines an unskilled person with respect to this law.

The Mishnah's permit extends only to garments that are needed for

לפי שאין המת משתכח מן הלב שלשים יום מאי בינייהו איכא בינייהו דקעביד בחנם: **מתני'** אין חופרין כוכין וקברות במועד אבל מחנכין את הכוכין במועד ועושין נברכת במועד וארון עם המת בחצר רבי יהודה אוסר אלא אם כן יש עמו נסרים: **גמ'** מאי כוכין ומאי קברות אמר רב יהודה כוכין בחפירה וקברות בבנין תניא נמי הכי אלו הן כוכין ואלו הן קברות כוכין בחפירה וקברות בבנין: אבל מחנכין את הכוכין: כיצד מחנכין אמר רב יהודה שאם היה ארוך מקצרו במתניתא תנא מאריך בו ומרחיב בו: ועושין נברכת כו': מאי נברכת אמר רב יהודה זו בקיע והתניא הנברכת והבקיע אמר אביי ואיתימא רב כהנא גיהא ובר גיהא: וארון עם המת בחצר: תנינא להא דתנו רבנן עושין כל צורכי המת גוזזין לו שערו ומכבסין לו כסותו ועושין לו ארון מנסרין המנוסרין מערב יו"ט רבן שמעון בן גמליאל אומר אף מביאין עצים ומנסרן בצינעא בתוך ביתו: **מתני'** אין נושאין נשים במועד לא בתולות ולא אלמנות ולא מייבמין מפני ששמחה היא לו אבל מחזיר הוא את גרושתו ועושה אשה תכשיטיה במועד רבי יהודה אומר לא תסוד מפני שניוול הוא לה ההדיוט תופר כדרכו והאומן מכליב ומסרגין את המטות רבי יוסי אומר ממתחין: **גמ'** וכי שמחה היא לו מאי הוי אמר רב יהודה אמר שמואל וכן אמר רבי אלעזר אמר רבי אושעיא ואמרי לה אמר ר' אלעזר אמר ר' חנינא לפי שאין מערבין שמחה בשמחה רבה בר [רב] הונא אמר מפני שמניח שמחת הרגל ועוסק בשמחת אשתו אמר ליה אביי לרב יוסף הא דרבה בר [רב] הונא דרב הוא דאמר רב דניאל בר קטינא אמר רב מנין שאין נושאין נשים במועד שנאמר ושמחת בחגך ולא באשתך עולא אמר מפני הטורח רבי יצחק נפחא אמר מפני ביטול פריה ורביה מיתיבי כל אלו שאמרו אסורין לישא במועד מותרין

רש"י

לפי שאין המת משתכח מן הלב שלשים יום. כלומר כיון דמת אין משתכח מן הלב שלשים יום אם מספידו פחות משלשים יום לפני הרגל אתי למיספד ברגל דעדיין לא שכחו: דעביד בחנם. מ"ד משום מעות שזימן לרגל כיון דספדן עביד בחנם שפיר דמי ומ"ד לפי שאין המת משתכח מן הלב שלשים יום בחנם נמי אסור: מתני' אין חופרין כוכין וקברות. לצורך מתים שדרכן לחפור כוכין וקברות לזמן לצורך מתים שימותו דטירחא יתירא הוא: מחנכין. מפרש בגמ': נברכת. בריכה של כובסין ולית ביה טירחא כולי האי: וארון עם המת בחצר. שהמת שם מותר לעשות ארון ולנסר הנסרים מתחילה לצורך הארון ולעשותו כולו אבל לא בחצר אחרת שלא יאמרו מלאכה אחרת היא: ר' יהודה אוסר. להביא עצים ולעשותן נסרים לצורך הארון אא"כ היו מנוסרים בתחילה קודם י"ט: גמ' גיהא ובר גיהא. (א) בריכה גדולה שעושין בחצר שיכנסו בו כל השופכים בקיע בר גיהא בריכה קטנה שעושין סמוך לגדולה כדי שיכנסו המים היוצאין מן הגדולה לקטנה שהיא מליאה ונכנסין לקטנה: וארון עם המת בחצר. כלומר כשמת בחצר (שפיר דמי) דמוכחא מילתא דלצורך המת עבידא מצי למיעבד ארון ובאותה חצר: מנסרין המנוסרין. יש עמו נסרין מתוקנין מערב המועד דטורח גדול לעשותן במועד: מתני' מפני ששמחה היא לו. מפרש בגמ': מחזיר גרושתו. דאינה שמחה כל כך: ועושה אשה תכשיטיה. הני תכשיטין דקא מפרש בגמ': לא תסוד. בסיד מפני שניוול הוא אלא עכשיו במועד שהיא תסוד בסיד ומצטערת: ומסרגין את המטות. בגמ' מפרש: גמ' מאי הוי. וכי שמחה אסורה ביו"ט: דאין מערבין שמחה בשמחה. כלומר בעינן דלישמח בשמחת מועד לחודיה: מפני הטורח. ליטרח לצורך נישואין וטירחא במועד אסור: משום ביטול פריה ורביה. דאי שרי נשואין ביו"ט אין אדם נושא אשה כל השנה כולה אלא ממתין עד המועד שיהא עושה סעודה אחת למועד ולנשואין:

תוספות

דקא עביד בחנם. ונראה דהלכה כרב באיסורי ואפילו לשמואל י"ל דלא אסירי אלא ע"י ספדנא אבל הוא עצמו שרי יותר מתאפק מלצערו על ידי צעקה וישמח לאחר זמן: **אין** חופרין כוכין וקברות במועד. פי' בקונטרס לצורך מתים הוא עושה אפילו כשאין צריך עתה כדתנן בהמוכר פירות (ב"ב דף ק:) המוכר מקום לחבירו לעשות לו קבר עושה רחבה של מערה אבל לצורך המת שמת כבר מותר אפילו ביו"ט שני למיגז ליה גלימא ולמיגז ליה אסא כדאמר בפ"ק דבילה (דף ו. ושם) כ"ש חול המועד ואע"פ שיש לחלק דחול המועד דאורייתא ויו"ט שני דרבנן כמו יו"ט שני דעצרת ויו"ט שני דשביעי של פסח ושמיני עצרת אין נראה דבכל יום שני קאמר בבילה ועוד כל ענין מלאכה חמיר טפי י"ט שני מחול המועד וכמו שפירש בקונטרס דאיירי בחופר מחיים כך פר"ח אבל לאחר מיתה שרי והא דתנין כוכין וקברות אפילו בלא מת וארון דוקא עם המת שמא כשחופר הוא רגיל לחפור בבית והוי הכירא דצריך למת נראה לי והא דלא שרי הכא לר' יהודה אלא מנסרים המנוסרים מערב יו"ט והתם שרי למיגז ליה גלימא ואסא שמא נסרים יכולים למצוא מנוסרים הרבה אבל גלימא ואסא לא ימצא עשויים או שמא בנסירת נסרים יש קול ופירסום גדול וי"מ דאין חופרין מיירי אפילו לאחר מיתה דומיא דמחנכין דמשמע לאחר מיתה דמפרש בגמ' שאם היה ארוך מקצרו ומחיים אין רגילות לעשותו כי אינו יודע מי ישים בו ויש לפרש שעושה לצורכו או לצורך אחר וכמו שפירש שהיו עושין והא דשרינן בפ"ק דבילה (דף ו. ושם) למיגז ליה גלימא ואסא היינו דוקא כדפרישית שלא ימצא גלימא ואסא עשוי מערב יו"ט אבל כוכין וקברות ימצא הרבה שהיו רגילים לחפור מחיים ומהאי טעמא יכול להיות מותר בזמן הזה לפי שאין עושין כוכין וקברות מחיים: **ועושין** נברכת במועד. תימה ואמאי צריך במועד והלא אין מכבסין במועד וי"ל לצורך כל אותם שהתירו חכמים לכבס לקמן בפרק בתרא (דף יג:) וי"מ לרחוץ את המת ותכריכין: **וארון** עם המת בחצר. אמרינן בירושלמי אמר רבי מנא הדא דאמר במת שאינו מפורסם אבל במת שמפורסם עושין לו ארון אפילו בשוק כהדא דרבי חנינא חברייהו דרבנן דמך בחול המועד עבדי ליה ארון בשוקא ונראה לדידן שיש קהלות מועטין חשבינן להו מפורסם לכולהו מתים: **גיהא** ובר גיהא. פי' ר"ח מחמלן ונדיין דפרק לא יחפור (ב"ב דף יט.) וליתא דהתם תנן מרחיקין את הנברכת שלשה טפחים וקאמרינן בגמ' לא שנו אלא מן החמלן אבל מן הנדיין ארבע אמות ובתוספתא) תני מרחיקין את הנברכת ואת הבקיעה שלשה טפחים: **ומנסרן** בצנעא. ואסור בפרהסיא ויש ליתן טעם דלא דמי להיא (שבת דף קמו:) דכל שאסרו חכמים משום מראית העין כו' ודמי טפי להיא דפ' אע"פ (כתובות ס. ושם) ליגור שעלו בו קשקשים כו': **אבל** מחזיר גרושתו. בירושלמי הדא דתימא מהנישואין פירוש גרשה אחר נישואין והחזיר אבל לא מן האירוסין: **לפי** שאין מערבין שמחה בשמחה. גזירת הכתוב כדדריש לקמן מקרא דשלמה ובירושלמי דריש מדכתיב מלא שבוע זאת וטעם נראה קצת דכמו שאין עושין מצות חבילות דבעינן שיהא לבו פנוי למצוה אחת ולא יפנה עצמו הימנה וכן שמחה בשמחה יהיה לבו פנוי בשמחה: **בחגך** ולא באשתך. עיקר דרשה הוא ולא אסמכתא כדאמרינן פ"ק דחגיגה (ד' ח: ושם) ורב אשי האי בחגך מאי דריש ביה: **מפני** הטורח. ומתניתין הכי פי' מפני ששמחה היא לו וטורח בה יותר מדאי: **מפני** ביטול פריה ורביה. ומתני' ה"פ מפני ששמחה היא לו ומשהה אותה ברצון עד הרגל שיהא שמח או שיהיה פנוי והא דקתני אבל מחזיר גרושתו שאין שמחה לו ולא שייך עירוב (ב) בשמחה ולא מניח שמחת הרגל וגם ביטול פריה ורביה אין כאן שהיה לו אשה כבר ושמחה דמילתא יש לו בנים וגם אין רגיל לשהות דבר זה עד הרגל וסעודת ברית מילה מותר לעשות בחול המועד דליכא שמחה כדאמרינן פ' קמא דכתובות (ד' ח.) דלא מברכין שהשמחה במעונו משום דאית ליה צערא לינוקא אי נמי כיון שזמנו קבוע אין לבטל זה מפני זה אבל סעודת פדיון הבן צריך עיון אם מותר לעשות במועד ואין לומר הא זמנה קבוע תינח בזמנה שלא בזמנה היאך יהא מותר ונראה לי דקיימא לן כרב אשי דדריש בחגיגה בפ"ק (ד' ח: ושם) בחגך ולא באשתך ואינו אסור לערב שמחה בשמחה ועי"ל דלא חשיבי שמחה בשמחה כי אם סעודת נישואין לבד:

איבעי

עין משפט נר מצוה

עה א מיי' פי"א מהלכות אבל הלכה ו:
עו ב ג מיי' פ"ח מהל' י"ט הלכה ח סמג לאוין עה טוש"ע א"ח סי' תקמז סעיף יא:
עז ד מיי' שם הלכה ד:
עח ה מיי' שם הלכה ח טוש"ע שם:
עט ו מיי' פ"ז מהלכות י"ט הלכה טו סמג לאוין עה טוש"ע שם סעיף י:
פ ז מיי' פ"ז מהלכות י"ט הלכה טו ופ"י מהלכות אישות הלכה יד סמג לאוין שם טוש"ע שם סי' תקמו סעיף א ב וטוש"ע אה"ע סי' סד סעיף ו:
פא ח מיי' פ"ז מהלכות י"ט הלכה כ טוש"ע א"ח שם סעיף ה:
פב ט י מיי' פ"ז מהל' י"ט הלכה ה טור ש"ע שם סי' תקמא סעיף ה:
פג כ מיי' שם פ"ח הלכה יג טוש"ע שם סעיף ב:
פד ל מיי' שם פ"ז הלכה טו ופ"י מהל' אישות הלכה יד טוש"ע אה"ע סי' סב סעיף ב:

הגהות הב"ח

(א) רש"י ד"ה גיהא ובר גיהא נברכת בריכה גדולה שעושין כו' היוצאין מן הגדולה כשהיא מליאה כו' כצ"ל ותיבת לקטנה נמחק: (ב) תוס' ד"ה מפני ביטול כו' ולא שייך עירוב שמחה בשמחה ולא:

תורה אור השלם

א) וְשָׂמַחְתָּ בְּחַגֶּךָ אַתָּה וּבִנְךָ וּבִתֶּךָ וְעַבְדְּךָ וַאֲמָתֶךָ וְהַלֵּוִי וְהַגֵּר וְהַיָּתוֹם וְהָאַלְמָנָה אֲשֶׁר בִּשְׁעָרֶיךָ: [דברים טז, יד]

רבינו חננאל

במועד שנאמר העתידין עורר לויתן: קודם לרגל שלשים יום. דאמר רב מעשה באחד שקבץ מעות לרגל בא ספדן ועמד על פתח ביתו נטלן ונתנן לו ונמנע לעלות לרגל התקינו שלא יעורר כו': [מתני'] אין חופרין כוכין וקברות במועד. פי' להקבר בהן לאחר הרגל תניא הן הן כוכין הן הן קברות אלא שהכוכין בחפירה והקברו' בבנין. ומחנכין את הכוכין. כיצד מחנכין אותן. אמר רב יהודה אם היה ארוך מקצרו במתניתא תנא מאריך ומרחיב בו. ועושין נברכת במועד. מאי נברכת. גוהא בר גוהא פי' ירושלמי נברכת זה בקיע. ועושין ארון עם המת בחצר. פי' שאם יעשו את הארון בחוץ יאמרו כל העם מותר לעשות במועד שאינן יודעין שמת לו מת. כדתניא עושין כל צרכי המת גוזזין שערו ומכבסין את כסותו ועושין לו ארון מנסרין את המנוסרין מעיו"ט. ר"ש בן גמליאל אף מביא עצים ומנסרן בצינעא לתוך ביתו: ירושלמי ל"ש אלא באדם שאינו מפורסם כלומר אינו אדם חשוב אבל אם הוא אדם חשוב עושין לו ארון אפילו בשוק כד דמך ר' חנינא חברין דרבנן עבדו ליה ארון בשוק. והכל מודים שלא יקוץ ארזים ודכוותיה לא יחצוב לו אבנים ואם היו חצובות פלוגתא דר' יהודה ורבנן: מתני' אין נושאין נשים במועד כו'. מ"ט א"ר חנינא מפני שמערבין שמחת הרגל בשמחת אשתו רב אמר משום שנאמר ושמחת בחגך ולא באשתך. עולא אמר מפני הטורח רבי יצחק נפחא אומר משום ביטול פריה ורביה שאם אתה מתירו להכניסה במועד אף מעבירה הוא בכל השנה כולה שלא יבטל ממלאכתו ומכניסה ברגל ונמצא מבטל כל אותה שנה. ומותבינן כל אלו שאמרו כגון בתולות אלמנות כו' אסורות לישא במועד ומותרין בערב הרגל קשיא

מסורת הש"ס

א) [ברכות נח: ע"ש], ב) [תוספתא פ"א], ג) [לקמן יח:], ד) [לקמן יג. פסחים נה:], ה) חגיגה ח:, ו) [כדאיתא בכורות מט:], ז) [דב"ב פ"א], ח) [ברכות מט.].

גליון הש"ס

תוס' ד"ה בחגך כו' עיקר דרשה כו'. ועי' כתובות דף מז ע"א תוס' ד"ה דמסר:

רש"י כת"י

דקא עביד. ספדן בחנם מאן דאמ' משום מעשה שהיה ליכא. אין חופרין. במועד לצורך מתים שדרכן לחפור כוכין וקברות בזמנן לצורך מתים שימותו דטירחא יתירא הוא והא דאמרינן בעלמא (ביצה ו.) דאפילו ביום שני יתעסקו בו ישראל הני מילי כגון טלטול ושאר דברים שאין בו טורח כגון לכבס ולגזוז שער אבל חפירה לא. מחנכין. מפרש בגמרא. נברכת. של כובסין ולית בזה טורח כולי האי. וארון עם המת בחצר. שהמת שם מותר לעשות לו ארון ולנסר נסרים לעשותן ארון לכתחילה (ס"א - לעשותו כולו כתחילה) אבל לא בחצר אחרת שלא יאמרו מלאכה אחרת הוא. ר' יהודה אוסר. להביא עצים ולעשות נסרי לצורך הארון אלא אם כן מנסרין הנסרים מתחלה קודם יום טוב. כוכין. קרקע המיוחד לבית הקברות וחופרין חפירה באמצע מעט ופותח בתוך אותה חפורה למטה כוכין הרבה לכל צד כוה ... בקוע. גומא למים. הנברכת והבקיע. (אמר ליה) [אלמא] תרי מיני נינהו. גיהא ובר גיהא. בקיע קטן הסמוך לגדול וצריך מתוקן מזה ומזה לזה כשהגדול מלא הולכין המים לקטן. תנינא. במתני' להא דתנו רבנן בבריתא אלמא ברייתא עיקר. מנסרים המנוסרים. דטורח גדול הן לעשותן במועד. מפני ששמחה הוא לו. כדמפרש בגמרא. מחזיר גרושתו. אינה שמחה כל כך דאין שמחה אלא באשה שלא היתה לו מעולם. *[ומסרגין את המטות. אורגים בחבלים. וממתחין. אם היה רפוי [שנארג] זה ימים רבים ורפו החבלין ממתחן]* [רש"י רי"ף]. מאי הוי. שמחה ביום טוב מי אסירא. שאין מערבין שמחה בשמחת החג כדיליף לקמן. ושמחת בחגיך ולא באשתך. והכא באשתך ולא בחגך דמשום [חביבות] אשתו מניח שמחת הרגל לגמרי אבל שאר שמחה (שהיא) [שאינה של אשתו] מבטל שמחת החג ... בשבילה אית ליה לרב דמערבין שמחה וקראי לקמן ... לא דריש. מפני הטורח. שיש טורח גדול בסעודה וקא טרח טירחא יתירא במועד והיינו דקתני מפני שהרגל שמחה הוא וטורח הוא בו ולמאן דאמ' נמי משום פריה ורביה מתרץ לה נמי במתני' הכי שמתבטל מפריה ורביה וממתין לה עד המועד ששמחה הוא לו וחייב לשמוח בו בסעודה דקסבר כי עבד במועד הוה ליה רווחא דסליק סעודתיה מהכא ולהכא ומתבטל ואינו נושא עד המועד. *[מפני ביטול פריה ורביה. אם נזדמנה לו אשה קודם המועד [לא ישאנה אלא בחג דאומר אמתין] לישאנה עד החג מפני סעודת החג דסבר [דהוי] ליה רווחא וסלקין ליה סעודתו להכי ולהכי ומתבטל ואינו נושא אשה עד המועד.]* [רש"י רי"ף]. כל אלו שאמרו. כגון הנושא בתולה והנושא את יבמתו דקתני מתניתין מותרין לישא ערב הרגל ואע"ג דהשתא הוו שבעת ימי המשתה של נישואין ברגל אלמא טעמ' דמתניתין לאו משום שמחה ולאו משום טורח ולאו פריה ורביה ואם איתא אפילו (עבר) [ערב הרגל] ליתסר נמי וקשי' לכולהו.

person, i.e. a professional, must **use irregular stitches.**[24]

The Mishnah concludes:

וּמְסָרְגִין אֶת הַמִּטּוֹת – And we may interlace supports for **beds.**[25] **רַבִּי יוֹסֵי אוֹמֵר – R' Yose said: מְמַתְּחִין – We may tighten them.**[26]

Gemara

The Mishnah said that one may not marry a wife on Chol HaMoed because it is a source of joy for the groom. The Gemara inquires:

וְכִי שִׂמְחָה הִיא לוֹ מַאי הָוֵי – And if it is a source of **joy for him, what of it,** i.e. what is wrong with that? Is joy forbidden on a festival?

The Gemara answers:

אָמַר רַב יְהוּדָה אָמַר שְׁמוּאֵל – Rav Yehudah said in the name of Shmuel, וְכֵן אָמַר רַבִּי אֶלְעָזָר אָמַר רַבִּי אוֹשַׁעְיָא – and so too, said R' Elazar in the name of R' Oshaya, וְאָמְרֵי לָהּ אָמַר רַבִּי אֶלְעָזָר אָמַר רַבִּי חֲנִינָא – and some say that R' Elazar said it in the name of R' Chanina: לְפִי שֶׁאֵין מְעָרְבִין שִׂמְחָה בְּשִׂמְחָה – Because we do not intermingle one **joyous** occasion **with** another **joyous** occasion.[27]

Another reason why adding the joy of marriage is forbidden on Chol HaMoed:

רַבָּה בַּר [רַב] הוּנָא אָמַר – Rabbah bar Rav Huna said: מִפְּנֵי שֶׁמַּנִּיחַ שִׂמְחַת הָרֶגֶל וְעוֹסֵק בְּשִׂמְחַת אִשְׁתּוֹ – Because [the groom] will put aside the joy of the festival, and involve himself with the joy of his wife.

The Gemara elaborates:

אָמַר לֵיהּ אַבַּיֵי לְרַב יוֹסֵף – Abaye said to Rav Yosef: הָא דְּרַבָּה בַּר [רַב] הוּנָא דְּרַב הוּא – This reasoning **of Rabbah bar Rav Huna** has as its source a statement **of Rav. דְּאָמַר רַב דָּנִיאֵל בַּר קְטִינָא אָמַר רַב – For Rav Daniel bar Ketina said in the name of Rav: מִנַּיִן שֶׁאֵין נוֹשְׂאִין נָשִׁים בַּמּוֹעֵד – From where** is it known **that we may not marry women on Chol HaMoed? שֶׁנֶּאֱמַר ,,וְשָׂמַחְתָּ בְּחַגֶּךָ" – For it is stated:**[28] ***And you shall rejoice in your festival,*** **בְּחַגֶּךָ וְלֹא בְּאִשְׁתְּךָ** – and this is expounded to mean **"in your festival" but not in your wife.**[29]

Another reason why marriage is forbidden on Chol HaMoed:

עוּלָּא אָמַר – Ulla said: מִפְּנֵי הַטּוֹרַח – Because of the excessive exertion this would impose on the groom, in preparing for the wedding feast.[30]

Another reason why marriage is forbidden on Chol HaMoed:

רַבִּי יִצְחָק נַפָּחָא אָמַר – R' Yitzchak Nafcha said: מִפְּנֵי בִּיטּוּל פְּרִיָּה וּרְבִיָּה – Because allowing marriages on Chol HaMoed would result in **neglect of** the mitzvah of **propagation.**[31]

The Gemara challenges all of the reasons cited above:

מֵיתִיבֵי – They challenged them from the following Baraisa: **כָּל אֵלּוּ שֶׁאָמְרוּ אֲסוּרִין לִישָּׂא בַּמּוֹעֵד** – With regard to ALL THOSE women concerning WHOM [THE SAGES] SAID that IT IS FORBIDDEN TO MARRY ON THE FESTIVAL,[32]

NOTES

the festival (*Tosafos* below, 10a ד״ה ההדיוט תופר כדרכו).

24. This is explained in the Gemara below (10a). [Our translation of מַכְלִיב follows the definition given in the Gemara there.]

25. [Beds in Mishnaic times were supported by interlaced ropes instead of springs; see diagram on 27a.] The art of interlacing is similar to weaving except that in interlacing there is open space between the ropes, whereas in weaving the cords are woven together tightly (*Rama* to *Orach Chaim* 541:2).

26. This is explained in the Gemara below (10a).

27. For a person should be completely devoted to the joyous occasion of the festival, to the exclusion of other joys (*Rashi*). The Gemara below (9a) derives this from a Scriptural source.

28. *Deuteronomy* 16:14.

29. The difference between this reason and the first reason cited above is as follows: According to the first reason, that we do not intermingle one joyous occasion with another joyous occasion, any joyous occasion, not just marriage, would be proscribed (this is clear from the derivation that will be cited in the Gemara below, 9a). However, according to this second reason, this prohibition only applies to the joy of marriage, for the reason stated by Rabbah bar Rav Huna; in addition, the verse וְשָׂמַחְתָּ בְּחַגֶּךָ, *And you shall rejoice in your festival,* clearly excludes only marriage (*Rashi* to *Rif,* as explained by *Lechem Mishneh* to *Rambam, Hil. Yom Tov* 7:16. See also *Korban Nesanel* §200 to *Rosh* (§15); see also ריטב״א).

30. This is forbidden, for as we learned above (2a), excessive exertion is forbidden on Chol HaMoed (*Rashi ms*).

According to Ulla, the Mishnah's words מִפְּנֵי שֶׁשִּׂמְחָה הִיא לוֹ, *because it is* a source of *joy for him,* mean that since the marriage is a joyous occasion for the groom we are concerned that he will overexert himself in preparing for the wedding feast (*Tosafos* ד״ה מפני הטורח).

31. I.e. if it were permitted to get married on Chol HaMoed, people would not get married all year; rather, they would wait until the festival to get married, so as to combine the wedding feast with the festival feast (*Rashi*). Also, people would postpone their weddings until Chol HaMoed when work is forbidden, so that they would be free to rejoice with their wives (*Talmid R' Yechiel MiParis*). This would result in delay in fulfilling the mitzvah to have children, which is incumbent upon every Jewish man. Thus, the Sages prohibited marriage on Chol HaMoed.

[This prohibition extends even to one who already has children from a previous marriage, as the Sages did not make any exception when they issued their decree; in addition, even one who has children is enjoined to have additional children [see *Yevamos* 62b] (*Talmid R' Yechiel MiParis*).]

According to R' Yitzchak Nafcha, the Mishnah's words מִפְּנֵי שֶׁשִּׂמְחָה הִיא לוֹ, *because it is* a source of *joy for him,* mean that since the festival is a time of joy which requires a feast, the groom will delay the wedding so as to combine the wedding feast with the festival feast (*Rashi ms.;* cf. *Tosafos* ד״ה מפני ביטול).

32. This refers to the women listed in our Mishnah, i.e. a virgin, a widow and a *yevamah* (see *Rashi ms.*).

מוּתָּרִין לִישָּׂא עֶרֶב הָרֶגֶל – **IT IS PERMITTED TO MARRY** them **ON THE EVE OF THE FESTIVAL**, even though the seven days of rejoicing (i.e. the seven days of *sheva berachos*) will extend into the festival.[1] קַשְׁיָא לְכוּלְּהוּ – This Baraisa poses **a difficulty to all** of the opinions cited above.[2] –?–

The Gemara answers:

לֹא קַשְׁיָא – There is **no difficulty.** לְמַאן דְּאָמַר מִשּׁוּם שִׂמְחָה – **According to one who says** that the reason not to marry them on the festival is **because of joy,**[3] there is no problem with marrying on the eve of the festival, because עִיקַּר שִׂמְחָה חַד יוֹמָא הוּא – **the main joy is for** only **one day,** i.e. the wedding day itself.[4] לְמַאן דְּאָמַר מִשּׁוּם טִירְחָא – **According to the one who says** that the reason not to marry them on the festival is **because of the excessive exertion** involved in preparing the meal, there is no problem with marrying on the eve of the festival either, because עִיקַּר טִירְחָא חַד יוֹמָא הוּא – **the main exertion is for** only **one day,** i.e. the wedding day, whereas on the other days he will not overexert himself. לְמַאן דְּאָמַר מִשּׁוּם בִּיטּוּל פְּרִיָּה וּרְבִיָּה – **According to the one who says** that the reason not to marry on the festival is **because** it would result in the **neglect** of the mitzvah of **propagation** (since many would delay the wedding so as to combine the wedding meal with the festival meal), there is no problem with marrying on the eve of the festival, because לְחַד יוֹמָא לֹא מַשְׁהֵי אִינִישׁ נַפְשֵׁיהּ – **for** the narrow window of opportunity provided by **a single day** (i.e. the day before the festival), **a person would not delay** the wedding.[5]

The Gemara seeks the Scriptural source for the rule that we do not intermingle two joyous occasions:

וּדְאֵין מְעָרְבִין שִׂמְחָה בְּשִׂמְחָה מְנָלַן – **And** this law – **that we should not intermingle** one **joyous** occasion **with** another **joyous** occasion – **from where do we derive** it? דִּכְתִיב – **For it is written** regarding the celebration of the dedication of the Temple by Solomon:[6] "וַיַּעַשׂ שְׁלֹמֹה בָעֵת־הַהִיא אֶת־הֶחָג – ***At that time Solomon instituted the celebration,*** וְכָל־יִשְׂרָאֵל עִמּוֹ קָהָל גָּדוֹל – ***and all Israel was with him, a huge congregation,*** מִלְּבוֹא חֲמָת עַד־נַחַל מִצְרַיִם – ***from the approach to Hamath until the Brook of Egypt,*** [לִפְנֵי ה׳ אֱלֹהֵינוּ] – ***before Hashem our God,*** שִׁבְעַת יָמִים וְשִׁבְעַת יָמִים אַרְבָּעָה עָשָׂר יוֹם" – [for] ***seven days and seven*** [more] ***days, fourteen days.*** I.e. they celebrated during the seven days before the festival of Succos in honor of the dedication of the Temple, and carried the festivities into the seven days of Succos in honor of the festival, for a total of fourteen days. וְאִם אִיתָא דִּמְעָרְבִין שִׂמְחָה בְּשִׂמְחָה – **Now, if it is** so **that we may intermingle** one **joyous** occasion **with** another **joyous** occasion, אִיבָּעֵי לֵיהּ לְמִינְטַר עַד הֶחָג – **[Solomon] should have delayed** the dedication of the Temple seven days, **until the festival** of Succos, וּמִיעֲבַד שִׁבְעָה לְהָכָא וּלְהָכָא – **and made seven** days of celebration encompassing both **this** (the dedication of the Temple) **and that** (the festival of Succos).[7] From the fact that he did not combine the two, it can be derived that we do not intermingle two occasions of joy.

The Gemara challenges this proof:

וְדִלְמָא מִינְטַר לֹא נַטְרִינַן – **But perhaps** the reason why Solomon did not combine the two joyous occasions is because **we do not** intentionally **delay** the dedication of the Temple once the building is complete;[8] וְהֵיכָא דְּאִתְרַמֵּי עָבְדִינַן – **however, where it happens** that two joyous events coincide, **we may do so** (i.e. combine the two joyous occasions). –?–

The Gemara answers that if it would actually be permitted to combine two joyous occasions, Solomon could have arranged matters so that the dedication of the Temple and Succos would coincide:

אִיבָּעֵי לֵיהּ לְשִׁיּוּרֵי פּוּרְתָּא – **[Solomon] could have left over a small part** of the building of the Temple and completed it immediately prior to Succos, thus causing the two events to coincide.[9] Since he did not do so, it can be derived that we do not combine two joyous occasions even if they happen to coincide.

The Gemara counters:

שִׁיּוּרֵי בִּנְיַן בֵּית הַמִּקְדָּשׁ לֹא מְשַׁיְּירִינַן – **We surely would not leave over** any portion of **the building of the Temple;** firstly, because people would know that this is a subterfuge, and secondly, because it is disgraceful to do such a thing.[10] Therefore, Solomon could not have delayed the dedication of the Temple until Succos by leaving a part of the building unfinished until that time.

The Gemara persists, maintaining that although Solomon could not have delayed the completion of the main structure of the Temple, there was a way for him to delay the dedication:

אִיבָּעֵי לֵיהּ לְשִׁיּוּרֵי בְּאַמָּה כַּלְיָא עוֹרֵב – **[Solomon] should have left**

NOTES

1. When a person marries a virgin he is obligated to rejoice with her with seven days of festive meals (see *Kesubos* 7a) [whereas if she was married before he rejoices with her for three days (see *Rambam, Hil. Ishus* 10:12)]. Accordingly, if a person marries on the eve of a festival, the days of rejoicing with his wife will extend into the festival (*Rashi ms.*).

2. I.e. all of the four reasons cited above for not marrying on the festival, as follows: (a) Rav Yehudah said in the name of Shmuel that the reason not to marry on the festival is because we do not intermingle one joyous occasion with another joyous occasion. Accordingly, even marrying on the eve of the festival should not be permitted since the seven days of rejoicing will extend into the festival. (b) Similarly, Rabbah bar Rav Huna said that the reason not to marry on the festival is out of concern that a person will put aside the joy of the festival and involve himself with the joy of his wife. If so, even marrying on the eve of the festival should not be permitted, for the same concern applies. (c) According to Ulla who said that the reason not to marry on the festival is because the groom will exert himself excessively in preparing the feast, on the eve of the festival he should not marry either, for he may exert himself excessively to prepare for the festive meals of the seven days of rejoicing. (d) According to R' Yitzchak Nafcha, who said the reason is because a person would delay marrying so as to be able to combine the wedding meal with the festival meal, and the mitzvah of propagation would be neglected as a result, marrying on the eve of the festival should also be prohibited. For a person will still delay his wedding, so that the days of rejoicing with his wife can be combined with the festival meals.

3. This refers to both Rav Yehudah in the name of Shmuel, who said that we do not intermingle one joyous occasion with another joyous occasion, and Rabbah bar Rav Huna, who said that the groom will put aside the joy of the festival to rejoice with his wife (*Rashi ms.*).

4. The other days of rejoicing with his wife, however, do not produce the same level of joy and therefore are not considered a conflict with the festival (*Rashi*).

5. If a person were only allowed to marry on the eve of the festival, but not on the days of the festival itself, he would not delay the wedding until then. For if something were to happen and the wedding could not be performed on the eve of the festival, he would have to wait until after the end of the festival to marry. However, if a person were allowed to marry on any of the days of the festival, he would delay the wedding until the eve of the festival; for even if something were to happen and the wedding could not take place on the eve of the festival, he would be able to marry on the other days of the festival (*Rashi, Rashi ms.*).

6. *I Kings* 8:65. See also *II Chronicles* 7:9.

7. This would have been the logical thing to do so as not to keep the people away from their work for so many days (*Tosafos* ד״ה איבעי ליה. See also *Talmid R' Yechiel MiParis* and *Maharsha*).

8. I.e. [since the building of the Temple was complete] Solomon did not delay the dedication of the Temple until Succos for that would cause the Altar to stand idle during that time (*Rashi ms.*).

9. Since the building of the Temple would not have been completed, it is not considered as if the Altar is idle (*Rashi ms.*).

10. *Rashi ms.*

מותרין לישא ערב הרגל קשיא לכולהו לא קשיא למאן דאמר משום שמחה עיקר שמחה חד יומא הוא למ"ד משום טירחא עיקר טירחא חד יומא הוא למ"ד משום ביטול פריה ורביה לחד יומא לא משהי איניש נפשיה ודאין מערבין שמחה בשמחה מנלן דכתיב א) ויעש שלמה בעת ההיא את החג וכל ישראל עמו קהל גדול מלבוא חמת עד נחל מצרים [לפני ה' אלהינו] שבעת ימים ושבעת ימים ארבעה עשר יום ואם איתא דמערבין שמחה בשמחה איבעי ליה למינטר עד החג ומיעבד שבעה להכא ולהכא ודלמא מינטר לא נטרינן והיכא דאתרמי עבדינן איבעי ליה לשיורי פורתא שיורי בנין בהמ"ק לא משיירינן איבעי ליה לשיורי ה) באמה (א) כליא עורב אמה כליא עורב צורך בנין הבית הוא אלא מדמייתר קרא מכדי כתיב ארבעה עשר יום שבעת ימים ושבעת ימים למה לי שמע מינה הני לחוד והני לחוד א"ר פרנך א"ר יוחנן אותה שנה לא עשו ישראל את יום הכפורים והיו דואגים ואומרים שמא נתחייבו שונאיהן של ישראל כלייה יצתה בת קול ואמרה להם כולכם מזומנין לחיי העולם הבא מאי דרוש אמרו קל וחומר ומה משכן שאין קדושתו קדושת עולם וקרבן יחיד דוחה שבת דאיסור סקילה מקדש ° דקדושתו קדושת עולם וקרבן צבור ויום הכפורים דענוש כרת לא כ"ש אלא אמאי היו דואגים התם צורך גבוה הכא צורך הדיוט הכא נמי מיעבד ליעבדו מיכל לא ניכלו ולא לישתו אין שמחה בלא אכילה ושתיה ומשכן דדחי שבת מנלן אילימא מדכתיב ב) ביום הראשון ג) וביום השביעי דלמא שביעי לקרבנות אמר רב נחמן בר יצחק אמר קרא ד) ביום עשתי עשר יום מה יום כולו רצוף אף עשתי עשר כולן רצופין ודלמא ימים הראוין כתיב קרא אחרינא ה) ביום שנים עשר יום מה יום כולו רצוף אף שנים עשר יום כולן רצופין ודלמא הכא נמי ימים הראוין אם כן תרי קראי למה לי ומקדש דדוחה יום הכפורים מנלן אילימא מדכתיב ארבעה עשר יום ודלמא ימים הראוין גמר יום יום מהתם יצתה בת קול ואמרה להם כולכם מזומנין לחיי העולם הבא ומנלן דאחיל להו דתני תחליפא ב) ו) ביום השמיני שלח את העם ויברכו את המלך וילכו לאהליהם שמחים וטובי לב על כל הטובה אשר עשה ה' לדוד עבדו ולישראל עמו שהלכו ומצאו נשיהם בטהרה שמחים שנהנו מזיו השכינה וטובי לב שכל אחד ואחד נתעברה אשתו בבן זכר על כל הטובה שיצתה בת קול ואמרה להם כולכם מזומנין לחיי העולם הבא לדוד עבדו ולישראל עמו בשלמא לישראל עמו דאחיל להו עון יום הכפורים אלא לדוד עבדו מאי היא אמר רב יהודה אמר רב ג) בשעה שביקש שלמה להכנים ארון למקדש דבקו שערים זה לזה אמר שלמה עשרים וארבע רננות ולא נענה פתח ואמר ז) שאו שערים ראשיכם וגו' ולא נענה כיון שאמר ח) ה' אלהים אל תשב פני משיחך זכרה לחסדי דוד עבדך מיד נענה באותה שעה נהפכו פני שונאי דוד כשולי קדירה וידעו הכל שמחל לו הקב"ה על אותו עון ר' יונתן בן עסמיי ד) ורבי יהודה בן גרים תנו פרשת נדרים בי ר' שמעון בן יוחי איפטור מיניה באורתא לצפרא הדור וקא מפטרי מיניה אמר להו ולאו איפטריתו מיני באורתא אמרו ליה למדתנו רבינו א תלמיד שנפטר מרבו ולן באותה העיר צריך ליפטר ממנו פעם אחרת שנאמר ביום השמיני שלח את העם ויברכו את המלך וכתיב ט) וביום עשרים ושלשה לחדש השביעי שלח את העם אלא מכאן לתלמיד הנפטר מרבו ולן באותה העיר צריך ליפטר ממנו פעם אחרת א"ל לבריה בני אדם הללו אנשים של צורה הם זיל גביהון דליברכוך אזל אשכחינהו דקא רמו קראי אהדדי כתיב י) פלס מעגל רגלך וכל דרכיך יכונו וכתיב כ) אורח חיים פן תפלס לא קשיא כאן במצוה שאפשר לעשותה ע"י אחרים כאן

מותרין לישא ערב הרגל. כלומר מותר לכתחלה ואע"ג דשבעת ימים של סעודה יהיו ברגל: עיקר שמחה. דנישואין חד יומא ובשאר יומי לא חשיב מערב שמחה בשמחה: עיקר טירחא. דנישואין ביום ראשון דנישואין: לחד יומא לא משהו אינשי. כלומר כיון שאינו יכול להתחיל אלא בערב הרגל אין ממתינין עד הרגל דדלמא מתרמי מלתא דלא מצי מתחיל בערב הרגל ולא מתחיל כל הרגל: ועביד ז' יומי שמחה להכא ולהכא לחנוכת הבית ולרגל: ודלמא מינטר לא נטרינן. נישואין עד הרגל כי היכי דלא נטר שלמה אבל אי מתרמי ליה עביד: אי הכי. דהיכא דאי איקרי ליה עביד איבעי ליה לשיורי בבנין עד הרגל כי היכי דליתרמי ליה חנוכת הבית ברגל: אמה כליא עורב. הגג כלה ומקלר למעלה עד כאמה ומחפין אותו שם בברזל ובמסמרים כדי שלא ישבו העורבים עליו וזהו לא חשיב כבנין: ודלמא אמה כליא עורב נמי צורך בנין הוא. להכי לא שיירה אלא כל היכא דאיתרמי ליה לנישואין ברגל לא ידעינן מנלן דלא עבדינן: שמע מינה הני לחוד. דלא מצי למיעבד ליה ביחד אפילו מתרמי: לא עשו ישראל יום כפורים. לפי שבשבעה ימים שלפני סוכות כל יום עשו שמחה ומשתה דכתיב ויעש שלמה בעת ההיא את החג שבעת ימים ושבעת ימים ארבעה עשר יום: וקרבן יחיד. של נשיאים: דאיסור סקילה. דחמור מכרת: וקרבן צבור. דמה שהיו מקריבין בימי חנוכת הבית קרבן צבור הוא: התם. במשכן דגבוה הוו קרבנות: הכא. בחנוכת הבית להדיוט משתה: הכא נמי לעבדו. קרבנות מיכל לא ליכלו: ביום השביעי. ומשמע לן יום ז' היינו שבת: דלמא שביעי לקרבנות. שאם הקריב נשיא ששי בערב שבת מקריב נשיא שביעי באחד בשבת ומאי שביעי שביעי לקרבן נשיא: ביום עשתי עשר יום. האי יום יתירא משמע מה יום רצוף שאין בו הפסק אף כולהו י"א יום רצוף דליכא הפסק בינתיים אפילו בשבת: דלמא ימים הראוין. למשתה עביד משתה לאפוקי יום הכפורים: גמר יום יום מהתם. מנשיאים דמשכן דגמרינן מתרי קראי דהוו רצופים אפילו בשבת אף משתה דחנוכת הבית הוו י"ד רצופים ואפילו [ביוה"כ]: כ"ד רננות. כתיבי בפרשה בין רנה ותחנה ותפלה ובקשה: פרשת נדרים. מסכת נדרים: ביום השמיני. של חג היינו בעשרים ושתים: וכתיב וביום עשרים ושלשה. אלמא דבעשרים ושתים ובעשרים ושלשה איפטרו מיניה: של צורה. כלומר חכמים: פלס מעגל רגלך. כלומר שקול מצות ועיין בהן איזו מצוה גדולה ועשה הגדולה: וכתיב ארח חיים פן תפלס. דמשמע כל מצוה שתבא לידך עשה אותה בין גדולה בין קטנה ואל תניח קטנה מפני הגדולה: מצוה שאפשר לעשותה ע"י אחרים. תפלס פלס מעגל רגלך שתעשה אתה הגדולה ותצריך יעשו קטנה: ובמצוה

איבעי ליה למינטר עד החג. כדי שלא יתבטלו ישראל ממלאכתן כל כך: איבעי ליה לשיורי באמה כליא עורב. שלא היה צורך הבנין כ"כ ואע"פ שהוא מהבנין כדי שלא יביאו הטומאה אין זה צורך כל כך וגם בשעת הבנין בזמן שלא היה השכינה שורה בו לא היה צורך ה): כאן

עין משפט
נר מצוה

פה א טוש"ע י"ד סי' רמב סעיף טז בהגה"ה:

רבינו חננאל

קשיא לכולהו. ופרקינן מאן דאמר משום שמחה חד יומא הוה והוא יום הכנסת הכלה בערב יום טוב. וכן נמי מי שאמר משום טרחא א) כר' אבא דאמר עלת כלתא נפקת טרחותא מאן דאמר משום פריה ורביה לחד יומא לא משהי נפשיה. ומנ"ל דאין מערבין שמחה בשמחה דכתיב ויעש שלמה את החג וכל ישראל עמו קהל גדול מלבוא חמת עד נחל מצרים לפני ה' אלהינו שבעת ימים ושבעת ימים ארבעה עשר יום ואסיקנא מדמייתר קרא מכדי כתיב ארבעה עשר יום שבעת ימים ושבעת ימים למה לי אלא ש"מ שמחת חינוך לבד ושמחת החג לבד. אמר רבי פרנך א"ר יוחנן אותה שנה לא צמו ביוה"כ דכתיב שמחה ואין שמחה בלא אכילה מאי דרוש ק"ו ומה משכן שאין קדושתו קדושת עולם דהא יש אחריו קדושה וקרבן הנשיאים קרבן יחיד הוא ולא קרבן צבור ודחי שבת שהוא איסור סקילה. והקריבו בשבת כדכתיב ביום עשתי עשר יום. ביום דכתב קרא למה לי אלא ללמד מה יום כולו רצוף אף שנים עשר כולן רצופין הקריבו בהן והשבת בכללן. מקדש קדושתו קדושת עולם דאין אחריו היתר וקרבן צבור ויוה"כ דאיסור כרת הוא לא כ"ש דנידחי ליה והיו דואגין שמא נתחייבו כלייה דאמרי התם במשכן לא דחו שבת אלא בהקרבת קרבנות דצורך גבוה נינהו אבל יום הכפורים דאסור באכילה ושתיה שהוא צורך הדיוט. יצאת ב"ק ואמרה להן כולכם מזומנים לחיי העולם הבא שלא נתכוונתם אלא למצוה. ומניין שמחל להם שנא' וביום השמיני שלח את העם ויברכו את המלך וילכו לאהליהם שהלכו ומצאו נשיהן טהורות שמחים שנהנו מזיו השכינה וטובי לב שכל אחד ואחד נתעברה אשתו זכר על כל הטובה אשר עשה ה' לדוד עבדו שהודיע לכל שמחל לו עון בת שבע ומיתת אוריה שלא נענה שלמה בנו בעת שדבקו שערים זה בזה ולא נפתחו שיכנס הארון אלא כשאמר ה' אלהים אל תשב פני משיחך זכרה לחסדי דוד עבדך מיד נודע לכל שמחל הקב"ה לדוד עבדו אותו עון ולישראל עמו שיצאת ב"ק ואמרה כולכם מזומנים לחיי העולם הבא. ר' יונתן בן עבראי ור' יהודה בן גרים תנו נדרים בי רשב"י איפטור מיניה באורתא בצפרא נמי אתו וקא מיפטרי אמר להו ולאו כבר איפטריתו אמרו לו לימדתנו רבינו תלמיד הנפטר מרבו ולן וכו' שדר לגבייהו בריה ליברכיה אזל אשכחינהו דמפרשי פלס מעגל רגלך במצוה (שאי אפשר) [שאפשר] לעשותה ע"י אחרים אבל

חשק שלמה על ר"ח א) דברי ר' אבא נמצא בירושלמי כאן הלכה ז' א"ר בא עלת כלתא נפקת טרחותא.

מסורת הש"ס

א) [שבת ל. ערכין ו. ע"ש מנחות קז.] מדות פ"ד מ"ו, ב) [שבת ל. ע"ש], ג) שבת ל. סנהדרין קז:, ד) שבת לג:, ה) [עי' תוספות שבת ל. ד"ה מכלא ותוס' מנחות קז. ד"ה כלא ובערכין ו. ד"ה כגון].

הגהות הב"ח

(א) גמ' באמה כליא עורב נ"ב לשון כלוי ומניעת העורבי' מלישב וכן פי' הערוך אלא שכתב דבמקדש ראשון לא היה צריך כליא עורב ע"ש והתוס' בפרק ר' עקיבא כתבו דמוכח כאן שהיה במקדש ראשון כליא עורב:

גליון הש"ס

גמ' דקדושתו קדושת עולם. עיין שבועות דף טז ע"ב תוס' ד"ה קדושתו:

תורה אור השלם

א) וַיַּעַשׂ שְׁלֹמֹה בָעֵת הַהִיא אֶת הֶחָג וְכָל יִשְׂרָאֵל עִמּוֹ קָהָל גָּדוֹל מִלְּבוֹא חֲמָת עַד נַחַל מִצְרַיִם לִפְנֵי יְיָ אֱלֹהֵינוּ שִׁבְעַת יָמִים וְשִׁבְעַת יָמִים אַרְבָּעָה עָשָׂר יוֹם: [מלכים א' ח, סה]

ב) וַיְהִי הַמַּקְרִיב בַּיּוֹם הָרִאשׁוֹן אֶת קָרְבָּנוֹ נַחְשׁוֹן בֶּן עַמִּינָדָב לְמַטֵּה יְהוּדָה: [במדבר ז, יב]

ג) בַּיּוֹם הַשְּׁבִיעִי נָשִׂיא לִבְנֵי אֶפְרָיִם אֱלִישָׁמָע בֶּן עַמִּיהוּד: [במדבר ז, מח]

ד) בְּיוֹם עַשְׁתֵּי עָשָׂר יוֹם נָשִׂיא לִבְנֵי אָשֵׁר פַּגְעִיאֵל בֶּן עָכְרָן: [במדבר ז, עב]

ה) בְּיוֹם שְׁנֵים עָשָׂר יוֹם נָשִׂיא לִבְנֵי נַפְתָּלִי אֲחִירַע בֶּן עֵינָן: [במדבר ז, עח]

ו) בַּיּוֹם הַשְּׁמִינִי שִׁלַּח אֶת הָעָם וַיְבָרְכוּ אֶת הַמֶּלֶךְ וַיֵּלְכוּ לְאָהֳלֵיהֶם שְׂמֵחִים וְטוֹבֵי לֵב עַל כָּל הַטּוֹבָה אֲשֶׁר עָשָׂה יְיָ לְדָוִד עַבְדּוֹ וּלְיִשְׂרָאֵל עַמּוֹ: [מלכים א' ח, סו]

ז) שְׂאוּ שְׁעָרִים רָאשֵׁיכֶם וְהִנָּשְׂאוּ פִּתְחֵי עוֹלָם וְיָבוֹא מֶלֶךְ הַכָּבוֹד: [תהלים כד, ז]

ח) יְיָ אֱלֹהִים אַל תָּשֵׁב פְּנֵי מְשִׁיחֶךָ זָכְרָה לְחַסְדֵי דָּוִיד עַבְדֶּךָ: [דברי הימים ב' ו, מב]

ט) וּבְיוֹם עֶשְׂרִים וּשְׁלֹשָׁה לַחֹדֶשׁ הַשְּׁבִיעִי שִׁלַּח אֶת הָעָם לְאָהֳלֵיהֶם שְׂמֵחִים וְטוֹבֵי לֵב עַל הַטּוֹבָה אֲשֶׁר עָשָׂה יְיָ לְדָוִיד וְלִשְׁלֹמֹה וּלְיִשְׂרָאֵל עַמּוֹ: [דברי הימים ב' ז, י]

י) פַּלֵּס מַעְגַּל רַגְלֶךָ וְכָל דְּרָכֶיךָ יִכֹּנוּ: [משלי ד, כו]

כ) אֹרַח חַיִּים פֶּן תְּפַלֵּס נָעוּ מַעְגְּלֹתֶיהָ לֹא תֵדָע: [משלי ה, ו]

רש"י כת"י למאן דאמ' משום שמחה. רב יהודה אמר משום שמחה ורב אמ' משום מפני שמניח שמחת הרגל אתרויהו קא משני. ומאן דאמ' מפני בטול פריה ורביה. אסור לישא אשה במועד משום דאי שרינן ודאי משהי נפשיה ומבטל מפריה ורביה דמימר אמר אי לא נסיבנא לה ביום ראשון נסיבנא ליה ביום שני אבל השתא דשרינן ערב הרגל ולא רגל לחד יומא לא משהי נפשיה כיון דאילו מיתנים תו לא מצי עביד במועד הילכך ערב רגל מותר. שבעת ימים. לחנוכת וכו' כשנבנה בית המקדש ואחר כך שבעת ימים לחג הסוכות כדאמ' בסמוך. ודילמא מינטר לא מנטרינן. לחנוכת הבית עד הרגל מפני שהמזבח בטל. והיכא דאיתרמי. כלומר אי הוה מתרמי יום בנין סמוך לחג [מערבין שמחה בשמחה] [ע"פ רש"י בע"ין]. [לשיורי פורתא]. כי היכי דניעביד שבעה להכא ולהכא ולא (נמי בטל) [הוי ביטול] מזבח כיון דלא נשלם ומדלא (שייך שמ') [שהה ש"מ] דאין מערבין. לא משיירינן. דמידע ידעי דהערמה הוא ועוד דגגאי הוא. אמה כולי עורב. שפודין של ברזל ארוכין אמה שעל גבי הבית לכלות את העורבים שלא יטנפו את הגג וכולי עורב שמונעין את העורבים כמו לא תכלא רחמיך (תהלים מ) ... צורך בנין. שהוא השלמת ל' אמות של קומת בית ראשון וק' אמות של בנין בית שני ושיור בבנין לא משיירנן. הני לחוד והני לחוד. דאין מערבין. אותה שנה לא עשו. יום הכפורים שאכלו כל שבעת ימי חנוך קודם החג ותמישי של קודם החג יום הכפורים. מאי דרוש. דדחו יום הכפורים. קדושת משכן מ' שנה שהלכו במדבר מ' שנה. קרבן יחיד. נשיאים דחנוכת המזבח. שבת דאסור סקילה. דחו שהקריבו קרבן נשיאים בשבת כדלקמן. קרבן צבור. דכתו' וכל ישראל עמו שכל ישראל הקריבו קרבנות בחנוכת בית המקדש. כרת. הוא וזרעו נכרת קודם ימיו ולא דמי האי מלתא למאי דפרי' לעיל אתא גזירה שוה ועקרא לקרא דפשיטא דיום הכפורים אסור באכילה ובשתיה ואיהו מיהא בההיא זמנא דרים ואכול ולא עקר ליה לגמרי לעולם אלא פעם זו בלבד ובמשכן על פי הדיבור דחו שבת כדכתו' נשיא אחד ליום וגו'. התם. הוא צורך גבוה עולות ואימרי חטאות הכא צורך הדיוט דא"כ דאכלו ושתו ובטלו מאכלם ביום הכפורים. התם נמי. בבית המקדש מיעבד ליעבדו קרבן ולא ליכלו ביום הכפורים. משכן דדחי שבת מנא לן. דילמא לא דאי לא דחיא לא הוו רצופין ואין הפסק בנתים אלא שבת לא דחו. קדושא בריך הוא להו דהא אמרינן יצאתה בת קול ביום השמיני של סוכות. אם כן. ימים הראוין תרי קראי למה לי אלא קרא יתירא הוא ולהכי הוא דאתא שלא תאמר קרא קמא הראוין. אין אהלו אלא אשתו. להכנים ארון. לפני ולפנים שהיה מונח קודם לכן בעיר דוד כדכתיב קרא ונטלו שלמה והכניסו לבית קדשי הקדשים. שדבקו מאליהן. שרצה הקב"ה להביא שלמה לידי כך שיהא מזכיר שם דוד אביו ויפתחהו כדי להודיע לכל העולם שמחל עון של בת שבע. באותה תפלה בויעמוד שלמה איכא כ"ד בין תפלה רנה ותחנה ומאן דמפרש כ"ד רננות היינו בין י"ח ברכות וו' דתעניות אינו אלא טועה דתפלת שמונה עשרה לא אתקין ועוד דאמר תפלת השחר בהדיא הני כ"ד דתעניות כנגד מי אמר ר' חנינא כ"ד רננות שאמר שלמה אלמא כ"ד רננות לאו היינו כ"ד ברכות דתענית. ר' יהודה בן גרים. מגרים אתא. משיחך. שלמה. פרשת נדרים. ראשי המצות ל"א במסכת נדרים. אפטור. נטלו רשות ישראל סבורין היו ללכת בלילה ולא הלכו. בצפרא הדור. אתו לאפטורי מיניה. ביום השמיני. של סוכות היינו בכ"ג בתשרי. אנשי צורה. אנשים גדולים. פלס מעגל רגליך. משמע [illegible] זה אם באתה מצוה לידך חשוב אי זה מהן עושה אי לעשות את מצוה או לישב ולעסוק בתורה. אורח חיים. תורה. פן תפלס. שהיא קודמת לכל דבר שאי אפשר לעשותה פלס ועושה מצוה פן תתבטל. אפשר לעשותה. פן תפלס [illegible]

over the **"*amah* of the crowchaser,"**[11] so as to combine the two joyous occasions. Since he did not do so, it can be derived that we do not combine two joyous occasions even if they happen to coincide.

The Gemara refutes this option as well:

אַמָּה כַּלְיָא עוֹרֵב צוֹרֶךְ בִּנְיַן הַבַּיִת הוּא – The "*amah* of the crowchaser" is an essential part of the Temple building.[12] Thus, Solomon could not have delayed completion of even this part of the building. Accordingly, we have no proof from there that if two joyous occasions happen to coincide we may not celebrate them together.

The Gemara therefore derives the law from a different part of the aforementioned verse:

אֶלָּא מִדְּמְיַיתַּר קְרָא – Rather, the proof is **from** the fact that **the verse is redundant.** מִכְּדִי – **Now,** let us see: כְּתִיב ,,אַרְבָּעָה עָשָׂר יוֹם" – **It is written** in the aforementioned verse that they celebrated for ***"fourteen days."*** ,,שִׁבְעַת יָמִים וְשִׁבְעַת יָמִים" לָמָּה לִי – If so, **why do I need** the verse to specify: ***seven days and seven*** (more) ***days***? שְׁמַע מִינָּהּ הָנֵי לְחוּד וְהָנֵי לְחוּד – **Learn from this** that **these** seven days of celebrating the dedication of the Temple **are by itself, and these** seven days of Succos **are by themselves;** i.e. they are never to be combined.

Having cited the verse which discusses the celebration Solomon made for the dedication of the Temple, the Gemara cites a related teaching:

אָמַר רַבִּי פַּרְנָךְ אָמַר רַבִּי יוֹחָנָן – R' Parnach said in the name of R' Yochanan: אוֹתָהּ שָׁנָה לֹא עָשׂוּ יִשְׂרָאֵל אֶת יוֹם הַכִּפּוּרִים – **That year,** when Solomon dedicated the Temple, **Israel did not observe Yom Kippur,**[13] וְהָיוּ דּוֹאֲגִים וְאוֹמְרִים – **and they were concerned, saying:** שֶׁמָּא נִתְחַיְּיבוּ שׂוֹנְאֵיהֶן שֶׁל יִשְׂרָאֵל כְּלָיָיה – **Perhaps the enemies of Israel**[14] **deserve extermination** for this misdeed![15] יָצְתָה בַּת קוֹל וְאָמְרָה לָהֶם – **A Heavenly voice went forth and said to them:** כּוּלְּכֶם מְזוּמָּנִין לְחַיֵּי הָעוֹלָם הַבָּא – **You are all prepared for a life in the World to Come.**

The Gemara seeks Israel's source for concluding that they were permitted to proceed with the celebration through Yom Kippur: מַאי דְּרוּשׁ – **What** verse **did [Israel] expound** to derive this? אָמְרוּ קַל וָחוֹמֶר – **They said** the following ***kal vachomer:*** וּמָה מִשְׁכָּן שֶׁאֵין קְדוּשָּׁתוֹ קְדוּשַּׁת עוֹלָם – **Now, if** even by the dedication of **the Tabernacle, whose sanctity is not an everlasting sanctity,**[16] וְקָרְבַּן יָחִיד – **and** we are dealing with **the private sacrifices** of the leaders of the tribes דּוֹחֶה שַׁבָּת דְּאִיסּוּר סְקִילָה – the law is that their service nevertheless **overrides the Sabbath,**[17] **which is a prohibition** which carries the penalty **of stoning,** מִקְדָּשׁ דִּקְדוּשָּׁתוֹ קְדוּשַּׁת עוֹלָם – then by the dedication of the **Temple, whose sanctity is an everlasting sanctity,**[18] וְקָרְבַּן צִבּוּר – **and where** the sacrifices were **communal sacrifices,**[19] וְיוֹם הַכִּפּוּרִים דַּעֲנוּשׁ כָּרֵת – and we are dealing not with the Sabbath, but with **Yom Kippur, whose punishment is *kares,*** לֹא כָּל שֶׁכֵּן – **is it not certain** that their service should override Yom Kippur?[20]

Having concluded that the Jews derived by means of this *kal vachomer* that they were not obligated to observe Yom Kippur that year, the Gemara asks:

אֶלָּא אַמַּאי הָיוּ דּוֹאֲגִים – But why, then, **were they worried** that they had sinned?

The Gemara answers that there was room to question the validity of the *kal vachomer:*

הָתָם צוֹרֶךְ גָּבוֹהַּ – There, by the dedication of the Tabernacle, you can say that the reason the sacrificial services override the Sabbath is because they were **required for** offerings to **the Most High.**[21] הָכָא צוֹרֶךְ הֶדְיוֹט – Whereas **here,** by the dedication of the Temple, eating and drinking at the festivities was only **the**

NOTES

11. The roof of the Temple narrowed to the width of an *amah* at its apex. At that point the roof was covered with iron plates that were studded with spikes. These were designed to keep crows from [perching on and] soiling the Temple roof (*Rashi*). [Elsewhere (see *Rashi* to *Shabbos* 90a and to *Arachin* 6a, and *Rashi ms.* here), *Rashi* explains that the *entire* roof of the Temple was covered with these plates, which were each an *amah* square in size and had razor-sharp edges; in addition, the spikes were an *amah* in length. Indeed, the term אַמָּה כַּלְיָא עוֹרֵב, *amah of the crowchaser,* is apparently borrowed from the Mishnah in *Middos* (4:6) that delineates the height of the Temple; in that Mishnah one *amah* of height is attributed to the height of the crowchasers' spikes. See *Tosafos* to *Menachos* 107a ד"ה כליה עורב.]

[The word כַּלְיָא is similar to the word תִכְלָא in the verse (*Psalms* 40:12) לֹא־תִכְלָא רַחֲמֶיךָ, *do not "withhold" Your mercy.* Thus the meaning of כַּלְיָא עוֹרֵב is to *hold back the crows* (*Rashi ms.*).]

The Gemara now assumes that leaving over this part of the Temple would be permissible, because it is not considered as part of the actual building (*Rashi.* cf. *Talmid R' Yechiel MiParis*).

12. For without it the required height of the Temple is lacking (*Rashi ms.;* see previous note). [In *Rashi's* text of the Gemara, the Gemara refutes the proof by stating that the crowchaser was *possibly* an essential part of the Temple structure, rather than by declaring this as an established fact.]

13. The celebration for the dedication of the Temple, which included food and drink, took place during the seven days preceeding Succos. [This is derived from the verses in *II Chronicles* 7:9 (*Maharsha*).] Since Yom Kippur falls on the fifth day before Succos, it follows that they did not observe Yom Kippur that year (*Rashi ms.*).

14. A euphemism for the Jewish nation.

15. For transgressing a prohibition which carries the penalty of *kares.* As the verse states with regard to Yom Kippur (*Leviticus* 23:29): *For any soul who will not be afflicted on this very day will be cut off from its people.*

16. The sanctity of the Tabernacle, which prohibited people from offering sacrifices on private altars known as בָּמוֹת, lasted as long as the Children of Israel were in the desert. Once they entered the Land of Israel, such altars were permitted (*Rashi ms.;* cf. *Tosafos* to *Shevuos* 16b ד"ה קדושתו קדושת עולם). [Once the Temple was built, however, such private altars were permanently prohibited.]

17. The verses in *Numbers* (7:11-83) detail the sacrifices that the leader of each tribe brought during the dedication of the Tabernacle.

The Gemara below derives from Scripture that the sacrifices of the leaders of the tribes were even brought on the Sabbath.

18. For, as noted above, once the Temple was built in Jerusalem it became forever forbidden to offer sacrifices on private altars.

19. As the verse states with regard to the dedication of the Temple (*I Kings* 8:62): וְכָל־יִשְׂרָאֵל עִמּוֹ, *and all Israel was with him.* This implies that all of Israel offered sacrifices at the dedication of the Temple (*Rashi ms.*).

20. Since the punishment of *kares* is not as severe as the punishment of stoning, it follows that if we override the Sabbath, which carries the strong punishment of stoning, even for private sacrifices offered at the dedication of the Tabernacle which is not an everlasting sanctity, then certainly we override Yom Kippur, which carries the lesser punishment of *kares,* for the public sacrifices offered at the dedication of the Temple which has an everlasting sanctity.

The question, however, arises: The Gemara above (4a) questioned how a *gezeirah shavah* has the power to override a verse. Similarly, the Gemara here should ask how a *kal vachomer* has the power to override the Scriptural prohibition of eating on Yom Kippur. However, the two cases are not really comparable. There, the Gemara was unwilling to use the *gezeirah shavah,* for it would have completely uprooted the Scriptural prohibition, rendering the verse meaningless. Here, however, they knew that in the future the prohibition of eating on Yom Kippur would apply; they only wished to use the *kal vachomer* to temporarily permit rejoicing on the Yom Kippur of that year (*Rashi ms.*).

See *Maharsha,* who explains why they could not derive this permit from the fact that the *tamid* offering and the other communal sacrifices override the Sabbath every week.

21. [The term גָּבוֹהַּ, which literally means *high,* is used here as a reference to God.]

מותרין לישא ערב הרגל. כלומר מותר לכתחלה ואע"ג דשבעת ימים של סעודה יהיו ברגל: עיקר שמחה. דנישואין חד יומא ובשאר יומי לא חשיב מערב שמחה בשמחה: עיקר טירחא. דנישואין ביום ראשון דנישואין: לחד יומא לא משהו אינשי. כלומר כיון שאינו יכול להתחיל אלא בערב הרגל אין ממתינין עד הרגל דדלמא מתרמי מלתא דלא מצי מתחיל בערב הרגל ולא מתחיל כל הרגל: ועביד ז'. יומי שמחה להכא ולהכא לחנוכת הבית ולרגל: ודלמא מינטר לא נטרינן. ניסואין עד הרגל כי היכי דלא נטר שלמה אבל אי מתרמי ליה עביד: אי הכי. דהיכא דאי איקרי ליה עביד איבעי ליה לשיורי בבנין עד הרגל כי היכי דליתרמי ליה חנוכת הבית ברגל: אמה כליא עורב. הגג כלה ומקלר למעלה עד כאמה ומחפין אותו שם בברזל ובמסמרים כדי שלא ישבו העורבים עליו זהו לא חשיב כבנין: ודלמא אמה כליא עורב נמי צורך בנין הוא. להכי לא שייריה אלא כל היכא דאיתרמי ליה לנישואין ברגל לא ידעינן מנלן דלא עבדינן: שמע מינה הני לחוד. דלא מצי למיעבד ליה ביחד אפילו מתרמי: לא עשו ישראל יום כפורים. לפי ששבעה ימים שלפני סוכות כל יום עשו שמחה ומשתה דכתיב ויעש שלמה בעת ההיא את החג שבעת ימים ושבעת ימים ארבעה עשר יום: וקרבן יחיד. של נשיאים: דאיסור סקילה. דחמור מכרת: וקרבן צבור. דמה שהיו מקריבין בימי חנוכת הבית קרבן צבור הוא: התם. במשכן דגבוה הוו קרבנות: הכא. בחנוכת הבית להדיוט משתה: הכא נמי לעבדו. קרבנות מיכל לא ליכלו: ביום השביעי. ומשמע לן יום ז' היינו שבת: דלמא שביעי לקרבנות. שאם הקריב נשיא ששי בערב שבת מקריב נשיא שביעי באחד בשבת ומאי שביעי שביעי לקרבן נשיא: ביום עשתי עשר יום. האי יום יתירא משמע מה יום רצוף שאין בו הפסק אף כולהו י"א יום רצוף דליכא הפסק בינתיים אפילו בשבת: דלמא ימים הראויין. למשתה עביד משתה לאפוקי יום הכפורים: גמר יום יום מהתם. מנשיאים דמשכן דגמרינן מתרי קראי דהוו רצופים אפילו בשבת אף משתה דחנוכת הבית הוו י"ד רצופים ואפילו [ביוה"כ]: כ"ד רננות. כתיבי בפרשה בין רנה ותחנה ותפלה ובקשה: פרשת נדרים. מסכת נדרים: ביום השמיני. של חג היינו בעשרים ושתים: וכתיב וביום עשרים ושלשה. אלמא דבעשרים ושתים ובעשרים ושלשה איפטרו מיניה: של צורה. כלומר חכמים: פלס מעגל רגלך. כלומר שקול מצות ועיין בהן איזו מצוה גדולה ועשה הגדולה: וכתיב ארח חיים פן תפלס. דמשמע כל מצוה שתבא לידך עשה אותה בין גדולה בין קטנה ואל תניח קטנה מפני הגדולה: מצוה שאפשר לעשותה ע"י אחרים. תפלס פלס מעגל רגלך שתעשה אתה הגדולה ותצריך יעשו קטנה: ובמצוה

מותרין לישא ערב הרגל קשיא לכולהו לא קשיא למאן דאמר משום שמחה עיקר שמחה חד יומא הוא למ"ד משום טירחא עיקר טירחא חד יומא הוא למ"ד משום ביטול פריה ורביה לחד יומא לא משהי איניש נפשיה ודאין מערבין שמחה בשמחה מנלן דכתיב [א] ויעש שלמה בעת ההיא את החג וכל ישראל עמו קהל גדול מלבוא חמת עד נחל מצרים [לפני ה' אלהינו] שבעת ימים ושבעת ימים ארבעה עשר יום ואם איתא דמערבין שמחה בשמחה איבעי ליה למינטר עד החג ומיעבד שבעה להכא ולהכא ודלמא מינטר לא נטרינן והיכא דאתרמי עבדינן איבעי ליה לשיורי פורתא שיורי בנין בהמ"ק לא משיירינן איבעי ליה לשיורי [ה] באמה (א) כליא עורב אמה כליא עורב צורך בנין הבית הוא אלא מדמייתר קרא מכדי כתיב ארבעה עשר יום שבעת ימים ושבעת ימים למה לי שמע מינה הני לחוד והני לחוד א"ר פרנך א"ר יוחנן אותה שנה לא עשו ישראל את יום הכפורים והיו דואגים ואומרים שמא נתחייבו שונאיהן של ישראל כלייה יצתה בת קול ואמרה להם כולכם מזומנין לחיי העולם הבא מאי דרוש אמרו קל וחומר ומה משכן שאין קדושתו קדושת עולם וקרבן יחיד דוחה שבת דאיסור סקילה מקדש ° דקדושתו קדושת עולם וקרבן צבור ויום הכפורים דענוש כרת לא כ"ש אלא אמאי היו דואגים התם צורך גבוה הכא צורך הדיוט הכא נמי מיעבד ליעבדו מיכל לא ניכלו ולא לישתו אין שמחה בלא אכילה ושתיה ומשכן דדחי שבת מנלן אילימא מדכתיב [ב] ביום הראשון [ג] וביום השביעי דלמא שביעי לקרבנות אמר רב נחמן בר יצחק אמר קרא [ד] ביום עשתי עשר יום מה יום כולו רצוף אף עשתי עשר כולן רצופין ודלמא ימים הראויין כתיב קרא אחרינא [ה] ביום שנים עשר יום מה יום כולו רצוף אף שנים עשר יום כולן רצופין ודלמא הכא נמי ימים הראויין אם כן תרי קראי למה לי ומקדש דדוחה יום הכפורים מנלן אילימא מדכתיב ארבעה עשר יום ודלמא ימים הראויין גמר יום יום מהתם יצתה בת קול ואמרה להם כולכם מזומנין לחיי העולם הבא ומנלן דאחיל להו דתני תחליפא [ג] [ו] ביום השמיני שלח את העם ויברכו את המלך וילכו לאהליהם שמחים וטובי לב על כל הטובה אשר עשה ה' לדוד עבדו ולישראל עמו לאהליהם שהלכו ומצאו נשיהם בטהרה שמחים שנהנו מזיו השכינה וטובי לב שכל אחד ואחד נתעברה אשתו בבן זכר על כל הטובה שיצתה בת קול ואמרה להם כולכם מזומנין לחיי העולם הבא לדוד עבדו ולישראל עמו בשלמא לישראל עמו דאחיל להו עון יום הכפורים אלא לדוד עבדו מאי היא אמר רב יהודה אמר רב [ג] בשעה שביקש שלמה להכנים ארון למקדש דבקו שערים זה לזה אמר שלמה עשרים וארבע רננות ולא נענה פתח ואמר [ז] שאו שערים ראשיכם וגו' ולא נענה כיון שאמר [ח] ה' אלהים אל תשב פני משיחך זכרה לחסדי דוד עבדך מיד נענה באותה שעה נהפכו פני שונאי דוד כשולי קדירה וידעו הכל שמחל לו הקב"ה על אותו עון ר' יונתן בן עסמיי [ד] ורבי יהודה בן גרים תנו פרשת נדרים בי ר' שמעון בן יוחי איפטור מיניה באורתא לצפרא הדור וקא מפטרי מיניה אמר להו ולאו איפטריתו מיני באורתא אמרו ליה למדתנו רבינו [א] תלמיד שנפטר מרבו ולן באותה העיר צריך ליפטר ממנו פעם אחרת שנאמר ביום השמיני שלח את העם ויברכו את המלך וכתיב [ט] וביום עשרים ושלשה לחדש השביעי שלח את העם אלא מכאן לתלמיד הנפטר מרבו ולן באותה העיר צריך ליפטר ממנו פעם אחרת א"ל לבריה בני אדם הללו אנשים של צורה הם זיל גביהון דליברכוך אזל אשכחינהו דקא רמו קראי אהדדי כתיב [י] פלס מעגל רגלך וכל דרכיך יכונו וכתיב [כ] אורח חיים פן תפלס לא קשיא כאן במצוה שאפשר לעשותה ע"י אחרים

כאן

איבעי ליה למינטר עד החג. כדי שלא יתבטלו ישראל ממלאכתן כל כך: **איבעי** ליה לשיורי באמה כליא עורב. שלא היה צורך הבנין כ"כ ואע"פ שהוא מהבנין כדי שלא יביאו הטומאה אין זה צורך כל כך וגם בשעת הבנין בזמן שלא היה השכינה שורה בו לא היה צורך [א]:

[י] פלס מעגל רגלך וכל דרכיך יכנו: [משלי ד, כו] [כ] ארח חיים פן תפלס נעו מעגלתיה לא תדע: [משלי ה, ו]

עין משפט נר מצוה

פה א טוש"ע י"ד סי' רמג סעיף טז בהגה"ה:

רבינו חננאל

קשיא לכולהו. ופרקינן מאן דאמר משום שמחה חד יומא הוה והוא יום הכנסת הכלה בערב יום טוב. וכן נמי מי שאמר משום טרחא [א]) כר' אבא דאמר עלת כלתא נפקת טרחותא מאן דאמר משום פריה ורביה לחד יומא לא משהי נפשיה. ומנ"ל דאין מערבין שמחה בשמחה דכתיב ויעש שלמה את החג וכל ישראל עמו קהל גדול מלבוא חמת עד נחל מצרים לפני ה' אלהינו שבעת ימים ושבעת ימים ארבעה עשר יום ואסיקנא מדמייתר קרא מכדי כתיב ארבעה עשר יום שבעת ימים ושבעת ימים למה לי אלא ש"מ שמחת חינוך לבד ושמחת החג לבד. אמר רבי פרנך א"ר יוחנן אותה שנה לא צמו ביוה"כ דכתיב שמחה ואין שמחה בלא אכילה מאי דרוש ק"ו ומה משכן שאין קדושתו קדושת עולם דהא יש אחריו קדושה וקרבן הנשיאים קרבן יחיד הוא ולא קרבן צבור ודחי שבת שהוא איסור סקילה. והקריבו בשבת כדכתיב ביום עשתי עשר יום. ביום ביום דכתב קרא למה לי אלא ללמד מה יום כולו רצוף אף שנים עשר כולן רצופין הקריבו בהן והשבת בכללן. מקדש קדושתו קדושת עולם דאין אחריו היתר וקרבן צבור ויוה"כ דאיסור כרת הוא לא כ"ש דנידחי ליה והיו דואגין שמא נתחייבו כלייה דאמרי התם במשכן לא דחו שבת אלא בהקרבת קרבנות דצורך גבוה נינהו אבל יום הכפורים דאסור באכילה ושתיה שהוא צורך הדיוט. יצאת ב"ק ואמרה להן כולכם מזומנים לחיי העולם הבא שלא נתכוונתם אלא למצוה. ומניין שמחל להם שנא' וביום השמיני שלח את העם ויברכו את המלך וילכו לאהליהם שהלכו ומצאו נשיהן טהורות שמחים שנהנו מזיו השכינה וטובי לב שכל אחד ואחד נתעברה אשתו זכר על כל הטובה אשר עשה ה' לדוד עבדו שהודיע לכל שמחל לו עון בת שבע ומיתת אוריה שלא נענה שלמה בנו בעת שדבקו שערים זה בזה ולא נפתחו שיכנס הארון אלא כשאמר ה' אלהים אל תשב פני משיחך זכרה לחסדי דוד עבדך מיד נודע לכל שמחל הקב"ה לדוד עבדו אותו עון ולישראל עמו שיצאת ב"ק ואמרה כולכם מזומנים לחיי העולם הבא. ר' יונתן בן עבראי ור' יהודה בן גרים תנו נדרים בי רשב"י איפטור מיניה באורתא בצפרא נמי אתו וקא מיפטרי אמר להו ולאו כבר איפטריתו אמרו לו לימדתנו רבינו תלמיד הנפטר מרבו ולן וכו' שדר לגבייהו בריה ליברכיה אזל אשכחינהו דמפרשי פלס מעגל רגלך במצוה (שאי אפשר) [שאפשר] לעשותה ע"י אחרים אבל

מסורת הש"ס

[א]) [שבת ל. ערכין ו. ע"ש מנחות קז.] מדות פ"ד מ"ו, [ב]) [שבת ל. ע"ש], [ג]) שבת ל. סנהדרין קז:, [ד]) שבת לג:, [ה]) [עי' תוספות שבת ל. ד"ה מכליא ותוס' מנחות קז. ד"ה כליא ובערכין ו. ד"ה כגון].

הגהות הב"ח

(א) גמ' באמה כליא עורב נ"ב לשון כלוי ומניעת העורבי' מלישב וכן פי' הערוך אלא שכתב דבמקדש ראשון לא היה צריך כליא עורב ע"ש והתוס' בפרק ר' עקיבא כתבו דמוכח כאן שהיה במקדש ראשון כליא עורב:

גליון הש"ס

גמ' דקדושתו קדושת עולם. עיין שבועות דף טז ע"ב תוס' ד"ה קדושתו:

תורה אור השלם

א) וַיַּעַשׂ שְׁלֹמֹה בָעֵת הַהִיא אֶת הֶחָג וְכָל יִשְׂרָאֵל עִמּוֹ קָהָל גָּדוֹל מִלְּבוֹא חֲמָת עַד נַחַל מִצְרַיִם לִפְנֵי יְיָ אֱלֹהֵינוּ שִׁבְעַת יָמִים וְשִׁבְעַת יָמִים אַרְבָּעָה עָשָׂר יוֹם: [מלכים א' ח, סה]

ב) וַיְהִי הַמַּקְרִיב בַּיּוֹם הָרִאשׁוֹן אֶת קָרְבָּנוֹ נַחְשׁוֹן בֶּן עַמִּינָדָב לְמַטֵּה יְהוּדָה: [במדבר ז, יב]

ג) בַּיּוֹם הַשְּׁבִיעִי נָשִׂיא לִבְנֵי אֶפְרָיִם אֱלִישָׁמָע בֶּן עַמִּיהוּד: [במדבר ז, מח]

ד) בְּיוֹם עַשְׁתֵּי עָשָׂר יוֹם נָשִׂיא לִבְנֵי אָשֵׁר פַּגְעִיאֵל בֶּן עָכְרָן: [במדבר ז, עב]

ה) בְּיוֹם שְׁנֵים עָשָׂר יוֹם נָשִׂיא לִבְנֵי נַפְתָּלִי אֲחִירַע בֶּן עֵינָן: [במדבר ז, עח]

ו) בַּיּוֹם הַשְּׁמִינִי שִׁלַּח אֶת הָעָם וַיְבָרְכוּ אֶת הַמֶּלֶךְ וַיֵּלְכוּ לְאָהֳלֵיהֶם שְׂמֵחִים וְטוֹבֵי לֵב עַל כָּל הַטּוֹבָה אֲשֶׁר עָשָׂה יְיָ לְדָוִד עַבְדּוֹ וּלְיִשְׂרָאֵל עַמּוֹ: [מלכים א' ח, סו]

ז) שְׂאוּ שְׁעָרִים רָאשֵׁיכֶם וְהִנָּשְׂאוּ פִּתְחֵי עוֹלָם וְיָבוֹא מֶלֶךְ הַכָּבוֹד: [תהלים כד, ז]

ח) יְיָ אֱלֹהִים אַל תָּשֵׁב פְּנֵי מְשִׁיחֶךָ זָכְרָה לְחַסְדֵי דָּוִיד עַבְדֶּךָ: [דברי הימים ב' ו, מב]

ט) וּבְיוֹם עֶשְׂרִים וּשְׁלֹשָׁה לַחֹדֶשׁ הַשְּׁבִיעִי שִׁלַּח אֶת הָעָם לְאָהֳלֵיהֶם שְׂמֵחִים וְטוֹבֵי לֵב עַל הַטּוֹבָה אֲשֶׁר עָשָׂה יְיָ לְדָוִיד וְלִשְׁלֹמֹה וּלְיִשְׂרָאֵל עַמּוֹ: [דברי הימים ב' ז, י]

חשק שלמה על ר"ח [א]) דברי ר' אבא נמצא בירושלמי כאן הלכה ז' א"ר בא עלת כלתא נפקת טרחותא.

רש"י כת"י למאן דאמ' משום שמחה. רב יהודה אמר משום שמחה ורב אמ' משום מפני שמניח שמחת הרגל אתרויהו קא מעני. ומאן דאמ' מפני בטול פריה ורביה. אסור לישא אשה במועד משום דאי שריין ודאי משהי נפשיה ומבטל מפריה ורביה דמימר אמר אי לא נסיבנא לה ביום ראשון נסיבנא לה ביום שני אבל השתא דשרינן ערב הרגל ולא רגל לחד יומא לא משהי נפשיה כיון דאילו מיתנים נו לא מצי עביד במועד הילכך ערב רגל מותר. **שבעת ימים.** לחנוכת וכו' כשנבנה בית המקדש ואחר כך שבעת ימים לחג הסוכות כדאמ' בסמוך. **ודילמא מינטר לא מנטרינן.** לחנוכת הבית עד הרגל מפני שהמזבח בטל. **והיכא דאיתרמי.** כלומר אי הוה מתרמי יום בנין סמוך לחג [מערבין שמחה בשמחה] [ע"פ רש"י בע"ין]. **[לשיורי פורתא].** כי היכי דניעביד שבעה להכא ולהכא ולא (נמי בטל) [הוי ביטול] מזבח כיון דלא נשלם ומדלא (שייך שמ') [שמע ש"מ] דאין מערבין. **לא משיירינן.** דמידע ידעי דהערמה הוא ועוד דגנאי הוא. **אמה כולי עורב.** שפודין של ברזל ארוכין אמה שעל גבי הבית לכלות את העורבים שלא יטנפו את הגג וכולי עורב שמונעין את העורבים כמו לא תכלא רחמיך (תהלים מ) ... **צורך בנין.** שהוא השלמת ל' אמות של קומת בית ראשון וק' אמות של בנין בית שני ושיור בבנין לא משיירנן. **הני לחוד והני לחוד.** דאין מערבין. **אותה שנה לא עשו.** יום הכפורים שאכלו כל שבעת ימי חנוך קודם החג וחמישי של קודם החג יום הכפורים. **מאי דרוש.** דלמו יום הכפורים. קדושת משכן מ' שנה שהלכו במדבר מ' שנה. **קרבן יחיד.** נשיאים לחנוכת המזבח. **שבת דאסור סקילה.** דמו שהקריבו קרבן נשיאים בשבת כדלקמן. **קרבן צבור.** דכתו' וכל ישראל עמו שכל ישראל הקריבו קרבנות בחנוכת בית המקדש. **כרת.** הוא חרעו נכרת קודם ימיו ולא דמי האי מלתא למאי דפרי' לעיל אתא גזירה שוה ועקרא לקרא דפשיטא דיום הכפורים אסור באכילה ובשתיה ואינהו מיהא בההיא זמנא דריש ואכול ולא עקר ליה לגמרי לעולם אלא פעם זו בלבד ובמשכן על פי הדיבור דמו שבת דכתו' נשיא אחד ליום וגו'. **התם.** הוא צורך גבוה ועולות ואימורי חטאות הכא צורך הדיוט דא"כ דאכלו ושתו ובשלו מאכלם ביום הכפורים. **התם נמי.** בבית המקדש מיעבד ליעבדו קרבן ולא ליכלו ביום הכפורים. **משכן דדחי שבת מנא לן.** דילמא לא דאינו יום ולילה רצופין ואין הפסק בנתים אלא שבת לא דמו. **ומנא לן דאחיל להו.** קדושא בריך הוא להו דהא אמרינן יצאתה בת קול ביום השמיני של סוכות. **אם כן.** ימים הראוין תרי קראי למה לי אלא קרא יתירא הוא ולהכי הוא דאתא שלא תאמר קרא קמא הראוין. **אין אהלו אלא אשתו.** **להכניס ארון.** לפני ולפנים שהיה מונח קודם לכן בעיר דוד כדכתיב קרא ונטלו שלמה והכניסו לבית קדשי הקדשים. **שדבקו מאליהן.** שרצה הקב"ה להביא שלמה לידי כך שיהא מזכיר שם דוד אביו ויפתחהו כדי להודיע לכל העולם שמחל עון של בת שבע. **כ"ד רננות.** באותה תפלה בויעמוד שלמה איכא כ"ד בין תפלה רנה ותחנה ומאן דמפרש כ"ד רננות היינו בין י"ח ברכות וו' דתעניות אינו אלא טועה דתפלת שמונה עשרה אכתי בימי שלמה לא אתקין ועוד דאמר תפלת השחר בהדיא הני כ"ד דתעניות כנגד מי אמר ר' חנינא כ"ד רננות שאמר שלמה אלמא כ"ד רננות לאו היינו כ"ד ברכות דתענית. **ר' יהודה בן גרים.** מגרים אתא. **משיחך.** שלמה. **פרשת נדרים.** ראשי המטות ל"א במסכת נדרים. **אפטור.** נטלו רשות ישראל שבורין היו ללכת בלילה ולא הלכו. **בצפרא הדור.** אתו לאפטורי מיניה. **ביום השמיני.** של סוכות היינו בכ"ב בתשרי. **אנשי צורה.** אנשים גדולים. **פלס מעגל רגליך.** משמע כל מעשיך זה כנגד זה אם באתה מצוה לידך חשוב אי זה מהן עושה אי לעשות את מצוה או לישב ולעסוק בתורה. **אורח חיים.** תורה. **פן תפלס.** שהיא קודמת לכל דבר שאי אפשר לעשותה פלס ועושה מצוה פן תתבטל. **אפשר לעשותה.** פן תפלס שמיהן מתקיימות.

requirement of the common people; perhaps such activity would *not* override the Sabbath. Since it was possible that their *kal vachomer* was faulty, they were concerned.

The Gemara asks:

הָכָא נַמִּי מִיעֲבַד לֵיעָבְדוּ – Here too, by the dedication of the Temple, **let them** rejoice for the dedication of the Temple on Yom Kippur and **offer [the sacrifices],** **מֵיכַל לֹא נֵיכְלוּ וְלֹא לִישְׁתוּ – but let them not eat or drink.**[22] —?—

The Gemara answers:

אֵין שִׂמְחָה בְּלֹא אֲכִילָה וּשְׁתִיָּה – There is no joy without eating and drinking. Thus, eating and drinking were an integral part of the dedication of the Temple, and thus, overrode the Yom Kippur prohibitions.

The *kal vachomer* cited above was based on the understanding that during the dedication of the Tabernacle, the sacrifices of the tribal leaders were able to override the Sabbath. The Gemara now seeks the Scriptural source for this:

וּמִשְׁכָּן דְּדָחֵי שַׁבָּת מְנָלַן – And from where do we know that the sacrifices offered by the leaders of the tribes at the dedication of **the Tabernacle overrides the Sabbath?** **אִילֵימָא מִדִּכְתִיב – If** you wish **to say** that this is derived **from that which is written** with regard to the days upon which the tribal leaders brought their sacrifices:[23] „בַּיּוֹם הָרִאשׁוֹן" וּ"בַּיּוֹם הַשְּׁבִיעִי" – ***On the first day*** **and** ***on the seventh day,*** thus implying that the sacrifices were brought even on the Sabbath, which is "the seventh day" of the week, this is not necessarily the meaning of the verse. **דִּלְמָא שְׁבִיעִי לְקָרְבָּנוֹת** – For **perhaps** the verse actually means the **seventh day of** the bringing of the **sacrifices.**[24] From where, then, do we know that the sacrifices overrode the Sabbath? **אָמַר רַב נַחְמָן בַּר יִצְחָק – Rav Nachman bar Yitzchak said:** **אָמַר קְרָא „בַּיּוֹם עַשְׁתֵּי עָשָׂר יוֹם" – The verse states:**[25] ***On the eleventh day.*** The verses repetition of the word יוֹם comes to compare the eleven days mentioned in the verse to a single day, as follows: **מַה יּוֹם כּוּלּוֹ רָצוּף – Just as a** single **day** by its very definition **is consecutive,** **אַף עַשְׁתֵּי עָשָׂר כּוּלָּן רְצוּפִין – so too, all eleven days** on which the tribal leaders brought their sacrifices were **consecutive,** i.e. there was no break between the days, even for the Sabbath.

The Gemara seeks to refute this proof:

וְדִלְמָא יָמִים הָרְאוּיִין – But perhaps the consecutive days only include the **days which are fit** for bringing private sacrifices, not the Sabbath?

The Gemara answers:

כְּתִיב קְרָא אַחֲרִינָא – In another verse in this section **it is written:**[26] „בַּיּוֹם שְׁנֵים עָשָׂר יוֹם" – ***On the twelfth day.*** The verse's repetition of the word יוֹם comes to compare the twelve days mentioned in the verse to a single day, as follows: **מַה יּוֹם כּוּלּוֹ רָצוּף – Just as a day is consecutive,** **אַף שְׁנֵים עָשָׂר יוֹם כּוּלָּן רְצוּפִין – so too all twelve days** on which the tribal leaders brought their sacrifices were **consecutive,** i.e. there was no break between the days, even for the Sabbath.

The Gemara poses the same question as above:

וְדִלְמָא הָכָא נַמִּי יָמִים הָרְאוּיִין – Perhaps here too, the consecutive days only include the **days which are fit** for bringing private sacrifices, not the Sabbath?

The Gemara answers:

אִם כֵּן תְּרֵי קְרָאֵי לָמָּה לִי – If it is **so,** that both verses are coming to include only those days which are fit, **why do I need two verses** to teach the same thing? Perforce, we must conclude from the two extra verses that all twelve days were consecutive, including the Sabbath.[27]

The Gemara returns to R' Yochanan's statement that on the year of the dedication of the Temple the Jews did not observe Yom Kippur. The Gemara seeks R' Yochanan's source:

וּמִקְדָּשׁ דְּדוֹחֶה יוֹם הַכִּפּוּרִים מְנָלַן – From where do we know that the festivities for the dedication of the **Temple overrode Yom Kippur?** **אִילֵימָא מִדִּכְתִיב – If** you wish **to say** that it is derived **from that which is written** with regard to the celebration for the dedication of the Temple:[28] „אַרְבָּעָה עָשָׂר יוֹם" – ***"fourteen days,"*** which implies fourteen straight days, including Yom Kippur, **וְדִלְמָא יָמִים הָרְאוּיִין – perhaps** the verse actually refers to the **days which are fit** for festive meals, not including Yom Kippur! How, then, does R' Yochanan know that the verse means that they celebrated for fourteen consecutive days, including Yom Kippur?

The Gemara answers:

גָּמַר „יוֹם" „יוֹם" מֵהָתָם – He derives this through the *gezeirah shavah* ***"day," "day"*** **from there** (the verses regarding the dedication of the Tabernacle).[29]

R' Yochanan stated above that the Jews were concerned that they had sinned, and would be punished for not observing Yom Kippur on the year of the dedication of the Temple. However, they were reassured that they were forgiven:

יָצְתָה בַּת קוֹל וְאָמְרָה לָהֶם – A Heavenly voice went forth and said to them: **כּוּלְּכֶם מְזוּמָּנִין לְחַיֵּי הָעוֹלָם הַבָּא – You are all prepared for a life in the World to Come.**

The Gemara asks:

וּמְנָלַן דְּאַחֵיל לְהוּ – And from where do we know that Hashem **forgave them?**

The Gemara answers:

דְּתָנֵי תַּחֲלִיפָא – For Tachalifa taught in a Baraisa: The verse states regarding the conclusion of Solomon's inauguration festivities for the Temple:[30] „בַּיּוֹם הַשְּׁמִינִי שִׁלַּח אֶת־הָעָם וַיְבָרְכוּ אֶת־הַמֶּלֶךְ – ***ON THE EIGHTH DAY HE DISMISSED THE PEOPLE; AND THEY BLESSED THE KING,*** **וַיֵּלְכוּ לְאָהֳלֵיהֶם שְׂמֵחִים וְטוֹבֵי לֵב – *AND THEY WENT TO THEIR TENTS JOYFUL AND GLAD OF HEART*** עַל

NOTES

22. If they were concerned that the *kal vachomer* was faulty, they could have refrained from eating and drinking, so that only the needs of the Temple would override Yom Kippur, and not their personal requirements.

23. *Numbers* 7:12,48. The verses there list the sacrifices brought by the tribal leaders during the dedication of the Temple. Each leader brought his sacrifice on a different day.

24. I.e. the day of the seventh sacrifice. Therefore, it is possible according to the verse that if the sixth tribal leader brought his sacrifice on Friday, the seventh tribal leader would bring his sacrifice on Sunday, and it would still be called "the seventh day" (*Rashi*).

25. Ibid. v. 72. The literal translation of the verse is "*on the day, eleventh day.*" The Gemara expounds the extra word יוֹם, *day* (*Rashi*).

26. Ibid v. 78. The literal translation of the verse is "*on the day, twelfth day.*" Thus, in this verse too, there is an extra word יוֹם, *day,* which the Gemara expounds.

27. If the Torah would only have stated the first verse, we would have said that only the days which are fit are included in the consecutive days. Therefore, the second verse was written, to teach that all days, including the Sabbath, are included in the consecutive days (*Rashi ms.*).

28. *I Kings* 8:65.

29. The expression *"day"* is used both with regard to the tribal leaders' sacrifices at the dedication of the Tabernacle, and the celebration at the dedication of the Temple. Just as the days of the dedication of the Tabernacle were consecutive, including the Sabbath (as derived in the previous Gemara from the extra word *"day"* in the verses), so too, the days of the dedication of the Temple were consecutive, including Yom Kippur (*Rashi*).

30. Ibid. v. 66.

מסורת הש"ס

א) [שבת ל. ערכין ו. ע"ש מנחות קז.] מדות פ"ד מ"ו, ב) [שבת ל. ע"ש], ג) שבת ל. סנהדרין קז:, ד) שבת לג:, ה) [עי' תוספות שבת ל. ד"ה מכליא ותוס' מנחות קז. ד"ה כליא ובערכין ו. ד"ה כגון].

עין משפט נר מצוה

פה א טוש"ע י"ד סי' רמב סעיף טו בהגה"ה:

מותרין לישא ערב הרגל. כלומר מותר לכתחלה ואע"ג דשבעת ימים של סעודה יהיו ברגל: עיקר שמחה. דנישואין חד יומא ובשאר יומי לא חשיב מערב שמחה בשמחה: עיקר טירחא. דנישואין ביום ראשון דנישואין: לחד יומא לא משהו אינשי. כלומר כיון שאינו יכול להתחיל אלא בערב הרגל אין ממתינין עד הרגל דדלמא מתרמי מלתא דלא מצי מתחיל בערב הרגל ולא מתחיל כל הרגל: ועביד ז' יומי שמחה להכא ולהכא לחנוכת הבית ולרגל: ודלמא מינטר לא נטרינן. נישואין עד הרגל כי היכי דלא נטר שלמה אבל אי מתרמי ליה עביד: אי הכי. דהיכא דאי איקרי ליה עביד איבעי ליה לשיורי בבנין עד הרגל כי היכי דליתרמי ליה חנוכת הבית ברגל: אמה כליא עורב. הגג כלה ומקלר למעלה עד כאמה ומחפין אותו שם בברזל ובמסמרים כדי שלא ישבו העורבים עליו זהו לא חשיב כבנין: ודלמא אמה כליא עורב נמי צורך בנין הוא. להכי לא שייריה אלא כל היכא דאיתרמי ליה לנישואין ברגל לא ידעינן מנלן דלא עבדינן: שמע מינה הני לחוד. דלא מצי למיעבד ליה ביחד אפילו מתרמי: לא עשו ישראל יום כפורים. לפי שבשבעה ימים שלפני סוכות כל יום עשו שמחה ומשתה דכתיב ויעש שלמה בעת ההיא את החג שבעת ימים ושבעת ימים ארבעה עשר יום: וקרבן יחיד. של נשיאים: דאיסור סקילה. דחמור מכרת: וקרבן צבור. דמה שהיו מקריבין בימי חנוכת הבית קרבן צבור הוא: התם. במשכן דגבוה הוו קרבנות: הכא. בחנוכת הבית דהדיוט משתה: הכא נמי לעבדו. קרבנות מיכל לא ליכלו: ביום השביעי. ומשמע לן יום ז' היינו שבת: דלמא שביעי לקרבנות. שאם הקריב נשיא ששי בערב שבת מקריב נשיא שביעי באחד בשבת ומאי שביעי שביעי לקרבן נשיא: ביום עשתי עשר יום. האי יום יתירא משמע מה יום רצוף שאין בו הפסק אף כולהו י"א יום רצוף דליכא הפסק בינתיים אפילו בשבת: דלמא ימים הראויין. למשתה עביד משתה לאפוקי יום הכפורים: גמר יום יום מהתם. מנשיאים דמשכן דגמרינן מתרי קראי דהוו רצופים אפילו בשבת אף משתה דחנוכת הבית הוו י"ד רצופים ואפילו [ביוה"כ]: כ"ד רננות. כתיבי בפרשה בין רנה ותחנה ותפלה ובקשה: פרשת נדרים. מסכת נדרים: ביום השמיני. של חג היינו בעשרים ושתים: וכתיב וביום עשרים ושלשה. אלמא דבעשרים ושתים ובעשרים ושלשה איפטרו מיניה: של צורה. כלומר חכמים: פלס מעגל רגלך. כלומר שקול מצות ועיין בהן איזו מצוה גדולה ועשה הגדולה: וכתיב ארח חיים פן תפלס. דמשמע כל מצוה שתבא לידך עשה אותה בין גדולה בין קטנה ואל תניח קטנה מפני הגדולה: מצוה שאפשר לעשותה ע"י אחרים. תפלס פלס מעגל רגלך שתעשה אתה הגדולה וחבריך יעשו קטנה: ובמצוה

מותרין לישא ערב הרגל קשיא לכולהו לא קשיא למאן דאמר משום שמחה עיקר שמחה חד יומא הוא למ"ד משום טירחא עיקר טירחא חד יומא הוא למ"ד משום ביטול פריה ורביה לחד יומא לא משהי איניש נפשיה ודאין מערבין שמחה בשמחה מנלן דכתיב א) ויעש שלמה בעת ההיא את החג וכל ישראל עמו קהל גדול מלבוא חמת עד נחל מצרים [לפני ה' אלהינו] שבעת ימים ושבעת ימים ארבעה עשר יום ואם איתא דמערבין שמחה בשמחה איבעי ליה למינטר עד החג ומיעבד שבעה להכא ולהכא ודלמא מינטר לא נטרינן והיכא דאתרמי עבדינן איבעי ליה לשיורי פורתא שיורי בנין בהמ"ק לא משיירינן איבעי ליה לשיורי ה) באמה (א) כליא עורב אמה כליא עורב צורך בנין הבית הוא אלא מדמייתר קרא מכדי כתיב ארבעה עשר יום שבעת ימים ושבעת ימים למה לי שמע מינה הני לחוד והני לחוד א"ר פרנך א"ר יוחנן אותה שנה לא עשו ישראל את יום הכפורים והיו דואגים ואומרים שמא נתחייבו שונאיהן של ישראל כלייה יצתה בת קול ואמרה להם כולכם מזומנין לחיי העולם הבא מאי דרוש אמרו קל וחומר ומה משכן שאין קדושתו קדושת עולם וקרבן יחיד דוחה שבת דאיסור סקילה מקדש ° דקדושתו קדושת עולם וקרבן צבור ויום הכפורים דענוש כרת לא כ"ש אלא אמאי היו דואגים התם צורך גבוה הכא צורך הדיוט הכא נמי מיעבד ליעבדו מיכל לא ניכלו ולא לישתו אין שמחה בלא אכילה ושתיה ומשכן דדחי שבת מנלן אילימא מדכתיב ב) ביום הראשון ג) וביום השביעי דלמא שביעי לקרבנות אמר רב נחמן בר יצחק אמר קרא ד) ביום עשתי עשר יום מה יום כולו רצוף אף עשתי עשר כולן רצופין ודלמא ימים הראויין כתיב קרא אחרינא ה) ביום שנים עשר יום מה יום כולו רצוף אף שנים עשר יום כולן רצופין ודלמא הכא נמי ימים הראויין אם כן תרי קראי למה לי ומקדש דדוחה יום הכפורים מנלן אילימא מדכתיב ארבעה עשר יום ודלמא ימים הראויין גמר יום יום מהתם יצתה בת קול ואמרה להם כולכם מזומנין לחיי העולם הבא ומנלן דאחיל להו דתני תחליפא ג) ו) ביום השמיני שלח את העם ויברכו את המלך וילכו לאהליהם שמחים וטובי לב על כל הטובה אשר עשה ה' לדוד עבדו ולישראל עמו לאהליהם שהלכו ומצאו נשיהם בטהרה שמחים שנהנו מזיו השכינה וטובי לב שכל אחד ואחד נתעברה אשתו בבן זכר על כל הטובה שיצתה בת קול ואמרה להם כולכם מזומנין לחיי העולם הבא לדוד עבדו ולישראל עמו בשלמא לישראל עמו דאחיל להו עון יום הכפורים אלא לדוד עבדו מאי היא אמר רב יהודה אמר רב ג) בשעה שביקש שלמה להכנים ארון למקדש דבקו שערים זה לזה אמר שלמה עשרים וארבע רננות ולא נענה פתח ואמר ז) שאו שערים ראשיכם וגו' ולא נענה כיון שאמר ח) ה' אלהים אל תשב פני משיחך זכרה לחסדי דוד עבדך מיד נענה באותה שעה נהפכו פני שונאי דוד כשולי קדירה וידעו הכל שמחל לו הקב"ה על אותו עון ר' יונתן בן עסמיי ד) ורבי יהודה בן גרים תנו פרשת נדרים בי ר' שמעון בן יוחי איפטור מיניה באורתא לצפרא הדור וקא מפטרי מיניה אמר להו ולאו איפטריתו מיני באורתא אמרו ליה למדתנו רבינו א) תלמיד שנפטר מרבו ולן באותה העיר צריך ליפטר ממנו פעם אחרת שנאמר ביום השמיני שלח את העם ויברכו את המלך וכתיב ט) וביום עשרים ושלשה לחדש השביעי שלח את העם אלא מכאן לתלמיד הנפטר מרבו ולן באותה העיר צריך ליפטר ממנו פעם אחרת א"ל לבריה בני אדם הללו אנשים של צורה הם זיל גביהון דליברכוך אזל אשכחינהו דקא רמו קראי אהדדי כתיב י) פלס מעגל רגלך וכל דרכיך יכונו וכתיב כ) אורח חיים פן תפלס לא קשיא כאן במצוה שאפשר לעשותה ע"י אחרים כאן

איבעי ליה למינטר עד החג. כדי שלא יתבטלו ישראל ממלאכתן כל כך: איבעי ליה לשיורי באמה כליא עורב. שלא היה צורך הבנין כ"כ ואע"פ שהוא מהבנין כדי שלא יביאו הטומאה אין זה צורך כל כך וגם בשעת הבנין בזמן שלא היה השכינה שורה בו לא היה צורך ה): כאן

רבינו חננאל

קשיא לכולהו. ופרקינן מאן דאמר משום שמחה חד יומא הוה והוא יום הכנסת הכלה בערב יום טוב. וכן נמי מי שאמר משום טרחא א) כר' אבא דאמר עלת כלתא נפקת טרחותא מאן דאמר משום פריה ורביה לחד יומא לא משהי נפשיה. ומנ"ל דאין מערבין שמחה בשמחה דכתיב ויעש שלמה את החג וכל ישראל עמו קהל גדול מלבוא חמת עד נחל מצרים לפני ה' אלהינו שבעת ימים ושבעת ימים ארבעה עשר יום ואסיקנא מדמייתר קרא מכדי כתיב ארבעה עשר יום שבעת ימים ושבעת ימים למה לי אלא ש"מ שמחת חינוך לבד ושמחת החג לבד. אמר רבי פרנך א"ר יוחנן אותה שנה לא צמו ביוה"כ דכתיב שמחה ואין שמחה בלא אכילה מאי דרוש ק"ו ומה משכן שאין קדושתו קדושת עולם דהא יש אחריו קדושה וקרבן הנשיאים קרבן יחיד הוא ולא קרבן צבור ודחי שבת שהוא איסור סקילה. והקריבו בשבת כדכתיב ביום עשתי עשר יום. ביום ביום דכתב קרא למה לי אלא ללמד מה יום כולו רצוף אף שנים עשר כולן רצופין הקריבו בהן והשבת בכללן. מקדש קדושתו קדושת עולם דאין אחריו היתר וקרבן צבור ויוה"כ דאיסור כרת הוא לא כ"ש דנידחי ליה והיו דואגין שמא נתחייבו כלייה דאמרי התם במשכן לא דחו שבת אלא בהקרבת קרבנות דצורך גבוה נינהו אבל יום הכפורים דאסור באכילה ושתיה שהוא צורך הדיוט. יצאת ב"ק ואמרה להן כולכם מזומנים לחיי העולם הבא שלא נתכוונתם אלא למצוה. ומניין שמחל להם שנא' וביום השמיני שלח את העם ויברכו את המלך וילכו לאהליהם שהלכו ומצאו נשיהן טהורות שמחים שנהנו מזיו השכינה וטובי לב שכל אחד ואחד נתעברה אשתו זכר על כל הטובה אשר עשה ה' לדוד עבדו שהודיע לכל שמחל לו עון בת שבע ומיתת אוריה שלא נענה שלמה בנו בעת שדבקו שערים זה בזה ולא נפתחו שיכנס הארון אלא כשאמר ה' אלהים אל תשב פני משיחך זכרה לחסדי דוד עבדך מיד נודע לכל שמחל הקב"ה לדוד עבדו אותו עון ולישראל עמו שיצאת ב"ק ואמרה כולכם מזומנים לחיי העולם הבא. ר' יונתן בן עבראי ור' יהודה בן גרים תנו נדרים בי רשב"י איפטור מיניה באורתא בצפרא נמי אתו וקא מיפטרי אמר להו ולאו כבר איפטריתו אמרו לו לימדתנו רבינו תלמיד הנפטר מרבו ולן וכו' שדר לגבייהו בריה ליברכיה אזל אשכחינהו דמפרשי פלס מעגל רגלך במצוה (שאי אפשר) [שאפשר] לעשותה ע"י אחרים אבל

הגהות הב"ח

(א) גמ' באמה כליא עורב נ"ב לשון כלוי ומניעת העורבי' מלישב וכן פי' הערוך אלא שכתב דבמקדש ראשון לא היה צריך כליא עורב ע"ש והתוס' בפרק ר' עקיבא כתבו דמוכח כאן שהיה במקדש ראשון כליא עורב:

גליון הש"ס

גמ' דקדושתו קדושת עולם. עיין שבועות דף טז ע"ב תוס' ד"ה קדושתו:

תורה אור השלם

א) וַיַּעַשׂ שְׁלֹמֹה בָעֵת הַהִיא אֶת הֶחָג וְכָל יִשְׂרָאֵל עִמּוֹ קָהָל גָּדוֹל מִלְּבוֹא חֲמָת עַד נַחַל מִצְרַיִם לִפְנֵי יְיָ אֱלֹהֵינוּ שִׁבְעַת יָמִים וְשִׁבְעַת יָמִים אַרְבָּעָה עָשָׂר יוֹם: [מלכים א' ח, סה]

ב) וַיְהִי הַמַּקְרִיב בַּיּוֹם הָרִאשׁוֹן אֶת קָרְבָּנוֹ נַחְשׁוֹן בֶּן עַמִּינָדָב לְמַטֵּה יְהוּדָה: [במדבר ז, יב]

ג) בַּיּוֹם הַשְּׁבִיעִי נָשִׂיא לִבְנֵי אֶפְרָיִם אֱלִישָׁמָע בֶּן עַמִּיהוּד: [במדבר ז, מח]

ד) בְּיוֹם עַשְׁתֵּי עָשָׂר יוֹם נָשִׂיא לִבְנֵי אָשֵׁר פַּגְעִיאֵל בֶּן עָכְרָן: [במדבר ז, עב]

ה) בְּיוֹם שְׁנֵים עָשָׂר יוֹם נָשִׂיא לִבְנֵי נַפְתָּלִי אֲחִירַע בֶּן עֵינָן: [במדבר ז, עח]

ו) בַּיּוֹם הַשְּׁמִינִי שִׁלַּח אֶת הָעָם וַיְבָרְכוּ אֶת הַמֶּלֶךְ וַיֵּלְכוּ לְאָהֳלֵיהֶם שְׂמֵחִים וְטוֹבֵי לֵב עַל כָּל הַטּוֹבָה אֲשֶׁר עָשָׂה יְיָ לְדָוִד עַבְדּוֹ וּלְיִשְׂרָאֵל עַמּוֹ: [מלכים א' ח, סו]

ז) שְׂאוּ שְׁעָרִים רָאשֵׁיכֶם וְהִנָּשְׂאוּ פִּתְחֵי עוֹלָם וְיָבוֹא מֶלֶךְ הַכָּבוֹד: [תהלים כד, ז]

ח) יְיָ אֱלֹהִים אַל תָּשֵׁב פְּנֵי מְשִׁיחֶךָ זָכְרָה לְחַסְדֵי דָּוִיד עַבְדֶּךָ: [דברי הימים ב' ו, מב]

ט) וּבְיוֹם עֶשְׂרִים וּשְׁלֹשָׁה לַחֹדֶשׁ הַשְּׁבִיעִי שִׁלַּח אֶת הָעָם לְאָהֳלֵיהֶם שְׂמֵחִים וְטוֹבֵי לֵב עַל הַטּוֹבָה אֲשֶׁר עָשָׂה יְיָ לְדָוִיד וְלִשְׁלֹמֹה וּלְיִשְׂרָאֵל עַמּוֹ: [דברי הימים ב' ז, י]

י) פַּלֵּס מַעְגַּל רַגְלֶךָ וְכָל דְּרָכֶיךָ יִכֹּנוּ: [משלי ד, כו]

כ) אֹרַח חַיִּים פֶּן תְּפַלֵּס נָעוּ מַעְגְּלֹתֶיהָ לֹא תֵדָע: [משלי ה, ו]

חשק שלמה על ר"ח א) דברי ר' אבא נמצא בירושלמי כאן הלכה ז' א"ר בא עלת כלתא נפקת טרחותא.

רש"י כת"י למאן דאמ' משום שמחה. רב יהודה אמר משום שמחה ורב אמ' משום מפני שמניח שמחת הרגל אחריויהו קא משני. ומאן דאמ' מפני בטול פריה ורביה. אסור לישא אשה במועד משום דאי שרינן ודאי משהי נפשיה ומבטל מפריה ורביה דמימר אמר אי לא נסיבנא לה ביום ראשון נסיבנא ליה ביום שני אבל השתא דשרינן ערב הרגל ולא רגל לחד יומא לא משהי נפשיה כיון דאילו מיתנים תו לא מצי עביד במועד הילכך ערב רגל מותר. שבעת ימים. לחנוכת וכו' כשבנה בית המקדש ואחר כך שבעת ימים לחג הסוכות כדאמ' בסמוך. ודילמא מינטר לא מנטרינן. לחנוכת הבית עד הרגל מפני שהמזבח בטל. והיכא דאיתרמי. כלומר אי הוה מתרמי יום בנין סמוך לחג [מערבין שמחה בשמחה] [ע"פ רש"י בע"ין]. [לשיורי פורתא]. כי היכי דניעביד שבעה להכא ולהכא ולא (נמי בטל) [הוי ביטול] מזבח כיון דלא נשלם ומדלא (שייך שמ') [שהה ש"מ] דאין מערבין. לא משיירינן. דמידע ידעי דהערמה הוא ועוד דגנאי הוא. אמה כולי עורב. שפודין של ברזל ארוכין אמה שעל גבי הבית לכלות את העורבים שלא יטנפו את הגג וכולי עורב שמונעין את העורבים כמו לא תכלא רחמיך (תהלים מ) ... צורך בנין. שהוא השלמת ל' אמות של קומת בית ראשון וק' אמות של בנין בית שני ושיור בבנין לא משיירנן. הני לחוד והני לחוד. דאין מערבין. אותה שנה לא עשו. יום הכפורים שאכלו כל שבעת ימי חנוך קודם החג וחמישי של קודם החג יום הכפורים. מאי דרוש. דדחו יום הכפורים. קדושת משכן מ' שנה שהלכו במדבר מ' שנה. קרבן יחיד. נשיאים לחנוכת המזבח. שבת דאסור סקילה. דמו שהקריבו קרבן נשיאים בשבת כדלקמן. קרבן צבור. דכתו' וכל ישראל עמו שכל ישראל הקריבו קרבנות בחנוכת בית המקדש. כרת. הוא וזרעו נכרת קודם ימיו ולא דמי האי מלתא למאי דפרי' לעיל אתא גזירה שוה ועקרא לקרא דפשיטא דיום הכפורים אסור באכילה ובשתיה ואינהו מיהא בהסיה ומנא דריש ואכול ולא עקר ליה לגמרי לעולם אלא פעם זו בלבד ובמשכן על פי הדיבור דמו שבת כדכתו' נשיא אחד ליום וגו'. התם. הוא לורך גבוה הכא לורך הדיוט ואימרי מטמאת הכא לורך הדיוט דא"כ לאכלו ושתו ובשלו מאכלם ביום הכפורים. התם נמי. בבית המקדש מיעבד ליעבדו קרבן ולא ליכלו ביום הכפורים. משכן דדחי שבת מנא לן. דילמא לא דאינו יום ולילה רצופין ואין הפסק בנתיים אלא שבת לא דחו. ומנא לן דאחיל להו. קדושה בריך הוא להו דהא אמרינן יצאתה בת קול ביום השמיני של סוכות. אם כן. ימים הראוין תרי קראי למה לי אלא קרא יתירא הוא ולהכי הוא דאתא שלא תאמר קרא קמא הראוין. אין אהלו אלא אשתו. להכניס ארון. לפני ולפנים שהיה מונח קודם לכן בעיר דוד כדכתיב קרא ונטלו שלמה והכניסו לבית קדשי הקדשים. שדבקו מאליהן. שרלה הקב"ה להביא שלמה לידי כך שיהא מזכיר שם דוד אביו ויפתחהו כדי להודיע לכל העולם שמחל עון של בת שבע. כ"ד רננות. באותה תפלה בויעמוד שלמה איכא כ"ד בין תפלה רנה ותחנה ומאן דמפרש כ"ד רננות היינו בין י"ח ברכות וו' דתעניות אינו אלא טועה דתפלת שמונה עשרה אכתי בימי שלמה לא אתקין ועוד דלאמר תפלת השחר בהדיא הני כ"ד דתעניות כנגד מי אמר ר' חנינא כ"ד רננות אלא היינו כ"ד ברכות דתענית. ר' יהודה בן גרים. מגרים אתא. משיחך. שלמה. פרשת נדרים. ראשי המטות ל"א במסכת נדרים. אפטור. נטלו רשות ישראל סבורין היו ללכת בלילה ולא הלכו. בצפרא הדור. אתו לאפטורי מיניה. ביום השמיני. של סוכות היינו בכ"ב בתשרי. אנשי צורה. אנשים גדולים. פלס מעגל רגליך. משמע כל מעשיך זה כנגד זה אם באתה מצוה לידך חשוב אי זה מהן עושה אי לעשות את המצוה או ליישב ולעסוק בתורה. אורח חיים. תורה. פן תפלס. שהיא קודמת לכל דבר שאי אפשר לעשותה פלס ועושה מצוה פן תתבטל. אפשר לעשותה. פן תפלס שמתיהן מתקיימות.

״כָּל־הַטּוֹבָה אֲשֶׁר עָשָׂה ה׳ לְדָוִד עַבְדּוֹ וּלְיִשְׂרָאֵל עַמּוֹ״ – ***FOR ALL THE GOODNESS THAT GOD HAD DONE FOR DAVID, HIS SERVANT, AND FOR ISRAEL, HIS PEOPLE.*** The verse is expounded phrase by phrase: ״לְאָהֳלֵיהֶם״ – When it states *TO THEIR TENTS,* שֶׁהָלְכוּ וּמָצְאוּ נְשֵׁיהֶם בְּטָהֳרָה – it means **THAT** upon returning home **THEY FOUND THEIR WIVES**[31] **IN** a state of **PURITY.** ״שְׂמֵחִים״ – When it states that *[THE PEOPLE WERE] JOYFUL,* שֶׁנֶּהֱנוּ מִזִּיו הַשְּׁכִינָה – it means that **THEY DELIGHTED IN THE RADIANCE OF THE DIVINE PRESENCE.**[32] ״וְטוֹבֵי לֵב״ – When it states that *[THEY WERE] GLAD OF HEART,* שֶׁכָּל אֶחָד וְאֶחָד נִתְעַבְּרָה אִשְׁתּוֹ בְּבֵן זָכָר – it suggests **THAT** when the men returned home to their wives **EACH** man's **WIFE CONCEIVED A BABY BOY.**[33] ״עַל כָּל־הַטּוֹבָה״ – When it states *FOR ALL THE GOODNESS* it teaches שֶׁיָּצְתָה בַּת קוֹל וְאָמְרָה לָהֶם – **THAT A HEAVENLY VOICE WENT FORTH AND SAID TO THEM:** כּוּלְּכֶם מְזוּמָּנִין לְחַיֵּי הָעוֹלָם הַבָּא – **YOU ARE ALL PREPARED FOR A LIFE IN THE WORLD TO COME.**[34]

The Gemara seeks to understand the last part of the verse: ״לְדָוִד עַבְדּוֹ וּלְיִשְׂרָאֵל עַמּוֹ״ – *for David, His servant, and for Israel, His people.* בִּשְׁלָמָא ״לְיִשְׂרָאֵל עַמּוֹ״ – **It is understandable** that when the verse mentions the goodness God has done to ***"Israel, His people,"*** the verse means דְּאַחִיל לְהוּ עֲוֹן יוֹם הַכִּפּוּרִים – **that [God] forgave [the people] for** their **sin of** eating on **Yom Kippur.**[35] אֶלָּא ״לְדָוִד עַבְדּוֹ״ מַאי הִיא – **But what is** meant by the goodness God has done ***"for David, His servant"***?

The Gemara answers that the reference is to God forgiving David for his transgression with Bathsheba,[36] as the following narrative states:

אָמַר רַב יְהוּדָה אָמַר רַב – **Rav Yehudah said in the name of Rav:** בְּשָׁעָה שֶׁבִּיקֵּשׁ שְׁלֹמֹה לְהַכְנִיס אָרוֹן לְמִקְדָּשׁ – **At the time that Solomon sought to bring the Ark into the Temple,**[37] דָּבְקוּ שְׁעָרִים זֶה לָזֶה – **the gates** of the Holy of Holies **clung to each other** miraculously and could not be opened.[38] אָמַר שְׁלֹמֹה עֶשְׂרִים וְאַרְבַּע רְנָנוֹת – **Solomon recited twenty- four songs of prayer,**[39] וְלֹא נַעֲנָה – **but he was not answered,** and the gates remained closed. פָּתַח וְאָמַר – **He** then **began and recited** the following verses:[40] ״שְׂאוּ שְׁעָרִים רָאשֵׁיכֶם וגו׳״ – ***Raise up your heads, O gates etc.*** וְלֹא נַעֲנָה – **Nevertheless, [Solomon] was not answered** and the gates remained closed. כֵּיוָן שֶׁאָמַר ״ה׳ אֱלֹהִים אַל־תָּשֵׁב פְּנֵי מְשִׁיחֶךָ זָכְרָה לְחַסְדֵי דָּוִיד עַבְדֶּךָ״ – **As soon as he said:**[41] ***Hashem, God! Turn not away the face of Your anointed one! Remember the pieties of David, Your servant,*** מִיָּד נַעֲנָה – **he was answered immediately** and the gates opened.[42] בְּאוֹתָהּ שָׁעָה נֶהֶפְכוּ פְּנֵי שׂוֹנְאֵי דָּוִד כְּשׁוּלֵי קְדֵירָה – **At that moment, the faces of David's enemies**[43] **turned** dark with humiliation **like the bottom of a pot** that had been blackened by fire, וְיָדְעוּ הַכֹּל שֶׁמָּחַל לוֹ הַקָּדוֹשׁ בָּרוּךְ הוּא עַל אוֹתוֹ עָוֹן – **and everyone knew that the Holy One, Blessed is He, had forgiven [David] for that transgression** with Bathsheba.

The Gemara cites another teaching which is derived from the verse in *I Kings* (8:66):

רַבִּי יוֹנָתָן בֶּן עַסְמַיי וְרַבִּי יְהוּדָה בֶּן גֵּרִים תָּנוּ פָּרָשַׁת נְדָרִים בֵּי רַבִּי שִׁמְעוֹן בֶּן יוֹחַי – **R' Yonasan ben Asmai and R' Yehudah ben Geirim**[44] **studied the portion of vows**[45] **in the acadamy of R' Shimon ben Yochai.** אִיפַּטּוּר מִינֵּיהּ בְּאוּרְתָּא – **They took leave of him in the evening** as they left his presence.[46] לְצַפְרָא הֲדוּר וְקָא מִפַּטְרֵי מִינֵּיהּ – **In the morning they returned and** again **took leave of him.** אָמַר לְהוּ – **He said to them:** וְלָאו אִיפַּטַרִיתוּ מִינַּי בְּאוּרְתָּא – **Did you not** already **take leave of me** last **evening?** אָמְרוּ לֵיהּ – **They said to him:** לִמַּדְתָּנוּ רַבֵּינוּ – **You have taught us, our master,** תַּלְמִיד שֶׁנִּפְטַר מֵרַבּוֹ וְלָן בְּאוֹתָהּ הָעִיר – that **a student who takes leave of his teacher, and** ends up **staying overnight in that city,** צָרִיךְ לִיפָּטֵר מִמֶּנּוּ פַּעַם אַחֶרֶת – **must take leave of him a [second] time** when he is ready to depart. שֶׁנֶּאֱמַר ״בַּיּוֹם הַשְּׁמִינִי שִׁלַּח אֶת־הָעָם וַיְבָרְכוּ אֶת־הַמֶּלֶךְ״ – **As it states:**[47] ***On the eighth day he*** (Solomon) ***dismissed the people; and they blessed the king.*** This verse informs us that Solomon granted the people permission to take leave *"on the eighth day,"* i.e. the eighth day of Succos, which is the twenty-second day of the month of Tishrei.[48] וּכְתִיב – **And it is written:**[49] ״וּבְיוֹם עֶשְׂרִים וּשְׁלֹשָׁה לַחֹדֶשׁ הַשְּׁבִיעִי שִׁלַּח אֶת־הָעָם״ – ***On the twenty-third day of the seventh month*** (*Tishrei*) ***he*** (Solomon) ***dis-***

NOTES

31. The term "tent" refers to a wife, as we learned above [7b] (*Talmid R' Yechiel MiParis*).

32. The term שָׂמֵחַ is connected to Hashem, as found in *Psalms* (32:11) שִׂמְחוּ בַה׳, *Be glad with Hashem,* and ibid. (63:12) וְהַמֶּלֶךְ יִשְׂמַח בֵּאלֹהִים, *But the king shall be glad with God* (*Talmid R' Yechiel MiParis*).

33. The connection of the tern טוב to a male child is found in *Exodus* (2:2), where the verse states regarding the birth of Moses: וַתֵּרֶא אֹתוֹ כִּי־טוֹב הוּא, *and she saw that he was good* (*Talmid R' Yechiel MiParis*).

34. For the ultimate "good" is a share in the World to Come (*Eitz Yosef*).

35. [I.e. God informed them (through a Heavenly voice) that they had acted correctly by eating and drinking during the dedication festivities.]

36. Scripture records that King David cohabited with Bathsheba while her husband was away in battle. Technically, this did not constitute an act of adultery, for it was customary for soldiers going out to battle to give their wives a conditional bill of divorce. This was done so that if any soldier failed to return, his wife would be divorced retroactively from the time he left home. In the case of Bathsheba, Uriah *did* ultimately die in battle; thus, Bathsheba was rendered unmarried at the time of her union with David. Nevertheless, David was castigated for his conduct in this episode (see *Shabbos* 56a with *Rashi* and *Maharsha;* see also *Tosafos* ad loc. ד״ה גט, and *Kesubos* 9a,b with commentaries).

37. I.e. into the Holy of Holies (see *Shabbos* 30a, *Sanhedrin* 107b). Until that time, the Ark was in עִיר דָּוִד, *the city of David* (*Rashi ms.*).

38. [See *Rashi* to *Shabbos* 30a.] God caused Solomon to experience this difficulty, so that he would have to mention the name of his father, David, in order to open the gates. In this way, He would make known to the entire world that David had been forgiven for the transgression involving Bathsheba (*Rashi ms.*). See *Shabbos* 30a and *Midrash Shemos Rabbah* (8:1) for variations in the citation of this incident.

39. The Scriptural account of Solomon's inaugural prayer at the dedication of the Temple (*I Kings* Ch. 8; *II Chronicles* Ch. 6) contains twenty-four expressions of prayer, such as רִנָּה, תְּחִנָּה, תְּפִלָּה, etc. (*Rashi ms.;* cf. *Yad Ramah* to *Sanhedrin* 107b, and *Hagahos R' Eliezer Moshe Horowitz* to *Shabbos* 30a).

40. *Psalms* 24:7. [According to the narative as described in *Shabbos* 30a, Solomon recited verses 7-10.]

41. *II Chronicles* 6:42.

42. The verse just cited is the final verse of Solomon's prayer at the inauguration of the Temple. The very next verse in *II Chronicles* (7:1) states: *Now, as Solomon finished praying, the fire descended from heaven and consumed the burnt offerings and the sacrifices; and the glory of Hashem filled the House.*

43. David's enemies were the family of Saul, Shimi ben Geira and others who opposed his ascendancy to the throne (*Rashi* to *Shabbos* 30a).

44. He was so named because he was the son of גֵּרִים, *proselytes* (*Rashi ms.*).

45. Either this refers to Tractate *Nedarim* (*Rashi*), or to the portion of the Torah in *Numbers* Ch. 30 that deals with vows (*Rashi ms.*).

46. They intended to leave town that night, so they asked his permission to leave. However, they ended up staying overnight (*Rashi ms.*).

47. *I Kings* 8:66.

48. See *Maharsha* (*Chidushei Aggados*) who discusses how the people could have intended to leave that day, since it was still the festival of *Shemini Atzeres.*

49. *II Chronicles* 7:10.

מותרין לישא ערב הרגל קשיא לכולהו לא קשיא למאן דאמר משום שמחה עיקר שמחה חד יומא הוא למ"ד משום טירחא עיקר טירחא חד יומא הוא למ"ד משום ביטול פריה ורביה לחד יומא לא משהי איניש נפשיה ודאין מערבין שמחה בשמחה מנלן דכתיב א) ויעש שלמה בעת ההיא את החג וכל ישראל עמו קהל גדול מלבוא חמת עד נחל מצרים [לפני ה' אלהינו] שבעת ימים ושבעת ימים ארבעה עשר יום ואם איתא דמערבין שמחה בשמחה איבעי ליה למינטר עד החג ומיעבד שבעה להכא ולהכא ודלמא מינטר לא נטרינן והיכא דאתרמי עבדינן איבעי ליה לשיורי פורתא שיורי בנין בהמ"ק לא משיירינן איבעי ליה לשיורי ה) באמה (א) כליא עורב אמה כליא עורב נמי צורך בנין הוא אלא מדמייתר קרא מכדי כתיב ארבעה עשר יום שבעת ימים ושבעת ימים למה לי שמע מינה הני לחוד והני לחוד א"ר פרנך א"ר יוחנן אותה שנה לא עשו ישראל את יום הכפורים והיו דואגים ואומרים שמא נתחייבו שונאיהן של ישראל כלייה יצתה בת קול ואמרה להם כולכם מזומנין לחיי העולם הבא מאי דרוש אמרו קל וחומר ומה משכן שאין קדושתו קדושת עולם וקרבן יחיד דוחה שבת דאיסור סקילה מקדש ° דקדושתו קדושת עולם וקרבן צבור ויום הכפורים דענוש כרת לא כ"ש אלא אמאי היו דואגים התם צורך גבוה הכא צורך הדיוט הכא נמי מיעבד ליעבדו מיכל לא ניכלו ולא לישתו אין שמחה בלא אכילה ושתיה ומשכן דדחי שבת מנלן אילימא מדכתיב ב) ביום הראשון ג) וביום השביעי דלמא שביעי לקרבנות אמר רב נחמן בר יצחק אמר קרא ד) ביום עשתי עשר יום מה יום כולו רצוף אף עשתי עשר כולן רצופין ודלמא ימים הראויין כתיב קרא אחרינא ה) ביום שנים עשר יום מה יום כולו רצוף אף שנים עשר יום כולן רצופין ודלמא הכא נמי ימים הראויין אם כן תרי קראי למה לי ומקדש דדוחה יום הכפורים מנלן אילימא מדכתיב ארבעה עשר יום ודלמא ימים הראויין גמר יום יום מהתם יצתה בת קול ואמרה להם כולכם מזומנין לחיי העולם הבא ומנלן דאחיל להו דתני תחליפא ו) ביום השמיני שלח את העם ויברכו את המלך וילכו לאהליהם שמחים וטובי לב על כל הטובה אשר עשה ה' לדוד עבדו ולישראל עמו לאהליהם שהלכו ומצאו נשיהם בטהרה שמחים שנהנו מזיו השכינה וטובי לב שכל אחד ואחד נתעברה אשתו בבן זכר על כל הטובה שיצתה בת קול ואמרה להם כולכם מזומנין לחיי העולם הבא לדוד עבדו ולישראל עמו בשלמא לישראל עמו דאחיל להו עון יום הכפורים אלא לדוד עבדו מאי היא אמר רב יהודה אמר רב ג) בשעה שביקש שלמה להכניס ארון למקדש דבקו שערים זה לזה אמר שלמה עשרים וארבע רננות ולא נענה פתח ואמר ז) שאו שערים ראשיכם וגו' ולא נענה כיון שאמר ח) ה' אלהים אל תשב פני משיחך זכרה לחסדי דוד עבדך מיד נענה באותה שעה נהפכו פני שונאי דוד כשולי קדירה וידעו הכל שמחל לו הקב"ה על אותו עון ר' יונתן בן עסמיי ד) ורבי יהודה בן גרים תנו פרשת נדרים בי ר' שמעון בן יוחי איפטור מיניה באורתא לצפרא הדור וקא מפטרי מיניה אמר להו ולאו איפטריתו מיני באורתא אמרו ליה למדתנו רבינו א* תלמיד שנפטר מרבו ולן באותה העיר צריך ליפטר ממנו פעם אחרת שנאמר ביום השמיני שלח את העם ויברכו את המלך וכתיב ט) וביום עשרים ושלשה לחדש השביעי שלח את העם אלא מכאן לתלמיד הנפטר מרבו ולן באותה העיר צריך ליפטר ממנו פעם אחרת א"ל לבריה בני אדם הללו אנשים של צורה הם זיל גביהון דליברכוך אזל אשכחינהו דקא רמו קראי אהדדי כתיב י) פלס מעגל רגלך וכל דרכיך יכונו וכתיב כ) אורח חיים פן תפלס לא קשיא כאן במצוה שאפשר לעשותה ע"י אחרים כאן

רש"י

מותרין לישא ערב הרגל. כלומר מותר לכתחלה ואע"ג דשבעת ימים של סעודה יהיו ברגל: עיקר שמחה. דנישואין חד יומא ובשאר יומי לא חשיב מערב שמחה בשמחה: עיקר טירחא. דנישואין ביום ראשון דנישואין: לחד יומא לא משהו אינשי. כלומר כיון שאינו יכול להתחיל אלא בערב הרגל אין ממתינין עד הרגל דדלמא מתרמי מלתא דלא מצי מתחיל בערב הרגל ולא מתחיל כל הרגל: ועביד ז'. יומי שמחה להכא ולהכא לחנוכת הבית ולרגל: ודלמא מינטר לא נטרינן. נישואין עד הרגל כי היכי דלא נטר שלמה אבל אי מתרמי ליה עביד: אי הכי. דהיכא דאי איקרי ליה עביד איבעי ליה לשיורי בבנין עד הרגל כי היכי דליתרמי ליה חנוכת הבית ברגל: אמה כליא עורב. הגג כלה ומקצר למעלה עד כאמה ומחפין אותו שם בברזל ובמסמרים כדי שלא ישבו העורבים עליו וזהו לא חשיב כבנין: ודלמא אמה כליא עורב נמי צורך בנין הוא. להכי לא שיירה אלא כל היכא דאיתרמי ליה לנישואין ברגל לא ידעינן מנלן דלא עבדינן: שמע מינה הני לחוד. דלא מצי למיעבד ליה ביחד אפילו מתרמי: לא עשו ישראל יום כפורים. לפי שבעה ימים שלפני סוכות כל יום עשו שמחה ומשתה דכתיב ויעש שלמה בעת ההיא את החג שבעת ימים ושבעת ימים ארבעה עשר יום: וקרבן יחיד. של נשיאים: דאיסור סקילה. דחמור מכרת: וקרבן צבור. דמה שהיו מקריבין בימי חנוכת הבית קרבן צבור הוא: התם. במשכן דגבוה הוו קרבנות: הכא. בחנוכת הבית להדיוט משתה: הכא נמי לעבדו. קרבנות מיכל לא ליכלו: ביום השביעי. ומשמע לן יום ז' היינו שבת: דלמא שביעי לקרבנות. שאם הקריב נשיא ששי בערב שבת מקריב נשיא שביעי באחד בשבת ומאי שביעי שביעי לקרבן נשיא: ביום עשתי עשר יום. האי יום יתירא משמע מה יום רצוף שאין בו הפסק אף כולהו י"א יום רצוף דליכא הפסק בינתיים אפילו בשבת: דלמא ימים הראויין. למשתה עביד משתה לאפוקי יום הכפורים: גמר יום יום מהתם. מנשיאים דמשכן דגמרינן מתרי קראי דהוו רצופים אפילו בשבת אף משתה דחנוכת הבית הוו י"ד רצופים ואפילו [ביוה"כ]: כ"ד רננות. כתיבי בפרשה בין רנה ותחנה ותפלה ובקשה: פרשת נדרים. מסכת נדרים: ביום השמיני. של חג היינו בעשרים ושתים: וכתיב וביום עשרים ושלשה. אלמא דבעשרים ושתים ובעשרים ושלשה איפטרו מיניה: של צורה. כלומר חכמים: פלס מעגל רגלך. כלומר שקול מצות ועיין בהן איזו מצוה גדולה ועשה הגדולה: וכתיב ארח חיים פן תפלס. דמשמע כל מצוה שתבא לידך עשה אותה בין גדולה בין קטנה ואל תניח קטנה מפני הגדולה: מצוה שאפשר לעשותה ע"י אחרים. תפלס פלס מעגל רגלך שתעשה אתה הגדולה וחבריך יעשו קטנה: ובמצוה

תוספות

איבעי ליה למינטר עד החג. כדי שלא יתבטלו ישראל ממלאכתן כל כך: איבעי ליה לשיורי באמה כליא עורב. שלא היה צורך הבנין כ"כ ואע"פ שהוא מהבנין כדי שלא יביאו הטומאה אין זה צורך כל כך וגם בשעת הבנין בזמן שלא היה השכינה שורה בו לא היה צורך ה): כאן

עין משפט נר מצוה

פה א טוש"ע י"ד סי' רמב סעיף טז בהגה"ה:

רבינו חננאל

קשיא לכולהו. ופרקינן מאן דאמר משום שמחה חד יומא הוה והוא יום הכנסת הכלה בערב יום טוב. וכן נמי מי שאמר משום טרחא א) כר' אבא דאמר עלת כלתא נפקת טרחותא מאן דאמר משום פריה ורביה לחד יומא לא משהי נפשיה. ומנ"ל דאין מערבין שמחה בשמחה דכתיב ויעש שלמה את החג וכל ישראל עמו קהל גדול מלבוא חמת עד נחל מצרים לפני ה' אלהינו שבעת ימים ושבעת ימים ארבעה עשר יום ואסיקנא מדמייתר קרא מכדי כתיב ארבעה עשר יום שבעת ימים ושבעת ימים למה לי אלא ש"מ שמחת חינוך לבד ושמחת החג לבד. אמר רבי פרנך א"ר יוחנן אותה שנה לא צמו ביוה"כ דכתיב שמחה ואין שמחה בלא אכילה מאי דרוש ק"ו ומה משכן שאין קדושתו קדושת עולם דהא יש אחריו קדושה וקרבן הנשיאים קרבן יחיד הוא ולא קרבן צבור ודחי שבת שהוא איסור סקילה. והקריבו בשבת כדכתיב ביום עשתי עשר יום. ביום ביום דכתב קרא למה לי אלא ללמד מה יום כולו רצוף אף שנים עשר כולן רצופין הקריבו בהן והשבת בכללן. מקדש קדושתו קדושת עולם דאין אחריו היתר וקרבן צבור ויוה"כ דאיסור כרת הוא לא כ"ש דנידחי ליה והיו דואגין שמא נתחייבו כלייה דאמרי התם במשכן לא דחו שבת אלא בהקרבת קרבנות דצורך גבוה נינהו אבל יום הכפורים דאסור באכילה ושתיה שהוא צורך הדיוט. יצאת ב"ק ואמרה להן כולכם מזומנים לחיי העולם הבא שלא נתכוונתם אלא למצוה. ומניין שמחל להם שנא' וביום השמיני שלח את העם ויברכו את המלך וילכו לאהליהם שהלכו ומצאו נשיהן טהורות שמחים שנהנו מזיו השכינה וטובי לב שכל אחד ואחד נתעברה אשתו זכר על כל הטובה אשר עשה ה' לדוד עבדו שהודיע לכל שמחל לו עון בת שבע ומיתת אוריה שלא נענה שלמה בנו בעת שדבקו שערים זה בזה ולא נפתחו שיכנס הארון אלא כשאמר ה' אלהים אל תשב פני משיחך זכרה לחסדי דוד עבדך מיד נודע לכל שמחל הקב"ה לדוד עבדו אותו עון ולישראל עמו שיצאת ב"ק ואמרה כולכם מזומנים לחיי העולם הבא. ר' יונתן בן עבראי ור' יהודה בן גרים תנו נדרים בי רשב"י איפטור מיניה באורתא בצפרא נמי אתו וקא מיפטרי אמר להו ולאו כבר איפטריתו אמרו לו לימדתנו רבינו תלמיד הנפטר מרבו ולן וכו' שדר לגבייהו בריה ליברכיה אזל אשכחינהו דמפרשי פלס מעגל רגלך במצוה (שאי אפשר) [שאפשר] לעשותה ע"י אחרים אבל

חשק שלמה על ר"ח א) דברי ר' אבא נמצא בירושלמי כאן הלכה ז' א"ר בא עלת כלתא נפקת טרחותא.

מסורת הש"ס

א) [שבת ל. ערכין ו. ע"ש מנחות קז.] מדות פ"ד מ"ו, ב) [שבת ל. ע"ש], ג) שבת ל. סנהדרין קז., ד) שבת לג:, ה) [עי' תוספות שבת ל. ד"ה מכליא ותוס' מנחות קז. ד"ה כליא ובערכין ו. ד"ה כגון].

הגהות הב"ח

(א) גמ' באמה כליא עורב נ"ב לשון כלוי ומניעת העורבי' מלישב וכן פי' הערוך אלא שכתב דבמקדש ראשון לא היה צריך כליא עורב ע"ש והתוס' בפרק ר' עקיבא כתבו דמוכח כאן שהיה במקדש ראשון כליא עורב:

גליון הש"ס

גמ' דקדושתו קדושת עולם. עיין שבועות דף טז ע"ב תוס' ד"ה קדושתו:

תורה אור השלם

א) וַיַּעַשׂ שְׁלֹמֹה בָעֵת הַהִיא אֶת הֶחָג וְכָל יִשְׂרָאֵל עִמּוֹ קָהָל גָּדוֹל מִלְּבוֹא חֲמָת עַד נַחַל מִצְרַיִם לִפְנֵי יְיָ אֱלֹהֵינוּ שִׁבְעַת יָמִים וְשִׁבְעַת יָמִים אַרְבָּעָה עָשָׂר יוֹם: [מלכים א' ח, סה]

ב) וַיְהִי הַמַּקְרִיב בַּיּוֹם הָרִאשׁוֹן אֶת קָרְבָּנוֹ נַחְשׁוֹן בֶּן עַמִּינָדָב לְמַטֵּה יְהוּדָה: [במדבר ז, יב]

ג) בַּיּוֹם הַשְּׁבִיעִי נָשִׂיא לִבְנֵי אֶפְרָיִם אֱלִישָׁמָע בֶּן עַמִּיהוּד: [במדבר ז, מח]

ד) בְּיוֹם עַשְׁתֵּי עָשָׂר יוֹם נָשִׂיא לִבְנֵי אָשֵׁר פַּגְעִיאֵל בֶּן עָכְרָן: [במדבר ז, עב]

ה) בְּיוֹם שְׁנֵים עָשָׂר יוֹם נָשִׂיא לִבְנֵי נַפְתָּלִי אֲחִירַע בֶּן עֵינָן: [במדבר ז, עח]

ו) בַּיּוֹם הַשְּׁמִינִי שִׁלַּח אֶת הָעָם וַיְבָרְכוּ אֶת הַמֶּלֶךְ וַיֵּלְכוּ לְאָהֳלֵיהֶם שְׂמֵחִים וְטוֹבֵי לֵב עַל כָּל הַטּוֹבָה אֲשֶׁר עָשָׂה יְיָ לְדָוִד עַבְדּוֹ וּלְיִשְׂרָאֵל עַמּוֹ: [מלכים א' ח, סו]

ז) שְׂאוּ שְׁעָרִים רָאשֵׁיכֶם וְהִנָּשְׂאוּ פִּתְחֵי עוֹלָם וְיָבוֹא מֶלֶךְ הַכָּבוֹד: [תהלים כד, ז]

ח) יְיָ אֱלֹהִים אַל תָּשֵׁב פְּנֵי מְשִׁיחֶךָ זָכְרָה לְחַסְדֵי דָּוִיד עַבְדֶּךָ: [דברי הימים ב' ו, מב]

ט) וּבְיוֹם עֶשְׂרִים וּשְׁלֹשָׁה לַחֹדֶשׁ הַשְּׁבִיעִי שִׁלַּח אֶת הָעָם לְאָהֳלֵיהֶם שְׂמֵחִים וְטוֹבֵי לֵב עַל הַטּוֹבָה אֲשֶׁר עָשָׂה יְיָ לְדָוִיד וְלִשְׁלֹמֹה וּלְיִשְׂרָאֵל עַמּוֹ: [דברי הימים ב' ז, י]

י) פַּלֵּס מַעְגַּל רַגְלֶךָ וְכָל דְּרָכֶיךָ יִכֹּנוּ: [משלי ד, כו]

כ) אֹרַח חַיִּים פֶּן תְּפַלֵּס נָעוּ מַעְגְּלֹתֶיהָ לֹא תֵדָע: [משלי ה, ו]

רש"י כת"י

למאן דאמ' משום שמחה. רב יהודה אמר משום שמחה ורב אמ' משום מפני שמניח שמחת הרגל אתרויהו קא משני. ומאן דאמ' מפני בטול פריה ורביה. אסור לישא אשה במועד משום דאי שרינן ולאי משהי נפשיה ומבטל מפריה ורביה דמימר אמר אי לא נסיבנא לה ביום ראשון נסיבנא ליה ביום שני אבל השתא דשרינן ערב הרגל ולא רגל לחד יומא לא משהי נפשיה כיון דאילו מיתנים תו לא מצי עביד במועד הילכך ערב רגל מותר. שבעת ימים. לחנוכת וכו' כשנבנה בית המקדש ואחר כך שבעת ימים לחג הסוכות כדאמ' בסמוך. ודילמא מינטר לא מנטרינן. לחנוכת הבית עד הרגל מפני שהמזבח בטל. והיכא דאיתרמי. כלומר אי הוה מתרמי יום בנין סמוך לחג [מערבין שמחה בשמחה] [ע"פ רש"י בע"ין]. [לשיורי פורתאן]. כי היכי דניעביד שבעה להכא ולהכא ולא (נמי בטל) [הוי ביטול] מזבח כיון דלא נשלם ומדלא (שייך שמ') [שהה ש"מ] דאין מערבין. לא משיירינן. דמידע ידעי דהערמה הוא ועוד דגנאי הוא. אמה כולי עורב. שפודין של ברזל ארוכין אמה שעל גבי הבית לכלות את העורבים שלא יטנפו את הגג וכולי עורב שמונעין את העורבים כמו לא תכלא רחמיך (תהלים מ) ... צורך בנין. שהוא השלמת ל' אמות של קומת בית ראשון וק' אמות של בנין בית שני ושיור בבנין לא משיירינן. הני לחוד והני לחוד. דאין מערבין. מאי דרוש. דדמו יום הכפורים. קדושת משכן מ' שנה שהלכו במדבר מ' שנה. קרבן יחיד. נשיאים דחנוכת המזבח. שבת דאסור סקילה. דמו שהקריבו קרבן נשיאים בשבת כדלקמן. קרבן צבור. דכתו' וכל ישראל עמו שכל ישראל הקריבו קרבנות בחנוכת בית המקדש. כרת. הוא וזרעו נכרת קודם ימיו ולא דמי האי מלתא למאי דפרי' לעיל אתא גזירה שוה ועקרא לקרא דפשיטא דיום הכפורים אסור באכילה ובשתיה ואינהו מיהא בהסיה זמנא דריש ואכול ולא עקר ליה לגמרי לעולם אלא פעם זו בלבד ומשכן על פי הדיבור דמו שבת כדכתו' נשיא אחד ליום וגו'. התם. הוא צורך גבוה הכא צורך הדיוט דא"כ דאכלו ושתו ובשלו מאכלם ביום הכפורים. התם נמי. בבית המקדש מיעבד ליעבדו קרבן ולא ליכלו ביום הכפורים. משכן דדחי שבת מנא לן. דילמא לא דאינו יום ולילה רצופין ואין הפסק בנתים אלא שבת לא דחו. ומנא לן דאחיל להו. קדושה בריך הוא להו דהא אמרינן יצתה בת קול ביום השמיני של סוכות. אם כן. ימים הראוין תרי קראי למה לי אלא קרא יתירא הוא ולהכי הוא דאתא שלא תאמר קרא קמא הראוין. אין אהלו אלא אשתו. להכניס ארון. לפני ולפנים שהיה מונח קודם לכן בעיר דוד כדכתיב קרא ונטלו שלמה והכניסו לבית קדשי הקדשים. שדבקו מאליהן. שרצה הקב"ה להביא שלמה לידי כך שיהא מזכיר שם דוד אביו ויפתחהו כדי להודיע לכל העולם שמחל עון של בת שבע. כ"ד רננות. באותה תפלה בויעמוד שלמה איכא כ"ד בין תפלה רנה ותחנה ומאן דמפרש כ"ד רננות היינו בין י"ח ברכות וו' דתעניות אינו אלא טועה דתפלת שמונה עשרה אכתי בימי שלמה לא אתקין ועוד דאמר תפלת השחר בהדיא הני כ"ד דתעניות כנגד מי אמר ר' חנינא כ"ד רננות לאו היינו כ"ד ברכות דתענית. ר' יהודה בן גרים. מגרים אתא. משיחך. שלמה. פרשת נדרים. לאשי המטות ל"א במסכת נדרים. אפטור. נטלו רשות ישראל סבורין היו ללכת בלילה ולא הלכו. בצפרא הדור. אתו לאפטורי מיניה. ביום השמיני. של סוכות היינו בכ"ב בתשרי. אנשי צורה. אנשים גדולים. פלס מעגל רגליך. משמע כל מעשיך זה כנגד זה אם באתה מצוה לידך חשוב אי זה מהן עושה אי לעשות את מצוה או לישב ולעסוק בתורה. אורח חיים. תורה. פן תפלס. שהיא קודמת לכל דבר שאי אפשר לעשותה פלס ועושה מצוה פן תתבטל. אפשר לעשותה. פן תפלס שתיהן מתקיימות.

missed the people. Since the people already took leave of Solomon on the twenty-second of Tishrei, why did they have to take leave of him again on the twenty-third day of Tishrei? **אֶלָּא מִכָּאן לְתַלְמִיד הַנִּפְטָר מֵרַבּוֹ וְלָן בְּאוֹתָהּ הָעִיר – Rather, from here** we may derive **that a student who takes leave of his teacher, and stays overnight in the same city, צָרִיךְ לִיפָּטֵר מִמֶּנּוּ פַּעַם אַחֶרֶת – is required to take leave of him a [second] time** when he is ready to depart. That is why the people took leave of Solomon a second time, because they ended up remaining in Jerusalem until the twenty-third of Tishrei. **אָמַר לֵיהּ לִבְרֵיהּ – [R' Shimon ben Yochai] said to his son: בְּנֵי אָדָם הַלָּלוּ אֲנָשִׁים שֶׁל צוּרָה הֵם – These men** (R' Yonasan ben Asmai and R' Yehudah ben Geirim) **are men of stature.**[50] **זִיל גַּבֵּיהוֹן דְּלִיבָרְכוּךְ – Go to them, so that they may bless you. אֲזַל אַשְׁכְּחִינְהוּ דְּקָא רָמוּ קְרָאֵי אַהֲדָדֵי – He went,** and **he found them posing a contradiction between verses,** as follows: **כְּתִיב ,,פַּלֵּס מַעְגַּל רַגְלֶךָ וְכָל־דְּרָכֶיךָ יִכֹּנוּ'' – It is written:**[51] ***Weigh the course of your feet, and all your ways will be established.*** This verse implies that if a person has two mitzvos before him, he should weigh them and perform the greater of the two.[52] **וּכְתִיב ,,אֹרַח חַיִּים פֶּן־תְּפַלֵּס'' – And it is written** elsewhere:[53] ***The path of life lest you weigh.*** This verse implies that one should not weigh two mitzvos that are before him to determine which one takes precedence over the other; rather, the first mitzvah which comes before a person must be performed first.[54]

The Gemara answers:

לֹא קַשְׁיָא – There is no difficulty. כָּאן בְּמִצְוָה שֶׁאֶפְשָׁר לַעֲשׂוֹתָהּ עַל יְדֵי אֲחֵרִים – Here, where the verse states *weigh the course of your feet,* which implies that two mitzvos are weighed to determine which one is greater, **it refers to a mitzvah which can be performed through others.** Thus, one may perform the greater mitzvah himself, and leave the smaller one for the other person to fulfill.[55]

NOTES

50. I.e. they are Torah scholars (*Rashi*).

51. *Proverbs* 4:26.

52. *Rashi, Chidushei HaRan.* See *Maharsha,* who discusses what is considered a "major" or a "minor" mitzvah.

[Although the Mishnah states in *Avos* (2:1): "Be as scrupulous in observance of a 'minor' mitzvah as you are in observance of a 'major' one, for you do not know the reward of mitzvos," this means only that all mitzvos must be performed with equal fervor and alacrity. When two mitzvos are vying for one's attention, however, consideration must be given as to which one takes precedence.] See also note 55.

Others explain these verses as refering to one who is studying Torah, and a mitzvah comes before him. The verse implies that he should measure the importance of the mitzvah to decide if he should interrupt his Torah study in order to perform the mitzvah (*Rashi ms.*; *Talmid R' Yechiel MiParis*).

53. Ibid. 5:6.

54. *Rashi, Chidushei HaRan.*

According to the second explanation cited above (note 52), *"the path of life"* is a reference to Torah. Thus the verse means that when it comes to Torah study, one does not weigh anything against it.

55. This only applies if one has not begun to perform either mitzvah. If, however, he had only the smaller mitzvah before him, and the opportunity to perform the greater mitzvah arose only after he had begun to perform the smaller mitzvah, he should continue to perform the mitzvah with which he is engaged, in accordance with the rule that הָעוֹסֵק בְּמִצְוָה פָּטוּר מִן הַמִּצְוָה, *one who is involved in a mitzvah is exempt from [performing] another mitzvah* – and this is so even if the mitzvah that he is doing could have been performed by others (see *Ran* to *Kiddushin* fol. 13b).

מותרין לישא ערב הרגל. כלומר מותר לכתחלה ואע״ג דשבעת ימים של סעודה יהיו ברגל: עיקר שמחה. דנישואין חד יומא ושאר יומי לא חשיב מערב שמחה בשמחה: עיקר טירחא. דנישואין ביום ראשון דנישואין: לחד יומא לא משהו אינשי. כלומר כיון שאינו יכול להתחיל אלא בערב הרגל אין ממתינין עד הרגל דדלמא מתרמי מלתא דלא מצי מתחיל בערב הרגל ולא מתחיל כל הרגל: ועביד ז׳. יומי שמחה להכא ולהכא לחנוכת הבית ולרגל: ודלמא מינטר לא נטרינן. נישואין עד הרגל כי היכי דלא נטר שלמה אבל אי מתרמי ליה עביד: אי הכי. דהיכא דלא איקרי ליה עביד איבעי ליה לשיורי בבנין עד הרגל כי היכי דליתרמי ליה חנוכת הבית ברגל: אמה כליא עורב. הגג כלה ומקלר למעלה עד כאמה ומחפין אותו שם בברזל ובמסמרים כדי שלא ישבו העורבים עליו זהו לא חשיב כבנין: ודלמא אמה כליא עורב נמי צורך בנין הוא. להכי לא שייריה אלא כל היכא דאיתרמי ליה לנישואין ברגל לא ידעינן מנלן דלא עבדינן: שמע מינה הני לחוד. דלא מצי למיעבד ליה ביחד אפילו מתרמי: לא עשו ישראל יום כפורים. לפי שבעה ימים שלפני סוכות כל יום עשו שמחה ומשתה דכתיב ויעש שלמה בעת ההיא את החג שבעת ימים ושבעת ימים ארבעה עשר יום: וקרבן יחיד. של נשיאים: דאיסור סקילה. דחמור מכרת: וקרבן צבור. דמה שהיו מקריבין בימי חנוכת הבית קרבן צבור הוא: התם. במשכן דגבוה הוו קרבנות: הכא. בחנוכת הבית להדיוט משתה: הכא נמי לעבדו. קרבנות מיכל לא ליכלו: ביום השביעי. ומשמע לן יום ז׳ היינו שבת: דלמא שביעי לקרבנות. שאם הקריב נשיא ששי בערב שבת מקריב נשיא שביעי באחד בשבת ומאי שביעי שביעי לקרבן נשיא: ביום עשתי עשר יום. האי יום יתירא משמע מה יום רצוף שאין בו הפסק אף כולהו י״א יום רצוף דליכא הפסק בינתיים אפילו בשבת: דלמא ימים הראויין. למשתה עביד משתה לאפוקי יום הכפורים: גמר יום יום מהתם. מנשיאים דמשכן דגמרינן מתרי קראי דהוו רצופים אפילו בשבת אף משתה דחנוכת הבית הוו י״ד רצופים ואפילו [ביוה״כ]: כ״ד רננות. כתיבי בפרשה בין רנה ותחנה ותפלה ובקשה: פרשת נדרים. מסכת נדרים: ביום השמיני. של חג היינו בעשרים ושתים: וכתיב וביום עשרים ושלשה. אלמא דבעשרים ושתים ובעשרים ושלשה איפטרו מיניה: של צורה. כלומר חכמים: פלס מעגל רגלך. כלומר שקול מצות ועיין בהן איזו מצוה גדולה ועשה הגדולה: וכתיב ארח חיים פן תפלס. דמשמע כל מצוה שתבא לידך עשה אותה בין גדולה בין קטנה ואל תניח קטנה מפני הגדולה: מצוה שאפשר לעשותה ע״י אחרים. תפלס פלס מעגל רגלך שתעשה אתה הגדולה ותצריך יעשו קטנה: ובמצוה

מותרין לישא ערב הרגל קשיא לכולהו לא קשיא למאן דאמר משום שמחה עיקר שמחה חד יומא הוא למ״ד משום טירחא עיקר טירחא חד יומא הוא למ״ד משום ביטול פריה ורביה לחד יומא לא משהי איניש נפשיה ודאין מערבין שמחה בשמחה מנלן דכתיב [א] ויעש שלמה בעת ההיא את החג וכל ישראל עמו קהל גדול מלבוא חמת עד נחל מצרים [לפני ה׳ אלהינו] שבעת ימים ושבעת ימים ארבעה עשר יום ואם איתא דמערבין שמחה בשמחה איבעי ליה למינטר עד החג ומיעבד שבעה להכא ולהכא ודלמא מינטר לא נטרינן והיכא דאתרמי עבדינן איבעי ליה לשיורי פורתא שיורי בנין בהמ״ק לא משיירינן איבעי ליה לשיורי [ה] באמה (א) כליא עורב אמה כליא עורב צורך בנין הבית הוא אלא מדמייתר קרא מכדי כתיב ארבעה עשר יום שבעת ימים ושבעת ימים למה לי שמע מינה הני לחוד והני לחוד א״ר פרנך א״ר יוחנן אותה שנה לא עשו ישראל את יום הכפורים והיו דואגים ואומרים שמא נתחייבו שונאיהן של ישראל כלייה יצתה בת קול ואמרה להם כולכם מזומנין לחיי העולם הבא מאי דרוש אמרו קל וחומר ומה משכן שאין קדושתו קדושת עולם וקרבן יחיד דוחה שבת דאיסור סקילה מקדש ° דקדושתו קדושת עולם וקרבן צבור ויום הכפורים דענוש כרת לא כ״ש אלא אמאי היו דואגים התם צורך גבוה הכא צורך הדיוט הכא נמי מיעבד ליעבדו מיכל לא ניכלו ולא לישתו אין שמחה בלא אכילה ושתיה ומשכן דדחי שבת מנלן אילימא מדכתיב [ב] ביום הראשון [ג] וביום השביעי דלמא שביעי לקרבנות אמר רב נחמן בר יצחק אמר קרא [ד] ביום עשתי עשר יום מה יום כולו רצוף אף עשתי עשר כולן רצופין ודלמא ימים הראויין כתיב קרא אחרינא [ה] ביום שנים עשר יום מה יום כולו רצוף אף שנים עשר יום כולן רצופין ודלמא הכא נמי ימים הראויין אם כן תרי קראי למה לי ומקדש דדוחה יום הכפורים מנלן אילימא מדכתיב ארבעה עשר יום ודלמא ימים הראויין גמר יום יום מהתם יצתה בת קול ואמרה להם כולכם מזומנין לחיי העולם הבא ומנלן דאחיל להו דתני תחליפא [ו] ביום השמיני שלח את העם ויברכו את המלך וילכו לאהליהם שמחים וטובי לב על כל הטובה אשר עשה ה׳ לדוד עבדו ולישראל עמו לאהליהם שהלכו ומצאו נשיהם בטהרה שמחים שנהנו מזיו השכינה וטובי לב שכל אחד ואחד נתעברה אשתו בבן זכר על כל הטובה שיצתה בת קול ואמרה להם כולכם מזומנין לחיי העולם הבא לדוד עבדו ולישראל עמו בשלמא לישראל עמו דאחיל להו עון יום הכפורים אלא לדוד עבדו מאי היא אמר רב יהודה אמר רב בשעה שביקש שלמה להכנים ארון למקדש דבקו שערים זה לזה אמר שלמה עשרים וארבע רננות ולא נענה פתח ואמר [ז] שאו שערים ראשיכם וגו׳ ולא נענה כיון שאמר [ח] ה׳ אלהים אל תשב פני משיחך זכרה לחסדי דוד עבדך מיד נענה באותה שעה נהפכו פני שונאי דוד כשולי קדירה וידעו הכל שמחל לו הקב״ה על אותו עון ר׳ יונתן בן עסמיי ורבי יהודה בן גרים תנו פרשת נדרים בי ר׳ שמעון בן יוחי איפטור מיניה באורתא לצפרא הדור וקא מפטרי מיניה אמר להו ולאו איפטריתו מיני באורתא אמרו ליה למדתנו רבינו [א] תלמיד שנפטר מרבו ולן באותה העיר צריך ליפטר ממנו פעם אחרת שנאמר ביום השמיני שלח את העם ויברכו את המלך וכתיב [ט] וביום עשרים ושלשה לחדש השביעי שלח את העם אלא מכאן לתלמיד הנפטר מרבו ולן באותה העיר צריך ליפטר ממנו פעם אחרת א״ל לבריה בני אדם הללו אנשים של צורה הם זיל גביהון דליברכוך אזל אשכחינהו דקא רמו קראי אהדדי כתיב [י] פלס מעגל רגלך וכל דרכיך יכונו וכתיב [כ] אורח חיים פן תפלס לא קשיא כאן במצוה שאפשר לעשותה ע״י אחרים

כאן

איבעי ליה למינטר עד החג. כדי שלא יתבטלו ישראל ממלאכתן כל כך: **איבעי** ליה לשיורי באמה כליא עורב. שלא היה לורך הבנין כ״כ ואע״פ שהוא מהבנין כדי שלא יבאו הטומאה אין זה לורך כל כך וגם בשעת הבנין בזמן שלא היה השכינה שורה בו לא היה לורך [ה]:

מסורת הש״ס

א) [שבת ל. ערכין ו. ע״ש מנחות קז.] מדות פ״ד מ״ו, ב) [שבת ל. ע״ש], ג) שבת ל. סנהדרין קז:, ד) שבת לג:, ה) [עי׳ תוספות שבת ל. ד״ה מכליא ותוס׳ מנחות קז. ד״ה כליא ובערכין ו. ד״ה כגון].

הגהות הב״ח

(א) גמ׳ באמה כליא עורב נ״ב לשון כלוי ומניעת העורבי׳ מלישב וכן פי׳ הערוך אלא שכתב דבמקדש ראשון לא היה צריך כליא עורב ע״ש והתוס׳ בפרק ר׳ עקיבא כתבו דמוכח כאן שהיה במקדש ראשון כליא עורב:

גליון הש״ס

גמ׳ דקדושתו קדושת עולם. עיין שבועות דף טז ע״ב תוס׳ ד״ה קדושתו:

תורה אור השלם

א) וַיַּעַשׂ שְׁלֹמֹה בָעֵת הַהִיא אֶת הֶחָג וְכָל יִשְׂרָאֵל עִמּוֹ קָהָל גָּדוֹל מִלְּבוֹא חֲמָת עַד נַחַל מִצְרַיִם לִפְנֵי יְיָ אֱלֹהֵינוּ שִׁבְעַת יָמִים וְשִׁבְעַת יָמִים אַרְבָּעָה עָשָׂר יוֹם: [מלכים א׳ ח, סה]

ב) וַיְהִי הַמַּקְרִיב בַּיּוֹם הָרִאשׁוֹן אֶת קָרְבָּנוֹ נַחְשׁוֹן בֶּן עַמִּינָדָב לְמַטֵּה יְהוּדָה: [במדבר ז, יב]

ג) בַּיּוֹם הַשְּׁבִיעִי נָשִׂיא לִבְנֵי אֶפְרָיִם אֱלִישָׁמָע בֶּן עַמִּיהוּד: [במדבר ז, מח]

ד) בְּיוֹם עַשְׁתֵּי עָשָׂר יוֹם נָשִׂיא לִבְנֵי אָשֵׁר פַּגְעִיאֵל בֶּן עָכְרָן: [במדבר ז, עב]

ה) בְּיוֹם שְׁנֵים עָשָׂר יוֹם נָשִׂיא לִבְנֵי נַפְתָּלִי אֲחִירַע בֶּן עֵינָן: [במדבר ז, עח]

ו) בַּיּוֹם הַשְּׁמִינִי שִׁלַּח אֶת הָעָם וַיְבָרְכוּ אֶת הַמֶּלֶךְ וַיֵּלְכוּ לְאָהֳלֵיהֶם שְׂמֵחִים וְטוֹבֵי לֵב עַל כָּל הַטּוֹבָה אֲשֶׁר עָשָׂה יְיָ לְדָוִד עַבְדּוֹ וּלְיִשְׂרָאֵל עַמּוֹ: [מלכים א׳ ח, סו]

ז) שְׂאוּ שְׁעָרִים רָאשֵׁיכֶם וְהִנָּשְׂאוּ פִּתְחֵי עוֹלָם וְיָבוֹא מֶלֶךְ הַכָּבוֹד: [תהלים כד, ז]

ח) יְיָ אֱלֹהִים אַל תָּשֵׁב פְּנֵי מְשִׁיחֶךָ זָכְרָה לְחַסְדֵי דָּוִיד עַבְדֶּךָ: [דברי הימים ב׳ ו, מב]

ט) וּבְיוֹם עֶשְׂרִים וּשְׁלֹשָׁה לַחֹדֶשׁ הַשְּׁבִיעִי שִׁלַּח אֶת הָעָם לְאָהֳלֵיהֶם שְׂמֵחִים וְטוֹבֵי לֵב עַל הַטּוֹבָה אֲשֶׁר עָשָׂה יְיָ לְדָוִיד וְלִשְׁלֹמֹה וּלְיִשְׂרָאֵל עַמּוֹ: [דברי הימים ב׳ ז, י] י) פַּלֵּס מַעְגַּל רַגְלֶךָ וְכָל דְּרָכֶיךָ יִכֹּנוּ: [משלי ד, כו] כ) אֹרַח חַיִּים פֶּן תְּפַלֵּס נָעוּ מַעְגְּלֹתֶיהָ לֹא תֵדָע: [משלי ה, ו]

עין משפט נר מצוה

פה א טוש״ע י״ד סי׳ רמב סעיף טז בהגה״ה:

רבינו חננאל

קשיא לכולהו. ופרקינן מאן דאמר משום שמחה חד יומא הוה והוא יום הכנסת הכלה בערב יום טוב. וכן נמי מי שאמר משום טרחא א) כר׳ אבא דאמר עלת כלתא נפקת טרחותא מאן דאמר משום פריה ורביה לחד יומא לא משהי נפשיה. ומנ״ל דאין מערבין שמחה בשמחה דכתיב ויעש שלמה את החג וכל ישראל עמו קהל גדול מלבוא חמת עד נחל מצרים לפני ה׳ אלהינו שבעת ימים ושבעת ימים ארבעה עשר יום ואסיקנא מדמייתר קרא מכדי כתיב ארבעה עשר יום שבעת ימים ושבעת ימים למה לי אלא ש״מ שמחת חינוך לבד ושמחת החג לבד. אמר רבי פרנך א״ר יוחנן אותה שנה לא צמו ביוה״כ דכתיב שמחה ואין שמחה בלא אכילה מאי דרוש ק״ו ומה משכן שאין קדושתו קדושת עולם דהא יש אחריו קדושה וקרבן הנשיאים קרבן יחיד הוא ולא קרבן צבור ודחי שבת שהוא איסור סקילה. והקריבו בשבת כדכתיב ביום עשתי עשר יום. ביום ביום דכתב קרא למה לי אלא ללמד מה יום כולו רצוף אף שנים עשר כולן רצופין הקריבו בהן והשבת בכללן. מקדש קדושתו קדושת עולם דאין אחריו היתר וקרבן צבור ויוה״כ דאיסור כרת הוא לא כ״ש דנידחי ליה והיו דואגין שמא נתחייבו כלייה דאמרי התם במשכן לא דחו שבת אלא בהקרבת קרבנות דצורך גבוה נינהו אבל יום הכפורים דאסור באכילה ושתיה שהוא צורך הדיוט. יצאת ב״ק ואמרה להן כולכם מזומנים לחיי העולם הבא שלא נתכוונתם אלא למצוה. ומניין שמחל להם שנא׳ וביום השמיני שלח את העם ויברכו את המלך וילכו לאהליהם שהלכו ומצאו נשיהן טהורות שמחים שנהנו מזיו השכינה וטובי לב שכל אחד ואחד נתעברה אשתו זכר על כל הטובה אשר עשה ה׳ לדוד עבדו שהודיע לכל שמחל לו עון בת שבע ומיתת אוריה שלא נענה שלמה בנו בעת שדבקו שערים זה בזה ולא נפתחו שיכנס הארון אלא כשאמר ה׳ אלהים אל תשב פני משיחך זכרה לחסדי דוד עבדך מיד נודע לכל שמחל הקב״ה לדוד עבדו אותו עון ולישראל עמו שיצאת ב״ק ואמרה כולכם מזומנים לחיי העולם הבא. ר׳ יונתן בן עבראי ור׳ יהודה בן גרים תנו נדרים בי רשב״י איפטור מיניה באורתא בצפרא נמי אתו וקא מיפטרי אמר להו ולאו כבר איפטריתו אמרו לו לימדתנו רבינו תלמיד הנפטר מרבו ולן וכו׳ שדר לגבייהו בריה ליברכיה אזל אשכחינהו דמפרשי פלס מעגל רגלך במצוה (שאי אפשר) [שאפשר] לעשותה ע״י אחרים אבל

חשק שלמה על ר״ח א) דברי ר׳ אבא נמצא בירושלמי כאן הלכה ז׳ א״ר בא עלת כלתא נפקת טרחותא.

רש״י כת״י

למאן דאמ׳ משום שמחה. רב יהודה אמר משום שמחה ורב אמ׳ משום מפני שמניח שמחת הרגל אתרויהו קא משני. ומאן דאמ׳ מפני בטול פריה ורביה. אסור לישא אשה במועד משום דאי שרינן ולאי משהי נפשיה ומבטל מפריה ורביה דמימר אמר אי לא נסיבנא לה ביום ראשון נסיבנא ליה ביום שני אבל השתא דשרין ערב הרגל ולא רגל לחד יומא לא משהי נפשיה כיון דאילו מיתנים תו לא מצי עביד במועד הילכך ערב רגל מותר. שבעת ימים. לחנוכת וכו׳ כשנבנה בית המקדש ואחר כך שבעת ימים לחג הסוכות כדאמ׳ בסמוך. ודילמא מינטר לא מנטרינן. לחנוכת הבית עד הרגל מפני שהמזבח בטל. והיכא דאיתרמי. כלומר אי הוה מתרמי יום בנין סמוך לחג [מערבין שמחה בשמחה] [ע״פ רש״י בע״ין]. [לשיורי פורתא]. כי היכי דניעביד שבעה להכא ולהכא ולא (נמי בטל) [הוי ביטול] מזבח כיון דלא נשלם ומדלא (שייך שמ׳) [שהה ש״מ] דאין מערבין. לא משיירינן. דמידע ידעי דהערמה הוא ועוד דגנאי הוא. אמה כולי עורב. ספודין של ברזל ארוכין אמה שעל גבי הבית לכלות את העורבים שלא יטנפו את הגג וכולי עורב שמונעין את העורבים כמו לא תכלא רחמיך (תהלים מ) ... צורך בנין. שהוא השלמת ל׳ אמות של קומת בית ראשון וק׳ אמות של בנין בית שני ושיור בבנין לא משיירנן. הני לחוד והני לחוד. דאין מערבין. אותה שנה לא עשו. יום הכפורים שאכלו כל שבעת ימי חנוך קודם החג וחמישי של קודם החג יום הכפורים. מאי דרוש. דדחו יום הכפורים. קדושת משכן מ׳ שנה שהלכו במדבר מ׳ שנה. קרבן יחיד. נשיאים דחנוכת המזבח. שבת דאסור סקילה. דחו שהקריבו קרבן נשיאים בשבת כדלקמן. קרבן צבור. דכתו׳ וכל ישראל עמו שכל ישראל הקריבו קרבנות בחנוכת בית המקדש. כרת. הוא וזרעו נכרת קודם ימיו ולא דמי האי מלתא למאי דפרי׳ לעיל אתא גזירה שוה ועקרא לקרא דפשיטא דיום הכפורים אסור באכילה ובשתיה ואינהו מיהא בההיא זמנא דריש ואכול ולא עקר ליה לגמרי לעולם אלא פעם זו בלבד ובמשכן על פי הדיבור דחו שבת כדכתו׳ נשיא אחד ליום וגו׳. התם. הוא צורך גבוה עולות ואימורי חטאות הכא צורך הדיוט דא״כ דאכלו ושתו ובשלו מאכלם ביום הכפורים. התם נמי. בבית המקדש מיעבד ליעבדו קרבן ולא ליכלו ביום הכפורים. משכן דדחי שבת מנא לן. דילמא לא דאינו יום ולילה רצופין ואין הפסק בנתים אלא שבת לא דחו. ומנא לן דאחיל להו. קדושא בריך הוא להו דהא אמרינן יצאתה בת קול ביום השמיני של סוכות. אם כן. ימים הראוין תרי קראי למה לי אלא קרא יתירא הוא ולהכי הוא דאתא שלא תאמר קרא קמא הראוין. אין אהלו אלא אשתו. להכניס ארון. לפני ולפנים שהיה מונח קודם לכן בעיר דוד כדכתיב קרא ונטלו שלמה והכניסו לבית קדשי הקדשים. שדבקו מאליהן. שרצה הקב״ה להביא שלמה לידי כך שיהא מזכיר שם דוד אביו ויפתחהו כדי להודיע לכל העולם שמחל עון של בת שבע. כ״ד רננות. באותה תפלה בויעמוד שלמה איכא כ״ד בין תפלה רנה ותחנה ומאן דמפרש כ״ד רננות היינו בין י״ח ברכות וו׳ דתעניות אינו אלא טועה דתפלת שמונה עשרה אכתי בימי שלמה לא אתקין ועוד דאמר תפלת השחר בהדיא הני כ״ד דתעניות כנגד מי אמר ר׳ חנינא כ״ד רננות שאמר שלמה אלמא כ״ד רננות לאו היינו כ״ד ברכות דתענית. ר׳ יהודה בן גרים. מגרים אתא. משיחך. שלמה. פרשת נדרים. ראשי המטות ל״א במסכת נדרים. אפטור. נטלו רשות ישראל סבורין היו ללכת בלילה ולא הלכו. בצפרא הדור. אתו לאפטורי מיניה. ביום השמיני. של סוכות היינו בכ״ב בתשרי. אנשי צורה. אנשים גדולים. פלס מעגל רגליך. משמע כל מעשיך זה כנגד זה אם באתה מצוה לידך תשוב אי זה מהן עושה אי לעשות את מצוה או לישב ולעסוק בתורה. אורח חיים. תורה. פן תפלס. שהיא קודמת לכל דבר שאי אפשר לעשותה פלס ועושה מצוה פן תתבטל. אפשר לעשותה. פן תפלס שמתיהן מתקיימות.

כאן במצוה שא"א לעשותה ע"י אחרים הדר יתבי וקא מבעי להו כתיב א) יקרה היא מפנינים וכל חפציך לא ישוו בה הא חפצי שמים ישוו בה וכתיב ב) כל חפצים לא ישוו בה דאפילו חפצי שמים לא ישוו בה כאן במצוה שאפשר לעשותה ע"י אחרים כאן במצוה שאי אפשר לעשותה ע"י אחרים אמרו ליה מאי בעית הכא אמר להו דאמר לי אבא זיל גבייהו דליברכוך אמרו ליה יהא רעוא דתזרע ולא תחצד תעייל ולא תיפוק תיפוק ולא תעייל ליחרוב ביתך וליתוב אושפיזך לבלבל פתורך ולא תחזי שתא חדתא כי אתא לגבי אבוה א"ל לא מבעיא דברוכי לא בירכן אבל צעורי צעורן א"ל מאי אמרו לך הכי והכי אמרו לי א"ל הנך כולהו ברכתא נינהו תזרע ולא תחצד תוליד בנים ולא ימותו תעייל ולא תיפוק תעייל כלתא ולא לימותו בנך דליפקון תיפוק ולא תעייל תוליד בנתא ולא ימותו גוברייהו ולהדרו לותיך ליחרוב ביתך וליתוב אושפיזך דהאי עלמא אושפיזך והדיא עלמא ביתא דכתיב ג) קרבם בתימו לעולם אל תקרי קרבם אלא קברם לבלבל פתורך בבני ובנתא ולא תיחזי שתא חדתא דלא תמות אנתך ולא תנסב אינתתא אחריתי ר' שמעון בן חלפתא אפטר מיניה דרב א"ל (א) אבוה) זיל לגביה דליברכך א"ל יהא רעוא דלא תבייש ולא תתבייש ב) אתא גבי אבוה א"ל מאי אמר לך א"ל מילין בעלמא הוא דאמר לי א"ל ברכך ברכתא דברכן קודשא בריך הוא לישראל ותנא בה דכתיב ד) ואכלתם אכול ושבוע והללתם וגו' ולא יבושו עמי לעולם וידעתם כי בקרב ישראל אני וגו' ולא יבושו עמי לעולם: ועושה אשה תכשיטיה: ת"ר א) אלו הן תכשיטי נשים כוחלת ופוקסת ומעבירה (ג) סרק) על פניה ואיכא דאמרי מעברת [א] סרק על פניה של מטה דביתהו דרב חסדא מקשטא באנפי כלתה יתיב רב הונא בר חיננא קמיה דרב חסדא ויתיב וקאמר לא שנו אלא ילדה אבל זקנה לא א"ל האלהים אפילו אמך ואפילו אימא דאימך ואפילו עומדת על קברה דאמרי אינשי בת שיתין כבת שית לקל טבלא רהטא: ר' יהודה אומר לא תסוד: תניא רבי יהודה אומר ז) אשה לא תסוד (א) מפני שניוול הוא לה ומודה ר' יהודה ב) בסיד שיכולה לקפלו במועד שטופלתו במועד שאע"פ שמצירה היא עכשיו שמחה היא לאחר זמן ומי אית ליה לרבי יהודה האי סברא והתנן ה) רבי יהודה אומר נפרעין מהן מפני שמצר ג) אמרו לו אע"פ שמצר עכשיו שמח הוא לאחר זמן אמר רב נחמן בר יצחק הנח להלכות מועד דכולהו מצר עכשיו ושמח לאחר זמן נינהו רבינא אמר כותי לענין פרעון לעולם מצר י) אמר רב יהודה בנות ישראל שהגיעו לפירקן ולא הגיעו לשנים עניות טופלות אותן בסיד עשירות טופלות אותן בסולת בנות מלכים בשמן המור שנאמר ה) ששה חדשים בשמן המור ז) מאי שמן המור רב הונא בר חייא אמר סטכת ח) רב ירמיה בר אמי אמר שמן זית שלא הביא שליש תניא רבי יהודה אומר אנפיקנון שמן זית שלא הביא שליש ולמה סכין אותו שמשיר את השער ומעדן את הבשר ט) רב ביבי הוה ליה ברתא טפלה אבר אבר שקל בה ד' מאה זוזי הוה ההוא כותי בשבבותיה דה"ל ברתא טפלה בחד זמנא ומתה אמר קטלא ביבי לברתי אמר רב נחמן רב ביבי דשתי שיכרא בעיין בנתיה טפלא אנן דלא שתינן שיכרא לא בעיין בנתין טפלא:

ההדיוט

רש"י

ובמצוה שא"א לעשותה ע"י אחרים. אל תפלס אלא מצוה שבא לידך בין גדולה בין קטנה עשה: וכל חפציך לא ישוו בה. שתבטל כל חפליך בשביל שתעסוק בתורה: חפצי שמים ישוו בה. כלומר שאם יש לך לעסוק במצוה תבטל תלמוד תורה ועסוק במצוה: דאפילו חפצי שמים לא. דמבטל מצוה ועוסק בתלמוד תורה: תעייל ולא תיפוק תיפוק ולא תעייל. משמע ליה בסחורה תעייל ולא תיפוק שתביא סחורה ולא תמכרנה תיפוק ולא תעייל שתוליא בסחורה במקום אחר ולא תביאנה: תעייל כלתא. שדרך כלתא הולכת אצל הבעל: ולא תיפוק. דלא לימות בנך דהדרי נפקי מינך והדרי לבי נשייהו: שתא חדתא. זו שנה ראשונה של נישואין דכתיב כי יקח איש אשה חדשה לא יצא וגו' (דברים כד): ליחרב ביתך. בית קברתך דלא תמות אלא תחיה לאורך ימים: לא תבוש ולא תתבייש. לא תיבוש אחריני כדי שלא תתבייש שלא תבא לידי כך פן תתבייש: ותנא בה. ושנה בה לא יבושו עמי לעולם והיינו לא תבייש ולא תתבייש: כוחלת. נותנת כחול בין עיניה כדי שדומות נאים: פוקסת. מחלקת שערה לכאן ולכאן [י]: ומעברת סרק על פניה. סם אחד כדי שתראה אדומה: סכין על פניה של מטה. כדי להעביר שער של מטה: היתה מיקשטא. כי הני קשוטין כדאמר הכא: באנפי כלתה. שהיתה כל כך זקינה שהיתה לה כלה שהיא אשת בנה: לא שנו. הא דאמר עושה אשה תכשיטיה: אלא ילדה. בחורה שדרכה בכך ולהכי הוי לה שמחה במועד: אבל זקינה לא. והיכי עבדא אשתך הכי דמיקשטא הא הויא זקינה: ואפילו עומדת על פתח קברה. שריא להתקשט: לקל טבלא רהטא. פירוש קשקוש הזוג ר"ל מיני זמר בהילולא וכי היכי דרהטא ילדה בת שית לקל הילולא הכי עבדא (ב) בת שיתין והכי נמי מיקשטא: שניוול הוא לה. שגנאי הוא לה וניוול בסיד ומצטערת בסיד: שיכולה לקפלו במועד. אע"פ שהיא מנוולת בסיד: שמחה היא לאחר זמן. במועד לסוף המועד לאחר שקפלתו את הסיד שטפלה לפי שמשיר את השער ומעדן את הבשר והואיל דהאי סיד משמחתה לאחר זמן להכי שרי לה לטופלו במועד אע"פ שהיא מצירה עכשיו: ומי אית ליה לרבי יהודה האי סברא. אע"ג שהיא מצירה עכשיו שמחה וכו': נפרעים מהם. מהכותים ביום חגם מפני שהוא מצער דכל אדם שפורע מיצר אבל לא משלמים להם ממון ביום חגם לפי שמשמחם ביום חגם ומודה לע"ז כדפי' במס' ע"ז: שמח הוא לאחר זמן. שפרע לו ואמאי נפרע מהן אבל לרבי יהודה לא אית ליה האי סברא דמשום שמיצר עכשיו שרי והיכי אית ליה האי סברא גבי טפול אע"ג שהיא מצירה עכשיו שמחה היא לאחר זמן: הנח להלכות מועד. להכי א"ר יהודה הכא דשרי אע"פ שהיא מצירה כו': דכולהו הלכות מועד. דשרי משום האי טעמא נמי שרו כגון אפיה ובישול דמצער השתא כשהוא אופה ומבשל ולהכי שרי דשמח הוא כשהוא אוכל אפייתו ובישולו בי"ט: כותי לעולם מיצר. שפורע ולהכי לא אית ליה לר' יהודה התם אע"פ שמיצר שמח וכו' אבל לעיל גבי טפול אית ליה לר' יהודה אע"פ שמצירה עכשיו שמחה לאחר זמן: שהגיעו לפירקן. לשיער: ולא הגיעו לשנים. שאינן בנות י"ב שנה ויום אחד שעדיין אינו דין שיהא להן שער ובושות על כך: עניות טופלות. השיער בסיד ומשירות אותן: אנפיקינון. היינו אנפיקינון דקתני התם במנחות (דף פה:) אנפיקינון לא יביא היינו אותו שמן שעושין מזיתים: שלא הביאו שליש. שלא בישלו שליש: ולמה סכין אותו. אבל הני קא מהדר דקאמר טופלין כו': ושקל בה ארבע מאה זוזי. שנתייפת ונטל מבעלה כך: טפלה כולה בחד זימנא. דסבר למיעבד כרב ביבי ומתה: בעיין בנתין טפלא. דשכר מגדל השער ומעבה את הבשר:

תופר

תוספות

כאן במצוה שאי אפשר לעשותה ע"י אחרים. עשיית מצוה עדיף שהרי מפסיקין אפילו לר"ש בן יוחי לעושה סוכה ולולב כדאי' בירושלמי [ט] אבל בהפסקה דתפלה * וק"ש אין מפסיקין לר"ש בן יוחי (ג) א] ובירושלמי זה שננו וזה שננו ואין מפסיקין שננו מפני שננו:

פוקסת. פי' בקונטרס מתקנת שער שלא יתפזר וקשה דבפרק המצניע (שבת דף צד: ושם) אמר (ד) דמתחייב בשבת משום טוה ועוד דסורקת ה"ל למיתני כמו גבי נזיר (נזיר מב.) ובפ' קמא דכתובות (דף ד: ושם) [ל] פירש בקונטרס קליעת שער וקשיא דבפרק המצניע שונה גודלת ופוקסת ואין לפרש מעברת סרק על פניה דהכא תני תרוייהו וגם בפ' [מ] קמא דכתובות ויש לפרש דמתקנת שערה בידיה חוץ לצעיף וריב"א מפרש שנותנת חוטין של בלק (ה) [נ] [דקין] על פניה להאדים הבשר והיינו טוייה והאי דקורא ליה בירושלמי צובע שהוא מאדים הבשר ובנין נמי שייך בתיקון האשה למאי דמפורש סוף המצניע (שבת דף צה.) משום בונה ומייתי קרא דויבן את הצלע: סטכת. בפרק כל הקרבנות (מנחות דף פו.) מפרש דשמן המור הוא סטכת ובפ' קמא דמגילה (דף יג.) מאי שמן המור רב הונא אמר רבי חייא סטכת:

ההדיוט

עין משפט נר מצוה

פו א ב מיי' פ"ז מהל' יום טוב הלכה כ סמג לאוין עה טוש"ע א"ח סי' תקמו סעיף ה:

פז ג מיי' פ"ט מהלכות ע"ז הלכה א סמג לאוין מה טוש"ע י"ד סי' קמח סעיף א:

רבינו חננאל

אבל מצוה שאי אפשר לעשותה ע"י אחרים אורח חיים פן תפלס. תוב כתיב יקרה היא מפנינים וכל חפציך לא ישוו בה הא חפצי שמים ישוו בה במצוה (שאפשר) [שאי אפשר] לעשותה ע"י אחרים. כל חפצים לא ישוו בה במצוה (שאי אפשר) [שאפשר] לעשות' ע"י אחרים אמר להו אבא שדרני לגביכו דתתברכון יתי אמרו ליה תהא רעוא דתזרע ולא תחצד פי' דתוליד בנים ולא תקברם תעייל ולא תיפוק תעייל כלתך לביתך ולא תוציאם תיפוק ולא תעייל תוציא בנות לבית בעליהן ולא ימותו בעליהן וישובו אליך ליחרב ביתך וליתוב אושפיזך. פי' יהיה ביתך חרבה והוא מקום קברך שאתה עתיד להקבר בו כי הוא מקום של אדם. כלומר תאריך ימים בעולם הזה הנקרא אושפיזא. וישאר מקום קברך חרב הנקרא ביתך שנאמר קרבם בתימו לעולם. ליבלבל פתורך. כלומר יהיו לך בנים הרבה ויבלבלו שלחנך ולא תיחזי שתא חדתא דלא תימות אתתך ותיתב אחריתי א"ל ר' לבריה זיל לגביה ר"ש בן חלפתא דליברכך אזל לגביה א"ל תהא רעוא דלא תיבוש ולא תתבייש. א"ל אבוה ברי ברכך ברכתא דברכינהו הקדוש ב"ה לישראל ותנא ביה שנא' ואכלתם אכול ושבוע וגו': ועושה תכשיטיה במועד: ת"ר אלו הן תכשיטי נשים גודלת כוחלת פוקסת א) נוטלת שערה וציפורניה ומעברת שרק על פניה איכא דאמרי מעברת סכין על פניה של מטה. דביתהו דרב חסדא הוה מתקשטא באנפי כלותיה כו'. ואפי' עומדת על פתח קברה דאמרי אינשי בת שיתין כבת שית לקל טבלא רהטא. ר"י אומר לא תסוד כו'. תניא ר' יהודה אומר אשה לא תסוד במועד מפני שניול הוא לה אם היא תשאר בסיד. ומודה בסיד שיכולה לקפלו במועד שטופלתו במועד ואע"פ שמצירה עכשיו שמחה היא לאחר זמן. ומי אית ליה לר' יהודה האי סברא והתנן במס' ע"ז ר' יהודה אומר נפרעין מהן מפני שהוא מיצר כו'. ופירק רב נחמן בר יצחק הנח להלכות מועד דכולהו אע"פ שמצירות עכשיו שמחות לאחר זמן. אמר רב יהודה אמר רב בנות ישראל שהגיעו לפירקן ולא הגיעו לשנים עניות טופלות אותן בסיד עשירות בסולת בנות מלכים בשמן המור והוא סטכת איכא דאמרי שמן זית שלא הביא שליש. תניא אפיקינון שמן זית שלא הביא שליש סכין אותו

שמשיר

חשק שלמה על ר"ח א) כ"ה נוסחת הברייתא בירושלמי כאן הלכה ז'.

מסורת הש"ס

א) [נ"ל לבריה כ"ה בע"י], ב) [כיר], ג) [נ"ל שרק ער' רש"י וכן גי' הערוך], ד) ע"ז ו:, ה) שס ב., ו) שבת פ: ע"ש פסחים מג. ע"ש, ז) מגילה יג. מנחות פו. ע"ש, ח) [ער' רש"י מנחות פו. ד"ה סטכתא], ט) [שבת פ: ע"ש], י) כן פי' הערוך ערך פקס ועיין פי' רש"י שבת סד: ד"ה ולא תפקוס ושני הפירושים שהביא שם לד: ד"ה וכן הפוקסת, כ) [פ"ק דשבת סוף הלכה ג], ל) נ"ל מפרש בגמ' דפוקסת היינו פירכוס ושם יז. פי' בקונטרס דפירכוס היינו קליעת שער ע"ש תוס' ד: ד"ה פוקסת, מ) [נ"ל שני], נ) רש"א.

הגהות הב"ח

(א) גמ' אשה לא תסוד במועד מפני שניול כו' מפני שמיצר הוא אמרו לו אע"פ שמיצר הוא עכשיו שמח: (ב) רש"י ד"ה לקל טבלא כו' הכי עבדא להוטו בת שיתין: (ג) תוס' ד"ה כאן כו' בן יוחי כדאמרינן בירושלמי זה שננו: (ד) ד"ה פוקסת כו' דבפרק המצניע אמר דפוקסת מתחייבת בשבת: (ה) בא"ד חוטין של בלק והוא תקון על פניה:

הגהות הגר"א

[א] גמ' וא"ד מעברת סכין ע"פ של מטה כצ"ל. (וכ"ה ברש"י ורי"ף ורא"ש ומרדכי):

הגהות מהר"ב רנשבורג

א] תוס' ד"ה כאן במצוה שאי אפשר וכו' ובירושלמי זה שננו וכו'. הוא מלשון ושננתם כמ"ש מהרש"א. וכן הוא בלשון הירושלמי הנ"ל זה שינון וזה שינון:

גליון הש"ס

תוס' ד"ה כאן במצוה וכו' וק"ש אין מפסיקין. להדיא איתא בשבת דף יא ע"א דלק"ש מפסיקין וצ"ע:

תורה אור השלם

א) יְקָרָה הִיא מִפְּנִינִים וְכָל חֲפָצֶיךָ לֹא יִשְׁווּ בָהּ: [משלי ג, טו]

ב) כִּי טוֹבָה חָכְמָה מִפְּנִינִים וְכָל חֲפָצִים לֹא יִשְׁווּ בָהּ: [משלי ח, יא]

ג) קִרְבָּם בָּתֵּימוֹ לְעוֹלָם מִשְׁכְּנֹתָם לְדֹר וָדֹר קָרְאוּ בִשְׁמוֹתָם עֲלֵי אֲדָמוֹת: [תהלים מט, יב]

ד) וַאֲכַלְתֶּם אָכוֹל וְשָׂבוֹעַ וְהִלַּלְתֶּם אֶת שֵׁם יְיָ אֱלֹהֵיכֶם אֲשֶׁר עָשָׂה עִמָּכֶם לְהַפְלִיא וְלֹא יֵבֹשׁוּ עַמִּי לְעוֹלָם: וִידַעְתֶּם כִּי בְקֶרֶב יִשְׂרָאֵל אָנִי וַאֲנִי יְיָ אֱלֹהֵיכֶם וְאֵין עוֹד וְלֹא יֵבֹשׁוּ עַמִּי לְעוֹלָם: [יואל ב, כו-כז]

ה) וּבְהַגִּיעַ תֹּר נַעֲרָה וְנַעֲרָה לָבוֹא אֶל הַמֶּלֶךְ אֲחַשְׁוֵרוֹשׁ מִקֵּץ הֱיוֹת לָהּ כְּדָת הַנָּשִׁים שְׁנֵים עָשָׂר חֹדֶשׁ כִּי כֵּן יִמְלְאוּ יְמֵי מְרוּקֵיהֶן שִׁשָּׁה חֳדָשִׁים בְּשֶׁמֶן הַמֹּר וְשִׁשָּׁה חֳדָשִׁים בַּבְּשָׂמִים וּבְתַמְרוּקֵי הַנָּשִׁים: [אסתר ב, יב]

רש"י כת"י

עכשיו חפצך לא ישוו בה הא חפצי שמים. מלות. תיעול ולא תיפוק הוא סבר תוליא פרקמטיא ולא ישוב אליך. תיעול כלתא. דרך כלה שהולכת אצל הבעל. תיפוק. בנתך ולא לימתו גוברייהו דלא הדרי בנתך לוותך. ליחרב ביתך. ליחרב קברך כלומר שתחיה לאורך ימים שלא תבוא לקבר. וליתיב אושפיזך. ביתך שאת דר בתוכה שתחייה ותעמוד בתוכו. דהאי עלמא [אושפיזך]. בית הוי כאכסניות דסופו למות. וההוא עלמא ביתא. קברו הוי בית שעומד בו עד תחיית המתים. קרבם בתימו. ברשעים כתיב כלומר ימותו מהרה ויבואו בבקר שהוא בית של עולם. שתא חדתא. קרי שנה ראשונה של נשואין דכתיב כי יקח איש אשה חדשה וגו'. ר' שמעון בן חלפתא עסקן בדברים היה כדאמרינן באילו טריפות אבל ר' יוסי בן חלפתא תנא הוי. לא תבייש. אחריני שלא תבוא לידי כך שתתבייש והוא בי תרי זימני גבי הדדי ברכינהו לא יבושו עמי והיינו לא תתבייש לא תבייש עמי ברכה היא. תכשיטיה. כחל וסרק. לא תסוד. בסיד במועד. שנוול היא לה. נער הוא לה מפני שמנערה. כוחלת. כחל וסרק נותנת בין עיניה כענין שנ' כי תקרעו בפוך עיניך. פוקסת מתקנת שערה מכלל דפוקסת לאו הכי הוא. ד"א מעברת סרק על פניה מעברת סרק על פניה מטה להטיח הסיד ולתקן את השער וכן מעברת סרק על פניה. באפי כלתא. כלומר זקינה היתה שכבר בנה נשאוי ועפ"כ מתקשטת במועד. טבלא. לינג"ש בלע"ז. לא תסוד. סיד במועד. שניוול הוא. בעודו עליה ואע"פ שכשנטלתו שמחה היא לה. ומודה ר' יהודה בסיד. דמתיכש לאלתר ויכולה לקפלו במועד. שטפלתו. סכתו במועד הואיל ומתייפה במועד לאחר נטילה. נפרעין מהן. במסכת עבוד' זרה (ב.) ג' ימים לפני אידיהן של גוים אין נושאין ונותנין עמהם משום דאזלו ומודה לע"ז ר' יהודה אומר נפרעין חוב מהן מפני שהגוי מצר כשפורע חובו ולא אזיל ומודה אלמא לית ליה לר' יהודה שמח לאחר זמן. כל הלכות מועד קטן כגון רבוי מעדנים ותכשיטין לגופו מיצר הוא בשעת הטורח ולהכי אזיל בתר בסוף הואיל וכלהו הכי איתנהו אבל בע"ז אזיל בתר השתא דכיון דהשתא מיצר לא חייש לבסוף. רבינא אמ'. לעולם מיצר ואפילו לאחר זמן שדעתו לטרוף ולגזול. הגיעו לפרקן לשתי שערות. ולא הגיעו. לכלל שנים ולפיכך דעתן להסירן. טופלות. סכות אורחא דמלתא נקט שדרכן להסיר לפי שלא הגיעו ודרך עניות טופלות בסיד. סטכת. הוא שמן זית שלא הביא שליש ושמן היוצא מהן משיר את השער. ר' יהודה אומר. שמן זית הוא זה אנפקנון וכו'. ולמה סכין אותו. בימי אחשורוש. ל"א אנפקנון גבי שמן דמנחות ר' יהודה במסכת מנחות מפרש לה סך אותו בגזרת אוכל הלחם שלקח את כל השמן וסך בו סך מן השמן משמע שנטל מקלת בגזירת אוכל את הלחם טופלות בסיד. קטליה ר' ביבי לברתי כלומר שלמדתי ממנו. שבר. משחיר את הבשר.

כָּאן בְּמִצְוָה שֶׁאִי אֶפְשָׁר לַעֲשׂוֹתָהּ עַל יְדֵי אֲחֵרִים – Whereas **here,** where the verse states *the path of life lest you weigh,* which implies that one should not weigh two mitzvos to determine which one is greater, **it refers to a mitzvah which cannot be performed through others.** Such a mitzvah must be performed as soon as it comes before a person, without weighing it against a second mitzvah to determine which is greater.[1]

Before R' Yonasan ben Asmai and R' Yehudah ben Geirim realized that the son of R' Shimon ben Yochai was waiting for them, they discussed another apparent contradiction between verses:

הֲדַר יָתְבֵי וְקָא מִבָּעֵי לְהוּ – **Subsequently, they were sitting and inquiring** further: **כְּתִיב ,,יְקָרָה הִיא מִפְּנִינִים וְכָל־חֲפָצֶיךָ לֹא יִשְׁווּ־בָהּ"** – **It is written**[2] in praise of the Torah: ***It is more precious than pearls, and all your desires cannot compare to it.*** **הָא חֶפְצֵי שָׁמַיִם יִשְׁווּ בָהּ** – From the fact that the verse stresses *all "your" desires,* it is implied: **But the desires of heaven,** i.e. mitzvos, **do compare to it.**[3] **וּכְתִיב** – **But it is written** elsewhere in praise of the Torah: **,,וְכָל־חֲפָצִים לֹא יִשְׁווּ־בָהּ"** – ***and all desires cannot compare to it,***[4] **דַּאֲפִילּוּ חֶפְצֵי שָׁמַיִם לֹא יִשְׁווּ בָהּ** – which implies **that even the desires of heaven,** i.e. mitzvos, **do not compare to it!**[5] And in order to resolve this apparent contradiction, they said: **כָּאן בְּמִצְוָה שֶׁאֶפְשָׁר לַעֲשׂוֹתָהּ עַל יְדֵי אֲחֵרִים** – **Here,** where the verse implies that even mitzvos do not compare to Torah study, **it refers to a mitzvah which can be performed through others.** Thus, one is enjoined to involve himself in Torah study and allow another person to perform the mitzvah. **כָּאן בְּמִצְוָה שֶׁאִי אֶפְשָׁר לַעֲשׂוֹתָהּ עַל יְדֵי אֲחֵרִים** – Whereas **here,** where the verse implies that mitzvos do compare to Torah study, **it refers to a mitzvah which cannot be performed through others.** In such a case you must set aside your Torah study and perform the mitzvah.[6]

R' Yonasan and R' Yehudah then realized that the son of R' Shimon ben Yochai was waiting for them:

אָמְרוּ לֵיהּ – **They said to him:** **מַאי בָּעֵית הָכָא** – **What are you doing here?** **אָמַר לְהוּ** – **He said to them:** **דְּאָמַר לִי אַבָּא** – **For my father said to me:** **זִיל גַּבַּיְיהוּ דְּלִיבָרְכוּךְ** – **Go to them, so that they should bless you.** **אָמְרוּ לֵיהּ** – **They said to him** the following: **יְהֵא רַעֲוָא דְּתִזְרַע וְלֹא תֶּחְצַד** – **"May it be the will** of G-d **that you sow and not reap,** **תַּעֵייל וְלֹא תֵּיפּוּק** – **that you take in and not bring out,** **תֵּיפּוּק וְלֹא תַּעֵייל** – **bring out and not take in.**[7] **לֵיחְרוּב בֵּיתָךְ וְלֵיתוּב אוּשְׁפִּיזָךְ** – **Let your house be destroyed and let your inn be inhabited,** **לְבַלְבֵּל פְּתוֹרָךְ** – **let your table be disturbed,** **וְלֹא תֶּחֱזֵי שַׁתָּא חַדְתָּא** – **and may you not see a new year."**[8]

The narrative continues:

כִּי אָתָא לְגַבֵּי אֲבוּהָ אָמַר לֵיהּ – **When [the son of R' Shimon ben Yochai] came before his father, he said to him:** **לֹא מִבַּעְיָא דְּבָרוּכֵי לֹא בֵּירְכָן** – **It is not enough that they did not bless me,** **אֲבָל צַעוּרֵי צַעוּרָן** – **but they caused me pain** with what they said.[9] **אָמַר לֵיהּ מַאי אָמְרוּ לָךְ** – **[R' Shimon] said to him: What did they say to you?** **הָכִי וְהָכִי אָמְרוּ לִי** – **This and this they said to me,** i.e. he repeated what they said. **אָמַר לֵיהּ** – **[R' Shimon] said to him:** **הָנָךְ כּוּלְּהוּ בִּרְכָתָא נִינְהוּ** – **These are all** expressions **of blessings,** as I will explain: **תִּזְרַע וְלֹא תֶּחְצַד** – When they said, "May it be God's will **that you sow and not cut,"** they meant **תּוֹלִיד בָּנִים וְלֹא יָמוּתוּ** – **you will beget children and they shall not die.** **תַּעֵייל וְלֹא תֵּיפּוּק** – When they said **"that you take in and not bring out,"** they meant **תַּעֵייל כַּלָּתָא וְלֹא לֵימוּתוּ בְּנָךְ דְּלֵיפְּקוּן** – **that you will take in daughters-in-law, and your sons shall not die, so that [the daughters-in-law,** i.e. their wives,] **will not go away.**[10] **תֵּיפּוּק וְלֹא תַּעֵייל** – When they said **"bring out and not take in,"** they meant **תּוֹלִיד בְּנָתָא** – **that you will beget daughters** who will marry, **וְלֹא יָמוּתוּ גּוּבְרַיְיהוּ וְלֶיהְדְּרוּ לְוָתִיךְ** – **and their husband will not die, and cause them to return to you.** **לֵיחְרוּב בֵּיתָךְ וְלֵיתוּב אוּשְׁפִּיזָךְ** – When they said, **"Let your house be destroyed and let your inn be inhabited,"** they meant it in the context **דְּהַאי עָלְמָא אוּשְׁפִּיזָךְ וְהַהִיא עָלְמָא בֵּיתָא** – **that this world is** compared to **a** temporary **inn, whereas the next world is** compared to **a** permanent **house.** **דִּכְתִיב** – **As it is written:**[11] **,,קִרְבָּם בָּתֵּימוֹ לְעוֹלָם"** – ***In their imagination their houses are forever.*** **אַל תִּקְרֵי ,,קִרְבָּם"** – **Do not read** it as ***kirbam*** (*in their imagination*), **אֶלָּא קִבְרָם** – **rather,** read it as ***kivram*** (*their graves*).[12] Thus, the meaning of the blessing is that their graves should be destroyed, i.e. they should not die and thus their graves should remain unused.

NOTES

1. *Rashi.* [According to the second explanation cited above, this means that where the mitzvah cannot be performed through others, we apply the verse *weigh the course of your feet,* which teaches that one should interrupt his Torah study in order to perform the mitzvah.]

2. *Proverbs* 3:15.

3. The verse implies that one's personal needs are not as important as Torah study, and therefore one should put aside his personal desires for the sake of Torah study. However, with regard to the performance of mitzvos, one should put aside his Torah study in order to perform a mitzvah (*Rashi*).

4. Ibid. 8:11.

5. This verse implies that even mitzvos are not as important as Torah study, and therefore one should put aside even the performance of a mitzvah and involve himself in Torah study (*Rashi*).

6. [It should be noted that in the context of this discussion, for a mitzvah to be defined as "one that can be performed by others," it is not sufficient that it can *theoretically* be performed by another. Thus, if a mitzvah comes before a group of people, even if some members of the group are *not* engaged in Torah study, those studying are only exempt from performing the mitzvah if the mitzvah will *actually* be performed by the others; if the mitzvah will be neglected, the obligation to perform the mitzvah falls upon all of those that are studying as well. In addition, if a mitzvah comes before a group of people that are *all* studying, all of them are equally obligated in the mitzvah, for none of them can claim to be less obligated than any of their fellows (*R' Moshe Feinstein*).]

7. The son of R' Shimon ben Yochai [did not understand the blessing he was receiving, for he] understood the Sages to be referring to business dealings. Thus, he understood them to be saying to him that he would bring in merchandise and be unable to sell it, and that he would spend money for merchandise and not receive it (*Rashi;* see also *Rashi ms.*).

8. The reason they blessed the son of R' Shimon ben Yochai in such a veiled manner, where their statements sounded more like a curse, was so that he would have to return to his father to have the blessing explained. He would thereby receive the blessings twice, once from them and once from R' Shimon ben Yochai (*Riaf* to *Ein Yaakov;* cf. *Maharsha*).

9. From the fact that he did not say to his father: "It is not enough that they did not bless me, but they even cursed me," it can be seen that he understood that the Sages were not cursing him. Rather, he knew that their intentions were good, but he was pained by the fact that he did not understand what they were saying (*Maharsha*).

10. It was customary for daughters-in-law to live in the place of their husbands; and if a woman's husband would die, she would then return to her parents' place. Thus, the blessing was that his sons would marry and not die (*Rashi*).

The question arises: Was this blessing not already included in the first part of their blessing ("you will sow and not cut"), where the Sages blessed him with children that would not die? The answer is that in this phrase the Sages added that his sons would marry, and that his daughters-in-law would not leave, even by way of divorce (*Maharsha*).

11. *Psalms* 49:12.

12. Thus, the verse which states that their graves are their houses refers to the wicked who have no merits, and will speedily expire (*Rashi ms.*).

עין משפט
נר מצוה

פו א ב מיי' פ"ז מהל' יום טוב הלכה כ סמג לאוין עה טוש"ע א"ח סי' תקמו סעיף ה:

פז ג מיי' פ"ט מהלכות ע"ז הלכה א סמג לאוין מה טוש"ע י"ד סי' קמח סעיף א:

כאן במצוה שא"א לעשותה ע"י אחרים הדר יתבי וקא מבעי להו כתיב [א] יקרה היא מפנינים וכל חפציך לא ישוו בה הא חפצי שמים ישוו בה וכתיב [ב] כל חפצים לא ישוו בה דאפילו חפצי שמים לא ישוו בה כאן במצוה שאפשר לעשותה ע"י אחרים כאן במצוה שאי אפשר לעשותה ע"י אחרים אמרו ליה מאי בעית הכא אמר להו דאמר לי אבא זיל גבייהו דליברכוך אמרו ליה יהא רעוא דתזרע ולא תחצד תעייל ולא תיפוק תיפוק ולא תעייל ליחרוב ביתך וליתוב אושפיזך לבלבל פתורך ולא תחזי שתא חדתא כי אתא לגבי אבוה א"ל לא מבעיא דברוכי לא בירכן אבל צעורי צעורן א"ל מאי אמרו לך הכי והכי אמרו לי א"ל הנך כולהו ברכתא נינהו תזרע ולא תחצד תוליד בנים ולא ימותו תעייל ולא תיפוק תעייל כלתא ולא לימותו בנך דליפקון תיפוק ולא תעייל תוליד בנתא ולא ימותו גוברייהו ולהדרו לותיך ליחרוב ביתך וליתוב אושפיזך דהאי עלמא אושפיזך והדיא עלמא ביתא דכתיב [ג] קרבם בתימו לעולם אל תקרי קרבם אלא קברם לבלבל פתורך בבני ובנתא ולא תיחזי שתא חדתא דלא תמות אנתך ולא תנסב אינתתא אחריתי ר' שמעון בן חלפתא אפטר מיניה דרב א"ל (א) (אבוה) זיל לגביה דליברכך א"ל יהא רעוא דלא תבייש ולא תתבייש [ג] אתא גבי אבוה א"ל מאי אמר לך א"ל מילין בעלמא הוא דאמר לי א"ל ברכך ברכתא דברכן קודשא בריך הוא לישראל ותנא בה דכתיב [ד] ואכלתם אכול ושבוע והללתם וגו' ולא יבושו עמי לעולם וידעתם כי בקרב ישראל אני וגו' ולא יבושו עמי לעולם: ועושה אשה תכשיטיה: ת"ר [א] אלו הן תכשיטי נשים כוחלת ופוקסת ומעבירה ([ג] סרק) על פניה ואיכא דאמרי מעברת [א] סרק על פניה של מטה דביתהו דרב חסדא מקשטא באנפי כלתה יתיב רב הונא בר חיננא קמיה דרב חסדא ויתיב וקאמר לא שנו אלא ילדה אבל זקנה לא א"ל האלהים אפילו אמך ואפילו אימא דאימך ואפילו עומדת על קברה דאמרי אינשי בת שיתין כבת שית לקל טבלא רהטא: ר' יהודה אומר לא תסוד: תניא רבי יהודה אומר [ד] אשה לא תסוד (א) מפני שניוול הוא לה ומודה ר' יהודה [ב] בסיד שיכולה לקפלו במועד שטופלתו במועד שאע"פ שמצירה היא עכשיו שמחה היא לאחר זמן ומי אית ליה לרבי יהודה האי סברא והתנן [ה] רבי יהודה אומר נפרעין מהן מפני שמצר [ג] אמרו לו אע"פ שמצר עכשיו שמח הוא לאחר זמן אמר רב נחמן בר יצחק הנח להלכות מועד דכולהו מצר עכשיו ושמח לאחר זמן נינהו רבינא אמר כותי לענין פרעון לעולם מצר [ו] אמר רב יהודה בנות ישראל שהגיעו לפירקן ולא הגיעו לשנים עניות טופלות אותן בסיד עשירות טופלות אותן בסולת בנות מלכים בשמן המור שנאמר [ה] ששה חדשים בשמן המור [ז] מאי שמן המור רב הונא בר חייא אמר סטכת [ח] רב ירמיה בר אמי אמר שמן זית שלא הביא שליש תניא רבי יהודה אומר אנפיקינון שמן זית שלא הביא שליש ולמה סכין אותו שמשיר את השער ומעדן את הבשר [ט] רב ביבי הוה ליה ברתא טפלה אבר אבר שקל בה ד' מאה זוזי הוה ההוא כותי בשבבותיה דה"ל ברתא טפלה בחד זמנא ומתה אמר קטלא ביבי לברתי אמר רב נחמן רב ביבי דשתי שיכרא בעיין בנתיה טפלא אנן דלא שתינן שיכרא לא בעיין בנתין טפלא:

ההדיוט

ובמצוה שא"א לעשותה ע"י אחרים. אל תפלא אלא מצוה שבא לידך בין גדולה בין קטנה עשה: וכל חפציך לא ישוו בה. שתבטל כל חפציך בשביל שתעסוק בתורה: חפצי שמים ישוו בה. כלומר שאם יש לך לעסוק במצוה תבטל תלמוד תורה ועסוק במצוה: דאפילו חפצי שמים לא. דמבטל מצוה ועוסק בתלמוד תורה: תעייל ולא תיפוק תיפוק ולא תעייל. משמע ליה בסחורה תעייל ולא תיפוק שתביא סחורה ולא תמכרנה תיפוק ולא תעייל שתוציא בסחורה במקום אחר ולא תביאנה: תעייל כלתא. שדרך כלתא הולכת אצל הבעל: ולא תיפוק. דלא לימות בנך דהדרי נפקי מינך והדרי לבי נשייהו: שתא חדתא. זו שנה ראשונה של נישואין דכתיב כי יקח איש אשה חדשה לא יצא וגו' (דברים כד): ליחרב ביתך. בית קברתך דלא תמות אלא תחיה לאורך ימים: לא תבוש ולא תתבייש. לא תיבוש אחריני כדי שלא תתבייש שלא תבא לידי כך פן תתבייש: ותנא בה. ושנה בה לא יבושו עמי לעולם והיינו לא תבייש ולא תתבייש: כוחלת. נותנת כחול בין עיניה כדי שדומות נאים: פוקסת. מחלקת שערה לכאן ולכאן [ל]: ומעברת סרק על פניה. סם אחד כדי שתראה אדומה: סכין על פניה של מטה. כדי להעביר שער של מטה: היתה מיקשטא. כי הני קשוטין כדאמר הכא: באנפי כלתה. שהיתה כל כך זקינה שהיתה לה כלה שהיא אשת בנה: לא שנו. הא דאמר עושה אשה תכשיטיה: אלא ילדה. בחורה שדרכה בכך ולהכי הוי לה שמחה במועד: אבל זקינה לא. והיכי עבדא אשתך הכי דמיקשטא הא הויא זקינה: ואפילו עומדת על פתח קברה. שריא להתקשט: לקל טבלא רהטא. פירוש קשקוש הזוג ר"ל מיני זמר בהילולא וכי היכי דרהטא ילדה בת שית לקל הילולא הכי עבדא (ג) בת שיתין והכי נמי מיקשטא: שניוול הוא לה. שגנאי הוא לה וניוול בסיד ומצטערת בסיד: שיכולה לקפלו במועד. אע"פ שהיא מנוולת בסיד: שמחה היא לאחר זמן. במועד לסוף המועד לאחר שקפלתו את הסיד שטפלה לפי שמשיר את השער ומעדן את הבשר והואיל דהאי סיד משמחתה לאחר זמן להכי שרי לה לטופלו במועד אע"פ שהיא מצירה עכשיו: ומי אית ליה לרבי יהודה האי סברא. אע"ג שהיא מצירה עכשיו שמחה וכו': נפרעים מהם. מהכותים ביום חגם מפני שהוא מצער דכל אדם שפורע מיצר אבל לא משלמים להם ממון ביום חגם לפי שמשמחם ביום חגם ומודה לע"ז כדפי' במס' ע"ז: שמח הוא לאחר זמן. שפרע לו ואמאי נפרע מהן אבל לרבי יהודה לא אית ליה האי סברא דמשום שמיצר עכשיו שרי והיכי אית ליה האי סברא גבי טפול אע"ג שהיא מצירה עכשיו שמחה היא לאחר זמן: הנח להלכות מועד. להכי א"ר יהודה הכא דשרי אע"פ שהיא מצירה כו': דכולהו הלכות מועד. דשרי משום האי טעמא נמי שרו כגון אפיה ובישול דמצער השתא כשהוא אופה ומבשל ולהכי שרי דשמח הוא כשהוא אוכל אפייתו ובישולו בי"ט: כותי לעולם מיצר. שפורע ולהכי לא אית ליה לר' יהודה התם אע"פ שמיצר שמח וכו' אבל לעיל גבי טפול אית ליה לר' יהודה אע"פ שמצירה עכשיו שמחה לאחר זמן: שהגיעו לפירקן. לשיער: ולא הגיעו לשנים. שאין בנות י"ב שנה ויום אחד שעדיין אינו דין שיהא להן שער ובושות על כך: עניות טופלות. השיער בסיד ומשירות אותן: אנפיקינון. היינו אנפיקינון דקתני התם במנחות (דף פה:) אנפיקינון לא יביא היינו אותו שמן שעושין מזיתים: שלא הביאו שליש. שלא בישלו שליש: ולמה סכין אותו. אלא הכי קא מהדר דקאמר טופלין כו': ושקל בה ארבע מאה זוזי. שנתייפת ונטל מבעלה כך: טפלה כולה בחד זימנא. דסבר למיעבד כרב ביבי ומתה: בעיין בנתין טפלא. דשכר מגדל השער ומעבה את הבשר:

תופר

כאן במצוה שאי אפשר לעשותה ע"י אחרים. עשיית מצוה עדיף שהרי מפסיקין אפילו לר"ש בן יוחי לעושה סוכה ולולב כדאי' בירושלמי [ל] אבל בהפסקה דתפלה [מ] וק"ש אין מפסיקין לר"ש בן יוחי (ג) א] ובירושלמי זה שננו וזה שננו ואין מפסיקין שננו מפני שננו:

פוקסת. פי' בקונטרס מתקנת שער שלא יתפזר וקשה דבפרק המצניע (שבת דף לד: ושם) אמר (ד) דמתחייב בשבת משום טוה ועוד דסורקת ה"ל למיתני כמו גבי נזיר (נזיר מב.) ובפ' קמא דכתובות (דף ד: ושם) [נ] פירש בקונטרס קליעת שער וקשיא דבפרק המצניע שונה גודלת ופוקסת ואין לפרש מעברת סרק על פניה דהכא תני תרווייהו וגם בפ' [מ] קמא דכתובות ויש לפרש דמתקנת שערה בידיה חוץ לצעיף וריב"א מפרש שנותנת מוטין של בצק (ה) [י] [דקין] על פניה להאדים הבשר והיינו טוייה והאי דקורא ליה בירושלמי צובע שהוא מאדים הבשר ובנין נמי שייך בתיקון האשה למאי דמפורש סוף המצניע (שבת דף צה.) משום בונה ומייתי קרא דויבן את הצלע:

סטכת. בפרק כל הקרבנות (מנחות דף פו.) מפרש דשמן המור הוא סטכת ובפ' קמא דמגילה (דף יג.) מאי שמן המור רב הונא אמר רבי חייא סטכת:

ההדיוט

רבינו חננאל

אבל מצוה שאי אפשר לעשותה ע"י אחרים אורח חיים פן תפלס. תוב כתיב יקרה היא מפנינים וכל חפציך לא ישוו בה הא חפצי שמים ישוו בה במצוה (שאפשר) [שאי אפשר] לעשותה ע"י אחרים. כל חפצים לא ישוו בה במצוה (שאי אפשר) [שאפשר] לעשות' ע"י אחרים אמר להו אבא שדרני לגביכו דתתברכון יתי אמרו ליה תהא רעוא דתזרע ולא תחצד פי' דתוליד בנים ולא תקברם תעייל ולא תיפוק תעייל כלתך לביתך ולא תוציאם תיפוק ולא תעייל תוציא בנות לבית בעליהן ולא ימותו בעליהן וישובו אליך ליחרב ביתך וליתוב אושפיזך. פי' יהיה ביתך חרבה והוא מקום קברך שאתה עתיד להקבר בו כי הוא מקום של אדם. כלומר תאריך ימים בעולם הזה הנקרא אושפיזא. וישאר מקום קברך חרב הנקרא ביתך שנאמר קרבם בתימו לעולם. ליבלבל פתורך. כלומר יהיו לך בנים הרבה ויבלבלו שלחנך ולא תיחזי שתא חדתא דלא תימות אתתך ותיתב אחריתי א"ל ר' לבריה זיל לגביה ר"ש בן חלפתא דליברכך אזל לגביה א"ל תהא רעוא דלא תיבוש ולא תתבייש. א"ל אבוה ברי ברכך ברכתא דברכינהו הקדוש ב"ה לישראל ותנא ביה שנא' ואכלתם אכול ושבוע וגו': ועושה תכשיטיה במועד: ת"ר אלו הן תכשיטי נשים גודלת כוחלת פוקסת א) נוטלת שערה וציפרניה ומעברת שרק על פניה איכא דאמרי מעברת סכין על פניה של מטה. דביתהו דרב חסדא הוה מתקשטא באנפי כלותיה כו'. ואפי' עומדת על פתח קברה דאמרי אינשי בת שיתין כבת שית לקל טבלא רהטא. ר"י אומר לא תסוד כו'. תניא ר' יהודה אומר אשה לא תסוד במועד מפני שניול הוא לה אם היא תשאר בסיד. ומודה בסיד שיכולה לקפלו במועד שטופלתו במועד ואע"פ שמצירה עכשיו שמחה היא לאחר זמן. ומי אית ליה לר' יהודה האי סברא והתנן במס' ע"ז ר' יהודה אומר נפרעין מהן מפני שהוא מיצר כו'. ופירק רב נחמן בר יצחק הנח להלכות מועד דכולהו אע"פ שמצירות עכשיו שמחות לאחר זמן. אמר רב יהודה אמר רב בנות ישראל שהגיעו לפירקן ולא הגיעו לשנים עניות טופלות אותן בסיד עשירות בסולת בנות מלכים בשמן המור והוא סטכת איכא דאמרי שמן זית שלא הביא שליש. תניא אפיקינון שמן זית שלא הביא שליש סכין אותו

שמשיר

חשק שלמה על ר"ח א) כ"ה טוספת הברייתא בירושלמי כאן הלכה ז'.

מסורת הש"ס

א) [צ"ל לבריה כ"ה בע"י], ב) [כי], ג) [צ"ל שרק עי' רש"י וכן גי' הערוך], ד) ע"ז ו:, ה) שם ב., ו) שבת פ: ע"ש פסחים מג. ע"ש, ז) מגילה יג. מנחות פו. ע"ש, ח) [עי' רש"י מנחות פו. ד"ה סטכתא], ט) [שבת פ: ע"ש], י) כן פי' הערוך ערך פקס ועיין פי' רש"י שבת סד: ד"ה ולא תפקוס ושני הפירושים שהביא שם לד: ד"ה וכן הפוקסת, כ) [פ"ק דשבת סוף הלכה ב], ל) צ"ל מפרש בגמ' דפוקסת היינו פירכוס ושם יז. פי' בקונטרס דפירכוס היינו קליעת שער ע"ש תוס' ד: ד"ה פוקסת, מ) [צ"ל שני], נ) רש"א.

הגהות הב"ח

(א) גמ' אשה לא תסוד במועד מפני שניוול כו' מפני שמיצר הוא אמרו לו אע"פ שמיצר הוא עכשיו שמח: (ב) רש"י ד"ה לקל טבלא כו' הכי עבדא לרהוט בת שיתין: (ג) תוס' ד"ה כאן כו' בן יוחי כדאמרינן בירושלמי זה שננו: (ד) ד"ה פוקסת כו' דבפרק המצניע אמר דפוקסת מתחייבת בשבת: (ה) בא"ד מוטין של בצק והוא תקון על פניה:

הגהות הגר"א

[א] גמ' וא"ד מעברת סכין ע"פ של מטה כצ"ל. (וכ"ה ברש"י ורי"ף ורא"ש ומרדכי):

הגהות מהר"ב רנשבורג

א] תוס' ד"ה כאן במצוה שאי אפשר וכו' ובירושלמי זה שננו וכו'. הוא מלשון ושננתם כמ"ש מהרש"א. וכן הוא בלשון הירושלמי הנ"ל זה שינון וזה שינון:

גליון הש"ס

תוס' ד"ה כאן במצוה וכו' וק"ש אין מפסיקין. להדיא איתא בשבת דף יא ע"א דלק"ש מפסיקין וצ"ע:

תורה אור השלם

א) יְקָרָה הִיא מִפְּנִינִים וְכָל חֲפָצֶיךָ לֹא יִשְׁווּ בָהּ: [משלי ג, טו]

ב) כִּי טוֹבָה חָכְמָה מִפְּנִינִים וְכָל חֲפָצִים לֹא יִשְׁווּ בָהּ: [משלי ח, יא]

ג) קִרְבָּם בָּתֵּימוֹ לְעוֹלָם מִשְׁכְּנֹתָם לְדֹר וָדֹר קָרְאוּ בִשְׁמוֹתָם עֲלֵי אֲדָמוֹת: [תהלים מט, יב]

ד) וַאֲכַלְתֶּם אָכוֹל וְשָׂבוֹעַ וְהִלַּלְתֶּם אֶת שֵׁם יְיָ אֱלֹהֵיכֶם אֲשֶׁר עָשָׂה עִמָּכֶם לְהַפְלִיא וְלֹא יֵבֹשׁוּ עַמִּי לְעוֹלָם: וִידַעְתֶּם כִּי בְקֶרֶב יִשְׂרָאֵל אָנִי וַאֲנִי יְיָ אֱלֹהֵיכֶם וְאֵין עוֹד וְלֹא יֵבֹשׁוּ עַמִּי לְעוֹלָם: [יואל ב, כו-כז]

ה) וּבְהַגִּיעַ תֹּר נַעֲרָה וְנַעֲרָה לָבוֹא אֶל הַמֶּלֶךְ אֲחַשְׁוֵרוֹשׁ מִקֵּץ הֱיוֹת לָהּ כְּדָת הַנָּשִׁים שְׁנֵים עָשָׂר חֹדֶשׁ כִּי כֵּן יִמְלְאוּ יְמֵי מְרוּקֵיהֶן שִׁשָּׁה חֳדָשִׁים בְּשֶׁמֶן הַמֹּר וְשִׁשָּׁה חֳדָשִׁים בַּבְּשָׂמִים וּבְתַמְרוּקֵי הַנָּשִׁים: [אסתר ב, יב]

רש"י כת"י

עכשיו חפצך לא ישוו בה הא חפצי שמים. מלות. תיעול ולא תיפוק הוא סבר תוליא פרקמטיא ולא ישוב אליך. תיעול כלתא. דרך כלה שהולכת אצל הבעל. תיפוק. בנתך ולא לימתו גוברייהו דלא הדרי בנתך לוותך. ליחרב ביתך. ליחרב קברך כלומר שתחיה לאורך ימים שלא תבוא לקבר. וליתיב אושפיזך. ביתך שאת דר בתוכה שתחייה ותעמוד בתוכו. דהאי עלמא [אושפיזך]. בית הוי כאכסניות דסופו למות. וההוא עלמא ביתא. קברו הוי בית שעומד בו עד תחיית המתים. קרבם בתימו. ברשעים כתיב כלומר ימותו מהרה ויבואו בקבר שהוא בית של עולם. שתא חדתא. קרי שנה ראשונה של נשואין דכתיב כי יקח איש אשה חדשה וגו'. ר' שמעון בן חלפתא עסקן בדברים היה כדאמרינן באילו טריפות אבל ר' יוסי בן חלפתא תנא הוי. לא תבייש. אחריני שלא תבוא לידי כך שתתבייש והוא בי תרי זימני גבי הדדי ברכינהו לא יבושו עמי והיינו לא תתבייש לא תבייש עמי ברכה היא. תכשיטיה. כחל וסרק. לא תסוד. בסיד במועד. שנוול היא לה. נער הוא לה מפני שמנערה. כוחלת. כחל וסרק נותנת בין עיניה כענין שנ' כי תקרעו בפוך עיניך. פוקסת מתקנת שערה מכלל דפוקסת לאו הכי הוא. ד"א מעברת סרק על פניה מטה להטיח הסיד ולתקן את השער וכן מעברת סרק על פניה. באפי כלתא. כלומר זקינה היתה שכבר בנה נשאוי ועפ"כ מתקשטת במועד. טבלא. לינב"ש בלע"ז. לא תסוד. סיד במועד. שניוול הוא. בעודו עליה ואע"פ שכשנוטלתו שמחה היא לה. ומודה ר' יהודה בסיד. דמתיבש לאלתר ויכולה לקפלו במועד. שטפלתו. סכתו במועד הואיל ומתייפה במועד לאחר נטילה. נפרעין מהן. במסכת עבוד' זרה (ב.) ג' ימים לפני אידיהן של גוים אין נושאין ונותנין עמהם משום דאזלו ומודה לע"ז ר' יהודה אומר נפרעין חוב מהן מפני שהגוי מצר כשפורע חובו ולא אזיל ומודה אלמא לית ליה לר' יהודה שמח לאחר זמן. כל הלכות מועד קטן כגון רבוי מעדנים ותכשיטין לגופו מיצר הוא בשעת הטורח ולהכי אזיל בתר בסוף הואיל וכלהו הכי איתנהו אבל בע"ז אזיל בתר השתא דכיון דהשתא מיצר לא חייש לבסוף. רבינא אמ'. לעולם מיצר ואפילו לאחר זמן שדעתו לטרוף ולגזול. הגיעו לפרקן לשתי שערות. ולא הגיעו. לכלל שנים ולפיכך דעתן להשירן. טופלות. סכות אורחא דמלתא נקט שדרכן להסיר לפי שלא הגיעו ודרך עניות טופלות בסיד. סטכת. הוא שמן זית שלא הביא שליש ושמן היוצא מהן משיר את השער. ר' יהודה אומר. שמן זית הוא זה אנפקנון וכו'. ולמה סכין אותו. בימי אחשורוש. ל"א אנפקנון גבי שמן דמנחות ר' יהודה במסכת מנחות מפרש לה סך אותו בגזרת אוכל הלחם שלוקח את כל השמן וסך בו סך מן השמן משמע שנטל מקלת בגזירת אוכל את הלחם טופלות בסיד. קטליה ר' ביבי לברתי כלומר שלמדתי ממנו. שכר. משחיר את הבשר.

Rather, their inn, i.e. their life in this world, should last a long time. לְבַלְבֵּל פְּתוֹרָךְ – When they said, **"Let your table be disturbed,"** they meant בִּבְנֵי וּבְנָתָא – that your table should be disturbed **by** the activities of your **sons and daughters.**[13] וְלָא תֶּיחֱזֵי שַׁתָּא חַדְתָּא – When they said, **" And may you not see a new year,"** they meant דְּלָא תָּמוּת אִנְתְּךָ – **that your wife shall not die,** וְלָא תִּנְסַב אִינְתְּתָא אַחֲרִיתִי – **and you will** therefore **not** have to **marry another wife.**[14]

The Gemara relates a similar incident, where a blessing was delivered in a veiled manner:

רַבִּי שִׁמְעוֹן בֶּן חֲלַפְתָּא אִפְטַר מִינֵּיהּ דְּרַב – **R' Shimon ben Chalafta**[15] **was taking leave of Rav.**[16] אֲמַר לֵיהּ (אבוה) [לִבְרֵיהּ] – **[Rav] said [to his son]:**[17] זִיל לְגַבֵּיהּ דְּלִיבָרְכָךְ – **Go to him so that he will bless you.** אֲמַר לֵיהּ – **[R' Shimon] said to him** the following blessing: יְהֵא רַעֲוָא דְּלָא תְּבַיֵּישׁ וְלָא תִּתְבַּיֵּישׁ – **"May it be** the will of God **that you do not embarrass** others **and that you not be embarrassed** by others."[18] אֲתָא גַּבֵּי אֲבוּהּ – **He** then **came** back **to his father,** אֲמַר לֵיהּ – and **[his father] said to him:** מַאי אֲמַר לָךְ – **What did he say to you?** אֲמַר לֵיהּ – **He said to him:** מִילִּין בְּעָלְמָא הוּא דְּאָמַר לִי – They were **ordinary words** that **he said to me!** אֲמַר לֵיהּ – **[His father] said to him:** בֵּרְכָךְ בִּרְכְתָא דְּבָרְכָן קוּדְשָׁא בְּרִיךְ הוּא לְיִשְׂרָאֵל וְתָנָא בָּהּ – On the contrary, **he blessed you with the blessing that the Holy One, Blessed is He, blessed Israel, and repeated it.** דִּכְתִיב – **As it is written:**[19] "וַאֲכַלְתֶּם אָכוֹל וְשָׂבוֹעַ וְהִלַּלְתֶּם וגו׳" – ***And you will eat, eating and being satisfied, and you will praise* etc.,** "וְלֹא־יֵבֹשׁוּ עַמִּי לְעוֹלָם" – ***and My people will not be shamed evermore.*** "וִידַעְתֶּם כִּי בְקֶרֶב יִשְׂרָאֵל אָנִי וגו׳" – ***Then you will know that in the midst of Israel am I* etc.,** "וְלֹא־יֵבֹשׁוּ עַמִּי לְעוֹלָם" – ***and My people will not be shamed evermore.***[20]

The Mishnah stated:

וְעוֹשָׂה אִשָּׁה תַּכְשִׁיטֶיהָ – AND A WOMAN MAY MAKE HER ADORNMENTS during Chol HaMoed.

The Gemara cites a Baraisa that defines these adornments:

תָּנוּ רַבָּנָן – **The Rabbis taught in a Baraisa:** אֵלּוּ הֵן תַּכְשִׁיטֵי נָשִׁים – THESE ARE THE ADORNMENTS OF WOMEN: כּוֹחֶלֶת – SHE PAINTS her eyes, וּפוֹקֶסֶת – AND SHE PARTS HER HAIR,[21] וּמַעֲבִירָה סָרָק עַל פָּנֶיהָ – AND SHE APPLIES ROUGE UPON HER FACE in order to give herself a reddish complexion. וְאִיכָּא דְּאָמְרִי – AND THERE ARE THOSE WHO SAY: מַעֲבֶרֶת (סרק) [סַכִּין] עַל פָּנֶיהָ שֶׁל מַטָּה – SHE also PASSES [A RAZOR[22]] OVER HER "LOWER FACE."[23]

A related incident:

דְּבֵיתְהוּ דְּרַב חִסְדָּא מִקַּשְּׁטָא בְּאַנְפֵּי כַּלְּתָהּ – **The wife of Rav Chisda was adorning herself in front of her daughter-in-law**[24] during Chol HaMoed, with some of the adornments cited above. יָתִיב רַב הוּנָא בַּר חִינְנָא קַמֵּיהּ דְּרַב חִסְדָּא – At the time **Rav Huna bar Chinana was sitting before Rav Chisda,** וְיָתִיב וְקָאָמַר – **and** while **seated** there **he said:** לֹא שָׁנוּ אֶלָּא יַלְדָּה – **They taught this** ruling, that a woman may make her adornments during Chol HaMoed, **only with respect to a young** woman.[25] אֲבָל זְקֵנָה לֹא – **But** for **an elderly** woman, such adornment is **not** permitted. Thus, how could your wife make her adornments during Chol HaMoed, since she is an older woman? אָמַר לֵיהּ – **[Rav Chisda] said to him:** הָאֱלֹהִים – **By God!** אֲפִילּוּ אִמָּךְ – **Even your mother,** וַאֲפִילּוּ אִימָּא דְּאִימָּךְ – **and even your mother's mother,** וַאֲפִילּוּ עוֹמֶדֶת עַל קִבְרָהּ – **and even** a woman who **is standing on her grave,** i.e. a woman of very advanced age, it is permitted for them to apply makeup during Chol HaMoed. דְּאָמְרֵי אִינְשֵׁי – **For people say:** בַּת שִׁיתִּין כְּבַת שִׁית לְקָל טַבְלָא רְהָטָא – **A sixty-year-old is like a six-year-old** in that **they run to the sound of the bells.**[26]

The Mishnah said:

רַבִּי יְהוּדָה אוֹמֵר לֹא תָּסוּד – R' YEHUDAH SAID: SHE MAY NOT APPLY LIME to her skin as a depilatory.

A related Baraisa:

תַּנְיָא – **It has been taught in a Baraisa:** רַבִּי יְהוּדָה אוֹמֵר – R' YEHUDAH SAID: אִשָּׁה לֹא תָּסוּד מִפְּנֵי שֶׁנִּיוּוּל הוּא לָהּ – A WOMAN MAY NOT APPLY LIME to her skin as a depilatory during Chol HaMoed, BECAUSE IT IS A DISFIGUREMENT TO HER.[27] וּמוֹדֶה רַבִּי יְהוּדָה בְּסִיד שֶׁיְּכוֹלָה לְקַפְּלוֹ בַּמּוֹעֵד – BUT R' YEHUDAH ADMITS that WITH REGARD TO LIME THAT CAN BE PEELED DURING CHOL HAMOED, שֶׁטּוֹפַלְתּוֹ בַּמּוֹעֵד – THAT SHE MAY APPLY IT DURING CHOL HAMOED. שֶׁאַף עַל פִּי שֶׁמְּצִירָה הִיא עַכְשָׁיו – FOR ALTHOUGH

NOTES

13. I.e. that you shall have many young children, whose tendency is to disturb things that are on the table (*Talmid R' Yechiel MiParis*).

14. The new year mentioned in the blessing is a reference to the first year of marriage, as the verse states: *When a man marries a new wife . . . he shall be free for his home for one year* [*Deuteronomy* 24:5] (*Rashi*).

15. R' Shimon ben Chalafta was a student of Rebbi and an Amora, unlike R' Yose ben Chalafta who was a Tanna (*Rashi* in *Ein Yaakov;* see next note).

16. Some amend this to read *Rebbi* (*Menachem Meishiv Nefesh,* from *Ein Yaakov*).

17. We have followed the text that appears in *Ein Yaakov,* as amended by *Mesoras HaShas.*

18. I.e. do not come to embarrass others so that you yourself will not become embarrassed (*Rashi*). [*Maharsha* is of the opinion that the beginning of the phrase "that you do not embarrass others" is not part of the blessing. Rather, it is an ethical teaching: If you do not embarrass others, then you will merit the blessing that you yourself will not become embarrassed.]

19. *Joel* 2:26-27.

20. Since the second mention of the phrase "and My people will not be shamed evermore" is apparently superfluous, we can expound it to mean that one should not embarrass others and therefore avoid being embarrassed (*Rashi,* as explained by *Maharsha*).

21. I.e. smoothing the hair to either side (*Rashi*). [Elsewhere, *Rashi* explains פּוֹקֶסֶת to mean *braiding* the hair (see *Rashi* to *Kesubos* 17a), or applying rouge to the face (see *Rashi* to *Kesubos* 4b); see also *Tosafos* here and to *Kesubos* 4b ד״ה פוקסת.]

22. This reading follows *Hagaos HaGra;* it is also the reading found in *Rashi, Rif* and *Rosh.*

23. This refers to removing hair from the genital area (*Rashi*). Although cutting of hair is a *melachah* and thus generally forbidden during Chol HaMoed, this is permitted because it is repulsive to have an excess of hair growing in that area of the body [and this is therefore considered a requirement for the festival] (*Talmid R' Yechiel MiParis;* see also *Ritva*).

24. The Gemara relates that Rav Chisda's wife was adorning herself in front of her daughter-in-law, to indicate to us that she was already an older woman who had a married son (see *Rashi*). [Possibly, the Gemara does not mean that Rav Chisda's wife was adorning herself in the *physical presence* of her daughter-in-law, but rather that she was adorning herself [although she was] at an age advanced enough that she *had* a daughter-in-law (for a similar usage, see *Genesis* 11:28).]

25. Since it is natural for younger people to be concerned about and take steps to enhance their appearance, it is a source of joy for them to do so during Chol HaMoed (see *Rashi;* see also *Ritva MHK* ed.).

26. This is a reference to the music played at a wedding. Just as a six-year-old runs to the music of a wedding, so too does a sixty-year-old. Similarly, with regard to adorning themselves, a sixty-year-old woman is like a six-year-old (*Rashi*).

27. I.e. while the lime is on her, it is disparaging to her and causes her discomfort (*Rashi*).

כאן במצוה שא"א לעשותה ע"י אחרים הדר יתבי וקא מבעי להו כתיב [א] יקרה היא מפנינים וכל חפציך לא ישוו בה הא חפצי שמים ישוו בה וכתיב [ב] כל חפצים לא ישוו בה דאפילו חפצי שמים לא ישוו בה כאן במצוה שאפשר לעשותה ע"י אחרים כאן במצוה שאי אפשר לעשותה ע"י אחרים אמרו ליה מאי בעית הכא אמר להו דאמר לי אבא זיל גבייהו דליברכוך אמרו ליה יהא רעוא דתזרע ולא תחצד תעייל ולא תיפוק ולא תפוק ולא תעייל ליחרוב ביתך וליתוב אושפיזך לבלבל פתורך ולא תחזי שתא חדתא כי אתא לגבי אבוה א"ל לא מבעיא דברוכי לא בירכן אבל צעורי צעורן א"ל מאי אמרו לך הכי והכי אמרו לי א"ל הנך כולהו ברכתא נינהו תזרע ולא תחצד תוליד בנים ולא ימותו תעייל ולא תיפוק תעייל כלתא ולא לימותו בנך דליפקון תיפוק ולא תעייל תוליד בנתא ולא ימותו גוברייהו וליהדרו לותיך ליחרוב ביתך וליתוב אושפיזך דהאי עלמא אושפיזך והדיא עלמא ביתא דכתיב [ג] קרבם בתימו לעולם אל תקרי קרבם אלא קברם לבלבל פתורך בבני ובנתא ולא תיחזי שתא חדתא דלא תמות אנתך ולא תנסב אינתתא אחריתי ר' שמעון בן חלפתא אפטר מיניה דרב א"ל ([א] אבוה) זיל לגביה דליברכך א"ל יהא רעוא דלא תבייש ולא תתבייש [ג] אתא גבי אבוה א"ל מאי אמר לך א"ל מילין בעלמא הוא דאמר לי א"ל ברכך ברכתא דברכן קודשא בריך הוא לישראל ותנא בה דכתיב [ד] ואכלתם אכול ושבוע והללתם וגו' ולא יבושו עמי לעולם וידעתם כי בקרב ישראל אני וגו' ולא יבושו עמי לעולם: ועושה אשה תכשיטיה: ת"ר [א] אלו הן תכשיטי נשים כוחלת ופוקסת ומעבירה ([ג] סרק) על פניה ואיכא דאמרי מעברת [א] סרק על פניה של מטה דביתהו דרב חסדא מקשטא באנפי כלתה יתיב רב הונא בר חיננא קמיה דרב חסדא ויתיב וקאמר לא שנו אלא ילדה אבל זקנה לא א"ל האלהים אפילו אמך ואפילו אימא דאימך ואפילו עומדת על קברה דאמרי אינשי בת שיתין כבת שית לקל טבלא רהטא: ר' יהודה אומר לא תסוד: תניא רבי יהודה אומר [ד] אשה לא תסוד ([א]) מפני שניוול הוא לה ומודה ר' יהודה [ב] בסיד שיכולה לקפלו במועד שטופלתו במועד שאע"פ שמצירה היא עכשיו שמחה היא לאחר זמן ומי אית ליה לרבי יהודה האי סברא והתנן [ה] רבי יהודה אומר נפרעין מהן מפני שמצר [ג] אמרו לו אע"פ שמצר עכשיו שמח הוא לאחר זמן אמר רב נחמן בר יצחק הנח להלכות מועד דכולהו מצר עכשיו ושמח לאחר זמן נינהו רבינא אמר כותי לענין פרעון לעולם מצר [ו] אמר רב יהודה בנות ישראל שהגיעו לפירקן ולא הגיעו לשנים עניות טופלות אותן בסיד עשירות טופלות אותן בסולת בנות מלכים בשמן המור שנאמר [ה] ששה חדשים בשמן המור [ז] מאי שמן המור רב הונא בר חייא אמר סטכת [ח] רב ירמיה בר אמי אמר שמן זית שלא הביא שליש תניא רבי יהודה אומר אנפיקינון שמן זית שלא הביא שליש ולמה סכין אותו שמשיר את השער ומעדן את הבשר [ט] רב ביבי הוה ליה ברתא טפלה אבר אבר שקל בה ד' מאה זוזי הוה ההוא כותי בשבבותיה דה"ל ברתא טפלה בחד זמנא ומתה אמר קטלא ביבי לברתי אמר רב נחמן רב ביבי דשתי שיכרא בעיין בנתיה טפלא אנן דלא שתינן שיכרא לא בעיין בנתין טפלא:

ההדיוט

ובמצוה שא"א לעשותה ע"י אחרים. אל תפלס אלא מלוה שבא לידך בין גדולה בין קטנה עשה: וכל חפציך לא ישוו בה. שתבטל כל חפליך בשביל שתעסוק בתורה: חפצי שמים ישוו בה. כלומר שאם יש לך לעסוק במלוה תבטל תלמוד תורה ועסוק במלוה: דאפילו חפצי שמים לא. דמבטל מלוה ועוסק בתלמוד תורה: תעייל ולא תיפוק תיפוק ולא תעייל. משמע ליה בסחורה תעייל ולא תיפוק שתביא סחורה ולא תמכרנה תיפוק ולא תעייל שתוליא בסחורה במקום אחר ולא תביאנה: תעייל כלתא. שדרך כלתא הולכת אלל הבעל: ולא תיפוק. דלא לימות בנך דהדרי נפקי מינך והדרי לבי נשייהו: שתא חדתא. זו שנה ראשונה של נישואין דכתיב כי יקח איש אשה חדשה לא ילא וגו' (דברים כד): ליחרב ביתך. בית קברתך דלא תמות אלא תחיה לאורך ימים: לא תבוש ולא תתבייש. לא תיבוש אחריני כדי שלא תתבייש שלא תבא לידי כך פן תתבייש: ותנא בה. ושנה בה לא יבושו עמי לעולם והיינו לא תבייש ולא תתבייש: כוחלת. נותנת כחול בין עיניה כדי שדומות נאים: פוקסת. מחלקת שערה לכאן ולכאן [י]: ומעברת סרק על פניה. סם אחד כדי שתראה אדומה: סכין על פניה של מטה. כדי להעביר שער של מטה: היתה מיקשטא. כי הני קשוטין כדאמר הכא: באנפי כלתה. שהיתה כל כך זקינה שהיתה לה כלה שהיא אשת בנה: לא שנו. הא דאמר עושה אשה תכשיטיה: אלא ילדה. בחורה שדרכה בכך ולהכי הוי לה שמחה במועד: אבל זקינה לא. והיכי עבדא אשתך הכי דמיקשטא הא הויא זקינה: ואפילו עומדת על פתח קברה. שריא להתקשט: לקל טבלא רהטא. פירוש קשקוש הזוג ר"ל מיני זמר בהילולא וכי היכי דרהטא ילדה בת שית לקל הילולא הכי עבדא (ב) בת שיתין והכי נמי מיקשטא: שניוול הוא לה. שגנאי הוא לה וניוול בסיד ומלטערת בסיד: שיכולה לקפלו במועד. אע"פ שהיא מנוולת בסיד: שמחה היא לאחר זמן. במועד לסוף המועד לאחר שקפלתו את הסיד שטפלה לפי שמשיר את השער ומעדן את הבשר והואיל דהאי סיד משמחתה לאחר זמן להכי שרי לה לטופלו במועד אע"פ שהיא מלירה עכשיו: ומי אית ליה לרבי יהודה האי סברא. אע"ג שהיא מלירה עכשיו שמחה וכו': נפרעים מהם. מהכותים ביום חגם מפני שהוא מלער דכל אדם שפורע מילר אבל לא משלמים להם ממון ביום חגם לפי שמשמחם ביום חגם ומודה לע"ז כדפי' במס' ע"ז: שמח הוא לאחר זמן. שפרע לו ואמאי נפרע מהן אבל לרבי יהודה לא אית ליה האי סברא דמשום שמילר עכשיו שרי והיכי אית ליה האי סברא גבי טפול אע"ג שהיא מלירה עכשיו שמחה היא לאחר זמן: הנח להלכות מועד. להכי א"ר יהודה הכא דשרי אע"פ שהיא מלירה כו': דכולהו הלכות מועד. דשרי משום האי טעמא נמי שרו כגון אפיה ובישול דמלער השתא כשהוא אופה ומבשל ולהכי שרי דשמח הוא כשהוא אוכל אפייתו ובישולו בי"ט: כותי לעולם מיצר. שפורע ולהכי לא אית ליה לר' יהודה התם אע"פ שמילר שמח וכו' אבל לעיל גבי טפול אית ליה לר' יהודה אע"פ שמלירה עכשיו שמחה לאחר זמן: שהגיעו לפירקן. לשיער: ולא הגיעו לשנים. שאינן בנות י"ב שנה ויום אחד שעדיין אינו דין שיהא להן שער ובושות על כך: עניות טופלות. השיער בסיד ומשירות אותן: אנפיקינון. היינו אנפיקינון דקתני התם במנחות (דף פה:) אנפיקינון לא יביא היינו אותו שמן שעושין מזיתים: שלא הביאו שליש. שלא בישלו שליש: ולמה סכין אותו. אבל הני קא מהדר דקאמר טופלין כו': ושקל בה ארבע מאה זוזי. שנתייפת ונטל מבעלה כך: טפלה כולה בחד זימנא. דסבר למיעבד כרב ביבי ומתה: בעיין בנתין טפלא. דשכר מגדל השער ומעבה את הבשר:

תופר

כאן במצוה שאי אפשר לעשותה ע"י אחרים. עשיית מלוה עדיף שהרי מפסיקין אפילו לר"ש בן יוחי לעושה סוכה ולולב כדאי' בירושלמי [ל] אבל בהפסקה דתפלה ° וק"ש אין מפסיקין לר"ש בן יוחי (ג) א] ובירושלמי זה שננו וזה שננו ואין מפסיקין שננו מפני שננו:

פוקסת. פי' בקונטרס מתקנת שער שלא יתפזר וקשה דבפרק המלניע (שבת דף לד: ושם) אמר (ד) דמתחייב בשבת משום טוה ועוד דסורקת ה"ל למיתני כמו גבי נזיר (נזיר מב.) ובפ' קמא דכתובות (דף ד: ושם) [ל] פירש בקונטרס קליעת שער וקשיא דבפרק המלניע שונה גודלת ופוקסת ואין לפרש מעברת סרק על פניה דהכא תני תרוייהו וגם בפ' [מ] קמא דכתובות ויש לפרש דמתקנת שערה בידיה חוץ לצעיף וריב"א מפרש שנותנת חוטין של בלק (ה) [י] [דקין] על פניה להאדים הבשר והיינו טוייה והאי דקורא ליה בירושלמי לובע שהוא מאדים הבשר ובנין נמי שייך בתיקון האשה למאי דמפורש סוף המלניע (שבת דף לה.) משום בונה ומייתי קרא דויבן את הצלע:

סטכת. בפרק כל הקרבנות (מנחות דף פו.) מפרש דשמן המור הוא סטכת ובפ' קמא דמגילה (דף יג.) מאי שמן המור רב הונא אמר רבי חייא סטכת:

ההדיוט

עין משפט נר מצוה

פו א ב מיי' פ"ז מהל' יום טוב הלכה כ סמג לאוין עה טוש"ע א"ח סי' תקמו סעיף ה:

פז ג מיי' פ"ט מהלכות ע"ז הלכה א סמג לאוין מה טוש"ע י"ד סי' קמח סעיף א:

רבינו חננאל

אבל מצוה שאי אפשר לעשותה ע"י אחרים אורח חיים פן תפלס. תוב כתיב יקרה היא מפנינים וכל חפציך לא ישוו בה הא חפצי שמים ישוו בה במצוה (שאפשר) [שאי אפשר] לעשותה ע"י אחרים. כל חפצים לא ישוו בה במצוה (שאי אפשר) [שאפשר] לעשות' ע"י אחרים אמר להו אבא שדרני לגביכו דתתברכון יתי אמרו ליה תהא רעוא דתזרע ולא תחצד פי' דתוליד בנים ולא תקברם תעייל ולא תיפוק תעייל כלתך לביתך ולא תוציאם תיפוק ולא תעייל תוציא בנות לבית בעליהן ולא ימותו בעליהן וישובו אליך ליחרב ביתך וליתוב אושפיזך. פי' יהיה ביתך חרבה והוא מקום קברך שאתה עתיד להקבר בו כי הוא מקום של אדם. כלומר תאריך ימים בעולם הזה הנקרא אושפיזא. וישאר מקום קברך חרב הנקרא ביתך שנאמר קרבם בתימו לעולם. ליבלבל פתורך. כלומר יהיו לך בנים הרבה ויבלבלו שלחנך ולא תיחזי שתא חדתא דלא תימות אתתך ותיתב אחריתי א"ל ר' לבריה זיל לגביה ר"ש בן חלפתא דליברכך אזל לגביה א"ל תהא רעוא דלא תיבוש ולא תתבייש. א"ל אבוה ברי ברכך ברכתא דברכינהו הקדוש ב"ה לישראל ותנא ביה שנא' ואכלתם אכול ושבוע וגו': ועושה תכשיטיה במועד: ת"ר אלו הן תכשיטי נשים גודלת כוחלת פוקסת [א] נוטלת שערה וציפרניה ומעברת שרק על פניה איכא דאמרי מעברת סכין על פניה של מטה. דביתהו דרב חסדא הוה מתקשטא באנפי כלותיה כו'. ואפי' עומדת על פתח קברה דאמרי אינשי בת שיתין כבת שית לקל טבלא רהטא. ר"י אומר לא תסוד כו'. תניא ר' יהודה אומר אשה לא תסוד במועד מפני שניול הוא לה אם היא תשאר בסיד. ומודה בסיד שיכולה לקפלו במועד שטופלתו במועד ואע"פ שמצירה עכשיו שמחה היא לאחר זמן. ומי אית ליה לר' יהודה האי סברא והתנן במס' ע"ז ר' יהודה אומר נפרעין מהן מפני שהוא מיצר כו'. ופירק רב נחמן בר יצחק הנח להלכות מועד דכולהו אע"פ שמצירות עכשיו שמחות לאחר זמן. אמר רב יהודה אמר רב בנות ישראל שהגיעו לפירקן ולא הגיעו לשנים עניות טופלות אותן בסיד עשירות בסולת בנות מלכים בשמן המור והוא סטכת איכא דאמרי שמן זית שלא הביא שליש. תניא אפיקינון שמן זית שלא הביא שליש סכין אותו

שמשיר

מסורת הש"ס

א) [נ"ל לבריה כ"ה בע"י], ב) [כי], ג) [נ"ל שרק עי' רש"י וכן גי' הערוך], ד) ע"ז ו:, ה) שם ב., ו) שבת פ: ע"ש פסחים מג. ע"ש, ז) מגילה יג. מנחות פו. ע"ש, ח) [עי' רש"י מנחות פו. ד"ה סטכתא], ט) [שבת פ: ע"ש], י) כן פי' הערוך ערך פקס ועיין פי' רש"י שבת סד: ד"ה ולא תפקוס ושני הפירושים שהביא שם לד: ד"ה וכן הפוקסת, כ) [פ"ק דשבת סוף הלכה ב], ל) נ"ל מפרש בגמ' דפוקסת היינו פירכוס ושם יז. פי' בקונטרס דפירכוס היינו קליעת שער ע"ש תוס' ד: ד"ה פוקסת, מ) [נ"ל שני], נ) רש"א.

הגהות הב"ח

(א) גמ' אשה לא תסוד במועד מפני שניוול כו' מפני שמילר הוא אמרו לו אע"פ שמילר הוא עכשיו שמח: (ב) רש"י ד"ה לקל טבלא כו' הכי עבדא לרהוט בת שיתין: (ג) תוס' ד"ה כאן כו' בן יוחי כדאמרינן בירושלמי זה שננו: (ד) ד"ה פוקסת כו' דבפרק המלניע אמר דפוקסת מתחייבת בשבת: (ה) בא"ד חוטין של בלק והוא תקון על פניה:

הגהות הגר"א

[א] גמ' וא"ד מעברת סכין ע"פ של מטה כל"ל. (וכ"ה ברש"י ורי"ף ורא"ש ומרדכי):

הגהות מהר"ב רנשבורג

א] תוס' ד"ה כאן במצוה שאי אפשר וכו' ובירושלמי זה שננו וכו'. הוא מלשון ושננתם כמ"ש מהרש"א. וכן הוא בלשון הירושלמי הנ"ל זה שינון וזה שינון:

גליון הש"ס

תוס' ד"ה כאן במצוה וכו' וק"ש אין מפסיקין. לכאורה איתא בשבת דף יא ע"א דלק"ש מפסיקין וצ"ע:

תורה אור השלם

א) יְקָרָה הִיא מִפְּנִינִים וְכָל חֲפָצֶיךָ לֹא יִשְׁווּ בָהּ: [משלי ג, טו]

ב) כִּי טוֹבָה חָכְמָה מִפְּנִינִים וְכָל חֲפָצִים לֹא יִשְׁווּ בָהּ: [משלי ח, יא]

ג) קִרְבָּם בָּתֵּימוֹ לְעוֹלָם מִשְׁכְּנֹתָם לְדֹר וָדֹר קָרְאוּ בִשְׁמוֹתָם עֲלֵי אֲדָמוֹת: [תהלים מט, יב]

ד) וַאֲכַלְתֶּם אָכוֹל וְשָׂבוֹעַ וְהִלַּלְתֶּם אֶת שֵׁם יְיָ אֱלֹהֵיכֶם אֲשֶׁר עָשָׂה עִמָּכֶם לְהַפְלִיא וְלֹא יֵבֹשׁוּ עַמִּי לְעוֹלָם: וִידַעְתֶּם כִּי בְקֶרֶב יִשְׂרָאֵל אָנִי וַאֲנִי יְיָ אֱלֹהֵיכֶם וְאֵין עוֹד וְלֹא יֵבֹשׁוּ עַמִּי לְעוֹלָם: [יואל ב, כו-כז]

ה) וּבְהַגִּיעַ תֹּר נַעֲרָה וְנַעֲרָה לָבוֹא אֶל הַמֶּלֶךְ אֲחַשְׁוֵרוֹשׁ מִקֵּץ הֱיוֹת לָהּ כְּדָת הַנָּשִׁים שְׁנֵים עָשָׂר חֹדֶשׁ כִּי כֵּן יִמְלְאוּ יְמֵי מְרוּקֵיהֶן שִׁשָּׁה חֳדָשִׁים בְּשֶׁמֶן הַמֹּר וְשִׁשָּׁה חֳדָשִׁים בַּבְּשָׂמִים וּבְתַמְרוּקֵי הַנָּשִׁים: [אסתר ב, יב]

חשק שלמה על ר"ח א) כ"ה נוסחת הברייתא בירושלמי כאן הלכה ז'.

רש"י כת"י עכשיו חפצך לא ישוו בה הא חפצי שמים. מלות. תיעול ולא תיפוק הוא סבר הוליא פרקמטיא ולא ישוב אליך. תיעול כלתא. דרך כלה שהולכת אלל הבעל. תיפוק. בנתך ולא לימותו גוברייהו דלא הדרי בנתך לוותך. ליחרב ביתך. ליחרב קברך כלומר שתחיה לאורך ימים שלא תבוא לקבר. וליתיב אושפיזך. ביתך שאת דר בתוכה שתחייה ותעמוד בתוכו. דהאי עלמא [אושפיזך]. בית הוי לאכסניות דסופו למות. והדוא עלמא ביתא. קברו הוי בית שעומד בו עד תחיית המתים. קרבם בתימו. ברשעים כתיב כלומר ימותו מהרה ויבואו בקבר שהוא בית של עולם. שתא חדתא. קרי שנה ראשונה של נשואין דכתיב כי יקח איש אשה חדשה וגו'. ר' שמעון בן חלפתא עסקן בדברים היה כדאמרינן באילו טריפות אבל ר' יוסי בן חלפתא תנא הוי. לא תבייש. אחריני שלא תבוא לידי כך שתתבייש והוא כי תרי זימני גבי הדדי ברכינהו לא יבושו עמי והיינו לא תתבייש לא תבייש עמי ברכה היא. תכשיטיה. כחל וסרק. לא תסוד. בסיד במועד. שנוול היא לה. לער הוא לה מפני שמלערה. כוחלת. כחל וסרק נותנת בין עיניה כענין שנ' כי תקרעו בפוך עיניך. פוקסת מתקנת שערה מכלל דפוקסת לאו הכי הוא. ד"א מעברת סרק על פניה מטה להטיח הסיד ולתקן את השער וכן מעברת סרק על פניה. באפי כלתא. כלומר זקינה היתה שכבר בנה נשאוי ועפ"כ מתקשטת במועד. טבלא. ליצ"ש בלע"ז. לא תסוד. סיד במועד. שניוול הוא. בעודו עליה ואע"פ שכשנטלתו שמחה היא לה. ומודה ר' יהודה בסיד. דממתינא לאחר ויכולה לקפלו במועד. שטפלתו. סכתו במועד הוא ומתייפת במועד לאחר נטילה. נפרעין מהן. במסכת עבוד' זרה (ב.) ג' ימים לפני אידיהן של גוים אין נושאין ונותנין עמהם משום דאזלו ומודו לע"ז ר' יהודה אומר נפרעין הוב מהן מפני שהגוי מלר כשפורע חובו ולא אזיל ומודה אלמא לית ליה לר' יהודה שמח לאחר זמן. כל הלכות מועד קטן כגון רבוי מעדנים ותכשיטין לגופו מילר הוא בשעת הטורח ולהכי אזיל בתר בסוף הואיל וכלהו הכי איתנהו אבל בע"ז אזיל בתר השתא דכיון דהשתא מילר לא חייש לבסוף. רבינא אמ'. לעולם מילר ואפילו לאחר זמן שדעתו לטרוף ולגזול. הגיעו לפרקן לשתי שערות. ולא הגיעו. לכלל שנים ולפיכך דעתן להשירן. טופלות. סכות אורחא דמלתא נקט שדרכן להשיר לפי שלא הגיעו ולדרך עניות טופלות בסיד. סטכת. הוא שמן זית שלא הביא שליש ושמן היוצא מהן משיר את השער. ר' יהודה אומר. שמן זית הוא זה אנפקנון וכו'. ולמה סכין אותו. בימי אחשורוש. ל"א אנפקנון גבי שמן דמנחות ר' יהודה במסכת מנחות מפרש לה סך אותו בגורת בסיד. אוכל הלחם שלוקח את כל השמן וסך בו סך מן השמן משמע שנוטל מקלת בגזירת אוכל את הלחם טופלות בסיד. קטליה ר' ביבי לברתי כלומר שלמדתי ממנו. שכר. משחיר את הבשר.

IT CAUSES HER DISTRESS NOW, i.e. while it is upon her, שְׂמֵחָה הִיא לְאַחַר זְמַן – IT CAUSES HER JOY AT A FUTURE TIME, i.e. when it is removed.[28]

The Gemara argues that this statement in the Baraisa is inconsistent with another statement of R' Yehudah's:

וּמִי אִית לֵיהּ לְרַבִּי יְהוּדָה הַאי סְבָרָא – But does R' Yehudah really subscribe to this reasoning, that something which causes distress now is permitted if it causes joy at a later time? וְהָתְנַן – Why, we have learned in a Mishnah:[29] רַבִּי יְהוּדָה אוֹמֵר – R' YEHUDAH SAID: נִפְרָעִין מֵהֶן מִפְּנֵי שֶׁמֵּצֵר – WE MAY ACCEPT REPAYMENT of a loan FROM [AN IDOLATER] on his holiday, BECAUSE THIS CAUSES HIM DISTRESS.[30] אָמְרוּ לוֹ – THEY SAID TO [R' YEHUDAH]: אַף עַל פִּי שֶׁמֵּצֵר עַכְשָׁיו – EVEN THOUGH IT CAUSES HIM DISTRESS NOW, שָׂמֵחַ הוּא לְאַחַר זְמַן – HE REJOICES about the repayment AFTER TIME, for he is relieved of the burden of debt. Thus, it is forbidden even to accept repayment of a loan from an idolater on his holiday. Now, it can be seen from this Mishnah that R' Yehudah does not subscribe to the reasoning that subsequent rejoicing can cause us to disregard the fact that something is distressful at this moment. Accordingly, how can he permit the application of lime during Chol HaMoed, even where it will be removed prior to the conclusion of the festival?

The Gemara answers:

אָמַר רַב נַחְמָן בַּר יִצְחָק – Rav Nachman bar Yitzchak said: הַנַּח לְהִלְכוֹת מוֹעֵד – Set aside the laws of Chol HaMoed, דְּכוּלְּהוּ – for all those things which are permitted on Chol HaMoed fall into the category of actions that, although מֵצֵר עַכְשָׁיו – they cause distress now, וְשָׂמֵחַ לְאַחַר זְמַן נִינְהוּ – they will cause him to rejoice after time.[31] Thus, even R' Yehudah permits such actions on Chol HaMoed.

An alternative answer:

רָבִינָא אָמַר – Ravina said: R' Yehudah is of the opinion that כּוּתִי לְעִנְיַן פֵּרָעוֹן לְעוֹלָם מֵצֵר – a Cuthean (i.e. an idolater) with regard to repayment, is always distressed.[32] Accordingly, since even after time passes the repayment does not cause him to rejoice, R' Yehudah holds that it is permitted.[33]

Having discussed the topic of applying lime to remove hair, the Gemara continues with a statement of Rav Yehudah on this topic: אָמַר רַב יְהוּדָה – Rav Yehudah said: בְּנוֹת יִשְׂרָאֵל שֶׁהִגִּיעוּ לְפִירְקָן – Jewish daughters who have reached their stage, i.e. who have begun to sprout pubic hair[34] as if they had reached puberty, וְלֹא הִגִּיעוּ לְשָׁנִים – but have not yet reached the age in years at which it is common to exhibit signs of puberty,[35] would take the following steps to remove the unwanted hair: עֲנִיּוֹת טוֹפְלוֹת אוֹתָן בְּסִיד – Poor people would plaster [the unwanted hairs] with lime, thereby removing the hair; עֲשִׁירוֹת טוֹפְלוֹת אוֹתָן בְּסוֹלֶת – wealthy people would plaster them with fine flour; בְּנוֹת מְלָכִים בְּשֶׁמֶן הַמּוֹר – and the daughters of royalty would smear themselves with oil of *mohr;* שֶׁנֶּאֱמַר „שִׁשָּׁה חֳדָשִׁים בְּשֶׁמֶן הַמֹּר" – as it is stated: *six months with oil of mohr.*[36]

The Gemara inquires:

מַאי שֶׁמֶן הַמּוֹר – What is "oil of *mohr*"?

The Gemara answers:

רַב הוּנָא בַּר חִיָּיא אָמַר – Rav Huna bar Chiya said: סְטַכַּת – *Setakas.* רַב יִרְמְיָה בַּר אַמִּי אָמַר – Rav Yirmiyah bar Ami said: שֶׁמֶן זַיִת שֶׁלֹּא הֵבִיא שְׁלִישׁ – *Setakas* is[37] oil of olives that have not attained a third of their ripeness.

The Gemara interjects a Baraisa that mentions this type of olive oil:

תַּנְיָא – It was taught in a Baraisa: רַבִּי יְהוּדָה אוֹמֵר – R' YEHUDAH SAID: אַנְפִּיקִינוֹן שֶׁמֶן זַיִת שֶׁלֹּא הֵבִיא שְׁלִישׁ – *ONPIKINON* is OIL OF OLIVES THAT HAVE NOT ATTAINED ONE THIRD of their ripeness.[38]

The Gemara returns to the statement of Rav Yehudah, who said that the girls would smear themselves with lime, fine flour, or oil of *mohr,* and inquires:[39]

וְלָמָּה סָכִין אוֹתוֹ – And why do people anoint themselves with them?

The Gemara answers:

שֶׁמַּשִּׁיר אֶת הַשֵּׂעָר וּמְעַדֵּן אֶת הַבָּשָׂר – Because they remove hair and cause the skin to glow.

The Gemara recounts an incident wherein the proper method to apply lime is discussed:

רַב בִּיבִי הֲוָה לֵיהּ בְּרַתָּא – Rav Bivi had a daughter. טַפְּלָהּ אֵבֶר אֵבֶר – He smeared her with lime limb by limb, i.e. one limb at a time,[40] and the lime caused her skin to become radiant. Her appeal as a prospective mate was thus greatly enhanced, שָׁקַל בָּהּ אַרְבַּע מְאָה זוּזֵי – and he was able to take four hundred *zuz* for her.[41] הֲוָה הַהוּא כּוּתִי בְּשִׁבְבוּתֵיהּ – There was a

NOTES

28. Since she will be happy when the lime is removed before the conclusion of the festival, for it removes the unwanted hair and causes her skin to be smooth, it is permitted for her to apply it during Chol HaMoed, even though at the time that the lime is upon her it causes her discomfort (*Rashi*).

29. *Avodah Zarah* 2a. The Mishnah states that for the three days prior to the festival of idolaters, it is forbidden to transact business with them, or to lend them or borrow from them articles or money, or to repay a debt to them or to accept repayment from them. These things are forbidden, for they cause the idolater to render homage to his idol in thanks for his good fortune. R' Yehudah, however, disagrees with one of these laws.

30. However, even R' Yehudah agrees that one may not repay a loan *to* an idolater within this time period, for this causes him to rejoice and to render homage to his idols (*Rashi*).

31. For example, [the exertion of] baking and cooking causes a person distress while it is performed, and nevertheless it is permitted during Chol HaMoed, since it causes joy at a later time when the food is being eaten (*Rashi*).

32. The idolater is always distressed when he is forced to repay a loan, for this ends his chance of being able to retain the money illegally by defaulting on his obligation (*Rashi ms.*).

33. In the case of the lime, however, R' Yehudah would agree that since it will cause her joy at a later time, it is permitted (*Rashi*).

34. *Rashi.*

35. I.e she did not yet reach the age of twelve. Girls who are this young are embarrassed to have such hairs (*Rashi*).

36. *Esther* 2:12. The verse speaks of the beauty treatments provided by the palace to the maidens who were candidates to become Achashveirosh's queen. The verse thus indicates that royals employed oil of *mohr* for these purposes.

37. This explanation follows *Rashi ms.,* who states that Rav Yirmiyah is not coming to add another explanation; rather, he is coming to define the word *setakas.* Other commentators (see *Rashi* to *Menachos* 86a and *Aruch*) explain that Rav Huna and Rav Yirmiyah differ, and according to Rav Huna, *setakas* is a fragrant oil that exudes from the myrrh tree (balsam oil).

38. The Mishnah (*Menachos* 85b) states that "*onpikinon*" cannot be used as the oil of *minchah* offerings. In this Baraisa the term "*onpikinon*" is defined (*Rashi*).

39. *Rashi;* cf. *Rashi ms.* and *Rashi* to *Shabbos* 80b ד"ה ולמה.

40. He only smeared it on her a little bit at a time, for smearing her entire body at once would cause her immense pain, which she might not be able to endure (*Talmid R' Yechiel MiParis.* See also *Rabbeinu Chananel* to *Shabbos* 80b).

41. The beauty of Rav Bivi's daughter was greatly enhanced by this treatment; as a result, many suitors wished to marry her. The competition for her hand enabled Rav Bivi to command a large sum of money for her (*Rashi* to *Shabbos* ibid. ד"ה שקל בה).

כאן במצוה שא"א לעשותה ע"י אחרים הדר יתבי וקא מבעי להו כתיב א) יקרה היא מפנינים וכל חפציך לא ישוו בה הא חפצי שמים ישוו בה וכתיב ב) כל חפצים לא ישוו בה דאפילו חפצי שמים לא ישוו בה כאן במצוה שאפשר לעשותה ע"י אחרים כאן במצוה שאי אפשר לעשותה ע"י אחרים אמרו ליה מאי בעית הכא אמר להו דאמר לי אבא זיל גבייהו דליברכוך אמרו ליה יהא רעוא דתזרע ולא תחצד תעייל ולא תיפוק תיפוק ולא תעייל ליחרוב ביתך וליתוב אושפיזך לבלבל פתורך ולא תחזי שתא חדתא כי אתא לגבי אבוה א"ל לא מבעיא דברוכי לא בירכן אבל צעורי צעורן א"ל מאי אמרו לך הכי והכי אמרו לי א"ל הנך כולהו ברכתא נינהו תזרע ולא תחצד תוליד בנים ולא ימותו תעייל ולא תיפוק תעייל כלתא ולא לימותו בנך דליפקון תיפוק ולא תעייל תוליד בנתא ולא ימותו גובריייהו ולהדרו לותיך ליחרוב ביתך וליתוב אושפיזך דהאי עלמא אושפיזך והֵהיא עלמא ביתא דכתיב ג) קרבם בתימו לעולם אל תקרי קרבם אלא קברם לבלבל פתורך בבני ובנתא ולא תיחזי שתא חדתא דלא תמות אנתך ולא תנסב אינתתא אחריתי ר' שמעון בן חלפתא אפטר מיניה דרב א"ל (א) אבוה) זיל לגביה דליברכך א"ל יהא רעוא דלא תבייש ולא תתבייש ג) אתא גבי אבוה א"ל מאי אמר לך א"ל מילין בעלמא הוא דאמר לי א"ל ברכך ברכתא דברכן קודשא בריך הוא לישראל ותנא בה דכתיב ד) ואכלתם אכול ושבוע והללתם וגו' ולא יבושו עמי לעולם וידעתם כי בקרב ישראל אני וגו' ולא יבושו עמי לעולם: ועושה אשה תכשיטיה: ת"ר א) אלו הן תכשיטי נשים כוחלת ופוקסת ומעבירה (ג) סרק) על פניה ואיכא דאמרי מעברת [א] סרק על פניה של מטה דביתהו דרב חסדא מקשטא באנפי כלתה יתיב רב הונא בר חיננא קמיה דרב חסדא ויתיב וקאמר לא שנו אלא ילדה אבל זקנה לא א"ל האלהים אפילו אמך ואפילו אימא דאימך ואפילו עומדת על קברה דאמרי אינשי בת שיתין כבת שית לקל טבלא רהטא: ר' יהודה אומר לא תסוד: תניא רבי יהודה אומר ד) אשה לא תסוד (א) מפני שניוול הוא לה ומודה ר' יהודה ב) בסיד שיכולה לקפלו במועד שטופלתו במועד שאע"פ שמצירה היא עכשיו שמחה היא לאחר זמן ומי אית ליה לרבי יהודה האי סברא והתנן ה) רבי יהודה אומר נפרעין מהן מפני שמצר ג) אמרו לו אע"פ שמצר עכשיו שמח הוא לאחר זמן אמר רב נחמן בר יצחק הנח להלכות מועד דכולהו מצר עכשיו ושמח לאחר זמן נינהו רבינא אמר כותי לענין פרעון לעולם מצר ו) אמר רב יהודה בנות ישראל שהגיעו לפירקן ולא הגיעו לשנים עניות טופלות אותן בסיד עשירות טופלות אותן בסולת בנות מלכים בשמן המור שנאמר ה) ששה חדשים בשמן המור ז) מאי שמן המור רב הונא בר חייא אמר סטכת ח) רב ירמיה בר אמי אמר שמן זית שלא הביא שליש תניא רבי יהודה אומר אנפיקנון שמן זית שלא הביא שליש ולמה סכין אותו שמשיר את השער ומעדן את הבשר ט) רב ביבי הוה ליה ברתא טפלה אבר שקל בה ד' מאה זוזי הוה ההוא כותי בשבבותיה דה"ל ברתא טפלה בחד זמנא ומתה אמר קטלא ביבי לברתי אמר רב נחמן רב ביבי דשתי שיכרא בעיין בנתיה טפלא אנן דלא שתינן שיכרא לא בעיין בנתין טפלא:

ובמצוה שא"א לעשותה ע"י אחרים. אל תפלס אלא מצוה שבא לידך בין גדולה בין קטנה עשה: וכל חפציך לא ישוו בה. שתבטל כל חפציך בשביל שתעסוק בתורה: חפצי שמים ישוו בה. כלומר שאם יש לך לעסוק במצוה תבטל תלמוד תורה ועסוק במצוה: דאפילו חפצי שמים לא. דמבטל מצוה ועוסק בתלמוד תורה: תעייל ולא תיפוק תיפוק ולא תעייל. משמע ליה בסחורה תעייל ולא תיפוק שתביא סחורה ולא תמכרנה תיפוק ולא תעייל שתוליא בסחורה במקום אחר ולא תביאנה: תעייל כלתא. שדרך כלתא הולכת אצל הבעל: ולא תיפוק. דלא לימות בנך דהדרי נפקי מינך והדרי לבי נשייהו: שתא חדתא. זו שנה ראשונה של נישואין דכתיב כי יקח איש אשה חדשה לא יצא וגו' (דברים כד): ליחרב ביתך. בית קברתך דלא תמות אלא תחיה לאורך ימים: לא תבוש ולא תתבייש. לא תיבוש אחריני כדי שלא תתבייש שלא תבא לידי כך פן תתבייש: ותנא בה. ושנה בה לא יבושו עמי לעולם והיינו לא תבייש ולא תתבייש: כוחלת. נותנת כחול בין עיניה כדי שדומות נאים: פוקסת. מחלקת שערה לכאן ולכאן י): ומעברת סרק על פניה. סם אחד כדי שתראה אדומה: סכין על פניה של מטה. כדי להעביר שער של מטה: היתה מיקשטא. כי הני קשוטין כדאמר הכא: באנפי כלתה. שהיתה כל כך זקינה שהיתה לה כלה שהיא אשת בנה: לא שנו. הא דאמר עושה אשה תכשיטיה: אלא ילדה. בחורה שדרכה בכך ולהכי הוי לה שמחה במועד: אבל זקינה לא. והיכי עבדא אשתך הכי דמיקשטא הא הויא זקינה: ואפילו עומדת על פתח קברה. שריא להתקשט: לקל טבלא רהטא. פירוש קשקוש הזוג ר"ל מיני זמר בהילולא וכי היכי דרהטא ילדה בת שית לקל הילולא הכי עבדא (ב) בת שיתין והכי נמי מיקשטא: שניוול הוא לה. שגנאי הוא לה וניוול בסיד ומלטערת בסיד: שיכולה לקפלו במועד. אע"פ שהיא מנוולת בסיד: שמחה היא לאחר זמן. במועד לסוף המועד לאחר שקפלתו את הסיד שטפלה לפי שמשיר את השער ומעדן את הבשר והואיל דהאי סיד משמחתה לאחר זמן להכי שרי לה לטופלו במועד אע"פ שהיא מלירה עכשיו: ומי אית ליה לרבי יהודה האי סברא. אע"ג שהיא מלירה עכשיו שמחה וכו': נפרעים מהם. מהכותים ביום חגם מפני שהוא מלער דכל אדם שפורע מילר אבל לא משלמים להם ממון ביום חגם לפי שמשמחם ביום חגם ומודה לע"ז כדפי' במס' ע"ז: שמח הוא לאחר זמן. שפרע לו ואמאי נפרע מהן אבל לרבי יהודה לא אית ליה האי סברא דמשום שמילר עכשיו שרי והיכי אית ליה האי סברא גבי טפול אע"ג שהיא מלירה עכשיו שמחה היא לאחר זמן: הנח להלכות מועד. להכי א"ר יהודה הכא דשרי אע"פ שהיא מלירה כו': דכולהו הלכות מועד. דשרי משום האי טעמא נמי שרו כגון אפיה ובישול דמלער השתא כשהוא אופה ומבשל ולהכי שרי דשמח הוא כשהוא אוכל אפייתו ובישולו בי"ט: כותי לעולם מיצר. שפורע ולהכי לא אית ליה לר' יהודה התם אע"פ שמילר שמח וכו' אבל לעיל גבי טפול אית ליה לר' יהודה אע"פ שמלירה עכשיו שמחה לאחר זמן: שהגיעו לפירקן. לשיער: ולא הגיעו לשנים. שאינן בנות י"ב שנה ויום אחד שעדיין אינו דין שיהא להן שער ובושות על כך: עניות טופלות. השיער בסיד ומשירות אותן: אנפיקינון. היינו אנפיקינון דקתני התם במנחות (דף פה:) אנפיקינון לא יביא היינו אותו שמן שעושין מזיתים: שלא הביאו שליש. שלא בישלו שליש: ולמה סכין אותו. אבל הני קא מהדר דקאמר טופלין כו': ושקל בה ארבע מאה זוזי. שנתייפת ונטל מבעלה כך: טפלה כולה בחד זימנא. דסבר למיעבד כרב ביבי ומתה: בעיין בנתין טפלא. דשכר מגדל השער ומעבה את הבשר:

כאן במצוה שאי אפשר לעשותה ע"י אחרים. עשיית מצוה עדיף שהרי מפסיקין אפילו לר"ש בן יוחי לעושה סוכה ולולב כדאי' בירושלמי ט) אבל בהפסקה דתפלה * וק"ש אין מפסיקין לר"ש בן יוחי (ג) א] ובירושלמי זה שננו וזה שננו ואין מפסיקין שננו מפני שננו:

פוקסת. פי' בקונטרס מתקנת שער שלא יתפזר וקשה דבפרק המצניע (שבת דף צד: ושם) אמר (ד) דמתחייב בשבת משום טוה ועוד דסורקת ה"ל למיתני כמו גבי נזיר (נזיר מב.) ובפ' קמא דכתובות (דף ד: ושם) ל) פירש בקונטרס קליעת שער וקשיא דבפרק המצניע שונה גודלת ופוקסת ואין לפרש מעברת סרק על פניה דהכא תני תרווייהו וגם בפ' מ) קמא דכתובות ויש לפרש דמתקנת שערה בידיה חוץ לצעיף וריב"א מפרש שנותנת חוטין של בלק (ה) נ) [דקין] על פניה להאדים הבשר והיינו טוייה והאי דקורא ליה בירושלמי לובע שהוא מאדים הבשר ובנין נמי שייך בתיקון האשה למאי דמפורש סוף המצניע (שבת דף לה.) משום בונה ומייתי קרא דויבן את הצלע: סטכת. בפרק כל הקרבנות (מנחות דף פו.) מפרש דשמן המור הוא סטכת ובפ' קמא דמגילה (דף יג.) מאי שמן המור רב הונא אמר רבי חייא סטכת:

מסורת הש"ס

א) [נ"ל לבריה כ"ה בע"י], ב) [בין], ג) [נ"ל שרק ע' רש"י ועי' ג"כ הערוך], ד) ע"ז ו:, ה) שם ב., ו) שבת פ: ע"ש פסחים מג. ע"ש, ז) מגילה יג. מנחות פו. ע"ש, ח) [עי' רש"י מנחות פו. ד"ה סטכת], ט) [שבת פ: ע"ש], י) ק פי' הערוך ערך פקס ועיין פי' רש"י שבת סד: ד"ה ולא תפקוס ושני הפירושים שכתבו הם לד: ד"ה וכן הפוקסת, כ) [פ"ק דשבת סוף הלכה ב], ל) נ"ל מפרש בגמ' דפוקסת היינו פירוקס ושם י. פי' בקונטרס דפירוקס היינו קליעת שער ע"ש תוס' ד: ד"ה פוקסת, מ) [נ"ל שנין], נ) רש"י.

הגהות הב"ח

(א) גמ' אשה לא תסוד במועד מפני שניוול כו' מפני שמצר הוא ואמרו לו אע"פ שמיצר הוא עכשיו שמח: (ב) רש"י ד"ה לקל טבלא כו' הכי עבדא להרהט בת שיתין: (ג) תוס' ד"ה כאן כו' בן יוחי כדאמרינן בירושלמי זה שננו: (ד) ד"ה פוקסת כו' דבפרק המצניע אמר דפוקסת מתחייבת בשבת: (ה) באד"ה אמר חוטין על בלק והוא תקון על פניה:

הגהות הגר"א

[א] גמ' וא"ד מעברת סכין ע"פ של מטה כל"ל. (וכ"ה ברש"י ורי"ף ורא"ש ומרדכי)

הגהות מהר"ב רנשבורג

א] תוס' ד"ה כאן במצוה שאי אפשר וכו' ובירושלמי זה שננו וכו'. הוא מלשון ושננתם כמ"ש מהרש"א וכן הוא בגלגון הירושלמי הנ"ל זה שינון וזה שינון:

גליון הש"ס

תוס' ד"ה כאן במצוה וכו' וק"ש אין מפסיקין. להלן אלא בשבת דף יא ע"א דלק"ש מפסיקין ול"ע:

תורה אור השלם

א) יְקָרָה הִיא מִפְּנִינִים וְכָל חֲפָצֶיךָ לֹא יִשְׁווּ בָהּ: [משלי ג, טו]

ב) כִּי טוֹבָה חָכְמָה מִפְּנִינִים וְכָל חֲפָצִים לֹא יִשְׁווּ בָהּ: [משלי ח, יא]

ג) קִרְבָּם בָּתֵּימוֹ לְעוֹלָם מִשְׁכְּנֹתָם לְדֹר וָדֹר קָרְאוּ בִשְׁמוֹתָם עֲלֵי אֲדָמוֹת: [תהלים מט, יב]

ד) וַאֲכַלְתֶּם אָכוֹל וְשָׂבוֹעַ וְהִלַּלְתֶּם אֶת שֵׁם יְיָ אֱלֹהֵיכֶם אֲשֶׁר עָשָׂה עִמָּכֶם לְהַפְלִיא וְלֹא יֵבֹשׁוּ עַמִּי לְעוֹלָם: וִידַעְתֶּם כִּי בְקֶרֶב יִשְׂרָאֵל אָנִי וַאֲנִי יְיָ אֱלֹהֵיכֶם וְאֵין עוֹד וְלֹא יֵבֹשׁוּ עַמִּי לְעוֹלָם: [יואל ב, כו-כז]

ה) וּבְהַגִּיעַ תֹּר נַעֲרָה וְנַעֲרָה לָבוֹא אֶל הַמֶּלֶךְ אֲחַשְׁוֵרוֹשׁ מִקֵּץ הֱיוֹת לָהּ כְּדָת הַנָּשִׁים שְׁנֵים עָשָׂר חֹדֶשׁ כִּי כֵּן יִמְלְאוּ יְמֵי מְרוּקֵיהֶן שִׁשָּׁה חֳדָשִׁים בְּשֶׁמֶן הַמֹּר וְשִׁשָּׁה חֳדָשִׁים בַּבְּשָׂמִים וּבְתַמְרוּקֵי הַנָּשִׁים: [אסתר ב, יב]

עין משפט נר מצוה

פו א ב מיי' פ"ז מהל' יום טוב הלכה כ סמג לאוין עה טוש"ע א"ח סי' תקמו סעיף ה:

פז ג מיי' פ"ט מהלכות ע"ז הלכה א סמג לאוין מה טוש"ע י"ד סי' קמח סעיף א:

רבינו חננאל

אבל מצוה שאי אפשר לעשותה ע"י אחרים אורח חיים פן תפלס. תוב כתיב יקרה היא מפנינים וכל חפציך לא ישוו בה הא חפצי שמים ישוו בה במצוה (שאפשר) [שאי אפשר] לעשותה ע"י אחרים. כל חפצים לא ישוו בה במצוה (שאי אפשר) [שאפשר] לעשות' ע"י אחרים אמר להו אבא שדרני לגביכו דתתברכון יתי אמרו ליה תהא רעוא דתזרע ולא תחצד פי' דתוליד בנים ולא תקברם תעייל ולא תיפוק תעייל כלתך לביתך ולא תוציאם תיפוק ולא תעייל תוציא בנות לבית בעליהן ולא ימותו בעליהן וישובו אליך ליחרב ביתך וליתוב אושפיזך. פי' יהיה ביתך חרבה והוא מקום קברך שאתה עתיד להקבר בו כי הוא מקום של אדם. כלומר תאריך ימים בעולם הזה הנקרא אושפיזא. וישאר מקום קברך חרב הנקרא ביתך שנאמר קרבם בתימו לעולם. ליבלבל פתורך. כלומר יהיו לך בנים הרבה ויבלבלו שלחנך ולא תיחזי שתא חדתא דלא תימות אתתך ותיתב אחריתי א"ל ר' לבריה זיל לגביה ר"ש בן חלפתא דליברכך אזל לגביה א"ל תהא רעוא דלא תיבוש ולא תתבייש. א"ל אבוה ברי ברכך ברכתא דברכינהו הקדוש ב"ה לישראל ותנא ביה שנא' ואכלתם אכול ושבוע וגו': ועושה תכשיטיה במועד: ת"ר אלו הן תכשיטי נשים גודלת כוחלת פוקסת א) נוטלת שערה וציפרניה ומעברת שרק על פניה איכא דאמרי מעברת סכין על פניה של מטה. דביתהו דרב חסדא הוה מתקשטא באנפי כלותיה כו'. ואפי' עומדת על פתח קברה דאמרי אינשי בת שיתין כבת שית לקל טבלא רהטא. ר"י אומר לא תסוד כו'. תניא ר' יהודה אומר אשה לא תסוד במועד מפני שניול הוא לה אם היא תשאר בסיד. ומודה בסיד שיכולה לקפלו במועד שטופלתו במועד ואע"פ שמצירה עכשיו שמחה היא לאחר זמן. ומי אית ליה לר' יהודה האי סברא והתנן במס' ע"ז ר' יהודה אומר נפרעין מהן מפני שהוא מיצר כו'. ופירק רב נחמן בר יצחק הנח להלכות מועד דכולהו אע"פ שמצירות עכשיו שמחות לאחר זמן. אמר רב יהודה אמר רב בנות ישראל שהגיעו לפירקן ולא הגיעו לשנים עניות טופלות אותן בסיד עשירות בסולת בנות מלכים בשמן המור והוא סטכת איכא דאמרי שמן זית שלא הביא שליש. תניא אפיקינון שמן זית שלא הביא שליש סכין אותו שמשיר

חשק שלמה על ר"ח א) כ"ה נוסחת הגירסא בירושלמי כאן הלכה ז'.

ההדיוט תופר

רש"י כת"י עכשיו חפצך לא ישוו בה הא חפצי שמים. מלות. תיעול ולא תיפוק הוא סבר תוליא פרקמטיא ולא ישוב אליך. תיעול כלתא. דרך כלה שהולכת אצל הבעל. תיפוק. בנתך ולא לימתו גוברייהו דלא הדרי בנתך לוותך. ליחרב ביתך. ליחרב קברך כלומר שתחיה לאורך ימים שלא תבוא לקבר. וליתיב אושפיזך. ביתך שאת דר בתוכה שתחייה ותעמוד בתוכו. דהאי עלמא [אושפיזך]. בית הוי כאכסניות דסופו למות. וההוא עלמא ביתא. קברו הוי בית שעומד בו עד תחיית המתים. קרבם בתימו. כרשעים כתיב כלומר ימותו מהרה ויבואו בקבר שהוא בית של עולם. שתא חדתא. קרי שנה ראשונה של נשואין דכתיב כי יקח איש אשה חדשה וגו'. ר' שמעון בן חלפתא עסקן בדברים היה כדאמרינן בחלוק טריפות אבל ר' יוסי בן חלפתא תנא הוי. לא תבייש. אחריני שלא תבוא לידי כך שתתבייש והוא בי תרי זמני גבי הדדי ברכינהו לא יבושו עמי והיינו לא תתבייש לא תבייש עמי ברכה היא. תכשיטיה. כחל וסרק. לא תסוד. לה. לער הוא לה מפני שמלערה. כוחלת. כחל וסרק נותנת בין עיניה כענין שנ' כי תקרעו בפוך עיניך. פוקסת מתקנת שערה מכלל דפוקסת לאו הכי הוא. ד"א מעברת סרק על פניה מטה להטיה מעברת סרק על פניה. באפי כלתא. כלומר זקינה היתה שכבר בנה נשאו ועפ"כ מתקשטת במועד. טבלא. ליגב"ש בלע"ז. לא תסוד. סיד במועד. שניוול הוא. בעודו עליה ואע"פ שכשנוטלתו שמחה היא לה. ומודה ר' יהודה לאלתר ויכולה לקפלו במועד. שטפלתו. סכתו במועד הואיל ומתייפה במועד לאחר נטילה. נפרעין מהן. במסכת עבוד' זרה (ו.) ג' ימים לפני אידיהן של גוים אין נושאין ונותנין עמהם משום דאזלו ומודה לע"ז ר' יהודה א' שהגוי מצר כשפורע חובו ולא אזיל ומודה אלמא לית ליה לר' יהודה שמח לאחר זמן. כל הלכות מועד קטן כגון רבוי מעדנים ותכשיטין לגופו מיצר הוא בשעת הטורח ולהכי אזיל בתר בסוף הואיל וכלהו הכי איתנהו אבל בע"ז אזיל מיצר לא חייש לבסוף. רבינא אמ'. לעולם מיצר ואפילו לאחר זמן שדעתו לטרוף ולגזול. הגיעו לפרקן לשתי שערות. ולא הגיעו. לכלל שנים ולפיכך דעתן להשיאן. טופלות. סכות אורחא דמלתא נקט שדרכן להשיר לפי שלא בסיד. סטכת. הוא שמן זית שלא הביא שליש ושמן היולא מהן משיר את השער. ר' יהודה אומר. שמן זית הוא זה אנפקנון וכו'. ולמה סכין אותו. בימי אשסורים. ל"א אנפקנון גבי שמן דמנחות ר' יהודה במסכת מנחות אוכל הלחם שלקח את כל השמן וסך בו סך מן השמן משמע שנטל מקלת בגזירת אוכל את הלחם טופלות בסיד. קטליה ר' ביבי לברתי כלומר שלמדתי ממנו. שבר. משחיר את הבשר.

certain Cuthean in his neighborhood דַּהֲוָה לֵיהּ בְּרַתָּא – **who** also **had a daughter;** having seen Rav Bivi's success, he attempted to duplicate the treatment. טָפְלָה בְּחַד זִמְנָא – However, **he smeared her entire body** with lime **at once,** וּמֵתָה – **and she died.**[42] אָמַר – **He said:** קָטְלָא בִּיבִי לִבְרַתִּי – **Rav Bivi killed my daughter,** for I learned this treatment from him. אָמַר רַב נַחְמָן – **Rav Nachman said,** when he heard how Rav Bivi had enhanced his daughter's appearance: רַב בִּיבִי דְּשָׁתֵי שִׁיכְרָא – **Rav Bivi, who drinks beer** in his household, בָּעְיָין בְּנָתֵיהּ טִפְלָא – **his daughter requires smearing** with lime;[43] אֲנַן דְּלֹא שָׁתֵינַן שִׁיכְרָא – but **we, who do not drink beer** in our households, לֹא בָּעְיָין בְּנָתִין טִפְלָא – **our daughters do not require smearing** with lime to enhance their appearance.

NOTES

42. The gentile's daughter was unable to tolerate the tremendous pain caused by the application of that much lime at one time (see note 40).

43. For beer causes [excessive] hair growth and thickening of the flesh [i.e. weight gain] (*Rashi*), and it causes the skin to darken in color (*Rashi ms.*).

The Mishnah stated:

הַהֶדְיוֹט תּוֹפֵר כְּדַרְכּוֹ – **AN UNSKILLED PERSON MAY SEW IN HIS USUAL MANNER** during Chol HaMoed.

The Gemara inquires:

הֵיכִי דָּמֵי הֶדְיוֹט – **What is the case of an unskilled person** that may sew on Chol HaMoed?[1]

The Gemara offers two answers:

אָמְרֵי דְּבֵי רַבִּי יַנַּאי – **The scholars of the acadamy of R' Yannai said:** כָּל שֶׁאֵינוֹ יָכוֹל לְהוֹצִיא מְלֹא מַחַט בְּבַת אַחַת – **Whoever is unable to draw a needleful** of stitches **at one time.**[2] רַבִּי יוֹסֵי בַּר חֲנִינָא אָמַר – **R' Yose bar Chanina said:** כָּל שֶׁאֵינוֹ יָכוֹל לְכַוֵּין אִימְרָא בְּחֶפֶת חֲלוּקוֹ – **Whoever is unable to make an even hem on the bottom of his tunic.**[3]

The Mishnah continues:

וְהָאוּמָּן מַכְלִיב – **AND A SKILLED PERSON IS** ***MACHLIV.***

The Gemara inquires:

מַאי מַכְלִיב – **What** is the meaning of ***machliv***?

The Gemara offers two answers:

רַבִּי יוֹחָנָן אָמַר – **R' Yochanan said:** מַפְסִיעַ – It refers to stitching similar to wide **steps.**[4] רַבָּה בַּר שְׁמוּאֵל אָמַר – **Rabbah bar Shmuel said:** שִׁינֵּי כַּלְבְּתָא – It refers to stitches similar to the **teeth of a dog.**[5]

The Mishnah stated:

מְסָרְגִין אֶת הַמִּטּוֹת – **WE MAY INTERLACE** (*mesargin*) supports for **BEDS.**

The Mishnah continues, and teaches that according to R' Yose we may tighten (*mematchin*) the bed supports on Chol HaMoed. The Gemara inquires as to the precise definition of each of these terms:

מַאי מְסָרְגִין וּמַאי מְמַתְּחִין – **What** is the meaning of ***mesargin*** (interlacing), **and what** is the meaning of ***mematchin*** (tightening)?

The Gemara answers:

כִּי אֲתָא רַב דִּימִי אָמַר – **When Rav Dimi came** to Babylonia **he said:** פְּלִיגֵי בָּהּ רַבִּי חִיָּיא בַּר אַבָּא וְרַבִּי אַסִּי – **R' Chiya bar Abba and R' Assi disagree about this,** וְתַרְוַויְיהוּ מִשְּׁמֵיהּ דְּחִזְקִיָּה וְרַבִּי יוֹחָנָן – **and both of them stated** their views **in the name of Chizkiyah and R' Yochanan.** חַד אָמַר – **One** of them **says:** מְסָרְגִין שְׁתִי וָעֵרֶב – ***Mesargin*** refers to weaving the ropes of the bed **lengthwise and crosswise,**[6] וּמְמַתְּחִין שְׁתִי בְּלֹא עֵרֶב – and ***mematchin*** refers to placing the ropes of the bed **lengthwise without** weaving them **crosswise.** וְחַד אָמַר – **And** the other **one** says: מְסָרְגִין שְׁתִי בְּלֹא עֵרֶב – ***Mesargin*** refers to placing the ropes of the bed **lengthwise without** weaving them **crosswise**,[7] וּמְמַתְּחִין – **whereas** ***mematchin*** means שֶׁאִם הָיָה רָפוּי מְמַתְּחוֹ – **that if** the ropes of the bed were woven on the bed before the festival, and **they became loosened, they may be tightened.**

The Gemara asks:

אֵינִי – **Is this indeed so,** that according to one explanation the term *mesargin* means to place the ropes crosswise only (but placing the ropes crosswise and lengthwise would be forbidden)? וְהָא תָּנֵי רַב תַּחֲלִיפָא בַּר שָׁאוּל – **But Rav Tachalifa bar Shaul taught** in a Baraisa: וְשָׁוִין שֶׁאֵין מַפְשִׁילִין חֲבָלִים לְכַתְּחִלָּה – **AND THEY** [R' Meir and R' Yose] **AGREE THAT WE MAY NOT TWIST NEW ROPES** during Chol HaMoed.[8] בִּשְׁלָמָא לְמַאן דְּאָמַר מְסָרְגִין שְׁתִי וָעֵרֶב – Now, **all is well according to the one who says** that *mesargin* refers to weaving the ropes of the bed **lengthwise and crosswise,** וּמְמַתְּחִין שְׁתִי בְּלֹא עֵרֶב – **and** ***mematchin*** refers to placing the ropes of the bed **lengthwise without** weaving them **crosswise.** הַיְינוּ דְּקָתָנֵי רַב תַּחֲלִיפָא בַּר שָׁאוּל – **This is** why it was necessary for **Rav Tachalifa bar Shaul to teach** that וְשָׁוִין שֶׁאֵין מַפְשִׁילִין חֲבָלִים לְכַתְּחִלָּה – **they** [R' Meir and R' Yose] **agree that we may not twist new ropes** during Chol HaMoed. For he is informing us that although R' Meir allows new ropes to be placed both lengthwise and crosswise, one may not twist new ropes on Chol HaMoed. אֶלָּא לְמַאן דְּאָמַר מְסָרְגִין שְׁתִי בְּלֹא עֵרֶב – **But according to the one who says** that *mesargin* refers to placing the ropes of the bed **lengthwise without** weaving them **crosswise,** מְמַתְּחִין שֶׁאִם הָיָה רָפוּי מְמַתְּחוֹ – and ***mematchin*** means **that if [the ropes of the bed]** which were woven on the bed before the festival **become loosened, they may be tightened,** there is a difficulty; הַשְׁתָּא שְׁתִי וָעֵרֶב אָמַרְתְּ לֹא – for **now,** if regarding placing the ropes **lengthwise and crosswise** on the bed **you have said** that both R' Meir and R' Yose say that it may **not** be done during Chol HaMoed, חֲבָלִים לְכַתְּחִלָּה מִיבַּעְיָא – **is there a need** for Rav Tachalifa to state that **new ropes** may not be twisted? Certainly not! For if all agree that ropes may not be placed lengthwise and crosswise on the bed, certainly we may not make new ropes during Chol HaMoed!

The Gemara concludes:

קַשְׁיָא – This is indeed **a difficulty.**

The Gemara rejects one of the definitions of the term *mesargin* cited above:

אָמַר לֵיהּ רַב נַחְמָן בַּר יִצְחָק לְרַבִּי חִיָּיא בַּר אָבִין – **Rav Nachman bar Yitzchak said to R' Chiya bar Avin:** מִי אִיכָּא לְמַאן דְּאָמַר מְסָרְגִין שְׁתִי בְּלֹא עֵרֶב – **But is there really anyone who says that** ***mesargin*** refers to placing the ropes of the bed **lengthwise without** weaving them **crosswise**? וְהָתְנַן – **Why, we have learned in a Mishnah:**[8a] רַבִּי מֵאִיר אוֹמֵר – **R' MEIR SAID:** הַמִּטָּה מִשֶּׁיִּסְרוֹג בָּהּ שְׁלֹשָׁה בָּתִּים – **A BED** is considered a finished utensil, and it is therefore susceptible to *tumah,* **FROM WHEN THREE BOXES**[9] **ARE**

NOTES

1. That is, who is considered an unskilled person with respect to this law (*Rashi*).

2. One is considered an artisan only if he is able to pass the needle through the garment in and out several times, filling up the entire length of the needle, so that with one pull of the needle he completes many stitches. If he is unable to do so, he is considered an unskilled person with regard to sewing (*Rashi*).

3. They would sew a thick strip of material to make a hem at the bottom of their tunics [to prevent it from rubbing out (*Rashi ms.*)]. One is considered unskilled if he cannot sew this strip onto the garment evenly, but instead makes it wider on one end of the garment and narrower on the other (*Rashi*).

4. I.e. this means that the stitches are not close together; rather, they are spread out. The Mishnah refers to this type of sewing as מַכְלִיב, from the word כֶּלֶב, *dog,* for it is like the teeth of a dog, which are spaced wide apart (*Rashi*).

5. כַּלְבְּתָא, *kalbesa,* was the name of a stitch which was not sewn evenly across the garment; rather, each stitch was made on a different level, some being higher than the others. It was called כַּלְבְּתָא from the word כֶּלֶב, *dog,* for it is like the teeth of a dog, which are one higher than the other (see *Rashi, Rashi ms.*).

[It should be noted that according to *Rashi ms.,* the text should not include the word שִׁינֵּי, only the word כַּלְבְּתָא (the name of the stitch); this may have been *Rashi's* text as well.]

6. *Tosafos* is at a loss to explain why this labor should be permitted on Chol HaMoed in a normal manner. *Tos. HaRosh* explains that preparing the bed is permitted because not having the bed prepared would be considered similar to a דָּבָר הָאָבֵד, *something that will be lost;* see also *Talmid R' Yechiel MiParis,* who suggests that it is permitted only if the person has no other bed upon which to sleep.

7. According to this view, weaving the ropes of the bed both lengthwise and crosswise would be forbidden, for since the bed is usable with lengthwise ropes alone, this would be considered excessive exertion, which is forbidden on Chol HaMoed.

8. [This follows the understanding of *Rashi* and many Rishonim; for another explanation of this ruling, see *Tur* §541.]

8a. *Keilim* 16:1.

9. The spaces between the ropes which are crossed are called בָּתִּים, *houses.*

The reference here is to the completion of a bed whose ropes were

ההדיוט תופר כדרכו: היכי דמי הדיוט אמרי דבי רבי ינאי כל שאינו יכול להוציא מלא מחט בבת אחת רבי יוסי בר חנינא אמר כל שאינו יכול לכוין אימרא בחפת חלוקו: והאומן מכליב: מאי מכליב רבי יוחנן אמר מפסיע רבה בר שמואל אמר שיני כלבתא: מסרגין את המטות: מאי מסרגין ומאי ממתחין כי אתא רב דימי אמר פליגי בה ר' חייא בר אבא ור' אסי ותרוייהו משמיה דחזקיה ור' יוחנן חד אמר מסרגין שתי וערב וממתחין שתי בלא ערב וחד אמר מסרגין שתי בלא ערב וממתחין שאם היה רפוי ממתחו איני והא תני רב תחליפא בר שאול ושוין שאין מפשילין חבלים לכתחלה בשלמא למאן דאמר מסרגין שתי וערב וממתחין שתי בלא ערב היינו דקתני רב תחליפא בר שאול [א]ושוין שאין מפשילין חבלים לכתחלה אלא למאן דאמר מסרגין שתי בלא ערב ממתחין שאם היה רפוי היה ממתחו השתא שתי וערב אמרת לא חבלים לכתחלה מיבעיא קשיא א"ל רב נחמן בר יצחק לרבי חייא בר אבין מי איכא למאן דאמר מסרגין שתי בלא ערב והתנן [א]רבי מאיר אומר המטה משיסרוג בה שלשה בתים אלא כי אתא רבין אמר במסרגין כולי עלמא לא פליגי דשתי וערב אלא כי פליגי בממתחין מר סבר ממתחין שתי בלא ערב ומר סבר שאם היה רפוי ממתחו מיתיבי מסרגין את המטה ואין צריך לומר שממתחין דברי ר' מאיר ר' יוסי אומר ממתחין אבל לא מסרגין וי"א אין ממתחין כל עיקר בשלמא למאן דאמר ממתחין שתי בלא ערב היינו דאתו יש אומרים לאיפלוגי אלא למאן דאמר שאם היה רפוי ממתחו ליש אומרים ממתחו נמי לא אין כיון דאפשר לממלייה במאני לא טרחינן: **מתני'** [ב]מעמידין תנור וכירים [ג]וריחים במועד ר' יהודה אומר אין מכבשין את הריחים בתחילה: **גמ'** מאי מכבשין רב יהודה אמר מנקר ריחיא רב יחיאל אמר בת עינא מיתיבי [ה]מעמידין תנור וכירים במועד ובלבד שלא יגמור מלאכתן דברי רבי אליעזר וחכמים אומרים אף יגמור רבי יהודה אומר משמו מעמידין את החדשה ומכבשין את הישנה ויש אומרים אין מכבשין כל עיקר בשלמא למאן דאמר מכבשין מנקר ריחיא היינו דמשכחת לה בישנה אלא למאן דאמר בת עינא ישנה בת עינא למה לה כגון דקא בעי לארווחי טפי פורתא רב הונא שמעיה להוא גברא דקא מנקר ריחיא בחולא דמועדא אמר מאן האי [ג]איתחיל גופיה דקא מחיל חולא דמועדא סבר לה כיש אומרים דרש רב חמא [ד]נוקרין ריחים במועד משום (א) רבי מאיר אמר אפילו סום שרוכב עליו וחמור שרוכב עליו [ה]([ג]ומותר) ליטול צפרנים בחולו של מועד אבל

רש"י

תופר כדרכו. בחולו של מועד: היכי דמי הדיוט. שאינו אומן שתופר כדרכו: מלא מחט בבת אחת. שאינו יכול ללקוט נימי התפירה של חלוק כדי לתפור כשהוא תופר תוחב תחיבות הרבה כמלא אורך המחט ואח"כ מושכה מן הבגד ונמלאו תפירות הרבה במשיכה אחת והיודע לעשות כן אומן הוא: שאינו יכול לכוין אימרא בחפת חלוקו. שאינו יודע לתחוב אותו בגד עב שעושין ממנו אימרא בחפת חלוקו אלא שבמקום אחד מקצרו ובמקום אחד מרחיבו: האומן. החייט מכליב: מפסיע. שאינו תופר ביושר אלא מפזר התפירה ולהכי קרי מכליב שדומין תחובי המחט לשיני הכלב רחוקות זו מזו כשיני הכלב: כלבתא. שאינו תופר כדרכו (ב) תוחב זה בסמוך זה אלא שתוחב המחט פעם אחת למעלה ופעם אחת למטה ולהכי קרי ליה כלבתא דהכי קיימי שיני הכלב שן אחד גבוה מחבירו: מסרגין שתי וערב. שאורגין מטה של חבלים בשתי וערב: שתי בלא ערב. שמותח השתי ואינו אורג בה הערב: שאם היה רפוי. זה שנארג ימים רבים והיו החבלים רפויין ותלוין למטה שאינן מתוחין ממתחן: ושוין. רבי מאיר ור' יוסי: שאין מפשילין חבלים לכתחלה. שאין גודלים חבלים לכתחלה: המטה. לעולם אינה מקבלת טומאה עד שיסרג בה ג' בתי נירין שהשתי כבר מתוח ואורג בה שלשה בתי נירין דערב אלמא דמסרגין קרי שתי וערב: היינו דאתו יש אומרים לאפלוגי. דאפילו שתי בלא ערב לא מצי: ממתח נמי לא. בתמיה אתו יש אומרים למיסר נמי מתוחי ואמאי הא לא קעביד מלאכה ואי לא עביד הכי לא מצי למיזגא עלה: אין. ודאי אתו יש אומרים למיסר נמי מתוחי משום דהואיל ואפשר למלייה למטה במאני עד לעיל והדר מצי למירמא עלייהו כרים וכסתות למיזגא עלייהו: לא טרחינן. דהוי טורח דלא צריך: **מתני'** מעמידין תנור וכירים. שעושין אותם לכתחלה כדאמרינן לקמן תנור תוכו חלול מקום שפיתת (ג) שתי קדירות כירה מקום שפיתת קדירה אחת: מכבשין. [א] בגמ' מפרש: **גמ'** מנקר ריחיא. שכשהיא ישנה וחלקה ואין החטין יכולין לפרך מנקרין אותה חותכין אותה כדי שלא יהא שוה כדי שיפרכו החטין תחתיה: בת עינא. נקב שעושין באמצע הריחים שהתבואה נופלת לתוכה: היינו דמשכחת לה בישנה. לפי שהישנה צריכה לכך שכבר היא חלקה לפי שתדיר היא טוחנת: אלא למאן דאמר. דמכבשין היינו בת עינא ישנה בת עינא למה והלא כבר אית לה בת עינא שכבר היא ישנה מלטחון ואי לא הוי לה בת עינא לא מצי למיטחן: כגון דבעי לארווחי. האי בת עינא טפי וכי האי גוונא משכחת לה בישנה: מנקר ריחיא. בישנה: איתחיל גופיה. יתחלל גופו: מותר ליטול. להן לפרניס כדרך העושין עכשיו לסוסים שלנו דאי לא עביד ליה הכי הוה ליה צערא ולא מצי אזיל: אבל

תוספות

ההדיוט תופר כדרכו. נראה דוקא לצורך המועד אבל בחנם למה יתירו אפילו על ידי שינוי מיהו לא איירי בדבר האבד דהיכא דאיכא דבר האבד קיימא לן כר' יוסי דאין מצריך שינוי בדבר האבד והיכא דבגדיו או מנעליו מקורעין ואם יניח אותן עד לאחר מועד יתקלקלו ראיתי רבותי שאין מקילין כלל להתיר אפילו על ידי נכרי כדאמרינן לקמן (דף יב.) כל שאינו עושה אינו אומר לנכרי ועושה ושמא לא היו חושבים אותו דבר האבד או שמא אין כל דבר האבד מותר בלא שינוי דפ' מקום שנהגו (פסחים דף נה:) משמע דוקא עולי רגלים מתקנין מנעלים במועד [ז]:

במסרגין כולי עלמא לא פליגי דשתי וערב. תימה היאך מותר לעשות מלאכה כי האי בלא שינוי: ממתוחי נמי לא. בלאו הכי נמי נראה דמצי לאקשויי היכי קאמר ר' יוסי שאם היה רפוי ממתחו אבל לא מסרגין שתי וערב הא אפילו בשתי בלא ערב אסור:

כיון דאפשר למלויי במאני. משמע דאין מותר אלא לצורך המועד:

ה"ג רבי יהודה אומר אין מכבשין את הריחים בתחילה. ובחדשה קאמר דהא בגמרא מתיר ישנה ואין נראה לומר דבגמ' דמתיר ישנה משום ר' אליעזר קאמר והא משמיה דידיה כי למה נדחוק לעשות מחלוקת חנם ועוד דלכתחילה משמע חדשה ואם תאמר כבוש מאן דכר שמיה י"ל תנא קמא אמר מעמידין ובחדשה קאמר ומשמע אפילו כבוש ור' יהודה אוסר בכבוש ואית דגריס ר' יהודה אומר מכבשין את הריחים ולא גרס לכתחילה והיא היא אבל עתה קשיא יותר כבוש מאן דכר שמיה תנא קמא נמי שרי יש לומר דת"ק שרי העמדה בעלמא שאין זה בנין גמור (ד) וה"ה דאסר כבוש בין בחדשה בין בישנה ור' יהודה שרי כבוש בישנה וגירסא ראשונה נראה לרבי ומעמידין נראה דוקא העמדה דתנור אין זה בנין בתחילה אלא הוא עשוי כבר אבל אינו מחובר בקרקע וצריך לחברו ולטפלו בארץ כדמפרש בפרק כל הכלים (שבת דף קכה.) אי נמי כי ההוא דפ' המביא כדי יין (ביצה לד.) גבי תנור דבי"ט אין סכין אותו ואין טשין אותו במטלית וכו' הכא במועד שרי ולקמן בשמעתין נמי קאמר ושוין שאין גודלים תנור בתחילה ובירושלמי תני ר' חלפתא ובלבד שלא יגלחנו בתחילה ופירש בתוספ' דלא ידע מאי גילוח ול"נ דגרסינן שלא יגדלנו:

סום שרוכב עליו. פי' בתוספת לצורך המועד משמע שאסור לרכוב בחנם: למישקל

רש"י כת"י (המשך): אמ' מסרגין שתי בלא ערב. אבל מיתוח אינו אלא שאם היה ארוג כבר ועברו ימים רבים ורפו החבלים שישים עין אחד לראש המטה כדי למתוח החבלים. ושוין. ר' מאיר ור' יוסי. אין מפשילין. אין גודלין ועושין חבלים. השתא. לר' יוסי אמרת לא ותנא קמא לא שרי אלא בלא ערב מפשילין מבעיא. מי איכא למאן דאמ' מסרגין. היינו שתי בלא ערב בתמיה. מטה. מאימתי נגמרה לטומאה. משיסרג בה שלשה בתים. ועוד אי בשתי ג' בתים למאי חזי. אלא כי פליגי. ר' יוסי ב"ר חנינא ור' חייא. בממתחין. ואליבא דר' יוסי דמתני'. מתוח נמי לא. בתמיה מאי איכא. כיון דאיפשר למלייה במאני. אם היה רפוי והחבלים מעמיקין למטה יכול שיתן שם כרים וכסתות הן בה עד שימלאנו. ה"ג במתני' מעמידין תנור ורחים במועד. העמדת ריחים במקום קבועתם מעמידין בונין ומושבין ומתקנין תנו' ל"א שלהן לכתחלה כדאמרינן לקמן רבא שרא למגדל תנור וכגון שצריך שתי קדירות. כירים. מקום שפיתת קדרה אחת תנוריהם קטנים היו ושל חרס כעין כדים גדולים ויכול לנשאן בכל מקום שירצה ויש מהן שהיו מעמידו וקבעו במקום אחד שמטיחו בסיד וקובעו מלמטה ומלמעלה היה מכסהו כמו כן באותו סיד כדי שיעכב חמימותו וזו היא העמדה. מכבשין. מפרש בגמרא. (מכאן עד סוף הפרק חסר בכת"י) *מנקר ריחיא. (שככה) [שמכה] בפטיש ומנקר על הריחים התחתונה (שתחוב בו הברזל) [כשהן חלקות יותר מדאי ואינן טוחנין יפה]. בת עינא. (חור ונקב שבעליונה) [נקב שבריחים התחתונה שתחוב בו הברזל ונקב שבעליונה] שבו נופלין החיטין. סום שרוכב. בו והולך לדרכו יכול ליטול צפרניו במועד דא"א לו לילך אא"כ נוטל צפרניו [דזימנין דמיתקל ומת].

מסורת הש"ס

א) כלים פט"ז מ"א, ב) [עירובין קד.], ג) [נ"ל מותר], ד) [וע"ש בפסחים תוס' ד"ה עולי רגלים].

הגהות הב"ח

(א) גמ' נוקרין ריחים במועד משום רבינו אמרו (אפילו) תו"מ ונ"ב בס"א ל"ג ליה. עוד נ"ב ונראה דרבינו הוא רב ועי' במ"ש פ' לולב הגזול דף לג ע"א אפרש"י רבינו רבי שם הארכתי על זה: (ב) רש"י ד"ה כלבתא כו' כדרכו לתחוב זה: (ג) ד"ה מעמידין כו' מקום שפיתת קדירה אחת כירה מקום שפיתת שתי קדירות. נ"ב כ"ה בריש פ' כירה: (ד) תוס' ד"ה ה"ג ר"י כו' שאין זה בנין גמור אבל בנין בתחילה אסור וה"ה לאסור כבוש:

הגהות מהר"ב רנשבורג

א] רש"י ד"ה מכבשין בגמ' מפרש. נ"ב עי' נדה כו ע"ב בתוס' ד"ה בפלוגתא וכו' ועיין ודו"ק:

גליון הש"ס

גמ' מעמידין תנור וכירים וריחים כצ"ל:

רש"י כת"י

כל שאינו יכול. כל שאינו יודע להוציא מלא מחט בבת אחת כשהוא אומן תוחב תחיבות הרבה כמלא אורך מחט ואחר כך מושכת מן הבגד ונמלא תפירת הרבה במשיכה אח' ודרכו לעשות כן בבגד נמר שבלה ומתמסמסת והולך ואורגהו במחט בענין זה חוטין חדשים כעין אריגה דטרי"א בלע"ז והיודע לעשות כן הרי זה אומן. שאין יודע לכוין אמרא בחפת חלוקו. שפה. חפת. שדרך לתת בגד עבה סביב שולי החלוק שלא יבלו כשנגררין בארץ וההדיוט אינו יכול לכוין באותו בגד שתהא השפה מכוונת בו אלא מעוקמת לכאן ולכאן ועושהו רחב במקום אחד וקצר זה. מפסיע. תופר מהרה תפירות רחוקו' זו מזו בשטיי"ר בלע"ז כעין שני הכלב שרחוקות זו מזו. ה"ג. רבה אמ' כלבתא ולא גרסי' שני דשם תפירה כך היא תפירה שאינה יפה אלא תפירה אחת למעלה ואחת למטה כעין שיני הכלב שאינן שוות זו כנגד זו. מסרגין את המטות. אורגין בחבלים. ר' יוסי אומר ממתחין. אם רפוי שנארג זה ימים רבים ורפו החבלים ממתחין אבל לא מסרגין. שתי. בלא ערב אבל מיתוח אינו אלא שאם היה ארוג כבר ועברו ימים רבים ורפו החבלין ממתחין אבל לא מסרגין. שתי וערב. כדרך אריגת מטה שתי וערב לאורך ולרוחב. וחד

עין משפט נר מצוה

פח א טוש"ע א"ח סי' תקמא סעיף ב:
פט ב מיי' פ"ח מהלכות י"ט הלכה יג טוש"ע שם סי' תקמ סעיף ז:
צ ג ד מיי' שם טור ש"ע שם סעיף ח:
צא ה מיי' שם הלכה טו טוש"ע שם סי' תקלו סעיף א:

רבינו חננאל

שמשיר את השיער ומעדן את הבשר: ההדיוט תופר כדרכו בתלמו"ד א"י מפור"ש לפיכ"ך כתבנ"ו והנחנ"ו ז"ה. דבי ר' ינאי אמרי כדרכו ממלא את המחט. מכליב אחת אחת ר' יוחנן א' כדרכו (אפי') אחת אחת. מכליב. מפסיע. כלומר מדלג. מתני' מסייע לר' יוחנן הרצענין מכלבין במועד אין תימר חדא חדא היינו אורחייהו כך היא אומנותן א) של מפסע. ר' יוסי ב"ר חנינא אומר המזווג את האמריות ב) זהו אומן וכל מי שאינו מזווג אינו אומן א"ר סימון הדיוט תופר כיסין כיסין. מסרגין את המטות. ר' יוסי אומר ממתחין. ר' חייא בר אבא ור' אמי פליגי תרוייהו משום דחזקיה ור' יוחנן (אמרו) חד אמר מסרגין כגון אריגה שתי וערב ממתחין שתי בלא ערב. וחד אמר מסרגין שתי בלא ערב. ממתחין שאם היה רפוי ממתחו. איני והתני ר' חלפתא בן שאול ושוין פי' ת"ק ור' יוסי שאין מפשילין חבלים לכתחלה. ומתמה רב נחמן בר יצחק מי איכא מ"ד מסרגין שתי בלא ערב. והתנן ר"מ אומר המטה משיסרוג בה שלשה בתים מי אפשר לעשות בית בלא שתי וערב אלא כ"ע מסרגין שתי וערב כי פליגי בממתחין. ולא איפשיט לן בהדיא האי מיתוח מה הוא אי שתי בלא ערב. או אם היה רפוי ממתחו. אפשר למימליא במני. אפשר למלאות רפיון חבלי המטה בכסתות הרבה: [מתני'] מעמידין תנור וכירים במועד ר"י אומר אין מכבשין את הריחים במועד בתחלה. מאי מכבשין. רב יהודה אמר מנקר ריחיא פי' כיון שיעמדו הריחים מלטחון מנקרין בהן נקרין קטנים כמין חידודין כדי לטחון במהרה רב יחיאל אמר בת עינא. ומקשינן עליה דרב יחיאל ומפרק כגון דנקרה ובעי לארווחי ביה טפי רב הונא שמע לההוא גברא דהוה מנקר ריחיא בחולו של מועד אמר מאן האי דמחיל י"ט ליתחיל גופיה. ורב הונא סבר לה כי"א דאמרו אין מכבשין כל עיקר. דרש רב חמא נוקרין ריחים בחולו של מועד משום רבינו אמרו אפי' סוס שרוכב עליו וחמור

חשק שלמה על ר"ח

א) בירושלמי שם הגי' אלא כי אנן קיימין במפסיע. ב) לפנינו בירושלמי איתא כל שהוא מזווג את האמריות וזהו הדיוט ופשוט דטס"ה ול"ל כגי' רבינו ז"ל.

INTERLACED IN IT. Accordingly, it is clear from this Mishnah that the term מְסָרְגִין, *interlaced,* refers to a bed in which ropes are interlaced both lengthwise and crosswise. —?—

The Gemara accepts this rejection, and therefore explains differently:

אֶלָּא כִּי אֲתָא רָבִין אָמַר – **Rather, when Ravin came** to Babylonia, **he said:** בִּמְסָרְגִין כּוּלֵּי עָלְמָא לֹא פְּלִיגֵי דִּשְׁתִי וָעֵרֶב – **With respect to** the meaning of ***mesargin,* no one disagrees that** it means weaving the ropes of the bed both **lengthwise and crosswise.** אֶלָּא כִּי פְּלִיגֵי – **But where do they argue?** בִּמְמַתְּחִין – **With respect to** the meaning of ***ematchin.*** מַר סָבַר מְמַתְּחִין שְׁתִי בְּלֹא עֵרֶב – **One master holds** that ***mematchin*** refers to placing the ropes of the bed **lengthwise without** weaving them **crosswise,** וּמַר סָבַר שֶׁאִם הָיָה רָפוּי מְמַתְּחוֹ – **whereas** the other **master holds** it means **that if [the ropes of the bed]** which were woven on the bed before the festival **become loosened, they may be tightened.**

The Gemara challenges this explanation as well:

מֵיתִיבֵי – **They challenged it** from the following Baraisa: מְסָרְגִין אֶת הַמִּטָּה – WE MAY INTERLACE supports for THE BED, וְאֵין צָרִיךְ לוֹמַר שֶׁמְּמַתְּחִין – AND IT GOES WITHOUT SAYING THAT WE MAY DO *MEMATCHIN*; דִּבְרֵי רַבִּי מֵאִיר – THESE ARE THE WORDS OF R' MEIR. רַבִּי יוֹסֵי אוֹמֵר – R' YOSE SAID: מְמַתְּחִין אֲבָל לֹא מְסָרְגִין – WE MAY DO *MEMATCHIN,* BUT WE MAY NOT INTERLACE supports for the bed. וְיֵשׁ אוֹמְרִים – AND SOME SAY: אֵין מְמַתְּחִין כָּל עִיקָּר – WE MAY NOT DO *MEMATCHIN* AT ALL. בִּשְׁלָמָא לְמַאן דְּאָמַר מְמַתְּחִין שְׁתִי בְּלֹא עֵרֶב – Now, **it is understandable according to the one who says** that ***mematchin*** refers to placing the ropes of the bed **lengthwise without** weaving them **crosswise;** הַיְינוּ דְּאָתוּ יֵשׁ אוֹמְרִים לְאִיפְּלוּגֵי – **that is** why the opinion of **"and some say"** is necessary **to come and disagree** with the first opinions and state that we may not even place the ropes of the bed lengthwise without weaving them crosswise. אֶלָּא לְמַאן דְּאָמַר שֶׁאִם הָיָה רָפוּי מְמַתְּחוֹ – **But according to the one who says that** *mematchin* means **that if [the ropes of the bed]** which were woven on the bed before the festival **become loosened, they may be tightened,** לְיֵשׁ אוֹמְרִים מְמַתְּחוֹ נַמִּי לֹא – is it possible that **according to the** opinion of **"and some say," even tightening** the ropes **would also be forbidden?**[10]

The Gemara answers:

אִין – **Yes.** In their opinion, even tightening the ropes is forbidden; כֵּיוָן דְּאֶפְשָׁר לְמִמְלְיֵיהּ בְּמָאנֵי – for **since it is possible to fill it** (the depression in the bed) **with garments,** so that it is possible to lay on the bed, לֹא טַרְחִינַן – **we may not exert ourselves** to tighten the ropes.[11]

Mishnah מַעֲמִידִין תַּנּוּר וְכִירַיִם וְרֵיחַיִם בַּמּוֹעֵד – **We may set up an oven or a stove**[12] **or a pair of millstones on Chol HaMoed.**[13] רַבִּי יְהוּדָה אוֹמֵר – **R' Yehudah says:** אֵין מְכַבְּשִׁין אֶת הָרֵיחַיִם בַּתְּחִילָּה – **We may not gouge the millstone initially.**[14]

Gemara The Gemara explains:

מַאי מְכַבְּשִׁין – **What is** the meaning of **"gouging"?** רַב יְהוּדָה אָמַר – **Rav Yehudah says:** מְנַקֵּר רֵיחְיָא – It means **cutting** grooves in **the millstone.**[15] רַב יְחִיאֵל אָמַר – **Rav Yechiel says:** בַּת עֵינָא – It means cutting the **eye-hole.**[16]

The Gemara questions Rav Yechiel's explanation:

מֵיתִיבֵי – **They challenged** Rav Yechiel's explanation from the following Baraisa: מַעֲמִידִין תַּנּוּר וְכִירַיִם [וְרֵיחַיִם][17] בַּמּוֹעֵד – WE MAY SET UP AN OVEN OR A STOVE [OR MILLSTONES] ON CHOL HAMOED, וּבִלְבַד שֶׁלֹּא יִגְמוֹר מְלַאכְתָּן – PROVIDED THAT ONE DOES NOT

NOTES

already in place lengthwise. When ropes are then placed crosswise, so that there are three boxes made from the ropes that are crossing, the bed is susceptible to *tumah* (*Rashi*).

10. Since he is not doing a labor by tightening them, and he is unable to lay on the bed without tightening them, why would they forbid it? (*Rashi*).

11. For this would be an unnecessary exertion (*Rashi*). [The other Tannaim, however, are of the opinion that since the support of the ropes is superior to that afforded by filling in the depression with garments, preparing the bed by placing ropes is permitted if the bed is needed for the festival (see *Tosafos,* and note 6 above).]

12. Both are types of portable ovens. A תַּנּוּר, *oven,* has room on top for two pots, whereas a כִּירָה, *stove,* has room on top for one (see *Rashi*). [*Hagahos HaBach* §3 seeks to emend *Rashi* to read that the כִּירָה, *stove,* has room on top for two pots (and the תַּנּוּר, *oven,* has room for one), as seen in the Gemara *Shabbos* 38b. *Rashi ms.* here (and *Rashi* to *Niddah* 26a ד״ה תנור), however, also states that the כִּירָה, *stove,* has room for one pot, and *Tosafos* to *Niddah* 26b ד״ה בפלוגתא indeed note the discrepancy between *Rashi's* comments and *Shabbos* 38b (see *Hagahos R' Betzalel Ronsburg* and *Rashash* here).]

13. By "setting up," the Mishnah means that they may be constructed from scratch (*Rashi;* see also *Rashi* to 11a ד״ה למגדל תנורא). [*Rashi* does not mention "millstones," and it may be that the word וְרֵיחַיִם, *and millstones,* did not appear in his version of the Mishnah. *Ritva* (printed on 9b) indeed cites versions that do not contain the word וְרֵיחַיִם, *and millstones* (see also *Rabbeinu Chananel*), and he explains (according to these versions) that the Tanna Kamma does not permit the construction of millstones on Chol HaMoed because millstones are not preliminaries to food preparation, but rather preliminaries to preliminaries (i.e. they make the flour which must then be processed into bread).]

[*Rashi ms.,* however, explains that while the Mishnah permits one to actually manufacture ovens on Chol HaMoed, in the case of millstones it permits only their assembly, but not their actual manufacture. *Tos. HaRosh* wonders why *Rashi* takes the Mishnah's word מַעֲמִידִין, *we may set up,* to mean one thing in regard to ovens and another in regard to millstones. *Tos. HaRosh* himself explains that in both cases, the Mishnah permits only the "setting up" of these movable utensils – i.e. fixing them in place and making various other enhancements – but not their initial manufacture (see there; see also *Tosafos* ד״ה ר׳ יהודה).]

14. The Gemara will explain what the Mishnah means by "gouging" the millstone.

"Initially" means that we may not gouge a *new* millstone, i.e. one that has never been gouged (*Tosafos; Ritva*).

15. [A mill consists of a pair of millstones – the lower, fixed millstone (the bed stone), and the upper, rotating millstone (the runner).]

A pair of smooth millstones will not grind the kernels properly. Therefore, the lower millstone (the bed stone) is roughened by cutting grooves into it, producing the ridges that catch and grind the kernels (see *Rashi* and *Rashi* to *Rif*).

[*Rashi* here writes that when the millstone becomes worn smooth from use, it no longer grinds properly and must be grooved again. These comments would suggest that R' Yehudah in the Mishnah means to forbid the gouging of an *old* millstone. This understanding, however, is difficult, because our versions of the Mishnah read that R' Yehudah forbids gouging the millstones "initially," which apparently refers to a *new* millstone (see note 14). Moreover, the Baraisa below cites R' Yehudah in the name of R' Eliezer as *permitting* gouging an old millstone, and the natural assumption would be that this is R' Yehudah's personal view as well (see *Tosafos*).]

16. This is the hole cut into the middle of the upper millstone through which the kernels enter between the stones to be ground (see *Rashi* and *Rashi* to *Rif*).

17. [Addition of וְרֵיחַיִם, *and millstones,* follows *R' Akiva Eiger* in *Gilyon HaShas* and *Keren Orah,* end of ד״ה משנה מעמידים; see also *R' Shlomo ben HaYasom.* ("Millstones" must be added, since the end of the Baraisa discusses the law for "a new one" and "an old one," referring to a millstone.)]

ההדיוט תופר כדרכו: היכי דמי הדיוט אמרי דבי רבי ינאי כל שאינו יכול להוציא מלא מחט בבת אחת רבי יוסי בר חנינא אמר כל שאינו יכול לכוין אימרא בחפת חלוקו: והאומן מכליב: מאי מכליב רבי יוחנן אמר מפסיע רבה בר שמואל אמר שיני כלבתא: מסרגין את המטות: מאי מסרגין ומאי ממתחין כי אתא רב דימי אמר פליגי בה ר' חייא בר אבא ור' אסי ותרוייהו משמיה דחזקיה ור' יוחנן חד אמר מסרגין שתי וערב וממתחין שתי בלא ערב וחד אמר מסרגין שתי בלא ערב וממתחין שאם היה רפוי ממתחו איני והא תני רב תחליפא בר שאול ושוין שאין מפשילין חבלים לכתחלה בשלמא למאן דאמר מסרגין שתי וערב וממתחין שתי בלא ערב היינו דקתני רב תחליפא בר שאול [א]ושוין שאין מפשילין חבלים לכתחלה אלא למאן דאמר מסרגין שתי בלא ערב ממתחין שאם היה רפוי היה ממתחו השתא שתי וערב אמרת לא חבלים לכתחלה מיבעיא קשיא א"ל רב נחמן בר יצחק לרבי חייא בר אבין מי איכא למאן דאמר מסרגין שתי בלא ערב והתנן [א]רבי מאיר אומר המטה משיסרוג בה שלשה בתים אלא כי אתא רבין אמר במסרגין כולי עלמא לא פליגי דשתי וערב אלא כי פליגי בממתחין מר סבר ממתחין שתי בלא ערב ומר סבר שאם היה רפוי ממתחו מיתיבי מסרגין את המטה ואין צריך לומר שממתחין דברי ר' מאיר ר' יוסי אומר ממתחין אבל לא מסרגין וי"א אין ממתחין כל עיקר בשלמא למאן דאמר ממתחין שתי בלא ערב היינו דאתו יש אומרים לאיפלוגי אלא למאן דאמר שאם היה רפוי ממתחו ליש אומרים ממתחו נמי לא אין כיון דאפשר לממלייה במאני לא טרחינן: **מתני'** [ב]מעמידין תנור וכירים [ג]וריחים במועד ר' יהודה אומר אין מכבשין את הריחים בתחילה: **גמ'** מאי מכבשין רב יהודה אמר מנקר ריחיא רב יחיאל אמר בת עינא מיתיבי [ה]מעמידין תנור וכירים במועד ובלבד שלא יגמור מלאכתן דברי רבי אליעזר וחכמים אומרים אף יגמור רבי יהודה אומר משמו מעמידין את החדשה ומכבשין את הישנה ויש אומרים אין מכבשין כל עיקר בשלמא למאן דאמר מכבשין מנקר ריחיא היינו דמשכחת לה בישנה אלא למאן דאמר בת עינא ישנה בת עינא למה לה כגון דקא בעי לארווחי טפי פורתא רב הונא שמעיה לההוא גברא דקא מנקר ריחיא בחולא דמועדא אמר מאן האי [ג]איתחיל גופיה דקא מחיל חולא דמועדא סבר לה כיש אומרים דרש רב חמא [ד]נוקרין ריחים במועד משום (א) רבי מאיר אמר אפילו סוס שרוכב עליו וחמור שרוכב עליו [ה]([ג]ומותר) ליטול צפרנים בחולו של מועד אבל

רש"י

תופר כדרכו. בחולו של מועד: היכי דמי הדיוט. שאינו אומן שתופר כדרכו: מלא מחט בבת אחת. שאינו יכול ללקוט נימי התפירה של חלוק כדי לתפור כשהוא תופר תוחב תחיבות הרבה כמלא אורך המחט ואח"כ מושכה מן הבגד ונמלאו תפירות הרבה במשיכה אחת והיודע לעשות כן אומן הוא: שאינו יכול לכוין אימרא בחפת חלוקו. שאינו יודע לתחוב אותו בגד עב שעושין ממנו אימרא בחפת חלוקו אלא שבמקום אחד מקצרו ובמקום אחד מרחיבו: האומן. החייט מכליב: מפסיע. שאינו תופר ביושר אלא מפזר התפירה ולהכי קרי מכליב שדומין תחובי המחט לשיני הכלב רחוקות זו מזו כשיני הכלב: כלבתא. שאינו תופר כדרכו (ב) תוחב זה בסמוך זה אלא שתוחב המחט פעם אחת למעלה ופעם אחת למטה ולהכי קרי ליה כלבתא דהכי קיימי שיני הכלב שן אחד גבוה מחבירו: מסרגין שתי וערב. שאורגין מטה של חבלים בשתי וערב: שתי בלא ערב. שמותח השתי ואינו אורג בה הערב: שאם היה רפוי. זה שנארג ימים רבים והיו החבלים רפויין ותלוין למטה שאינן מתוחין ממתחן: ושוין. רבי מאיר ור' יוסי: שאין מפשילין חבלים לכתחלה. שאין גודלים חבלים לכתחלה: המטה. לעולם אינה מקבלת טומאה עד שיסרג בה ג' בתי נירין שהשתי כבר מתוח ואורג בה שלשה בתי נירין דערב אלמא דמסרגין קרי שתי וערב: היינו דאתו יש אומרים לאפלוגי. דאפילו שתי בלא ערב לא מצי: ממתח נמי לא. בתמיה אתו יש אומרים למיסר נמי מתוחי ואמאי הא לא קעביד מלאכה ואי לא עביד הכי לא מצי למיזגא עלה: אין. ודאי אתו יש אומרים למיסר נמי מתוחי משום דהואיל ואפשר למלייה למטה במאני עד לעיל והדר מצי למירמא עלייהו כרים וכסתות למיזגא עלייהו: לא טרחינן. דהוי טורח דלא צריך: **מתני'** מעמידין תנור וכירים. שעושין אותם לכתחלה כדאמרינן לקמן תנור תוכו חלול מקום שפיתת (ג) שתי קדירות כירה מקום שפיתת קדירה אחת: מכבשין. [א] בגמ' מפרש: **גמ'** מנקר ריחיא. שכשהיא ישנה וחלקה ואין החטין יכולין לפרך מנקרין אותה חותכין אותה כדי שלא יהא שוה כדי שיפרכו החטין תחתיה: בת עינא. נקב שעושין באמצע הריחים שהתבואה נופלת לתוכה: היינו דמשכחת לה בישנה. לפי שהישנה צריכה לכך שכבר היא חלקה לפי שתדיר היא טוחנת: אלא למאן דאמר. דמכבשין היינו בת עינא ישנה בת עינא למה והלא כבר אית לה בת עינא שכבר היא ישנה מלטחון ואי לא הוי לה בת עינא לא מצי למיטחן: כגון דבעי לארווחי. האי בת עינא טפי וכי האי גוונא משכחת לה בישנה: מנקר ריחיא. בישנה: איתחיל גופיה. יתחלל גופו: מותר ליטול. להן צפרנים כדרך העושין עכשיו לסוסים שלנו דאי לא עביד ליה הכי הוה ליה צערא ולא מצי אזיל: אבל

בלא ערב. אבל מיתוח אינו אלא שאם היה ארוג כבר ועברו ימים רבים ורפו החבלים שישים עץ אחד לראש המטה כדי למתוח החבלים. ושוין. ר' מאיר ור' יוסי. **אין מפשילין.** אין גודלין ועושין חבלים. **השתא.** לר' יוסי אמרת לא שרי אלא בלא ערב מפשילין מבעיא. היינו שתי בלא ערב בתמיה. מטה. מאימתי נגמרה לטומאה. משיסרג בה שלשה בתים. ועוד אי בשתי ג' בתים למאי חזי. **אלא כי פליגי.** ר' יוסי ב"ר חנינא ור' חייא. בממתחין. ואליבא דר' יוסי דמתני'. **מתוח נמי לא.** בתמיה מאי איכא. **כיון דאיפשר למלייה במאני.** אם היה רפוי והחבלים מעמיקין למטה יכול שיתן שם כרים וכסתות הן בה עד שימלאוה. ה"ג במתני' מעמידין תנור ורחים במועד. העמדת ריחים במקום קבועתם מעמידין בונין ומושבין ומתקנין תנו' ל"א שלהן לכתחלה כדאמרינן לקמן רבה שרא למגדל תנור וכגון שצריך שתי קדירות. **כירים.** מקום שפיתת קדרה אחת תנורים קטנים היו ושל חרס כעין כדים גדולים ויכול לנשאן בכל מקום שירצה ויש מהן שהיו מעמידו וקובעו במקום אחד שמטיחו בטיט וקובעו מלמטה ומלמעלה היה מכסהו כמו כן באותו טיט כדי שיעמוד. **מכבשין.** מפרש בגמרא. (מכאן עד סוף הפרק חסר בכת"י) *[**מנקר ריחיא.** (שהכה) [שמכה] בפטיש ומנקר על הריחים התחתונה (שתחוב בו הברזל) [כשהן חלקות יותר מדאי ואינן טוחנין יפה]. **בת עינא.** (חור ונקב שבעליונה) [נקב שבריחים התחתונה שתחוב בו הברזל ונקב שבעליונה] שבו נופלין החיטין. **סוס שרוכב.** בו והולך לדרכו יכול ליטול צפרניו במועד דה"א לו לילך אא"כ נוטל צפרניו [דזימנין דמיתקל ומת].

תוספות

ההדיוט תופר כדרכו. נראה דוקא לצורך המועד אבל בחנם למה יתירו אפילו על ידי שינוי מיהו לא איירי בדבר האבד דהיכא דאיכא דבר האבד קיימא לן כר' יוסי דאין מצריך שינוי בדבר האבד והיכא דבגדיו או מנעליו מקורעין ואם יניח אותן עד לאחר מועד יתקלקלו ראיתי רבותי שאין מקילין כלל להתיר אפילו על ידי נכרי כדאמרינן לקמן (דף יב.) כל שאינו עושה אינו אומר לנכרי ועושה ושמא לא היו חושבים אותו דבר האבד או שמא אין כל דבר האבד מותר בלא שינוי דבפ' מקום שנהגו (פסחים דף נה:) משמע דוקא עולי רגלים מתקנין מנעלים במועד [ד]:

במסרגין כולי עלמא לא פליגי דשתי וערב. תימה היאך מותר לעשות מלאכה כי האי בלא שינוי: **ממתוחי** נמי לא. בלאו הכי נמי נראה דמצי לאקשויי היכי קאמר ר' יוסי שאם היה רפוי ממתחו אבל לא מסרגין שתי וערב הא אפילו בשתי בלא ערב אסור:

כיון דאפשר למלויי במאני. משמע דאין מותר אלא לצורך המועד:

ה"ג **רבי** יהודה אומר אין מכבשין את הריחים בתחילה. ובחדשה קאמר דהא בגמרא מתיר ישנה ואין נראה לומר דבגמ' דמתיר ישנה משום ר' אליעזר קאמר והא משמיה דידיה כי למה נדחוק לעשות מחלוקת חנם ועוד דלכתחילה משמע חדשה ואם תאמר כבוש מאן דכר שמיה י"ל תנא קמא אמר מעמידין ובחדשה קאמר ומשמע אפילו כבוש ור' יהודה אוסר בכבוש ואית דגרים ר' יהודה אומר מכבשין את הריחים ולא גרס לכתחילה והיא היא אבל עתה קשיא יותר כבוש מאן דכר שמיה תנא קמא נמי שרי יש לומר דת"ק שרי העמדה בעלמא שאין זה בנין גמור (ד) וה"ה דאסר כבוש בין בחדשה בין בישנה ור' יהודה שרי כבוש בישנה וגירסא ראשונה נראה לרבי ומעמידין נראה דוקא העמדה דתנור אין זה בנין בתחילה אלא הוא עשוי כבר אבל אינו מחובר בקרקע וצריך לחברו ולטפלו בארץ כדמפרש בפרק כל הכלים (שבת דף קכה.) אי נמי כי ההוא דפ' המביא כדי יין (ביצה לד.) גבי תנור דבי"ט אין סכין אותו ואין טשין אותו במטלית וכו' הכא במועד שרי ולקמן בשמעתין נמי קאמר ושוין שאין גודלים תנור בתחילה ובירושלמי תני ר' חלפתא ובלבד שלא יגלחנו בתחילה ופירש בתוספ' דלא ידע מאי גילוח ול"נ דגרסינן שלא יגדלנו: **סוס** שרוכב עליו. פי' בתוספתא לצורך המועד משמע שאסור לרכוב בחנם: למישקל

למישקל

עין משפט נר מצוה

פח א טוש"ע א"ח סי' תקמא סעיף ב:
פט ב מיי' פ"ח מהלכות י"ט הלכה יג טוש"ע שם סי' תקמ סעיף ז:
צ ג ד מיי' שם טור ש"ע שם סעיף ח:
צא ה מיי' שם הלכה טו טוש"ע שם סי' תקלו סעיף א:

רבינו חננאל

שמשיר את השיער ומעדן את הבשר: ההדיוט תופר כדרכו בתלמו"ד א"י מפור"ש לפיכ"ך כתבנ"ו והנחנ"ו ז"ה. דבי ר' ינאי אמרי כדרכו ממלא את המחט. מכליב אחת אחת ר' יוחנן א' כדרכו (אפי') אחת אחת. מכליב. מפסיע. כלומר מדלג. מתני' מסייע לר' יוחנן הרצענין מכלבין במועד אין תימר חדא חדא היינו אורחייהו כך היא אומנותן א) של מפסע. ר' יוסי ב"ר חנינא אומר המזווג את האמריות ב) זהו אומן וכל מי שאינו מזווג אינו אומן א"ר סימון הדיוט תופר כיסין כיסין. מסרגין את המטות. ר' יוסי אומר ממתחין. ר' חייא בר אבא ור' אמי פליגי תרוייהו משום דחזקיה ור' יוחנן (אמרו) חד אמר מסרגין כגון אריגה שתי וערב ממתחין שתי בלא ערב. וחד אמר מסרגין שתי בלא ערב. ממתחין שאם היה רפוי ממתחו. איני והתני ר' חלפתא בן שאול ושוין פי' ת"ק ור' יוסי שאין מפשילין חבלים לכתחלה. ומתמה רב נחמן בר יצחק מי איכא מ"ד מסרגין שתי בלא ערב. והתנן ר"מ אומר המטה משיסרוג בה שלשה בתים מי אפשר לעשות בית בלא שתי וערב אלא כ"ע מסרגין שתי וערב כי פליגי בממתחין. ולא איפשיט לן בהדיא האי מיתוח מה הוא אי שתי בלא ערב. או אם היה רפוי ממתחו. אפשר למימליא במני. אפשר למלאות רפיון חבלי המטה בכסתות הרבה: [מתני'] מעמידין תנור וכירים במועד ר"י אומר אין מכבשין את הריחים במועד בתחלה. מאי מכבשין. רב יהודה אמר מנקר ריחיא פי' כיון שיעמדו הריחים מלטחון מנקרין בהן נקרין קטנים כמין חידודין כדי לטחון במהרה רב יחיאל אמר בת עינא. ומקשינן עליה דרב יחיאל ומפרק כגון דנקרה ובעי לארווחי ביה טפי רב הונא שמע לההוא גברא דהוה מנקר ריחיא בחולו של מועד אמר מאן האי דמחיל י"ט ליתחיל גופיה. ורב הונא סבר לה כי"א דאמרו אין מכבשין כל עיקר. דרש רב חמא נוקרין ריחים בחולו של מועד משום רבינו אמרו אפי' סוס שרוכב עליו וחמור

חשק שלמה על ר"ח

א) בירושלמי שם הגי' אלא כי אנן קיימין במפסיע. ב) לפנינו בירושלמי איתא כל שהוא מזווג את האמריות זהו הדיוט ופשוט דטס"ה ול"ל כגי' רבינו ז"ל.

מסורת הש"ס

א) כלים פט"ז מ"א, ב) [עירובין קד.], ג) [נ"ל מותר], ד) [וע"ש בפסחים תוס' ד"ה עולי רגלים].

הגהות הב"ח

(א) גמ' נוקרין ריחים במועד משום רבינו אמרו (אפילו) מז"מ ונ"ב בס"א ל"ג ליה. עוד נ"ב ונראה דרבינו הוא רב ועי' במ"ש פ' לולב הגזול דף לג ע"א אפרש"י רבינו רבי שם הארכתי על זה: (ב) רש"י ד"ה כלבתא כו' כדרכו לתחוב זה: (ג) ד"ה מעמידין כו' מקום שפיתת קדירה אחת כירה מקום שפיתת שתי קדירות. נ"ב כ"ה ברש"פ כירה: (ד) תוס' ד"ה ה"ג ר"י כו' שאין זה בנין גמור אבל בנין בתחילה אסור וה"ה דאסור כבוש:

הגהות מהר"ב רנשבורג

א] רש"י ד"ה מכבשין בגמ' מפרש. נ"ב ע' נדה כו ע"ב בתוס' ד"ה בפלוגתא וכו' ועיין ודו"ק:

גליון הש"ס

גמ' מעמידין תנור וכירים וריחים כל"ל:

רש"י כת"י

כל שאינו יכול. כל שאינו יודע להוציא מלא מחט בבת אחת כשהוא אומן תוחב תחיבות הרבה כמלא אורך מחט ואחר כך מושכת מן הבגד ונמלא תפירת הרבה במשיכה אח' ודרכו לעשות כן בבגד למר שבלה ומתמסמסת והולך ואורגהו כמחט בענין זה מוטין מלשים כענין אריגה דטרי"א בלע"ז והיודע לעשות כן הרי זה אומן. שאין יודע לכוין אמרא בחפת חלוקו. שפה. חפת. שדרך לתת בגד עבה סביב שולי החלוק שלא יבלו כשנגררין בארץ וההדיוט אינו יכול לכוין באותו בגד שתהא השפה מכוונת בו אלא מעוקמת לכאן ולכאן ועושהו רחב במקום אחד וקצר זה. מפסיע. תופר מהרה תפירות רחוקו' זו מזו בשטיי"ל בלע"ז כעין שני הכלב שרחוקות זו מזו. ה"ג. רבה אמ' כלבתא ולא גרסי' שני דשם תפירה כך היא תפירה שאינה יפה אלא תפירה אחת למעלה ואחת למטה כעין שיני הכלב שאינן שוות זו כנגד זו. מסרגין את המטות. אורגין בחבלים. ר' יוסי אומר ממתחין. אם רפוי שנארג זה ימים רבים ורפו החבלים ממתחין אבל לא מסרגין. שתי. בלא ערב אבל מיתוח אינו אלא שאם היה ארוג כבר ועברו ימים רבים ורפו החבלין ממתחין אבל לא מסרגין. שתי וערב. כדרך אריגת מטה שתי וערב לאורך ולרוחב. וחד אמ' מסרגין שתי בלא ערב.

COMPLETE THEIR WORK;[18] דִּבְרֵי רַבִּי אֱלִיעֶזֶר – these are THE WORDS OF R' ELIEZER. וַחֲכָמִים אוֹמְרִים – BUT THE SAGES SAY: אַף יִגְמוֹר – ONE MAY EVEN COMPLETE their work. רַבִּי יְהוּדָה אוֹמֵר מִשְּׁמוֹ – R' YEHUDAH SAYS IN [R' ELIEZER'S] NAME: מַעֲמִידִין אֶת הַחֲדָשָׁה וּמְכַבְּשִׁין אֶת הַיְשָׁנָה – WE MAY SET UP A NEW [MILLSTONE] AND GOUGE AN OLD ONE.[19] וְיֵשׁ אוֹמְרִים אֵין מְכַבְּשִׁין כָּל עִיקָּר – AND SOME SAY: WE MAY NOT GOUGE a millstone AT ALL, i.e. not even an old one.

The Gemara explains how this seems to contradict Rav Yechiel's explanation:

בִּשְׁלָמָא לְמַאן דְּאָמַר מְכַבְּשִׁין מְנַקֵּר רֵיחַיָּא – Now, **it is well according to the one** [Rav Yehudah] **who says** that **"gouging"** means **cutting** grooves in **the millstone** הַיְינוּ דְּמַשְׁכַּחַת לָהּ בִּישָׁנָה – **that which you find it** necessary to do so **in** the case of **an old one.**[20] אֶלָּא לְמַאן דְּאָמַר בַּת עֵינָא – **But according to the one** [Rav Yechiel] **who says** that "gouging" means cutting **the eye-hole,** וִישָׁנָה בַּת עֵינָא לָמָּה לָהּ – **why** does **an old one need an eye-hole** cut into it? Certainly, if it is a previously used millstone, it already has an eye-hole![21] – ? –

The Gemara answers:

כְּגוֹן דְּקָא בָּעֵי לְאַרְווּחֵי טְפֵי פּוּרְתָּא – Rav Yechiel will explain that the Baraisa speaks of **a case in which one wants to widen** the existing eye-hole **a little more.**[22]

The Gemara records a relevant incident:

רַב הוּנָא שַׁמְעֵיהּ לְהַהוּא גַּבְרָא דְּקָא מְנַקֵּר רֵיחַיָּא בְּחוּלָּא דְּמוֹעֲדָא – **Rav Huna heard a certain person cutting grooves in a millstone on Chol HaMoed.**[23] אֲמַר מַאן הַאי – **[Rav Huna] said: "Who is this** man? אִיתַּחִיל גּוּפֵיהּ דְּקָא מַחִיל חוּלָּא דְּמוֹעֲדָא – **May his body be desecrated because he desecrates Chol HaMoed!"**

The Gemara remarks:

סָבַר לָהּ כְּיֵשׁ אוֹמְרִים – Obviously, **[Rav Huna] holds like** the **"some say"** of the Baraisa, who forbid gouging any millstone on Chol HaMoed.[24]

The Gemara cites the ruling of Rav Chama:

דָּרַשׁ רַב חָמָא – **Rav Chama expounded** in a public lecture: נוֹקְרִין רֵיחַיִם בַּמּוֹעֵד – **We may cut** grooves in **a millstone on Chol HaMoed.**[25] מִשּׁוּם רַבִּי מֵאִיר אָמַר – And **it was said in the name of R' Meir:**[26] אֲפִילוּ סוּס שֶׁרוֹכֵב עָלָיו וַחֲמוֹר שֶׁרוֹכֵב עָלָיו – **Even** in the case of **a horse that one rides or a donkey that one rides,** (ו)מוּתָּר לִיטּוֹל צִפָּרְנַיִם בְּחוּלוֹ שֶׁל מוֹעֵד – **it is permitted to trim the hooves on Chol HaMoed.**[27]

NOTES

18. I.e. they must be left incomplete in some way, to serve as a שִׁינּוּי, *irregularity* [i.e. a deviation from the norm to indicate that it is Chol HaMoed, on which *melachah* restrictions apply] (*Talmid R' Yechiel MiParis; see Korban Nesanel* 26:8).

19. I.e. we may set up the new millstone, but not gouge it. And the old millstone may even be gouged (*Talmid R' Yechiel MiParis;* see also *R' Shlomo ben HaYasom*).

[R' Yehudah is not citing an alternative version of R' Eliezer's ruling, but rather is explaining the ruling of R' Eliezer that was cited by the Tanna Kamma. What R' Eliezer meant by "provided that one does not complete their work" is that one may set up new millstones but not gouge them (*Talmid R' Yechiel MiParis;* see also *Keren Orah*).]

An old millstone may be gouged, because it has been gouged previously. Hence, its present gouging does not require exertion or skill, and is permitted on Chol HaMoed (*Talmid R' Yechiel MiParis*).

20. For the original ridges eventually become worn down from constant use (*Rashi*).

21. Or else one would not have been able to grind with it until now (*Rashi*).

22. And R' Yehudah is saying in the name of R' Eliezer that one may widen an existing eye-hole in an old millstone, but may not initially drill an eye-hole in a new millstone.

23. It was an old millstone (*Rashi;* see next note).

24. Rav Huna cursed the man simply on the basis of *hearing* him cut grooves in a millstone. Since Rav Huna could not have known through hearing alone whether the millstone was old or new, it must be that he is of the opinion that cutting grooves in *any* millstone is forbidden on Chol HaMoed – like the view of the "some say" (*Ritva*).

25. We must apparently say that Rav Chama means to permit the grooving of any millstone – even a new one. Otherwise, he would not have made his announcement without qualifying what kind of millstone he was referring to (see *Ritva*).

Which Tanna, then, does Rav Chama follow? We can say that Rav Chama interprets "gouging" in the Mishnah and Baraisa as referring to cutting the eye-hole. It is only this skilled act that R' Yehudah (in the name of R' Eliezer) forbids doing in the new millstone. But grooving a new millstone would be permitted, since that is not a skilled act (see *Shitas Ribav* and *Ritva*). Alternatively, Rav Chama follows the view of the Tanna Kamma of our Mishnah, who states unequivocally that we may "set up" millstones on Chol HaMoed, implying that they may be completely manufactured from scratch [see above, note 13] (*Tos. HaRosh* ד״ה מאי מכבשין and ד״ה ר׳ יהודה אומר אין מכבשין, and *Rosh* §18). Alternatively, Rav Chama follows the view of the Sages in the Baraisa, who hold that "one may even complete" a new millstone – i.e. gouge it [see above, note 19, for R' Yehudah's view] (see *Keren Orah*).

26. According to *Bach* §1, the text should read: מִשּׁוּם רַבֵּינוּ אָמְרוּ, *In the name of our master, they said* [with רַבֵּינוּ, *our master,* being a reference to Rav]. This is also the reading of *Rif, Rosh* §19 and *Talmid R' Yechiel MiParis.*

27. For if the hooves are left untrimmed, the animal will be unable to walk [far] because of the discomfort (*Rashi;* see *Nimukei Yosef*). Thus, trimming the hooves to allow for travel on Chol HaMoed constitutes a festival need.

מסורת הש"ס

א) כלים פט"ו מ"א, ב) [ערובין קד.], ג) [צ"ל מותר], ד) [וע"ש בפסחים תוס' ד"ה עולי רגלים].

הגהות הב"ח

(א) גמ' נוקרין ריחים במועד משום רבינו אמרו (אפילו) תז"מ וכ"ב בס"א ל"ג ליה. עוד נ"ב ונראה דרבינו הוא רב ועי' במ"ש פ' לולב הגזול דף לג ע"א אפרש"י רבינו רבי שם הארכתי על זה: (ב) רש"י ד"ה כלבתא כו' כדרכו לתחוב זה: (ג) ד"ה מעמידין כו' מקום שפיתת קדירה אחת כירה מקום שפיתת שתי קדירות. נ"ב כ"ה בריש פ' כירה: (ד) תוס' ד"ה ה"ג ר"י כו' שאין זה בנין גמור אבל בנין בתחילה אסור וה"ה דאסור כבוש:

הגהות מהר"ב רנשבורג

א] רש"י ד"ה מכבשין בגמ' מפרש. נ"ב עי' נדה כו ע"ב בתוס' ד"ה בפלוגתא וכו' ועיין ודו"ק:

גליון הש"ס

גמ' מעמידין תנור וכירים וריחים כצ"ל:

רש"י כת"י

כל שאינו יכול. כל שאינו יודע להוציא מלא מחט בבת אחת כשהוא אומן תוחב תחיבות הרבה כמלא אורך מחט ואחר כך מושכת מן הבגד ונמצא תפירת הרבה במשיכה אח' ודרכו לעשות כן בבגד למר שבלה וממתמסמסת והולך וארגהו במחט בענין זה חוטין חדשים כעין אריגה דטרי"א בלע"ז והיודע לעשות כן הרי זה אומן. שאין יודע לכוין אמרא בחפת חלוקו. שפה. חפת. שדרך לתת בגד עבה סביב שולי החלוק שלא יבלו כשנגררין בארץ וההדיוט אינו יכול לכוין באותו בגד שתהא השפה מכוונת בו אלא מעוקמת לכאן ולכאן ועושהו רחב במקום אחד וקצר זה. מפסיע. תופר מהרה תפירות רחוקו' זו מזו בשטיי"ר בלע"ז כעין שני הכלב שרחוקות זו מזו. ה"ג. רבה אמ' כלבתא ולא גרסי' שני דשם תפירה כך היא תפירה שאינה יפה אלא תפירה אחת למעלה ואחת למטה כעין שיני הכלב שאינן שוות זו כנגד זו. מסרגין את המטות. אורגין בחבלים. ר' יוסי אומר ממתחין. אם רפוי שנארג זה ימים רבים ורפו החבלים ממתחין אבל לא מסרגין. שתי. בלא ערב אבל מיתוח איננו אלא שאם היה ארוג כבר ועברו ימים רבים ורפו החבלין ממתחין אבל לא מסרגין. שתי וערב. כדרך אריגת מטה שתי וערב לאורך ולרוחב. וחד אמ' מסרגין שתי בלא ערב. אבל מיתוח אינו אלא שאם היה ארוג כבר ועברו ימים רבים ורפו החבלים שישים עין אחד לראש המטה כדי למתוח החבלים. ושוין. ר' מאיר ור' יוסי. אין מפשילין. אין גודלין ועושין חבלים. השתא. לר' יוסי אמרת לא ותנא קמא לא שרי אלא בלא ערב מפשילין מבעיא. מי איכא למאן דאמ' מסרגין. היינו שתי בלא ערב בתמיה. מטה. מאימתי נגמרה לטומאה. משיסרג בה שלשה בתים. ועוד אי בשתי ג' בתים למאי חזי. אלא כי פליגי. ר' יוסי ב"ר חנינא ור' חייא. בממתחין. ואליבא דר' יוסי דמתני'. מתוח נמי לא. בתמיה מאי איכא. כיון דאיפשר למלייה במאני. אם היה רפוי והחבלים מעמיקין למטה יכול שיתן שם כרים וכסתות הן בה עד שימלאנו. ה"ג במתני' מעמידין תנור ורחים במועד. העמדת ריחים במקום קבועתם מעמידין בונין ומושבין ומתקנין תנו' ל"א שלהן לכתחלה כדאמרינן לקמן רבא שרא למגדל תנור וכגון שצריך שתי קדירות. כירים. מקום שפיתת קדרה אחת תנוריהם קטנים היו ושל חרס כעין כדים גדולים ויכול לנשאן בכל מקום שירצה ויש מהן שהיו מעמידו וקבעו במקום אחד שמטיחו בטיט וקובעו מלמטה ולמעלה היה מכסהו כמו כן באותו טיט כדי שיעכב חמימותו וזו היא העמדה. מכבשין. מפרש בגמרא. (מכאן עד סוף הפרק חסר בכת"י) *[מנקר ריחיא. (שהכה) [שמכה] בפטיש ומנקר על הריחים התחתונה (שתחוב בו הברזל) [כשהן חלקות יותר מדאי ואינן טוחנין יפה]. בת עינא. (חור ונקב שבעליונה) [נקב שבריחים התחתונה שתחוב בו הברזל ונקב שבעליונה] שבו נופלין החיטין. סוס שרוכב. בו והולך לדרכו יכול ליטול צפרניו במועד דא"א לו לילך אא"כ נוטל צפרניו [דזימנין דמיתקל ומת].

רש"י

תופר כדרכו. בחולו של מועד: היכי דמי הדיוט. שאינו אומן שתופר כדרכו: מלא מחט בבת אחת. שאינו יכול ללקוט נימי התפירה של חלוק כדי לתפור כשהוא תופר תוחב תחיבות הרבה כמלא אורך המחט ואח"כ מושכה מן הבגד ונמצאו תפירות הרבה במשיכה אחת והיודע לעשות כן אומן הוא: שאינו יכול לכוין אימרא בחפת חלוקו. שאינו יודע לתחוב אותו בגד עב שעושין ממנו אימרא בחפת חלוקו אלא שבמקום אחד מקצרו ובמקום אחד מרחיבו: האומן. החייט מכליב: מפסיע. שאינו תופר ביושר אלא מפזר התפירה ולהכי קרי מכליב שדומין תחובי המחט לשיני הכלב רחוקות זו מזו כשיני הכלב: כלבתא. שאינו תופר כדרכו (ב) תוחב זה בסמוך זה אלא שתוחב המחט פעם אחת למעלה ופעם אחת למטה ולהכי קרי ליה כלבתא דהכי קיימי שיני הכלב שן אחד גבוה מחבירו: מסרגין שתי וערב. שאורגין מטה של חבלים בשתי וערב: שתי בלא ערב. שמותח השתי ואינו אורג בה הערב: שאם היה רפוי. זה שנארג ימים רבים והיו החבלים רפויין ותלוין למטה שאינן מתוחין ממתחן: ושוין. רבי מאיר ור' יוסי: שאין מפשילין חבלים לכתחלה. שאין גודלים חבלים לכתחלה: המטה. לעולם אינה מקבלת טומאה עד שיסרג בה ג' בתי נירין שהשתי כבר מתוח ואורג בה שלשה בתי נירין דערב אלמא דמסרגין קרי שתי וערב: היינו דאתו יש אומרים לאפלוגי. דאפילו שתי בלא ערב לא מצי: ממתח נמי לא. בתמיה אתו יש אומרים למיסר נמי מתוחי ואמאי הא לא קעביד מלאכה ואי לא עביד הכי לא מצי למיזגא עלה: אין. ודאי אתו יש אומרים למיסר נמי מתוחי משום דהואיל ואפשר למלייה למטה במאני עד לעיל והדר מצי למירמא עלייהו כרים וכסתות למיזגא עלייהו: לא טרחינן. דהוי טורח דלא צריך: מתני' מעמידין תנור וכירים. שעושין אותם לכתחלה כדאמרינן לקמן תנור תוכו חלול מקום שפיתת (ג) שתי קדירות כירה מקום שפיתת קדירה אחת: מכבשין. א] בגמ' מפרש: גמ' מנקר ריחיא. כשהיא ישנה וחלקה ואין החטין יכולין לפרך מנקרין אותה חותכין אותה כדי שלא יהא שוה כדי שיפרכו החטין תחתיה: בת עינא. נקב שעושין באמצע הריחים שהתבואה נופלת לתוכה: היינו דמשכחת לה בישנה. לפי שהישנה צריכה לכך שכבר היא חלקה לפי שתדיר היא טוחנת: אלא למאן דאמר. דמכבשין היינו בת עינא ישנה בת עינא למה והלא כבר אית לה בת עינא שכבר היא ישנה מלטחון ואי לא הוי לה בת עינא לא מצי למיטחן: כגון דבעי לארווחי. האי בת עינא טפי וכי האי גוונא משכחת לה בישנה: מנקר ריחיא. בישנה: איתחיל גופיה. יתחלל גופו: מותר ליטול. להן לפרנים כדרך העושין עכשיו לסוסים שלנו דאי לא עביד ליה הכי הוה ליה צערא ולא מצי אזיל:

גמרא

ההדיוט תופר כדרכו: היכי דמי הדיוט אמרי דבי רבי ינאי כל שאינו יכול להוציא מלא מחט בבת אחת רבי יוסי בר חנינא אמר כל שאינו יכול לכוין אימרא בחפת חלוקו: והאומן מכליב: מאי מכליב רבי יוחנן אמר מפסיע רבה בר שמואל אמר שיני כלבתא: מסרגין את המטות: מאי מסרגין ומאי ממתחין כי אתא רב דימי אמר פליגי בה ר' חייא בר אבא ור' אסי ותרוייהו משמיה דחזקיה ור' יוחנן חד אמר מסרגין שתי וערב וממתחין שתי בלא ערב וחד אמר מסרגין שתי בלא ערב וממתחין שאם היה רפוי ממתחו איני והא תני רב תחליפא בר שאול ושוין שאין מפשילין חבלים לכתחלה בשלמא למאן דאמר מסרגין שתי וערב וממתחין שתי בלא ערב היינו דקתני רב תחליפא בר שאול [א]ושוין שאין מפשילין חבלים לכתחלה אלא למאן דאמר מסרגין שתי בלא ערב ממתחין שאם היה רפוי היה ממתחו השתא שתי וערב אמרת לא חבלים לכתחלה מיבעיא קשיא א"ל רב נחמן בר יצחק לרבי חייא בר אבין מי איכא למאן דאמר מסרגין שתי בלא ערב והתנן (א) רבי מאיר אומר המטה משיסרוג בה שלשה בתים אלא כי אתא רבין אמר במסרגין כולי עלמא לא פליגי דשתי וערב אלא כי פליגי בממתחין מר סבר ממתחין שתי בלא ערב ומר סבר שאם היה רפוי ממתחו מיתיבי מסרגין את המטה ואין צריך לומר שממתחין דברי ר' מאיר ר' יוסי אומר ממתחין אבל לא מסרגין וי"א אין ממתחין כל עיקר בשלמא למאן דאמר ממתחין שתי בלא ערב היינו דאתו יש אומרים לאיפלוגי אלא למאן דאמר שאם היה רפוי ממתחו ליש אומרים ממתחו נמי לא אין כיון דאפשר לממלייה במאני לא טרחינן: **מתני'** [ב]מעמידין תנור וכירים [ג]וריחים במועד ר' יהודה אומר אין מכבשין את הריחים בתחילה: **גמ'** מאי מכבשין רב יהודה אמר מנקר ריחיא רב יחיאל אמר בת עינא מיתיבי [ד] מעמידין תנור וכירים במועד ובלבד שלא יגמור מלאכתן דברי רבי אליעזר וחכמים אומרים אף יגמור רבי יהודה אומר משמו מעמידין את החדשה ומכבשין את הישנה ויש אומרים אין מכבשין כל עיקר בשלמא למאן דאמר מכבשין מנקר ריחיא היינו דמשכחת לה בישנה אלא למאן דאמר בת עינא ישנה בת עינא למה לה כגון דקא בעי לארווחי טפי פורתא רב הונא שמעיה לההוא גברא דקא מנקר ריחיא בחולא דמועדא אמר מאן האי (ג) איתחיל גופיה דקא מחיל חולא דמועדא סבר לה כיש אומרים דרש רב חמא [ד]נוקרין ריחים במועד משום (א) רבי מאיר אמר אפילו סוס שרוכב עליו וחמור שרוכב עליו [ה]([ג] ומותר) ליטול צפרנים בחולו של מועד

אבל

תוספות

ההדיוט תופר כדרכו. נראה דוקא לצורך המועד אבל בחנם למה יתירו אפילו על ידי שינוי מיהו לא איירי בדבר האבד דהיכא דאיכא דבר האבד קיימא לן כר' יוסי דאין מצריך שינוי בדבר האבד והיכא דבגדיו או מנעליו מקורעין ואם יניח אותן עד לאחר מועד יתקלקלו ראיתי רבותי שאין מקילין כלל להתיר אפילו על ידי נכרי כדאמרינן לקמן (דף יב.) כל שאינו עושה אינו אומר לנכרי ועושה ושמא לא היו חושבים אותו דבר האבד או שמא אין כל דבר האבד מותר בלא שינוי דבפ' מקום שנהגו (פסחים דף נה:) משמע דוקא עולי רגלים מתקנין מנעלים במועד [ד]: במסרגין כולי עלמא לא פליגי דשתי וערב. תימה היאך מותר לעשות מלאכה כי האי בלא שינוי: ממתוחי נמי לא. בלאו הכי נמי נראה דמצי לאקשויי היכי קאמר ר' יוסי שאם היה רפוי ממתחו אבל לא מסרגין שתי וערב הא אפילו בשתי בלא ערב אסור: כיון דאפשר למלויי במאני. משמע דאין מותר אלא לצורך המועד: ה"ג רבי יהודה אומר אין מכבשין את הריחים בתחילה. ובחדשה קאמר דהא בגמרא מתיר ישנה ואין נראה לומר דבגמ' דמתיר ישנה משום ר' אליעזר קאמר והא משמיה דידיה כי למה נדחוק לעשות מחלוקת חנם ועוד דלכתחילה משמע חדשה ואם תאמר כבוש מאן דכר שמיה י"ל תנא קמא אמר מעמידין ובחדשה קאמר ומשמע אפילו כבוש ור' יהודה אוסר בכבוש ואית דגרים ר' יהודה אומר מכבשין את הריחים ולא גרס לכתחילה והיא היא אבל עתה קשיא יותר כבוש מאן דכר שמיה תנא קמא נמי שרי יש לומר דת"ק שרי העמדה בעלמא שאין זה בנין גמור (ד) וה"ה דאסר כבוש בין בחדשה בין בישנה ור' יהודה שרי כבוש בישנה וגירסא ראשונה נראה לרבי ומעמידין נראה דוקא העמדה דתנור אין זה בנין בתחילה אלא הוא עשוי כבר אבל אינו מחובר בקרקע וצריך לחברו ולטפלו בארץ כדמפרש בפרק כל הכלים (שבת דף קכה.) אי נמי כי ההוא דפ' המביא כדי יין (ביצה לד.) גבי תנור דבי"ט אין סכין אותו ואין טשין אותו במטלית וכו' הכא במועד שרי ולקמן בשמעתין נמי קאמר ושוין שאין גודלים תנור בתחילה ובירושלמי תני ר' חלפתא ובלבד שלא יגלחנו בתחילה ופירש בתוספ' דלא ידע מאי גילוח ול"נ דגרסינן שלא יגדלנו: סוס שרוכב עליו. פי' בתוספתא לצורך המועד משמע שאסור לרכוב בחנם:

למישקל

עין משפט נר מצוה

פח א טוש"ע א"ח סי' תקמא סעיף ב:
פט ב מיי' פ"ח מהלכות י"ט הלכה יג טוש"ע שם סי' תקמ סעיף ז:
צ ג ד מיי' שם טור ש"ע שם סעיף ח:
צא ה מיי' שם הלכה טו טוש"ע שם סי' תקלו סעיף א:

רבינו חננאל

שמשיר את השיער ומעדן את הבשר: ההדיוט תופר כדרכו בתלמו"ד א"י מפור"ש לפיכ"ך כתבנ"ו והנחנ"ו ז"ה. דבי ר' ינאי אמרי כדרכו ממלא את המחט. מכליב אחת אחת ר' יוחנן א' כדרכו (אפי') אחת אחת. מכליב. מפסיע. כלומר מדלג. מתני' מסייע לר' יוחנן הרצענין מכלבין במועד אין תימר חדא חדא היינו אורחייהו כך היא אומנותן א) של מפסע. ר' יוסי ב"ר חנינא אומר המזווג את האמריות ב) זהו אומן וכל מי שאינו מזווג אינו אומן א"ר סימון הדיוט תופר כיסין כיסין. מסרגין את המטות. ר' יוסי אומר ממתחין. ר' חייא בר אבא ור' אמי פליגי תרוייהו משום דחזקיה ור' יוחנן (אמרו) חד אמר מסרגין כגון אריגה שתי וערב ממתחין שתי בלא ערב. וחד אמר מסרגין שתי בלא ערב. ממתחין שאם היה רפוי ממתחו. איני והתני ר' חלפתא בן שאול ושוין פי' ת"ק ור' יוסי שאין מפשילין חבלים לכתחלה. ומתמה רב נחמן בר יצחק מי איכא מ"ד מסרגין שתי בלא ערב. והתנן ר"מ אומר המטה משיסרוג בה שלשה בתים מי אפשר לעשות בית בלא שתי וערב אלא כ"ע מסרגין שתי וערב כי פליגי בממתחין. ולא איפשיט לן בהדיא האי מיתוח מה הוא אי שתי בלא ערב. או אם היה רפוי ממתחו. אפשר למימליא במני. אפשר למלאות רפיון חבלי המטה בכסתות הרבה: [מתני'] מעמידין תנור וכירים במועד ר"י אומר אין מכבשין את הריחים במועד בתחלה. מאי מכבשין. רב יהודה אמר מנקר ריחיא פי' כיון שיעמדו הריחים מלטחון מנקרין בהן נקרין קטנים כמין חידודין כדי לטחון במהרה רב יחיאל אמר בת עינא. ומקשינן עליה דרב יחיאל ומפרק כגון דנקרה ובעי לארווחי ביה טפי רב הונא שמע לההוא גברא דהוה מנקר ריחיא בחולו של מועד אמר מאן האי דמחיל י"ט ליתחיל גופיה. ורב הונא סבר לה כי"א דאמרו אין מכבשין כל עיקר. דרש רב חמא נוקרין ריחים בחולו של מועד משום רבינו אמרו אפי' סוס שרוכב עליו וחמור

חשק שלמה על ר"ח

א) בירושלמי שם הגי' אלא כי אנן קיימין במפסיע. ב) לפנינו בירושלמי איתא כל שהוא מזווג את האמריות זהו הדיוט ופשוט דטס"ה וצ"ל כגי' רבינו ז"ל.

אבל חמרא דריחיא לא [א]רב יהודה שרי למישקל טופריה לחמרא דריחיא ולאוקומי ריחיא ולמיבני ריחיא ולמיבני אמת ריחיא ולמיבני אוריא ([א] רבא) שרא [ב]לסרוקי סוסיא [ג]ולמיבני אקרפיטא [ד]ולמיבני איצטבא רבא שרא למישקל דמא לבהמה בחולא דמועדא א"ל אביי תניא דמסייע לך [ה]מקיזין דם לבהמה ואין מונעין רפואה לבהמה בחולו של מועד רבא [ו]שרא לכסכוסי קירמי מ"ט מעשה הדיוט הוא אמר רב יצחק בר אמי אמר רב חסדא [כ]קיטורי [ג]בירי [ז]אסיר מ"ט מעשה אומן הוא אמר רבא [ד][ז]מאן דמתקיל (א) ארעא אדעתא דבי דרי שרי אדעתא דארעא אסיר היכי דמי מוליא [ה]במוליא ונצא בנצא (ב) אדעתא דבי דרי שקל מוליא ושדא בנצא אדעתא דארעא ואמר רבא [ח]האי מאן דזכי זיכי אדעתא דציבי שרי אדעתא דארעא אסיר [י]היכי דמי שקיל רברבי ושביק זוטרי אדעתא דציבי שקל רברבי וזוטרי אדעתא דארעא ואמר רבא [ט]האי מאן דפתח מיא לארעיה אדעתא דכוורי שרי אדעתא דארעא אסיר היכי דמי [י]פתח תרי בבי חד מעילאי וחד מתתאי אדעתא דכוורי פתח חד בבא אדעתא דארעא ואמר רבא [י]האי מאן דפשח דיקלא אדעתא דחיותא שרי אדעתא דדיקלא אסיר היכי דמי [ח]שקיל כוליה מחד גיסא אדעתא דחיותא מהאי גיסא ומהאי גיסא אדעתא דדיקלא ואסיר ואמר רבא הני תמרי תוחלני מיגזרינהו שרי מייצינהו אסיר רב פפא אמר [כ]כיון דמתלעי [ט]כפרקמטיא האבד דמי ושרי ואמר רבא [ל]פרקמטיא כל שהוא אסור א"ר יוסי בר אבין [מ]ובדבר האבד מותר רבינא הוה ליה ההוא עיסקא דהוה מזדבן בשיתא אלפי שהייה לזבוניה בתר חולא דמועדא וזבניה בתריסר אלפי רבינא הוה מסיק זוזי בבני [י]אקרא דשנואתא אתא לקמיה דרב אשי א"ל מהו למיזל האידנא עלייהו א"ל [נ]כיון דהאידנא הוא דמשכחת להו ביומי אחריני לא משכחת להו כפרקמטיא האבד דמי ושרי תניא נמי גבי ע"ז כי האי גוונא הולכין ליריד

רש"י

אבל חמרא דריחיא. שכך עושין שהיו טוחנים אגב חמורים לא מצי למישקל להההוא חמרא לפרניו דלא מצי למטחן במועד אלא לצורך מועד כדמפרש לקמן פרק מי שהפך (דף יב:) הלכך טחינה מועטת יכול לטחון בחמור ולא מרעי ליה גידול לפרניו: **לאוקומי ריחיא.** להעמיד להשים הריחים זו על גב זו: **אמת ריחיא.** העץ שהריחים בנוי עליו: **ולמיבני אוריא.** רפת בקר: **לסרוקי סוסיא.** להסריק סוסים במסרק של ברזל: **למיבני אקורפיטא.** מה שמשימין התבואה לתוכו לפני הסוסים שקורין מנייטור"ה בלע"ז: **איצטבא.** בנין אבנים: **למישקל דמא.** להקיז: **לכסכוסי.** גיהוץ שקורין קוביל"ר: **קרמין.** [ב]בגדים: **מעשה הדיוט.** למותר לעשותו בחולו של מועד דלאו מעשה אומן הוא: **קיטורי בירי אסיר.** למיעבד במועד שכך היו עושין שהיו נוטלין כלים חלוקין והיו מחליקין עליהן בית יד של חלוקיהם מעשה אומן הוא ואסור ל"א לכוין קמטין שאדם עושה בבית יד שממלאים אותה בקנה של שבלים חלקים ומקמטין פרוונלי"א בלע"ז: **דמתקיל תיקלא.** שחופר מגס האדמה לצורך הגורן לחבוט שם חטין לצורך המועד היינו אדעתא דבי דרי ושרי: **אדעתא דארעא.** שחופר שדהו לצורך זריעה אסור משום דדמי כחורש בי"ט: **מוליא במוליא.** שנוטל הקרקע ממקום גבוה ומניחו שם על גבי מקום גבוה היינו מוליא במוליא: **או נצא בנצא.** שחופר במקום נמוך ומניחו במקום נמוך דהיינו אדעתא דארעא ואסור דזה דרכו של חורש שדהו (ג) שאינו משגיח באיזה מקום שירד המחרישה בקרקע אפילו במקום נמוך חורש והיינו דומיא דחרישה ואסור: **אבל שקל מוליא.** שנוטל הקרקע ממקום גבוה: **ושדא בנצא.** במקום נמוך היינו אדעתא דבי דרי אדעתא דגורן שכך דרכו של גורן שמשוה הגרנות וזה מותר: **דזכי זיכיא.** שמכבד את הקרקע מעצים קטנים שעליה שנוטלם: **אדעתא דציבי.** אם ליקטן אדעתא דעצים להסיקן דנקט רברבי ושבק זוטרי: **אדעתא דארעא.** דלהכי ליקטן שרוצה לזרוע הקרקע שלוקט גדולים וקטנים אסור (ד): **אדעתא דכוורי.** שעושין המים שיוצאין מן הגומא של ביבר לחוץ אם לצורך שיצאו המים וישתיירו הדגים מותר: **כגון דפתח תרי בבי.** חד שבו נכנסין המים לגומא ונכנסין אף הדגים לגומא וחד שהמים יוצאין חוץ לגומא והדגים משתיירים בתוכה ולוקחים אותם שרי דהיינו אדעתא דכוורי: **דארעא.** דפתח חד בבא שבו נכנסים המים לגומא ואידך פתח שבו יוצאין המים לחוץ לא פתח: **אדעתא דארעא.** שכשהגומא מליאה מים יוצאין המים למעלה ומשקין כל השדה וכי האי גוונא אסור: **דפשח דיקלא.** שזומר הדקל מן הענפים שבו: **אדעתא דחיותא.** דראוין למאכל בהמה דנקט מן הענפים דמחד גיסא בין לחין בין יבשין לצורך מאכל בהמה היינו דחיותא ושרי: **דנקיט מהאי גיסא.** דדיקלא ומהאי גיסא ענפים יבישין שבו היינו אדעתא דדיקלא ואסור: **הני תמרי תוחלני.** תמרים שלא נתבשלו כל צרכן: **מיגזרינהו.** לחותכן לשנים ולאוכלן הכי בי"ט שרי דלצורך יום טוב קעביד: **מייצינהו אסור.** לכובשן במשוי ומוציא ליחה שבהן לחוץ היינו אסור שעכשיו אינן נתלעים אלא לעשות מהן לימוקים לאכלן בחול הוא מכוין ואסור לתקן ביום טוב מאכל דחול: **כיון דמתלעי.** אי לאו דמייצינהו: **כדבר האבד.** כלומר כסחורה שאדם יכול לעשותה במועד כדי שלא יפסיד בה אם לא עשאה הכי נמי מצי למייצינהו דאי לא עביד הכי מיתלעי ושרי: **פרקמטיא כל שהוא.** לעשות סחורה בחולו של מועד: **ובדבר האבד מותר.** שאם יש לו הפסד אם לא יעשנה לאותה סחורה מותר לעשותה אבל בחנם שלא להרויח אסור: **הוה מסיק זוזי.** שהיו חייבין לו מעות באותו מקום:

יריד

תוספות

למישקל טופרי. פירש (ה) בתוספתא דה"ה לדידן שמותר לתקן ברזלים דקרקע קשה ומתקלקל ומשום שאין ברזלים בימי חכמים שאין צריך רק למשקל טופריה שהיה הקרקע מטוננת כמו ברוסי"א היה אסור: **איצטבא** ואקרופיטא. עניני ספסל וקלת הם חלוקים כדאמרינן בריש פרק עשרה יוחסין (קדושין דף ע.) ליתיב מר אקרופיטא אמר ליה מי סני ספסל כדאמרי רבנן או איצטבא כדאמרי אינשי:

ואין מונעין רפואה מבהמה. (ו) דברפואה דבהמה שיש בה מלאכה איירי אבל רפואה שאין בה איסור מלאכה רק גזירה משום שחיקת סממנין אפילו בשבת איכא מאן דשרי והלכה כמאן דשרי כדאי' בפ' במה בהמה (שבת דף נג:) דרש רבא הלכה כרבי יאשיה דלית ליה גזירה משום שחיקת סממנין ברפואה דבהמה פי' דלסרוקי סוסיא שפירש בקונטרס אושטלי"ר בלעז ° אין נראה לי דהא קי"ל דבין קירוד ובין קירצוף שרי (ז) כדאי' סוף פרק שני דבילה (דף כג.) לר' שמעון דאמר דבר שאין מתכוין מותר וקיימא לן כוותיה אלא ענין אחר הוא:

כסכוסי. פי' בקונטרס אנפסיי"ר בלע"ז ויש מפרשים ליקיי"ר ולשון כסכוס משמע כן כדאי' פ' תולין (שבת דף קמא. ושם) מכסכסו מבפנים ואין מכסכסו מבחוץ גבי טיט: **קיטורי** בידי. גרסינן ברי"ש ולא בידי בדלי"ת (ח) והוי מענין בירית טהורה בפ' במה אשה יוצאה (שם דף סג.) (ובפרק חזקת הבתים) (ב"ב דף נד):

מוליא במוליא ונצא בנצא אדעתא (ט) דבי דרי שקל מוליא ושדי בנצא אדעתא דארעא. [א] וכן גרס רבינו גרשון ורב אלפס גרס בהפך מוליא במוליא ונצא בנצא אדעתא דארעא מוליא בנצא אדעתא דבי דרי משמע שיותר קרקע שוה צריך לחרוש מלידוש ואיפכא מסתברא טפי דלדידן צריך קרקע שוה לידוש יותר מלחרוש ושמא לפי שהיו דשין במוריגין אין צריך קרקע שוה ויש מפרשים כדי לעשות דיר של בהמה [ל]:

פרקמטיא כל שהוא. פי' רבינו יצחק בתשובתו כי רבינו יעקב לא היה חושב הלואת רבית פרקמטיא והא דאמר רבינא הוה מסיק זוזי בבני אקרא דשנואתא משמע דחשיב פרקמטיא ולא שרי אלא משום דבר האבד היה אומר רבינו יעקב דסחורת יין היתה כדאמרינן באיזהו נשך (ב"מ עג:) רבינא הוה יהיב זוזי לבני אקרא דשנואתא ושפכי ליה טפי כופייתא אבל הלואה דשולחנות בקביעות וחילוף נראה (י) דחשיב פרקמטיא:

ובדבר האבד מותר. פירוש בדבר שאם לא ימכרנה עתה שמא לא ימכרנה יפה פעם אחרת ויפסיד מן הקרן אבל אם לא יפסיד מן הקרן אלא שלא ירויח כל כך אין זה חשוב דבר האבד וכל שכן לקנות סחורה שמא תהיה יותר ביוקר אחר המועד אבל לקנות יין כשר בתוך המועד מותר והר"ר יוסף פירש דיש לאסור דאף על פי שלא ימצא בזול הרי ימצא ביוקר ואין זה דבר האבד:

כוורא

עין משפט נר מצוה

צב א מיי' פ"ח מהל' י"ט הלכה טו סמג לאוין עה טוש"ע א"ח סי' תקמ סעיף ח:

צג ב מיי' שם טוש"ע א"ח סי' תקלו ס"ב:

צד ג טוש"ע א"ח סי' תקמ סעיף ה:

צה ד מיי' שם הלכה ז טוש"ע שם סעיף ו:

צו ה מיי' שם הלכה טו טוש"ע א"ח סי' תקלו סעיף ג:

צז ו מיי' שם הלכה יד טוש"ע א"ח סי' תקמא סעיף ג:

[ו מיי' שם טוש"ע שם]:

צח ז מיי' פ"ח הלכה יב שם ופ"ב מהל' זכיה ומתנה מהל' ד עד הלכה ט טוש"ע א"ח סי' תקלז סעיף ט וטור ש"ע ח"מ סי' רעה סעיף יז יח יט כ:

צט ח טוש"ע א"ח שם סעיף י:

ק ט טוש"ע שם ס"ח:

קא י טוש"ע שם סעיף יא:

קב כ טוש"ע שם סי' תקלג סעיף ג:

קג ל מ נ מיי' פ"ז שם הלכה כב טוש"ע שם סי' תקלט סעיף א:

רבינו חננאל

וחמור שרוכב עליו מותר ליטול צפרניו. אבל חמור הטוחן בריחים לא ר' יהודה שרא ליטול צפרנים של חמור הטוחן בריחים ולאוקמי ריחיא ולמבני ריחיא ולמיבני אמת הריחים ולמיבני אוריא פי' אוריות סוסים רבא שרא לסרוקי סוסיא ולמיבני אקרפיטא ואיצטבא. רבא שרא למשקל דמא תניא נמי הכי מקיזין דם לבהמה. ואין מונעין רפואה לבהמה בחולו של מועד. רבא שרא לכסכוסי קירמי. ופירשו הגאונים א) תרטיב ר' אמתענה ותליינא אמר רב חסדא קיטורא בידא אסור מעשה אומן הוא במס' יו"ט פ"ב (דף כג) אמר רבא מאן דתקיל תיקלא ב) פי' אזלה וגה אל ארץ וגעל הא מועתר אל אי שקיל ויהיב מוליא במוליא ונצא בנצא העפר הרך נותן ברך והקשה בקשה אדעתא דבי דרי עביד ושרי פי' מוליא בנצא הרך בקשה אדעתא דארעא ואסיר. וכן מאן דזכי זכיא. פי' מסקל ומנקה הקרקע שקיל רברבי פי' העצים הגדולים נוטל ומניח הקיסמין קטנים אדעתא דציבי ושרי שקיל רברבי וזוטרי אדעתא דארעא עביד ואסיר. וכן מאן דפתח מיא בארעיה דעיילי מהאי גיסא ודנפקי מהאי גיסא אדעתא למיצד כוורי הוא ושרי מחד גיסא אסיר. וכן מאן דפשח דיקלא מחד גיסא אדעתא דחיותא שרי מהאי גיסא ומהאי גיסא אדעתא דדיקלא ואסיר והני תוחלני שרי למגזרינהו מייצינהו אסור. בחגיגה בפרק אין דורשין אומר שם משל אי משכחת תוחלא אכול כו' והם התמרים הרכים הנקראים בטיית שודאך רטב והדקל אשר בו אלו התמרים עליו דיבר בכאן והתיר לחותכם מן הדקל ולא התיר לדורכן בנרתק שלהן לעשותן כמו אלו הנקראים בטיית אל לוג. ורב פפא התיר את זאת מפני שמתליעין. רב פפא אמר כיון דמתלען כפרקמטיא האבד דמי ושרי. ואמר רבא פרקמטיא כל שהוא אסור. א"ר אסי בר אבין ובדבר האבד מותר. רבינא הוה ליה עיסקא דהוה מזדבנא בשיתא אלפי שהייה לבתר מועדא וזבניה בי"ב אלפי. רבינא הוה מסיק זוזי בבני אקרא דשנואתא אתא לקמיה דרב אשי א"ל כיון דהאידנא משכחת להו וביומי אחריתי לא משכחת להו

חשק שלמה על ר"ח א) לפי הנראה הוראת הדברים בלה"ק שרא לרטוב לרמי הבית כדי לנקותם. ב) הוראת הדברים בלה"ק עניינו דקירה. ופי' דקר את פני הארץ כי יעשה עפר.

מסורת הש"ס

א) [נ"ל רב וכ"א ברא"ש ובערוך ערך אקרפטא], ב) [עי' ביצה כג.], ג) [בב"י סי' תקמא העתיקו נוסח הגמ' קטורי בי ידי ע"ש], ד) ב"ב נד., ה) ב"ב נד., ו) [שם], ז) [שם], ח) [שם], ט) [לקמן יא.], י) [עי' ב"מ עג:], כ) דקים כקרוס ביצה. ערוך, ל) [ועי' תוס' ב"ב נד. ד"ה מוליא].

הגהות הגר"א

[א] תוס' ד"ה מוליא במוליא כו' וכן גרס ר"ג ורב אלפס משמע שיותר קרקע שוה צריך לחרוש כו' ושמא לפי שהיו דשין כו' וי"מ כדי לעשות דיר כו' ורש"י גרים בהיפך מוליא במוליא ונצא בנצא אדעתא דארעא מוליא בנצא אדעתא דבי דרי כצ"ל:

הגהות הב"ח

(א) גמ' אמר רבא מאן דמתקיל תיקלא אדעתא. נ"ב כן היא גירסת רש"י ונימוקי יוסף ופירוש מסקל השדה: (ב) שם ונצא בנצא אדעתא דארעא שקל מוליא ושדא בנצא אדעתא דבי דרי כו' כצ"ל: (ג) רש"י ד"ה או נצא כו' שאינו משגיח באיזה מקום. נ"ב פירוש דרכו של חורש אינו אלא לרפויי ארעא עי' לעיל דף ב ע"ב: (ד) ד"ה אדעתא דארעא דלהכי כו' אסור מה"ד דפתח מיא לארעיה שעושין חור והמים יוצאין מן הגומא: (ה) תוס' ד"ה למישקל כו' פי' בתוספות כו' לתקן ברזלים דכיון דהקרקע קשה ומתקלקל: (ו) ד"ה ואין מונעין רפואה מבהמה נראה דברפואה דבהמה: (ז) בא"ד ובין קרצוף שרי אפילו בי"ט כדאיתא: (ח) ד"ה קיטורי כו' ולא בידי בדל"ת. נ"ב פירוש דיש גורסין בידי בדלי"ת ופי' לעשות קשרי בית ידים אסור מפני שעושה מעשה אומן וכך היא גירסת הרמב"ם: (ט) ד"ה מוליא כו' אדעתא דארעא שקל מוליא ושדי בנצא אדעתא דבי דרי וכן גרס ר"ג ור"א גרס בהיפך כו' בנצא אדעתא דבי דרי מוליא בנצא אדעתא דארעא משמע שיותר כו' כצ"ל: (י) ד"ה פרקמטיא כו' בקביעות וחילוף נראה דלא חשיב פרקמטיא:

גליון הש"ס

תוס' ד"ה ואין מונעין וכו' אין נ"ל דהא קיי"ל. עיין ברא"ש דהגירסא הכא רב. ולפ"ז לק"מ דרב לשיטתיה דס"ל דבר שאין מתכוין אסור. ואסור קרלוף בי"ט:

רש"י כת"י

חמרא דריחיא. [חמור] שמנהיג את הריחים. **לא.** לפי שאין רשאי לטחון במועד אלא לצורך המועד כדמפרש לקמן בפ' מי שהפך הלכך טחינה מועטת יכול לטחון בחמור שצפרניו גדולים ולא יזיקנו. **ולאוקומי.** להעמיד. **ולמיבני.** לעשותה בתחילה. **אמת ריחיא.** מקום שבת הריחים כולה קרוי אמתא. **אוריא.** ארוות הסוסים שמזיק לסוס כשאינו שוכב יפה והוי דבר האבד. **סרוקי.** מקרצפין. **קרפיטא.** ספסל. **איצטבא.** של בנין אבנים. **לכסכוסי.** אנפסי"ר. **קירמי.** יריעות [לכסכם להכות עליהם שילא האבק לתוך] דמעשה הדיוט הוא שכל אדם יודע לעשות כן] טיילש. **קיטורי בירי.** לכוין קמטים פרונצי"ר ביר"י קלצי"ש ומעשה אומן הוא שממלאים אותם בקנים של חבלים חלקים ומקמטין אותו. **דבי דרי.** לעשותו גורן ולחבוט חיטין שם לצורך המועד. **אדעתא דארעא.** שתהא נוחה לחרוש לאחר המועד [אבל] להשוות ביתו א"ל לומר דודאי שרי שלא יהא נתקל [בגבשושית ו]בגומות. **מוליא בנצא.** גבשושית הקרקע נותן לתוך הגומות שרוצה להשוותה יפה יפה אדעתא דבי דרי. **מוליא במוליא.** שחופרה ומניח שם. **נצא בנצא.** אלא הנלא חופר מעט ונותן בנלא ואינו משוה יפה. **דזכי זיכי.** מנקה את הקרקע ותולש עלים וקשין בתוכו. **אדעתא דארעא.** שרוצה לחפרה לאחר המועד. **דפתח מיא.** שפותח חור ליכנס בו המים ולהעבירן דרך שדהו. **חד מעילאי.** חור אחד רחב לגד המים היורדין מלמעלה וחור קלר מלמטה שילאו בו המים. **חד בבא.** למעלה ולמטה לא פתח רוצה הוא שיתפשטו המים בשדהו [ויעברו שם כדי לזבל שדהו באותן המים ובשדה בור עסקינן כי שרו רבנן להשקות במועד שדה שיש בו זרעים. [**אדעתא דארעא.** להשקותה אסור הואיל ועדיין לא נזרע]. **דפשח.** מפשיח את הדקל מענפיו שענפי דקל [כשהן] רכים ראויה למאכל בהמה. **אדעתא דדיקלא.** להשבימו. **תוחלני.** תמרים שלא בשלו. **מיגזרינהו.** לשון גדירה שלוקטן. **מייצינהו.** לכובשן במשאות כדי להעולא הליחה לשהותן שלא יתליעו. **כפרקמטיא האבד דמי.** העומד למכור ואם אינו מוכרן מפסיד. **אקרא.** נמל. **דשנואתה.** מקום. **למיזל.** במועד לתובען.

אֲבָל חֲמָרָא דְּרֵיחְיָא לֹא – But the hooves of a **mill donkey** [i.e. a donkey that turns the millstone], it is **not** permitted to trim.[1]

The Gemara cites a dissenting view:

רַב יְהוּדָה שָׁרֵי לְמִישְׁקַל טוּפְרֵיהּ לַחֲמָרָא דְּרֵיחְיָא – **Rav Yehudah ruled it permissible**[2] **to trim the hooves of a mill donkey,**[3] וּלְאוֹקוּמֵי רֵיחְיָא – **and to set up** a pair of **millstones,**[4] וּלְמִיבְנֵי רֵיחְיָא – **and to build a mill,**[5] וּלְמִיבְנֵי אַמַּת רֵיחְיָא – **and to build the frame of the mill**[6] וּלְמִיבְנֵי אוּרְיָא – **and to build a barn**[7] on Chol HaMoed.

The Gemara presents additional rulings that pertain to the care of animals on Chol HaMoed:

רַב(א) שָׁרָא לְסָרוּקֵי סוּסְיָא – **Rav**[8] **ruled it permissible to curry horses** with a metal comb,[9] וּלְמִיבְנֵי אֲקַרְפִּיטָא – **and to build a manger**[10] וּלְמִיבְנֵי אִיצְטַבָּא – **and to build a** stone **bench**[11] on Chol HaMoed.

The Gemara cites a series of eight rulings by Rava pertaining to Chol HaMoed:

רָבָא שָׁרָא לְמִישְׁקַל דְּמָא לִבְהֵמָה בְּחוּלָּא דְּמוֹעֲדָא – **Rava ruled it permissible to let the blood of an animal on Chol HaMoed.**[12]

Abaye cites support for this ruling:

אֲמַר לֵיהּ אַבַּיֵּי – **Abaye said to [Rava]:** תַּנְיָא דִּמְסַיַּיע לָךְ – **A Baraisa was taught that supports you** in this matter: מַקִּיזִין דָּם לִבְהֵמָה – WE MAY LET THE BLOOD OF AN ANIMAL וְאֵין מוֹנְעִין רְפוּאָה לִבְהֵמָה בְּחוּלּוֹ שֶׁל מוֹעֵד – AND WE DO NOT WITHHOLD MEDICAL TREATMENT FROM AN ANIMAL ON CHOL HAMOED.[13]

Rava's second ruling:

רָבָא שָׁרָא לְכַבְכּוּסֵי קִירְמֵי – **Rava ruled it permissible to press clothes** on Chol HaMoed.[14] מַאי טַעְמָא – **What is the reason** for this permit? מַעֲשֵׂה הֶדְיוֹט הוּא – It is the **work of an amateur.**[15]

The Gemara cites a relevant ruling:

אָמַר רַב יִצְחָק בַּר אַמֵּי אָמַר רַב חִסְדָּא – **Rav Yitzchak bar Ami said in the name of Rav Chisda:** קִיטוּרֵי בֵּירֵי אָסִיר – **Pleating a sleeve**[16] **is prohibited** on Chol HaMoed. מַאי טַעְמָא – **What is the reason** for this restriction? מַעֲשֵׂה אוּמָּן הוּא – It is the **work of a craftsman.**[17]

Rava's third ruling:[18]

אָמַר רָבָא – **Rava said:** מַאן דִּמְתַקֵּיל אַרְעָא – Concerning **a person who removes obstacles from the land**[19] on Chol HaMoed, the law is as follows: אַדַּעְתָּא דְּבֵי דָרֵי – If he digs the ground **with the intention of** making **a threshing floor** to thresh grain on Chol HaMoed, שָׁרֵי – **it is permitted.**[20] אַדַּעְתָּא דְּאַרְעָא – But if he digs the ground **with the intention of** improving **the land** for cultivation, אָסִיר – **it is prohibited.**[21] הֵיכִי דָּמֵי – **How is it** that his intentions are revealed in this matter?[22] מוּלְיָא בְּמוּלְיָא – If he digs in **a mound** and puts the dirt **on a mound,** וְנַצָּא בְּנַצָּא – **or** if he digs in **a hole** and puts

NOTES

1. In Mishnaic times, it was common to use donkeys to turn the millstones. Now, it is permitted to grind flour on Chol HaMoed only for festival use (see 12b), which amounts to a relatively small amount of grinding. Since the donkey will be able to grind this small amount even if its hooves are left untrimmed, one may not trim its hooves on Chol HaMoed (*Rashi*).

2. [שָׁרֵי means *rules it permissible* (present tense). We have rendered, however, according to the reading of *Rabbeinu Chananel, Rif* et al., "שָׁרָא, *ruled it permissible* (past tense)," which indicates a practical ruling in an actual case that came before him (see *Talmid R' Yechiel MiParis*).]

3. Since trimming the hooves enhances its ability to grind the flour needed for the festival (see *Mishnah Berurah* 540:25), one is permitted to trim its hooves on Chol HaMoed.

4. לְאוֹקוּמֵי is the Aramaic equivalent of the verb לְהַעֲמִיד used above [see Mishnah and Baraisa on 10a] (see *Rashi* and *Rashi* to *Rif*).

[In *Rashi* here, the explanatory comment is added "to place the millstones one on top of the other." This would fit with *Rashi ms.* (cited on 10a in note 13), who explains that when the Mishnah permits "setting up the millstones," it refers only to their assembly, but not to their actual manufacture. This also fits with our versions of the present Baraisa, in which "building (i.e. manufacturing) the mill" is stated separately (see next note).]

5. I.e. to make one from scratch (see *Rashi* to *Rif*). [*Rashash,* though, notes that many texts do not have the words וּלְמִיבְנֵי רֵיחְיָא, *and to build a mill,* in this Baraisa. (Even if the Baraisa does not contain these words, however, it is possible that the permit to build the mill from scratch is contained in the permit to "set up" the mill. See preceding note, and 10a note 13.)]

6. See *Rashi.* [This is the barrel-like enclosure in which the millstones turn (*Talmid R' Yechiel MiParis*).]

7. For cattle (*Rashi*). [Alternatively: a stable for horses (*Rashi* to *Rif*). Since it is injurious to the horse if it does not have a suitable place to rest, building the stable constitutes a *melachah* needed to forestall a loss (ibid.).]

8. Emendation follows *Mesoras HaShas.*

9. It is forbidden to curry an animal on the Sabbath or a festival, because it is inevitable that one will thereby commit the *melachah* of uprooting hairs from the animal. Nevertheless, one is permitted to curry a horse on Chol HaMoed, since it is deemed a festival need that the horse one rides on Chol HaMoed look presentable (*Meiri; Rambam, Hil. Yom Tov* 8:15; cf. *Tosafos* ד״ה ואין with *Gilyon HaShas*).

10. *Rashi.* [Others, however, explain that this is a wooden bench — see *Rashi* to *Rif,* and *Tosafos.*]

11. *Rashi; Chidushei HaRan.* Making a bench for people to sit on is considered a festival need.

Only amateur skills may be employed in making a bench [see *Mishnah Berurah* 540:17]. For although the bench is needed for the festival, it is not a necessity akin to food. But things required for necessities that are akin to food may be done even with professional skill (*Nimukei Yosef,* citing *Ramban* in *Likkutim;* see *Mishnah Berurah* 540:16,18).

12. Since this forestalls the loss of the animal (*Ritva, Meiri*). Alternatively, it is permitted in order to alleviate the animal's suffering (see *Keren Orah*).

13. It is permitted to perform one of the thirty-nine prohibited labors to cure an animal on Chol HaMoed (*Tosafos* ד״ה ואין).

14. *Rashi* explains that the reference is to the special pressing called גיהוץ, *gihutz* — see below, 23a note 21 (see *Beis Yosef* to *Orach Chaim* 541).

[According to *Aruch* ע׳ קרם (cited in *Mesoras HaShas*), קִירְמֵי are prestigious garments made of material that is as thin as an egg membrane (קְרוּם).]

15. I.e. it does not require any particular skill. It is therefore permitted on Chol HaMoed [to fulfill a festival need] (*Rashi*).

16. *Rashi,* second explanation; *Rashi* to *Rif;* see *Rashash.*

17. Which is forbidden even if it serves to fulfill a festival need (see Mishnah on 11a and notes there).

18. [Rava's next four rulings deal with various actions that can be done in order to improve the land or in order to provide some other need. In *Bava Basra* 54a, an earlier Amora, Shmuel, discusses these situations with regard to whether the action constitutes an act of *kinyan* whereby the person can acquire the land (which is ownerless, or being offered to him by the owner). If the action is done in order to improve the land, it is an act of *kinyan;* if done for some other purpose, it is not an act of *kinyan.* Here, the later Amora, Rava, discusses these same situations with regard to permitting the action on Chol HaMoed, where the *reverse* will be true: if intended to improve the land, the act will be forbidden on Chol HaMoed; if intended for some other purpose (which provides a festival need), it will be permitted.]

19. [Translation follows *Ran* and *Hagahos HaBach* §1.] That is, he shovels away the mounds of earth that dot the field (see *Rashi* and *Talmid R' Yechiel MiParis*).

20. Since this provides a festival need.

21. For his act is akin to plowing, which is forbidden on Chol HaMoed (see *Rashi;* see *Chayei Adam* 107:1).

22. *Chidushei HaRan.* [According to some, the meaning is: How are we to know what his intentions are, so that we can protest his actions if they are improper? (*Talmid R' Yechiel MiParis*). According to *Ritva,* however, the meaning is: How shall the person *demonstrate* that his intention is for the permitted purpose of leveling a threshing floor for festival

אבל חמרא דריחיא לא [א]רב יהודה שרי למישקל טופריה לחמרא דריחיא ולאוקומי ריחיא ולמיבני ריחיא ולמיבני אמת ריחיא ולמיבני אוריא (א) רבא) שרא [ב]לסרוקי סוסיא [ג]ולמיבני אקרפיטא [ד]ולמיבני איצטבא רבא שרא למישקל דמא לבהמה בחולא דמועדא א"ל אביי תניא דמסייע לך [ה]מקיזין דם לבהמה ואין מונעין רפואה לבהמה בחולו של מועד רבא [ו]שרא לכסכוסי קירמי מ"ט מעשה הדיוט הוא אמר רב יצחק בר אמי אמר רב חסדא [ב]קיטורי [ג]בירי [ו]אסיר מ"ט מעשה אומן הוא אמר רבא [ד][ז]מאן דמתקיל (א) ארעא אדעתא דבי דרי שרי אדעתא דארעא אסיר היכי דמי מוליא [ה]במוליא ונצא בנצא (ב) אדעתא דבי דרי שקל מוליא ושדא בנצא אדעתא דארעא ואמר רבא [ח]האי מאן דזכי זיכי אדעתא דציבי שרי אדעתא דארעא אסיר [ו]היכי דמי שקיל רברבי ושביק זוטרי אדעתא דציבי שקל רברבי וזוטרי אדעתא דארעא ואמר רבא [ט]האי מאן דפתח מיא לארעיה אדעתא דכוורי שרי אדעתא דארעא אסיר היכי דמי [ז]פתח תרי בבי חד מעילאי וחד מתתאי אדעתא דכוורי פתח חד בבא אדעתא דארעא ואמר רבא [י]האי מאן דפשח דיקלא אדעתא דחיותא שרי אדעתא דדיקלא אסיר היכי דמי [ח]שקיל כוליה מחד גיסא אדעתא דחיותא מהאי גיסא ומהאי גיסא אדעתא דדיקלא ואסיר ואמר רבא הני תמרי תוחלני מיגזרינהו שרי מייצינהו אסיר רב פפא אמר [כ]כיון דמתלעי [ט]כפרקמטיא האבד דמי ושרי ואמר רבא [ל]פרקמטיא כל שהוא אסור א"ר יוסי בר אבין [מ]ובדבר האבד מותר רבינא הוה ליה ההוא עיסקא דהוה מזדבן בשיתא אלפי שהייה לזבוניה בתר חולא דמועדא וזבניה בתריסר אלפי רבינא הוה מסיק זוזי בבני [י]אקרא דשנואתא אתא לקמיה דרב אשי א"ל מהו למיזל האידנא עלייהו א"ל [נ]כיון דהאידנא הוא דמשכחת להו ביומי אחריני לא משכחת להו כפרקמטיא האבד דמי ושרי תניא נמי גבי ע"ז כי האי גוונא הולכין ליריד

רש"י

אבל חמרא דריחיא. שכך עושין שהיו טוחנים אגב חמורים לא מלי למישקל להווא חמרא לפרניו דלא מלי למטחן במועד אלא לצורך מועד כדמפרש לקמן פרק מי שהפך (דף יג:) הלכך טחינה מועטת יכול לטחון בחמור ולא מרעי ליה גידול לפרניו: **לאוקומי ריחיא.** להעמיד להשים הריחים זו על גב זו: **אמת ריחיא.** העץ שהריחים בנוי עליו: **ולמיבני אוריא.** רפת בקר: **לסרוקי סוסיא.** להסריק סוסים במסרק של ברזל: **למיבני אקורפיטא.** מה שמשימין התבואה לתוכו לפני הסוסים שקורין מנייטור"ה בלע"ז: **איצטבא.** בנין אבנים: **למישקל דמא.** להקיז: **לכסכוסי.** גיהוץ שקורין קודילו"ר: **קרמין.** (ב) בגדים: **מעשה הדיוט.** דמותר לעשותו בחולו של מועד דלאו מעשה אומן הוא: **קיטורי בירי אסיר.** למיעבד במועד שכך היו עושין שהיו נוטלין כלים חלוקין והיו מחליקין עליהן בית יד של חלוקיהם מעשה אומן הוא ואסור ל"א לכויץ קמטין שאדם עושה בבית יד שממלאים אותה בקנה של שבלים חלקים ומקמטין פרונלי"א בלע"ז: **דמתקיל תיקלא.** שחופר משם האדמה לצורך הגורן לחבוט שם חטין לצורך המועד היינו אדעתא דבי דרי ושרי: **אדעתא דארעא.** שחופר שדהו לצורך זריעה אסור משום דדמי כחורש בי"ט: **מוליא במוליא.** שנוטל הקרקע ממקום גבוה ומניחו שם על גבי מקום גבוה היינו מוליא במוליא: **או נצא בנצא.** שחופר במקום נמוך ומניחו במקום נמוך דהיינו אדעתא דארעא ואסור דזה דרכו של חורש שדהו (ג) שאינו משגיח באיזה מקום שירד המחרישה בקרקע אפילו במקום נמוך חורש והיינו דומיא דחרישה ואסור: **אבל שקל מוליא.** שנוטל הקרקע ממקום גבוה: **ושדא בנצא.** במקום נמוך היינו אדעתא דבי דרי אדעתא דגורן שכך דרכו של גורן שמשוה הגרנות וזה מותר: **דזכי זיביא.** שמכבד את הקרקע מעלים קטנים שעליה שנוטלם: **אדעתא דציבי.** אם ליקטן אדעתא דעלים להסיקן דנקט רברבי ושבק זוטרי: **אדעתא דארעא.** דלהכי ליקטן שרולה לזרוע הקרקע שלוקט גדולים וקטנים אסור (ד): **אדעתא דכוורי.** שעושין המים שיוצאין מן הגומא של ביבר לחוץ אם לצורך שילאו המים ויתיירו הדגים מותר: כגון דפתח תרי בבי. חד שבו נכנסין המים לגומא ונכנסין אף הדגים לגומא וחד שהמים יוצאין חוץ לגומא והדגים משתיירים בתוכה ולוקחים אותם שרי דהיינו אדעתא דכוורי: **דארעא.** דפתח חד בבא שבו נכנסים המים לגומא ואידך פתח שבו יוצאין המים לחוץ לא פתח: **אדעתא דארעא.** שכשהגומא מליאה מים יוצאין המים למעלה ומשקין כל השדה וכי האי גוונא אסור: **דפשח דיקלא.** שזומר הדקל מן הענפים שבו: **אדעתא דחיותא.** דראוין למאכל בהמה דנקט מן הענפים דמחד גיסא בין לחין בין יבשין לצורך מאכל בהמה היינו דחיותא ושרי: **דנקיט מהאי גיסא.** דדיקלא ומהאי גיסא ענפים יבישין שבו היינו אדעתא דדיקלא ואסור: **הני תמרי תוחלני.** תמרים שלא נתבשלו כל צרכן: **מיגזרינהו.** לחותכן לשנים ולאוכלן הכי בי"ט שרי דלצורך יום טוב קעביד: **מייצינהו אסור.** לכובשן במשוי ומוליא ליחה שבהן לחוץ היינו אסור שעכשיו אינן נתלעים אלא לעשות מהן צימוקים לאכלן בחול הוא מכוין ואסור לתקן ביום טוב מאכל דחול: **כיון דמתלעי.** אי לאו דמייצינהו: **כדבר האבד.** כלומר כסחורה שאדם יכול לעשותה במועד כדי שלא יפסיד בה אם לא עשאה הכי נמי מלי למייצינהו דאי לא עביד הכי מיתלעי ושרי: **פרקמטיא כל שהוא.** לעשות סחורה בחולו של מועד: **ובדבר האבד מותר.** שאם יש לו הפסד אם לא יעשנה לאותה סחורה מותר לעשותה אבל בחנם שלא להרויח אסור: **הוה מסיק זוזי.** שהיו חייבין לו מעות באותו מקום:

יריד

תוספות

למישקל טופרי. פירש (ה) בתוספתא דה"ה לדידן שמותר לתקן ברזלים דקרקע קשה ומתקלקל ומשום שאין ברזלים בימי חכמים שאין צריך רק למשקל טופריה שהיה הקרקע מטוננת כמו ברוסי"א היה אסור: **איצטבא** ואקרופיטא. עניני ספסל וקלת הם חלוקים כדאמרינן בריש פרק עשרה יוחסין (קדושין דף ע.) ליתיב מר אקרופיטא אמר ליה מי סני ספסל כדאמרי רבנן או אילטבא כדאמרי אינשי:

ואין מונעין רפואה מבהמה. (ו) דברפואה דבהמה שיש בה מלאכה איירי אבל רפואה שאין בה איסור מלאכה רק גזירה משום שחיקת סממנין אפילו בשבת איכא מאן דשרי והלכה כמאן דשרי כדאי' בפ' במה בהמה (שבת דף נג:) דרש רבא הלכה כרבי יאשיה דלית ליה גזירה משום שחיקת סממנין ברפואה דבהמה פי' דלסרוקי סוסיא שפירש בקונטרס אושטלי"ר בלעז ° אין נראה לי דהא קי"ל דבין קירוד ובין קירצוף שרי (ז) כדאי' סוף פרק שני דבילה (דף כג.) לר' שמעון דאמר דבר שאין מתכוין מותר וקיימא לן כוותיה אלא ענין אחר הוא:

כסכוסי. פי' בקונטרס אנפשיי"ר בלע"ז ויש מפרשים ליקיי"ר ולשון כסכוס משמע כן כדאי' פ' תולין (שבת דף קמא. ושם) מכסכסו מבפנים ואין מכסכסו מבחוץ גבי טיט:

קיטורי בירי. גרסינן ברי"ש ולא בידי בדלי"ת (ח) והוי מענין בירית טהורה בפ' במה אשה יוצאה (שם דף סג.) (ובפרק חזקת הבתים) (ב"ב דף נד):

מוליא במוליא ונצא בנצא אדעתא (ט) דבי דרי שקל מוליא ושדי בנצא אדעתא דארעא. [א] וכן גרס רבינו גרשון ורב אלפס גרס בהפך מוליא במוליא ונצא בנצא אדעתא דארעא מוליא בנצא אדעתא דבי דרי משמע שיותר קרקע שוה צריך לחרוש מלידוש ואיפכא מסתברא טפי דלדידן צריך קרקע שוה לידוש יותר מלחרוש ושמא לפי שהיו דשין במוריגין אין צריך קרקע שוה ויש מפרשים כדי לעשות דיר של בהמה (ל):

פרקמטיא כל שהוא. פי' רבינו יצחק בתשובתו כי רבינו יעקב לא היה חושב הלואת רבית פרקמטיא והא דאמר רבינא הוה מסיק זוזי בבני אקרא דשנואתא משמע דחשיב פרקמטיא ולא שרי אלא משום דבר האבד היה אומר רבינו יעקב דסחורת יין היתה כדאמרינן באיזהו נשך (ב"מ עג:) רבינא הוה יהיב זוזי לבני אקרא דשנואתא ושפכי ליה טפי כופייתא אבל הלואה דשולחנות בקביעות וחילוף נראה (י) דחשיב פרקמטיא:

ובדבר האבד מותר. פירוש בדבר שאם לא ימכרנה עתה שמא לא ימכרנה יפה פעם אחרת ויפסיד מן הקרן אבל אם לא יפסיד מן הקרן אלא שלא ירויח כל כך אין זה חשוב דבר האבד וכל שכן לקנות סחורה שמא תהיה יותר ביוקר אחר המועד אבל לקנות יין כשר בתוך המועד מותר והר"ר יוסף פירש דיש לאסור דאף על פי שלא ימצא בזול הרי ימצא ביוקר ואין זה דבר האבד:

כוורא

עין משפט נר מצוה

צב א מיי' פ"ח מהל' י"ט הלכה טו סמג לאוין עה טוש"ע א"ח סי' תקמ סעיף ח:

צג ב מיי' שם טוש"ע א"ח סי' תקלו ס"ב:

צד ג טוש"ע א"ח סי' תקמ סעיף ה:

צה ד מיי' שם הלכה ז טוש"ע שם סעיף ו:

צו ה מיי' שם הלכה טו טוש"ע א"ח סי' תקלו סעיף ג:

צז ו מיי' שם הלכה יד טוש"ע א"ח סי' תקמא סעיף ג:

[ו מיי' שם טוש"ע שם]:

צח ז מיי' פ"ח הלכה יב שם ופ"ג מהל' זכיה ומתנה מהל' ד עד הלכה ט טוש"ע א"ח סי' תקלט סעיף ט וטור ש"ע ח"מ סי' רעה סעיף יז יח יט כ:

צט ח טוש"ע א"ח שם סעיף י:

ק ט טוש"ע שם ס"ח:

קא י טוש"ע שם סעיף יא:

קב כ טוש"ע שם סי' תקלג סעיף ג:

קג ל מ נ מיי' פ"ז שם הלכה כב טוש"ע שם סי' תקלט סעיף א:

רבינו חננאל

וחמור שרוכב עליו מותר ליטול צפרניו. אבל חמור הטוחן בריחים לא ר' יהודה שרא ליטול צפרנים של חמור הטוחן בריחים ולאוקמי ריחיא ולמבני ריחיא ולמיבני אמת הריחים ולמיבני אוריא פי' אוריות סוסים רבא שרא לסרוקי סוסיא ולמיבני אקרפיטיא ואיצטבא. רבא שרא למשקל דמא תניא נמי הכי מקיזין דם לבהמה. ואין מונעין רפואה לבהמה בחולו של מועד. רבא שרא לכסכוסי קירמי. ופירשו הגאונים א) תרטיב ר' אמתענה ותליינא אמר רב חסדא קיטורא בידא אסור מעשה אומן הוא במס' יו"ט פ"ב (דף כג) אמר רבא מאן דתקיל תיקלא ב) פי' אזלח וגה אל ארץ וגעל הא מועתר אל אי שקיל ויהיב מוליא במוליא ונצא בנצא העפר הרך נותן ברך והקשה בקשה אדעתא דבי דרי עביד ושרי פי' מוליא בנצא הרך בקשה אדעתא דארעא ואסיר. וכן מאן דזכי זכיא. פי' מסקל ומנקה הקרקע שקיל רברבי פי' העצים הגדולים נוטל ומניח הקיסמין קטנים אדעתא דציבי ושרי שקיל רברבי וזוטרי אדעתא דארעא עביד ואסיר. וכן מאן דפתח מיא בארעיה דעיילי מהאי גיסא ודנפקי מהאי גיסא אדעתא למיצד כוורי הוא ושרי מחד גיסא אסיר. וכן מאן דפשח דיקלא מחד גיסא אדעתא דחיותא שרי מהאי גיסא ומהאי גיסא אדעתא דדיקלא ואסיר והני תוחלני שרי למגזרינהו מייצינהו אסור. בחגיגה בפרק אין דורשין אומר שם משל אי משכחת תוחלא אכול כו' והם התמרים הרכים הנקראים בטיית שודאך רטב והדקל אשר בו אלו התמרים עליו דיבר בכאן והתיר לחותכם מן הדקל ולא התיר לדורכן בנרתק שלהן לעשותן כמו אלו הנקראים בטיית אל לוג. ורב פפא התיר את זאת מפני שמתליעין. רב פפא אמר כיון דמתלען כפרקמטיא האבד דמי ושרי. ואמר רבא פרקמטיא כל שהוא אסור. א"ר אסי בר אבין ובדבר האבד מותר. רבינא הוה ליה עיסקא דהוה מזדבנא בשיתא אלפי שהייה לבתר מועדא וזבניה בי"ב אלפי. רבינא הוה מסיק זוזי בבני אקרא דשנואתא אתא לקמיה דרב אשי א"ל כיון דהאידנא משכחת להו וביומי אחריתי לא משכחת להו

חשק שלמה על ר"ח א) לפי הנראה הוראת הדברים בלה"ק שרא לרטוב נרכי הבית כדי לנקותם. ב) הוראת הדברים בלה"ק עניני דקירה. ופי' דקר את פני הארץ כי יעשה עפר.

מסורת הש"ס

א) [ל"ל רב וכ"ה ברא"ש ובערוך ערך אקרפטא], ב) [עי' בילה כג.], ג) [בב"י סי' תקמא העתיקו נוסח הגמ' קטורי בי ידי ע"ש], ד) ב"ב נד., ה) ב"ב נד., ו) [שם], ז) [שם], ח) [שם], ט) [לקמן יא.], י) [עי' ב"מ עג:], כ) דקים קכרום בילה. ערוך, ל) [ועי' תוס' ב"ב נד. ד"ה מוליא].

הגהות הגר"א

[א] תוס' ד"ה מוליא במוליא כו' וכן גרס ר"ג ורב אלפס משמע שיותר קרקע שוה צריך לחרוש כו' ושמא לפי שהיו דשין כו' ויש מ כדי לעשות דיר כו' ורש"י גרים בהיפך מוליא במוליא ונצא בנצא אדעתא דארעא מוליא בנצא אדעתא דבי דרי כל"ל:

הגהות הב"ח

(א) גמ' אמר רבא מאן דמתקיל תיקלא אדעתא. נ"ב כן היא גירסת רש"י ונימוקי יוסף ופירוש מסקל השדה: (ב) שם ונלא בנלא אדעתא דארעא שקל מוליא ושדא בנלא אדעתא דבי דרי כו' כל"ל: (ג) רש"י ד"ה או נלא כו' שאינו משגיח באיזה מקום. נ"ב פירוש דרכו של חורש אינו אלא לרפויי ארעא עי' לעיל דף ג ע"ב: (ד) ד"ה אדעתא דארעא דלהכי כו' אסור מה"ד דפתח מיא לארעיה שעושין חור והמים יוצאין מן הגומא: (ה) תוס' ד"ה למישקל כו' פי' בתוספות כו' לתקן ברזלים דכיון דהקרקע קשה ומתקלקל: (ו) ד"ה ואין מונעין רפואה מבהמה נראה דברפואה דבהמה: (ז) בא"ד ובין קרצוף שרי אפילו בי"ט כדאיתא: (ח) ד"ה קיטורי כו' ולא בידי בדל"ת. נ"ב פירוש דיש גורסין בידי בדלי"ת ופי' לעשות קשרי בית ידים אסור מפני שעושה מעשה אומן וכן היא גירסת הרמב"ם: (ט) ד"ה מוליא כו' אדעתא דבי דרי שקל מוליא ושדי בנלא אדעתא דבי דרי וכן גרס ר"ג ור"א גרס בהיפך כו' בנלא אדעתא דבי דרי מוליא בנלא אדעתא דארעא משמע שיותר כו' כל"ל: (י) ד"ה פרקמטיא כו' בקביעות וחילוף נראה דלא חשיב פרקמטיא:

גליון הש"ס

תוס' ד"ה ואין מונעין וכו' אין נ"ל דהא קיי"ל. עיין ברא"ש דהגירסא הכא רב. ולפ"ז לק"מ דרב לשיטתיה דס"ל דבר שאין מתכוין אסור. ואסור קרצוף בי"ט:

רש"י כת"י

חמרא דריחיא. [חמור] שמנהיג את הריחים. לא. לפי שאין רשאי לטחון במועד אלא לצורך המועד כדמפרש לקמן בפ' מי שהפך הלכך טחינה מועטת יכול לטחון בחמור שלפרניו גדולים ולא יזיקנו. ולאוקומי. להעמיד. ולמיבני. לעשותה בתחילה. **אמת ריחיא.** מקום שבת הריחים כולה קרוי אמתא. **אוריא.** ארוות הסוסים שמזיק לסוס כשאינו שוכב יפה והוי דבר האבד. **סרוקי.** מקרלפין. **קרפיטא.** ספסל. **איצטבא.** של בנין אבנים. **לכסכוסי.** אנפשי"ר. **קירמי.** יריעות [לכסכם להכות עליהם שילא האבק לחוץ דמעשה הדיוט הוא שכל אדם יודע לעשות כן] טיילש. **קיטורי בירי.** לכוין קמטים פרונלי"ר ביר"י קללינ"ש ומעשה אומן הוא שממלאים אותם בקנים של חבלים חלקים ומקמטין אותו. **דבי דרי.** לעשותו גורן ולחבוט חיטין שם לצורך המועד. **אדעתא דארעא.** שתהא נוחה לחרוש לאחר המועד [אבל] להשוות ביתו א"נ לומר דודאי שרי שלא יהא נתקל [בגבשושית ו]בגומות. **מוליא בנצא.** גבשושית הקרקע נותן לתוך הגומות שרולה להשוותה יפה יפה אדעתא דבי דרי. **מוליא במוליא.** שחופרה ומניח שם. **נצא בנצא.** אבל הגלא חופר מעט ונותן בגלא ואינו משוה יפה. **דזכי זיבי.** מנקה את הקרקע ומולש עלים וקשין בתוכו. **אדעתא דארעא.** שרולה לחפרה לאחר המועד. **דפתח מיא.** שפותח חור ליכנס בו המים ולהעבירן דרך שדהו. **חד מעיילאי.** חור אחד רחב לצד המים היורדין מלמעלה וחור קצר מלמטה שילאו בו המים. **חד בבא.** למעלה ולמטה לא פתח רולה הוא שיתפשטו המים בשדהו [ויעברו שם כדי לזבל שדהו באותן המים ובשדה בור עסקינן כי שרו רבנן להשקות במועד שדה שיש בו זרעים. [אדעתא דארעא. להשקותה אסור הואיל ועדיין לא נזרע]. **דפשח.** מפשיח את הדקל מענפיו שענפי דקל [כשהן] רכים ראויה למאכל בהמה. **אדעתא דדיקלא.** להשביחו. **תוחלני.** תמרים שלא בשלו. **מיגזרינהו.** לשון גדירה שלוקטן. **מייצינהו.** לכובשן במשאות כדי להוציא הליחה לשהותן שלא יתליעו. **כפרקמטיא האבד דמי.** העומד למכור ואם אינו מוכרן מפסיד. **אקרא.** נמל. **דשנואתה.** מקום. **למיזל.** במועד לתובען.

the dirt **in a hole,**[23] אַדַּעְתָּא דְּבֵי דָּרֵי – then it appears that he is working the ground **with the intention of** making **a threshing floor.**[24] שָׁקַל מוּלְיָא וְשָׁדָא בְּנִצָּא – But if **he took a mound and threw** the dirt **into a hole,** אַדַּעְתָּא דְּאַרְעָא – then it appears that he worked the ground **with the intention of** improving **the land.**[25]

Rava's fourth ruling:

וְאָמַר רָבָא – **And Rava** also **said:** הַאי מַאן דְּזָבֵי זִיבֵי – Concerning **a person who clears debris** (e.g. weeds and twigs) from a parcel of land on Chol HaMoed,[26] the law is as follows: אַדַּעְתָּא דְּצִיבֵי – If he clears the debris **with the intention of** gathering **wood** for fuel, שָׁרֵי – it is **permitted.** אַדַּעְתָּא דְּאַרְעָא – But if he clears it **with the intention of** improving **the land** for cultivation, אָסִיר – **it is prohibited.** הֵיכִי דָּמֵי – **How is it** that his intentions are revealed in this matter? שָׁקִיל רַבְרְבֵי וְשָׁבִיק זוּטְרֵי – If **he takes** only the **large [twigs] and leaves** the **small ones,** אַדַּעְתָּא דְּצִיבֵי – then it appears that he is removing them **with the intention of** gathering **wood.**[27] שָׁקַל רַבְרְבֵי וְזוּטְרֵי – But if **he takes** both the **large and small ones,** אַדַּעְתָּא דְּאַרְעָא – then it appears that he is removing them **with the intention of** improving **the land.**

Rava's fifth ruling:

וְאָמַר רָבָא – **And Rava** also **said:** הַאי מַאן דְּפָתַח מַיָּא לְאַרְעֵיה – Concerning **a person who opens** a gate for **water** to run **into his land**[28] on Chol HaMoed, the law is as follows: אַדַּעְתָּא דְּכַוּוֹרֵי – If he does so **with the intention of** catching **fish,**[29] שָׁרֵי – **it is permitted.** אַדַּעְתָּא דְּאַרְעָא – But if he does so **with the intention of** irrigating **the land,** אָסִיר – **it is prohibited.**[30] הֵיכִי דָּמֵי – **How is it** that his intentions are revealed in this matter? פָּתַח תְּרֵי בָּבֵי – If **he opened two gates** for the water – חַד מֵעִילָּאֵי וְחַד מִתַּתָּאֵי – **one at the higher elevation** as an inlet for the water, **and one at the lower elevation** as an outlet – אַדַּעְתָּא דְּכַוּוֹרֵי – then it appears that he did so **with the intention of** catching **fish.**[31] פָּתַח חַד בָּבָא – But if **he opened** only **one gate** – i.e. only an inlet at the higher elevation[32] – אַדַּעְתָּא דְּאַרְעָא – then it appears that he did so **with the intention of** irrigating **the land,** and it is forbidden.[33]

Rava's sixth ruling:

וְאָמַר רָבָא – **And Rava** also **said:** הַאי מַאן דְּפָשַׁח דִּיקְלָא – Concerning **a person who removes branches from a palm tree** on Chol HaMoed, the law is as follows: אַדַּעְתָּא דְּחֵיוָתָא – If he does so **with the intention of** procuring food for his **animals,**[34] שָׁרֵי – **it is permitted.**[35] אַדַּעְתָּא דְּדִיקְלָא – But if he does so **with the intention of** improving **the palm tree,** אָסִיר – **it is prohibited.**[36] הֵיכִי דָּמֵי – **How is it** that his intentions are revealed in this matter? שָׁקִיל כּוּלֵּיהּ מֵחַד גִּיסָא – If **he took all** the branches **from one side** of the tree,[37] אַדַּעְתָּא דְּחֵיוָתָא – it is evident that he removed them **with the intention of** procuring food for **animals.**[38] מֵהַאי גִּיסָא וּמֵהַאי גִּיסָא – But if he took branches **from this side and from that side,**[39] אַדַּעְתָּא דְּדִיקְלָא – it appears that he removed them **with the intention of** improving **the tree,** וַאֲסִיר – **and it is prohibited.**

Rava's seventh ruling:

וְאָמַר רָבָא – **And Rava** also **said:** הָנֵי תַּמְרֵי תּוּחְלָנֵי – Concerning **these unripe dates:** מִיגְזְרִינְהוּ שָׁרֵי – **Cutting them** in two **is permitted;**[40] מֵיִיצְינְהוּ אָסִיר – **pressing them** under weights

NOTES

use? For even if his intentions are proper, he must not act in a way that people might misconstrue as being forbidden. Accordingly, the Gemara inquires how the person should demonstrate that his leveling is intended for the permitted purpose. See *Beur HaGra* to *Orach Chaim* 537:9, and *Mishnah Berurah* there §31.]

23. See *Rashi* here, but see also *Rashi* to *Rif* and *Rashbam* to *Bava Basra* 54a; see next two notes.

24. According to *Rashbam* (loc. cit.), the explanation is as follows: If one took dirt from the top of a mound and placed it next to what remains of the mound, creating in effect a level, lower, and wider mound, then it is apparent that he meant only to level a small area of the field for purposes of threshing the relatively small amount of wheat that he needs for the festival. Similarly, if he dug around the border of a hole and put the dirt inside the hole, creating in effect a level, shallower, and wider hole, it is evident that he meant only to level a small area for threshing.

[*Rashi* here, however, has a different reading in our Gemara, which will be elaborated at the end of the next note.]

25. *Rashbam* (loc. cit.) explains: If he removed a mound completely and used the dirt to fill a hole, effectively leveling a wide expanse of land, then it is evident that his intention is to level the field for purposes of cultivation, for it is easier to plow level ground.

Rashi here has a reverse reading in our Gemara (a reading that *Hagahos HaBach* §2 adopts as well; see also *Tosafos* with *Hagahos HaBach*). According to *Rashi's* version, the Gemara reads: מוּלְיָא בְּמוּלְיָא וְנִצָּא בְּנִצָּא, אַדַּעְתָּא דְּאַרְעָא *A mound in a mound, or a heap in a heap, [then it appears that he did so] with the intention of [improving] the ground.* [That is, if he took earth from a high area and placed it in a high area, or from a low area and placed it in a low area, it appears that he did so merely to soften the earth, just as one who plows does not care whether or not the area he softens through plowing is level (see *Rashi* and *Hagahos HaBach* §3).] שָׁקַל מוּלְיָא וְשָׁדָא בְּנִצָּא אַדַּעְתָּא דְּבֵי דָּרֵי, *If he took a mound and threw it in a hole, [then it appears that he did so] with the intention of [making] a threshing floor,* since he was careful to level the ground.]

26. From *Rashi's* comments here, it would seem that the person is gathering detached twigs. *Rashi* to *Rif,* however, explains that the reference is to attached plants; see also *Talmid R' Yechiel MiParis.*

27. For it is the large twigs that are suitable for firewood (*Rashbam* loc. cit.).

28. There was a river running by his field, and he makes an opening to allow the water to flow into a depression in the ground between the river and his field (see *Rashi;* see also *Rashi* to *Rif*).

29. I.e. his intention was to bring the river water containing fish into the depression and to let the water then drain into the field, leaving the fish behind in the depression (*Rashi*).

30. That is, where the field has not yet been planted, in which case it may not be irrigated on Chol HaMoed [see above, 2a] (*Rashi* to *Rif;* see also *Meiri*).

31. Thus, he let water into the depression on top, and let it drain out into the field lower down, leaving the fish behind in the depression.

32. Allowing the water to accumulate in the depression until it overflows, spreading over the entire field (*Rashi*). [In the previous case of two gates, however, the field is watered only in the place where the water drains out of the depression.]

33. Though a portion of the field is inevitably watered even in the previous case, where he opens *both* gates, it is nonetheless permitted in that case. For his motive in opening the gates is to catch fish for his festival needs, and the watering of the field is but an unintentional [albeit inevitable] outcome of that permitted act (see *Tur, Orach Chaim* 537 and *Mishnah Berurah* 537:32).

34. These branches are fit for animal consumption (*Rashi*).

35. Since one is permitted to obtain food for his animal on Chol HaMoed.

36. On Chol HaMoed, it is forbidden to prune a tree in order to cultivate it.

37. I.e. he took the branches from one side indiscriminately – both dry branches and fresh ones (*Rashi*).

38. Since he removed both dry and moist branches (see *Rashi;* cf. *Rashbam* to *Bava Basra* 54a).

39. I.e. he took from all sides of the tree, removing only dry branches (*Rashi*).

40. He cuts them open in order to eat them. This cutting is permitted because it fulfills a festival need (*Rashi*). [*Chazon Ish, Orach Chaim* 135, notes to 10b, wonders what *melachah* the cutting entails that Rava should have to explicitly permit it. *Chazon Ish* therefore prefers the alternative explanation of the Gemara mentioned in the Rishonim (see end of note). (Possibly, however, *Rashi's* view is that mere exertion without *melachah* would be forbidden on Chol HaMoed, where this

אבל חמרא דריחיא לא ארב יהודה שרי למישקל טופריה לחמרא דריחיא ולאוקומי ריחיא ולמיבני ריחיא ולמיבני אמת ריחיא ולמיבני אוריא (א) רבא) שרא בלסרוקי סוסיא גולמיבני אקרפיטא דולמיבני איצטבא רבא שרא למישקל דמא לבהמה בחולא דמועדא א"ל אביי תניא דמסייע לך המקיזין דם לבהמה ואין מונעין רפואה לבהמה בחולו של מועד רבא ושרא לכסכוסי קירמי מ"ט מעשה הדיוט הוא אמר רב יצחק בר אמי אמר רב חסדא כ) קיטורי ג) בירי [ו]אסיר מ"ט מעשה אומן הוא אמר רבא ד) זמאן דמתקיל (א) ארעא אדעתא דבי דרי שרי אדעתא דארעא אסיר היכי דמי מוליא ה) במוליא ונצא בנצא (ב) אדעתא דבי דרי שקל מוליא ושדא בנצא אדעתא דארעא ואמר רבא חהאי מאן דזכי זיכי אדעתא דציבי שרי אדעתא דארעא אסיר ו) היכי דמי שקיל רברבי ושביק זוטרי אדעתא דציבי שקל רברבי וזוטרי אדעתא דארעא ואמר רבא טהאי מאן דפתח מיא לארעיה אדעתא דכוורי שרי אדעתא דארעא אסיר היכי דמי ז) פתח תרי בבי חד מעילאי וחד מתתאי אדעתא דכוורי פתח חד בבא אדעתא דארעא ואמר רבא יהאי מאן דפשח דיקלא אדעתא דחיותא שרי אדעתא דדיקלא אסיר היכי דמי ח) שקיל כוליה מחד גיסא אדעתא דחיותא מהאי גיסא ומהאי גיסא אדעתא דדיקלא ואסיר ואמר רבא הני תמרי תוחלני מיגזרינהו שרי מייצינהו אסיר רב פפא אמר כ כיון דמתלעי ט) כפרקמטיא האבד דמי ושרי ואמר רבא ל פרקמטיא כל שהוא אסור א"ר יוסי בר אבין מובדבר האבד מותר רבינא הוה ליה ההוא עיסקא דהוה מזדבן בשיתא אלפי שהייה לזבוניה בתר חולא דמועדא וזבניה בתריסר אלפי רבינא הוה מסיק זוזי בבני י) אקרא דשנואתא אתא לקמיה דרב אשי א"ל מהו למיזל האידנא עלייהו א"ל נ כיון דהאידנא הוא דמשכחת להו ביומי אחריני לא משכחת להו כפרקמטיא האבד דמי ושרי תניא נמי גבי ע"ז כי האי גוונא הולכין ליריד

רש"י

אבל חמרא דריחיא. שכך עושין שהיו טוחנים אגב חמורים לא מצי למישקל לההוא חמרא לפרניו דלא מצי למטחן במועד אלא לצורך מועד כדמפרש לקמן פרק מי שהפך (דף יב:) הלכך טחינה מועטת יכול לטחון בחמור ולא מרעי ליה גידול לפרניו: לאוקומי ריחיא. להעמיד להשים הריחים זו על גב זו: אמת ריחיא. העץ שהריחים בנוי עליו: ולמיבני אוריא. רפת בקר: לסרוקי סוסיא. להסריק סוסים במסרק של ברזל: למיבני אקורפיטא. מה שמשימין התבואה לתוכו לפני הסוסים שקורין מנייטור"ה בלע"ז: איצטבא. בנין אבנים: למישקל דמא. להקיז: לכסכוסי. גיהוץ שקורין קוביל"ר: קרמין. כ) בגדים: מעשה הדיוט. דמותר לעשותו בחולו של מועד דלאו מעשה אומן הוא: קיטורי בירי אסיר. למיעבד במועד שכך היו עושין שהיו נוטלין כלים חלוקין והיו מחליקין עליהן בית יד של חלוקיהם מעשה אומן הוא ואסור ל"א לכויץ קמטין שאדם עושה בבית יד שממלאים אותה בקנה של שבלים חלקים ומקמטין פרוונלי"א בלע"ז: דמתקיל תיקלא. שחופר משם האדמה לצורך הגורן לחבוט שם חטין לצורך המועד היינו אדעתא דבי דרי ושרי: אדעתא דארעא. שחופר שדהו לצורך זריעה אסור משום דדמי כחורש בי"ט: מוליא במוליא. שנוטל הקרקע ממקום גבוה ומניחו שם על גבי מקום גבוה היינו מוליא במוליא: או נצא בנצא. שחופר במקום נמוך ומניחו במקום נמוך דהיינו אדעתא דארעא ואסור דזה דרכו של חורש שדהו (ג) שאינו משגיח באיזה מקום שירד המחרישה בקרקע אפילו במקום נמוך חורש והיינו דומיא דחרישה ואסור: אבל שקל מוליא. שנוטל הקרקע ממקום גבוה: ושדא בנצא. במקום נמוך היינו אדעתא דבי דרי אדעתא דגורן שכך דרכו של גורן שמשוה הגרנות וזה מותר: דזכי זיכיא. שמכבד את הקרקע מעלים קטנים שעליה שנוטלם: אדעתא דציבי. אם ליקטן אדעתא דעלים להסיקן דנקט רברבי ושבק זוטרי: אדעתא דארעא. דלהכי ליקטן שרוצה לזרוע הקרקע שלוקט גדולים וקטנים אסור (ד): אדעתא דכוורי. שעושין המים שיוצאין מן הגומא של ביבר לחוץ אם לצורך שיצאו המים וישתיירו הדגים מותר: כגון דפתח תרי בבי. חד שבו נכנסין המים לגומא ונכנסין אף הדגים לגומא וחד שהמים יוצאין חוץ לגומא והדגים משתיירים בתוכה ולוקחים אותם שרי דהיינו אדעתא דכוורי: דארעא. דפתח חד בבא שבו נכנסים המים לגומא ואידך פתח שבו יוצאין המים לחוץ לא פתח: אדעתא דארעא. שכשהגומא מליאה מים יוצאין המים למעלה ומשקין כל השדה וכי האי גוונא אסור: דפשח דיקלא. שזומר הדקל מן הענפים שבו: אדעתא דחיותא. דראויין למאכל בהמה דנקט מן הענפים דמחד גיסא בין לחין בין יבשין לצורך מאכל בהמה היינו דחיותא ושרי: דנקיט מהאי גיסא. דדיקלא ומהאי גיסא ענפים יבשין שבו היינו אדעתא דדיקלא ואסור: הני תמרי תוחלני. תמרים שלא נתבשלו כל צרכן: מיגזרינהו. לחותכן לשנים ולאוכלן הכי בי"ט שרי דלצורך יום טוב קעביד: מייצינהו אסור. לכובשן במשוי ומוציא ליחה שבהן לחוץ היינו אסור שעכשיו אינן נתלעים אלא לעשות מהן צימוקים לאכלן בחול הוא מכוין ואסור לתקן ביום טוב מאכל דחול: כיון דמתלעי. אי לאו דמייצינהו: כדבר האבד. כלומר כסחורה שאדם יכול לעשותה במועד כדי שלא יפסיד בה אם לא עשאה הכי נמי מצי למייצינהו דאי לא עביד הכי מיתלעי ושרי: פרקמטיא כל שהוא. לעשות סחורה בחולו של מועד: ובדבר האבד מותר. שאם יש לו הפסד אם לא יעשנה לאותה סחורה מותר לעשותה אבל בחנם שלא להרויח אסור: הוה מסיק זוזי. שהיו חייבין לו מעות באותו מקום:

תוספות

למישקל טופרי. פירש (ה) בתוספתא דה"ה לדידן שמותר לתקן ברזלים דקרקע קשה ומתקלקל ומשום שאין ברזלים בימי חכמים שאין צריך רק למשקל טופריה שהיה הקרקע מטוננת כמו ברוסי"א היה אסור: **איצטבא** ואקרופיטא. עניני ספסל וקלא הם חלוקים כדאמרינן בריש פרק עשרה יוחסין (קדושין דף ע.) ליתיב מר אקרופיטא אמר ליה מי סני ספסל כדאמרי רבנן או איצטבא כדאמרי אינשי:

ואין מונעין רפואה מבהמה. (ו) דברפואה דבהמה שיש בה מלאכה איירי אבל רפואה שאין בה איסור מלאכה רק גזירה משום שחיקת סממנין אפילו בשבת איכא מאן דשרי והלכה כמאן דשרי כדאי' בפ' במה בהמה (שבת דף נג:) דרש רבא הלכה כרבי יאשיה דלית ליה גזירה משום שחיקת סממנין ברפואה דבהמה פי' דלסרוקי סוסיא שפירש בקונטרס אושטלי"ר בלעז ° אין נראה לי דהא קי"ל דבין קירוד ובין קירצוף שרי (ז) כדאי' סוף פרק שני דביצה (דף כג.) לר' שמעון דאמר דבר שאין מתכוין מותר וקיימא לן כוותיה אלא ענין אחר הוא:

כסכוסי. פי' בקונטרס אנפשיי"ר בלע"ז ויש מפרשים ליקיי"ר ולשון כסכוס משמע כן כדאי' פ' תולין (שבת דף קמא. ושם) מכסכסו מבפנים ואין מכסכסו מבחוץ גבי טיט:

קיטורי בירי. גרסינן ברי"ש ולא בידי בדלי"ת (ח) והוי מענין בירית טהורה בפ' במה אשה יוצאה (שם דף סג.) (ובפרק חזקת הבתים) (ב"ב דף נד):

מוליא במוליא ונצא בנצא אדעתא (ט) דבי דרי שקל מוליא ושדי בנצא אדעתא דארעא. [א] וכן גרס רבינו גרשון ורב אלפס גרס בהפך מוליא במוליא ונצא בנצא אדעתא דארעא מוליא בנצא אדעתא דבי דרי משמע שיותר קרקע שוה צריך לחרוש מלידוש ואיפכא מסתברא טפי דלדידן צריך קרקע שוה לידוש יותר מלחרוש ושמא לפי שהיו דשין במוריגין אין צריך קרקע שוה ויש מפרשים כדי לעשות דיר של בהמה ל):

פרקמטיא כל שהוא. פי' רבינו יצחק בתשובתו כי רבינו יעקב לא היה חושב הלואת רבית פרקמטיא והא דאמר רבינא הוה מסיק זוזי בבני אקרא דשנואתא משמע דחשיב פרקמטיא ולא שרי אלא משום דבר האבד היה אומר רבינו יעקב דסחורת יין היתה כדאמרינן באיזהו נשך (ב"מ עג:) רבינא הוה יהיב זוזי לבני אקרא דשנואתא ושפכי ליה טפי כופייתא אבל הלואה דשולחנות בקביעות וחילוף נראה (י) דחשיב פרקמטיא:

ובדבר האבד מותר. פירוש בדבר שאם לא ימכרנה עתה שמא לא ימכרנה יפה פעם אחרת ויפסיד מן הקרן אבל אם לא יפסיד מן הקרן אלא שלא ירויח כל כך אין זה חשוב דבר האבד וכל שכן לקנות סחורה שמא תהיה יותר ביוקר אחר המועד אבל לקנות יין כשר בתוך המועד מותר והר"ר יוסף פירש דיש לאסור דאף על פי שלא ימצא בזול הרי ימצא ביוקר ואין זה דבר האבד:

כוורא

עין משפט נר מצוה

צב א מיי' פ"ח מהל' י"ט הלכה טו סמג לאוין עה טוש"ע א"ח סי' תקמ סעיף ח:

צג ב מיי' שם טוש"ע א"ח סי' תקלו ס"ב:

צד ג טוש"ע א"ח סי' תקמ סעיף ה:

צה ד מיי' שם הלכה ז טוש"ע שם סעיף ו:

צו ה מיי' שם הלכה טו טוש"ע א"ח סי' תקלו סעיף ג:

צז ו מיי' שם הלכה יד טוש"ע א"ח סי' תקמא סעיף ג:

[ו מיי' שם טוש"ע שם]:

צח ז מיי' פ"ח הלכה יג שם ופ"ב מהל' זכיה ומתנה מהל' ד עד הלכה ט טוש"ע א"ח סי' תקלט סעיף ט וטור ש"ע ח"מ סי' רעה סעיף ח יח יט כ:

צט ח טוש"ע א"ח שם סעיף י:

ק ט טוש"ע שם ס"ח:

קא י טוש"ע שם סעיף יא:

קב כ טוש"ע שם סי' תקלג סעיף ג:

קג ל מ נ מיי' פ"ז שם הלכה כב טוש"ע שם סי' תקלט סעיף א:

רבינו חננאל

וחמור שרוכב עליו מותר ליטול צפרניו. אבל חמור הטוחן בריחים לא ר' יהודה שרא ליטול צפרנים של חמור הטוחן בריחים ולאוקמי ריחיא ולמבני ריחיא ולמיבני אמת הריחים ולמיבני אוריא פי' אורות סוסים רבא שרא לסרוקי סוסיא ולמיבני אקרפיטא ואיצטבא. רבא שרא למשקל דמא תניא נמי הכי מקיזין דם לבהמה. ואין מונעין רפואה לבהמה בחולו של מועד. רבא שרא לכסכוסי קירמי. ופירשו הגאונים א) תרטיב ר' אמתנעה ותליאנא אמר רב חסדא קיטורי בירי אסור מ"ט מעשה אומן הוא במס' יו"ט פ"ב (דף כג) אמר רבא מאן דתקיל תיקלא ב) פי' אזלת וגב אל ארץ וגעל הא מעתאר אל אי שקיל ויהיב מוליא במוליא ונצא בנצא אדעתא דבי דרי עביד והקשה בקשה אדעתא דבי דרי עביד הרך בקשה אדעתא דארעא ואסיר. וכן מאן דזכי זיכא. רב מסקל ומנקה הקרקע שקיל רברבי פי' העצים הגדולים נוטל ומניח הקיסמין קטנים אדעתא דציבי ושרי שקיל רברבי וזוטרי אדעתא דארעא עביד ואסיר. וכן מאן דפתח מיא בארעיה דעיילי מהאי גיסא ונפקי מהאי גיסא אדעתא למיצד כוורי הוא ושרי וכן מאן דפשח דיקלא מחד גיסא אדעתא דחיותא שרי מהאי ומהאי גיסא אדעתא דדיקלא ואסור והני תמרי תוחלני שרי למגזרינהו מיצינהו אסור. בחגיגה בפרק אין דורשין אומר שם משל אי משכחת תוחלא אכול כו' והן התמרים הנקראים בטיית שודאך רטב והדקל אשר בו אלו התמרים עליו דיבר בו אלו והתיר לחותכם מן הדקל ולא התיר לדורכן בנרתק שלהן לעשותן כמו אלו הנקראים בטיית אל לוג. ורב פפא התיר את זאת מפני שמתליעין. רב פפא אמר כיון דמתלען כפרקמטיא האבד דמי ושרי. ואמר רבא פרקמטיא כל שהוא אסור. א"ר אסי בר אבין ובדבר האבד מותר. רבינא הוה ליה עיסקא דהוה מזדבנא בשיתא אלפי שהייה לבתר מועדא וזבניה בי"ב אלפי. רבינא הוה מסיק זוזי בבני אקרא דשנואתא אתא לקמיה דרב אשי א"ל כיון דהאידנא משכחת להו וביומי אחריתי לא משכחת להו

חשק שלמה על ר"ח א) לפי הנראה הוראת הדברים בלה"ק שרא לרטוב גרגי הבית כדי לנקותם. ב) הוראת הדברים בלה"ק עניינו דקירה. ופי' דקר את פני הארץ כי יעשה עפר.

מסורת הש"ס

א) [נ"ל רב וכ"א ברא"ש ובערוך ערך אקרפטא], ב) [עי' ביצה כג.], ג) [בב"י סי' תקמא העתיקו נוסח הגמ' קטורי בי ידי ע"ש], ד) ב"ב נד., ה) ב"ב נד., ו) [שם], ז) [שם], ח) [שם], ט) [לקמן יא.], י) [עי' ב"מ עג:], כ) דקיס כקרוס ביצה. ערוך, ל) [ועי' תוס' ב"ב נד. ד"ה מוליא].

הגהות הגר"א

[א] תוס' ד"ה מוליא במוליא כו' וכן גרס ר"ג ורב אלפס משמע שיותר קרקע שוה צריך לחרוש כו' ושמא לפי שהיו דשין כו' וי"מ כדי לעשות דיר כו' ורש"י גרים בהיפך מוליא במוליא ונצא בנצא אדעתא דארעא מוליא בנצא אדעתא דבי דרי כצ"ל:

הגהות הב"ח

(א) גמ' אמר רבא מאן דמתקיל תיקלא אדעתא. נ"ב כן היא גירסת רש"י ונימוקי יוסף ופירוש מסקל השדה: (ב) שם ונצא בנצא אדעתא דארעא שקל מוליא ושדא בנצא אדעתא דבי דרי כו' כצ"ל: (ג) רש"י ד"ה או נצא כו' שאינו משגיח באיזה מקום. נ"ב פירוש דרכו של חורש אינו אלא לרפויי ארעא עי' לעיל דף ג ע"ב: (ד) ד"ה אדעתא דארעא דלהכי כו' אסור מה"ד דפתח מיא לארעיה שעושין חור והמים יוצאין מן הגומא: (ה) תוס' ד"ה למישקל כו' פי' בתוספות כו' לתקן ברזלים דכיון דהקרקע קשה ומתקלקל: (ו) ד"ה ואין מונעין רפואה מבהמה נראה דברפואה דבהמה: (ז) בא"ד ובין קרצוף שרי אפילו בי"ט כדאיתא: (ח) ד"ה קיטורי כו' ולא בידי בדל"ת. נ"ב פירוש דיש גורסין בידי בדל"ת ופי' שעושין קשרי בית ידים אסור מפני שהוא מעשה אומן וכן היא גירסת הרמב"ם: (ט) ד"ה מוליא כו' אדעתא דארעא שקל מוליא ושדי בנצא אדעתא דבי דרי וכן גרס ר"ח ור"א כו' בהפיך כו' בנצא אדעתא דארעא מוליא בנצא אדעתא דבי דרי משמע שיותר כו' כצ"ל: (י) ד"ה פרקמטיא כו' בקביעות וחילוף נראה דלא חשיב פרקמטיא:

גליון הש"ס

תוס' ד"ה ואין מונעין וכו' אין נ"ל דהא קיי"ל. עיין ברא"ש להגירסא הכא כלל. ולפ"ז לק"מ דרב לשיטתיה דס"ל דבר שאין מתכוין אסור. ואסור קרלוף בי"ט:

רש"י כת"י

חמרא דריחיא. [חמור] שמטחינו את הריחים. לא. לפי שאין רשאי לטחון במועד אלא לצורך המועד כדמפרש לקמן בפ' מי שהפך הלכך טחינה מועטת יכול לטחון בחמור שצפרניו גדולים ולא יוזקו. ולאוקומי. להעמיד. ולמיבני. לעשות בחולו. אמת ריחיא. מקום שבת הריחים כולה קרוי אמתא. אוריא. ארוות הסוסים שמזיק לסוס כשאינו שוכב יפה. סרוקי. מקרלפין. קרפיטא. ספסל. איצטבא. של בנין אבנים. לכסכוסי. אנפשי"ר. קירמי. יריעות [לכסכס] להכות עליהם שילא האבק לחוץ דמעשה הדיוט הוא שכל אדם יודע לעשות כן] טיילש. קיטורי בירי. לכווץ ביר"י קלג"ש ומעשה אומן הוא שממלאים אותם בקנים של חבלים חלקים ומקמטין אותו. דבי דרי. לעשות חיטין שם לצורך המועד. אדעתא דארעא. שתהא נוחה לחרוש לאחר המועד [אבל] להשוות ביתו אם שלא יהא נתקל [בגבשושית ו]בגומות. מוליא בנצא. גבשושית הקרקע נותן לתוך הגומות שרוצה אדעתא דבי דרי. מוליא במוליא. שחופרה ומניח שם. נצא בנצא. אלא הגלא חופר מעט ונותן בגלא ואינו משוה יפה. דזכי זיכי. מנקה את הקרקע ותולש עלים וקשין בתוכו. אדעתא דארעא. שרוצה לחפרה לאחר המועד. חור ליכנס בו המים ולהעבירן דרך שדהו. חד מעילאי. חור אחד רחב לצד המים היורדין מלמעלה וחור קצר מלמטה שילאו בו המים. חד בבא. למעלה ולמטה לא פתח רוצה הוא שיתפשטו המים בשדהו [ויעברו שם כדי לזבל שדהו] בור עסקין כי שרו רבנן להשקות במועד שדה שיש בו זרעים. [אדעתא דארעא. להשקותה אסור הואיל ועדיין לא נזרע]. דפשח. מפשיח את הדקל מענפיו שענפי דקל [כשהן] רכים ראויה למאכל בהמה. אדעתא דדיקלא. תמרים שלא בשלו. מיגזרינהו. לשון גדירה שלוקטן. מייצינהו. לכובשן במשאות כדי להוציא הליחה לשהותן שלא יתליעו. כפרקמטיא האבד דמי. העומד למכור ואם אינו מוכרן מפסיד. אקרא. נמל. דשנואתא. מקום. למיזל. מועד לתובען.

is prohibited.[41]

The Gemara cites a dissenting view:

רַב פָּפָּא אָמַר – Rav Pappa, however, **says: כֵּיוָן דְּמִתְלְעֵי – Since they** are likely to **become wormy** if not pressed, **כִּפְרַקְמַטְיָא הָאָבֵד דָּמֵי וְשָׁרֵי – it is like** a case of **merchandise that will be lost,**[42] **and it is** therefore **permitted** to press them.[43]

Rava's eighth ruling:

וְאָמַר רָבָא – And Rava also **said: פְּרַקְמַטְיָא כָּל שֶׁהוּא אָסוּר – Any amount of merchandising is prohibited** on Chol HaMoed.[44] **אָמַר רַבִּי יוֹסֵי בַּר אָבִין – R' Yose bar Avin said: וּבְדָבָר הָאָבֵד מוּתָּר – But in the case of something that will be lost, it is permitted.**[45]

The Gemara cites an incident that relates to doing business on Chol HaMoed:

רָבִינָא הֲוָה לֵיהּ הַהוּא עִיסְקָא – Ravina had certain merchandise דַּהֲוָה מִזְדַּבֵּן בְּשִׁיתָּא אַלְפֵי – that was selling on Chol HaMoed **for six thousand** *zuz,* **שַׁהְיֵיהּ לְזַבּוּנֵיהּ בָּתַר חוּלָּא דְמוֹעֲדָא – yet he waited to sell it** until **after Chol HaMoed,**[46] **וְזַבְּנֵיהּ בִּתְרֵיסַר אַלְפֵי – and sold it for twelve thousand** *zuz.*[47]

Another incident involving Ravina:

רָבִינָא הֲוָה מַסִּיק זוּזֵי בִּבְנֵי אַקְרָא דְשַׁנְוָאתָא – Ravina had a monetary claim against the people of the region on the banks of the **Shanvasa** **River.**[48] **אֲתָא לְקַמֵּיהּ דְּרַב אַשִׁי – He came before Rav Ashi אָמַר לֵיהּ – and he said to him: מַהוּ לְמֵיזַל הָאִידְנָא עֲלַיְיהוּ – What is [the law] regarding** the permissibility of **going today,** Chol HaMoed, **to them** to ask for payment?[49] **אָמַר לֵיהּ – [Rav Ashi] replied to [Ravina]: כֵּיוָן דְּהָאִידְנָא הוּא דְּמַשְׁכַּחַת לְהוּ – Since it is today that you can find them** to collect your money, **בְּיוֹמֵי אַחֲרִינֵי לֹא מַשְׁכַּחַת לְהוּ – and on another day you cannot find them** so readily, **כִּפְרַקְמַטְיָא הָאָבֵד דָּמֵי וְשָׁרֵי – it is like** a case of **merchandise that will be lost, and it is permitted.**[50]

The Gemara presents a parallel ruling:

תַּנְיָא נַמִּי גַּבֵּי עֲבוֹדָה זָרָה כִּי הַאי גַּוְונָא – It was taught in a Baraisa also with regard to idolatry a similar ruling: הוֹלְכִין – WE MAY GO

NOTES

serves no festival need – see *Tosafos* to 12b ד״ה מכניס and to 19a ד״ה וטווה.)]

Alternatively, the reference is to cutting these dates from the tree in order to eat them (*Rosh, Rashi* to *Rif* and *Talmid R' Yechiel MiParis*).

41. A person who wishes to dry these dates puts them under weights to extract their liquid, so that they do not become wormy in the interim. Rava rules that one may not press the dates on Chol HaMoed, because he is doing so for post-festival use – to prepare these dates for being made into dried fruit. We cannot say that he is doing so to prevent them from becoming wormy – and thus inedible – on the festival itself, because even if left alone they would not become wormy in that short a time (see *Rashi*).

42. Although (as the Gemara will state shortly) commerce is generally forbidden on Chol HaMoed, the Rabbis made an exception in the case of "merchandise that will be lost" and the like, where the merchant will suffer a loss if he does not make the sale on Chol HaMoed (see *Rashi;* see below, note 45).

43. Since if one fails to do so, the dates are likely to spoil after the festival and the owner will suffer a loss (see *Rashi*).

The Gemara does not state simply that permission is granted in this case because it is a case of irretrievable loss, as the Gemara usually does, but rather makes an analogy to the permission given in the case of "merchandise that will be lost." For the Gemara wishes to prove that even a case of *small* monetary loss (such as the common case of depreciating merchandise) qualifies for this permit. Accordingly, the minimal loss that would ensue from the spoiling of the dates may also be forestalled on Chol HaMoed (see *Ritva*).

[Rava (who forbids pressing the dates) holds, however, that the minimal loss the person would suffer by refraining from pressing the dates does not qualify for the permit of "something that will be lost." Alternatively, he holds that the possibility of the dates becoming ruined is not that certain (see *Keren Orah,* end of ד״ה גמרא פרקמטי׳ כ״ש).]

44. Because of the effort involved (*Rosh* §23).

Buying merchandise involves great effort in carefully appraising the value of the purchase, and due to this he will abstain from rejoicing on the festival. Also, he will sometimes overpay and thereby be distressed on the festival (*Teshuvos HaRosh* §23). Though minor buying and selling should have been permitted, the Rabbis forbade *any* merchandising on Chol HaMoed, because permitting minor commercial transactions would inevitably lead to greater and greater involvement in commerce on Chol HaMoed (see *Aruch HaShulchan, Orach Chaim* 539:3).

45. I.e. if the person will sustain a loss if he does not sell a particular merchandise on Chol HaMoed, he is permitted to sell it in order to avert that loss. But where he does not gain anything [by his selling the merchandise specifically on Chol HaMoed], it is forbidden (*Rashi*).

Rashi's comments here indicate that even a mere loss of potential profit qualifies as "something that will be lost" with regard to permitting commerce on Chol HaMoed. Although the Gemara above (2a) states that the leniencies granted in the case of an irretrievable loss apply only to a threatened loss of the capital but not to a loss of potential profit, that is only where one seeks to permit the performance of an actual labor. Commerce, however, does not entail any actual labor, but simply unnecessary effort. Therefore, the Rabbis were more lenient with regard to commerce and permitted it even in order to forestall a mere loss of potential profit (*Chazon Ish, Orach Chaim* 135, comments to 10b; see also *Raavad* cited in *Rosh* §28, second explanation). Alternatively, the current *market value* of the merchandise is considered "the principal," and any decline in that value is deemed a loss of principal, even if the merchandise can still be sold at or above cost (*Chazon Ish* ibid.; see also *Ritva*).

Tosafos (ד״ה ובדבר; see also *Rosh* §23), however, maintain that the permit of "merchandise that will be lost" applies only to loss of actual principal – i.e. where the merchant will not be able to recoup his actual cost if he waits until after Chol HaMoed. But where he will simply not make as much profit on the sale after the festival as he would if he would sell the item on Chol HaMoed, this is not deemed a "loss of principal," and he is forbidden to make the sale on Chol HaMoed. See *Orach Chaim* 539:4.

46. And by doing so, he risked losing a substantial amount of money. For there were presently sufficient customers for the entire lot. After the festival, however, he might have to sell it a little at a time and suffer a considerable loss. He was permitted by law, therefore, to make the sale on Chol HaMoed. Nevertheless, he went beyond the requirements of the law, and refrained from transacting business on Chol HaMoed even to avert this threatened loss (*Nimukei Yosef;* see also *Teshuvos Ri Migash* §145; cf. *Chidushei HaRan,* and *Keren Orah* to 11a ד״ה גמרא שרא להו רבא).

47. [For his act of piety, Ravina was duly rewarded by Hashem and his merchandise fetched double the expected price.]

48. [Translation follows *Rashi* to *Bava Metzia* 73b.] Some explain that he was claiming a loan payment; others explain that he was claiming payment for a business transaction (see *Nimukei Yosef* and *Tosafos* ד״ה פרקמטיא; regarding the halachic difference between these two explanations, see *Beis Yosef, Orach Chaim* 539).

49. Chol HaMoed was the ideal time to collect payment from them, since they were then at home rather than at work (*Nimukei Yosef*).

50. [The debtors will be less accessible after the festival, decreasing the likelihood that the debt will be collected altogether. The debt whose likelihood of collection is decreased is also considered a form of "merchandise that will be lost," and it is therefore permitted to collect the debt on Chol HaMoed.]

וְלוֹקְחִים בְּהֵמָה לְיָרִיד שֶׁל עוֹבְדֵי כּוֹכָבִים וּמַזָּלוֹת – TO A PAGAN FAIR,[1] עֲבָדִים וּשְׁפָחוֹת בָּתִּים שָׂדוֹת וּכְרָמִים – AND PURCHASE from them ANIMALS, SLAVES, MAIDSERVANTS, HOUSES, FIELDS AND VINEYARDS, וְכוֹתֵב וּמַעֲלֶה בְּעַרְכָּאוֹת שֶׁלָּהֶן – AND ONE MAY WRITE UP AND RECORD these transactions IN THEIR COURTS,[2] מִפְּנֵי שֶׁהוּא כְּמַצִּיל מִיָּדָן – BECAUSE IT IS THE EQUIVALENT OF SAVING one's property FROM THEIR HANDS, since this is the only way for the Jewish buyer to protect himself against the seller's reneging on his transaction.[3]

The Gemara cites a ruling:

רַב שָׁרָא לְחִיָּיא בַּר אַשִׁי – Rav ruled it permissible for Chiya bar Ashi לְמִיגְדַּל אוּהֲרֵי בְּחוּלָּא דְּמוֹעֲדָא – to make[4] **fish traps on Chol HaMoed.**

The Gemara explains:

מַאי טַעְמָא – **What is the reason** for this being permitted? מַעֲשֵׂה הֶדְיוֹט הוּא – **It is the work of an amateur.** אֲבָל אִיזְלֵי אָסוּר – **But** it **is prohibited** to make **bird nets.** מַאי טַעְמָא – **What is the reason?** מַעֲשֵׂה אוּמָּן הוּא – **It is the work of a craftsman.**[5]

Another ruling regarding making things on Chol HaMoed:

רַב יְהוּדָה שָׁרָא לְאַמֵּי תַּנּוּרָא[6] – **Rav Yehudah ruled it permissible for Ami the oven maker** לְמִיגְדַּל תַּנּוּרֵי – **to build** new **ovens** on Chol HaMoed,[7] וּלְרַבָּה בַּר עַשְׁבִּי – **and** he permitted **Rabbah bar Ashbi** לְמִיגְדַּל מְהוּלְתָא – **to make sieves.**[8]

The Gemara questions Rav Yehudah's permission to build an oven on Chol HaMoed:

אִינִי – **Is this** indeed **so?** וְהָא תָּנֵי רַבָּה בַּר שְׁמוּאֵל – **But Rabbah bar Shmuel taught a Baraisa** that states: וְשָׁוִין שֶׁאֵין גּוֹדְלִין תַּנּוּר לְכַתְּחִילָּה – AND THEY AGREE THAT ONE MAY NOT INITIALLY MAKE AN OVEN on Chol HaMoed.[9]

The Gemara replies:

לֹא קַשְׁיָא – **It is not a difficulty:** כָּאן בִּימוֹת הַחַמָּה – **Here,** where Rav Yehudah permits the building of a new oven, **it refers to the summer season,** כָּאן בִּימוֹת הַגְּשָׁמִים – whereas **here,** where the Baraisa states that all agree that one may not initially build an oven on Chol HaMoed, it refers to **the rainy season.**[10]

Mishnah The Mishnah discusses several repairs that may be done only in amateur fashion on Chol HaMoed: עוֹשִׂין מַעֲקֶה לְגַג וּלְמִרְפֶּסֶת – **We may make a railing for a roof or a gallery**[11] מַעֲשֵׂה הֶדְיוֹט – in the manner of **the work of an amateur** אֲבָל לֹא מַעֲשֵׂה אוּמָּן – **but not the work of a craftsman.**[12] שָׁפִין אֶת הַסַּדְקִין

NOTES

1. I.e. a commercial fair conducted by idolaters. [*Rashi* to *Eruvin* (loc. cit.) explains that the Baraisa refers specifically to a pagan fair that coincides with a pagan holiday (see, however, *Ritva* (*MHK* ed.) to *Avodah Zarah* 13a note 429). *R' Shlomo ben HaYasom* explains that the term יָרִיד is a pejorative that means literally *decline*; the fairs were so called by the Sages because the pagans would praise their deities at these commercial fairs.]

2. Even though this resort to the pagan judges thereby accords honor to them, which might in turn lead to their praising their pagan deities [which we must avoid being the cause of – see *Avodah Zarah* 6b] (*Rashi* to *Eruvin* 47a and to *Avodah Zarah* 13a).

3. [*Rashi* ibid.; see, however, *Meiri* and *R' Shlomo ben HaYasom* here, and *Tosafos* to *Gittin* 44a ד״ה וכותב ומעלה.] The Rabbis were lenient in these cases to allow the Jew to go with the idolater to the pagan courts and process the document of sale. For it is now that the Jew has the opportunity to forestall the idolater's contesting of the sale, and the opportunity might not present itself again (see *Rashi*). This is similar to the ruling of Rav Ashi in regard to Chol HaMoed, that missing the opportunity to collect a debt that might not be collectible at a later date is deemed a case of "merchandise that will be lost."

[According to *Ritva* (here and to *Avodah Zarah* 13a), the Gemara introduces this case of the pagan fair for the following reason: It is generally forbidden to do business with idolaters on their festivals (lest their commercial successes lead them to give praise to their deities – see *Avodah Zarah* 2a). Nevertheless, the Rabbis made a special allowance in the case of the pagan fair (which was held on pagan festivals – see above, note 1), because these items that are needed for personal use are not otherwise available at such reasonable prices; thus, they invoked the permit of "merchandise that will be lost." Similarly, in the case of Chol HaMoed, it is permitted to make such purchases at a fair. For since these items will not be available after the festival at such reasonable prices, the permit of "merchandise that will be lost" applies.]

4. See *Rashi* to *Succah* 37a ד״ה מגדלי, who demonstrates from our *sugya* that the word לְמִיגְדַּל is used to refer to the performance of any craft. [See, however, *Meiri* here, who maintains that לְמִיגְדַּל in our *sugya* refers specifically to *twisting* or *weaving*.]

5. And the work of a craftsman is not permitted even if required for festival needs (see note 7, and Mishnah below with notes).

[Many Rishonim explain that the traps which are permitted are those made by weaving together strips of palm leaves (which is the act of an amateur), whereas those which are forbidden are those made by weaving flaxen cords (which is the act of a craftsman) – see *Rosh, Meiri* and *Ritva; Orach Chaim* 541:1.]

6. [This should read: תַּנּוּרָאָה (see *Rashash;* see also *Dikdukei Soferim*).]

7. Even though this is the work of a craftsman (*Mishnah Berurah* 540:18, citing *Ramban;* see above, 10b note 11). Even the work of a craftsman is permitted on Chol HaMoed in the construction of a utensil that makes food fit for consumption.

[This permit does *not* apply to the case of the nets (see preceding note), since those are utensils which do not make the food, but simply help to procure it. Therefore, only the acts of an amateur are permitted on Chol HaMoed in the manufacture of nets and traps (*Mishnah Berurah* 541:2).]

8. Even the work of a craftsman is permitted for this purpose, since it is needed to prepare food (*Ritva* to Mishnah [printed in his comments to 9b] ד״ה גירסת הספרים שלנו; see preceding note; cf. *Meiri*).

9. *Rashi* (to *Rif;* see also *Ritva*) states that he does not know to which Tannaim "they agree" refers. Some Rishonim explain that the reference is to the Tannaim on 10a who permit the "setting up" of an oven on Chol HaMoed. They all agree that it is forbidden to actually *build* an oven on Chol HaMoed (see *Talmid R' Yechiel MiParis*). [This explanation is tenable, though, only according to the view of these Rishonim that "setting up" refers only to the assembly of the oven, not to its initial construction. *Rashi* to 10a, however, has explained that "setting up" refers to the actual construction – see 10a note 13; see also end of this note.] Others explain that the reference is to the Tannaim in the Baraisa on 10a who disagree whether one may complete the manufacture of a mill on Chol HaMoed. They agree that one may *not* make a new oven on Chol HaMoed (*Ritva,* citing *Tosafos*; *Tos. HaRosh*).

[As mentioned, *Rashi* explains that our Mishnah permits making an oven from scratch on Chol HaMoed. Why, then, does the Gemara challenge Rav Yehudah's permit in this matter from a contrary Baraisa? We must therefore say, apparently, that the language of the Mishnah does not clearly indicate that it is permitted to make an oven from scratch. Once, however, the Gemara concludes below that this is indeed permitted (in the circumstances detailed there), we read this permit into the Mishnah, and say that the Mishnah refers to that permit as well.]

10. I.e. if the weather is summery on Chol HaMoed, as can happen during Pesach, so that the air is dry and the new clay oven will dry quickly, it is permitted to make an oven on Chol HaMoed. For the oven will be available for use during the festival, and thus was made to serve a festival need. But if the weather is rainy, as sometimes happens on Succos, one may not make a clay oven, since it will not dry sufficiently for use on the festival, and it will emerge that he made an oven that does not serve a festival need (*Rashi;* see, though, *Hagahos Yavetz*).

11. I.e. a balcony running along the outside of a building's second story (*Rashi*).

12. The Gemara will explain how the railing can be constructed in an amateurish fashion.

[*Ritva* (printed in his comments to 9b) maintains that the reference is to a railing that is not technically obligatory under the laws of מַעֲקֶה, *protective railing* (see *Deuteronomy* 22:8), but is made simply for optional protection. But an obligatory railing may be made even using

ירדי של עכו"ם. יומא דשוקא: ומעלה בערכאות. לקיימן בחתימתן דכיון דהשתא הוא דמשכח להו וליומא אחרינא לא שרי: אוהרי. שלדין בו דגים שקורין רוש"א: איזלי. רשתות שצדין בו עופות: למגדל תנורא. לעשות התנור מחדש: מהולתא. נפה: בימות החמה. כלומר כשיש ימות החמה כגון בפסח דחבול עלמא שאין יורדין בו גשמים מותר לעשות בו תנור לפי שלאלתר יבש ויכולין לאפות בו פת ברגל לצורך הרגל: כאן בימות הגשמים. כלומר כשיורדין הגשמים ברגל כגון בסוכות אין עושין תנור לפי שאינו יבש לאלתר עד לאחר הרגל ועבד טירחא שלא לצורך הרגל:

א) לירדי של עכו"ם א ולוקחים בהמה עבדים ושפחות בתים שדות וכרמים וכותב ומעלה בערכאות שלהן מפני שהוא כמציל מידן רב ב שרא לחייא בר אשי למיגדל אוהרי בחולא דמועדא מאי טעמא מעשה הדיוט הוא אבל ג איזלי אסור מאי טעמא מעשה אומן הוא רב יהודה ד שרא לאמי תנורא למיגדל תנורי ולרב' בר עשבי למיגדל מהולתא איני והא תני רבה בר שמואל ושוין שאין גודלין תנור לכתחילה לא קשיא ה כאן בימות החמה כאן בימות הגשמים: **מתני'** ו עושין מעקה לגג ולמרפסת מעשה הדיוט אבל לא מעשה אומן ז שפין את הסדקין ומעגילין אותן במעגילה ביד וברגל אבל לא במחלצים ח הציר והצינור והקורה והמנעול והמפתח שנשברו מתקנן במועד ט ובלבד שלא יתכוין לעשות מלאכתו במועד י וכל כבשין שהוא יכול לאכול מהן במועד כובשן: **גמ'** היכי דמי מעשה הדיוט רב יוסף אמר ג) בהוצא ודפנא במתניתא תנא צר בצרור ואינו טח בטיט: שפין את הסדקין ומעגילין אותן במעגילה: השתא במעגילה אמרת שרי ביד וברגל מיבעיא הכי קאמר שפין את הסדקין ומעגילין אותן כעין מעגילה ביד וברגל אבל לא במחלצים: הציר והצינור והקורה והמנעול והמפתח שנשברו מתקנן במועד: ורמינהי ג) עד ימיו היה פטיש מכה בירושלים כו' עד ימיו אין מכאן ואילך לא לא קשיא כאן בדנפחי כאן בדנגרי מתקיף לה רב חסדא יאמרו קלא רבה אסיר קלא זוטר שרי אלא אמר רב חסדא לא קשיא הא במגלי הא בחציני רב פפא אמר כאן קודם גזירה כאן לאחר גזירה רב אשי אמר הא ר' יהודה הא ר' יוסי דאמר ר' יצחק בר אבדימי ד) מאן תנא שינוי במועד בדבר האבד דלא כר' יוסי אמר רבינא כמאן מדלינן האידנא קביותא דדשא בחולא דמועדא כמאן כר' יוסי: כבשין שהוא יכול לאכול במועד כובשן: (א) בדיתא לבאי כוורי אזיל כולי עלמא צוד אייתו כוורא שרא להו רבא למימלח מינייהו אמר ליה אביי והא תנן כבשין שהוא יכול לאכול מהן במועד כובשן אמר ליה כיון דמעיקרא אדעתא דאכילה אייתינהו ואי שביק להו פסדי ה) כפרקמטיא האבד דמי ושרי ואיכא דאמרי כ שרי להו רבא מיצד מיזל אייתויי ומימלח אמר ליה אביי והא אנן כבשין שהוא יכול לאכול מהן (ב) כובשן תנן אמר ליה הני נמי מיתאכלי אגב איצצא כי הא דשמואל עבדו ליה שיתין איצצי ואכל רבא איקלע לבי ריש גלותא עבדי ליה שיתין איצצי ואכל רב איקלע לבי רב שפיר אייתו לקמייהו ההוא כוורא תילתא בישולא תילתא מילחא ותילתא טוויא אמר רב אמר לי אדא ציידא כוורא סמוך למיסרחיה מעלי ואמר רב אמר לי אדא ציידא כוורא טווייא באחוה אסוקיה באבוה מיכלי בבריה אשתי עליה אבוה ואמר רב אמר לי אדא ציידא כוורא תחלי וחלבא ליטעון גופא ולא ליטעון פוריא ואמר רב אמר לי אדא ציידא כוורא תחלי וחלבא מיא ולא שיכרא שיכרא ולא חמרא:

הדרן עלך משקין בית השלחין

כוורא סמוך למסרחיה מעלי. ובזמן הזה תופסים סכנה למיכל סמוך לסירחון וגם משתי עלה אבוה דאמר בסמוך דמעלי ושמא נשתנו כמו הרפואות שבש"ס שאינן טובות בזמן הזה או שמא נהרות דבבל מעלו לו טפי ויש מפרשים דכוורא לא בכלל דגים מיירי ושם דג ששמו כוורא ומשונה בדברים האלו משאר דגים כדאמרינן פ' כל הבשר (חולין דף קט:) אסר לן גירותא שרא לן לישנא דכוורא ואין נראה שיהא בכל הלשונות של דגים טעם אחד:

הדרן עלך משקין בית השלחין

מתני' מעקה למרפסת. כותל קטנה העושין על האיצטבות שלפני העליות גדולות כעין שיש על שפת נהר ריינוס: שפין את הסדקין. שבתנור: ומעגילין אותן במעגילה. שגוללין על קרקעית התנור עץ גדול עגול כדי לסתום הסדקין: ביד וברגל. (ג) שלוקח בידו עץ ובועטין ביד על התנור לסתום הסדקים או בועט ברגלו על קרקעית התנור: מחלצים. עץ כעין רגל שדוחקו במעזיבה לסתום הסדקין ויש בו מעשה אומן יותר ממעגילה: ציר. רגל הדלת כמו הדלת תסוב על צירה (משלי כו): צינור. הוא החור שבאסקופה התחתונה כמו י) צינורא דדשא: הקורה. מה שעל הפתח שתחזור בו הדלת וקורין אובר"טו"ר: מנעול. בלבדור"א: ובלבד שלא יתכוין לעשות מלאכתו במועד. כשיש לו לתקן כל אלו בשאר ימות השנה ומניחו עד המועד: וכבשין. של ציר כלומר דגים ושאר דברים שכובשים במלח שיכול לאוכלן במועד שלא יהא צריך להמתין באכילתן עד לאחר המועד שיהו נכבשין מהר ראוין לאכול מיד: **גמ'** הוצא. הולי דקל: (ד) דופנא. עבדי לחיים של גדר: ואינו טח בטיט. זה הוא מעשה הדיוט: מעגילה. דרך אומנות יותר: ביד וברגל. דלאו מעשה אומן הוא לא כל שכן: כעין מעגילה. ולא מעגילה ממש אלא כעין מעגילה ביד וברגל: עד ימיו. של יוחנן כ"ג היה פטיש מכה בירושלים בחולו של מועד והוא גזר עליו ובטלו אלמא אסור ומתני' קתני ומתקנין מנעול ומפתח: מתניתין דמתקנין אלו בחוש"מ בדנגרי. במנעול של עץ שרי דלא הוי קלא רבה: בדנפחי. דפטיש היינו קורנס אסור דהוי קלא רבה ואולודי קלא אסור: מגלי. מסר הגדול שרי דלא מוליד קלא כלום: בחציני. ברר"א אסיר דהוי אולודי קלא טפי: לאחר שגזר. יוחנן כ"ג: הא ר' יהודה הא ר' יוסי. בפירקא לקמן (דף יב.) דרבי יוסי לא בעי לשנויי לדבר האבד ומתני' דשרי הכא כל הני בלא שינוי ר' יוסי היא:

כמאן מדלינן האידנא קביותא דדשא. כשיוצאין מסמרים של עץ מן הקורה שעל הפתח דשרי למיעבד בלא שינוי: בדיתא. שם נהר: לבאי. שם מקום: כוורי. הכי עשו דרך לנהר שיצאו מימיו ונשתיירו שם דגים הרבה: למימלח. (ה) הרבה אע"פ שאין יכולים לאוכלן במועד שהרי היו מלוחין הרבה: כבשין. בחומץ ובמלח שקורין קונפוסט"א והכא נמי כיון שמלחן הרבה כדי להצניען תו לא חזו במועד: אמר ליה הני נמי. (ו) למלחינהו: מתאכלי. במועד: אגב איצצא. שמושך המלח מהן: (ז) שיתין איצצי. כלומר רוחצין אותו הרבה פעמים מגלי ליה ששים זימני: רב איקלע. במועד: תילתא מילחא. אגב איצצא: סמוך למיסרחיה מעלי. כלומר יפה הוא לאחר זמן שנילוד יותר מההיא שעתא דניצוד: טווייא באחוה. במלח שהמלח נברא מן המים כדגים: אסקיה באבוה. לאחר שצלאו נותנו במים צונן: אכליה בבריה. מטילין אותו בציר היוצא מן הדגים ואוכלין אותו: משתיא עליה אבוה. ששותין עליו מים שדגים נבראו מן המים: לטעון גופא. כלומר לאחר אכילתו מהלך הרבה קודם שישן: ולא לטעון פוריא. לא ישן לאלתר אחריהם: תחלי. שחלים: מיא ולא שכרא. מוטב לשתות אחריהן מים ולא שכר:

הדרן עלך משקין בית השלחין

עין משפט נר מצוה

קד א מיי' פ"ט מהלכות ע"ז הלכה יד טוש"ע י"ד סי' קמט סעיף ג:
קה ב ג טוש"ע א"ח סי' תקמא סעיף א:
קו ד ה מיי' פ"ח מהל' י"ט הלכה יג טוש"ע א"ח סי' תקמ סעיף ז:
קז ו מיי' שם הלכה ו טוש"ע שם סעיף א:
קח ז מיי' שם פ"ז הלכה ה טוש"ע שם סעיף ג:
קט ח מיי' שם פ"ח הלכה ז טוש"ע שם סעיף ד:
קי ט מיי' שם פ"ז הלכה ד טוש"ע שם סי' תקלח סעיף ו:
קיא י מיי' שם הלכה ז טוא"ח סי' תקלג:
קיב כ מיי' שם טוש"ע שם סעיף ד:

רבינו חננאל

להו כפרקמטיא האבוד דמי ושרי. רב שרא לר' חייא בר אשי למיגדל אהורי. פי' במס' גיטין בסוף פרק הניזקין (דף ס' ע"ב) ומפרשי רבנן אוזלי שבאו מעזלא תרגום ויביאו מטוה כד עזיל ומפרשי אוהורי אלפכון. מ"ט מעשה הדיוט אבל איזלי אסיר מ"ט מעשה אומן הוא. רב יהודה שרא לאביי תנוראה למגדל תנורא בחולי דמועדא. ולרבא בר עישבי שרא למגדל מהולתא בחולי דמועדא. ועושין מעקה לגג ולמרפסת מעשה הדיוט אבל לא מעשה אומן. היכי דמי מעשה הדיוט בהוצא ודפנא. במתניתא תנא צר בצרור ואינו טח בטיט ושפין את הסדקין ומעגילין אותן במעגילה ביד וברגל אבל לא במחלצים: **מתני'** הציר והצינור והקורה והמנעול והמפתח שנשברו מתקנן במועד ובלבד שלא יכוין מלאכתו במועד. איני והא תנן בסוף מס' סוטה עד כל ימיו פטיש היה מכה בירושלים עד ימיו של יוחנן כהן גדול אין מיכן ואילך לא. ופריק רב הונא האי פטיש דאסיר מיכן ואילך בדנפחי. והא דתנן הציר כו' בדנגרי הוא ושרי. מתקיף ליה רב חסדא ונדחה ופריק בחציני אסיר ומתניתין דהכא במגלא ושרי א) קודם גזירה פירש קודם גזירת יוחנן כ"ג ורב אשי אמר מתני' דהתם ר' יהודה היא ומתני' דהכא ר' יוסי דאמר ר' יצחק בר אבא מאן תנא דבעי שינוי במועד בדבר האבד דלא כר' יוסי דאי ר' יוסי הא אמר זולף וגומר וגף כדרכו. אמר רבינא כמאן מדלינן האידנא כו'. וכבשין שיכול לאכול מהן במועד מכבשן. רבא שרא לבני בדיתא לבאי למיצד ולמימלח א"ל אביי והתנן כבשין שיכול לאכול מהן מכבשן. שיכול אין לא יכול לא. א"ל הני נמי מתאכלי אגב איצצא כשיכבשום דחוקים כי הא דשמואל עבדו ליה ששים איצצי ואכל. פי' מיני תבשיל. אמר רב אמר לי אדא ציידא כוורא סמוך למיסרחי מעלי. ותוב אמר דג טוויא באחווה פירוש המלח מן הים והדג מן הים נמצאו שניהן אביהן הים והן כמו אחים. וא"ל מלח הדג במלח שהוא אחיו וצלה אותו במלח. אסוקיה באבוה. פי' כשתעלהו מן האש שוטפהו במים מלוחין שהן אביו אוכליה בבריה פירוש אכול אותו בבנו והוא ציר של דגים שהוא יוצא מן השמנונית של דג כי הוא חשוב לדג כבנו. וכשתאכלהו שתה אחריו המים כי באותה העת ובאותו מקום היו אומרים להם הרופאים כשתאכל דגים שתה אחרי המים ולא יין ג) או יין ולא שכר. כוורא תחלי וחלבא ליטעון גופא ולא ליטעון פוריא. פי' כשיאכל אותם עד שיתעכלו במעיו לא ישן כי השינה מיד מזיקתו:

הדרן עלך משקין בית השלחין

מסורת הש"ס

א) עירובין מז. ע"ז יג., ב) לעיל ז., ג) מעשרות פ"ה מ"א סוטה מז., ד) [לקמן יב: ע"ש], ה) [לעיל י:], ו) [ברכות יח:]

הגהות הב"ח

(א) גמ' בדיתא לבאי כוורא. נ"ב כך הוא גירסת האלפס בפומבדיתא לבאי כוורא ופי' הר"ן פוס שם המקום היושב על נהר בדיתא לבאי כוורא לדו והביאו דגים רבים שנמשכים הנהר ומתו הדגים עכ"ל: (ב) שם והא אנן כבשין שהוא יכול לאכול מהן במועד כובשן תנן: (ג) רש"י ד"ה ביד וברגל (שלוקח בידו עץ) תא"מ ונ"ב מלשון: (ד) ד"ה דופנא כו' נ"ב עי' לעיל בפירושו בדף ז' ע"ב: (ה) ד"ה למימלח למולחן הרבה אע"פ: (ו) ד"ה א"ל הני נמי אע"ג דמלחינהו: (ז) ד"ה שיתין איצצי ואח"כ מה"ד עבדו ליה ששים מיני בישול כלומר רוחצין אותו הרבה פעמים הס"ד ואח"כ מה"ד שיתין איצצי ששים פעמים הס"ד:

רש"י כת"י

למיגדל אוהרי. לקלע קליעות מלודות קטנים לדגים. איזלי. מלודות גדולות. לאמי תנורא. שומר תנור [ער' הגהות חו"י ברי"ף]. למגדל. ליקלע הולי התנור ולעשות טיט סביב שיחמו העגול, מהולתא. כף הסולך הדלאה לחפות כו במועד. מהולתא. נפה וכברה. בימות החמה. דחביל עלמא מחביב התנור מהר ויכול לאפות בו במועד שרי. בימות הגשמים. מתעכב ליבש ואינו אופה בו באותו מנעשה במועד. מרפסת. לשון מרפס [ומדרס] אלודי"ר בלע"ז. מעשה הדיוט. שפין את הסדקין. גגותיהן לא היו משופעין ומשמשמשין עליהן לכך שמשמשין בעליה ומתקנין אותן ומתיחין אותן ומים הנופלין יוצאין דרך צינורות שבמים למחוץ ואם יש סדקין בגמשית הסטע נופלין המים בבית ונסלה פסיקה. שפין. טחין. במעגילה. עץ עגול שבו מחליקין את הגגות כדאמרינן במסכת מכות היה מעגל במעגילה. במחלצים. כלי אומנות של ברזל רחבה כמין כף ולה בית יד וקורין אותה טרואל"ה. הציר. כמו הדלת תסוב על צירה רגל הדלת סובבת. והצינור. החור שבאסקופה התחתונה כמו צינורא דדשא. והקורה. קורות הבית ממש שנשברו אפילו קודם יו"ט. ובלבד שלא יתכוין וכו'. אם נשברו קודם יו"ט לא יאמר אמתין לי עד המועד שמלאכה מרובה לי ואעשה זאת. כבשין. דגים ושאר דברים שכובשים במלח. שהוא יכול לאכול מהן במועד. שלא צריך להמתין באכילתן עד לאחר המועד שיהו נכבשין מהר וראוין לאכול מיד. הוצא. הולי דקל. דפנא. הולי לומי"ר בלע"ז. ואינו טח בטיט. דהוא מעשה הדיוט. מעגילה. דרך אומנות יותר ממחללים. כעין מעגילה. יפה יפה כאלו טחו במעגילה. כמאן מדלינן. מאן עבדי' האידנא. קביותא. פומבדיתא. בדיתא. כמין נגר בדלת בחולו של מועד כר' יוסי. בדיתא. פומבדיתא. מקום היושב על יד נהר בדיתא הוא הנהר. לבאי כוורי. הולדו דגים הרבה. צוד. לדו והביאו דגים הרבה. למימלח מינייהו. ולקיימם עד לאחר המועד. והא תנן. וה"נ כיון דמלחינהו כ"כ כדי להצניען תו לא חזי לאכלם במועד נמצאת מלאכת מליחה שלא לצורך יו"ט (והאי) [והוי] כעין מליחה שלא לצורך יו"ט דאב מלאכה הוא גבי אבות מלאכות המפשיטו והמולחו. אייתינהו. דעתן היה לאוכלן במועד ושרי. מיתאכלי אגב איצצא. שכובשין אותן במכבש פרש"א ואוכלין אותן מיד שלא לאלוחים המלח הנבלע בכולן. שיתין איצצי. ששים פעמים עושין אותן שיהיו מעוכין יפה [רש"י בעין יעקב].*

חשק שלמה על ר"ח א) נראה דצ"ל רב פפא אמר כאן קודם גזרה כו'. ב) לפנינו בגמ' הגרסא להיפך. ואולי דרבינו היה לו גי' אחרת.

– We may smear plaster over the cracks[13] וּמְעַגִּילִין אוֹתָן בְּמַעְגִּילָה – and flatten them[14] with a roller,[15] בְּיָד וּבְרֶגֶל – by hand or by foot,[16] אֲבָל לֹא בְּמַחֲלָצַיִם – but not with a *machalatzaim*.[17]

The Mishnah now discusses repairs that may be done even in professional fashion:

הַצִּיר וְהַצִּינוֹר וְהַקּוֹרָה וְהַמַּנְעוּל וְהַמַּפְתֵּחַ שֶׁנִּשְׁבְּרוּ – If a pivot or socket[18] or lintel or lock or key broke, מְתַקְּנָן בַּמּוֹעֵד – one may repair them on Chol HaMoed,[19] וּבִלְבַד שֶׁלֹּא יִתְכַּוֵּין לַעֲשׂוֹת מְלַאכְתּוֹ בַּמּוֹעֵד – provided he does not plan his work for Chol HaMoed.[20]

The Mishnah concludes:

וְכָל כְּבָשִׁין שֶׁהוּא יָכוֹל לֶאֱכוֹל מֵהֶן בַּמּוֹעֵד – And all pickled food that one can eat on the festival[21] כּוֹבְשָׁן – one may pickle on Chol HaMoed.

Gemara The Gemara explains:

הֵיכִי דָּמֵי מַעֲשֵׂה הֶדְיוֹט – What is called the work of an amateur in regard to building a railing for a roof or a gallery? רַב יוֹסֵף אָמַר – Rav Yosef says: בְּהוּצָא וְדַפְנָא – It means making the railing with palm fronds and laurel branches.[22] בְּמַתְנִיתָא תָּנָא – In a Baraisa it was taught: צָר בִּצְרוֹר וְאֵינוֹ טָח בְּטִיט – The Mishnah refers to where ONE PILES STONES one upon the other WITHOUT CEMENTING them together WITH MORTAR.

The Mishnah stated:

שָׁפִין אֶת הַסְּדָקִין וּמְעַגִּילִין אוֹתָן בְּמַעְגִּילָה – WE MAY SMEAR plaster over THE CRACKS AND FLATTEN THEM WITH A ROLLER, by hand or by foot, but not with a *machalatzaim*.

The Gemara asks:

הַשְׁתָּא בְּמַעְגִּילָה אָמְרַתְּ שָׁרֵי – Now that you say that it is permitted to seal the cracks even with a roller, בְּיָד וּבְרֶגֶל מִיבַּעְיָא – is it at all necessary to say that one may smear it by hand or by foot?[23]

The Gemara concedes this point and therefore reinterprets the Mishnah:

הָכִי קָאָמַר – This is what [the Tanna] is saying: שָׁפִין אֶת הַסְּדָקִין וּמְעַגִּילִין אוֹתָן כְּעֵין מַעְגִּילָה בְּיָד וּבְרֶגֶל – We may smear plaster over the cracks and flatten them by hand or by foot similar to the way one would flatten with a roller,[24] אֲבָל לֹא בְּמַחֲלָצַיִם – but not with a *machalatzaim*.[25]

The Gemara now discusses the next section of the Mishnah:

הַצִּיר וְהַצִּינוֹר וְהַקּוֹרָה וְהַמַּנְעוּל וְהַמַּפְתֵּחַ שֶׁנִּשְׁבְּרוּ – IF A PIVOT OR SOCKET OR LINTEL OR LOCK OR KEY BROKE, מְתַקְּנָן בַּמּוֹעֵד – ONE MAY REPAIR THEM ON CHOL HAMOED.

The Gemara points out a contradiction between our Mishnah and a different Mishnah, which also deals with the issue of doing work on Chol HaMoed:

וּרְמִינְהִי – But contrast this with the following Mishnah,[26] which seems to contradict it: עַד יָמָיו הָיָה פַּטִּישׁ מַכֶּה בִּירוּשָׁלַיִם כו׳ – UNTIL HIS DAYS THE HAMMER WOULD BANG IN JERUSALEM etc.[27] The

NOTES

the act of a craftsman. See also *Tos. HaRosh* citing *Raavad.* (See, however, *Meiri,* who disputes this; see also *Beur Halachah* 540:1 ד״ה וכן אם עשה.)

[Sometimes, the terms "work of a craftsman" and "work of an amateur" refer to the skill employed in the performance of the act, whereas other times they refer to the quality of the outcome.]

13. In the floor of an oven (*Rashi;* see *Rashash*). [According to *Rashi* to *Rif,* the reference is to cracks in a roof.]

14. I.e. press and finish the plaster that is put into the cracks (see *Meiri*).

15. [This is the literal translation of the Mishnah. The Gemara, however, will reinterpret this clause.]

16. I.e. one may pound the [plastered] oven with a hand-held stick to seal the cracks, or stomp on the [plastered] floor of the oven [to seal them] (*Rashi;* but see *Hagahos HaBach*).

17. This is a wooden foot-shaped block used for pressing and sealing the cracks. [According to *Rashi* to *Rif,* however, מַחֲלָצַיִם is a trowel.] Sealing the cracks in this way is more of a craftsman's work than sealing them with a roller (*Rashi;* see also *Ritva* cited below in note 25). [*Rashi* to *Rif* (folio 4b ד״ה מעגילה) and *Nimukei Yosef* (folio 4a ד״ה במחלצים), however, explain that, on the contrary, the use of the roller is more of a craftsman's work than the use of a *machalatzaim.*]

The cracks may not be sealed in a professional manner, since the presence of the cracks is not considered a case of "something that will be lost." [The same ruling applies even according to those who explain that the Mishnah refers to cracks in a roof (see above, note 13) since those cracks too are but a borderline case of "something that will be lost"] (*Meiri*).

[If, however, it is raining and the rain will actually leak into the house through the cracks, the situation is a bona fide case of "something that will be lost," and the repairs may be made in the normal, professional manner (as in the Mishnah's next case) (*Ritva;* see also *Meiri; Beur Halachah* 540:3 ד״ה סדקים שבגג).]

18. The pivots are pegs that extend from the top and bottom of a door, fitting into holes in the lintel and doorsill and serving as hinges on which the door swings. The "socket" is the hole in the doorsill that holds the lower pivot (*Rashi*). [צִינוֹר literally means *pipe.* It is probably a reference to a pipe that was inserted into the doorsill to house the lower pivot; see *Keilim* 11:2.]

19. These repairs are necessary to prevent a loss due to thieves who might otherwise enter and steal (see below, note 32). Thus, it is a bona fide situation of "something that will be lost," and these repairs may be made in a professional manner without any deviation from the norm (see *Orach Chaim* 540:4 with *Mishnah Berurah*).

20. That is, if he has time to make the repairs before the festival, he may not deliberately postpone the work until the festival [when he will have more leisure time to do the repairs] (*Rashi*; see Gemara below, 12b,13a).

21. I.e. foods that can be pickled quickly and will be ready to eat during the festival (*Rashi*).

22. I.e. he erects a series of laurel posts and weaves palm fronds in between them to make the railing (see *Rashi* here and to 7a ד״ה דפנא).

23. Clearly, it is more of a craftsman's work when cracks are sealed with a roller than when they are sealed by hand or by foot (*Rashi*). Why, then, would the Mishnah have to mention the permit to do so by hand or foot at all?

24. I.e. since amateurish skills are being employed, the repairs may be made even if the results are the same as those that would be produced by a roller (*Rashi* to *Rif;* see also *Mishnah Berurah* 540:8). The actual use of a roller, however, is forbidden (*Rashi*).

25. According to the Gemara's explanation that the actual use of a roller is forbidden, there should be no need for the Mishnah to state that it is forbidden to use a *machalatzaim,* which constitutes an even greater degree of a craftsman's work [see above, note 17]. *Ritva* therefore explains that the Mishnah's statement "but not with a *machalatzaim*" is now to be interpreted in the same sense as "with a roller": That is, one may use his hands and feet to produce roller-like results, but *not* to produce the more professional *machalatzaim*-like results. (Cf. *Divrei David.*)

[As mentioned in note 17, however, *Rashi* to *Rif* maintains that it is rather the *roller* that constitutes the greater craftsmanship. Accordingly, the Mishnah would be saying that even a *machalatzaim* may not be used, but the repairs may be done in an amateurish way even if the results fully resemble the most professional results produced by a roller (see *Mishnah Berurah* 540:8).]

26. The following Mishnah, which appears in *Maaser Sheni* 5:15 and in *Sotah* 47a-b, speaks about the innovations introduced by Yochanan Kohen Gadol.

27. I.e. on Chol HaMoed, in the performance of tasks necessary to prevent an irretrievable loss, which is permitted on Chol HaMoed (*Rashi*

מסורת הש"ס

א) עירובין מז. ע"ז יג., ב) לעיל ז, ג) מעשים פ"ה מט"ו סוטה מז:, ד) [לקמן יב: ע"ש], ה) [לעיל י:], ו) [ברכות יח:].

עין משפט נר מצוה

קד א מיי' פ"ט מהלכות ע"ז הלכה יד טוש"ע י"ד סי' קמט סעיף ג:
קה ב ג טוש"ע א"ח סי' תקמא סעיף א:
קו ד ה מיי' פ"ח מהל' י"ט הלכה יג טוש"ע א"ח סי' תקמ סעיף ז:
קז ו מיי' שם הלכה ו טוש"ע שם סעיף א:
קח ז מיי' שם פ"ח הלכה ה טוש"ע שם סעיף ג:
קט ח מיי' שם פ"ח הלכה ז טוש"ע שם סעיף ד:
קי ט מיי' שם פ"ח הלכה ד טוש"ע שם סי' תקלג סעיף ז:
קיא י מיי' שם הלכה ז טוש"ע א"ח סי' תקלג:
קיב כ מיי' שם טוש"ע שם סעיף ד:

(א) ליריד של עכו"ם [א]ולוקחים בהמה עבדים ושפחות בתים שדות וכרמים וכותב ומעלה בערכאות שלהן מפני שהוא כמציל מידן רב [ב]שרא לחייא בר אשי למיגדל אוהרי בחולא דמועדא מאי טעמא מעשה הדיוט הוא אבל [ג]איזלי אסור מאי טעמא מעשה אומן הוא רב יהודה [ד]שרא לאמי תנורא למיגדל תנורי ולרב' בר עשבי למיגדל מהולתא איני והא תני רבה בר שמואל ושוין שאין גודלין תנור לכתחילה לא קשיא [ה]כאן בימות החמה כאן בימות הגשמים: **מתני'** [ו]עושין מעקה לגג ולמרפסת מעשה הדיוט אבל לא מעשה אומן [ז]שפין את הסדקין ומעגילין אותן במעגילה ביד וברגל אבל לא במחלצים [ח]הציר והצינור והקורה והמנעול והמפתח שנשברו מתקנן במועד [ט]ובלבד שלא יתכוין לעשות מלאכתו במועד [י]וכל כבשין שהוא יכול לאכול מהן במועד כובשן: **גמ'** היכי דמי מעשה הדיוט רב יוסף אמר (ב) בהוצא ודפנא במתניתא תנא צר בצרור ואינו טח בטיט: שפין את הסדקין ומעגילין אותן במעגילה: השתא במעגילה אמרת שרי ביד וברגל מיבעיא הכי קאמר שפין את הסדקין ומעגילין אותן כעין מעגילה ביד וברגל אבל לא במחלצים: הציר והצינור והקורה והמנעול והמפתח שנשברו מתקנן במועד: ורמינהי (ג) עד ימיו היה פטיש מכה בירושלים כו' עד ימיו אין מכאן ואילך לא לא קשיא כאן בדנפחי כאן בדנגרי מתקיף לה רב חסדא יאמרו קלא רבה אסיר קלא זוטר שרי אלא אמר רב חסדא לא קשיא הא במגלי הא בחציני רב פפא אמר כאן קודם גזירה כאן לאחר גזירה רב אשי אמר הא ר' יהודה הא ר' יוסי דאמר ר' יצחק בר אבדימי (ד) מאן תנא שינוי במועד בדבר האבד דלא כר' יוסי אמר רבינא כמאן מדלינן האידנא קביותא דדשא בחולא דמועדא כמאן כר' יוסי: כבשין שהוא יכול לאכול במועד כובשן: (א) בדיתא לבאי כוורי אזיל כולי עלמא צוד אייתו כוורא שרא להו רבא למימלח מינייהו אמר ליה אביי והא תנן כבשין שהוא יכול לאכול מהן במועד כובשן אמר ליה כיון דמעיקרא אדעתא דאכילה אייתינהו ואי שביק להו פסדי (ה) כפרקמטיא האבד דמי ושרי ואיכא דאמרי [כ]שרי להו רבא מיצד מיזל אייתויי ומימלח אמר ליה אביי והא אנן כבשין שהוא יכול לאכול מהן (ג) כובשן תנן אמר ליה הני נמי מיתאכלי אגב איצצא כי הא דשמואל עבדו ליה שיתין איצצי ואכל רבא איקלע לבי ריש גלותא עבדי ליה שיתין איצצי ואכל רב איקלע לבי רב שפיר אייתו לקמייהו ההוא כוורא תילתא בישולא תילתא מילחא ותילתא טוויא אמר רב אמר לי אדא ציידא כוורא סמוך למיסרחיה מעלי ואמר רב אמר לי אדא ציידא כוורא טווייא באחוה אסוקיה באבוה מיכלי בבריה אשתי עליה אבוה ואמר רב אמר לי אדא ציידא כוורא תחלי וחלבא ליטעון גופא ולא ליטעון פוריא ואמר רב אמר לי אדא ציידא כוורא תחלי וחלבא מיא ולא שיכרא שיכרא ולא חמרא:

הדרן עלך משקין בית השלחין

רש"י

יריד של עכו"ם. יומא דשוקא: **ומעלה בערכאות.** לקיימן בחתימתן דכיון דהשתא הוא דמשכח להו וליומא אחרינא לא שרי: **אוהרי.** שצדין בו דגים שקורין רוש"א: **איזלי.** רשתות שצדין בו עופות: **למגדל תנורא.** לעשות התנור מחדש: **מהולתא.** נפה: **בימות החמה.** כלומר כשיש ימות החמה כגון בפסח דחבול עלמא שאין יורדין בו גשמים מותר לעשות בו תנור לפי שלאלתר יבש ויכולין לאפות בו פת ברגל לצורך הרגל: **כאן בימות הגשמים.** כלומר כשיורדין הגשמים ברגל כגון בסוכות אין עושין תנור לפי שאינו יבש לאלתר עד לאחר הרגל ועבד טירחא שלא לצורך הרגל: **מתני' מעקה למרפסת.** כותל קטנה העושין על האיצטבות שלפני העליות גדולות כעין שיש על שפת נהר ריינוס: **שפין את הסדקין.** שבתנור: **ומעגילין אותן במעגילה.** שגוללין על קרקעית התנור עץ גדול עגול כדי לסתום הסדקין: **ביד וברגל.** (ג) שלוקח בידו עץ ובועטין ביד על התנור לסתום הסדקים או בועט ברגלו על קרקעית התנור: **מחלצים.** עץ כעין רגל שדוחקו במעזיבה לסתום הסדקין ויש בו מעשה אומן יותר ממעגילה: **ציר.** רגל הדלת כמו הדלת תסוב על צירה (משלי כו): **צינור.** הוא החור שבאסקופה התחתונה כמו [י]צינורא דדשא: **הקורה.** מה שעל הפתח שתחזור בו הדלת וקורין אוברטו"ר: **מנעול.** בלבדור"א: **ובלבד שלא יתכוין לעשות מלאכתו במועד.** כשיש לו לתקן כל אלו בשאר ימות השנה ומניחו עד המועד: **וכבשין.** של ציר כלומר דגים ושאר דברים שכובשים במלח שיכול לאוכלן במועד שלא יהא צריך להמתין באכילתן עד לאחר המועד שיהו נכבשין מהר וראוין לאכול מיד: **גמ' הוצא.** הוצי דקל: (ד) **דופנא.** עבדי לחיים של גדר: **ואינו טח בטיט.** זה הוא מעשה הדיוט: **מעגילה.** דרך אומנות יותר: **ביד וברגל.** דלאו מעשה אומן הוא לא כל שכן: **כעין מעגילה.** ולא מעגילה ממש אלא כעין מעגילה ביד וברגל: **עד ימיו.** של יוחנן כ"ג היה פטיש מכה בירושלים בחולו של מועד והוא גזר עליו ובטלו אלמא אסור ומתני' קתני ומתקנין מנעול ומפתח: **מתניתין** דמתקנין אלו בחוש"מ **בדנגרי.** במנעול של עץ שרי דלא הוי קלא רבה: **בדנפחי.** דפטיש היינו קורנס אסור דהוי קלא רבה ואולודי קלא אסור: **מגלי.** מסר הגדול שרי דלא מוליד קלא כלום: **בחציני.** בקרדום אסיר דהוי אולודי קלא טפי: **לאחר שגזר.** יוחנן כ"ג: **הא ר' יהודה הא ר' יוסי.** בפירקא לקמן (דף יג.) דרבי יוסי לא בעי לשנויי לדבר האבד ומתני' דשרי הכא כל הני בלא שינוי ר' יוסי היא: **כמאן מדלינן האידנא קביותא דדשא.** כשיוצאין מסמרים של עץ מן הקורה שעל הפתח דשרי למיעבד בלא שינוי: **בדיתא.** שם נהר: **לבאי.** שם מקום: **כוורי.** הכי עשו דרך לנהר שיצאו מימיו ונשתיירו שם דגים הרבה: **למימלח.** (ה) הרבה אע"פ שאין יכולים לאוכלן במועד שהרי היו מלוחין הרבה: **כבשין.** בחומץ ובמלח שקורין קונפוסט"א והכא נמי כיון שמלחן הרבה כדי להצניען תו לא חזו במועד: **אמר ליה הני נמי.** (ו) דמלחינהו: **מתאכלי.** במועד: **אגב איצצא.** שמושך המלח מהן: (ז) **שיתין איצצי.** כלומר רוחצין אותו הרבה פעמים מגלי ליה ששים זימני: **רב איקלע.** במועד: **תילתא מילחא.** אגב איללא: **סמוך למיסרחיה מעלי.** כלומר יפה הוא לאחר זמן שנילוד יותר מההיא שעתא דנילוד: **טווייא באחוה.** במלח שהמלח נברא מן המים כדגים: **אסקיה באבוה.** לאחר שצלאו נותנו במים צונן: **אכליה בבריה.** מטילין אותו בציר היוצא מן הדגים ואוכלין אותו: **משתיא עליה אבוה.** ששותין עליו מים שדגים נבראו מן המים: **לטעון גופא.** כלומר לאחר אכילתו מהלך הרבה קודם שישן: **ולא לטעון פוריא.** לא ישן לאלתר אחריהם: **תחלי.** שחלים: **מיא ולא שכרא.** מוטב לשתות אחריהן מים ולא שכר:

הדרן עלך משקין בית השלחין

תוספות

כוורא סמוך למסרחיה מעלי. ובזמן הזה תופסים סכנה למיכל סמוך לסירחון וגם משתי עלה אבוה דאמר בסמוך דמעלי ושמא נשתנו כמו הרפואות שבש"ס שאינן טובות בזמן הזה או שמא נהרות דבבל מעלו לו טפי ויש מפרשים דכוורא לא בכלל דגים איירי ושם דג ששמו כוורא ומשונה בדברים הללו משאר דגים כדאמרינן פ' כל הבשר (חולין דף קט:) אסר לן גירותא שרא לן לישנא דכוורא ואין נראה שיהא בכל הלשונות של דגים טעם אחד:

הדרן עלך משקין בית השלחין

הגהות הב"ח

(א) גמ' בדיתא לבאי כוורא. נ"ב כך הוא גירסת האלפס בפומבדיתא לבאי כוורא ופי' הר"ן פוס שם המקום היושב על נהר בדיתא לבאי כוורא לצוד והביאו דגים רבים שנתייבש הנהר ומתו הדגים עכ"ל: (ב) שם והא אנן כבשין שהוא יכול לאכול מהן במועד כובשן תנן: (ג) רש"י ד"ה ביד וברגל (שלוקח בידו עץ) תא"מ ונ"ב נ"ל טעות: (ד) ד"ה דופנא כו'. נ"ב עיין לעיל בפירושו בדף ז' ע"א: (ה) ד"ה למימלח למולחן הרבה אע"פ: (ו) ד"ה א"ל הני נמי אע"ג דמלחינהו: (ז) ד"ה אגב כו' המלח מהן הס"ד ואח"כ מה"ד עבדו ליה שיתין איצי כלומר רוחצין אותו הרבה פעמים הס"ד ואח"כ מה"ד שיתין איצי ששים פעמים הס"ד:

רש"י כת"י

למיגדל אוהרי. לקלע קליעות מצודות קטנים לדגים. **איזלי.** מצודות גדולות. **לאמי תנורא.** שומר תנור [ועי' בהגהת חו"י בר"ף]. **למגדל.** ליקלע הוצי התנור ולעשותו טיח דטחין היו על ההוצין דראוי לאפות בו במועד. **מהולתא.** נפה וכברה. **בימות החמה.** דחביל עלמא מתייבש התנור מהר ויכול לאפות בו במועד שרי. **בימות הגשמים.** מתעכב לייבש ואינו אופה בו באותו שנעשה במועד. **מרפסת.** לשון מרפס [ומדרס] אלודיי"ר בלע"ז. **מעשה הדיוט.** בגמרא מפרש. **שפין את הסדקין.** גגותיהן לא היו משופעין ומשתמשין עליהן כדרך שמשתמשין בעלייה ומתקנין אותן וטחין אותן ומים הנופלין יוצאין דרך צינורות למטה לחוץ ואם יש סדקין בטחיית הטיט נופלין המים בבית ואיכא פסידא. **שפין.** טחין. **במעגילה.** עץ עגול שבו מחליקין את הגגות כדאמרינן במסכת מכות היה מעגל במעגילה. **במחלצים.** כלי אומנות של ברזל רחבה כמין כף ולה בית יד וקורין אותה טרואל"ה. **הציר.** כמו הדלת תסוב על צירה רגל הדלת סובבת. **והצינור.** החור שבאסקופה התחתונה כמו צינורא דדשא. **והקורה.** קורות הבית ממש שנשתברו אפילו קודם יו"ט. **ובלבד שלא יתכוין וכו'.** אם נשתברו קודם יו"ט לא יאמר אמתין לי עד המועד שמלאכה אסורה לי ואעשה זאת. **כבשין.** דגים ושאר דברים שכובשים במלח. **שהוא יכול לאכול מהן במועד.** שלא צריך להמתין באכילתן עד לאחר המועד שיהו נכבשין מהר וראוין לאכול מיד. **הוצא.** הוצי דקל. **דפנא.** הולי לומי"ר בלע"ז. **ואינו טח בטיט.** דהוא מעשה הדיוט. **מעגילה.** דרך אומנות יותר ממחללים. **כעין מעגילה.** יפה יפה כאלו טחו במעגילה. **כמאן מדלינן.** כמאן עבדי' האידנא. **קביותא.** כמין נגר בדלת בחולו של מועד כר' יוסי. **בדיתא.** פומבדיתא. מקום היושב על יד הנהר בדיתא הוא הנהר. **לבאי כוורי.** הולדו דגים הרבה. **צוד.** צדו והביאו דגים הרבה. **למימלח מינייהו.** ולקיימם עד לאחר המועד. **והא תנן.** וה"נ כיון דמלחינהו כ"כ כדי להצניען תו לא חזי לאכלם במועד נמצאת מלאכת מליחה שלא לצורך יו"ט (והאי) [והוי] כעין מליחה שלא לצורך יו"ט דאב מלאכה הוא גבי אבות מלאכות המפשיטו והמולחו. **אייתינהו.** דעתן היה לאוכלן במועד ושרי. **מיתאכלי אגב איצצא.** שכובשין אותן במכבש פרס"א ואוכלין אותן מיד שיצא לחלוחית המלח הנבלע בכולן. **שיתין איצצי.** ששים פעמים עושין אותן שיהיו מעוכין יפה [רש"י בעין יעקב.]*.

רבינו חננאל

להו כפרקמטיא האבוד דמי ושרי. רב שרא לר' חייא בר אשי למיגדל אהורי. פי' במס' גיטין בסוף פרק הניזקין (דף ס' ע"ב) ומפרשי רבנן אוזלי שבאו מעזלא תרגום ויביאו מטוה כד עזיל ומפרשי אוהורי אלפכוך. מ"ט מעשה הדיוט אבל איזלי אסיר מ"ט מעשה אומן הוא. רב יהודה שרא לאביי תנוראה למגדל תנורא בחולי דמועדא. ולרבא בר עישבי שרא למגדל מהולתא בחולי דמועדא. ועושין מעקה לגג ולמרפסת מעשה הדיוט אבל לא מעשה אומן. היכי דמי מעשה הדיוט בהוצא ודפנא. במתניתא תנא צר בצרור ואינו טח בטיט ושפין את הסדקין ומעגילין אותן במעגילה ביד וברגל אבל לא במחלצים: **מתני'** הציר והצינור והקורה והמנעול והמפתח שנשברו מתקנן במועד ובלבד שלא יכוין מלאכתו במועד. איני והא תנן בסוף מס' סוטה עד כל ימיו פטיש היה מכה בירושלים עד ימיו של יוחנן כהן גדול אין מיכן ואילך לא. ופריק רב הונא האי פטיש דאסיר מיכן ואילך בדנפחי. והא דתנן הצינור כו' בדנגרי הוא ושרי. מתקיף ליה רב חסדא ונדחה ופריק בחציני אסיר ומתניתין דהכא במגלא ושרי א) קודם גזירה פירש קודם גזירת יוחנן כ"ג ורב אשי אמר מתני' דהתם ר' יהודא היא ומתני' דהכא ר' יוסי דאמר רב יצחק בר אבא מאן תנא דבעי שינוי במועד בדבר האבד דלא כר' יוסי דאי ר' יוסי הא אמר זולף וגומר וגף כדרכו. אמר רבינא כמאן מדלינן האידנא כו'. וכבשין שיכול לאכול מהן במועד מכבשן. רבא שרא לבני בדיתא לבאי למיצד ולמימלח א"ל אביי והתנן כבשין שיכול לאכול מהן מכבשן. שיכול אין לא יכול לא. א"ל הני נמי מתאכלי אגב איצצא כשיכבשום דחוקים כי הא דשמואל עבדו ליה ששים איצצי ואכל. פי' מיני תבשיל. אמר רב אמר לי אדא ציידא כוורא סמוך למיסרחי מעלי. ותוב אמר דג טויא באחווה פירוש המלח מן הים והדג מן הים נמצאו שניהן אביהן הים והן כמו אחים. וא"ל מלח הדג במלח שהוא אחיו וצלה אותו במלח. אסוקיה באבוה. פי' כשתעלהו מן האש שוטפהו במים מלוחין שהן אביו אוכליה בבריה פירוש אכול אותו בבנו והוא ציר של דגים שהוא יוצא מן השמנונית של דג כי הוא חשוב לדג כבנו. וכשתאכלהו שתה אחריו המים כי באותה העת ובאותו מקום היו אומרים להם הרופאים כשתאכל דגים שתה אחריו המים ולא יין ב) או יין ולא שכר. כוורא תחלי וחלבא ליטעון גופא ולא ליטעון פוריא. פי' כשיאכל אותם עד שיתעכלו במעיו לא ישן כי השינה מיד מזיקתו:

הדרן עלך משקין בית השלחין

חשק שלמה על ר"ח א) נראה דצ"ל רב פפא אמר כאן קודם גזירה כו'. ב) לפנינו בגמ' הגרסא להיפך. ואולי דרבינו היה לו גי' אחרת.

implication is that עַד יָמָיו אִין – **until his days – yes,** workmen could use their tools in Jerusalem on Chol HaMoed, מִכָּאן וְאֵילָךְ לֹא – but **thereafter – no,** it was forbidden. Thus, we see that it is prohibited nowadays to work with tools on Chol HaMoed. How, then, could our Mishnah permit the repair of things that require the use of tools?

The Gemara suggests an answer:

לֹא קַשְׁיָא – **It is not a difficulty:** כָּאן בִּדְנַפָּחֵי – **Here,** in the case of Yochanan Kohen Gadol, **we are dealing with** the hammer **of blacksmiths,** כָּאן בִּדְנַגָּרֵי – whereas **here,** in our Mishnah, **we are dealing with** the tools **of carpenters.**[28]

Rav Chisda objects:

מַתְקִיף לָהּ רַב חִסְדָּא – **Rav Chisda challenged [this answer]:** וְיֹאמְרוּ – **Shall people** then **say** קָלָא רַבָּה אָסִיר – **that a loud sound is forbidden** קָלָא זוּטָר שָׁרֵי – but **a soft sound is permitted?**[29]

Rav Chisda therefore offers a different resolution of the apparent contradiction between the two Mishnahs:

אֶלָּא אָמַר רַב חִסְדָּא לֹא קַשְׁיָא – **Rather, said Rav Chisda, it is not a difficulty** for a different reason: הָא בְּמַגָּלֵי – **This** Mishnah of ours, which rules that repair work may be done during Chol HaMoed, is dealing **with large saws,** which produce no noise at all; הָא בַּחֲצִינֵי – whereas **this** other Mishnah, which rules that tools may not be used on Chol HaMoed, is dealing **with axes,** which produce noise.[30]

An alternative resolution:

רַב פָּפָּא אָמַר – **Rav Pappa says:** כָּאן קוֹדֶם גְּזֵירָה – It is not a difficulty, because **here,** in our Mishnah, which permits certain house repairs on Chol HaMoed, the Mishnah is recording the original law **prior to the decree** of Yochanan Kohen Gadol; כָּאן לְאַחַר גְּזֵירָה – whereas **here,** in the other Mishnah, we are dealing with the law as it is **after the decree** was made.[31]

Yet another resolution:

רַב אַשִׁי אָמַר – **Rav Ashi says:** הָא רַבִּי יְהוּדָה – It is not a difficulty, because **this** Mishnah that records the decree of Yochanan Kohen Gadol is authored by **R' Yehudah,** who holds that work done on Chol HaMoed to prevent an irretrievable loss must be done in an unusual manner; הָא רַבִּי יוֹסֵי – whereas **this** Mishnah of ours is authored by **R' Yose,** who holds that work done on Chol HaMoed to prevent an irretrievable loss may be done in its usual manner.[32] דְּאָמַר רַבִּי יִצְחָק בַּר אַבְדִּימִי – **For R' Yitzchak bar Avdimi said:** מַאן תַּנָּא שִׁינּוּי בְּמוֹעֵד בְּדָבָר הָאָבֵד – **Who is the Tanna** that requires **a change on Chol HaMoed** from the usual manner **for** work done to prevent **something that will** otherwise **be lost?** דְּלָא כְּרַבִּי יוֹסֵי – **It is** the Tanna who is **not in accordance with R' Yose** in this matter. אָמַר רָבִינָא – **Ravina said:** כְּמַאן מַדְלִינַן הָאִידָּנָא קְבִיוּתָא דְּדַשָּׁא בְּחוּלָּא דְמוֹעֲדָא – **In accordance with whom do we nowadays** permit one to **put** back **up the lintel over the door on Chol HaMoed** in the usual manner?[33] כְּמַאן – **In accordance with whom?** כְּרַבִּי יוֹסֵי – It is **in accordance with R' Yose.**

The last part of the Mishnah states:

כְּבָשִׁין שֶׁהוּא יָכוֹל לֶאֱכוֹל בַּמּוֹעֵד – PICKLED FOOD THAT ONE CAN EAT ON THE FESTIVAL כּוֹבְשָׁן – ONE MAY PICKLE THEM on Chol HaMoed.

The Gemara records an incident concerning pickling food on Chol HaMoed:

בְּדִיתָא לְבַאי כַּוּוֹרֵי – One Chol HaMoed, the **Bedisa** river at **Levai** was drained, resulting in many **fish** being stranded on the river bed.[34] אֲזִיל כּוּלֵּי עָלְמָא צוּד אַיְיתוּ כַּוּוֹרָא – **Everyone went out to catch**[35] **and bring** back the abundance of **fish.** שְׁרָא לְהוּ רָבָא לְמִימְלַח מִינַּיְיהוּ – **Rava**[36] **ruled it permissible for them to steep some of them** (i.e. those that were not needed for the festival) **in**

NOTES

to *Sotah* 47b). Yochanan Kohen Gadol, however, decreed this use of tools forbidden on Chol HaMoed because of the loud sound that they produce [which is a desecration of the festival, because of the impression that industry is proceeding as if it were an ordinary workday] (see *Rashi;* cf. *Rashi* to *Sotah* loc. cit. and *Talmid R' Yechiel MiParis* here).

28. Blacksmiths bang on an anvil, which makes a loud clanging noise that can be heard from far away. This was decreed forbidden by Yochanan Kohen Gadol because work which produces loud noises on Chol HaMoed is a desecration of Chol HaMoed. Our Mishnah, however, speaks of the repair of wooden items, such as wooden locks, which in general do not necessitate the making of loud clanging noises. Thus, the repair work allowed by our Mishnah was not proscribed by the decree of Yochanan Kohen Gadol, which forbade only those tools that produce a loud noise.

29. [The dividing line between loud and soft sounds is not clear, and it is not reasonable to assume that the Sages would have adopted a vague guideline for their decree. If they forbade the "production of noise," then they forbade even the lesser noises of carpentry tools.]

30. See *Rashi.* Rav Chisda agrees that Yochanan Kohen Gadol's decree was motivated by the noise that the tools produce. He argues, however, that it is unreasonable to distinguish between *degrees* of noise. Rather, we distinguish between tools that make noise (whose use is forbidden on Chol HaMoed) and those that do not make noise (whose use remains permitted in the prevention of a loss).

[Obviously, even a saw makes some noise. That noise, however, is localized and does not resound beyond the workshop. In contrast, the sound of an axe chopping, and even more so the sound of a hammer banging, reverberates throughout the town. Yochanan Kohen Gadol only prohibited tools such as an axe or hammer that cause a public display of industry being carried on in its usual manner.]

[Other Rishonim, however, explain Rav Chisda's explanation to be that our Mishnah permits repairs only with tools that are not generally used for these purposes, whereas Yochanan Kohen Gadol forbade the use of the usual tools (see *Tos. HaRosh, Ritva, Talmid R' Yechiel MiParis* and *R' Shlomo ben HaYasom*).]

31. [And our Mishnah was left in its original form, even though its ruling was subsequently nullified by the decree of Yochanan Kohen Gadol.]

32. [This dispute between R' Yehudah and R' Yose is found in the Mishnah on 11b and is analyzed by the Gemara on 11b-12b.] Now, the repair of a door or a lock falls into the category of preventing an irretrievable loss, because if they are not repaired thieves will be able to enter at will (*Ritva; Chidushei HaRan; Hagahos Asheri* to *Rosh* §27; *Chazon Ish, Orach Chaim* 135). Our Mishnah, then, which permits these repairs to be done in the usual manner, therefore follows the view of R' Yose (*Rashi;* see *Keren Orah* and *Chelkas Binyamin*). And R' Yose holds that Yochanan Kohen Gadol never issued the decree ascribed to him by the Mishnah in *Sotah.* Alternatively, R' Yose holds that Yochanan Kohen Gadol did issue that decree [requiring an unusual manner even for work done to prevent a loss], but that the decree never gained acceptance (*Tos. HaRosh;* see also *Keren Orah*).

33. I.e. when the wooden pegs that hold the lintel in place fall out and the lintel threatens to come down, we permit restoring the lintel to its proper place and nailing it there securely in the usual manner (*Rashi, Chidushei HaRan;* cf. *Rashi* to *Rif*).

34. Translation follows *Rashi;* see, however, *Rashash.* [See *Aruch HaShalem* at length.] *R' Shlomo ben HaYasom* renders: The Bedisa swelled fish (לְבַאי being a verb: *swelled*). I.e. it overflowed its banks, leaving fish on the riverbanks (see also *Divrei David;* see also *Shitas Ribav* and *Tos. HaRosh*).

35. If the fish were lying stranded on the ground, then there would not seem to be any *melachah* involved in their "catching." *Talmid R' Yechiel MiParis* (see also *R' Shlomo ben HaYasom*), however, writes that the fish were stranded in puddles and water-filled ditches. [Hence, their removal from the water entailed the *melachah* of "killing" the fish by removing them from their source of life – see *Shabbos* 107b.] In any event, the Gemara proceeds to deal with the question of whether it is permitted to salt the fish – see notes below.

36. [Some emend the text here to read instead: רַבָּה, *Rabbah* (see *Keren Orah* to end of 10b).]

עין משפט
נר מצוה

קד א מיי' פ"ט מהלכות ע"ז הלכה יד טוש"ע י"ד סי' קמט סעיף ג:
קה ב ג טוש"ע א"ח סי' תקמא סעיף א:
קו ד ה מיי' פ"ח מהל' י"ט הלכה יג טוש"ע א"ח סי' תקמ סעיף ז:
קז ו מיי' שם הלכה ו טוש"ע שם סעיף א:
קח ז מיי' שם פ"ז הלכה ה טוש"ע שם סעיף ג:
קט ח מיי' שם פ"ח הלכה ז טוש"ע שם סעיף ד:
קי ט מיי' שם פ"ז הלכה ד טוש"ע שם סי' תקלא סעיף ו:
קיא י מיי' שם הלכה ז טוא"ח סי' תקלג:
קיב כ מיי' שם טוש"ע שם סעיף ד:

מסורת הש"ס

א) עירובין מז. ע"ז יג., ב) לעיל ז., ג) מע"ש פ"ה מט"ו סוטה מז., ד) [לקמן יב: ע"ש], ה) [לעיל י:], ו) [ברכות יח:].

יריד של עכו"ם. יומא דשוקא: ומעלה בערכאות. לקיימן בחתימתן דכיון דהשתא הוא דמשכח להו וליומא אחרינא לא שרי: אוהרי. שצדין בו דגים שקורין רוש"א: איזלי. רשתות שצדין בו עופות: למגדל תנורא. לעשות התנור מחדש: מהולתא. נפה: בימות החמה. כלומר כשיש ימות החמה כגון בפסח דחבול עלמא שאין יורדין בו גשמים מותר לעשות בו תנור לפי שלאלתר יבש ויכולין לאפות בו פת ברגל לצורך הרגל: כאן בימות הגשמים. כלומר כשיורדין הגשמים ברגל כגון בסוכות אין עושין תנור לפי שאינו יבש לאלתר עד לאחר הרגל ועבד טירחא שלא לצורך הרגל:

א) ליריד של עכו"ם א ולוקחים בהמה עבדים ושפחות בתים שדות וכרמים וכותב ומעלה בערכאות שלהן מפני שהוא כמציל מידן רב ב שרא לחייא בר אשי למיגדל אוהרי בחולא דמועדא מאי טעמא מעשה הדיוט הוא אבל ג איזלי אסור מאי טעמא מעשה אומן הוא רב יהודה ד שרא לאמי תנורא למיגדל תנורי ולרב' בר עשבי למיגדל מהולתא איני והא תני רבה בר שמואל ושוין שאין גודלין תנור לכתחילה לא קשיא ה כאן בימות החמה כאן בימות הגשמים: **מתני'** ו עושין מעקה לגג ולמרפסת מעשה הדיוט אבל לא מעשה אומן ז שפין את הסדקין ומעגילין אותן במעגילה ביד וברגל אבל לא במחלצים ח הציר והצינור והקורה והמנעול והמפתח שנשברו מתקנן במועד ט ובלבד שלא יתכוין לעשות מלאכתו במועד י וכל כבשין שהוא יכול לאכול מהן במועד כובשן: **גמ'** היכי דמי מעשה הדיוט רב יוסף אמר ג) בהוצא ודפנא במתניתא תנא צר בצרור ואינו טח בטיט: שפין את הסדקין ומעגילין אותן במעגילה: השתא במעגילה אמרת שרי ביד וברגל מיבעיא הכי קאמר שפין את הסדקין ומעגילין אותן כעין מעגילה ביד וברגל אבל לא במחלצים: הציר והצינור והקורה והמנעול והמפתח שנשברו מתקנן במועד: ורמינהי ג) עד ימיו היה פטיש מכה בירושלים כו' עד ימיו אין מכאן ואילך לא לא קשיא כאן בדנפחי כאן בדנגרי מתקיף לה רב חסדא יאמרו קלא רבה אסיר קלא זוטר שרי אלא אמר רב חסדא לא קשיא הא במגלי הא בחציני רב פפא אמר כאן קודם גזירה כאן לאחר גזירה רב אשי אמר הא ר' יהודה הא ר' יוסי דאמר ר' יצחק בר אבדימי ד) מאן תנא שינוי במועד בדבר האבד דלא כר' יוסי אמר רבינא כמאן מדלינן האידנא קביותא דדשא בחולא דמועדא כמאן כר' יוסי: כבשין שהוא יכול לאכול במועד כובשן: (א) בדיתא לבאי כוורי אזיל כולי עלמא צוד אייתו כוורא שרא להו רבא למימלח מינייהו אמר ליה אביי והא תנן כבשין שהוא יכול לאכול מהן במועד כובשן אמר ליה כיון דמעיקרא אדעתא דאכילה אייתינהו ואי שביק להו פסדי ה) כפרקמטיא האבד דמי ושרי ואיכא דאמרי כ שרי להו רבא מיצד מיזל אייתויי ומימלח אמר ליה אביי והא אנן כבשין שהוא יכול לאכול מהן (ב) כובשן תנן אמר ליה הני נמי מיתאכלי אגב איצצא כי הא דשמואל עבדו ליה שיתין איצצי ואכל רבא איקלע לבי ריש גלותא עבדי ליה שיתין איצצי ואכל רב איקלע לבי רב שפיר אייתו לקמייהו ההוא כוורא תילתא בישולא תילתא מילחא ותילתא טוויא אמר רב אמר לי אדא ציידא כוורא סמוך למיסרחיה מעלי ואמר רב אמר לי אדא ציידא כוורא טווייא באחוה אסוקיה באבוה מיכלי בבריה אשתי עליה אבוה ואמר רב אמר לי אדא ציידא כוורא תחלי וחלבא ליטעון גופא ולא ליטעון פוריא ואמר רב אמר לי אדא ציידא כוורא תחלי וחלבא מיא ולא שיכרא ולא חמרא:

הדרן עלך משקין בית השלחין

כוורא סמוך למסרחיה מעלי. ובזמן הזה תופסים סכנה למיכל סמוך לסירחון וגם משתי עלה אבוה דאמר בסמוך דמעלי ושמא נשתנו כמו הרפואות שבש"ס שאינן טובות בזמן הזה או שמא נהרות דבבל מעלו לו טפי ויש מפרשים דכוורא לא בכלל דגים מיירי ושם דג ששמו כוורא ומשונה בדברים האלו משאר דגים כדאמרינן פ' כל הבשר (חולין דף קט:) אסר לן גירותא שרא לן לישנא דכוורא ואין נראה שיהא בכל הלשונות של דגים טעם אחד:

הדרן עלך משקין בית השלחין

מתני' מעקה למרפסת. כותל קטנה העושין על האיצטבות שלפני העליות גדולות כעין שיש על שפת נהר ריינים: שפין את הסדקין. שבתנור: ומעגילין אותן במעגילה. שגוללין על קרקעית התנור עץ גדול עגול כדי לסתום הסדקין: ביד וברגל. (ג) שלוקח בידו עץ ובועטין ביד על התנור לסתום הסדקים או בועט ברגלו על קרקעית התנור: מחלצים. עץ כעין רגל שדוחקו במעזיבה לסתום הסדקין ויש בו מעשה אומן יותר ממעגילה: ציר. רגל הדלת כמו הדלת תסוב על צירה (משלי כו): צינור. הוא החור שבאסקופה התחתונה כמו ו) צינורא דדשא: הקורה. מה שעל הפתח שתחזור בו הדלת וקורין אוברטו"ר: מנעול. בלנדור"א: ובלבד שלא יתכוין לעשות מלאכתו במועד. כשיש לו לתקן כל אלו בשאר ימות השנה ומניחו עד המועד: וכבשין. של ציר כלומר דגים ושאר דברים שכובשים במלח שיכול לאוכלן במועד שלא יהא צריך להמתין באכילתן עד לאחר המועד שיהו נכבשין מהר וראוין לאכול מיד: **גמ'** הוצא. הולי דקל: (ד) דופנא. עבדי לחיים של גדר: ואינו טח בטיט. זה הוא מעשה הדיוט: מעגילה. דרך אומנות יותר: ביד וברגל. דלאו מעשה אומן הוא לא כל שכן: כעין מעגילה. ולא מעגילה ממש אלא כעין מעגילה ביד וברגל: עד ימיו. של יוחנן כ"ג היה פטיש מכה בירושלים בחולו של מועד והוא גזר עליו ובטלו אלמא אסור ומתני' קתני ומתקנין מנעול ומפתח: מתניתין דמתקנין אלו בחוש"מ בדנגרי. במנעול של עץ שרי דלא הוי קלא רבה: בדנפחי. דפטיש היינו קורנס אסור דהוי קלא רבה ואולודי קלא אסור: מגלי. מסר הגדול שרי דלא מוליד קלא כלום: בחציני. ברר"א אסיר דהוי אולודי קלא טפי: לאחר שגזר. יוחנן כ"ג: הא ר' יהודה הא ר' יוסי. בפירקא לקמן (דף יב.) דרבי יוסי לא בעי לשנויי לדבר האבד ומתני' דשרי הכא כל הני בלא שינוי ר' יוסי היא:

כמאן מדלינן האידנא קביותא דדשא. כשיוצאין מסמרים של עץ מן הקורה שעל הפתח דשרי למיעבד בלא שינוי: בדיתא. שם נהר: לבאי. שם מקום: כוורי. הכי עשו דרך לנהר שיצאו מימיו ונשתיירו שם דגים הרבה: למימלח. (ה) הרבה אע"פ שאין יכולים לאוכלן במועד שהרי היו מלוחין הרבה: כבשין. בחומץ ובמלח שקורין קונפוסט"א והכא נמי כיון שמלחן הרבה כדי להצניען תו לא חזו במועד: אמר ליה הני נמי. (ו) דמלחינהו: מתאכלי. במועד: אגב איצצא. שמושך המלח מהן: (ז) שיתין איצצי. כלומר רוחצין אותו הרבה פעמים מצלי ליה ששים זימני: רב איקלע. במועד: תילתא מילחא. אגב איצצא: סמוך למיסרחיה מעלי. כלומר יפה הוא לאחר זמן שנילוד יותר מהסיא שעתא דנילוד: טווייא באחוה. במלח שהמלח נברא מן המים כדגים: אסקיה באבוה. לאחר שצלאו נותנו במים צונן: אכליה בבריה. מטילין אותו בציר היוצא מן הדגים ואוכלין אותו: משתיא עליה אבוה. ששותין עליו מים שדגים נבראו מן המים: לטעון גופא. כלומר לאחר אכילתו מהלך הרבה קודם שישן: ולא לטעון פוריא. לא ישן לאלתר אחריהם: תחלי. שחלים: מיא ולא שכרא. מוטב לשתות אחריהן מים ולא שכר:

הדרן עלך משקין בית השלחין

רבינו חננאל

להו כפרקמטיא האבוד דמי ושרי. רב שרא לר' חייא בר אשי למיגדל אהורי. פי' במס' גיטין בסוף פרק הניזקין (דף ס' ע"ב) ומפרשי רבנן אוזלי שבאו מעזלא תרגום ויביאו מטוה כד עזיל ומפרשי אוהורי אלפכוך. מ"ט מעשה הדיוט אבל איזלי אסיר מ"ט מעשה אומן הוא. רב יהודה שרא לאביי תנוראה למגדל תנורא בחולי דמועדא. ולרבא בר עישבי שרא למגדל מהולתא בחולי דמועדא. ועושין מעקה לגג ולמרפסת מעשה הדיוט אבל לא מעשה אומן. היכי דמי מעשה הדיוט בהוצא ודפנא. במתניתא תנא צר בצרור ואינו טח בטיט ושפין את הסדקין ומעגילין אותן במעגילה ביד וברגל אבל לא במחלצים: מתני' הציר והצינור והקורה והמנעול והמפתח שנשברו מתקנן במועד ובלבד שלא יכוין מלאכתו במועד. איני והא תנן בסוף מס' סוטה עד כל ימיו פטיש היה מכה בירושלים עד ימיו של יוחנן כהן גדול אין מיכן ואילך לא. ופריק רב הונא האי פטיש דאסיר מיכן ואילך בדנפחי. והא דתנן הצינור כו' בדנגרי הוא ושרי. מתקיף ליה רב חסדא ונדחה ופריק בחציני אסיר ומתניתין דהכא במגלא ושרי. א) קודם גזירת יוחנן כ"ג ורב אשי אמר מתני' דהכא ר' יהודה היא ומתני' דהכא ר' יוסי דאמר רב יצחק בר אבא מאן תנא שינוי במועד בדבר האבד דלא כר' יוסי דאי ר' יוסי הא אמר זולף וגומר וגף כדרכו. אמר רבינא כמאן כו'. מדלינן האידנא וכו'. וכבשין שיכול לאכול מהן במועד מכבשן. רבא שרא לבני בדיתא לבאי למיצד ולמימלח א"ל אביי והתנן כבשין שיכול לאכול מהן מכבשן. שיכול אין לא יכול לא. א"ל הני נמי מתאכלי אגב איצצא כשיכבשום דחוקים כי הא דשמואל עבדו ליה שיתין איצצי ואכל. פי' מיני תבשיל. אמר רב אמר לי

אדא ציידא כוורא סמוך למיסרחי מעלי. ותוב אמר דג טוויא באחווה פירוש המלח מן הים והדג מן הים נמצאו שניהן אביהן הים והן כמו אחים. וא"ל מלח הדג במלח שהוא אחיו וצלה אותו במלח. אסוקיה באבוה. פי' כשתעלהו מן האש שוטפהו במים מלוחין שהן אביו אוכליה בבריה פירוש אכול אותו בבנו והוא ציר של דגים שהוא יוצא מן השמנונית של דג כי הוא חשוב לדג כבנו. וכשתאכלהו שתה אחריו המים כי באותה העת ובאותו מקום היו אומרים להם הרופאים כשתאכל דגים שתה אחריו המים ולא יין ב) או יין ולא שכר. כוורא תחלי וחלבא ליטעון גופא ולא ליטעון פוריא. פי' כשיאכל אותם עד שיתעכלו במעיו לא ישן כי השינה מזיקתו:

הדרן עלך משקין בית השלחין

חשק שלמה על ר"ח א) נראה דצ"ל רב פפא אמר כאן קודם גזירה כו'. ב) לפנינו בגמ' הגירסא לחיישך. ואולי דרכינו היה לו ג' אחרת.

הגהות הב"ח

(א) גמ' בדיתא לבאי כוורא. נ"ב כך הוא גירסת האלפס בפומבדיתא לבאי כוורא ופי' הר"ן פום שם המקום היושב על נהר בדיתא לבאי כוורא לדו והביאו דגים רבים שנתייבש הנהר ומתו הדגים עכ"ל: (ב) שם והא אנן כבשין שהוא יכול לאכול מהן במועד כובשן תנן: (ג) רש"י ד"ה ביד וברגל (שלוקח בידו עץ) תא"מ ונ"ב נ"ל טעות: (ד) ד"ה דופנא כו'. נ"ב עי' לעיל בפירושו בדף ז' ע"א: (ה) ד"ה למימלח למולחן הרבה אע"פ: (ו) ד"ה א"ל הני נמי אע"ג דמלחינהו: (ז) ד"ה אגב כו' המלח מהן הס"ד ואח"כ מה"ד עבדו ליה שיתין איצצי כלומר רוחצין אותו הרבה פעמים הס"ד ואח"כ מה"ד שיתין איצצי ששים פעמים הס"ד:

רש"י כת"י

למיגדל אוהרי. לקלע קליעות מצודות קטנים לדגים. איזלי. מצודות גדולות. לאמי תנורא. שומר תנור [ועי' בהגהת חו"י ברי"ף]. למגדל. ליקלע הולי התנור ולעשותו טיח דטמין היו על ההולין דראוי לאפות בו במועד. מהולתא. נפה וכברה. בימות החמה. דקביל עלמא מתייבש התנור מהר ויכול לאפות בו במועד שרי. בימות הגשמים. מתעכב ליובש ואינו אופה בו לאחר שנעשה במועד. מרפסת. לשון מעקה [ומדרס] בלע"ז. מעשה הדיוט. כגמגת מפרש. שפין את הסדקין. גגותיהן לא היו משופעין ושממשמשין עליהן כדרך שממשמשין בעליה ומתקנין אותן וטחין אותן ומים הנופלין יוצאין דרך צינורות למטה בחוץ ואם יש סדקין בעליית הטיט נופלין המים בבית ואוכל פסיקא. שפין. ממלאין במעגילה. עץ עגול שבו ממליקין את הגגות כדאמרינן במסכת מכות היה מעגל במעגילה. במחלצים. כלי אומנות של ברזל רחבה כמין כף ולה בית יד וקורין אותה טרואל"ה. הציר. כמו הדלת תסוב על צירה רגל הדלת סובבת. והצינור. החור שבאסקופה התחתונה כמו צינורא דדשא. והקורה. קורות הבית ממש שנשתברו אפילו קודם יו"ט. ובלבד שלא יתכוין וכו'. אם נשתברו קודם יו"ט לא יאמר אמתין לי עד המועד שמלאכה אסורה לי ואעשה זאת.

כבשין. דגים ושאר דברים שכובשים במלח. שהוא יכול לאכול מהן במועד. שלא צריך להמתין באכילתן עד לאחר המועד שיהו נכבשין מהר וראוין לאכול מיד. הוצא. הולי דקל. דפנא. הולי לומי"ר בלע"ז. ואינו טח בטיט. דהוא מעשה הדיוט. מעגילה. דרך אומנות יותר ממחללים. כעין מעגילה. יפה יפה כאלו טחו במעגילה. כמאן מדלינן. כמאן עבדי' האידנא. קביותא. כמין נגר בדלת בחולו של מועד כר יוסי. בדיתא. פומבדיתא. מקום היושב על יד הנהר בדיתא הוא הנהר. לבאי כוורי. הולדו דגים הרבה. צוד. לדו והביאו דגים הרבה. למימלח מינייהו. ולקיימם עד לאחר המועד. והא תנן. וה"נ כיון דמלחינהו כ"כ כדי להצניען תו לא חזי לאכלם במועד נמצאת מלאכת מליחה שלא לצורך יו"ט (והאי) [והוין] כעין מליחה שלא לצורך יו"ט דאב מלאכה הוא גבי אבות מלאכות המפשיטו והמולחו. אייתינהו. דעתן היה לאוכלן במועד ושרי. מיתאכלי אגב איצצא. שכובשין אותן במכבש פרס"א ואוכלין אותן מיד שילא לחלוחית המלח הנבלע בכולן. שיתין איצצי. ששים פעמים עושין אותן שיהיו מעוכין יפה [רש"י בעין יעקב].*

salt to preserve them for postfestival use.[37]

Rava's ruling is challenged:

אָמַר לֵיהּ אַבַּיֵי – **Abaye said to [Rava]:** וְהָא תְּנַן – **But we learned in our Mishnah:** כְּבָשִׁין שֶׁהוּא יָכוֹל לֶאֱכוֹל מֵהֶן בַּמּוֹעֵד כּוֹבְשָׁן – **PICKLED FOOD THAT ONE CAN EAT ON THE FESTIVAL ONE MAY PICKLE THEM** on Chol HaMoed, implying that one may *not* pickle foods on Chol HaMoed for postfestival use.[38] – ? –

Rava defends himself:

אָמַר לֵיהּ – **[Rava] replied to [Abaye]:** כֵּיוָן דְּמֵעִיקָּרָא אַדַּעְתָּא דַּאֲכִילָה אַיְיתִינְהוּ – **Since initially they brought [the fish]** home **with the intention of eating** them during the festival, which is perfectly legitimate,[39] וְאִי שָׁבֵיק לְהוּ פָּסְדֵי – **and if one leaves them** [the extra fish] without salting them, **they will spoil** if not eaten on the festival, כִּפְרַקְמַטְיָא הָאָבֵד דָּמֵי וְשָׁרֵי – **it is like** a case of **merchandise that will be lost** if not sold,[40] **and it is** therefore **permitted** to pickle them on Chol HaMoed to avert this loss.

The Gemara cites another version of this incident:

וְאִיכָּא דְּאָמְרֵי – **And there are those who say** that the incident happened as follows: שָׁרֵי לְהוּ רָבָא מֵיצַד מֵיזַל אַיְיתוּיֵי וּמִימְלַח – **Rava ruled it permissible for them** to initially **go and catch**[41] fish in the dried-out river to **bring** them home, **and to salt** them.[42]

Rava's ruling is challenged:

אָמַר לֵיהּ אַבַּיֵי – **Abaye said to [Rava]:** וְהָא אֲנַן כְּבָשִׁין שֶׁהוּא יָכוֹל לֶאֱכוֹל מֵהֶן [בַּמּוֹעֵד] כּוֹבְשָׁן תְּנַן – **But we** – **PICKLED FOODS THAT ONE CAN EAT [ON THE FESTIVAL]**[43] **ONE MAY PICKLE THEM** on Chol HaMoed – is what **we have learned in our Mishnah,** implying that one may *not* pickle foods on Chol HaMoed for postfestival use. – ? –

Rava defends himself:

אָמַר לֵיהּ – **[Rava] replied to [Abaye]:** הָנֵי נַמִּי מִיתְאָכְלֵי אַגַּב אִיצְצָא – **These also can be eaten through pressing,**[44] כִּי הָא דִּשְׁמוּאֵל – **such as [the case] of Shmuel,** עָבְדוּ לֵיהּ שִׁיתִּין אִיצְצֵי וַאֲכַל – where **they did for him sixty pressings** of a freshly salted fish, **and he** then **ate** it.[45]

The Gemara cites a similar incident involving Rava himself:

רָבָא אִיקְלַע לְבֵי רֵישׁ גָּלוּתָא – **Rava visited the home of the** ***Reish Galusa,*** עָבְדֵי לֵיהּ שִׁיתִּין אִיצְצֵי וַאֲכַל – where **they did for him sixty pressings** of a freshly salted fish **and he ate** it.

Another incident is cited:

רַב אִיקְלַע לְבֵי רַב שַׁפִּיר – **Rav visited the house of Rav Shapir.**[46] אַיְיתוּ לְקַמַּיְיהוּ הַהוּא כַּוְורָא – **They served them a certain fish,** תִּילְתָּא בִּישׁוּלָא תִּילְתָּא מִילְחָא וְתִילְתָּא טַוְויָא – **a third** of which had been **boiled, a third** of which had been **salted and a third** of which had been **broiled.**[47]

Having mentioned Rav in connection with the eating of fish, the Gemara mentions tangentially four remarks Rav made regarding the eating of fish:

אָמַר רַב – **Rav said:** אָמַר לִי אַדָּא צַיָּידָא – **Adda the fisherman told me** that כַּוְורָא סָמוּךְ לְמִיסְרְחֵיהּ מְעַלֵּי – **fish is best when it is about to putrefy.**[48]

A second remark:

וְאָמַר רַב – **And Rav** also **said:** אָמַר לִי אַדָּא צַיָּידָא – **Adda the fisherman told me** that כַּוְורָא טַוְויָא בְּאַחוּהּ – the healthful way to eat **fish** is to first **broil** it **with its "brother,"** i.e. in salt,[49]

NOTES

37. Even though the pickling process rendered the fish inedible for the festival, since they were heavily saturated with salt (*Rashi*), which renders the fish inedible until it dries out (*Chidushei HaRan*). Nevertheless, Rava permitted them to salt the fish on Chol HaMoed for use after the festival.

38. We see from the Mishnah that pickling foods is an activity that is forbidden on Chol HaMoed unless it serves a festival need. [The activity is forbidden because it entails excessive exertion (see *Nimukei Yosef* folio 5a), or because it is akin to the tanning of hides, which is a bona fide *melachah* (see *Rashi* to *Rif*, but see *Keren Orah*).] How, then, could Rava permit pickling the fish on Chol HaMoed, which is clearly for postfestival purposes, as the fish thereby become inedible for the duration of the festival?

39. The Torah allows a person to prepare food for the festival liberally, in order to insure that the joy of the festival is not diminished (*Ritva* to *Eruvin* 68a). Thus, we cannot say that the abundant collection of fish was intended for postfestival use.

40. See above, 10b and note 45 there.

41. [The words should be inverted and read: מֵיזַל מֵיצַד, *go and catch* (see *Rif, Rosh,* and *Rashash*).]

42. According to this version, Rava did not rule on the matter only after they had brought back the abundance of fish. Rather, he permitted them initially to go out and collect the abundance of fish. [See below, note 45.]

43. Emendation follows *Hagahos HaBach*.

44. The fish is squeezed, which forces the salt out (see *Rashi* to *Rif*). Squeezing the fish is the equivalent of drying it out, and dried salted fish *are* edible (see *Chidushei HaRan*).

[From the comments of *Rashi* printed in our texts, however, it appears that אִיצְצָא refers here to soaking and washing (which "squeezes" the salt out of the fish).]

45. [The number sixty is not always meant precisely, but is sometimes used simply as an expression of "numerous times" (see *Rashi* to *Shabbos* 90b ד״ה שיתין).]

Thus, each fish that is being salted is theoretically being salted for use on the festival, and only afterwards does the person "decide" that he prefers a different one and salts it, and so on. This is similar to the permissible subterfuge stated by the Gemara in *Beitzah* 11b (*Chidushei HaRan* and *Nimukei Yosef*).

Ritva writes that there is no halachic principle in dispute between these two versions of Rava's ruling. [*Chazon Ish* (*Orach Chaim* 135) writes that according to both versions, it is permitted to collect fish only for the festival, though this may be done liberally (cf. *Magen Avraham* 533:7). The first version, however, permits only the salting of the *leftover* fish (to forestall the loss of the fish that was collected permissibly), because in the view of the first version, salting the fish renders it inedible on the festival (thus, Rava would not have permitted the catching of fish that would definitely have to be salted). The second version holds, however, that the salted fish *is* fit to be eaten on the festival (through pressing). Therefore, it permits the salting of *all* the fish (and Rava therefore permitted the people to "go, catch, and salt"). (See also *Talmid R' Yechiel MiParis* for an extensive discussion of these two versions and their halachic ramifications.)]

According to either version, there does not seem to be a permit to collect and preserve the abundance of fish on Chol HaMoed simply because the situation is one of rare opportunity for profit. But why is this so? Why should this opportunity for profit be any different from the permit to purchase sale items at a fair that is held on Chol HaMoed [see above, note 3, and see *Yerushalmi* cited in *Rosh* §28]? Some answer that it is only the prohibition against buying and selling on Chol HaMoed that was relaxed for that type of "loss," but not actual labor, such as that involved in the salting of the fish (*Raavad,* cited in *Rosh* ibid., second answer, and in *Nimukei Yosef*; see also the first answer in *Rosh* there, and *Meiri;* see also 10b note 45).

46. *Rashi* explains that this took place on Chol HaMoed. [It is not clear, however, what compelled *Rashi* to say this.]

47. *Talmid R' Yechiel MiParis.* The third of the fish that had been salted was rendered fit to eat through pressing (*Rashi; Talmid R' Yechiel MiParis;* see also *R' Shlomo ben HaYasom* with publisher's note).

48. I.e. it is better to eat fish just before it spoils than to eat it as soon as it is caught (*Rashi;* cf. *Tos. HaRosh*).

[Nowadays, it is generally accepted that it is unhealthy to eat fish that is about to spoil. Perhaps, this is due to a change in nature, just as we find that certain remedies stated in the Talmud are no longer effective (see *Tosafos*).]

49. Salt is called the "brother" of fish, because they both share a common source, viz. the sea (*Rashi*).

עין משפט נר מצוה

קד א מיי' פ"ז מהלכות יו"ט הלכה יד טוש"ע י"ד סי' קמט סעיף ג:
קה ב ג טוש"ע א"ח סי' תקמא סעיף א:
קו ד ה מיי' פ"ח מהל' יו"ט הלכה יג, טוש"ע א"ח סי' תקמ סעיף ז:
קז ו מיי' שם הלכה ז טוש"ע שם סעיף ח:
קח ז מיי' פ"ז הלכה ה טוש"ע שם סעיף ג:
קט ח מיי' שם הלכה ז טוש"ע שם סעיף ד:
קי ט מיי' שם פ"ח הלכה ד טוש"ע שם סי' תקלג סעיף ז:
קיא י מיי' שם הלכה יג טוש"ע סי' תקנג:
קיב כ מיי' שם טוש"ע שם סעיף ד:

מסורת הש"ס

א) עירובין מז. ע"ז יג., ב) לעיל ז., ג) מע"ש פ"ה מ"ג סוטה מז.; ד) [לקמן יב: ע"ש], ה) [לעיל י:], ו) [ברכות יח:]

רש"י

יריד של עכו"ם. יומא דשוקא: ומעלה בערכאות. לקיימן בחתימתן דכיון דהשתא הוא דמשכח להו וליומא אחרינא לא שרי: אוהרי. שאלין בו דגים שקורין רוש"א: איזלי. רשתות שצדין בו עופות: למגדל תנורא. לעשות התנור מחדש: מהולתא. נפה: בימות החמה. כלומר כשיש ימות החמה כגון בפסח דחבול עלמא שאין יורדין בו גשמים מותר לעשות בו תנור לפי שלאלתר יבש ויכולין לאפות בו פת ברגל לצורך הרגל: כאן בימות הגשמים. כלומר כשיורדין הגשמים ברגל כגון בסוכות אין עושין תנור לפי שאינו יבש לאלתר עד לאחר הרגל ועבד טירחא שלא לצורך הרגל:

מתני' מעקה למרפסת. כותל קטנה העושין על האיצטבות שלפני העליות גדולות כעין שיש על שפת נהר ריינים: שפין את הסדקין. שבתנור: ומעגילין אותן במעגילה. שגוללין על קרקעית התנור עץ גדול עגול כדי לסתום הסדקין: ביד וברגל. (ג) שלוקח בידו עץ ובועטין ביד על התנור לסתום הסדקים או בועט ברגלו על קרקעית התנור: מחלצים. עץ כעין רגל שדוחקו במעזיבה לסתום הסדקין ויש בו מעשה אומן יותר ממעגילה: ציר. רגל הדלת כמו הדלת תסוב על צירה (משלי כו): צינור. הוא החור שבאסקופה התחתונה כמו ו) צינורא דדשא: הקורה. מה שעל הפתח שתחזור בו הדלת וקורין אורבטו"ר: מנעול. בלנדור"א: ובלבד שלא יתכוין לעשות מלאכתו במועד. כשיש לו לתקן כל אלו בשאר ימות השנה ומניחו עד המועד: וכבשין. של ציר כלומר דגים ושאר דברים שכובשים במלח שיכול לאוכלן במועד שלא יהא צריך להמתין באכילתן עד לאחר המועד שיהו נכבשין מהר וראוין לאכול מיד: גמ' הוצא. הוצי דקל: (ד) דופנא. עבדי לחיים של גדר: ואינו טח בטיט. זה הוא מעשה הדיוט: מעגילה. דרך אומנות יותר: ביד וברגל. דלאו מעשה אומן הוא לא כל שכן: כעין מעגילה. ולא מעגילה ממש אלא כעין מעגילה ביד וברגל: עד ימיו. של יוחנן כ"ג היה פטיש מכה בירושלים בחולו של מועד והוא גזר עליו ובטלו אלמא אסור ומתני' קתני ומתקנין מנעול ומפתח: מתניתין דמתקנין אלו בחוש"מ בדנגרי. במנעול של עץ שרי דלא הוי קלא רבה: בדנפחי. דפטיש היינו קורנס אסור דהוי קלא רבה ואולודי קלא אסור: מגלי. מסר הגדול שרי דלא מוליד קלא כלום: בחציני. בגרז"א אסיר דהוי אולודי קלא טפי: לאחר שגזר. יוחנן כ"ג: הא ר' יהודה הא ר' יוסי. בפירקא לקמן (דף יב.) דרבי יוסי לא בעי לשנויי לדבר האבד ומתני' דשרי הכא כל הני בלא שינוי ר' יוסי היא:

כמאן מדלינן האידנא קביותא דדשא. כשיואלין מסמרים של עץ מן הקורה שעל הפתח דשרי למיעבד בלא שינוי: בדיתא. שם נהר: לבאי. שם מקום: כוורי. הכי עשו דרך לנהר שיצאו מימיו ונשתיירו שם דגים הרבה: למימלח. (ה) הרבה אע"פ שאין יכולים לאוכלן במועד שהרי היו מלוחין הרבה: כבשין. בחומץ ובמלח שקורין קונפוסט"א והכא נמי כיון שמלחן הרבה כדי להצניען תו לא חזו במועד: אמר ליה הני נמי. (ו) דמלחינהו: מתאכלי. במועד: אגב איצצא. שמושך המלח מהן: (ז) שיתין איצצי. כלומר רוחצין אותו הרבה פעמים מצלי ליה ששים זימני: רב איקלע. במועד: תילתא מילחא. אגב איללא: סמוך למיסרחיה מעלי. כלומר יפה הוא לאחר זמן שנילוד יותר מההיא שעתא דנילוד: טווייא באחוה. במלח שהמלח נברא מן המים כדגים: אסקיה באבוה. לאחר שצלאו נותנו במים צונן: אכליה בבריה. מטילין אותו בציר היוצא מן הדגים ואוכלין אותו: משתיא עליה אבוה. ששותין עליו מים שדגים נבראו מן המים: לטעון גופא. כלומר לאחר אכילתו מהלך הרבה קודם שישן: ולא לטעון פוריא. לא ישן לאחר אכילתו: תחלי. שחלים: מיא ולא שכרא. מוטב לשתות אחריהן מים ולא שכר:

גמרא

א) ליריד של עכו"ם א ולוקחים בהמה עבדים ושפחות בתים שדות וכרמים וכותב ומעלה בערכאות שלהן מפני שהוא כמציל מידן רב ב שרא לחייא בר אשי למיגדל אוהרי בחולא דמועדא מאי טעמא מעשה הדיוט הוא אבל ג איזלי אסור מאי טעמא מעשה אומן הוא רב יהודה ד שרא לאמי תנורא למיגדל תנורי ולרב' בר עשבי למיגדל מהולתא איני והא תני רבה בר שמואל ושוין שאין גודלין תנור לכתחילה לא קשיא ה כאן בימות החמה כאן בימות הגשמים: **מתני'** ו עושין מעקה לגג ולמרפסת מעשה הדיוט אבל לא מעשה אומן ז שפין את הסדקין ומעגילין אותן במעגילה ביד וברגל אבל לא במחלצים ח הציר והצינור והקורה והמנעול והמפתח שנשברו מתקנן במועד ט ובלבד שלא יתכוין לעשות מלאכתו במועד י וכל כבשין שהוא יכול לאכול מהן במועד כובשן: **גמ'** היכי דמי מעשה הדיוט רב יוסף אמר ג) בהוצא ודפנא במתניתא תנא צר בצרור ואינו טח בטיט: שפין את הסדקין ומעגילין אותן במעגילה: השתא במעגילה אמרת שרי ביד וברגל מיבעיא הכי קאמר שפין את הסדקין ומעגילין אותן כעין מעגילה ביד וברגל אבל לא במחלצים: הציר והצינור והקורה והמנעול והמפתח שנשברו מתקנן במועד: ורמינהי ג) עד ימיו היה פטיש מכה בירושלים כו' עד ימיו אין מכאן ואילך לא לא קשיא כאן בדנפחי כאן בדנגרי מתקיף לה רב חסדא יאמרו קלא רבה אסיר קלא זוטר שרי אלא אמר רב חסדא לא קשיא הא במגלי הא בחציני רב פפא אמר כאן קודם גזירה כאן לאחר גזירה רב אשי אמר הא ר' יהודה הא ר' יוסי דאמר ר' יצחק בר אבדימי ד) מאן תנא שינוי במועד בדבר האבד דלא כר' יוסי אמר רבינא כמאן מדלינן האידנא קביותא דדשא בחולא דמועדא כמאן כר' יוסי: כבשין שהוא יכול לאכול במועד כובשן: (א) בדיתא לבאי כוורי אזיל כולי עלמא צוד אייתו כוורא שרא להו רבא למימלח מינייהו אמר ליה אביי והא תנן כבשין שהוא יכול לאכול מהן במועד כובשן אמר ליה כיון דמעיקרא אדעתא דאכילה אייתינהו ואי שביק להו פסדי ה) כפרקמטיא האבד דמי ושרי ואיכא דאמרי כ שרי להו רבא מיצד מיזל אייתויי ומימלח אמר ליה אביי והא אנן כבשין שהוא יכול לאכול מהן (ב) כובשן תנן אמר ליה הני נמי מיתאכלי אגב איצצא כי הא דשמואל עבדו ליה שיתין איצצי ואכל רבא איקלע לבי ריש גלותא עבדי ליה שיתין איצצי ואכל רב איקלע לבי רב שפיר אייתו לקמייהו ההוא כוורא תילתא בישולא תילתא מילחא ותילתא טוויא אמר רב אמר לי אדא ציידא כוורא סמוך למיסרחיה מעלי ואמר רב אמר לי אדא ציידא כוורא טווייא באחוה אסוקיה באבוה מיכלי בבריה אשתי עליה אבוה ואמר רב אמר לי אדא ציידא כוורא תחלי וחלבא ליטעון גופא ולא ליטעון פוריא ואמר רב אמר לי אדא ציידא כוורא תחלי וחלבא מיא ולא שיכרא ולא חמרא:

הדרן עלך משקין בית השלחין

תוספות

כוורא סמוך למסרחיה מעלי. ובזמן הזה תופסים סכנה למיכל סמוך לסירחון וגם משתי עלה אבוה דאמר בסמוך דמעלי ושמא נשתנו כמו הרפואות שבש"ס שאינן טובות בזמן הזה או שמא נהרות דבבל מעלו לו טפי ויש מפרשים דכוורא לא בכלל דגים מיירי ושם דג ששמו כוורא ומשונה בדברים האלו משאר דגים כדאמרינן פ' כל הבשר (חולין דף קט:) אסר לן גירותא שרא לן לישנא דכוורא ואין נראה שיהא בכל הלשונות של דגים טעם אחד:

הדרן עלך משקין בית השלחין

הגהות הב"ח

(א) גמ' בדיתא לבאי כוורי. נ"ב כך הוא גירסת הרא"ש בפומבדיתא לבאי כוורי ופי' הר"ן פוס שם המקום היושב על נהר בדיתא לבאי כוורי צדו והביאו דגים שנתייבש הנהר ומתו הדגים עכ"ל: (ב) שם והא אנן כבשין שהוא יכול לאכול מהן במועד כובשן תנן: (ג) רש"י ד"ה ביד וברגל (שלוקח בידו עץ) תא"מ ונ"ב ג"ל עטות: (ד) ד"ה דופנא כו'. נ"ב ע"ל לעיל בפירושו בדף ז' ע"א: (ה) ד"ה למימלח למולחן הרבה אע"פ: (ו) ד"ה א"ל הני נמי תאג"ע דמלחינהו: (ז) ד"ה אגב כו' סמוך המלח מהן הס"ד ואח"כ מה"ד עבדי ליה שיתין איצי כלומר רוחצין אותו הרבה פעמים הס"ד ואח"כ מה"ד שיתין איצי ששים פעמים הס"ד:

רש"י כת"י

למיגדל אוהרי. לקלוע קליעות מצודות קטנים לדגים. איזלי. מצודות גדולות. לאמי תנורא. שומר תנור [ועי' בהגהת חוי' ברי"ן]. למגדל. ליקלע...

רבינו חננאל

להו כפרקמטיא האבוד דמי ושרי. רב שרא לר' חייא בר אשי למיגדל אהורי. פי' במס' גיטין בסוף פרק הניזקין (דף ס' ע"ב) ומפרשי רבנן אוזלי שבאו מעזלא תרגום ויביאו מטוה כד עזיל ומפרשי אוהורי אלפכוך. מ"ט מעשה הדיוט אבל איזלי אסיר מ"ט מעשה אומן הוא. רב יהודה שרא לאביי תנוראה למגדל תנורא בחולי דמועדא. ולרבא בר עישבי שרא למגדל מהולתא בחולי דמועדא. ועושין מעקה לגג ולמרפסת מעשה הדיוט אבל לא מעשה אומן. היכי דמי מעשה הדיוט בהוצא ודפנא. במתניתא תנא צר בצרור ואינו טח בטיט ושפין את הסדקין ומעגילין אותן במעגילה ביד וברגל אבל לא במחלצים: מתני' הציר והצינור והקורה והמנעול והמפתח שנשברו מתקנן במועד ובלבד שלא יכוין מלאכתו במועד. איני והא תנן בסוף מס' סוטה עד כל ימיו פטיש היה מכה בירושלים עד ימיו של יוחנן כהן גדול אין מיכן ואילך לא. ופריק רב הונא האי פטיש דאסיר מיכן ואילך בדנפחי. והא דתנן הצינור כו' בדנגרי הוא ושרי. מתקיף ליה רב חסדא ונדחה ופריק בחציני אסיר ומתניתין דהכא במגלא ושרי א) קודם גזירה פירש קודם גזירת יוחנן כ"ג ורב אשי אמר מתני' דהתם ר' יהודא היא ומתני' דהכא ר' יוסי דאמר רב יצחק בר אבא מאן תנא דבעי שינוי במועד בדבר האבד דלא כר' יוסי דאי ר' יוסי הא אמר זולף וגומר וגף כדרכו. אמר רבינא כמאן מדלינן האידנא כו'. וכבשין שיכול לאכול מהן במועד מכבשן. רבא שרא לבני בדיתא לבאי למיצד ולמימלח א"ל אביי והתנן כבשין שיכול לאכול מהן מכבשן. שיכול אין לא יכול לא. א"ל הני נמי מתאכלי אגב איצצא כשיכבשום דחוקים כי הא דשמואל עבדו ליה ששים איצצי ואכל. פי' מיני תבשיל. אמר רב אמר לי אדא ציידא כוורא סמוך למסרחי מעלי. ותוב אמר דג טווא באחוה פירוש המלח מן הים והדג מן הים נמצאו שניהן אביהן הים והן כמו אחים. וא"ל מלח הדג במלח שהוא אחיו וצלה אותו במלח. אסוקיה באבוה. פי' כשתעלהו מן האש שוטפהו במים מלוחין שהן אביו אוכליה בבריה פירוש אכול אותו בבנו והוא ציר של דגים שהוא יוצא מן השמנונית של דג כי הוא חשוב לדג כבנו. וכשתאכלהו שתה אחריו המים כי באותה העת ובאותו מקום היו אומרים חכמי הרופאים כשתאכל דגים שתה אחריו המים ולא יין ב) או יין ולא שכר. כוורא תחלי וחלבא ליטעון גופא ולא ליטעון פוריא. פי' כשיאכל אותם עד שיתעכל במעיו ולא ישן כי השינה מיד מזיקתו:

הדרן עלך משקין בית השלחין

חשק שלמה על ר"ח א) נראה דצ"ל רב פפא אמר כאן קודם גזרה כו'. ב) לפנינו בגמ' הגרסא להיפך. ואולי דרבינו היה לו גי' אחרת.

כבשין. דגים ושאר דברים שכובשים במלח. שהוא יכול לאכול מהן במועד. שלא צריך להמתין באכילתן עד לאחר המועד שיהו נכבשין מהר וראוין לאכול מיד. הוצא. הוצי דקל. דפנא. הוצי לומי"ר בלע"ז. ואינו טח בטיט. דהוא מעשה הדיוט. מעגילה. דרך אומנות יותר ממחללים. כעין מעגילה. יפה יפה כאלו טחו במעגילה. כמאן מדלינן. כמאן עבדי' האידנא. קביותא. כמין נגר בדלת בחולו של מועד כר' יוסי. בדיתא. פומבדיתא. מקום היושב על יד הנהר. לבאי כוורי. הולדו דגים הרבה. צוד. צדו והביאו דגים הרבה. למימלח מינייהו. ולקיימם עד לאחר מועד. והא תנן. וה"נ כיון דמלחינהו כ"כ כדי להצניען תו לא חזי לאכלם במועד נמצאת מלאכת מליחה שלא לצורך יו"ט (והלא) [והוו] כעין מלאכה הוא דלא לצורך יו"ט והמלוח. אייתינהו. במועד. מיתאכלי אגב איצצא. שכובשין אותן במכבש כבדה ואוכלין אותן מיד שיצא לחלוחית המלח הנבלע בכולן. שיתין איצצי. ששים פעמים עושין אותן שיהיו מעוכין יפה [רש"י בעין יעקב].]*

אַסּוּקֵיהּ בַּאֲבוּהּ – then **place it in its "father,"** i.e. in water,[50] מֵיכְלֵי בִּבְרֵיהּ – **eat** it **with its "son,"** i.e. dip it in fish broth, which oozes from the fish while it is broiling,[51] אִשְׁתֵּי עֲלֵיהּ אֲבוּהּ – **and drink afterwards its "father,"** i.e. water.[52]

A third remark:

וְאָמַר רַב – **And Rav** also **said:** אָמַר לִי אַדָּא צַיָּידָא – **Adda the fisherman told me** that כַּוְורָא תַּחְלֵי וְחַלְבָּא – after eating **fish, cress and milk,** לִיטְעוֹן גּוּפָא – one should **burden** his **body** with activity[53] וְלֹא לִיטְעוֹן פּוּרְיָא – **and not burden** his **bed.**[54]

The fourth remark:

וְאָמַר רַב – **And Rav** also **said:** אָמַר לִי אַדָּא צַיָּידָא – **Adda the fisherman told me** that כַּוְורָא תַּחְלֵי וְחַלְבָּא – after **fish, cress and milk,** it is better מַיָּא וְלֹא שִׁיכְרָא – to drink **water rather than beer.** שִׁיכְרָא וְלֹא חַמְרָא – And **beer rather than wine.** I.e. if he has no water, beer is preferable to wine.

הדרן עלך משקין בית השלחין

WE SHALL RETURN TO YOU, MASHKIN BEIS HASHELACHIN

NOTES

50. That is, in cold water (*Rashi*). Immediately after broiling, the fish is dipped in cold water to cool the fish and to sweeten it (*Talmid R' Yechiel MiParis*).

51. *Rashi; Chidushei HaRan.*

52. *Rashi.* [According to *Hagahos Asheri* (to *Rosh* §28), the reference is specifically to the water in which the fish grew and was caught.]

53. I.e. he should walk a lot before he goes to sleep (*Rashi,* see *Hagahos Maharatz Chayes*).

54. I.e. he should not go to sleep immediately (*Rashi*).

א) לִירִיד שֶׁל עכו"ם א וְלוֹקְחִים בְּהֵמָה עֲבָדִים וּשְׁפָחוֹת בָּתִּים שָׂדוֹת וּכְרָמִים וְכוֹתֵב וּמַעֲלֶה בְּעַרְכָּאוֹת שֶׁלָּהֶן מִפְּנֵי שֶׁהוּא כְּמַצִּיל מִיָּדָן רַב ב שְׁרָא לְחִיָּיא בַּר אָשֵׁי לְמִיגְדַּל אוֹהֲרֵי בְּחוּלָּא דְּמוֹעֲדָא מַאי טַעְמָא מַעֲשֵׂה הֶדְיוֹט הוּא אֲבָל ג אִיזְלֵי אָסוּר מַאי טַעְמָא מַעֲשֵׂה אוּמָּן הוּא רַב יְהוּדָה ד שְׁרָא לְאַמֵּי תַּנּוּרָא לְמִיגְדַּל תַּנּוּרֵי וּלְרַב' בַּר עַשְׁבֵּי לְמִיגְדַּל מְהוּלְתָּא אִינִי וְהָא תָּנֵי רַבָּה בַּר שְׁמוּאֵל וְשָׁוִין שֶׁאֵין גּוֹדְלִין תַּנּוּר לְכַתְּחִילָּה לָא קַשְׁיָא ה כָּאן בִּימוֹת הַחַמָּה כָּאן בִּימוֹת הַגְּשָׁמִים: **מתני'** ו עוֹשִׂין מַעֲקֶה לְגַג וּלְמִרְפֶּסֶת מַעֲשֵׂה הֶדְיוֹט אֲבָל לֹא מַעֲשֵׂה אוּמָּן ז שָׁפִין אֶת הַסְּדָקִין וּמְעַגִּילִין אוֹתָן בְּמַעְגִּילָה בַּיָּד וּבָרֶגֶל אֲבָל לֹא בְּמַחְלְצַיִם ח הַצִּיר וְהַצִּינּוֹר וְהַקּוֹרָה וְהַמַּנְעוּל וְהַמַּפְתֵּחַ שֶׁנִּשְׁבְּרוּ מְתַקְּנָן בַּמּוֹעֵד ט וּבִלְבַד שֶׁלֹּא יִתְכַּוֵּין לַעֲשׂוֹת מְלַאכְתּוֹ בַּמּוֹעֵד י וְכָל כְּבָשִׁין שֶׁהוּא יָכוֹל לֶאֱכוֹל מֵהֶן בַּמּוֹעֵד כּוֹבְשָׁן: **גמ'** הֵיכִי דָּמֵי מַעֲשֵׂה הֶדְיוֹט רַב יוֹסֵף אָמַר ב) בְּהוּצָא וְדַפְנָא בְּמַתְנִיתָא תָּנָא צָר בִּצְרוֹר וְאֵינוֹ טָח בְּטִיט: שָׁפִין אֶת הַסְּדָקִין וּמְעַגִּילִין אוֹתָן בְּמַעְגִּילָה: הַשְׁתָּא בְּמַעְגִּילָה אָמְרַתְּ שְׁרֵי בַּיָּד וּבָרֶגֶל מִיבַּעְיָא הָכִי קָאָמַר שָׁפִין אֶת הַסְּדָקִין וּמְעַגִּילִין אוֹתָן כְּעֵין מַעְגִּילָה בַּיָּד וּבָרֶגֶל אֲבָל לֹא בְּמַחְלְצַיִם: הַצִּיר וְהַצִּינּוֹר וְהַקּוֹרָה וְהַמַּנְעוּל וְהַמַּפְתֵּחַ שֶׁנִּשְׁבְּרוּ מְתַקְּנָן בַּמּוֹעֵד: וּרְמִינְהִי ג) עַד יָמָיו הָיָה פַּטִּישׁ מַכֶּה בִּירוּשָׁלַיִם כו' עַד יָמָיו אִין מִכָּאן וְאֵילָךְ לָא לָא קַשְׁיָא כָּאן בְּדַנַּפְחֵי כָּאן בְּדַנַּגָּרֵי מַתְקִיף לַהּ רַב חִסְדָּא יֹאמְרוּ קָלָא רַבָּה אָסִיר קָלָא זוּטָר שְׁרֵי אֶלָּא אָמַר רַב חִסְדָּא לָא קַשְׁיָא הָא בְּמַגְלֵי הָא בְּחַצִּינֵי רַב פָּפָּא אָמַר כָּאן קוֹדֶם גְּזֵירָה כָּאן לְאַחַר גְּזֵירָה רַב אָשֵׁי אָמַר הָא ר' יְהוּדָה הָא ר' יוֹסֵי דְּאָמַר ר' יִצְחָק בַּר אַבְדִּימִי ד) מַאן תַּנָּא שִׁינּוּי בַּמּוֹעֵד בְּדָבָר הָאָבֵד דְּלָא כְּר' יוֹסֵי אָמַר רָבִינָא כְּמַאן מַדְלִינַן הָאִידָּנָא קְבִיוּתָא דְּדַשָּׁא בְּחוּלָּא דְּמוֹעֲדָא כְּמַאן כְּר' יוֹסֵי: כְּבָשִׁין שֶׁהוּא יָכוֹל לֶאֱכוֹל בַּמּוֹעֵד כּוֹבְשָׁן: (א) בְּדִיתָא לְבָאֵי כַּוְורֵי אֲזִיל כּוּלֵּי עָלְמָא צוּד אַיְיתוּ כַּוְורָא שְׁרָא לְהוּ רָבָא לְמִימְלַח מִינַּיְיהוּ אֲמַר לֵיהּ אַבָּיֵי וְהָא תְּנַן כְּבָשִׁין שֶׁהוּא יָכוֹל לֶאֱכוֹל מֵהֶן בַּמּוֹעֵד כּוֹבְשָׁן אֲמַר לֵיהּ כֵּיוָן דְּמֵעִיקָּרָא אַדַּעְתָּא דַּאֲכִילָה אַיְיתִינְהוּ וְאִי שָׁבֵיק לְהוּ פָּסְדִי ה) כִּפְרַקְמַטְיָא הָאָבֵד דָּמֵי וְשָׁרֵי וְאִיכָּא דְּאָמְרִי כ שְׁרָא לְהוּ רָבָא מִיצַד מֵיזַל אַיְיתוּיֵי וּמִימְלַח אֲמַר לֵיהּ אַבָּיֵי וְהָא אֲנַן כְּבָשִׁין שֶׁהוּא יָכוֹל לֶאֱכוֹל מֵהֶן (ב) כּוֹבְשָׁן תְּנַן אֲמַר לֵיהּ הָנֵי נָמֵי מִיתְאַכְלֵי אַגַּב אִיצְצָא כִּי הָא דִּשְׁמוּאֵל עָבְדוּ לֵיהּ שִׁיתִּין אִיצְצֵי וַאֲכַל רָבָא אִיקְּלַע לְבֵי רֵישׁ גָּלוּתָא עָבְדֵי לֵיהּ שִׁיתִּין אִיצְצֵי וַאֲכַל רַב אִיקְּלַע לְבֵי רַב שַׁפִּיר אַיְיתוּ לְקַמַּיְיהוּ הָהוּא כַּוְורָא תִּילְתָּא בִּישׁוּלָא תִּילְתָּא מִילְחָא וְתִילְתָּא טְוָיָא אָמַר רַב אָמַר לִי אַדָּא צַיָּידָא כַּוְורָא סָמוּךְ לְמִיסְרְחֵיהּ מְעַלֵּי וְאָמַר רַב אָמַר לִי אַדָּא צַיָּידָא כַּוְורָא טַוְויָא בַּאֲחוּהּ אַסּוֹקֵיהּ בַּאֲבוּהּ מֵיכְלֵי בִּבְרֵיהּ אִשְׁתֵּי עֲלֵיהּ אֲבוּהּ וְאָמַר רַב אָמַר לִי אַדָּא צַיָּידָא כַּוְורָא תַּחְלֵי וְחַלְבָּא לִיטְעוֹן גּוּפָא וְלָא לִיטְעוֹן פּוּרְיָא וְאָמַר רַב אָמַר לִי אַדָּא צַיָּידָא כַּוְורָא תַּחְלֵי וְחַלְבָּא מַיָּא וְלָא שִׁיכְרָא וְלָא חַמְרָא:

הדרן עלך משקין בית השלחין

רש"י

יריד של עכו"ם. יומא דשוקא: ומעלה בערכאות. לקיימן בחתימתן דכיון דהשתא הוא דמשכח להו וליומא אחרינא לא שרי: אוהרי. שצדין בו דגים שקורין רוש"א: איזלי. רשתות שצדין בו עופות: למגדל תנורא. לעשות התנור מחדש: מהולתא. נפה: בימות החמה. כלומר כשיש ימות החמה כגון בפסח דחבול עלמא שאין יורדין בו גשמים מותר לעשות בו תנור לפי שלאלתר יבש ויכולין לאפות בו פת ברגל לצורך הרגל: כאן בימות הגשמים. כלומר כשיורדין הגשמים ברגל כגון בסוכות אין עושין תנור לפי שאינו יבש לאלתר עד לאחר הרגל ועבד טירחא שלא לצורך הרגל:

מתני' מעקה למרפסת. כותל קטנה העושין על האיצטבות שלפני העליות גדולות כעין שיש על שפת נהר ריינוס: שפין את הסדקין. שבתנור: ומעגילין אותן במעגילה. שגוללין על קרקעית התנור עץ גדול עגול כדי לסתום הסדקין: ביד וברגל. (ג) שלוקח בידו עץ ובועטין ביד על התנור לסתום הסדקים או בועט ברגלו על קרקעית התנור: מחלצים. עץ כעין רגל שדוחקו במעזיבה לסתום הסדקין ויש בו מעשה אומן יותר ממעגילה: ציר. רגל הדלת כמו הדלת תסוב על צירה (משלי כו): צינור. הוא החור שבאסקופה התחתונה כמו י) צינורא דדשא: הקורה. מה שעל הפתח שתחזור בו הדלת וקורין אוברטו"ר: מנעול. בלנדור"א: ובלבד שלא יתכוין לעשות מלאכתו במועד. כשיש לו לתקן כל אלו בשאר ימות השנה ומניחו עד המועד: וכבשין. של ציר כלומר דגים ושאר דברים שכובשים במלח שיכול לאוכלן במועד שלא יהא צריך להמתין באכילתן עד לאחר המועד שיהו נכבשין מהר וראוין לאכול מיד: גמ' הוצא. הולי דקל: (ד) דופנא. עבדי לחיים של גדר: ואינו טח בטיט. זה הוא מעשה הדיוט: מעגילה. דרך אומנות יותר: ביד וברגל. דלאו מעשה אומן הוא לא כל שכן: כעין מעגילה. ולא מעגילה ממש אלא כעין מעגילה ביד וברגל: עד ימיו. של יוחנן כ"ג היה פטיש מכה בירושלים בחולו של מועד והוא גזר עליו ובטלו אלמא אסור ומתני' קתני ומתקנין מנעול ומפתח: מתניתין דמתקנין אלו בחוש"מ בדנגרי. במנעול של עץ שרי דלא הוי קלא רבה: בדנפחי. דפטיש היינו קורנס אסור דהוי קלא רבה ואולודי קלא אסור: מגלי. מסר הגדול שרי דלא מוליד קלא כלום: בחציני. ברר"א אסיר דהוי אולודי קלא טפי: לאחר שגזר. יוחנן כ"ג: הא ר' יהודה הא ר' יוסי. בפירקא דלקמן (דף יב.) דרבי יוסי לא בעי לשנויי לדבר האבד ומתני' דשרי הכא כל הני בלא שינוי ר' יוסי היא: כמאן מדלינן האידנא קביותא דדשא. כשיוצאין מסמרים של עץ מן הקורה שעל הפתח דשרי למיעבד בלא שינוי: בדיתא. שם נהר: לבאי. שם מקום: כוורי. הכי עשו דרך לנהר שיצאו מימיו ונשתיירו שם דגים הרבה: למימלח. (ה) הרבה אע"פ שאין יכולים לאוכלן במועד שהרי היו מלוחין הרבה: כבשין. בחומץ ובמלח שקורין קונפוסט"א והכא נמי כיון שמלחן הרבה כדי להצניען תו לא חזו במועד: אמר ליה הני נמי. (ו) דמלחינהו: מתאכלי. במועד: אגב איצצא. שמושך המלח מהן: (ז) שיתין איצצי. כלומר רוחצין אותו הרבה פעמים מנלי ליה ששים זימני: רב איקלע. במועד: תילתא מילחא. אגב איללא: סמוך למיסרחיה מעלי. כלומר יפה הוא לאחר זמן שנילוד יותר מההיא שעתא דנילוד: טווייא באחוה. במלח שהמלח נברא מן המים כדגים: אסקיה באבוה. לאחר שצלאו נותנו במים צונן: אכליה בבריה. מטילין אותו בציר היוצא מן הדגים ואוכלין אותו: משתיא עליה אבוה. ששותין עליו מים שדגים נבראו מן המים: לטעון גופא. כלומר לאחר אכילתו מהלך הרבה קודם שישן: ולא לטעון פוריא. לא ישן לאלתר אחריהם: תחלי. שחלים: מיא ולא שכרא. מוטב לשתות אחריהן מים ולא שכר:

תוספות

כוורא סמוך למסרחיה מעלי. ובזמן הזה תופסים סכנה למיכל סמוך לסירחון וגם משתי עלה אבוה דאמר בסמוך דמעלי ושמא נשתנו כמו הרפואות שבש"ס שאינן טובות בזמן הזה או שמא נהרות דבבל מעלו לו טפי ויש מפרשים דכוורא לא בכלל דגים מיירי ושם דג ששמו כוורא ומשונה בדברים הללו משאר דגים כדאמרינן פ' כל הבשר (חולין דף קט:) אסר לן גירותא שרא לן לישנא דכוורא ואין נראה שיהא בכל הלשונות של דגים טעם אחד:

הדרן עלך משקין בית השלחין

רבינו חננאל

להו כפרקמטיא האבוד דמי ושרי. רב שרא לר' חייא בר אשי למיגדל אהורי. פי' במס' גיטין בסוף פרק הניזקין (דף ס' ע"ב) ומפרשי רבנן אוזלי שבאו מעזלא תרגום ויביאו מטוה כד עזיל ומפרשי אוהורי אלפכון. מ"ט מעשה הדיוט אבל איזלי אסיר מ"ט מעשה אומן הוא. רב יהודה שרא לאביי תנוראה למגדל תנורא בחולי דמועדא. ולרבא בר עישבי שרא למגדל מהולתא בחולי דמועדא. ועושין מעקה לגג ולמרפסת מעשה הדיוט אבל לא מעשה אומן. היכי דמי מעשה הדיוט בהוצא ודפנא. במתניתא תנא צר בצרור ואינו טח בטיט ושפין את הסדקין ומעגילין אותן במעגילה ביד וברגל אבל לא במחלצים: מתני' הציר והצינור והקורה והמנעול והמפתח שנשברו מתקנן במועד ובלבד שלא יכוין מלאכתו במועד. איני והא תנן בסוף מס' סוטה עד כל ימיו פטיש היה מכה בירושלים עד ימיו של יוחנן כהן גדול אין מיכן ואילך לא. ופריק רב הונא האי פטיש דאסיר מיכן ואילך בדנפחי. והא דתנן הצינור כו' בדנגרי הוא ושרי. מתקיף ליה רב חסדא ונדחה ופריק בחציני אסיר ומתניתין דהכא במגלא ושרי א) קודם גזירה פירש קודם גזירת יוחנן כ"ג ורב אשי אמר מתני' דהתם ר' יהודא היא ומתני' דהכא ר' יוסי דאמר רב יצחק בר אבא מאן תנא דבעי שינוי במועד בדבר האבד דלא כר' יוסי דאי ר' יוסי הא אמר זולף וגומר וגף כדרכו. אמר רבינא כמאן מדלינן האידנא כו'. וכבשין שיכול לאכול מהן במועד מכבשן. רבא שרא לבני בדיתא לבאי למיצד ולמימלח א"ל אביי והתנן כבשין שיכול לאכול מהן מכבשן. שיכול אין לא יכול לא. א"ל הני נמי מתאכלי אגב איצצא כשיכבשום דחוקים כי הא דשמואל עבדו ליה ששים איצצי ואכל. פי' מיני תבשיל. אמר רב אמר לי אדא ציידא כוורא סמוך למיסרחי מעלי. ותוב אמר דג טוויא באחווה פירוש המלח מן הים והדג מן הים נמצאו שניהן אביהן הים והן כמו אחים. וא"ל מלח הדג במלח שהוא אחיו וצלה אותו במלח. אסוקיה באבוה. פי' כשתעלהו מן האש שוטפהו במים מלוחין שהן אביו אוכליה בבריה פירוש אכול אותו בבנו והוא ציר של דגים שהוא יוצא מן השמנונית של דג כי הוא חשוב לדג כבנו. וכשתאכלהו שתה אחריו המים כי באותה העת ובאותו מקום היו אומרים להם הרופאים כשתאכל דגים שתה אחריו המים ולא יין ב) או יין ולא שכר. כוורא תחלי וחלבא ליטעון גופא ולא ליטעון פוריא. פי' כשיאכל אותם עד שיתעכלו במעיו לא ישן כי השינה מיד מזיקתו:

הדרן עלך משקין בית השלחין

עין משפט נר מצוה

קד א מיי' פ"ט מהלכות ע"ז הלכה יב טוש"ע י"ד סי' קמט סעיף ג:
קה ב ג טוש"ע א"ח סי' תקמא סעיף א:
קו ד ה מיי' פ"ז מהל' י"ט הלכה יג טוש"ע א"ח סי' תקמ סעיף ז:
קז ו מיי' שם הלכה ו טוש"ע שם סעיף א:
קח ז מיי' שם פ"ז הלכה ה טוש"ע שם סעיף ג:
קט ח מיי' שם פ"ח הלכה ז טוש"ע שם סעיף ד:
קי ט מיי' שם פ"ז הלכה ד טוש"ע שם סי' תקלח סעיף ו:
קיא י מיי' שם הלכה ז טוא"ח סי' תקלג:
קיב כ מיי' שם טוש"ע שם סעיף ד:

מסורת הש"ס

א) עירובין מז. ע"ז יג., ב) לעיל ז., ג) מע"ש פ"ה מט"ו סוטה מז., ד) [לקמן יב: ע"ש], ה) [לעיל י:], ו) [ברכות יח:].

הגהות הב"ח

(א) גמ' בדיתא לבאי כוורא. נ"ב כך הוא גירסת האלפס בפומבדיתא לבאי כוורא ופי' הר"ן פום שם המקום היושב על נהר בדיתא לבאי כוורא לצוד והביאו דגים רבים שנתייבש הנהר ומתו הדגים עכ"ל: (ב) שם והא אנן כבשין שהוא יכול לאכול מהן במועד כובשן תנן: (ג) רש"י ד"ה ביד וברגל (שלוקח בידו עץ) תא"מ ונ"ב ס"א טעות: (ד) ד"ה דופנא כו'. נ"ב ע' לעיל בדף ז ע"א: (ה) ד"ה למימלח למולחן הרבה אע"פ: (ו) ד"ה א"ל הני נמי אע"ג דמלחינהו: (ז) ד"ה אגב כו' המלח מהן הס"ד ואח"כ מה"ד עבדו ליה שיתין איצצי כלומר רוחצין אותו הרבה פעמים הס"ד ואח"כ מה"ד שיתין איצצי ששים פעמים הס"ד:

רש"י כת"י

למיגדל אוהרי. לקלע קליעות מצודות קטנים לדגים. איזלי. מצודות גדולות. לאמי תנורא. שומר תנור [ועי' בהגהת חו"י ברי"ף]. למגדל. ליקלע הולי התנור ולעשותו טיח דטחין היו על ההולין דראוי לאפות בו במועד. מהולתא. נפה וכברה. בימות החמה. דחביל עלמא מתייבש התנור מהר ויכול לאפות בו במועד שרי. בימות הגשמים. מתעכב לייבש ואינו אופה בו באותו שנעשה במועד. מרפסת. לשון מרפס [ומדרס] אלודיי"ר בלע"ז. מעשה הדיוט. בגמרא מפרש. שפין את הסדקין. גגותיהן לא היו משופעין ומשתמשין עליהן כדרך שמשתמשין בעלייה ומתקנין אותן וטחין אותן ומים הנופלין יוצאין דרך צינורות למטה לחוץ ואם יש סדקין בטחיית הטיט נופלין המים בבית ואיכא פסידא. שפין. טחין. במעגילה. עץ עגול שבו מחליקין את הגגות כדאמרינן במסכת מכות היה מעגל במעגילה. במחלצים. כלי אומנות של ברזל רחבה כמין כף ולה בית יד וקורין אותה טרואל"ה. הציר. כמו הדלת תסוב על צירה רגל הדלת סובבת. והצינור. החור שבאסקופה התחתונה כמו צינורא דדשא. והקורה. קורות הבית ממש שנשתברו אפילו קודם יו"ט. ובלבד שלא יתכוין וכו'. אם נשתברו קודם יו"ט לא יאמר אמתין לי עד המועד שמלאכה אסורה לי ואעשה זאת.

כבשין. דגים ושאר דברים שכובשים במלח. שהוא יכול לאכול מהן במועד. שלא צריך להמתין באכילתן עד לאחר המועד שיהו נכבשין מהר וראוין לאכול מיד. הוצא. הולי דקל. דפנא. הולי לומי"ר בלע"ז. ואינו טח בטיט. דהוא מעשה הדיוט. מעגילה. דרך אומנות יותר ממחללים. יפה יפה כאלו טחו במעגילה. כעין מעגילה. כמאן מדלינן. כמאן עבדי' האידנא. קביותא. כמין נגר בדלת בחולו של מועד כר יוסי. בדיתא. פומבדיתא. מקום היושב על יד הנהר בדיתא הוא הנהר. לבאי כוורי. הולדו דגים הרבה. צוד. לדו והביאו דגים הרבה. למימלח מינייהו. ולקיימם עד לאחר המועד. והא תנן. וה"נ כיון דמלחינהו כ"כ כדי להצניען תו לא חזי לאכלם במועד נמצאת מלאכת מליחה שלא לצורך יו"ט [והיו] (והאי) כעין מליחה שלא לצורך יו"ט דאי מלאכה הוא גבי אבות מלאכות שמעשיתו והמולחו. איתינהו. דעתן היה לאוכלן לאחר המועד. מתאכלי אגב איצצא. שכובשין אותן במכבש פרס"א ואוכלין אותן מיד. שיתין איצצי. ששים פעמים עושין אותן שיהו מעוכין יפה [רש"י בעין יעקב].[*]

מי שהפך את זיתיו ואירעו אבל או אונס או שהטעוהו פועלים טוען קורה ראשונה ומניחה לאחר המועד דברי ר' יהודה רבי יוסי אומר [א] זולף וגומר וגף כדרכו: **גמ'** פתח באבל וסיים במועד אמר רב שישא בריה דרב אידי [ב] זאת אומרת דברים המותרין במועד אסורים בימי אבלו רב אשי אמר לא מיבעיא קאמר [ה] לא מיבעיא בימי אבלו דמדרבנן הוא ושרי אלא אפילו במועד דאיסור מלאכה מדאורייתא במקום פסידא שרו רבנן תניא כוותיה דרב שישא בריה דרב אידי [ג] אלו דברים העושין לאבל בימי אבלו (א) זיתיו הפוכין טוענין לו וכדו לגוף ופשתנו להעלות מן המשרה וצמרו להעלות מן היורה ומרביצים שדהו משתגיע עונת המים שלו ר' יהודה אומר אף זורעין לו שדה ניר ושדה העומדת לפשתן אמרו לו אם לא תזרע בבכיר תזרע באפל אם לא תזרע פשתן תזרע ממין אחר [ד] רבן שמעון בן גמליאל אומר זיתיו הפוכין ואין שם אומן אלא הוא כדו לגוף ואין שם אומן אלא הוא פשתנו להעלות מן המשרה וצמרו להעלות מן היורה ואין שם אומן אלא הוא הרי זה יעשה בצינעא [ה] יתר על כן אמר רבן שמעון בן גמליאל אם היה אומן לרבים וספר ובלן לרבים והגיע עת הרגל ואין שם אומן אלא הוא הרי זה יעשה [ו] האריסין והחכירין והקבלנין הרי אלו יעשו אחרים בשבילן [ז] החמרין הגמלין והספנין הרי אלו לא יעשו [ח] ואם היו מוחכרין או מושכרין אצל אחרים הרי אלו יעשו [ט] שכיר יום אפילו בעיר אחרת לא יעשה היתה מלאכת אחרים בידו אע"פ שבקיבולת לא יעשה אף על פי שבקיבולת ולא מיבעיא שאינה קיבולת אדרבה קיבולת כדידיה דמי אלא אימא [י] בין קיבולת בין שאינה קיבולת לא יעשה [כ] היתה מלאכתו ביד אחרים בביתו לא יעשו בבית אחר יעשו מריון בריה דרבין ומר בריה דרב אחא בריה דרבא [ל] הוה להו ההוא גמלא דתורא בהדי הדדי איתרעא ביה מילתא במר בריה דרב אחא בריה דרבא ופסקיה לגמליה אמר רב אשי גברא רבה כמר בריה דרב אחא עביד הכי נהי דלפסידא דידיה לא חייש אדאחרים לא חייש והא תניא אם היו מושכרין או מוחכרין אצל אחרים הרי אלו יעשו והוא סבר [ג] [מ] אדם חשוב שאני

אמר

רש"י

מי שהפך את זיתיו. שהזמינן ליתנם על גבי הבד להוציא מהן שמן: ואירעו אבל. בשאר ימות השנה שלא סמוך לרגל ואינו יכול ליתנם על גבי הבד לפי שאבל אסור בעשיית מלאכה: או אונס. היינו מילתא אחריתי כלומר מי שהפך את זיתיו לפני הרגל ואירעו אונס ולא היה יכול ליתנם על גבי בית הבד ובא הרגל: או שהטעוהו פועלים. שהשכיר ליתנם על גבי בית הבד קודם הרגל ולא באו: טוען קורה ראשונה. כלומר נותנן על גבי בית הבד ברגל וסוחט עליהן הקורה פעם אחת דאי לא עביד הכי איכא פסידא יתירא: ומניחה. בו שלא יסחוט יותר עד לאחר המועד: זולף וגומר כדרכו. כלומר נותנו על גבי בית הבד וסוחט הכל כל מידי דשפוך קרי זילוף: גמ' פתח באבל וסיים במועד. דקתני מי שהפך את זיתיו ואירעו אבל ולא פירש אם יכול לטעון קורה באבילות אם לא אלא מילי דמועד קא פריש דכי אירע לו קודם המועד אונס טוען קורה ראשונה במועד: אסור בימי אבלו. כלומר להכי לא פריש דאסור לו לטעון אפילו קורה ראשונה בימי אבלו: לא מיבעיא בימי אבלו. דאין אסור במלאכה אלא מדרבנן דשרי לטעון קורה ראשונה: אלא אפילו. חולו של מועד דאסירא ביה מלאכה מדאורייתא דכתיב (שמות כג) את חג המצות תשמור שבעת ימים לימד על כל החג שהוא אסור: במקום פסידא שרו רבנן. לטעון קורה ראשונה: העושין לאבל. אחרים אבל הוא עצמו אינו רשאי: כדו לגוף. מגופת החבית: וזיתיו הפוכין. נותנין אותן על בית הבד וטוענין לו קורה ראשונה אבל הוא עצמו אינו עושה היינו כרב שישא דאמר דברים המותרין בחוש"מ אסורין בימי אבלו: ופשתנו להעלות מן המשרה. כל הני אית בהו פסידא אי לא עביד להו: משתגיע עונת המים שלו. כשהגיע זמנו להשקות השדה שכך היו נוהגין כל אחד ואחד משקה כל השדות שבבקעה איש יומו או שבוע אחד: שדה ניר. שדה חרושה: שדה העומדת לפשתן. שאם לא תזרע עכשיו מכאן ואילך אינו ראוי לפשתן: אמרו לו. לא תזרע שדה ניר ושדה פשתן שאם לא תזרע בבכיר בשדה ניר תזרע באפל ולא הוי פסידא יתירא: בלן. שומר בית המרחץ ומשמשן בבית המרחץ ונוטל מכל אחד שכרו: והגיע עת הרגל. שהכל צריכין לו הרי זה יעשה כיון דאית ליה פסידא ואיכא נמי צורך רבים ול"ג הכא בצינעא דהא רבים הוא: האריסין. מקבלי השדות לשנים לשליש ולרביע: החכירים. שקיבל לשמירה ולעובדה לסכום כך וכך כורין אני נותן לך ממנה: והקבלנים. שקיבלו לשומרה לזמן פלוני בסכום כך וכך בין יהיה הרבה או מעט הרי אלו יעשו אחרים בשבילם: הגמלים והספנים הרי אלו לא יעשו. לא ישכירו לכתחילה לפי שהמלאכה שלהם הוא: ואם היו מוחכרין או מושכרין. הם או בהמתם אצל אחרים למהלך חדש או חדשים הרי אלו יעשו הם לעצמן ולא יפסידו כל שכרן ובעלים נמי לא יפסידו והכא לא קתני על ידי אחרים שהרי הן בעצמן מושכרין אבל אריסים אפשר להם על ידי אחרים בעבודת קרקע: שכיר יום. אחד ואפילו בעיר אחרת ואין יודעין שם שהוא אבל וליכא משום מראית העין: לא יעשה. הואיל ובידו לחזור כדאמרינן (ב"ק דף קטז:) פועל חוזר ואפילו בחצי היום וליכא פסידא כולי האי: אם היתה מלאכת אחרים בידו. בביתו כגון בגד לארוג הואיל וברשותיה לגומרו לאחר זמן הרי (א) אלו לא יעשו: ואע"פ שבקיבולת. אחרים היא שקיבל עליו לגמירות אותו בגד לאורגו בכך וכך: קיבולת. לעשות בכך וכך [ג] (שרי): כדידיה דמיא. ואסור אבל שאינה קיבולת דלא הוה כדידיה שרי: בביתו. של אבל לא יעשו אותו (ב) משום חשד שיאמרו הוא בעצמו מסייע במלאכה אי נמי שלא יאמרו בימי אבלו השכירו לזה הפועל: גמלא. צמד בקר בין שניהם שור אחד לזה ושור אחד לזה: איתרע ביה מילתא. אבילות: פסקיה לגמליה. הפסיק שורו מן הצמד ולא שלחו לחרוש בשדה לפי שהיה אבל ומצווה על שביתת בהמתו מדרבנן: להפסד דידיה לא חייש. דלא קא מעבד ארעא מגמליה משום דאבל הוא: לפסידא דאחריני. כגון מריון לא חייש דלא קא משדר לגמליה הוי ליה פסידא דלא הוה ליה בהמה לחרוש וכיון דשרי כדתניא אם היו מוחכרין וכו' הוה ליה למיחש אפסידא דחבריה: הוא סבר. מר בריה דרב אחא: אדם חשוב שאני. דהא והא אסור לדידיה למיעבד:

מקבלי

תוספות

רבי יוסי אומר זולף וגומר וגף כדרכו. פי' בקונטרס לישנא אחרינא וגף משום (ג) דאיכא פסידא שמוליכן בלא מגופה וי"ל דצריך לכסותו מפני השרצים ומיהו מגופה לא היה צריך דדיו בכיסוי מועט [ד] ושמן חדש מתקלקל: **אפילו** חול המועד דאסורא במלאכה מדאורייתא. [ה] פרק קמא (דף ג. בד"ה משקין) פירשתי: **רבי** יהודה אומר אף זורעים כו'. במתניתין מחמיר רבי יהודה וכאן מיקל: **בורו** לגוף. ספרים אחרים כדו: **רבן** שמעון בן גמליאל אומר כו'. ואף על גב דרבן שמעון בן גמליאל נמי מודה לדרב שישא בריה דרב אידי דאסורין בימי אבלו מודה היכא דאין שם אומן אלא הוא דשרי ובצינעא (ד) יעשו ע"י אחרים משום פסידא דמשכיר שרינן וגבי אבלו דשרינן הוא עצמו באין שם שיעשה כמותו ואומן לרבים וספר וכו' משום לצורך דרבים ורגילא שריא לעיל ויש מפרשים דהא דשרינן לאבל עצמו (ה) כשלא ימצא אחרים כדמשמע הלשון ואין שם אומן אלא הוא אבל לכתחילה צריך לעשות על ידי אחרים מיהו לפי הטעם הזה לא ידענא בחמרין וספנין כשמושכרין אבל אחרים למה אין מצריך בסמוך על ידי אחרים ולפי טעם קמא ניחא דאין מי שיעשה דבר זה כאותו שיש (ו) אומנות דחמר וגמל וספן:

אמר

עין משפט נר מצוה

א א מיי' פ"ז מהל' י"ט הלכה ג טוש"ע א"ח סי' תקלח סעיף א:
ב ב מיי' פ"ה מהלכות אבל הלכה י טוש"ע י"ד סי' שפ סעיף י:
ג ג מיי' שם:
ד ד ה טור יו"ד סי' שפ:
ה ו מיי' שם הלכה יא טוש"ע שם סעיף יב:
ו ז ח מיי' שם טוש"ע שם סעיף יד:
ז ט מיי' שם הלכה יב טוש"ע שם סעיף יג:
ח י מיי' שם הלכה יג טוש"ע שם סעיף יז:
ט כ מיי' שם טוש"ע שם סעיף יח:
י ל מ טוש"ע שם סעיף כא:

רבינו חננאל

מי שהפך את זיתיו לטחנן ואירעו אבל או אונס או שהטעוהו הפועלים ונכנס המועד טוען קורה ראשונה ומניחם לאחר המועד דברי ר"י ר' יוסי אומר זולף וגומר א) כדרכו ומקשינן מתניתין באבל ולא פירש אם מותר לעשות מלאכתו במקום פסידא אם לא. וקפץ ומורה לנו בחולו של מועד שמותר במקום פסידא. ופירק רב שישא בריה דרב אידי זאת אומרת דברים המותרין בחוש"מ אסורין לעשותן בימי אבלו. תניא כותיה אלו דברים שעושין לאבל בימי אבלו. פירוש התירו משום פסידא לעשות לו אחרים ולא הוא אבל ע"י אחרים התירו לו להפוך זיתיו ולגוף בדיו ולהעלות פשתנו מן המשרה וצמרו מן היורה ומרביצין שדהו משתגיע עונת המים שלו. ר' יהודה אומר אף זורעין כו' ר' שמעון בן גמליאל אומר זיתיו הפוכין פשתנו במשרה צמרו ביורה ואין שם אומן אלא הוא הרי זה עושה בצנעא בתוך ביתו וכן היה אומר אם היה ספר או בלן לרבים והגיע הרגל ואין שם אלא הוא הרי זה יעשה. האריסין והחכירין והקבלנין בשדותיו הרי אלו יעשו אבל החמרין והגמלין והספינה שלו לא יעשה בהן מלאכה בימי אבלו ואם היו מקודם מושכרין ביד אחרים עושין. שכיר יום שלו אפילו בעיר אחרת לא יעשה היתה מלאכת אחרים בידו בין בקיבולת בין שאינה בקיבולת לא יעשה היתה מלאכתו ביד אחרים בביתו לא יעשה בבית אחר יעשה. מריון ומר בריה דרב אחא הוו שותפי אירע ביה במר בריה דרב אחא אבל. שדר ופסקיה לגמליה. אמר רב אשי והתניא אם היו מושכרין אצל אחרים שרו ודחינן הני מילי באיניש דעלמא אבל אדם חשוב אפי' מושכרין לא:

אמר

חשק שלמה על ר"ח

א) רבינו לא גרס וגף גבי זיתים וכ"כ ברש"י באלפס ובנ"י שם דלא גרסינן וגף.

מסורת הש"ס

א) שמחות פ"ה, ב) [לקמן יב. שבת נח. וש"נ], ג) ס"א אינו, ד) ס"א ושמא, ה) [עי' תוס' דחגיגה יח. ד"ה חולו ותוס' ע"ז כב. ד"ה תיפוק ליה].

הגהות הב"ח

(א) רש"י ד"ה אם היתה כו' לאחר זמן הרי לא יעשה אף על פי שבקיבולת כו' כן צריך להיות והד"א ותיבת אלו נמחק: (ב) ד"ה בביתו של אבל לא יעשו אותו אחרים משום חשד: (ג) תוס' ד"ה רבי יוסי כו' דאיכא פסידא כשמוליכן. נ"ב לשון הר"ן וגף לא גרסי גבי זיתים משום דאין דרך לעשות לזיתים מגופה דאפי' הניחו מגולה לא פסדי וכן נמצא בפרש"י באלפס ובנימוקי יוסף ע"ש אבל בלשון אחר פירש דגרסי' ליה אע"ג דליכא פסידא לזיתים בלא מגופה מ"מ ודאי כשמוליכין אותן איכא פסידא שניתז השמן בלא מגופה: (ד) ד"ה רשב"ג כו' ובצינעא והאריסין יעשו: (ה) בא"ד דשרינן לאבל עצמו היינו דוקא כשלא ימצא: (ו) בא"ד כאותו שיש לו אומנות:

גליון הש"ס

גמ' לא מיבעיא בימי אבלו דמדרבנן. עיין לקמן דף יד ע"ב תוס' ד"ה עשה דיחיד:

רש"י כת"י

מי שהפך את זיתיו. שנותנן בתוך המעטן לאחר לקיטתן ולוברין ומניחן כדי שיתבשלו ואחר כך נותנן בבית הבד ודרך הוא שמהפכין כשמכניסין אותו לבית הבד ואי לא מסיקן לאחר שהפכן פסדי. **ואירעו.** שארעו אבל ואבל אסור בעשיית מלאכה. **או אונס או שהטעוהו פועלים.** ולא באו למלאכתו והגיע המועד. **טוען.** על הזיתים קורה של בית הבד פעם ראשונה כדי שיזובו מקלתן ולא יפסידו אבל לטעון קורה פעם שניה אינו טוען דתו לא פסדי ודרך הוא שטוענין עליהן קורה וכובשין אותו לאחר קורה ראשונה במנחות (פו.). **זולף.** ממנה. **וגומר.** את כולן כדרכו וגף לא גרסינן דאין דרך לעשות לשמן מגופה דאפילו מניחו מגולה לא יפסיד ואם לא אירעו אונס אלא כיון מלאכתו במועד אסור. **פתח באבל וסיים במועד.** דגבי מועד תני תקנתא באפי נפשיה דלא קתני מי שהפך את זיתיו ואירעו אבל טוען קורה ראשונה בימי אבלו שלא במועד וכן מי שאירעו אונס כיון דפתח באבל אמאי לא תני תקנתא. **זאת אומרת.** מדקתני

ואירע אבל או אונס ועכב עד המועד מחמת אבלו או מחמת אונס. **דברים המותרין במועד.** כגון קורה ראשונה שמותר לו לטעון הוא בעצמו בחולו של מועד אסור לו לטעון בימי אבלו אבל אחרים עושין לו. איסור מלאכה דאבל עצמו דרבנן כדי שלא ישכח אבילתו וקרא בפרקין דלקמן (טו:) והפכתי חגיכם לאבל מה חג אסור בעשיית מלאכה אף אבל אסמכתא בעלמא הוא. **אלא אפילו בחולו של מועד דאיסור מלאכה מדאורייתא.** כדאמרינן בפרק אין דורשין (חגיגה יח.) את חג המצות תשמור לימד על חולו של מועד שאסור בעשיי' מלאכה. **במקום פסידא שרו רבנן.** דלא מסרן הכתוב אלא לחכמים הילכך קתני [תרי מילי] ואירעו אבל ולא הספיק [לעוטרס מחלה או שהפך את זיתיו סמוך למועד ואירעו אונס ולא יכול לעוטרס] עד שבא המועד [ומן הדין היה לשנות טוען קורה ראשונה בין במועד בין בימי אבלו אלא] דלא איצטריך למתני ליה. **תניא כותיה דרב ששת** [נ"א: שישא]. דאבל עצמו אסור לטעון קורה ראשונה אלא אחרים עושין לו. ה"ג **דברים העושים לאבל בימי אבלו זיתיו הפוכין טוענין לו.** קורה ראשונה. **בורו לגוף וכו'.** כלומר דברים שאחרים רשאין לעשותן לו אילו הן זיתיו הפוכין ומתוקנין בבית הבד דפסדי בבד טוענין לו קורה כיון דפסדי אבל להפוך לכתחילה דלא פסדי לא. **בורו לגוף.** שיורד היין לתוכו איפשר לגופו ולעשות לו מגופה עליו (אי"ם אין מותמין אותה דליכא דליכא פסידא כל כך דלא מחמיץ כולי האי ואין אחרים עושין לו). מישרה. ששורין [בו] פשתן. מן היורה. של צבע שאם (יעמיד) [יעמוד] יותר מדאי (מפסיד) [יפסיד]. **משהגיע עונת מים.** של שדהו להשקות. **מרביצין לו.** משקין אותו כעין אין מכבדין ואין מרביצין לו (אותו כעין אין מכבדין ואין מרביצ'). **שדה ניר.** קרקע אחר חרישתו זורעין לו דהפסד הוא כשאינו זרוע. **פשתן.** אם אינו זורע בזמנו שוב אינו יכול לזורעו. **אמרו לו.** אם כן לא תזרע שדה ניר שלו בזרע המבוכר תזרע באפל. ה"ג **רבן גמליאל אומר זיתיו הפוכין ובורו לגוף ואין שם אומן אלא הוא.** עושה לעצמו כיון דמפסיד. **בלן.** שומר המרחץ ומשמשן במרחץ ונוטל מכל אחד ואחד שכרו. **הרי זה יעשה.** כיון דאיכא פסידא ואיכא נמי צורך רבים ולא גרסינן הכא בצנעה דהא דרבים הוא ופרהסיא הוא דעביד. **ארים.** למחצה לשליש ולרביע. **חוכרין.** שוכר קרקע חבירו ועובדה ונוטל אותה שנותן לו דבר קצוב לשנה ה' כורין או י' כורין לפי מה שהקרקע גדול וראוי לעשות. **קבלנין.** שקבלו לעשות את כל עבודת השדה ובעל הבית שוכרן וכל אלו שקבלו השדה לשנים מרובין ואירע להן אבל. **הרי אלו יעשו.** על ידי אחרים שהמלאכה של אחרים הוא ומשום פסידא דבעלים הוא דשרינן ליה דאריסין וקבלנין כשאין עוסקין בקרקע איכא פסידא דבעלים ואוכר נמי כיון דלא יהיב אלא מגופה דארעא אם מוביל ולא עביד ליה הוי נמי פסידא דבעלים ואיכא נמי פסידא דידיה הילכך (אבל) [עושין] על ידי אחרים אית ספרי דלא כתוב בהו על ידי אחרים. **החמרין והגמלין.** שוכרי חמורים וגמלים וספינות להביא עליהן תבואה למכור או שאר פרקמטיא לעצמן. לא ישכרו בתחלה (ס"א - לא יתחילו בתחלה. וי"ס - לא ישכירו בתחלה) (ואם התנו לעשות עמו קודם יום טוב ואירע בהן אבל חזרו בהן שהמלאכה שלהן היא). **ואם מחוכרין או מושכרין.** הן או בהמתם אצל אחרים למהלך חודש או חדשים. **הרי אלו יעשו.** הן עצמן ולא יפסידו כל שכרן ובעלים נמי לא יפסידו והכא לא קתני על ידי אחרים שהרי הן עצמן מושכרין אבל אריסין אפשר להן על ידי אחרים בעבודת קרקע. **שכיר יום** אסור אפילו בעיר אחרת שאין יודעין בו דהוא אבל וליכא משום מראית העין. **לא יעשה** הואיל ובידו לעשות ולחזור כדאמרי' (ב"מ עז.) פועל יכול לחזור בו אפילו בחצי היום וליכא פסידא כולי האי. **ואם היתה מלאכת אחרים בידו בביתו.** כגון בגד לארוג הואיל ובידו לגמרה לאחר [זמן] הרי זה לא יעשה. **ואע"פ שבקבולת.** הוא שקבל עליו לגמירות לארוג אותו בגד בכך וכך. **קבולת כדידיה דמי.** שהרי קבלו עליו וגומר כל זמן שירצה. **שאינה קבולת.** שלא קבלה לגמרי לעשות כל זמן שירצה הוא לא יעשה הואיל ובידו לשהותה ולעשותה לאחר זמן. **בביתו.** של אבל לא יעשה אחר מפני החשד שיאמרו הוא עצמו עושה אותה ומסייע במלאכה אי נמי שלא יאמרו בימי אבלו שכר זה הפועל. **גמלא.** צמד בקר בין שניהם שור אחד לזה ושור אחד לזה. **(איתרמא) [איתרעא בהן] מלתא ופסקיה לגמליה.** הפריד שורו מן (האבל) [הגמל] ולא שלחו לחרוש בשדה לפי שהיה אבל ואבל מצווה על שביתת בהמתו מדרבנן. **אפסידא דאחריני.** דמריון לא חייש בהמיה דמאחר ששורו של מריון אין יכול לחרוש בשור אחר הוה ליה למר בריה דרב אחא לשלוח שורו לחרוש עם שורו של מריון דכיון דמשרי שרי כדתניא אם היה מחוכרין הוה ליה למיחש [אפסידא] דחבריה. **והוא סבר.** מר בריה דרב אחא. **אדם חשוב שאני** ומחמיר על עצמו ומר בריה דרב אחא חשוב הוה.

Chapter Two

Mishnah מִי שֶׁהָפַךְ אֶת זֵיתָיו – If **one turned over his olives** in order to press them,[1] וְאֵירְעוֹ אֵבֶל – **and a** period of **mourning befell him,** during which one is forbidden to work,[2] אוֹ אוֹנֶס – **or** if one turned over his olives before a festival, and was prevented from pressing them because of **an unavoidable mishap** אוֹ שֶׁהִטְעוּהוּ פוֹעֲלִים – **or because his workers deceived him,**[3] and the festival then arrived, טוֹעֵן קוֹרָה רִאשׁוֹנָה – **he may load the beam** onto the olives **a first time** on Chol HaMoed, וּמַנִּיחָהּ לְאַחַר הַמּוֹעֵד – **and leave it** there **until after the festival.**[4] He may not press the olives a second time during the festival. דִּבְרֵי רַבִּי יְהוּדָה – **These are the words of R' Yehudah.**[5] רַבִּי יוֹסֵי אוֹמֵר – **R' Yose says:** זוֹלֵף וְגוֹמֵר וְגָף כְּדַרְכּוֹ – **He pours** the olives onto the press, **finishes** pressing out the rest of the oil **and seals** the vat **in his usual manner.**[6]

Gemara The Gemara notes: פָּתַח בְּאֵבֶל – **[The Mishnah] opened with** the case of one prohibited to press because of **mourning,** וְסַיֵּים בְּמוֹעֵד – **but closed with** the law of one prohibited because of the

NOTES

1. Before olives are pressed for their oil, they are placed in a vat to soften. When they have become soft, they are turned over, in preparation for placement on the olive-press (*Rashi*). Once the olives have been turned over, they must be pressed immediately, or they will spoil (*Rashi ms.;* see *Meiri*).

2. In the seven days that follow the death of a close relative, a mourner is forbidden to engage in work, so that he will not forget to mourn (see below, 21a; Tractate *Semachos* 5:1; see *Rashi ms.* to the Gemara; *Tosafos* 21b ד״ה מכאן). Accordingly, he may not press olives during this period. Thus, one who becomes a mourner after turning over his olives is faced with a significant loss, for if he does not press the olives they will spoil (*Rashi*). See end of note 4 for another explanation of this clause.

[The seven relatives whose death renders one a legal mourner are: a father, mother, wife, son, daughter, brother and unmarried sister; see below, 20b.]

3. By promising to come and then failing to arrive (*Rashi*).

4. It is prohibited to perform *melachah* (forbidden labor) during a festival, even in the intermediate Chol HaMoed period (see General Introduction). One of the thirty-nine primary *melachos* is דָּשׁ, *threshing* (see *Shabbos* 73a); the pressing of olives falls under this category (see *Shulchan Aruch HaRav, Orach Chaim* קונטרס אחרון 510:1; Schottenstein Ed. of *Shabbos,* 143b note 5). Hence, one may not press olives during Chol HaMoed. Because of this prohibition, one who turns over his olives before the festival and then proves unable to press them is faced with a considerable loss, for if he waits until after the festival to press the fruits, they will spoil. The rule is that to prevent a significant loss, one may perform *melachah* on Chol HaMoed; therefore, this individual is permitted to press his olives during this period (*Rashi;* see *Ritva; Meiri;* see below, 12b).

However, he is permitted to load the beam onto the olives only a single time during Chol HaMoed; after the first pressing, he must abandon the olives until after the festival – he may not press them a second time on Chol HaMoed. For the bulk of the oil is extracted in the first pressing; therefore, even if the olives spoil before subsequent pressings can be made, this does not represent a significant loss (see *Rashi*). Alternatively, squeezing out part of the oil prevents the olives from spoiling. Therefore, once the beam was loaded onto them a first time, the olives are safe (*Rashi ms.*); cf. *Tos. HaRosh.*

[If one's olives were not turned over prior to the festival, one may not turn them over and press them on Chol HaMoed, for there is no loss involved in waiting until after the festival (see *Ritva* to the Gemara ד״ה זיתיו הפוכין). However, *Rambam* (*Yom Tov* 7:3) states that one *may* turn the olives over and press them on Chol HaMoed. *Ritva* explains that in *Rambam's* time and place, the minimal loss occasioned by delay in turning over the olives was regarded as significant (see *Beur Halachah* 538:1 ד״ה מי שהפך); however, see *Maggid Mishneh* ad loc.]

[Our interpretation of the Mishnah's first clause follows the printed *Rashi,* who states that the case of one who became a mourner is discussing a death occurring any time during the year, and is not connected to the succeeding case of pressing deferred beyond the onset of the festival (however, see *Keren Orah's* understanding of *Rashi*). *Rashi ms.,* however, explains that this clause refers to one who became a mourner shortly before the festival, so that his mourning prevented him from pressing the olives before the festival. The Mishnah is ruling that he is permitted to press them on Chol HaMoed. [Note, however, that this interpretation is viable only according to Rav Shisha the son of Rav Idi, who will be cited at the start of the Gemara. It is not viable according to his disputant, Rav Ashi; see Gemara below.] For discussion, see *Tos. Rid; Michtam; Chidushei HaRan; Ritva;* see also *Divrei David; Chazon Ish, Moed* §135.]

5. From the Gemara above (11a; see *Rashi* there ד״ה הא ר׳ יהודה) and the Mishnah and Gemara below (12a) it emerges that according to R' Yehudah *melachah* performed on Chol HaMoed to prevent financial loss must be performed in an irregular manner. Accordingly, some Rishonim explain that when the beam is loaded onto the olives, it must be done in an unusual fashion (see *Meiri; Ritva* ד״ה רבי יוסי, second explanation). In the following note we will explain how this is derived from the Mishnah. Others maintain, however, that the requisite irregularity is fulfilled by merely leaving the pressing incomplete (see *Ritva* ibid., first explanation; see *Tos. HaRosh*).

6. *In his usual manner* refers to the completion of the pressing – R' Yose holds that he presses in the usual fashion, by bringing them to the press and loading the beam onto them as many times as is necessary to extract all of the oil. He need not halt the process after the first time (see *Rashi*). Although there is little or no loss connected with deferring the later pressings (see note 4), once permission is granted to begin the process, one may complete it in the usual manner (*Darchei Moshe* 537:1, quoting *Rabbeinu Yerucham;* see *Tos. Rid; Chidushei HaRan; Talmid R' Yechiel MiParis;* cf. *Tos. HaRosh*). [Some interpret the word וְגוֹמֵר, *and finishes,* as referring also to the grinding that is normally performed between the first and second pressings. Although grinding is a *melachah* (see *Shabbos* 73a), one is permitted to grind the olives, for once permission has been granted to process the olives on Chol HaMoed, the work is performed in the normal manner (see *Tos. Rid; Chidushei HaRan;* see *Mishnah Berurah* 538:4).]

[We have explained the phrase כְּדַרְכּוֹ, *in his usual manner,* as referring to the completion of the pressing. However, those who claim that R' Yehudah demands an irregularity in the placing of the beam (see note 5) see *in its usual manner* as a reference to R' Yehudah's requirement of an irregularity in the process. They learn from this phrase that whereas R' Yehudah requires the beam to be loaded on in an unusual manner, R' Yose allows it to be placed in the ordinary fashion (see *Meiri; Ritva* ibid., second explanation).]

[Our interpretation of זולף as referring to the pouring of the olives onto the press follows the printed *Rashi* (see *Rashash*) and *Rav. Rashi ms.,* however, understands it to be referring to the pressing out of the oil from the olives; see also *Rashi* to the *Rif.* For discussion of this term, see *Rambam's Commentary to Mishnah,* here and to *Shabbos* 19:3; *Tos. Yom Tov* to *Parah* 6:3; *Rav* to *Tohoros* 10:7; *Rashi, Yoma* 58a ד״ה זולף והולך.]

[In *Rashi's* reading of the Mishnah (in both printed and *ms.* versions), the word וְגָף, *and he seals,* does not appear. This is true also of the readings of other Rishonim, e.g. *Rabbeinu Chananel* and *Meiri. Rashi ms.* explains that since oil does not spoil when left uncovered, there is no reason to seal the vat until after the festival. However, our standard text does include this word. *Tosafos* suggest that sealing is necessary to avoid spillage, or to keep insects and reptiles from falling into the oil, but point out that for these purposes it would suffice to merely cover the vat – sealing it is not necessary (but see *Matzeves Moshe*). *Tosafos* then suggest that freshly pressed oil might be different

עין משפט
נר מצוה

א א מיי' פ"ז מהל' י"ט הלכה ג טוש"ע א"ח סי' תקלח סעיף א:
ב ב מיי' פ"ה מהלכות אבל הלכה י טוש"ע י"ד סי' שפ סעיף י:
ג ג מיי' שם:
ד ד ה טור יו"ד סי' שפ:
ה ו מיי' שם הלכה יא טוש"ע שם סעיף יב:
ו ז ח מיי' שם טוש"ע שם סעיף יד:
ז ט מיי' שם הלכה יב טוש"ע שם סעיף יג:
ח י מיי' שם הלכה יג טוש"ע שם סעיף יז:
ט כ מיי' שם טוש"ע שם סעיף יח:
י ל מ טוש"ע שם סעיף כא:

רבינו חננאל

מי שהפך את זיתיו לטחנן ואירעו אבל או אונס או שהטעוהו הפועלים ונכנס המועד טוען קורה ראשונה ומניחן לאחר המועד דברי ר"י ר' יוסי אומר זולף וגומר וגף כדרכו וקשינן מתניתין באבל ופירש אם מותר לעשות מלאכתו במקום פסידא אם לא. וקפץ ומורה לנו בחולו של מועד שמותר במקום פסידא. ופירק רב שישא בריה דרב אידי זאת אומרת דברים המותרין בחוש"מ אסורין לעשותן בימי אבלו. תניא כותיה אלו דברים שעושין לאבל בימי אבלו. פירוש התירו משום פסידא שעושין לו אחרים ולא הוא אבל ע"י אחרים התירו לו להפוך זיתיו ולגוף בדיו ולהעלות פשתנו מן המשרה וצמרו מן היורה ולהשקות שדהו משתגיע עונת המים שלו. ר' יהודה אומר אף זורעין כו' ר' שמעון בן גמליאל אומר זיתיו הפוכין פשתנו במשרה צמרו ביורה ואין שם אומן אלא הוא הרי זה עושה בצנעא בתוך ביתו וכן היה אומר אם היה ספר או בלן לרבים והגיע הרגל ואין שם אלא הוא הרי זה יעשה. האריסין והחכירין והקבלנין בשדותיו הרי אלו יעשו אבל החמרין והגמלין והספנין שלו לא יעשה בהן מלאכה בימי אבלו ואם היו מקודם מושכרים לאחרים עושין. שכיר יום שלו אפילו בעיר אחרת לא יעשה היתה מלאכת אחרים בידו בין בקיבולת בין שאינה בקיבולת לא יעשה היתה מלאכתו ביד אחרים בביתו לא יעשה בבית אחר יעשה. מריון ומר בריה דרב אחא הוו שותפי אירע ביה במר בריה דרב אחא אבל. שדר ופסקיה לגמליה. אמר רב אשי והתניא אם היו מושכרין אצל אחרים שרו ודחינן הני מילי באיניש דעלמא אבל אדם חשוב אפי' מושכרין לא:

מי שהפך את זיתיו ואירעו אבל או אונס או שהטעוהו פועלים טוען קורה ראשונה ומניחה לאחר המועד דברי ר' יהודה רבי יוסי אומר [א] זולף וגומר וגף כדרכו: **גמ'** פתח באבל וסיים במועד אמר רב שישא בריה דרב אידי [ב] זאת אומרת דברים המותרין במועד אסורים בימי אבלו רב אשי אמר לא מיבעיא קאמר [ה] לא מיבעיא בימי אבלו דמדרבנן הוא ושרי אלא אפילו במועד דאיסור מלאכה מדאורייתא במקום פסידא שרו רבנן תניא כוותיה דרב שישא בריה דרב אידי [ג] אלו דברים העושין לאבל בימי אבלו (א) זיתיו הפוכין טוענין לו וכדו לגוף ופשתנו להעלות מן המשרה וצמרו להעלות מן היורה ומרביצים שדהו משתגיע עונת המים שלו ר' יהודה אומר אף זורעין לו שדה ניר ושדה העומדת לפשתן אמרו לו אם לא תזרע בבכיר תזרע באפל אם לא תזרע פשתן תזרע ממין אחר [ד] רבן שמעון בן גמליאל אומר זיתיו הפוכין ואין שם אומן אלא הוא כדו לגוף ואין שם אומן אלא הוא פשתנו להעלות מן המשרה וצמרו להעלות מן היורה ואין שם אומן אלא הוא הרי זה יעשה בצינעא [ה] יתר על כן אמר רבן שמעון בן גמליאל אם היה אומן לרבים וספר ובלן לרבים והגיע עת הרגל ואין שם אומן אלא הוא הרי זה יעשה [ו] האריסין והחכירין והקבלנין הרי אלו יעשו אחרים בשבילן [ז] החמרין הגמלין והספנין הרי אלו לא יעשו [ח] ואם היו מוחכרין או מושכרין אצל אחרים הרי אלו יעשו [ט] שכיר יום אפילו בעיר אחרת לא יעשה היתה מלאכת אחרים בידו אע"פ שבקיבולת לא יעשה אף על פי שבקיבולת ולא מיבעיא שאינה קיבולת אדרבה קיבולת כדידיה דמי אלא אימא [י] בין קיבולת בין שאינה קיבולת לא יעשה [כ] היתה מלאכתו ביד אחרים בביתו לא יעשו בבית אחר יעשו מריון בריה דרבין ומר בריה דרב אחא בריה דרבא [ל] הוה להו ההוא גמלא דתורא בהדי הדדי איתרע ביה מילתא במר בריה דרב אחא בריה דרבא ופסקיה לגמליה אמר רב אשי גברא רבה כמר בריה דרב אחא עביד הכי נהי דלפסידא דידיה לא חייש אדאחרים לא חייש והא תניא אם היו מושכרין או מוחכרין אצל אחרים הרי אלו יעשו והוא סבר (ג) [מ] אדם חשוב שאני

אמר

תוספות

רבי יוסי אומר זולף וגומר וגף כדרכו. פי' בקונטרס לישנא אחרינא וגף משום (ג) דאיכא פסידא שמוליכן בלא מגופה וי"ל דצריך לכסותו מפני השרצים ומיהו מגופה לא היה צריך דדיו בכיסוי מועט ד) ושמן חדש מתקלקל: **אפילו** חול המועד דאסורא במלאכה מדאורייתא. ה) פרק קמא (דף ג. בד"ה משקין) פירשתי: **רבי** יהודה אומר אף זורעים כו'. במתניתין מחמיר רבי יהודה וכאן מיקל: **בורו** לגוף. ספרים אחרים כדו: **רבן** שמעון בן גמליאל אומר כו'. ואף על גב דרבן שמעון בן גמליאל נמי מודה לדרב שישא בריה דרב אידי דאסורין בימי אבלו מודה היכא דאין שם אומן אלא הוא דשרי ובצינעא (ד) יעשו ע"י אחרים משום פסידא דמשכיר שרינן וגבי אבלו דשרינן הוא עצמו באין שם שיעשה כמותו ואומן לרבים וספר וכו' משום דצורך דרבים ורגילא שריא לעיל ויש מפרשים דהא דשרינן לאבל עצמו (ה) כשלא ימצא אחרים כדמשמע הלשון ואין שם אומן אלא הוא אבל לכתחילה צריך לעשות על ידי אחרים מיהו לפי הטעם הזה לא ידענא בחמרין וספנין כשמושכרין אצל אחרים למה אין מצריך בסמוך על ידי אחרים ולפי טעם קמא ניחא דאין מי שיעשה דבר זה כמותו שיש (ו) אומנות דחמר וגמל וספן: אמר

רש"י

מי שהפך את זיתיו. שהזמינן ליתנם על גבי הבד להוציא מהן שמן: ואירעו אבל. בשאר ימות השנה שלא סמוך לרגל ואינו יכול ליתנם על גבי הבד לפי שאבל אסור בעשיית מלאכה: או אונס. היינו מילתא אחריתי כלומר מי שהפך את זיתיו לפני הרגל ואירעו אונס ולא היה יכול ליתנם על גבי בית הבד ובא הרגל: או שהטעוהו פועלים. שהשכיר ליתנם על גבי בית הבד קודם הרגל ולא באו: טוען קורה ראשונה. כלומר נותנן על גבי בית הבד ברגל וסוחט עליהן הקורה פעם אחת דאי לא עביד הכי איכא פסידא יתירא: ומניחה. בו שלא יסחוט יותר עד לאחר המועד: זולף וגומר כדרכו. כלומר נותנו על גבי בית הבד וסוחט הכל כל מידי דשפוך קרי זילוף: **גמ'** פתח באבל וסיים במועד. דקתני מי שהפך את זיתיו ואירעו אבל ולא פירש אם יכול לטעון קורה באבילות אם לא אלא מילי דמועד קא פריש דכי אירע לו קודם המועד אונס טוען קורה ראשונה במועד: אסור בימי אבלו. כלומר להכי לא פריש דאסור לו לטעון אפילו קורה ראשונה בימי אבלו: לא מיבעיא בימי אבלו. דאין אסור במלאכה אלא מדרבנן דשרי לטעון קורה ראשונה: אלא אפילו. חולו של מועד דאסירא ביה מלאכה מדאורייתא דכתיב (שמות כג) את חג המצות תשמור שבעת ימים לימד על כל החג שהוא אסור: במקום פסידא שרו רבנן. לטעון קורה ראשונה: העושין לאבל. אחרים אבל הוא עצמו אינו רשאי: כדו לגוף. מגופת החבית: וזיתיו הפוכין. נותנין אותן על בית הבד וטוענין לו קורה ראשונה אבל הוא עצמו אינו עושה היינו כרב שישא דאמר דברים המותרין בחוה"מ אסורין בימי אבלו: ופשתנו להעלות מן המשרה. כל הני אית בהו פסידא אי לא עביד להו: משתגיע עונת המים שלו. כשהגיע זמנו להשקות השדה שכך היו נוהגין כל אחד ואחד משקה כל השדות שבבקעה איש יומו או שבוע אחד: שדה ניר. שדה חרושה: שדה העומדת לפשתן. שאם לא תזרע עכשיו מכאן ואילך אינו ראוי לפשתן: אמרו לו. לא תזרע שדה ניר ושדה פשתן שאם לא תזרע בבכיר בשדה ניר תזרע באפל ולא הוי פסידא יתירא: בלן. שומר בית המרחץ ומשמשן בבית המרחץ ונוטל מכל אחד שכרו: והגיע עת הרגל. שהכל צריכין לו הרי זה יעשה כיון דאית ליה פסידא ואיכא נמי צורך רבים ול"ג הכא בצינעא דהא רבים הוא: האריסין. מקבלי השדות לשנים לשליש ולרביע: החכירים. שקיבל לשמירה ולעבודה לסכום כך וכך כורין אני נותן לך ממנה: והקבלנים. שקיבלו לשומרה לזמן פלוני בסכום כך וכך בין יהיה הרבה או מעט הרי אלו יעשו אחרים בשבילם: הגמלים והספנים הרי אלו לא יעשו. לא ישכירו לכתחילה לפי שהמלאכה שלהם הוא: ואם היו מוחכרין או מושכרין. הם או בהמתם אצל אחרים למהלך חדש או חדשים הרי אלו יעשו הם לעצמן ולא יפסידו כל שכרן ובעלים נמי לא יפסידו והכא לא קתני על ידי אחרים שהרי הן בעצמן מושכרין אבל אריסים אפשר להם על ידי אחרים בעבודת קרקע: שכיר יום. אחד ואפילו בעיר אחרת ואין יודעין שם שהוא אבל וליכא משום מראית העין: לא יעשה. הואיל ובידו לחזור כדאמרינן (ב"ק דף קטז:) פועל חוזר ואפילו בחצי היום וליכא פסידא כולי האי: אם היתה מלאכת אחרים בידו. בביתו כגון בגד לארוג הואיל וברשותיה לגומרו לאחר זמן הרי (א) אלו לא יעשו: ואע"פ שבקיבולת. אחרים היא שקיבל עליו לגמירות אותו בגד לאורגו בכך וכך: קיבולת. לעשות בכך וכך (ג) (שרי): כדידיה דמיא. ואסור אבל שאינה קיבולת דלא הוה כדידיה שרי: בביתו. של אבל לא יעשו אותו (ג) משום חשד שיאמרו הוא בעצמו מסייע במלאכה אי נמי שלא יאמרו בימי אבלו השכירו לזה הפועל: גמלא. למד בקר בין שניהם שור אחד לזה ושור אחד לזה: איתרע ביה מילתא. אבילות: פסקיה לגמליה. הפסיק שורו מן הצמד ולא שלחו לחרוש בשדה לפי שהיה אבל ומצווה על שביתת בהמתו מדרבנן: להפסד דידיה לא חייש. דלא קא מעבד ארעא מגמליה משום דאבל הוא: לפסידא דאחריני. כגון מריון לא חייש דלא קא משדר לגמליה הוי ליה פסידא דלא הוה ליה בהמה לחרוש וכיון דשרי כדתניא אם היו מוחכרין וכו' הוה ליה למיחש אפסידא דחבריה: הוא סבר. מר בריה דרב אחא: אדם חשוב שאני. דהא והא אסור לדידיה למיעבד:

מקבלי

onset of the **festival.** It never returned to the law for one in mourning.[7]

The Gemara answers:

אָמַר רַב שִׁישָׁא בְּרֵיהּ דְּרַב אִידִי – Rav Shisha the son of Rav Idi said:[8] **זאת אומֶרֶת – That is to say, דְּבָרִים הַמּוּתָּרִין בַּמּוֹעֵד – things that are permitted during Chol HaMoed אֲסוּרִים בִּימֵי אֶבְלוֹ – are forbidden during the days of one's mourning.**[9] By not articulating the law for one in mourning, the Mishnah is in effect stating that his law is unlike that of one who cannot press his olives because of the festival. Thus, although one may press turned-over olives during Chol HaMoed, one may not to do so during a period of mourning.

An opposing view:

רַב אַשִׁי אָמַר – Rav Ashi said: לֹא מִיבַּעְיָא קָאָמַר – [The Mishnah] states its teaching in the style of **"It is not necessary . . ."**[10] **לֹא מִיבַּעְיָא בִּימֵי אֶבְלוֹ** – Thus, the Mishnah is saying that **it is not necessary** to state explicitly that labor is permitted **during the days of one's mourning, דְּמִדְּרַבָּנָן הוּא וְשָׁרֵי – when [the prohibition] is of** merely **Rabbinic origin,**[11] **and** thus certainly **permitted** on account of loss, **אֶלָּא אֲפִילוּ בַּמּוֹעֵד – for even during Chol HaMoed, דְּאִיסּוּר מְלָאכָה מִדְּאוֹרַיְיתָא – when the prohibition against labor is of Biblical origin,**[12] **בִּמְקוֹם פְּסֵידָא שָׁרוּ רַבָּנָן – the Rabbis permitted** it **in a case of loss.** In neglecting to articulate the law for a mourner, the Mishnah is not implying that he is forbidden to press the olives. Rather, the Mishnah states the less obvious permit to press olives on Chol HaMoed, and leaves the more obvious permit for a mourner to press olives to be inferred.

The Gemara cites a Baraisa in support of Rav Shisha:

תַּנְיָא כְּוָותֵיהּ דְּרַב שִׁישָׁא בְּרֵיהּ דְּרַב אִידִי – A Baraisa has been taught that is **in accordance with** the opinion of **Rav Shisha the son of Rav Idi: אֵלּוּ דְּבָרִים הָעוֹשִׂין לְאָבֵל בִּימֵי אֶבְלוֹ – THESE ARE THE THINGS THAT [OTHERS] MAY DO FOR A MOURNER DURING THE DAYS OF HIS MOURNING: זֵיתָיו הֲפוּכִין טוֹעֲנִין לוֹ – IF HIS OLIVES ARE TURNED OVER, THEY MAY LOAD** the beam onto them **FOR HIM** a first time,[13] **וְכַדּוֹ לָגוּף – and if HIS BARREL** needs **TO BE SEALED, וּפִשְׁתָּנוֹ לְהַעֲלוֹת מִן הַמִּשְׁרָה – OR HIS FLAX** needs **TO BE RAISED FROM THE RETTING POOL,**[14] **וְצַמְרוֹ לְהַעֲלוֹת מִן הַיּוֹרָה – OR HIS WOOL** needs **TO BE RAISED FROM THE** dyer's **VAT**, they may do these things for him.[15] **וּמַרְבִּיצִים שָׂדֵהוּ מִשֶּׁתַּגִּיעַ עוֹנַת הַמַּיִם שֶׁלּוֹ – AND THEY** may **WATER HIS FIELD, WHEN HIS WATERING TIME COMES.**[16] For in all these cases, if the work is not done, he will suffer a considerable loss. He is therefore permitted to have others perform these tasks for him.[17]

The Baraisa states that others are permitted to perform these tasks for the mourner; this implies that he himself is not permitted to perform them. This accords with the opinion of Rav Shisha the son of Rav Idi, who maintains that the Mishnah prohibits a mourner to press his olives even in the face of significant loss.

The Baraisa continues:

רַבִּי יְהוּדָה אוֹמֵר – R' YEHUDAH SAID: אַף זוֹרְעִין לוֹ שְׂדֵה נִיר – THEY MAY EVEN SOW FOR HIM A PLOWED FIELD, וְשָׂדֶה הָעוֹמֶדֶת לְפִשְׁתָּן – OR A FIELD THAT IS DESIGNATED FOR FLAX. For if the field is not sown immediately, it cannot be used in this planting season, and if the flax is not planted in the proper time, it cannot be planted in this year. We permit others to plant for him so that

NOTES

than old oil, and could spoil if left unsealed; therefore, it is permissible to seal it on Chol HaMoed.]

7. The Mishnah begins by mentioning two cases in which a person is faced with a loss because of a prohibition against pressing his olives – the case of a mourner, and that of one who was unable to press the fruit before the festival. However, only in the case of one blocked by the onset of the festival does the Mishnah rule that he may load the beam onto the olives; regarding the mourner, the Mishnah says nothing (*Rashi*). [The words וּמַנִּיחָהּ לְאַחַר הַמּוֹעֵד, *and leaves it until after the festival,* make it clear that the Mishnah's ruling applies only to the festival case.]

8. [Some read: *Rav Sheishess* – see *Rashi ms.; Ritva; Or Zarua, Avodah Zarah* §139. This reading is supported by the Gemara in *Pesachim* (49a), which states that Rav Idi sired two sons who became ordained rabbis, one of whom was Rav Sheishess the son of Rav Idi. However, *Rashash* there claims that the correct reading in *Pesachim* is actually Rav Shisha; see *Toldos Tannaim V'Amoraim* p. 1116 for examples of both readings throughout Talmud.]

9. The reason the Mishnah does not discuss the law of a mourner is to demonstrate that he is actually forbidden to load the beam onto the turned-over olives even a first time (*Rashi*). According to Rav Shisha, financial loss is not a reason to allow one to work during his period of mourning (see, however, note 19). [Rav Shisha is saying only that he is forbidden to load the beam onto the olives *himself;* others, however, may do it for him (see *Rashi ms.; Rif; Ramban;* see Baraisa cited below).]

[According to Rav Shisha, the prohibition against a mourner doing work is more stringent than the prohibition against working on Chol HaMoed, despite the fact that the Chol HaMoed prohibition is of Biblical origin, while the one on the mourner is only Rabbinic (see notes 11 and 12). Apparently, the Rabbis feared that people, knowing the mourner's prohibition to be Rabbinic, would come to treat it lightly. They therefore gave it the more stringent law (see *Tosafos* to 12a ד״ה אמר שמואל).]

10. I.e. the Mishnah teaches the more novel ruling (the permit to press on Chol HaMoed), and assumes that the less novel ruling (the permit for a mourner to press) will be understood.

11. The Rabbis instituted that a mourner may not work so that he will not forget his mourning. Although the Gemara below (15b) does cite a Scriptural verse forbidding a mourner to work, it is meant only as an אַסְמַכְתָּא, *a [Scriptural] support* to a Rabbinic law (*Rashi ms.*).

12. This Biblical prohibition is derived from a verse that states (*Exodus* 23:15): . . . אֶת־חַג הַמַּצּוֹת תִּשְׁמֹר שִׁבְעַת יָמִים, *The Festival of Matzos you shall observe, seven days* . . . Now, the term *observe* in this context usually implies refraining from the performance of *melachah* (see *Rashi* to *Exodus* 12:17). Thus, the verse is saying that on *all* seven days of Pesach – Chol HaMoed included – *melachah* is prohibited (*Rashi* here and to *Chagigah* 18a ד״ה את חג המצות; see *Chagigah* ibid. and *Mechilta* to *Exodus* 12:16). However, the details of this prohibition were left to the Rabbis to decide. They ruled that *melachah* performed to prevent significant loss is not forbidden on Chol HaMoed (*Rashi ms.* from *Chagigah* ibid.; see *Rashi* there ד״ה הא הרי).

[From *Rashi* it appears that the law against performing *melachah* on Chol HaMoed is a Biblical prohibition. *Tosafos* to *Chagigah* (ibid. ד״ה חולו), however, as well as *Meiri* here, hold that it is actually Rabbinic in nature; it is described as Biblical only because it is supported by a Torah verse, whereas the prohibition against a mourner working is merely supported by a verse from the Prophets (see 15b). For a listing of the authorities on each side of this question, see *Beur Halachah* to 530:1 ד״ה ומותר במקצתן.]

13. *Rashi ms.;* see above, note 4; cf. *Nimukei Yosef.*

14. [In order to separate the fibers of the flax from its woody tissue, one soaks, or "rets" it. If it is not removed from the retting in time, it becomes ruined.]

15. If the wool remains in the dyer's vat longer than necessary, it becomes ruined (*Rashi ms.*).

16. This is discussing a group of farmers who have arranged to take turns, on a daily or weekly basis, watering all the fields in the valley. If the mourner's turn comes during his mourning period, a substitute may be found to water his field, along with the fields of the other farmers (see *Rashi*). We permit the helper to water the mourner's field because [otherwise he will not wish to water any of the fields (since he is there to help the mourner), and] the neighboring farmers will suffer a loss (see *Korban Nesanel* §2, explaining *Rashi*). For other explanations of this clause, see *Rosh; Ramban.*

17. However, if he is not faced with a significant loss, others may not perform these tasks for him – see *Semachos* 5:1.

עין משפט
נר מצוה

א א מיי' פ"ז מהל' י"ט הלכה ג טוש"ע א"ח סי' תקלא סעיף א:
ב ב מיי' פ"ה מהלכות אבל הלכה י טוש"ע י"ד סי' שפ סעיף י:
ג ג מיי' שם:
ד ד ה טור יו"ד סי' שפ:
ה ו מיי' שם הלכה יא טוש"ע שם סעיף יב:
ו ז ח מיי' שם טוש"ע שם סעיף יד:
ז ט מיי' שם הלכה יב טוש"ע שם סעיף יג:
ח י מיי' שם הלכה יג טוש"ע שם סעיף יז:
ט כ מיי' שם טוש"ע שם סעיף יח:
י ל מ טוש"ע שם סעיף כא:

רבינו חננאל

מי שהפך את זיתיו לטחנן ואירעו אבל או אונס או שהטעוהו הפועלים ונכנס המועד טוען קורה ראשונה ומניחם לאחר המועד דברי ר"י ר' יוסי אומר זולף וגומר א) כדרכו ומקשינן מתניתין באבל ולא פירש אם מותר לעשות מלאכתו במקום פסידא אם לא. וקפץ ומורה לנו בחולו של מועד שמותר במקום פסידא. ופירק רב שישא בריה דרב אידי זאת אומרת דברים המותרין בחוש"מ אסורין לעשותן בימי אבלו. תניא כותיה אלו דברים שעושין לאבל בימי אבלו. פירוש התירו משום פסידא לעשות לו אחרים ולא הוא אבל ע"י אחרים התירו לו להפוך זיתיו ולגוף בדיו ולהעלות פשתנו מן המשרה וצמרו מן היורה ומרביצין שדהו משתגיע עונת המים שלו. ר' יהודה אומר אף זורעין כו' ר' שמעון בן גמליאל אומר זיתיו הפוכין פשתנו במשרה צמרו ביורה ואין שם אומן אלא הוא הרי זה עושה בצנעא בתוך ביתו וכן היה אומר אם היה ספר או בלן לרבים והגיע הרגל ואין שם אלא הוא הרי זה יעשה. האריסין והחכירין והקבלנין בשדותיו הרי אלו יעשו אבל החמרין והגמלין והספינה שלו לא יעשה בהן מלאכה בימי אבלו ואם היו מקודם מושכרין ביד אחרים עושין. שכיר יום שלו אפילו בעיר אחרת לא יעשה היתה מלאכת אחרים בידו בין בקיבולת בין שאינה בקיבולת לא יעשה היתה מלאכתו ביד אחרים בביתו לא יעשה בבית אחר יעשה. מריון ומר בריה דרב אחא הוו שותפי אירע ביה במר בריה דרב אחא אבל. שדר ופסקיה לגמליה. אמר רב אשי והתניא אם היו מושכרין אצל אחרים שרו ודחינן הני מילי באיניש דעלמא אבל אדם חשוב אפי' מושכרין לא:
אמר

חשק שלמה על ר"ח
א) רבינו לא גרס וגף גבי זיתים וכ"כ ברש"י באלפס וכנ"י שם דלא גרסינן וגף.

רבי יוסי אומר זולף וגומר וגף כדרכו. פי' בקונטרס לשנא אחרינא וגף משום (ג) דאיכא פסידא שמוליכן בלא מגופה וי"ל דלריך לכסותו מפני השרצים ומיהו מגופה לא היה לריך דדיו בכיסוי מועט ד) ושמן חדש מתקלקל: **אפילו** חול המועד דאסורא במלאכה מדאורייתא. ה) פרק קמא (דף ג. בד"ה משקין) פירשתי: **רבי** יהודה אומר אף זורעים כו'. במתניתין מחמיר רבי יהודה וכאן מיקל:

בורו לגוף. ספרים אחרים כדו:

רבן שמעון בן גמליאל אומר כו'. ואף על גב דרבן שמעון בן גמליאל נמי מודה לדרב שישא בריה דרב אידי דאסורין בימי אבלו מודה היכא דאין שם אומן אלא הוא דשרי ובלינעא (ד) יעשו ע"י אחרים משום פסידא דמשכיר שרינן וגבי אבלו דשרינן הוא עלמו באין שם שיעשה כמותו ואומן לרבים וספר וכו' משום דלורך דרבים ורגילא שריא לעיל ויש מפרשים דהא דשרינן לאבל עלמו (ה) כשלא ימלא אחרים כדמשמע הלשון ואין שם אומן אלא הוא אבל לכתחילה לריך לעשות על ידי אחרים מיהו לפי הטעם הזה לא ידענא בחמרין וספרין כשמושכרין אצל אחרים למה אין מלריך בסמוך על ידי אחרים ולפי טעם קמא ניחא דאין מי שיעשה דבר זה באותו שיש (ו) אומנות דחמר וגמל וספן:

מי שהפך את זיתיו. שהזמינן ליתנם על גבי הבד להוליא מהן שמן: ואירעו אבל. בשאר ימות השנה שלא סמוך לרגל ואינו יכול ליתנם על גבי הבד לפי שאבל אסור בעשיית מלאכה: או אונס. היינו מילתא אחריתי כלומר מי שהפך את זיתיו לפני הרגל ואירעו אונס ולא היה יכול ליתנס על גבי בית הבד ובא הרגל: או שהטעוהו פועלים. שהשכיר ליתנס על גבי בית הבד קודם הרגל ולא באו: טוען קורה ראשונה. כלומר נותנן על גבי בית הבד ברגל וסוחט עליהן הקורה פעם אחת דאי לא עביד הכי איכא פסידא יתירא: ומניחה. בו שלא יסחוט יותר עד לאחר המועד: זולף וגומר כדרכו. כלומר נותנו על גבי בית הבד וסוחט הכל כל מידי דשפוך קרי זילוף: גמ' פתח באבל וסיים במועד. דקתני מי שהפך את זיתיו ואירעו אבל ולא פירש אם יכול לטעון קורה באבילות אם לא אלא מילי דמועד קא פריש דכי אירע לו קודם המועד אונס טוען קורה ראשונה במועד: אסור בימי אבלו. כלומר להכי לא פריש דאסור לו לטעון אפילו קורה ראשונה בימי אבלו: לא מיבעיא בימי אבלו. דאין אסור במלאכה אלא מדרבנן דשרי לטעון קורה ראשונה: אלא אפילו. חולו של מועד דאסירא ביה מלאכה מדאורייתא דכתיב (שמות כג) את חג המלות תשמור שבעת ימים לימד על כל החג שהוא אסור: במקום פסידא שרו רבנן. לטעון קורה ראשונה: העושין לאבל. אחרים אבל הוא עלמו אינו רשאי: כדו לגוף. מגופת החבית: וזיתיו הפוכין. נותנין אותן על בית הבד וטוענין לו קורה ראשונה אבל הוא עלמו אינו עושה היינו כרב שישא דאמר דברים המותרין בחוש"מ אסורין בימי אבלו: ופשתנו להעלות מן המשרה. כל הני אית בהו פסידא אי לא עביד להו: משתגיע עונת המים שלו. כשהגיע זמנו להשקות השדה שכך היו נוהגין כל אחד ואחד משקה כל השדות שבבקעה איש יומו או שבוע אחד: שדה ניר. שדה חרושה: שדה העומדת לפשתן.

מי שהפך את זיתיו ואירעו אבל או אונס או שהטעוהו פועלים טוען קורה ראשונה ומניחה לאחר המועד דברי ר' יהודה רבי יוסי אומר [א] זולף וגומר וגף כדרכו: **גמ'** פתח באבל וסיים במועד אמר רב שישא בריה דרב אידי [ב] זאת אומרת דברים המותרין במועד אסורים בימי אבלו רב אשי אמר לא מיבעיא קאמר ° לא מיבעיא בימי אבלו דמדרבנן הוא ושרי אלא אפילו במועד דאיסור מלאכה מדאורייתא במקום פסידא שרו רבנן תניא כוותיה דרב שישא בריה דרב אידי [ג] אלו דברים העושין לאבל בימי אבלו א) זיתיו הפוכין טוענין לו וכדו לגוף ופשתנו להעלות מן המשרה וצמרו להעלות מן היורה ומרביצים שדהו משתגיע עונת המים שלו ר' יהודה אומר אף זורעין לו שדה ניר ושדה העומדת לפשתן אמרו לו אם לא תזרע בבכיר תזרע באפל אם לא תזרע פשתן תזרע ממין אחר [ד] רבן שמעון בן גמליאל אומר זיתיו הפוכין ואין שם אומן אלא הוא כדו לגוף ואין שם אומן אלא הוא פשתנו להעלות מן המשרה וצמרו להעלות מן היורה ואין שם אומן אלא הוא הרי זה יעשה בצינעא [ה] יתר על כן אמר רבן שמעון בן גמליאל אם היה אומן לרבים וספר ובלן לרבים והגיע עת הרגל ואין שם אומן אלא הוא הרי זה יעשה [ו] האריסין והחכירין והקבלנין הרי אלו יעשו אחרים בשבילן [ז] החמרין הגמלין והספנין הרי אלו לא יעשו [ח] ואם היו מוחכרין או מושכרין אצל אחרים הרי אלו יעשו [ט] שכיר יום אפילו בעיר אחרת לא יעשה היתה מלאכת אחרים בידו אע"פ שבקיבולת לא יעשה אף על פי שבקיבולת ולא מיבעיא שאינה קיבולת אדרבה קיבולת כדידיה דמי אלא אימא [י] בין קיבולת בין שאינה קיבולת לא יעשה [כ] היתה מלאכתו ביד אחרים בביתו לא יעשו בבית אחר יעשו מריון בריה דרבין ומר בריה דרב אחא בריה דרבא [ל] הוה להו ההוא גמלא דתורא בהדי הדדי איתרעא ביה מילתא במר בריה דרב אחא בריה דרבא ופסקיה לגמליה אמר רב אשי גברא רבה כמר בריה דרב אחא עביד הכי נהי דלפסידא דידיה לא חייש אדאחרים לא חייש והא תניא אם היו מושכרין או מוחכרין אצל אחרים הרי אלו יעשו והוא סבר ג) [מ] אדם חשוב שאני
אמר

שאם לא תזרע עכשיו מכאן ואילך אינו ראוי לפשתן: אמרו לו. לא תזרע שדה ניר ושדה פשתן שאם לא תזרע בבכיר בשדה ניר תזרע באפל ולא הוי פסידא יתירא: בלן. שומר בית המרחץ ומשמשן בבית המרחץ ונוטל מכל אחד שכרו: והגיע עת הרגל. שהכל לריכין לו הרי זה יעשה כיון דאית ליה פסידא ואיכא נמי לורך רבים ול"ג הכא בלינעא דהא רבים הוא: האריסין. מקבלי השדות לשנים לשליש ולרביע: החכירים. שקיבל לשמירה ולעבודה לסכום כך וכך כורין אני נותן לך ממנה: והקבלנים. שקיבלו לשומרה לזמן פלוני בסכום כך וכך בין יהיה הרבה או מעט הרי אלו יעשו אחרים בשבילם: הגמלים והספנים הרי אלו לא יעשו. לא ישכירו לכתחילה לפי שהמלאכה שלהם הוא: ואם היו מוחכרין או מושכרין. הם או בהמתם אצל אחרים למהלך חדש או חדשים הרי אלו יעשו הם לעצמן ולא יפסידו כל שכרן ובעלים נמי לא יפסידו והכא לא קתני על ידי אחרים שהרי הן בעצמן מושכרין אבל אריסים אפשר להם על ידי אחרים בעבודת קרקע: שכיר יום. אחד ואפילו בעיר אחרת ואין יודעין שם שהוא אבל וליכא משום מראית העין: לא יעשה. הואיל ובידו לחזור כדאמרינן (ב"ק דף קטז:) פועל חוזר ואפילו בחצי היום וליכא פסידא כולי האי: אם היתה מלאכת אחרים בידו. בביתו כגון בגד לארוג הואיל וברשותיה לגומרו לאחר זמן הרי (א) אלו לא יעשו: ואע"פ שבקיבולת. אחרים היא שקיבל עליו לגמרו ולארגו בכך וכך: קיבולת. לעשות בכך וכך ג) (שרי): כדידיה דמיא. ואסור אבל שאינה קיבולת דלא הוה כדידיה שרי: בביתו. של אבל לא יעשו אותו (ב) משום חשד שיאמרו הוא בעצמו מסייע במלאכה אי נמי שלא יאמרו בימי אבלו השכירו לזה הפועל: גמלא. למד בקר בין שניהם שור אחד לזה ושור אחד לזה: איתרע ביה מילתא. אבילות: פסקיה לגמליה. הפסיק שורו מן הצמד ולא שלחו לחרוש בשדה לפי שהיה אבל ומלווה על שביתת בהמתו מדרבנן: להפסד דידיה לא חייש. דלא קא מעבד ארעא מגמליה משום דאבל הוא: לפסידא דאחריני. כגון מריון לא חייש דלא קא משדר לגמליה הוי ליה פסידא דלא הוה ליה בהמה לחרוש וכיון דשרי כדתניא אם היו מוחכרין וכו' הוה ליה למיחש אפסידא דחבריה: הוא סבר. מר בריה דרב אחא: אדם חשוב שאני. דהא והא אסור לדידיה למיעבד:
מקבלי

מסורת הש"ס

א) שמחות פ"ה, ב) [לקמן יב. שבת נא. וש"נ], ג) ס"א איתו, ד) ס"א ושמא, ה) [עי' תוס' דחגיגה יח. ד"ה חולו ותוס' ע"ז כב. ד"ה תיפוק ליה].

הגהות הב"ח

(א) רש"י ד"ה אם היתה כו' לאחר זמן הרי לא יעשה אף על פי שבקיבולת כו' כן לריך להיות והד"א ותיבת אלו נמחק: (ב) ד"ה בביתו של אבל לא יעשו אותו אחרים משום חשד: (ג) תום' ד"ה רבי יוסי כו' דאיכא פסידא כשמוליכן. נ"ב לשון הר"ן וגף לא גרסי גבי זיתים משום דאין דרך לעשות לזיתים מגופה דאפי' הניחו מגולה לא פסדי וכן נמלא בפרש"י באלפס ובנימוקי יוסף ע"ש אבל בלשון אחר פירש דגרסי' ליה אע"ג דליכא פסידא לזיתים בלא מגופה מ"מ ודאי כשמוליכין אותן איכא פסידא שניתז השמן בלא מגופה: (ד) ד"ה רשב"ג כו' ובלינעא והאריסין יעשו: (ה) בא"ד דשרינן לאבל עלמו היינו דוקא כשלא ימלא: (ו) בא"ד באותו שיש לו אומנות:

גליון הש"ס

גמ' לא מיבעיא בימי אבלו דמדרבנן. עיין לקמן דף יד ע"ב תוס' ד"ה עשה דיחיד:

רש"י כת"י

מי שהפך את זיתיו. שנותנן בתוך המעטן לאחר לקיטתן ואוברין ומניחן כדי שיתבשלו ואחר כך נותנן בבית הבד ודרך הוא שמהפכין כשמכניסין אותו לבית הבד ואי לא מסיק לאחר שהפכן פסדי. ואירעו. שארעו אבל ואבל אסור בעשיית מלאכה. או אונס או שהטעוהו פועלים. ולא באו למלאכתו והגיע המועד. טוען. על הזיתים קורה של בית הבד פעם ראשונה כדי שיזובו מקלתן ולא יפסידו אבל לטעון קורה פעם שניה אינו טוען דמו לא פסדי ודרך הוא שטוענין עליהן קורה וכובשין אותו לאחר קורה ראשונה במנחות (פו.). זולף. ממנה. וגומר. את כולן כדרכו וגף לא גרסינן דאין דרך לעשות לשמן מגופה דאפילו מניחו מגולה לא יפסיד ואם לא אירעו אונס אלא כיון מלאכתו במועד אסור. פתח באבל וסיים במועד. דגבי מועד תני תקנתא באפי נפשיה דלא קתני מי שהפך את זיתיו ואירוע אבל טוען קורה ראשונה בימי אבלו שלא במועד וכן מי שאירעו אונס כיון דפתח באבל אמאי לא תני תקנתא. זאת אומרת. מדקתני ואירע אבל או אונס ועכב עד המועד מחמת אבלו או מחמת אונס. דברים המותרין במועד. כגון קורה ראשונה שמותר לו לטעון הוא בעצמו בחולו של מועד אסור לו לטעון בימי אבלו אבל אחרים עושין לו. איסור מלאכה דאבל עלמו דרבנן כדי שלא ישכח אבילתו וקרא בפרקין דלקמן (טו:) והפכתי חגיכם לאבל מה חג אסור בעשיית מלאכה אף אבל אסמכתא בעלמא הוא. אלא אפילו בחולו של מועד דאיסור מלאכה מדאוריתא. כדאמרינן בפרק אין דורשין (חגיגה יח.) את חג המלות תשמור לימד על חולו של מועד שאסור בעשיי' מלאכה. במקום פסידא שרו רבנן. דלא מסרן הכתוב אלא לחכמים הילכך קתני [תרי מילי] וארעו אבל ולא הספיק [לעוצרם תחלה או שהפך את זיתיו סמוך למועד ואירעו אונס ולא יכול לעוצרם] עד שבא המועד [ומן הדין היה לשנות טוען קורה ראשונה בין במועד בין בימי אבלו אלא] דלא איצטריך למתני ליה. תניא כותיה דרב ששת [נ"א: שישא]. דאבל עלמו אסור לטעון קורה ראשונה אלא אחרים עושין לו. ה"ג דברים העושים לאבל בימי אבלו זיתיו הפוכין טוענין לו. קורה ראשונה. בורו לגוף וכו'. כלומר דברים שאחרים רשאין לעשותן לו אלו הן זיתיו הפוכין ומתוקנין בבית הבד דפסדי בכד טוענין לו קורה כיון דפסדי אבל להפוך לכתחילה דלא פסדי לא. בורו לגוף. שיורד היין לתוכו איפשר לגופו ולעשות לו מגופה עליו (אי"ם אין מותמין אותה דליכא פסידא כל כך דלא מחמיץ כולי האי ואין אחרים עושין לו). מישרה. שעורין [בו] פשתן. מן היורה. של לבע שאם (יעמיד) [יעמוד] יותר מדאי (מפסיד) [יפסיד]. משהגיע עונת מים. של שדהו להשקות. מרביצין לו. משקין אותו כעין אין מכבדין ואין מרבצין לו (אותו כעין אין מכבדין ואין מרבצין). שדה ניר. קרקע אחר חרישתו זורעין לו דהפסד הוא כשאינו זרוע. פשתן. אם אינו זורע בזמנו שוב אינו יכול לזורעו. אמרו לו. אם כן לא תזרע שדה ניר שלו בזרע המבוכר תזרע באפל. ה"ג רבן גמליאל אומר זיתיו הפוכין ובורו לגוף ואין שם אומן אלא הוא. עושה לעצמו כיון דמפסיד. בלן. שומר המרחץ ומשמשן במרחץ ונוטל מכל אחד ואחד שכרו. הרי זה יעשה. כיון דאיכא פסידא ואיכא נמי לורך רבים ולא גרסינן הכא בלנעא דהא דרבים הוא ובפרהסיא הוא דעביד. ארים. למחצה לשליש ולרביע. חוכרין. שוכר קרקע חבירו ועובדה ונוטל אותה שנותן לו דבר קצוב לשנה ה' כורין או י' כורין לפי מה שהקרקע גדול וראוי לעשות. קבלנין. שקבלו לעשות את כל עבודת השדה ובעל הבית שוכרן וכל אלו שקבלו השדה לשנים מרובין וארען אבל. הרי אלו יעשו. על ידי אחרים שהמלאכה של אחרים הוא ומשום פסידא דבעלים הוא דשרינן ליה לאריסין וקבלנין כשאין עוסקין בקרקע איכא פסידא דבעלים ומוכר נמי כיון דלא יהיב אלא מגופה לארעא אם מוכיר ולא עביד ליה הוי נמי פסידא דבעלים ואיכא נמי פסידא דידיה הילכך (אבל) [עושין] על ידי אחרים אית ספרי דלא כתוב בהו על ידי אחרים. החמרין והגמלין. שוכרי חמורים וגמלים וספינות להביא עליהן תבואה למכור או שאר פרקמטיא לעצמן. הרי אלו. לא ישכרו בתחלה (ס"א - לא יתחילו בתחלה. ו"ס - לא ישכירו בתחלה) (ואם התנו לעשות עמו קודם יום טוב ואירע בהן אבל חזרו בהן שהמלאכה שלהן היא). ואם מחוכרין או מושכרין. הן או בהמתם אצל אחרים למהלך חודש או חדשים. הרי אלו יעשו. הן עצמן ולא יפסידו כל שכרן ובעלים נמי לא יפסידו והכא לא קתני על ידי אחרים שהרי הן עצמן מושכרין אבל אריסין אפשר להן על ידי אחרים בעבודת קרקע. שכיר יום אסור אפילו בעיר אחרת שאין יודעין בו דהוא אבל וליכא משום מראית העין. לא יעשה הואיל ובידו לעשות ולחזור כדאמרינ' (ב"מ עז.) פועל יכול לחזור בו אפילו בחצי היום וליכא פסידא כולי האי. ואם היתה מלאכת אחרים בידו בביתו. כגון בגד לארוג הואיל ובידו לגמרה לאחר [זמן] הרי זה לא יעשה. ואע"פ שבקבולת. הוא שקבל עליו לגמרו לארוג אותו בגד בכך וכך. קבולת כדידיה דמי. שהרי קבלו עליו וגומר כל זמן שירלה. שאינה קבולת. שלא קבלה לגמרי לעשות כל זמן שירלה ואעפ"כ לא יעשה הואיל בידו לשהותה ולעשותה לאחר זמן. בביתו. של אבל לא יעשה אחר מפני החשד שיאמרו הוא עלמו עושה אותה ומסייע במלאכה אי נמי שלא יאמרו בימי אבלו שכר זה הפועל. גמלא. למד בקר בין שניהם שור אחד לזה ושור אחד לזה. (איתרמא) [איתרעא בהן] מלתא ופסקיה לגמליה. הפריד שורו מן (האבל) [הגמל] ולא שלחו לחרוש בשדה לפי שהיה אבל ואבל מצווה על שביתת בהמתו מדרבנן. אפסידא דאחריני. דמריון לא חייש בתמיה דמאחר ששורו של מריון אין יכול לחרוש בשור אחר הוה ליה למר בריה דרב אחא לשלוח שורו לחרוש עם שורו של מריון דכיון דמשרי שרי כדתניא אם היה מחוכרין הוה ליה למיחש [אפסידא] דחבריה. והוא סבר. מר בריה דרב אחא. אדם חשוב שאני ומחמיר על עצמו ומר בריה דרב אחא חשוב הוה.

he will not suffer this loss. אָמְרוּ לוֹ – [THE SAGES] SAID TO [R' YEHUDAH]: This loss is not substantial enough to warrant the performance of labor during one's mourning period. אִם לֹא תִּזָּרַע בְּבַכִּיר תִּזָּרַע בְּאָפֵל – For even IF [THE PLOWED FIELD] IS NOT SOWN IN THE EARLY SEASON, IT CAN BE SOWN IN THE LATE SEASON, אִם לֹא תִּזָּרַע פִּשְׁתָּן תִּזָּרַע מִמִּין אַחֵר – and even IF [THE FIELD DESIGNATED FOR FLAX] IS NOT SOWN WITH FLAX, IT CAN BE SOWN WITH ANOTHER TYPE of seed. Thus, the possible loss is only minimal.[18]

רַבָּן שִׁמְעוֹן בֶּן גַּמְלִיאֵל אוֹמֵר – RABBAN SHIMON BEN GAMLIEL SAYS: זֵיתָיו הֲפוּכִין וְאֵין שָׁם אוּמָּן אֶלָּא הוּא – If HIS OLIVES WERE TURNED OVER AND THERE IS NO SKILLED WORKER THERE BUT HIM, כַּדּוֹ לָגוּף וְאֵין שָׁם אוּמָּן אֶלָּא הוּא – or if HIS BARREL needs TO BE SEALED, AND THERE IS NO SKILLED WORKER THERE BUT HIM, פִּשְׁתָּנוֹ לְהַעֲלוֹת מִן הַמִּשְׁרָה – or if HIS FLAX needs TO BE RAISED FROM THE RETTING POOL וְצַמְרוֹ לְהַעֲלוֹת מִן הַיּוֹרָה – OR HIS WOOL needs TO BE RAISED FROM THE dyer's VAT, וְאֵין שָׁם אוּמָּן אֶלָּא הוּא – AND THERE IS NO SKILLED WORKER THERE BUT HIM – הֲרֵי זֶה יַעֲשֶׂה בְּצִינְעָא – HE MAY PERFORM the task himself IN PRIVATE.[19] יָתֵר עַל כֵּן אָמַר רַבָּן שִׁמְעוֹן בֶּן גַּמְלִיאֵל – FURTHERMORE, RABBAN SHIMON BEN GAMLIEL SAID: אִם הָיָה אוּמָּן לָרַבִּים – IF HE WAS A SKILLED WORKER SERVING THE PUBLIC, וְסַפָּר וּבַלָּן לָרַבִּים – OR A BARBER OR BATHHOUSE ATTENDANT SERVING THE PUBLIC,[20] וְהִגִּיעַ עֵת הָרֶגֶל וְאֵין שָׁם אוּמָּן אֶלָּא הוּא – AND THE FESTIVAL SEASON ARRIVED[21] AND THERE WAS NO SKILLED WORKER THERE BUT HIM – הֲרֵי זֶה יַעֲשֶׂה – HE MAY PERFORM these tasks himself, even though they are carried out in public.[22]

The Baraisa continues:

הָאֲרִיסִין וְהַחֲכִירִין וְהַקַּבְּלָנִין – THE SHARECROPPERS, THE TENANT FARMERS AND THE SALARIED FIELDWORKERS[23] – הֲרֵי אֵלּוּ יַעֲשׂוּ אֲחֵרִים בִּשְׁבִילָן – THESE may have OTHERS PERFORM their tasks FOR THEM during their mourning periods.[24]

הַחַמָּרִין הַגַּמָּלִין וְהַסַּפָּנִין – THOSE WHO LEASE DONKEYS, THOSE WHO LEASE CAMELS AND THOSE WHO LEASE BOATS – הֲרֵי אֵלּוּ לֹא יַעֲשׂוּ – THESE MAY NOT PERFORM their tasks during their mourning periods, i.e. they may not initiate new rentals during that time.[25] וְאִם הָיוּ מוּחְכָּרִין אוֹ מוּשְׂכָּרִין אֵצֶל אֲחֵרִים – HOWEVER, IF THEY (i.e. the mourners or their animals) WERE HIRED OUT[26] TO OTHERS to work for an extended period before they became mourners, הֲרֵי אֵלּוּ יַעֲשׂוּ – THEY MAY continue to PERFORM their tasks during

NOTES

18. [R' Yehudah, however, holds that even in the case of minimal loss, a mourner is permitted to have another labor on his behalf.] Although he rules stringently with regard to working on Chol HaMoed to prevent minimal loss (see Mishnah), he rules leniently with regard to a mourner working for this reason (see *Tosafos;* but see *Ramban; Keren Orah*).

19. Rabban Shimon ben Gamliel holds that in a case of imminent financial loss, if there is no one to do the work but the mourner himself, he may do so.

The Rishonim are divided as to whether Rabban Shimon ben Gamliel and the Tanna Kamma are in agreement. Some maintain that Rabban Shimon is simply elucidating the Tanna Kamma's ruling; according to the Tanna Kamma too, then, there exists a case in which a mourner may perform labor himself (*Tosafos; Raavad,* cited by *Rosh*). Others hold that according to the Tanna Kamma, a mourner may not perform these tasks himself *even* if he is the only skilled worker available; thus, the Tanna Kamma and Rabban Shimon are at odds (*Ritva; Rif,* as explained by *Raavad* ibid.; see *Rosh*). For discussion, see *Rosh; Ramban; Tos. Rid; Meiri.* As regards the halachah, *Beis Yosef* (*Yoreh Deah* §380 ד״ה ומ״ש ואם אין שם אחרים) rules that even if there is no one else available, and even if he faces significant loss, a mourner may not perform these tasks himself; *Rama,* however, rules that he may, in accordance with the opinion of Rabban Shimon ben Gamliel (see *Shulchan Aruch, Yoreh Deah* 380:5 and *Darchei Moshe* 380:3).

[*Tosafos* offer two interpretations of the phrase "and there is no skilled worker there but him." The first is that there is no one there *as skilled* as he; the second is that he is the *only* skilled worker there altogether (see *Keren Orah*).]

20. The attendant guards the bathhouse, assists its patrons and collects the fees (*Rashi*).

21. When there is a greater need for these services (*Rashi*).

22. In this case, the prohibition against a mourner working is waived because of the public's urgent need for his services, and so that he should not lose the income (*Rashi;* see *Keren Orah* cited below). [For another instance in which the public need overrides the mourner's prohibition, see 21a; however, see *Rosh* here.] Regarding this case, Rabban Shimon ben Gamliel does not say that the work must be done in private, for these are communal tasks, performed in the public eye (*Rashi*). However, in some versions of the text, the phrase בְּצִינְעָא, *in private,* appears regarding this ruling as well (see *Ramban, Toras HaAdam, Inyan HaAveilus,* p. 165 in *MHK* edition; *Meiri* here). *Meiri* explains that according to this reading, the mourner is required to perform these tasks in as inconspicuous a manner as possible.

This ruling is prefaced by the word "furthermore," which implies that it is a more lenient ruling than the one which precedes it. *Keren Orah* explains that in this case the permit is *chiefly* because of the needs of others; this represents a greater leniency. *Sfas Emes* writes that the greater leniency is that he may perform these tasks in public (also, see *Sfas Emes* for a reading that omits the word "furthermore").

As to whether the halachah follows Rabban Shimon ben Gamliel in *this* ruling, *Tur* (*Yoreh Deah* §580) rules that it does not. See *Rosh* for extensive discussion.

23. A "sharecropper" (אָרִיס) is one who works the land of another, paying the owner a fixed percentage of the crop. The remainder of the crop is his own (*Rashi*). A "tenant farmer" (חָכִיר) is charged a fixed rental for the use of the land, payable in the form of produce from the field's crop. [Whatever remains of the crop after the rental is paid belongs to the tenant farmer] (*Rashi;* see *Rashash;* see also *Rashi ms.*). If the field produces exactly the agreed-upon rental, the owner receives it all; if it does not produce even that amount, the tenant is not obligated to supplement it from elsewhere (see *Rashi ms.; Meiri;* cf. *Ritva*). A "salaried fieldworker" (קַבְּלָן) is one paid a set salary by the owner to work the field for a certain amount of time; his income is in no way dependent upon how much the field produces (*Rashi;* see *Rashi ms.;* cf. *Ritva;* see *Shach, Yoreh Deah* 380:12).

24. I.e. if the sharecropper, tenant farmer or salaried fieldworker becomes a mourner, he may appoint another to perform his tasks, so as to prevent the owner of the land from suffering a financial loss. In the case of the sharecropper, his failure to tend the field will diminish the owner's portion of the crop; in the case of the tenant farmer, the untended field may not produce even the agreed-upon rental, in which case the owner will receive nothing; in the case of the salaried fieldworker, the owner will absorb whatever loss there is, since it is he who receives the entire crop (*Rashi ms.*). In addition, there is a long-term loss for the owner, for if the land is not tended properly, its productivity suffers (*Meiri*). Because of the impending loss to the landowner, as well as the loss the mourner himself stands to suffer if he does not tend the field, we permit the mourner to designate another to perform his tasks (*Rashi ms.*). [There are some versions of the Baraisa which permit the mourner himself to tend the field in these instances – see *Ritva* for discussion.]

[Note that many other Rishonim understand this ruling to be discussing whether a mourner's sharecroppers, tenant farmers and fieldworkers may work *for the mourner;* for discussion, see *Rosh* and *Ramban* at length; see also *Ran* to *Avodah Zarah* 21b, folio 6b in the *Rif.*]

25. For it is only they who will suffer a loss by abstaining from work, and not any other; therefore, they may not initiate new rentals (*Rashi;* see *Rosh*).

26. The Baraisa actually employs *two* terms to denote "hiring out" – מוּחְכָּרִין and מוּשְׂכָּרִין. The first describes an agreement by which one is paid out of the fruits of the enterprise (חֲכִירוּת) [e.g. if the animal is used for plowing or threshing, the lessor receives a portion of the crop]. The second describes an agreement whereby payment is made in cash (שְׂכִירוּת) (*Shach, Yoreh Deah* 380:15). [With regard to the first arrangement (חֲכִירוּת), there is some question as to whether the worker receives a percentage or a set amount; for particulars, see *Rashbam, Bava Basra* 123b ד״ה מוחכרת וד״ה מושכרת, and *Rashash* there.]

מי שהפך את זיתיו ואירעו אבל או אונס או שהטעוהו פועלים טוען קורה ראשונה ומניחה לאחר המועד דברי ר' יהודה רבי יוסי אומר [א]זולף וגומר וגף כדרכו: **גמ'** פתח באבל וסיים במועד אמר רב שישא בריה דרב אידי [ב]זאת אומרת דברים המותרין במועד אסורים בימי אבלו רב אשי אמר לא מיבעיא קאמר ° לא מיבעיא בימי אבלו דמדרבנן הוא ושרי אלא אפילו במועד דאיסור מלאכה מדאורייתא במקום פסידא שרו רבנן תניא כוותיה דרב שישא בריה דרב אידי [ג]אלו דברים העושין לאבל בימי אבלו (א) זיתיו הפוכין טוענין לו וכדו לגוף ופשתנו להעלות מן המשרה וצמרו להעלות מן היורה ומרביצים שדהו משתגיע עונת המים שלו ר' יהודה אומר אף זורעין לו שדה ניר ושדה העומדת לפשתן אמרו לו אם לא תזרע בבכיר תזרע באפל אם לא תזרע פשתן תזרע ממין אחר [ד]רבן שמעון בן גמליאל אומר זיתיו הפוכין ואין שם אומן אלא הוא כדו לגוף ואין שם אומן אלא הוא פשתנו להעלות מן המשרה וצמרו להעלות מן היורה ואין שם אומן אלא הוא הרי זה יעשה בצינעא [ה]יתר על כן אמר רבן שמעון בן גמליאל אם היה אומן לרבים וספר ובלן לרבים והגיע עת הרגל ואין שם אומן אלא הוא הרי זה יעשה [ו]האריסין והחכירין והקבלנין הרי אלו יעשו אחרים בשבילן [ז]החמרין הגמלין והספנין הרי אלו לא יעשו [ח]ואם היו מוחכרין או מושכרין אצל אחרים הרי אלו יעשו [ט]שכיר יום אפילו בעיר אחרת לא יעשה היתה מלאכת אחרים בידו אע"פ שבקיבולת לא יעשה אף על פי שבקיבולת ולא מיבעיא שאינה קיבולת אדרבה קיבולת כדידיה דמי אלא אימא [י]בין קיבולת בין שאינה קיבולת לא יעשה [כ]היתה מלאכתו ביד אחרים בביתו לא יעשו בבית אחר יעשו מריון בריה דרבין ומר בריה דרב אחא בריה דרבא [ל]הוה להו ההוא גמלא דתורא בהדי הדדי איתרעא ביה מילתא במר בריה דרב אחא בריה דרבא ופסקיה לגמליה אמר רב אשי גברא רבה כמר בריה דרב אחא עביד הכי נהי דלפסידא דידיה לא חייש אדאחרים לא חייש והא תניא אם היו מושכרין או מוחכרין אצל אחרים הרי אלו יעשו והוא סבר (ג) [מ]אדם חשוב שאני

אמר

רש"י

מי שהפך את זיתיו. שהזמינן ליתנם על גבי הבד להוציא מהן שמן: **ואירעו אבל.** בשאר ימות השנה שלא סמוך לרגל ואינו יכול ליתנם על גבי הבד לפי שאבל אסור בעשיית מלאכה: **או אונס.** היינו מילתא אחריתי כלומר מי שהפך את זיתיו לפני הרגל ואירעו אונס ולא היה יכול ליתנם על גבי בית הבד ובא הרגל: **או שהטעוהו פועלים.** שהשכיר ליתנם על גבי בית הבד קודם הרגל ולא באו: **טוען קורה ראשונה.** כלומר נותנן על גבי בית הבד ברגל וסוחט עליהן הקורה פעם אחת דאי לא עביד הכי איכא פסידא יתירא: **ומניחה.** בו שלא יסחוט יותר עד לאחר המועד: **זולף וגומר כדרכו.** כלומר נותנו על גבי בית הבד וסוחט הכל כל מידי דשפוך קרי זילוף: **גמ' פתח באבל וסיים במועד.** דקתני מי שהפך את זיתיו ואירעו אבל ולא פירש אם יכול לטעון קורה באבילות אם לא אלא מילי דמועד קא פריש דכי אירע לו קודם המועד אונס טוען קורה ראשונה במועד: **אסור בימי אבלו.** כלומר להכי לא פריש דאסור לו לטעון אפילו קורה ראשונה בימי אבלו: **לא מיבעיא בימי אבלו.** דאין אסור במלאכה אלא מדרבנן דשרי לטעון קורה ראשונה: **אלא אפילו.** חולו של מועד דאסירא ביה מלאכה מדאורייתא דכתיב (שמות כג) את חג המצות תשמור שבעת ימים לימד על כל החג שהוא אסור: **במקום פסידא שרו רבנן.** לטעון קורה ראשונה: **העושין לאבל.** אחרים אבל הוא עצמו אינו רשאי: **כדו לגוף.** מגופת החבית: **וזיתיו הפוכין.** נותנין אותן על בית הבד וטוענין לו קורה ראשונה אבל הוא עצמו אינו עושה היינו כרב שישא דאמר דברים המותרין בחוש"מ אסורין בימי אבלו: **ופשתנו להעלות מן המשרה.** כל הני אית בהו פסידא אי לא עביד להו: **משתגיע עונת המים שלו.** כשהגיע זמנו להשקות השדה שכך היו נוהגין כל אחד ואחד משקה כל השדות שבבקעה איש יומו או שבוע אחד: **שדה ניר.** שדה חרושה: **שדה העומדת לפשתן.** שאם לא תזרע עכשיו מכאן ואילך אינו ראוי לפשתן: **אמרו לו.** לא תזרע שדה ניר ושדה פשתן שאם לא תזרע בבכיר בשדה ניר תזרע באפל ולא הוי פסידא יתירא: **בלן.** שומר בית המרחץ ומשמשן בבית המרחץ ונוטל מכל אחד שכרו: **והגיע עת הרגל.** שהכל צריכין לו הרי זה יעשה כיון דאית ליה פסידא ואיכא נמי צורך רבים ול"ג הכא בצינעא דהא רבים הוא: **האריסין.** מקבלי השדות לשנים לשליש ולרביע: **החכירים.** שקיבל לשמירה ולעבודה לסכום כך וכך כורין אני נותן לך ממנה: **והקבלנים.** שקיבלו לשומרה לזמן פלוני בסכום כך וכך בין יהיה הרבה או מעט הרי אלו יעשו אחרים בשבילם: **הגמלים והספנים הרי אלו לא יעשו.** לא ישכירו לכתחילה לפי שהמלאכה שלהם הוא: **ואם היו מוחכרין או מושכרין.** הם או בהמתם אבל אחרים למהלך חדש או חדשים הרי אלו יעשו הם לעצמן ולא יפסידו כל שכרן ובעלים נמי לא יפסידו והכא לא קתני על ידי אחרים שהרי הן בעצמן מושכרין אבל אריסים אפשר להם על ידי אחרים בעבודת קרקע: **שכיר יום.** אחד ואפילו בעיר אחרת ואין יודעין שם שהוא אבל וליכא משום מראית העין: **לא יעשה.** הואיל ובידו לחזור כדאמרינן (ב"ק דף קטז:) פועל חוזר ואפילו בחצי היום וליכא פסידא כולי האי: **אם היתה מלאכת אחרים בידו.** בביתו כגון בגד לארוג הואיל וברשותיה לגומרו לאחר זמן הרי (א) אלו לא יעשו: **ואע"פ שבקיבולת.** אחרים היא שקיבל עליו לגמירות אותו בגד לאורגו בכך וכך: **קיבולת.** לעשות בכך וכך (ג) (שרי): **כדידיה דמיא.** ואסור אבל שאינה קיבולת דלא הוה כדידיה שרי: **בביתו.** של אבל לא יעשו אותו (ב) משום חשד שיאמרו הוא בעצמו מסייע במלאכה אי נמי שלא יאמרו בימי אבלו השכירו לזה הפועל: **גמלא.** צמד בקר בין שניהם שור אחד לזה ושור אחד לזה: **איתרע ביה מילתא.** אבילות: **פסקיה לגמליה.** הפסיק שורו מן הצמד ולא שלחו לחרוש בשדה לפי שהיה אבל ומצוה על שביתת בהמתו מדרבנן: **להפסד דידיה לא חייש.** דלא קא מעבד ארעא מגמליה משום דאבל הוא: **לפסידא דאחריני.** כגון מריון לא חייש דלא קא משדר לגמליה הוי ליה פסידא דלא הוה ליה בהמה לחרוש וכיון דשרי כדתניא אם היו מוחכרין וכו' הוה ליה למיחש אפסידא דחבריה: **הוא סבר.** מר בריה דרב אחא: **אדם חשוב שאני.** דהא והא אסור לדידיה למיעבד:

מקבלי

תוספות

רבי יוסי אומר זולף וגומר וגף כדרכו. פי' בקונטרס לישנא אחרינא וגף משום (ג) דאיכא פסידא שמוליכן בלא מגופה וי"ל דצריך לכסותו מפני השרצים ומיהו מגופה לא היה צריך דדיו בכיסוי מועט [ד] ושמן חדש מתקלקל: **אפילו** חול המועד דאסורא במלאכה מדאורייתא. [ה] פרק קמא (דף ב. בד"ה משקין) פירשתי: **רבי** יהודה אומר אף זורעים כו'. במתניתין מחמיר רבי יהודה וכאן מיקל: **בורו** לגוף. ספרים אחרים כדו: **רבן** שמעון בן גמליאל אומר כו'. ואף על גב דרבן שמעון בן גמליאל נמי מודה לדרב שישא בריה דרב אידי דאסורין בימי אבלו מודה היכא דאין שם אומן אלא הוא דשרי ובצינעא (ד) יעשו ע"י אחרים משום פסידא דמשכיר שרינן וגבי אבלו דשרינן הוא עצמו באין שם שיעשה כמותו ואומן לרבים וספר וכו' משום דצורך דרבים ורגילא שריא לעיל ויש מפרשים דהא דשרינן לאבל עצמו (ה) כשלא ימצא אחרים כדמשמע הלשון ואין שם אומן אלא הוא אבל לכתחילה צריך לעשות על ידי אחרים מיהו לפי הטעם הזה לא ידענא בחמרין וספנין כשמושכרין אצל אחרים למה אין מצריך בסמוך על ידי אחרים ולפי טעם קמא ניחא דאין מי שיעשה דבר זה באותו שיש (ו) אומנות דחמר וגמל וספן:

אמר

עין משפט נר מצוה

א א מיי' פ"ז מהל' י"ט הלכה ג טוש"ע א"ח סי' תקלח סעיף א:
ב ב מיי' פ"ה מהלכות אבל הלכה י טוש"ע י"ד סי' שפ סעיף י:
ג ג מיי' שם:
ד ד ה טור יו"ד סי' שפ:
ה ו מיי' שם הלכה יא טוש"ע שם סעיף יב:
ו ז ח מיי' שם טוש"ע שם סעיף יד:
ז ט מיי' שם הלכה יב טוש"ע שם סעיף יג:
ח י מיי' שם הלכה יג טוש"ע שם סעיף יז:
ט כ מיי' שם טוש"ע שם סעיף יח:
י ל מ טוש"ע שם סעיף כא:

רבינו חננאל

מי שהפך את זיתיו לטחנן ואירעו אבל או אונס או שהטעוהו הפועלים ונכנס המועד טוען קורה ראשונה ומניחם לאחר המועד דברי ר"י ר' יוסי אומר זולף וגומר א) כדרכו ומקשינן מתניתין באבל ולא פירש אם מותר לעשות מלאכתו במקום פסידא אם לא. וקפץ ומורה לנו בחולו של מועד שמותר במקום פסידא. ופירק רב שישא בריה דרב אידי זאת אומרת דברים המותרין בחוש"מ אסורין לעשותן בימי אבלו. תניא כותיה אלו דברים שעושין לאבל בימי אבלו. פירוש התירו משום פסידא לעשות לו אחרים ולא הוא אבל ע"י אחרים התירו לו להפוך זיתיו ולגוף בדיו ולהעלות פשתנו מן המשרה וצמרו מן היורה ומרביצין שדהו משתגיע עונת המים שלו. ר' יהודה אומר אף זורעין כו' ר' שמעון בן גמליאל אומר זיתיו הפוכין פשתנו במשרה צמרו ביורה ואין שם אומן אלא הוא הרי זה עושה בצנעא בתוך ביתו וכן היה אומר אם היה ספר או בלן לרבים והגיע הרגל ואין שם אלא הוא הרי זה יעשה. האריסין והחכירין והקבלנין בשדותיו הרי אלו יעשו אבל החמרין והגמלין והספינה שלו לא יעשה בהן מלאכה בימי אבלו ואם היו מקודם מושכרין ביד אחרים עושין. שכיר יום שלו אפילו בעיר אחרת לא יעשה היתה מלאכת אחרים בידו בין בקיבולת בין שאינה בקיבולת לא יעשה היתה מלאכתו ביד אחרים בביתו לא יעשה בבית אחר יעשה. מריון ומר בריה דרב אחא הוו שותפי אירע ביה במר בריה דרב אחא אבל. שדר ופסקיה לגמליה. אמר רב אשי והתניא אם היו מושכרין אצל אחרים שרו ודחינן הני מילי באיניש דעלמא אבל אדם חשוב אפי' מושכרין לא:

אמר

חשק שלמה על ר"ח

א) רבינו לא גרס וגף גבי זיתים וכ"כ ברש"י באלפס ובנ"י שם דלא גרסינן וגף.

מסורת הש"ס

א) שמחות פ"ה, ב) [לקמן יב. שבת נא. וש"נ], ג) ס"א ליתא, ד) ס"א וכו', ה) [ער' תוס' דחגיגה יח. ד"ה חולו ותוס' ע"ז כב. ד"ה תיפוק ליה].

הגהות הב"ח

(א) רש"י ד"ה אם היתה כו' לאחר זמן הרי לא יעשה אף על פי שבקיבולת כו' כל צריך להיות והד"א ותיבת אלו נמחק: (ב) ד"ה בביתו של אבל לא יעשו אותו אחרים משום חשד: (ג) תוס' ד"ה רבי יוסי כו' דאיכא פסידא כשמוליכן. נ"ב לשון הר"ן וגף לא גרסי גבי זיתים משום דאין דרך לעשות לזיתים מגופה דאפי' הניחן מגולה לא פסדי וכן נמצא בפרש"י באלפס ובנימוקי יוסף ע"ש אבל בלשון אחר פירש דגרסינן ליה דליכא פסידא לזיתים בלא מגופה מ"מ ודאי כשמוליכן אותן בלא פסידא שיתים השמן בלא מגופה: (ד) ד"ה רשב"ג כו' ובצינעא והאריסין יעשו: (ה) באו"ד דשרינן לאבל עצמו היינו דוקא כשלא ימצא: (ו) באו"ד באותו שיש לו אומנות:

גליון הש"ס

גמ' לא מיבעיא בימי אבלו דמדרבנן. עיין לקמן דף יט ע"ב תוס' ד"ה עשה דיחיד.

רש"י כת"י

מי שהפך את זיתיו. שנותנן בתוך המעטן לאחר לקיטתן ולוברין ומניחן כדי שיתבשלו ולאחר כך נותנן בבית הבד ודרך הוא שמהפכין כשמניחין אותו לבית הבד ואי לא מהפכין פסדי. ואירעו. שארעו אבל ולאבל אסור בעשיית מלאכה. או אונס או שהטעוהו פועלים. ולא באו למלאכתו והגיע המועד. טוען. על זיתים קורה פעם ראשונה כדי שיהו מקלחין ולא יפסידו אבל לטעון קורה פעם שני אינו טוען דהו לא פסדי ודרך הוא שטוענין עליהן קורה וכובשין אותו לאחר קורה ראשונה כמנחות (פו.). זולף. ממנה. וגומר. את כולן וגף לא גרסינן דאין דרך לעשות לזיתים מגופה דאפילו מניחו מגולה לא יפסידו ואם לא אירעו אונס לאחר זמן מלאכתו במועד אסור. פתח באבל וסיים במועד. דבגי מועד לא קתני קתני מי שהפך את זיתיו ואירעו אבל ולא קתני זאת אומרת. מדקתני ואירע אבל או אונס ועכב עד המועד מחמת אבלו או מחמת אונס. דברים המותרין במועד. כגון קורה ראשונה שמותר לו לטעון הוא בעצמו בחולו של מועד אסור לו לטעון בימי אבלו אבל אחרים עושין לו. איסור מלאכה לאבל עצמו דרבנן כדי שלא ישכח אבילותו וקרא בפרקין דלקמן (טו:) והפכתי חגיכם לאבל מה חג אסור בעשיית מלאכה אף אבל אסמכתא בעלמא הוא. **אלא אפילו בחולו של מועד דאיסור מלאכה מדאוריתא.** כדאמרינן בפרק אין דורשין (חגיגה יח.) את חג המצות תשמור לימד על חולו של מועד שאסור בעשיי' מלאכה. **במקום פסידא שרו רבנן.** דלא מסרן הכתוב אלא לחכמים הילכך קתני [תרי מילי] וארעו אבל ולא הספיק [לעוצרם תחלה או שהפך את זיתיו סמוך למועד ואירעו אונס ולא יכול לעוצרם] עד שבא המועד [ומן הדין היה לשנות טוען קורה ראשונה בין במועד בין בימי אבלו אלא] דלא איצטריך למתני ליה. **תניא כותיה דרב ששת** [נ"א: שישא]. דאבל עצמו אסור לטעון קורה ראשונה אלא אחרים עושין לו. ה"ג **דברים העושים לאבל בימי אבלו זיתיו הפוכין טוענין** לו. קורה ראשונה. **בורו לגוף וכו'.** כלומר דברים שאחרים רשאין לעשותן לו אילו הן זיתיו הפוכין ומתוקנין בבית הבד דפסדי בגד טוענין לו קורה כיון דפסדי אבל להפוך לכתחילה דלא פסדי לא. **בורו לגוף.** שיורד היין לתוכו איפשר לגופו ולעשות לו מגופה עליו (אי"ס אין מותמין אותה דליכא פסידא כל כך דלא מחמיץ כולי האי ואין אחרים עושין לו). **מישרה.** שטורין [בו] פשתן. **מן היורה.** של צבע שאם (יעמיד) [יעמוד] יותר מדאי (מפסיד) [יפסיד]. **משהגיע עונת מים.** של שדהו להשקות. **מרביצין לו.** משקין אותו כעין אין מכבדין ואין מרביצ' (אותו כעין אין מכבדין ואין מרביצין לו). **שדה ניר.** קרקע אחר חרישתו זורעין לו דהפסד הוא כשאינו זרוע. **פשתן.** אם אינו זורע בזמנו שוב אינו יכול לזורעו. **אמרו לו.** אם כן לא תזרע שדה ניר שלו בזרע המבוכר תזרע באפל. ה"ג **רבן גמליאל אומר זיתיו הפוכין ובורו לגוף ואין שם אומן אלא הוא.** עושה לעצמו כיון דמפסיד. **בלן.** שומר המרחץ ומשמשן במרחץ ונוטל מכל אחד ואחד שכרו. **הרי זה יעשה.** כיון דאיכא פסידא ואיכא נמי צורך רבים ולא גרסינן הכא בצנעה דהא דרבים הוא ובפרהסיא הוא דעביד. **ארים.** למחצה לשליש ולרביע. **חוכרין.** שוכר קרקע מחבירו ועובדה ונוטל אותה שנותן לו דבר קצוב לשנה ה' כורין או י' כורין לפי מה שהקרקע גדול וראוי לעשות. **קבלנין.** שקבלו לעשות את כל עבודת השדה ובעל הבית שוכרן וכל אלו שקבלו השדה לשנים מרובין וארען אבל. **הרי אלו יעשו.** על ידי אחרים שהמלאכה של אחרים הוא ומשום פסידא דבעלים הוא דשרינן ליה דאריסין וקבלנין כשאין עוסקין בקרקע איכא פסידא דבעלים וחוכר נמי כיון דלא יהיב אלא מגופה דארעא אם מוביר ולא עביד ליה הוי נמי פסידא דבעלים ואיכא נמי פסידא דידיה הילכך (אבל) [עושין] על ידי אחרים אית ספרי דלא כתוב בהו על ידי אחרים. **החמרין והגמלין.** שוכרי חמורים וגמלים וספינות להביא עליהן תבואה למכור או שאר פרקמטיא לעצמן. **הרי אלו.** לא ישכרו בתחלה (ס"א - לא יתחילו בתחלה. וי"ס - לא ישכירו בתחלה) (ואם התנו לעשות עמו קודם יום טוב ואירע בהן אבל חזרו בהן שהמלאכה שלהן היא). **ואם מחוכרין או מושכרין.** הן או בהמתם אבל אחרים למהלך חודש או חדשים. **הרי אלו יעשו.** הן עצמן ולא יפסידו כל שכרן ובעלים נמי לא יפסידו והכא לא קתני על ידי אחרים שהרי הן עצמן מושכרין אבל אריסין אפשר להן על ידי אחרים בעבודת קרקע. **שכיר יום** אסור אפילו בעיר אחרת שאין יודעין בו דהוא אבל וליכא משום מראית העין. **לא יעשה** הואיל ובידו לעשות ולחזור כדאמרי' (ב"מ עז.) פועל יכול לחזור בו אפילו בחצי היום וליכא פסידא כולי האי. **ואם היתה מלאכת אחרים בידו בביתו.** כגון בגד לארוג הואיל ובידו לגמרה לאחר [זמן] הרי זה לא יעשה. **ואע"פ שבקבולת.** הוא שקבל עליו לגמירות לארוג אותו בגד בכך וכך. **קבולת כדידיה דמי.** שהרי קבלו עליו וגומר כל זמן שירצה. **שאינה קבולת.** שלא קבלה לגמרי לעשות כל זמן שירצה ואעפ"כ לא יעשה הואיל בידו לשהותה ולעשותה לאחר זמן. **בביתו.** של אבל לא יעשה אחר מפני החשד שיאמרו הוא עצמו עושה אותה ומסייע במלאכה אי נמי שלא יאמרו בימי אבלו שכר זה הפועל. **גמלא.** צמד בקר בין שניהם שור אחד לזה ושור אחד לזה. **(איתרמא) [איתרעא בה] מלתא ופסקיה לגמליה.** הפריד שורו מן (האבל) [הגמל] ולא שלחו לחרוש בשדה לפי שהיה אבל ואבל מצווה על שביתת בהמתו מדרבנן. **אפסידא דאחריני.** דמריון לא חייש בתמיה דמאחר ששורו של מריון אין יכול לחרוש בשור אחר הוה ליה למר בריה דרב אחא לשלוח שורו לחרוש עם שורו של מריון דכיון דמשרי שרי כדתניא אם היה מחוכרין הוה ליה למיחש [אפסידא] דחבריה. **והוא סבר.** מר בריה דרב אחא. **אדם חשוב שאני** ומחמיר על עצמו ומר בריה דרב אחא חשוב הוה.

their mourning periods, lest they lose their full pay, and cause their employer a significant loss.[27] שְׂכִיר יוֹם – However, if ONE HIRED FOR A single DAY becomes a mourner in middle of the day, אֲפִילּוּ בְּעִיר אַחֶרֶת לֹא יַעֲשֶׂה – EVEN if he is employed IN ANOTHER CITY, HE MAY NOT continue to PERFORM his work.[28]

הָיְתָה מְלֶאכֶת אֲחֵרִים בְּיָדוֹ – If, when he became a mourner, THE WORK OF OTHERS WAS IN HIS HAND, i.e. he had already contracted to perform it, אַף עַל פִּי שֶׁבְּקִיבּוֹלֶת – EVEN THOUGH IT WAS CONTRACTED ON A PIECEWORK BASIS, with no time constraints,[29] לֹא יַעֲשֶׂה – HE MAY NOT PERFORM the task during his mourning period.[30]

The Gemara interrupts to question the Baraisa's last statement:

אַף עַל פִּי שֶׁבְּקִיבּוֹלֶת – The words **"even though it was contracted on a piecework basis"** imply וְלֹא מִיבַּעְיָא שֶׁאֵינָהּ קִיבּוֹלֶת – **that it is not** even **necessary** to speak of a case **where it is not a piecework contract,** for in that case a mourner may certainly not do the work. אַדְּרַבָּה – But **to the contrary,** קִיבּוֹלֶת כְּדִידֵיהּ דָּמֵי – work performed under **a piecework contract is like one's own** work; thus, it is *more* likely to be prohibited than work performed under a time constraint![31] – ? –

The Gemara concurs, and emends the Baraisa accordingly:

אֶלָּא אֵימָא – **Rather, say** the Baraisa thus: בֵּין קִיבּוֹלֶת בֵּין שֶׁאֵינָהּ קִיבּוֹלֶת – WHETHER IT IS CONTRACTED ON A PIECEWORK BASIS OR WHETHER IT IS NOT CONTRACTED ON A PIECEWORK BASIS, לֹא יַעֲשֶׂה – HE MAY NOT PERFORM the work.[32]

The Baraisa continues:

הָיְתָה מְלַאכְתּוֹ בְּיַד אֲחֵרִים – IF HIS (i.e. the mourner's) WORK WAS IN THE HANDS OF OTHERS, i.e. they had already contracted to perform it for him, this is the rule: בְּבֵיתוֹ לֹא יַעֲשׂוּ – IN HIS HOUSE THEY MAY NOT PERFORM the work;[33] בְּבֵית אַחֵר יַעֲשׂוּ – IN THE HOUSE OF ANOTHER THEY MAY PERFORM the work.[34]

The Gemara recounts an incident relating to one of the rulings of this Baraisa:

מֶרְיוֹן בְּרֵיהּ דְּרָבִין וּמָר בְּרֵיהּ דְּרַב אַחָא בְּרֵיהּ דְּרָבָא הֲוָה לְהוּ הַהוּא גַּמְלָא דְתוֹרָא בַּהֲדֵי הֲדָדֵי – **Maryon the son of Ravin and Mar the son of Rav Acha the son of Rava owned a yoke of oxen between them,** i.e. each owned one animal. אִיתְרְעָא בֵּיהּ מִילְּתָא בְּמָר בְּרֵיהּ דְּרַב אַחָא בְּרֵיהּ דְּרָבָא – **An unfortunate occurrence befell Mar the son of Rav Acha the son of Rava,** i.e. a close relative died and he was plunged into mourning, וּפַסְקֵיהּ לְגַמְלֵיהּ – **and he removed his** ox from the **yoke,** so as not to benefit from the work of his animal.[35]

The Gemara asks:

אָמַר רַב אַשִׁי – **Rav Ashi said:** גַּבְרָא רַבָּה כְּמָר בְּרֵיהּ דְּרַב אַחָא עָבִיד הָכִי – **A great man like Mar the son of Rav Acha did this?** נְהִי דִּלְפְסֵידָא דִּידֵיהּ לָא חָיֵישׁ – **Granted that he was not concerned for his own loss,**[36] אַדַּאֲחֵרִים לָא חָיֵישׁ – but why **was he not concerned for [the loss] of others** (i.e. Maryon)?[37] וְהָא תַּנְיָא – **For it has been taught in a Baraisa:**[38] אִם הָיוּ מוּשְׂכָּרִין אוֹ מוּחְכָּרִין אֵצֶל אֲחֵרִים הֲרֵי אֵלּוּ יַעֲשׂוּ – If before they became mourners, [THEY OR THEIR ANIMALS] WERE HIRED OUT TO OTHERS, THEY MAY PERFORM their tasks during their mourning periods, in part to prevent a loss to their employers.[39] We see that to avoid

NOTES

27. For example, the person or his animal was hired out for an extended period of one or two months; during that time, he became a mourner. The Baraisa rules that in this instance, the mourner and his animal may continue to work throughout the mourning period. For if he is not permitted to work, he stands to lose not only the wages of the mourning period, but also the wages for the entire [remaining] period of his contract! Furthermore, his employer stands to suffer a significant loss if he cancels during the term of his contract. We therefore permit him to continue working throughout the mourning period (*Rashi;* see *Hagahos Maimoniyos, Aveil* 5:10; *Korban Nesanel* §8; cf. *Rosh*).

[One might ask: If it is permissible for these three to perform their tasks themselves, why is it not permissible for sharecroppers, tenant farmers and salaried fieldworkers to do so as well? After all, they too are causing a loss to their employers, and they too stand to lose their wages for the remaining span of their contracts. *Rashi* explains that when someone hires a donkey-driver or rents a donkey he wants that particular driver or donkey. Therefore, he and his animal are permitted to work. Generally, though, people are not particular about who works their land; therefore, the agricultural workers must find replacements.]

[There are many Rishonim who understand this clause of the Baraisa to be discussing whether donkey drivers, camel drivers and boatmen may work *for a mourner* – for discussion, see *Rosh; Meiri.*]

28. Since a day worker who withdraws in middle of the working day is paid for his work up until that point (*Bava Kamma* 116b), this individual will not suffer more than the insignificant loss of half a day's wages. In this case, then, unlike the previous case of one hired for an *extended* period, we do not permit him to continue his work (see *Rashi*). Even if he is working in a city where he is unknown, so that his continued working would not give the appearance of wrongdoing since noone realizes he is in mourning, he must nonetheless cease working (*Rashi*).

29. I.e. he contracted to complete a given piece of work, such as the weaving of a garment, for an agreed-upon fee, with no obligation to finish it by any particular date (*Rashi;* see *Rashash*).

30. Since he is under no obligation to complete the garment by a certain time [he will suffer no great loss if he puts off the work until after his mourning period]. We therefore do not permit him to work during that period (*Rashi*). Although he performs the work in his own home, in private, he is not permitted to continue (see *Rashi; Michtam; Ritva;* see also *Shach, Yoreh Deah* 580:18).

[If the work is something that he will be unable to finish after his mourning, and he therefore faces a significant loss, he is permitted to designate another to finish it on his behalf during the mourning period (see *Rama, Yoreh Deah* 380:17 with *Shach* §19; see *Beur HaGra* there §22; cf. *Ritva* here).]

31. By saying "*even though* it was contracted on a piecework basis, he may not perform the task" the Baraisa implies that work accepted on this basis is *more* likely to be permissible than work that must be completed by a certain time. The Gemara points out that the opposite is in fact the case. For work contracted on a piecework basis is like his own, in that he is under no pressure to finish it by any particular time. Accordingly, he stands to lose little by deferring the work until after the mourning period. Work due by a certain time, however, is not as his own, since he must complete it by a particular time or risk forfeiting his fee! Since he might lose considerably by deferring the work, there is good reason to assume that this work is permissible (see *Rashi; Rashi ms.*).

32. Even when one is not entirely free of time constraints, he still possesses some leeway to postpone the work until after the mourning period (*Rashi ms.*). We therefore do not permit him to perform it during that period.

33. Lest people suspect him of assisting in the work himself. Alternatively, lest they suspect him of having hired the workers during the mourning period (*Rashi*).

34. For it is not apparent to an observer that this object belongs to the mourner (*Meiri;* see 12a, end of note 2).

35. For under Rabbinic law, a mourner is prohibited to allow his animal to work during his period of mourning (*Rashi,* from *Semachos* 5:1).

36. I.e. for the loss he himself would sustain by preventing his ox from plowing his own land, in accordance with the laws prohibiting a mourner from working his land (*Rashi*).

37. By withdrawing his ox from the pair, Mar caused Maryon a loss, for this prevented Maryon from plowing his own field. But Mar was in fact permitted to allow his ox to plow Maryon's field, as the Gemara will demonstrate momentarily. Why, then, was Mar not concerned that Maryon should suffer no loss? (*Rashi*).

38. This is a segment of the Baraisa cited above.

39. See above, note 27.

עין משפט נר מצוה

א א מיי' פ"ז מהל' י"ט הלכה ג טוש"ע א"ח סי' תקלח סעיף א:
ב ב מיי' פ"ה מהלכות אבל הלכה י טוש"ע י"ד סי' שפ סעיף י:
ג ג מיי' שם:
ד ד ה טור יו"ד סי' שפ:
ה ו מיי' שם הלכה יא טוש"ע שם סעיף יב:
ו ז ח מיי' שם טוש"ע שם סעיף יד:
ז ט מיי' שם הלכה יב טוש"ע שם סעיף יג:
ח י מיי' שם הלכה יג טוש"ע שם סעיף יז:
ט כ מיי' שם טוש"ע שם סעיף יח:
י ל מ טוש"ע שם סעיף כא:

רבינו חננאל

מי שהפך את זיתיו לטחנן ואירעו אבל או אונס או שהטעוהו הפועלים ונכנס המועד טוען קורה ראשונה ומניחם לאחר המועד דברי ר"י ר' יוסי אומר זולף וגומר א) כדרכו ומקשינן מתניתין באבל ולא פירש אם מותר לעשות מלאכתו במקום פסידא אם לא. וקפץ ומורה לנו בחולו של מועד שמותר במקום פסידא. ופירק רב שישא בריה דרב אידי זאת אומרת דברים המותרין בחוש"מ אסורין לעשותן בימי אבלו. תניא כותיה אלו דברים שעושין לאבל בימי אבלו. פירוש התירו משום פסידא לעשות לו אחרים ולא הוא אבל ע"י אחרים התירו לו להפוך זיתיו ולגוף בדיו ולהעלות פשתנו מן המשרה וצמרו מן היורה ומרביצין שדהו משתגיע עונת המים שלו. ר' יהודה אומר אף זורעין כו' ר' שמעון בן גמליאל אומר זיתיו הפוכין פשתנו במשרה צמרו ביורה ואין שם אומן אלא הוא הרי זה עושה בצנעא בתוך ביתו וכן היה אומר אם היה ספר או בלן לרבים והגיע הרגל ואין שם אלא הוא הרי זה יעשה. האריסין והחכירין והקבלנין בשדותיו הרי אלו יעשו אבל החמרין והגמלין והספינה שלו לא יעשה בהן מלאכה בימי אבלו ואם היו מקודם מושכרין ביד אחרים עושין. שכיר יום שלו אפילו בעיר אחרת לא יעשה היתה מלאכת אחרים בידו בין בקיבולת בין שאינה בקיבולת לא יעשה היתה מלאכתו ביד אחרים בביתו לא יעשה בבית אחר יעשה. מריון ומר בריה דרב אחא הוו שותפי אירע ביה במר בריה דרב אחא אבל. שדר ופסקיה לגמליה. אמר רב אשי והתניא אם היו מושכרין אצל אחרים שרו ודחינן הני מילי באיניש דעלמא אבל אדם חשוב אפי' מושכרין לא:
אמר

חשק שלמה על ר"ח

א) רבינו לא גרס וגף גבי זיתים וכ"כ ברש"י באלפס ובנ"י שם דלא גרסינן וגף.

תוספות

רבי יוסי אומר זולף וגומר וגף כדרכו. פי' בקונטרס לישנא אחרינא וגף משום (ג) דאיכא פסידא שמוליכן בלא מגופה וי"ל דצריך לכסותו מפני השרצים ומיהו מגופה לא היה צריך דדיו בכיסוי מועט ד) ושמן חדש מתקלקל: **אפילו** חול המועד דאסורא במלאכה מדאורייתא. ה) פרק קמא (דף ז. בד"ה משקין) פירשתי: **רבי** יהודה אומר אף זורעים כו'. במתניתין מחמיר רבי יהודה וכאן מיקל: **בורו** לגוף. ספרים אחרים כדו: **רבן** שמעון בן גמליאל אומר כו'. ואף על גב דרבן שמעון בן גמליאל נמי מודה לדרב שישא בריה דרב אידי דאסורין בימי אבלו מודה היכא דאין שם אומן אלא הוא דשרי ובצינעא (ד) יעשו ע"י אחרים משום פסידא דמשכיר שרינן וגבי אבלו דשרינן הוא עצמו באין שם שיעשה כמותו ואומן לרבים וספר וכו' משום דצורך דרבים ורגילא שריא לעיל ויש מפרשים דהא דשרינן לאבל עצמו (ה) כשלא ימצא אחרים כדמשמע הלשון ואין שם אומן אלא הוא אבל לכתחילה צריך לעשות על ידי אחרים מיהו לפי הטעם הזה לא ידענא בחמרין וספנין כשמושכרין אצל אחרים למה אין מצריך בסמוך על ידי אחרים ולפי טעם קמא ניחא דאין מי שיעשה דבר זה באותו שיש (ו) אומנות דחמר וגמל וספן:
אמר

משנה וגמרא

מי שהפך את זיתיו ואירעו אבל או אונס או שהטעוהו פועלים טוען קורה ראשונה ומניחה לאחר המועד דברי ר' יהודה רבי יוסי אומר [א]זולף וגומר וגף כדרכו: **גמ'** פתח באבל וסיים במועד אמר רב שישא בריה דרב אידי [ב]זאת אומרת דברים המותרין במועד אסורים בימי אבלו רב אשי אמר לא מיבעיא קאמר ° לא מיבעיא בימי אבלו דמדרבנן הוא ושרי אלא אפילו במועד דאיסור מלאכה מדאורייתא במקום פסידא שרו רבנן תניא כוותיה דרב שישא בריה דרב אידי [ג]אלו דברים העושין לאבל בימי אבלו [א]זיתיו הפוכין טוענין לו וכדו לגוף ופשתנו להעלות מן המשרה וצמרו להעלות מן היורה ומרביצים שדהו משתגיע עונת המים שלו ר' יהודה אומר אף זורעין לו שדה ניר ושדה העומדת לפשתן אמרו לו אם לא תזרע בבכיר תזרע באפל אם לא תזרע פשתן תזרע ממין אחר [ד]רבן שמעון בן גמליאל אומר זיתיו הפוכין ואין שם אומן אלא הוא כדו לגוף ואין שם אומן אלא הוא פשתנו להעלות מן המשרה וצמרו להעלות מן היורה ואין שם אומן אלא הוא הרי זה יעשה בצינעא [ה]יתר על כן אמר רבן שמעון בן גמליאל אם היה אומן לרבים וספר ובלן לרבים והגיע עת הרגל ואין שם אומן אלא הוא הרי זה יעשה [ו]האריסין והחכירין והקבלנין הרי אלו יעשו אחרים בשבילן [ז]החמרין הגמלין והספנין הרי אלו לא יעשו [ח]ואם היו מוחכרין או מושכרין אצל אחרים הרי אלו יעשו [ט]שכיר יום אפילו בעיר אחרת לא יעשה היתה מלאכת אחרים בידו אע"פ שבקיבולת לא יעשה אף על פי שבקיבולת ולא מיבעיא שאינה קיבולת אדרבה קיבולת כדידיה דמי אלא אימא [י]בין קיבולת בין שאינה קיבולת לא יעשה [כ]היתה מלאכתו ביד אחרים בביתו לא יעשו בבית אחר יעשו מריון בריה דרבין ומר בריה דרב אחא בריה דרבא [ל]הוה להו ההוא גמלא דתורא בהדי הדדי איתרעא ביה מילתא במר בריה דרב אחא בריה דרבא ופסקיה לגמליה אמר רב אשי גברא רבה כמר בריה דרב אחא עביד הכי נהי דלפסידא דידיה לא חייש אדאחרים לא חייש והא תניא אם היו מושכרין או מוחכרין אצל אחרים הרי אלו יעשו והוא סבר [ג] [מ]אדם חשוב שאני
אמר

רש"י

מי שהפך את זיתיו. שהזמינן ליתנם על גבי הבד להוציא מהן שמן: ואירעו אבל. בשאר ימות השנה שלא סמוך לרגל ואינו יכול ליתנם על גבי הבד לפי שאבל אסור בעשיית מלאכה: או אונס. היינו מילתא אחריתי כלומר מי שהפך את זיתיו לפני הרגל ואירעו אונס ולא היה יכול ליתנם על גבי בית הבד ובא הרגל: או שהטעוהו פועלים. שהשכיר ליתנם על גבי בית הבד קודם הרגל ולא באו: טוען קורה ראשונה. כלומר נותנן על גבי בית הבד ברגל וסוחט עליהן הקורה פעם אחת דאי לא עביד הכי איכא פסידא יתירא: ומניחה. בו שלא יסחוט יותר עד לאחר המועד: זולף וגומר כדרכו. כלומר נותנו על גבי בית הבד וסוחט הכל כל מידי דשפוך קרי זילוף: **גמ'** פתח באבל וסיים במועד. דקתני מי שהפך את זיתיו ואירעו אבל ולא פירש אם יכול לטעון קורה באבילות אם לא אלא מילי דמועד קא פריש דכי אירע לו קודם המועד אונס טוען קורה ראשונה במועד: אסור בימי אבלו. כלומר להכי לא פריש דאסור לו לטעון אפילו קורה ראשונה בימי אבלו: לא מיבעיא בימי אבלו. דאין אסור במלאכה אלא מדרבנן דשרי לטעון קורה ראשונה: אלא אפילו. חולו של מועד דאסירא ביה מלאכה מדאורייתא דכתיב (שמות כג) את חג המצות תשמור שבעת ימים לימד על כל החג שהוא אסור: במקום פסידא שרו רבנן. לטעון קורה ראשונה: העושין לאבל. אחרים אבל הוא עצמו אינו רשאי: כדו לגוף. מגופת החבית: וזיתיו הפוכין. נותנין אותן על בית הבד וטוענין לו קורה ראשונה אבל הוא עצמו אינו עושה היינו כרב שישא דאמר דברים המותרין בחוש"מ אסורין בימי אבלו: ופשתנו להעלות מן המשרה. כל הני אית בהו פסידא אי לא עביד להו: משתגיע עונת המים שלו. כשהגיע זמנו להשקות השדה שכך היו נוהגין כל אחד ואחד משקה כל השדות שבבקעה איש יומו או שבוע אחד: שדה ניר. שדה חרושה: שדה העומדת לפשתן. שאם לא תזרע בבכיר בשדה ניר תזרע באפל ולא הוי פסידא יתירא: בלן. שומר בית המרחץ ומשמשן בבית המרחץ ונוטל מכל אחד שכרו: והגיע עת הרגל. שהכל צריכין לו הרי זה יעשה כיון דאית ליה פסידא ואיכא נמי צורך רבים ול"ג הכא בצינעא דהא רבים הוא: האריסין. מקבלי השדות לשנים לשליש ולרביע: החכירים. שקיבל לשמירה ולעבודה לפסוק כך וכך כורין אני נותן לך ממנה: והקבלנים. שקיבלו לשומרה לזמן פלוני בפסוק כך וכך בין יהיה הרבה או מעט הרי אלו יעשו אחרים בשבילם: הגמלים והספנים הרי אלו לא יעשו. לא ישכירו לכתחילה לפי שהמלאכה שלהם הוא: ואם היו מוחכרין או מושכרין. הם או בהמתם אצל אחרים למהלך חדש או חדשים הרי אלו יעשו הם לעצמן ולא יפסידו כל שכרן ובעלים נמי לא יפסידו והכא לא קתני על ידי אחרים שהרי הן בעצמן מושכרין אבל אריסים אפשר להם על ידי אחרים בעבודת קרקע: שכיר יום. אחד ואפילו בעיר אחרת ואין יודעין שם שהוא אבל וליכא משום מראית העין: לא יעשה. הואיל ובידו לחזור כדאמרינן (ב"ק דף קטז:) פועל חוזר ואפילו בחצי היום וליכא פסידא כולי האי: אם היתה מלאכת אחרים בידו. בביתו כגון בגד לארוג הואיל וברשותיה לגומרו לאחר זמן הרי (א) אלו לא יעשו: ואע"פ שבקיבולת. אחרים היא שקיבל עליו למיעתות אותו בגד לאורגו בכך וכך: קיבולת. לעשות בכך וכך ג) (שרי): כדידיה דמיא. ואסור אבל שאינה קיבולת דלא הוה כדידיה שרי: בביתו. של אבל לא יעשו אותו (ב) משום חשד שיאמרו הוא בעצמו מסייע במלאכה אי נמי שלא יאמרו בימי אבלו השכירו לזה הפועל: גמלא. צמד בקר בין שניהם שור אחד לזה ושור אחד לזה: איתרע ביה מילתא. אבילות: פסקיה לגמליה. הפסיק שורו מן הצמד ולא שלחו לחרוש בשדה לפי שהיה אבל ומצווה על שביתת בהמתו מדרבנן: להפסד דידיה לא חייש. דלא קא מעבד ארעא מגמליה משום דאבל הוא: לפסידא דאחריני. כגון מריון לא חייש דלא קא משדר לגמליה הוי ליה פסידא דלא הוה ליה בהמה לחרוש וכיון דשרי כדתניא אם היו מוחכרין וכו' הוה ליה למיחש אפסידא דחבריה: הוא סבר. מר בריה דרב אחא: אדם חשוב שאני. דהא והא אסור לדידיה למיעבד:
מקבלי

מסורת הש"ס

א) שמחות פ"ה, ב) [לקמן יב. שבת נא. וש"נ], ג) ס"א אינו, ד) ס"א ושמא, ה) [עי' תוס' דחגיגה יח. ד"ה חולו ותוס' ע"ז כב. ד"ה תיפוק ליה].

הגהות הב"ח

(א) רש"י ד"ה אם היתה כו' לאחר זמן הרי לא יעשה אף על פי שבקיבולת כו' כן צריך להיות והד"א ותיבת אלו נמחק: (ב) ד"ה בביתו של אבל לא יעשו אותו אחרים משום חשד: (ג) תוס' ד"ה רבי יוסי כו' דאיכא פסידא כשמוליכן. נ"ב לשון הר"ן וגף לא גרסי' גבי זיתים משום דאין דרך לעשות לזיתים מגופה דאפי' הניחו מגולה לא פסדי וכן נמצא בפרש"י באלפס ובנימוקי יוסף ע"ש אבל בלשון אחר פירש דגרסי' ליה אע"ג דליכא פסידא לזיתים בלא מגופה מ"מ ודאי כשמוליכן אותן איכא פסידא שניתז השמן בלא מגופה: (ד) ד"ה רשב"ג כו' ובצינעא והאריסין יעשו: (ה) בא"ד דשרינן לאבל עצמו היינו דוקא כשלא ימצא: (ו) בא"ד באותו שיש לו אומנות:

גליון הש"ס

גמ' לא מיבעיא בימי אבלו דמדרבנן. עיין לקמן דף יד ע"ב תוס' ד"ה עשה דיחיד:

רש"י כת"י

מי שהפך את זיתיו. שנותנן בתוך המעטן לאחר לקיטתן ולוכרין ומניחן כדי שיתבשלו ולאחר כך נותנן בבית הבד ודרך הוא שמהפכן כשמכניסין אותו לבית הבד ואי לא מסיקן לאחר שהפכן פסדי. ואירעו. שארעו אבל ואבל אסור בעשיית מלאכה. או אונס או שהטעוהו פועלים. ולא באו למלאכתו והגיע המועד. טוען. על הזיתים קורה של בית הבד פעם ראשונה כדי שיזובו מקלתן ולא יפסידו אבל לטעון קורה פעם שניה אינו טוען דתו לא פסדי ודרך הוא שטוענין עליהן קורה וכובשין אותו לאחר קורה ראשונה במנחות (פו.). זולף. ממנה. וגומר. את כולן כדרכו וגף לא גרסינן דאין דרך לעשות לשמן מגופה דאפילו מניחו מגולה לא יפסיד ואם לא אירעו אונס אלא כיון מלאכתו במועד אסור. פתח באבל וסיים במועד. דגבי מועד תני תקנתא באפי נפשיה דלא קתני מי שהפך את זיתיו ואירוע אבל טוען קורה ראשונה בימי אבלו שלא במועד וכן מי שאירעו אונס כיון דפתח באבל אמאי לא תני תקנתא. זאת אומרת. מדקתני ואירע אבל או אונס ועכב עד המועד מחמת אבלו או מחמת אונס. דברים המותרין במועד. כגון קורה ראשונה שמותר לו לטעון הוא בעצמו בחולו של מועד אסור לו לטעון בימי אבלו אבל אחרים עושין לו. איסור מלאכה דאבל עצמו דרבנן כדי שלא ישכח אבילתו וקרא בפרקין דלקמן (טו:) והפכתי חגיכם לאבל מה חג אסור בעשיית מלאכה אף אבל אסמכתא בעלמא הוא. אלא אפילו בחולו של מועד דאיסור מלאכה מדאוריתא. כדאמרינן בפרק אין דורשין (חגיגה יח.) את חג המצות תשמור לימד על חולו של מועד שאסור בעשיי' מלאכה. במקום פסידא שרו רבנן. דלא מסרן הכתוב אלא לחכמים הילכך קתני [תרי מילי] וארעו אבל ולא הספיק [לעוטרס תחלה או שהפך את זיתיו סמוך למועד ואירעו אונס ולא יכול לעוטרס] עד שבא המועד [ומן הדין היה לשנות טוען קורה ראשונה בין במועד בין בימי אבלו אלא] דלא איצטריך למתני ליה. תניא כותיה דרב ששת [נ"א: שישא]. דאבל עצמו אסור לטעון קורה ראשונה אלא אחרים עושין לו. ה"ג דברים העושים לאבל בימי אבלו זיתיו הפוכין טוענין לו. קורה ראשונה. בורו לגוף וכו'. כלומר דברים שאחרים רשאין לעשותן לו אילו הן זיתיו הפוכין ומתוקנין בבית הבד טוענין לו קורה כיון דפסדי בכד דפסדי אבל להפוך לכתחילה דלא פסדי לא. בורו לגוף. שיורד היין לתוכו איפשר לגופו ולעשות לו מגופה עליו (א"ס אין מותמין אותה דליכא פסידא כל כך דלא מחמיץ כולי האי ואין אחרים עושין לו). מישרה. שטורין [בו] פשתן. מן היורה. של צבע שאם (יעמיד) [יעמוד] יותר מדאי (מפסיד) [יפסיד]. משתגיע עונת מים. של שדהו להשקות. מרביצין לו. משקין אותו כעין אין מכבדין ואין מרביצין לו (אותו כעין אין מכבדין ואין מרביצ'). שדה ניר. קרקע אחר חרישתו זורעין לו דהפסד הוא כשאינו זרוע. פשתן. אם אינו זורע בזמנו שוב אינו יכול לזורעו. אמרו לו. אם כן לא תזרע שדה ניר שלו בזרע המבוכר תזרע באפל. ה"ג רבן גמליאל אומר זיתיו הפוכין ובורו לגוף ואין שם אומן אלא הוא. עושה לעצמו כיון דמפסיד. בלן. שומר המרחץ ומשמשן במרחץ ונוטל מכל אחד ואחד שכרו. הרי זה יעשה. כיון דאיכא פסידא ואיכא נמי צורך רבים ולא גרסינן הכא בצנעה דהא דרבים הוא ובפרהסיא הוא דעביד. ארים. למחצה לשליש ולרביע. חוכרין. שוכר קרקע חבירו ועובדה ונוטל אותה שנותן לו דבר קצוב לשנה ה' כורין או י' כורין לפי מה שהקרקע גדול וראוי לעשות. קבלנין. שקבלו לעשות את כל עבודת השדה ובעל הבית שוכרן וכל אלו שקבלו השדה לשנים מרובין וארעו אבל. הרי אלו יעשו. על ידי אחרים שהמלאכה של אחרים הוא ומשום פסידא דבעלים הוא דשרינן ליה דאריסין וקבלנין כשאין עוסקין בקרקע איכא פסידא דבעלים ומוכר נמי כיון דלא יהיב אלא מגופה דארעא אם מוביר ולא עביד ליה הוי נמי פסידא דבעלים ואיכא נמי פסידא דידיה הילכך (אבל) [עושין] על ידי אחרים אית ספרי דלא כתוב בהו על ידי אחרים. החמרין והגמלין. שוכרי חמורים וגמלים וספינות להביא עליהן תבואה למכור או שאר פרקמטיא לעצמן. הרי אלו. לא ישכרו בתחלה (ס"א - לא יתחילו בתחלה. וי"ס - לא ישכירו בתחלה) (ואם התנו לעשות עמו קודם יום טוב ואירע בהן אבל אזרו בהן שהמלאכה שלהן היא). ואם מחוכרין או מושכרין. הן או בהמתם אבל אחרים למהלך חודש או חדשים. הרי אלו יעשו. הן עצמן ולא יפסידו כל שכרן ובעלים נמי לא יפסידו והכא לא קתני על ידי אחרים שהרי הן עצמן מושכרין אבל אריסין אפשר להן על ידי אחרים בעבודת קרקע. שכיר יום אסור אפילו בעיר אחרת שאין יודעין בו דהוא אבל וליכא משום מראית העין. לא יעשה הואיל ובידו לחזור בו אפילו בחצי היום וליכא פסידא כולי האי. ואם היתה מלאכת אחרים בידו בביתו. כגון בגד לארוג הואיל ובידו לגמרה לאחר [זמן] הרי זה לא יעשה. ואע"פ שבקבולת. הוא שקבל עליו למיתות לארוג אותו בגד בכך וכך. קבולת כדידיה דמי. שלא קבלה לגמרי לעשות כל זמן שירצה. שאינה קבולת. שהרי קבלו עליו וגומר כל זמן שירצה ואעפ"כ לא יעשה הואיל בידו לשהותה ולעשותה לאחר זמן. בביתו. של אבל לא יעשה אחר מפני החשד שיאמרו הוא עצמו עושה אותה ומסייע במלאכה אי נמי שלא יאמרו בימי אבלו שכר זה הפועל. גמלא. צמד בקר בין שניהם שור אחד לזה ושור אחד לזה. (איתרמא) [איתרעא בהו] מלתא ופסקיה לגמליה. הפריד שורו מן (האבל) [הגמל] [הצמד] ולא שלחו לחרוש בשדה לפי שהיה אבל ואבל מלווה על שביתת בהמתו מדרבנן. אפסידא דאחריני. דמריון לא חייש בתמיה דמאחר שורו של מריון אין יכול לחרוש בשור אחר הוה ליה למר בריה דרב אחא לשלוח שורו לחרוש עם שורו של מריון דכיון דמשרי שרי כדתניא אם היה מחוכרין הוה ליה למיחש [אפסידא] דחבריה. והוא סבר. מר בריה דרב אחא. אדם חשוב שאני ומחמיר על עצמו ומר בריה דרב אחא חשוב הוה.

such a loss, it is permissible, in the case of a pre-existing contract, for a mourner's animal to work. Why then did Mar the son of Rav Acha not permit his animal to work, so that Maryon would not suffer a loss?

The Gemara answers:

וְהוּא סָבַר אָדָם חָשׁוּב שָׁאנִי – However, [Mar the son of Rav Acha] held that a prominent person is different, in that he must follow a more stringent standard. He therefore could not permit his animal to continue working.[40]

NOTES

40. [Had Mar permitted his ox to work Maryon's field, a casual observer might have assumed that Mar entered into the arrangement with Maryon during his mourning period, which is forbidden.] As a prominent person, Mar was obligated to distance himself from even the mere *appearance* of impropriety (see *Rashi ms.* to 12a ד״ה אדם חשוב שאני). Thus, his ox was permitted to plow *neither* his own field *nor* the field of his partner, Maryon (*Rashi;* see *Rosh*).

[With regard to whether Mar reimbursed Maryon for his loss, *Ritva* cites two opinions. One opinion is that although Mar was not obligated to reimburse Maryon, he did so out of piety, so that Maryon would not lose as a result of Mar's assumption of a stringency (see also *Michtam; Meiri*). But others maintain that Maryon was also *obligated* to prevent suspicion from falling upon a prominent person. Since the obligation fell on Maryon as well, Mar did not feel compelled to reimburse him.]

The Gemara now cites a law that bears upon the issue of working on Chol HaMoed:

אָמַר שְׁמוּאֵל – **Shmuel said:** מְקַבְּלֵי קִיבּוֹלֶת – With regard to **those who contract to complete a specified project,** this is the rule: בְּתוֹךְ הַתְּחוּם אָסוּר – If the work is to take place **within the** ***techum*** of a Jew's city,[1] **it is forbidden** for him to enter into a contract with non-Jews if they will perform the work on the Sabbath, for an onlooker might assume that the Jewish employer hired them on the Sabbath itself, which is prohibited.[2] חוּץ לַתְּחוּם מוּתָּר – But if the work is to take place **outside the** ***techum,*** **it is permissible** for a Jew to enter into a contract with non-Jews even if they will perform the work on the Sabbath, since there is no one outside the *techum* to see them doing it.[3]

The Gemara qualifies this ruling:

אָמַר רַב פָּפָּא – **Rav Pappa said:** וַאֲפִילוּ חוּץ לַתְּחוּם – **And even** in the case of work performed **outside the** ***techum,*** לֹא אֲמָרָן אֶלָּא דְּלֵיכָּא מָתָא דְּמִקַּרְבָא לְהָתָם – **we did not say** that it is permitted **except where there is no** other Jewish **city close to that place.** אֲבָל אִיכָּא מָתָא דְּמִקַּרְבָא לְהָתָם אָסוּר – **But if there is a** Jewish **city close to that place,** i.e. within its *techum,* **it is forbidden** for the non-Jews to perform the work on the Sabbath. We fear that the Jews of that city will see them working, and assume that the Jew hired them to work on this day.

Another qualification:

וְכִי לֵיכָּא מָתָא אָמַר רַב מְשַׁרְשְׁיָא – **Rav Mesharshiya said:** דְּמִקַּרְבָא לְהָתָם נַמִּי – **And even when there is no** Jewish **city close to that place,** לֹא אֲמָרָן אֶלָּא בְּשַׁבָּתוֹת וּבְיָמִים טוֹבִים – **we did not say** that the work is permissible **except on Sabbaths and festivals,** דְּלֹא שְׁכִיחֵי אִינְשֵׁי דְּאָזְלֵי לְהָתָם – **when it is not common for people to go there** (because it is beyond the *techum*). אֲבָל בְּחוּלּוֹ שֶׁל מוֹעֵד דִּשְׁכִיחֵי אִינְשֵׁי דְּאָזְלֵי וְאָתוּ לְהָתָם אָסוּר – **But on Chol HaMoed, when it is common for people to come and go there,**[4] **it is forbidden** to allow the non-Jews to perform this work. For we fear that one who sees them working will assume that the Jew hired them on Chol HaMoed, which is prohibited.[5]

The Gemara recounts an incident relating to Shmuel's ruling:

מַר זוּטְרָא בְּרֵיהּ דְּרַב נַחְמָן בָּנוּ לֵיהּ אַפַּדְנָא מְקַבְּלֵי קִיבּוֹלֶת חוּץ לַתְּחוּם – Once, **[non-Jews] under contract built a mansion for Mar Zutra the son of Rav Nachman outside the** ***techum*** on the Sabbath.[6] אִיקְלַע רַב סַפְרָא וְרַב הוּנָא בַּר חִינָנָא – **Rav Safra and Rav Huna bar Chinana visited** there, וְלֹא עָלוּ לְגַבֵּיהּ – **but they would not enter it,** since it was built on the Sabbath. וְאִיכָּא דְּאָמְרֵי הוּא נַמִּי לֹא עָל בְּגַוֵּיהּ – **And there are those who say** that **he** [Mar Zutra] **also would not enter [the mansion]** for this reason.[7]

NOTES

1. The *techum* is the 2,000-*amah* (cubit) boundary assigned each individual at the onset of the Sabbath, beyond which one is prohibited from traveling on the Sabbath by Rabbinic law. If one's residence is within the city, his *techum* extends 2,000 *amos* beyond the city limits.

2. By Rabbinic law, a Jew is forbidden to instruct a non-Jew, whether on the Sabbath or prior to it, to perform *melachah* on his behalf on the Sabbath (or on a festival), and he is forbidden to benefit from any *melachah* that a non-Jew does perform on the Sabbath (or on a festival) on behalf of a Jew (see *Rambam, Hil. Shabbos* 6:1,2). Accordingly, a Jew may not hire a non-Jew to perform work for him on these holy days. However, there is a difference between a non-Jew hired by the hour or the day (a שְׂכִיר יוֹם), and one who contracts to complete a specified project without the constraint of time (a קַבְּלָן). One hired to work specified hours is considered to be working for the Jew, since his time is not his own; therefore, the Jew may not benefit from his Sabbath work. One hired to complete a specific project (such as a house), however, is entirely independent of his employer regarding the hours he works, and it does not matter to his employer what those hours are, since he is paying the worker only for the completion of the project. If the non-Jew works on the Sabbath, he is working for himself, for it is in his own interest to complete the job more quickly. This individual is not considered to be working for the Jew; therefore, a Jew may benefit from the work he performs on the Sabbath (see *Rosh,* from *Avodah Zarah* 21b; see *Mishnah Berurah* 244:2).

Shmuel qualifies this permit. He states that if this work is to take place within the *techum* (the Sabbath boundary) of the city, it may not be performed on the Sabbath. For all recognize this work as the Jew's, and we fear that an observer might assume that he hired these workers on the Sabbath, which is forbidden (*Rashi; Meiri*). Alternatively, we fear that people will assume that he hired them as day workers to work on the Sabbath, which is also forbidden (*Rosh; Rambam, Shabbos* 6:14; *Orach Chaim* 244:1). Therefore, in the case of work that is to be performed within the *techum,* the Jew may not enter into a contract with the gentile unless he specifies that no work will be performed on the Sabbath (*Rashi,* as explained by *Beur Halachah* to *Orach Chaim* 244:3 ד״ה והא״י עשאה; see *Mishnah Berurah* there §22). [Numerous Rishonim differentiate between a non-Jew hired to build a house or complete a similar project, and one who is a sharecropper in a Jew's field. In the latter case, it is permissible for the non-Jew to work even within the *techum,* for sharecropping is common practice, and an observer will realize that the gentile is working on his own behalf (see *Rambam* ibid. §15; *Ramban; Baal HaMaor; Meiri;* see also *Orach Chaim* 243:1 with *Beur Halachah; Mishnah Berurah* 543:5).]

Rashi questions Shmuel's ruling from a ruling in *Shabbos* 17b, where Beis Hillel permit one to give his clothing to a non-Jewish launderer immediately before the Sabbath, even though it is clear that he will launder them within the *techum* on the Sabbath. Apparently, we are not concerned that an onlooker might suspect him of giving the clothing to the gentile on the Sabbath. *Rashi* explains that clothing (as well as other movables) are not immediately recognizable as the property of a Jew; therefore, there is no reason to fear that an observer will suspect the Jew of wrongdoing. The ownership of real estate, however, is usually well known; one who sees the non-Jew working will be aware that he labors on a Jew's property, and may assume that the Jew hired him on the Sabbath (see *Orach Chaim* 244:1 with *Mishnah Berurah* §3,4; *Orach Chaim* 543:2). Note, however, that even in the case of movables, the work may not be performed in the home of the Jew (see *Orach Chaim* 252:2 with *Mishnah Berurah* §17), nor may the object be one generally recognized as the Jew's property (e.g. a ship) (*Orach Chaim* 244:4). See *Ritva* 11b for another approach to this question; see also *Rabbeinu Tam,* cited in *Tosafos* here.

[The literal translation of מְקַבְּלֵי קִיבּוֹלֶת is: those who have accepted a contract.]

3. Since Jews may not travel beyond the *techum,* there will be none there to observe the gentiles working. Therefore, even if they work on the Sabbath, there is nothing amiss.

4. Since there is no prohibition against traveling beyond the *techum* on Chol HaMoed.

5. Here too, the prohibition applies only to work performed on the Jew's real estate (i.e. his buildings or land), where his ownership is generally known; work performed on his movable property, however, where his ownership is not common knowledge, is permissible on Chol HaMoed (see *Orach Chaim* 543:2; above, note 2).

[Simply understood, Rav Mesharshiya is merely elucidating Shmuel's ruling, saying that it applies only on the Sabbath and the festivals, but not on Chol HaMoed. Thus, he and Shmuel are in agreement (see *Rashi;* see *Bach, Orach Chaim* §543 ד״ה ומ״ש ואפי׳). However, some authorities maintain that Shmuel's ruling is stated regarding Chol HaMoed as well — he holds that even on Chol HaMoed, although it is permissible to travel outside of the *techum,* it is unusual for people to do so. Therefore, one is permitted to have non-Jews perform this contractual work outside the *techum* on Chol HaMoed. According to this opinion, Shmuel and Rav Mesharshiya disagree (see *Rashi ms.* ד״ה אפדניה וסד״ה איכא דאמרי; *Bahag, Hilchos HaMoed; R' Shlomo ben HaYasom; Bach* ibid., explaining *Beis Yosef;* see below, note 8).]

6. *Talmid R' Yechiel MiParis;* see *Bach* ibid.; *Magen Avraham* 543:2, as elucidated by *Levushei Serad; Pri Megadim.* Others say that this incident occurred on Chol HaMoed (*Rashi ms.* ibid.; *Bahag* ibid.; *R' Shlomo ben HaYosom*), or on a festival (*Nimukei Yosef*). See note 8.

7. They did not wish to benefit from work performed illicitly on the holy day; see below, note 10.

אמר שמואל [א]מקבלי קיבולת בתוך התחום אסור חוץ לתחום מותר אמר רב פפא ואפי' חוץ לתחום לא אמרן אלא דליכא מתא דמקרבא להתם אבל איכא מתא דמקרבא להתם אסור אמר רב משרשיא וכי ליכא מתא דמקרבא להתם נמי לא אמרן אלא בשבתות ובימים טובים דלא שכיחי אינשי דאזלי להתם [ב]אבל בחוש"מ דשכיחי אינשי דאזלי ואתו להתם אסור מר זוטרא בריה דרב נחמן בנו ליה אפדנא מקבלי קיבולת חוץ לתחום איקלע רב ספרא ורב הונא בר חיננא ולא עלו לגביה ואיכא דאמרי הוא נמי לא על בגוויה והאמר שמואל מקבלי קיבולת בתוך התחום אסור חוץ לתחום מותר (א) אדם חשוב שאני ואיכא דאמרי סיועי סייע בתיבנא בהדייהו רב חמא [ג]שרא להו (א) לאבונגרי דבי ריש גלותא למיעבד להו עבידתא בחולא דמועדא אמר כיון דאגר לא קא שקלי שרשויי הוא דקא משרשו ליה ולית לן בה תנו רבנן [ד]מקבלין קיבולת במועד לעשותה לאחר המועד ובמועד אסור [ה]כללו של דבר כל שהוא עושה אומר לנכרי ועושה [ו]וכל שאינו עושה אינו אומר לנכרי ועושה תניא אידך [ב]מקבלין קיבולת במועד לעשותה לאחר המועד [י]ובלבד שלא ימדוד ושלא ישקול ושלא ימנה כדרך שהוא עושה בחול ת"ר [ג][ז]אין מרביעין בהמה בחולו של מועד [ח]כיוצא בו אין מרביעין בבכור ולא בפסולי המוקדשין תניא אידך אין מרביעין בהמה בחולו של מועד ר' יהודה אומר [ד]חמורה שתבעה מרביעין עליה זכר בשביל שלא תצטנן ושאר כל הבהמות מכניסין אותן לבקרות ת"ר [ה][ט]אין מדיירין לא בשבתות ולא בימים טובים ולא בחולו של מועד ואם באו מאליהן מותר ואין מסייעין אותן ואין מוסרין להם שומר לנער את צאנם היה שכיר שבת שכיר חדש שכיר שנה שכיר שבוע מסייעין אותן [א] [ו]ומוסרין להם שומר לנער את צאנם [ב] ר' אומר [י]בשבת בטובה ביו"ט במזונות במועד בשכר אמר רב יוסף הלכתא כרבי: **מתני'** וכן מי שהיה יינו בתוך הבור ואירעו אבל או אונס או שהטעוהו [ז][כ]זולף וגומר וגף כדרכו דברי ר' יוסי ר' יהודה אומר עושה לו לימודים בשביל שלא יחמיץ: **גמ'** וצריכא דאי אשמעינן קמייתא בההיא קאמר ר' יוסי משום דמישחא נפיש פסידיה אבל חמרא דלא נפיש פסידיה אימא מודי ליה לרבי יהודה ואי אשמעינן בתרייתא בההיא קאמר רבי יהודה אבל בהך אימא מודה לר' יוסי צריכא אמר רב יצחק בר אבא [ח]מאן תנא שינוי במועד בדבר האבד דלא כר' יוסי אמר רב יוסף [ל]הלכה כר' יוסי בעו מיניה מרב נחמן בר יצחק מהו למישע חביתא דשיכרא בחולא דמועדא אמר להו [ט]סיני אמר הלכה [מ]כר' יוסי אימור דאמר רבי יוסי בחמרא בשיכרא מי אמר חמרא טעמא מאי משום דנפיש פסידיה שיכרא נמי אית בה פסידא דאמר אביי [י]אמרה לי אם בר שית סאוי ושייע מבר תמני ולא שייע אמר רב חמא בר גוריא אמר רב הלכות מועד כהלכות כותים [כ]בהלכה למאי הלכתא אמר רב דניאל [ל]בר קטינא [מ](אמר רב) לומר שהן עקורות ואין למידות זו מזו דאמר שמואל [נ]זופתין כוזתא ואין זופתין חביתא רב דימי מנהרדעא אמר [ס]זופתין חביתא ואין זופתין כוזתא מר חייש לפסידא ומר חייש לטירחא אמר אביי [י]נקטינן הלכות מועד כהלכות שבת

רש"י

מקבלי קיבולת בתוך התחום אסור. ליתן מלאכה לנכרי בקיבולת כי עבדי ליה בשבתא דידעי כולי עלמא ואמרי היום בשבת יהב ליה והא דשרי בית הלל בפ"ק דשבת (ד' יח:) ליתן כלים לכובס בע"ש עם חשיכה ואפי' בתוך התחום משום דכביסה בנכרי מידי דלא מינכר וליכא חשדא אבל מידי דמינכר בתוך התחום אסור משום חשדא: אבל אי איכא מתא דמקרבא להתם. אותן פועלים נכרים אסורים דאינהו ידעי דהני נכרים עבדי ליה מלאכה ואמרי בשבתא יהב להו: אסור. דאמרי היום יהבו ליה: סיועי הוה מסייע בתיבנא. שהיה נותן להם תבן למלאכה דהואיל והוא מסייע בהדייהו אסור: אבונגרי. מסדרי שולחנות: למיעבד עבידתייהו. אם נשבר השלחן שרי לתקנו: שרשויי. ריוח בעלמא כדי סעודתם דקא אכלי בהדייהו ולא קא חשיב מלאכה: מקבלין קיבולת. נותנה לנכרי לעשותה אחר המועד: אין מרביעין בהמה. משום דעביד מלאכה בחולו של מועד: אין מרביעין. אין אוחזין הבהמה ומביאין עליה זכר: בבכור. דקעביד ביה מלאכה וכתיב (דברים טו) לא תעבוד בבכור שורך: לבקרות. מקום שיש שם בהמות והיא רובעת מעצמה: מדיירין. מכניסין בהמה לשדה כדי שיוליאו זבל ומזבלין השדה: אין מסייעין אותן. לבהמה לבא בשדה או אם נכרים הם אין מסייעין להם להסיען ממקום למקום כדי שתזבל כל השדה אפילו בבאין מעצמם: לנער. לשמור כגון אם נכרים הם: שכיר שבת. ששכרו כל השבוע לדייר שדהו: שבוע. שמיטה: מסייעין. כאילו של נכרים הוא: ה"ג ועושה נכרי בשבת ויו"ט ומסייעין במועד. דלא טרח מלאכה כלומר יכולין לסייע לאותו שכיר לדייר: ומוסרין לו רועה אחד לנער צאנו. שמדיירין אותה הואיל ואינו שכיר לשבת ממש: רבי אומר בשבת בטובה. אם רוצה שום אדם לסייע לאותו שכיר בטובתו עושה כלומר בחנם ולא בשכר: **מתני'** בתוך הבור. שלפני הגת אותו כלי שהיין נופל בו מן הגת קרוי בור: זולף וגומר כדרכו. כלומר מריק אותו בחבית וגף החבית במגופה גמורה: עושה לו למודים. אינו יכול לגוף כדרכו אלא שיתפס (ב) היינו לימודין בשביל שלא יחמיץ שאם אינו סותמו מחמיץ: **גמ'** וצריכא. למימר בתרוייהו בשני בבי דמתני' דמשחא ודחמרא ר' יוסי אומר זולף כו': בההיא. רישא דמתניתין: קאמר רבי יוסי. זולף כדרכו: דמשחא. יקיר ואיכא פסידא יתירא: מודה ליה לר' יהודה. דאינו זולף וגף ממש אלא עושה לימודים ערא': דלא כר' יוסי. דאמר גומר כדרכו ואינו צריך שינוי: למישע. לגוף החבית: סיני. [ס]רב יוסף: הלכה כר' יוסי. דגף כדרכו: בר שית סאוי ושייע מבר תמני ולא שייע. כלומר יפה שכר מוגף שמחזיק ששה סאין משכר שהוא בכלי גדול שמחזיק שמונה סאין: כהלכות כותים. דאמרינן (חולין דף ד.) היכא דאחזיק אחזיק היכא דלא אחזיק לא אחזיק: עקורות. כאשה עקרה שאין לאדם ממנה פרי אלא גופה: ואין למידין זו מזו. דאימא כשם שזו מותרת כך זו מותרת כמו בכותים ולא אמרינן כי היכי דמחזיק בהאי מחזיק בהאי אלא לא ילפי הני מהני: מר. דאמר זופתין חביתא חייש לפסידא ובחביתא איכא פסידא יתירא אי לא זפתי לה משום דנפיש יינא ובכוזתא ליכא פסידא. מר. דאמר זופתין לכוזא דחייש לטירחא ובכוזא ליכא טירחא יתירא ובחביתא איכא טירחא יתירא:

תוספות

אמר שמואל מקבלי קיבולת בתוך התחום. הא דשרינן כלים לכובס נכרי פירש בקונט' דלא מינכר שהוא של ישראל ור' יעקב לא היה מחלק ואומר דשרי במועד וגם בשבת דהא ריחים של מים איכא השמעת קול ושרינן בפ"ק דשבת (דף יח. ושם) ובפ"ק דע"ז (דף כא: ושם) שרינן להשכיר שדה לנכרי משום דאריסותיה קעביד וכ"ש קבלנות שאין הבית מתעלה בכך אלא ממהר לעשות ואע"ג דר' שמעון בן אלעזר פליג מסתמא הלכה כר' שמעון בן גמליאל דקא אסר התם מרחץ במשנה משמע הא שדה שרי כדדייק התם ותניא בפ"ק דשבת (דף יט.) גבי ספינה פוסק עמו על מנת לשבות ואינו שובת אלמא אין הנכרי מניח לעשות קבלנותו בשביל ישראל ואיכא מאן דאמר אפי' לפסוק אין צריך ובשמעתין דאסר שמואל מפרש רבינו יעקב כאותו פירוש שמעמידין כולהו שמעתא באבל וכדרב שישא דאמר (לעיל יא:) דברים המותרי' בחש"מ אסורין בימי אבלו דהוי דאורייתא או כעין דאורייתא אבל במועד הקילו וכ"ש שיש להן להקל בשבת דלא חיישינן כל כך דלא ליזול ביה וא"ת כיון דבאבילות איירי שמואל היכי קאמר וכי ליכא מתא דמיקרבא להתם (ג) לא אמרן אלא בשבתות וימים טובים דלא שכיחי דאזלי מדוכתא אבל בחולו של מועד אסור וצריך עיון: **דברי** רבי יוסי. בשמן (ד) תניא מילתא דר' יהודה ברישא וכיון דאתחיל מילתא דרבי יוסי מסיים לה וגף ביין לא ידענא אי אבור אי אחבית קאי מיהו לכאורה אחבית קאי דשייך בה מגופה ומדקתני בה זולף וגומר משמע דאבור קאי דאחבית לא שייך משמע דגף אחרי כן וגם עושין לו לימודין משמע דקאי אבור ולית ליה זולף וגומר דאחבית לא שייך לימודין דסגי בכיסוי קטן:

עין משפט נר מצוה

יא א מיי' פ"ו מהל' שבת הל' יד טוש"ע א"ח סי' רמד סעיף א:

יב ב מיי' פ"ז מהל' יו"ט הלכה כה טוש"ע שם סי' תקמג סעיף ב:

יג ג טוש"ע שם סי' תקמב סעיף א:

יד ד מיי' שם טוש"ע שם סי' תקמג סעיף ג:

טו ה מיי' שם הל' כד טוש"ע שם סעיף א:

טז ו מיי' שם הלכה כה טוש"ע שם סעיף ג:

יז ז מיי' שם פ"ח הלכה טו טוש"ע שם סי' תקלו סעיף ג:

יח ח מיי' פ"א מהל' מעילה הלכה ט:

יט ט י מיי' פ"ח מהל' יו"ט הל' יא טוש"ע שם סי' תקלו סעיף יד:

כ כ מיי' פ"ז מהלכות יו"ט הלכה ג (ופי"ג מהל' אבל הל' ו) טוש"ע א"ח סי' תקלח סעיף א:

כא ל מיי' פ"ז מהל' יו"ט הל' ג ופ"ח הלכה ז טוש"ע שם סי' תקלז סעיף א:

כב מ מיי' שם פ"ח הלכה יד:

כג נ ס מיי' שם טוש"ע שם סי' תקלח סעיף א:

הגהות הגר"א

[א] גמ' שכיר שבוע מסייעין אותן. נ"ב במועד. ומה שנדפס בלדו ס"א ועושה כו' נמחק: [ב] שם ר' אומר בשבת בטובה. נ"ב פי' דקאי ארישא באינו שכיר שבת ובאו מאליהן מותר במועד אפי' נותן לו שכר אח"כ ובסיפא שכיר שבת מסייעין כו' דוקא במועד לבד ומוסרין לו שומר לנער אף בשכר [עי' מ"א] (עמש"ש) [שו"ע] אבל הרמב"ם מפרש אסיפא (וכ"כ המ"מ) לכן השמיט שבת ויו"ט דס"ל דבהם בכל ענין אסור ובמועד כו' אף לשכור מותר (ועמ"ש רבינו בא"ח סי' תקל"ז):

גליון הש"ס

גמ' וכל שאינו עושה אינו אומר. עיין בב"מ דף ל ע"א תוס' ד"ה אבל הכא:

רבינו חננאל

אמר שמואל מקבלי קיבולת. פי' אם קיבלו קיבולת בתוך התחום אסור. חוץ לתחום מותר. ואסיקנא הני מילי בשבתות וביו"ט דלא שכיחי אינשי דנפקי חוץ לתחום אבל בחולו של מועד דאיכא דנפקי חוץ לתחום אסור מר זוטרא בנו ליה נכרים בקיבולת אפדנא חוץ לתחום ולא עיילי רבנן בההוא אפדנא איכא דאמרי הוא נמי לא על בההוא אפדנא. ואע"ג דאמר שמואל כי האי גוונא שרי אדם חשוב שאני איכא דאמרי עבדיה סייע בהדייהו בתיבנא רב חמא שרא לאבונרי דבי ריש גלותא למיעבד להון עבידתא בחולי דמועדא מ"ט דכיון דלא אגרא שקלי שרשויי הוא דמשרשי להו כגון דורון הוא ושרי: ת"ר מקבלין קיבולת במועד לעשותה לאחר המועד ובלבד שלא ישקול ושלא ימדוד ושלא ימנה כדרך שהוא עושה בחול וכן אינו נותן בקיבולת לנכרי במועד. כללו של דבר כל דבר שמותר לו לעשותו אומר לנכרי ועושה וכל שאינו מותר לעשותו אינו אומר לנכרי ועושה: ת"ר אין מרביעין בהמה בחולו של מועד. כיוצא בו אין מרביעין בבכור ולא בפסולי המוקדשין. ר' יהודה אומר חמורה שתבעה מרביעין עליה בשביל שלא תצטנן ושאר כל הבהמות מכניסין אותן לבקרות: ת"ר אין מדיירין בחולו של מועד פי' מכניסין הבהמות לדיר כדי שיטול זבלן לזבל השדות והאילנות ואם באו מאליהן מותר אבל אין מסייעין הרועים

מסורת הש"ס

א) [שבת יט. וש"נ], ב) [תוספתא פ"ב], ג) [שם], ד) [שם], ה) [עי' בתוספתא סוף פ"ב דשביעית], ו) ס"א ועושה נכרי בשבת ויו"ט ומסייעין במועד, ז) שמחות פ"ה, ח) [לעיל יא. ע"ש], ט) [ברכות סד.], י) [קידושין לא: וש"נ], כ) [תיבת בהלכה ליתא בהרי"ף ובהרא"ש], ל) גי' הרי"ף והרא"ש בר רב קטינא, מ) [ליתא בהרא"ש], נ) [עי' פרש"י בעירובין ה. ד"ה והאמר ר"נ], ס) ברכות סד. הוריות יד ע"א.

הגהות הב"ח

(א) גמ' רב חמא שרא להו לאבונגרי. נ"ב עי' סוף דף יח בפרש"י ד"ה לעצמו: (ב) רש"י ד"ה עושה כו' אלא שיתפס בנקבים היינו לימודין: (ג) תוס' ד"ה אמר כו' מתא דמיקרבא להתם נמי לא אמרן: (ד) ד"ה דברי ר' יוסי בשמן תנן מילתא דר' יהודה ברישא וביין תנן מילתא דר' יוסי ברישא דכיון דאתחיל במילתא דר' יוסי וכו' אי אבור קאי אי אחבית וכו' משמע דאבור קאי. נ"ב כלומר דפי' זולף היינו שסותם וממלא וכשהוא בבור שייך לומר דממלא כל היין לתוך הבור וגומר כדרכו כולו ולהורידו לבור אבל אחבית לא שייך זולף וגומר כל עיקר אלא אבור קאי וקאמר וגף כדרכו דאח"כ כשסתמו וממלא הכל מניח מגופה על הבור שהיין בתוכו ומכסהו כדרכו וזה עולה כגירסת הספרים בורו לגוף:

רש"י כת"י

מקבלי קבולת. גוים שמקבלין מישראל מלאכה קודם יום טוב לעשותה לגמרי כגון בית לעשותו ועושהו גוי אפילו בשבת ויום טוב. חוץ לתחום. דליכא חשדא והא דאמרינן של בית ר' היו נותנין כלי לבן שלהם לפני השבת התם אפילו בתוך התחום דלגוים ונגד לאו מידי דמינכר הוא וליכא חשדא אבל מידי דמינכר תוך התחום אין תוך התחום לא. לא אמרן דחוץ לתחום מתר. אלא דליכא מתא. אחרינא. דמקרבא להתם. חוץ לתחום. אבל איכא מתא. אחרינא חיישינן שמא ילך להם מההיא מתא ויחשדו תחומו מאותו מקום עד מקום שעומד מקבל מלאכתו וילך שם ויסייענו ולא אמרן אלא בשבתות אבל בחולו של מועד אסור מפני חשד שלא יאמרו שמא ילך ויסייענו [שיאמרו] נותן מלאכתו לעשותה [במועד] [רש"י רי"ף ואר"ז]. בנו ליה. גוים. אפדנא. בחולו של מועד. איקלע. לגביה מר זוטרא. לא עייל לגביה. דהסיח פסידא לא שנעבדה בה עבודה בחולו של מועד (בכוליה). איכא דאמרי. הוא גופיה לא עייל כל יומיו. איכא דאמרי. משום הכי לא עייל לגביה דהוא עצמו עבד בו עבודה דסייע בהדייהו בתיבנא דלקטו הגוים תבן מבית התבן שלו כדי לעשות לבנים שבנו בהן את הבנין ואינו לא ידע. מיהא דשמואל קא פריך ליה ולא מדרב משרשיא דהא דרב משרשיא בחולו של מועד הוא דקא אמר. אדם חשוב שאני. ומרחיק עצמו מדומה לעבירה. לישנא אחרינא מקבלי קבולת שקבלו עליהם מלאכת האבל בתוך התחום אע"פ שקבלוה קודס האבל [אסור] מפני מראית העין [שיאמרו] ראו זה שמסר מלאכתו בימי אבלו לאחרים ולא ידעו דקבולת (היא) [הוא לגבייהו] קודם לכן ואמרינן לעיל אלו דברים עושין לאבל וכו' דדבר שאינו אבד אסור למסור לאחרים בימי אבלו. חוץ לתחום. שרי הואיל וקבלוה קודם האבל וליכא למיגזר משום חשד שאין בני העיר מצויין שם שיכירו שמלאכתו של אבל הוא. בחו' של מועד דשכיחי. להאי לישנא קשיא אמאי נקט מועד ליתני בחול ונראה בעיני דלאידי דנקט שבתות וימים טובים נקט מועד והוא הדין בחול. מר זוטרא. בנו ליה גוים. אפדנא. בימי אבלו ולא עייל לגביה דימי אבלותו בנו ליה וסייע בהדיהו תקן להם מלבא בתוך ביתו דאבל אסור לצאת מפתח ביתו. (אבונגרי) [אבונגרי]. שמשים שמסדרין שלחנות. למיעבד עבידתיהו. לתקן אלטבאות וסמוכות של שלחנות שנשברו. אמ' כיון דלאו אגרא קא שקלי. הני אומנין אלא שרשוי בעלמא דמשרשי כעין דורון הוא שכירות שאינו קצוב כדי סעודתן שאוכלין לשם ולא שכירות הוא ויכולין לעשות כדרכן. מקבלין קבולת. נותנין מלאכה במועד כדי לעשותה לאחר המועד. שלא ישקול. כמה מטוה שנותנין לגרדי במשקל. מרביעין. אוחזין בהמה ומרביעין עליה זכר. בבכור. דעבודה היא דהא גבי מועד חשיבא ליה מלאכה. ופסולי המוקדשין. שנפדו והוממו אע"פ שנפדו אסורין בגיזה ועבודה כדנפקא מתזבח ואכלת בשר (דברים יב) דמשתעי בפסולי המוקדשין. ה"ג ר' יהודה אומר חמורה מרביעין עליה זכר כדי שלא תצטנן. חמורה מלטננת מחמימות תאותה ושוב קשה לזווג. ושאר כל הבהמות. אין מרביעין אותן ממש אבל מותר להכניסן זכר ונקיבה. לבקרות לדיר אבל אין אוחזין אותן ומרביעין זו על זו. אין מדיירין (דיר). אין מכניסין בהמות לעדר ושוכבין שם כל הלילה ומזבלין שם ובכל לילה מסיעין דיר הבהמות ממקום למקום עד שמזבלת כל השדה. אין מסייעין אותן. המדיירין שדה של ישראל אם גוים הם. ואם באו. גוים מאליהן לדייר שדהו של ישראל שלא מדעתו ולא קצב עליהן. מותר. להניחן ונותנין להם שכר אחר כן. ואין מוסר להם. בעל השדה. שומר לנער את צאנם. ול"ג לנער את נאנס [לשמור את נאנס. ל"א לנער את נאנס] להזהיר להזהיר את הבהמות להקימם תמיד שכשעומדות ועולות תמיד מיד נפנות ומזבלות את השדה לשון מנער אישקו"ש בלע"ז. עושה גוי בשבת וביום טוב ומסייעין אותן במועד דלאו טורח מלאכה היא. בשבת. אם מדיירין גוים שדה של ישראל. בטובה. בחנם להחזיק להם טובה מניחין אותן. ביום טוב. מותר לתת להם מזונות. וכן מי שהיה יינו בתוך הבור. ומתירא שמא יחמיץ. זולף. ממתח וגף מניח מגופה על הבור שהיין בתוכו ומכסה את היין יפה בתוכו כדרכו. למודים. מכסהו עראי ולא כדרכו לישנא אחרינא למודים מכסהו בנקרים. בור. מקום שירד שם היין מן הגת ומתוקן יפה בבנין אבנים בקרקע קרוי בור. משחא. דנפיש פסידא שדמיו יתרים משל יין. [המשך בע"ב]

The Gemara asks:

וְהָאָמַר שְׁמוּאֵל – **But Shmuel said:** מְקַבְּלֵי קִיבּוֹלֶת – With regard to **those who contract to complete a specified project,** this is the rule: בְּתוֹךְ הַתְּחוּם אָסוּר חוּץ לַתְּחוּם מוּתָּר – If the work takes place **within the *techum,* it is forbidden** to enter into a contract with a non-Jew for it; if it takes place outside the ***techum,* it is permissible** to do so. Since Mar Zutra's mansion was built outside the *techum,* its construction involved no transgression.[8] Why then would these Amoraim not enter it?

The Gemara explains:

אָדָם חָשׁוּב שָׁאנֵי – It is because **a prominent person is different,** and must hold himself to a more stringent standard. Although ordinary folk would be permitted to enter the mansion, these great individuals avoided even the appearance of impropriety.[9]

Another explanation:

וְאִיכָּא דְּאָמְרֵי – **And there are those who say** that the reason they would not enter is because סִיּוּעֵי סַיַּיע בְּתִיבְנָא בַּהֲדַיְיהוּ – **[Mar Zutra] assisted** the workers by supplying **them with straw** for the bricks. He did not, however, intend for them to build on the Sabbath; they did so without his knowledge. When he realized what they had done, he would not make use of the mansion.[10]

The Gemara cites a ruling regarding work performed on Chol HaMoed:

רַב חָמָא שָׁרָא לְהוּ לְאַבּוּנְגָּרֵי דְּבֵי רֵישׁ גָּלוּתָא – **Rav Chama permitted the table-stewards of the house of the Exilarch** לְמֶיעְבַּד לְהוּ עֲבִידְתָּא בְּחוּלָּא דְּמוֹעֲדָא – **to do their work** of repairing the tables **on Chol HaMoed.** אָמַר – **He said:** כֵּיוָן דַּאֲגַר לֹא קָא שָׁקְלֵי – **Since they do not take any** formal **wages,** but merely receive meals, שַׂרְשׂוּיֵי הוּא דְּקָא מְשַׂרְשׂוּ לֵיהּ – **they are** considered to be **gaining** only **an** indirect **benefit.** וְלֵית לָן בָּהּ – **Therefore, we have no [difficulty] with [their actions],** for they are not in the category of forbidden work.[11]

The Gemara cites a Baraisa that discusses contracting with non-Jews on Chol HaMoed:

תָּנוּ רַבָּנָן – **The Rabbis have taught in a Baraisa:** מְקַבְּלִין קִיבּוֹלֶת בַּמּוֹעֵד לַעֲשׂוֹתָהּ לְאַחַר הַמּוֹעֵד – WE MAY ENTER INTO CONTRACTS with non-Jews DURING CHOL HAMOED, TO have them PERFORM WORK AFTER CHOL HAMOED. וּבַמּוֹעֵד אָסוּר – BUT as for them doing the work ON CHOL HAMOED itself, IT IS FORBIDDEN.[12] כְּלָלוֹ שֶׁל דָּבָר – THIS IS THE RULE: כָּל שֶׁהוּא עוֹשֶׂה אוֹמֵר לְנָכְרִי

NOTES

8. [According to those who understand the incident with Mar Zutra's workers to have taken place on the Sabbath, this question is clear – since Shmuel permits building outside the *techum* on the Sabbath, why would the Amoraim not enter the mansion? However, according to those who say that the incident took place on Chol HaMoed (see citations in note 6), it is difficult to understand this question. For R' Mesharshiya rules that Shmuel's permit does not apply on Chol HaMoed. How then can the Gemara question the action of these Amoraim on the basis of Shmuel's ruling? Perforce, those who take this position must hold that Shmuel disputes R' Mesharshiya, and permits construction beyond the *techum* on Chol HaMoed (see note 5).]

9. See *Rashi ms.;* see 11b note 40. [Even though the construction took place outside the *techum,* they feared that the common folk would not realize this, and would learn from the actions of the prominent ones that it is permissible to have gentiles build even within the *techum.*]

[According to this reasoning, Mar Zutra should not have allowed the workers to build beyond the *techum* in the first place. *Magen Avraham* (244:12) explains that he undoubtedly specified in the contract that the workers refrain from working on the Sabbath; they, however, acted contrary to his instructions.]

10. By assisting the non-Jews, Mar Zutra demonstrated that they were not fully independent contractors. Therefore, although the work took place outside the *techum,* it was prohibited (see *Nimukei Yosef; Tos. HaRosh*). [As explained above (see previous note), Mar Zutra certainly instructed the workers not to work on the Sabbath; they disregarded his instructions. Upon learning of this, he forbore to enter the mansion (*Magen Avraham* ibid.; see *Nimukei Yosef*).]

The Gemara does not say explicitly that these Amoraim were *prohibited* to enter the mansion, but states simply that they would not do so. *Tur* (*Orach Chaim* §543, as explained by *Beis Yosef* there) understands this to mean that they were in fact *permitted* to enter by law; however, these pious ones acted stringently in this matter, and refused to benefit from the mansion (see also *Taz, Orach Chaim* 543:1; cf. *Bach; Derishah* ad loc.). Based on the behavior of these Amoraim, *Shulchan Aruch* rules (*Orach Chaim* 244:3) that if a non-Jew builds a home for a Jew within the *techum* on the Sabbath, it is proper for Jews to act stringently, and refrain from using it. Although the general rule is that a Jew *may* benefit from *melachah* performed by a gentile for a Jew, provided he waits a certain period after the Sabbath before using it (see *Orach Chaim* 325:6), in this case the house may *never* be used, since the act of Sabbath desecration by which it was built was performed in public (see *Mishnah Berurah* 244:19,21; 325:73). For further discussion, see *Meiri; Michtam; Tos. HaRosh; Chidushei HaRan.*

[Our elucidation of this *sugya* follows the interpretation of the majority of the Rishonim, who understand Shmuel to be discussing non-Jews working for a Jew on a Sabbath or a festival. Some Rishonim, however, see Shmuel's statement as discussing non-Jews who are under contract to a Jew at the time that he becomes a mourner. We know that during the mourning period a mourner may not hire someone to perform work for him (see Baraisa cited above, 11b). Our Baraisa teaches that although one who was previously under contract for a specified project may continue working, this is only if the work is not identified with the mourner; if it is identified with him, the worker must desist, lest an observer assume that he was hired during the mourning period. Accordingly, Shmuel and Rav Mesharshiya rule that on the Sabbath or on a festival, a contractual worker may perform his task for the mourner outside the *techum,* where no one will see, but not within the *techum;* on weekdays he may not work even outside the *techum,* because of the appearance of wrongdoing (see *Rashi ms.,* second explanation; *Rashi,* cited in *Rosh; Rabbeinu Tam,* cited in *Tosafos*). *Rabbeinu Tam* goes so far as to say that not only is Sabbath work not Shmuel's subject, it is actually *permissible* for a non-Jew under contract to work on the Sabbath, even within the *techum;* however, numerous authorities take issue with his view (see *Baal HaMaor; Meiri; Michtam; Ritva* et al.; see also *Beis Yosef* §244 ד״ה ומ״ש רבינו וה״מ). *Ramban* states that while Shmuel is certainly dealing with a non-Jew working on the Sabbath, we do derive the law of a mourner from his ruling. Thus, a mourner may not have a non-Jew perform his work, whether inside or outside of the *techum,* lest it appear that he hired him during his mourning period. On the Sabbath and on a festival, however, he may allow him to work outside the *techum,* since people do not travel beyond the *techum* on these days (see also *Meiri; Chidushei HaRan;* see *Shulchan Aruch, Yoreh Deah* 380:19).]

11. The work that was performed by these stewards was of a sort permitted on Chol HaMoed, for the tables they were repairing were needed during the Chol HaMoed period (*Rosh; Tos. Rid;* see *Orach Chaim* 540:1; cf. *Shiltei HaGiborim,* folio 7a in the *Rif*). Nevertheless, they would have been prohibited to receive direct payment for their work, for working for pay is a form of עוּבְדָּא דְחוֹל, *weekday activity,* and as such is prohibited on Chol HaMoed. The indirect benefit of taking meals with the householder, however, is not regarded as weekday activity, and is therefore permissible (*Rosh; Tos. Rid;* see *Mordechai* §850; see *Orach Chaim* 542:1; cf. *Shiltei HaGiborim,* folio 6b in the *Rif;* see *Ritva*). [See *Rashi ms.* below (19a) for a similar ruling regarding the writing of tefillin or *mezuzos* for others during Chol HaMoed.]

[Some Rishonim maintain that these table-stewards were gentiles in the employ of the Exilarch; see *Nimukei Yosef; Ritva; Meiri; Beis Yosef, Orach Chaim* §543 ד״ה מותר.]

12. One entering into such a contract must stipulate that the non-Jew refrain from working on Chol HaMoed (*Tos. HaRosh;* see *Mishnah Berurah* 543:8 with *Beur Halachah* ד״ה שיעשנה). The Baraisa is teaching that although the possibility exists that the non-Jew will begin work on Chol HaMoed, in violation of the agreement, we do not prohibit one to enter into the contract (*Ritva*).

[In a case where the non-Jew violates the contract, and begins work on Chol HaMoed, there is disagreement among the Rishonim as to whether the Jew is obligated to prevent him from working. *Nimukei Yosef* and *Tos. HaRosh* contend that he need not prevent him; *Ritva* holds that he

אמר שמואל [א]מקבלי קיבולת בתוך התחום אסור חוץ לתחום מותר אמר רב פפא ואפי' חוץ לתחום לא אמרן אלא דליכא מתא דמקרבא להתם אבל איכא מתא דמקרבא להתם אסור אמר רב משרשיא וכי ליכא מתא דמקרבא להתם נמי לא אמרן אלא בשבתות ובימים טובים דלא שכיחי אינשי דאזלי להתם [ב]אבל בחוש"מ דשכיחי אינשי דאזלי ואתו להתם אסור מר זוטרא בריה דרב נחמן בנו ליה אפדנא מקבלי קיבולת חוץ לתחום איקלע רב ספרא ורב הונא בר חיננא ולא עלו לגביה ואיכא דאמרי הוא נמי לא על בגוויה והאמר שמואל מקבלי קיבולת בתוך התחום אסור חוץ לתחום מותר (א) אדם חשוב שאני ואיכא דאמרי סיועי סייע בתיבנא בהדייהו רב חמא [ג]שרא להו (א) לאבונגרי דבי ריש גלותא למיעבד להו עבידתא בחולא דמועדא אמר כיון דאגר לא קא שקלי שרשויי הוא דקא משרשו ליה ולית לן בה תנו רבנן [ד]מקבלין קיבולת במועד לעשותה לאחר המועד ובמועד אסור [ה]כללו של דבר כל שהוא עושה אומר לנכרי ועושה וכל שאינו עושה אינו אומר לנכרי ועושה תניא אידך (ג) מקבלין קיבולת במועד לעשותה לאחר המועד [ו]ובלבד שלא ימדוד ושלא ישקול ושלא ימנה כדרך שהוא עושה בחול ת"ר (ג) [ז]אין מרביעין בהמה בחולו של מועד [ח]כיוצא בו אין מרביעין בבכור ולא בפסולי המוקדשין תניא אידך אין מרביעין בהמה בחולו של מועד ר' יהודה אומר (ד) חמורה שתבעה מרביעין עליה זכר בשביל שלא תצטנן ושאר כל הבהמות מכניסין אותן לבקרות ת"ר (ה) [ט]אין מדיירין לא בשבתות ולא בימים טובים ולא בחולו של מועד ואם באו מאליהן מותר ואין מסייעין אותן ואין מוסרין להם שומר לנער את צאנם היה שכיר שבת שכיר חדש שכיר שנה שכיר שבוע מסייעין אותן [א] (ו) ומוסרין להם שומר לנער את צאנם [ב] ר' אומר [י]בשבת בטובה ביו"ט במזונות במועד בשכר אמר רב יוסף הלכתא כרבי:

מתני' וכן מי שהיה יינו בתוך הבור ואירעו אבל או אונס או שהטעוהו (ז) [כ]זולף וגומר וגף כדרכו דברי ר' יוסי ר' יהודה אומר עושה לו לימודים בשביל שלא יחמיץ:

גמ' וצריכא דאי אשמעינן קמייתא בההיא קאמר ר' יוסי משום דמישחא נפיש פסידיה אבל חמרא דלא נפיש פסידיה אימא מודי ליה לרבי יהודה ואי אשמעינן בתרייתא בההיא קאמר רבי יהודה אבל בהך אימא מודה לר' יוסי צריכא אמר רב יצחק בר אבא (ח) מאן תנא שינוי במועד בדבר האבד דלא כר' יוסי אמר רב יוסף [ל]הלכה כר' יוסי בעו מיניה מרב נחמן בר יצחק מהו למישע חביתא דשיכרא בחולא דמועדא אמר להו (ט) סיני אמר הלכה [מ]כר' יוסי אימור דאמר רבי יוסי בחמרא בשיכרא מי אמר חמרא טעמא מאי משום דנפיש פסידיה שיכרא נמי אית בה פסידא דאמר אביי (י) אמרה לי אם בר שית סאוי ושייע מבר תמני ולא שייע אמר רב חמא בר גוריא אמר רב הלכות מועד כהלכות כותים (כ) בהלכה למאי הלכתא אמר רב דניאל (ל) בר קטינא (מ) (אמר רב) לומר שהן עקורות ואין למידות זו מזו דאמר שמואל [נ]זופתין כוזתא ואין זופתין חביתא רב דימי מנהרדעא אמר [ס]זופתין חביתא ואין זופתין כוזתא מר חייש לפסידא ומר חייש לטירחא אמר אביי (נ) נקטינן הלכות מועד כהלכות שבת

רש"י

מקבלי קיבולת בתוך התחום אסור. ליתן מלאכה לנכרי בקיבולת כי עבדי ליה בשבתא דידעי כולי עלמא ואמרי היום בשבת יהב ליה והא דשרי בית הלל בפ"ק דשבת (ד' יז:) ליתן כלים לכובס בע"ש עם חשיכה ואפי' בתוך התחום משום דכביסה בנכרי מידי דלא מינכר וליכא חשדא אבל מידי דמינכר בתוך התחום אסור משום חשדא: אבל אי איכא מתא דמקרבא להתם. אותן פועלים נכרים אסורים דאינהו ידעי דהני נכרים עבדי ליה מלאכה ואמרי בשבתא יהב להו: אסור. דאמרי היום יהבו ליה: סיועי הוה מסייע בתיבנא. שהיה נותן להם תבן למלאכה דהואיל והוא מסייע בהדייהו אסור: אבונגרי. מסדרי שולחנות: למיעבד עבידתייהו. אם נשבר השלחן שרי לתקנו: שרשויי. ריוח בעלמא כדי סעודתם דקא אכלי בהדייהו ולא קא חשיב מלאכה: מקבלין קיבולת. נותנה לנכרי לעשותה אחר המועד: אין מרביעין בהמה. משום דעביד מלאכה בחולו של מועד: אין מרביעין. אין אוחזין הבהמה ומביאין עליה זכר: בבכור. דקעביד ביה מלאכה וכתיב (דברים טו) לא תעבוד בבכור שורך: לבקרות. מקום שיש שם בהמות והיא רובעת מעצמה: מדיירין. מכניסין בהמה לשדה כדי שיוציאו זבל ומזבלין השדה: אין מסייעין אותן. לבהמה לבא בשדה או אם נכרים הם אין מסייעין להם להסיען ממקום למקום כדי שתזבל כל השדה אפילו בבאין מעצמם: לנער. לשמור כגון אם נכרים הם: שכיר שבת. ששכרו כל השבוע לדייר שדהו: שבוע. שמיטה: מסייעין. כאילו של נכרים הוא: ה"ג ועושה נכרי בשבת ויו"ט ומסייעין במועד. דלא טרח מלאכה כלומר יכולין לסייע לאותו שכיר לדייר: ומוסרין לו רועה אחד לנער צאנו. שמדיירין אותה הואיל ואינו שכיר לשבת ממש: רבי אומר בשבת בטובה. אם רוצה שום אדם לסייע לאותו שכיר בטובתו עושה כלומר בחנם ולא בשכר: מתני' בתוך הבור. שלפני הגת אותו כלי שהיין נופל בו מן הגת קרוי בור: זולף וגומר כדרכו. כלומר מריק אותו בחבית וגף החבית במגופה גמורה: עושה לו למודים. אינו יכול לגוף כדרכו אלא שיחפם (ב) היינו לימודין בשביל שלא יחמיץ שאם אינו סותמו מחמיץ: גמ' וצריכא. למימר בתרוייהו בשני בבי דמתני' דמשחא ודחמרא ר' יוסי אומר זולף כו': בההיא. רישא דמתניתין: קאמר רבי יוסי. זולף כדרכו: דמשחא. יקיר ואיכא פסידא יתירא: מודה ליה לר' יהודה. דאינו זולף וגף ממש אלא עושה לימודים עראי: דלא כר' יוסי. דאמר גומר כדרכו ואינו צריך שינוי: למישע. לגוף החבית: סיני. (ס) רב יוסף: הלכה כר' יוסי. דגף כדרכו: בר שית סאוי ושייע מבר תמני ולא שייע. כלומר יפה שכר מוגף שמחזיק ששה סאין משכר שהוא בכלי גדול שמחזיק שמונה סאין: כהלכות כותים. דאמרינן (חולין דף ד.) היכא דאחזוק אחזוק היכא דלא אחזוק לא אחזוק: עקורות. כאשה עקרה שאין לאדם ממנה פרי אלא גופה: ואין למידין זו מזו. דאמת כשם שזו מותרת כך זו מותרת כמו כותים ולא אמרינן כי היכי דמחזיק בהאי מחזיק בהאי אלא לא ילפי הני מהני: מר. דאמר זופתין חביתא חייש לפסידא וכחביתא איכא פסידא יתירא אי לא זפתי לה: כוזא כלי קטן: מר. דאמר זופתין כוזא חייש לטירחא דליכא טירחא יתירא:

תוספות

אמר שמואל מקבלי קיבולת בתוך התחום. הא דשרינן כלים לכובס נכרי פירש בקונט' דלא מינכר שהוא של ישראל ור' יעקב לא היה מחלק ואומר דשרי במועד וגם בשבת דהא ריחים של מים איכא השמעת קול ושרינן בפ"ק דשבת (דף יח. ושם) ובפ"ק דע"ז (דף כא: ושם) שרינן להשכיר שדה לנכרי משום דאריסותיה קעביד וכ"ש קבלנות שאין הבית מתעלה בכך אלא ממהר לעשות ואע"ג דר' שמעון בן אלעזר פליג מסתמא הלכה כר' שמעון בן גמליאל דקא אסר התם מרחץ במשנה משמע הא שדה שרי כדדייק התם ותניא בפ"ק דשבת (דף יט.) גבי ספינה פוסק עמו על מנת לשבות ואינו שובת אלמא אין הנכרי מניח לעשות קבלנותו בשביל ישראל ואיכא מאן דאמר אפי' לפסוק אין צריך ובשמעתין דאסר שמואל מפרש רבינו יעקב כאותו פירוש שמעמידין כולהו שמעתא באבל וכדרב שישא דאמר (לעיל יא:) דברים המותרי' בחש"מ אסורין בימי אבלו דהוי דאורייתא או כעין דאורייתא אבל במועד הקילו וכ"ש שיש להן להקל בשבת דלא חיישינן כל כך דלא ליזלזל ביה וא"ת כיון דבאבילות איירי שמואל היכי קאמר וכי ליכא מתא דמיקרבא להתם (ג) לא אמרן אלא בשבתות וימים טובים דלא שכיחי דאזלי מדוכתא אבל בחולו של מועד אסור וצריך עיון:

דברי רבי יוסי. בשמן (ד) תניא מילתא דר' יהודה ברישא וכיון דאתחיל מילתא דרבי יוסי מסיים לה וגף ביין לא ידענא אי אבור אי אחבית קאי מיהו לכאורה אחבית קאי דשייך בה מגופה ומדקתני בה זולף וגומר משמע דאבור קאי דאחבית לא שייך משמע דגף אחרי כן וגם עושין לו לימודין משמע דקאי אבור ולית ליה זולף וגומר דאחבית לא שייך לימודין דסגי בכיסוי קטן:

עין משפט נר מצוה

יא א מיי' פ"ו מהל' שבת הל' יד טוש"ע א"ח סי' רמד סעיף א:

יב ב מיי' פ"ז מהל' יו"ט הלכה כה טוש"ע שם סי' תקמג סעיף ב:

יג ג טוש"ע שם סי' תקמב סעיף א:

יד ד מיי' שם טוש"ע שם סי' תקמג סעיף ג:

טו ה מיי' שם הל' כד טוש"ע שם סעיף א:

טז ו מיי' שם הלכה כה טוש"ע שם סעיף ג:

יז ז מיי' שם פ"ח הלכה טו טוש"ע שם סי' תקלו סעיף ג:

יח ח מיי' פ"א מהל' מעילה הלכה ט:

יט ט י מיי' פ"ח מהל' יו"ט הל' יא טוש"ע שם סי' תקלו סעיף יד:

כ כ מיי' פ"ז מהלכות יו"ט הלכה ג (ופ"ג מהל' אבל הל' ו) טוש"ע א"ח סי' תקלח סעיף א:

כא ל מיי' פ"ז מהל' יו"ט הל' ג ופ"ח הלכה ז טוש"ע שם סי' תקלו סעיף א:

כב מ מיי' שם פ"ח הלכה יד:

כג נ ס מיי' שם טוש"ע שם סי' תקלח סעיף א:

הגהות הגר"א

[א] גמ' שכיר שבוע מסייעין אותן. נ"ב במועד. ומה שנדפס בגלו ס"א ועושה כו' נמחק: [ב] שם ר' אומר בשבת בטובה. נ"ב פי' דקאי ארישא באינו שכיר שבת ובאו מאליהן מותר במועד אפי' נותן לו שכר אח"כ ובסיפא שכיר שבת מסייעין כו' דוקא במועד לבד ומוסרין לו שומר לנער אף בשכר [עי' מ"א] (עמש"ש) [שו"ע] אבל הרמב"ם מפרש אסיפא (וכ"כ המ"מ) לכן השמיט שבת וי"ט דס"ל דבהם בכל ענין אסור ובמועד כו' אף לשכור מותר (ועמ"ש רבינו בא"ח סי' תקל"ו):

גליון הש"ס

גמ' וכל שאינו עושה אינו אומר. עיין בב"מ דף צ ע"א תוס' ד"ה אבל הכא:

רבינו חננאל

אמר שמואל מקבלי קיבולת. פי' אם קיבלו קיבולת בתוך התחום אסור. חוץ לתחום מותר. ואסיקנא הני מילי בשבתות ובי"ט דלא שכיחי אינשי דנפקי חוץ לתחום אבל בחולו של מועד דאיכא דנפקי חוץ לתחום אסור מר זוטרא בנו ליה נכרים בקיבולת אפדנא חוץ לתחום ולא עיילי רבנן בההוא אפדנא איכא דאמרי הוא נמי לא על בההוא אפדנא. ואע"ג דאמר שמואל כי האי גוונא שרי אדם חשוב שאני איכא דאמרי עבדיה סייע בהדייהו בתיבנא רב חמא שרא לאבונרי דבי ריש גלותא למיעבד להון עבידתא בחולי דמועדא מ"ט דכיון דלא אגרא שקלי שרשויי הוא דמשרשי להו כגון דורון הוא ושרי: ת"ר מקבלין קיבולת במועד לעשותה לאחר המועד ובלבד שלא ישקול ושלא ימדוד ושלא ימנה כדרך שהוא עושה בחול וכן אינו נותן בקיבולת לנכרי במועד.

מסורת הש"ס

א) [שבת יט. וש"נ], ב) [תוספתא פ"ב], ג) [שם], ד) [שם], ה) [עי' בתוספתא סוף פ"ב דשביעית], ו) ס"א ועושה נכרי בשבת ויו"ט ומסייעין במועד, ז) שמחות פ"ה, ח) [לעיל יא. ע"ש], ט) [ברכות סד.], י) [קידושין לא: וש"נ], כ) [ליתא בהלכה ליתא בהרי"ף והרא"ש], ל) גי' הרי"ף והרא"ש בר רב קטינא, מ) [ליתא בהרא"ש], נ) [עי' פרש"י בעירובין ה. ד"ה והאמר ר"נ], ס) ברכות סד. הוריות יד ע"א.

הגהות הב"ח

(א) גמ' רב חמא שרא להו לאבונגרי. נ"ב עי' סוף דף יח בפרש"י ד"ה לעצמו: (ב) רש"י ד"ה עושה כו' אלא שיחפם בנקבים היינו לימודין: (ג) תוס' ד"ה אמר כו' מתא דמיקרבא להתם נמי לא אמרן: (ד) ד"ה דברי ר' יוסי בשמן תנן מילתא דר' יהודה ברישא וביין תנן מילתא דר' יוסי ברישא דכיון דאתחיל במילתא דר' יוסי וכו' אי אבור קאי אי אחבית וכו' משמע דאבור קאי. נ"ב כלומר דפי' זולף היינו שסותם וממלא וכשהוא בבור שייך לומר דממלא כל היין לתוך הבור וגומר כדרכו כולו ולהורידו לבור אבל אחבית לא שייך זולף וגומר כל עיקר אלא אבור קאי וקאמר וגף כדרכו דאח"כ כשסתם וממלא הכל מניח מגופה על הבור שהיין בתוכו ומכסהו כדרכו וזה עולה כגירסת הספרים בורו לגוף:

רש"י כת"י

מקבלי קבולת. גוים שמקבלין מישראל מלאכה קודם יום טוב לעשותה לגמרי כגון בית לעשותו ועושהו גוי אפילו בשבת ויום טוב. חוץ לתחום. דליכא חשדא והא דאמרינן של בית ר' היו נותנין כלי לבן שלהם לפני השבת התם אפילו בתוך התחום דחלוק ובגד לאו מידי דמינכר הוא וליכא חשדא אבל מידי דמינכר חוץ לתחום אין תוך התחום לא. לא אמרן דחוץ לתחום מתר. אלא דליכא מתא. אחרינא. דמקרבא להתם. חוץ לתחום. אבל איכא מתא. אחרינא חיישינן שמא ילך להתם מההיא מתא ויחשב תחומו מאותו מקום עד מקום שעומד מקבל מלאכתו וילך שם ויסייענו ולא אמרן דמותר אלא בשבתות אבל בחולו של מועד אסור מפני חשד (שלא יאמרו שמא ילך ויסייענו) [שיאמרו נותן מלאכתו לעשותה במועד] [רש"י רי"ף ורא"ז]. בנו ליה. גוים. אפדנא. בחולו של מועד. איקלע. לגויה מר זוטרא. לא עייל לגויה. דההיא אפדנא לפי שנעבדה בה עבודה בחולו של מועד (בכוליה). איכא דאמרי. הוא גופיה לא עייל כל ימיו. איכא דאמרי. משום הכי לא עייל לגויה דהוא עצמו עבד בו עבודה דסייע בהדייהו בתיבנא שלקחו

וְעוֹשֶׂה — **WHATEVER ONE MAY DO** on Chol HaMoed, **HE MAY TELL A NON-JEW TO DO** for him then; **וְכָל שֶׁאֵינוֹ עוֹשֶׂה אֵינוֹ אוֹמֵר לְנָכְרִי וְעוֹשֶׂה** — **AND WHATEVER ONE MAY NOT DO** on Chol HaMoed, **HE MAY NOT TELL A NON-JEW TO DO** for him.[13]

A related Baraisa:

תַּנְיָא אִידָךְ — **It has been taught in another Baraisa:** **מְקַבְּלִין קִיבּוֹלֶת בַּמּוֹעֵד לַעֲשׂוֹתָהּ לְאַחַר הַמּוֹעֵד** — **WE MAY ENTER INTO CONTRACTS** with non-Jews **DURING CHOL HAMOED, TO** have them **PERFORM WORK AFTER CHOL HAMOED,** **וּבִלְבַד שֶׁלֹּא יָמוֹד וְשֶׁלֹּא יִשְׁקוֹל וְשֶׁלֹּא יִמְנֶה** — **PROVIDED ONE DOES NOT MEASURE, AND DOES NOT WEIGH AND DOES NOT COUNT** **כְּדֶרֶךְ שֶׁהוּא עוֹשֶׂה בְּחוֹל** — **IN THE MANNER THAT ONE DOES ON A WEEKDAY.**[14]

The Gemara continues with further laws regarding work on Chol HaMoed:

תָּנוּ רַבָּנָן — **The Rabbis taught in a Baraisa:** **אֵין מַרְבִּיעִין בְּהֵמָה בְּחוּלּוֹ שֶׁל מוֹעֵד** — **ONE MAY NOT MOUNT A** male **ANIMAL** upon a female animal **DURING CHOL HAMOED.**[15] **כַּיּוֹצֵא בּוֹ אֵין מַרְבִּיעִין בִּבְכוֹר וְלֹא בִּפְסוּלֵי הַמּוּקְדָּשִׁין** — **SIMILARLY, ONE MAY NOT MOUNT** a male animal upon a female animal **USING A FIRSTBORN MALE OR AN INVALID SACRIFICIAL ANIMAL.**[16]

A corresponding Baraisa is cited:

תַּנְיָא אִידָךְ — **It was taught in another Baraisa:** **אֵין מַרְבִּיעִין בְּהֵמָה בְּחוּלּוֹ שֶׁל מוֹעֵד** — **ONE MAY NOT MOUNT A** male **ANIMAL** upon a female animal **DURING CHOL HAMOED.** **רַבִּי יְהוּדָה אוֹמֵר** — **R' YEHUDAH SAYS:** **חֲמוֹרָה שֶׁתָּבְעָה** — If **A SHE-DONKEY COMES INTO HEAT,**[17] **מַרְבִּיעִין עָלֶיהָ זָכָר** — **WE MAY MOUNT A MALE UPON HER** even during Chol HaMoed, **בִּשְׁבִיל שֶׁלֹּא תִּצְטַנֵּן** — **SO THAT SHE** (i.e. her ardor) **WILL NOT BECOME COOLED DOWN.**[18] **וּשְׁאָר כָּל הַבְּהֵמוֹת** — **BUT** in the case of **ALL OTHER** female **ANIMALS** that come into heat, **מַכְנִיסִין אוֹתָן לִבְקָרוֹת** — **WE BRING THEM INTO THE CORRALS** with males, and they mate there on their own.[19]

The Gemara continues with further laws regarding work performed on Chol HaMoed:

תָּנוּ רַבָּנָן — **The Rabbis taught in a Baraisa:** **אֵין מְדַיְּירִין** — **WE MAY NOT PEN ANIMALS** in a field for the purpose of manuring it, **לֹא בְּשַׁבָּתוֹת וְלֹא בְּיָמִים טוֹבִים וְלֹא בְּחוּלּוֹ שֶׁל מוֹעֵד** — **NEITHER ON SABBATHS, NOR ON FESTIVALS, NOR ON CHOL HAMOED.**[20] **וְאִם בָּאוּ מֵאֲלֵיהֶן מוּתָּר** — **BUT IF [NON-JEWS] CAME OF THEIR OWN ACCORD** to manure a Jew's field with their animals, **IT IS**

NOTES

must. *Rama* (543:3) rules in accordance with the former opinion; see *Mishnah Berurah* there §11 and *Beur Halachah* ibid.]

[Although this Baraisa, as well as the forthcoming one, discusses קִיבּוֹלֶת, i.e. a contract to complete a specified project, its law applies also to a שְׂכִיר יוֹם agreement, i.e. *dayworker* agreement. Thus, one is permitted to hire a non-Jew on Chol HaMoed to work as a dayworker after the festival (*Nimukei Yosef;* see *Orach Chaim* 543:3).]

13. See *Ritva* for elucidation of the Baraisa's reiteration (in negative form) of its rule.

14. In entering into a contract, it is often necessary to perform these activities; e.g. to weigh the spun thread that one gives to a weaver (*Rashi ms.*), or to count the pieces of clothing one gives to a launderer (*Mishnah Berurah* 543:10). Since measuring, weighing and counting are regarded as weekday activities that detract from the aura of the day, they are forbidden on Chol HaMoed (see *Nimukei Yosef*).

[*Rashi* (here and to the *Rif*) explains these Baraisos as referring to contracts made with non-Jews, and when the *Shulchan Aruch* teaches this law (543:3), it too mentions only non-Jews. However, *Magen Avraham* (ibid. §4) rules that one is also permitted to contract with a Jew during Chol HaMoed for work that will be performed after the festival. *Mishnah Berurah* (ibid. §7) explains that the authorities discussed a non-Jew not because the permit is limited to gentiles, but because one might assume that it is forbidden to contract with them, since they may begin working on Chol HaMoed (see above, note 12). Contracting with Jews, however, is certainly permissible. This is stated explicitly in *Ritva;* and is implied as well by *Rambam* (*Yom Tov* 7:25); see *Shaar HaTziyun* 543:5; *Sfas Emes* here.]

15. Mating animals is forbidden on Chol HaMoed, for it is regarded as unnecessary exertion [טִירְחָא]. The act fills no festival need, and can be accomplished just as well after the festival (*Rashi,* as explained by *Beis Yosef, Orach Chaim* §536 ד״ה ומ״ש דאין מרביעין; see *Nimukei Yosef; Ritva*).

16. Regarding a firstborn animal the verse states (*Deuteronomy* 15:19): לֹא תַעֲבֹד בִּבְכֹר . . ., *you shall not work with a firstborn* (*Rashi*). One of the ways in which an animal "works" is by siring offspring (*Chidushei HaRan*).

"Invalid sacrificial animals" are animals consecrated as sacrifices that become disqualified through a permanent blemish. These offerings may be redeemed [with the redemption money being used to purchase a replacement], but even after redemption they retain a measure of sanctity. This has the effect of limiting the uses to which they may be put following their redemption. Thus, a blemished sacrificial animal that was redeemed cannot be sheared or used for work, and may be used only for its meat. The Gemara in *Bechoros* (15a) derives this from the verse (*Deuteronomy* 12:15): תִּזְבַּח וְאָכַלְתָּ בָשָׂר, *you may slaughter and eat the meat* [which the *Sifrei* explains refers to redeemed blemished animals]. The Gemara expounds: *You may slaughter* — but not shear these animals; this teaches that such animals may not be used for "work," such as shearing or siring offspring — see *Shitah Mekubetzes* §2 to *Bechoros* ibid. (*Rashi ms.; Nimukei Yosef,* first explanation; see there for an alternative explanation).

[The Baraisa's phrase "similarly" implies a connection between the prohibition against mating animals on Chol HaMoed and that against mating a firstborn animal or a disqualified offering. This is somewhat difficult to understand, since the focus of the Chol HaMoed prohibition is the owner — *he* is forbidden to undertake the unnecessary exertion of breeding animals during this period. The focus of the prohibition regarding sanctified animals, however, is the *animal* — *it* may not be used for work, and siring offspring is its work. What connection exists between these two prohibitions? *Keren Orah* contends that the phrase כַּיּוֹצֵא בּוֹ, *similarly,* does not necessarily imply a connection between two clauses, and cites several Talmudic sources to prove his point. See, however, *Mishneh LaMelech* (*Me'ilah* 1:9) who expounds extensively on the connection implicit in the Baraisa's use of this phrase; see also *Pri Megadim* (*Eishel Avraham* 536:2) on this issue; see also *Minchas Chinuch* §484.

17. [Literally: If a she-donkey demands (the attention of a male).]

18. If the desire of a female donkey is permitted to go unsatisfied, it is difficult thereafter to mate her (*Rashi ms.*). Hence, failure to mate her on Chol HaMoed spells a significant loss for her owner; R' Yehudah therefore permits her to be mated (*Nimukei Yosef*).

[The Tanna of the previous Baraisa, and the Tanna Kamma of this one, do not differentiate between a she-donkey and any other animal, for they hold that in all cases, mating animals on Chol HaMoed is prohibited. *Beis Yosef* (*Orach Chaim* §536 ד״ה ומ״ש דאין מרביעין) notes that neither *Rif* nor *Rambam* mention R' Yehudah's distinction, but simply prohibit mating animals on Chol HaMoed; *Beis Yosef* takes this as evidence that they do not follow R' Yehudah's ruling, and rules accordingly.]

19. But we do not actually mount the male upon the female (*Rashi ms.*). In the case of other species, it is unlikely that failing to mate them will have any adverse effects (*Ritva*).

[*Rif* does not mention the permit to bring the females into the corrals with the males; however, *Meiri* rules that even those who disagree with R' Yehudah regarding the law of a she-donkey will agree that females may be placed with the males by all species (see *Pri Megadim* ibid.).]

20. It was common practice to pen animals in a field that required fertilization; the animals would defecate, and the manure would fertilize the field (*Rashi*). Each night, the pen would be moved to another section of the field. In this way, the entire field would be manured (*Rashi ms.*).

Fertilizing a field is forbidden on these holy days, as a subcategory (*toladah*) of the primary *melachah* of sowing or plowing (since anything that improves the productivity of the land falls into this category — see *Mishnah Berurah* 537:42). Although by penning the animals the owner is not directly performing fertilization, it is still prohibited by Rabbinic law, since it is similar to fertilization performed by a person (*Nimukei Yosef;* see *Meiri; Chidushei HaRan*).

אמר שמואל [א]מקבלי קיבולת בתוך התחום אסור חוץ לתחום מותר אמר רב פפא ואפי' חוץ לתחום לא אמרן אלא דליכא מתא דמקרבא להתם אבל איכא מתא דמקרבא להתם אסור אמר רב משרשיא וכי ליכא מתא דמקרבא להתם נמי לא אמרן אלא בשבתות ובימים טובים דלא שכיחי אינשי דאזלי להתם [ב]אבל בחוש"מ דשכיחי אינשי דאזלי ואתו להתם אסור מר זוטרא בריה דרב נחמן בנו ליה אפדנא מקבלי קיבולת חוץ לתחום איקלע רב ספרא ורב הונא בר חיננא ולא עלו לגביה ואיכא דאמרי הוא נמי לא על בגויה והאמר שמואל מקבלי קיבולת בתוך התחום אסור חוץ לתחום מותר (א) אדם חשוב שאני ואיכא דאמרי סיועי סייע בתיבנא בהדייהו רב חמא [ג]שרא להו (א) לאבונגרי דבי ריש גלותא למיעבד להו עבידתא בחולא דמועדא אמר כיון דאגר לא קא שקלי שרשויי הוא דקא משרשו ליה ולית לן בה תנו רבנן [ד]מקבלין קיבולת במועד לעשותה לאחר המועד ובמועד אסור [ה]כללו של דבר כל שהוא עושה אומר לנכרי ועושה [ו]וכל שאינו עושה אינו אומר לנכרי ועושה תניא אידך (ב) מקבלין קיבולת במועד לעשותה לאחר המועד [י]ובלבד שלא ימדוד ושלא ישקול ושלא ימנה כדרך שהוא עושה בחול ת"ר (ג) [ז]אין מרביעין בהמה בחולו של מועד [ח]כיוצא בו אין מרביעין בבכור ולא בפסולי המוקדשין תניא אידך אין מרביעין בהמה בחולו של מועד ר' יהודה אומר (ד) חמורה שתבעה מרביעין עליה זכר בשביל שלא תצטנן ושאר כל הבהמות מכניסין אותן לבקרות ת"ר (ה) [ט]אין מדיירין לא בשבתות ולא בימים טובים ולא בחולו של מועד ואם באו מאליהן מותר ואין מסייעין אותן ואין מוסרין להם שומר לנער את צאנם היה שכיר שבת שכיר חדש שכיר שנה שכיר שבוע מסייעין אותן [א] (ו) ומוסרין להם שומר לנער את צאנם [ב] ר' אומר [י]בשבת בטובה ביו"ט במזונות במועד בשכר אמר רב יוסף הלכתא כרבי:

מתני' וכן מי שהיה יינו בתוך הבור ואירעו אבל או אונס או שהטעוהו (ז) [כ]זולף וגומר וגף כדרכו דברי ר' יוסי ר' יהודה אומר עושה לו לימודים בשביל שלא יחמיץ:

גמ' וצריכא דאי אשמעינן קמייתא בההיא קאמר ר' יוסי משום דמישחא נפיש פסידיה אבל חמרא דלא נפיש פסידיה אימא מודי ליה לרבי יהודה ואי אשמעינן בתרייתא בההיא קאמר רבי יהודה אבל בהך אימא מודה לר' יוסי צריכא אמר רב יצחק בר אבא (ח) מאן תנא שינוי במועד בדבר האבד דלא כר' יוסי אמר רב יוסף [ל]הלכה כר' יוסי בעו מיניה מרב נחמן בר יצחק מהו למישע חביתא דשיכרא בחולא דמועדא אמר להו (ט) סיני אמר הלכה [מ]כר' יוסי אימור דאמר רבי יוסי בחמרא בשיכרא מי אמר חמרא טעמא מאי משום דנפיש פסידיה שיכרא נמי אית בה פסידא דאמר אביי (י) אמרה לי אם בר שית סאוי ושייע מבר תמני ולא שייע אמר רב חמא בר גוריא אמר רב הלכות מועד כהלכות כותים (כ) בהלכה למאי הלכתא אמר רב דניאל (ל) בר קטינא (מ) (אמר רב) לומר שהן עקורות ואין למידות זו מזו דאמר שמואל [נ]זופתין כוזתא ואין זופתין חביתא רב דימי מנהרדעא אמר [ס]זופתין חביתא ואין זופתין כוזתא מר חייש לפסידא ומר חייש לטירחא אמר אביי (נ) נקטינן הלכות מועד כהלכות שבת

רש"י

מקבלי קיבולת בתוך התחום אסור. ליתן מלאכה לנכרי בקיבולת כי עבדי ליה בשבתא דידעי כולי עלמא ואמרי היום בשבת יהב ליה והא דשרי בית הלל בפ"ק דשבת (ד' יח:) ליתן כלים לכובס בע"ש עם חשיכה ואפי' בתוך התחום משום דכביסה בנכרי מידי דלא מינכר וליכא חשדא אבל מידי דמינכר בתוך התחום אסור משום חשדא: אבל אי איכא מתא דמקרבא להתם. אותן פועלים נכרים אסורים דאינהו ידעי דהני נכרים עבדי ליה מלאכה ואמרי בשבתא יהב להו: אסור. דאמרי היום יהבו ליה: סיועי הוה מסייע בתיבנא. שהיה נותן להם תבן למלאכה דהואיל והוא מסייע בהדייהו אסור: אבונגרי. מסדרי שולחנות: למיעבד עבידתייהו. אם נשבר השלחן שרי לתקנו: שרשויי. ריוח בעלמא כדי סעודתם דקא אכלי בהדייהו ולא קא חשיב מלאכה: מקבלין קיבולת. נותנה לנכרי לעשותה אחר המועד: אין מרביעין בהמה. משום דעביד מלאכה בחולו של מועד: אין מרביעין. אין אוחזין הבהמה ומביאין עליה זכר: בבכור. דקעביד ביה מלאכה וכתיב (דברים טו) לא תעבוד בבכור שורך: לבקרות. מקום שיש שם בהמות והיא רובעת מעלמה: מדיירין. מכניסין בהמה לשדה כדי שיוליאו זבל ומזבלין השדה: אין מסייעין אותן. לבהמה לבא בשדה או אם נכרים הם אין מסייעין להם להסיען ממקום למקום כדי שתזבל כל השדה אפילו בבאין מעלמם: לנער. לשמור כגון אם נכרים הם: שכיר שבת. ששכרו כל השבוע לדייר שדהו: שבוע. שמיטה: מסייעין. כאילו של נכרים הוא: ה"ג ועושה נכרי בשבת וי"ט ומסייעין במועד. דלא טרח מלאכה כלומר יכולין לסייע לאותו שכיר לדייר: ומוסרין לו רועה אחד לנער צאנו. שמדיירין אותה הואיל ואינו שכיר לשבת ממש: רבי אומר בשבת בטובה. אם רוצה שום אדם לסייע לאותו שכיר בטובתו עושה כלומר בחנם ולא בשכר: **מתני'** בתוך הבור. שלפני הגת אותו כלי שהיין נופל בו מן הגת קרוי בור: זולף וגומר כדרכו. כלומר מריק אותו בחבית וגף החבית במגופה גמורה: עושה לו למודים. אינו יכול לגוף כדרכו אלא שיתפס (ג) היינו לימודין בשביל שלא יחמיץ שאם אינו סותמו מחמיץ: **גמ'** וצריכא. למימר בתרווייהו בשני בבי דמתני' דמשחא ודחמרא ר' יוסי אומר זולף כו': בההיא. רישא דמתניתין: קאמר רבי יוסי. זולף כדרכו: דמשחא. יקיר ואיכא פסידא יתירא: מודה ליה לר' יהודה. דאינו זולף וגף ממש אלא עושה לימודים ערא': דלא כר' יוסי. דאמר גומר כדרכו ואינו צריך שינוי: למישע. לגוף החבית: סיני. (ס) רב יוסף: הלכה כר' יוסי. דגף כדרכו: בר שית סאוי ושייע מבר תמני ולא שייע. כלומר יפה שכר מוגף שמחזיק שש סאין משכר שהוא בכלי גדול שמחזיק שמונה סאין: כהלכות כותים. דאמרינן (חולין דף ד.) היכא דאחזיק אחזיק היכא דלא אחזיק לא אחזיק: עקורות. כאשה עקרה שאין לאדם ממנה פרי אלא גופה: ואין למידין זו מזו. דאימא כשם שזו מותרת כך זו מותרת כמו בכותים ולא אמרינן כי היכי דמחזיק בהאי מחזיק בהאי אלא לא ילפי הני מהני: מר. דאמר זופתין חביתא חייש לפסידא ובחביתא איכא פסידא יתירא אי לא זפתי לה משום דנפיש יינא ובכוזתא ליכא פסידא יתירא כוזא כלי קטן: מר. דאמר זופתין לכוזא דחייש לטירחא יתירא ובכוזא ליכא טירחא ובחביתא איכא טירחא יתירא:

תוספות

אמר שמואל מקבלי קיבולת בתוך התחום. הא דשרינן כלים לכובס נכרי פירש בקונט' דלא מינכר שהוא של ישראל ור' יעקב לא היה מחלק ואומר דשרי במועד וגם בשבת דהא ריחים של מים איכא השמעת קול ושרינן בפ"ק דשבת (דף יח. ושם) ובפ"ק דע"ז (דף כא: ושם) שרינן להשכיר שדה לנכרי משום דאריסותיה קעביד וכ"ש קבלנות שאין הבית מתעלה בכך אלא ממהר לעשות ואע"ג דר' שמעון בן אלעזר פליג מסתמא הלכה כר' שמעון בן גמליאל דקא אסר התם מרחץ במשנה משמע הא שדה שרי כדדייק התם ותניא בפ"ק דשבת (דף יט.) גבי ספינה פוסק עמו על מנת לשבות ואינו שובת אלמא אין הנכרי מניח לעשות קבלנותו בשביל ישראל ואיכא מאן דאמר אפי' לפסוק אין צריך ובשמעתין דאסר שמואל מפרש רבינו יעקב כאותו פירוש שמעמידין כולהו שמעתא באבל וכדרב שישא דאמר (לעיל יא:) דברים המותרי' בחש"מ אסורין בימי אבלו דהוי דאורייתא או כעין דאורייתא אבל במועד הקילו וכ"ש שיש להן להקל בשבת דלא חיישינן כל כך דלא ליזלזל ביה וא"ת כיון דבאבילות איירי שמואל היכי קאמר וכי ליכא מתא דמיקרבא להתם (ג) לא אמרן אלא בשבתות וימים טובים דלא שכיחי דאזלי מדוכתא אבל בחולו של מועד אסור וצריך עיון: **דברי** רבי יוסי. בשמן (ד) תניא מילתא דר' יהודה ברישא וכיון דאתחיל מילתא דרבי יוסי מסיים לה וגף ביין לא ידענא אי אבור אי אחבית קאי מיהו לכאורה אחבית קאי דשייך בה מגופה ומדקתני בה זולף וגומר משמע דאבור קאי דאחבית לא שייך משמע דגף אחרי כן וגם עושין לו לימודין משמע דקאי אבור ולית ליה זולף וגומר דאחבית לא שייך לימודין דסגי בכיסוי קטן:

עין משפט נר מצוה

יא א מיי' פ"ו מהל' שבת הל' יד טוש"ע א"ח סי' רמד סעיף א:
יב ב מיי' פ"ז מהל' יו"ט הלכה כה טוש"ע שם סי' תקמג סעיף ב:
יג ג טוש"ע שם סי' תקמג סעיף א:
יד ד מיי' שם טוש"ע שם סי' תקמג סעיף ג:
טו ה מיי' שם הל' כד טוש"ע שם סעיף א:
טז ו מיי' שם הלכה כה טוש"ע שם סעיף ג:
יז ז מיי' שם פ"ח הלכה טו טוש"ע שם סי' תקלו סעיף ג:
יח ח מיי' פ"א מהל' מעילה הלכה ט:
יט ט י מיי' פ"ח מהל' יו"ט הל' יא טוש"ע שם סי' תקלו סעיף יד:
כ כ מיי' פ"ז מהלכות יו"ט הלכה ג (ופי"ג מהל' אבל הל' ו) טוש"ע א"ח סי' תקלח סעיף א:
כא ל מיי' פ"ז מהל' יו"ט הל' ג ופ"ח הלכה ז טוש"ע שם סי' תקלו סעיף א:
כב מ מיי' שם פ"ח הלכה יד:
כג נ ס מיי' שם טוש"ע שם סי' תקלח סעיף א:

הגהות הגר"א

[א] גמ' שכיר שבוע מסייעין אותן. נ"ב במועד. ומה שנדפס בלדו ס"א ועושה כו' נמחק: [ב] שם ר' אומר בשבת בטובה. נ"ב פי' דקאי ארישא באינו שכיר שבת ובאו מאליהן מותר במועד אפי' נותן לו שכר אח"כ ובסיפא שכיר שבת מסייעין כו' דוקא במועד לבד ומוסרין לו שומר לנער אף בשכר [עי' מ"א] (עמש"ש) [שו"ע] אבל הרמב"ם מפרש אסיפא (וכ"כ המ"מ) לכן השמיט שבת וי"ט דס"ל דבהם בכל ענין אסור ובמועד כו' אף לשכור מותר (ועמ"ש רבינו בא"ח סי' תקל"ז):

גליון הש"ס

גמ' וכל שאינו עושה אינו אומר. עיין בב"מ דף ל ע"א תוס' ד"ה אבל הכא:

רבינו חננאל

אמר שמואל מקבלי קיבולת. פי' אם קיבלו קיבולת בתוך התחום אסור. חוץ לתחום מותר. ואסיקנא הני מילי בשבתות ובי"ט דלא שכיחי אינשי דנפקי חוץ לתחום אבל בחולו של מועד דאיכא דנפקי חוץ לתחום אסור מר זוטרא בנו ליה נכרים בקיבולת אפדנא חוץ לתחום ולא עיילי רבנן בההוא אפדנא איכא דאמרי הוא נמי לא על בההוא אפדנא. ואע"ג דאמר שמואל כי האי גוונא שרי אדם חשוב שאני איכא דאמרי עבדיה סייע בהדייהו בתיבנא רב חמא שרא לאכוונרי דבי ריש גלותא למיעבד להון עבידתא בחולי דמועדא מ"ט דכיון דלא אגרא שקלי שרשויי הוא דמשרשי להו כגון דורון הוא ושרי: ת"ר מקבלין קיבולת במועד לעשותה לאחר המועד ובלבד שלא ישקול ושלא ימדוד ושלא ימנה כדרך שהוא עושה בחול וכן אינו נותן בקיבולת לנכרי במועד.

PERMISSIBLE to allow them to do so.[21] וְאֵין מְסַיְּיעִין אוֹתָן – **HOWEVER, WE MAY NOT ASSIST THEM** in moving the animals from one section of the field to another וְאֵין מוֹסְרִין לָהֶם שׁוֹמֵר לְנַעֵר אֶת צֹאנָם – **AND WE MAY NOT PROVIDE THEM WITH A WATCHMAN TO GUARD THEIR FLOCK.**[22] הָיָה שְׂכִיר שַׁבָּת שְׂכִיר חֹדֶשׁ שְׂכִיר שָׁנָה שְׂכִיר שָׁבוּעַ – **IF HE** (i.e. the non-Jew manuring the field) **WAS ONE HIRED PER WEEK, PER MONTH, PER YEAR OR PER SEVEN-YEAR SPAN,**[23] מְסַיְּיעִין אוֹתָן – **WE MAY ASSIST THEM** (i.e. his workers)[24] וּמוֹסְרִין לָהֶם שׁוֹמֵר לְנַעֵר אֶת צֹאנָם – **AND WE MAY PROVIDE THEM WITH A WATCHMAN TO GUARD THEIR FLOCK.**[25]

The Baraisa stated that if non-Jews came of their own accord to manure one's field, they may do so. Rebbi addresses this case:[26] רַבִּי אוֹמֵר – **REBBI SAYS:** בְּשַׁבָּת בְּטוֹבָה – **ON THE SABBATH,** he may permit the gentiles to manure the field only **IN** expectation of **A FAVOR,** but not for remuneration;[27] בְּיוֹם טוֹב בִּמְזוֹנוֹת – **ON THE FESTIVAL,** he may repay them **WITH FOOD,** but not with a monetary wage;[28] בַּמּוֹעֵד בְּשָׂכָר – **ON CHOL HAMOED,** he may repay them **WITH** even **A** monetary **WAGE.**[29]

The Gemara rules:

אָמַר רַב יוֹסֵף – **Rav Yosef said:** הִלְכְתָא כְּרַבִּי – **The halachah is in accordance with Rebbi.**[30]

Mishnah The previous Mishnah cited a dispute between R' Yehudah and R' Yose as to whether one compelled to press his olives on Chol HaMoed may complete the work in the usual manner. This Mishnah discusses a similar dispute regarding one faced with the loss of his freshly squeezed wine.

וְכֵן מִי שֶׁהָיָה יֵינוֹ בְּתוֹךְ הַבּוֹר – **And likewise** in the case of **one whose wine was in the vat** in front of the wine press,

NOTES

21. This is the understanding of *Rashi ms.; Ritva; Nimukei Yosef* et al. However, the printed *Rashi* seems to understand this clause as referring also to animals that enter the pen on their own. The Baraisa teaches that one need not drive them from the pen.

Rashi ms. adds that when the non-Jews come on their own, one is permitted to pay them for their work. See below, note 30 for discussion of this point.

22. This gentile is working for the Jew, and not for himself; accordingly, it is forbidden for the Jew to assist him in any way (see *Rashi* ד״ה מסייעין; see below, note 24). Furthermore, if the Jew would assist the non-Jews, or provide a watchman for them, it would *appear* that he hired them to do the work (*Levush* 537:14, cited in *Mishnah Berurah* there §47).

[*Rashi ms.* explains לְנַעֵר differently; it does not refer to guarding the sheep, but to forcing them to constantly rise to their feet, for they often defecate when they rise; cf. *Nimukei Yosef* and *Ritva.*]

23. I.e. he was hired for one of these periods to manure the Jew's fields [whenever necessary] (*Rashi*).

24. [One hired for a long period to perform a task at unspecified times is not considered to be performing the work of the Jew, since he may perform his task at a time of his choosing (see note 2). When this individual works on the Sabbath, it is entirely for his own convenience; he is performing his own work, not his employer's (see *Orach Chaim* 244:5).] Therefore, a Jew is permitted to assist him in his task, for it is as though he is assisting the non-Jew in working his own field (see *Rashi*).

Although one is generally forbidden to perform vigorous work on Chol HaMoed (see above, note 15), one is permitted to assist the non-Jew in this task, as it requires very little exertion (*Rashi*).

[There is a variant reading here that is adopted by *Rashi* (both the standard text and *ms.*), as well as by other Rishonim. At this point, the following phrase is inserted: וְעוֹשֶׂה נָכְרִי בְּשַׁבָּת וְיוֹם טוֹב וּמְסַיְּיעִין בַּמּוֹעֵד – *And the non-Jew may do [this work] on the Sabbath and on the festival, but we may assist him on Chol HaMoed [only].* This refers to one hired for a long-term span; although he is permitted to manure the field on festivals and Sabbaths, we may not assist him on these days, only on Chol HaMoed. This ruling is followed in *Shulchan Aruch, Orach Chaim* 537:14; see *Beur HaGra* there.]

25. Since the gentile has not been hired to work on the Sabbath specifically, his work is his own. We are therefore permitted to provide him with a watchman (see *Rashi;* see previous note). [From *Rashi* it would seem that although rendering assistance to the gentile is allowed only on Chol HaMoed (see previous note), providing him with a watchman is allowed even on the Sabbath or on a festival. Cf., however, *Magen Avraham* 537:15; *Mishnah Berurah* there §48.]

[With regard to whether one is permitted to *hire* a watchman for the non-Jew, see *Magen Avraham* ibid.; *Hagahos HaGra* §2; *Mishnah Berurah* ibid. §49.]

26. *Rashi ms.; Nimukei Yosef; Ritva;* see *Maggid Mishneh, Yom Tov* 8:11, quoting *Rashi; Hagahos HaGra* §2; see, however, below, end of note 30.

27. By giving the gentile a wage, either of food or of money, the Jew shows that he is pleased with his work on the Sabbath; this is regarded as though he had instructed the gentile to perform the work (*Levush, Orach Chaim* 537:14). Therefore, he may not repay the worker except with a favor (*Rashi ms.*). However, he is permitted to repay the favor even on this very Sabbath (*Mishnah Berurah* 537:43). If the gentile expects financial remuneration, the Jew must order him to cease working (see *Keren Orah*).

28. Festival law is generally less stringent than Sabbath law; accordingly, if a non-Jew manures a Jew's field on the festival, the Jew is permitted to provide him with his meals (see *Levush* ibid.). For the meals he receives are only a benefit, not a formal wage (see *Nimukei Yosef*).

Some authorities forbid the Jew to give the worker the food on the festival itself. Instead, he must wait until after the festival, and then reimburse him for his food expenses (*Nimukei Yosef; Chidushei HaRan;* see *Mishnah Berurah* ibid. §44). Others, however, allow him to provide the worker with meals even during the festival (*Rabbeinu Chananel; Rosh; Ritva*).

29. I.e. since he came unbidden, and the Jew did not agree beforehand to pay him, he may pay him after he completes the work. We are not afraid that he will return to do this on a regular basis, thereby giving the impression that the Jew *had* hired him beforehand (*Ritva*). However, one may not tell the non-Jew that if he continues working he will be paid, for this would run afoul of the dictum set out in the aforecited Baraisa: *Whatever one may do on Chol HaMoed, he may tell a non-Jew to do, and whatever one may not do on Chol HaMoed, he may not tell a non-Jew to do* (*Nimukei Yosef; Mishnah Berurah* 537:46). However, he may say to the worker that he is pleased with his work (*Meiri*).

30. From Rav Yosef's statement we see that Rebbi is disputing the Tanna Kamma of the Baraisa. The Rishonim explain (see *Rashi ms.; Ritva*) that the Tanna Kamma is of the opinion that when the non-Jews come of their own accord to manure the field, whether on the Sabbath, on a festival or on Chol HaMoed, one is permitted to pay them for their work. This is implied by the fact that the Tanna Kamma states simply that when non-Jews come on their own it is permissible; the fact that he makes no stipulations indicates that the permit is unconditional – the work may be performed under the usual arrangements, i.e. for wages (see *Ritva*).

[Our elucidation of Rebbi's statement as addressing the case of non-Jews who came of their own accord to manure a Jew's field follows *Rashi ms.* and numerous other Rishonim (see note 26). The standard edition of *Rashi,* however, understands Rebbi to be addressing the case of a long-term employee (per week, per month . . .). The Baraisa ruled that we may assist this sort of worker in his task; however, it limited this permit to Chol HaMoed – on Sabbaths and festivals we may not assist him (as per the reading cited in note 24). Rebbi disputes the Tanna Kamma, and allows assistance to be rendered the workers on Sabbaths and festivals also. However, he does differentiate between the various holy days with regard to the form the assistant's wages must take. On the Sabbath he may not be paid at all; on a festival he may be given his meals; on Chol HaMoed he may be given a formal wage. According to this interpretation, Rebbi discusses the remuneration given to the one assisting; according to the interpretation we have followed, he discusses the remuneration of the non-Jew who came on his own. For other explanations of Rebbi's ruling, see *Rambam* (*Yom Tov* 8:11, as explained by *Maggid Mishneh* there) and *Chidushei HaRan;* see *Keren Orah* for discussion of the various opinions.

א) [שבת נג. וש"נ], ב) [תוספתא פ"ב], ג) [שם], ד) [שם], ה) [עי' בתוספתא סוף פ"ב דשביעית], ו) ס"א ועושה נכרי בשבת ויו"ט ומסייעין במועד, ז) שמות פ"ה, ח) [לעיל יא. ע"ש], ט) [ברכות סד.], י) [קידושין לא: וש"נ], כ) [תיבת בהלכה ליתא בהרי"ף והרא"ש], ל) גי' הרי"ף והרא"ש בר רב קטינא, מ) [ליתא בהרא"ש], נ) [עי' פרש"י בעירובין ה. ד"ה והאמר ר"נ], ס) ברכות סד. הוריות יד ע"א.

עין משפט נר מצוה

יא א מיי' פ"ו מהל' שבת הל' יד טוש"ע א"ח סי' רמד סעיף א:
יב ב מיי' פ"ז מהל' יו"ט הלכה כה טוש"ע שם סי' תקמג סעיף ב:
יג ג טוש"ע שם סי' תקמב סעיף א:
יד ד מיי' שם טוש"ע שם סי' תקמג סעיף ג:
טו ה מיי' שם הל' כד טוש"ע שם סעיף א:
טז ו מיי' שם הלכה כה טוש"ע שם סעיף ג:
יז ז מיי' שם פ"ח הלכה טו טוש"ע שם סי' תקלו סעיף ג:
יח ח מיי' פ"א מהל' מעילה הלכה ט:
יט ט י מיי' פ"ח מהל' יו"ט הל' יא טוש"ע שם סי' תקלו סעיף יד:
כ כ מיי' פ"ז מהלכות יו"ט הלכה ג (ופי"ג מהל' אבל הל' ו) טוש"ע א"ח סי' תקלא סעיף א:
כא ל מיי' פ"ז מהל' יו"ט הל' ג ופ"ח הלכה ז טוש"ע שם סי' תקלו סעיף א:
כב מ מיי' שם פ"ח הלכה יד:
כג נ ס מיי' שם טוש"ע שם סי' תקלא סעיף א:

אמר שמואל [א] מקבלי קיבולת בתוך התחום אסור חוץ לתחום מותר אמר רב פפא ואפי' חוץ לתחום לא אמרן אלא דליכא מתא דמקרבא להתם אבל איכא מתא דמקרבא להתם אסור אמר רב משרשיא וכי ליכא מתא דמקרבא להתם נמי לא אמרן אלא בשבתות ובימים טובים דלא שכיחי אינשי דאזלי להתם [ב] אבל בחוש"מ דשכיחי אינשי דאזלי ואתו להתם אסור מר זוטרא בריה דרב נחמן בנו ליה אפדנא מקבלי קיבולת חוץ לתחום איקלע רב ספרא ורב הונא בר חיננא ולא עלו לגביה ואיכא דאמרי הוא נמי לא על בגוויה והאמר שמואל מקבלי קיבולת בתוך התחום אסור חוץ לתחום מותר (א) אדם חשוב שאני ואיכא דאמרי סיועי סייע בתיבנא בהדייהו רב חמא [ג] שרא להו (א) לאבונגרי דבי ריש גלותא למיעבד להו עבידתא בחולא דמועדא אמר כיון דאגר לא קא שקלי שרשויי הוא דקא משרשו ליה ולית לן בה תנו רבנן [ד] מקבלין קיבולת במועד לעשותה לאחר המועד ובמועד אסור [ה] כללו של דבר כל שהוא עושה אומר לנכרי ועושה ° וכל שאינו עושה אינו אומר לנכרי ועושה תניא אידך (ב) מקבלין קיבולת במועד לעשותה לאחר המועד [ו] ובלבד שלא ימדוד ושלא ישקול ושלא ימנה כדרך שהוא עושה בחול ת"ר (ג) [ז] אין מרביעין בהמה בחולו של מועד [ח] כיוצא בו אין מרביעין בבכור ולא בפסולי המוקדשין תניא אידך אין מרביעין בהמה בחולו של מועד ר' יהודה אומר (ד) חמורה שתבעה מרביעין עליה זכר בשביל שלא תצטנן ושאר כל הבהמות מכניסין אותן לבקרות ת"ר (ה) [ט] אין מדיירין לא בשבתות ולא בימים טובים ולא בחולו של מועד ואם באו מאליהן מותר ואין מסייעין אותן ואין מוסרין להם שומר לנער את צאנם היה שכיר שבת שכיר חדש שכיר שנה שכיר שבוע מסייעין אותן [א] (ו) ומוסרין להם שומר לנער את צאנם [ב] ר' אומר בשבת בטובה ביו"ט במזונות במועד בשכר אמר רב יוסף הלכתא כרבי:

מתני' וכן מי שהיה יינו בתוך הבור ואירעו אבל או אונס או שהטעוהו (ז) [כ] זולף וגומר וגף כדרכו דברי ר' יוסי ר' יהודה אומר עושה לו לימודים בשביל שלא יחמיץ:

גמ' וצריכא דאי אשמעינן קמייתא בההיא קאמר ר' יוסי משום דמישחא נפיש פסידיה אבל חמרא דלא נפיש פסידיה אימא מודי ליה לרבי יהודה ואי אשמעינן בתרייתא בההיא קאמר רבי יהודה אבל בהך אימא מודה לר' יוסי צריכא אמר רב יצחק בר אבא (ס) מאן תנא שינוי במועד בדבר האבד דלא כר' יוסי אמר רב יוסף [ל] הלכה כר' יוסי בעו מיניה מרב נחמן בר יצחק מהו למישע חביתא דשיכרא בחולא דמועדא אמר להו (ט) סיני אמר הלכה [מ] כר' יוסי אימור דאמר רבי יוסי בחמרא בשיכרא מי אמר חמרא טעמא מאי משום דנפיש פסידיה שיכרא נמי אית בה פסידא דאמר אביי (י) אמרה לי אם בר שית סאוי ושייע מבר תמני ולא שייע אמר רב חמא בר גוריא אמר רב הלכות מועד כהלכות כותים (כ) בהלכה למאי הלכתא אמר רב דניאל (ל) בר קטינא (מ) (אמר רב) לומר שהן עקורות ואין למידות זו מזו דאמר שמואל [נ] זופתין כוזתא ואין זופתין חביתא רב דימי מנהרדעא אמר [ס] זופתין חביתא ואין זופתין כוזתא מר חייש לפסידא ומר חייש לטירחא אמר אביי (נ) נקטינן הלכות מועד כהלכות שבת

רש"י

מקבלי קיבולת בתוך התחום אסור. ליתן מלאכה לנכרי בקיבולת כי עבדי ליה בשבתא דידעי כולי עלמא ואמרי היום בשבת יהב ליה והא דשרי בית הלל בפ"ק דשבת (ד' יז:) ליתן כלים לכובס בע"ש עם חשיכה ואפי' בתוך התחום משום דכביסה בנכרי מידי דלא מינכר וליכא חשדא אבל מידי דמינכר בתוך התחום אסור משום חשדא: אבל אי איכא מתא דמקרבא להתם. אותן פועלים נכרים אסורים דאינהו ידעי דהני נכרים עבדי ליה מלאכה ואמרי בשבתא יהב להו: אסור. דאמרי היום יהבו ליה: סיועי הוה מסייע בתיבנא. שהיה נותן להם תבן למלאכה דהואיל והוא מסייע בהדייהו אסור: אבונגרי. מסדרי שולחנות: למיעבד עבידתייהו. אם נשבר השלחן שרי לתקנו: שרשויי. ריוח בעלמא כדי סעודתם דקא אכלי בהדייהו ולא קא חשיב מלאכה: מקבלין קיבולת. נותנה לנכרי לעשותה אחר המועד: אין מרביעין בהמה. משום דעביד מלאכה בחולו של מועד: אין מרביעין. אין אוחזין הבהמה ומביאין עליה זכר: בבכור. דקעביד ביה מלאכה וכתיב (דברים טו) לא תעבוד בבכור שורך: לבקרות. מקום שיש שם בהמות והיא רובעת מעצמה: מדיירין. מכניסין בהמה לשדה כדי שיוציאו זבל ומזבלין השדה: אין מסייעין אותן. לבהמה לבא בשדה או אם נכרים הם אין מסייעין להם להסיען ממקום למקום כדי שתזבל כל השדה אפילו בבאין מעצמם: לנער. לשמור כגון אם נכרים הם: שכיר שבת. ששכרו כל השבוע לדייר שדהו: שבוע. שמיטה: מסייעין. כאילו של נכרים הוא: ה"ג ועושה נכרי בשבת ויו"ט ומסייעין במועד. דלא טרח מלאכה כלומר יכולין לסייע לאותו שכיר לדייר: ומוסרין לו רועה אחד לנער צאנו. שמדיירין אותה הואיל ואינו שכיר לשבת ממש: רבי אומר בשבת בטובה. אם רוצה שום אדם לסייע לאותו שכיר בטובתו עושה כלומר בחנם ולא בשכר: מתני' בתוך הבור. שלפני הגת אותו כלי שהיין נופל בו מן הגת קרוי בור: זולף וגומר כדרכו. כלומר מריק אותו בחבית וגף החבית במגופה גמורה: עושה לו למודים. אינו יכול לגוף כדרכו אלא שיתפס (ב) היינו לימודין בשביל שלא יחמיץ שאם אינו סותמו מחמיץ: גמ' וצריכא. למימר בתרוייהו בשני בבי דמתני' דמשחא ודחמרא ר' יוסי אומר זולף כו': בההיא. רישא דמתניתין: קאמר רבי יוסי. זולף כדרכו: דמשחא. יקיר ואיכא פסידא יתירא: מודה ליה לר' יהודה. דאינו זולף וגף ממש אלא עושה לימודים עראי: דלא כר' יוסי. דאמר גומר כדרכו ואינו צריך שינוי: למישע. לגוף החבית: סיני. (ס) רב יוסף: הלכה כר' יוסי. דגף כדרכו: בר שית סאוי ושייע מבר תמני ולא שייע. כלומר יפה שכר מוגף שמחזיק ששה סאין משכר שהוא בכלי גדול שמחזיק שמונה סאין: כהלכות כותים. דאמרינן (חולין דף ד.) היכא דאחזיק אחזיק היכא דלא אחזיק לא אחזיק: עקורות. כאשה עקרה שאין לאדם ממנה פרי אלא גופה: ואין למידין זו מזו. דאימא כשם שזו מותרת כך זו מותרת כמו בכותים ולא אמרינן כי היכי דמחזיק בהאי מחזיק בהאי אלא לא ילפי הני מהני: מר. דאמר זופתין חביתא חייש לפסידא ובחביתא איכא פסידא יתירא אי לא זפתי לה משום דנפיש יינא ובכוזתא ליכא פסידא יתירא כוזא כלי קטן: מר. דאמר זופתין לכוזא דחייש לטירחא יתירא ובכוזא ליכא טירחא יתירא ובחביתא איכא טירחא יתירא:

תוספות

אמר שמואל מקבלי קיבולת בתוך התחום. הא דשרינן כליס לכובס נכרי פירש בקונט' דלא מינכר שהוא של ישראל ור' יעקב לא היה מחלק ואומר דשרי במועד וגם בשבת דהא ריחים של מים איכא השמעת קול ושרינן בפ"ק דשבת (דף יח. ושם) ובפ"ק דע"ז (דף כא: ושם) שרינן להשכיר שדה לנכרי משום דאריסותיה קעביד וכ"ש קבלנות שאין הבית מתעלה בכך אלא ממהר לעשות ואע"ג דר' שמעון בן אלעזר פליג מסתמא הלכה כר' שמעון בן גמליאל דקא אסר התם מרחץ במשנה משמע הא שדה שרי כדדייק התם ותניא בפ"ק דשבת (דף יט.) גבי ספינה פוסק עמו על מנת לשבות ואינו שובת אלמא אין הנכרי מניח לעשות קבלנותו בשביל ישראל ואיכא מאן דאמר אפי' לפסוק אין צריך ובשמעתין דאסר שמואל מפרש רבינו יעקב כאותו פירוש שמעמידין כולהו שמעתא באבל וכדרב שישא דאמר (לעיל יא:) דברים המותרי' בחש"מ אסורין בימי אבלו דהוי דאורייתא או כעין דאורייתא אבל במועד הקילו וכ"ש שיש להן להקל בשבת דלא חיישינן כל כך דלא ליזלזל ביה וא"ת כיון דבאבילות איירי שמואל היכי קאמר וכי ליכא מתא דמיקרבא להתם (ג) לא אמרן אלא בשבתות וימים טובים דלא שכיחי דאזלי מדוכתא אבל בחולו של מועד אסור וצריך עיון: דברי רבי יוסי. בשמן (ד) תניא מילתא דר' יהודה ברישא וכיון דאתחיל מילתא דרבי יוסי מסיים לה וגף ביין לא ידענא אי אבור אי אחבית קאי מיהו לכאורה אחבית קאי דשייך בה מגופה ומדקתני בה זולף וגומר משמע דאבור קאי דאחבית לא שייך משמע דגף אחרי כן וגם עושין לו לימודין משמע דקאי אבור ולית ליה זולף וגומר דאחבית לא שייך לימודין דסגי בכיסוי קטן:

מכניס

יס

הגהות הב"ח

(א) גמ' רב חמא שרא להו לאבונגרי. נ"ב עי' סוף דף יח בפרש"י ד"ה לעצמו: (ב) רש"י ד"ה עושה כו' אלא שיתפס בנכרים היינו לימודין: (ג) תום' ד"ה אמר כו' מתא דמיקרבא להתם נמי לא אמרן: (ד) ד"ה דברי ר' יוסי בשמן תנן מילתא דר' יהודה ברישא וביין תנן מילתא דר' יוסי ברישא דכיון דאתחיל במילתא דר' יוסי וכו' אי אבור קאי אי אחבית וכו' משמע דאבור קאי. נ"ב כלומר דפי' זולף היינו שסותם וממלא וכשהוא בבור שייך לומר דממלא כל היין לתוך הבור וגומר כדרכו כולו והורידו לבור אבל אחבית לא שייך זולף וגומר כל עיקר אלא אבור קאי וקאמר וגף כדרכו דאח"כ כשסתם וממלא הכל מניח מגופה על הבור שהיין בתוכו ומכסהו כדרכו וזה עולה כגירסת הספרים בורו לגוף:

הגהות הגר"א

[א] גמ' שכיר שבוע מסייעין אותן. נ"ב במועד. ומה שנדפס בלדו ס"א ועושה כו' נמחק: [ב] שם ר' אומר בשבת בטובה. נ"ב פי' דקאי ארישא באינו שכיר שבת ובאו מאליהן מותר במועד אפי' נותן לו שכר אח"כ ובסיפא שכיר שבת מסייען כו' דוקא במועד לבד ומוסרין לו שומר לנער אף בשכר [עי' מ"א] (עמש"ש) [שו"ע] אבל הרמב"ם מפרש אסיפא (וכ"כ המ"מ) לכן השמיט שבת וי"ט דס"ל דבהם בכל ענין אסור ובמועד כו' אף לשכור מותר (ועמ"ש רבינו בא"ח סי' תקל"ז):

גליון הש"ס

גמ' וכל שאינו עושה אינו אומר. עיין בב"מ דף ל ע"ב תוס' ד"ה אבל הכא:

רבינו חננאל

אמר שמואל מקבלי קיבולת. פי' אם קיבלו קיבולת בתוך התחום אסור. חוץ לתחום מותר. ואסיקנא הני מילי בשבתות ובי"ט דלא שכיחי אינשי דנפקי חוץ לתחום אבל בחולו של מועד דאיכא דנפקי חוץ לתחום אסור מר זוטרא בנו ליה נכרים בקיבולת אפדנא חוץ לתחום ולא עיילי רבנן בההוא אפדנא. איכא דאמרי הוא נמי לא על בההוא אפדנא. ואע"ג דאמר שמואל כי האי גוונא שרי אדם חשוב שאני איכא דאמרי עבידה סייע בהדייהו בתיבנא רב חמא שרא לאבונגרי דבי ריש גלותא למיעבד להון עבידתא בחולי דמועדא מ"ט דכיון דלא אגרא שקלי שרשורי הוא דמשרשי להו ושרי כגון דורון הוא: ת"ר מקבלין קיבולת במועד לעשותה לאחר המועד ובלבד שלא ישקול ושלא ימדוד ושלא ימנה כדרך שהוא עושה בחול וכן אינו נותן בקיבולת לנכרי במועד.

רש"י כת"י

מקבלי קבולת. גוים שמקבלין מישראל מלאכה קודם יום טוב לעשותה לגמרי כגון בית לעשותו ועושהו גוי אפילו בשבת ויום טוב. חוץ לתחום. דליכא חשדא והא דאמרינן של בית ר' היו נותנין כלי לבן שלהם לפני השבת התם אפילו בתוך התחום דלהוק ובגד לאו מידי דמינכר הוא וליכא חשדא אבל מידי דמינכר חוץ לתחום אין תוך התחום לא. [illegible]

כללו של דבר כל דבר שמותר לו לעשותו אומר לנכרי ועושה וכל שאינו מותר לעשותו אינו אומר לנכרי ועושה: ת"ר אין מרביעין בהמה בחולו של מועד. כיוצא בו אין מרביעין בבכור ולא בפסולי המוקדשין. ר' יהודה אומר חמורה שתבעה מרביעין עליה בשביל שלא תצטנן ושאר כל הבהמות מכניסין אותן לבקרות: ת"ר אין מדיירין בחולו של מועד פי' מכניסין הבהמות לדיר כדי שיטול זבלן לזבל השדות והאילנות ואם באו מאליהן מותר אבל אין מסייעין הרועים

הגוים תבן מבית התבן שלו כדי לעשות לבנים שבנו בהן את הבנין ואיהו לא ידע. מיהא דשמואל קא פריך ליה ולא מדרב משרשיא דהא דרב משרשיא בחולו של מועד הוא דקא אמר. אדם חשוב שאני. ומרחיק עצמו מדומה לעבירה. לישנא אחרינא מקבלי קבולת שקבלו עליהם מלאכת האבל בתוך התחום אע"פ שקבלוה קודם האבל [אסור] מפני מראית העין [שיאמרו] ראו זה שמסר מלאכתו בימי אבלו לאחרים ולא ידעו דקבולת (היא) [הוא לגבייהו] קודם לכן ואמרינן לעיל אלו דברים עושין לאבל וכו' דדבר שאינו אבד אסור למסור לאחרים בימי אבלו. חוץ לתחום. שרי הואיל וקבלוה קודם האבל וליכא למיגזר משום חשד שאין בני העיר מצוין שם שיכירו שמלאכתו של אבל הוא. בחו' של מועד דשכיחי. להאי לישנא קשיא אמאי נקט מועד ליתני בחול ונראה בעיני דאיידי דנקט שבתות וימים טובים נקט מועד והוא הדין בחול. מר זוטרא. בנו ליה גוים. אפדנא. בימי אבלו ולא עייל לגויה דבימי אבלותו בנו ליה וסייע בהדייהו תבן מלבנא בתוך ביתו דאבל אסור לצאת מפתח ביתו. (אבונגרי) [אבונגרין]. שמשים שמסדרין שלחנות. למיעבד עבידתיהו. לתקן אלטבלאות וסמוכות של שלחנות שנשברו. אמ' כיון דלאו אגרא קא שקלי. הני אומנין אלא שרשויי בעלמא למשתרשי כעין דורון הוא שכירות שאינו קצוב כדי סעודתן שאוכלין לשם ולא שכירות הוא ויכולין לעשות כדרכן. מקבלין קבולת. נותנין מלאכה במועד כדי לעשותה לאחר המועד. ושלא ישקול. כמה מטוה שנותנין לגרדי במשקל. מרביעין. אוחזין בהמה ומרביעין עליה זכר. בבכור. דעבודה היא דהא גבי מועד חשיבא ליה מלאכה. ופסולי המוקדשין. שנפדו וסוממו אע"פ שנפדו אסורין בגיזה ועבודה כדנפקא מתוכה אכילת בשר (דברים יב) דמשמעי בפסולי המוקדשין. ה"ג ר' יהודה אומר חמורה מרביעין עליה זכר כדי שלא תצטנן. חמורה מלטננת מחמימות תאותה ושוב קשה לזווגן. ושאר כל הבהמות. אין מרביעין אותן ממש אבל מותר שמכניסן זכר ונקיבה לבקרות לדיר אבל אין אוחזין אותן ומרביעין זו על זו. אין מדיירין (דיר). אין מכניסין בהמות לעדר ושוכבין שם כל הלילה ומזבלין שם ובכל לילה מסיעין דיר הבהמות ממקום למקום עד שמזבלת כל השדה. אין מסייעין אותן. המדיירין שדה של ישראל אם גוים הם. ואם באו. גוים מאליהן לדייר שדהו של ישראל שלא מדעתו ולא קצב עליהן. מותר. להניחן ונותנין להם שכר אחר כן. ואין מוסר להם. בעל השדה. שומר לנער את צאנם. ול"ג לנער את צאנם [לשמור את צאנם]. ל"א לנער את צאנם [להזהיר להזכיר את הבהמות להקימם תמיד שכשעומדות ועולות תמיד מיד נפנות ומזבלות את השדה לשון מנער אישקו"ש בלע"ז. עושה גוי בשבת וביום טוב ומסייעין אותן במועד דלאו טורח מלאכה היא. בשבת. אם מדיירין גוים שדה של ישראל. בטובה. בחנם להחזיק להם טובה מניחין אותן. ביום טוב. מותר לתת להם מזונות. וכן מי שהיה יינו בתוך הבור. ומתיירא שמא יחמיץ. זולף. ממתה וגף מניח מגופה על הבור שהיין בתוכו שמכסה את היין יפה בתוכו כדרכו. למודים. מכסהו ערא' ולא כדרכו לישנא אחרינא למודים מכסהו בנסרים. בור. מקום שירד שם היין מן הגת וממוקן יפה בבנין אבנים בקרקע קרוי בור. משחא. דנפיש פסידא שדמיו יתרים משל יין. [המשך בע"ב]

ready to be poured into barrels,[31] וְאֵירְעוֹ אֵבֶל – **and** a period of **mourning befell him,** during which one is forbidden to work,[32] אוֹ אוֹנֶס – **or** in the case of one whose wine was standing ready in the vat before a festival, and he was prevented from pouring it into the barrels because of **an unavoidable mishap** אוֹ שֶׁהִטְעוּהוּ – **or** because **[his workers] deceived him,** זוֹלֵף וְגוֹמֵר וְגָף כְּדַרְכּוֹ – **he pours everything**[33] into the barrels, **and seals** the barrels **in his usual manner,** with a full-fledged seal.[34] דִּבְרֵי רַבִּי יוֹסֵי – **These are the words of R' Yose.** רַבִּי יְהוּדָה אוֹמֵר – **R' Yehudah says:** עוֹשֶׂה לוֹ לִימּוּדִים בִּשְׁבִיל שֶׁלֹּא יַחֲמִיץ – **He may make [for the barrel]** a temporary covering of **boards so that [the wine] will not sour,** but he may not seal it in the usual manner.[35]

Gemara The reasoning underlying this dispute is no different than that underlying the dispute of the previous Mishnah.[36] The Gemara now demonstrates that, nonetheless, it is necessary to repeat the dispute here:

וּצְרִיכָא – **And it was necessary** for the Mishnah to cite both disputes. דְּאִי אַשְׁמְעִינַן קַמַּיְיתָא – **For if it had informed us** only **of the first** dispute, regarding the olive oil, we might have argued that בְּהַהִיא קָאָמַר רַבִּי יוֹסֵי – it was only **in that [case]** that **R' Yose said** he may perform the work in his usual manner, מִשּׁוּם דְּמִישְׁחָא נְפִישׁ פְּסֵידֵיהּ – **since [in the case] of oil the** potential **loss is great.**[37] אֲבָל חַמְרָא – **But** in the case of **wine,** דְּלָא נְפִישׁ פְּסֵידֵיהּ – where **the** potential **loss is not** that **great,**[38] אֵימָא מוֹדֵי לֵיהּ לְרַבִּי יְהוּדָה – **I would say** that **he admits to R' Yehudah** that it is forbidden to make a full-fledged seal. וְאִי אַשְׁמְעִינַן בַּתְרַיְיתָא – **And if [the Mishnah] had informed us** only **of the second** dispute, regarding the wine, we might have argued that בְּהַהִיא קָאָמַר רַבִּי יְהוּדָה – it was only **in that [case]** that **R' Yehudah said** he may not perform the work in his usual manner, since the potential loss is not that significant. אֲבָל בְּהָךְ – **But in this [case],** i.e. of oil, where the potential loss is very great, אֵימָא מוֹדֶה לְרַבִּי יוֹסֵי – **I will say** that **he admits to R' Yose** that he may complete the pressing in the normal fashion. צְרִיכָא – Therefore, **it was necessary** for the Mishnah to teach both disputes, to demonstrate that regarding both wine and oil, R' Yose and R' Yehudah adhere to their respective views.

The Gemara infers:

אָמַר רַב יִצְחָק בַּר אַבָּא – **Rav Yitzchak bar Abba said:** מַאן תַּנָּא שִׁינּוּי בְּמוֹעֵד בְּדָבָר הָאָבֵד – **Who is the** one who **taught** that there must be **an irregularity** when performing work **on Chol HaMoed to** save **something that will be lost?**[39] דְּלָא כְּרַבִּי יוֹסֵי – **It is not R' Yose,** for R' Yose permits the processing of the wine and oil to proceed in the usual manner. He demands no irregularity.[40]

The Gemara rules in the dispute between R' Yose and R' Yehudah:

אָמַר רַב יוֹסֵף – **Rav Yosef said:** הֲלָכָה כְּרַבִּי יוֹסֵי – **The halachah is in accordance with R' Yose.**[41]

The Gemara presents an inquiry:

בְּעוּ מִינֵּיהּ מֵרַב נַחְמָן בַּר יִצְחָק – **They inquired of Rav Nachman bar Yitzchak:** מַהוּ לְמֵישַׁע חָבִיתָא דְשִׁיכְרָא בְּחוּלָּא דְמוֹעֲדָא – **What is [the law]** regarding whether it is permissible **to seal a barrel of beer on Chol HaMoed?**[42] אָמַר לְהוּ – **He said to them:** סִינַי אָמַר הֲלָכָה כְּרַבִּי יוֹסֵי – The one known as **"Sinai,"** i.e. Rav Yosef,[43] **stated that the halachah is in accordance with R' Yose.** Thus, it is permissible to seal the barrel.

The questioners object:

אֵימוּר דְּאָמַר רַבִּי יוֹסֵי בְּחַמְרָא – But **I could say that R' Yose said** his ruling **with regard to** a barrel of **wine;** בְּשִׁיכְרָא מִי אָמַר – **did he then say** it as well **with regard to** a barrel of **beer?**

Rav Nachman bar Yitzchak answers:

חַמְרָא טַעְמָא מַאי – In the case of **wine, what is the reason** R' Yose permits the barrel to be sealed on Chol HaMoed? מִשּׁוּם דִּנְפִישׁ פְּסֵידֵיהּ – **Because the** potential **loss is great.** שִׁיכְרָא נַמִּי אִית בָּהּ פְּסֵידָא – Well, in the case of **beer too, there is a** potential

NOTES

31. There is a vat in front of the wine press into which the wine flows after the grapes are pressed (*Rashi*). [If it is not transferred from there into barrels, it will sour.]

32. See 11b note 2.

33. Literally: he pours and finishes.

34. *Rashi; Meiri; Nimukei Yosef.* [There is no *melachah* associated with the act of pouring the wine into barrels; nevertheless, were it not that it would sour, one would be forbidden to transfer it on Chol HaMoed because of the exertion this involves. He would also be prohibited to seal the barrels, both because of the exertion, and because sealing barrels involves the *melachah* of מְמַחֵק, *smoothing* (the clay or pitch of the seal).]

Note that *Rashi ms.* explains זוֹלֵף וְגוֹמֵר to mean that he completes the pressing out of the wine from the grapes. He explains וגף as referring to the vat; once the newly squeezed wine runs into the vat, one is permitted to seal it in the usual manner. According to this interpretation, the Mishnah is not discussing pouring the wine into, or sealing, the barrels at all.

[*Rosh* points out that one is permitted to perform these tasks on Chol HaMoed only if he was compelled to by a mishap, or by his workers' deception. However, if someone *deliberately* scheduled this work for Chol HaMoed, he is not permitted to perform it, even if he stands to suffer a significant loss (see Mishnah 12b).]

35. R' Yehudah permits only the minimum amount of work necessary to prevent souring. For this objective, it suffices to temporarily cover the barrels with boards (see *Rashi*). Although there is something to be gained by sealing the barrels, the loss he would suffer by not sealing them is minimal; therefore, he may not perform the usual sealing (see *Meiri*). However, R' Yose holds that once permission is granted to begin the process, one may complete it in the usual weekday manner, even if the projected loss is minimal (see 11b note 6).

[We have explained R' Yehudah as discussing the covering of the barrels. This implies that he agrees that the wine may be poured from the vat into barrels – he simply disagrees as to whether the barrels may be sealed. This understanding accords with *Rashi* (ד״ה עושה לו), who, when discussing R' Yehudah's position, writes: He may not seal as usual, but must cover them [*with boards*]. *Rashi's* use of the plural *them* indicates that he is referring to the barrels. However, *Nimukei Yosef* and *Meiri* understand R' Yehudah to be discussing the covering of the vat that lies before the wine press (see also *Rashi* to *Shabbos* 125b ד״ה למדים). It follows that R' Yehudah prohibits pouring the wine into barrels altogether, since covering the vat with boards suffices to prevent souring.]

[See *Tosafos* for why the previous Mishnah cites R' Yehudah's view before R' Yose's, while our Mishnah reverses the order.]

36. See previous note, and 11b, notes 4 and 6.

37. For oil is quite valuable (*Rashi*).

38. Since wine is less valuable than oil (see *Rashash*).

39. I.e. who holds that work performed to prevent a loss must be carried out in an irregular manner?

40. Our rendering of this passage follows the standard text of *Rashi*. See *Rashi ms.* and *Ritva* for other interpretations.

41. This is in line with the Talmudic rule (*Eruvin* 46b): *In a dispute between R' Yehudah and R' Yose, the halachah follows R' Yose* (*Nimukei Yosef;* but see *Talmid R' Yechiel MiParis; Korban Nesanel* §70).

42. I.e. to seal its cover on tightly [with clay or pitch] (*Rashi; Meiri; Chidushei HaRan;* cf. *Ritva; Nimukei Yosef;* see *Tos. HaRosh*).

43. Rav Yosef was called by this name because of his great expertise in Mishnahs and Baraisos – they were as clearly ordered in his mind as on the day they were given at Sinai (*Rashi ms.; Rashi* to *Berachos* 64a ד״ה סיני and to *Horayos* 14a ד״ה סיני עדיף).

אמר שמואל מקבלי קיבולת בתוך התחום אסור חוץ לתחום מותר אמר רב פפא ואפי' חוץ לתחום לא אמרן אלא דליכא מתא דמקרבא להתם אבל איכא מתא דמקרבא להתם אסור אמר רב משרשיא וכי ליכא מתא דמקרבא להתם נמי לא אמרן אלא בשבתות ובימים טובים דלא שכיחי אינשי דאזלי להתם אבל בחוש"מ דשכיחי אינשי דאזלי ואתו להתם אסור מר זוטרא בריה דרב נחמן בנו ליה אפדנא מקבלי קיבולת חוץ לתחום איקלע רב ספרא ורב הונא בר חיננא ולא עלו לגביה ואיכא דאמרי הוא נמי לא על בגוויה והאמר שמואל מקבלי קיבולת בתוך התחום אסור חוץ לתחום מותר אדם חשוב שאני ואיכא דאמרי סיועי סייע בתיבנא בהדייהו רב חמא שרא להו (א) לאבונגרי דבי ריש גלותא למיעבד להו עבידתא בחולא דמועדא אמר כיון דאגר לא קא שקלי שרשויי הוא דקא משרשו ליה ולית לן בה תנו רבנן מקבלין קיבולת במועד לעשותה לאחר המועד ובמועד אסור כללו של דבר כל שהוא עושה אומר לנכרי ועושה וכל שאינו עושה אינו אומר לנכרי ועושה תניא אידך מקבלין קיבולת במועד לעשותה לאחר המועד ובלבד שלא ימדוד ושלא ישקול ושלא ימנה כדרך שהוא עושה בחול ת"ר אין מרביעין בהמה בחולו של מועד כיוצא בו אין מרביעין בבכור ולא בפסולי המוקדשין תניא אידך אין מרביעין בהמה בחולו של מועד ר' יהודה אומר חמורה שתבעה מרביעין עליה זכר בשביל שלא תצטנן ושאר כל הבהמות מכניסין אותן לבקרות ת"ר אין מדיירין לא בשבתות ולא בימים טובים ולא בחולו של מועד ואם באו מאליהן מותר ואין מסייעין אותן ואין מוסרין להם שומר לנער את צאנם היה שכיר שבת שכיר חדש שכיר שנה שכיר שבוע מסייעין אותן [א] ומוסרין להם שומר לנער את צאנם [ב] ר' אומר בשבת בטובה ביו"ט במזונות במועד בשכר אמר רב יוסף הלכתא כרבי:

מתני' וכן מי שהיה יינו בתוך הבור ואירעו אבל או אונס או שהטעוהו זולף וגומר וגף כדרכו דברי ר' יוסי ר' יהודה אומר עושה לו לימודים בשביל שלא יחמיץ:

גמ' וצריכא דאי אשמעינן קמייתא בההיא קאמר ר' יוסי משום דמישחא נפיש פסידיה אבל חמרא דלא נפיש פסידיה אימא מודי ליה לרבי יהודה ואי אשמעינן בתרייתא בההיא קאמר רבי יהודה אבל בהך אימא מודה לר' יוסי צריכא אמר רב יצחק בר אבא מאן תנא שינוי במועד בדבר האבד דלא כר' יוסי אמר רב יוסף הלכה כר' יוסי בעו מיניה מרב נחמן בר יצחק מהו למישע חביתא דשיכרא בחולא דמועדא אמר להו סיני אמר הלכה כר' יוסי אימור דאמר רבי יוסי בחמרא בשיכרא מי אמר חמרא טעמא מאי משום דנפיש פסידיה שיכרא נמי אית בה פסידא דאמר אביי אמרה לי אם בר שית סאוי ושייע מבר תמני ולא שייע אמר רב חמא בר גוריא אמר רב הלכות מועד כהלכות כותים בהלכה למאי הלכתא אמר רב דניאל בר קטינא (אמר רב) לומר שהן עקורות ואין למידות זו מזו דאמר שמואל זופתין כוזתא ואין זופתין חביתא רב דימי מנהרדעא אמר זופתין חביתא ואין זופתין כוזתא מר חייש לפסידא ומר חייש לטירחא אמר אביי נקטינן הלכות מועד כהלכות שבת

רש"י

מקבלי קיבולת בתוך התחום אסור. ליתן מלאכה לנכרי בקיבולת כי עבדי ליה בשבתא דידעי כולי עלמא ואמרי היום בשבת יהב ליה והא דשרי בית הלל בפ"ק דשבת (ד' יז:) ליתן כלים לכובס בע"ש עם חשיכה ואפי' בתוך התחום משום דכביסה בנכרי מידי דלא מינכר וליכא חשדא אבל מידי דמינכר בתוך התחום אסור משום חשדא: אבל אי איכא מתא דמקרבא להתם. אותן פועלים נכרים אסורים דאינהו ידעי דהני נכרים עבדי ליה מלאכה ואמרי בשבתא יהב להו: אסור. דאמרי היום יהבו ליה: סיועי הוה מסייע בתיבנא. שהיה נותן להם תבן למלאכה דהואיל והוא מסייע בהדייהו אסור: אבונגרי. מסדרי שולחנות: למיעבד עבידתייהו. אם נשבר השלחן שרי לתקנו: שרשויי. ריוח בעלמא כדי סעודתם דקא אכלי בהדייהו ולא קא חשיב מלאכה: מקבלין קיבולת. נותנה לנכרי לעשותה אחר המועד: אין מרביעין בהמה. משום דעביד מלאכה בחולו של מועד: אין מרביעין. אין אוחזין הבהמה ומביאין עליה זכר: בבכור. דקעביד ביה מלאכה וכתיב (דברים טו) לא תעבוד בבכור שורך: לבקרות. מקום שיש שם בהמות והיא רובעת מעלמה: מדיירין. מכניסין בהמה לשדה כדי שיוליאו זבל ומזבלין השדה: אין מסייעין אותן. לבהמה לבא בשדה או אם נכרים הם אין מסייעין להם להסיען ממקום למקום כדי שתזבל כל השדה אפילו בבאין מעלמם: לנער. לשמור כגון אם נכרים הם: שכיר שבת. שסכרו כל השבוע לדייר שדהו: שבוע. שמיטה: מסייעין. כאילו של נכרים הוא: ה"ג ועושה נכרי בשבת וי"ט ומסייעין במועד. דלא טרח מלאכה כלומר יכולין לסייע לאותו שכיר לדייר: ומוסרין לו רועה אחד לנער צאנו. שמדיירין אותה הואיל ואינו שכיר לשבת ממש: רבי אומר בשבת בטובה. אם רוצה שום אדם לסייע לאותו שכיר בטובתו עושה כלומר בחנם ולא בשכר: מתני' בתוך הבור. שלפני הגת אותו כלי שהיין נופל בו מן הגת קרוי בור: זולף וגומר כדרכו. כלומר מריק אותו בחבית וגף החבית במגופה גמורה: עושה לו למודים. אינו יכול לגוף כדרכו אלא שיחפס (ב) היינו לימודין בשביל שלא יחמיץ שאם אינו סותמו מחמיץ: גמ' וצריכא. למימר בתרוייהו בשני בבי דמתני' דמשחא ודחמרא ר' יוסי אומר זולף כו': בההיא. רישא דמתניתין: קאמר רבי יוסי. זולף כדרכו: דמשחא. יקיר ואיכא פסידא יתירא: מודה ליה לר' יהודה. דאינו זולף וגף ממש אלא עושה לימודים ערלאי: דלא כר' יוסי. דאמר גומר כדרכו ואינו צריך שינוי: למישע. לגוף החבית: סיני. רב יוסף: הלכה כר' יוסי. דגף כדרכו: בר שית סאוי ושייע מבר תמני ולא שייע. כלומר יפה שכר מוגף שמחזיק ששה סאין משכר שהוא בכלי גדול שמחזיק שמונה סאין: כהלכות כותים. דאמרינן (חולין דף ד.) היכא דאחזיק אחזיק היכא דלא אחזיק לא אחזיק: עקורות. כאשה עקרה שאין לאדם ממנה פרי אלא גופה: ואין למידין זו מזו. דאימא כשם שזו מותרת כך זו מותרת כמו בכותים ולא אמרינן כי היכי דמחזיק בהאי מחזיק בהאי אלא לא ילפי הני מהני: מר. דאמר זופתין חביתא חייש לפסידא ובחביתא איכא פסידא יתירא אי לא זפתי לה משום דנפיש יינא ובכוזתא ליכא פסידא יתירא כוזא כלי קטן: מר. דאמר זופתין כוזתא חייש לטירחא [illegible]:

תוספות

אמר שמואל מקבלי קיבולת בתוך התחום. הא דשרינן כלים לכובס נכרי פירש בקונט' דלא מינכר שהוא של ישראל ור' יעקב לא היה מחלק ואומר דשרי במועד וגם בשבת דהא ריחים של מים איכא השמעת קול ושרינן בפ"ק דשבת (דף יח. ושם) ובפ"ק דע"ז (דף כא: ושם) שרינן להשכיר שדה לנכרי משום דאריסותיה קעביד וכ"ש קבלנות שאין הבית מתעלה בכך אלא ממהר לעשות ואע"ג דר' שמעון בן אלעזר פליג מסתמא הלכה כר' שמעון בן גמליאל דקא אסר התם מרחץ במשנה משמע הא שדה שרי כדדייק התם ותניא בפ"ק דשבת (דף יט.) גבי ספינה פוסק עמו על מנת לשבות ואינו שובת אלמא אין הנכרי מניח לעשות קבלנותו בשביל ישראל ואיכא מאן דאמר אפי' לפסוק אין צריך ובשמעתין דאסר שמואל מפרש רבינו יעקב כאותו פירוש שמעמידין כולהו שמעתא באבל וכדרב שישא דאמר (לעיל יא:) דברים המותרי' בחש"מ אסורין בימי אבלו דהוי דאורייתא או כעין דאורייתא אבל במועד הקילו וכ"ש שיש להן להקל בשבת דלא חיישינן כל כך דלא ליזלזל ביה וא"ת כיון דבאבילות איירי שמואל היכי קאמר וכי ליכא מתא דמיקרבא להתם (ג) לא אמרן אלא בשבתות וימים טובים דלא שכיחי דאזלי מדוכתא אבל בחולו של מועד אסור וצריך עיון: **דברי** רבי יוסי. בשמן (ד) תניא מילתא דר' יהודה ברישא וכיון דאתחיל מילתא דרבי יוסי מסיים לה וגף ביין לא ידענא אי אבור אי אחבית קאי מיהו לכאורה אחבית קאי דשייך בה מגופה ומדקתני בה זולף וגומר משמע דאבור קאי דאחבית לא שייך משמע דגף אחרי כן וגם עושין לו לימודין משמע דקאי אבור ולית ליה זולף וגומר דאחבית לא שייך לימודין דסגי בכיסוי קטן:

עין משפט נר מצוה

יא א מיי' פ"ו מהל' שבת הל' יד טוש"ע א"ח סי' רמד סעיף א:
יב ב מיי' פ"ז מהל' יו"ט הלכה כה טוש"ע שם סי' תקמג סעיף ב:
יג ג טוש"ע שם סי' תקמב סעיף א:
יד ד מיי' שם טוש"ע שם סי' תקמג סעיף ג:
טו ה מיי' שם הל' כד טוש"ע שם סעיף א:
טז ו מיי' שם הלכה כה טוש"ע שם סעיף ג:
יז ז מיי' שם פ"ח הלכה טו טוש"ע שם סי' תקלו סעיף ג:
יח ח מיי' פ"א מהל' מעילה הלכה ט:
יט ט י מיי' פ"ח מהל' יו"ט הל' יא טוש"ע שם סי' תקלז סעיף יד:
כ כ מיי' פ"ז מהלכות יו"ט הלכה ג (ופי"ג מהל' אבל הל' ו) טוש"ע א"ח סי' תקלח סעיף א:
כא ל מיי' פ"ז מהל' יו"ט הל' ג ופ"ח הלכה ז טוש"ע שם סי' תקלז סעיף א:
כב מ מיי' שם פ"ח הלכה יד:
כג נ ס מיי' שם טוש"ע שם סי' תקלח סעיף א:

הגהות הגר"א

[א] גמ' שכיר שבוע מסייעין אותן. נ"ב במועד. ומה שנדפס בלבדו פ"א ועושה כו' נמחק: [ב] שם ר' אומר בשבת בטובה. נ"ב פי' דקאי ארישא [illegible]

גליון הש"ס

גמ' וכל שאינו עושה אינו אומר. עיין בב"מ דף ל ע"א תוס' ד"ה אבל הכא:

רבינו חננאל

אמר שמואל מקבלי קיבולת. פי' אם קיבלו קיבולת בתוך התחום אסור. חוץ לתחום מותר. ואסיקנא הני מילי בשבתות ובי"ט דלא שכיחי אינשי דנפקי חוץ לתחום אבל בחולו של מועד דאיכא דנפקי חוץ לתחום אסור מר זוטרא בנו ליה נכרים בקיבולת אפדנא חוץ לתחום ולא עיילי רבנן בההוא אפדנא איכא דאמרי הוא נמי לא על בההוא אפדנא. ואע"ג דאמר שמואל כי האי גוונא שרי אדם חשוב שאני איכא דאמרי עבדיה סייע בהדייהו בתיבנא רב חמא שרא לאכוונרי דבי ריש גלותא למיעבד להון עבידתא בחולי דמועדא מ"ט דכיון דלא אגרא שקלי שרשויי הוא דמשרשי להו כגון דורון הוא ושרי: ת"ר מקבלין קיבולת במועד לעשותה לאחר המועד ובלבד שלא ישקול ושלא ימדוד ושלא ימנה כדרך שהוא עושה בחול וכן אינו נותן בקיבולת לנכרי במועד. כללו של דבר כל דבר שמותר לו לעשותו אומר לנכרי ועושה וכל שאינו מותר לעשותו אינו אומר לנכרי ועושה: ת"ר אין מרביעין בהמה בחולו של מועד. כיוצא בו אין מרביעין בבכור ולא בפסולי המוקדשין. ר' יהודה אומר חמורה שתבעה מרביעין עליה זכר בשביל שלא תצטנן ושאר כל הבהמות מכניסין אותן לבקרות: ת"ר אין מדיירין [illegible]

מסורת הש"ס

א) [שבת נא. וש"נ], ב) [תוספתא פ"ב], ג) [שם], ד) [שם], ה) [עי' בתוספתא סוף פ"ב דשביעית], ו) ס"א ועושה נכרי בשבת ויו"ט ומסייעין במועד, ז) שמות פ"ה, ח) [לעיל יא. ע"ש], ט) [ברכות סד.], י) [קידושין לא: וש"נ], כ) [תיבת בהלכה ליתא בהרי"ף ובהרא"ש], ל) גי' הרי"ף והרא"ש בר רב קטינא, מ) [ליתא בהרא"ש], נ) [עי' פרש"י בעירובין ה. ד"ה והאמר ר"נ], ס) ברכות סד. הוריות יד ע"א.

הגהות הב"ח

(א) גמ' רב חמא שרא להו לאבונגרי. נ"ב עי' סוף דף יח בפרש"י ד"ה לעצמו: (ב) רש"י ד"ה עושה כו' אלא שיחפס בנסרים היינו לימודין: (ג) תוס' ד"ה אמר כו' מתא דמיקרבא להתם נמי לא אמרן: (ד) ד"ה דברי ר' יוסי בשמן תנן מילתא דר' יהודה ברישא וביין תנן מילתא דר' יוסי ברישא דכיון דאתחיל במילתא דר' יוסי וכו' אי אבור קאי אי אחבית וכו' משמע דאבור קאי. נ"ב כלומר דפי' זולף היינו שסוחט וממלא וכשהוא בבור שייך לומר דממלא כל היין לתוך הבור וגומר כדרכו כולו ולהורידו לבור אבל אחבית לא שייך זולף וגומר כל עיקר אלא אבור [illegible]

רש"י כת"י

מקבלי קבולת. גוים שמקבלין מישראל מלאכה קודם יום טוב לעשותם לגמרי כגון בית לבנותו ועושהו גוי אפילו בשבת ויום טוב. חוץ לתחום. [illegible]

[illegible]

loss if the barrel is not sealed. דְּאָמַר אַבַּיֵי – **For Abaye said:** אָמְרָה לִי אֵם – **Mother told me:**[44] בַּר שִׁית סָאוֵי וְשַׁיֵּיע – Better **a six-*se'ah* barrel** of beer **and sealed** מִבַּר תַּמְנֵי וְלֹא שַׁיֵּיע – **than an eight-*se'ah* barrel and unsealed.**[45] We see that it is worthwhile to forfeit two *se'ahs* of beer for the benefit of a sealed barrel; clearly, failure to seal a beer barrel spells a significant degree of loss. It follows that just as R' Yose permits the sealing of a barrel of wine on Chol HaMoed, so too does he permit the sealing of a barrel of beer.

The Gemara states a rule regarding the laws of Chol HaMoed: אָמַר רַב חָמָא בַּר גּוּרְיָא אָמַר רַב – **Rav Chama bar Gurya said in the name of Rav:** הִלְכוֹת מוֹעֵד כְּהִלְכוֹת כּוּתִים בַּהֲלָכָה – **The laws of Chol HaMoed are like the laws of the Cutheans with regard to** deciding **halachah.**[46]

The Gemara asks:

לְמַאי הִלְכְתָא – **What legal consequence** is implied by this?

The Gemara explains:

אָמַר רַב דָּנִיאֵל בַּר קְטִינָא אָמַר רַב – **Rav Daniel bar Ketina said in the name of Rav:** לוֹמַר שֶׁהֵן עֲקוּרוֹת – This comes **to say that they** (i.e. the laws of Chol HaMoed) **are** like **barren women,**[47] וְאֵין לְמֵידוֹת זוֹ מִזּוֹ – **for they cannot be be derived one from the other.**[48] דְּאָמַר שְׁמוּאֵל – **For Shmuel said:** זוֹפְתִין כּוּזְתָא וְאֵין זוֹפְתִין חֲבִיתָא – **We may coat** the inside of **a jug** with pitch on Chol HaMoed, **but we may not coat** the inside of **a barrel** with pitch on Chol HaMoed.[49] רַב דִּימִי מִנְּהַרְדְּעָא אָמַר – But **Rav Dimi of Nehardea said:** זוֹפְתִין חֲבִיתָא וְאֵין זוֹפְתִין כּוּזְתָא – **We may coat a barrel** on Chol HaMoed, **but we may not coat a jug** on Chol HaMoed. And the reason underlying their dispute is that מַר חָיֵישׁ לְפְסֵידָא – the one **master** (Rav Dimi) **is concerned** more **about** preventing **loss** on Chol HaMoed, and accordingly permits the coating of the larger barrel only,[50] וּמַר חָיֵישׁ לְטִירְחָא – **whereas** the other **master** (Shmuel) **is concerned** more **about** preventing **exertion** on Chol HaMoed, and accordingly permits only the coating of the smaller jug.[51] One who learns of Shmuel's permit to coat a jug, unaware of his reasoning, might conclude that it is certainly permissible to coat a barrel,[52] and likewise, one who learns of Rav Dimi's permit to coat a barrel might erroneously conclude that it is certainly permissible to coat a jug.[53] We see that the laws of Chol HaMoed cannot be reliably determined from one another.

The Gemara cites another rule regarding the laws of Chol HaMoed:

אָמַר אַבַּיֵי – **Abaye said:** נְקִטִינַן – **We hold** as a tradition,[54] הִלְכוֹת מוֹעֵד כְּהִלְכוֹת שַׁבָּת – that the **laws of** forbidden labor on **Chol HaMoed are like the laws of** forbidden labor on **the Sabbath**

NOTES

44. Abaye's mother died while giving birth to him. Whenever Abaye quotes his "mother," he is referring to the nursemaid who raised him (*Rashi ms.,* from *Kiddushin* 31b).

45. I.e. one is better off with a tightly sealed beer cask containing only six *se'ah* of beer than with an unsealed cask containing eight *se'ah* of beer (*Rashi;* cf. *Rashi ms.*). For the contents of a sealed container become stronger and more concentrated, so that they can be diluted with a large measure of water. The contents of an unsealed container, however, lose their strength, and can be diluted only slightly. Thus, if the beer is sealed into its container, it can be "stretched" to make a large amount (*Meiri; Chidushei HaRan*). [A *se'ah* is a measure of volume.]

46. The Cutheans were a pagan group imported by the Assyrian emperor Shalmanesser from their native Cutha, and from other areas, to populate the section of Eretz Yisrael left desolate by his exile of the Ten Tribes (see *II Kings* 17:24 ff.). Because of the Cutheans' failure to serve the God of Israel, they were plagued by an outbreak of lion attacks, which motivated them to convert to Judaism. However, even after their conversion, they continued to serve their pagan deities. The Cutheans denied the authority of the Rabbis to expound the Torah; accordingly, they would often refuse to observe laws that are not stated explicitly in the Torah.

Those commandments that the Cutheans did observe, they observed more meticulously than even full-fledged Jews. Concerning those that they did not observe, however, they could not be trusted. The Gemara in *Chullin* states that their observance followed no rule; thus, one could not assume that because they observed a given commandment, they observed similar commandments as well. Rather, where their fealty was established, it was established; where it was not established, it was not established (*Rashi; Rashi ms.*). A similar rule holds regarding the laws of Chol HaMoed also; it will be explained shortly.

47. Whose only benefit to their husbands is they themselves, but not their offspring (*Rashi*); likewise these laws – one possesses only the law itself, but cannot derive further laws from it (*Rashi ms.*).

48. I.e. we cannot say that just as the Rabbis showed leniency regarding one form of work on Chol HaMoed, so did they show leniency regarding another. In this matter, the laws of Chol HaMoed resemble the laws of the Cutheans, for regarding the Cutheans too, we do not extrapolate from their observance of one law to their observance of another (*Rashi*).

[The reason the laws of Chol HaMoed may not be derived from one another is because their reasoning may follow unexpected guidelines, leading one to err. For example: One may water an irrigated field because of the loss that he will suffer if it is not watered (see 2a). One might assume that since it requires no greater exertion to water a rain-watered field, this too is permissible. This person may not realize that the loss that will be suffered in each case is vastly different, and that this difference is the basis to distinguish between these fields. We see that we cannot liken the laws of Chol HaMoed to one another (*Rashi ms.*).]

49. These were clay containers; they were coated to prevent their liquid contents from oozing out from the cracks (*Meiri*).

50. [In determining the permissibility of a given act on Chol HaMoed, we must weigh exertion and loss. Rav Dimi gives greater weight to loss.] Therefore, although the exertion involved in coating a large barrel is greater than that involved in coating a small jug, Rav Dimi allows it to be done. For a barrel holds more wine than a jug; since there is greater potential for loss, it may be sealed. Since the loss connected with an unsealed jug is bound to be small, it may not be sealed (*Rashi*).

51. [In weighing exertion and loss, Shmuel gives greater weight to exertion.] Accordingly, although there is greater potential for loss with a barrel, he does not permit it to be coated on Chol HaMoed, since the exertion involved is considerable. A jug, however, since it is smaller than a cask, is much easier to coat. Therefore, it is permissible (*Rashi*).

52. [For he might assume that the vital issue is loss, and reason that if it is permissible to forestall a lesser loss by coating a jug, it is certainly permissible to forestall a greater loss by coating a barrel.]

53. [For he might assume that the main issue is exertion, and reason that if one is permitted to expend the greater effort necessary to coat a barrel, he is certainly permitted to expend the lesser effort needed to coat a jug.]

[It should be noted that such coating is permissible only where some mishap occurred that prevented one from accomplishing it before Chol HaMoed. However, if one deliberately scheduled the vessel to be coated on Chol HaMoed, he may not do it then, even if faced by a loss (*Rosh;* see Mishnah 12b).]

54. See *Rashi, Eruvin* 5a ד״ה והאמר רב נחמן נקיטינן.

אמר שמואל מקבלי קיבולת בתוך התחום אסור חוץ לתחום מותר אמר רב פפא ואפי' חוץ לתחום לא אמרן אלא דליכא מתא דמקרבא להתם אבל איכא מתא דמקרבא להתם אסור אמר רב משרשיא וכי ליכא מתא דמקרבא להתם נמי לא אמרן אלא בשבתות ובימים טובים דלא שכיחי אינשי דאזלי להתם אבל בחוש"מ דשכיחי אינשי דאזלי ואתו להתם אסור מר זוטרא בריה דרב נחמן בנו ליה אפדנא מקבלי קיבולת חוץ לתחום איקלע רב ספרא ורב הונא בר חיננא ולא עלו לגביה ואיכא דאמרי הוא נמי לא על בגוויה והאמר שמואל מקבלי קיבולת בתוך התחום אסור חוץ לתחום מותר אדם חשוב שאני ואיכא דאמרי סיועי סייע בתיבנא בהדייהו רב חמא שרא להו לאבונגרי דבי ריש גלותא למיעבד להו עבידתא בחולא דמועדא אמר כיון דאגר לא קא שקלי שרשויי הוא דקא משרשו ליה ולית לן בה תנו רבנן מקבלין קיבולת במועד לעשותה לאחר המועד ובמועד אסור כללו של דבר כל שהוא עושה אומר לנכרי ועושה וכל שאינו עושה אינו אומר לנכרי ועושה תניא אידך מקבלין קיבולת במועד לעשותה לאחר המועד ובלבד שלא ימדוד ושלא ישקול ושלא ימנה כדרך שהוא עושה בחול ת"ר אין מרביעין בהמה בחולו של מועד כיוצא בו אין מרביעין בבכור ולא בפסולי המוקדשין תניא אידך אין מרביעין בהמה בחולו של מועד ר' יהודה אומר חמורה שתבעה מרביעין עליה זכר בשביל שלא תצטנן ושאר כל הבהמות מכניסין אותן לבקרות ת"ר אין מדיירין לא בשבתות ולא בימים טובים ולא בחולו של מועד ואם באו מאליהן מותר ואין מסייעין אותן ואין מוסרין להם שומר לנער את צאנם היה שכיר שבת שכיר חדש שכיר שנה שכיר שבוע מסייעין אותן [א] ומוסרין להם שומר לנער את צאנם [ב] ר' אומר בשבת בטובה ביו"ט במזונות במועד בשכר אמר רב יוסף הלכתא כרבי:

מתני' וכן מי שהיה יינו בתוך הבור ואירעו אבל או אונס או שהטעוהו זולף וגומר וגף כדרכו דברי ר' יוסי ר' יהודה אומר עושה לו לימודים בשביל שלא יחמיץ:

גמ' וצריכא דאי אשמעינן קמייתא בההיא קאמר ר' יוסי משום דמישחא נפיש פסידיה אבל חמרא דלא נפיש פסידיה אימא מודי ליה לרבי יהודה ואי אשמעינן בתרייתא בההיא קאמר רבי יהודה אבל בהך אימא מודה לר' יוסי צריכא אמר רב יצחק בר אבא מאן תנא שינוי במועד בדבר האבד דלא כר' יוסי אמר רב יוסף הלכה כר' יוסי בעו מיניה מרב נחמן בר יצחק מהו למישע חביתא דשיכרא בחולא דמועדא אמר להו סיני אמר הלכה כר' יוסי דאמר רבי יוסי אימור דאמר רבי יוסי בחמרא בשיכרא מי אמר חמרא טעמא מאי משום דנפיש פסידיה שיכרא נמי אית בה פסידא דאמר אביי אמרה לי אם בר שית סאוי ושייע מבר תמני ולא שייע אמר רב חמא בר גוריא אמר רב הלכות מועד כהלכות כותים בהלכה למאי הלכתא אמר רב דניאל בר קטינא (אמר רב) לומר שהן עקורות ואין למידות זו מזו דאמר שמואל זופתין כוזתא ואין זופתין חביתא רב דימי מנהרדעא אמר זופתין חביתא ואין זופתין כוזתא מר חייש לפסידא ומר חייש לטירחא אמר אביי נקטינן הלכות מועד כהלכות שבת

רש"י

מקבלי קיבולת בתוך התחום אסור. ליתן מלאכה לנכרי בקיבולת כי עבדי ליה בשבתא דידעי כולי עלמא ואמרי היום בשבת יהב ליה והא דשרי בית הלל בפ"ק דשבת (ד' יח:) ליתן כלים לכובס בע"ש עם חשיכה ואפי' בתוך התחום משום דכביסה בנכרי מידי דלא מינכר וליכא חשדא אבל מידי דמינכר בתוך התחום אסור משום חשדא: אבל אי איכא מתא דמקרבא להתם. אותן פועלים נכרים אסורים דאינהו ידעי דהני נכרים עבדי ליה מלאכה ואמרי בשבתא יהב להו: אסור. דאמרי היום יהבו ליה: סיועי הוה מסייע בתיבנא. שהיה נותן להם תבן למלאכה דהואיל והוא מסייע בהדייהו אסור: אבונגרי. מסדרי שולחנות: למיעבד עבידתייהו. אם נשבר השלחן שרי לתקנו: שרשויי. ריוח בעלמא כדי סעודתם דקא אכלי בהדייהו ולא קא חשיב מלאכה: מקבלין קיבולת. נותנה לנכרי לעשותה אחר המועד: אין מרביעין בהמה. משום דעביד מלאכה בחולו של מועד: אין מרביעין. אין אוחזין הבהמה ומביאין עליה זכר: בבכור. דקעביד ביה מלאכה וכתיב (דברים טו) לא תעבוד בבכור שורך: לבקרות. מקום שיש שם בהמות והיא רובעת מעצמה: מדיירין. מכניסין בהמה לשדה כדי שיוליאו זבל ומזבלין השדה: אין מסייעין אותן. לבהמה לבא בשדה או אם נכרים הם אין מסייעין להם להסיען ממקום למקום כדי שתזבל כל השדה אפילו בבאין מעצמם: לנער. לשמור כגון אם נכרים הם: שכיר שבת. שסכרו כל השבוע לדייר שדהו: שבוע. שמיטה: מסייעין. כאילו של נכרים הוא: ה"ג ועושה נכרי בשבת וי"ט ומסייעין במועד. דלא טרח מלאכה כלומר יכולין לסייע לאותו שכיר לדייר: ומוסרין לו רועה אחד לנער צאנו. שמדיירין אותה הואיל ואינו שכיר לשבת ממש: רבי אומר בשבת בטובה. אם רוצה שום אדם לסייע לאותו שכיר בטובתו עושה כלומר בחנם ולא בשכר: מתני' בתוך הבור. שלפני הגת אותו כלי שהיין נופל בו מן הגת קרוי בור: זולף וגומר כדרכו. כלומר מריק אותו בחבית וגף החבית במגופה גמורה: עושה לו למודים. אינו יכול לגוף כדרכו אלא שיחפס (ג) היינו לימודין בשביל שלא יחמיץ שאם אינו סותמו מחמיץ: גמ' וצריכא. למימר בתרוייהו בשני בבי דמתני' דמשחא ודאמרה ר' יוסי אומר זולף כו': בההיא. רישא דמתניתין: קאמר רבי יוסי. זולף כדרכו: דמשחא. יקיר ואיכא פסידא יתירא: מודה ליה לר' יהודה. דאינו זולף וגף ממש אלא עושה לימודים ערלי: דלא כר' יוסי. דאמר גומר כדרכו ואינו צריך שינוי: למישע. לגוף החבית: סיני. רב יוסף: הלכה כר' יוסי. דגף כדרכו: בר שית סאוי ושייע מבר תמני ולא שייע. כלומר יפה שכר מוגף שמחזיק ששה סאין משכר שהוא בכלי גדול שמחזיק שמונה סאין: כהלכות כותים. דאמרינן (חולין דף ד.) היכא דאחזיק אחזיק היכא דלא אחזיק לא אחזיק: עקורות. כאשה עקרה שאין לאדם ממנה פרי אלא גופה: ואין למידין זו מזו. דאימא כשם שזו מותרת כך זו מותרת כמו בכותים ולא אמרינן כי היכי דמחזיק בהאי מחזיק בהאי אלא לא ילפי הני מהני: מר. דאמר זופתין חביתא חייש לפסידא ובחביתא איכא פסידא יתירא אי לא זפתי לה משום דנפיש יינא ובכוזתא ליכא פסידא יתירא כוזא כלי קטן: מר. דאמר זופתין לכוזא חייש לטירחא ובכוזא ליכא טירחא יתירא ובחביתא איכא טירחא יתירא:

תוספות

אמר שמואל מקבלי קיבולת בתוך התחום. הא דשרינן כלים לכובס נכרי פירש בקונט' דלא מינכר שהוא של ישראל ור' יעקב לא היה מחלק ואומר דשרי במועד וגם בשבת דהא ריחים של מים איכא השמעת קול ושרינן בפ"ק דשבת (דף יח. ושם) ובפ"ק דע"ז (דף כא: ושם) שרינן להשכיר שדה לנכרי משום דאריסותיה קעביד וכ"ש קבלנות שאין הבית מתעלה בכך אלא ממהר לעשות ואע"ג דר' שמעון בן אלעזר פליג מסתמא הלכה כר' שמעון בן גמליאל דקא אסר התם מרחץ במשנה משמע הא שדה שרי כדדייק התם ותניא בפ"ק דשבת (דף יט.) גבי ספינה פוסק עמו על מנת לשבות ואינו שובת אלמא אין הנכרי מניח לעשות קבלנותו בשביל ישראל ואיכא מאן דאמר אפי' לפסוק אין צריך ובשמעתין דאסר שמואל מפרש רבינו יעקב כאותו פירוש שמעמידין כולהו שמעתא באבל וכדרב שישא דאמר (לעיל יא:) דברים המותרי' בחש"מ אסורין בימי אבלו דהוי דאורייתא או כעין דאורייתא אבל במועד הקילו וכ"ש שיש להן להקל בשבת דלא חיישינן כל כך דלא ליזלזל ביה וא"ת כיון דבאבילות איירי שמואל היכי קאמר וכי ליכא מתא דמיקרבא להתם (ג) לא אמרן אלא בשבתות וימים טובים דלא שכיחי דאזלי מדוכתא אבל בחולו של מועד אסור וצריך עיון: **דברי** רבי יוסי. בשמן (ד) תניא מילתא דר' יהודה ברישא וכיון דאתחיל מילתא דרבי יוסי מסיים לה וגף ביין לא ידענא אי אבור אי אחבית קאי מיהו לכאורה אחבית קאי דשייך בה מגופה ומדקתני בה זולף וגומר משמע דאבור קאי דאחבית לא שייך משמע דגף אחרי כן וגם עושין לו לימודין משמע דקאי אבור ולית ליה זולף וגומר דאחבית לא שייך לימודין דסגי בכיסוי קטן:

מכניס

יט

גליון הש"ס

גמ' וכל שאינו עושה אינו אומר. עיין בב"מ דף ל ע"א תוס' ד"ה אבל הכא:

רבינו חננאל

אמר שמואל מקבלי קיבולת. פי' אם קיבלו קיבולת בתוך התחום אסור. חוץ לתחום מותר. ואסיקנא הני מילי בשבתות ובי"ט דלא שכיחי אינשי דנפקי חוץ לתחום אבל בחולו של מועד דאיכא דנפקי חוץ לתחום אסור מר זוטרא בנו ליה נכרים בקיבולת אפדנא חוץ לתחום ולא עיילי רבנן בההוא אפדנא איכא דאמרי הוא נמי לא על בההוא אפדנא. ואע"ג דאמר שמואל כי האי גוונא שרי אדם חשוב שאני איכא דאמרי עבדיה סייע בהדייהו בתיבנא רב חמא שרא לאכוונרי דבי ריש גלותא למיעבד להון עבידתא בחולי דמועדא מ"ט דכיון דלא אגרא שקלי שרשויי הוא דמשרשי להו כגון דורון הוא ושרי: ת"ר מקבלין קיבולת במועד לעשותה לאחר המועד ובלבד שלא ישקול ושלא ימדוד ושלא ימנה כדרך שהוא עושה בחול וכן אינו נותן בקיבולת לנכרי במועד.

יש מהן פטור אבל אסור ויש מהן מותר לכתחלה רב הונא חצדו ליה חצדא במועדא איתיביה רבה בר רב הונא לרב הונא טוחנין קמח במועד לצורך המועד ושלא לצורך המועד אסור (א) דבר שאבוד במועד מותר לעשותו במועד דבר שאינו אבוד במועד אסור במה דברים אמורים בתלושין מן הקרקע אבל מחובר לקרקע אפי' כולו אבוד אסור ואם אין לו מה יאכל קוצר ומעמר ודש וזורה ובורר וטוחן ובלבד שלא ידוש בפרות אמר ליה יחידאה היא ולא סבירא לן כוותיה דתניא כלל אמר רבן שמעון בן גמליאל משום ר' יוסי דבר התלוש מן הקרקע אפילו מקצתו אבוד מותר והמחובר לקרקע אפי' כולו אבוד אסור ואי ר' יוסי ידוש נמי בפרות הא אמר רב יצחק בר אבא מאן תנא שינוי במועד בדבר האבד דלא כר' יוסי אמר לך ה"נ כיון דכל יומא לאו בפרות דיישי האידנא נמי לאו שינוי הוא ת"ר טוחנין במועד לצורך המועד ושלא לצורך המועד אסור ואם טחן והותיר הרי זה מותר קוצצין עצים במועד לצורך המועד ושלא לצורך המועד אסור ואם קצץ והותיר הרי זה מותר מטילין שכר במועד לצורך המועד ושלא לצורך המועד אסור ואם הטיל והותיר הרי זה מותר ובלבד שלא יערים ורמינהו מטילין שכר במועד לצורך המועד ושלא לצורך המועד אסור אחד שכר תמרים ואחד שכר שעורים ואע"פ שיש לו ישן מערים ושותה מן החדש תנאי היא דתניא אין מערימין בכך ר' יוסי בר יהודה אומר מערימין רב חצדו ליה חצדא בחולא דמועדא שמע שמואל איקפד לימא שמואל כיחידאה סבירא ליה לא חצדא דחיטי הוה דלא הוה פסיד ורב מאי טעמא עביד הכי אין לו מה יאכל הוה ושמואל לא סיימוה קמיה אי נמי אדם חשוב שאני ר' יהודה נשיאה נפק בחומרתא דמדושא ואשתי מיא דאחים קפילא ארמאה שמע ר' אמי איקפד אמר רב יוסף מאי טעמא איקפד (א) אי משום חומרתא דמדושא הא תניא השירין הנזמים והטבעות הרי הן ככל הכלים הניטלין בחצר אי משום דאישתי מיא דאחים קפילא ארמאה הא אמר (ב) שמואל בר יצחק אמר רב כל שנאכל כמות שהוא חי אין בו משום בישולי נכרים אדם חשוב שאני אמר רב חננאל אמר רב קוצץ אדם דקל במועד אע"פ שאינו צריך אלא לנסורת שלו לייט עלה אביי רב אשי הוה ליה אבא בשלנייא אזל למיקצייה בחולא דמועדא אמר ליה רב שילא משלנייא לרב אשי מאי דעתיך דקאמר רב חננאל אמר רב קוצץ אדם דקל במועד אע"פ שאינו צריך אלא לנסורת שלו הא לייט עלה אביי אמר ליה לא שמיע לי כלומר לא סבירא לי אישתמיט נרגא בעי למיפסקיה לשקיה שבקיה והדר אתא רב יהודה שרא למיעקר כיתנא ולמיקטל כשותא ולמיעקר שומשמי אמר ליה אביי לרב יוסף בשלמא כיתנא חזי לחפיפה כשותא חזי לשיכרא אלא שומשמי למאי חזי חזי לנזיי דאית בהו רבי ינאי הוה ליה ההוא פרדיסא דמטא זמניה בחולא דמועדא קטפיה לשנה שהיוה כולי עלמא לפרדיסייהו לחולא דמועדא אפקריה רבי ינאי לפרדיסיה ההוא שתא: **מתני'** מכנים אדם פירותיו מפני הגנבים ושולה פשתנו מן המשרה בשביל שלא תאבד ובלבד שלא יכוין את מלאכתו במועד וכולן אם כוונו מלאכתן במועד יאבדו: **גמ'** תנא ובלבד שיכניסם בצנעא לתוך ביתו רב יוסף הוה ליה כשורי עיילינהו בימעא אמר ליה אביי והתניא ובלבד שיכניסם בצנעא בתוך ביתו אמר ליה צנעא דהני יממא הוא כיון דבליליא בעו גברא יתירי ובעו מדוכרי דנורא אוושא מילתא: ושולה פשתנו מן המשרה כו': בעי מיניה רבי ירמיה מרבי זירא כוון מלאכתו במועד ומת מהו שיקנסו בניו אחריו אם תימצי לומר

צרם

רש"י

יש מהן פטור אבל אסור. והא דקתני אין זופתין אסור למיעבד לכתחילה אבל בדיעבד לא הוי חייב והא דקתני זופתין הוי מותר לכתחילה: למיחצד. לקצור ורב הונא יש לו מה יאכל הוה ואמאי שרי לה: אמר ליה. האי דקתני מחובר אפי' כולו אבוד נמי אסור ר' יוסי היא ויחידאה היא ולא סבירא לן כוותיה: כיון דכל יומא לאו בפרות דיישי האידנא לאו שינוי הוא. כי דיישי בלא פרות ולעולם ר' יוסי היא והא דאסר בפרות משום דאוושא מילתא היא: ואם טחן. במועד לצורך המועד והותיר עד לאחר המועד: מותר. לאכלו אחר המועד: ובלבד שלא יערים. שלא יעשה הרבה ויאמר לצורך המועד אני עושה ומתכוין כדי שתשתייר לאחר המועד: מערים ושותה מן החדש. שיכול לומר לצורך המועד הטילו: לימא שמואל. דאקפיד כיחידאה סבירא ליה כההיא מתניתא (ג) במחובר אפי' כולו אבוד נמי אסור ואוקימנא כר' יוסי יחידאה: חצדא דחיטי דלא הוה פסידא. להכי איקפד אבל בחצדא דשערי לא סבר לה כר' יוסי דאסיר: אין לו מה יאכל הוה. להכי עביד הכי: לא סיימוה קמיה. לא אמרו לו דלא הוה ליה מה יאכל להכי איקפד: אדם חשוב שאני. רב לא הוה ליה למיעבד הכי אפי' אין לו מה יאכל: נפק. בחצר בשבת: בחומרתא דמדושא. טבעת היא של מתכת וחותמה של אלמוג: שירין. נושקי"א בלעז: כל שהוא נאכל כמות שהוא חי. ומיא שתו אינשי כמות שהן: אדם חשוב שאני. יש לו להחמיר על עצמו יותר ולא הוה ליה למיפק בחומרתא דמדושא ולא למישתי מיא דאחים קפילא נכרי: לנסורת. עצים דקים שנופלין מן החתיכה: אבא. יער: בשלנייא. פירוש שם העיר כלומר היה לו יער באותו מקום: אישתמיט נרגא בעי למיפסקיה לשקיה. דרב אשי משום דעבר אדאביי: שבקיה. לאבא דלא קצליה במועד שהרגיש משום דעבר אדאביי נפל ליה נרגא: למיעקר כיתנא. בחולא דמועדא: למיקטל. לחתוך: כשותא. הומלו"ן: לחפיפה. לכסות בו מאכל כגון תאנים ותמרים לצורך המועד: לנזיי. כמו נזייתא דשיכרא (ב"ק דף לה.) לנזיי גרעינין דאית בהו בשומשמין דחזו למיעבד בהו משחא: אפקריה ר' ינאי לפרדיסיה. משום דעל ידו היה תקלה לעלמא דשהו עד לחולא דמועדא וקטפי: מתני' שולה. מעלה: שלא יכוין מלאכתו במועד. שיש לו פנאי בשאר ימות השנה והוא משהה למועד: יאבדו. שאסור ליהנות מהן: גמ' צינעא דידהו יממא הוא. אפי' בלילה כיממא דמי ולא סגי ליה שלא להכניסן להכי מכניסן נמי ביום: מדוכרי דנורא. אבוקות: מהו שיקנסו בניו אחריו. לבניו נמי יהא אסור אותה מלאכה דכיון דכוון מלאכתו במועד דין הוא שיהו אסורין ליהנות ממנה כשם שהיה אביהם קיים:

לרס

תוספות

מכנים אדם פירותיו מפני הגנבים. פירש בתוספות הרב דבאסיפת פירות איכא מלאכה כדאמרינן פרק אין דורשין (חגיגה דף יח.) גבי חג האסיף אסיפה במועד מי שרי ואיני יודע מה מלאכה (ד) וצריך עיון אי טרח בלא מלאכה אסיר כי היכי דאסירי בפרקמטיא ולקמן בשמעתין (דף יג.) אמר מועד משום טירחא ולא טירחא הוא ושמא היינו דוקא בדבר שהוא מלאכה:

אם תימצי לומר צרם אזן הבכור ומת קנסו בנו אחריו. משום דאיסורא עשה אבל כוון מלאכתו לא עשה איסורא עדיין ולא צריך להגיה דאוריי' אבל בפ' השולח (גיטין מד. ושם) דגבי מכר ומת (ה) בעי אי קנסו בנו אחריו התם גרסינן ודאי איסורא דאורייתא משום דמכר ומת נמי עבד איסור' אלא דלא הוי דאוריי':

נטייבה

עין משפט נר מצוה

כד א מיי' פ"ז מהלכות יו"ט הל' ב טוש"ע א"ח סי' תקלז סעיף א:
כה ב ג מיי' שם הלכה ו טוש"ע שם סעיף טו:
כו ד מיי' שם טוש"ע שם סי' תקלג סעיף א:
כז ה ו מיי' פ"ז שם הלכה ח טוש"ע שם:
כח ז מיי' פי"ז מהל' מאכלות אסורות הלכה יד סמג לאוין קמב טוש"ע י"ד סי' קיג סעיף א:
כט ח מיי' פ"ח מהל' יו"ט הלכה יד טוש"ע א"ח סי' תקלג סעיף ב:
ל ט מיי' שם פ"ז הל' ג טוש"ע שם סי' תקלח סעיף ב:
לא י כ מיי' שם והל' ד טוש"ע שם סעיף א:
לב ל מיי' שם הל' ד טוש"ע שם סעיף ו:
לג מ נ מיי' שם הל' ג טוש"ע שם סעיף ב:

רבינו חננאל

ואין מוסרין להם שומר לנער את צאנן ואם היה שכיר שנה שכיר חדש שכיר שבת מסייעין הרועין ומוסרין להם שומר לנער צאנן ר' אומר אם באו בשבת בטובה בלא כלום הנאה או ביום טוב במזונות בלבד כלומר שכירותכם היא סעודתכם במועד אפי' בשכר אמר רב יוסף הלכתא כרבי: **מתני'** וכן מי שהיה יינו בבור ואירעו אבל או אונס או שהטעוהו פועלים ר' יוסי אומר זולף וגומר כדרכו. ר' יהודה אומר עושה לו לימודים כו' פירוש לימודים מכסהו וצריכא דאי אשמועינן משחא משום דנפיש פסידיה משום הכי שרי ר' יוסי אבל חמרא כו' אמר ר' יצחק בר אבא מאן תנא שינוי במועד בדבר האבד דלא כר' יוסי דהא ר' יוסי שרי כדרכו בלא שינוי אמר רב יוסף הלכתא כר' יוסי: בעא מיניה מרב נחמן בר יצחק מהו למישעיה לחביתא דשיכרא בחולו של מועד אמר להו רב יוסף דהוא סיני כדגרסינן בסוף הוריות רבה עוקר הרים רב יוסף סיני הוא דאמר הלכה כר' יוסי דאמר זולף וגומר וגף כדרכו אמרו ליה אימור דאמר ר' יוסי גף כדרכו בחמרא דאי שבקת ליה מגולה מפסיד שיכרא מי אמר אמר להו שיכרא נמי אית ביה פסידא טובא דאמר אביי אמרה לי אם חביתא דאית בה שית סאוי תמרי או כיוצא בהן ושייעא כח אותו השכר חזק (א) כמו חבית שיש בה שמונה סאין ולא שיעא כלומר אם תשאר מגולה יש בשכר הפסד: **אמר** רב הלכות מועד כהלכות כותים למאי הלכתא לומר שעקרות הן ואין למידות זו מזו. דאמר שמואל זופתין כוזתא ואין זופתין חבית והלא זו וזו זיפות הוא אלא אין למידין זו מזו (ב) זיפות הכוזתא אם תשאר בלא זיפות. פי' חייש לטירחא ומר חייש לפסידא מפורש בירושלמי. שמואל אמר זפתין גרבא ולא זפתין כוזתא (ג) דזיפתא גלידא. רב הונא חצדו ליה בחולא דמועדא איתיביה רבה בר רב הונא והתניא דבר האבד מותר לעשותו במועד ושאינו אבד אסור לעשותו בד"א בתלוש אבל במחובר אפילו כולו אבד אסור ואם אין לו מה יאכל קוצר ומעמר ודש כו'. ובלבד שלא ידוש בפרות. אמר ליה רב הונא הא מתניתא יחידאה היא דהא רשב"ג תני לה משום ר' יוסי ולא סמכינן עליה אי הכי דר' יוסי היא ידוש בפרות דהא ר' יוסי לא בעי שינוי ופרקינן כיון דכל יומא איכא דדיש בלא פרות לאו שינוי: **תנו** רבנן טוחנין קמח במועד שלא לצורך המועד אסור ואם טחן לצורך המועד והותיר מותר כיוצא בו קוצצין קוצין במועד לצורך המועד ושלא לצורך המועד אסור וכו' וכן מטילין שכר לצורך המועד כו' ובלבד שלא יערים. איני והתניא אע"פ שיש לו שכר ישן מערים ושותה מן החדש. ופרקינן תנאי היא דתניא אין מערימין בכך משום ר' יוסי בר' יהודה אמרו מערימין ואע"ג דלמיחצד למי שאין לו מה יאכל שרי איקפד שמואל עליה דרב ואמר אפילו הכי אדם חשוב שאני. ר' יהודה נשיאה נפק בחומרתא דמדושא ואשתי מיא דאחים קפילא ארמאה. ואיקפד ר' אמי עליה. ואמר רב יוסף תרוייהו שרו להו רבנן חומרתא דמדושא דתניא השירים והצמידים והטבעות הרי הן ככל הכלים הניטלין בחצר ואי מיא דאחים קפילא נכרי האמר שמואל בר רב יצחק כל הנאכל כמות שהוא חי אין בו משום בשולי נכרים ואמרינן אפילו הכי אדם חשוב שאני לא הוה ליה למיעבד הכי. אמר רב חננאל אמר רב קוצץ אדם דקל במועד אע"פ שאין צריך לו אלא לנסורת שלו לייט עלה אביי אזל רב אשי למקצץ ההיא אבא ואישתמיט נרגא ובעא למיפסקיה לשקיה ושבקיה והדר. רב יהודא שרא למיעקר כיתנא ולמיקטל כשותא ולמיעקר שומשמי אמר אביי בשלמא כיתנא חזי לחפיפה כשותא נמי חזו לשיכרא אלא שומשמי למאי חזו ואמרינן לנזיי דאית בהו. רבי ינאי קטף פרדיסאה בחולי דמועדא משום דמטא [זמניה] וחשש לפסידא לשנה אחרת שהו כ"ע לפרדיסייהו וקטפוה בחולי דמועדא אפקר ר' ינאי לפרדיסיה ההיא שתא: **ירושלמי** אמר ילפין מקלקלתא ולא ילפי מתקנייא. ר' יעקב בר אחא בשם ר' אבין פרקמטיא אבידה שריא מטלטלתא במועדא. שיירתא שרי מיזבון מינה במועדא: **מתני'** מכניס אדם פירותיו מפני הגנבים כו'. תניא ובלבד שיכניס בצינעא לתוך ביתו ואי הוו כעין כשורי דרב יוסף דבלילא בעו גברי יתירי ובעי אבוקות של אש ואוושא מילתא טפי עדיף לעיילינהו בימא. שולה פשתנו מן המשרה שלא תאבד

חשק שלמה על ר"ח (א) נראה מזה דרבינו היה גורס ככר תמניא. (ב) אולי צ"ל אם תשאר בלא זיפות תפסיד רב דימי וכו' אמר זופתין חביתא ואין זופתין כוזתא פי' מר חייש. (ג) אולי צ"ל זפתין גרבא דזיפתא דקדקירא ולא זפתין כוזתא דזיפתא גלידא.

מסורת הש"ס

א) [תוספתא פרק א], ב) [לעיל יא. ע"ש], ג) [שבת קלט:], ד) [לעיל יא: שבת נא. וש"נ], ה) [עי' מה שפירשו תוס' שבת מו: ד"ה ואמר עולא ותוס' עירובין סט. ד"ה כיון], ו) [שבת נא.], ז) שם מו:, ח) שבת נא. יבמות מו. ע"ז לח. נט., ט) [קידושין לג: וש"נ], י) [עירובין קב: וש"נ], כ) פי' ר"י קורות כבדים וגדולים, ל) [גי' הערוך בע' מדכר מדכורי דנורא פי' אבוקות], מ) [עי' תוס' בכורות לד: ד"ה בעא], נ) גיטין מד. ע"ש בכורות לד:.

הגהות הב"ח

(א) גמ' אי משום חומרתא דמדושא הא תניא השירין. נ"ב עי' מ"ש פ' הדר דף סט בתוס' ד"ה כיון: (ב) שם הא אמר רב שמואל: (ג) רש"י ד"ה לימא וכו' דבמחובר אפי': (ד) תוס' ד"ה מכנים כו' ואיני יודע מה מלאכה איכא באסיפה וצריך עיון: (ה) ד"ה אם כו' דגבי מכר ומת דבעי אי קנסו בנו אחריו התם ודאי גרסינן איסורא דאורייתא:

רש"י כת"י

מאן תנא שינוי במועד בדבר האבד דלא. צריך לשנוי כלומר כמאן אמרינן בכל דוכתא דמזין דלא בעינן שינוי במועד במידי דפסיד. למישע. שטחין חביותיהן מכניס זופת או במיני רבב להעמיד טעם היין והשכר שבתוכו ולא דוקא חביתא דשיכרא אלא מעשה כך היה. [ל"א] למשעא חביתא לסתום פי חבית. סיני. רב יוסף דשמעתיה כסיני. ומהדר חמרא טעמ' מאי וכו'. אמרא לי אם. מניקתא דאמו מתה בשעת לידתו. שית סאוי. כור שכר שלא נתנו בו אלא ששה סאין של שעורים או של תמרים ומונח בחבית זפותה מעלי יותר משכר הנתון בחבית שאינה זפותה שנתנו בו ח' סאין שעורים אלמא כי לא שיע פסיד. דזו זיפות וזו זיפות ואין למדין זו מזו פר"ח. כהלכות כותיים. דכותיים היכא דאחזוק אחזוק ודלא אחזוק לא אחזוק ומסתמא לא מחזקינן בהן כדמוכח בפרק הכל שוחטין (חולין ד.) אף במועד מאי דשרו רבנן שרו מאי דלא שרו רבנן לא שרו ולא גמרינן חדא מחדא. עקרות. כאשה עקרה שאין ממנה פרי אלא גופה הכא נמי אין בהן [גופם] אלא ואין למדין מהן. ואין למדות זו מזו. אין אומרין בהן זו דומא לזו כגון השקאת בית הבעל והשקאת בית השלחין (משום פסידא) ואין אומרין הלא אין טורח להשקות את זה יותר מזה מה זה מותר אף זה ולא ידע דמשום פסידא הוא לפיכך אין לך אלא מה שמנו חכמים זו אסורה וזו מותרת כגון חביתא וכוותא שפסדי. רב דימי. זופתין את החבית שהיא גדולה ולא הקטנה אין מדמין אותה לומר גדולה מותרת שיש טורח גדול קל וחומר לקטנה. מ"ר. מר חייש לטירחא. ולא לפסידא דקסבר דאפי' במקום פסידה מיטרח לא טרחינן. כהלכות שבת. מה הלכות שבת יש מהן פטור מקרבן אבל אסור מדרבנן אף הלכות מועד (מאן) [מאי] דשרו רבנן איכא מינייהו דמותר לכתחלה כגון במקום פסידא דמותר אפילו מדרבנן ויש מהן שפטור אבל אסור כלומר שאין מותר לכתחלה כגון הני דמתניתי' דקתני' מוכרין בצנעה דאע"ג דשרו רבנן לא בהדיא קא שרו להו והיינו כהלכות שבת. ל"א יש מהן פטור אבל אסור היינו כל הנך דאסור לעשות במועד דאין לוקין עליהן מלאו דלא תעשה כל מלאכה אבל אסור זה שמעתי. [ע"כ שייך לע"א] חצדו ליה חצדא. קצרו לו גוים קצירה של תבואה שלו ודבר האבד הוא. אבל מחובר וכו'. ולית ליה כהאי תנא דמתני' משקין בית השלחין דקתני במחובר אפי' דבר [האבד] (ה)אסור ושלחין מחוברין ודבר האבד הוא. שלא ידוש בפרות. דבעינן שינוי היכא דאיפשר. מתניתין יחידאה היא. ר' יוסי. ידוש נמי בפרות. דהא ר' יוסי לא בעי שנוי ומשני התם האי דקתני ובלבד שלא ידוש בפרות לאו משום דבעי שינוי דהא לאו שינוי הוא דכיון דכל יומא רובא דעלמא לאו בפרות דיישי האי נמי כי לא דייש לאו שינוי הוא אלא אוושא דמלתא הוא. קוצץ. שקוצץ עצים מן האילן. מוטב. חטיבת עצים תלושין בתוך הבית. ובלבד שלא יערים. (אשברקא). תנאי הוא. דאיכא תנא דאמ' מערימן ואיכא תנא דאמ' אין מערימן בכך לענין שבת קאי בפרק (חבית שנשברה) [כל כתבי (שבת קיז.)]. כיחידאה רבן [שמעון בן] גמליאל משום ר' יוסי דלעיל. לא סיימוה קמיה. לא [היה יודע שלצורך המועד הוה] (ואם טחן לצורך היה יודע). נפיק בחומרתא דמדושא. יצא בטבעת לאוירו שלא היתה ממתכת אלא מאותו עץ של מדושא [ואמרינן] במסכת שבת היא של אלמוג וחותמה של מתכת או היא של מתכת וחותמה של אלמוג הרי זה אסורה דטבעת מכוערת היא ואין תכשיט של איש אלא אם כן היא וחותמה של נחושת דהשתא הויא תכשיט ומותר לצאת בה בשבת לחצר אבל לא לרשות הרבים והאי דקא אסרינן לאוירו גזירה משום רשות הרבים. ואישתי מיא. בחול ולא חש לבשולי גוים. אי משום חומרתא דמדושא. נשי דליתיה לתכשיט טלטול מיהא שרי. נסורת. לשרוף פסולת דקה שנופלת מן העץ. אבא. יער. (שלינא) [בשלנייא]. מקום. לא שמיע ליה. כלומר לא סבירא ליה. שבקיה. בההיא זמנא דלא בעי תו למיקץ ליה באפיה דרב שילא בתר דאזל ליה רב שילא (אזל ליה) רב אשי אתא למקצייה. ל"א בעי למפסק לשקיה. לחתוך שוקיו כיון דחזא שאירע לו כן אמ' ודאי אסור לעשות כן. חזר (הבל) הדר לאורחא ובא לו לביתו. למקטל כשותא. לקצץ הומלי"ן. לחפיפה. לכסות בו מאכל כגון תאנים וענבים. [שומשמי]. שומשמין אין ראוין לאכילה עד שיכמשו לאחר זמן. לנזייתא דאית בהו. כמושין שכהן ראוין לאכילה. קטפיה. בצריה לאכילה לא תבצור מתרגמינן (ויקרא כב) לא תקטוף. לשנה. לשנה אחרת. (שהיין) [שהיוה כולי עלמא] לפרדיסייהו. ובצרום במועד שכיונו מלאכתם. אפקריה ר' ינאי לפרדיסיה. מרוב צער שילא תורבה ממנו. שיכנסם בצנעא. דלא ליפוק תורבה מיניה. כשורי. קורות גדולים וכבדים. (מרבדי) [מדוכרי]. אבוקות. אוושא. הומה מלתא טפי דשמעי כולי עלמא. שולה. כל שמעלה מן המים נקרא שולה. ובלבד שלא יכוין מלאכתו. כשיש פשתנו לשרות מכון שעתו שכשיגיע למועד אז יהא שרוי וישלנו במועד (שם שיהא) [משם מפני שהוא] בטל. שיקנסו. שיאבדו.

יֵשׁ מֵהֶן פָּטוּר אֲבָל אָסוּר – Thus, **some of them,** i.e. some Chol HaMoed acts, leave the perpetrator **exempt** from punishment, **but** are nonetheless **forbidden,** וְיֵשׁ מֵהֶן מוּתָּר לְכַתְּחִלָּה – **and some of them are permissible in the first place.**[1]

The Gemara cites an incident that bears upon R' Yose's ruling in our Mishnah:

רַב הוּנָא חָצְדוּ לֵיהּ חַצְדָא בְּמוֹעֲדָא – It occurred that **they** (i.e. his workers)[2] **reaped Rav Huna's harvest during Chol HaMoed.**[3] אֵיתִיבֵיהּ רַבָּה בַּר רַב הוּנָא לְרַב הוּנָא – **Rabbah bar Rav Huna challenged** his father **Rav Huna** from the following Baraisa: טוֹחֲנִין קֶמַח בַּמּוֹעֵד לְצוֹרֶךְ הַמּוֹעֵד – **WE MAY GRIND** grain into **FLOUR ON CHOL HAMOED FOR A FESTIVAL NEED,** וְשֶׁלֹּא לְצוֹרֶךְ הַמּוֹעֵד אָסוּר – **BUT IF IT IS NOT FOR A FESTIVAL NEED, IT IS FORBIDDEN.**[4] דָּבָר שֶׁאָבוּד בַּמּוֹעֵד מוּתָּר לַעֲשׂוֹתוֹ בַּמּוֹעֵד – In the case of **SOMETHING THAT WILL BE LOST** if left untended **OVER THE FESTIVAL, IT IS PERMITTED TO PERFORM ITS [WORK] DURING CHOL HAMOED.**[5] דָּבָר שֶׁאֵינוֹ אָבוּד בַּמּוֹעֵד אָסוּר – But in the case of **SOMETHING THAT WILL NOT BE LOST** if left untended **OVER THE FESTIVAL, IT IS FORBIDDEN** to perform its work during Chol HaMoed. בַּמֶּה דְּבָרִים אֲמוּרִים בִּתְלוּשִׁין מִן הַקַּרְקַע – **WHEN ARE THESE WORDS SAID? IN** the case of **[THINGS] DETACHED FROM THE GROUND.** אֲבָל מְחוּבָּר לַקַּרְקַע – **BUT** in the case of a crop still **ATTACHED TO THE GROUND,** אֲפִילּוּ כּוּלּוֹ אָבוּד אָסוּר – **EVEN IF ALL OF IT WILL BE LOST, IT IS FORBIDDEN** to perform its work on Chol HaMoed.[6] וְאִם אֵין לוֹ מַה יֹּאכַל – **HOWEVER, IF ONE DOES NOT HAVE ANYTHING TO EAT,** קוֹצֵר וּמְעַמֵּר וְדָשׁ וְזוֹרֶה וּבוֹרֵר וְטוֹחֵן – **HE MAY REAP, GATHER, THRESH, WINNOW, SELECT AND GRIND** his standing crop on Chol HaMoed.[7] וּבִלְבַד שֶׁלֹּא יָדוּשׁ בְּפָרוֹת – This is **PROVIDED, HOWEVER, THAT HE DOES NOT THRESH USING OXEN.**[8]

We see from this Baraisa that unless one has nothing to eat, one may not perform work with a standing crop on Chol HaMoed, even to save it from certain loss. How, then, could Rav Huna permit his crop to be reaped?[9]

NOTES

1. Sabbath activities fall into three categories. Activities that are Biblically forbidden on the Sabbath (i.e. the thirty-nine primary *melachos* and their *tolados*) are punishable with stoning in the case of deliberate transgression, and must be atoned for with a *chatas* offering in the case of inadvertent transgression. Acts forbidden by Rabbinic decree may not be done in the first place, but if done are not punishable with stoning or atoned for with offerings (see *Sanhedrin* 67b; *Nimukei Yosef* here). [However, one does suffer a Rabbinic penalty – see *Rambam, Hil. Shabbos* 1:3.] And in some circumstances, acts that would seem to be prohibited are in fact entirely permissible. For several examples of such acts, see *Rashi, Sanhedrin* ibid. ד"ה כהלכות שבת, and our note 27 there; see also *Shabbos* 3a and 107a.

The laws of Chol HaMoed are like the laws of the Sabbath with respect to the final two categories, into which all Chol HaMoed activities fall. Thus, if one performs work on Chol HaMoed, although it is prohibited in the first place, one is liable to no penalty by Biblical law. And there exist numerous acts that [would appear to be prohibited on Chol HaMoed, but are in fact perfectly permissible] (*Rashi; Rashi ms.,* second explanation; *Ritva*). Hence, when we rule that one may not coat the inside of a vessel on Chol HaMoed, we mean only that it is forbidden to do so in the first place; one who does so, however, suffers no penalty. And although there is reason to assume that coating a vessel on Chol HaMoed is always prohibited (see 12a notes 50 and 51), in certain cases it is entirely permissible [i.e. when coating a jug according to Shmuel or a barrel according to Rav Dimi – see 12a] (see *Rashi*).

The reason there is no Biblical penalty for transgressing Chol HaMoed law is because the prohibition against working on Chol HaMoed is derived from the positive commandment of . . . אֶת־חַג הַמַּצּוֹת תִּשְׁמֹר שִׁבְעַת יָמִים, *The Festival of Matzos shall you guard, seven days* (*Exodus* 23:15; see 11b note 12), and generally there is no penalty for transgression of positive commandments (*Ritva; Chidushei HaRan;* cf. *Nimukei Yosef*).

[Although one who performs work on Chol HaMoed is indeed liable to no Biblical penalty, he is sometimes liable to a Rabbinic penalty, as in the case of one who schedules his work for Chol HaMoed – the Rabbis decree that the fruits of that labor are denied him – see Mishnah below (*Ritva; Chidushei HaRan*).]

[An alternative explanation of the Chol HaMoed-Sabbath correlation maintains that Abaye is not at all concerned with one's liability for transgressing the Chol HaMoed prohibitions. Rather, the parallel he draws concerns the levels of permissibility and impermissibility in Sabbath and Chol HaMoed activity. Just as on the Sabbath there are some acts that are entirely permissible, and others that should not be performed, so too on Chol HaMoed there are some acts that may be performed unconditionally, and others that may be performed only with certain stipulations [e.g. privacy – see Mishnah below] (*Rashi ms.,* first explanation; *Chidushei HaRan;* see also *Sfas Emes*).]

2. [*Rashi ms.* writes that these workers were non-Jews.]

3. Rav Huna could not have harvested the grain before the festival because it first became ripe on the festival (*Ritva*). He could not postpone the harvest until after the festival because the grain would have passed its peak and become worthless. Faced with this loss, he was permitted to reap the grain on Chol HaMoed (*Rashi ms.; Nimukei Yosef*).

4. *Melachah* performed for the needs of the festival (by which we mean the days of Chol HaMoed itself and the latter festival days) is one of the major categories of permissible Chol HaMoed work. Here are some general rules regarding such work: One who performs *melachah* on Chol HaMoed for a festival need is not required to carefully measure his actions to ensure that he prepares precisely what is needed and no more. Rather, he may prepare generously, and if some will be left over, it is of no consequence (*Ritva; Mordechai;* see *Orach Chaim* 533:1; see note 19 for the source of this rule, but see note 7 for a qualification to it). Although there are certain types of Chol HaMoed work which must be performed in private (see Gemara below; *Orach Chaim* 538:2), work performed for a festival need may be performed publicly (*Ritva*). [Note, however, that the sale of certain items on Chol HaMoed, even if performed for a festival need, must be carried out with a degree of privacy. This will be discussed in the Mishnah and Gemara on 13b; see also *Orach Chaim* 539:11.] Work performed for a festival need may be deliberately scheduled for Chol HaMoed, provided that it has to do with the preparation of food (*Rosh; Mordechai; Meiri;* see *Orach Chaim* 533:1 with *Mishnah Berurah* §2). Other sorts of festival needs, however, while permissible on Chol HaMoed, may not be *scheduled* for that time (see *Orach Chaim* 536:1). A similar differentiation is made with regard to מַעֲשֵׂה אוּמָּן, *work of a craftsman;* although such work is generally prohibited even in the case of a festival need (see *Orach Chaim* 541:1 with *Mishnah Berurah* §1), it is permitted in the case of a food-related need (*Meiri;* see *Orach Chaim* 540:7). A final rule regarding festival needs concerns a situation in which one can obtain the food from a merchant or borrow it from a friend. One is not required to do so, for preparing the food oneself is deemed a festival need, and is permitted on Chol HaMoed (*Mishnah Berurah* 533:1; see below, notes 7 and 28).

5. Even if the work serves no festival need (see *Meiri*).

6. For the harvest of a standing crop, and its subsequent processing, is a very public proceeding (*Chidushei HaRan*). [We fear that onlookers, unaware of the impending loss of the crop, will erroneously assume that it is permissible to harvest crops on Chol HaMoed.]

7. The words "if one does not have anything to eat" should not be taken to mean that one has no option but to perform these labors. Rather, even if one is able to purchase food, or borrow it from another, he is not required to do so, but may prepare his own (see *Rambam, Yom Tov* 7:6 with *Kesef Mishneh; Meiri* here; *Orach Chaim* 537:15 with *Mishnah Berurah*). See below, note 28, for the source of this ruling.

[*Ritva* differentiates between this clause of the Baraisa and the one above that sets out the permissibility of performing *melachah* for a festival need. The earlier clause deals with someone who is performing only a single *melachah* (e.g. grinding). In that case, he may prepare lavishly, even if it means that some will be left over. Our clause, however, deals with one who is performing a number of *melachos.* In this case, he must be as precise as possible, and try to prepare only the exact amount needed. Even in this case, though, if he cannot prepare the food himself, and he cannot find anyone willing to prepare the small amount he needs, he may hire someone to prepare a larger amount, so that he will have food for the festival (see *Shaar HaTziyun* 537:49).]

8. This will be explained below; see note 16.

9. Rav Huna was not in the category of "one who does not have anything else to eat" (*Rashi*). Why then was he permitted to harvest his grain?

מכנים אדם פירותיו מפני הגנבים. פירש בתוספות הרב דבאסיפת פירות איכא מלאכה כדאמרינן פרק אין דורשין (חגיגה דף יח.) גבי חג האסיף אסיפה במועד מי שרי ואיני יודע מה מלאכה (ד) וצריך עיון אי טרח בלא מלאכה אסיר כי היכי דאסירי בפרקמטיא ולקמן בשמעתין (דף יג.) אמר מועד משום טירחא ולא טירחא הוא ושמא היינו דוקא בדבר שהוא מלאכה:

אם תימצי לומר צרם אזן הבכור ומת קנסו בנו אחריו. משום דאיסורא עשה אבל כוון מלאכתו לא עשה איסורא עדיין ולא צריך להגיה דאוריי' אבל בפ' השולח (גיטין מד. ושם) דגבי מכר ומת (ה) בעי אי קנסו בנו אחריו התם גרסינן ודאי איסורא דאורייתא משום דמכר ומת נמי עבד איסור' אלא דלא הוי דאוריי':

נטייבה

יש מהן פטור אבל אסור ויש מהן מותר לכתחלה רב הונא חצדו ליה חצדא במועדא איתיביה רבה בר רב הונא לרב הונא טוחנין קמח במועד לצורך המועד ושלא לצורך המועד אסור [א] דבר שאבוד במועד מותר לעשותו במועד דבר שאינו אבוד במועד אסור במה דברים אמורים בתלושין מן הקרקע אבל מחובר לקרקע אפי' כולו אבוד אסור [ב] ואם אין לו מה יאכל קוצר ומעמר ודש וזורה ובורר וטוחן [ג] ובלבד שלא ידוש בפרות אמר ליה יחידאה היא ולא סבירא לן כוותיה דתניא כלל אמר רבן שמעון בן גמליאל משום ר' יוסי דבר התלוש מן הקרקע אפילו מקצתו אבוד מותר והמחובר לקרקע אפי' כולו אבוד אסור ואי ר' יוסי ידוש נמי בפרות הא אמר רב יצחק בר אבא [ג] מאן תנא שינוי במועד בדבר האבד דלא כר' יוסי אמר לך ה"נ כיון דכל יומא לאו בפרות דיישי האידנא נמי לאו שינוי הוא ת"ר [ד] טוחנין במועד לצורך המועד ושלא לצורך המועד אסור ואם טחן והותיר הרי זה מותר קוצצין עצים במועד לצורך המועד ושלא לצורך המועד אסור ואם קצץ והותיר הרי זה מותר [ג] [ה] מטילין שכר במועד לצורך המועד ושלא לצורך המועד אסור ואם הטיל והותיר הרי זה מותר ובלבד שלא יערים ורמינהו מטילין שכר במועד לצורך המועד ושלא לצורך המועד אסור אחד שכר תמרים ואחד שכר שעורים ואע"פ שיש לו ישן [ו] מערים ושותה מן החדש תנאי היא דתניא אין מערימין בכך ר' יוסי בר יהודה אומר מערימין רב חצדו ליה חצדא בחולא דמועדא שמע שמואל איקפד לימא שמואל כיחידאה סבירא ליה לא חצדא דחיטי הוה דלא הוה פסיד ורב מאי טעמא עביד הכי אין לו מה יאכל הוה ושמואל לא סיימוה קמיה אי נמי [ז] אדם חשוב שאני ר' יהודה נשיאה נפק [ח] בחומרתא דמדושא ואשתי מיא דאחים קפילא ארמאה שמע ר' אמי [ו] איקפד אמר רב יוסף מאי טעמא איקפד (א) אי משום חומרתא דמדושא הא תניא [ז] השירין הנזמים והטבעות הרי הן ככל הכלים הניטלין בחצר אי משום דאישתי מיא דאחים קפילא ארמאה הא אמר (ג) שמואל בר יצחק אמר רב [ח] [י] כל שנאכל כמות שהוא חי אין בו משום בישולי נכרים אדם חשוב שאני אמר רב חננאל אמר רב קוצץ אדם דקל במועד אע"פ שאינו צריך אלא לנסורת שלו [ט] לייט עלה אביי רב אשי הוה ליה אבא בשלנייא אזל למיקצייה בחולא דמועדא אמר ליה רב שילא משלנייא לרב אשי מאי דעתיך דקאמר רב חננאל אמר רב קוצץ אדם דקל במועד אע"פ שאינו צריך אלא לנסורת שלו הא לייט עלה אביי אמר ליה [י] לא שמיע לי כלומר לא סבירא לי אישתמיט נרגא בעי למיפסקיה לשקיה שבקיה והדר אתא רב יהודה [ח] שרא למיעקר כיתנא ולמיקטל כשותא ולמיעקר שומשמי אמר ליה אביי לרב יוסף בשלמא כיתנא חזי לחפיפה כשותא חזי לשיכרא אלא שומשמי למאי חזי חזי לנזיי דאית בהו רבי ינאי הוה ליה ההוא פרדיסא דמטא זמניה בחולא דמועדא קטפיה לשנה שהיוה כולי עלמא לפרדיסייהו לחולא דמועדא אפקריה רבי ינאי לפרדיסיה ההוא שתא:

מתני' [ט] מכנים אדם פירותיו מפני הגנבים [י] ושולה פשתנו מן המשרה בשביל שלא תאבד [פ] ובלבד שלא יכוין את מלאכתו במועד [ל] וכולן אם כוונו מלאכתן במועד יאבדו:

גמ' תנא [מ] ובלבד שיכניסם בצנעא לתוך ביתו רב יוסף הוה ליה [כ] כשורי עיילינהו בימא אמר ליה אביי והתניא ובלבד שיכניסם בצנעא בתוך ביתו אמר ליה צנעא דהני יממא הוא [נ] כיון דבליליא בעו גברא יתירי ובעו [ל] מדוכרי דנורא אוושא מילתא: ושולה פשתנו מן המשרה כו': [מ] בעי מיניה רבי ירמיה מרבי זירא [נ] כוון מלאכתו במועד ומת מהו שיקנסו בניו אחריו אם תימצי לומר

צרם

יש מהן פטור אבל אסור. והא דקתני אין זופתין אסור למיעבד לכתחילה אבל בדיעבד לא הוי חייב והא דקתני זופתין הוי מותר לכתחילה: למיחצד. לקצור ורב הונא יש לו מה יאכל הוה ואמאי שרי לה: אמר ליה. האי דקתני מחובר אפי' כולו אבוד נמי אסור ר' יוסי היא ויחידאה היא ולא סבירא לן כוותיה: כיון דכל יומא לאו בפרות דיישי האידנא לאו שינוי הוא. כי דיישי בלא פרות ולעולם ר' יוסי היא והא דאסר בפרות משום דאוושא מילתא היא: ואם טחן. במועד לצורך המועד והותיר עד לאחר המועד: מותר. לאכלו אחר המועד: ובלבד שלא יערים. שלא יעשה הרבה ויאמר לצורך המועד אני עושה ומתכוין כדי שתשתייר לאחר המועד: מערים ושותה מן החדש. שיכול לומר לצורך המועד הטילו: לימא שמואל. דאקפיד כיחידאה סבירא ליה כההיא מתניתא (ג) במחובר אפי' כולו אבוד נמי אסור ואוקימנא כר' יוסי יחידאה: חצדא דחיטי דלא הוה פסידא. להכי איקפד אבל בחצדא דשערי לא סבר לה כר' יוסי דאסיר: אין לו מה יאכל הוה. להכי עביד הכי: לא סיימוה קמיה. לא אמרו לו דלא הוה ליה מה יאכל להכי איקפד: אדם חשוב שאני. רב לא הוה ליה למיעבד הכי אפי' אין לו מה יאכל: נפק. בחצר בשבת: בחומרתא דמדושא. טבעת היא של מתכת וחותמה של אלמוג: שירין. נושקי"א בלעז: כל שהוא נאכל כמות שהוא חי. ומיא שתו אינשי כמות שהן: אדם חשוב שאני. יש לו להחמיר על עצמו יותר ולא הוה ליה למיפק בחומרתא דמדושא ולא למישתי מיא דאחים קפילא נכרי: לנסורת. עלים דקים שנופלין מן החתיכה: אבא. יער: בשלנייא. פירוש שם העיר כלומר היה לו יער באותו מקום: אישתמיט נרגא בעי למיפסקיה לשקיה. דרב אשי משום דעבר אדאביי: שבקיה. לאבא דלא קצליה במועד שהרגיש משום דעבר אדאביי נפל ליה נרגא: למיעקר כיתנא. בחולא דמועדא: למיקטל. לחתוך: כשותא. הומלו"ן: לחפיפה. לכסות בו מאכל כגון תאנים ותמרים לצורך המועד: לנזיי. כמו נזייתא דשיכרא (כ"ק דף לה.) לנזיי גרעינין דאית בהו בשומשמין דחזו למיעבד בהו משחא: אפקריה ר' ינאי לפרדיסיה. משום דעל ידו היה תקלה לעלמא דשהו עד לחולא דמועדא וקטפי:

מתני' שולה. מעלה: שלא יכוין מלאכתו במועד. שיש לו פנאי בשאר ימות השנה והוא משהה למועד: יאבדו. שאסור ליהנות מהן:

גמ' צינעא דידהו יממא הוא. אפי' בלילה כיממא דמי ולא סגי ליה שלא להכניסן להכי מכניסן נמי ביום: מדוכרי דנורא. אבוקות: מהו שיקנסו בניו אחריו. לבניו נמי יהא אסור אותה מלאכה דכיון דכוון מלאכתו במועד דין הוא שיהו אסורין ליהנות ממנה כשם שהיה אביהם קיים:

לכרס

כד א מיי' פ"ז מהלכות יו"ט הל' ב טוש"ע א"ח סי' תקלו סעיף א:
כה ב ג מיי' שם הלכה ו טוש"ע שם סעיף טו:
כו ד מיי' שם טוש"ע שם סי' תקלג סעיף א:
כז ה ו מיי' פ"ז שם הלכה ח טוש"ע שם:
כח ז מיי' פי"ז מהל' מאכלות אסורות הלכה יד סמג לאוין קמב טוש"ע י"ד סי' קיג סעיף א:
כט ח מיי' פ"ח מהל' יו"ט הלכה יד טוש"ע א"ח סי' תקלג סעיף ב:
ל ט מיי' שם פ"ז הל' ג טוש"ע שם סי' תקלה סעיף ב:
לא י כ מיי' שם והל' ד טוש"ע שם סעיף א:
לב ל מיי' שם הל' ד טוש"ע שם סעיף ו:
לג מ נ מיי' שם הל' ג טוש"ע שם סעיף ב:

רבינו חננאל

ואין מוסרין להם שומר לנער את צאנן ואם היה שכיר שנה שכיר חדש שכיר שבת מסייעין הרועין ומוסרין להם שומר לנער צאנן ר' אומר אם באו בשבת בטובה בלא כלום הנאה או ביום טוב במזונות בלבד כלומר שכירותכם היא סעודתכם במועד אפי' בשכר אמר רב יוסף הלכתא כרבי: **מתני'** וכן מי שהיה יינו בבור ואירעו אבל או אונס או שהטעוהו פועלים ר' יוסי אומר זולף וגומר כדרכו. ר' יהודה אומר עושה לו לימודים כו' פירוש לימודים מכסהו וצריכא דאי אשמועינן משחא משום דנפיש פסידיה משום הכי שרי ר' יוסי אבל חמרא כו' אמר ר' יצחק בר אבא מאן תנא שינוי במועד בדבר האבד דלא כר' יוסי דהא ר' יוסי שרי כדרכו בלא שינוי אמר רב יוסף הלכתא כר' יוסי: בעא מיניה מרב נחמן בר יצחק מהו למישעיה לחביתא דשיכרא בחולו של מועד אמר להו רב יוסף דהוא סיני כדגרסינן בסוף הוריות רבה עוקר הרים רב יוסף סיני הוא דאמר הלכה כר' יוסי דאמר זולף וגומר וגף כדרכו אמרו ליה אימור דאמר ר' יוסי גף כדרכו בחמרא דאי שבקת ליה מגולה מפסיד שיכרא מי אמר אמר להו שיכרא נמי אית ביה פסידא טובא דאמר אביי אמרה לי אם חביתא דאית בה שית סאוי תמרי או כיוצא בהן ושייעא כח אותו השכר חזק א) כמו חבית שיש בה שמונת סאין ולא שיעא כלומר אם תשאר מגולה יש בשכר הפסד: **אמר** רב הלכות מועד כהלכות כותים למאי הלכתא לומר שעקרות הן ואין למידות זו מזו. דאמר שמואל זופתין כוזתא ואין זופתין חבית והלא זו וזו זיפות הוא אלא אין למידין זו מזו ב) זיפות הכוזתא אם תשאר בלא זיפות. פי' חייש לטירחא ומר חייש לפסידא מפורש בירושלמי. שמואל אמר זפתין גרבא ולא זפתין כוזתא ג) דזיפתא גלידא. רב הונא חצדו ליה בחולא דמועדא איתיביה רבה בר רב הונא והתניא דבר האבד מותר לעשותו במועד ושאינו אבד אסור לעשותו בד"א בתלוש אבל במחובר אפילו כולו אבד אסור ואם אין לו מה יאכל קוצר ומעמר ודש כו'. ובלבד שלא ידוש בפרות. אמר ליה רב הונא הא מתניתא יחידאה היא דהא רשב"ג תני לה משום ר' יוסי ולא סמכינן עליה אי הכי דר' יוסי היא ידוש בפרות דהא ר' יוסי לא בעי שינוי ופרקינן כיון דכל יומא איכא דדיש בלא פרות לאו שינוי: **תנו** רבנן טוחנין קמח במועד לצורך המועד שלא לצורך המועד אסור ואם טחן לצורך המועד והותיר מותר כיוצא בו קוצצין קוצצין במועד לצורך המועד ושלא לצורך המועד אסור וכו' וכן מטילין שכר לצורך המועד כו' ובלבד שלא יערים. איני והתניא אע"פ שיש לו שכר ישן מערים ושותה מן החדש. ופרקינן תנאי היא דתניא אין מערימין בכך משום ר' יוסי בר' יהודה אמרו מערימין ואע"ג דלמיחצד למי שאין לו מה יאכל שרי איקפד שמואל עליה דרב ואמר אפילו הכי אדם חשוב שאני. ר' יהודה נשיאה נפק בחומרתא דמדושא ואשתי מיא דאחים קפילא ארמאה. ואיקפד ר' אמי עליה. ואמר רב יוסף תרוייהו שרו להו רבנן חומרתא דמדושא דתניא השירים והצמידים והטבעות הרי הן ככל הכלים הניטלין בחצר ואי מיא דאחים קפילא נכרי האמר שמואל בר רב יצחק כל הנאכל כמות שהוא חי אין בו משום בשולי נכרים ואמרינן אפילו הכי אדם חשוב שאני לא הוה ליה למיעבד הכי. אמר רב חננאל אמר רב קוצץ אדם דקל במועד אע"פ שאין צריך לו אלא לנסורת שלו לייט עלה אביי אזל רב אשי למקצץ ההיא אבא ואישתמיט נרגא ובעא למיפסקיה לשקיה ושבקיה והדר. רב יהודא שרא למיעקר כיתנא ולמיקטל כשותא ולמיעקר שומשמי אמר אביי בשלמא כיתנא חזי לחפיפה כשותא נמי חזו לשיכרא אלא שומשמי למאי חזו ואמרינן לנזיי דאית בהו. רבי ינאי קטף פרדיסאה בחולי דמועדא משום דמטא [זמניה] וחשש לפסידא לשנה אחרת שהו כ"ע לפרדיסייהו וקטפוה בחולי דמועדא אפקר ר' ינאי לפרדיסיה ההיא שתא: **ירושלמי** אמר ילפין מקלקלתא ולא ילפי מתקנייא. ר' יעקב בר אחא בשם ר' אבין פרקמטיא אבידה שריא מטלטלתא במועדא. שיירתא שרי מיזבון מינה במועדא: **מתני'** מכניס אדם פירותיו מפני הגנבים כו'. תניא ובלבד שיכניס בצינעא לתוך ביתו ואי הוו כעין כשורי דרב יוסף דבלילא בעו גברי יתירי ובעי אבוקות של אש ואוושא מילתא טפי עדיף לעיילינהו ביממא. שולה פשתנו מן המשרה שלא תאבד

חשק שלמה על ר"ח א) נראה מזה דרבינו היה גורס כבר תמנייא. ב) אולי צ"ל אם תשאר בלא זיפות תפסיד רב דימי וכו' אמר זופתין חביתא ואין זופתין כוזתא פי' מר חייש. ג) אולי צ"ל זפתין גרבא דזיפתא דקקירלא ולא זפתין כוזתא דזיפתא גלידא.

א) [תוספת' פרק א], ב) [לעיל יא. ע"ש], ג) [שבת קלט:], ד) [לעיל יא: שבת נה. וש"נ], ה) [עי' מה שפירשו תוס' שבת מו: ד"ה ואמר עולא ותוס' עירובין סט. ד"ה כיון], ו) [שבת נח.], ז) שם מו:, ח) שבת נח. יבמות מו. ע"ז לח. נט., ט) [קידושין לג: וש"נ], י) [עירובין קב: וש"נ], כ) פי' נ"י קורות כבדים וגדולים, ל) [גי' הערוך בע' מדבר מדבורי דנורא פי' אבוקות], מ) [עי' תוס' בכורות לד: ד"ה בעא], נ) גיטין מד. ע"ש בכורות לד:.

הגהות הב"ח

(א) גמ' אי משום חומרתא דמדושא הא תניא השירין. נ"ב עי' מ"ש פ' הדר דף סט בתוס' ד"ה כיון: (ב) שם הא אמר רב שמואל: (ג) רש"י ד"ה לימא וכו' דבמחובר אפי': (ד) תוס' ד"ה מכנים כו' ואיני יודע מה מלאכה איכא באסיפה וצריך עיון: (ה) ד"ה אם כו' דגבי מכר ומת דבעי אי קנסו בנו אחריו התם ודאי גרסינן איסורא דאורייתא:

רש"י כת"י

מאן תנא שינוי במועד בדבר האבד דלא. צריך לשנוי כלומר כמאן אמרינן בכל דוכתא דחזינן דלא בעינן שינוי במועד במידי דפסיד. למישע. שטחין חביותיהן מבפנים בזפת או במיני רבב להעמיד טעם היין והשכר שבתוכו ולא דוקא חביתא דשיכרא אלא מעשה כך היה. [ל"א] למשעא חביתא לסתום פי חבית. סיני. רב יוסף דשמעתיה כסיני. ומהדר אמרא טעמ' מאי וכו'. אמרא לי אם. מניקתא דאמו מתה בשעת לידתו. שית סאוי. כור שכר שלא נתנו בו אלא ששה סאין של שעורים או של תמרים ומונח בחבית זפותא מעלי יותר משכר הנתון בחבית שאינה זפותה שנתנו בו ח' סאין שעורים אלמא כי לא שיע פסיד. דזו זיפות וזו זיפות ואין למדין זו מזו פר"ח. כהלכות כותיים. דכותים היכא דאחזוק אחזוק ודלא אחזוק לא אחזוק ומסתמא לא מחזקינון בהן בשום מצוה בפרק הכל שוחטין (חולין ד.) אף במועד מאי דשרו רבנן שרו מאי דלא שרו רבנן לא שרו ולא גמרינן חדא מחדא. עקרות. כאשה עקרה שאין ממנה פרי אלא גופה הכא נמי אין בהן [גופס] אלא ואין למדין מהן. ואין למדות זו מזו. אין אומרין בהן זו דומא לזו כגון השקאת בית הבעל והשקאת בית השלחין (משום פסידא) ואין אומרין הלא אין טורח להשקות את זה יותר מזה מה זה מותר אף זה ולא ידע דמשום פסידא הוא לפיכך אין לך אלא מה שמנו חכמים זו אסורה וזו מותרת כגון חביתא וכוותא שפסדי. רב דימי. זופתין את החבית שהיא גדולה ולא הקטנה אין מדמין אותה לומר גדולה מותרת שיש טורח גדול קל וחומר לקטנה. מ"ר. מר חייש לטירחא. ולא לפסידא דקסבר דאפי' במקום פסידה מיטרח לא טרחינן. כהלכות שבת. מה הלכות שבת יש מהן פטור מקרבן אבל אסור מדרבנן אף הלכות מועד (מאן) [מאי] דשרו רבנן איכא מינייהו דמותר לכתחלה כגון במקום פסידה דמותר אפילו מדרבנן ויש מהן שפטור אבל אסור כלומר שאין מותר לכתחלה כגון הני דמתניתי' דקתני' מוכרין בצנעה דאע"ג דשרו רבנן לא כהדיא קא שרו להו והיינו כהלכות שבת. ל"א יש מהן פטור אבל אסור היינו כל הנך דאסור לעשות במועד דאין לוקין עליהן מלאו דלא תעשה כל מלאכה אבל אסור זה שמעתי. [ע"כ שייך לע"א] חצדו ליה חצדא. קצרו לו גוים קצירה של תבואה שלו ודבר האבד הוא. אבל מחובר וכו'. ולית ליה כהאי תנא דמתני' משקין בית השלחין דקתני במחובר אפי' דבר [האבד] (ה)אסור ושלחין מחוברין ודבר האבד הוא. שלא ידוש בפרות. דבעינן שינוי היכא דאיפשר. מתניתין יחידאה היא. ר' יוסי. ידוש נמי בפרות. דהא ר' יוסי לא בעי שנוי ומשני התם האי דקתני ובלבד שלא ידוש בפרות לאו משום דבעי שינוי דהא לאו שינוי הוא דכיון דכל יומא רובא דעלמא לאו בפרות דיישי האי נמי כי לא דייש לאו שינוי הוא אלא אוושא דמלתא הוא. קוצץ. שקוצץ עלים מן האילן. מוטב. מטיבת עלים תלושין בתוך הבית. ובלבד שלא יערים. (אסברקא). תנאי הוא. דאיכא תנא דאמ' מערימן ואיכא תנא דאמ' אין מערימן בכך לענין שבת קאי בפרק (חבית שנשברה) [כל כתבי (שבת קיז.)]. כיחידאה רבן [שמעון בן] גמליאל משום ר' יוסי דלעיל. לא סיימוה קמיה. לא [היה יודע שלצורך המועד הוה] (ואם טחן לצורך היה יודע). נפיק בחומרתא דמדושא. יצא בטבעת לאצירו שלא היתה ממתכת אלא מאותו עץ של מדושא [ואמרינן] במסכת שבת היא של אלמוג וחותמה של מתכת או היא של מתכת וחותמה של אלמוג הרי זה אסורה דטבעת מכוערת היא ואין תכשיט של איש אלא אם כן היא וחותמה של נחושת דהשתא הויא תכשיט ומותר לצא' בה בשבת למחר אבל לא לרשות הרבים והאי דקא אסרינן לאצירו גזירה משום רשות הרבים. ואישתי מיא. בחול ולא חש לבשולי גוים. אי משום חומרתא דמדושא. נהי דליתיה לתכשיט טלטול מיהא שרי. נסורת. לשרוף פסולת דקה שנופלת מן העץ. אבא. יער. (שלינא) [בשלנייא]. מקום. לא שמיע ליה. כלומר לא סבירא ליה. שבקיה. בההיא זמנא דלא בעי תו למיקץ ליה באפיה דרב שילא בתר דאזל ליה רב שילא (אזל ליה) רב אשי אתא למקצייה. ל"א בעי למפסק לשקיה. לחתוך שוקיו כיון דמזה שאירע לו כן אמ' ודאי אסור לעשות כן. חזר (הכל) הדר לאורחא ובא לו לביתו. למקטל כשותא. לקצץ הומלי"ן. לחפיפה. לכסות בו מאכל כגון תאנים וענבים. [שומשמין]. שומשמין אין ראויין לאכילה עד שיכמשו לאחר זמן. לנזייתא דאית בהו. כמושין שבהן ראויין לאכילה. קטפיה. בצריה לאכילה לא תבצור מתרגמינן (ויקרא כה) לא תקטוף. לשנה. לשנה אחרת. (שהיין) [שהיוה כולי עלמא] לפרדיסייהו. ובצרום במועד שיכוונו מלאכתם. אפקריה ר' ינאי לפרדיסיה. מרוב צער שילא הורנה ממנו. שיכניסם בצנעא. דלא ליפוק הורנה מיניה. כשורי. קורות גדולים וכבדים. (מרבדי) [מדוכרי]. אבוקות. אוושא. הומה מלתא טפי דשמעי כולי עלמא. שולה. כל שמעלה מן המים נקרא שולה. ובלבד שלא יכוין מלאכתו. כשהיה פשתנו לשרות מכון שעתו שכשיגיע למועד או יהא שרוי וישלנו במועד (שם שילה) [משם מפני שהוא] בטל. שיקנסו. שילכדו.

Rav Huna explains:

אָמַר לֵיהּ – He said to [Rabbah bar Rav Huna]: יְחִידָאָה הִיא – [This Baraisa] is in accord with the opinion of **an individual** Tanna, **וְלָא סְבִירָא לָן כְּוָותֵיהּ – and we do not follow his [ruling].**[10] **דְּתַנְיָא – For it has been taught in a Baraisa: כְּלָל אָמַר רַבָּן שִׁמְעוֹן בֶּן גַּמְלִיאֵל מִשּׁוּם רַבִּי יוֹסֵי – RABBAN SHIMON BEN GAMLIEL STATED A GENERAL RULE IN THE NAME OF R' YOSE: דָּבָר הַתָּלוּשׁ מִן הַקַּרְקַע** – In the case of **A [CROP]**[11] **DETACHED FROM THE GROUND, אֲפִילּוּ מִקְצָתוֹ אָבוּד – EVEN IF** only **PART OF IT WILL BE LOST** if left untended, **מוּתָּר – IT IS PERMISSIBLE** to perform its work on Chol HaMoed. **וְהַמְחוּבָּר לַקַּרְקַע – BUT** in the case of a crop still **ATTACHED TO THE GROUND, אֲפִילּוּ כּוּלּוֹ אָבוּד – EVEN IF ALL OF IT WILL BE LOST** if left untended, **אָסוּר – IT IS FORBIDDEN** to perform its work. We see that it is a single individual, R' Yose, who takes this position; since he is alone in his opinion, we do not follow it.[12]

The Gemara questions this explanation:

וְאִי רַבִּי יוֹסֵי – But if the Tanna of the first Baraisa is **R' Yose,** why does he rule that one who has nothing to eat may not thresh using oxen? **יָדוּשׁ נַמִּי בְּפָרוֹת** – According to R' Yose, **he should even** be permitted to **thresh using oxen! הָא אָמַר רַב יִצְחָק בַּר אַבָּא – For Rav Yitzchak bar Abba has said: מַאן תָּנָא שִׁינּוּי בְּמוֹעֵד בְּדָבָר הָאָבֵד – Who** is the one who **taught** that there must be **an irregularity** when performing work **on Chol HaMoed to** save **something that will be lost? דְּלָא כְּרַבִּי יוֹסֵי – It is not R' Yose,** for he permits such work to be done in the regular manner.[13] Now the reason the Baraisa prohibits threshing with oxen is presumably because work performed on Chol HaMoed must be performed in an irregular manner.[14] According to R' Yose, then, it should be permissible to thresh using oxen.[15] Clearly, the Baraisa is not in accord with R' Yose! – ? –

The Gemara answers:

אָמַר לָךְ – [Rav Huna] will say to you: הָכָא נַמִּי – Here too, regarding threshing with oxen, R' Yose does not mean to introduce an irregularity into the work, for that is not the point of the ruling[16] – **כֵּיוָן דְּכָל יוֹמָא לַאו בְּפָרוֹת דָּיְישִׁי** – in fact, **since one does not** necessarily **thresh using oxen on all other days, הָאִידְנָא נַמִּי לַאו שִׁינּוּי הוּא – [threshing without them] is not even** regarded **as an irregularity in this** Chol HaMoed **period!**[17] Rather, the reason oxen are not used on Chol HaMoed is because their use creates a commotion, and we do not wish to publicize the fact that we are performing work on Chol HaMoed.[18]

Thus, the Baraisa can very well be following the view of R' Yose. Its reason for prohibiting the use of oxen is not to introduce an irregularity into the proceedings, but to avoid creating a stir.

The Gemara cites another Baraisa regarding work permitted on Chol HaMoed:

תָּנוּ רַבָּנַן – Our Rabbis have taught in a Baraisa: טוֹחֲנִין בְּמוֹעֵד לְצוֹרֶךְ הַמּוֹעֵד – WE MAY GRIND grain into flour **ON CHOL HAMOED FOR A FESTIVAL NEED, וְשֶׁלֹּא לְצוֹרֶךְ הַמּוֹעֵד אָסוּר – BUT IF IT IS NOT FOR A FESTIVAL NEED, IT IS FORBIDDEN. וְאִם טָחַן וְהוֹתִיר – HOWEVER, IF ONE GROUND** the grain for the festival, **AND SOME WAS LEFT OVER** after the festival, **הֲרֵי זֶה מוּתָּר – IT IS PERMISSIBLE** to consume it then.[19] **קוֹצְצִין עֵצִים בְּמוֹעֵד לְצוֹרֶךְ הַמּוֹעֵד – WE MAY CUT BRANCHES** from the trees **ON CHOL HAMOED FOR A FESTIVAL NEED,**[20] **וְשֶׁלֹּא לְצוֹרֶךְ הַמּוֹעֵד אָסוּר – BUT IF IT IS NOT FOR A FESTIVAL NEED, IT IS FORBIDDEN. וְאִם קָצַץ וְהוֹתִיר – HOWEVER, IF ONE CUT** branches for the festival, **AND SOME WERE LEFT OVER** after the festival, **הֲרֵי זֶה מוּתָּר – IT IS PERMISSIBLE** to use them then. **מַטִּילִין שֵׁכָר בְּמוֹעֵד לְצוֹרֶךְ הַמּוֹעֵד – WE MAY BREW BEER ON CHOL HAMOED FOR A FESTIVAL NEED,**[21] **וְשֶׁלֹּא לְצוֹרֶךְ הַמּוֹעֵד אָסוּר – BUT IF IT IS NOT FOR A FESTIVAL NEED, IT IS FORBIDDEN. וְאִם הֵטִיל וְהוֹתִיר – HOWEVER, IF ONE BREWED** beer for the festival, **AND**

NOTES

10. The Tanna of this Baraisa is at odds with the first Mishnah of the tractate, which permits the watering of the still-attached crop of an irrigated field during Chol HaMoed (*Rashi ms.; Ritva*). [Since this Tanna stands alone in his view,] we follow the ruling of that Mishnah (*Ritva;* but see *Keren Orah; Sfas Emes*).

11. [Literally: a thing.]

12. *R' Shlomo ben HaYasom;* but see *Sfas Emes.*

13. See 12a.

14. At this point, the Gemara assumes that threshing is generally performed using oxen, and that the reason to prohibit their use is to introduce an irregularity into the work; see notes 16 and 17.

15. [The following point must be dealt with: The Gemara assumes that the reason oxen are prohibited is so that the work will be performed in an irregular manner; perforce, R' Yose cannot agree to the prohibition, since he does not require an irregularity when performing Chol HaMoed work. The difficulty is that the case discussed by R' Yose – work performed because of impending loss – is not the one discussed by the Baraisa – work performed by someone who has nothing to eat. Perhaps in the latter case R' Yose would agree that the work must be performed in an irregular manner! It would seem that the Gemara understands the Baraisa's phrase "provided that he does not thresh with oxen" to be referring not only to the case of one without anything to eat, but also to the Baraisa's earlier ruling regarding one who saves a crop that will be lost; the Baraisa is saying that one who saves a crop on Chol HaMoed must not use oxen for the tasks they normally perform. The Gemara's question is now understood – if the reason oxen may not be used to save a crop is irregularity, R' Yose cannot agree. How then can the Baraisa be in accord with R' Yose? (See *Sfas Emes* for another difficulty with the Gemara's question.)]

16. I.e. the reasoning behind the ruling forbidding oxen is actually *not* because of a requirement to do the work in an irregular manner.

17. [That is to say, not only is irregularity not the reasoning behind the ruling forbidding oxen, threshing without oxen is not even an irregularity!] For in most cases, threshing is not performed with oxen (*Rashi ms.*), but with rods (*Chidushei HaRan*).

18. Why then does the Baraisa prohibit the use of oxen on Chol HaMoed? So as not to create a commotion (*Rashi; Meiri; Chidushei HaRan;* cf. *Rambam, Yom Tov* 7:6 with *Kesef Mishneh*). The Gemara originally thought that the reason the Baraisa prohibits oxen is to introduce an irregularity into the work; the Gemara now realizes that the reason is actually to avoid attracting attention.

[Although an individual threshing for his own needs may not use oxen to thresh on Chol HaMoed, one threshing for the needs of many people may do so (*Rosh* and *Ritva,* from *Yerushalmi;* see *Orach Chaim* 537:15). *Levush* explains that this is because of the immense amount of work involved in threshing a large measure of wheat without oxen. We do not wish one to expend so much effort on Chol HaMoed.]

[Now that we have determined that the reason to prohibit oxen is to avoid attracting attention, it follows that other animals may also not be used for threshing on Chol HaMoed, since their use will also create a commotion; instead, the threshing should be performed with rods (*Mishnah Berurah,* 537:53; see *Kesef Mishneh* to *Yom Tov* 7:6; *Aruch HaShulchan* 537:12).]

[Although we are permitted to work in this case, we fear that an observer will erroneously conclude that it is generally permissible to work on Chol HaMoed. Therefore, we try not to attract attention.]

19. [Although he was permitted to grind only for festival needs, and this turned out not to be needed for the festival, it still may be used.]

[*Ritva* seems to interpret the phrase וְאִם טָחַן וְהוֹתִיר הֲרֵי זֶה מוּתָּר in the following manner: *And if one ground [the grain], and made more [than he needed], it is permissible,* i.e. it is of no consequence. This teaches that one need not be exacting in his performance of festival needs; rather, he may prepare generously, and if some will be left over, it does not matter (see *Ritva* ד״ה ת״ר טוחנין).]

20. See *Rashi ms.; Orach Chaim* 533:1.

21. Our translation of מַטִּילִין as "we brew" follows *HaMetargeim* to *Rashi, Shabbos* 139b ד״ה מטילין; but see *Targum HaLaaz,* by *Dayan I. Gukovitzki,* §484 for a different rendering.

עין משפט
נר מצוה

כד א מיי' פ"ז מהלכות יו"ט הל' ב טוש"ע א"ח סי' תקלז סעיף א:
כה ב ג מיי' שם הלכה ו טוש"ע שם סעיף טו:
כו ד מיי' שם טוש"ע שם סי' תקלג סעיף א:
כז ה ו מיי' פ"ז שם הלכה ח טוש"ע שם:
כח ז מיי' פי"ז מהל' מאכלות אסורות הלכה יד סמג לאוין קמב טוש"ע י"ד סי' קיג סעיף א:
כט ח מיי' פ"ח מהל' יו"ט הלכה יוד טוש"ע א"ח סי' תקלג סעיף ב:
ל ט מיי' שם פ"ז הל' ג טוש"ע שם סי' תקלח סעיף ב:
לא י כ מיי' שם והל' ד טוש"ע שם סעיף א:
לב ל מיי' שם הל' ד טוש"ע שם סעיף ו:
לג מ נ מיי' שם הל' ג טוש"ע שם סעיף ב:

רבינו חננאל

ואין מוסרין להם שומר לנער את צאנן ואם היה שכיר שנה שכיר חדש שכיר שבת מסייעין הרועין ומוסרין להם שומר לנער צאנן ר' אומר אם באו בשבת בטובה בלא כלום הנאה או ביום טוב במזונות בלבד כלומר שכירותכם היא סעודתכם במועד אפי' בשכר אמר רב יוסף הלכתא כרבי: **מתני'** וכן מי שהיה יינו בבור ואירעו אבל או אונס או שהטעוהו פועלים ר' יוסי אומר זולף וגומר כדרכו. ר' יהודה אומר עושה לו לימודים כו' פירוש לימודים מכסהו וצריכא דאי אשמועינן משחא משום דנפיש פסידיה משום הכי שרי ר' יוסי אבל חמרא כו' אמר ר' יצחק בר אבא מאן תנא שינוי במועד בדבר האבד דלא כר' יוסי דהא ר' יוסי שרי כדרכו בלא שינוי אמר רב יוסף הלכתא כר' יוסי: בעא מיניה מרב נחמן בר יצחק מהו למישעיה לחביתא דשיכרא בחולו של מועד אמר להו רב יוסף דהוא סיני כדגרסינן בסוף הוריות רבה עוקר הרים רב יוסף סיני הוא דאמר הלכה כר' יוסי דאמר זולף וגומר וגף כדרכו אמרו ליה אימור דאמר ר' יוסי גף כדרכו בחמרא דאי שבקת ליה מגולה מפסיד שיכרא מי אמר אמר להו שיכרא נמי אית ביה פסידא טובא דאמר אביי אמרה לי אם חביתא דאית בה שית סאוי תמרי או כיוצא בהן ושייעא כח אותו השכר חזק א) כמו חבית שיש בה שמונת סאין ולא שיעא כלומר אם תשאר מגולה יש בשכר הפסד: **אמר** רב הלכות מועד כהלכות כותים למאי הלכתא לומר שעקרות הן ואין למידות זו מזו. דאמר שמואל זופתין כוזתא ואין זופתין חבית והלא זו וזו זיפות הוא אלא אין למידין זו מזו ב) זיפות הכוזתא אם תשאר בלא זיפות. פי' חייש לטירחא ומר חייש לפסידא מפורש בירושלמי. שמואל אמר זפתין גרבא ולא זפתין כוזתא ג) דזיפתא גלידא. רב הונא חצדו ליה בחולא דמועדא איתיביה רבה בר רב הונא והתניא דבר האבד מותר לעשותו במועד ושאינו אבד אסור לעשותו בד"א בתלוש אבל במחובר אפילו כולו אבד אסור ואם אין לו מה יאכל קוצר ומעמר ודש כו'. ובלבד שלא ידוש בפרות. אמר ליה רב הונא הא מתניתא יחידאה היא דהא רשב"ג תני לה משום ר' יוסי ולא סמכינן עליה אי הכי דר' יוסי היא ידוש בפרות דהא ר' יוסי לא בעי שינוי ופרקינן כיון דכל יומא איכא דדיש בלא פרות לאו שינוי: **תנו** רבנן טוחנין קמח במועד לצורך המועד שלא לצורך המועד אסור ואם טחן לצורך המועד והותיר מותר כיוצא בו קוצצין קוצין במועד לצורך המועד ושלא לצורך המועד אסור וכו' וכן מטילין שכר לצורך המועד כו' ובלבד שלא יערים. איני והתניא אע"פ שיש לו שכר ישן מערים ושותה מן החדש. ופרקינן תנאי היא דתניא אין מערימין בכך משום ר' יוסי בר' יהודה אמרו מערימין ואע"ג דלמיחצד למי שאין לו מה יאכל שרי איקפד שמואל עליה דרב ואמר אפילו הכי אדם חשוב שאני. ר' יהודה נשיאה נפק בחומרתא דמדושא ואשתי מיא דאחים קפילא ארמאה. ואיקפד ר' אמי עליה. ואמר רב יוסף תרוייהו שרו להו רבנן חומרתא דמדושא דתניא השירים והצמידים והטבעות הרי הן ככל הכלים הניטלין בחצר ואי מיא דאחים קפילא נכרי האמר שמואל בר רב יצחק כל הנאכל כמות שהוא חי אין בו משום בשולי נכרים ואמרינן אפילו הכי אדם חשוב שאני לא הוה ליה למיעבד הכי. אמר רב חננאל אמר רב קוצץ אדם דקל במועד אע"פ שאין צריך לו אלא לנסורת שלו לייט עלה אביי אזל רב אשי למקצץ ההיא אבא ואישתמיט נרגא ובעא למיפסקיה לשקיה ושבקיה והדר. רב יהודא שרא למיעקר כיתנא ולמיקטל כשותא ולמיעקר שומשמי אמר אביי בשלמא כיתנא חזי לחפיפה כשותא נמי חזו לשיכרא אלא שומשמי למאי חזו ואמרינן לנזיי דאית בהו. רבי ינאי קטף פרדיסאה בחולי דמועדא משום דמטא [זמניה] וחשש לפסידא לשנה אחרת שהו כ"ע לפרדיסייהו וקטפוה בחולי דמועדא אפקר ר' ינאי לפרדיסיה ההיא שתא: **ירושלמי** אמר ילפין מקלקלתא ולא ילפי מתקנייא. ר' יעקב בר אחא בשם ר' אבין פרקמטיא אבידה שריא מטלטלתא במועדא. שיירתא שרי מיזבון מינה במועדא: **מתני'** מכניס אדם פירותיו מפני הגנבים כו'. תניא ובלבד שיכניס בצינעא לתוך ביתו ואי הוו כעין כשורי דרב יוסף דבלילא בעו גברי יתירי ובעי אבוקות של אש ואושא מילתא טפי עדיף לעיילינהו בימא. שולה פשתנו מן המשרה שלא תאבד

מכנים אדם פירותיו מפני הגנבים. פירש בתוספות הרב דבאסיפת פירות איכא מלאכה כדאמרינן פרק אין דורשין (חגיגה דף יח.) גבי חג האסיף אסיפה במועד מי שרי ואיני יודע מה מלאכה (ד) וצריך עיון אי טרח בלא מלאכה אסיר כי היכי דאסירי בפרקמטיא ולקמן בשמעתין (דף יג.) אמר מועד משום טירחא ולא טירחא הוא ושמא היינו דוקא בדבר שהוא מלאכה:

אם תימצי לומר צרם אזן הבכור ומת קנסו בנו אחריו. משום דאיסורא עשה אבל כוון מלאכתו לא עשה איסורא עדיין ולא צריך להגיה דאוריי' אבל בפ' השולח (גיטין מד. ושם) דגבי מכר ומת (ה) בעי אי קנסו בנו אחריו התם גרסינן ודאי איסורא דאורייתא משום דמכר ומת נמי עבד איסור' אלא דלא הוי דאוריי':

נטייבה

יש מהן פטור אבל אסור ויש מהן מותר לכתחלה רב הונא חצדו ליה חצדא במועדא איתיביה רבה בר רב הונא לרב הונא טוחנין קמח במועד לצורך המועד ושלא לצורך המועד אסור א) [א]דבר שאבוד במועד מותר לעשותו במועד דבר שאינו אבוד במועד אסור במה דברים אמורים בתלושין מן הקרקע אבל מחובר לקרקע אפי' כולו אבוד אסור [ב]ואם אין לו מה יאכל קוצר ומעמר ודש וזורה ובורר וטוחן [ג]ובלבד שלא ידוש בפרות אמר ליה יחידאה היא ולא סבירא לן כוותיה דתניא כלל אמר רבן שמעון בן גמליאל משום ר' יוסי דבר התלוש מן הקרקע אפילו מקצתו אבוד מותר והמחובר לקרקע אפי' כולו אבוד אסור ואי ר' יוסי ידוש נמי בפרות הא אמר רב יצחק בר אבא ב) מאן תנא שינוי במועד בדבר האבד דלא כר' יוסי אמר לך ה"נ כיון דכל יומא לאו בפרות דיישי האידנא נמי לאו שינוי הוא ת"ר [ד]טוחנין במועד לצורך המועד ושלא לצורך המועד אסור ואם טחן והותיר הרי זה מותר קוצצין עצים במועד לצורך המועד ושלא לצורך המועד אסור ואם קצץ והותיר הרי זה מותר ג) [ה]מטילין שכר במועד לצורך המועד ושלא לצורך המועד אסור ואם הטיל והותיר הרי זה מותר ובלבד שלא יערים ורמינהו מטילין שכר במועד לצורך המועד ושלא לצורך המועד אסור אחד שכר תמרים ואחד שכר שעורים ואע"פ שיש לו ישן [ו]מערים ושותה מן החדש תנאי היא דתניא אין מערימין בכך ר' יוסי בר יהודה אומר מערימין רב חצדו ליה חצדא בחולא דמועדא שמע שמואל איקפד לימא שמואל כיחידאה סבירא ליה לא חצדא דחיטי הוה דלא הוה פסיד ורב מאי טעמא עביד הכי אין לו מה יאכל הוה ושמואל לא סיימוה קמיה אי נמי ד) [ז]אדם חשוב שאני ר' יהודה נשיאה נפק ה) בחומרתא דמדושא ואשתי מיא דאחים קפילא ארמאה שמע ר' אמי ו) איקפד אמר רב יוסף מאי טעמא איקפד (א) אי משום חומרתא דמדושא הא תניא ז) השירין הנזמים והטבעות הרי הן ככל הכלים הניטלין בחצר אי משום דאישתי מיא דאחים קפילא ארמאה הא אמר (ב) שמואל בר יצחק אמר רב ח) [ט]כל שנאכל כמות שהוא חי אין בו משום בישולי נכרים אדם חשוב שאני אמר רב חננאל אמר רב קוצץ אדם דקל במועד אע"פ שאינו צריך אלא לנסורת שלו ט) לייט עלה אביי רב אשי הוה ליה אבא בשלנייא אזל למיקצייה בחולא דמועדא אמר ליה רב שילא משלנייא לרב אשי מאי דעתיך דקאמר רב חננאל אמר רב קוצץ אדם דקל במועד אע"פ שאינו צריך אלא לנסורת שלו הא לייט עלה אביי אמר ליה י) לא שמיע לי כלומר לא סבירא לי אישתמיט נרגא בעי למיפסקיה לשקיה שבקיה והדר אתא רב יהודה [ח]שרא למיעקר כיתנא ולמיקטל כשותא ולמיעקר שומשמי אמר ליה אביי לרב יוסף בשלמא כיתנא חזי לחפיפה כשותא חזי לשיכרא אלא שומשמי למאי חזי חזי לנזיי דאית בהו רבי ינאי הוה ליה ההוא פרדיסא דמטא זמניה בחולא דמועדא קטפיה לשנה שהיוה כולי עלמא לפרדיסייהו לחולא דמועדא אפקריה רבי ינאי לפרדיסיה ההוא שתא: **מתני'** [ט]מכנים אדם פירותיו מפני הגנבים [י]ושולה פשתנו מן המשרה בשביל שלא תאבד [כ]ובלבד שלא יכוין את מלאכתו במועד [ל]וכולן אם כוונו מלאכתן במועד יאבדו: **גמ'** תנא [מ]ובלבד שיכניסם בצנעא לתוך ביתו רב יוסף הוה ליה כ) כשורי עיילינהו בימא אמר ליה אביי והתניא ובלבד שיכניסם בצנעא בתוך ביתו אמר ליה צנעא דהני יממא הוא [נ]כיון דבליליא בעו גברא יתירי ובעו ל) מדוכרי דנורא אוושא מילתא: ושולה פשתנו מן המשרה כו': מ) בעי מיניה רבי ירמיה מרבי זירא נ) כוון מלאכתו במועד ומת מהו שיקנסו בניו אחריו אם תימצי לומר

צרם

יש מהן פטור אבל אסור. והא דקתני אין זופתין אסור למיעבד לכתחילה אבל בדיעבד לא הוי חייב והא דקתני זופתין הוי מותר לכתחילה: למיחצד. לקצור ורב הונא יש לו מה יאכל הוה ואמאי שרי לה: אמר ליה. האי דקתני מחובר אפי' כולו אבוד נמי אסור ר' יוסי היא ויחידאה היא ולא סבירא לן כוותיה: כיון דכל יומא לאו בפרות דיישי האידנא לאו שינוי הוא. כי דיישי בלא פרות ולעולם ר' יוסי היא והא דאסר בפרות משום דאוושא מילתא היא: ואם טחן. במועד לצורך המועד והותיר עד לאחר המועד: מותר. לאכלו אחר המועד: ובלבד שלא יערים. שלא יעשה הרבה ויאמר לצורך המועד אני עושה ומתכוין כדי שתשתייר לאחר המועד: מערים ושותה מן החדש. שיכול לומר לצורך המועד הטילו: לימא שמואל. דאקפיד כיחידאה סבירא ליה כההיא מתניתא (ג) במחובר אפי' כולו אבוד נמי אסור ואוקימנא כר' יוסי יחידאה: חצדא דחיטי דלא הוה פסידא. להכי איקפד אבל בחצדא דשערי לא סבר לה כר' יוסי דאסיר: אין לו מה יאכל הוה. להכי עביד הכי: לא סיימוה קמיה. לא אמרו לו דלא הוה ליה מה יאכל להכי איקפד: אדם חשוב שאני. רב לא הוה ליה למיעבד הכי אפי' אין לו מה יאכל: נפק. בחצר בשבת: בחומרתא דמדושא. טבעת היא של מתכת וחותמה של אלמוג: שירין. נוסקי"א בלעז: כל שהוא נאכל כמות שהוא חי. ומיא שתו אינשי כמות שהן: אדם חשוב שאני. יש לו להחמיר על עצמו יותר ולא הוה ליה למיפק בחומרתא דמדושא ולא למישתי מיא דאחים קפילא נכרי: לנסורת. עלים דקים שנופלין מן החתיכה: אבא. יער: בשלנייא. פירוש שם העיר כלומר היה לו יער באותו מקום: אישתמיט נרגא בעי למיפסקיה לשקיה. דרב אשי משום דעבר אדאביי: שבקיה. לאבא דלא קצליה במועד שהרגיש משום דעבר אדאביי נפל ליה נרגא: למיעקר כיתנא. בחולא דמועדא: למיקטל. לחתוך: כשותא. הומלו"ן: לחפיפה. לכסות בו מאכל כגון תאנים ותמרים לצורך המועד: לנזיי. כמו נזייתא דשיכרא (ב"ק דף לה.) לנזיי גרעינין דאית בהו בשומשמין דחזו למיעבד בהו משחא: אפקריה ר' ינאי לפרדיסיה. משום דעל ידו היה תקלה לעלמא דשהו עד לחולא דמועדא וקטפי: מתני' שולה. מעלה: שלא יכוין מלאכתו במועד. שיש לו פנאי בשאר ימות השנה והוא משהה למועד: יאבדו. שאסור ליהנות מהן: גמ' צינעא דידהו יממא הוא. אפי' בלילה כיממא דמי ולא סגי ליה שלא להכניסן להכי מכניסן נמי ביום: מדוכרי דנורא. אבוקות: מהו שיקנסו בניו אחריו. לבניו נמי יהא אסור אותה מלאכה דכיון דכוון מלאכתו במועד דין הוא שיהו אסורין ליהנות ממנה כשם שהיה אביהם קיים:

לרס

מסורת הש"ס

א) [תוספת' פרק א], ב) [לעיל יא. ע"ש], ג) [שבת קלט:], ד) [לעיל יא: שבת נא. וש"נ], ה) [עי' מה שפירשו תוס' שבת מו: ד"ה ואמר עולא ותוס' עירובין סט. ד"ה כיון], ו) [שבת נא.], ז) שם מו:, ח) שבת נא. יבמות מו. ע"ז לח. נט., ט) [קידושין לג: וש"נ], י) [עירובין קב: וש"נ], כ) פי' כ"י קורות כבידים וגדולים, ל) [גי' הערוך בע' מדכר מדכורי דנורא פי' אבוקות], מ) [עי' תוס' בכורות לד: ד"ה בעא], נ) גיטין מד. ע"ש בכורות לד:.

הגהות הב"ח

(א) גמ' אי משום חומרתא דמדושא הא תניא השירין. נ"ב עי' מ"ש פ' הדר דף סט בתוס' ד"ה כיון: (ב) שם הא אמר רב שמואל: (ג) רש"י ד"ה לימא וכו' דבמחובר אפי': (ד) תוס' ד"ה מכנים כו' ואיני יודע מה מלאכה איכא באסיפה וצריך עיון: (ה) ד"ה אם כו' דגבי מכר ומת דבעי אי קנסו בנו אחריו התם ודאי גרסינן איסורא דאורייתא:

רש"י כת"י

מאן תנא שינוי במועד בדבר האבד דלא. צריך לשנוי כלומר כמאן אמרינן בכל דוכתא דחזינן דלא בעינן שינוי במועד במידי דפסיד. למישע. שטחין חביותיהן מכפנים בזפת או במיני רבב להעמיד טעם היין והשכר שבתוכו ולא דוקא חביתא דשיכרא אלא מעשה כך היה. [נ"א] למשעא חביתא לסתום פי חבית. סיני. רב יוסף דשמעתיה כסיני. ומהדר חמרא טעמ' מאי וכו'. אמרא לי אם. מניקתא דאמו מתה בשעת לידתו. שית סאוי. כור שכר שלא נתנו בו אלא ששה סאין של שעורים או של תמרים ומונח בחבית וזופתא מעלי יותר משכר הנתון בחבית שאינה זפותה שנתנו בו ח' סאין שעורים אלמא כי לא שיע פסיד. דזו זיפות וזו זיפות ואין למדין זו מזו פר"ח. כהלכות כותיים. דכותיים היכא דאחזוק אחזוק ודלא אחזוק לא אחזוק ומסתמא לא מחזקינן בהן בשום מצוה בפרק הכל שוחטין (חולין ד.) אף במועד מאי דשרו רבנן שרו מאי דלא שרו רבנן לא שרו ולא גמרינן חדא מחדא. עקרות. כאשה עקרה שאין ממנה פרי אלא גופה הכא נמי אין בהן [גופס] אלא ואין למדין מהן. ואין למדות זו מזו. אין אומרין בהן זו דומא לזו כגון השקאת בית הבעל והשקאת בית השלחין (משום פסידא) ואין אומרין הלא אין טורח להשקות את זה יותר מזה מה זה מותר

אף זה ולא ידע דמשום פסידא הוא לפיכך אין לך אלא מה שמנו חכמים זו אסורה וזו מותרת כגון חביתא וכותא שפסדי. רב דימי. זופתין את החבית שהיא גדולה ולא הקטנה אין מדמין אותה לומר גדולה מותרת שיש טורח גדול [illegible] מ"ר. מר חייש לטירחא. ולא לפסידא דקסבר דאפי' במקום פסידה מיטרח לא טרחינן. כהלכות שבת. [illegible] יש מהן פטור מקרבן אבל אסור מדרבנן אף הלכות מועד (מאן) [מאי] דשרו רבנן איכא מינייהו דמותר לכ[illegible] פסידא דמותר אפילו מדרבנן ויש מהן שפטור אבל אסור כלומר שאין מותר לכתחלה כגון הני דמתניתי' דקת[illegible] דאע"ג דשרו רבנן לא בהדיא קא שרו להו והיינו כהלכות שבת. ל"א יש מהן פטור אבל אסור היינו כל הנך דא[illegible] דאין לוקין עליהן מלאו דלא תעשה כל מלאכה אבל אסור זה שמעתי. [ע"כ שייך לע"א] חצדו ליה חצדא. [illegible] של תבואה שלו ודבר האבד הוא. אבל מחובר וכו'. ולית ליה כהאי תנא דמתני' משקין בית השלחין דקתני [illegible] [האבד] (ה)אסור ושלחין מחוברין ודבר האבד הוא. שלא ידוש בפרות. דבעינן שינוי היכא דאיפשר. [illegible] היא. ר' יוסי. ידוש נמי בפרות. דהא ר' יוסי לא בעי שנוי ומשני התם האי דקתני ובלבד שלא ידוש בפרו[ת] שינוי דהא לאו שינוי הוא דכיון דכל יומא רובא דעלמא לאו בפרות דיישי האי נמי כי לא דייש לאו שינוי הוא [illegible] הוא. קוצץ. שקוצץ עצים מן האילן. חוטב. חטיבת עצים תלושין בתוך הבית. ובלבד שלא יערים. (אשכח[illegible]) דאיכא תנא דאמ' מערימן ואיכא תנא דאמ' אין מערימן בכך לענין שבת קאי בפרק (חבית שנשברה) [כל [illegible]] ביחידאה רבנן [שמעון בן] גמליאל משום ר' יוסי דלעיל. לא סיימוה קמיה. לא [היה יודע שלצורך המו[עד]] לצורך היה יודע). נפיק בחומרתא דמדושא. ילא בטבעת לחצירו שלא היתה ממתכת אלא מאותו עץ של [illegible] במסכת שבת היא של אלמוג וחותמה של מתכת או היא של מתכת וחותמה של אלמוג הרי זה אסורה דטבעת [illegible] תכשיט של איש אלא אם כן היא וחותמה של נחושת דהשתא הויא תכשיט ומותר לצאת בה בשבת לחצר אבל [illegible] והאי דקא אסרינן לחצירו גזירה משום רשות הרבים. ואישתי מיא. בחול ולא חש לבשולי גוים. אי [illegible] דמדושא. נהי דלימיה לתכשיט טלטול מיהא שרי. נסורת. לשרוף פסולת דקה שנופלת מן העץ. אבא [illegible] [בשלנייא]. מקום. לא שמיע ליה. כלומר לא סבירא ליה. שבקיה. בההיא זמנא דלא בעי תו למיקץ ליה [illegible] בתר דאזל ליה רב שילא (אזל ליה) רב אשי אתא למקצייה. ל"א בעי למפסק לשקיה. לחתוך שוקיו כיון [illegible] אמ' ודאי אסור לעשות כן. חזר (הבל) הדר לאורחא וצא לו לביתו. למקטל כשותא. לקצץ הומלי"ן. [illegible] מאכל כגון תאנים וענבים. [שומשמי]. שומשמין אין ראויין לאכילה עד שיכמשו לאחר זמן. לנזייתא דא[illegible]
[illegible] (היין) [שהיוה כולי עלמא] לפרדיסייהו. ובגרוס במועד שכיונו מלאכתם. אפקריה ר' ינאי לפרדיסיה. מרוב [illegible] אוושא. הומה מלתא טפי דשמעי כולי עלמא. שולה. כל שמעלה מן המים נקרא שולה. ובלבד שלא יכוין מלאכ[תו] [illegible] ישלנו במועד (שם שיהא) [משם מפני שהוא] בטל. שיקנסו. שיאכלו.

חשק שלמה על ר"ח [illegible]

SOME WAS LEFT OVER after the festival, הֲרֵי זֶה מוּתָּר – IT IS PERMISSIBLE to drink it then, וּבִלְבַד שֶׁלֹּא יַעֲרִים – PROVIDED THAT ONE DOES NOT EMPLOY A SUBTERFUGE by deliberately preparing more beer than is needed, on the pretext that it is for festival use.[22]

The Gemara questions this Baraisa's final statement:

וּרְמִינְהוּ – **But contrast [this with the following Baraisa]:** מַטִּילִין שֵׁכָר בְּמוֹעֵד לְצוֹרֶךְ הַמּוֹעֵד – WE MAY BREW BEER ON CHOL HAMOED FOR A FESTIVAL NEED, וְשֶׁלֹּא לְצוֹרֶךְ הַמּוֹעֵד אָסוּר – BUT IF IT IS NOT FOR A FESTIVAL NEED, IT IS FORBIDDEN. אֶחָד שֵׁכַר תְּמָרִים וְאֶחָד שֵׁכַר שְׂעוֹרִים – This is true regarding both DATE BEER AND BARLEY BEER.[23] וְאַף עַל פִּי שֶׁיֵּשׁ לוֹ יָשָׁן – AND EVEN IF ONE HAS sufficient OLD BEER in stock for the festival, he may, on the pretext that he needs it for the festival, brew new beer, מַעֲרִים וְשׁוֹתֶה מִן הֶחָדָשׁ – and then EMPLOY A SUBTERFUGE BY DRINKING FROM THE NEW stock during the festival, thereby demonstrating that it was needed.

This Baraisa states that it is permissible to employ a subterfuge on Chol HaMoed. It thus contradicts the first Baraisa, which prohibits work performed under a subterfuge! – ? –

The Gemara explains:

תַּנָּאֵי הִיא – **This [matter] is** the subject of **a Tannaic dispute,** דְּתַנְיָא – **for it has been taught in** yet **a** third **Baraisa:** אֵין מַעֲרִימִין בְּכָךְ – WE MAY NOT EMPLOY A SUBTERFUGE IN THIS matter. רַבִּי יוֹסֵי בַּר יְהוּדָה אוֹמֵר מַעֲרִימִין – But R' YOSE BAR YEHUDAH SAYS: WE MAY EMPLOY A SUBTERFUGE in this matter.[24] The first Baraisa cited follows the Tanna Kamma of this Baraisa; the second follows R' Yose bar Yehudah.

The Gemara cites an incident relating to the ruling of an aforecited Baraisa:

רַב חֲצַדוּ לֵיהּ חֲצָדָא בְּחוּלָּא דְּמוֹעֲדָא – It occurred that **they reaped Rav's harvest on Chol HaMoed.** שְׁמַע שְׁמוּאֵל אִיקְפַּד – **Shmuel heard** of this and **he objected.**

The Gemara analyzes Shmuel's objection:

לֵימָא שְׁמוּאֵל כְּיחִידָאָה סְבִירָא לֵיהּ – **Let us say** that **Shmuel is following** the opinion of **an individual** Tanna, for his objection is seemingly based on the opinion of R' Yose, who is alone in prohibiting work on a still-attached crop during Chol HaMoed.[25]

The Gemara answers:

לֹא – **No,** Shmuel is actually not in accord with R' Yose; חֲצָדָא דְּחִיטֵּי הֲוָה דְּלֹא הֲוָה פְּסִיד – however, **this was a wheat harvest, which would not have been lost** if left untended until after the festival. Therefore, there was no need to harvest it on Chol HaMoed. This was the reason behind Shmuel's objection.[26]

The Gemara asks:

וְרַב מַאי טַעְמָא עֲבִיד הָכִי – **And Rav, why did he do this** if the crop was in no danger of being lost?

The Gemara explains:

אֵין לוֹ מַה יֹּאכַל הֲוָה – **He was,** in the words of the aforecited Baraisa, **"one who did not have anything to eat."** Accordingly, he was permitted to harvest his wheat on Chol HaMoed. וּשְׁמוּאֵל לֹא סַיְּימוּהָ קַמֵּיהּ – **And** as for **Shmuel – they had not explained [Rav's situation] to him;** unaware of Rav's lack, he objected.[27] אִי נַמִּי – **Alternatively,** Shmuel knew of Rav's predicament, but objected anyway, אָדָם חָשׁוּב שָׁאנֵי – for **a prominent person is different,** and must hold himself to a stricter standard. Shmuel felt that although ordinary people would have been permitted to reap the grain, Rav should not have done so.[28]

NOTES

22. Likewise, he may not prepare new beer if he has sufficient old beer in stock, on the pretext that he wishes to drink new beer rather than old (*Ritva*). [Note that the stipulation that one not employ a subterfuge applies not only to the making of beer, but to all the Baraisa's cases.]

The Baraisa implies that if one did employ a subterfuge, he may not drink the leftover beer after the festival. For discussion, see *Mishnah Berurah* 533:6 with *Shaar HaTziyun* §7.

[The Baraisa's three cases seem to be saying essentially the same thing. Why is each needed? The answer is that the case of grinding flour teaches that even so basic a staple as flour may not be prepared on Chol HaMoed except if it is needed for the festival. The cases of cutting branches and brewing beer teach that when there is a festival need, even nonstaple items may be prepared, and that one need not be exacting in providing them, but may prepare generously (*Ritva;* see note 19). Another lesson derived from the case of cutting branches is that for the sake of a festival need it is permissible to work even with something attached to the ground (the tree) (see *Rashi ms.* with editorial gloss §36א).]

23. The brewing of barley beer requires greater effort than the brewing of date beer (*Mishnah Berurah* 533:4); nevertheless, it is permitted.

24. This Baraisa paraphrases one quoted in *Shabbos* 117b (*Rashi ms.; Tos. HaRosh;* see *Tosafos, Shabbos* 139b ד״ה מאי שנא). There the issue is a barrel of wine that broke on the Sabbath. The law is that one may save only as much wine as he requires for that Sabbath; however, if one invites guests, he may save wine for their needs as well. The dispute concerns one who, in order to save as much wine as possible, invites guests who have already dined, who will leave over most of the wine they are served (see *Rashi* there ד״ה אין מערימין בכך). The Tanna Kamma does not permit one to employ this subterfuge; R' Yose bar Yehudah does. Their dispute pertains also to the question of employing a subterfuge on Chol HaMoed.

[As regards the halachah in the question of using a subterfuge, there is dissent among the Rishonim – see *Rambam, Yom Tov* 7:8; *Hasagos HaRaavad* there; *Ritva* here. The *Shulchan Aruch* rules (*Orach Chaim* 533:1) that one may not employ a subterfuge; note, however, that some authorities differentiate between the subterfuge of making more beer than one needs, and that of making new beer when one has enough old beer (see *Rambam* ibid.; *Meiri; Keren Orah; Sfas Emes; Mishnah Berurah* 533:9).

[It is important to realize that if the new beer really is better than the old, one is permitted to brew it for the festival, for then his act is not a subterfuge (*Rama, Orach Chaim* 533:1). Likewise with regard to grinding flour, if the new flour is better than the old, he may grind it on Chol HaMoed, even if he has sufficient of the old stock (*Mishnah Berurah* 533:8).]

25. R' Yose rules this way in the Baraisa cited above, which states that even if it will all be lost, one may not work on a standing crop during Chol HaMoed. From Shmuel's objection it appears that he follows R' Yose's ruling (*Rashi*).

26. Had the field been one of barley, Shmuel would not have objected to Rav's action, since when barley becomes overly dry, its kernels fall from the stalk. However, since this was a wheat field, it would not have been ruined by waiting until after the festival (*Nimukei Yosef*).

[*Rashash* notes that the Gemara in *Megillah* (18b) proves that Shmuel generally *does* follow the opinion of an individual Tanna when his view is the more stringent one. Nevertheless, our Gemara felt certain that here Shmuel was not following R' Yose's opinion. For R' Yose's view stands contrary to the ruling stated in the tractate's first Mishnah (see above, note 10), which, since it is an unattributed Mishnah (סְתָם מִשְׁנָה), is almost certainly authoritative.]

27. Those who informed Shmuel of Rav's action neglected to tell him that Rav was without food. Shmuel therefore objected (*Rashi*). [The reason Shmuel did not give Rav the benefit of the doubt by assuming that he was short of supplies was because one performing work because he lacks food must be extremely exacting in his preparations (see above, note 7), and Rav harvested more than Shmuel thought necessary for his needs (*Ritva*).]

28. The obvious question is: Must a prominent person then die of hunger before working on Chol HaMoed? The answer is that Rav had the option of purchasing food from others; Shmuel felt that one so prominent as he should have availed himself of this opportunity instead of working on Chol HaMoed (*Kesef Mishneh,* in explanation of *Rambam, Yom Tov* 7:6). Alternatively, Rav could have borrowed food from others until after the festival; Shmuel held that he should have done so (*Ritva;* see there for another answer). See *Rashash; Sfas Emes* for an entirely divergent approach.

This incident teaches that when the Baraisa states "if one does not have anything else to eat," it refers even to one who has the option of

עין משפט נר מצוה

כד א מיי' פ"ז מהלכות יו"ט הל' ב טוש"ע א"ח סי' תקלז סעיף א:
כה ב ג מיי' שם הלכה ו טוש"ע שם סעיף טו:
כו ד מיי' שם טוש"ע שם סי' תקלג סעיף א:
כז ה ו מיי' פ"ז שם הלכה ח טוש"ע שם:
כח ז מיי' פי"ז מהל' מאכלות אסורות הלכה יד סמג לאוין קמב טוש"ע י"ד סי' קיג סעיף א:
כט ח מיי' פ"ח מהל' יו"ט הלכה יד טוש"ע א"ח סי' תקלג סעיף ג:
ל ט מיי' שם פ"ז הל' ג טוש"ע שם סי' תקלח סעיף ג:
לא י כ מיי' שם והל' ד טוש"ע שם סעיף א:
לב ל מיי' שם הל' ד טוש"ע שם סעיף ו:
לג מ נ מיי' שם הל' ג טוש"ע שם סעיף ג:

רבינו חננאל

ואין מוסרין להם שומר לנער את צאנן ואם היה שכיר שנה שכיר חדש שכיר שבת מסייעין הרועין ומוסרין להם שומר לנער צאנן ר' אומר אם באו בשבת בטובה בלא כלום הנאה או ביום טוב במזונות בלבד כלומר שכירותכם היא סעודתכם במועד אפי' בשכר אמר רב יוסף הלכתא כרבי: מתני' וכן מי שהיה יינו בבור ואירעו אבל או אונס או שהטעוהו פועלים ר' יוסי אומר זולף וגומר כדרכו. ר' יהודה אומר עושה לו לימודים כו' פירוש לימודים מכסהו וצריכא דאי אשמועינן משחא משום דנפיש פסידיה משום הכי שרי ר' יוסי אבל חמרא כו' אמר ר' יצחק בר אבא מאן תנא שינוי במועד בדבר האבד דלא כר' יוסי דהא ר' יוסי שרי כדרכו בלא שינוי אמר רב יוסף הלכתא כר' יוסי: בעא מיניה מרב נחמן בר יצחק מהו למישעיה לחביתא דשיכרא בחולו של מועד אמר להו רב יוסף דהוא סיני כדגרסינן בסוף הוריות רבה עוקר הרים רב יוסף סיני הוא דאמר הלכה כר' יוסי דאמר זולף וגומר וגף כדרכו אמרו ליה אימור דאמר ר' יוסי גף כדרכו בחמרא דאי שבקת ליה מגולה מפסיד שיכרא מי אמר אמר להו שיכרא נמי אית ביה פסידא טובא דאמר אביי אמרה לי אם חביתא דאית בה שית סאוי תמרי או כיוצא בהן ושייעא כח אותו השכר חזק א) כמו חבית שיש בה שמונת סאין ולא שיעא כלומר אם תשאר מגולה יש בשכר הפסד: אמר רב הלכות מועד כהלכות כותים למאי הלכתא לומר שעקרות הן ואין למידות זו מזו. דאמר שמואל זופתין כוזתא ואין זופתין חבית והלא זו וזו זיפות הוא אלא אין למידין זו מזו ב) זיפות הכוזתא אם תשאר בלא זיפות. פי' חייש לטירחא ומר חייש לפסידא מפורש בירושלמי. שמואל אמר זפתין גרבא ולא זפתין כוזתא ג) דזיפתא גלידא. רב הונא חצדו ליה בחולא דמועדא איתיביה רבה בר רב הונא והתניא דבר האבד מותר לעשותו במועד ושאינו אבד אסור לעשותו בד"א בתלוש אבל במחובר אפילו כולו אבד אסור ואם אין לו מה יאכל קוצר ומעמר ודש כו'. ובלבד שלא ידוש בפרות. אמר ליה רב הונא הא מתניתא יחידאה היא דהא רשב"ג תני לה משום ר' יוסי ולא סמכינן עליה אי הכי דר' יוסי היא ידוש בפרות דהא ר' יוסי לא בעי שינוי ופרקינן כיון דכל יומא איכא דדיש בלא פרות לאו שינוי: תנו רבנן טוחנין קמח במועד שלא לצורך המועד אסור ואם טחן לצורך המועד והותיר מותר כיוצא בו קוצצין קוצין במועד לצורך המועד ושלא לצורך המועד אסור וכו' וכן מטילין שכר לצורך המועד כו' ובלבד שלא יערים. איני והתניא אע"פ שיש לו שכר ישן מערים ושותה מן החדש. ופרקינן תנאי היא דתניא אין מערימין בכך משום ר' יוסי בר' יהודה אמרו מערימין ואע"ג דלמיחצד למי שאין לו מה יאכל שרי איקפד שמואל עליה דרב ואמר אפילו הכי אדם חשוב שאני. ר' יהודה נשיאה נפק בחומרתא דמדושא ואשתי מיא דאחים קפילא ארמאה. ואיקפד ר' אמי עליה. ואמר רב יוסף תרוייהו שרו להו רבנן חומרתא דמדושא דתניא השירים והצמידים והטבעות הרי הן ככל הכלים הניטלין בחצר ואי מיא דאחים קפילא נכרי האמר שמואל בר רב יצחק כל הנאכל כמות שהוא חי אין בו משום בשולי נכרים ואמרינן אפילו הכי אדם חשוב שאני לא הוה ליה למיעבד הכי. אמר רב חננאל אמר רב קוצץ אדם דקל במועד אע"פ שאין צריך לו אלא לנסורת שלו לייט עלה אביי אזל רב אשי למקצץ ההיא אבא ואישתמיט נרגא ובעא למיפסקיה לשקיה ושבקיה והדר. רב יהודא שרא למיעקר כיתנא ולמיקטל כשותא ולמיעקר שומשמי אמר אביי בשלמא כיתנא חזי לחפיפה כשותא נמי חזו לשיכרא אלא שומשמי למאי חזו ואמרינן לנזיי דאית בהו. רבי ינאי קטף פרדיסאה בחולי דמועדא משום דמטא [זמניה] וחשש לפסידא לשנה אחרת שהו כ"ע לפרדיסייהו וקטפוה בחולי דמועדא אפקר ר' ינאי לפרדיסיה ההיא שתא: ירושלמי אמר ילפין מקלקלתא ולא ילפי מתקנייא. ר' יעקב בר אחא בשם ר' אבין פרקמטיא אבידה שריא מטלטלתא במועדא. שיירתא שרי מיזבון מינה במועדא: מתני' מכניס אדם פירותיו מפני הגנבים כו'. תניא ובלבד שיכניס בצינעא לתוך ביתו ואי הוו כעין כשורי דרב יוסף דבלילא בעו גברי יתירי ובעי אבוקות של אש ואוושא מילתא טפי עדיף לעיילינהו בימנא. שולה פשתנו מן המשרה שלא תאבד

חשק שלמה על ר"ח א) נראה מזה דרבינו היה גורס כבר תמניא. ב) אולי צ"ל אם תשאר בלא זיפות תפסיד רב דימי וכו' אמר זופתין חביתא ואין זופתין כוזתא פי' מר חייש. ג) אולי צ"ל זפתין גרבא דזיפתא דקקירא ולא זפתין כוזתא דזיפתא גלידא.

מכנים אדם פירותיו מפני הגנבים. פירש בתוספות הרב דבאסיפת פירות איכא מלאכה כדאמרינן פרק אין דורשין (חגיגה דף יח.) גבי חג האסיף אסיפה במועד מי שרי ואיני יודע מה מלאכה (ד) וצריך עיון אי טרח בלא מלאכה אסיר כי היכי דאסירי בפרקמטיא ולקמן בשמעתין (דף יג.) אמר מועד משום טירחא ולא טירחא הוא ושמא היינו דוקא בדבר שהוא מלאכה:

אם תימצי לומר צרם אזן הבכור ומת קנסו בנו אחריו. משום דאיסורא עשה אבל כוון מלאכתו לא עשה איסורא עדיין ולא צריך להגיה דאוריי' אבל בפ' השולח (גיטין מד. ושם) דגבי מכר ומת (ה) בעי אי קנסו בנו אחריו התם גרסינן ודאי איסורא דאורייתא משום דמכר ומת נמי עבד איסור' אלא דלא הוי דאוריי':

נטייבה

יש מהן פטור אבל אסור ויש מהן מותר לכתחלה רב הונא חצדו ליה חצדא במועדא איתיביה רבה בר רב הונא לרב הונא טוחנין קמח במועד לצורך המועד ושלא לצורך המועד אסור (א) דבר שאבוד במועד מותר לעשותו במועד דבר שאינו אבוד במועד אסור במה דברים אמורים בתלושין מן הקרקע אבל מחובר לקרקע אפי' כולו אבוד אסור ואם אין לו מה יאכל קוצר ומעמר ודש וזורה ובורר וטוחן ובלבד שלא ידוש בפרות אמר ליה יחידאה היא ולא סבירא לן כוותיה דתניא כלל אמר רבן שמעון בן גמליאל משום ר' יוסי דבר התלוש מן הקרקע אפילו מקצתו אבוד מותר והמחובר לקרקע אפי' כולו אבוד אסור ואי ר' יוסי ידוש נמי בפרות הא אמר רב יצחק בר אבא מאן תנא שינוי במועד בדבר האבד דלא כר' יוסי אמר לך ה"נ כיון דכל יומא לאו בפרות דיישי האידנא נמי לאו שינוי הוא ת"ר טוחנין במועד לצורך המועד ושלא לצורך המועד אסור ואם טחן והותיר הרי זה מותר קוצצין עצים במועד לצורך המועד ושלא לצורך המועד אסור ואם קצץ והותיר הרי זה מותר מטילין שכר במועד לצורך המועד ושלא לצורך המועד אסור ואם הטיל והותיר הרי זה מותר ובלבד שלא יערים ורמינהו מטילין שכר במועד לצורך המועד ושלא לצורך המועד אסור אחד שכר תמרים ואחד שכר שעורים ואע"פ שיש לו ישן מערים ושותה מן החדש תנאי היא דתניא אין מערימין בכך ר' יוסי בר יהודה אומר מערימין רב חצדו ליה חצדא בחולא דמועדא שמע שמואל איקפד לימא שמואל כיחידאה סבירא ליה לא חצדא דחיטי הוה דלא הוה פסיד ורב מאי טעמא עביד הכי אין לו מה יאכל הוה ושמואל לא סיימוה קמיה אי נמי אדם חשוב שאני ר' יהודה נשיאה נפק בחומרתא דמדושא ואשתי מיא דאחים קפילא ארמאה שמע ר' אמי איקפד אמר רב יוסף מאי טעמא איקפד (א) אי משום חומרתא דמדושא הא תניא השירין הנזמים והטבעות הרי הן ככל הכלים הניטלין בחצר אי משום דאישתי מיא דאחים קפילא ארמאה הא אמר (ב) שמואל בר יצחק אמר רב כל שנאכל כמות שהוא חי אין בו משום בישולי נכרים אדם חשוב שאני אמר רב חננאל אמר רב קוצץ אדם דקל במועד אע"פ שאינו צריך אלא לנסורת שלו לייט עלה אביי רב אשי הוה ליה אבא בשלנייא אזל למיקצייה בחולא דמועדא אמר ליה רב שילא משלנייא לרב אשי מאי דעתיך דקאמר רב חננאל אמר רב קוצץ אדם דקל במועד אע"פ שאינו צריך אלא לנסורת שלו הא לייט עלה אביי אמר ליה לא שמיע לי כלומר לא סבירא לי אישתמיט נרגא בעי למיפסקיה לשקיה שבקיה והדר אתא רב יהודה שרא למיעקר כיתנא ולמיקטל כשותא ולמיעקר שומשמי אמר ליה אביי לרב יוסף בשלמא כיתנא חזי לחפיפה כשותא חזי לשיכרא אלא שומשמי למאי חזי חזי לנזיי דאית בהו רבי ינאי הוה ליה ההוא פרדיסא דמטא זמניה בחולא דמועדא קטפיה לשנה שהיוה כולי עלמא לפרדיסייהו לחולא דמועדא אפקריה רבי ינאי לפרדיסיה ההוא שתא: **מתני'** מכנים אדם פירותיו מפני הגנבים ושולה פשתנו מן המשרה בשביל שלא תאבד ובלבד שלא יכוין את מלאכתו במועד וכולן אם כוונו מלאכתן במועד יאבדו: **גמ'** תנא ובלבד שיכניסם בצנעא לתוך ביתו רב יוסף הוה ליה כשורי עיילינהו בימנא אמר ליה אביי והתניא ובלבד שיכניסם בצנעא בתוך ביתו אמר ליה צנעא דהני יממא הוא כיון דבליליא בעו גברא יתירי ובעו מדוכרי דנורא אוושא מילתא: ושולה פשתנו מן המשרה כו': בעי מיניה רבי ירמיה מרבי זירא כוון מלאכתו במועד ומת מהו שיקנסו בניו אחריו אם תימצי לומר

צרם

יש מהן פטור אבל אסור. והא דקתני אין זופתין אסור למיעבד לכתחילה אבל בדיעבד לא הוי חייב והא דקתני זופתין הוי מותר לכתחילה: **למיחצד.** לקצור ורב הונא יש לו מה יאכל הוה ואמאי שרי לה: **אמר ליה.** האי דקתני מחובר אפי' כולו אבוד נמי אסור ר' יוסי היא ויחידאה היא ולא סבירא לן כוותיה: **כיון דכל יומא לאו בפרות דיישי האידנא לאו שינוי הוא.** כי דיישי בלא פרות ולעולם ר' יוסי היא והא דאסר בפרות משום דאוושא מילתא היא: **ואם טחן.** במועד לצורך המועד והותיר עד לאחר המועד: **מותר.** לאכלו אחר המועד: **ובלבד שלא יערים.** שלא יעשה הרבה ויאמר לצורך המועד אני עושה ומתכוין כדי שתשתייר לאחר המועד: **מערים ושותה מן החדש.** שיכול לומר לצורך המועד הטילו: **לימא שמואל.** דאקפיד כיחידאה סבירא ליה כההיא מתניתא (ג) במחובר אפי' כולו אבוד נמי אסור ואוקימנא כר' יוסי יחידאה: **חצדא דחיטי דלא הוה פסידא.** להכי איקפד אבל בחצדא דשערי לא סבר לה כר' יוסי דאסיר: **אין לו מה יאכל הוה.** להכי עביד הכי: **לא סיימוה קמיה.** לא אמרו לו דלא הוה ליה מה יאכל להכי איקפד: **אדם חשוב שאני.** רב לא הוה ליה למיעבד הכי אפי' אין לו מה יאכל: **נפק.** בחצר בשבת: **בחומרתא דמדושא.** טבעת היא של מתכת וחותמה של אלמוג: **שירין.** נושקי"א בלעז: **כל שהוא נאכל כמות שהוא חי.** ומיא שתו אינשי כמות שהן: **אדם חשוב שאני.** יש לו להחמיר על עצמו יותר ולא הוה ליה למיפק בחומרתא דמדושא ולא למישתי מיא דאחים קפילא נכרי: **לנסורת.** עלים דקים שנופלין מן החתיכה: **אבא.** יער: **בשלנייא.** פירוש שם העיר כלומר היה לו יער באותו מקום: **אישתמיט נרגא בעי למיפסקיה לשקיה.** דרב אשי משום דעבר אדאביי: **שבקיה.** לאבא דלא קצליה במועד שהרגיש משום דעבר אדאביי נפל ליה נרגא: **למיעקר כיתנא.** בחולא דמועדא: **למיקטל.** לחתוך: **כשותא.** הומלו"ן: **לחפיפה.** לכסות בו מאכל כגון תאנים ותמרים לצורך המועד: **לנזיי.** כמו נזייתא דשיכרא (ב"ק דף לה.) לנזיי גרעינין דאית בהו בשומשמין דחזו למיעבד בהו משחא: **אפקריה ר' ינאי לפרדיסיה.** משום דעל ידו היה תקלה לעלמא דשהו עד לחולא דמועדא וקטפי: **מתני' שולה.** מעלה: **שלא יכוין מלאכתו במועד.** שיש לו פנאי בשאר ימות השנה והוא משהה למועד: **יאבדו.** שאסור ליהנות מהן: **גמ' צינעא דידהו יממא הוא.** אפי' בלילה כיממא דמי ולא סגי ליה שלא להכניסן להכי מכניסן נמי ביום: **מדוכרי דנורא.** אבוקות: **מהו שיקנסו בניו אחריו.** לבניו נמי יהא אסור אותה מלאכה דכיון דכוון מלאכתו במועד דין הוא שיהו אסורין ליהנות ממנה כמו שהיה אביהם קיים:

לרס

מסורת הש"ס

א) [תוספתא פרק א], ב) [לעיל יא. ע"ש], ג) [שבת קלט:], ד) [לעיל יא: שבת נא. וש"נ], ה) [עי' מה שפירשו תוס' שבת מו: ד"ה ואמר עולא ותוס' עירובין סט. ד"ה כיון], ו) [שבת נא.], ז) שם מו:, ח) שבת נא. יבמות מו. ע"ז לח. נט., ט) [קידושין לג: וש"נ], י) [עירובין קב: וש"נ], כ) פי' נ"י קורות כבדים וגדולים, ל) [גי' הערוך בע' מדבר מדבורי דנורא פי' אבוקות], מ) [עי' תוס' בכורות לד: ד"ה בעא], נ) גיטין מד. ע"ש בכורות לד:.

הגהות הב"ח

(א) גמ' אי משום חומרתא דמדושא הא תניא השירין. נ"ב עי' מ"ש פ' הדר דף סט בתוס' ד"ה כיון: (ב) שם הא אמר רב שמואל: (ג) רש"י ד"ה לימא וכו' דבמחובר אפי': (ד) תוס' ד"ה מכנים כו' ואיני יודע מה מלאכה איכא באסיפה וצריך עיון: (ה) ד"ה אם כו' דגבי מכר ומת דבעי אי קנסו בנו אחריו התם ודאי גרסינן איסורא דאורייתא:

רש"י כת"י

מאן תנא שינוי במועד בדבר האבד דלא. צריך לשנוי כלומר כמאן אמרינן בכל דוכתא דחזינן דלא בעינן שינוי במועד במידי דפסיד. **למישע.** שטחין חביותיהן מבפנים בזפת או במיני רבב להעמיד טעם היין והשכר שבתוכו ולא דוקא חביתא דשיכרא אלא מעשה כך היה. [נ"א] למשעה חביתא לסתום פי חבית. **סיני.** רב יוסף דשמעתיה סכיני. ומהדר אמרא טעמ' מאי וכו'. **אמרא לי אם.** מניקתא דלמו מתה בשעת לידתו. **שית סאוי.** כור שכר שלא נתנו בו אלא ששה סאין של שעורים או של תמרים ומונח בחבית וזופת מעלי יותר משכר הנתון בחבית שאינה זפותה שנתנו בו ח' סאין שעורים אלמא כי לא שיע פסיד. דזו זיפות וזו זיפות ואין למדין זו מזו פר"ח. **כהלכות כותיים.** דכותיים איכא דאחזוק ואחזוק ולא אחזוק לא אחזוק ומסתמא לא מחזקינן כהן בשום מלוה בפרק הכל שוחטין (חולין ז.) אף במועד מאי דשרו רבנן שרו מאי דלא שרו רבנן לא שרו ולא גמרינן מדא מחדא. **עקרות.** כאשה עקרה שאין ממנה פרי אלא גופה הכא נמי אין כהן [גופס] אלא ואין למדין מהן. **ואין למדות זו מזו.** אין אומרין כהן זו דומא לזו כגון השקאת בית הבעל והשקאת בית השלחין (משום פסידא) ואין אומרין הלא אין טורח להשקות את זה יותר מזה זה מותר

אף זה ולא ידע דמשום פסידא הוא לפיכך אין לך אלא מה שמנו חכמים זו אסורה וזו מותרת כגון חביתא וכוותא ספסדי. רב דימי. זופתין את התבית שהיא גדולה ולא הקטנה אין מדמין אותה לומר גדולה מותרת שיש טורח גדול קל וחומר לקטנה. מ"ר. מר חייש לטירחא. ולא לפסידא דקסבר דאפי' במקום פסידא מיטרח לא טרחינן. כהלכות שבת. מה הלכות שבת יש מהן פטור מקרבן אבל אסור מדרבנן אף הלכות מועד (מאן) [מאי] דשרו רבנן איכא מינייהו דמותר לכתחלה כגון מקום פסידא דמותר אפילו מדרבנן ויש מהן שפטור אבל אסור [illegible]

[illegible]

The Gemara cites another instance in which an objection was leveled at someone because of his prominence:

רַבִּי יְהוּדָה נְשִׂיאָה נָפַק בְּחוֹמַרְתָּא דִּמְדוּשָׁא – **R' Yehudah Nesiah went out** into the courtyard on the Sabbath **wearing a ring** with a signet **of *madosh* wood,**[29] וְאִשְׁתִּי מַיָּא דְּאַחֵים קֶפֵּילָא אַרְמָאָה – **and,** during the weekdays, **drank water heated by an Aramean,** i.e. a non-Jewish, **cook.** שָׁמַע רַבִּי אַמִּי אִיקְפַּד – **R' Ami heard** of this and **he objected.**

The Gemara analyzes R' Ami's objection:

אָמַר רַב יוֹסֵף – **Rav Yosef said:** מַאי טַעְמָא אִיקְפַּד – **Why did [R' Ami] object?** אִי מִשּׁוּם חוֹמַרְתָּא דִּמְדוּשָׁא – **If** it was **because of the signet ring,** which, since its use is forbidden on the Sabbath, is *muktzeh*[30] – הָא תַּנְיָא – **but it was taught in a Baraisa:** הַשֵּׁירִין הַנְּזָמִים וְהַטַּבָּעוֹת – BROOCHES, NOSE RINGS AND RINGS הֲרֵי הֵן כְּכָל הַכֵּלִים הַנִּיטָּלִין בֶּחָצֵר – ARE LIKE ALL other forbidden-use UTENSILS THAT MAY BE MOVED IN A COURTYARD for the sake of their use or their place. Although these articles may not be worn on the Sabbath, they may be moved about for these purposes. Likewise, then, regarding R' Yehudah Nesiah's ring – although its use is forbidden, he was permitted to move it about for the sake of its use or its place. Clearly, his wearing of the ring could not have been the cause of R' Ami's objection.[31] אִי מִשּׁוּם דְּאִישְׁתִּי מַיָּא דְּאַחֵים קֶפֵּילָא אַרְמָאָה – And **if** it was **because he drank water heated by an Aramean cook,** which is forbidden because of the prohibition against gentile cooking[32] – הָא אָמַר [רַב] שְׁמוּאֵל בַּר יִצְחָק אָמַר רַב – **but [Rav] Shmuel bar Yitzchak said in the name of Rav:** כֹּל שֶׁנֶּאֱכַל כְּמוֹת שֶׁהוּא חַי – **Whatever is** normally **eaten in its raw state,** אֵין בּוֹ מִשּׁוּם בִּישּׁוּלֵי נָכְרִים – **does not fall under** the prohibition against **gentile cooking,** even if it was cooked by a gentile. Since water is usually drunk without being heated, it is not included in this prohibition. Evidently, this too could not have been the reason R' Ami objected. Why then did he object?

The Gemara answers:

אָדָם חָשׁוּב שָׁאנִי – Because **a prominent person is different,** and must follow a stricter standard. Although ordinary people may go out on the Sabbath with a signet ring and drink water heated by a gentile, R' Yehudah Nesiah should not have done so.[33]

A ruling is cited in the name of Rav:

אָמַר רַב חֲנַנְאֵל אָמַר רַב – **Rav Chananel said in the name of Rav:** קוֹצֵץ אָדָם דֶּקֶל בַּמּוֹעֵד – **A person may cut down a palm tree on Chol HaMoed,** אַף עַל פִּי שֶׁאֵינוֹ צָרִיךְ אֶלָּא לִנְסוֹרֶת שֶׁלּוֹ – **even if**

NOTES

obtaining food from elsewhere. As we have shown, Rav certainly could have bought or borrowed food; even so, if not for his prominence, he would have been permitted to harvest his grain. Clearly, we do not trouble one to borrow or purchase food, but permit him to prepare his own (*Kesef Mishneh* ibid.). *She'iltos D'Rav Achai* §170 explains this permit differently; he states that the embarassment connected with being in debt to another for one's food will mar one's enjoyment of the festival. Since enjoyment of the festival is a Torah obligation (see *Deuteronomy* 16:14), we do not wish to lessen it by requiring one to borrow food. *Haamek She'eilah* (ad loc. §5) points out that this reason exempts one only from *borrowing* food; one able to *buy* food, however, would be required to do so, since there is no embarassment connected with purchasing food.]

29. This was a ring made of metal, with a signet of *madosh* wood (see *Rashi* here and to *Eruvin* 69a ד״ה בחומרתא; see *Rashi ms.*). [The printed *Rashi,* as well as *Rashi ms.,* identifies *madosh* as *almog* wood, which is a type of cedar – see *I Kings* 10:11,12. *Rashi* to *Eruvin* (ibid.), however, states that these are two different types of wood (see also *Tosafos, Shabbos* 46b ד״ה ואמר עולא).]

30. The term *muktzeh* literally means *set aside,* and refers to a class of objects that do not stand to be used on the Sabbath. The law is that one is forbidden to handle or move *muktzeh* on the Sabbath or Yom Tov. One category of *muktzeh* is that known as כְּלִי שֶׁמְּלַאכְתּוֹ לְאִסּוּר, *a utensil used for work forbidden on the Sabbath;* since these objects do not stand to be used on the Sabbath, they are *muktzeh.* Of course, items that have a dual use – one forbidden, one permitted – are not *muktzeh,* since they have a Sabbath use.

[It is impermissible to use a signet ring on the Sabbath.] Certain types of signet rings, however, are used as adornments (e.g. those made all of copper); since they possess a Sabbath use, they are not *muktzeh.* The ring worn by R' Yehudah Nesiah, however, was not of the ornamental sort, but was a purely functional item. Accordingly, his ring was *muktzeh* as *a utensil used for work forbidden on the Sabbath* (see *Rashi ms.; Tos. HaRosh; Tosafos, Shabbos* 46b ד״ה ואמר עולא).

31. As a preamble to explaining this Baraisa, we present these central facts. On the Sabbath, one is forbidden to transfer items from one domain to another, or to transport them four *amos* in the public domain. This rule does not apply to articles of clothing or to adornments (e.g. jewelry); by Biblical law, these items may be worn both in the public domain, and while moving between one domain and another. However, the Rabbis noticed that while in the public domain, people would often remove certain accessories for various reasons, and then, forgetting to put the items on again, would continue walking while still carrying them, thereby desecrating the Sabbath by transporting objects four *amos* in the public domain. To prevent this inadvertent transgression, the Rabbis forbade the wearing of certain ornaments on the Sabbath. They did not differentiate between different places where a person would wear these articles, but simply forbade one to adorn himself with them on the Sabbath altogether, even indoors or in a courtyard, lest he become accustomed to wearing them, and unthinkingly walk out with them into the public domain (*Shabbos* 64a, as understood by *Rashi* to *Shabbos* 57a; *Ritva* to *Shabbos* 64a, *MHK* ed.).

As a result of this decree, these articles became *muktzeh,* for through this injunction they entered into the category of *utensils whose use is forbidden* – hence, it is forbidden to move or handle these items on the Sabbath. However, there are two instances in which a forbidden-use item may be moved. They are: לְצוֹרֶךְ גּוּפוֹ, *for the sake of its use,* i.e. to use the object for some permissible task, and לְצוֹרֶךְ מְקוֹמוֹ, *for the sake of its place,* i.e. to make the place occupied by the object available for some other use. The Baraisa cited deals with one who wishes to move an ornament (brooches, nose rings . . .) for one of these two reasons; the Baraisa rules that, like any other forbidden-use utensil, it may be moved. The same, then, must be true of R' Yehudah Nesiah's ring; although it is a forbidden-use utensil (see previous note), it may be moved for the sake of its use or for the sake of its place. It follows that his wearing of this ring [which presumably was done for one of the permitted purposes mentioned above] could not have been the reason that R' Ami objected (see *Rashi ms.; Tos. HaRosh; Tosafos, Shabbos* 46b). [One cannot argue that it was forbidden to wear this ring because of the decree against wearing adornments, for this ring served no ornamental purpose whatsoever (see previous note), and thus was not included in the decree. It is for this reason that R' Yehudah Nesiah would not have been permitted to wear this ring in the *public* domain on the Sabbath, for a ring that serves no ornamental purpose is viewed not as an adornment, but as a burden, and as such may not be transported in the public domain on the Sabbath. Since he wore it in a courtyard, however, there was no problem with transporting it.]

[It must be noted that there is a great deal of dissent regarding various aspects of the Rabbinic decree against wearing ornaments on the Sabbath. For one thing, there is a Tannaic dispute as to whether the decree extends to the private domain, or is limited to the public domain (see *Shabbos* 64a). Furthermore, even those who hold that the decree extends to the private domain disagree as to whether it applies only to ornaments worn in a courtyard, or even to those worn indoors. This affects our understanding of the Baraisa, for if these ornaments (brooches etc.) may be worn indoors, they clearly cannot be *muktzeh,* since they have a Sabbath use. For the various opinions regarding the Rabbinic decree against ornaments, see Schottenstein ed. of *Shabbos,* 64b note 23. For several alternative interpretations of our Gemara, see *Tos. Rid; Ritva; Meiri.*]

32. As an impediment to social intimacy and intermarriage with non-Jews, the Rabbis prohibited the eating of foods cooked by non-Jews, even if cooked in a Jew's utensils and in his presence, with no possibility of contamination with non-kosher substances.

33. According to some, R' Ami objected to *both* R' Yehudah Nesiah's actions (*Rashi; Ritva*); others disagree (see *Talmid R' Yechiel MiParis* and *Sfas Emes*).

יש מהן פטור אבל אסור ויש מהן מותר לכתחלה רב הונא חצדו ליה חצדא במועדא איתיביה רבה בר רב הונא לרב הונא טוחנין קמח במועד לצורך המועד ושלא לצורך המועד אסור דבר שאבוד במועד מותר לעשותו במועד דבר שאינו אבוד במועד אסור במה דברים אמורים בתלושין מן הקרקע אבל מחובר לקרקע אפי' כולו אבוד אסור ואם אין לו מה יאכל קוצר ומעמר ודש וזורה ובורר וטוחן ובלבד שלא ידוש בפרות אמר ליה יחידאה היא ולא סבירא לן כוותיה דתניא כלל אמר רבן שמעון בן גמליאל משום ר' יוסי דבר התלוש מן הקרקע אפילו מקצתו אבוד מותר והמחובר לקרקע אפי' כולו אבוד אסור ואי ר' יוסי ידוש נמי בפרות הא אמר רב יצחק בר אבא מאן תנא שינוי במועד בדבר האבד דלא כר' יוסי אמר לך ה"נ כיון דכל יומא לאו בפרות דיישי האידנא נמי לאו שינוי הוא ת"ר טוחנין במועד לצורך המועד ושלא לצורך המועד אסור ואם טחן והותיר הרי זה מותר קוצצין עצים במועד לצורך המועד ושלא לצורך המועד אסור ואם קצץ והותיר הרי זה מותר מטילין שכר במועד לצורך המועד ושלא לצורך המועד אסור ואם הטיל והותיר הרי זה מותר ובלבד שלא יערים ורמינהו מטילין שכר במועד לצורך המועד ושלא לצורך המועד אסור אחד שכר תמרים ואחד שכר שעורים ואע"פ שיש לו ישן מערים ושותה מן החדש תנאי היא דתניא אין מערימין בכך ר' יוסי בר יהודה אומר מערימין רב חצדו ליה חצדא בחולא דמועדא שמע שמואל איקפד לימא שמואל כיחידאה סבירא ליה לא חצדא דחיטי הוה דלא הוה פסיד ורב מאי טעמא עביד הכי אין לו מה יאכל הוה ושמואל לא סיימוה קמיה אי נמי אדם חשוב שאני ר' יהודה נשיאה נפק בחומרתא דמדושא ואשתי מיא דאחים קפילא ארמאה שמע ר' אמי איקפד אמר רב יוסף מאי טעמא איקפד (א) אי משום חומרתא דמדושא הא תניא השירין הנזמים והטבעות הרי הן ככל הכלים הניטלין בחצר אי משום דאישתי מיא דאחים קפילא ארמאה הא אמר (ב) שמואל בר יצחק אמר רב כל שנאכל כמות שהוא חי אין בו משום בישולי נכרים אדם חשוב שאני אמר רב חננאל אמר רב קוצץ אדם דקל במועד אע"פ שאינו צריך אלא לנסורת שלו לייט עלה אביי רב אשי הוה ליה אבא בשלנייא אזל למיקצייה בחולא דמועדא אמר ליה רב שילא משלנייא לרב אשי מאי דעתיך דקאמר רב חננאל אמר רב קוצץ אדם דקל במועד אע"פ שאינו צריך אלא לנסורת שלו הא לייט עלה אביי אמר ליה לא שמיע לי כלומר לא סבירא לי אישתמיט נרגא בעי למיפסקיה לשקיה שבקיה והדר אתא רב יהודה שרא למיעקר כיתנא ולמיקטל כשותא ולמיעקר שומשמי אמר ליה אביי לרב יוסף בשלמא כיתנא חזי לחפיפה כשותא חזי לשיכרא אלא שומשמי למאי חזי חזי לנזיי דאית בהו רבי ינאי הוה ליה ההוא פרדיסא דמטא זמניה בחולא דמועדא קטפיה לשנה שהיוה כולי עלמא לפרדיסייהו לחולא דמועדא אפקריה רבי ינאי לפרדיסיה ההוא שתא: **מתני'** מכנים אדם פירותיו מפני הגנבים ושולה פשתנו מן המשרה בשביל שלא תאבד ובלבד שלא יכוין את מלאכתו במועד וכולן אם כוונו מלאכתן במועד יאבדו: **גמ'** תנא ובלבד שיכניסם בצנעא לתוך ביתו רב יוסף הוה ליה כשורי עיילינהו ביממא אמר ליה אביי והתניא ובלבד שיכניסם בצנעא בתוך ביתו אמר ליה צנעא דהני יממא הוא כיון דבליליא בעו גברא יתירי ובעו מדוכרי דנורא אוושא מילתא: ושולה פשתנו מן המשרה כו': בעי מיניה רבי ירמיה מרבי זירא כוון מלאכתו במועד ומת מהו שיקנסו בניו אחריו אם תימצי לומר

צרם

רש"י

יש מהן פטור אבל אסור. והא דקתני אין זופתין אסור למיעבד לכתחילה אבל בדיעבד לא הוי חייב והא דקתני זופתין הוי מותר לכתחילה: **למיחצד.** לקצור ורב הונא יש לו מה יאכל הוה ואמאי שרי לה: **אמר ליה.** האי דקתני מחובר אפי' כולו אבוד נמי אסור ר' יוסי היא ויחידאה היא ולא סבירא לן כוותיה: **כיון דכל יומא לאו בפרות דיישי האידנא לאו שינוי הוא.** כי דיישי בלא פרות ולעולם ר' יוסי היא והא דאסר בפרות משום דאוושא מילתא היא: **ואם טחן.** במועד לצורך המועד והותיר עד לאחר המועד: **מותר.** לאכלו אחר המועד: **ובלבד שלא יערים.** שלא יעשה הרבה ויאמר לצורך המועד אני עושה ומתכוין כדי שתשתייר לאחר המועד: **מערים ושותה מן החדש.** שיכול לומר לצורך המועד הטילו: **לימא שמואל.** דאקפיד כיחידאה סבירא ליה כההיא מתניתא (ג) במחובר אפי' כולו אבוד נמי אסור ואוקימנא כר' יוסי יחידאה: **חצדא דחיטי דלא הוה פסידא.** להכי איקפד אבל בתלתא דשערי לא סבר לה כר' יוסי דאסיר: **אין לו מה יאכל הוה.** להכי עביד הכי: **לא סיימוה קמיה.** לא אמרו לו דלא הוה ליה מה יאכל להכי איקפד: **אדם חשוב שאני.** רב לא הוה ליה למיעבד הכי אפי' אין לו מה יאכל: **נפק.** בחצר בשבת: **בחומרתא דמדושא.** טבעת היא של מתכת וחותמה של אלמוג: **שירין.** נושקי"א בלעז: **כל שהוא נאכל כמות שהוא חי.** ומיא שתו אינשי כמות שהן: **אדם חשוב שאני.** יש לו להחמיר על עצמו יותר ולא הוה ליה למיפק בחומרתא דמדושא ולא למישתי מיא דאחים קפילא נכרי: **לנסורת.** עצים דקים שנופלין מן החתיכה: **אבא.** יער: **בשלנייא.** פירוש שם העיר כלומר היה לו יער באותו מקום: **אישתמיט נרגא בעי למיפסקיה לשקיה.** דרב אשי משום דעבר אדאביי: **שבקיה.** לאבא דלא קצליה במועד שהרגיש משום דעבר אדאביי נפל ליה נרגא: **למיעקר כיתנא.** בחולא דמועדא: **למיקטל.** לחתוך: **כשותא.** הומלו"ן: **לחפיפה.** לכסות בו מאכל כגון תאנים ותמרים לצורך המועד: **לנזיי.** כמו נזייתא דשיכרא (ב"ק דף לה.) לנזיי גרעינין דאית בהו בשומשמין דחזו למיעבד בהו משחא: **אפקריה ר' ינאי לפרדיסיה.** משום דעל ידו היה תקלה לעלמא דשהו עד לחולא דמועדא וקטפי: **מתני' שולה.** מעלה: **שלא יכוין מלאכתו במועד.** שיש לו פנאי בשאר ימות השנה והוא משהה למועד: **יאבדו.** שאסור ליהנות מהן: **גמ' צינעא דידהו יממא הוא.** אפי' בלילה כיממא דמי ולא סגי ליה שלא להכניסן להכי מכניסן נמי ביום: **מדוכרי דנורא.** אבוקות: **מהו שיקנסו בניו אחריו.** לבניו נמי יהא אסור אותה מלאכה דכיון דכוון מלאכתו במועד דין הוא שיהו אסורין ליהנות ממנה כשם שהיה אביהם קיים:

לרס

תוספות

מכנים אדם פירותיו מפני הגנבים. פירש בתוספות הרב דבאסיפת פירות איכא מלאכה כדאמרינן פרק אין דורשין (חגיגה דף יח.) גבי חג האסיף אסיפה במועד מי שרי ואיני יודע מה מלאכה (ד) וצריך עיון אי טרח בלא מלאכה אסיר כי היכי דאסירי בפרקמטיא ולקמן בשמעתין (דף יג.) אמר מועד משום טירחא ולא טירחא הוא ושמא היינו דוקא בדבר שהוא מלאכה:

אם תימצי לומר צרם אזן הבכור ומת קנסו בנו אחריו. משום דאיסורא עשה אבל כוון מלאכתו לא עשה איסורא עדיין ולא צריך להגיה דאוריי' אבל בפ' השולח (גיטין מד. ושם) דגבי מכר ומת (ה) בעי אי קנסו בנו אחריו התם גרסינן ודאי איסורא דאורייתא משום דמכר ומת נמי עבד איסור' אלא דלא הוי דאוריי':

נטייבה

עין משפט נר מצוה

כד א מיי' פ"ז מהלכות יו"ט הל' ב טוש"ע א"ח סי' תקלו סעיף א:
כה ב ג מיי' שם הלכה ו טוש"ע שם סעיף טו:
כו ד מיי' שם טוש"ע שם סי' תקלג סעיף א:
כז ה ו מיי' פ"ז שם הלכה ח טוש"ע שם:
כח ז מיי' פי"ז מהל' מאכלות אסורות הלכה יד סמג לאוין קמב טוש"ע י"ד סי' קיג סעיף א:
כט ח מיי' פ"ח מהל' יו"ט הלכה יוד טוש"ע א"ח סי' תקלג סעיף ב:
ל ט מיי' שם פ"ז הל' ג טוש"ע שם סי' תקלח סעיף ב:
לא י כ מיי' שם והל' ד טוש"ע שם סעיף א:
לב ל מיי' שם הל' ד טוש"ע שם סעיף ו:
לג מ נ מיי' שם הל' ג טוש"ע שם סעיף ב:

רבינו חננאל

ואין מוסרין להם שומר לנער את צאנן ואם היה שכיר שנה שכיר חדש שכיר שבת מסייעין הרועין ומוסרין להם שומר לנער צאנן ר' אומר אם באו בשבת בטובה בלא כלום הנאה או ביום טוב במזונות בלבד כלומר שכירותכם היא סעודתכם במועד אפי' בשכר אמר רב יוסף הלכתא כרבי: **מתני'** וכן מי שהיה יינו בבור ואירעו אבל או אונס או שהטעוהו פועלים ר' יוסי אומר זולף וגומר כדרכו. ר' יהודה אומר עושה לו לימודים כו' פירוש לימודים מכסהו וצריכא דאי אשמועינן משחא משום דנפיש פסידיה משום הכי שרי ר' יוסי אבל חמרא כו' אמר ר' יצחק בר אבא מאן תנא שינוי במועד בדבר האבד דלא כר' יוסי דהא ר' יוסי שרי כדרכו בלא שינוי אמר רב יוסף הלכתא כר' יוסי: בעא מיניה מרב נחמן בר יצחק מהו למישעיה לחביתא דשיכרא בחולו של מועד אמר להו רב יוסף דהוא סיני כדגרסינן בסוף הוריות רבה עוקר הרים רב יוסף סיני הוא דאמר הלכה כר' יוסי דאמר זולף וגומר וגף כדרכו אמרו ליה אימור דאמר ר' יוסי גף כדרכו בחמרא דאי שבקת ליה מגולה מפסיד שיכרא מי אמר אמר להו שיכרא נמי אית ביה פסידא טובא דאמר אביי אמרה לי אם חביתא דאית בה שית סאוי תמרי או כיוצא בהן ושייעא כח אותו השכר חזק א) כמו חבית שיש בה שמונת סאין ולא שיעא כלומר אם תשאר מגולה יש בשכר הפסד: **אמר רב** הלכות מועד כהלכות כותים למאי הלכתא לומר שעקרות הן ואין למידות זו מזו. דאמר שמואל זופתין כוזתא ואין זופתין חבית והלא זו וזו זיפות הוא אלא אין למידין זו מזו ב) זיפות הכוזתא אם תשאר בלא זיפות. פי' חייש לטירחא ומר חייש לפסידא מפורש בירושלמי. שמואל אמר זפתין גרבא ולא זפתין כוזתא ג) דזיפתא גלידא. רב הונא חצדו ליה בחולא דמועדא איתיביה רבה בר רב הונא והתניא דבר האבד מותר לעשותו במועד ושאינו אבד אסור לעשותו בד"א בתלוש אבל במחובר אפילו כולו אבד אסור ואם אין לו מה יאכל קוצר ומעמר ודש כו'. ובלבד שלא ידוש בפרות. אמר ליה רב הונא הא מתניתא יחידאה היא דהא רשב"ג תני לה משום ר' יוסי ולא סמכינן עליה אי הכי דר' יוסי היא ידוש בפרות דהא ר' יוסי לא בעי שינוי ופרקינן כיון דכל יומא איכא דדיש בלא פרות לאו שינוי: **תנו** רבנן טוחנין קמח במועד לצורך המועד שלא לצורך המועד אסור ואם טחן לצורך המועד והותיר מותר כיוצא בו קוצצין קוצץ במועד לצורך המועד ושלא לצורך המועד אסור וכו' וכן מטילין שכר לצורך המועד כו' ובלבד שלא יערים. איני והתניא אע"פ שיש לו שכר ישן מערים ושותה מן החדש. ופרקינן תנאי היא דתניא אין מערימין בכך משום ר' יוסי בר' יהודה אמרו מערימין ואע"ג דלמיחצד למי שאין לו מה יאכל שרי איקפד שמואל עליה דרב ואמר אפילו הכי אדם חשוב שאני. ר' יהודה נשיאה נפק בחומרתא דמדושא ואשתי מיא דאחים קפילא ארמאה. ואיקפד ר' אמי עליה. ואמר רב יוסף תרוייהו שרו להו רבנן חומרתא דמדושא דתניא השירים והצמידים והטבעות הרי הן ככל הכלים הניטלין בחצר ואי מיא דאחים קפילא נכרי האמר שמואל בר רב יצחק כל הנאכל כמות שהוא חי אין בו משום בשולי נכרים ואמרינן אפילו הכי אדם חשוב שאני לא הוה ליה למיעבד הכי. אמר רב חננאל אמר רב קוצץ אדם דקל במועד אע"פ שאין צריך לו אלא לנסורת שלו לייט עלה אביי אזל רב אשי למקצץ ההיא אבא ואישתמיט נרגא ובעא למיפסקיה לשקיה ושבקיה והדר. רב יהודא שרא למיעקר כיתנא ולמיקטל כשותא ולמיעקר שומשמי אמר אביי בשלמא כיתנא חזי לחפיפה כשותא נמי חזו לשיכרא אלא שומשמי למאי חזו ואמרינן לנזיי דאית בהו. רבי ינאי קטף פרדיסאה בחולי דמועדא משום דמטא [זמניה] וחשש לפסידא לשנה אחרת שהו כ"ע לפרדיסייהו וקטפוה בחולי דמועדא אפקר ר' ינאי לפרדיסיה ההיא שתא: **ירושלמי** אמר ילפין מקלקלתא ולא ילפי מתקנייא. ר' יעקב בר אחא בשם ר' אבין פרקמטיא אבידה שריא מטלטלתא במועדא. שיירתא שרי מיזבון מינה במועדא: **מתני'** מכניס אדם פירותיו מפני הגנבים כו'. תניא ובלבד שיכניס בצינעא לתוך ביתו ואי הוו כעין כשורי דרב יוסף דבלילא בעו גברי יתירי ובעי אבוקות של אש ואוושא מילתא טפי עדיף לעייולינהו ביממא. שולה פשתנו מן המשרה שלא תאבד

חשק שלמה על ר"ח א) נראה מזה דרבינו היה גורס ככר תמניא. ב) אולי צ"ל אם תשאר בלא זיפות תפסיד רב דימי וכו' אמר זופתין חביתא ואין זופתין כוזתא פי' מר חייש. ג) אולי צ"ל זפתין גרבא דזיפתא דקדירא ולא זפתין כוזתא דזיפתא גלידא.

מסורת הש"ס

א) [תוספת' פרק א], ב) [לעיל יא. ע"ש], ג) [שבת קלט:], ד) [לעיל יא: שבת נא. וש"נ], ה) [עי' מה שפירשו תוס' שבת מו: ד"ה ואמר עולא ותוס' עירובין סט. ד"ה כיון], ו) [שבת נא.], ז) שם מו:, ח) שבת נא. יבמות מו. ע"ז לח. נט., ט) [קידושין לג: וש"נ], י) [עירובין קב: וש"נ], כ) פי' נ"י קורות כבידים וגדולים, ל) [גי' הערוך בע' מדבר מדבורי דנורא פי' אבוקות], מ) [עי' תוס' בכורות לד: ד"ה בעא], נ) גיטין מד. ע"ש בכורות לד:.

הגהות הב"ח

(א) גמ' אי משום חומרתא דמדושא הא תניא השירין. נ"ב עי' מ"ש פ' הדר דף סט בתוס' ד"ה כיון: (ב) שם הא אמר רב שמואל: (ג) רש"י ד"ה לימא וכו' דבמחובר אפי': (ד) תוס' ד"ה מכנים כו' ואיני יודע מה מלאכה איכא באסיפה וצריך עיון: (ה) ד"ה אם כו' דגבי מכר ומת דבעי אי קנסו בנו אחריו התם ודאי גרסינן איסורא דאורייתא:

רש"י כת"י

מאן תנא שינוי במועד בדבר האבד דלא. צריך לשנוי כלומר כמאן אמרינן בכל דוכתא דחזינן דלא בעינן שינוי במועד במידי דפסיד. **למישע.** שטחין חביותיהן מכפנים בזפת או במיני רבב להעמיד טעם היין והשכר שבתוכו ולאו דוקא חביתא דשיכרא אלא מעשה כך היה. [ל"א] למשעא חביתא לסתום פי חבית. **סיני.** רב יוסף דשמעתיה כסיני. ומהדר חמרא טעמ' מאי וכו'. **אמרא לי אם.** מניקתא דאמו מתה בשעת לידתו. **שית סאוי.** כור שכר שלא נתנו בו אלא ששה סאין של שעורים או של תמרים ומונח בחבית וזופתא מעלי יותר משכר הנתון בחבית שאינה זפותה שנתנו בו ח' סאין שעורים אלמא כי לא שיע פסיד. **דזו זיפות וזו זיפות** ואין למדין זו מזו פר"ח. **כהלכות כותיים.** דכותיים היכא דאחזוק אחזוקו ודלא אחזוק לא אחזוק ומסתמא לא מחזקינן בהן בשום מצוה בפרק הכל שוחטין (חולין ד.) אף במועד מאי דשרו רבנן שרו ומאי דלא שרו רבנן לא שרו ולא גמרינן חדא מחדא. **עקרות.** כאשה עקרה שאין ממנה פרי אלא גופה הכא נמי אין בהן [גופס] אלא ואין למדין מהן. **ואין למדות זו מזו.** אין אומרין בהן זו דומא לזו כגון השקאת בית הבעל והשקאת בית השלחין (משום פסידא) ואין אומרין הלא אין טורח להשקות את זה יותר מזה מה זה מותר אף זה ולא ידע דמשום פסידא הוא לפיכך אין לך אלא מה שמנו חכמים זו אסורה וזו מותרת כגון חביתא וכותא שפסדי. **רב דימי.** זופתין את החבית שהיא גדולה ולא הקטנה אין מדמין אותה לומר גדולה מותרת שיש טורח גדול קל וחומר לקטנה. מ"ר. **מר חייש לטירחא.** ולא לפסידא דקסבר דאפי' במקום פסידא מיטרח לא טרחינן. **כהלכות שבת.** מה הלכות שבת יש מהן פטור מקרבן אבל אסור מדרבנן אף הלכות מועד (מאן) [מאי] דשרו רבנן איכא מינייהו דמותר לכתחלה כגון במקום פסידא דמותר אפילו מדרבנן ויש מהן שפטור אבל אסור כלומר שאין מותר לכתחלה כגון הני דמתניתי' דקתני' מוכרין בצנעה דלאע"ג דשרו רבנן לא בהדיא קא שרו להו והיינו כהלכות שבת. ל"א יש מהן פטור אבל אסור היינו כל הנך דאסור לעשות במועד דאין לוקין עליהן מלאו דלא תעשה כל מלאכה אבל אסור זה שמעתי. [ע"כ שייך לע"א] **חצדו ליה חצדא.** קצרו לו גוים קצירה של תבואה שלו ודבר האבד הוא. **אבל מחובר וכו'.** ולית ליה כהאי תנא דמתני' משקין בית השלחין דקתני במחובר אפי' דבר [האבד] (ה)אסור ושלחין מחוברין ודבר האבד הוא. **שלא ידוש בפרות.** דבעינן שינוי היכא דאיפשר. **מתניתין יחידאה היא.** ר' יוסי. **ידוש נמי בפרות.** דהא ר' יוסי לא בעי שנוי ומשני התם האי דקתני ובלבד שלא ידוש בפרות לאו משום דבעי שינוי דהא לאו שינוי הוא דכיון דכל יומא רובא דעלמא לאו בפרות דייש האי נמי כי לא דייש לאו שינוי הוא אלא אוושא דמלתא הוא. **קוצץ.** שקוצץ עצים מן האילן. חוטב. חטיבת עצים תלושין בתוך הבית. **ובלבד שלא יערים.** (אשברקא). **תנאי הוא.** דאיכא תנא דאמ' מערימן ואיכא תנא דאמ' אין מערימן בכך לענין שבת קאי בפרק (חבית שנשברה) [כל כתבי (שבת קיז.)]. **כיחידאה** רבן [שמעון בן] גמליאל משום ר' יוסי דלעיל. **לא סיימוה קמיה.** לא [היה יודע שלצורך המועד הוה] (ואם טחן לצורך היה יודע). **נפיק בחומרתא דמדושא.** יצא בטבעת לחצירו שלא היתה ממתכת אלא מאותו עץ של מדושא [ואמרינן] במסכת שבת היא של אלמוג וחותמה של מתכת או היא של מתכת וחותמה של אלמוג הרי זה אסורה דטבעת מכוערת היא ואין תכשיט של איש אלא אם כן היא וחותמה של נחושת דהשתא הויא תכשיט ומותר לצאת בה בשבת לחצר אבל לא לרשות הרבים והאי דקא אמרינן לחצירו גזירה משום רשות הרבים. **ואישתי מיא.** בחול ולא חש לבשולי גוים. **אי משום חומרתא דמדושא.** נהי דליתיה לתכשיט טלטול מיהא שרי. **נסורת.** לשרוף פסולת דקה שנופלת מן העץ. **אבא.** יער. **(שלינא) [בשלנייא].** מקום. **לא שמיע ליה.** כלומר לא סבירא ליה. **שבקיה.** בההיא זמנא דלא בעי תו למיקץ ליה באפיה דרב שילא בתר דאזל ליה רב שילא (אזל ליה) רב אשי אתא למקצייה. ל"א **בעי למפסק לשקיה.** לחתוך שוקיו כיון דחזא שאירע לו כן אמ' ודאי אסור לעשות כן. חזר (הבל) הדר לאורחא ובא לו לביתו. **למקטל כשותא.** לקצץ הומלי"ן. **לחפיפה.** לכסות בו מאכל כגון תאנים וענבים. **[שומשמי].** שומשמין אין ראוין לאכילה עד שיכמשו לאחר זמן. **לנזייתא דאית בהו.** כמוסין שבהן ראוין לאכילה. **קטפיה.** נבריה לאכילה לא תבצור מתרגמינן (ויקרא כה) לא תקטוף. **לשנה.** לשנה אחרת. (שהיין) [שהיוה כולי עלמא] לפרדיסייהו. ובצרום במועד שכיונו מלאכתם. **אפקריה ר' ינאי לפרדיסיה.** מרוב נער שילא תורנה ממנו. **שיכניסם בצנעא.** דלא ליפוק חורבה מיניה. (מרבדי) [מדוכרי]. אבוקות. **כשורי.** קורות גדולים וכבדים. **אוושא.** הומה מלתא טפי דשמעי כולי עלמא. **שולה.** כל שמעלה מן המים נקרא שולה. **ובלבד שלא יכוין מלאכתו.** כשיש פשתנו לשרות מכון שעתו שכשיגיע למועד או יהא שרוי וישלנו במועד (שם שיהא) [משם מפני שהוא] בטל. **שיקנסו.** שיאבדו.

he needs only its sawdust.[34] לָיֵיט עֲלָהּ אַבַּיֵי – Upon learning of this ruling, **Abaye cursed** anyone who would follow **it.**[35]

The Gemara cites a related incident:

רַב אַשִׁי הֲוָה לֵיהּ אַבָּא בִּשְׁלַנְיָיא – **Rav Ashi owned a forest in Shelanya.** אָזַל לְמִיקְצְיֵיהּ בְּחוּלָּא דְמוֹעֲדָא – **He went to cut down** some of **its** trees **on Chol HaMoed,** in order to obtain their sawdust.[36] אָמַר לֵיהּ רַב שִׁילָא מִשְּׁלַנְיָיא לְרַב אַשִׁי – **Rav Shila of Shelanya said to Rav Ashi:** מַאי דַּעְתֵּיךְ – **What is your reasoning?** דְּקָאָמַר רַב חֲנַנְאֵל אָמַר רַב – Presumably, it is **that Rav Chananel said in the name of Rav:** קוֹצֵץ אָדָם דֶּקֶל בַּמּוֹעֵד אַף עַל פִּי שֶׁאֵינוֹ צָרִיךְ אֶלָּא לִנְסוֹרֶת שֶׁלּוֹ – **A man may cut down a palm tree on Chol HaMoed even if he needs only its sawdust.** You are basing yourself on Rav's ruling. הָא לָיֵיט עֲלָהּ אַבַּיֵי – **But Abaye has cursed** anyone who follows **this** ruling! אָמַר לֵיהּ – **[Rav Ashi] said to [Rav Shila]:** לֹא שְׁמִיעַ לִי – **"I did not hear** Abaye's ruling," כְּלוֹמַר לֹא סְבִירָא לִי – **that is to say, "I do not agree** with it." אִישְׁתְּמִיט נַרְגָּא בָּעֵי לְמִיפְסְקֵיהּ לְשָׁקֵיהּ – As Rav Ashi commenced chopping the trees, **the axe slipped and almost severed his thigh,** in punishment for his transgressing Abaye's ruling. שַׁבְקֵיהּ וְהָדַר אָתָא – Rav Ashi understood that this was a fulfillment of the curse;[37] therefore, **he left** the forest, **returned** on his way and **came** home.[38]

The Gemara lists various sorts of labor that may be performed on Chol HaMoed:

רַב יְהוּדָה שָׁרָא לְמִיעְקַר כִּיתָּנָא – **Rav Yehudah permitted** one **to uproot flax,** וּלְמִיקְטַל כְּשׁוּתָא – **cut hops** וּלְמִיעְקַר שׁוּמְשְׁמֵי – **and uproot *shumshem* [plants]** during Chol HaMoed.[39]

Abaye questions this:

אָמַר לֵיהּ אַבַּיֵי לְרַב יוֹסֵף – **Abaye said to Rav Yosef:** בִּשְׁלָמָא כִּיתָּנָא חֲזֵי לַחֲפִיפָה – **It is understandable** that Rav Yehudah permits uprooting **flax,** since **it is fit for covering** food needed for the festival,[40] כְּשׁוּתָא חֲזֵי לְשִׁיכְרָא – and likewise that he permits cutting **hops,** since they **are fit for** brewing **beer** for the festival.[41] Since these items can be used as soon as they are harvested, they may be harvested on Chol HaMoed. אֶלָּא שׁוּמְשְׁמֵי לְמַאי חֲזֵי – **But *shumshem* [plants], for what** immediate use **are they fit?** Since their seeds cannot be eaten until they have dried, they have no use until some time after they are harvested. Since they have no festival use, one should not be permitted to uproot them on Chol HaMoed.[42] – ? –

The Gemara answers:

חֲזֵי לְנָזְיֵי דְּאִית בְּהוּ – **They are fit for** immediate use on account of **the** already-**withered seeds they contain,** which can be used without delay.[43]

The Gemara recounts an incident that illustrates why a prominent person must hold himself to a higher standard:

רַבִּי יַנַּאי הֲוָה לֵיהּ הַהוּא פַּרְדֵּיסָא – **R' Yannai owned a certain orchard,** דְּמָטָא זִמְנֵיהּ בְּחוּלָּא דְמוֹעֲדָא – **whose time** for picking **came on Chol HaMoed.** קַטְפֵיהּ – Knowing that they would otherwise be lost, **he picked** the fruits of **[the orchard].**[44] Those who witnessed this assumed that it is generally permissible to harvest fruits during Chol HaMoed, לְשָׁנָה שֶׁהַיּוֹהּ כּוּלֵּי עָלְמָא לְפַרְדֵּיסַיְיהוּ לְחוּלָּא דְמוֹעֲדָא – and **in the [next] year everyone** deliberately **postponed** harvesting **their orchards until Chol HaMoed,** which is forbidden![45] Thus, R' Yannai's act, although permissible, caused those less knowledgeable to transgress. אַפְקְרֵיהּ רַבִּי יַנַּאי לְפַרְדֵּיסֵיהּ הַהוּא שַׁתָּא – In penance, **R' Yannai abandoned his orchard** to the poor[46] for **that year.** He took no benefit from it.[47]

Mishnah מַכְנִיס אָדָם פֵּירוֹתָיו מִפְּנֵי הַגַּנָּבִים – On Chol HaMoed, **a person may bring his fruits into** the house **because of** the danger of **thieves,**[48] וְשׁוֹלֶה פִּשְׁתָּנוֹ מִן הַמִּשְׁרָה בִּשְׁבִיל שֶׁלֹּא תֹאבַד – **and he may lift**

NOTES

34. Provided, of course, that the requisite measure of sawdust cannot be obtained except by cutting down the tree (*Ritva*). Although he is exerting himself excessively on Chol HaMoed for only a small benefit, he may do so (*Meiri*). *Tos. HaRosh* points out that although this individual derives benefit from the fact that the tree's wood is now available to him, he is not considered to be employing a subterfuge in cutting it down, since he is truly doing so for the sawdust.

35. See *Rashi, Kiddushin* 33b ד״ה לייט and 71b ד״ה לייט; *Niddah* 20a ד״ה לייט; see *Ritva* ד״ה שבקיה והדר אתא; see *Hagahos R' Yisrael Lifshitz,* (printed after the *Maharsha* in the standard Vilna *Shas*).

[Abaye felt that it was highly improper for one to expend so much effort on Chol HaMoed for so minuscule a gain (see *Meiri*).] Alternatively, the reason Abaye objected was because the main product of this work, the tree's wood, was not for a festival need (*Ramban, Piskei Dinei Meleches Yom Tov V'Cholo Shel Moed,* printed after his novellae to Tractate *Succah*).

36. *Talmid R' Yechiel MiParis.*

37. See *Rashi; Ritva.*

38. See *Rashi ms.,* second explanation; *Ritva.*

39. *Shumshem* is commonly translated "sesame." However, this *shumshem* is not sesame, but some unidentified plant of the same name known in Talmudic times. Its seeds are pressed for their oil, or are fried with honey and eaten (*Mishnah Berurah* 533:13, from *Perishah* 533:3; see *Shaar HaTziyun* §24).

40. Such as figs or dates (*Rashi, Rashi ms.*). While figs and dates are drying, they must be covered at night to protect them from being moistened by the dew (*Nimukei Yosef*). Since the fruits are needed for the festival, one may uproot the flax to cover them. Of course, one may uproot only as much as is needed for this purpose (*Mishnah Berurah* 533:11).

Alternatively, לַחֲפִיפָה is translated as *for washing*. The women would soak the flaxseed in water and use it to wash their faces and legs; this would smooth the skin, and give it a healthy glow (*Ritva* and *Tos. HaRosh,* quoting *Raavad; Meiri*). Although it is not necessary to uproot the entire plant for this purpose, but only to extract its seeds, the Rabbis did not trouble one to extract seeds from rooted plants, and instead permitted them to be uprooted (*Mishnah Berurah* ibid.).

41. Hops are used to impart a bitter flavor to the beer (*Meiri; Nimukei Yosef*). Since the beer is needed for the festival, one may cut the hops to brew it.

42. *Rashi ms.; Ritva; Meiri.*

43. Although the bulk of the *shumshem* seeds cannot be used right away, the smaller, more delicate ones become dry and withered while the plants are still attached to the ground. These are ready for use immediately upon harvesting (*Rashi ms.; Ritva; Meiri; Michtam;* cf. printed *Rashi*).

44. He was permitted to do this, for one may perform work on Chol HaMoed to prevent an impending loss.

45. For even in the case of work that must be performed to prevent a loss, one is forbidden to schedule it for Chol HaMoed, as we shall see in the upcoming Mishnah (*Rashi ms.*).

46. *Nimukei Yosef.*

47. He penalized himself thus because of his anguish at having caused others to sin (see *Rashi; Rashi ms.*). He was not legally *obligated* to abandon his crop; his piety led him to take this stringency upon himself (*Ritva; Beis Yosef,* end of §537, *Bedek HaBayis* to ד״ה מי שיש לו כרם).

[*Michtam* writes that in some readings, the words "that year" are omitted. According to this version, R' Yannai renounced benefit from his orchard *forever,* out of remorse for his role in causing people to sin.]

48. Normally, one is prohibited to gather the fruits of his garden or orchard and bring them into the house during Chol HaMoed. Although bringing in the fruits does not involve any *melachah* (forbidden labor), it does entail a good deal of exertion, and is therefore prohibited during this period (*Mordechai;* see *Mishnah Berurah* 538:11). However, if there exists a danger that thieves will abscond with the fruits, one is permitted to bring them in. Here, as in earlier Mishnahs, the Rabbis permit one to perform work on Chol HaMoed in order to avoid an impending loss.

[*Tosafos* (ד״ה מכניס) state that some hold that bringing in the fruit does

מכנים אדם פירותיו מפני הגנבים. פירש בתוספות הרב דבאסיפת פירות איכא מלאכה כדאמרינן פרק אין דורשין (חגיגה דף יח.) גבי חג האסיף אסיפה במועד מי שרי ואיני יודע מה מלאכה (ד) וצריך עיון אי טרח בלא מלאכה אסיר כי היכי דאסירי בפרקמטיא ולקמן בשמעתין (דף יג.) אמר מועד משום טירחא ולא טירחא הוא ושמא היינו דוקא בדבר שהוא מלאכה:

אם תימצי לומר צרם אזן הבכור ומת קנסו בנו אחריו. משום דאיסורא עשה אבל כוון מלאכתו לא עשה איסורא עדיין ולא צריך להגיה דאוריי' אבל בפ' השולח (גיטין מד. ושם) דגבי מכר ומת (ה) בעי אי קנסו בנו אחריו התם גרסינן ודאי איסורא דאורייתא משום דמכר ומת נמי עבד איסור' אלא דלא הוי דאוריי':

נטייבה

יש מהן פטור אבל אסור ויש מהן מותר לכתחלה רב הונא חצדו ליה חצדא במועדא איתיביה רבה בר רב הונא לרב הונא טוחנין קמח במועד לצורך המועד ושלא לצורך המועד אסור (א) דבר שאבוד במועד מותר לעשותו במועד דבר שאינו אבוד במועד אסור במה דברים אמורים בתלושין מן הקרקע אבל מחובר לקרקע אפי' כולו אבוד אסור ואם אין לו מה יאכל קוצר ומעמר ודש וזורה ובורר וטוחן ובלבד שלא ידוש בפרות אמר ליה יחידאה היא ולא סבירא לן כוותיה דתניא כלל אמר רבן שמעון בן גמליאל משום ר' יוסי דבר התלוש מן הקרקע אפילו מקצתו אבוד מותר והמחובר לקרקע אפי' כולו אבוד אסור ואי ר' יוסי ידוש נמי בפרות הא אמר רב יצחק בר אבא מאן תנא שינוי במועד בדבר האבד דלא כר' יוסי אמר לך ה"נ כיון דכל יומא לאו בפרות דיישי האידנא נמי לאו שינוי הוא ת"ר טוחנין במועד לצורך המועד ושלא לצורך המועד אסור ואם טחן והותיר הרי זה מותר קוצצין עצים במועד לצורך המועד ושלא לצורך המועד אסור ואם קצץ והותיר הרי זה מותר מטילין שכר במועד לצורך המועד ושלא לצורך המועד אסור ואם הטיל והותיר הרי זה מותר ובלבד שלא יערים ורמינהו מטילין שכר במועד לצורך המועד ושלא לצורך המועד אסור אחד שכר תמרים ואחד שכר שעורים ואע"פ שיש לו ישן מערים ושותה מן החדש תנאי היא דתניא אין מערימין בכך ר' יוסי בר יהודה אומר מערימין רב חצדו ליה חצדא בחולא דמועדא שמע שמואל איקפד לימא שמואל כיחידאה סבירא ליה לא חצדא דחיטי הוה דלא הוה פסיד ורב מאי טעמא עביד הכי אין לו מה יאכל הוה ושמואל לא סיימוה קמיה אי נמי אדם חשוב שאני ר' יהודה נשיאה נפק בחומרתא דמדושא ואשתי מיא דאחים קפילא ארמאה שמע ר' אמי איקפד אמר רב יוסף מאי טעמא איקפד (א) אי משום חומרתא דמדושא הא תניא השירין הנזמים והטבעות הרי הן ככל הכלים הניטלין בחצר אי משום דאישתי מיא דאחים קפילא ארמאה הא אמר (ב) שמואל בר יצחק אמר רב כל שנאכל כמות שהוא חי אין בו משום בישולי נכרים אדם חשוב שאני אמר רב חננאל אמר רב קוצץ אדם דקל במועד אע"פ שאינו צריך אלא לנסורת שלו לייט עלה אביי רב אשי הוה ליה אבא בשלנייא אזל למיקצייה בחולא דמועדא אמר ליה רב שילא משלנייא לרב אשי מאי דעתיך דקאמר רב חננאל אמר רב קוצץ אדם דקל במועד אע"פ שאינו צריך אלא לנסורת שלו הא לייט עלה אביי אמר ליה לא שמיע לי כלומר לא סבירא לי אישתמיט נרגא בעי למיפסקיה לשקיה שבקיה והדר אתא רב יהודה שרא למיעקר כיתנא ולמיקטל כשותא ולמיעקר שומשמי אמר ליה אביי לרב יוסף בשלמא כיתנא חזי לחפיפה כשותא חזי לשיכרא אלא שומשמי למאי חזי חזי לנזיי דאית בהו רבי ינאי הוה ליה ההוא פרדיסא דמטא זמניה בחולא דמועדא קטפיה לשנה שהיוה כולי עלמא לפרדיסייהו לחולא דמועדא אפקריה רבי ינאי לפרדיסיה ההוא שתא:

מתני' מכנים אדם פירותיו מפני הגנבים ושולה פשתנו מן המשרה בשביל שלא תאבד ובלבד שלא יכוין את מלאכתו במועד וכולן אם כוונו מלאכתן במועד יאבדו:

גמ' תנא ובלבד שיכניסם בצנעא לתוך ביתו רב יוסף הוה ליה כשורי עיילינהו בימָמא אמר ליה אביי והתניא ובלבד שיכניסם בצנעא בתוך ביתו אמר ליה צנעא דהני יממא הוא כיון דבליליא בעו גברא יתירי ובעו מדוכרי דנורא אוושא מילתא: ושולה פשתנו מן המשרה כו': בעי מיניה רבי ירמיה מרבי זירא כוון מלאכתו במועד ומת מהו שיקנסו בניו אחריו אם תימצי לומר

צרם

יש מהן פטור אבל אסור. והא דקתני אין זופתין אסור למיעבד לכתחילה אבל בדיעבד לא הוי חייב והא דקתני זופתין הוי מותר לכתחילה: למיחצד. לקצור ורב הונא יש לו מה יאכל הוה ואמאי שרי לה: אמר ליה. הא דקתני מחובר אפי' כולו אבוד נמי אסור ר' יוסי היא ויחידאה היא ולא סבירא לן כוותיה: כיון דכל יומא לאו בפרות דיישי האידנא לאו שינוי הוא. כי דיישי בלא פרות ולעולם ר' יוסי היא והא דאסר בפרות משום דאוושא מילתא היא: ואם טחן. במועד לצורך המועד והותיר עד לאחר המועד: מותר. לאכלו אחר המועד: ובלבד שלא יערים. שלא יעשה הרבה ויאמר לצורך המועד אני עושה ומתכוין כדי שתשתייר לאחר המועד: מערים ושותה מן החדש. שיכול לומר לצורך המועד הטילו: לימא שמואל. דאקפיד כיחידאה סבירא ליה כההיא מתניתא (ג) במחובר אפי' כולו אבוד נמי אסור ואוקימנא כר' יוסי יחידאה: חצדא דחיטי דלא הוה פסידא. להכי איקפד אבל בחלדא דשערי לא סבר לה כר' יוסי דאסיר: אין לו מה יאכל הוה. להכי עביד הכי: לא סיימוה קמיה. לא אמרו לו דלא הוה ליה מה יאכל להכי איקפד: אדם חשוב שאני. רב לא הוה ליה למיעבד הכי אפי' אין לו מה יאכל: נפק. בחצר בשבת: בחומרתא דמדושא. טבעת היא של מתכת וחותמה של אלמוג: שירין. נושק"א בלעז: כל שהוא נאכל כמות שהוא חי. ומיא שתו אינשי כמות שהן: אדם חשוב שאני. יש לו להחמיר על עצמו יותר ולא הוה ליה למיפק בחומרתא דמדושא ולא למישתי מיא דאחים קפילא נכרי: לנסורת. עלים דקים שנופלין מן החתיכה: אבא. יער: בשלנייא. פירוש שם העיר כלומר היה לו יער באותו מקום: אישתמיט נרגא בעי למיפסקיה לשקיה. דרב אשי משום דעבר אדאביי: שבקיה. לאבא דלא קצליה במועד שהרגיש משום דעבר אדאביי נפל ליה נרגא: למיעקר כיתנא. בחולא דמועדא: למיקטל. לחתוך: כשותא. הומלו"ן: לחפיפה. לכסות בו מאכל כגון תאנים ותמרים לצורך המועד: לנזיי. כמו נזייתא דשיכרא (ב"ק דף לה.) לנזיי גרעינין דאית בהו בשומשמין דחזו למיעבד בהו משחא: אפקריה ר' ינאי לפרדיסיה. משום דעל ידו היה תקלה לעלמא דשהו עד לחולא דמועדא וקטפי: מתני' שולה. מעלה: שלא יכוין מלאכתו במועד. שיש לו פנאי בשאר ימות השנה והוא משהה למועד: יאבדו. שאסור ליהנות מהן: גמ' צינעא דידהו יממא הוא. אפי' בלילה כיממא דמי ולא סגי ליה שלא להכניסן להכי מכניסן נמי ביום: מדוכרי דנורא. אבוקות: מהו שיקנסו בניו אחריו. לבניו נמי יהא אסור אותה מלאכה דכיון דכוון מלאכתו במועד דין הוא שיהו אסורין ליהנות ממנה כשם שהיה אביהם קיים:

צרם

עין משפט נר מצוה

כד א מיי' פ"ז מהלכות יו"ט הל' ב טוש"ע א"ח סי' תקלז סעיף א:
כה ב ג מיי' שם הלכה ו טוש"ע שם סעיף טו:
כו ד מיי' שם טוש"ע שם סי' תקלג סעיף א:
כז ה ו מיי' פ"ז שם הלכה ח טוש"ע שם:
כח ז מיי' פי"ז מהל' מאכלות אסורות הלכה יד סמג לאוין קמב טוש"ע י"ד סי' קיג סעיף א:
כט ח מיי' פ"ח מהל' יו"ט הלכה יוד טוש"ע א"ח סי' תקלג סעיף ב:
ל ט מיי' שם פ"ז הל' ג טוש"ע שם סי' תקלה סעיף ב:
לא י כ מיי' שם והל' ד טוש"ע שם סעיף א:
לב ל מיי' שם הל' ד טוש"ע שם סעיף ו:
לג מ נ מיי' שם הל' ג טוש"ע שם סעיף ב:

רבינו חננאל

ואין מוסרין להם שומר לנער את צאנן ואם היה שכיר שנה שכיר חדש שכיר שבת מסייעין הרועין ומוסרין להם שומר לנער צאנן ר' אומר אם באו בשבת בטובה בלא כלום הנאה או ביום טוב במזונות בלבד כלומר שכירותכם היא סעודתכם במועד אפי' בשכר אמר רב יוסף הלכתא כרבי: מתני' וכן מי שהיה יינו בבור ואירעו אבל או אונס או שהטעוהו פועלים ר' יוסי אומר זולף וגומר כדרכו. ר' יהודה אומר עושה לו לימודים כו' פירוש לימודים מכסהו וצריכא דאי אשמועינן משחא משום דנפיש פסידיה משום הכי שרי ר' יוסי אבל חמרא כו' אמר ר' יצחק בר אבא מאן תנא שינוי במועד בדבר האבד דלא כר' יוסי דהא ר' יוסי שרי כדרכו בלא שינוי אמר רב יוסף הלכתא כר' יוסי: בעא מיניה מרב נחמן בר יצחק מהו למישעיה לחביתא דשיכרא בחולו של מועד אמר להו רב יוסף דהוא סיני כדגרסינן בסוף הוריות רבה עוקר הרים רב יוסף סיני הוא דאמר הלכה כר' יוסי דאמר זולף וגומר וגף כדרכו אמרו ליה אימור דאמר ר' יוסי גף כדרכו בחמרא דאי שבקת ליה מגולה מפסיד שיכרא מי אמר אמר להו שיכרא נמי אית ביה פסידא טובא דאמר אביי אמרה לי אם חביתא דאית בה שית סאוי תמרי או כיוצא בהן ושייעא כח אותו השכר חזק א) כמו חבית שיש בה שמונה סאין ולא שיעא כלומר אם תשאר מגולה יש בשכר הפסד: **אמר** רב הלכות מועד כהלכות כותים למאי הלכתא לומר שעקרות הן ואין למידות זו מזו. דאמר שמואל זופתין כוזתא ואין זופתין חבית והלא זו וזו זיפות הוא אלא אין למידין זו מזו ב) זיפות הכוזתא אם תשאר בלא זיפות. פי' חייש לטירחא ומר חייש לפסידא מפורש בירושלמי. שמואל אמר זפתין גרבא ולא זפתין כוזתא ג) דזיפתא גלידא. רב הונא חצדו ליה בחולא דמועדא איתיביה רבה בר רב הונא והתניא דבר האבד מותר לעשותו במועד ושאינו אבד אסור לעשותו בד"א בתלוש אבל במחובר אפילו כולו אבד אסור ואם אין לו מה יאכל קוצר ומעמר ודש כו'. ובלבד שלא ידוש בפרות. אמר ליה רב הונא הא מתניתא יחידאה היא דהא רשב"ג תני לה משום ר' יוסי ולא סמכינן עליה אי הכי דר' יוסי היא ידוש בפרות דהא ר' יוסי לא בעי שינוי ופרקינן כיון דכל יומא איכא דדיש בלא פרות לאו שינוי: **תנו** רבנן טוחנין קמח במועד לצורך המועד שלא לצורך המועד אסור ואם טחן לצורך המועד והותיר מותר כיוצא בו קוצצין קוצצין במועד לצורך המועד ושלא לצורך המועד אסור וכו' וכן מטילין שכר לצורך המועד כו' ובלבד שלא יערים. איני והתניא אע"פ שיש לו שכר ישן מערים ושותה מן החדש. ופרקינן תנאי היא דתניא אין מערימין בכך משום ר' יוסי בר' יהודה אמרו מערימין ואע"ג דלמיחצד למי שאין לו מה יאכל שרי איקפד שמואל עליה דרב ואמר אפילו הכי אדם חשוב שאני. ר' יהודה נשיאה נפק בחומרתא דמדושא ואשתי מיא דאחים קפילא ארמאה. ואיקפד ר' אמי עליה. ואמר רב יוסף תרוייהו שרו להו רבנן חומרתא דמדושא דתניא השירים והצמידים והטבעות הרי הן ככל הכלים הניטלין בחצר ואי מיא דאחים קפילא נכרי האמר שמואל בר רב יצחק כל הנאכל כמות שהוא חי אין בו משום בשולי נכרים ואמרינן אפילו הכי אדם חשוב שאני לא הוה ליה למיעבד הכי. אמר רב חננאל אמר רב קוצץ אדם דקל במועד אע"פ שאין צריך לו אלא לנסורת שלו לייט עלה אביי אזל רב אשי למקצץ ההיא אבא ואישתמיט נרגא ובעא למיפסקיה לשקיה ושבקיה והדר. רב יהודא שרא למיעקר כיתנא ולמיקטל כשותא ולמיעקר שומשמי אמר אביי בשלמא כיתנא חזי לחפיפה כשותא נמי חזו לשיכרא אלא שומשמי למאי חזו ואמרינן לנזיי דאית בהו. רבי ינאי קטף פרדיסאה בחולי דמועדא משום דמטא [זמניה] וחשש לפסידא לשנה אחרת שהו כ"ע לפרדיסייהו וקטפוה בחולי דמועדא אפקר ר' ינאי לפרדיסיה ההיא שתא: **ירושלמי** אמר ילפין מקלקלתא ולא ילפי מתקנייא. ר' יעקב בר אחא בשם ר' אבין פרקמטיא אבידה שריא מטלטלתא במועדא. שיירתא שרי מיזבון מינה במועדא: **מתני'** מכנים אדם פירותיו מפני הגנבים כו'. תניא ובלבד שיכניס בצינעא לתוך ביתו ואי הוו כעין כשורי דרב יוסף דבלילא בעו גברי יתירי ובעי אבוקות של אש ואוושא מילתא טפי עדיף לעיילינהו בימָמא. שולה פשתנו מן המשרה שלא תאבד

חשק שלמה על ר"ח א) נראה מזה דרבינו היה גורס ככר תמניא. ב) אולי צ"ל אם תשאר בלא זיפות תפסיד רב דימי וכו' אמר זופתין חביתא ואין זופתין כוזתא פי' מר חייש. ג) אולי צ"ל זפתין גרבא דזיפתא דקדקירא ולא זפתין כוזתא דזיפתא גלידא.

מסורת הש"ס

א) [תוספת' פרק א], ב) [לעיל יא. ע"ש], ג) [שבת קלט:], ד) [לעיל יא: שבת נא. וש"נ], ה) [עי' מה שפירשו תוס' שבת מו: ד"ה ואמר עולא ותוס' עירובין סט. ד"ה כיון], ו) [שבת נא.], ז) שם מו:, ח) שבת נא. יבמות מו. ע"ז לח. נט., ט) [קידושין לג: וש"נ], י) [עירובין קב: וש"נ], כ) פי' נ"י קורות כבדים וגדולים, ל) [גי' הערוך בע' מדבר מדבורי דנורא פי' אבוקות], מ) [עי' תוס' בכורות לד: ד"ה בעא], נ) גיטין מד. ע"ש בכורות לד:.

הגהות הב"ח

(א) גמ' אי משום חומרתא דמדושא הא תניא השירין. נ"ב עי' מ"ש פ' הדר דף סט בתוס' ד"ה כיון: (ב) שם הא אמר רב שמואל: (ג) רש"י ד"ה לימא וכו' דבמחובר אפי': (ד) תוס' ד"ה מכנים כו' ואיני יודע מה מלאכה איכא באסיפה וצריך עיון: (ה) ד"ה אם כו' דגבי מכר ומת דבעי אי קנסו בנו אחריו התם ודאי גרסינן איסורא דאורייתא:

רש"י כת"י

מאן תנא שינוי במועד בדבר האבד דלא. צריך לשנוי כלומר כמאן אמרינן בכל דוכתא דחזינן דלא בעינן שינוי במועד במידי דפסיד. למישע. שטחין חביותיהן מבפנים בזפת או במיני רבב להעמיד טעם היין והשכר שבתוכו ולא דוקא חביתא דשיכרא אלא מעשה כך היה. [ל"א] למשעה חביתא לסתום פי חבית. סיני. רב יוסף דשמעתיה כסיני. ומהדר אמרא טעמ' מאי וכו'. אמרא לי אם. מניקתא דאמו מתה בשעת לידתו. שית סאוי. כור שכר שלא נתנו בו אלא ששה סאין של שעורים או של תמרים ומונח בחבית וזפותה מעלי יותר משכר הנתון בחבית שאינה זפותה שנתנו בו ח' סאין שעורים אלמא כי לא שיע פסיד. דזו זיפות וזו זיפות ואין למדין זו מזו פר"ח. כהלכות כותיים. דכותיים היכא דאחזוק אחזוק ודלא אחזוק לא אחזוק ומסתמא לא מחזקינן בהן בשום מצוה בפרק הכל שוחטין (חולין ד.) אף במועד מאי דשרו רבנן שרו מאי דלא שרו רבנן לא שרו ולא גמרינן חדא מחדא. עקרות. כאשה עקרה שאין ממנה פרי אלא גופה הכא נמי אין בהן [גופס] אלא ואין למדין מהן. ואין למדות זו מזו. אין אומרין בהן זו דומא לזו כגון השקאת בית הבעל והשקאת בית השלחין (משום פסידא) ואין אומרין הלא אין טורח להשקות את זה יותר מזה מה זה מותר אף זה ולא ידע דמשום פסידא הוא לפיכך אין לך אלא מה שמנו חכמים זו אסורה וזו מותרת כגון חביתא וכוזתא שפסדי. רב דימי. זופתין את החבית שהיא גדולה ולא הקטנה אין מדמין אותה לומר גדולה מותרת שיש טורח גדול קל וחומר לקטנה. מ"ר. מר חייש לטירחא. ולא לפסידא דקסבר דאפי' במקום פסידה מיטרח לא טרחינן. כהלכות שבת. מה הלכות שבת יש מהן פטור מקרבן אבל אסור מדרבנן אף הלכות מועד (מאן) [מאי] דשרו רבנן איכא מינייהו דמותר לכתחלה כגון במקום פסידא דמותר אפילו מדרבנן ויש מהן שפטור אבל אסור כלומר שאין מותר לכתחלה כגון הני דמתניתי' דקתני' מוכרין בצנעה דאע"ג דשרו רבנן לא בהדיא קא שרו להו והיינו כהלכות שבת. ל"א יש מהן פטור אבל אסור היינו כל הנך דאסור לעשות במועד דאין לוקין עליהן מלאו דלא תעשה כל מלאכה אבל אסור זה שמעתי. [ע"כ שייך לע"א] חצדו ליה חצדא. קצרו לו גוים קצירה של תבואה שלו ודבר האבד הוא. אבל מחובר וכו'. ולית ליה כהאי תנא דמתני' משקין בית השלחין דקתני במחובר אפי' דבר [האבד] (ה)אסור ושלחין מחוברין ודבר האבד הוא. שלא ידוש בפרות. דבעינן שינוי היכא דאיפשר. מתניתין יחידאה היא. ר' יוסי. ידוש נמי בפרות. דהא ר' יוסי לא בעי שנוי ומשני התם האי דקתני ובלבד שלא ידוש בפרות לאו משום דבעי שינוי דהא לאו שינוי הוא דכיון דכל יומא רובא דעלמא לאו בפרות דיישי האי נמי כי לא דייש לאו שינוי הוא אלא אוושא דמלתא הוא. קוצץ. שקולץ עלים מן האילן. חוטב. חטיבת עלים תלושין בתוך הבית. ובלבד שלא יערים. (אשברקא). תנאי הוא. דאיכא תנא דאמ' מערימן ואיכא תנא דאמ' אין מערימן בכך לענין שבת קאי בפרק (חבית שנשברה) [כל כתבי (שבת קיז.)]. כיחידאה רבן [שמעון בן] גמליאל משום ר' יוסי דלעיל. לא סיימוה קמיה. לא [היה יודע שלצורך המועד הוה] (ואם טחן לצורך היה יודע). נפיק בחומרתא דמדושא. ילא בטבעת לחצירו שלא היתה ממתכת אלא מאותו עץ של מדושא [ואמרינן] במסכת שבת היא של אלמוג וחותמה של מתכת או היא של מתכת וחותמה של אלמוג הרי זה אסורה דטבעת מכוערת היא ואין תכשיט של איש אלא אם כן היא וחותמה של נחושת דהשתא הויא תכשיט ומותר לצאת בה בשבת לחצר אבל לא לרשות הרבים והאי דקא אסרינן לחצירו גזירה משום רשות הרבים. ואישתי מיא. בחול ולא חש לבשולי גוים. אי משום חומרתא דמדושא. נהי דליתיה לתכשיט טלטול מיהא שרי. נסורת. לשרוף פסולת דקה שנופלת מן העץ. אבא. יער. (שלינא) [בשלנייא]. מקום. לא שמיע ליה. כלומר לא סבירא ליה. שבקיה. בההיא זמנא דלא בעי תו למיקץ ליה באפיה דרב שילא בתר דאזל ליה רב שילא (אזל ליה) רב אשי אתא למקצייה. ל"א בעי למפסק לשקיה. לחתוך שוקיו כיון דחזא שאירע לו כן אמ' ודאי אסור לעשות כן. חזר (הבל) הדר לאורחא ובא לו לביתו. למקטל כשותא. לקצץ הומלי"ן. לחפיפה. לכסות בו מאכל כגון תאנים וענבים. [שומשמי]. שומשמין אין ראויין לאכילה עד שיכמשו לאחר זמן. לנזייתא דאית בהו. כמושין שבהן ראויין לאכילה. קטפיה. בגריה לאכילה לא תבצור מתרגמינן (ויקרא כב) לא תקטוף. לשנה. לשנה אחרת. (שהיין) [שהיוה כולי עלמא] לפרדיסייהו. ובגרוס במועד שכיוצו מלאכתם. אפקריה ר' ינאי לפרדיסיה. מרוב נער שילא מורבה ממנו. שיכניסם בצנעא. דלא ליפוק קורבה מיניה. כשורי. קורות גדולים וכבדים. (מרבדי) [מדוכרין]. אבוקות. אוושא. הומה מלתא טפי דשמעי כולי עלמא. שולה. כל שמעלה מן המים נקרא שולה. ובלבד שלא יכוין מלאכתו. כשיהיה פשתנו לשרות מכון שעתו שכשיגיע למועד אז יהא שרוי ויעלנו במועד (שם שיהא) [משם מפני שהוא] בטל. שיקנסו. שיאבדו.

his flax up from the retting, so that it will not be lost,[49] וּבִלְבַד שֶׁלֹּא יְכַוֵּין אֶת מְלַאכְתּוֹ בַּמּוֹעֵד – **provided, however, that he does not schedule his work for Chol HaMoed.**[50] וְכוּלָּן אִם כִּוְּונוּ מְלַאכְתָּן בַּמּוֹעֵד יֵאָבֵדוּ – **And in all these** cases,[51] **if [people]** deliberately **scheduled their work for Chol HaMoed, it** (i.e. the fruit of their labors) **shall be lost.**[52]

Gemara The Gemara cites a stipulation regarding the permit to bring fruits into the house because of thieves:

תָּנָא – **A Baraisa has taught:** וּבִלְבַד שֶׁיַּכְנִיסֵם בִּצְנְעָא לְתוֹךְ בֵּיתוֹ – **BUT PROVIDED THAT HE BRINGS [THE FRUITS] INTO HIS HOUSE IN PRIVATE,** so that no one will see and assume that it is generally permissible to perform work on Chol HaMoed.[53]

The Gemara cites a related incident:

רַב יוֹסֵף הֲוָה לֵיהּ כְּשׁוּרֵי – **Rav Yosef had some large, heavy beams**[54] that could not be left outdoors. עַיְילִינְהוּ בִּימָמָא – **He brought them into** the house on Chol HaMoed **during the daytime.** אֲמַר לֵיהּ אַבַּיֵי – **Abaye said to him:** וְהָתַנְיָא – **But** regarding the permit to perform such work, **the Rabbis have taught in a Baraisa:** וּבִלְבַד שֶׁיַּכְנִיסֵם בִּצְנְעָא בְּתוֹךְ בֵּיתוֹ – **BUT PROVIDED THAT HE BRINGS [THE FRUITS] INTO HIS HOUSE IN PRIVATE.** Why, then, did you bring the beams in by day, when all can see? אֲמַר לֵיהּ – **[Rav Yosef] said to him:** צִנְעָא דְהָנֵי יְמָמָא הוּא – **The privacy of these is** obtained during **the daytime** also. כֵּיוָן דִּבְלֵילְיָא בָּעוּ גַּבְרָא יְתֵירֵי – **For** even **at night,** since **additional men are needed,** וּבָעוּ מְדוּכְרֵי דְנוּרָא – **and torches of fire are needed,** אַוְושָׁא מִילְּתָא – **the thing creates a commotion.** Since bringing the beams in at night is no more private than bringing them in by day, one may perform the task at either time.[55]

The Mishnah stated:

וְשׁוֹלֶה פִּשְׁתָּנוֹ מִן הַמִּשְׁרָה כו׳ – **AND HE MAY LIFT HIS FLAX UP FROM THE RETTING etc.** [And in all these cases, if people deliberately scheduled their work on Chol HaMoed, it shall be lost.]

The Gemara presents an inquiry:

בָּעֵי מִינֵּיהּ רַבִּי יִרְמְיָה מֵרַבִּי זֵירָא – **R' Yirmiyah inquired of R' Zeira:** כִּוֵּון מְלַאכְתּוֹ בַּמּוֹעֵד וּמֵת – Regarding **one who scheduled his work for Chol HaMoed, and,** after performing it, **died,** מַהוּ שֶׁיִּקְנְסוּ בָּנָיו אַחֲרָיו – **what is [the law] as to whether [the Rabbis] penalize his surviving sons** by requiring them to forfeit the fruits of his illicit labor? Does this penalty affect only the father, or is it extended even to the sons?[56]

The Gemara cites instances in which a father's penalties are levied against his surviving sons, but distinguishes between these instances and that of this inquiry:

אִם תִּימְצֵי לוֹמַר – Even **if you will find** fit **to say**

NOTES

entail actual *melachah. Tosafos* write that they do not know what *melachah* this might be; see, however, *Rashash* here, and *Turei Even* to *Chagigah* 18a, who identify this as מְעַמֵּר, *gathering together.*]

49. [In order to separate the fibers of the flax from its woody tissue, one soaks, or "rets" it.] If it is not removed from the retting in time, it becomes spoiled (see *Tiferes Yisrael* §17; *Mishnah Berurah* 538:8; see *Meiri*).

The word שׁוֹלֶה is commonly used to describe the lifting up of something from water (*Rashi ms.;* see *Bava Kamma* 41b,42a).

50. If he has an opportunity to perform this task during the weekday, either before or after the festival, he should not deliberately schedule it for Chol HaMoed, when he has free time (*Rashi; Nimukei Yosef;* see *Rambam, Yom Tov* 7:4).

[Note, however, that while this is true of work performed in order to prevent loss, it is not true of work performed for a festival need. This sort of work may even be scheduled for Chol HaMoed (see note 4).]

51. [I.e. of work permitted because of impending loss, such as the cases of this Mishnah and the previous ones on 11b and 12a.]

52. I.e. the owner is forbidden to benefit from the illicit work [thus, it is "lost" to him] (*Rashi,* as explained by *Sfas Emes;* see also *Rashi* below ד״ה מהו שיקנסו; cf. *Tos. Yom Tov's* understanding of *Rashi;* see *Maharatz Chayes* to 13a). [*Rambam* (ibid. and in *Commentary to Mishnah*) understands the Mishnah in a similar manner; he rules that *Beis Din* confiscates the product of this illicit work, and abandons it to anyone who wishes to take it; see also *Ritva; Meiri; Rav,* who follow *Rambam.* However, others explain that the work is not confiscated; he is simply forbidden to work on it during Chol HaMoed, even if that means that it will be lost (see *Ramach,* quoted in *Maggid Mishneh* to *Rambam* ad loc.; *Tur, Orach Chaim* §538). The halachah follows the opinion of *Rambam* (see *Shulchan Aruch* 538:6).]

[This penalty is applied only to one who *deliberately* schedules his work for Chol HaMoed; however, if one simply forgot to perform his work, or was slothful, he is not penalized (*Ritva; Nimukei Yosef*).]

53. Lest he come to desecrate the day with forbidden work (*Rashi ms.; Nimukei Yosef*).

54. *Rashi ms.; Nimukei Yosef.*

55. *Rashi.* However, *Meiri* explains that there would have been *greater* publicity by night; therefore, it was *preferable* to perform the task by day (see also *Orach Chaim* 538:2). [We learn from this incident that privacy is not *essential* to the permit to work – if it cannot be obtained, one does his best, and performs the task anyway (*Ramban, Piskei Dinei Meleches Yom Tov V'Cholo Shel Moed,* printed after his novellae to Tractate *Succah*).]

[*Ramban* (ibid.), quoted by *Ritva,* rules that the requirement of privacy does not apply to every case in which one works on Chol HaMoed to prevent an impending loss. Only when danger threatens from without (e.g. thieves) must one perform the task in private; a task to prevent loss *intrinsic* to the item in question (e.g. spoilage in crops) may be performed publicly. In the case of external danger, an observer cannot tell why the work is being performed. Since he may erroneously conclude that such work is generally permissible, we perform it in private. But in the case of intrinsic danger, one's reasons for working are obvious to all; therefore, privacy is not required (*Sfas Emes*). Others understand *Ramban* differently, as distinguishing between possible loss and definite loss; the first requires privacy, the second does not (see *Maggid Mishneh* to *Rambam, Yom Tov* 7:3; see also *Meiri*). However, *Darchei Moshe* (538:1, quoting *Mordechai*) rules that in *all* cases of work performed to save one's property, one must perform the work in private. If it is not feasible, one may perform it publicly (*Rama, Orach Chaim* 538:2; see *Meiri*).]

56. Our elucidation of the inquiry follows *Rashi* (as well as *R' Shlomo ben HaYasom*), who understands it to be referring to the benefit gained by one who actually performed the scheduled work on Chol HaMoed. However, it must be noted that this identical inquiry is cited in *Gittin* (44b) and in *Bechoros* (34b), and in both places it is clearly referring to one who scheduled his work for Chol HaMoed, but did not perform it then, since he died before the arrival of the festival (see *Rashi, Gittin* ibid. ד״ה ואם תימצי לומר; *Rashi, Bechoros* ibid. ד״ה ואם תימצי לומר). Thus, the inquiry does not concern whether the son is permitted to keep the illicit benefits, for there were no benefits. Rather, it concerned whether the son might perform the work on Chol HaMoed, so as to prevent the impending loss. This is in fact how *Tosafos* (here) explain the inquiry in our Gemara also; *Rashi,* though, clearly differentiates between the inquiry cited here, and the similar ones cited in *Gittin* and *Bechoros.* For related discussion, see *Beis Meir, Orach Chaim* 538:6; see also *Chelkas Binyamin* here at length.]

צָרַם אֹזֶן בְּכוֹר – that in the case of **one who nicked the ear of a firstborn [animal]** and died, קָנְסוּ בְּנוֹ אַחֲרָיו – **[the Rabbis] penalized his surviving son,** it is different there, משום דְּאִיסּוּרָא דְאוֹרַיְיתָא – **because** blemishing a firstborn is **a Biblical transgression.**[1] וְאִם תִּמְצֵי לוֹמַר – **And** even **if you will find** fit **to say** מָכַר עַבְדּוֹ לְעוֹבֵד כּוֹכָבִים וּמֵת – that in the case of **one who sold his slave to an idolater and died,** קָנְסוּ בְּנוֹ אַחֲרָיו – **[the Rabbis] penalized his surviving son,** it is different there too, מִשּׁוּם דְּכָל יוֹמָא מַפְקַע לֵיהּ מִמִּצְוֹת – **because each day** the son leaves the slave with the idolater, **[the slave] is removed from** the observance of the **commandments.**[2] Although the son did not perform the act of selling, we penalize him so that the son will be encouraged to redeem the slave. הָכָא מַאי – **Here,** however, where these considerations do not exist, **what** is the law? גַּבְרָא קָנֵיס רַבָּנַן – **Was it the man that the Rabbis penalized,**[3] וְהָא לֵיתֵיהּ – **and [that man] is not here** any longer, אוֹ דִלְמָא מָמוֹנָא קָנֵיס רַבָּנַן – **or perhaps it was his money that the Rabbis penalized,**[4] וְהָא אִיתֵיהּ – **and [the money] is** still **here,** in the hands of his surviving son?

The Gemara presents a proof:

אֲמַר לֵיהּ – **He said to him,** i.e. R' Zeira to R' Yirmiyah: תְּנֵיתוּהָ – **We have learned [this law] in a Mishnah:**[5] שָׂדֶה שֶׁנִּתְקַוְּוצָה בַּשְּׁבִיעִית – In the case of A FIELD THAT WAS CLEARED OF THORNS DURING the *SHEMITTAH* year, תִּזָּרַע לְמוֹצָאֵי שְׁבִיעִית – IT MAY BE SOWN IN THE YEAR AFTER THE *SHEMITTAH* year.[6] נִטַּייְבָה אוֹ נִדַּיְירָה – But if during the *shemittah* IT WAS IMPROVED through heavy fertilization,[7] OR HAD [ANIMALS] PENNED ON IT to fertilize it,[8] לֹא תִּזָּרַע לְמוֹצָאֵי שְׁבִיעִית – IT MAY NOT BE SOWN IN THE YEAR AFTER THE *SHEMITTAH* year.[9] For such fertilization is prohibited by Rabbinic law, and the Rabbis penalized one who transgressed their decree. וְאָמַר רַבִּי יוֹסֵי בַּר חֲנִינָא – **And R' Yose bar Chanina said:** נְקִיטִינַן – **We hold** as a tradition[10] that הֱטִיבָהּ וּמֵת – if **one improved [the field]** by fertilizing it during the *shemittah* year **and died,** בְּנוֹ זוֹרְעָהּ – **his son may sow it** in the year after the *shemittah* year. אַלְמָא לְדִידֵיהּ קָנְסוּ רַבָּנַן – **We see** that **against him** (the transgressor) **the Rabbis established a penalty,** לִבְרֵיהּ לֹא קָנְסוּ רַבָּנַן – but **against his son the Rabbis did not establish a penalty.** הָכָא נַמִי – **Here, too,** regarding one who scheduled work for Chol HaMoed and died – לְדִידֵיהּ קָנְסוּ רַבָּנַן – **against him the Rabbis established a penalty,** לִבְרֵיהּ לֹא קָנְסוּ רַבָּנַן – but **against his son the Rabbis did not establish a penalty.**

NOTES

1. The Torah mandates that one give the male firstborn (*bechor*) of one's kosher domesticated animals (*beheimah*) to a Kohen, who must offer them as sacrifices in the Temple (see *Exodus* 13:2; *Deuteronomy* 15:19). After throwing the blood and burning the sacrificial portions of the animal upon the Altar, the Kohen may consume its meat. If a *bechor* develops a disqualifying blemish, it cannot be brought as a sacrifice, but becomes the full property of the Kohen, who may consume it as he pleases (*Rambam, Bechoros* 1:1-3). However, it is forbidden for a Kohen to deliberately cause a blemish in the animal. [This prohibition is derived (in *Bechoros* 33b) from the verse (*Leviticus* 22:21): כָּל־מוּם לֹא יִהְיֶה־בּוֹ, *there shall not be any blemish in it* – see *Nimukei Yosef* here; *Malbim* to the verse for how it is derived.] If a Kohen does intentionally blemish a *bechor* [in order to gain full use of the animal], he is penalized by being forbidden to use it (*Rashi;* see *Rambam* ibid. 2:7; *Bechoros* 34a).

The Gemara refers here to an inquiry posed in *Bechoros* (34b) regarding a Kohen, who, after blemishing a *bechor* by nicking its ear, died. The inquiry deals with whether the penalty against one who deliberately causes such a blemish extends also to his surviving son, in which case the son would be forbidden to make use of the animal, or whether it does not. Our Gemara is noting that even if it is decided that the *bechor* penalty *does* extend to the son, it does not prove that the same is true of the penalty for scheduling work on Chol HaMoed. The prohibition to blemish a *bechor,* since it is of Biblical origin, is more stringent than the prohibition to schedule work for Chol HaMoed, which is merely Rabbinic in nature. Perhaps, then, the penalty against one who transgressed the latter prohibition is not extended to his son (*Rashi; Rashi ms.; Ritva*). [Even those who maintain that Chol HaMoed work in general *is* Biblically prohibited (see 11b note 12) will agree that work performed to prevent a loss is not, even if it is deliberately scheduled for Chol HaMoed. Such scheduling is forbidden by Rabbinic law only (*Rashi; ms.; Ritva*).]

2. By Rabbinic law, one is forbidden to sell one's Canaanite slave to an idolater, lest his idolatrous master prevent him from performing mitzvos. The Rabbis backed up this law with a two-pronged penalty: They required one who sells his slave to an idolater to spend up to 100 times (or, some say, 10 times) the slave's value to redeem him (see *Gittin* 44a), and they abrogated his ownership of the slave; thus, if the slave escapes from the idolater, the Jewish master may not compel the slave to work for him (see Mishnah, *Gittin* 43b). [Without the decree, the mere fact of the slave's sale to the idolater would not have abrogated the Jew's ownership, for the law is that an idolater can own only a slave's work, but not the slave himself (see *Gittin* 37b-38a).]

The Gemara refers to an inquiry posed in *Gittin* (44a) regarding one who, after selling his Canaanite slave to an idolater, died. [After his death, the slave escaped from his idolatrous master.] The Gemara there is unsure whether the Rabbis' penalty extends also to the seller's heir, in which case his ownership of the escaped slave is abrogated, or whether the penalty is limited to the seller himself (*Rashi*). [Presumably, the Jew's ownership is not abrogated until *after* the slave escapes – otherwise, the son would lose the slave even if the penalty does *not* extend to him. For if the Rabbis manumitted the slave at the moment of sale, he is free, and does not fall to the son upon the death of the father (however, see *Hagahos R' Akiva Eiger, Orach Chaim* 538:6).] Alternatively, the inquiry in *Gittin* concerns a slave who has not yet escaped; the Gemara wonders whether the Rabbis' penalty obligates the son to redeem the slave at 100 times his value, or whether it is only the father who is so obligated (*Rashi ms.; Nimukei Yosef* et al.; see *Sfas Emes*). Our Gemara points out that even if the penalty for selling a slave to an idolater does in fact apply also to one's heir, it may be that the penalty for scheduling work on Chol HaMoed does not. For in the case of a slave sold to an idolater, each moment the slave remains in the idolater's hands he is prevented from performing mitzvos. Therefore, the Rabbis penalized the son so that he will redeem the slave. In the case of one whose father scheduled work for Chol HaMoed, by contrast, no ongoing problem exists; perhaps, then, he is not penalized.

[A Canaanite slave that was circumcised and immersed in a *mikveh* is obligated in the same mitzvos in which a Jewish woman is obligated; i.e. all prohibitions and those positive commandments whose performance are not linked to time (*Rashi ms.; Nimukei Yosef*).]

3. Since it was he who sinned (*Rashi*).

4. [I.e. perhaps they decreed that whether or not the owner is still alive, the illicitly obtained money must be forfeited.]

5. *Sheviis* 4:2.

6. It is forbidden by Biblical law to work one's field during the *shemittah* (Sabbatical) year (see *Leviticus* 25:4); uprooting thorns from one's field is included in this prohibition. However, in this case the thorns were already detached from the ground; hence, their removal is prohibited by Rabbinic law only (*Rashi, Gittin* 44b ד״ה שנתקווצה; *Tosafos* here).

Although the act of clearing did violate Rabbinic law, it is not regarded as an important agricultural task, [since it brings about no improvement in the ground itself]. Therefore, the Rabbis did not penalize the field's owner by prohibiting him to sow his field in the following year (see *Rashi* ד״ה נידיירה; *Rashi ms.; Rashi, Bechoros* 34b ד״ה תזרע; *Ritva*).

7. In which the fertilizer is brought in wagonloads (*Rashi; Rashi ms.;* cf. *Rabbeinu Chananel,* cited in *Tosafos*).

8. In which the farmer would pen animals in the field so that their droppings would fertilize it (*Rashi;* see 12a).

9. Although these violations are Rabbinic in nature, they are penalized, for they represent work to improve the ground itself, and as such are viewed as important agricultural tasks. The Rabbis therefore penalized one who performed these tasks, by prohibiting him to sow the field in the following year (see *Rashi; Rashi, Bechoros* 34b; *Ritva* here).

10. See *Rashi, Eruvin* 5a ד״ה והאמר רב נחמן נקיטינן.

צרם אזן בבכור קנסו בנו אחריו משום דאיסורא דאורייתא ואם תמצי לומר מכר עבדו לעובד כוכבים ומת קנסו בנו אחריו משום דכל יומא מפקע ליה ממצות הכא מאי גברא קנים רבנן והא ליתיה או דלמא ממונא קנים רבנן והא איתיה א"ל תניתוה (א) שדה [א]שנתקווצה בשביעית תזרע למוצאי שביעי' [ב]נטייבה או נדיירה לא תזרע למוצאי שביעית ואמר ר' יוסי בר חנינא (ב) [ג]נקטינן הטיבה ומת בנו זורעה אלמא לדידיה קנסו רבנן לבריה לא קנסו רבנן ה"נ לדידיה קנסו רבנן לבריה לא קנסו רבנן אמר אביי (ג) [ד]נקטינן טימא טהרותיו ומת לא קנסו בנו אחריו מאי טעמא (ד) [ה]היזק שאינו ניכר לא שמיה היזק לדידיה קנסו רבנן לבריה לא קנסו רבנן: **מתני'** [ו]אין לוקחין בתים עבדים ובהמה אלא לצורך המועד או לצורך המוכר שאין לו מה יאכל: **גמ'** בעא מיניה רבא מרב נחמן שכר פעולה שאין לו מה יאכל מהו א"ל תנינא או לצורך המוכר שאין לו מה יאכל לאתויי מאי לאו לאתויי שכר פעולה א"ל לא פרושי קא מפרש איתיביה אביי (ה) [ז]אין כותבין שטרי חוב במועד ואם אינו מאמינו (א) או שאין לו מה יאכל ה"ז יכתוב שאין לו מה יאכל לאתויי מאי לאו [ח]לאתויי שכר פעולה שמע מינה מותיב רב ששת (ו) וחכ"א [ט]שלש אומניות עושין מלאכה בערבי פסחים עד חצות החייטין והספרין והכובסין (ז) [י]החייטין שכן (ח) הדיוט תופר כדרכו בחולו של מועד הספרין והכובסין שכן הבאין ממדינת הים והיוצא מבית האסורין מותרין לספר ולכבס בחולו של מועד ואי ס"ד שכר פעולה שאין לו מה יאכל שרי כל מלאכות נמי לישתרו דהא איכא שכר פעולה שאין לו מה יאכל מתקיף לה רב פפא אלא מעתה בנין לישתרי שכן (ט) כותל הגוהה לרה"ר סותר ובונה כדרכו מפני הסכנה מתקיף לה רבינא אלא מעתה לבלר לישתרי שכן כותבין (י) קידושי נשים גיטין ושוברין אלא אמר רב אשי מועד אארבעה עשר קא רמית מועד משום טירחא הוא ובמקום פסידא שרו רבנן ארבעה עשר משום צורך יום טוב הוא מידי דצורך יו"ט שרו רבנן מידי דלאו צורך יום טוב לא שרו רבנן: **מתני'** [י]אין מפנין מבית לבית אבל מפנה הוא לחצרו אין מביאין כלים מבית האומן אם חושש להם מפנן לחצר אחרת: **גמ'** והאמרת רישא אין מפנין כלל אמר אביי [כ]סיפא אתאן לבית שבחצר: ואין מביאין כלים מבית האומן: (כ) אמר רב פפא בדיק לן רבא תנן אין מביאין כלים מבית האומן ורמינהו מוליכין ומביאין כלים מבית האומן ואע"פ שאינן לצורך המועד ושנינן ליה [ל]כאן בארבעה עשר כאן בחולו של מועד איבעית אימא הא והא בחולו של מועד כאן במאמינו כאן בשאינו מאמינו והתניא

רש"י

צרם אזן בבכור. חתך מאזנו מעט כדי שיהא בעל מום ויהא מותר לו ואסור לעשות כן משום מום לא יהיה בו (ויקרא כב) כלומר לא תטיל בו מום ואם הטיל בו מום קנסוהו רבנן דלא יהנה ממנו ואם מת אין בניו נהנין ממנו: משום דאיסורא דאורייתא הוא. אבל האי דכוון מלאכתו במועד דלאו איסורא דאורייתא הוא דהא בלא מתכוין מותר לגמרי: מכר עבדו לעובד כוכבים. קנסוהו רבנן ויצא לחירות דאי ברח מן העובד כוכבים אין ישראל יכול לכופו לעבודתו ואם מת אין בניו יכולין לכופו: דכל יומא מפקע ליה ממצות. דכל זמן שהוא ברשות העובד כוכבים אינו עוסק במצות: גברא. דנתכוון לעשות מלאכה קנסו רבנן שלא ליהנות ממנה: ממונא קנסוה רבנן. ואפילו בניו אין יכולין ליהנות ממנה: שנתקווצה. ניטלו ממנה קוצים שבה: נטייבה. מזבלה שהוליך הזבל בעגלות ומשאות: נידיירה. על ידי דיר בהמה (ב) לזבלה עבודת קרקע היא (מזבלה) כל הני מדרבנן נינהו ואעפ"כ קנסו דלא תזרע למוצאי שביעית: טימא טהרותיו. של חבירו קנסו דחייב לפרעו: היזק שאינו ניכר הוא. דהא בעיניה הוא: שכר פעולה שאין לו מה יאכל. שאין לו לפועל מה יאכל: מהו. שיתן לו מלאכה ולשוכרו כדי שיהא לו מה לאכול: לאתויי מאי. אי למוכר הא תני ליה לצורך (ג) המועד אלא לאתויי שכר פעולה שאין לו מה יאכל דמותר: פרושי קא מפרש. לצורך (ד) המועד כילד כגון שאין לו למוכר מה יאכל ולעולם לא תיפשוט מינה לשכר פעולה: ואם אינו מאמינו. מלוה ללוה: שאין לו מה יאכל לאתויי מאי. אם משום לוה הא קאמר אם אינו מאמינו מותר והכא לא מצי לתרולי פרושי קא מפרש דהכי מיתרמי מילתא דאם אינו מאמינו שאין לו מה יאכל לאו מילתא היא דהא מותר בלאו הכי: לאו לאתויי שכר פעולה. שאין לו לסופר מה יאכל שרי בחולו של מועד: כל מלאכה נמי תשתרי. בערב הפסח דהא אישתרי שכר פעולה בחולו של מועד אלא תיפשוט מיניה דשכר פעולה שאין לו מה יאכל אסור בחולו של מועד: מתקיף לה רב פפא. אדרב ששת פריך מדפריך מהאי דתנן שלש אומניות עושין מלאכה בערבי פסחים כו' אלמא סבר כל מלאכה שרשאי אתה לעשות בחולו של מועד עושין אותה בערב הפסח: א"כ בנין לישתרי. בערב הפסח דהא כותל הגוהה לרה"ר מותר לבנותו בחולו של מועד: מתקיף לה רבינא. סבר נמי כרב פפא: ה"ג אלא אמר רב אשי: משום צורך י"ט. שרי כגון הני ג' אומניות ומו לא והוה הדין אם אין לו מה יאכל דלאו לורך י"ט גדול מזה: מתני' אבל מפנה הוא לחצרו. והא משמע ליה עכשיו שמפיא מבית שבחצר אחרת לחצרו: אם חושש. שמא יגנבו: גמ' והא אמרת רישא אין מפנין. מבית לבית: סיפא אתאן לבית שבחצר. והכי קתני מפנה הוא מבית שבחצר לחצרו: בדיק לן. אי ידעינן לתרולי: בי"ד. מוליכין ומביאין כלים: בחולו של מועד. אין מביאין: כאן במאמינו. לאומן אין מביאין דשלא לצורך הוא: אין מאמינו. מביאין: והתניא

תוספות

נטייבה או נדיירה. פי' בקונטרס היינו מלאכה שבקרקע מדרבנן אבל נטלו קוצים אין זו עבודת קרקע ובגיטין (ד' מד: ושם) פירש בקונטרס דבקוולה מלאכה דרבנן וצ"ל דאיירי בקוצים תלושים דמחוברים כל דהו הוי דאורייתא דאמרינן בשבת (ד' קג.) התולש עולשין והמזרד זרדין אם ליפות את הקרקע כל שהוא ואע"פ שאין מכוין ליפות דקאמר התם דפטור גבי שבת כגון בארעא דחבריה אבל גבי שביעית לא בעינן מלאכת מחשבת: **נטייבה.** פי' בקונטרס זבל בהמות ובפי' ר"ח חורש בה חרישה יתירה ובירושלמי מפרש כן ומ"מ אין נראה שתהא מן התורה וקשה היכי מוכח מיניה בבכורות (ד' לד:) בעיא דצרם אוזן בבכור דהוי דאורייתא ומוכר עבדו נמי בפ' השולח (גיטין מד:) הא גבי עבד דכ"ע (ה) דפקע ממצות חמיר טפי ואומר ר"ת דבשביעית נחמיר כדאמר בקדושין פ"ק (ד' כ.) כמה קשה אבקה של שביעית משום הכי יש לפשוט כל הני א"נ ראוי להחמיר טפי (ו) מבשום מקום משום דהיו מזלזלין בה כדאמר ([ל]בסוף) הניזקין (דף נד.) שהיו חשודין על השביעית לכך מייתי שפיר מינה:

אין לוקחין בתים עבדים כו' אלא לצורך המועד. פי' הר"ר יוסף הוא הדין בשאר דברים צריך לצורך המועד דהא אסור למכור פירות אלא לצורך המועד אלא רבותא קמ"ל דאפי' הני דהויין בפרהסיא שרי לצורך המועד וצריך עיון אי צריך (ז) הני לינעא כמו בההיא דפירות כסות וכלים (לקמן ע"ב) וההיא דלעיל (דף יב:) מכניס פירות מצריך בגמ' לינעא אע"פ שאינו במשנה:

אין מפנין מבית לבית. בירושלמי מתיר מבית אחר לביתו שערב לאדם לדור בשלו:

בשביל

Another proof:

אָמַר אַבַּיֵי – **Abaye said:** נָקְטִינַן – **We hold** as a tradition that טִימֵּא טָהֳרוֹתָיו וּמֵת – if **one contaminated the *tahor* food** [of another] with *tumah* **and died,** לֹא קָנְסוּ בְּנוֹ אַחֲרָיו – [the **Rabbis] did not penalize his surviving son** by requiring him to repay the damage from his father's estate.[11] מַאי טַעְמָא – **What is the reason** that the son does not pay? הֶיזֵּק שֶׁאֵינוֹ נִיכָּר לֹא שְׁמֵיהּ הֶיזֵּק – It is because from a Biblical standpoint **unrecognizable damage is not considered damage;**[12] therefore, one who perpetrates it is liable by force of a Rabbinic penalty only. לְדִידֵיהּ קָנְסוּ רַבָּנָן – **Against him** (i.e. the damager himself) **the Rabbis established a penalty;** לִבְרֵיהּ לֹא קָנְסוּ רַבָּנָן – **against his son the Rabbis did not establish a penalty.**

These proofs demonstrate that penalties for transgressing Rabbinic laws are not levied upon the transgressors' heirs; likewise, then, regarding the penalty for scheduling one's work for Chol HaMoed, we do not penalize the violator's heirs.

Mishnah This Mishnah discusses the permissibility of engaging in commerce during Chol HaMoed. אֵין לוֹקְחִין בָּתִּים עֲבָדִים וּבְהֵמָה – **We may not purchase homes, slaves, or animals** on Chol HaMoed, אֶלָּא לְצוֹרֶךְ הַמּוֹעֵד – **except for a festival need,**[13] אוֹ לְצוֹרֶךְ הַמּוֹכֵר שֶׁאֵין לוֹ מַה יֹּאכַל – **or** to provide **for the needs of the seller, who does not have anything to eat.**[14]

Gemara The Gemara poses an inquiry:

בְּעָא מִינֵּיהּ רָבָא מֵרַב נַחְמָן – **Rava inquired of Rav Nachman:** שְׂכַר פְּעוּלָּה שֶׁאֵין לוֹ מַה יֹּאכַל – With regard to paying **wages for work** on Chol HaMoed in the case of **one who does not have anything to eat,** מַהוּ – **what is [the law]?**[15] Is the permit expressed in the Mishnah limited to a needy seller, or does it apply as well to a needy worker? אָמַר לֵיהּ – **He said to him:** תְּנֵינָא – **We have learned this** law in our Mishnah, which states: אוֹ לְצוֹרֶךְ הַמּוֹכֵר שֶׁאֵין לוֹ מַה יֹּאכַל – OR to provide FOR THE NEEDS OF THE SELLER, WHO DOES NOT HAVE ANYTHING TO EAT. לְאַתּוּיֵי מַאי – Now, the phrase "who does not have anything to eat" – **what does it** come to **include?** לָאו לְאַתּוּיֵי שְׂכַר פְּעוּלָּה – **Does it not** come to **include** paying **wages for work** on Chol HaMoed to someone who does not have anything to eat?[16] Seemingly, it does. We see that this is permitted.

Rava rejects this proof:

לֹא – **No,** אָמַר לֵיהּ – **He said to [Rav Nachman]:** פָּרוּשֵׁי קָא מְפָרֵשׁ – **[this latter phrase] is meant** simply **to explain** the earlier phrase. It tells us that what the Mishnah means by "for the needs of the seller" is that he does not have anything to eat. It is not meant to teach the permissibility of hiring a needy worker on Chol HaMoed.

Rava's reply is challenged:

אֵיתִיבֵיהּ אַבַּיֵי – **Abaye challenged him** from the following Mishnah:[17] אֵין כּוֹתְבִין שִׁטְרֵי חוֹב בַּמּוֹעֵד – WE MAY NOT WRITE LOAN DOCUMENTS ON CHOL HAMOED. וְאִם אֵינוֹ מַאֲמִינוֹ אוֹ שֶׁאֵין לוֹ

NOTES

11. By contaminating one's *tahor* food, one causes the owner a loss. If the food was consecrated as *terumah,* it may no longer be eaten (see *Rashi, Gittin* 52b ד״ה המטמא). Even if it was not *terumah* but *chullin* (i.e. ordinary, unconsecrated food), it is still rendered unfit for those who are careful to eat their food in a state of *taharah* (see *Tos. Rid* to *Gittin* ibid.; see *Gittin* 53a). By Biblical law, one is not obligated to pay for this sort of damage, as the Gemara will explain shortly; the Rabbis, however, penalized one who renders such damage by requiring him to pay for it. For they wished to discourage one who becomes angry from going and contaminating the *tahor* food of his fellow (*Meiri,* from *Gittin* 53a). Abaye testifies here that if one contaminates the food of another and dies, his son is not liable to this penalty.

12. One cannot discern the difference between *tamei* food and *tahor* food, for the food itself remains intact, and only its value has changed (see *Rashi*).

13. I.e. one may not buy these things unless they are needed for the festival – e.g. a home to live in during the festival, a slave to serve one during the festival and animals to be slaughtered for the festival (*Rashi ms.*).

[The fact that the Mishnah singles out these three items implies that it is permissible to buy and sell other things even if they are not needed for the festival. However, *Tosafos* explain that this is in fact not the case. Rather, it is forbidden to buy and sell any sort of article on Chol HaMoed; the reason the Mishnah mentions these three in particular is because the buying and selling of these things is generally public knowledge – nevertheless, it is permissible in the event of a festival need. However, a number of Rishonim take issue with *Tosafos.* They hold that the Mishnah means to prohibit commerce in these items specifically, because of the publicity involved in buying and selling them. Other items, however, may be bought and sold even if there is no festival need, as long as it is done in private (see *Roke'ach, Agur* and *Yereim,* cited in *Beis Yosef,* beginning of §539 ד״ה כל סחורה; see *Meiri; Maggid Mishneh, Yom Tov* 7:22). As far as the halachah is concerned, *Shulchan Aruch* (*Orach Chaim* 539:9) is in accord with *Tosafos,* while *Rama* (ibid. §12) follows the opinion of *Roke'ach* et al. (see *Beur HaGra* 539:1,12). *Mishnah Berurah* (§43) states, in the name of *Magen Avraham* and others, that one should not follow *Rama's* lenient ruling; accordingly, it is forbidden to purchase anything at all on Chol HaMoed except for items needed for the festival (see also *Beur HaGra* §12). However, if on Chol HaMoed one is presented with a commercial opportunity that will not be available after the festival, he may take it, as this is regarded as preventing loss, which is permissible (see *Meiri; Beis Yosef* ibid.; *Rama* ibid. §1).]

[Even those who forbid commerce in all articles agree that one is permitted to make certain nonfestival purchases from a non-Jew (see *Magen Avraham* 539:15, from *Shiltei HaGiborim,* folio 6b in the *Rif,* from *Tosefta* 1:8). However, see *Beur Halachah* (to 539:12 ד״ה אין לוקחין וכו׳) at length, who raises a number of questions regarding this ruling.]

14. That is to say, if a seller needs money to buy food for the festival, one may purchase these articles from him (i.e. houses, slaves, animals), even if they will not be used on the festival.

Now, the Mishnah does not mean that the seller lacks even the bare necessities of life. Rather, it discusses one who has sufficient food for the festival, but is unable to spend lavishly, or to afford special delicacies in honor of the festival. We are permitted to make this unnecessary purchase on Chol HaMoed so that he will have funds to enjoy the festival to its fullest (*Ritva,* printed on 12b; *Mordechai* §846, from *Yerushalmi;* see *Beur Halachah* to 539:12 ד״ה שאין לו מה יאכל; cf. *Beur HaGra, Orach Chaim* 539:4; see below, note 21; see also *Keren Orah*).

15. I.e. is it permissible to hire a laborer to do nonfestival-need work on Chol HaMoed for the sole purpose of enabling him to purchase food for the festival? (*Rashi; Ritva*).

The Gemara is wondering whether a worker is different than a seller in this respect. A reason to differentiate is that the prohibition against selling on Chol HaMoed is less stringent than that against working, since selling does not involve the performance of *melachah;* therefore, this prohibition is more easily waived. Working on Chol HaMoed, by contrast, involves the performance of *melachah;* accordingly, its prohibition is more stringent, and is perhaps not as easily waived (*Nimukei Yosef; Michtam,* first explanation; see there and in *Ritva* for another approach).

16. The phrase "for the needs of the seller" implies festival needs; why then must the Mishnah mention these needs explicitly (by saying that he has nothing to eat)? Evidently, it comes to include the case of a *worker* who has nothing to eat (*Rashi; Ritva;* see *Hagahos HaBach* §3; *Keren Orah*).

17. Below, 18b. [Some texts read תָּא שְׁמַע, *Come, learn [a proof],* in place of אֵיתִיבֵיהּ, *He challenged him* (*Rashi ms.*). This seems reasonable, since Rava made no statement that can be challenged, but simply questioned Rav Nachman's proof. Abaye is now bringing proof from another place.]

צרם אזן בכור. חתך מאזנו מעט כדי שיהא בעל מום ויהא מותר לו ואסור לעשות כן משום מום לא יהיה בו (ויקרא כב) כלומר לא תטיל בו מום ואם הטיל בו מום קנסוהו רבנן דלא יהנה ממנו ואם מת אין בניו נהנין ממנו: **משום דאיסורא דאורייתא הוא.** אבל האי דכוון מלאכתו במועד דלאו איסורא דאורייתא הוא דהא בלא מתכוין מותר לגמרי: **מכר עבדו לעובד כוכבים.** קנסוהו רבנן ויצא לחירות דאי ברח מן העובד כוכבים אין ישראל יכול לכופו לעבודתו ואם מת אין בניו יכולין לכופו: **דכל יומא מפקע ליה ממצות.** דכל זמן שהוא ברשות העובד כוכבים אינו עוסק במצות: **גברא.** דנתכוון לעשות מלאכה קנסו רבנן שלא ליהנות ממנה: **ממונא** קנסוה רבנן. ואפילו בניו אין יכולין ליהנות ממנה: **שנתקווצה.** ניטלו ממנה קוצים שבה: **נטייבה.** מזבלה שהוליך הזבל בעגלות ומשאות: **נידיירה.** על ידי דיר בהמה (ב) לזבלה עבודת קרקע היא (מזדבלה) כל הני מדרבנן נינהו ואעפ"כ קנסו דלא תזרע למוצאי שביעית: **טימא טהרותיו.** של חבירו קנסו דחייב לפרעו: **היזק שאינו ניכר הוא.** דהא בעיניה הוא: **שכר פעולה שאין לו מה יאכל.** שאין לו לפועל מה יאכל: **מהו.** שיתן לו מלאכה ולשוכרו כדי שיהא לו מה לאכול: **לאתויי מאי.** אי למוכר הא תני ליה לצורך (ג) המועד אלא לאתויי שכר פעולה שאין לו מה יאכל דמותר: **פרושי קא מפרש.** לצורך (ד) המועד כילד כגון שאין לו למוכר מה יאכל ולעולם לא תיפשוט מינה לשכר פעולה: **ואם אינו מאמינו.** מלוה ללוה: **שאין לו מה יאכל לאתויי מאי.** אם משום לוה הא קאמר אם אינו מאמינו מותר והכא לא מצי לתרולי פרושי קא מפרש דהכי מיתרמי מילתא דאם אינו מאמינו שאין לו מה יאכל לאו מילתא היא דהא מותר בלאו הכי: **לאו לאתויי שכר פעולה.** שאין לו לסופר מה יאכל שרי בחולו של מועד: **כל מלאכה נמי תשתרי.** בערב הפסח דהא אישתרי שכר פעולה בחולו של מועד אלא תיפשוט מיניה דשכר פעולה שאין לו מה יאכל אסור בחולו של מועד: **מתקיף לה רב פפא.** אדרב ששת פריך מדפריך מהאי דתנן שלש אומניות עושין מלאכה בערבי פסחים כו' אלמא סבר כל מלאכה שרשאי אתה לעשות בחולו של מועד עושין אותה בערב הפסח: **א"כ בנין לישתרי.** בערב הפסח דהא כותל הגוהה לרה"ר מותר לבנותו בחולו של מועד: **מתקיף לה רבינא.** סבר נמי כרב פפא: ה"ג אלא אמר רב אשי: **משום צורך י"ט.** שרי כגון הני ג' אומניות ותו לא והוא הדין אם אין לו מה יאכל דאין צורך י"ט גדול מזה: **מתני' אבל מפנה הוא לחצרו.** והא משמע ליה עכשיו שמביא מבית שבחצר אחרת לחצרו: **אם חושש.** שמא יגנבו: **גמ' והא אמרת רישא אין מפנין.** מבית לבית: **סיפא אתאן לבית שבחצר.** והכי קתני מפנה הוא מבית שבחצרו לחצרו: **בדיק לן.** אי ידעינן לתרולי: **בי"ד.** מוליכין ומביאין כלים: **בחולו של מועד.** אין מביאין: **כאן במאמינו.** לאומן אין מביאין דשלא לצורך הוא: **אין מאמינו.** מביאין: והתניא

נטייבה או נדיירה. פי' בקונטרס היינו מלאכה שבקרקע מדרבנן אבל נטלו קוצים אין זו עבודת קרקע ובגיטין (ד' מד: ושם) פירש בקונטרס דבקוולה מלאכה דרבנן ונ"ל דאיירי בקוצים תלושים דמחוברים כל דהו הוי דאורייתא דאמרינן בשבת (ד' קג.) התולש עולשין והמזרד זרדין אם ליפות את הקרקע כל שהוא ואע"פ שאין מכוין ליפות דקאמר התם דפטור גבי שבת כגון בארעא דחבריה אבל גבי שביעית לא בעינן מלאכת מחשבת:

נטייבה. פי' בקונטרס זבל בהמות ובפי' ר"ת חורש בה חרישה יתירא ובירושלמי מפרש כן ומ"מ אין נראה שתהא מן התורה וקשה היכי מוכח מיניה בבכורות (ד' לד:) בעיא דצרם אוזן בבכור דהוי דאורייתא ומוכר עבדו נמי בפ' השולח (גיטין מד:) הא גבי עבד דכ"ע (ה) דפקע ממצות חמיר טפי ואומר ר"ת דבשביעית נחמיר כדאמר בקדושין פ"ק (ד' כ.) כמה קשה אבקה של שביעית משום הכי יש לפשוט כל הני א"נ ראוי להחמיר טפי (ו) מבשום מקום משום דהיו מזלזלין בה כדאמר (ל) בסוף) הניזקין (דף נד.) שהיו חשודין על השביעית לכך מייתי שפיר מינה:

אין לוקחין בתים עבדים כו' **אלא** לצורך המועד. פי' הר"ר יוסף הוא הדין בשאר דברים צריך לצורך המועד דהא אסור למכור פירות אלא לצורך המועד אלא רבותא קמ"ל דאפי' הני דהויין בפרהסיא שרי לצורך המועד וצריך עיון אי צריך (ז) הני לינעא כמו בההיא דפירות כסות וכלים (לקמן ע"ב) וההיא דלעיל (דף יב:) מכנים פירות מצריך בגמ' לינעא אע"פ שאינו במשנה:

אין מפנין מבית לבית. בירושלמי מתיר מבית אחר לביתו שערב לאדם לדור בשלו:

בשביל

צרם אזן בבכור קנסו בנו אחריו משום דאיסורא דאורייתא ואם תמצי לומר מכר עבדו לעובד כוכבים ומת קנסו בנו אחריו משום דכל יומא מפקע ליה ממצות הכא מאי גברא קנים רבנן והא ליתיה או דלמא ממונא קנים רבנן והא איתיה א"ל תניתוה [א] שדה [א] שנתקווצה בשביעית תזרע למוצאי שביעי' [ב] נטייבה או נדיירה לא תזרע למוצאי שביעית ואמר ר' יוסי בר חנינא [ב] [ג] נקטינן הטיבה ומת בנו זורעה אלמא לדידיה קנסו רבנן לבריה לא קנסו רבנן ה"נ לדידיה קנסו רבנן לבריה לא קנסו רבנן אמר אביי [ג] [ד] נקטינן טימא טהרותיו ומת לא קנסו בנו אחריו מאי טעמא [ד] [ה] היזק שאינו ניכר לא שמיה היזק לדידיה קנסו רבנן לבריה לא קנסו רבנן: **מתני'** [ו] אין לוקחין בתים עבדים ובהמה אלא לצורך המועד או לצורך המוכר שאין לו מה יאכל: **גמ'** בעא מיניה רבא מרב נחמן שכר פעולה שאין לו מה יאכל מהו א"ל תנינא או לצורך המוכר שאין לו מה יאכל לאתויי מאי לאו לאתויי שכר פעולה א"ל לא פרושי קא מפרש איתיביה אביי [ה] [ז] אין כותבין שטרי חוב במועד ואם אינו מאמינו (א) או שאין לו מה יאכל ה"ז יכתוב שאין לו מה יאכל לאתויי מאי לאו [ח] לאתויי שכר פעולה שמע מינה מותיב רב ששת [ו] וחכ"א [ט] שלש אומניות עושין מלאכה בערבי פסחים עד חצות החייטין והספרין והכובסין [ז] החייטין שכן [ח] הדיוט תופר כדרכו בחולו של מועד הספרין והכובסין שכן הבאין ממדינת הים והיוצא מבית האסורין מותרין לספר ולכבס בחולו של מועד ואי ס"ד שכר פעולה שאין לו מה יאכל שרי כל מלאכות נמי לישתרו דהא איכא שכר פעולה שאין לו מה יאכל מתקיף לה רב פפא אלא מעתה בנין לישתרי שכן [ט] כותל הגוהה לרה"ר סותר ובונה כדרכו מפני הסכנה מתקיף לה רבינא אלא מעתה לבלר לישתרי שכן כותבין [י] קידושי נשים גיטין ושוברין אלא אמר רב אשי מועד אארבעה עשר קא רמית מועד משום טירחא הוא ובמקום פסידא שרו רבנן ארבעה עשר משום צורך יום טוב הוא מידי דצורך יו"ט שרו רבנן מידי דלאו צורך יום טוב לא שרו רבנן: **מתני'** [י] אין מפנין מבית לבית אבל מפנה הוא לחצרו אין מביאין כלים מבית האומן אם חושש להם מפנן לחצר אחרת: **גמ'** והאמרת רישא אין מפנין כלל אמר אביי [כ] סיפא אתאן לבית שבחצר: ואין מביאין כלים מבית האומן: [כ] אמר רב פפא בדיק לן רבא תנן אין מביאין כלים מבית האומן ורמינהו מוליכין ומביאין כלים מבית האומן ואע"פ שאינן לצורך המועד ושנינן ליה [ל] כאן בארבעה עשר כאן בחולו של מועד איבעית אימא הא והא בחולו של מועד כאן במאמינו כאן בשאינו מאמינו והתניא

נדיירה. ניזבליה על ידי דיר של בהמות כדפרשית לעיל. של חבירו אע"פ שלא גזלן שהרי שלו מוטל לפניו קנסוהו. **לא שמיה היזק.** וקנסא בעלמא ולדידיה קנסו וכו' (בתים ועבדים ושפחות אלא לצורך המועד רב נחמן הכי סבירא ליה מתני'). **אין לוקחין בתים עבדים ובהמה אלא לצורך המועד.** שהקונה צריך להם בתים לדור בהם במועד עבדים לשמשו ולא למוכרן בהמה לשחיטה. **או לצורך המוכר.** שצריך המוכר למעות לצורך יום טוב ושאין לו מה יאכל כלומר אם בשביל צורך המועד צריך שישתכר להוליכן לבית הקונה ולעסוק בהן שאין לו לשכור מה יאכל ביום טוב אם לא ישתכר כאן התירו חכמים לקונתן כדי שישתכר זה. ל"א ושאין לו מה יאכל כלומ' שיקנה עבדים לצורך שאין לו מה יאכל כגון הסופר והוא יקנה עבדים כדי שיכתוב הסופר את שטר המכירה ויתן לו שכרו ויאכל זה בחולו של מועד אלמא יכול לקנות כדי שיתן שכר פעולה. **פרושי קא מפרש.** לצורך המועד שאין לו מה יאכל אם לא ימכור. ה"ג **ת"ש אין כותבין שטרי וכו'.** ולא גרסי' איתיביה. **[ואם אינו מאמינו].** שאם אין המלוה מאמינו בלא שטר להלוות לו והלוה צריך למעות להוצאת יום טוב. **שכר פעולה.** שאין לסופר מה יאכל ומדקתני ואם אין מאמינו משמע הלוה צריך הוא והדר קתני או שאין לו ודאי אסופר קאי. **בערבי פסחים** ואפי' במקו' שלא נהגו לעשות מלאכה דערב הפסח אסור הוא משאר ערבי ימים טובים כדמפרש בפסחים. **החייטין.** הואיל והדיוט תופר כדרכו שסותרה מלאכה זו להדיוט דין הוא שנתירה בארבעה עשר אפי' לאומן כדרכו. **כל מלאכות נמי.** לשתריין לכולי עלמא בארבעה עשר דהא מצינו דכולן התירו במועד גבי שכר פעולה שאין לו מה יאכל. **מתקיף לה רב פפא.** אהא דרב ששת מי סברת כל מידי דשרו במועד על ידי הדחק שרו בארבסר לכתחלה נהי נמי שכר פעולה במועד [שרי כשאין לו מה יאכל]. מיהו כותל הגוהה לרשות הרבים [שרי] לבנותו בחולו של מועד כדאמרינן לעיל (ז.). **בנין.** נמי לישתרי בארבסר. **שכן כותבין קדושי נשים וכו'** כדאמרינן באלו מגלחין במועד בסמוך. **שוברין.** מי שיש עליו חוב ופרע ממנו מקצת חובו והיה כתוב שובר משטרו מה שפרע. ה"ג **אלא אמ' רב אשי וכו' משום טירחא ולאו טירחא הוא.** מלאכה אסורה משום טירחא והא שריא משום דאין בה טורח. הוא דשריין הני ג' חייטין וספרין וכובסין שתופרין ומגלחין ומכבסין לפני יו' טוב והא דקתני שכן הדיוט וכו' היינו טעמ' דלצורך יום טוב הוא ומשתריא נמי בחולו של מועד. **מידי דלאו צורך יום טוב לא.** דלא דמשתרי מלאכה לכל אדם הואיל ויש לה היתר במועד אלא אם כן הוי צורך יום טוב כגון חייטין וספרין והוא הדין דמשתרי שכר פעולה בארבעה עשר אם אין לו מה יאכל ביום טוב דלאו לו צורך יום טוב גדול מזה. **אין מפנין.** כלים ותבואה מבית אחר רחוק מזה מפני הטורח. קס"ד אפילו לחצירו דרחוק משם ובגמרא פריך רישא לסיפא. **ואם חושש להם.** שמא יגנבום גנבים מבית האומן (ברש"י רי"ף - שמא יגנבם האומן ויברח) אי נמי שצריך האומן לשכרו ואין בעל הבית מאמינו שלא ישאל ממנו פעם אחרת שכרו. **מפנין וכו' סיפא.** דקתני מבית לחצירו שרי אתאן לבית שבחצירו דלינעה הוא אבל מבית לחצירו דרך רשות הרבים לא. **בדיק לן רבא.** לחדודי. **ואמרי' ליה.** כלומר משנינן ליה בי"ד מביאין דטורח י"ד ליכא ושאינו לצורך המועד דקתני לצור' הפסח. **[כאן בחולו של מועד]** במועד אין מביאין דטירחא הוא במאמינו זה לאומן אין מביאין ומתני' במאמינו והכי קתני אין מביאין כלים מבית האומן שלא לצורך הואיל ומאמינו ואם חשש להם שאינו מאמינו או שמא יגנבו מביאין ומניח' בחצר (והכי קתני מתני' אם אינו מאמינו להניח כליו אצלו והוא צריך לשכרו מביאין ומניחן בחצר) חוץ לבית האומן.

מסורת הש"ס

א) שביעית פ"ד מ"ב גיטין מד: בכורות לד:, ב) [עי' פרש"י עירובין ה. בד"ה והאמר ר"נ], ג) גיטין מד: בכורות לד:, ד) [גיטין נג. וש"נ], ה) לקמן יח:, ו) פסחים נה. [תוספתא שם פ"ג], ז) [פסחים נה:], ח) [לעיל ח:], ט) [לעיל ז. ע"ש], י) [לקמן יח:], כ) [פסחים נה:], ל) נ"ל בפרק.

הגהות הב"ח

(א) גמ' ואם אינו מאמינו או. תיבת או מוקף וכ"ב מפרש"י משמע דלא גרס או: (ב) רש"י ד"ה נידיירה ע"י דיר בהמה ניזדבלה עבודת קרקע: (ג) ד"ה לאתויי כו' הא תנא ליה לצורך המוכר אלא לאתויי: (ד) ד"ה פרושי קא מפרש לצורך המוכר כילד כגון: (ה) תוספות ד"ה נטייבה פי' כו' גבי עבד דכולי עלמא דמפקע ליה ממצות חמיר טפי: (ו) בא"ד ראוי להחמיר טפי בשביעית מבשום מקום: (ז) ד"ה אין לוקחין כו' וצ"ע אי צריך בהני לינעא כו' וההיא דלעיל גבי מכנים:

רש"י כת"י

צרם. כהן אוזן בכור לפסלו במום דבכור נוהג בזמן הזה ומי שיש לו בכור נותנו לכהן וכהן מיטפל בו עד שיומם מאליו ויאכלנו דאינו רשאי לאכלו כל זמן שלא הומם דקדשים בחוץ הוא ואם צרם כהן אוזן בכור להתירו קנסוהו רבנן כדאמרינן בבכורות (לד.) כהן שצרם אוזן בכור הרי זה לא ישחוט (עליו) עולמית דקנסינן ליה על דעבד איסורא כדכתב (ויקרא כב) כל מום לא יהיה בו קרי ביה לא [יהי]ה דקאמר אם תמצא לומר וכו' דקא מיבעיא לה התם צרם אוזן ומת מהו שיקנסו בנו אחריו וכו'. **דאיסורא דאורייתא.** דעבד בלאו דלא יהיה בו אבל גבי מועד אע"ג דאיסורא מלאכה במועד דאורייתא במקום פסידא מיהא שרי כדאמרינן והכא קנסא מדרבנן הוא ואימא דלא ליקנסו בנו אחריו. **המוכר עבדו** כדעני לגוי קנסוהו לפדותו עד מאה בדמיו כמס' גיטין (מד.) בפרק השולח הנך משום דהפקיעו מידי מצות דעבד חייב בכל מצות שהאשה חייבת כגון לא תעשה או מצות [עשה] שלא הזמן גרמא. (ממונא שיאבד קנים רבנן). **ממונא קנים רבנן.** שיהא נאבד אותו ממון בין ישנו לבעל בין אינו. **נתקווצה.** נטלו קוצים מתוכה דלאו מלאכה היא כולי האי [ולא חשיב עובדא] [ריטב"א]. **נטייבה.** הטיבו הקרקע בזבל שעל ידי משואות חמורים ועגלות.

עין משפט נר מצוה

לד א מיי' פ"א מהל' שמיטה ויובל הל' יד סמג לאוין רמז:

לה ב ג מיי' שם הל' יג:

לו ד ה מיי' פ"ז מהל' חובל ומזיק הל' א ב ג סמג עשין ע טוש"ע ח"מ סי' שפה סעיף א:

לז ו מיי' פ"ז מהלכות י"ט הלכה כב טוש"ע א"ח סי' תקלט סעיף יג:

לח ז מיי' שם הל' יג טוש"ע שם סי' תקמה סעיף ו:

לט ח מיי' שם טוש"ע שם סי' תקמב סעיף ג:

מ ט מיי' שם פ"ח הלכה יט טוש"ע שם סי' תסח סעיף ה:

מא י כ מיי' שם הל' טז טוש"ע שם סי' תקלה סעיף א:

מב ל מיי' שם הל' כא טוש"ע שם סי' תסח סעיף י:

רבינו חננאל

ובלבד שלא יכוין מלאכתו במועד וכולן שכוונו מלאכתן במועד יאבדו. בעי ר' ירמיה הרי הצורם אוזן בבכור קנסו בנו אחריו משום דההוא איסורא דאוריי' הוא וכן המוכר עבדו לעכו"ם משום דכל יומא מפקע ליה ממצות מכוין מלאכתו במועד קנסו בנו אחריו או לא. ופשטנא א"ר יוסי ב"ר חנינא נקטינן הטיבה ומת זורעה בנו אחריו אלמא לדידיה קנסו. לבריה לא קנסו רבנן: (פיסקא) **[מתני']** אין לוקחין בתים ועבדים א) ואבנים אלא לצורך [המועד] או לצורך המוכר שאין לו מה יאכל בעי רבא שכר פעולה מאי פירוש שאין לו לפועל מה יאכל במועד כגון הסופר שאין לו אלא שכר שטר המקנה. וכן כיוצא בו הפועלים מהו שיתירו לו למכור ולקנות כדי שיקחו אלו שכרם. ופשטנא דאפילו לשכר פעולה שרי. ומותיב רב ששת ג' אומניות עושין מלאכתן בערבי פסחים עד חצות החייטין כו'. ואי ס"ד דכל מי שאין לו מה יאכל שרינן לשכר פעולה כל אומניות לישתרי דהא מי שאין לו מה יאכל וצריך שכר פעולה שרי ורב פפא מתקיף הכי כל בנין לישתרי דהא כותל הגוהה לרה"ר סותרו ובונהו כדרכו מפני הסכנה. ורבינא מתקיף כל לבלר לישתרי דהא כותבין גיטי נשים כו'. ופריק רב אשי י"ד אדמועד קרמית מועד משום טירחא ולא טירחא הוא במקום פסידא שרו רבנן. י"ד משום י"ט הוא מידי דהוי צורך יו"ט שרי ליה רבנן דלא צורך י"ט לא שרו ליה רבנן: **ירושלמי** א"ר יוסי א"ר אבין קרנא ואגרא קרן ב) או ידע דמזבן ופחת מן קרנא יזבין ואי לא לא יזבין ר' חנניא חברין דרבנן אמר פרקמטיא ניגבת מנכסי יתומים קטנים הוין בעי למימר בשיש עדים יודעין הא אין עדים יודעין נעשית כפקדון כך אנו אומרים פקדון לא ניתנה לגבות מנכסי יתומין קטנים מה בינה למלוה מלוה להוצאה ניתנה. וזו לא ניתנה להוצאה. א"ר אבא בר ממל אילו היה מי שימנה עמי הייתי מתיר המלאכה. כלום אסרו המלאכה בחולו של מועד אלא שיהו אוכלין ושותין ויגעים בתורה. והאידנא אוכלין ושותין ופוחזין. ריב"ל שאל לרשב"ל. מהו ליקח בתים מן העכו"ם בשבת א"ל תני בשבת מותר כיצד עושה מראה לו כיסין של דינרים והעכו"ם חותם ומעלה בערכאין וכן מצינו שנכבשה יריחו בשבת שנא' כה תעשה ששת ימים וכתיב וביום השביעי תסובו את העיר ז' פעמים וכתיב עד רדתה אפי' בשבת: (פיסקא) **[מתני']** אין מפנין מבית לבית אבל מפנה הוא בבית שבחצירו: **ירושלמי** אין מפנין לא מדירה נאה לדירה נאה ולא מדירה נאה לדירה כעורה ובתוך שלו אפילו מדירה נאה של חבירו לדירה כעורה שלו מפנין מפני ששמחה היא לו להיות דר בתוך שלו אין מפנין מת ולא עצמות מקבר לקבר ממכובד למכובד ולא מבזוי לבזוי. ואצ"ל ממכובד לבזוי ובתוך שלו אפילו ממכובד לבזוי ערב לאדם בשעה שהוא נינח אצל אבותיו: (פיסקא) **[מתני']** אין מביאין כלים מבית האומן אם חשש להן מפנן לחצר אחרת ומקשינן והתנינן מוליכין ומביאין מבית האומן ופרקי' הא בי"ד מתני' דהכא בחולו של מועד.

חשק שלמה על ר"ח א) רבינו היה גורס במשנה ואבנים וכ"ה הגי' במשנה שבירושלמי וכ"ה גי' הרי"ף והרא"ש ז"ל ועי' בירושלמי דמפרש אלא לצורך המועד שייך באבנים ע"ש. ב) לפנינו הגי' בירושלמי אין ידע דלא מזבן והוא פחת מן קרנא וכו' וע"ש במפרש.

מוֹעֵד – ARE PERMITTED TO CUT their hair AND LAUNDER their clothes ON CHOL HAMOED.[25] Since the laws of Pesach eve are less restrictive than those of Chol HaMoed, the Sages reasoned that whatever work is permitted on Chol HaMoed, even under limited circumstances, is permitted on Pesach eve as well, in all circumstances. Since these three crafts are sometimes permitted on Chol HaMoed, they are always permitted on Pesach eve.

The Gemara develops its question:

וְאִי סַלְקָא דַּעְתָּךְ – **Now, if you should think** that שְׂכַר פְּעוּלָה שֶׁאֵין לוֹ מַה יֹּאכַל שָׁרֵי – paying **wages for work** to **one who does not have anything to eat is permissible** on Chol HaMoed, כָּל מְלָאכוֹת נַמִּי לִישְׁתְּרוּ – then **all [sorts of] work should be permitted** on Pesach eve. דְּהָא אִיכָּא שְׂכַר פְּעוּלָה שֶׁאֵין לוֹ מַה יֹּאכַל – **For** regarding any sort of work one could argue that **there is** an example of its permissibility on Chol HaMoed in the case of one paying **wages for work** to **one who does not have anything to eat!**[26] The Mishnah, however, implies that most tasks are prohibited on Pesach eve, for it limits work on that day to the practitioners of only three crafts. Clearly, it is forbidden on Chol HaMoed to hire one who has nothing to eat in order to provide for his needs. – ? –

Rav Sheishess' challenge is based on the assumption that work permitted on Chol HaMoed in particular circumstances must be permissible on Pesach eve in all circumstances. The Gemara now questions this notion:

אֶלָּא מַתְקִיף לָהּ רַב פָּפָּא – **Rav Pappa challenged it** as follows: מֵעַתָּה – **But now** if this were true, בִּנְיָן לִישְׁתְּרֵי – then the act of **building should be permitted** on Pesach eve. שֶׁבֵּן כּוֹתֶל הַגּוֹהֶה לִרְשׁוּת הָרַבִּים – **For** in the case of **a wall that is leaning**

מַה יֹּאכַל – BUT IF HE (the lender) DOES NOT TRUST HIM (the borrower),[18] OR IF HE DOES NOT HAVE ANYTHING TO EAT, הֲרֵי זֶה שֶׁאֵין לוֹ – יִכְתּוֹב – [THE LAW] IS that HE MAY WRITE the document. מַה יֹּאכַל לְאַתּוּיֵי מַאי – Now, the phrase IF HE DOES NOT HAVE ANYTHING TO EAT – **what does it** come to **include?**[19] לָאו לְאַתּוּיֵי שְׂכַר פְּעוּלָה – **Does it not** come to **include** paying **wages for work** on Chol HaMoed to someone who does not have anything to eat; namely, the professional scribe who writes the document?[20] Seemingly, it does. We see that on Chol HaMoed it is permissible to hire a needy individual in order to provide for his festival needs.

The Gemara concludes:

שְׁמַע מִינָּהּ – Indeed, we may **learn** this law **from this** Mishnah.[21]

The Gemara questions this ruling:

מוֹתִיב רַב שֵׁשֶׁת – **Rav Sheishess challenged** this ruling from a Mishnah regarding the prohibition against working on Pesach eve:[22] וַחֲכָמִים אוֹמְרִים – **But the sages say:** שָׁלֹשׁ אוּמָּנִיּוֹת עוֹשִׂין מְלָאכָה בְּעַרְבֵי פְּסָחִים עַד חֲצוֹת – The practitioners of THREE CRAFTS MAY PERFORM WORK ON PESACH EVES UNTIL MIDDAY, and these are they:[23] הַחַיָּיטִין וְהַסַּפָּרִין וְהַכּוֹבְסִין – THE TAILORS, THE BARBERS AND THE LAUNDERERS. And a Baraisa teaches the basis for each of these leniencies: הַחַיָּיטִין – The reason THE TAILORS may work on the morning of the fourteenth is שֶׁכֵּן הֶדְיוֹט תּוֹפֵר כְּדַרְכּוֹ בְּחוּלוֹ שֶׁל מוֹעֵד – BECAUSE AN UNSKILLED PERSON MAY SEW IN HIS USUAL MANNER DURING CHOL HAMOED.[24] הַסַּפָּרִין וְהַכּוֹבְסִין – The reason THE BARBERS AND THE LAUNDERERS may work on the morning of the fourteenth is שֶׁכֵּן הַבָּאִין מִמְּדִינַת הַיָּם וְהַיּוֹצֵא מִבֵּית הָאֲסוּרִין – BECAUSE THOSE WHO RETURN FROM OVERSEAS AND ONE WHO GOES OUT OF PRISON מוּתָּרִין לְסַפֵּר וּלְכַבֵּס בְּחוּלוֹ שֶׁל

NOTES

18. And the borrower needs the money for the festival (*Rashi ms.; Tur, Orach Chaim* §545; cf. *Rambam, Yom Tov* 7:12) – i.e. to honor the festival lavishly; he does not have to be, however, in the category of one who has nothing to eat (see *Magen Avraham* 545:22; see also below, note 21).

19. The phrase cannot be referring to the borrower, and saying that he is permitted to write the document only if he is one who does not have anything to eat, for the word "or" (with which this phrase is prefaced) indicates that it is a separate teaching. To whom, then, does this phrase refer? (*Ritva;* cf. *Rashi; Rashi ms.;* see *Yad David,* cited in *Menachem Meishiv Nefesh; Hagahos HaBach* §1).

20. I.e. if the scribe lacks food, we may employ him to write a loan document on Chol HaMoed, even though the only reason to do so is his need.

21. Some authorities contend that the term שֶׁאֵין לוֹ מַה לֶּאֱכוֹל, *who does not have anything to eat,* is defined differently for a worker than for a seller. In the case of a seller, the term refers to one who has the bare necessities, but does not possess the necessary funds to honor the festival with special delicacies and luxuries (see above, note 14). In the case of a worker, however, the term describes one who literally has nothing to eat; if he possesses even bread and water, we are not permitted to hire him for a nonfestival need (see *Rashi* 19a ד״ה כדי פרנסתו; *Magen Avraham* 542:1; see *Mishnah Berurah* 542:7 with *Shaar HaTziyun* §10,12; see also *Nimukei Yosef* to the Mishnah). However, others hold that even if a worker does have the bare necessities, we are permitted to hire him to provide him with the funds to spend lavishly for the festival (see *Ritva* to the Mishnah, printed on 12b; *Eliyah Rabbah* 542:3). For discussion of the dispute, see *Beur Halachah* to 542:2 ד״ה מה יאכל; *Shaar HaTziyun* there §12; *Keren Orah* here.

[*Magen Avraham* (534:7) rules that a worker hired for a nonfestival need because of a lack of food must do the work in private, lest an observer, unaware of his situation, assume that it is generally permissible to do this work on Chol HaMoed; see 13b note 1 for the source of this ruling. If, however, it is impossible to do privately, it may be performed in public, but only in the case of a worker who lacks even the barest necessities (see *Mishnah Berurah* 542:7 with *Shaar HaTziyun* §14).]

[One who does not have anything to eat is not obligated to sell his household possessions to avoid working on Chol HaMoed. However, if he is in possession of merchandise intended for sale, he must sell it rather than work on Chol HaMoed (see *Mishnah Berurah* 542:8).]

22. *Pesachim* 55a.

23. After midday on Pesach eve, it is categorically prohibited to engage in work. Work before midday, however, depends on local custom. In some locales, the custom was to avoid work even in the morning, lest people become so involved with their work that they forget to prepare for the festival (see *Rashi* to *Pesachim* 50a ד״ה שלא; cf. *Tosafos* there).

This Mishnah is speaking even of places where it is customary not to work on Pesach eve; nevertheless, these three crafts are permitted (*Rashi* to *Pesachim* 55a; *Ritva* here; see *Rama, Orach Chaim* 468:5).

24. [Most crafts may not be performed on Chol HaMoed even by an unskilled worker, and even for a festival need, for they are regarded as מַעֲשֵׂה אוּמָּן, *work of a craftsman.*] In the case of tailoring, however, we find a partial easing of this prohibition, in that an unskilled worker may sew in his usual manner for the sake of a festival need (see Mishnah 8b; *Orach Chaim* 541:5). Therefore, the Sages reasoned that on Pesach eve, whose laws are less restrictive than those of Chol HaMoed, even a professional tailor should be allowed to ply his craft (*Rashi* to *Pesachim* 58b ד״ה החייטין).

25. Haircutting and laundering are normally prohibited on Chol HaMoed (see below, 14a). However, a Mishnah below (13b) lists a number of people who, because of extenuating circumstances, are exempt from this prohibition. Among these are a person who returns from overseas or who is released from prison on the festival. Since this person did not have an opportunity to cut his hair or launder his garments before the festival, he may do so on Chol HaMoed (see *Rashi* 13a ד״ה ואלו מגלחין). Since the law of Chol HaMoed is more stringent than that of Pesach eve, the Sages reasoned that if on Chol HaMoed these acts are permitted to some people, then on Pesach eve, they should be permitted to all people.

26. [That is to say, all tasks are *sometimes* permitted on Chol HaMoed, in the case of one who has nothing to eat. Accordingly, they should all be permitted on Pesach eve.]

[Some commentators point out that Rav Sheishess could similarly have challenged Abaye's ruling from the law that permits the performance of any kind of work on Chol HaMoed to prevent an irretrievable loss. For why he did not do so, see *Ritva; Michtam;* see also *Keren Orah.*]

צרם אזן בבכור קנסו בנו אחריו משום דאיסורא דאורייתא ואם תמצי לומר מכר עבדו לעובד כוכבים ומת קנסו בנו אחריו משום דכל יומא מפקע ליה ממצות הכא מאי גברא קנים רבנן והא ליתיה או דלמא ממונא קנים רבנן והא איתיה א"ל תניתוה [א] שדה [א] שנתקווצה בשביעית תזרע למוצאי שביעי' [ב] נטייבה או נדיירה לא תזרע למוצאי שביעית ואמר ר' יוסי בר חנינא [ב] [ג] נקטינן הטיבה ומת בנו זורעה אלמא לדידיה קנסו רבנן לבריה לא קנסו רבנן ה"נ לדידיה קנסו רבנן לבריה לא קנסו רבנן אמר אביי [ג] [ד] נקטינן טימא טהרותיו ומת לא קנסו בנו אחריו מאי טעמא [ד] [ה] היזק שאינו ניכר לא שמיה היזק לדידיה קנסו רבנן לבריה לא קנסו רבנן: **מתני'** [ו] אין לוקחין בתים עבדים ובהמה אלא לצורך המועד או לצורך המוכר שאין לו מה יאכל: **גמ'** בעא מיניה רבא מרב נחמן שכר פעולה שאין לו מה יאכל מהו א"ל תנינא או לצורך המוכר שאין לו מה יאכל לאתויי מאי לאו לאתויי שכר פעולה א"ל לא פרושי קא מפרש איתיביה אביי [ה] [ז] אין כותבין שטרי חוב במועד ואם אינו מאמינו (א) או שאין לו מה יאכל ה"ז יכתוב שאין לו מה יאכל לאתויי מאי לאו [ח] לאתויי שכר פעולה שמע מינה מותיב רב ששת [ו] וחכ"א [ט] שלש אומניות עושין מלאכה בערבי פסחים עד חצות החייטין והספרין והכובסין [ז] החייטין שכן [ח] הדיוט תופר כדרכו בחולו של מועד הספרין והכובסין שכן הבאין ממדינת הים והיוצא מבית האסורין מותרין לספר ולכבס בחולו של מועד ואי ס"ד שכר פעולה שאין לו מה יאכל שרי כל מלאכות נמי לישתרו דהא איכא שכר פעולה שאין לו מה יאכל מתקיף לה רב פפא אלא מעתה בנין לישתרי שכן [ט] כותל הגוהה לרה"ר סותר ובונה כדרכו מפני הסכנה מתקיף לה רבינא אלא מעתה לבלר לישתרי שכן כותבין [י] קידושי נשים גיטין ושוברין אלא אמר רב אשי מועד אארבעה עשר קא רמית מועד משום טירחא הוא ובמקום פסידא שרו רבנן ארבעה עשר משום צורך יום טוב הוא מידי דצורך יו"ט שרו רבנן מידי דלאו צורך יום טוב לא שרו רבנן: **מתני'** [י] אין מפנין מבית לבית אבל מפנה הוא לחצרו אין מביאין כלים מבית האומן אם חושש להם מפנן לחצר אחרת: **גמ'** והאמרת רישא אין מפנין כלל אמר אביי [כ] סיפא אתאן לבית שבחצר: ואין מביאין כלים מבית האומן: [כ] אמר רב פפא בדיק לן רבא תנן אין מביאין כלים מבית האומן ורמינהו מוליכין ומביאין כלים מבית האומן ואע"פ שאינן לצורך המועד ושנינן ליה [ל] כאן בארבעה עשר כאן בחולו של מועד איבעית אימא הא והא בחולו של מועד כאן במאמינו כאן בשאינו מאמינו

והתניא

רש"י

צרם אזן בבכור. חתך מאזנו מעט כדי שיהא בעל מום ויהא מותר לו ואסור לעשות כן משום מום לא יהיה בו (ויקרא כב) כלומר לא תטיל בו מום ואם הטיל בו מום קנסוהו רבנן דלא יהנה ממנו ואם מת אין בניו נהנין ממנו: משום דאיסורא דאורייתא הוא. אבל האי דכוון מלאכתו במועד דלאו איסורא דאורייתא הוא דהא בלא מתכוין מותר לגמרי: מכר עבדו לעובד כוכבים. קנסוהו רבנן ויצא לחירות דאי ברח מן העובד כוכבים אין ישראל יכול לכופו לעבודתו ואם מת אין בניו יכולין לכופו: דכל יומא מפקע ליה ממצות. דכל זמן שהוא ברשות העובד כוכבים אינו עוסק במצות: גברא. דנתכוון לעשות מלאכה קנסו רבנן שלא ליהנות ממנה: ממונא קנסוה רבנן. ואפילו בניו אין יכולין ליהנות ממנה: שנתקווצה. ניטלו ממנה קוצים שבה: נטייבה. נזבלה שהוליך הזבל בעגלות ומשאות: נידיירה. על ידי דיר בהמה (ב) לזבלה עבודת קרקע היא (נזדבלה) כל הני מדרבנן נינהו ואעפ"כ קנסו דלא תזרע למוצאי שביעית: טימא טהרותיו. של חבירו קנסו דחייב לפרעו: היזק שאינו ניכר הוא. דהא בעיניה הוא: שכר פעולה שאין לו מה יאכל. שאין לו לפועל מה יאכל: מהו. שיתן לו מלאכה ולשוכרו כדי שיהא לו מה לאכול: לאתויי מאי. אי למוכר הא תני ליה לצורך (ג) המועד אלא לאתויי שכר פעולה שאין לו מה יאכל דמותר: פרושי קא מפרש. לצורך (ד) המועד כיצד כגון שאין לו למוכר מה יאכל ולעולם לא תיפשוט מינה לשכר פעולה: ואם אינו מאמינו. מלוה ללוה: שאין לו מה יאכל לאתויי מאי. אם משום לוה הא קאמר אם אינו מאמינו מותר והכא לא מצי לתרוצי פרושי קא מפרש דהכי מיתרמי מילתא דאם אינו מאמינו שאין לו מה יאכל לאו מילתא היא דהא מותר בלאו הכי: לאו לאתויי שכר פעולה. שאין לו לסופר מה יאכל שרי בחולו של מועד: כל מלאכה נמי תשתרי. בערב הפסח דהא אישתרי שכר פעולה בחולו של מועד אלא תיפשוט מיניה דשכר פעולה שאין לו מה יאכל אסור בחולו של מועד: מתקיף לה רב פפא. אדרב ששת פריך מדפריך מהאי דתנן שלש אומניות עושין מלאכה בערבי פסחים כו' אלמא סבר כל מלאכה שרשאי אתה לעשות בחולו של מועד עושין אותה בערב הפסח: א"כ בנין לישתרי. בערב הפסח דהא כותל הגוהה לרה"ר מותר לבנותו בחולו של מועד: מתקיף לה רבינא. סבר נמי כרב פפא: ה"ג אלא אמר רב אשי: משום צורך י"ט. שרי כגון הני ג' אומניות ותו לא והוא הדין אם אין לו מה יאכל דאין צורך י"ט גדול מזה: **מתני'** אבל מפנה הוא לחצרו. והא משמע ליה עכשיו שמביא מבית שבחצר אחרת לחצרו: אם חושש. שמא יגנבו: **גמ'** והא אמרת רישא אין מפנין. מבית לבית: סיפא אתאן לבית שבחצר. והכי קתני מפנה הוא מבית שבחצרו לחצרו: בדיק לן. אי ידעינן לתרוצי: בי"ד. מוליכין ומביאין כלים: בחולו של מועד. אין מביאין: כאן במאמינו. לאומן אין מביאין דשלא לצורך הוא: אין מאמינו. מביאין:

נדיירה. ניזבליה על ידי דיר של בהמות כדפרשית לעיל. טימא טהרותיו. של חבירו אע"פ שלא גזלן שהרי שלו מוטל לפניו קנסוהו. לא שמיה היזק. וקנסא בעלמא ולדידיה קנסו וכו' (בתים ועבדים ושפחות אלא לצורך המועד רב נחמן הכי סבירא ליה מתני'). אין לוקחין בתים עבדים ובהמה אלא לצורך המועד. שהקונה צריך להם בתים לדור בהם במועד עבדים לשמשו ולא למוכרן בהמה לשחיטה. או לצורך המוכר. שצריך המוכר למעות לצורך יום טוב ושאין לו מה יאכל כלומר אם בשביל צורך המועד צריך שישתכר להוליכן לבית הקונה ולעסוק בהן שאין לו לשכיר מה יאכל ביום טוב אם לא ישתכר כאן התירו חכמים לקונתן כדי שישתכר זה. ל"א ושאין לו מה יאכל כלומ' שיקנה עבדים לצורך שאין לו מה יאכל כגון הסופר והוא יקנה עבדים כדי שיכתוב הסופר את שטר המכירה ויתן לו שכרו ויאכל זה בחולו של מועד אלמא יכול לקנות כדי שיתן שכר פעולה. פרושי קא מפרש. לצורך המועד שאין לו מה יאכל אם לא ימכור. ה"ג ת"ש אין כותבין שטרי וכו'. ולא גרסי' איתיביה. [ואם אינו מאמינו]. שאם אין המלוה מאמינו בלא שטר להלוות לו והלוה צריך למעות להוצאת יום טוב. שכר פעולה. שאין לסופר מה יאכל ומדקתני ואם אין מאמינו משמע הלווה צריך הוא והדר קתני או שאין לו ודאי אסופר קאי. בערבי פסחים ואפי' במקו' שלא נהגו לעשות מלאכה דערב הפסח חמור הוא משאר ערבי ימים טובים כדמפרש בפסחים. החייטין. הואיל והדיוט תופר כדרכו שהותרה מלאכה זו להדיוט דין הוא שנתירה בארבעה עשר אפי' לאומן כדרכו. כל מלאכות נמי. לשתריין לכולי עלמא בארבעה עשר דהא מצינו דכולן התירו במועד גבי שכר פעולה שאין לו מה יאכל. מתקיף לה רב פפא. אהא דרב ששת מי סברת כל מידי דשרו במועד על ידי הדחק שרו בארבסר לכתחלה נהי נמי שכר פעולה במועד [שרי כשאין לו מה יאכל]. מיהו כותל הגוחה לרשות הרבים [שרי] לבנותו בחולו של מועד כדאמרינן לעיל (ז.). בנין. נמי לישתרי בארבסר. שכן כותבין קדושי נשים וכו' כדאמרינן באלו מגלחין במועד בסמוך. שוברין. מי שיש עליו חוב ופרע ממנו מ[...] שובר משטרו מה שפרע. ה"ג אלא אמ' רב אשי וכו' משום טירחא ולאו טירחא הוא. מלאכה אסורה משום טירחא והא שריא משום דלאין בה טורח. משום דצורך יום טוב. הוא דשריין הני ג' חייטין וספרין וכובסין שתופרין ו[...] יו' טוב והא דקתני שכן הדיוט וכו' היינו טעמ' דלצורך יום טוב הוא ומשתריא נמי בחולו של מועד. מידי דלאו צורך יום טוב לא. דלא דתשתרי מלאכה לכל אדם הואיל ויש לה היתר במועד אלא אם כן הוי צורך יום טוב כגון חייט[...] דתשתרי שכר פעולה בארבעה עשר אם אין לו מה יאכל ביום טוב דאין לו צורך יום טוב גדול מזה. אין מפנין. כלים ותבואה מבית אחר רחוק מזה מפני הטורח. אבל מפנה הוא לחצירו. קס"ד אפילו לחצירו דרחוק משם ובגמרא פרי[...] חושש להם. שמא יגנבום גנבים מבית האומן (ברש"י רי"ף - שמא יגנבם האומן ויברח) אי נמי שצריך האומן לשכרו ואין בעל הבית מאמינו שלא ישאל ממנו פעם אחרת שכרו. מפנין וכו' סיפא. דקתני מבית לחצירו שרי אתאן לבית שבחצ[ר] מבית לחצירו דרך רשות הרבים לא. בדיק לן רבא. לחדודי. ואמרי' ליה. כלומר משנינן ליה בי"ד מביאין דטורח י"ד ליכא ושאינו לצורך המועד דקתני לצור' הפסח. [כאן בחולו של מועד] במועד אין מביאין דטירחא הוא במאמינו ומתני' במאמינו והכי קתני אין מביאין כלים מבית האומן שלא לצורך הואיל ומאמינו ואם חשש להם שאינו מאמינו או שמא יגנבו מביאין ומניח' בחצר (והכי קתני מתני' אם אינו מאמינו להניח כליו אצלו והוא צריך לשכרו מביאין ומניחן בח[...]

תוספות

נטייבה או נדיירה. פי' בקונטרס היינו מלאכה שבקרקע מדרבנן אבל נטלו קוצים אין זו עבודת קרקע ובגיטין (ד' מד: ושם) פירש בקונטרס דבקוצה מלאכה דרבנן וצ"ל דאיירי בקוצים תלושים דמחוברים כל דהו הוי דאורייתא דאמרינן בשבת (ד' קג.) התולש עולשין והמזרד זרדין אם ליפות את הקרקע כל שהוא ואע"פ שאין מכוין ליפות דקאמר התם דפטור גבי שבת כגון בארעא דחבריה אבל גבי שביעית לא בעינן מלאכת מחשבת:

נטייבה. פי' בקונטרס זבל בהמות ובפי' ר"ח חורש בה חרישה יתירה ובירושלמי מפרש כן ומ"מ אין נראה שתהא מן התורה וקשה היכי מוכח מיניה בבכורות (ד' לד:) בעיא דצרם אוזן בבכור דהוי דאורייתא ומוכר עבדו נמי בפ' השולח (גיטין מד:) הא גבי עבד דכ"ע (ה) דפקע ממלות חמיר טפי ואומר ר"ת דבשביעית נחמיר כדאמר בקדושין פ"ק (ד' כ.) כמה קשה אבקה של שביעית משום הכי יש לפשוט כל הני א"נ ראוי להחמיר טפי (ו) מבשום מקום משום דהיו מזלזלין בה כדאמר ([ל] בסוף) הניזקין (דף נד.) שהיו חשודין על השביעית לכך מייתי שפיר מינה:

אין לוקחין בתים עבדים כו' **אלא** לצורך המועד. פי' הר"ר יוסף הוא הדין בשאר דברים צריך לצורך המועד דהא אסור למכור פירות אלא לצורך המועד אלא רבותא קמ"ל דאפי' הני דהוין בפרהסיא שרי לצורך המועד וצריך עיון אי צריך (ז) הני לינעא כמו בההיא דפירות כסות וכלים (לקמן ע"ב) וההיא דלעיל (דף יב:) מכנים פירות מצריך בגמ' לינעא אע"פ שאינו במשנה:

אין מפנין מבית לבית. בירושלמי מתיר מבית אחר לביתו שערב לאדם לדור בשלו:

בשביל

א) שביעית פ"ד מ"ב גיטין מד: בכורות לד:, ב) [עי' פרש"י עירובין ה. בד"ה והאמר ר"נ], ג) גיטין מד: בכורות לד:, ד) [גיטין נג. וש"נ], ה) לקמן יח:, ו) פסחים נה. [תוספתא שם פ"ג], ז) [פסחים נה:], ח) [לעיל ח:], ט) [לעיל ז. ע"ש], י) [לקמן יח:], כ) [פסחים נה:], ל) צ"ל בפרק.

הגהות הב"ח

(א) גמ' ואם אינו מאמינו או. תיבת או מוקף ונ"ב מפרש"י משמע דלא גרס או: (ב) רש"י ד"ה נידיירה ע"י דיר בהמה ניזדבלה עבודת קרקע: (ג) ד"ה לאתויי כו' הא תנא ליה לצורך המוכר אלא לאתויי: (ד) ד"ה פרושי קא מפרש לצורך המוכר כילד כגון: (ה) תוספות ד"ה נטייבה פי' כו' גבי עבד דכולי עלמא דמפקע ליה ממצות חמיר טפי: (ו) בא"ד ראוי להחמיר טפי בשביעית מבשום מקום: (ז) ד"ה אין לוקחין כו' וצ"ע אי צריך בהני לינעא כו' וההיא דלעיל גבי מכנים:

רש"י כת"י

צרם. כהן אוזן בכור לפסלו במום דבכור נוהג [illegible]

לד א מיי' פ"א מהל' שמיטה ויובל הל' יד סמג לאוין רסו:

לה ב ג מיי' שם הל' יג:

לו ד ה מיי' פ"ז מהל' חובל ומזיק הל' א ב ג סמג עשין ע טוש"ע ח"מ סי' שפה סעיף א:

לז ו מיי' פ"ז מהלכות י"ט הלכה כב טוש"ע א"ח סי' תקלט סעיף יב:

לח ז מיי' שם הל' יב טוש"ע שם סי' תקמה סעיף ו:

לט ח מיי' שם טוש"ע שם סי' תקמב סעיף ב:

מ ט מיי' שם פ"ח הלכה יט טוש"ע שם סי' תסח סעיף ה:

מא י כ מיי' שם הל' טז טוש"ע שם סי' תקלה סעיף א:

מב ל מיי' שם הל' כא טוש"ע שם סי' תסח סעיף י:

רבינו חננאל

ובלבד שלא יכוין מלאכתו במועד וכולן שכוונו מלאכתן במועד יאבדו. בעי ר' ירמיה הרי הצורם אוזן בבכור קנסו בנו אחריו משום דההוא איסורא דאוריי' הוא וכן המוכר עבדו לעכו"ם משום דכל יומא מפקע ליה ממצות מכוין מלאכתו במועד קנסו בנו אחריו או לא. ופשטנא א"ר יוסי ב"ר חנינא נקטינן הטיבה ומת זורעה בנו אחריו אלמא לדידיה קנסו. לבריה לא קנסו רבנן: (פיסקא) [מתני'] אין לוקחין בתים ועבדים א) ואבנים אלא לצורך [המועד] או לצורך המוכר שאין לו מה יאכל בעי רבא שכר פעולה מאי פירוש שאין לו לפועל מה יאכל במועד כגון הסופר שאין לו אלא שכר שטר המקנה. וכן כיוצא בו הפועלים מהו שיתירו לו למכור ולקנות כדי שיקחו אלו שכרם. ופשטנא דאפילו לשכר פעולה שרי. ומותיב רב ששת ג' אומניות עושין מלאכתן בערבי פסחים עד חצות החייטין כו'. ואי ס"ד דכל מי שאין לו מה יאכל שרינן לשכר פעולה כל אומניות לישתרי דהא מי שאין לו מה יאכל וצריך שכר פעולה שרי ורב פפא מתקיף הכי כל בנין לישתרי דהא כותל הגוחה לרה"ר סותרו ובונהו כדרכו מפני הסכנה. ורבינא מתקיף כל לבלר לישתרי דהא כותבין גיטי נשים כו'. ופריק רב אשי י"ד אדמועד קרמית מועד משום טירחא ולא טירחא הוא במקום פסידא שרו רבנן. י"ד משום י"ט הוא מידי דהוי צורך יו"ט שרי ליה רבנן דלא צורך י"ט לא שרו ליה רבנן: ירושלמי א"ר יוסי א"ר אבין קרנא ואגרא קרן ב) או ידע דמזבן ופחת מן קרנא יזבין ואי לא לא יזבין ר' חנניא חברין דרבנן אמר פרקמטיא ניגבת מנכסי יתומים קטנים [illegible] בשיש עדים יודעין הא אין עדים יודעין נעשית כפקדון כך אנו אומרים פקדון לא ניתנה לגבות מנכסי יתומין קטנים מה בינה למלוה מלוה ניתנה. וזו לא ניתנה להוצאה. א"ר אבא בר ממל אילו היה מי שימנה עמי הייתי מתיר המלאכה. כלום אסרו מועד אלא שיהו אוכלין ושותין ויגעים בתורה. והאידנא אוכלין ושותין ופוחזין. ריב"ל שאל לרשב"ל. העכו"ם בשבת א"ל תני בשבת מותר כיצד עושה מראה לו כיסין של דינרים והעכו"ם חותם ומעלה שנכבשה יריחו בשבת שנא' כה תעשה ששת ימים וכתיב וביום השביעי תסובו את העיר ז' פעמים וכתיב ע[...] (פיסקא) [מתני'] אין מפנין מבית לבית אבל מפנה הוא בבית שבחצירו: ירושלמי אין מפנין לא מדירה מדירה נאה לדירה כעורה ובתוך שלו אפילו מדירה נאה של חבירו לדירה כעורה שלו מפנין מפני ששמ[...] בתוך שלו אין מפנין מת ולא עצמות מקבר לקבר ממכובד למכובד ולא מבזוי לבזוי. ואצ"ל ממכובד לבז[וי] ממכובד לבזוי ערב לאדם בשעה שהוא נינח אצל אבותיו: (פיסקא) [מתני'] אין מביאין כלים מבית האומ[ן] לחצר אחרת ומקשינן והתנינן מוליכין ומביאין מבית האומן ופרקי' הא בי"ד מתני' דהכא בחו[לו של מועד]

חשק שלמה על ר"ח א) רבינו היה גורס במשנה ואבנים וכ"ה הגי' במשנה שבירושלמי וכ"ה גי' הרי"ף והרא"ש ז"[ל] איזה לורך המועד שייך באבנים ע"ש. ב) לפנינו הגי' בירושלמי אין ידע דלא מזבן והוא פחת מן קרנא וכו' ו[...]

dangerously **into the public domain,** סוֹתֵר וּבוֹנֶה כְּדַרְכּוֹ מִפְּנֵי הַסַּכָּנָה – **one demolishes** it **and rebuilds** it on Chol HaMoed **in his usual manner, because of** the **danger** it poses to the public.[27] According to Rav Sheishess, since there exists an instance in which building is permitted on Chol HaMoed, it should always be permissible to build on Pesach eve. But the Mishnah does not list building among the permissible Pesach eve crafts – clearly, it is prohibited! We see that Rav Sheishess' rule is erroneous.

Another challenge to Rav Sheishess' rule:

מַתְקִיף לָהּ רָבִינָא – **Ravina challenged it** as well: אֶלָּא מֵעַתָּה – **But now** if this were true, לַבְלָר לִישְׁתְּרֵי – then **a scribe should be permitted** to write without restrictions on Pesach eve. שֶׁכֵּן כּוֹתְבִין קִידּוּשֵׁי נָשִׁים גִּיטִּין וְשׁוֹבְרִין – **For** the law is that **we may write documents of betrothal, bills of divorce and receipts** on Chol HaMoed.[28] If it is true that work permitted on Chol HaMoed in special circumstances is permitted on Pesach eve in all circumstances, then writing should be entirely permissible on Pesach eve. Since the Mishnah does not list writing among the permissible crafts, it is clear that this is not so.

Rav Pappa and Ravina have demonstrated that Rav Sheishess' challenge is invalid, for the analogy between Chol HaMoed and Pesach eve is not absolute. The Gemara now sets out the limits of the analogy:

אֶלָּא אָמַר רַב אַשִׁי – **Rather, Rav Ashi said:** מוֹעֵד אַאַרְבָּעָה עָשָׂר קָא רָמֵית – **Are you** (Rav Sheishess) then **comparing Chol HaMoed with the fourteenth** of Nissan (Pesach eve) with regard to permissible work? But just as there are separate reasons to *prohibit* work on Chol HaMoed and on Pesach eve, so too are there separate reasons to *permit* work at these times. מוֹעֵד מִשּׁוּם טִירְחָא הוּא – For the prohibition against work on **Chol HaMoed is because of exertion,** i.e. so that one will not mar the joy of the day through undue exertion. וּבִמְקוֹם פְּסֵידָא שָׁרוּ רַבָּנָן – **Hence, in a situation of** imminent **loss, the Rabbis permitted** work to prevent it, for one does not regard work intended to prevent a loss as unnecessary exertion. Likewise in the case of one who lacks food; he does not regard his work to obtain it as unnecessary exertion.[29] It is therefore permissible to hire such an individual to work on Chol HaMoed. אַרְבָּעָה עָשָׂר מִשּׁוּם צוֹרֶךְ יוֹם טוֹב הוּא – The prohibition against work on **the fourteenth** of Nissan, however, **is because of festival need,** i.e. to ensure that there will be time to prepare for the festival.[30] מִידֵי דְּצוֹרֶךְ יוֹם טוֹב שָׁרוּ רַבָּנָן – Therefore, work performed for **something that is a festival need, the Rabbis permitted;**[31] מִידֵי דְּלָאו צוֹרֶךְ יוֹם טוֹב לֹא שָׁרוּ רַבָּנָן – work performed for **something that is not a festival need, the Rabbis did not permit.** The fact that one who lacks food may work at any task on Chol HaMoed is irrelevant, since these tasks do not necessarily fill a festival need. The analogy between Chol HaMoed and Pesach eve is not a universal one, but is valid only with regard to work performed for the needs of the festival, such as the three crafts listed in the aforecited Mishnah. Other forms of work, even if permitted on Chol HaMoed, may not be performed on Pesach eve. Thus, Rav Shesheiss' challenge is refuted.[32]

Mishnah אֵין מְפַנִּין מִבַּיִת לְבַיִת – **We may not move**[33] items **from** a **house** in one courtyard **to** a **house** in another courtyard on Chol HaMoed;[34] אֲבָל מְפַנֶּה הוּא לַחֲצֵרוֹ – **however, one may move** items **to** a house in **one's own courtyard.**[35] אֵין מְבִיאִין כֵּלִים מִבֵּית הָאוּמָּן – **We may not bring vessels from the house of the craftsman** on Chol HaMoed;[36] אִם חוֹשֵׁשׁ לָהֶם – however, **if one fears for them,** lest they be stolen,[37] מְפַנָּן לְחָצֵר אַחֶרֶת – **he may move them to a** house in a **different courtyard.**[38]

NOTES

27. This law is taught above, on 8a. The Gemara there explains why he may rebuild the wall once it has been demolished.

28. See below, 18b.

29. See *Nimukei Yosef,* first explanation; *Rashi ms.;* see also *R' Yehudah,* cited in *Ritva.*

30. See *Ritva,* quoting *R' Yehudah; Michtam.*

31. Such as sewing, barbering and laundering, which are skills that are in great demand by the public before the festival (*Meiri;* see *Ritva; Mishnah Berurah* 468:26,28).

32. Rav Ashi takes issue with Rav Sheishess regarding the latter's contention that the analogy between Chol HaMoed and Erev Pesach is applied to all work that is permitted on Chol HaMoed. Rav Ashi maintains that the only labors permitted on Pesach eve are those that are permitted on Chol HaMoed because of a festival need (see *Rashi ms.; Meiri*). Rav Sheishess assumes that the reason given in the aforecited Baraisa to permit sewing, barbering and laundering on Pesach eve – because they are permitted on Chol HaMoed – is the primary reason. Rav Ashi explains that it is only a secondary reason. The primary reason is that these acts are needed for the festival (*Ritva;* see *Sfas Emes*).

[Although the fact that one who lacks food may work on Chol HaMoed does not teach that all tasks may be performed by anyone on Pesach eve, it is true that one who lacks food will himself be permitted to work at any task on Pesach eve. For, as Rav Ashi teaches, work performed for a festival need is permitted on that day, and there is no greater festival need than to provide food for the festival (see *Rashi*). The reason the Mishnah in *Pesachim* does not list one who lacks food along with the practitioners of the three crafts is because it includes only crafts that are permissible in all circumstances (see *Ritva*).]

33. [Literally: clear out.]

34. I.e. through the public domain. This is prohibited for two reasons: firstly, because of the exertion involved in transporting items a great distance; secondly, because it will appear to onlookers in the public domain that he is engaging in weekday activity (see *Rashi ms.* ד״ה אין מפנין וד״ה מפנין וכו׳ סיפא; *Ritva; Mishnah Berurah* 535:1,2). However, if one needs these items for the festival, he may move them, even through the public domain (see *Ritva; Mishnah Berurah* ibid. 4).

[*Yerushalmi* rules that if one is moving from a home owned by another to one's own home, he may move his things on Chol HaMoed, because of the great joy one experiences in living in his own home (see *Raavad,* cited in *Rosh,* and *Ritva* for whether our Gemara agrees). However, this permit applies only to one moving his entire household, not to one simply transferring some vessels (see *Mishnah Berurah* 535:7).]

35. The Mishnah appears to be saying that if one is moving the items to a house in his own courtyard, he may move them even a great distance and even through the public domain (see *Rashi*). However, the Gemara will question this understanding, and offer another.

36. This refers to vessels that have undergone repair in the craftsman's home (*Meiri*). They are not needed for the festival, and are safe where they are (*Ritva*); therefore, bringing them home is regarded as unnecessary exertion, which is prohibited on Chol HaMoed (*Rashi* to *Pesachim* 55b ד״ה לחצר אחרת; *Ritva* to 13b ד״ה שנית). Alternatively, the reason they may not be brought home is because of the possibility that an onlooker will assume that the owner gave them to the craftsman to repair on Chol HaMoed, and that he actually did repair them then, in violation of the law (*Nimukei Yosef;* see *Mishnah Berurah* 534:16).

Of course, if these items are needed for the festival, they may be brought home on Chol HaMoed (*Rosh; Ritva;* see Baraisa cited on 13b).

37. I.e. from the house of the craftsman (*Rashi; Rashi ms.*). Alternatively, lest the craftsman himself steal them and flee (*Rashi* to the *Rif*), or lest the craftsman demand to be paid a second time after the festival (*Rashi ms.*).

38. I.e. to a house [as] near [as possible] to the business of the craftsman (*Nimukei Yosef;* see 13b).

צרם אזן בבכור קנסו בנו אחריו משום דאיסורא דאורייתא ואם תמצי לומר מכר עבדו לעובד כוכבים ומת קנסו בנו אחריו משום דכל יומא מפקע ליה ממצות הכא מאי גברא קנים רבנן והא ליתיה או דלמא ממונא קנים רבנן והא איתיה א"ל תניתוה (א) שדה א שנתקווצה בשביעית תזרע למוצאי שביעי' ב נטייבה או נדיירה לא תזרע למוצאי שביעית ואמר ר' יוסי בר חנינא (ב) ג נקטינן הטיבה ומת בנו זורעה אלמא לדידיה קנסו רבנן לבריה לא קנסו רבנן ה"נ לדידיה קנסו רבנן לבריה לא קנסו רבנן אמר אביי (ג) ד נקטינן טימא טהרותיו ומת לא קנסו בנו אחריו מאי טעמא (ד) ה היזק שאינו ניכר לא שמיה היזק לדידיה קנסו רבנן לבריה לא קנסו רבנן: **מתני'** ו אין לוקחין בתים עבדים ובהמה אלא לצורך המועד או לצורך המוכר שאין לו מה יאכל: **גמ'** בעא מיניה רבא מרב נחמן שכר פעולה שאין לו מה יאכל מהו א"ל תנינא או לצורך המוכר שאין לו מה יאכל לאתויי מאי לאו לאתויי שכר פעולה א"ל לא פרושי קא מפרש איתיביה אביי (ה) ז אין כותבין שטרי חוב במועד ואם אינו מאמינו (א) או שאין לו מה יאכל ה"ז יכתוב שאין לו מה יאכל לאתויי מאי לאו ח לאתויי שכר פעולה שמע מינה מותיב רב ששת (ו) וחכ"א ט שלש אומניות עושין מלאכה בערבי פסחים עד חצות החייטין והספרין והכובסין (ז) החייטין שכן (ח) הדיוט תופר כדרכו בחולו של מועד הספרין והכובסין שכן הבאין ממדינת הים והיוצא מבית האסורין מותרין לספר ולכבס בחולו של מועד ואי ס"ד שכר פעולה שאין לו מה יאכל שרי כל מלאכות נמי לישתרו דהא איכא שכר פעולה שאין לו מה יאכל מתקיף לה רב פפא אלא מעתה בנין לישתרי שכן (ט) כותל הגוהה לרה"ר סותר ובונה כדרכו מפני הסכנה מתקיף לה רבינא אלא מעתה לבלר לישתרי שכן כותבין (י) קידושי נשים גיטין ושוברין אלא אמר רב אשי מועד אארבעה עשר קא רמית מועד משום טירחא הוא ובמקום פסידא שרו רבנן ארבעה עשר משום צורך יום טוב הוא מידי דצורך יו"ט שרו רבנן מידי דלאו צורך יום טוב לא שרו רבנן: **מתני'** י אין מפנין מבית לבית אבל מפנה הוא לחצרו אין מביאין כלים מבית האומן אם חושש להם מפנן לחצר אחרת: **גמ'** והאמרת רישא אין מפנין כלל אמר אביי כ סיפא אתאן לבית שבחצר: ואין מביאין כלים מבית האומן: (כ) אמר רב פפא בדיק לן רבא תנן אין מביאין כלים מבית האומן ורמינהו מוליכין ומביאין כלים מבית האומן ואע"פ שאינן לצורך המועד ושנינן ליה ל כאן בארבעה עשר כאן בחולו של מועד איבעית אימא הא והא בחולו של מועד כאן במאמינו כאן בשאינו מאמינו

והתניא

רש"י

צרם אזן בבכור. חתך מאזנו מעט כדי שיהא בעל מום ויהא מותר לו ואסור לעשות כן משום מום לא יהיה בו (ויקרא כב) כלומר לא תטיל בו מום ואם הטיל בו מום קנסוהו רבנן דלא יהנה ממנו ואם מת אין בניו נהנין ממנו: **משום דאיסורא דאורייתא הוא.** אבל האי דכוון מלאכתו במועד דלאו איסורא דאורייתא הוא דהא בלא מתכוין מותר לגמרי: **מכר עבדו לעובד כוכבים.** קנסוהו רבנן ויצא לחירות דאי ברח מן העובד כוכבים אין ישראל יכול לכופו לעבודתו ואם מת אין בניו יכולין לכופו: **דכל יומא מפקע ליה ממצות.** דכל זמן שהוא ברשות העובד כוכבים אינו עוסק במצות: **גברא.** דנתכוון לעשות מלאכה קנסו רבנן שלא ליהנות ממנה: **ממונא** קנסוה רבנן. ואפילו בניו אין יכולין ליהנות ממנה: **שנתקווצה.** ניטלו ממנה קוצים שבה: **נטייבה.** נזבלה שהוליך הזבל בעגלות ומשאות: **נידיירה.** על ידי דיר בהמה (ב) לזבלה עבודת קרקע היא (נזדבלה) כל הני מדרבנן נינהו ואעפ"כ קנסו דלא תזרע למוצאי שביעית: **טימא טהרותיו.** של חבירו קנסו דחייב לפרעו: היזק שאינו ניכר הוא. דהא בעיניה הוא: **שכר פעולה שאין לו מה יאכל.** שאין לו לפועל מה יאכל: **מהו.** שיתן לו מלאכה ולשוכרו כדי שיהא לו מה לאכול: **לאתויי מאי.** אי למוכר הא תני ליה לצורך (ג) המועד אלא לאתויי שכר פעולה שאין לו מה יאכל דמותר: **פרושי קא מפרש.** לצורך (ד) המועד כיצד כגון שאין לו למוכר מה יאכל ולעולם לא תיפשוט מינה לשכר פעולה: **ואם אינו מאמינו.** מלוה ללוה: **שאין לו מה יאכל לאתויי מאי.** אם משום לוה הא קאמר אם אינו מאמינו מותר והכא לא מצי לתרולי פרושי קא מפרש דהכי מיתרמי מילתא דאם אינו מאמינו שאין לו מה יאכל לאו מילתא היא דהא מותר בלאו הכי: **לאו לאתויי שכר פעולה.** שאין לו לסופר מה יאכל שרי בחולו של מועד: **כל מלאכה נמי לישתרי.** בערב הפסח דהא אישתרי שכר פעולה בחולו של מועד אלא תיפשוט מיניה דשכר פעולה שאין לו מה יאכל אסור בחולו של מועד: **מתקיף לה רב פפא.** אדרב ששת פריך מדפריך מהאי דתנן שלש אומניות עושין מלאכה בערבי פסחים כו' אלמא סבר כל מלאכה שרשאי אתה לעשות בחולו של מועד עושין אותה בערב הפסח: **א"כ בנין לישתרי.** בערב הפסח דהא כותל הגוהה לרה"ר מותר לבנותו בחולו של מועד: **מתקיף לה רבינא.** סבר נמי כרב פפא: ה"ג אלא אמר רב אשי: **משום צורך יו"ט.** שרי כגון הני ג' אומניות ותו לא והוא הדין אם אין לו מה יאכל דאין צורך יו"ט גדול מזה: **מתני'** אבל מפנה הוא לחצרו. והא משמע ליה עכשיו שמביא מבית שבחצר אחרת לחצרו: **אם חושש.** שמא יגנבו: **גמ'** והא אמרת רישא אין מפנין. מבית לבית: **סיפא אתאן לבית שבחצר.** והכי קתני מפנה הוא מבית שבחצרו לחצרו: **בדיק לן.** אי ידעינן לתרולי: **בי"ד.** מוליכין ומביאין כלים: **בחולו של מועד.** אין מביאין: **כאן במאמינו.** לאומן אין מביאין דשלא לצורך הוא: **אין מאמינו.** מביאין:

תוספות

נטייבה או נדיירה. פי' בקונטרס היינו מלאכה שבקרקע מדרבנן אבל נטלו קוצים אין זו עבודת קרקע ובגיטין (ד' מד: ושם) פירש בקונטרס דבקוצה מלאכה דרבנן וצ"ל דאיירי בקוצים תלושים דמחוברים כל דהו הוי דאורייתא דאמרינן בשבת (ד' קג.) התולש עולשין והמזרד זרדין אם ליפות את הקרקע כל שהוא ואע"פ שאין מכוין ליפות דקאמר התם דפטור גבי שבת כגון בארעא דחבריה אבל גבי שביעית לא בעינן מלאכת מחשבת:

נטייבה. פי' בקונטרס זבל בהמות ובפי' ר"ח חורש בה חרישה יתירא ובירושלמי מפרש כן ומ"מ אין נראה שתהא מן התורה וקשה היכי מוכח מיניה בבכורות (ד' לד:) בעיא דצרם אוזן בבכור דהוי דאורייתא ומוכר עבדו נמי בפ' השולח (גיטין מד:) הא גבי עבד דכ"ע (ה) דפקע ממצות חמיר טפי ואומר ר"ת דבשביעית נחמיר כדאמר בקדושין פ"ק (ד' כ.) כמה קשה אבקה של שביעית משום הכי יש לפשוט כל הני א"נ ראוי להחמיר טפי (ו) מבשום מקום משום דהיו מזלזלין בה כדאמר (ל) בסוף) הניזקין (דף נד.) שהיו חשודין על השביעית לכך מייתי שפיר מינה:

אין לוקחין בתים עבדים כו' אלא לצורך המועד. פי' הר"ר יוסף הוא הדין בשאר דברים צריך לצורך המועד דהא אסור למכור פירות אלא לצורך המועד אלא רבותא קמ"ל דאפי' הני דהוין בפרהסיא שרי לצורך המועד וצריך עיון אי צריך (ז) הני ליגעא כמו בההיא דפירות כסות וכלים (לקמן ע"ב) וההיא דלעיל (דף יב:) מכניס פירות מצריך בגמ' ליגעא אע"פ שאינו במשנה:

אין מפנין מבית לבית. בירושלמי מתיר מבית אחר לביתו שערב לאדם לדור בשלו:

בשביל

Gemara The Mishnah stated in its second clause that one may move objects into a house in his own courtyard. The Gemara understands this to mean that he may even move them from a house in a different courtyard to a house in his own courtyard.[39] Accordingly, it asks:

וְהָאָמַרְתְּ רֵישָׁא אֵין מְפַנִּין כְּלָל – **But you said** in **the beginning** of the Mishnah that **we may not move** objects from a house in one courtyard to a house in another **at all.**[40] How can you now say that it is permissible to transport them to a house in one's own courtyard?

The Gemara answers:

אָמַר אַבַּיֵי – **Abaye said:** סֵיפָא – The Mishnah's **second clause** אֲתָאן לְבַיִת שֶׁבֶּחָצֵר – **is coming to** teach the case of moving objects from **a house in that** same **courtyard.**[41] Since the distance is not great, and it is done in private, it is permitted.[42]

The Mishnah stated:

וְאֵין מְבִיאִין כֵּלִים מִבֵּית הָאוּמָּן – AND WE MAY NOT BRING VESSELS FROM THE HOUSE OF THE CRAFTSMAN on Chol HaMoed.

The Gemara cites an apparent contradiction:

אָמַר רַב פָּפָּא – **Rav Pappa said:** בָּדִיק לָן רָבָא – To sharpen our wits,[43] **Rava** once **tested us** with the following question: תְּנַן – **We have learned in the Mishnah:** אֵין מְבִיאִין כֵּלִים מִבֵּית הָאוּמָּן – WE MAY NOT BRING VESSELS FROM THE HOUSE OF THE CRAFTSMAN. וּרְמִינְהוּ – **But contrast [this with the following Mishnah],** taught in Tractate *Pesachim:*[44] מוֹלִיכִין וּמְבִיאִין כֵּלִים מִבֵּית הָאוּמָּן – WE MAY TAKE VESSELS TO, AND BRING them FROM, THE HOUSE OF THE CRAFTSMAN, וְאַף עַל פִּי שֶׁאֵינָן לְצוֹרֶךְ הַמּוֹעֵד – EVEN THOUGH THEY ARE NOT NEEDED FOR THE FESTIVAL. This Mishnah states that it is permissible to bring vessels from the craftsman's house. It thus contradicts our Mishnah, which prohibits this activity. How are these Mishnahs to be reconciled? וְשַׁנִּינָן לֵיהּ – **And we answered him:** כָּאן בְּאַרְבָּעָה עָשָׂר – **Here** (i.e. in *Pesachim*) the Mishnah is dealing **with** the laws of **the fourteenth** of Nissan (Pesach eve), כָּאן בְּחוּלוֹ שֶׁל מוֹעֵד – whereas **here** (i.e. in our Mishnah) the Mishnah is dealing **with** the laws of **Chol HaMoed.** On the fourteenth of Nissan, it is indeed permissible to bring vessels from the house of the craftsman;[45] during Chol HaMoed it is not. This was our first answer to Rava. We then answered: אִיבָּעִית אֵימָא – And **if you prefer, say:** הָא וְהָא בְּחוּלוֹ שֶׁל מוֹעֵד – Both **this** Mishnah **and that** Mishnah are dealing **with** the laws of **Chol HaMoed,** but still there is no difficulty. כָּאן בְּמַאֲמִינוֹ – **Here** (i.e. in our Mishnah) it deals **with** a case in which **[the owner] trusts him** (i.e. the craftsman),[46] כָּאן בְּשֶׁאֵינוֹ מַאֲמִינוֹ – whereas **here** (i.e. in *Pesachim*) the Mishnah deals **with** a case in which **[the owner] does not trust him.** Where the owner trusts the craftsman with the vessels, there is no need to bring them home; we therefore do not permit the owner to exert himself unduly on Chol HaMoed. Where the owner does not trust the craftsman, however, we permit him to retrieve the vessels, lest he suffer a loss. And this explanation is actually supported by a Baraisa:

NOTES

39. See above, notes 34 and 35.

40. [This is implied by the categorical statement, *we may not move [items] from house to house,* which seems to indicate that it is never permissible.]

41. Thus, it is as if the Mishnah is saying: "One may move items *from a house in his courtyard* to another house in his courtyard" (*Rashi*).

42. See *Ritva.*

43. *Rashi ms.*

44. 55b.

45. Since on Pesach eve, exertion is not prohibited; see previous Gemara.

46. I.e. he trusts that the craftsman will not sell the utensils to another customer during the festival. Alternatively, in a case where the owner has prepaid the craftsman, he trusts that the latter will not demand payment a second time (*Rashi* to *Pesachim* 55b ד״ה במאמינו).

צרם אזן בבכור קנסו בנו אחריו משום דאיסורא דאורייתא ואם תמצי לומר מכר עבדו לעובד כוכבים ומת קנסו בנו אחריו משום דכל יומא מפקע ליה ממצות הכא מאי גברא קנים רבנן והא ליתיה או דלמא ממונא קנים רבנן והא איתיה א"ל תניתוה (א) שדה [א] שנתקווצה בשביעית תזרע למוצאי שביעי' [ב] נטייבה או נדיירה לא תזרע למוצאי שביעית ואמר ר' יוסי בר חנינא (ב) [ג] נקטינן הטיבה ומת בנו זורעה אלמא לדידיה קנסו רבנן לבריה לא קנסו רבנן ה"נ לדידיה קנסו רבנן לבריה לא קנסו רבנן אמר אביי (ג) [ד] נקטינן טימא טהרותיו ומת לא קנסו בנו אחריו מאי טעמא (ד) [ה] היזק שאינו ניכר לא שמיה היזק לדידיה קנסו רבנן לבריה לא קנסו רבנן: **מתני'** [ו] אין לוקחין בתים עבדים ובהמה אלא לצורך המועד או לצורך המוכר שאין לו מה יאכל: **גמ'** בעא מיניה רבא מרב נחמן שכר פעולה שאין לו מה יאכל מהו א"ל תנינא או לצורך המוכר שאין לו מה יאכל לאתויי מאי לאו לאתויי שכר פעולה א"ל לא פרושי קא מפרש איתיביה אביי (ה) [ז] אין כותבין שטרי חוב במועד ואם אינו מאמינו (א) או שאין לו מה יאכל ה"ז יכתוב שאין לו מה יאכל לאתויי מאי לאו [ח] לאתויי שכר פעולה שמע מינה מותיב רב ששת (ו) וחכ"א [ט] שלש אומניות עושין מלאכה בערבי פסחים עד חצות החייטין והספרין והכובסין (ז) החייטין שכן (ח) הדיוט תופר כדרכו בחולו של מועד הספרין והכובסין שכן הבאין ממדינת הים והיוצא מבית האסורין מותרין לספר ולכבס בחולו של מועד ואי ס"ד שכר פעולה שאין לו מה יאכל שרי כל מלאכות נמי לישתרו דהא איכא שכר פעולה שאין לו מה יאכל מתקיף לה רב פפא אלא מעתה בנין לישתרי שכן (ט) כותל הגוהה לרה"ר סותר ובונה כדרכו מפני הסכנה מתקיף לה רבינא אלא מעתה לבלר לישתרי שכן כותבין (י) קידושי נשים גיטין ושוברין אלא אמר רב אשי מועד אארבעה עשר קא רמית מועד משום טירחא הוא ובמקום פסידא שרו רבנן ארבעה עשר משום צורך יום טוב הוא מידי דצורך יו"ט שרו רבנן מידי דלאו צורך יום טוב לא שרו רבנן: **מתני'** [י] אין מפנין מבית לבית אבל מפנה הוא לחצרו אין מביאין כלים מבית האומן אם חושש להם מפנן לחצר אחרת: **גמ'** והאמרת רישא אין מפנין כלל אמר אביי [כ] סיפא אתאן לבית שבחצר: ואין מביאין כלים מבית האומן: (כ) אמר רב פפא בדיק לן רבא תנן אין מביאין כלים מבית האומן ורמינהו מוליכין ומביאין כלים מבית האומן ואע"פ שאינן לצורך המועד ושנינן ליה [ל] כאן בארבעה עשר כאן בחולו של מועד איבעית אימא הא והא בחולו של מועד כאן במאמינו כאן בשאינו מאמינו

והתניא

רש"י

צרם אזן בבכור. חתך מאזנו מעט כדי שיהא בעל מום ויהא מותר לו ואסור לעשות כן משום מום לא יהיה בו (ויקרא כב) כלומר לא תטיל בו מום ואם הטיל בו מום קנסוהו רבנן דלא יהנה ממנו ואם מת אין בניו נהנין ממנו: **משום דאיסורא דאורייתא הוא.** אבל האי דכוון מלאכתו במועד דלאו איסורא דאורייתא הוא דהא בלא מתכוין מותר לגמרי: **מכר עבדו לעובד כוכבים.** קנסוהו רבנן ויצא לחירות דאי ברח מן העובד כוכבים אין ישראל יכול לכופו לעבודתו ואם מת אין בניו יכולין לכופו: **דכל יומא מפקע ליה ממצות.** דכל זמן שהוא ברשות העובד כוכבים אינו עוסק במצות: **גברא.** דנתכוון לעשות מלאכה קנסו רבנן שלא ליהנות ממנה: **ממונא** קנסוה רבנן. ואפילו בניו אין יכולין ליהנות ממנה: **שנתקווצה.** ניטלו ממנה קוצים שבה: **נטייבה.** נזבלה שהוליך הזבל בעגלות ומשאות: **נידיירה.** על ידי דיר בהמה (ב) לזבלה עבודת קרקע היא (נזדבלה) כל הני מדרבנן נינהו ואעפ"כ קנסו דלא תזרע למוצאי שביעית: **טימא טהרותיו.** של חבירו קנסו דחייב לפרעו: **היזק שאינו ניכר הוא.** דהא בעיניה הוא: **שכר פעולה שאין לו מה יאכל.** שאין לו לפועל מה יאכל: **מהו.** שיתן לו מלאכה ולשוכרו כדי שיהא לו מה לאכול: **לאתויי מאי.** אי למוכר הא תני ליה לצורך (ג) המועד אלא לאתויי שכר פעולה שאין לו מה יאכל דמותר: **פרושי קא מפרש.** לצורך (ד) המועד כיצד כגון שאין לו למוכר מה יאכל ולעולם לא תיפשוט מינה לשכר פעולה: **ואם אינו מאמינו.** מלוה ללוה: **שאין לו מה יאכל לאתויי מאי.** אם משום לוה הא קאמר אם אינו מאמינו מותר והכא לא מצי לתרוצי פרושי קא מפרש דהכי מיתרמי מילתא דאם אינו מאמינו שאין לו מה יאכל לאו מילתא היא דהא מותר בלאו הכי: **לאו לאתויי שכר פעולה.** שאין לו לסופר מה יאכל שרי בחולו של מועד: **כל מלאכה נמי תשתרי.** בערב הפסח דהא אישתרי שכר פעולה בחולו של מועד אלא תיפשוט מיניה דשכר פעולה שאין לו מה יאכל אסור בחולו של מועד: **מתקיף לה רב פפא.** אדרב ששת פריך מדפריך מהאי דתנן שלש אומניות עושין מלאכה בערבי פסחים כו' אלמא סבר כל מלאכה שרשאי אתה לעשות בחולו של מועד עושין אותה בערב הפסח: **א"כ בנין לישתרי.** בערב הפסח דהא כותל הגוהה לרה"ר מותר לבנותו בחולו של מועד: **מתקיף לה רבינא.** סבר נמי כרב פפא: ה"ג אלא אמר רב אשי: **משום צורך י"ט.** שרי כגון הני ג' אומניות ותו לא והוא הדין אם אין לו מה יאכל דאין צורך י"ט גדול מזה: **מתני' אבל מפנה הוא לחצרו.** והא משמע ליה עכשיו שמביא מבית שבחצר אחרת לחצרו: **אם חושש.** שמא יגנבו: **גמ' והא אמרת רישא אין מפנין.** מבית לבית: **סיפא אתאן לבית שבחצר.** והכי קתני מפנה הוא מבית שבחצרו לחצרו: **בדיק לן.** אי ידעינן לתרוצי: **בי"ד.** מוליכין ומביאין כלים: **בחולו של מועד.** אין מביאין: **כאן במאמינו.** לאומן אין מביאין דשלא לצורך הוא: **אין מאמינו.** מביאין:

והתניא

תוספות

נטייבה או נדיירה. פי' בקונטרס היינו מלאכה שבקרקע מדרבנן אבל נטלו קוצים אין זו עבודת קרקע ובגיטין (ד' מד: ושם) פירש בקונטרס דבקוצה מלאכה דרבנן וצ"ל דאיירי בקוצים תלושים דמחוברים כל דהו הוי דאורייתא דאמרינן בשבת (ד' קג.) התולש עולשין והמזרד זרדין אם ליפות את הקרקע כל שהוא ואע"פ שאין מכוין ליפות דקאמר התם דפטור גבי שבת כגון בארעא דחבריה אבל גבי שביעית לא בעינן מלאכת מחשבת:

נטייבה. פי' בקונטרס זבל בהמות ובפי' ר"ח חורש בה חרישה יתירא ובירושלמי מפרש כן ומ"מ אין נראה שתהא מן התורה וקשה היכי מוכח מיניה בבכורות (ד' לד:) בעיא דצרם אוזן בבכור דהוי דאורייתא ומוכר עבדו נמי בפ' השולח (גיטין מד:) הא גבי עבד דכ"ע (ה) דפקע ממצות חמיר טפי ואומר ר"ת דבשביעית נחמיר כדאמר בקדושין פ"ק (ד' כ.) כמה קשה אבקה של שביעית משום הכי יש לפשוט כל הני א"נ ראוי להחמיר טפי (ו) מבשום מקום משום דהיו מזלזלין בה כדאמר (בסוף) הניזקין (דף נד.) שהיו חשודין על השביעית לכך מייתי שפיר מינה:

אין לוקחין בתים עבדים כו' אלא לצורך המועד. פי' הר"ר יוסף הוא הדין בשאר דברים צריך לצורך המועד דהא אסור למכור פירות אלא לצורך המועד אלא רבותא קמ"ל דאפי' הני דהוין בפרהסיא שרי לצורך המועד וצריך עיון אי צריך (ז) הני ליגעא כמו בההיא דפירות כסות וכלים (לקמן ע"ב) וההיא דלעיל (דף יב:) מכניס פירות מצריך בגמ' ליגעא אע"פ שאינו במשנה:

אין מפנין מבית לבית. בירושלמי מתיר מבית אחר לביתו שערב לאדם לדור בשלו:

מסורת הש"ס

א) שביעית פ"ד מ"ב גיטין מד: בכורות לד:, ב) [ע' פרש"י עירובין ה. בד"ה והאמר ר"ג], ג) גיטין מד: בכורות לד:, ד) [גיטין נג. וש"נ], ה) לקמן יח:, ו) פסחים נה. [תוספתא שם פ"ג], ז) [פסחים נה:], ח) [לעיל ח:], ט) [לעיל ז. ע"ש], י) [לקמן יח:], כ) [פסחים נה:], ל) צ"ל בפרק.

הגהות הב"ח

(א) גמ' ואם אינו מאמינו או. תיבת או מוקף וכ"ב מפרש"י משמע דלא גרס או: (ב) רש"י ד"ה נידיירה ע"י דיר בהמה נזדבלה עבודת קרקע: (ג) ד"ה לאתויי כו' הא תנא ליה לצורך המוכר אלא לאתויי: (ד) ד"ה פרושי קא מפרש לצורך המוכר כילד כגון: (ה) תוספות ד"ה נטייבה פי' כו' גבי עבד דכולי עלמא דמפקע ליה ממצות חמיר טפי: (ו) בא"ד ראוי להחמיר טפי בשביעית מבשום מקום: (ז) ד"ה אין לוקחין כו' וצ"ע אי צריך בהני ליגעא כו' וההיא דלעיל גבי מכנים:

רש"י כת"י

צרם. כהן אוזן בכור לפסלו במום דבכור נוהג בזמן הזה ומי שיש לו בכור נותנו לכהן וכהן מיטפל בו עד שיומם מאליו ויאכלנו דאינו רשאי לאכלו כל זמן שלא הומם דקדשים בחוץ הוא ואם צרם כהן אוזן בכור להתירו קנסוהו רבנן כדאמרינן בבכורות (לד.) הצורם אוזן בכור הרי זה לא ישחט (עליו) עולמית דקנסינן ליה על דעבד איסורא דכתוב (ויקרא כב) כל מום לא יהיה בו קרי ביה לא [י]הי[ה] להטיל בו מום והיינו דקאמ' אם תמצא לומר וכו' דקא מיבעיא לה התם צרם אוזן ומת מהו שיקנסו בניו אחריו וכו'. **דאיסורא דאורייתא.** דעבר בלאו דלא יהיה בו אבל גבי מועד אע"ג דאיסור מלאכה במועד דאורייתא במקום פסידא מיהא שרי כדאמרן והכא קנסא מדרבנן הוא ואימא דלא ליקנסו בניו אחריו. **המוכר עבדו** כנעני לגוי קנסוהו לפדותו עד מאה בדמיו במס' גיטין (מד.) בפרק השולח גט משום דהפקיעו מידי מצות דעבד חייב בכל מצות שהאשה חייבת כגון לא תעשה או מצות [עשה] שלא הזמן גרמא. (ממונא שיאבד קנסוה רבנן). **ממונא קנים רבנן.** שיהא נאבד אותו ממון בין ישנו לבעל בין אינו. **נתקווצה.** נטלו קוצים מתוכה דלאו מלאכה היא כולי האי [ולא חשיב עובדא] [ריטב"א]. **נטייבה.** הטיבו הקרקע בזבל שעל ידי משואות חמורים ועגלות.

נדיירה. ניזבליה על ידי דיר של בהמות כדפרשית לעיל. **טימא טהרותיו.** של חבירו אע"פ שלא גזלן שהרי שלו מוטל לפניו קנסוהו. **לא שמיה היזק.** וקנסא בעלמא ולדידיה קנסו וכו' (בתים ועבדים ושפחות אלא לצורך המועד רב נחמן הכי סבירא ליה מתני'). **אין לוקחין בתים עבדים ובהמה אלא לצורך המועד.** שהקונה צריך להם בתים לדור בהם במועד עבדים לשמשו ולא למוכרן בהמה לשחיטה. **או לצורך המוכר.** שצריך המוכר למעות לצורך יום טוב ושאין לו מה יאכל כלומר אם בשביל צורך המועד צריך שישתכר להוליכן לבית הקונה ולעסוק בהן שאין לו לשכיר מה יאכל ביום טוב אם לא ישתכר כאן התירו חכמים לקנותן כדי שישתכר זה. ל"א ושאין לו מה יאכל כלומ' שיקנה עבדים לצורך שאין לו מה יאכל כגון הסופר והוא יקנה עבדים כדי שיכתוב הסופר את שטר המכירה ויתן לו שכרו ויאכל זה בחולו של מועד אלמא יכול לקנות כדי שיתן שכר פעולה. **פרושי קא מפרש.** לצורך המועד שאין לו מה יאכל אם לא ימכור. ה"ג ת"ש אין כותבין שטרי וכו'. ולא גרסי' איתיביה. **[ואם אינו מאמינו].** שאם אין המלוה מאמינו בלא שטר להלוות לו והלוה צריך למעות להוצאת יום טוב. **שכר פעולה.** שאין לסופר מה יאכל ומדקתני ואם אין מאמינו משמע הלוה צריך הוא והדר קתני או שאין לו ודאי אסופר קאי. **בערבי פסחים** ואפי' במקו' שלא נהגו לעשות מלאכה דערב הפסח חמור הוא משאר ערבי ימים טובים כדמפרש בפסחים. **החייטין.** הואיל והדיוט תופר כדרכו שהותרה מלאכה זו להדיוט דין הוא שנתירה בארבעה עשר אפי' לאומן כדרכו. **כל מלאכות נמי.** לשתריין לכולי עלמא בארבעה עשר דהא מלינו דכולן התירו במועד גבי שכר פעולה שאין לו מה יאכל. **מתקיף לה רב פפא.** אהא דרב ששת מי סברת כל מידי דשרו במועד על ידי הדחק שרו בארבסר לכתחלה נהי נמי שכר פעולה במועד [שרי כשאין לו מה יאכל]. מיהו כותל הגוהה לרשות הרבים [שרי] לבנותו בחולו של מועד כדאמרינן לעיל (ז.). **בנין.** נמי לישתרי בארבסר. **שכן כותבין** קד[illegible] שובר משטרו מה שפרע. ה"ג **אלא אמ' רב אשי וכו' משום טירחא ולאו טירחא הוא.** מלאכה אסורה משום טירחא והא שריא משום [illegible] יו' טוב והא דקתני שכן הדיוט וכו' היינו טעמ' דלצורך יום טוב הוא ומשתריא נמי בחולו של מועד. **מידי דלאו צורך יום טוב לא.** [illegible]

עין משפט נר מצוה

לד א מיי' פ"א מהל' שמיטה ויובל הל' יד סמג לאוין רסז:

לה ב ג מיי' שם הל' יג:

לו ד ה מיי' פ"ז מהל' חובל ומזיק הל' א ב ג סמג עשין ע טוש"ע ח"מ סי' שפה סעיף א:

לז ו מיי' פ"ז מהלכות י"ט הלכה כב טוש"ע א"ח סי' תקלט סעיף יג:

לח ז מיי' שם הל' יב טוש"ע שם סי' תקמה סעיף ו:

לט ח מיי' שם טוש"ע שם סי' תקמב סעיף ב:

מ ט מיי' שם פ"ח הלכה יט טוש"ע שם סי' תסח סעיף ה:

מא י כ מיי' שם הל' טו טוש"ע שם סי' תקלה סעיף א:

מב ל מיי' שם הל' כא טוש"ע שם סי' תסח סעיף י:

רבינו חננאל

ובלבד שלא יכוין מלאכתו במועד וכולן שכוונו מלאכתן במועד יאבדו. בעי ר' ירמיה הרי הצורם אוזן בבכור קנסו בנו אחריו משום דההוא איסורא דאוריי' הוא וכן המוכר עבדו לעכו"ם משום דכל יומא מפקע ליה ממצות מכוין מלאכתו במועד קנסו בנו אחריו או לא. ופשטנא א"ר יוסי ב"ר חנינא נקטינן הטיבה ומת זורעה בנו אחריו אלמא לדידיה קנסו. לבריה לא קנסו רבנן: (פיסקא) **[מתני']** אין לוקחין בתים ועבדים א) ואבנים אלא לצורך [המועד] או לצורך המוכר שאין לו מה יאכל בעי רבא שכר פעולה מאי פירוש שאין לו לפועל מה יאכל במועד כגון הסופר שאין לו אלא שכר שטר המקנה. וכן כיוצא בו הפועלים מהו שיתירו לו למכור ולקנות כדי שיקחו אלו שכרם. ופשטנא דאפילו לשכר פעולה שרי. ומותיב רב ששת ג' אומניות עושין מלאכתן בערבי פסחים עד חצות החייטין כו'. ואי ס"ד דכל מי שאין לו מה יאכל שרינן לשכר פעולה כל אומניות לישתרי דהא מי שאין לו מה יאכל וצריך שכר פעולה שרי ורב פפא מתקיף הכי כל בנין לישתרי דהא כותל הגוחה לרה"ר סותרו ובונהו כדרכו מפני הסכנה. ורבינא מתקיף כל לבלר לישתרי דהא כותבין גיטי נשים כו'. ופריק רב אשי י"ד אדמועד קרמית מועד משום טירחא ולא טירחא הוא במקום פסידא שרו רבנן. י"ד משום י"ט הוא מידי דהוי צורך יו"ט שרי ליה רבנן דלא צורך י"ט לא שרו ליה רבנן: **ירושלמי** א"ר יוסי א"ר אבין קרנא ואגרא קרן ב) או ידע דמזבן ופחת מן קרנא יזבין ואי לא לא יזבין ר' חנניא חברין דרבנן אמר פרקמטיא ניגבת מנכסי יתומים קטנים הוין בעי למימר בשיש עדים יודעין הא אין עדים יודעין נעשית כפקדון כך אנו אומרים פקדון לא ניתנה לגבות מנכסי יתומין קטנים מה בינה למלוה מלוה להוצאה ניתנה. וזו לא ניתנה להוצאה. א"ר אבא בר ממל אילו היה מי שימנה עמי הייתי מתיר המלאכה. כלום אסרו המלאכה בחולו של מועד אלא שיהו אוכלין ושותין ויגעים בתורה. והאידנא אוכלין ושותין ופוחזין. ריב"ל שאל לרשב"ל. מהו ליקח בתים מן העכו"ם בשבת א"ל תני בשבת מותר כיצד עושה מראה לו כיסין של דינרים והעכו"ם חותם ומעלה בערכאין וכן מצינו שנכבשה יריחו בשבת שנא' כה תעשה ששת ימים וכתיב וביום השביעי תסובו את העיר ז' פעמים וכתיב עד רדתה אפי' בשבת: (פיסקא) **[מתני']** אין מפנין מבית לבית אבל מפנה הוא בבית שבחצירו: **ירושלמי** אין מפנין לא מדירה נאה לדירה כעורה ובתוך שלו אפילו מדירה נאה לדירה נאה [illegible] ממכובד לבזוי [illegible] לחצר אחרות [illegible]

חשק שלמה על ר"ח [illegible]

והתניא (א) א מביאין כלים מבית האומן כגון כד מבית הכדר וכוס מבית הזגג אבל לא צמר מבית הצבע ולא כלים מבית האומן ואם אין לו מה יאכל נותן לו שכרו ומניחו אצלו ואם אינו מאמינו מניחו בבית הסמוך לו ואם חושש להם שמא יגנבו [א] א] (ב מפנן לחצר אחרת ואם אינו מאמינו) מביאן בצנעה בתוך ביתו תרצת מביאין מוליכין קשיא דקתני אין מביאין וכל שכן שאין מוליכין אלא מחוורתא כדשניין מעיקרא:

מתני' ב מחפין את הקציעות בקש רבי יהודה אומר ג אף מעבין ד מוכרי פירות כסות וכלים מוכרים בצנעה לצורך המועד ה הציידין והדשושות והגרוסות עושין בצנעה לצורך המועד רבי יוסי אומר הם החמירו על עצמן:

גמ' פליגי בה רבי חייא בר אבא ורבי אסי ותרווייהו משמיה דחזקיה ורבי יוחנן חד אמר מחפין אקלושי מעבין אסמוכי וחד אמר מחפין בין אקלושי בין אסמוכי מעבין עושה אותו כמין כרי תניא נמי הכי מעבין עושה אותו כמין כרי דברי ר' יהודה: מוכרי פירות כסות וכלים מוכרין בצנעה וכו': אבעיא להו הן החמירו על עצמן דלא הוו עבדי כלל או דלמא דהוו עבדי בצנעה ת"ש מוכרי פירות כסות וכלים מוכרין בצנעה לצורך המועד ר' יוסי אומר תגרי טבריא הן החמירו על עצמן שלא יהו מוכרין כל עיקר ו צדי חיות ועופות ודגים צדין בצנעה לצורך המועד רבי יוסי אומר צדי עכו הן החמירו על עצמן שלא יהו צדין כל עיקר דשושי חילקא טרגים וטיסני דוששין בצנעה לצורך המועד ר' יוסי אומר דשושי ציפורי הן החמירו על עצמן שלא יהו דוששין כל עיקר אמר אביי חילקא חדא לתרתי טרגים חדא לתלת טיסני חדא לארבעה כי אתא רב דימי אמר כונתא מיתיבי (ג) ז חילקא טרגים וטיסני טמאין בכל מקום בשלמא למ"ד חדא לתרתי לתלת ולארבעה משום הכי טמאין בכל מקום דאתכשור אלא למ"ד כונתא אמאי טמאין בכל מקום הא לא איתכשור כגון דמיקלפן דאי לאו דשרא להו במיא לא הוה מיקלפא ואמאי קרי ליה חילקא דשקל חלקיהו מיתיבי (ד) הנודר מן הדגן אסור אף בפול המצרי יבש ומותר בלח ומותר באורז בחילקא וטרגים וטיסני בשלמא למ"ד חדא לתרתי לתלת וחדא לארבעה שפיר דנפקו להו מתורת דגן אלא למ"ד כונתא דגן מעליא הוא קשיא רב הונא ח שרא להו להנהו כרופייתא למיזל לזבוני כי אורחייהו בשוקא איתיביה רב כהנא (ה) ט חנות פתוחה לסטיו פותחה לרה"ר פותח אחת ונועל אחת י וערב יום טוב האחרון של חג מוציא ומעטר את שוקי העיר בפירות בשביל כבוד י"ט האחרון מפני כבוד י"ט האחרון אין שלא מפני כבוד י"ט לא קשיא כ הא בפירי הא בתבלין:

הדרן עלך מי שהפך

ואלו ל מגלחין במועד הבא ממדינת הים ומבית השביה והיוצא מבית האסורין והמנודה שהתירו לו חכמים וכן מי שנשאל לחכם והותר י והנזיר והמצורע (א) מטומאתו לטהרתו מ ואלו מכבסין במועד הבא ממדינת הים ומבית השביה והיוצא מבית האסורין ומנודה

תוספות

בשביל כבוד יום טוב האחרון. אבל מרישא (ג) דחנות פתוחה לרשות הרבים פותח אחת ונועל אחת ורב הונא מתיר באורחייהו בשוקא לא פריך דיש לאוקמיה בי"ט ולא בחול המועד ולהכי פריך מסיפא דמיירי בחול המועד דהא ערב י"ט האחרון חול המועד: **בתבלין.** פי' בקונט' כרוב וכרשינין והקשה בתוס' רבי פרץ דכרוב וקפלוט אינן חשובין תבלין דהא אמרינן (חולין דף ו.) דתבלין לטעמא עבידי ואפילו באלף לא בטיל ולפת וקפלוט אינו צריך לשער כי אם בששים כדאיתא פרק גיד הנשה (שם דף צו:) (ד) ותבלין כך נידוכין כדרכן בפ"ק דביצה (דף יד.) א"כ אינו כרוב ובערוך פירש מיני בשמים:

הדרן עלך מי שהפך

ואלו מגלחין במועד. משום דתנא באידך פירקין דברים שעושין לצורך המועד כמו מוכרי פירות דנעשים כדין קתני נמי ואלו נעשים שלא כדין לצורך המועד: **והיוצא** מבית האסורים. שאינו יכול לגלח קודם המועד שאין מניחין לו לגלח ואפילו מניחין לו אינו ערב לאדם לגלח בבית האסורין: [כ"ה בירושלמי] ומנודה

רש"י

והתניא. סיועא: כד וכוס לצורך המועד הן אבל צמר וכלים אין לצורך המועד: ואם אין לו. לאומן מה יאכל נותן לו שכרו: מפנן לחצר אחרת ואם אינו מאמינו. בחצר אחרת: מביאן לתוך ביתו. אלמא בשאינו מאמינו מביאן: מוליכין קשיא. דקתני מתני' ז) דפעמים מוליכין ומתני' דהכא קתני אין מביאין כל שכן דאין מוליכין וליכא לתרץ באין מאמינו דמוליכין מאי מאמינו שייך: כדשניין מעיקרא. כאן בארבעה עשר כאן בחולו של מועד: מתני' מחפין. מכסין: הדשושות. שדשין וכותשין חיטין לדייסא: והגרוסות. שטוחנין פולין לגריסין: בצנעה. שמא יאמרו זה לוקח שלא לצורך המועד: גמ' אקלושי. שמכסהו בענפים מרוחקין זה מזה דלא הוי כסוי גמור: אסמוכי. הענפים סומך זה לזה דהוי כסוי גמור: כמין כרי. מכנסין אותן ביחד כדי שיהו נוחין לכסות: החמירו על עצמם דלא עבדי כלל. ולחומרא: או דלמא. החמירו על עצמן לעשות בצנעה מדעתן ואם רוצין לעשות בפרהסיא עושין ולקולא: דשושי. דשי תבואה איכא דאמרי דשושי המשברין תבואה חדא לשנים ושורין במים כו': כונתא. כוסמת שלותתין אותן היינו חילקא: טמאים בכל מקום. מקבלין טומאה בין בכפרים בין בכרכים דקיימא לן (פסחים דף מ.) סולת של בני כרכים מקבלת טומאה שהוכשרה במים ובני כפרים אין מקפידין אסולת נקיה ללתות במים וסולת שלהן טהור שלא הוכשר מעולם אבל חילקא טמאין בכל מקום אפילו בכפרים דאי אפשר להם בלא לתיתה משום הכי טמאין דהא מיתכשר דשרי להו במיא: לעולם הוי כונתא ומיקלפן דשרי להו במיא דשרי קליפה: דשקיל חלקייהו. כלומר כשנוטל הקליפה והוי חלק: כרופייתא. מוכרי בשמים: חנות פתוח לסטיו פותח ונועל כדרכו. הואיל ואינו פתוח לרה"ר כשאר חנויות: פותח דלת אחד ונועל דלת אחד. אבל כדרכו לא אינו מוכר כדרכו: הא בפירי. שיש לחשוד שקונה לצורך (ב) ימות השנה: בתבלין. מוכר כדרכו כגון כרוב וכרשינין הכל יודעין דלצורך המועד הן וליכא חשדא שאין ראוין להתקיים הלכך אפי' בפרהסיא מותר:

הדרן עלך מי שהפך

ואלו מגלחין במועד הבא ממדינת הים כו'. במועד לפי שהיה אנוס שלא היה יכול לגלח קודם: ומי שנשאל לחכם. שנדר שלא לגלח ושאל לחכם במועד: מטומאתו לטהרתו. נזיר טמא כשעלה מטומאתו ושוב אינו משמר נזרו ומגלח וכן מצורע שעלה מטומאתו מגלח ברגל לפי שלא היה להם פנאי לגלח קודם הרגל: גמ'

עין משפט נר מצוה

מג א מיי' פ"ח מהל' י"ט הל' טו טוש"ע א"ח סי' תקלג סעיף ג:
מד ב ג מיי' שם הלכה יד טוש"ע שם סי' תקלג סעיף ד:
מה ד מיי' שם הלכה כג טוש"ע שם סימן תקלט סעיף יא:
מו ה ו מיי' שם הלכה ט טוש"ע שם סי' תקלג סעיף ה:
מז ז מיי' פט"ו מהל' טומאת אוכלין הל' ה:
מח ח מיי' פ"ח מהל' י"ט הל' כב טוש"ע א"ח סי' תקלט סעיף יא:
מט ט י כ מיי' שם טוש"ע שם סעיף יא:
א ל מיי' שם הלכה יט טוש"ע שם סי' תקלא סעיף ז:
ב מ מיי' שם סמג לאוין עה טוש"ע שם סי' תקלד סעיף א:

רבינו חננאל

[מתני'] מחפין את הקציעות בקש. ר' יהודה אומר אף מעבין. סוגיא דשמעתא מחפין בעצים של קש דקים בין בעצים של קש עבים. פירוש קלושי דקים. סומכי עבים מעבין עושין אותן כמין כרי כלומר כמו גדיש: ירושלמי ר' יהודה אומר יאבד דבר מועט ואל יאבד דבר מרובה. ר' יוסי אומר אל יאבד דבר כל עיקר. כהנא אמר אית מילין דקשין הן (החמירו) מנגעים ואהלות: מוכרי פירות כסות וכלים מוכרין בצינעא לצורך המועד. ר' יוסי אומר הן החמירו על עצמן אוקימנא הן החמירו על עצמן שלא יעשו כל עיקר דתניא מוכרי כסות וכלים מוכרין בצינעא לצורך המועד ר' יוסי [אומר] תגרי טבריא הן החמירו על עצמן שלא יהו עושין כל עיקר. וכן צדי עכו החמירו על עצמן שלא יהו צדין כל עיקר. חילקא חטה אחת נחלקת לשתים טרגין חדא לתלת טיסני חדא לארבע כי אתא רב דימי אמר האי חילקא כתנא הוא איני והתניא חילקא טרגין וטיסני טמאים אי אמרת חטה דשושה לשתים שלש וארבע וכמו הסולת היינו דאיתמר דאיתכשר ומקבלי טומאה אלא כותנא אמאי טמאה והא לא הוכשרה. ופרקינן כגון דמגלפו ההיא כותנא. פי' כוסמת. דאי לאו דשרא בהו במיא לא הוה משלם כלומר מתקפלת הקליפה שלהן. ת"ש הנודר מן הדגן אסור אף בפול המצרי יבש ומותר בלח. ומותר באורז חלקא טרגים וטיסני בשלמא למ"ד דשישי היינו דנפקי להו מתורת דגן אלא למ"ד כותנא דגן גמור הוא כדכתיב והחטה והכוסמת ועלתה בתיובתא לרב דימי. רב יהודה שרא להנהו כרופייתא למיזל ולמיזבני בשוקא כי אורחיהו אוקימנא בתבלי והא דתניא חנות הפתוחה לסטיו פותח ונועל כדרכו כו' אוקימנא בפירות: ירושלמי צדי חיה ועופות ודגים צדין בחכה ובמכמורות ולא ממעטין בשמחת הרגל ר' אמי מקיל לון שממעטין בשמחת הרגל: הדרן עלך פרק מי שהפך

מסורת הש"ס

א) [פסחים נה:] ע"ש עה"ג, ב) [כ"ז ליתא בפסחים עי' בב"י סי' תקלד דבספרים שלנו הנוסחא ואם חושש להם שמא יגנבו מביאן בצנעה בתוך ביתו], ג) מכשירין פ"ו מ"ב, ד) [נדרים נה: תוספתא שם פ"ד], ה) [תוספ' פ"ב], ו) [לקמן יד:], ז) ל"ל דפסחים.

הגהות הב"ח

(א) מתני' והמצורע העולה מטומאתו: (ב) רש"י ד"ה הא בפירי שקונה לצורך שאר ימות השנה: (ג) תוס' ד"ה בשביל כו' אבל מרישא דתני דחנות פתוחה כו' ערב י"ט האחרון חוה"מ הוא: (ד) ד"ה בתבלין כו' כדאיתא פ' גיד הנשה ותנן נמי דתבלין נידוכין כדרכן בפ"ק:

הגהות הגר"א

[א] גמ' (מפנן לחצר אחרת ואם אינו מאמינו) תא"מ (וכן ליתא בדפו"י):

הגהות מהר"ב רנשבורג

א] גמ' מפנן לחצר אחרת ואם אינו מאמינו. זה נמחק וצ"ב בפסחים נה ע"ב כל זה איננו ויעו"ש בתוס' ד"ה ואם מתיירא וכו' ובמהרש"א שם:

רש"י כת"י

והתניא. בניחותא. כד מבית הכדר כרים וכסתות מבית האומן. ולצורך יום טוב [עי' הגהות חו"י ברי"ף]. ולא כלים. שאר כלים שאין צריכין ביום טוב. מוליכין קשיא. דקתני מתני' דפסחים מוליכין ומביאין ומתני' דהכא קתני מביאין אין מוליכין לא והכא ליכא לשנויי במאמינו דמוליכין מאי מאמינו ומאי שאינו מאמינו איכא. מחפין את הקציעות. תאנים השטוחות בשדה לייבשן מחפין אותן בקש מפני הגשמים קליעות תאנים שצירפן לתוך כלי וקורין אותו מקלוע ואינו מרובע אלא ג' קרנות יש לו ועושין עיגול התאנים כמין הכלי. מעבין. בגמ' פליגי בה בפי' מחפין ומעבין. אקלושי. מעט מחפין ולא כל צרכן כדרך שעושה בחול. אסמוכי. מחפין אותן יפה יפה בעובי בכל הצורך. לא שנא הכי ולא שנא הכי. בין עב בין קלוש קרי ליה מחופין. מעבין [וכו' כמין כרי]. עושין אותן הקליעות כמין כרי שצורפן ומכניסן יחד בכרי כדי שיהו העליונות מגינות על התחתונות. הדשושות. שדשין וכותשין חטין לדייסא. הגרוסות. טוחנין פולין לגריסין. בצנעה. שמא יאמרו זה לוקח [שלא] לצורך המועד. החמירו מפר' בגמרא. החמירו על עצמן. דלא עבדי כלל ולחומרא. או דילמא. החמירו לעשות בצנעה מדעתן ואם רצו לעשות בפרהסיא עושין ולקולא. עכו. שם העיר. דשושי חילקא דוששין את החלקא ואת הטרגים כולן חטין הם אלא חילקא חד לתרי שדש את התבואה וכותתין עד שמתחלקת לשנים. דשושי צפורי. מקום. טרגים. מחלק כל חטה לתלת תלת ולשון תרגום הוא. כי אתא רב דימי אמ'. מאי חילקא כונתא כוסמת שמקלפין אותה. טמאין בכל מקום. אפילו בכפרים דקיימ' לן סולת של בני כרכים מקבלת טומאה שהוכשרה במים שדרך בני כרכים שלותתין את החטה במים בני כפרים אין מקפידין בסולת נקייה ואין לותתין וסולת שלהם טהורה שלא היתה לה הכשר מעולם אבל חילקא טמאה בכל מקום אפילו בכפרים דאי אפשר לה בלא לתיתה. אלא למאן דאמר כונתא אמאי טמאין כיון דלאו מידי דמבדיל ניהו הא לא הוכשרו. ואמאי קרא ליה חילקא. כיון דלאו חילקא חדא לתרי והיכי משמע חילוק ואת אמרת כונתא שאין מחלקין אותן מאי משמעות איכא. דשוו חילקיהו. חלקין הן [כשמסירין] קליפתן פלינ"ש בלע"ז. הנודר מן הדגן אסור בפול המצרי. פישול"ש ומין קטנית היא ומידי דמדגן הוא שדרך לעשותן ליצורים וכל מידי דמדגן קא אסר עליה. מותר בחלקא. שאחר שנחלק לא מידגן. מותר באורז. מי"ל וקסבר לאו מין דגן הוא. כוסמת. מין חטה מעליה. (כרובייתא) [כרופייתא]. מוכרי תבלין כגון כרוב וכרישין. סטיו אצטבאות מכל ארבע רוחות (במקום אחד לנוע כגון בזוית אחד) [בחנות ופעמים] הולכין בני אדם לישב שם וחנות פתוחה לתוכן מקום לנוע הוא שרחוק מרשות הרבים. פותח. האי חנות ומוכר כדרכו דלצנעה הוא (ברש"י ברי"ף - הוא פתח החנות ומוכר בתוכו דצינעא הוא). פותח אחד ונועל אחד. כדי שיבינו האנשים שאין מוכר כל כך לקנות ולמכור בחולו של מועד (ברש"י ברי"ף - למכור בצינעא שמא יאמרו זה לוקח שלא לצורך המועד) לכך חנות להיות לה שני פתחים. תבלין. כגון כרוב (וכרימון) [וכרישין] שהכל יודעין שלצורך המועד הם שאין ראויין להתקיים הילכך אפי' בפרהסיא שרי. הבא ממדינת הים. במועד שלא היה לו פנאי לגלח קודם המועד. מבית השביה. שהשבוהו גוים למרחקים. מבית האסורין. אפילו בעירו. והמנודה שהתירו לו חכמים. נדוי במועד שלא היה יכול לפני המועד דמנודה אסור בתספורת. מי שנשאל שנדר שלא לגלח שעשה עצמו נזיר ונשאל לחכם במועד וחכם מתיר לו נדרו שפותח לו בחרטה וזה לא היה בידו לעשות מקודם המועד שהיה בדעתו לגמור את נזרו אי נמי כגון שלא מצא חכם פתח להתירו ועכשיו מצא (ברש"י ברי"ף - אי נמי כגון שלא מצא חכם להתיר ועכשיו מצאו) לאנוס הוא עד השתא. והנזיר. שהשלים נזירתו במועד. ה"ג ומצורע העולה מטומ' לטהרתו. דכתוב (ויקרא יד) וביום השביעי יגלח את כל שערו וגו' שאם חל שביעי שלו במועד מותר בתספורת ולא גזרינן שמא ישהא קרבנותיו וכן נזיר נ"מ נמי לא גזרינן וגלות דכתוב (שם יג) והתגלח ואת הנתק לא יגלח לא קא חשיב דאינו אלא דבר מועט שמגלח סביב הנתק ועוד דאין זה גילוח לשום טהרה אלא להסגר שני ואמרינן באידך פירקין אין רואין את הנגעים במועד לא להקל ולא להחמיר ולהכי לא עבדינן במועד גילוח דנתק.

וְהַתַנְיָא – **For it has been taught in a Baraisa:** מְבִיאִין כֵּלִים מִבֵּית הָאוּמָּן – WE MAY BRING certain VESSELS FROM THE HOUSE OF THE CRAFTSMAN on Chol Hamoed, כְּגוֹן כַּד מִבֵּית הַכַּדָּר וְכוֹס מִבֵּית הַזַּגָּג – SUCH AS A PITCHER FROM THE POTTER'S HOUSE OR A GOBLET FROM THE GLASSMAKER'S HOUSE, for these are items that are needed for the festival. אֲבָל לֹא צֶמֶר מִבֵּית הַצַּבָּע – HOWEVER, we may NOT bring WOOL FROM THE DYER'S HOUSE, since it is not needed for the festival, וְלֹא כֵּלִים מִבֵּית הָאוּמָּן – OR VESSELS that are not needed for the festival FROM THE CRAFTSMAN'S HOUSE. וְאִם אֵין לוֹ מַה יֹּאכַל – AND IF [THE CRAFTSMAN] DOES NOT HAVE ANYTHING TO EAT, נוֹתֵן לוֹ שְׂכָרוֹ – [THE OWNER] MUST PAY HIM HIS WAGES,[1] וּמַנִּיחוֹ אֶצְלוֹ – BUT must LEAVE [THE WORK] WITH HIM. וְאִם אֵינוֹ מַאֲמִינוֹ – AND IF [THE OWNER] DOES NOT TRUST HIM, מַנִּיחוֹ בְּבֵית הַסָּמוּךְ לוֹ – HE MAY DEPOSIT [THE WORK] IN A HOUSE NEAR [THE CRAFTSMAN], i.e. in the same courtyard; however, he may not exert himself by transporting it a greater distance than that. וְאִם חוֹשֵׁשׁ לָהֶם שֶׁמָּא יִגָּנְבוּ – AND IF [THE OWNER] FEARS FOR [THE VESSELS], LEST THEY BE STOLEN from this other house, (מְפַנָּן לְחָצֵר אַחֶרֶת – HE MAY MOVE THEM TO A house in a DIFFERENT COURTYARD, but may not transport them the greater distance to his own home. וְאִם אֵינוֹ מַאֲמִינוֹ – AND IF [THE OWNER] DOES NOT TRUST [THE ONE] living in this place either,)[2] מְבִיאָן בְּצִנְעָה בְּתוֹךְ בֵּיתוֹ – HE MAY BRING [THE VESSELS] INTO HIS own HOME IN PRIVATE. We see from this Baraisa that where the owner does not trust the craftsman, he is permitted to bring the vessels to his own house. The Mishnah in *Pesachim* is dealing with this case.

But Rava responded to this second answer in the following manner:

תָּרַצְתְּ מְבִיאִין – **You have resolved** the contradiction regarding the law of **bringing** the vessels **from** the craftsman's house; מוֹלִיכִין קַשְׁיָא – but the contradiction regarding **taking** the vessels **to** the craftsman's house for repair **is still difficult.** דְּקָתָנֵי – **For [our Mishnah] has taught:** אֵין מְבִיאִין – WE MAY NOT BRING vessels from the house of the craftsman on Chol HaMoed, וְכָל שֶׁכֵּן שֶׁאֵין מוֹלִיכִין – **and** it is obvious that if we may not bring them from the craftsman, **we certainly may not take** them **to** the craftsman.[3] The Mishnah in *Pesachim,* however, states clearly that we are *permitted* to take the vessels to the craftsman! Your differentiation between trusting and not trusting the craftsman does not address this difficulty.[4] – ? –

Rav Pappa concludes:

אֶלָּא מְחַוַּורְתָּא כִּדְשַׁנִּין מֵעִיקָּרָא – **Rather, it is clear as we learned originally,** that our Mishnah is discussing Chol HaMoed, whereas the Mishnah in *Pesachim* is discussing the fourteenth of Nissan.[5]

Mishnah מְחַפִּין אֶת הַקְּצִיעוֹת בְּקַשׁ – **We may cover cut figs with straw** to protect them from the rain.[6] רַבִּי יְהוּדָה אוֹמֵר – **R' Yehudah says:** אַף מְעַבִּין – **We may even make it thick.**[7] מוֹכְרֵי פֵּירוֹת כְּסוּת וְכֵלִים מוֹכְרִים בְּצִנְעָה לְצוֹרֶךְ הַמּוֹעֵד – **Vendors of fruit, clothing and utensils may sell** their wares **in private for the needs of the festival.**[8] הַצַּיָּידִין וְהַדַּשׁוֹשׁוֹת וְהַגָּרוֹסוֹת עוֹשִׂין בְּצִנְעָה לְצוֹרֶךְ הַמּוֹעֵד – **The trappers, the grain pounders**[9] **and the bean grinders**[10] **may do** their work **in private for the needs of the**

NOTES

1. *Magen Avraham* (534:7) is troubled by this clause. For it should certainly be permissible to pay even a craftsman who does have food; why does the Baraisa specify one who has no food? *Magen Avraham* explains that this clause sets the stage for the rest of the Baraisa. For the owner's mistrust of the craftsman is based on his fear that the craftsman will demand payment a second time (see 13a notes 37 and 46). Were the craftsman to have sufficient food, however, he would have nothing to fear, since he would not be required to pay the craftsman before receiving the vessels. Accordingly, he would have no reason to bring the vessels home, and no right to transfer them to another courtyard. It is only because of the craftsman's lack that the owner must pay him, and only because the owner pays him that he needs to move the vessels. *Magen Avraham* then raises another question: The rule is that in order to provide for one who does not have food, one may hire him on Chol HaMoed to perform even non-festival work (see 13a). Accordingly, the owner of the vessels should be permitted to take them home, so as to be able to pay the craftsman without fear of their being stolen. For the exertion of bringing the vessels home is equivalent to hiring for a non-festival need – if the one is permitted on Chol HaMoed for the sake of providing the worker with food, so too should the other! *Magen Avraham* answers that since this task is performed in public, it is forbidden. For we fear that onlookers, unaware of the craftsman's lack, will assume that it is permissible to work on Chol HaMoed. *Magen Avraham* points out that this is certainly true of the one working on Chol HaMoed for lack of food – he must take care to perform the work in private (see 13a note 21).

2. The words in parentheses do not appear in the version of this Baraisa cited in *Pesachim* 55b, and are omitted by *Hagahos HaGra* (§1) and *Hagahos R' Betzalel Ronsburg* (§1) here. However, from *Rashi* here it seems that his text did include this section; see also *Maharsha* to *Pesachim* ad loc.

3. For if on Chol HaMoed we may not bring home vessels that have been repaired, we certainly may not take vessels to be repaired on Chol HaMoed (see *Rashi*).

4. For the fact that one does not trust the craftsman is obviously no reason that he should be permitted to take his vessels there on Chol HaMoed (see *Rashi*).

5. [On the fourteenth of Nissan it is permissible to take the vessels to the craftsman even if they are not needed for the festival, for even unnecessary exertion is permitted on Pesach eve.]

6. This refers to figs spread out in a field to dry in the sun. If it rains on them, the figs will be ruined, and the owner will suffer a loss. The Mishnah rules that he may cover the figs with straw to protect them from the rain (*Nimukei Yosef*), notwithstanding that this act entails considerable exertion, and the figs are not needed for the festival (see *Rashi, Beitzah* 35b ד״ה ומכסין את הפירות).

7. The Gemara will interpret R' Yehudah's statement.

8. For the needs of the festival, one is generally permitted to buy and sell openly (see Mishnah 13a); however, it must be evident to all that the purchases serve a festival need. Here, however, the class of items and the type of seller combine to undermine the perception that they serve this need. Fruit, since it keeps well, is often purchased in large quantities, to be used slowly over a length of time. Similarly, utensils and clothing are meant to serve for an extended period, and are not purchased for the moment. Joined to this is the fact that the sellers are regular merchants (and not merely transients peddling items for the festival) – the combination leaves an observer with the impression that these purchases are everyday business, and are not being made for the needs of the festival. [Lest people assume that it is permissible to publicly engage in commerce for non-festival needs,] the Rabbis decreed that a merchant selling these items must do so covertly (see *Rashi* ד״ה בצנעא; *Ritva; Meiri;* see Gemara below; see *Mishnah Berurah* 539:34). [As regards what is required in terms of privacy, see Gemara below.]

This rule applies only to fruits that are generally purchased to last a while; fruits usually purchased in small quantities, however, may be sold openly, since all will realize that they are being purchased for the festival (see Gemara below). *Ritva* notes that this differentiation is implicit in the Mishnah's joining of fruit with clothing and utensils. The Mishnah is teaching that we are dealing with fruit that is like clothing and utensils, in that it is meant to last a while (see *Mishnah Berurah* ibid.). Furthermore, this rule applies only to regular vendors, not to those temporarily peddling these items before the festival (*Ritva;* see *Mishnah Berurah* ibid.).

9. These people worked at threshing wheat kernels and pounding them into grits (*Rashi; Rashi ms.*).

10. The work of these people was to grind beans for split bean [porridge] (*Rashi; Rashi ms.;* see *Meiri*).

והתניא (א) א מביאין כלים מבית האומן כגון כד מבית הכדר וכוס מבית הזגג אבל לא צמר מבית הצבע ולא כלים מבית האומן ואם אין לו מה יאכל נותן לו שכרו ומניחו אצלו ואם אינו מאמינו מניחו בבית הסמוך לו ואם חושש להם שמא יגנבו [א] א (ב מפנן לחצר אחרת ואם אינו מאמינו) מביאן בצנעה בתוך ביתו תרצת מביאין מוליכין קשיא דקתני אין מביאין וכל שכן שאין מוליכין אלא מחוורתא כדשנין מעיקרא:

מתני' ב מחפין את הקציעות בקש רבי יהודה אומר ג אף מעבין ד מוכרי פירות כסות וכלים מוכרים בצנעה לצורך המועד ה הציידין והדשושות והגרוסות עושין בצנעה לצורך המועד רבי יוסי אומר הם החמירו על עצמן:

גמ' פליגי בה רבי חייא בר אבא ורבי אסי ותרווייהו משמיה דחזקיה ורבי יוחנן חד אמר מחפין אקלושי מעבין אסמוכי וחד אמר מחפין בין אקלושי בין אסמוכי מעבין עושה אותו כמין כרי תניא נמי הכי מעבין עושה אותו כמין כרי דברי ר' יהודה: מוכרי פירות כסות וכלים מוכרין בצנעה וכו': אבעיא להו הן החמירו על עצמן דלא הוו עבדי כלל או דלמא דהוו עבדי בצנעה ת"ש מוכרי פירות כסות וכלים מוכרין בצנעה לצורך המועד ר' יוסי אומר תגרי טבריא הן החמירו על עצמן שלא יהו מוכרין כל עיקר ו צדי חיות ועופות ודגים צדין בצנעה לצורך המועד רבי יוסי אומר צדי עכו הן החמירו על עצמן שלא יהו צדין כל עיקר דשושי חילקא טרגים וטיסני דוששין בצנעה לצורך המועד ר' יוסי אומר דשושי ציפורי הן החמירו על עצמן שלא יהו דוששין כל עיקר אמר אביי חילקא חדא לתרתי טרגים חדא לתלת טיסני חדא לארבעה כי אתא רב דימי אמר כונתא מיתיבי (ג) ז חילקא טרגים וטיסני טמאין בכל מקום בשלמא למ"ד חדא לתרתי לתלת ולארבעה משום הכי טמאין בכל מקום דאתכשור אלא למ"ד כונתא אמאי טמאין בכל מקום הא לא איתכשור כגון דמיקלפן דאי לאו דשרא להו במיא לא הוה מיקלפא ואמאי קרי ליה חילקא דשקל חלקיהו מיתיבי (ד) הנודר מן הדגן אסור אף בפול המצרי יבש ומותר בלח ומותר באורז בחילקא וטרגים וטיסני בשלמא למ"ד חדא לתרתי חדא לתלת וחדא לארבעה שפיר דנפקו להו מתורת דגן אלא למ"ד כונתא דגן מעליא הוא קשיא רב הונא ח שרא להו להנהו כרופייתא למיזל לזבוני כי אורחייהו בשוקא איתיביה רב כהנא (ה) ט חנות פתוחה לסטיו פותח ונועל כדרכו פתוחה לרה"ר פותח אחת ונועל אחת י וערב יום טוב האחרון של חג מוציא ומעטר את שוקי העיר בפירות בשביל כבוד י"ט האחרון מפני כבוד י"ט האחרון אין שלא מפני כבוד י"ט לא לא קשיא כ הא בפירי הא בתבלין:

הדרן עלך מי שהפך

ואלו ל מגלחין במועד הבא ממדינת הים ומבית השביה והיוצא מבית האסורין והמנודה שהתירו לו חכמים וכן מי שנשאל לחכם והותר (ו) והנזיר והמצורע (א) מטומאתו לטהרתו מ ואלו מכבסין במועד הבא ממדינת הים ומבית השביה והיוצא מבית האסורין ומנודה

רש"י

והתניא. סיועא: כד וכוס לצורך המועד הן אבל צמר וכלים אין לצורך המועד: ואם אין לו. לאומן מה יאכל נותן לו שכרו: מפנן לחצר אחרת ואם אינו מאמינו. בחצר אחרת: מביאן לתוך ביתו. אלמא בשאינו מאמינו מביאן: מוליכין קשיא. דקתני מתני' (ו) דפעמים מוליכין ומתני' דהכא קתני אין מביאין כל שכן דאין מוליכין וליכא לתרץ באין מאמינו דמוליכין מאי מאמינו שייך: כדשניין מעיקרא. כאן בארבעה עשר כאן בחולו של מועד: מתני' מחפין. מכסין: הדשושות. שדשין וכותשין חיטין לדייסא: והגרוסות. שטוחנין פולין לגריסין: בצנעה. שמא יאמרו זה לוקח שלא לצורך המועד: גמ' אקלושי. שמכסהו בענפים מרוחקין זה מזה דלא הוי כסוי גמור: אסמוכי. הענפים סומך זה לזה דהוי כסוי גמור: כמין כרי. מכנסין אותן ביחד כדי שיהו נוחין לכסות: החמירו על עצמם דלא עבדי כלל. ולחומרא: או דלמא. החמירו על עצמן לעשות בצנעה מדעתן ואם רוצין לעשות בפרהסיא עושין ולקולא: דשושי. דשי תבואה איכא דאמרי דשושי המשברין תבואה חדא לשנים ושורין במים כו': כונתא. כוסמת שלותתין אותן היינו חילקא: טמאים בכל מקום. מקבלין טומאה בין בכפרים בין בכרכים דקיימא לן (פסחים דף מ.) סולת של בני כרכים מקבלת טומאה שהוכשרה במים ובני כפרים אין מקפידין אסולת נקיה ללתות במים וסולת שלהן טהור שלא הוכשר מעולם אבל חילקא טמאין בכל מקום אפילו בכפרים דאי אפשר להם בלא לתיתה משום הכי טמאין דהא מיתכשר דשרי להו במיא: לעולם הוי כונתא ומיקלפן דשרי להו במיא דשרי קליפה: דשקיל חלקייהו. כלומר כשנוטל הקליפה והוי חלק: כרופייתא. מוכרי בשמים: חנות פתוח לסטיו פותח ונועל כדרכו. הואיל ואינו פתוח לרה"ר כשאר חנויות: פותח דלת אחד ונועל דלת אחד. אבל כדרכו לא אינו מוכר כדרכו: הא בפירי. שיש לחשוד שקונה לצורך (ב) ימות השנה: בתבלין. מוכר כדרכו כגון כרוב וכרשינין הכל יודעין דלצורך המועד הן וליכא חשדא שאין ראוין להתקיים הלכך אפי' בפרהסיא מותר:

הדרן עלך מי שהפך

ואלו מגלחין במועד הבא ממדינת הים כו'. במועד לפי שהיה אנוס שלא היה יכול לגלח קודם: ומי שנשאל לחכם. שנדר שלא לגלח ושאל לחכם במועד: מטומאתו לטהרתו. נזיר טמא כשעלה מטומאתו ושוב אינו משמר נזרו ומגלח וכן מצורע שעלה מטומאתו מגלח ברגל לפי שלא היה להם פנאי לגלח קודם הרגל: גמ'

תוספות

בשביל כבוד יום טוב האחרון. אבל מרישא (ג) דחנות פתוחה לרשות הרבים פותח אחת ונועל אחת ורב הונא מתיר באורחייהו בשוקא לא פריך דיש לאוקמיה בי"ט ולא בחול המועד ולהכי פריך מסיפא דמיירי בחול המועד דהא ערב י"ט האחרון חול המועד: בתבלין. פי' בקונט' כרוב וכרשינין והקשה בתוס' רבי פרץ דכרוב וקפלוט אינן חשובין תבלין דהא אמרינן (חולין דף ו.) דתבלין לטעמא עבידי ואפילו באלף לא בטיל ולפת וקפלוט אינו צריך לשער כי אם בששים כדאיתא פרק גיד הנשה (שם דף צו:) (ד) ותבלין כך נידוכין כדרכן בפ"ק דביצה (דף יד.) א"כ אינו כרוב וכערוך פירש מיני בשמים:

הדרן עלך מי שהפך

ואלו מגלחין במועד. משום דתנא באידך פירקין דברים שעושין לצורך המועד כמו מוכרי פירות דנעשים כדין קתני נמי ואלו נעשים שלא כדין לצורך המועד:

והיוצא מבית האסורים. שאינו יכול לגלח קודם המועד שאין מניחין לו לגלח ואפילו מניחין לו אינו ערב לאדם לגלח בבית האסורין: [כ"ה בירושלמי]

אותן הקליעות כמין כרי שלורפן ומכניסן יחד בכרי כדי שיהו העליונות מגינות על התחתונות. הדשושות. שדשין וכותשין חטין לדייסא. הגרוסות. טוחנין פולין לגריסין. בצנעה. שמא יאמרו זה לוקח [שלא] לצורך המועד. החמירו מפר' בגמרא. החמירו על עצמן. דלא עבדי כלל ולחומרא. או דילמא. החמירו לעשות בצנעה מדעתן ואם רצו לעשות בפרהסיא עושין ולקולא. עכו. שם העיר. דשושי חילקא דוששין את החלקא ואת הטרגים כולן חטין הם אלא חילקא חד לתרי שדש את התבואה וכותשין עד שמתחלקת לשנים. דשושי צפורי. מקום. טרגים. מחלק כל חטה לתלת תלת ולשון תריגון הוא. כי אתא רב דימי אמ'. מאי חילקא כונתא כוסמת שמקלפין אותה. טמאין בכל מקום. אפילו בכפרים דקיימ' לן סולת של בני כרכים מקבלת טומאה שהוכשרה במים שדרך בני כרכים שלותתין את החטה במים בני כפרים אין מקפידין בסולת נקייה ואין לותתין וסולת שלהם טהורה שלא היתה לה הכשר מעולם אבל חילקא טמאה בכל מקום אפילו בכפרים דאי אפשר לה בלא לתיתה. אלא למאן דאמר כונתא אמאי טמאין כיון דלאו מידי דתבירה נינהו הא לא הוכשרו. ואמאי קרא ליה חילקא. כיון דאין חילקא הדא לתרי והיכי משמע חילוק ואת אמרת כונתא שאין מחלקין אותן מאי משמעות איכא. דשוו חילקיהו. חלקין הן [כשמסירין] קליפתן פליג"ש בלע"ז. הנודר מן הדגן אסור בפול המצרי. פיסול"ש ומין קטנית היא ומידי דמדגן הוא שדרך לעשותן ליבוריס וכל מידי דמדגן קא אסר עליה. מותר בחלקא. שאחר שנחלק לא מידגן. מותר באורז. מי"ל וקסבר לאו מין דגן הוא. כוסמת. מין חטה מעליה. (כרובייתא) [כרופייתא]. מוכרי תבלין כגון כרוב וכרישין. סטיו אלטבאות מכל ארבע רוחות (במקום אחד לבוע כגון בזוית אחד) [בחנות ופעמים] הולכין בני אדם לישב שם וחנות פתוחה לתוכן מקום לנוע הוא שרחוק מרשות הרבים. פותח. האי חנות ומוכר כדרכו דבלנעה הוא (ברש"י ברי"ף - הוא פתח החנות ומוכר בתוכו דצינעא הוא). פותח אחד ונועל אחד. כדי שיבינו האנשים שאין מותר כל כך לקנות ולמכור בחולו של מועד (ברש"י ברי"ף - למכור בצינעא שמא יאמרו זה לוקח שלא לצורך המועד) דלך חנות להיות לה שני פתחים. תבלין. כגון כרוב (וכרימון) [וכרישין] שהכל יודעין שלצורך המועד הם שאין ראוין להתקיים הילכך אפי' בפרהסיא שרי. הבא ממדינת הים. במועד שלא היה לו פנאי לגלח קודם המועד. מבית השביה. שהשבוהו גוים למרחקים. מבית האסורין. אפילו בעירו. והמנודה שהתירו לו חכמים. נדוי במועד שלא היה יכול לפני המועד דמנודה אסור בתספורת. מי שנשאל שנדר שלא לגלח שעשה עצמו נזיר ונשאל לחכם במועד וחכם מתיר לו נדרו שפותח לו בחרטה וזה לא היה בידו לעשות מקודם המועד שהיה בדעתו לגמור את נזרו אי נמי כגון שלא מצא חכם פתח להתירו ועכשיו מצא (ברש"י ברי"ף - אי נמי כגון שלא מצא חכם להתיר ועכשיו מצאו) דאנוס הוא עד השתא. והנזיר. שהשלים נזירתו במועד. ה"ג ומצורע העולה מטומ' לטהרתו. דכתוב (ויקרא יד) וביום השביעי יגלח את כל שערו וגו' שאם חל שביעי שלו במועד מותר בתספורת ולא גזרינן שמא ישהא קרבנותיו וכן נזיר נ"מ' נמי לא גזרינן וגלוח דכתוב (שם יג) והתגלח ואת הנתק לא יגלח לא קא חשיב דאינו אלא דבר מועט שמגלח סביב הנתק ועוד דאין זה גילוח לשום טהרה אלא להסגר שני ואמרינן באידך פירקין אין רואין את הנגעים במועד לא להקל ולא להחמיר ולהכי לא עבדינן במועד גילוח דנתק.

עין משפט נר מצוה

מג א מיי' פ"ח מהל' י"ט הל' טו טוש"ע א"ח סי' תקלד סעיף ג:
מד ב ג מיי' פ"ח שם הלכה יד טוש"ע שם סי' תקלח סעיף ד:
מה ד מיי' שם פ"ז הלכה כג טוש"ע שם סימן תקלט סעיף יא:
מו ה ו מיי' שם הלכה ט טוש"ע שם סי' תקלג סעיף ה:
מז ז מיי' פט"ז מהל' טומאת אוכלין הל' א:
מח ח מיי' פ"ז מהל' י"ט הל' כג טוש"ע א"ח סי' תקלט סעיף י:
מט ט י כ מיי' שם טוש"ע שם סעיף יא:
א ל מיי' שם הלכה יז יח טוש"ע שם סי' תקלא סעיף ד:
ב מ מיי' שם סמג לאוין עה טוש"ע שם סי' תקלד סעיף א:

רבינו חננאל

[מתני'] מחפין את הקציעות בקש. ר' יהודה אומר אף מעבין. סוגיא דשמעתא מחפין בעצים של קש דקים בין בעצים של קש עבים. פירוש קלושי דקים. סומכי עבים מעבין עושין אותן כמין כרי כלומר כמו גדיש: ירושלמי ר' יהודה אומר יאבד דבר מועט ואל יאבד דבר מרובה. ר' יוסי אומר אל יאבד דבר כל עיקר. כהנא אמר אית מילין דקשין הן (החמירו) מנגעים ואהלות: מוכרי פירות כסות וכלים מוכרין בצינעא לצורך המועד. ר' יוסי אומר הן החמירו על עצמן אוקימנא הן החמירו על עצמן שלא יעשו כל עיקר דתניא מוכרי כסות וכלים מוכרין בצינעא לצורך המועד ר' יוסי [אומר] תגרי טבריא הן החמירו על עצמן שלא יהו עושין כל עיקר. וכן צדי עכו החמירו על עצמן שלא יהו צדין כל עיקר. חילקא חטה אחת נחלקת לשתים טרגין חדא לתלת טיסני חדא לארבע כי אתא רב דימי אמר האי חילקא כונתא כוסמת היא אינו והתניא חילקא טרגין וטיסני טמאים אי אמרת חטה דשושה לשתים שלש וארבע וכמו הסולת היינו דאיתמר דאיתכשר ומקבלי טומאה אלא כונתא אמאי טמאה והא לא הוכשרה. ופרקינן כגון דמגלפו היהיא כונתא. פי' כוסמת. דאי לאו דשרא בהו מיא לא הוה מישלם כלומר מתקפלת הקליפה שלהן. ת"ש הנודר מן הדגן אסור אף בפול המצרי יבש ומותר בלח. מותר באורז חלקא טרגים וטיסני בשלמא למ"ד דששי היינו דנפקו להו מתורת דגן אלא למ"ד כונתא דגן גמור הוא כדכתיב והחטה והכוסמת ועלתה בתיובתא לרב דימי. רב יהודה שרא להנהו כרופייתא למיזל ולמיזבני בשוקא כי אורחייהו אוקימנא בתבלי והא דתניא חנות הפתוחה לסטיו פותח ונועל כדרכו כו' אוקימנא בפירות: ירושלמי צדי חיה ועופות ודגים צדין בחכה ובמכמורת ולא ממעטין בשמחת הרגל ר' אמי מקיל לון שממעטין בשמחת הרגל: הדרן עלך פרק מי שהפך

מסורת הש"ס

א) [פסחים נה:] ע"ש עה"ג, ב) [כ"ז ליתא בפסחים עי' בב"י סי' תקלד דבספרים שלנו הנוסחא ואם חושש להם שמא יגנבו מביאן בצנעה בתוך ביתו], ג) מכשירין פ"ו מ"ב, ד) [נדרים נה: תוספתא שם פ"ד], ה) [תוספ' פ"ב], ו) [לקמן יד:], ז) נ"ל דפסחים.

הגהות הב"ח

(א) מתני' והמצורע העולה מטומאתו: (ב) רש"י ד"ה הא בפירי שקונה לצורך שאר ימות השנה: (ג) תוס' ד"ה בשביל כו' אבל מרישא דתני דחנות פתוחה כו' ערב י"ט האחרון חוה"מ הוא: (ד) ד"ה בתבלין כו' כדאיתא פ' גיד הנשה ותנן נמי דתבלין נידוכין כדרכן בפ"ק:

הגהות הגר"א

[א] גמ' (מפנן לחצר אחרת ואם אינו מאמינו) תא"מ (וכן ליתא בדפו"י):

הגהות מהר"ב רנשבורג

א] גמ' מפנן לחצר אחרת ואם אינו מאמינו. זה נמחק וכ"ב בפסחים נה ע"ב כל זה אינו ויעו"ש בתוס' ד"ה ואם מתיירא וכו' ובמהרש"א שם:

רש"י כת"י

והתניא. בניחותא. כד מבית הכדר כדים וכספלות מבית האומן, ולצורך יום טוב [עי' הגהות חוו"י בר"ף]. ולא כלים. שאר כלים שאין צריכין ביום טוב. מוליכין קשיא. דקתני מתני' דפעמים מוליכין ומביאין ומתני' דהכא קתני מביאין אין מוליכין לא הוכלא ליכא לשנויי במאמינו דמוליכין מאי מאמינו ומאי שאינו מאמינו איכא. מחפין את הקציעות. תאנים שנוטחות בשדה לייבשן מחפין אותן בקש מפני הגשמים. מעבין. תאנים שליכין לתוך כלי וקורין אותו מקלוט ואינו מרובע אלא ג' קרנות יש לו ועושין עיגול התאנים כמין הכלי. מעבין. גמ' פליגי בה בפי' מחפין ומעבין. אקלושי. מעט מחפין ולא כל כך לרכך שעושה בחול. אסמוכי. מחפין אותן יפה יפה כעין כל הצורך. לא שנא הכי ולא שנא הכי. בין עב בין קלוש קרי ליה מחופין. מעבין [וכו' כמין כרין]. עושין

festival.[11] רַבִּי יוֹסֵי אוֹמֵר – R' Yose says: הֵם הֶחֱמִירוּ עַל עַצְמָן – They (i.e. the aforementioned vendors and workers) took a stringency upon themselves.[12]

Gemara The Gemara explains the dispute between the Tanna Kamma and R' Yehudah:

פְּלִיגֵי בָהּ רַבִּי חִיָּיא בַּר אַבָּא וְרַבִּי אַסִּי – **R' Chiya bar Abba and R' Assi disagreed regarding [this dispute],** וְתַרְוַיְיהוּ מִשְּׁמֵיהּ דְּחִזְקִיָּה וְרַבִּי יוֹחָנָן – **and each of them** stated his view **in the name of Chizkiyah and R' Yochanan.** חַד אָמַר מְחַפִּין אַקְלוּשֵׁי – **One said** that the phrase **"we may cover"** refers to covering the figs **sparsely,** with the stalks of straw separated from one another, מְעַבִּין אַסְמוּכֵי – and the phrase **"we may make it thick"** refers to covering them **closely,** with the stalks of straw close together.[13] וְחַד אָמַר מְחַפִּין בֵּין אַקְלוּשֵׁי בֵּין אַסְמוּכֵי – **But** the other **one said** that the phrase **"we may cover"** refers to covering **either sparsely or closely,** מְעַבִּין עוֹשֶׂה אוֹתוֹ כְּמִין כְּרִי – and the phrase **"we may make it thick"** refers to the figs, and means that **one forms [the mass of figs] into a sort of** compact **pile,** so that they will be easy to cover.[14]

The latter view is supported by a Baraisa:

תַּנְיָא נַמִּי הָכִי – **It has likewise been taught in a Baraisa:** מְעַבִּין עוֹשֶׂה אוֹתוֹ כְּמִין כְּרִי – **"WE MAY MAKE IT THICK"** teaches that **ONE FORMS [THE MASS OF FIGS] INTO A SORT OF** compact **PILE.** דִּבְרֵי רַבִּי יְהוּדָה – **THESE ARE THE WORDS OF R' YEHUDAH.**

The Mishnah stated:

מוֹכְרֵי פֵּירוֹת כְּסוּת וְכֵלִים מוֹכְרִין בִּצְנְעָה וכו׳ – **VENDORS OF FRUIT, CLOTHING AND UTENSILS MAY SELL** their wares **IN PRIVATE etc.** [for the needs of the festival. The trappers, the grain pounders and the bean grinders may do their work in private for the needs of the festival. R' Yose says: They took a stringency upon themselves.]

The Gemara considers R' Yose's statement:

אִבַּעְיָא לְהוּ – **They inquired:** הֵן הֶחֱמִירוּ עַל עַצְמָן דְּלֹא הָווּ עָבְדֵי כְּלָל – Does this mean that **they took a stringency upon themselves that they would not work at all** on Chol HaMoed, אוֹ דִּלְמָא דְּהָווּ עָבְדֵי בִּצְנְעָה – **or** does it **perhaps** mean **that they would do** their work **in private?**[15]

The Gemara presents a proof:

תָּא שְׁמַע – **Come, learn** a proof from the following Baraisa: מוֹכְרֵי פֵּירוֹת כְּסוּת וְכֵלִים מוֹכְרִין בִּצְנְעָה לְצוֹרֶךְ הַמּוֹעֵד – **VENDORS OF FRUIT, CLOTHING AND UTENSILS MAY SELL** their wares **IN PRIVATE FOR THE NEEDS OF THE FESTVAL.** רַבִּי יוֹסֵי אוֹמֵר – **R' YOSE SAYS:** תַּגָּרֵי טְבֶרְיָא הֵן הֶחֱמִירוּ עַל עַצְמָן שֶׁלֹּא יְהוּ מוֹכְרִין כָּל עִיקָר – **THE MERCHANTS OF TIBERIAS TOOK A STRINGENCY UPON THEMSELVES THAT THEY WOULD NOT SELL** their wares **AT ALL** on Chol HaMoed. צָדֵי חַיּוֹת וְעוֹפוֹת וְדָגִים צָדִין בִּצְנְעָה לְצוֹרֶךְ הַמּוֹעֵד – **TRAPPERS OF ANIMALS, BIRDS AND FISH MAY TRAP IN PRIVATE FOR THE NEEDS OF THE FESTIVAL.** רַבִּי יוֹסֵי אוֹמֵר – **R' YOSE SAYS:** צָדֵי עַכּוֹ הֵן הֶחֱמִירוּ עַל עַצְמָן שֶׁלֹּא יְהוּ צָדִין כָּל עִיקָר – **THE TRAPPERS OF ACRE TOOK A STRINGENCY UPON THEMSELVES THAT THEY WOULD NOT TRAP AT ALL** on Chol HaMoed.[16] דָּשׁוֹשֵׁי חִילְקָא טַרְגִּיס וְטִיסָנֵי דּוֹשְׁשִׁין בִּצְנְעָה לְצוֹרֶךְ הַמּוֹעֵד – **THOSE WHO POUND** wheat into ***CHILKA, TARGIS* AND *TISANEI***[17] **MAY POUND** it **IN PRIVATE FOR THE NEEDS OF THE FESTIVAL.** רַבִּי יוֹסֵי אוֹמֵר – **R' YOSE SAYS:** דָּשׁוֹשֵׁי צִיפּוֹרִי הֵן הֶחֱמִירוּ עַל עַצְמָן שֶׁלֹּא יְהוּ דּוֹשְׁשִׁין כָּל עִיקָר – **THE GRAIN POUNDERS OF TZIPPORI TOOK A STRINGENCY UPON THEMSELVES THAT THEY WOULD NOT POUND AT ALL** on Chol HaMoed.

We see from this Baraisa that R' Yose's stringency was to

NOTES

11. These laborers, even if their work is for a festival need, must perform their tasks unobtrusively. For as they generally work with large quantities, it appears to an onlooker that they are engaged in their usual weekday activities. We therefore require them to work in private (see *Ritva,* printed on 13a; *Mishnah Berurah* 533:22). A non-professional engaged in this work for his own needs, however, may perform these tasks publicly. For he generally does not work with large quantities; thus, it is evident that he is performing the work for the needs of the festival (*Ritva* ibid.; see *Mishnah Berurah* ibid.; cf. *Talmid R' Yechiel MiParis*). [This is why the Mishnah identifies these workers by the names of their occupations – trappers, grain pounders, bean grinders – and does not simply state that one must trap, pound grain and grind beans in private. The Mishnah is indicating that the law applies only to professionals (see *Ritva* ibid.).]

Another facet of this law pertains to the *sale* of these products (i.e. grits, split beans and trapped animals) by those who produce them – the rule is that it must be done covertly (see *Rashi; Misnah Berurah* 533:24 with *Shaar HaTziyun* §39).

12. The Gemara will discuss the nature of this stringency.

13. According to this understanding, the Tanna Kamma does not permit this task to be performed as it is during the weekdays, with the straw laid thickly over the figs, to block all moisture. Instead, the straw may cover the fruit only sparsely, with some space left between the stalks of straw. This does not shield the figs from all moisture; however, to do more is forbidden as being similar to עוּבְדָא דְחוֹל, *weekday activity.* R' Yehudah, however, permits the straw to be laid as in the weekdays, thickly enough to block all moisture (see *Rashi ms.; Talmid R' Yechiel MiParis*).

14. According to this interpretation, the Tanna Kamma agrees that the figs may be covered with a thick layer of straw. However, he does not permit them to be molded into a pile and then covered with straw, for this requires excessive exertion. R' Yehudah, however, permits the figs to be formed into a compact ("thick") pile (see *Rashi; Talmid R' Yechiel MiParis*).

[*Rashi* explains that the purpose of forming the figs into a pile is to make them easier to cover with straw. Other Rishonim (*Rashi ms.; Nimukei Yosef; Meiri*) state that it is done so that the top layer of figs will protect the layers beneath. They do not say that the pile is also covered with straw. *R' Yechiel MiParis,* however, writes both things – that the pile is formed so that the top layer will protect the bottom layers, and that after it is formed, it is covered with straw.]

[Several Rishonim are troubled by the fact that here R' Yehudah rules leniently regarding an issue of work performed on Chol HaMoed to prevent a loss, whereas above (see Mishnah 11b;12a) he rules stringently in a similar matter. This issue is raised in *Yerushalmi* (5:5); *Yerushalmi* therefore explains the Mishnah differently, with R' Yehudah taking the more stringent position. *Ritva* (printed on 13a) follows *Yerushalmi's* view; however, see *Raavad,* quoted in *Michtam,* and *Talmid R' Yechiel MiParis* for answers that are in consonance with our Gemara; see also *Keren Orah; Sfas Emes.*]

15. The question is: Does R' Yose's "stringency" betoken a more stringent view than the Tanna Kamma or a more lenient view? If the stringency was to refrain from work altogether, it clearly signifies a more stringent view, for the Tanna Kamma permits one to work, so long as he does it in private. But if the stringency was to perform the work in private, it signifies a more lenient view, for it indicates that one is not *obligated* to perform the work privately. The Tanna Kamma, however, holds that one is so obligated (*Rashi; Rashi ms.;* cf. *Ritva*). [According to the first option, R' Yose is in agreement with the Tanna Kamma with regard to requiring privacy; according to the second, R' Yose disputes the Tanna Kamma, for he holds that the requirement to work in private is a mere stringency, not an essential law.]

16. *Yerushalmi* (9b) writes that this was the practice of the fishermen of Tiberias; although they were permitted to trap fish covertly, they took a stringency upon themselves, and refrained from any fishing at all on Chol HaMoed. *Yerushalmi* relates that R' Ami cursed these fishermen (see *Korban HaEidah* ad loc.), for their excessive piety diminished the joy of the festival for all the residents of Tiberias, who were without fish for the festival. See below, note 38.

17. [*Chilka, targis* and *tisanei* are types of grits; the Gemara will explain the difference between them.] They are made by soaking kernels of grain in water and then splitting them (see *Rashi*).

והתניא [א] מביאין כלים מבית האומן כגון כד מבית הכדר וכוס מבית הזגג אבל לא צמר מבית הצבע ולא כלים מבית האומן ואם אין לו מה יאכל נותן לו שכרו ומניחו אצלו ואם אינו מאמינו מניחו בבית הסמוך לו ואם חושש להם שמא יגנבו [א] א] (ב מפנן לחצר אחרת ואם אינו מאמינו) מביאן בצנעה בתוך ביתו תרצת מביאין מוליכין קשיא דקתני אין מביאין וכל שכן שאין מוליכין אלא מחוורתא כדשניין מעיקרא:

מתני' ב מחפין את הקציעות בקש רבי יהודה אומר ג אף מעבין ד מוכרי פירות כסות וכלים מוכרים בצנעה לצורך המועד ה הציידין והדשושות והגרוסות עושין בצנעה לצורך המועד רבי יוסי אומר הם החמירו על עצמן:

גמ' פליגי בה רבי חייא בר אבא ורבי אסי ותרווייהו משמיה דחזקיה ורבי יוחנן חד אמר מחפין אקלושי מעבין אסמוכי וחד אמר מחפין בין אקלושי בין אסמוכי מעבין עושה אותו כמין כרי תניא נמי הכי מעבין עושה אותו כמין כרי דברי ר' יהודה: מוכרי פירות כסות וכלים מוכרין בצנעה וכו': אבעיא להו הן החמירו על עצמן דלא הוו עבדי כלל או דלמא דהוו עבדי בצנעה ת"ש מוכרי פירות כסות וכלים מוכרין בצנעה לצורך המועד ר' יוסי אומר תגרי טבריא הן החמירו על עצמן שלא יהו מוכרין כל עיקר ו צדי חיות ועופות ודגים צדין בצנעה לצורך המועד רבי יוסי אומר צדי עכו הן החמירו על עצמן שלא יהו צדין כל עיקר דשושי חילקא טרגים וטיסני דוששין בצנעה לצורך המועד ר' יוסי אומר דשושי ציפורי הן החמירו על עצמן שלא יהו דוששין כל עיקר אמר אביי חילקא חדא לתרתי טרגים חדא לתלת טיסני חדא לארבעה כי אתא רב דימי אמר כונתא מיתיבי (ג) ז חילקא טרגים וטיסני טמאין בכל מקום בשלמא למ"ד חדא לתרתי לתלת ולארבעה משום הכי טמאין בכל מקום דאתכשור אלא למ"ד כונתא אמאי טמאין בכל מקום הא לא איתכשור כגון דמיקלפן דאי לאו דשרא להו במיא לא הוה מיקלפא ואמאי קרי ליה חילקא דשקל חלקיהו מיתיבי (ד) הנודר מן הדגן אסור אף בפול המצרי יבש ומותר בלח ומותר באורז בחילקא וטרגים וטיסני בשלמא למ"ד חדא לתרתי חדא לתלת וחדא לארבעה שפיר דנפקו להו מתורת דגן אלא למ"ד כונתא דגן מעליא הוא קשיא רב הונא ח שרא להו להנהו כרופייתא למיזל לזבוני כי אורחייהו בשוקא איתיביה רב כהנא (ה) ט חנות פתוחה לסטיו פותח ונועל כדרכו פתוחה לרה"ר פותח אחת ונועל אחת י וערב יום טוב האחרון של חג מוציא ומעטר את שוקי העיר בפירות בשביל כבוד י"ט האחרון מפני כבוד י"ט האחרון אין שלא מפני כבוד י"ט לא לא קשיא כ הא בפירי הא בתבלין:

הדרן עלך מי שהפך

ואלו ל מגלחין במועד הבא ממדינת הים ומבית השביה והיוצא מבית האסורין והמנודה שהתירו לו חכמים וכן מי שנשאל לחכם והותר י) והנזיר והמצורע (א) מטומאתו לטהרתו מ ואלו מכבסין במועד הבא ממדינת הים ומבית השביה והיוצא מבית האסורין ומנודה

בשביל כבוד יום טוב האחרון. אבל מרישא (ג) דחנות פתוחה לרשות הרבים פותח אחת ונועל אחת ורב הונא מתיר באורחייהו בשוקא לא פריך דיש לאוקמיה בי"ט ולא בחול המועד ולהכי פריך מסיפא דמיירי בחול המועד דהא ערב י"ט האחרון חול המועד: **בתבלין.** פי' בקונט' כרוב וכרשינין והקשה בתוס' רבי פרץ דכרוב וקפלוט אינן חשובין תבלין דהא אמרינן (חולין דף ו.) דתבלין לטעמא עבידי ואפילו באלף לא בטיל ולפת וקפלוט אינו צריך לשער כי אם בששים כדאיתא פרק גיד הנשה (שם דף צו:) (ד) ותבלין כך נידוכין כדרכן בפ"ק דביצה (דף יד.) א"כ אינו כרוב ובערוך פירש מיני בשמים:

הדרן עלך מי שהפך

ואלו מגלחין במועד. משום דתנא באידך פירקין דברים שעושין לצורך המועד כמו מוכרי פירות דנעשים כדין קתני נמי ואלו נעשים שלא כדין לצורך המועד: **והיוצא** מבית האסורים. שאינו יכול לגלח קודם המועד שאין מניחין לו לגלח ואפילו מניחין לו אינו ערב לאדם לגלח בבית האסורין: [כ"ה בירושלמי] ומנודה

והתניא. סיועא: כד וכוס לצורך המועד הן אבל צמר וכלים אין לצורך המועד: **ואם אין לו.** לאומן מה יאכל נותן לו שכרו: **מפנן לחצר אחרת ואם אינו מאמינו.** בחצר אחרת: **מביאן לתוך ביתו.** אלמא בשאינו מאמינו מביאן: **מוליכין קשיא.** דקתני מתני' ז) דפעמים מוליכין ומתני' דהכא קתני אין מביאין כל שכן דאין מוליכין וליכא לתרץ באין מאמינו דמוליכין מאי מאמינו שייך: כדשניין מעיקרא. כאן בארבעה עשר כאן בחולו של מועד: **מתני'** מחפין. מכסין: הדשושות. שדשין וכותשין חיטין לדייסא: והגרוסות. שטוחנין פולין לגריסין: **בצנעה.** שמא יאמרו זה לוקח שלא לצורך המועד: **גמ'** אקלושי. שמכסהו בענפים מרוחקין זה מזה דלא הוי כסוי גמור: **אסמוכי.** הענפים סומך זה לזה דהוי כסוי גמור: **כמין כרי.** מכנסין אותן ביחד כדי שיהו נוחין לכסות: **החמירו על עצמם דלא עבדי כלל.** ולחומרא: **או דלמא.** החמירו על עצמן לעשות בצנעה מדעתן ואם רוצין לעשות בפרהסיא עושין ולקולא: **דשושי.** דשי תבואה איכא דאמרי דשושי המשברין תבואה חדא לשנים ושורין במים כו': **כונתא.** כוסמת שלותתין אותן היינו חילקא: **טמאים בכל מקום.** מקבלין טומאה בין בכפרים בין בכרכים דקיימא לן (פסחים דף מ.) סולת של בני כרכים מקבלת טומאה שהוכשרה במים ובני כפרים אין מקפידין אסולת נקיה ללתות במים וסולת שלהן טהור שלא הוכשר מעולם אבל חילקא טמאין בכל מקום אפילו בכפרים דאי אפשר להם בלא לתיתה משום הכי טמאין דהא מיתכשר דשרי להו במיא: לעולם הוי כונתא ומיקלפן דשרי להו במיא דשרי קליפה: **דשקיל חלקיהו.** כלומר כשנוטל הקליפה והוי חלק: **כרופייתא.** מוכרי בשמים: **חנות פתוח לסטיו** פותח ונועל כדרכו. הואיל ואינו פתוח לרה"ר כשאר חנויות: **פותח דלת אחד ונועל דלת אחד.** אבל כדרכו לא אינו מוכר כדרכו: **הא בפירי.** שיש לחשוד שקונה לצורך (ג) ימות השנה: **בתבלין.** מוכר כדרכו כגון כרוב וכרשינין הכל יודעין דלצורך המועד הן וליכא חשדא שאין ראוין להתקיים הלכך אפי' בפרהסיא מותר:

הדרן עלך מי שהפך

ואלו מגלחין במועד הבא ממדינת הים כו'. במועד לפי שהיה אנוס שלא היה יכול לגלח קודם: **ומי שנשאל לחכם.** שנדר שלא לגלח ושאל לחכם במועד: **מטומאתו לטהרתו.** נזיר טמא כשעלה מטומאתו ושוב אינו משמר נזרו ומגלח וכן מצורע שעלה מטומאתו מגלח ברגל לפי שלא היה להם פנאי לגלח קודם הרגל: גמ'

עין משפט נר מצוה

מג א מיי' פ"ח מהל' י"ט הל' טו טוש"ע א"ח סי' תקלד סעיף ג:

מד ב ג מיי' פ"ח שם הלכה יד טוש"ע שם סי' תקלא סעיף ד:

מה ד מיי' שם פ"ז הלכה כג טוש"ע שם סימן תקלט סעיף יא:

מו ה ו מיי' שם הלכה ט טוש"ע שם סי' תקלג סעיף ה:

מז ז מיי' פט"ז מהל' טומאת אוכלין הל' א:

מח ח מיי' פ"ז מהל' י"ט הל' כג טוש"ע א"ח סי' תקלט סעיף י:

מט ט י כ מיי' שם טוש"ע שם סעיף יא:

א ל מיי' שם הלכה יז יח טוש"ע שם סי' תקלא סעיף ד:

ב מ מיי' שם סמג לאוין עה טוש"ע שם סי' תקלד סעיף א:

רבינו חננאל

[מתני'] מחפין את הקציעות בקש. ר' יהודה אומר אף מעבין. סוגיא דשמעתא מחפין בעצים של קש דקים בין בעצים של קש עבים. פירוש קלושי דקים. סומכי עבים מעבין עושין אותן כמין כרי כלומר כמו גדיש: **ירושלמי** ר' יהודה אומר יאבד דבר מועט ואל יאבד דבר מרובה. ר' יוסי אומר אל יאבד דבר כל עיקר. כהנא אמר אית מילין דקשין הן (החמירו) מנגעים ואהלות: מוכרי פירות כסות וכלים מוכרין בצינעא לצורך המועד. ר' יוסי אומר הן החמירו על עצמן אוקימנא הן החמירו על עצמן שלא יעשו כל עיקר דתניא מוכרי כסות וכלים מוכרין בצינעא לצורך המועד ר' יוסי [אומר] תגרי טבריא הן החמירו על עצמן שלא יהו עושין כל עיקר. וכן צדי עכו החמירו על עצמן שלא יהו צדין כל עיקר. חילקא חטה אחת נחלקת לשתים טרגין חדא לתלת טיסני חדא לארבע כי אתא רב דימי אמר האי חילקא כתנא הוא איני והתניא חילקא טרגין וטיסני טמאים אי אמרת חטה דשושה לשתים שלש וארבע וכמו הסולת היינו דאיתמר דאיתכשר ומקבלי טומאה אלא כותנא אמאי טמאה והא לא הוכשרה. ופרקינן כגון דמגלפו ההיא כותנא. פי' כוסמת. דאי לאו דשדא בהו מיא לא הוה משלם כלומר מתקפלת הקליפה שלהן. ת"ש הנודר מן הדגן אסור אף בפול המצרי יבש ומותר בלח. ומותר באורז חלקא טרגים וטיסני בשלמא למ"ד דשישי היינו דנפקי להו מתורת דגן אלא למ"ד כותנא דגן גמור הוא כדכתיב והחטה והכוסמת ועלתה בתיובתא לרב דימי. רב יהודה שרא להנהו כרופייתא למיזל ולמיזבני בשוקא כי אורחייהו אוקימנא בתבלי והא דתניא חנות הפתוחה לסטיו פותח ונועל כדרכו כו' אוקימנא בפירות: **ירושלמי** צדי חיה ועופות ודגים צדין בחכה ובמכמורת ולא ממעטין בשמחת הרגל ר' אמי מקיל לון שממעטין בשמחת הרגל: **הדרן עלך פרק מי שהפך**

מסורת הש"ס

א) [פסחים נה:] ע"ש עה"ג, ב) [כ"ז ליתא בפסחים עי' בב"י סי' תקלד דבספרים שלנו הנוסחא ואם חושש להם שמא יגנבו מביאן בצנעה בתוך ביתו], ג) מכשירין פ"ו מ"ב, ד) [נדרים נה: תוספתא שם פ"ד], ה) [תוספ' פ"ב], ו) [לקמן יד:], ז) ל"ל דפסחים.

הגהות הב"ח

(א) מתני' והמצורע העולה מטומאתו: (ב) רש"י ד"ה הא בפירי שקונה לצורך שאר ימות השנה: (ג) תוס' ד"ה בשביל כו' אבל מרישא דתני דחנות פתוחה כו' ערב י"ט האחרון חוה"מ הוא: (ד) ד"ה בתבלין כו' כדאיתא פ' גיד הנשה ותנן נמי דתבלין נידוכין כדרכן בפ"ק:

הגהות הגר"א

[א] גמ' (מפנן לחצר אחרת ואם אינו מאמינו) תא"מ (וכן ליתא בדפו"י):

הגהות מהר"ב רנשבורג

א] גמ' מפנן לחצר אחרת ואם אינו מאמינו. זה נמחק וצ"ב בפסחים נה ע"ב כל זה איננו ויעו"ש בתוס' ד"ה ואם מתיירא וכו' ובמהרש"א שם:

רש"י כת"י

והתניא. בניחותא. כד מבית הכדר כרים וכסתות מבית האומן. ולצורך יום טוב [עי' הגהות חו"י ברי"ף]. ולא כלים. שאר כלים שאין צריכין ביום טוב. מוליכין קשיא. דקתני מתני' דפסחים מוליכין ומביאין ומתני' דהכא קתני מביאין אין מוליכין לא והכא ליכא לשנויי במאמינו דמוליכין מאי מאמינו ומאי שאינו מאמינו איכא. מחפין את הקציעות. תאנים השטוחות בשדה לייבשן מחפין אותן בקש מפני הגשמים קליעות תאנים שאירפן לתוך כלי וקורין אותו מקלוע ואינו מרובע אלא ג' קרנות יש לו ועושין עיגול התאנים כמין הכלי. מעבין. בגמ' פליגי בה בפי' מחפין ומעבין. אקלושי. מעט מחפין ולא כל צרכן כדרך שעושה בחול. אסמוכי. מחפין אותן יפה יפה בעובי בכל הצורך. לא שנא הכי ולא שנא הכי. בין עב בין קלוש קרי ליה מחופין. מעבין [וכו' כמין כרין]. עושין אותן הקליעות כמין כרי שאורפן ומכניסן יחד בכרי כדי שיהו העליונות מגינות על התחתונות. הדשושות. שדשין וכותשין חטין לדייסא. הגרוסות. טוחנין פולין לגריסין. בצנעה. שמא יאמרו זה לוקח [שלא] לצורך המועד. החמירו מפר' בגמרא. החמירו על עצמן. דלא עבדי כלל ולחומרא. או דילמא. החמירו לעשות בצנעה מדעתן ואם רצו לעשות בפרהסיא עושין ולקולא. עכו. שם העיר. דשושי חילקא דוששין את החלקא ואת הטרגים כולן חטין הם אלא חילקא חד לתרי...

התבואה וכותשין עד שמתחלקת לשנים. דשושי צפורי. מקום. טרגים. מחלק כל חטה לתלת תלת ולשון תריגון הוא. כי אתא רב דימי אמ'. מאי חילקא כונתא כוסמת שמקלפין אותה. טמאין בכל מקום. אפילו בכפרים דקיימ' לן סולת של... מקבלת טומאה שהוכשרה במים שדרך בני כרכים שלותתין את החטה במים בני כפרים אין מקפידין בסולת נקייה ואין לותתין וסולת שלהם טהורה שלא היתה לה הכשר מעולם אבל חילקא טמאה בכל מקום אפילו בכפרים דאי אפשר לה בלא לתיתה... דאמר כונתא אמאי טמאין כיון דלאו מידי דתבירה ניהו הא לא הוכשרו. ואמאי קרא ליה חילקא. כיון דאין חילקא חדא לתרי והיכי משמע חילוק ואת אמרת כונתא שאין מחלקין אותן מאי משמעות איכא. דשוו חילקיהו. חלקין הן... קליפתן פלינ"ש בלע"ז. הנודר מן הדגן אסור בפול המצרי. פיסול"ש ומין קטנית היא ומידי דמדגן הוא שדרך לעשותן ליבורים וכל מידי דמדגן קא אסר עליה. מותר בחלקא. שאחר שנחלק לא מידגן. מותר באורז. מי"ל וקסבר לאו... כוסמת. מין חטה מעליה. (כרובייתא) [כרופייתא]. מוכרי תבלין כגון כרוב וכרישין. סטיו אצטבאות מכל ארבע רוחות (במקום אחד לבוע כגון בזוית אחד) [בחנות ופעמים] הולכין בני אדם לישב שם וחנות פתוחה לתוכן מקום צנוע הוא... הרבים. פותח. האי חנות ומוכר כדרכו דבצנעה הוא (ברש"י בריף - הוא פתח החנות ומוכר בתוכו דצינעא הוא). פותח אחד ונועל אחד. כדי שיבינו האנשים שאין מותר כל כך לקנות ולמכור בחולו של מועד (ברש"י בריף - למכור בצינעא שמא יאמרו זה לוקח שלא לצורך המועד) לכך חנות להיות לה שני פתחים. תבלין. כגון כרוב (וכרימון) [וכרישין] שהכל יודעין שלצורך המועד הם שאין ראויין להתקיים הילכך אפי' בפרהסיה שרי. הבא ממדינת הים. במועד שלא היה לו פנאי לגלח קודם המועד. מבית השביה. שהשבוהו גוים למרחקים. מבית האסורין. אפילו בעירו. והמנודה שהתירו לו חכמים. נדוי במועד שלא היה יכול לפני המועד דמנודה אסור בתספורת. מי שנשאל שנדר שלא לגלח שעשה עצמו נזיר ונשאל לחכם במועד וחכם מתיר לו נדרו... במרטה וזה לא היה בידו לעשות מקודם המועד שהיה בדעתו לגמור את נזרו אי נמי כגון שלא מצא חכם פתח להתירו ועכשיו מצא (ברש"י בריף - אי נמי כגון שלא מצא חכם להתיר ועכשיו מצאו) דאנוס הוא עד השתא. והנזיר. שהשלים נזירתו במועד. ה"נ ומצורע העולה מטומ' למהרתו. דכתוב (ויקרא יד) וביום השביעי יגלח את כל שערו וגו' שאם חל שביעי שלו במועד מותר בתספורת ולא גזרינן שמא ישהא קרבנותיו וכן נזיר נ"מ נמי לא גזרינן וגלות דכתוב (שם יג) והתגלח ואת הנתק לא... חשיב דאינו אלא דבר מועט שמגלח סביב הנתק ועוד דאין זה גילות לשום טהרה אלא להסגר שני ואמרינן באידך פירקין אין רואין את הנגעים במועד לא להקל ולא להחמיר ולהכי לא עבדינן במועד גילות דנתק.

refrain from work altogether on Chol HaMoed.

The Gemara defines *chilka, targis,* and *tisanei:*

אָמַר אַבַּיֵי – **Abaye said:** חִילְקָא חֲדָא לְתַרְתֵּי – ***Chilka*** are the wheat grits derived when the kernels are split **one into two;** טַרְגִּיס חֲדָא לִתְלָת – ***targis*** is made by splitting the kernels **one into three;** טִיסָּנֵי חֲדָא לְאַרְבְּעָה – ***tisanei*** is made by splitting them **one into four.** All three, however, are made of wheat.[18]

A dissent on the meaning of *chilka:*

כִּי אֲתָא רַב דִּימִי אָמַר – **When Rav Dimi came** to Babylonia from Eretz Yisrael, **he said:** כּוּנְתָּא – *Chilka* is made from **spelt.**[19]

The Gemara challenges Rav Dimi's definition:

מֵיתִיבֵי – **They challenged** him from the following Mishnah:[20] חִילְקָא טַרְגִּיס וְטִיסָּנֵי טְמֵאִין בְּכָל מָקוֹם – *CHILKA, TARGIS* AND *TISANEI* that come into contact with *tumah* ARE *TAMEI* IN ALL LOCATIONS, i.e. both in the cities and in the villages.[21] בִּשְׁלָמָא לְמַאן דְּאָמַר חֲדָא לְתַרְתֵּי לִתְלָת וּלְאַרְבְּעָה – Now **this is understandable according to the one** (i.e. Abaye) **who says** that these are grits derived by splitting wheat kernels **one into two, three or four,** מִשּׁוּם הָכִי טְמֵאִין בְּכָל מָקוֹם – as it is **for this [reason] that they are *tamei* in all locations.** דְּאִתְכַּשּׁוּר – **For** in order to split the kernels, they must be soaked; thus, during their processing, **they are rendered susceptible** to *tumah.* אֶלָּא לְמַאן דְּאָמַר כּוּנְתָּא – **But according to the one who says** that *chilka* is **spelt** (i.e. Rav Dimi), אַמַּאי טְמֵאִין בְּכָל מָקוֹם – **why are they** (i.e. *chilka, targis* and *tisanei*) ***tamei* in all locations?** *Chilka* should in fact not become *tamei*! For it is not made of split kernels, and thus does not require soaking;[22] הָא לֹא אִיתְכַּשּׁוּר – hence, **it was never rendered susceptible** to *tumah.* Clearly, *chilka* cannot be defined as spelt. – ? –

The Gemara defends Rav Dimi's definition:

כְּגוֹן דְּמִיקַּלְפָן – The name *chilka* is used **where [the spelt] is hulled.** Hulled spelt is invariably susceptible to *tumah,* דְּאִי לָאו דְּשָׁרָא לְהוּ בְּמַיָּא לֹא הֲוָה מִיקַּלְפָא – **for if not for [the kernels] having been soaked in water, they could not have been hulled.**

The Gemara explains the provenance of the name *chilka* according to Rav Dimi:

וְאַמַּאי קָרֵי לֵיהּ חִילְקָא – **And** according to Rav Dimi, **why do they call [hulled spelt] *chilka*?**[23] דְּשָׁקֵל חַלְקָיְהוּ – **Because** when the hulls are **removed, they** (i.e. the kernels) **are** rendered **smooth** (*chalak*).[24]

The Gemara challenges Rav Dimi's definition again:

מֵיתִיבֵי – **They challenged** him from the following Baraisa: הַנּוֹדֵר מִן הַדָּגָן אָסוּר אַף בְּפוֹל הַמִּצְרִי יָבֵשׁ – ONE WHO TAKES A VOW to abstain FROM *DAGAN* IS FORBIDDEN to eat EVEN DRY EGYPTIAN BEANS, for they too are classified as *dagan.*[25] וּמוּתָּר בְּלַח – HOWEVER, HE IS PERMITTED to eat FRESH Egyptian beans,[26] וּמוּתָּר בְּאוֹרֶז בְּחִילְקָא וְטַרְגִּיס וְטִיסָּנֵי – AND HE IS PERMITTED to eat RICE,[27] *CHILKA, TARGIS,* AND *TISANEI.* בִּשְׁלָמָא לְמַאן דְּאָמַר חֲדָא לְתַרְתֵּי חֲדָא לִתְלָת וַחֲדָא לְאַרְבְּעָה שַׁפִּיר – Now **this is understandable according to the one** (i.e. Abaye) **who says** that *chilka, targis* and *tisanei* are the grits derived by splitting wheat kernels **one into two, three or four.** דְּנָפְקוּ לְהוּ מִתּוֹרַת דָּגָן – **For** by being split, **they have emerged from the classification of *dagan;*** thus, they are not included in the vow.[28] אֶלָּא לְמַאן דְּאָמַר כּוּנְתָּא – **But according to the one who says** that *chilka* is **spelt** (i.e. Rav Dimi), דָּגָן מְעַלְיָא הוּא – **it is full-fledged *dagan.***[29] Why should it not be included in the vow? – ? –

The Gemara agrees:

קַשְׁיָא – Indeed, **this is a difficulty.**[30]

NOTES

18. *Rashi ms.* To make *chilka,* one pounds the kernels lightly, so that they split into two; to make *targis* one pounds them a bit harder; to make *tisanei* one pounds them still harder (*Talmid R' Yechiel MiParis*).

19. To make *chilka,* one soaks the kernels of spelt in water, and then removes the hulls (see *Rashi;* Gemara below). Rav Dimi disputes Abaye in two matters: he holds that *chilka* is not wheat, and that the kernels are not split (see *Rashi ms.* ד״ה אלא למאן דאמר; Gemara below).

20. *Machshirin* 6:2.

21. The Torah states that food becomes susceptible to *tumah* through contact with water or with one of six other specific liquids (see *Leviticus* 11:34,38; *Machshirin* 6:4). Food that has not been moistened by one of these seven cannot contract *tumah.*

This Mishnah is alluding to a rule expressed in a Baraisa cited in *Pesachim* (40a). The Baraisa discusses whether flour is generally regarded as susceptible to *tumah,* and makes this contingent upon its place of origin. Flour that originated in a village is generally insusceptible to *tumah,* for villagers are not particular about the purity of their flour, and do not bother to soak the grain in water to remove all the bran. Since the grain never came into contact with water, the flour that is made from it is not susceptible to *tumah.* Flour originating in a city, however, is generally susceptible to *tumah.* For city dwellers demand clean flour; hence, before they grind the kernels, they invariably soak them to remove the bran. Since the grain was moistened with water, the flour is susceptible to *tumah.*

The Mishnah draws a distinction between the law of flour and the law of *chilka, targis* and *tisanei.* These three types of grits cannot be produced except through soaking in water. Therefore, whether they originate in the villages or in the cities, they are perforce susceptible to *tumah.* Accordingly, the Mishnah rules that in any location at all, *chilka, targis* or *tisanei* that come into contact with a source of *tumah* will become *tamei* (*Rashi*).

22. *Rashi ms.* [At this point, the Gemara does not realize that we are discussing hulled spelt. It therefore assumes that the spelt was not soaked.]

23. According to Abaye, the provenance of the name is obvious – since *chaluk* (חָלוּק) means "split," split wheat kernels are called *chilka* (see *Rashi ms.*). According to Rav Dimi, though, *chilka* is not made of split kernels. What then is the origin of the name?

24. *Chalak* (חָלָק) means "smooth." Since hulled spelt is smooth it is called *chilka* (*Rashi; Rashi ms.; R' Shlomo ben HaYasom*). For other interpretations of the Gemara, see *Rashash; Divrei David; Gilyonei HaShas.*

25. [The term *dagan* is generally used to refer to one of the five species of grain; the name derives from the fact that after their harvest, these grains are stored in smooth piles, or *dagans,* as in a granary.] However, a Mishnah in *Nedarim* (55a) states that according to R' Meir, one who takes a vow to abstain from *dagan* is forbidden to eat dry Egyptian beans. For the scope of a vow depends upon popular usage; R' Meir holds that people refer to Egyptian beans as *dagan,* since they too are stored in piles (see *Rashi ms.; Ran* and *Nimukei Yosef* to that Mishnah). This Baraisa follows the opinion of R' Meir; accordingly, it rules that one who vows to abstain from *dagan* may not eat Egyptian beans (see *Ran, Nedarim* 55b).

[Note that the Sages (cited *Nedarim* 55a) dispute R' Meir. They hold that *dagan* denotes only the five species of grain: wheat, barley, oats, spelt and rye.]

26. For fresh beans are not stored in piles (*Meiri;* see *Yerushalmi, Nedarim* 24b with *Pnei Moshe*).

27. In *Pesachim* 114b, a dispute is presented regarding whether rice is a form of *dagan.* This Baraisa is in accord with those who say it is not (*Rashi ms.*).

["Rice" is the commonly accepted translation of אוֹרֶז (see *Tosafos, Berachos* 37a ד״ה רש״י פי׳ אורז; *Beis Yosef, Orach Chaim* §208 ד״ה ומ״ש רבינו וכן כתב; *Mishnah Berurah* 208:25). However, *Rashi ms.* and *Rashi, Berachos* (ibid. ד״ה אורז) define אוֹרֶז as "millet."]

28. Once the kernels are split, they are no longer stored in piles (*Rashi ms.*). Thus, they cannot be classified as *dagan.*

29. For it is made of one of the five species of grain [and its kernels have not been split] (see *Rashi ms.; Talmid R' Yechiel MiParis*).

30. Thus, Rav Dimi's definition of *chilka* as spelt is seemingly incorrect.

[According to some Rishonim, the term קַשְׁיָא does not denote a refutation of the opinion being challenged, as would the term תְּיוּבְתָּא, but

מג א מיי' פ"ח מהל' י"ט הל' טו טוש"ע א"ח סי' תקלד סעיף ג:
מד ב ג מיי' פ"ח שם הלכה יד טוש"ע שם סי' תקלח סעיף ד:
מה ד מיי' שם פ"ז הלכה כג טוש"ע שם סימן תקלט סעיף יא:
מו ה ו מיי' שם הלכה ט טוש"ע שם סי' תקלג סעיף ה:
מז ז מיי' פט"ז מהל' טומאת אוכלין הל' א:
מח ח מיי' פ"ח מהל' י"ט הל' כג טוש"ע א"ח סי' תקלט סעיף י:
מט ט י כ מיי' שם טוש"ע שם סעיף יא:
א ל מיי' שם הלכה יז יח טוש"ע שם סי' תקלא סעיף ד:
ב מ מיי' שם סמג לאוין עה טוש"ע שם סי' תקלד סעיף א:

רבינו חננאל

[מתני'] מחפין את הקציעות בקש. ר' יהודה אומר אף מעבין. סוגיא דשמעתא מחפין בעצים של קש דקים בין בעצים של קש עבים. פירוש קלושי דקים. סומכי עבים מעבין עושין אותן כמין כרי כלומר כמו גדיש: ירושלמי ר' יהודה אומר יאבד דבר מועט ואל יאבד דבר מרובה. ר' יוסי אומר אל יאבד דבר כל עיקר. כהנא אמר אית מילין דקשין הן (החמירו) מנגעים ואהלות: מוכרי פירות כסות וכלים מוכרין בצינעא לצורך המועד. ר' יוסי אומר הן החמירו על עצמן אוקימנא הן החמירו על עצמן שלא יעשו כל עיקר דתניא מוכרי כסות וכלים מוכרין בצינעא לצורך המועד ר' יוסי [אומר] תגרי טבריא הן החמירו על עצמן שלא יהו עושין כל עיקר. וכן צדי עכו החמירו על עצמן שלא יהו צדין כל עיקר. חילקא חטה אחת נחלקת לשתים טרגין חדא לתלת טיסני חדא לארבע כי אתא רב דימי אמר האי חילקא כתנא הוא איני והתניא חילקא טרגין וטיסני טמאים אי אמרת חטה דשושה לשתים שלש וארבע וכמו הסולת היינו דאיתמר דאיתכשר ומקבלי טומאה אלא כותנא אמאי טמאה והא לא הוכשרה. ופרקינן כגון דמגלפו ההיא כותנא. פי' כוסמת. דאי לאו דשדא בהו מיא לא הוה משלם כלומר מתקפלת הקליפה שלהן. ת"ש הנודר מן הדגן אסור אף בפול המצרי יבש ומותר בלח. ומותר באורז חלקא טרגים וטיסני בשלמא למ"ד דשישי היינו דנפקי להו מתורת דגן אלא למ"ד כותנא דגן גמור הוא כדכתיב והחטה והכוסמת ועלתה בתיובתא לרב דימי. רב יהודה שרא להנהו כרופייתא למיזל ולמיזבני בשוקא כי אורחייהו אוקימנא בתבלי והא דתניא חנות הפתוחה לסטיו פותח ונועל כדרכו כו' אוקימנא בפירות: ירושלמי צדי חיה ועופות ודגים צדין בחכה ובמכמורת ולא ממעטין בשמחת הרגל ר' אמי מקיל לון שממעטין בשמחת הרגל: הדרן עלך פרק מי שהפך

והתניא [א] א מביאין כלים מבית האומן כגון כד מבית הכדר וכוס מבית הזגג אבל לא צמר מבית הצבע ולא כלים מבית האומן ואם אין לו מה יאכל נותן לו שכרו ומניחו אצלו ואם אינו מאמינו מניחו בבית הסמוך לו ואם חושש להם שמא יגנבו [א] א (ב מפנן לחצר אחרת ואם אינו מאמינו) מביאן בצנעה בתוך ביתו תרצת מביאין מוליכין קשיא דקתני אין מביאין וכל שכן שאין מוליכין אלא מחוורתא כדשניין מעיקרא:

מתני' ג מחפין את הקציעות בקש רבי יהודה אומר ג אף מעבין ד מוכרי פירות כסות וכלים מוכרים בצנעה לצורך המועד ה הציידין והדשושות והגרוסות עושין בצנעה לצורך המועד רבי יוסי אומר הם החמירו על עצמן:

גמ' פליגי בה רבי חייא בר אבא ורבי אסי ותרווייהו משמיה דחזקיה ורבי יוחנן חד אמר מחפין אקלושי מעבין אסמוכי וחד אמר מחפין בין אקלושי בין אסמוכי מעבין עושה אותו כמין כרי תניא נמי הכי מעבין עושה אותו כמין כרי דברי ר' יהודה: מוכרי פירות כסות וכלים מוכרין בצנעה וכו': אבעיא להו הן החמירו על עצמן דלא הוו עבדי כלל או דלמא דהוו עבדי בצנעה ת"ש מוכרי פירות כסות וכלים מוכרין בצנעה לצורך המועד ר' יוסי אומר תגרי טבריא הן החמירו על עצמן שלא יהו מוכרין כל עיקר ו צדי חיות ועופות ודגים צדין בצנעה לצורך המועד רבי יוסי אומר צדי עכו הן החמירו על עצמן שלא יהו צדין כל עיקר דשושי חילקא טרגים וטיסני דוששין בצנעה לצורך המועד ר' יוסי אומר דשושי ציפורי הן החמירו על עצמן שלא יהו דוששין כל עיקר אמר אביי חילקא חדא לתרתי טרגים חדא לתלת טיסני חדא לארבעה כי אתא רב דימי אמר כונתא מיתיבי (ג) ז חילקא טרגים וטיסני טמאין בכל מקום בשלמא למ"ד חדא לתרתי לתלת ולארבעה משום הכי טמאין בכל מקום דאתכשור אלא למ"ד כונתא אמאי טמאין בכל מקום הא לא איתכשור כגון דמיקלפן דאי לאו דשרא להו במיא לא הוה מיקלפא ואמאי קרי ליה חילקא דשקל חלקיהו מיתיבי (ד) הנודר מן הדגן אסור אף בפול המצרי יבש ומותר בלח ומותר באורז בחילקא וטרגים וטיסני בשלמא למ"ד חדא לתרתי חדא לתלת וחדא לארבעה שפיר דנפקו להו מתורת דגן אלא למ"ד כונתא דגן מעליא הוא קשיא רב הונא ח שרא להו להנהו כרופייתא למיזל לזבוני כי אורחייהו בשוקא איתיביה רב כהנא (ה) ט חנות פתוחה לסטיו פותח ונועל כדרכו פתוחה לרה"ר פותח אחת ונועל אחת י וערב יום טוב האחרון של חג מוציא ומעטר את שוקי העיר בפירות בשביל כבוד י"ט האחרון מפני כבוד י"ט האחרון אין שלא מפני כבוד י"ט לא לא קשיא כ הא בפירי הא בתבלין:

הדרן עלך מי שהפך

ואלו ל מגלחין במועד הבא ממדינת הים ומבית השביה והיוצא מבית האסורין והמנודה שהתירו לו חכמים וכן מי שנשאל לחכם והותר (ו) והנזיר והמצורע (א) מטומאתו לטהרתו מ ואלו מכבסין במועד הבא ממדינת הים ומבית השביה והיוצא מבית האסורין ומנודה

בשביל כבוד יום טוב האחרון. אבל מרישא (ג) דחנות פתוחה לרשות הרבים פותח אחת ונועל אחת ורב הונא מתיר באורחייהו בשוקא לא פריך דיש לאוקמיה בי"ט ולא בחול המועד ולהכי פריך מסיפא דמיירי בחול המועד דהא ערב י"ט האחרון חול המועד: **בתבלין.** פי' בקונט' כרוב וכרשינין והקשה בתוס' רבי פרץ דכרוב וקפלוט אין חשובין תבלין דהא אמרינן (חולין דף ו.) דתבלין לטעמא עבידי ואפילו באלף לא בטיל ולפת וקפלוט אינו צריך לשער כי אם בששים כדאיתא פרק גיד הנשה (שם דף צז:) (ד) ותבלין כך נידוכין כדרכן בפ"ק דביצה (דף יד.) א"כ אינו כרוב ובערוך פירש מיני בשמים:

הדרן עלך מי שהפך

ואלו מגלחין במועד. משום דתנא באידך פירקין דברים שעושין לצורך המועד כמו מוכרי פירות דנעשים כדין קתני נמי ואלו נעשים שלא כדין לצורך המועד:

והיוצא מבית האסורים. שאינו יכול לגלח קודם המועד שאין מניחין לו לגלח ואפילו מניחין לו אינו ערב לאדם לגלח בבית האסורין: [כ"ה בירושלמי] ומנודה

והתניא. סיועא: כד וכוס לצורך המועד הן אבל צמר וכלים אין לורך המועד: ואם אין לו. לאומן מה יאכל נותן לו שכרו: מפנן לחצר אחרת ואם אינו מאמינו. בחצר אחרת: מביאן לתוך ביתו. אלמא בשאינו מאמינו מביאן: מוליכין קשיא. דקתני מתני' ו) דפעמים מוליכין ומתני' דהכא קתני אין מביאין כל שכן דאין מוליכין וליכא לתרך באין מאמינו דמוליכין מאי מאמינו שייך: כדשניין מעיקרא. כאן בארבעה עשר כאן בחולו של מועד: **מתני'** מחפין. מכסין: הדשושות. שדשין וכותשין חיטין לדייסא: והגרוסות. שטוחנין פולין לגריסין: בצנעה. שמא יאמרו זה לוקח שלא לצורך המועד: **גמ'** אקלושי. שמכסהו בענפים מרוחקין זה מזה דלא הוי כסוי גמור: אסמוכי. הענפים סומך זה לזה דהוי כסוי גמור: כמין כרי. מכנסין אותן ביחד כדי שיהו נוחין לכסות: החמירו על עצמם דלא עבדי כלל. ולחומרא: או דלמא. החמירו על עצמן לעשות בצנעה מדעתן ואם רוצין לעשות בפרהסיא עושין ולקולא: דשושי. דשי תבואה איכא דאמרי דשושי המשברין תבואה חדא לשנים ושורין במים כו': כונתא. כוסמת שלותתין אותן היינו חילקא: טמאים בכל מקום. מקבלין טומאה בין בכפרים בין בכרכים דקיימא לן (פסחים דף מ.) סולת של בני כרכים מקבלת טומאה שהוכשרה במים ובני כפרים אין מקפידין אסולת נקיה ללתות במים וסולת שלהן טהור שלא הוכשר מעולם אבל חילקא טמאין בכל מקום אפילו בכפרים דאי אפשר להם בלא לתיתה משום הכי טמאין דהא מיתכשר דשרי להו במיא: לעולם הוי כונתא ומיקלפן דשרי להו במיא דשרי קליפה: דשקיל חלקייהו. כלומר כשנוטל הקליפה והוי חלק: כרופייתא. מוכרי בשמים: חנות פתוח לסטיו פותח ונועל כדרכו. הואיל ואינו פתוח לרה"ר כשאר חנויות: פותח דלת אחד ונועל דלת אחד. אבל כדרכו לא אינו מוכר כדרכו: הא בפירי. שיש לחשוד שקונה לצורך (ג) ימות השנה: בתבלין. מוכר כדרכו כגון כרוב וכרשינין הכל יודעין דלצורך המועד הן וליכא חשדא שאין ראוין להתקיים הלכך אפי' בפרהסיא מותר:

הדרן עלך מי שהפך

ואלו מגלחין במועד הבא ממדינת הים כו'. במועד לפי שהיה אנוס שלא היה יכול לגלח קודם: ומי שנשאל לחכם. שנדר שלא לגלח ושאל לחכם במועד: מטומאתו לטהרתו. נזיר טמא כשעלה מטומאתו ושוב אינו משמר נזרו ומגלח וכן מצורע שעלה מטומאתו מגלח ברגל לפי שלא היה להם פנאי לגלח קודם הרגל: גמ'

אותן הקליעות כמין כרי שצורפן ומכניסן יחד בכרי כדי שיהו העליונות מגינות על התחתונות. הדשושות. שדשין וכותשין חטין לדייסא. הגרוסות. טוחנין פולין לגריסין. בצנעה. שמא יאמרו זה לוקח [שלא] לצורך המועד. החמירו מפר' בגמרא. החמירו על עצמן. דלא עבדי כלל ולחומרא. או דילמא. החמירו לעשות בצנעה מדעתן ואם רצו לעשות בפרהסיא עושין ולקולא. עכו. שם העיר. דשושי חילקא דושין את החלקא ואת הטרגים כולן חטין הם אלא חילקא חד לתרי שדש את התבואה וכותתין עד שמתחלקת לשנים. דשושי צפורי. מקום. טרגים. מחלק כל חטה לתלת תלת ולשון תריגון הוא. כי אתא רב דימי אמ'. מאי חילקא כונתא כוסמת שמקלפין אותה. טמאין בכל מקום. אפילו בכפרים דקיימ' לן סולת של בני כרכים מקבלת טומאה שהוכשרה במים שדרך בני כרכים שלותתין את החטה במים בני כפרים אין מקפידין בסולת נקייה ואין לותתין וסולת שלהם טהורה שלא היתה לה הכשר מעולם אבל חילקא טמאה בכל מקום אפילו בכפרים דאי אפשר לה בלא לתיתה. אלא למאן דאמר כונתא אמאי טמאין כיון דלאו מידי דתבירה ניהו הא לא הוכשרו. ואמאי קרא ליה חילקא. כיון דלאין חילקא חדא לתרי והיכי משמע חילוק ואת אמרת כונתא שאין מחלקין אותן מאי משמעות איכא. דשוו חילקיהו. חלקין הן [כשמסירין] קליפתן פלוי"ש בלע"ז. הנודר מן הדגן אסור בפול המצרי. פישול"ש ומין קטנית היא ומידי דמדגן הוא שדרך לעשותן ליבוריים וכל מידי דמדגן קא אסר עליה. מותר בחלקא. שאחר שנחלק לא מידגן. מותר באורז. מי"ל וקסבר לאו מין דגן הוא. כוסמת. מין חטה מעליא. (כרובייתא) [כרופייתא]. מוכרי תבלין כגון כרוב וכרישין. סטיו אלצטבאות מכל ארבע רוחות (במקום אחד לצוע כגון בזוית אחד) [בחנות ופעמים] הולכין בני אדם לישב שם וחנות פתוחה לתוכו מקום לנוע הוא שרחוק מרשות הרבים. פותח. הלא חנות ומוכר כדרכו דבצנעה הוא (ברש"י ברי"ף - הוא פתח החנות ומוכר בתוכו דצינעא הוא). פותח אחד ונועל אחד. כדי שיבינו האנשים שאין מותר כל כך לקנות ולמכור בחולו של מועד (ברש"י ברי"ף - למכור בצינעא שמא יאמרו זה לוקח שלא לצורך המועד) דלך חנות להיות לה שני פתחים. תבלין. כגון כרוב (וכרימון) [וכרישין] שהכל יודעין שלצורך המועד הם שאין ראוין להתקיים הילכך אפי' בפרהסיא שרי. הבא ממדינת הים. במועד שלא היה לו פנאי לגלח קודם המועד. מבית השביה. שהשבוהו גוים למרחקים. מבית האסורין. אפילו בעירו. והמנודה שהתירו לו חכמים. מי שנשאל שנדר שלא לגלח שעשה עצמו נזיר ונשאל לחכם במועד וחכם מתיר לו נדרו שפותח לו בחרטה וזה לא היה בידו לעשות מקודם המועד שהיה בדעתו לגמור את נזרו אי נמי כגון שלא מצא חכם פתח להתירו ועכשיו מצא (ברש"י ברי"ף - אי נמי כגון שלא מצא חכם להתיר ועכשיו מצאו) דאנוס הוא עד השתא. והנזיר. שהשלים נזירתו במועד. ה"ג ומצורע העולה מטומ' למחרתו. דכתוב (ויקרא יד) וביום השביעי יגלח את כל שערו וגו' שאם חל שביעי שלו במועד מותר בתספורת ולא גזרינן שמא ישהא קרבנותיו וכן נזיר נ"מ' נמי לא גזרינן וגלוח דכתוב (שם יג) והתגלח ואת הנתק לא יגלח לא קא חשיב דאינו אלא דבר מועט שמגלח סביב הנתק ועוד דאין זה גילוח לשום טהרה אלא להסגר שני ואמרינן באידך פירקין אין רואין את הנגעים במועד לא להקל ולא להחמיר ולהכי לא עבדינן במועד גילוח דנתק.

מסורת הש"ס

א) [פסחים נה:] ע"ש עה"ג, ב) [כ"ז ליתא בפסחים עי' בב"י סי' תקלד דבספרים שלנו הנוסחא ואם חושש להם שמא יגנבו מביאן בצנעה בתוך ביתו], ג) מכשירין פ"ו מ"ב, ד) [נדרים נה: תוספתא שם פ"ד], ה) [תוספ' פ"ב], ו) [לקמן יד:], ז) ל"ל דפסחים.

הגהות הב"ח

(א) מתני' והמצורע העולה מטומאתו: (ב) רש"י ד"ה הא בפירי שקונה לצורך שאר ימות השנה: (ג) תוס' ד"ה בשביל כו' אבל מרישא דתני דחנות פתוחה כו' ערב י"ט האחרון חוה"מ הוא: (ד) ד"ה בתבלין כו' כדאיתא פ' גיד הנשה ותנן נמי דתבלין נידוכין כדרכן בפ"ק:

הגהות הגר"א

[א] גמ' (מפנן לחצר אחרת ואם אינו מאמינו) תא"מ (וכן ליתא בדפו"י):

הגהות מהר"ב רנשבורג

א] גמ' מפנן לחצר אחרת ואם אינו מאמינו. זה נמחק וכ"ב בפסחים נה ע"ב כל זה אינו ויעו"ש בתוס' ד"ה ואם מתיירא וכו' ובמהרש"א שם:

רש"י כת"י

והתניא. בניחותא. כד מבית הכדר כדים וכסתות מבית האומן. ולצורך יום טוב [עי' הגהות חו"י ברי"ף]. ולא כלים. שאר כלים שאין צריכין ביום טוב. מוליכין קשיא. דקתני מתני' דפסחים מוליכין ומביאין ומתני' דהכא קתני מביאין אין מוליכין לא והכא ליכא לשנויי במאמינו דמוליכין מאי מאמינו ומאי שאינו מאמינו איכא. מחפין את הקציעות. תאנים השטוחות בשדה לייבשן מחפין אותן בקש מפני הגשמים קליעות תאנים שאירפן לתוך כלי וקורין אותו מקלוע ואינו מרובע אלא ג' קרנות יש לו ועושין עיגול התאנים כמין הכלי. מעבין. בגמ' פליגי בה בפי' מחפין ומעבין. אקלושי. מעט מחפין ולא כל צרכן כדרך שעושה בחול. אסמוכי. מחפין אותן יפה יפה בעובי בכל הצורך. לא שנא הכי ולא שנא הכי. בין עב בין קלוש קרי ליה מחופין. מעבין [וכו' כמין כרין]. עושין

The Gemara shifts to discussing the permissibility of commerce during Chol HaMoed:

רַב הוּנָא שָׁרָא לְהוּ לְהַנְהוּ כְּרוֹפְיָיתָא לְמֵיזַל לְזַבּוּנֵי כִּי אוֹרְחַיְיהוּ בְּשׁוּקָא – **Rav Huna permitted certain spice merchants**[31] **to go and sell** their wares **in the marketplace** on Chol HaMoed **in their usual manner,** i.e. in public.

This ruling is questioned:

אֵיתִיבֵיהּ רַב כַּהֲנָא – **Rav Kahana challenged him** from a Baraisa that discusses selling on Chol HaMoed: חָנוּת פְּתוּחָה לְסְטָיו – In the case of A SHOP that OPENS ONTO A BENCH AREA,[32] פּוֹתֵחַ וְנוֹעֵל כְּדַרְכּוֹ – the owner MAY OPEN its doors OR CLOSE them, IN ACCORDANCE WITH HIS USUAL PRACTICE, since this shop is in a secluded area.[33] פְּתוּחָה לִרְשׁוּת הָרַבִּים – But in the case of a shop that OPENS ONTO THE PUBLIC DOMAIN, פּוֹתֵחַ אַחַת וְנוֹעֵל אַחַת – the owner may OPEN only ONE door, BUT must CLOSE the other ONE, to provide a measure of privacy.[34] וְעֶרֶב יוֹם טוֹב הָאַחֲרוֹן שֶׁל חַג – HOWEVER, ON THE EVE OF THE FINAL DAY OF THE Succos FESTIVAL (Shemini Atzeres),[35] מוֹצִיא וּמְעַטֵּר אֶת שׁוּקֵי הָעִיר בְּפֵירוֹת בִּשְׁבִיל כְּבוֹד יוֹם טוֹב הָאַחֲרוֹן – [A SHOPKEEPER] BRINGS OUT his wares, AND ADORNS THE MARKETPLACES OF THE CITY WITH FRUIT, IN HONOR OF THE FINAL FESTIVAL DAY.[36]

The Gemara infers:

מִפְּנֵי כְּבוֹד יוֹם טוֹב הָאַחֲרוֹן אִין – This implies that **in honor of the final day of the festival – yes,** one may sell his wares publicly; שֶׁלֹּא מִפְּנֵי כְּבוֹד יוֹם טוֹב לֹא – **but** if it is **not in honor of the** final day of the **festival – no,** one may not do so. We see that selling on Chol HaMoed may not be performed publicly. Why then did Rav Huna permit the spice merchants to sell their wares in public?[37] **– ? –**

The Gemara answers:

לֹא קַשְׁיָא – **It is not a difficulty.** הָא בְּפֵירֵי – **This** Baraisa that requires privacy on Chol HaMoed is speaking **with regard to fruit;** since people generally purchase fruit in large quantities, it will appear that the shopkeeper is engaged in non-festival business. We therefore require him to sell in private. הָא בְּתַבְלִין – **This** ruling of Rav Huna, however, was said **with regard to spices;** since people generally purchase spices in small quantities, it is clear to all that the shopkeeper is engaged in festival business. Therefore, he is not required to sell in private.[38]

הדרן עלך מי שהפך

WE WILL RETURN TO YOU, MI SHEHAFACH

NOTES

only a recognition of difficulty (see *Rashi, Sanhedrin* 72a ד״ה קשיא; *Rashbam, Bava Basra* 127a ד״ה קשיא; cf. *Rashbam, Bava Basra* 52b ד״ה ופסק). It implies that the question has an answer, albeit a strained one (*Rashi* ibid.), or an uncertain one (*Rabbeinu Chananel,* cited by *Rashbam* ibid.). For a possible defense of Rav Dimi, see *Kashos Meyushov,* by *R' Yeshayah Pik.*]

31. *Rashi; Rosh;* cf. *Meiri; Talmid R' Yechiel MiParis.*

32. "Bench areas" are secluded squares set off at some distance from the public domain. Typically, such areas would be surrounded by benches on three or four sides, and have a shop opening onto them; people would come to these squares to sit [and relax] (*Rashi ms.; Nimukei Yosef*). [For the Greek origins of the word סְטָיו (*stoa*), see *Mussaf HeAruch* (ע' סטיו).]

33. For this shop, unlike others, does not open directly onto the public thoroughfare (*Rashi*).

34. In those times, it was common for stores to have two doors (*Rashi ms.*); the owner strives for a measure of privacy by closing one of them (*Meiri* to the Mishnah). Alternatively, the closed door introduces an irregularity into the selling process (see *Rashi; Nimukei Yosef*); it reminds passersby that this is not a regular business day, and that there are restrictions on buying and selling on this day. This lessens the danger that an observer will assume that commerce is entirely permissible on Chol HaMoed (*Rashi ms.; Talmid R' Yechiel MiParis*). See *Taanis* 14b for a similar case.

35. That is, on the seventh day of Succos, which is the day before Shemini Atzeres and the last day of Chol HaMoed.

36. It was common to honor the day of Shemini Atzeres with copious feasting, to mark the fact that it is, in the words of a Baraisa (*Succah* 47a), "a festival unto itself." [One witnessing the preparations is aware that the buying and selling is for the purpose of the festival, and will not assume that commerce is generally permitted on Chol HaMoed] (*Talmid R' Yechiel MiParis*).

[However, *Mishnah Berurah* (539:37, from *Taz*) states that the permit to sell publicly is not limited to the final day of Succos Chol HaMoed, but applies also to the final day of Pesach Chol HaMoed. On that day too, an observer will certainly realize that the buying and selling is for the purpose of the latter festival day. The Baraisa singles out the day before Shemini Atzeres only with regard to adorning the marketplace, for this is unique to the eve of Shemini Atzeres, when we honor the day's status as "a festival unto itself."]

37. For why Rav Kahana did not challenge Rav Huna from the first part of the Baraisa, which requires a shop opening onto the public domain to have one door closed, see *Tosafos; Sfas Emes.* For why he did not challenge him from our Mishnah, which states that vendors of fruit must sell their wares in private, see *Keren Orah.*

38. *Rashi* identifies these "spices" as כְּרוּב, *cabbage,* and כְּרֵישִׁין, *leek* (see *Rashash*). The reason they are bought in only small quantities is because they do not keep well (*Rashi; Rashi ms.*). *Nimukei Yosef* states that "spices" refers to such seasonings as cumin and peppercorns. [Although these items generally do keep for a considerable length of time,] we refer here to *crushed* spices [which lose their potency in short order] (*Chidushei HaRan*). [*Tosafos* point out that cabbage and leek are not generally regarded as spices, and question *Rashi* accordingly. See *Eretz Tzvi* (printed beneath *Matzeves Moshe*) for a defense of *Rashi;* but see *Tos. Yom Tov* to *Shabbos* (9:5).]

Chidushei HaRan writes that this permit is not limited to spices, but encompasses any product that is normally purchased in small quantities (e.g. cabbage and leek); it is obvious to all observers that such products are bought and sold for festival purposes (see also *Meiri;* see *Mishnah Berurah* 539:33). [It is for this reason that *Mordechai* permits even professional fishermen to sell fish openly, for fish do not keep long, and an onlooker will realize that they are being sold for the festival (see *Rama, Orach Chaim* 533:5 with *Mishnah Berurah* §23; cf. *Magen Avraham* there §10; but see *Beur Halachah* to 533:5 ד״ה של חיות at length).]

Chapter Three

Introduction

From 15a until the conclusion of this tractate, the Gemara elaborates the laws and practices of אֲבֵילוּת, *aveilus* [mourning]. The purpose of this introduction is to familiarize the reader with some of the basic terms and concepts he will encounter in the course of studying these topics.

A person is obligated to mourn the death of his close relative (father, mother, brother, sister, son, daughter or spouse).[1] From the time of death until evening, the mourner is an אוֹנֵן, *onein.*[2] Upon burial, the mourner enters the seven-day period of שִׁבְעָה, *shivah* [''seven''], during which the greatest degree of mourning applies. After *shivah* until the thirtieth day, the mourner is in the period of שְׁלֹשִׁים, *sheloshim* [''thirty''], during which a lesser degree of mourning applies. After *sheloshim,* the person is no longer subject to any mourning restrictions, save in the case of one mourning his father or mother, to whom certain mourning restrictions continue to apply until the end of twelve months.

The mourner is required to perform קְרִיעָה, *kriah* [rending of his garment]. This is done either at the time of the deceased's death or before the burial.[3]

During *shivah,* the mourner is required to practice עֲטִיפַת הָרֹאשׁ, *wrapping the head,*[4] and כְּפִיַּית הַמִּטָּה, *overturning the bed.*[5] He is forbidden to take a haircut, wash his clothes, bathe, smear himself with oil, engage in marital relations, wear shoes, perform work, learn Torah or greet others. After *shivah,* he unwraps his head and rights his bed, and the *shivah* restrictions no longer apply, except for taking a haircut.[6] There are also residual restrictions during *sheloshim* involving what types of freshly laundered garments he may wear. An *aveil* during *sheloshim* also may not (except under certain circumstances) marry or attend celebrations, and similarly he may not travel great distances for business purposes. In the case of one who is mourning his father or mother, these restrictions apply to a lesser degree for a longer time, usually until the end of twelve months.

The above represents a mere outline of the mourning laws and practices. There are, of course, many details and qualifications, as will be seen in the course of this chapter and in the relevant works of the *Poskim.*

NOTES

1. Regarding whether or to what extent the mourning obligations are Biblical, see *Rif* to *Berachos* (end of Chapter 2), *Rambam, Sefer HaMitzvos, Aseh* §37, *Hil. Aveil* 1:1, *Rosh* 3:3 and *Ramban, Toras HaAdam* pp. 207 ff. (in the Chavel edition).

2. Biblically, the mourner is an *onein* [and forbidden to partake of sacrificial food] until nightfall on the day that death occurred, even if the deceased has already been buried (see, however, *Yerushalmi, Pesachim* 8:8; *Rashi* to *Pesachim* 90b ד״ה האונן and to *Zevachim* 15b ד״ה אונן; see *Turei Even* to *Chagigah* 20b). In *Zevachim* 99b-101a, Tannaim dispute the status of the night following that day. Some Tannaim hold that Biblical *aninus* continues until the end of that night, whereas others maintain that the *aninus* of that period is of Rabbinic origin only. If burial is delayed beyond the day of death, all agree that the mourner remains in a state of Rabbinic *aninus* through the day of burial (see *Rashi, Zevachim* 100b ד״ה והתניא כו׳). As regards the night following a delayed burial, some hold that it is free of *aninus* altogether; others hold that Rabbinic *aninus* continues throughout that night.

3. See *Yoreh Deah* 339:3 and 340:1 with *Shach* there §3.

4. This is a type of covering the head that was practiced by mourners. *Rama* (*Yoreh Deah* 386:1) writes that nowadays we do not (in Ashkenazic countries) keep this practice. See *Shach* there §1, who explains why.

5. And when sleeping or eating, he sits or lies on the overturned bed. It is not, however, customary to keep this practice nowadays (*Yoreh Deah* 387:2; see there for the reason).

6. According to the basic halachah, the mourner is permitted to bathe during *sheloshim.* However, there is an ancient custom to refrain from bathing throughout the *sheloshim* (see *Rama, Yoreh Deah* 381:1).

והתניא א) א מביאין כלים מבית האומן כגון כד מבית הכדר וכוס מבית הזגג אבל לא צמר מבית הצבע ולא כלים מבית האומן ואם אין לו מה יאכל נותן לו שכרו ומניחו אצלו ואם אינו מאמינו מניחו בבית הסמוך לו ואם חושש להם שמא יגנבו [א] א (ג) מפנן לחצר אחרת ואם אינו מאמינו) מביאן בצנעה בתוך ביתו תרצת מביאין מוליכין קשיא דקתני אין מביאין וכל שכן שאין מוליכין אלא מחוורתא כדשניין מעיקרא: **מתני'** ב מחפין את הקציעות בקש רבי יהודה אומר ג אף מעבין ד מוכרי פירות כסות וכלים מוכרים בצנעה לצורך המועד ה הציידין והדשושות והגרוסות עושין בצנעה לצורך המועד רבי יוסי אומר הם החמירו על עצמן: **גמ'** פליגי בה רבי חייא בר אבא ורבי אסי ותרוייהו משמיה דחזקיה ורבי יוחנן חד אמר מחפין אקלושי מעבין אסמוכי וחד אמר מחפין בין אקלושי בין אסמוכי מעבין עושה אותו כמין כרי תניא נמי הכי מעבין עושה אותו כמין כרי דברי ר' יהודה: מוכרי פירות כסות וכלים מוכרין בצנעה וכו': אבעיא להו הן החמירו על עצמן דלא הוו עבדי כלל או דלמא דהוו עבדי בצנעה ת"ש מוכרי פירות כסות וכלים מוכרין בצנעה לצורך המועד ר' יוסי אומר תגרי טבריא הן החמירו על עצמן שלא יהו מוכרין כל עיקר ו צדי חיות ועופות ודגים צדין בצנעה לצורך המועד רבי יוסי אומר צדי עכו הן החמירו על עצמן שלא יהו צדין כל עיקר חילקא טרגים וטיסני דושסין בצנעה לצורך המועד ר' יוסי אומר דשושי ציפורי הן החמירו על עצמן שלא יהו דושסין כל עיקר אמר אביי חילקא חדא לתרתי טרגים חדא לתלת טיסני חדא לארבעה כי אתא רב דימי אמר כונתא מיתיבי ז חילקא טרגים וטיסני טמאין בכל מקום בשלמא למ"ד חדא לתרתי לתלת ולארבעה משום הכי טמאין בכל מקום דאתכשור אלא למ"ד כונתא אמאי טמאין בכל מקום הא לא איתכשור כגון דמיקלפן דאי לאו דשרא להו במיא לא הוה מיקלפא ואמאי קרי ליה חילקא דשקל חלקיהו מיתיבי ז הנודר מן הדגן אסור אף בפול המצרי יבש ומותר בלח ומותר באורז בחילקא וטרגים וטיסני בשלמא למ"ד חדא לתרתי חדא לתלת וחדא לארבעה שפיר דנפקו להו מתורת דגן אלא למ"ד כונתא דגן מעליא הוא קשיא רב הונא ח שרא להו להנהו כרופייתא למיזל לזבוני כי אורחייהו בשוקא איתיביה רב כהנא ט ט חנות פתוחה לסטיו פותח ונועל כדרכו פתוחה לרה"ר פותח אחת ונועל אחת י וערב יום טוב האחרון של חג מוציא ומעטר את שוקי העיר בפירות בשביל כבוד י"ט האחרון מפני כבוד י"ט האחרון אין שלא מפני כבוד י"ט לא לא קשיא כ הא בפירי הא בתבלין:

הדרן עלך מי שהפך

ואלו ל מגלחין במועד הבא ממדינת הים ומבית השביה והיוצא מבית האסורין והמנודה שהתירו לו חכמים וכן מי שנשאל לחכם והותר י והנזיר והמצורע (א) מטומאתו לטהרתו מ ואלו מכבסין במועד הבא ממדינת הים ומבית השביה והיוצא מבית האסורין ומנודה

והתניא. סיועא: כד וכוס לצורך המועד הן אבל צמר וכלים אין לצורך המועד: **ואם אין לו.** לאומן מה יאכל נותן לו שכרו: **מפנן לחצר אחרת ואם אינו מאמינו.** בחצר אחרת: **מביאן לתוך ביתו.** אלמא בשאינו מאמינו מביאן: **מוליכין קשיא.** דקתני מתני' ז) דפעמים מוליכין ומתני' דהכא קתני אין מביאין כל שכן דאין מוליכין וליכא לתרץ באין מאמינו דמוליכין מאי מאמינו שייך: **כדשניין מעיקרא.** כאן בארבעה עשר כאן בחולו של מועד: **מתני' מחפין.** מכסין: **הדשושות.** שדשין וכותשין חיטין לדייסא: **והגרוסות.** שטוחנין פולין לגריסין: **בצנעה.** שמא יאמרו זה לוקח שלא לצורך המועד: **גמ' אקלושי.** שמכסהו בענפים מרוחקין זה מזה דלא הוי כסוי גמור: **אסמוכי.** הענפים סומך זה לזה דהוי כסוי גמור: **כמין כרי.** מכנסין אותן ביחד כדי שיהו נוחין לכסות: **החמירו על עצמם דלא עבדי כלל.** ולחומרא: **או דלמא.** החמירו על עצמן לעשות בצנעה מדעתן ואם רוצין לעשות בפרהסיא עושין ולקולא: **דשושי.** דשי תבואה איכא דאמרי דשושי המשברין תבואה חדא לשנים ושורין במים כו': **כונתא.** כוסמת שלותתין אותן היינו חילקא: **טמאים בכל מקום.** מקבלין טומאה בין בכפרים בין בכרכים דקיימא לן (פסחים דף מ.) סולת של בני כרכים מקבלת טומאה שהוכשרה במים ובני כפרים אין מקפידין אסולת נקיה ללתות במים וסולת שלהן טהור שלא הוכשר מעולם אבל חילקא טמאין בכל מקום אפילו בכפרים דאי אפשר להם בלא לתיתה משום הכי טמאין דהא מיתכשר דשרי להו במיא: לעולם הוי כונתא ומיקלפן דשרי להו במיא דשרי קליפה: **דשקיל חלקייהו.** כלומר כשנוטל הקליפה והוי חלק: **כרופייתא.** מוכרי בשמים: **חנות פתוח לסטיו פותח ונועל כדרכו.** הואיל ואינו פתוח לרה"ר כשאר חנויות: **פותח דלת אחד ונועל דלת אחד.** אבל כדרכו לא אינו מוכר כדרכו: **הא בפירי.** שיש לחשוד שקונה לצורך (ב) ימות השנה: **בתבלין.** מוכר כדרכו כגון כרוב וכרשינין הכל יודעין דלצורך המועד הן וליכא חשדא שאין ראוין להתקיים הלכך אפי' בפרהסיא מותר:

הדרן עלך מי שהפך

ואלו מגלחין במועד הבא ממדינת הים כו'. במועד לפי שהיה אנוס שלא היה יכול לגלח קודם: **ומי שנשאל לחכם.** שנדר שלא לגלח ושאל לחכם במועד: **מטומאתו לטהרתו.** נזיר טמא כשעלה מטומאתו ושוב אינו משמר נזרו ומגלח וכן מצורע שעלה מטומאתו מגלח ברגל לפי שלא היה להם פנאי לגלח קודם הרגל: גמ'

אותן הקליעות כמין כרי שאורפן ומכניסן יחד בכרי כדי שיהו העליונות מגינות על התחתונות. **הדשושות.** שדשין וכותשין חטין לדייסא. **הגרוסות.** טוחנין פולין לגריסין. **בצנעה.** שמא יאמרו זה לוקח [שלא] לצורך המועד. החמירו מפר' בגמרא. **החמירו על עצמן.** דלא עבדי כלל ולחומרא. **או דילמא.** החמירו לעשות בצנעה מדעתן ואם רצו לעשות בפרהסיא עושין ולקולא. **עכו.** שם העיר. **דשושי חילקא** דושסין את החלקא ואת הטרגים כולן חטין הם אלא חילקא חד לתרי שדש את התבואה וכותשין עד שמתחלקת לשנים. **דשושי צפורי.** מקום. **טרגים.** מחלק כל חטה לתלת תלת ולשון תריגון הוא. **כי אתא רב דימי אמ'.** מאי חילקא כונתא כוסמת שמקלפין אותה. **טמאין בכל מקום.** אפילו בכפרים דקיימ' לן סולת של בני כרכים מקבלת טומאה שהוכשרה במים שדרך בני כרכים שלותתין את החטה במים בני כפרים אין מקפידין בסולת נקייה ואין לותתין וסולת שלהם טהורה שלא היתה לה הכשר מעולם אבל חילקא טמאה בכל מקום אפילו בכפרים דאי אפשר לה בלא לתיתה. **אלא למאן דאמר כונתא אמאי טמאין** כיון דלאו מידי דתבירה נינהו הא לא הוכשרו. **ואמאי קרא ליה חילקא.** כיון דאין חילקא חדא לתרי והיכי משמע חילוק ואת אמרת כונתא שאין מחלקין אותן מאי משמעות איכא. **דשוו חילקיהו.** חלקין הן [כשמסירין] קליפתן פלינ"ש בלע"ז. **הנודר מן הדגן אסור בפול המצרי.** פישול"ש ומין קטנית היא ומידי דמדגן הוא שדרך לעשותן ליבוריס וכל מידי דמדגן קא אסר עליה. מותר בחלקא. שאחר שנחלק לא מידגן. **מותר באורז.** מי"ל וקסבר לאו מין דגן הוא. **כוסמת.** מין חטה מעליה. **(כרובייתא) [כרופייתא].** מוכרי תבלין כגון כרוב וכרישין. **סטיו** אצטבאות מכל ארבע רוחות (במקום אחד לבוע כגון בזוית אחד) [בחנות ופעמים] הולכין בני אדם לישב שם וחנות פתוחה לתוכן מקום צנוע הוא שרחוק מרשות הרבים. **פותח.** האי חנות ומוכר כדרכו דבצנעה הוא (ברש"י ברי"ף - הוא פתח החנות ומוכר בתוכו דצינעא הוא). **פותח אחד ונועל אחד.** כדי שיבינו האנשים שאין מותר כל כך לקנות ולמכור בחולו של מועד (ברש"י ברי"ף - למכור בצינעא שמא יאמרו זה לוקח שלא לצורך המועד) דדרך חנות להיות לה שני פתחים. **תבלין.** כגון כרוב (וכרימון) [וכרישין] שהכל יודעין שלצורך המועד הם שאין ראוין להתקיים הילכך אפי' בפרהסיה שרי. **הבא ממדינת הים.** במועד שלא היה לו פנאי לגלח קודם המועד. **מבית השביה.** שהשבוהו גוים למרחקים. **מבית האסורין.** אפילו בעירו. **והמנודה שהתירו לו חכמים.** נדוי במועד שלא היה יכול לפני המועד דמנודה אסור בתספורת. **מי שנשאל** שנדר שלא לגלח שעשה עצמו נזיר ונשאל לחכם במועד וחכם מתיר לו נדרו שפותח לו בחרטה וזה לא היה בידו לעשות מקודם המועד שהיה בדעתו לגמור את נזרו אי נמי כגון שלא מצא חכם פתח להתירו ועכשיו מצא (ברש"י ברי"ף - אי נמי כגון שלא מצא חכם להתיר ועכשיו מצאו) דאנוס הוא עד השתא. **והנזיר.** שהשלים נזירתו במועד. ה"ג **ומצורע העולה מטומ' לטהרתו.** דכתוב (ויקרא יד) וביום השביעי יגלח את כל שערו וגו' שאם חל שביעי שלו במועד מותר בתספורת ולא גזרינן שמא ישהא קרבנותיו וכן נזיר נ"מ נמי לא גזרינן וגלוח דכתוב (שם יג) והתגלח ואת הנתק לא יגלח לא קא חשיב דאינו אלא דבר מועט שמגלח סביב הנתק ועוד דאין זה גילוח לשום טהרה אלא להסגר שני ואמרינן באידך פירקין אין רואין את הנגעים במועד לא להקל ולא להחמיר ולהכי לא עבדינן במועד גילוח דנתק.

בשביל כבוד יום טוב האחרון. אבל מרישא (ג) דחנות פתוחה לרשות הרבים פותח אחת ונועל אחת ורב הונא מתיר באורחייהו בשוקא לא פריך דיש לאוקמיה בי"ט ולא בחול המועד ולהכי פריך מסיפא דמיירי בחול המועד דהא ערב י"ט האחרון חול המועד: **בתבלין.** פי' בקונט' כרוב וכרשינין והקשה בתוס' רבי פרץ דכרוב וקפלוט אינן חשובין תבלין דהא אמרינן (חולין דף ו.) דתבלין לטעמא עבידי ואפילו באלף לא בטיל ולפת וקפלוט אינו צריך לשער כי אם בששים כדאיתא פרק גיד הנשה (שם דף צז:) (ד) ותבלין כך נידוכין כדרכן בפ"ק דביצה (דף יד.) א"כ אינו כרוב ובערוך פירש מיני בשמים:

הדרן עלך מי שהפך

ואלו מגלחין במועד. משום דתנא באידך פירקין דברים שעושין לצורך המועד כמו מוכרי פירות דנעשים כדין קתני נמי ואלו נעשים שלא כדין לצורך המועד: **והיוצא** מבית האסורים. שאינו יכול לגלח קודם המועד שאין מניחין לו לגלח ואפילו מניחין לו אינו ערב לאדם לגלח בבית האסורין: [כ"ה בירושלמי] ומנודה

רבינו חננאל

[מתני'] מחפין את הקציעות בקש. ר' יהודה אומר אף מעבין. סוגיא דשמעתא מחפין בעצים של קש דקים בין בעצים של קש עבים. פירוש קלושי דקים. סומכי עבים מעבין עושין אותן כמין כרי כלומר כמו גדיש: **ירושלמי** ר' יהודה אומר יאבד דבר מועט ואל יאבד דבר מרובה. ר' יוסי אומר אל יאבד דבר כל עיקר. כהנא אמר אית מילין דקשין הן (החמירו) מנגעים ואהלות: מוכרי פירות כסות וכלים מוכרין בצינעא לצורך המועד. ר' יוסי אומר הן החמירו על עצמן אוקימנא הן החמירו על עצמן שלא יעשו כל עיקר דתניא מוכרי כסות וכלים מוכרין בצינעא לצורך המועד ר' יוסי [אומר] תגרי טבריא הן החמירו על עצמן שלא יהו עושין כל עיקר. וכן צדי עכו החמירו על עצמן שלא יהו צדין כל עיקר. חילקא חטה אחת נחלקת לשתים טרגין חדא לתלת טיסני חדא לארבע כי אתא רב דימי אמר האי חילקא כתנא הוא איני והתניא חילקא טרגין וטיסני ועוכו מין אחד חטה דשושה לשתים שלש וארבע וכמו הסולת הוא איני דאמרו דאיתכשר ומקבלי טומאה אלא כותנא אמאי טמאה והא לא הוכשרה. ושנינן כגון דמגלפני היא כותנא. פי' כוסמת. דאי לאו דשרא בהו במיא לא הוה משלם כלומר מתקפלת הקליפה שלהן. ת"ש הנודר מן הדגן אסור אף בפול המצרי יבש ומותר בלח ומותר באורז חלקא טרגים וטיסני בשלמא למ"ד דשישי היינו דנפקי להו מתורת דגן אלא למ"ד כותנא דגן גמור הוא כדכתיב והחטה והכוסמת ועלתה בתיובתא לרב דימי. רב יהודה שרא להנהו כרופייתא למיזל ולמיזבני בשוקא כי אורחייהו אוקימנא בתבלי והא דתניא חנות הפתוחה לסטיו פותח ונועל כדרכו כו' אוקימנא בפירות: **ירושלמי** צדי חיה ועופות ודגים צדין בחכה ובמכמורת ולא ממעטין בשמחת הרגל ר' אמי מקיל לון שממעטין בשמחת הרגל: הדרן עלך פרק מי שהפך

עין משפט נר מצוה

מג א מיי' פ"ח מהל' י"ט הל' טו טוש"ע א"ח סי' תקלד סעיף ג:
מד ב ג מיי' פ"ח שם הלכה יד טוש"ע שם סי' תקלח סעיף ד:
מה ד מיי' שם פ"ז הלכה כג טוש"ע שם סימן תקלט סעיף יא:
מו ה ו מיי' שם הלכה ט טוש"ע שם סי' תקלג סעיף ה:
מז ז מיי' פט"ז מהל' טומאת אוכלין הל' א:
מח ח מיי' פ"ז מהל' י"ט הל' כג טוש"ע א"ח סי' תקלט סעיף י:
מט ט י כ מיי' שם טוש"ע שם סעיף יא:
א ל מיי' שם הלכה יז יח טוש"ע שם סי' תקלא סעיף ד:
ב מ מיי' שם סמג לאוין עה טוש"ע שם סי' תקלד סעיף א:

מסורת הש"ם

א) [פסחים נה:] ע"ש עה"ג, ב) [כ"ז ליתא בפסחים עי' בב"י סי' תקלד דבספרים שלנו הגוסחא ואם חושש להם שמא יגנבו מביאן בצנעה בתוך ביתו], ג) מכשירין פ"ו מ"ב, ד) [נדרים נה: תוספתא שם פ"ד], ה) [תוספ' פ"ב], ו) [לקמן יד:], ז) ל"ל דפסחים.

הגהות הב"ח

(א) מתני' והמצורע העולה מטומאתו: (ב) רש"י ד"ה הא בפירי שקונה לצורך שאר ימות השנה: (ג) תוס' ד"ה בשביל כו' אבל מרישא דתני דחנות פתוחה כו' ערב י"ט האחרון חוה"מ הוא: (ד) ד"ה בתבלין כו' כדאיתא פ' גיד הנשה ותנן נמי דתבלין נידוכין כדרכן בפ"ק:

הגהות הגר"א

[א] גמ' (מפנן לחצר אחרת ואם אינו מאמינו) תא"מ (וכן ליתא בדפו"י):

הגהות מהר"ב רנשבורג

א] גמ' מפנן לחצר אחרת ואם אינו מאמינו. זה נמחק וכ"ב בפסחים נה ע"ב כל זה אינו ויעו"ש בתוס' ד"ה ואם מתיירא וכו' ובמהרש"א שם:

רש"י כת"י

והתניא. בניחותא. כד מבית הכדר כרים וכסתות מבית האומן. ולצורך יום טוב [עי' הגהות חו"י ברי"ף]. **ולא כלים.** שאר כלים שאין צריכין ביום טוב. **מוליכין קשיא.** דקתני מתני' דפסחים מוליכין ומביאין ומתני' דהכא קתני מביאין אין מוליכין לא והכא ליכא לשנויי במאמינו דמוליכין מאי מאמינו ומאי שאינו מאמינו איכא. **מחפין את הקציעות.** תאנים השטוחות בשדה לייבשן מחפין אותן בקש מפני הגשמים קליעות תאנים שאירפן לתוך כלי וקורין אותו מקלוע ואינו מרובע אלא ג' קרנות יש לו ועושין עיגול התאנים כמין הכלי. **מעבין.** בגמ' פליגי בה בפי' מחפין ומעבין. **אקלושי.** מעט מחפין ולא כל צרכן כדרך שעושה בחול. **אסמוכי.** מחפין אותן יפה יפה בעובי בכל הצורך. **לא שנא הכי ולא שנא הכי.** בין עב בין קלוש קרי ליה מחופין. **מעבין [וכו' כמין כרין].** עושין

Chapter Three

Mishnah In the latter part of the previous chapter, the Mishnah discussed work that all people are permitted to do during Chol HaMoed for the sake of the festival. The Mishnah now turns its attention to other work that is needed for the sake of the festival, such as haircutting and laundering, but nevertheless is generally prohibited[1] for reasons to be discussed in the Gemara.[2] Our Mishnah begins by listing those types of people who are exempt from the prohibition against cutting hair and laundering due to extenuating circumstances:

וְאֵלּוּ מְגַלְּחִין בַּמּוֹעֵד – And[3] **these** people **may cut their hair during the** Intermediate Days of the **Festival** (Chol HaMoed): **הַבָּא מִמְּדִינַת הַיָּם – One who arrived from overseas,**[4] **וּמִבֵּית הַשִּׁבְיָה – or** who was released **from captivity** **וְהַיּוֹצֵא מִבֵּית הָאֲסוּרִין – or who left prison,**[5] **וְהַמְנוּדֶּה שֶׁהִתִּירוּ לוֹ חֲכָמִים – or the excommunicate whom the sages released** from his ban;[6] **וְכֵן מִי שֶׁנִּשְׁאַל לְחָכָם וְהוּתַּר – similarly, one who petitioned a sage and was released** from his vow,[7] **וְהַנָּזִיר וְהַמְּצוֹרָע מִטּוּמְאָתוֹ לְטָהֳרָתוֹ – or the *nazir*[8] or *metzora*[9]** who ascends **from his** state of **contamination to his** state of **purity.**

וְאֵלּוּ מְכַבְּסִין בַּמּוֹעֵד – And these people **may launder** their clothing **during Chol HaMoed:**[10] **הַבָּא מִמְּדִינַת הַיָּם – One who arrived from overseas,** **וּמִבֵּית הַשִּׁבְיָה – or** who was released **from captivity** **וְהַיּוֹצֵא מִבֵּית הָאֲסוּרִין – or who left prison,**

NOTES

1. *Tosafos.*

2. Below, 14a. See *Tosafos* ibid. ד״ה ומנודה (with *Bach* and *Rashash*), ד״ה ושאר and *Igros Moshe, Orach Chaim* I §163, for a discussion of various types of haircutting (and shaving) that are prohibited. See also *Mishnah Berurah* 531:3.

3. See *Ritva,* who explains why our text states וְאֵלּוּ, *And* these . . . rather than אֵלּוּ, *These . . .*

4. Literally: an overseas land. The Tanna refers to one who arrived from abroad during Chol HaMoed (*Rashi, Rashi ms.*) or who arrived late on the eve of the festival (*Tos. Yom Tov*). In either case, he was unable to cut his hair before the festival began (*Rashi*).

The Mishnah mentions הַבָּא מִמְּדִינַת הַיָּם, *one who has arrived from overseas,* since that term connotes a person whose arrival would be common knowledge, so that the public would be aware that this individual had no opportunity to cut his hair before the festival. The same leniency would thus apply to one arriving from any such faraway place (*Machtzis HaShekel* to *Orach Chaim* 531:6; *Mishnah Berurah* 531:12; cf. *Ritva*).

5. This leniency applies even if one was imprisoned by Jews, who would have permitted him to cut his hair in honor of the festival. Nevertheless, a prisoner is usually concerned about his incarceration, not his appearance. Hence, his situation is analogous to one who had no opportunity to cut his hair, and so he is permitted to do so during Chol HaMoed (*Ritva;* see *Tosafos*).

Similarly, one who recovered from an illness during Chol HaMoed may be permitted to cut his hair, if it is determined that he had no concern for his appearance (*Meiri*; see, however, *Teshuvos HaRashba* 3:275).

6. The term נִדּוּי, *nidui,* is rendered as "ban." It is a form of curse pronounced under certain circumstances on a violator of religious law. *Rambam* (*Hil. Talmud Torah* 6:14) enumerates twenty-four transgressions for which one is liable to a ban. According to *Ran* (*Nedarim* 7b), one deserves *nidui* for any infraction of religious law.

Certain activities are prohibited to an excommunicate, as they are to a mourner. He may not cut his hair or launder his garments (Gemara below, 15a) and, according to many authorities, he may not wear leather shoes (*Yoreh Deah* 334:2).

The duration of a *nidui* is generally thirty days (Gemara below, 16a), but under certain circumstances it may be rescinded earlier (see *Ran* to *Nedarim* 7b; *Rif* and *Rosh,* below 16a; *Yoreh Deah* 334:13).

The Mishnah here speaks of one whose period of *nidui* ended, or was rescinded, either during Chol HaMoed (*Rashi ms.*) or just prior to the festival (*Meiri*).

According to *Yerushalmi,* the dispensation applies only to an excommunicate who was unable to have his *nidui* rescinded before the festival. However, if he could have done so — for example, by appealing to the court at the end of his thirty-day ban — but negligently did not do so, he may not cut his hair on Chol HaMoed (see *Tosafos* below, 14a ד״ה ומנודה, and *Rosh;* but see *Rambam, Hil. Yom Tov* 7:18, with *Kesef Mishneh*).

7. The Mishnah speaks of one who, before the festival, vowed not to cut his hair, but on Chol HaMoed requested a sage to annul his vow (*Rashi*). The vower was unable to do so beforehand because a sage was not to be found (*Tosafos,* printed on 14a), or because valid grounds for annulment were discovered only during the festival (*Rashi ms., Tosafos, Ritva, Meiri*), or because he came to regret the vow only during the festival (*Rashi ms., Ritva, Meiri*). Whatever the reason, his failure to petition for annulment prior to the festival is deemed unavoidable (אוֹנֶס), and so he may cut his hair on Chol HaMoed after the sage annuls his vow.

8. A *nazir* is prohibited from cutting his hair, drinking wine, eating grapes or grape products and coming in contact with a corpse for a minimum period of thirty days (see *Numbers* 6:1-7). The Mishnah refers to a *nazir* who contracted corpse *tumah* and the time for his purification came during Chol HaMoed (*Rashi;* cf. *Rashi ms., Ritva*). He must cut his hair on the seventh day of his purification process (*Numbers* 6:9).

As we have noted, *Rashi* includes the *nazir* in the phrase מִטּוּמְאָתוֹ לְטָהֳרָתוֹ (*[who ascends] from his [state of] contamination to his [state of] purity*. See *Mishneh LaMelech* to *Hil. Yom Tov* 7:19, who demonstrates that *Rashi* differs from the other Rishonim, who apply that phrase only to the *metzora.*

[See *Rashash,* who discusses *Rashi's* statement: וְשׁוּב אֵינוֹ מְשַׁמֵּר נִזְרוֹ וּמְגַלֵּחַ.

9. A *metzora* is required to cut his hair on the seventh day of his purification process (see *Leviticus* 14:9), and this is so even if the seventh day falls during Chol HaMoed, as is the case here (*Rashi;* see *Rashi ms.*). [Inasmuch as a *metzora* must shave on the *first* day of the purification process as well (see *Leviticus* 14:8), it is perplexing that these Rishonim fail to mention that cutting too. See *Mishneh LaMelech* ibid. for a discussion of this. See there also for his interpretation of the Rishonim's explanation of this ruling of the Mishnah.]

10. Although there is a general Rabbinic prohibition against laundering during Chol HaMoed, the following are granted a dispensation.

וּמְנוּדֶּה שֶׁהִתִּירוּ לוֹ חֲכָמִים – **or the excommunicate whom the sages released** from his ban;[1] וְכֵן מִי שֶׁנִּשְׁאַל לְחָכָם וְהוּתַּר – **similarly, one who petitions a sage and is released** from his vow.[2] מִטְפְּחוֹת הַיָּדַיִם – **Hand towels,**[3] וּמִטְפְּחוֹת הַסַּפָּרִים – **barbers' cloths,**[4] וּמִטְפְּחוֹת הַסְּפָג – **and bath towels**[5] may also be laundered. הַזָּבִין וְהַזָּבוֹת וְהַנִּדּוֹת וְהַיּוֹלְדוֹת – ***Zavim* and *zavos*,**[6] **menstruants, and women who have given birth,**[7] וְכָל הָעוֹלִין מִטּוּמְאָה לְטָהֳרָה – **and all who ascend from** a state of ritual **impurity to** a state of ritual **purity**[8] – הֲרֵי אֵלּוּ מוּתָּרִין – **these are permitted** to launder their clothing during Chol HaMoed, וּשְׁאָר כָּל אָדָם אֲסוּרִין – **but all other people are forbidden** to do so.

Gemara The Mishnah established various exceptions to the general prohibition against cutting hair and laundering clothes on Chol HaMoed. The Gemara now inquires about the rationale for the general rule:

וּשְׁאָר כָּל אָדָם – **But** regarding **all other people,** מַאי טַעְמָא אֲסוּרִין – **what is the reason they are prohibited** from cutting their hair and laundering clothes?[9]

The Gemara responds:

כִּדְתְנַן – It is **as we learned in a Mishnah:**[10] אַנְשֵׁי מִשְׁמָר – THE MEN OF THE *MISHMAR*[11] וְאַנְשֵׁי מַעֲמָד – AND THE MEN OF THE *MAAMAD*[12] אֲסוּרִין לְסַפֵּר וּלְכַבֵּס – ARE PROHIBITED TO CUT their HAIR AND LAUNDER their clothes during the week of their service; וּבַחֲמִישִׁי מוּתָּרִין מִפְּנֵי כְּבוֹד הַשַּׁבָּת – BUT ON the THURSDAY of their watch THEY ARE PERMITTED to do these things IN HONOR OF THE SABBATH.[13] וְאָמַר רַבָּה בַּר בַּר חָנָה אָמַר רַבִּי אֶלְעָזָר – **And** in explanation of this Mishnah **Rabbah bar bar Chanah said in the name of R' Elazar:**[14] מַאי טַעְמָא – **What is the reason** these men are forbidden to cut their hair and launder their clothing during the week of their service?[15] כְּדֵי שֶׁלֹּא יִכָּנְסוּ לְמִשְׁמַרְתָּן כְּשֶׁהֵן מְנוּוָּלִין – **So that they should not enter** the week **of their watch while they are unkempt.**[16] הָכָא נַמִּי – **Here, as well,** haircutting and laundering are prohibited during Chol HaMoed כְּדֵי שֶׁלֹּא יִכָּנְסוּ לָרֶגֶל כְּשֶׁהֵן מְנוּוָּלִין – **so that [the Jewish people] should not enter the festival while they are unkempt.**[17]

The Gemara attempts to define the parameters of the prohibition against haircutting and laundering clothes on Chol HaMoed:

בָּעֵי רַבִּי זֵירָא – **R' Zeira inquired:** אָבְדָה לוֹ אֲבֵידָה עֶרֶב הָרֶגֶל – **If one lost an object on the festival eve** and, as a result of his

NOTES

1. See above, 13b notes 4-6. Just as these people were unable to cut their hair before the festival, so they were unable to launder their clothing.

2. I.e. one who vowed not to launder his clothing and had the vow annulled by a sage during Chol HaMoed (*Rav;* see above, 13b note 7).

3. These are napkins used to wipe the hands during meals (*Rav;* see also *Rashi* below, 18a ד״ה מטפחות). Since they constantly become soiled, they require frequent laundering. Hence, even if they were laundered before the festival, they must (and therefore may) be laundered again during Chol HaMoed (*Tiferes Yisrael*).

4. Barbers drape sheets over the customers' shoulders to protect their clothing. Since these sheets must be repeatedly washed, they may be laundered for the benefit of those who are permitted to have their hair cut during Chol HaMoed (*Rav*). See *Ritva* (printed to Gemara below, 18a).

An alternative reading is מִטְפְּחוֹת הַסְּפָרִים – *book cloths,* i.e. the coverings in which scrolls are wrapped. These also require frequent cleaning, since they are constantly handled (*Nimukei Yosef,* citing *Yerushalmi*). See *Meiri* for a third interpretation.

5. Or handkerchiefs (*Rashi* to *Rif*). These require frequent laundering because they become thoroughly soiled with each use. Hence, they must, and may, be laundered on Chol HaMoed even if they had been washed immediately prior to the festival (*Meiri*).

The Mishnah permits these various launderings only when no other towels are available. If sufficient towels are available for use, the soiled ones may not be washed (see *Aruch HaShulchan* 534:3-4).

6. These are men and women who experience a contaminating genital flow (see *Leviticus* 15:1-15; 25-30).

7. [These women experience frequent discharges.] Because of their physiological condition, all four types soil their clothing frequently, and so they are permitted to launder them during Chol HaMoed.

Moreover, the first two (under Biblical law) are required to wear clean [white] clothing during the "seven clean days" they must count following the cessation of their flow (*Meiri*).

8. I.e. all whose garments require immersion, such as a *metzora* or one defiled by a corpse (see *Meiri, Tos. Yom Tov*).

9. Even though cutting hair or laundering clothes is a *melachah* (a type of labor that is prohibited on the Sabbath and Yom Tov), the Gemara assumes that it should be permitted during Chol HaMoed because grooming is a physical requirement (תִּיקּוּן הַגּוּף) comparable to eating and drinking [which are permitted] (*Ritva;* see *Tosafos*), or because it is a source of joy [which is a mandated element of every festival; see *Deuteronomy* 16:14,15] (*Rashi ms., Nimukei Yosef;* see, however, *Keren Orah*).

10. *Taanis* 15b.

11. The Kohanim and Leviim were divided into twenty-four groups, known as *mishmaros* (literally: watches). Each *mishmar* was, in turn, subdivided into *batei avos* (literally: fathers' houses). The *mishmaros* served in the Temple for a week at a time on a rotating basis, with each *beis av* serving one day of the week.

12. The Torah requires the owner of a sacrifice to be present in the Temple during its offering. Theoretically, therefore, every Jew should be present for the offering of the תְּמִידִים, *daily sacrifices,* since these are brought on behalf of the entire nation. In order to ensure this requirement's fulfillment, the Sages ordained that representatives of the entire nation be appointed and divided into twenty-four groups, corresponding to the twenty-four *mishmaros* of Kohanim. Each group, known as a מַעֲמָד, *maamad* [literally: station], serves one week in rotation. Part of the group goes to the Temple as representatives of the nation and prays that the offerings be accepted by Hashem, while the remaining members fast and conduct special prayers in their towns [see *Taanis* 26a] (*Rashi ms., Rashi* to *Taanis* 15b ד״ה אנשי מעמד).

13. Thursday is the day people normally cut their hair and launder their clothing in honor of the Sabbath. These activities are certainly permissible on Friday as well (*Meiri*), but people then are usually too busy with their Sabbath preparations (*Rashi ms., Rashi* to *Taanis* 15b; see note 17 below; see, however, *Magen Avraham* to *Orach Chaim* 242 §3).

14. *Taanis* 17a.

15. Logic would dictate that, on the contrary, they be *required* to groom themselves and launder their clothing while in the midst of serving in the Holy Temple! (*Ritva* here).

16. The Rabbis wanted to ensure that the men of the *mishmar* and the *maamad* would commence their duties properly groomed, as befits their exalted positions [as the servants of the Temple]. Therefore, they prohibited these men from haircutting and laundering during the week of their service, so that they would be compelled to groom themselves in advance (*Rabbeinu Chananel, Ritva*).

Actually, Kohanim wear special priestly vestments while serving in the Temple, so there should be no insistence that they launder their street clothes before their week of service. Nevertheless, the Rabbis wanted the Kohanim to enter the Temple precincts in a dignified state, and therefore required them to launder in advance the street clothing they would wear into the Temple (*Aruch HaShulchan HeAsid, Hil. Bi'as Mikdash* 34:10).

17. The Rabbis sought to motivate people to groom themselves prior to the festival and not enter it in an unkempt state. To accomplish this, they prohibited haircutting (and laundering clothes) during Chol HaMoed. Aware of this prohibition, the people would take care to groom themselves before the onset of the festival (*Rashi, Rashi ms.*). And those who neglected to do so were penalized by not being allowed to cut their hair during Chol HaMoed (see *Rashi* and *Meiri*).

[There is an extensive discussion in Rabbinic literature regarding

ומנודה שהתירו לו חכמים וכן מי שנשאל לחכם והותר [א]מטפחות [א]הידים ומטפחות הספרים ומטפחות הספג [ב]הזבין והזבות והנדות והיולדות וכל העולין מטומאה לטהרה הרי אלו מותרין ושאר כל אדם אסורין: **גמ'** ושאר כל אדם מאי טעמא אסורין כדתנן [ג][ג]אנשי משמר ואנשי מעמד אסורין לספר ולכבס ובחמישי מותרין מפני כבוד השבת ואמר [ג]רבה בר בר חנה אמר ר' אלעזר מ"ט [ד]כדי שלא יכנסו למשמרתן כשהן מנוולין הכא נמי כדי שלא יכנסו לרגל כשהן מנוולין בעי ר' זירא אבדה לו אבידה ערב הרגל כיון דאנים מותר או דלמא כיון דלא מוכחא מילתא לא אמר אביי [ד]יאמרו כל הסריקין אסורין סריקי בייתוס מותרין ולטעמיך הא דאמר רבי אסי אמר רבי יוחנן [ה]כל מי שאין לו אלא חלוק אחד מותר לכבסו בחולו של מועד התם נמי יאמרו כל הסריקין אסורין סריקי בייתוס מותרין הא אתמר עלה אמר מר בר רב אשי איזורו מוכיח עליו רב אשי מתני בעי ר' זירא אומן שאבדה לו אבידה ערב הרגל מהו כיון דאומן הוא מוכחא מילתא או דלמא כיון דלא מוכחא מילתא כי הנך לא תיקו: ממדינת הים: מתניתין דלא כר' יהודה דתניא [ו]ר' יהודה אומר הבא ממדינת הים לא יגלח מפני שיצא שלא ברשות אמר רבא לשוט דברי הכל אסור למזונות דברי הכל מותר לא נחלקו אלא להרויחא מר מדמי ליה כלשוט [ה]ומר מדמי ליה כלמזונות מיתיבי אמר ר' [ז]נראין דברי ר' יהודה כשיצא שלא ברשות ודברי חכמים כשיצא ברשות מאי שלא ברשות אילימא לשוט והאמרת דברי הכל אסור ואלא למזונות והאמרת דברי הכל מותר אלא פשיטא להרויחא אימא סיפא נראין דברי חכמים כשיצא ברשות מאי ברשות אילימא למזונות הא אמרת דברי הכל מותר ואלא להרויחא והא אמרת נראין דברי רבי יהודה בהא הכי קאמר נראין דברי ר' יהודה לרבנן כשיצא שלא ברשות ומאי ניהו לשוט שאפילו חכמים לא נחלקו עליו אלא להרויחא אבל לשוט מודו ליה ונראין דברי רבנן לר' יהודה כשיצא ברשות ומאי ניהו למזונות שאפילו רבי יהודה לא נחלק עליהם אלא להרויחא אבל למזונות מודה להו אמר שמואל קטן הנולד במועד מותר לגלח במועד שאין לך בית האסורין גדול מזה במועד אין מעיקרא לא מתיב ר' פנחס [ח]כל אלו שאמרו מותר לגלח במועד מותר לגלח בימי אבלו הא אסור לגלח במועד אסור לגלח בימי אבלו

ואי

גמ' הכי גרסינן ושאר כל אדם מאי טעמא אסורין כדתנן אנשי משמר כו' ואמר רבה בר בר חנה כו' עד כשהן מנוולים. ומאן דמתרשל ולא גילח מקמי רגל ומטי זמן עלייהו לגלח ברגל החמירו רבנן הואיל ולא מזרזי נפשייהו לספר מקמי רגל דלא להוי ברגל מנוולין אם היו מגלחין במועד לא היו מגלחים לפני המועד ונכנסין לרגל כשהן מנוולין: **אבדה לו אבידה.** שלא היה לו פנאי לגלח קודם הרגל: **דלא מוכחא מילתא.** דלא ידעי כולי עלמא דאנוס היה אלא יאמרו הוא מכוין להשהות עד המועד: **יאמרו כל הסריקין אסורין וכו'.** כלומר דבייתוס היה יכול לסרוק חלותיו בלי שהות לפי שהיה לו דפוס ואעפ"כ אסרו משום דאמרי כל הסריקים כו' הכא נמי כיון דלא מיגליא לכולי עלמא אונסיה יאמרו כולי עלמא אסורין לגלח וזה מותר: **מי שאין לו אלא חלוק אחד.** נמי לאו מוכחא מילתא לכולי עלמא: **איזורו מוכיח עליו.** דמי שאין לו אלא חלוק אחד פושטו ומתעטף במקטרינו וחוגרו באיזורו ועומד ומכבס החלוק ומודיע לכל שאין לו אלא חלוק אחד: **אומן.** כגון ספר שהכל באים אצלו ערב הרגל ורואים שאבדה לו אבידה ואנוס הוא ואינו יכול לספר עצמו: **כי הנך.** דמתניתין דקתני מגלחין דמידע לכל: **מפני שיצא שלא ברשות.** כלומר הואיל ולא יצא ברשות אחרים אלא ברצון עצמו לאו אנוס הוא: **לשוט.** אם יצא שלא לצורך ולא יצא אלא כדי לשוט בעולם ולראותו וחזר במועד: **דברי הכל אסור.** לגלח במועד: **למזונות.** שיצא לחזר אחר מזונות שאין לו מזונות וחזר במועד אחריהן דברי הכל מותר לגלח במועד לפי שיצא באונס: **להרויחא.** שיש לו נכסים הרבה ויוצא כדי להרויח יותר: **נראין לי דברי רבי יהודה.** דאסר בגילוח לבא ממדינת הים כשיצא שלא ברשות: **ודברי חכמים.** המתירין כשיצא ברשות: **אילימא לשוט.** דקאמר רבי נראין דברי ר"י ביצא לשוט דהיינו שלא ברשות הא אמרת וכו' ומאי נראין דברי רבי יהודה הלא שניהם מודים בה אלא פשיטא להרווחא ואשמעינן דנראין לו דברי ר' יהודה שאוסר בגילוח: **והא נראין דברי רבי יהודה בהא.** וקשיא דרבי אדרבי דברישא נראה לו דברי ר"י דאסר בהרווחא ובסיפא נראה לו דברי חכמים דמתירין הרווחא אלא ודאי איכא למשמע מהכא דלאו הכי הוא כדקאמרת דבלשוט ובמזונות פליגי: **ה"ק.** לאו היתר דידיה אשמעינן ולא רואה אני קאמר אלא פלוגתייהו קמ"ל במאי פליגי נראין דברי ר"י האוסר לחכמים וכו': **קטן הנולד במועד.** ולו שערות גדולים מותר לגלח במועד שער ראשו המצערו: **שאין לך בית האסורין גדול מזה.** ממעי אמו שהיה שם ואנוס הוא: **מעיקרא לא.** דאם נולד קודם הרגל אינו מגלח ברגל הואיל והיה יכול לגלח קודם הרגל:

ואי

ומנודה וכו' ושנשאל. בירושל' מקשה (א) הני למה התירו והלא פשע שלא בא לפני המועד לפני חכמים להתיר לו ומשני שכלו לו שלשים יום של נדוי במועד דאין נדוי פחות משלשים יום וכן מי שנשאל לחכם מוקי לה כשבא בחול המועד אי נמי לפני המועד לא מצאו (ב) בו פתח וגילוח הראש נמי אסור במועד דהא אמר בגמ' שלא יכנסו לרגל מנוולין ואין לך ניוול גדול מזה ושמא לא קאי טעמא בגמרא אלא אשארא אבל גילוח של ראשו אסור משום מלאכה אפילו במקום אונס ושאר גילוח דבעי בגמרא מאי טעמא אסורין והיינו גילוח של יפוי דהוה לך למישרי לצורך המועד אע"פ שהיא מלאכה אבל גילוח כל הראש אסור משום מלאכה והני (ג) כגון נזיר ומצורע הוא דשרי משום מצוה ולפי זה אסור לגלח ראשו במועד ועוד יש לפרש שנראה שמותר לגלח ראשו במועד וא"ת מאי קא משמע לן נזיר ומצורע יש לומר דס"ד דאסור שלא ישהו קרבנותיהן קא משמע לן דשרי ואי מיירי הכא בשלא היה להן פנאי דוקא והוא כדבעי למימר בגמרא יש לומר דהכי קאמר דנזיר ומצורע העולין מטומאה לטהרה דוקא שעולין עתה אבל עולין מטומאה לטהרה מקודם רגל אסורין:

ושאר כל אדם מאי טעמא אסורין. אע"פ שהוא מלאכה היה לנו להתירה לצורך המועד (ד) א"נ [אף] שיש מלאכות אסורות במועד שאין בהן טורח כגון פרקמטיא מכל מקום זה שהוא ליפוי ראוי להתיר לכבוד מועד ויש מפרשים דקאי על גילוח הראש דאסרינן משום טירחא מכל מקום מקשה דהיה לו להתיר לצורך המועד ואין זה (ה) נוטה לפי מה שפירש' המשנה דגילוח כל הראש מלאכה גמורה ואסור: **שאין** לו אלא חלוק אחד מותר לכבסו במועד. ואם תאמר היאך יכבסנו במועד אם כן ישאר במועד בלא חלוק בשעת כיבוס כמו כן היה יכול לכבס קודם המועד ויהיה בלא חלוק בשעת כיבוס וכי תימא כשכבסו קודם מועד ומשום הכי מותר לכבסו במועד א"כ תרתי נמי אם יתלכלכו למה נאסור לו והלא לא פשע י"ל דדי לו בשתי חלוקין אחד ליו"ט ראשון ואחד לי"ט אחרון בירושלמי אמרו בגדי קטנים מותר לכבסן במועד דניכרים שהם קטנים ומלוכלכין כמי שאין לו אלא חלוק אחד (ו): **אומן** שאבדה לו אבידה ערב הרגל. פירש בקונטרס דאומן מבעי' ליה אבל בני העיר אע"פ שאין להם (ז) אומן אחר לא מיבעיא ליה דפשיטא דאסורים יש להסתפק אם חלה ונתרפא אם מותר לגלח אם מוכחא מילתא כי הני: **מתני'** דלא כר"י. תימה לוקמא אפילו כר"י ולמזונות אפי' רבי יהודה מודה ושמא כיון דקתני ר"י אומר הבא וכו' משמע שבא לחלוק על המשנה:

אלא להרווחא והא אמרת נראין דברי ר"י בהא. נראה דל"ג ועוד מכלל דפליגי רבנן אפילו למזונות ובההיא פ"ק דשחיטת חולין (דף יב.) (ח) נראין דברי רבי יהודה שמלאה באשפה ל"ג ועוד:

עשה

עין משפט נר מצוה

ג א מיי' פ"ז מהלכות י"ט הלכה כא טוש"ע א"ח סי' תקלד סעיף א:
ד ב מיי' שם:
ה ג ד מיי' פ"ו מהל' כלי המקדש הלכה יא ופ"ז מהל' י"ט הל' יט ופ"א מהל' ביאת מקדש הלכה יב:
ו ה מיי' פ"ז מהלכות י"ט הל' יח טוש"ע א"ח סי' תקלא סעיף ד:

רבינו חננאל

ואלו מגלחין במועד הבא ממדינת הים ומבית השביה והיוצא מבית האסורין כו'. מ"ט כדתנן אנשי משמר ואנשי מעמד אסורין לספר ולכבס ואמרינן מה טעם שלא יכנסו למשמרתן מנוולין דכיון דיודעין דאסורין לכבס אף הן מספרין ומכבסין מקודם ונכנסין מתוקנין ומגוהצין. הכא נמי כדי שלא יכנסו לרגל מנוולין. בעי ר' ירמיה אבדה לו אבידה ערב הרגל כיון דטרוד הוא באבידתו אנוס הוא ומותר לספר ולכבס במועד או דלמא כיון דלא מוכחא מלתא כמו השביה ובית האסורים לא. ועלתה בתיקו. פירוש יאמרו כל הסריקין אסורין כו' הא לגבי מצה בפסח איתמר דאסרו רבנן לעשות מצות סרוקות מפני שהאשה שוהה עליהן ומחמצתן ואמרו בייתוס עושה בדפוס שאין שם שהייה אלא בפעם אחת קובעה בדפוס ונמצאת המצה מצויירת. ומתמהינן התם יאמרו כל הסריקין אסורין סריקי בייתוס מותרין מי יודע כי בדפוס נעשו הכא נמי יאמרו הכל אסורין לספר ולכבס וזה האיש מותר אבל מי שאין לו אלא חלוק אחד מותר לכבסו בחולו של מועד. כי איזורו מוכיח עליו כלומר כשרואין אדם ערום חגור איזור ורוחץ חלוקו כל רואיו יודעין שאין לו אלא חלוק אחד: הבא ממדינת הים. מתניתין דלא כר' יהודה דתניא ר' יהודה אומר הבא ממדינת הים לא יגלח מפני שיצא שלא ברשות אמר רבה לשוט פי' לשוט כמטייל וכמשתעשע כלומר שלא לצורך דברי הכל אסור למזונות כלומר יצא למדינת הים ודחוק לבקש מחיה דברי הכל מותר. כי פליגי ר"י וחכמים כשיצא להרויחא פירוש להתעשר כלומר לסחור ולהרויח. ר"י מדמי ליה לשוט דהא בכאן מחייתו מצויה ואסיר ורבנן מדמו לה ליוצא בבקשת מזון ומותבינן עליה. אמר ר' נראין דברי ר' יהודה שיצא שלא ברשות ונראין דברי חכמים שיצא ברשות ואי אמרינן לא פליגי אלא בהרויחא קשיא א) דר"י ואמר נראין דברי ר' יהודה בהרויחא מכלל דפליגי רבנן עליה ועוד נראין דברי חכמים אלא אפליגי אפי' לשוט. והאמרת לשוט דברי הכל אסור. ופרקינן הכי קאמר נראין דברי ר' יהודה לחכמים. ומודה להו כשיצא שלא ברשות ומאי ניהו למזונות שאף ר' יהודה לא חלק אלא בהרויחא וקי"ל כסתמא דמתני' דשרי אפי' מאן דנפיק להרויחא וכן אמר שמואל קטן הנולד ברגל מגלחין אותו במועד אין לך בית אסורין גדול ממעי אמו. איני שאם נו[לד]...

חשק שלמה על ר"ח א) נראה דל"ל קשיא דרבי אדרבי דברישא אמר נראין כו' ובסיפא אמר נראין דברי...

מסורת הש"ס

א) [פרש"י ע"ז לקמן יח. ותוס' שם ע"ב], ב) תענית טו:, ג) [שם יז. ע"ש], ד) פסחים לז. חולין קז:, ה) חולין שם [לקמן יח.] תענית כט:, ו) [תוספ' פ"ב], ז) [תוספתא שם], ח) [לקמן יח: תוספתא פ"ב].

הגהות הב"ח

(א) תוס' ד"ה ומנודה כו' בירושלמי מקשה וא"ת הני למה התירו: (ב) בא"ד א"נ לפני המועד לא מצאו לו פתח וגילוח כל הראש נמי אסור כו' אבל גילוח של כל הראש אסור משום: (ג) בא"ד והני דוקא כגון נזיר ומצורע כו' אסור לגלח כל ראשו במועד כו' שמותר לגלח כל ראשו: (ד) ד"ה ושאר כו' א"נ אע"פ שיש דברים אסורות במועד שאין בהן מלאכה אלא טורח כגון פרקמטיא: (ה) בא"ד ואין זה נראה לפי מה שפי': (ו) ד"ה שאין כו' כמי שאין לו אלא חלוק אחד דמי הס"ד: (ז) ד"ה אומן כו' אע"פ שאין להם אלא אומן אחד לא מיבעיא ליה: (ח) ד"ה אלא כו' פ"ק דשחיטת חולין דקאמר נראין דברי ר' יהודה שמצאה באשפה נמי ל"ג ועוד:

רש"י כת"י

מטפחות ידים. שמנגבין בה את הידים בשעת אכילה. **מטפחות ספרים.** מטפחות שגולל בו ספרו. ל"א מטפחות ספָּרים זו היא כסות שנותן המסתפר על כתיפיו מפני השער וכן המגלח לבא ממדינת הים וליוצ' מבית האיסורין צריך לכבס אותה מטפחת אע"פ שנכבסה קודם המועד צריך לכבסה תדיר. **מטפחות הספג.** שמנגבין בה פניו ידיו ורגליו כל היום או כשיוצאין מבית המרחץ לשון עלה ונספג. **וכל העולים וכו'.** מותרין לכבס בגדיהם. **מאי טעמא אסורין.** דגילוח שמחה [היא לאדם] ולישתרי. **אנשי משמר.** כ"ד משמרות של כהנים ושל לוים. **אנשי מעמד.** משפחת ישראל שהעמידו בערי ישראל ובירושלים לכל משמר ומשמר אותן שבערי ישראל כשהגיע משמרת עבודת כהנים (אם) היו מתפללים בעריהם על קרבן אחיהם שיתקבל ברצון ואותן שבירושלים היו עומדין על גביהן בשעת הקרבת תמידין ומוספין של צבור כדאמרינן (תענית כו.) האיך קרבנו של אדם קרב והוא אינו עומד על גביו ולפיכך היו הללו אנשי מעמד מזומנין שם שאי אפשר שיהיו כל ישראל עומדין שם בירושלם ורואין קרבנם ולכן אסורין לספר ולכבס בשבת שלהן שאם אתה מתירו נמצא משהא עצמו לספר ולכבס עד באמצע השבת שלו ויכנס למשמרתו כשהוא מנוול הילכך אסור כדי שיסתפר קודם למשמרתו. **ובחמישי מותר.** מפני כבוד השבת ובערב שבת לא היו מספרין ומתכבסין מפני הטורח. **הכא נמי.** משום הכי אסורי במועד כדי שלא יכנסו למועד כשהן מנוולין לפי שהם יודעים שהם אסורין להסתפר במועד מקדימין ומסתפרין קודם המועד ונמצאו נכנסין ברגל כשהן טהורין. **אבדה לו אבידה.** וטרח לחזור אחריה מהו לספר במועד דלאו מוכחא מלתא כי הנך דמתני' שאין הכל יודעין שהוא אנוס ואתי לידי דגמרי מינייהו. **כל הסריקין** גבי מצה אמרינן ליה במסכ' פסחים פרק (ראשון) [שני] (לז.). **ביתום.** פלטר ולו דפוסין שקובע בו מצות ומצויירן. **מותר לכבסו במועד.** וליכא למימר הכא היה לו לכבס מקודם לכן שאפילו מכבסה בערב הרגל צריך לכבסה במועד משום זיעה אבל מי שיש לו ב' חלוקים אסור לכבס במועד שהיה לו לכבס שתיהן קודם הרגל. **איזורו מוכיח עליו.** שהולך בלא אזור וידוע שאין לו חלוק אלא אותו שהוא מכבס לישנא אחרינא איזורו מוכיח עליו שנהוגין לעשות לולאות בחלוקיהן כנגד האיזור כשיש לו שני חלוקים היה מתיר האזור מזה ומשימו בחלוק שהיה מחליף אבל אם אין לו אלא אחד מניח האזור בקרביטין ומשלהו לכובס והיינו איזורו מוכיח עליו שכל הרואה אזור נתון בחל[וק]... אלא אחד. **אומן.** ספר שאבדה לו אבידה קודם הרגל ונאנס ולא נסתפר מהו לגלח במועד כיון דאומן הוא והולכין רבים אצלו ערב הרגל להסתפר ממנו ורואין שהוא מחזר אחר אבידתו מוכחא מילתא ושרי או דלמא דלא מוכחא מלתא כי הנך דמת[ני']... הים המפורסם לכל אונס שלו. **לשוט.** אם יצא למדינת הים שלא לסחורה אלא לשוטט בארצות לנחוק ולגוחא בעלמא. **למזונות.** דאנוס הוא לבקש מזונות ולהשתכר. **רווחא.** דהוא עשיר ויצא לסחורה להרבות שכר. **מר מדמי ליה לשוט.** ו... ברשות ורבנן דמתני' קרי ליה יצא ברשות. **נראין.** רואה אני. **דברי ר' יהודה.** שאוסר בגילוח לבא ממדינת הים. שמתירין אותו בגלוח וכו'. ה"ג **אילימא לשוט הא אמרת דברי הכל אסור** ... **כשיצא בלא רשות ודברי חכמים.** ... **להרווחא אימא סיפא וכו' אילימא לשוט.** דקאמ' ר' נראין לי דברי ר' יהודה כשיצא (ברשות) לשוט דהיינו שלא ברשות אבל לא דברי חכמים הא אמרת וכו'. **אלא.** מאי איכא לך למימר. (אלא) **פשיט' להרווחא.** דקאמר ר' נראין לי... שאסור בגילוח. **והא אמרת.** רישא נראין דברי ר' יהודה בהרווחא וקשיא רישא דר' לסיפא דר'. **ועוד [מכלל דפליגי רבנן אפילו לשוט והא אמרת דברי הכל אסור]** [גי' רש"י כת"י]. פירכא אחריתי דמדקאמ' אמ' ר' רואה אני... בהרווחא דפליגי לשוט דכי קאמ' רואה אני את דברי חכמים בהרווחא דפליגי כשיצא להרווחא מכלל דאיכא אחריתא דאינו רואה את דבריהם והיינו לשוט והאי דלא (פליג) [פריך] מדקאמ' נראין דברי ר' יהודה מכלל דפליג ר' יהודה למזונות... מותיב לעיל אימא [סיפא] נראין דברי חכמים שיצא ברשות למזונות דנראין דברי חכמים שיצא למזונות הא אמרת רישא וכו' הילכך לא בעי מהדר ומותי' אנראין דברי ר' יהודה וקשיא לן הא... נמי אדרבנן אילימא לשוט הא אמרת דברי הכל אסור ולעולם לא מתרצא מלתא דר' אליבא דרבא אלא לאו שמע מינה כי פליגי ר' יהודה ורבנן [אף] בלשוט הוא דפליגי והיינו דקאמ' ר' נראין ר' יהודה שאוסר ולא דברי חכמים שמתירין בשלא... אבל לא נראין לו דברי ר' יהודה להרווחא ונראין דברי חכמים שמתירין ולא דברי ר' יהודה שאוסר בילא ברשו' דהיינו הרווחא אבל לא נראין לו דברי חכמים בשילא לשוט והכי מיתרצא מלתא דר' ומיוכחא דרבה דלאמ' לשוט דברי הכל אסור וכי פליגי... דקאמ' נראין ולא נראין קאמ' ר' ולאו מכריע הוא והכי קאמ' נראין דברי ר' יהודה שאוסר לרבנן וכו' שאפילו חכמים לא נחלקו וכו' היינו [ל]דברי חכמים שילא ברשות (דווקא מפרש השתא). **הנולד במועד וכו'.** ושער מצערו כגון אותו שער... **דאין לך בית האסורין.** גדול ממעי אמו שהיה שם דאנוס הוא הנולד. **במועד אין מעיקרא לא.** אם נולד קודם הרגל אסור לגלחו במועד דאפשר לגלחו קודם למועד. **מותר לגלח בימי אבלו.** אע"פ שאבל אסור בתספורת אם בא ממדי[נת הים]... מת ומצא אבל מותר לגלח.

efforts to locate it, did not have time to cut his hair before the onset of the holiday, what is the law?[18] כֵּיוָן דַּאֲנִיס – Do we say that **since he was unavoidably prevented** from cutting his hair מוּתָּר – **he is permitted** to do so during Chol HaMoed? או דִּלְמָא – **Or perhaps,** כֵּיוָן דְּלָא מוּכְחָא מִילְתָא – **since the matter is not evident** to others, לֹא – he is **not** permitted to cut his hair.[19] – ? –

The Gemara answers by referencing an analogous situation:

אָמַר אַבַּיֵי – **Abaye said:** To quote the Sages' response to Baytos' suggestion:[20] יֹאמְרוּ כָּל הַסְּרִיקִין אֲסוּרִין – **"[People will say,** 'Can it be that **all** other ***serikin*** **are forbidden** סְרִיקֵי בַּיְיתוֹס מוּתָּרִין – while **the *serikin* of Baytos are allowed?!'** "[21]

The Gemara counters:

וְלְטַעֲמִיךְ – **But according to your reasoning,** that in private matters we are concerned about onlookers, how do you explain הָא דְּאָמַר רַבִּי אַסִּי אָמַר רַבִּי יוֹחָנָן – **this** halachah **that R' Assi stated in the name of R' Yochanan:** כָּל מִי שֶׁאֵין לוֹ אֶלָּא חָלוּק אֶחָד – **Anyone who has only one tunic** מוּתָּר לְכַבְּסוֹ בְּחוּלּוֹ שֶׁל מוֹעֵד – **is permitted to launder it during Chol HaMoed?**[22] הָתָם נַמִּי – **There also,** let us invoke the stringent response of the Sages: יֹאמְרוּ כָּל הַסְּרִיקִין אֲסוּרִין – **"[People] will say,** 'Can it be that **all** other ***serikin*** **are forbidden** סְרִיקֵי בַּיְיתוֹס מוּתָּרִין – while **the *serikin* of Baytos are allowed?!'** " Why are we not concerned that people will conclude that laundering is generally permitted on Chol HaMoed?[23]

The Gemara responds:

הָא אִתְּמַר עֲלָהּ – **It was stated regarding [that ruling]** of R' Yochanan: אָמַר מָר בַּר רַב אַשִׁי – **Mar bar Rav Ashi said:** אֵיזוֹרוֹ מוֹכִיחַ עָלָיו – **His belt indicates regarding him** that he has only one tunic.[24]

Another Amora teaches R' Zeira's query differently:

רַב אַשִׁי מַתְנֵי – **Rav Ashi taught:** בָּעֵי רַבִּי זֵירָא – **R' Zeira inquired:** אוּמָּן שֶׁאָבְדָה לוֹ אֲבֵידָה עֶרֶב הָרֶגֶל – In the case of **an artisan**[25] **who lost an object on the festival eve,** מַהוּ – **what is [the law]?** כֵּיוָן דְּאוּמָּן הוּא – Do we say that **since he is an artisan,** מוּכְחָא מִילְתָא – **it is evident** to all that he was unavoidably detained from cutting his hair prior to Yom Tov,[26] and so he should be allowed to do so during Chol HaMoed? או דִּלְמָא – **Or perhaps,** כֵּיוָן דְּלָא מוּכְחָא מִילְתָא כִּי הָנָךְ – **since the matter** of his search **is not as evident** to everyone **as are** the circumstances of **these** exceptions of our Mishnah, לֹא – he is **not** permitted to cut his hair.[27] – ? –

The Gemara responds:

תֵּיקוּ – **Let it stand.** The question remains unresolved.[28]

NOTES

whether it is permissible for a person who shaved prior to the festival – thus abiding by the Rabbinical decree – to shave again during Chol HaMoed. See *Tur Orach Chaim* 531, who cites *Rabbeinu Tam's* opinion that it is allowed. However, *Tur* himself disagrees, as does *Shulchan Aruch* 531:2; see *Responsa Noda BiYehudah, Mahadura Kamma Orach Chaim* §13 and *Mahadura Tinyana* ibid. §99. See *Igros Moshe, Orach Chaim* I §163, for a lengthy discussion of the issue.]

18. *Meiri* understands that the Gemara's query is not limited to this situation, but includes any economic interest that requires attention on the eve of a festival and thus prevents one from cutting his hair at that time (see also *Mishnah Berurah* 531:5).

19. That is, since not everyone is aware that he was unavoidably detained from grooming, inasmuch as the matter that preoccupied him was of a private nature, people will think that he intentionally waited until Chol HaMoed before cutting his hair (*Rashi*), and henceforth may follow his example (*Rashi ms.*).

20. The Gemara (*Pesachim* 37a) teaches that the Rabbis proscribed the use of *serikin* – matzos onto which various decorative figures have been etched – on Pesach. Their concern was that the dough would become leavened (*chametz*) while the etching was performed. But Baytos was a baker who suggested to the Sages that the decorative figures could be made on a stamp and thus instantaneously impressed into the dough, thereby avoiding possible leavening. Abaye now recites the Sages' response to Baytos' suggestion.

21. Although Baytos was able to make *serikin* expeditiously, the Sages nonetheless restrained him because most bakers did not have a stamp like his (*Rashi*). That is, the Sages were concerned that people observing *serikin* being eaten on Pesach would not realize that the decorations were made with a stamp, and would therefore assume that *serikin* were universally permitted (*Mishnah Berurah* 460:14). In our case as well, if a person who was unavoidably detained from cutting his hair before Yom Tov is permitted to do so during Chol HaMoed, then people who are unaware of his special circumstances may erroneously conclude that it is always permissible to cut one's hair during Chol HaMoed (*Rashi*).

Ritva asks: If we are concerned that the general population will not be aware of extenuating circumstances, how are the cases of our Mishnah, where haircutting is permitted, different? *Ritva* explains that in those cases it was well publicized that the individuals in question were unavoidably detained from preparing for the festival. Hence, permitting these individuals to cut their hair during Chol HaMoed will not lead others to draw the wrong conclusions. See *Mishnah Berurah* 531:5 with *Shaar HaTziyun* §7.

22. There, too, the existence of the extenuating circumstance is not evident to all (*Rashi*).

23. R' Yochanan's ruling would be readily understood if the law against cutting hair and laundering during Chol HaMoed was viewed merely as a simple Rabbinical prohibition. We would then be unconcerned about onlookers when extenuating circumstances are present, for to prohibit in those cases would be tantamount to issuing a secondary Rabbinic decree (גְּזֵירָה לִגְזֵירָה), which is ordinarily not done. However, by comparing haircutting during Chol HaMoed with using Baytos' *serikin* on Pesach (which is prohibited on account of *chametz*), Abaye indicates that he considers this a case of one decree – i.e. concern for onlookers is not a reinforcement of the original decree (גְּזֵירָה לִגְזֵירָה), but is an integral part thereof [the Rabbis forbade *all* laundering and haircutting]. How, then, can an exception be made in the case of a person who has but one tunic? (*Ritva*).

24. A person with only one tunic would don a cloak or some other outer garment to cover himself while laundering his tunic. He would gird the cloak with a belt to prevent it from opening while he was so engaged. Onlookers would thus understand from the use of the belt that underneath the cloak he was barechested, and thus was laundering the only tunic he possessed (*Rashi, Meiri* and *Sefer HaMichtam*). Consequently, they would appreciate that this was a case deserving leniency.

Alternatively, a tunic was always worn with a belt. Loops attached to the garment kept the belt in place. A person who owned more than one tunic would remove the belt from the tunic that he was not using and place it on the tunic he chose to wear. However, if he only had one tunic, he always left the belt in place, even when he was washing the tunic. Thus, one who observes a tunic being laundered with its belt in place would immediately realize that the owner possesses only one tunic (*Rashi* to *Chullin* 108a ד״ה איזורו מוכיח עליו; *Rashi ms.*). See *Beis Yosef* to *Tur Orach Chaim* 534 for practical halachic differences between these two approaches.

Rashi ms. has yet another approach (first explanation), upon which *Rabbeinu Gershom* (to *Chullin* ibid.) and *R' Shlomo ben HaYasom* elaborate.

25. Rav Ashi refers to a skilled workman such as a barber, who is frequented by many people in need of his services on the eve of the festival (*Rashi*).

26. I.e. his many clients saw that he was busy searching for his lost object on Yom Tov eve, and thus was unable to cut his own hair (*Rashi, Rashi ms.;* cf. *Chidushei HaRan*).

27. Our elucidation of the Gemara's query follows *Rashi, Rashi ms.* and *Tosafos. Meiri* understands, however, that the Gemara is inquiring whether *all* the townspeople may cut their hair during Chol HaMoed when the town's only barber was unavoidably unavailable on Yom Tov eve.

28. Since the Gemara leaves the matter in doubt, the barber may not cut his hair during Chol HaMoed (*Nimukei Yosef*). See *Beis Yosef* §531, who

גמ' הכי גרסינן ושאר כל אדם מאי טעמא אסורין כדתנן אנשי משמר כו' ואמר רבה בר בר חנה כו' עד כשהן מנוולים. ומאן דמתרשל ולא גילח מקמי רגל ומטי זמן עלייהו לגלח ברגל החמירו רבנן הואיל ולא מזרזי נפשייהו לספר מקמי רגל דלא להוי ברגל מנוולין אם היו מגלחין במועד לא היו מגלחים לפני המועד ונכנסין לרגל כשהן מנוולין: אבדה לו אבידה. שלא היה לו פנאי לגלח קודם הרגל: דלא מוכחא מילתא. דלא ידעי כולי עלמא דאנוס היה אלא יאמרו הוא מכוין להשהות עד המועד: יאמרו כל הסריקין אסורין וכו'. כלומר דבייתוס היה יכול לסרוק חלותיו בלי שהות לפי שהיה לו דפוס ואעפ"כ אסרו משום דאמרי כל הסריקים כו' הכא נמי כיון דלא מיגליא לכולי עלמא אונסיה יאמרו כולי עלמא אסורין לגלח וזה מותר: מי שאין לו אלא חלוק אחד. נמי לאו מוכחא מילתא לכולי עלמא: איזורו מוכיח עליו. דמי שאין לו אלא חלוק אחד פושטו ומתעטף במקטרינו וחוגרו באיזורו ועומד ומכבס החלוק ומודיע לכל שאין לו אלא חלוק אחד: אומן. כגון ספר שהכל באים אצלו ערב הרגל ורואים שאבדה לו אבידה ואנוס הוא ואינו יכול לספר עצמו: כי הנך. דמתניתין דקתני מגלחין דמידע לכל: מפני שיצא שלא ברשות. כלומר הואיל ולא יצא ברשות אחרים אלא ברצון עצמו לאו אנוס הוא: לשוט. אם יצא שלא לצורך ולא יצא אלא כדי לשוט בעולם ולראותו וחזר במועד: דברי הכל אסור. לגלח במועד: למזונות. שיצא לחזר אחר מזונות שאין לו מזונות וחזר במועד אחריהן דברי הכל מותר לגלח במועד לפי שיצא באונס: להרויחא. שיש לו נכסים הרבה ויצא כדי להרויח יותר: נראין לי דברי רבי יהודה. דאסר בגילוח לבא ממדינת הים כשיצא שלא ברשות: ודברי חכמים. המתירין כשיצא ברשות: אילימא לשוט. דקאמר רבי נראין דברי ר"י ביצא לשוט דהיינו שלא ברשות הא אמרת וכו' ומאי נראין דברי רבי יהודה הלא שניהם מודים בה אלא פשיטא להרווחא ואשמעינן דנראין לו דברי ר' יהודה שאוסר בגילוח: והא נראין דברי רבי יהודה בהא. וקשיא דרבי אדרבי דברישא נראה לו דברי ר"י דאסר בהרווחא ובסיפא נראה לו דברי חכמים דמתירין הרווחא אלא ודאי איכא למשמע מהכא דלאו הכי הוא כדקאמרת דבלשוט ובמזונות פליגי: ה"ק. לאו היתר דידיה אשמעינן ולא רואה אני קאמר אלא פלוגתייהו קמ"ל במאי פליגי נראין דברי ר"י האוסר לחכמים וכו': קטן הנולד במועד. ולו שערות גדולים מותר לגלח במועד שער ראשו המלערו: שאין לך בית האסורין גדול מזה. ממעי אמו שהיה שם ואנוס הוא: מעיקרא לא. דאם נולד קודם הרגל אינו מגלח ברגל הואיל והיה יכול לגלח קודם הרגל:

ואי

ומנודה וכו' ושנשאל. בירושל' מקשה (א) הני למה התירו והלא פשע שלא בא לפני המועד לפני חכמים להתיר לו ומשני שכלו לו שלשים יום של נדוי במועד דאין נדוי פחות משלשים יום וכן מי שנשאל לחכם מוקי לה כשבא בחול המועד אי נמי לפני המועד לא מצאו (ב) בו פתח וגילוח הראש נמי אסור במועד דהא אמר בגמ' שלא יכנסו לרגל מנוולין ואין לך ניוול גדול מזה ושמא לא קאי טעמא בגמרא אלא אשארא אבל גילוח של ראשו אסור משום מלאכה אפילו במקום אונס ושאר גילוח דבעי בגמרא מאי טעמא אסורין והיינו גילוח של יפוי דהוה לך למישרי לצורך המועד אע"פ שהיא מלאכה אבל גילוח כל הראש אסור משום מלאכה והני (ג) כגון נזיר ומצורע הוא דשרי משום מצוה ולפי זה אסור לגלח ראשו במועד ועוד יש לפרש שנראה שמותר לגלח ראשו במועד וא"ת מאי קא משמע לן נזיר ומצורע יש לומר דס"ד דאסור שלא ישהו קרבנותיהן קא משמע לן דשרי ואי מיירי הכא בשלא היה להן פנאי דוקא והוא כדבעי למימר בגמרא יש לומר דהכי קאמר דנזיר ומצורע העולין מטומאה לטהרה דוקא שעולין עתה אבל עולין מטומאה לטהרה מקודם רגל אסורין:

ושאר כל אדם מאי טעמא אסורין. אע"פ שהוא מלאכה היה לנו להתירה לצורך המועד (ד) א"נ [אף] שיש מלאכות אסורות במועד שאין בהן טורח כגון פרקמטיא מכל מקום זה שהוא ליפוי ראוי להתיר לכבוד מועד ויש מפרשים דקאי על גילוח הראש דאסרינן משום טירחא מכל מקום מקשה דהיה לו להתיר לצורך המועד ואין זה (ה) נוטה לפי מה שפירש' המשנה דגילוח כל הראש מלאכה גמורה ואסור: שאין לו אלא חלוק אחד מותר לכבסו במועד. ואם תאמר היאך יכבסנו במועד אם כן ישאר במועד בלא חלוק בשעת כיבוס כמו כן היה יכול לכבס קודם המועד ויהיה בלא חלוק בשעת כיבוס וכי תימא כשכבסו קודם מועד ומשום הכי מותר לכבסו במועד א"כ תרתי נמי אם יתלכלכו למה נאסור לו והלא לא פשע י"ל דדי לו בשתי חלוקין אחד ליו"ט ראשון ואחד לי"ט אחרון בירושלמי אמרו בגדי קטנים מותר לכבסן במועד דניכרים שהם קטנים ומלוכלכין כמי שאין לו אלא חלוק אחד (ו): אומן שאבדה לו אבידה ערב הרגל. פירש בקונטרס דבאומן מבעי' ליה אבל בני העיר אע"פ שאין להם (ז) אומן אחר לא מיבעיא ליה דפשיטא דאסורים יש להסתפק אם חלה ונתרפא אם מותר לגלח אם מוכחא מילתא כי הני:

מתני' דלא כר"י. תימה לוקמא אפילו כר"י ולמזונות אפי' רבי יהודה מודה ושמא כיון דקתני ר"י אומר הבא וכו' משמע שבא לחלוק על המשנה:

ומנודה שהתירו לו חכמים וכן מי שנשאל לחכם והותר [א]מטפחות [א]הידים ומטפחות הספרים ומטפחות הספג [ב]הזבין והזבות והנדות והיולדות וכל העולין מטומאה לטהרה הרי אלו מותרין ושאר כל אדם אסורין: גמ' ושאר כל אדם מאי טעמא אסורין כדתנן [ב][ג]אנשי משמר ואנשי מעמד אסורין לספר ולכבס ובחמישי מותרין מפני כבוד השבת ואמר [ג]רבה בר בר חנה אמר ר' אלעזר מ"ט [ד]כדי שלא יכנסו למשמרתן כשהן מנוולין הכא נמי כדי שלא יכנסו לרגל כשהן מנוולין בעי ר' זירא אבדה לו אבידה ערב הרגל כיון דאנים מותר או דלמא כיון דלא מוכחא מילתא לא אמר אביי [ד]יאמרו כל הסריקין אסורין סריקי בייתוס מותרין ולטעמיך הא דאמר רבי אסי אמר רבי יוחנן [ה]כל מי שאין לו אלא חלוק אחד מותר לכבסו בחולו של מועד התם נמי יאמרו כל הסריקין אסורין סריקי בייתוס מותרין הא אתמר עלה אמר מר בר רב אשי איזורו מוכיח עליו רב אשי מתני בעי ר' זירא אומן שאבדה לו אבידה ערב הרגל מהו כיון דאומן הוא מוכחא מילתא או דלמא כיון דלא מוכחא מילתא כי הנך לא תיקו: ממדינת הים: מתניתין דלא כר' יהודה דתניא [ו]ר' יהודה אומר הבא ממדינת הים לא יגלח מפני שיצא שלא ברשות אמר רבא לשוט דברי הכל אסור למזונות דברי הכל מותר לא נחלקו אלא להרויחא מר מדמי ליה כלשוט [ה]ומר מדמי ליה כלמזונות מיתיבי אמר ר' [ו]נראין דברי ר' יהודה כשיצא שלא ברשות ודברי חכמים כשיצא ברשות מאי שלא ברשות אילימא לשוט והאמרת דברי הכל אסור ואלא למזונות והאמרת דברי הכל מותר אלא פשיטא להרויחא אימא סיפא נראין דברי חכמים כשיצא ברשות מאי ברשות אילימא למזונות הא אמרת דברי הכל מותר ואלא להרויחא והא אמרת נראין דברי רבי יהודה בהא הכי קאמר נראין דברי ר' יהודה לרבנן כשיצא שלא ברשות ומאי ניהו לשוט שאפילו חכמים לא נחלקו עליו אלא להרויחא אבל לשוט מודו ליה ונראין דברי רבנן לר' יהודה כשיצא ברשות ומאי ניהו למזונות שאפילו רבי יהודה לא נחלק עליהם אלא להרויחא אבל למזונות מודה להו אמר שמואל קטן הנולד במועד מותר לגלח במועד שאין לך בית האסורין גדול מזה במועד אין מעיקרא לא מתיב ר' פנחס [ח]כל אלו שאמרו מותר לגלח במועד מותר לגלח בימי אבלו הא אסור לגלח במועד אסור לגלח בימי אבלו

ואי

אלא להרווחא והא אמרת נראין דברי ר"י בהא. נראה דל"ג ועוד מכלל דפליגי רבנן אפילו למזונות ובההיא פ"ק דשחיטת חולין (דף יב.) (ח) נראין דברי רבי יהודה שמלאה באשפה ל"ג ועוד:

עשה

מסורת הש"ס

א) [פרש"י ע"ז לקמן יח. ותוס' שם ע"ב], ב) תענית טו:, ג) [שם יז. ע"ש], ד) פסחים לז. חולין קז:, ה) חולין שם [לקמן יח.] תענית כט:, ו) [תוספ' פ"ב], ז) [תוספתא שם], ח) [לקמן יז: תוספתא פ"ב].

הגהות הב"ח

(א) תוס' ד"ה ומנודה כו' בירושלמי מקשה וא"ת הני למה התירו: (ב) בא"ד א"נ לפני המועד לא מצאו לו פתח וגילוח כל הראש נמי אסור כו' אבל גילוח של כל הראש אסור משום: (ג) בא"ד והני דוקא כגון נזיר ומצורע כו' אסור לגלח כל ראשו במועד כו' שמותר לגלח כל ראשו: (ד) ד"ה ושאר כו' א"נ אע"פ שיש דברים אסורים במועד שאין בהן מלאכה אלא טורח כגון פרקמטיא: (ה) בא"ד ואין זה נראה לפי מה שפי': (ו) ד"ה שאין כו' כמי שאין לו אלא חלוק אחד דמי הס"ד: (ז) ד"ה אומן כו' אע"פ שאין להם אלא אומן אחד לא מיבעיא ליה: (ח) ד"ה אלא כו' פ"ק דשחיטת חולין דקאמר נראין דברי ר' יהודה שמלאה באשפה נמי ל"ג ועוד:

רש"י כת"י

מטפחות ידים. שמנגבין בה את הידים בשעת אכילה. מטפחות ספרים. מטפחות שגולל בו ספרו. ל"א מטפחות ספָּרים זו היא כמות שנותן המספר על כתיפיו מפני השער וכן המגלח לבא ממדינת הים וליוצ' מבית האיסורין צריך לכבס אותה מטפחת אע"פ שנכבסה קודם המועד צריך לכבסה תדיר. מטפחות הספג. שמנגבין בה פניו ידיו ורגליו כל היום או כשיוצאין מבית המרחץ לשון עלה ונספג. וכל העולים וכו'. מותרין לכבס בגדיהם. מאי טעמא אסורין. דגילוח שמחה [היא לאדם] ולישתרי. אנשי משמר. כ"ד משמרות של כהנים ושל לוים. אנשי מעמד. משפחת ישראל שהעמידו בערי ישראל ובירושלים לכל משמר ומשמר אותן שבערי ישראל כשהגיע משמרת עבודת כהנים (אם) היו מתפללים בעריהם על קרבן אחיהם שיתקבל ברצון ואותן שבירושלם היו עומדין על גביהן בשעת הקרבת תמידין ומוספין של צבור כדאמרינן (תענית כו.) האיך קרבנו של אדם קרב והוא אינו עומד על גביו ולפיכך היו הללו אנשי מעמד מזומנין שם שאי אפשר שיהיו כל ישראל עומדין שם בירושלם ורואין קרבנם וכלן אסורין לספר ולכבס בשבת שלהן שאם אתה מתירו נמצא משהא עצמו לספר ולכבס עד באמצע השבת שלו ויכנס למשמרתו כשהוא מנוול הילכך אסור כדי שיסתפר קודם למשמרתו.

ובחמישי מותר. מפני כבוד השבת ובערב שבת לא היו מספרין ומתכבסין מפני הטורח. הכא נמי. משום הכי אסורי במועד כדי שלא יכנסו למועד כשהן מנוולין לפי שהם יודעים שהם אסורין להסתפר במועד מקדימין ומסתפרין קודם המועד ונמצאו נכנסין ברגל כשהן טהורין. אבדה לו אבידה. וטרח לחזר אחריה מהו לספר במועד דלאו מוכחא מלתא כי הנך דמתני' [illegible]

עין משפט נר מצוה

ג א מיי' פ"ז מהלכות י"ט הלכה כא טוש"ע א"ח סי' תקלד סעיף א:
ד ב מיי' שם:
ה ג ד מיי' פ"ו מהל' כלי המקדש הלכה יא ופ"ז מהל' י"ט הל' יט ופ"א מהל' ביאת מקדש הלכה יב:
ו ה מיי' פ"ז מהלכות י"ט הל' יח טוש"ע א"ח סי' תקלא סעיף ד:

רבינו חננאל

ואלו מגלחין במועד הבא ממדינת הים ומבית השביה והיוצא מבית האסורין כו'. מ"ט כדתנן אנשי משמר ואנשי מעמד אסורין לספר ולכבס ואמרינן מה טעם שלא יכנסו למשמרתן מנוולין דכיון דיודעין דאסורין לכבס אף הן מספרין ומכבסין מקודם ונכנסין מתוקנין ומגוהצין. הכא נמי כדי שלא יכנסו לרגל מנוולין. בעי ר' ירמיה אבדה לו אבידה ערב הרגל כיון דטרוד הוא באבידתו אנוס הוא ומותר לספר ולכבס במועד או דלמא כיון דלא מוכחא מלתא כמו השביה ובית האסורים לא. ועלתה בתיקו. פירוש יאמרו כל הסריקין אסורין כו' הא לגבי מצה בפסח איתמר דאסרו רבנן לעשות מצות סרוקות מפני שהאשה שוהה עליהן ומחמצתן ואמרו בייתוס עושה בדפוס שאין שם שהייה אלא בפעם אחת קובעה בדפוס ונמצאת המצה מצויירת. ומתמהינן התם יאמרו כל הסריקין אסורין סריקי בייתוס מותרין מי יודע כי בדפוס נעשו הכא נמי יאמרו הכל אסורין לספר ולכבס וזה האיש מותר אבל מי שאין לו אלא חלוק אחד מותר לכבסו בחולו של מועד. כי איזורו מוכיח עליו כלומר כשרואין אדם ערום חגור איזור ורוחץ חלוקו כל רואיו יודעין שאין לו אלא חלוק אחד: הבא ממדינת הים. מתניתין דלא כר' יהודה דתניא ר' יהודה אומר הבא ממדינת הים לא יגלח מפני שיצא שלא ברשות אמר רבה לשוט פי' לשוט כמטייל וכמשתעשע כלומר שלא לצורך דברי הכל אסור למזונות כלומר יצא למדינת הים ודחוק לבקש מחיה דברי הכל מותר. כי פליגי ר"י וחכמים כשיצא להרויחא פירוש להתעשר כלומר לסחור ולהרויח. ר"י מדמי ליה לשוט דהא בכאן מחייתו מצויה ואסיר ורבנן מדמו לה ליוצא בבקשת מזון ומותבינן עליה. אמר ר' נראין דברי ר' יהודה שיצא שלא ברשות ונראין דברי חכמים שיצא ברשות ואי אמרינן לא פליגי אלא בהרויחא קשיא א) דר"י ואמר נראין דברי ר' יהודה בהרויחא מכלל דפליגי רבנן עליה ועוד נראין דברי חכמים אלא פליגי אפי' לשוט. והאמרת לשוט דברי הכל אסור. ופרקינן הכי קאמר נראין דברי ר' יהודה לחכמים. ומודה להו כשיצא שלא ברשות ומאי ניהו למזונות שאף ר' יהודה לא חלק אלא בהרויחא וקי"ל כסתמא דמתני' דשרי אפי' מאן דנפיק להרויחא וכן אמר הגאון זצ"ל. אמר שמואל קטן הנולד ברגל מגלחין אותו במועד אין לך בית אסורין גדול ממעי אמו. איני שאם נולד קודם המועד [illegible]

חשק שלמה על ר"ח א) נראה דל"ל קשיא דרבי אדרבי דברישא אמר נראין כו' ובסיפא אמר נראין דברי חכמים וכו'.

The Mishnah stated:

מִמְּדִינַת הַיָּם – And these may cut their hair during Chol HaMoed: One who arrived **FROM OVERSEAS...**

The Gemara comments:

מַתְנִיתִין דְּלֹא כְּרַבִּי יְהוּדָה – **Our Mishnah does not accord with** the view of **R' Yehudah,** דְּתַנְיָא – **for it was taught in a Baraisa:** רַבִּי יְהוּדָה אוֹמֵר – **R' YEHUDAH SAYS:** הַבָּא מִמְּדִינַת הַיָּם לֹא יְגַלֵּחַ – **ONE WHO ARRIVED** from **OVERSEAS MAY NOT CUT HIS HAIR** מִפְּנֵי שֶׁיָּצָא שֶׁלֹּא בִּרְשׁוּת – **BECAUSE HE DEPARTED NOT UNDER THE AUTHORITY** of others, but under his own authority.[29]

The Gemara seeks to identify the point of contention between R' Yehudah and the Sages of our Mishnah:

אָמַר רָבָא – **Rava said:** לְשׁוּט – If he originally left home in order **to roam** about the world for pleasure, and then he returned during Chol HaMoed, דִּבְרֵי הַכֹּל אָסוּר – it is **the opinion of all** (R' Yehudah and the Sages) that **he is forbidden** to cut his hair during the rest of the festival. לִמְזוֹנוֹת – Similarly, if he departed **for** purposes of seeking **a livelihood,** דִּבְרֵי הַכֹּל מוּתָּר – it is **the opinion of all** that **he is permitted** to cut his hair upon his return during Chol HaMoed,[30] for his departure was necessary.[31] לֹא נֶחְלְקוּ אֶלָּא לְהַרְוִיחָא – Indeed, **[R' Yehudah and the Sages] argue only** in the case of a wealthy individual who left on a business trip **to profit** even more. מַר מְדַמֵּי לֵיהּ כְּלָשׁוּט – One **master** (R' Yehudah) **compares [this person] with** one who has left home **to roam** about the world for pleasure, and thus prohibits the haircutting. וּמַר מְדַמֵּי לֵיהּ כְּלִמְזוֹנוֹת – **And** the other **master** (the Sages) **compare him with** one who has left **for** purposes of seeking **a livelihood,** and thus permits the haircutting.

The Gemara challenges Rava's explanation of the dispute:

מֵיתִיבֵי – **They retorted** from the evidence of a Baraisa: אָמַר רַבִּי – **REBBI SAID:** נִרְאִין דִּבְרֵי רַבִּי יְהוּדָה כְּשֶׁיָּצָא שֶׁלֹּא בִּרְשׁוּת – **THE OPINION OF R' YEHUDAH** (that cutting the hair is prohibited) **APPEARS** correct with respect to a case **WHEN HE EMBARKED NOT UNDER THE AUTHORITY** of others,[32] וְדִבְרֵי חֲכָמִים כְּשֶׁיָּצָא בִּרְשׁוּת – **WHILE THE OPINION OF THE SAGES** (that cutting the hair is permitted) appears correct **WHEN HE DID EMBARK UNDER THE AUTHORITY** of others.[33]

The Gemara now demonstrates that Rava's explanation is inconsistent with this Baraisa:

מַאי שֶׁלֹּא בִּרְשׁוּת – **What is** the case of embarking **"NOT UNDER THE AUTHORITY** of others," in which Rebbi says we follow the stringent opinion of R' Yehudah? אִילֵימָא לָשׁוּט – **If we say** it means he embarked **to roam** about the world for pleasure – can that really be?! וְהָאָמַרְתְּ דִּבְרֵי הַכֹּל אָסוּר – **But you,** Rava, **have said** that in such a case it is **the opinion of all** that **[the returnee] is prohibited** to cut his hair! How could Rebbi say that he favors R' Yehudah's opinion when according to you there is no disagreement in this case at all? וְאֶלָּא לִמְזוֹנוֹת – **And** would you say, **rather,** that "not under the authority of others" refers to one who went abroad voluntarily **for** his own **livelihood?!** וְהָאָמַרְתְּ דִּבְרֵי הַכֹּל מוּתָּר – **But you have said** that in that case it is **the opinion of all** that **[the returnee] is permitted** to cut his hair! אֶלָּא פְּשִׁיטָא לְהַרְוִיחָא – **Rather, it is obvious** that "not under the authority of others" refers to one who went abroad **to profit** even more, and here Rebbi informs us that R' Yehudah's opinion – that this person is prohibited to cut his hair if he returns during Chol HaMoed – is the correct one.

The Gemara completes its challenge to Rava by contrasting the second part of Rebbi's statement with the just-elucidated first part:

אֵימָא סֵיפָא – However, **consider the end** of the Baraisa, which states: נִרְאִין ... דִּבְרֵי חֲכָמִים כְּשֶׁיָּצָא בִּרְשׁוּת – **THE OPINION OF THE SAGES** (that cutting the hair is permitted) **APPEARS** correct **WHEN HE DID EMBARK UNDER THE AUTHORITY** of others. מַאי בִּרְשׁוּת – Now, **what** exactly **is** the case of embarking **"UNDER THE AUTHORITY** of others"? אִילֵימָא לִמְזוֹנוֹת – **If we say** it is where he went abroad **for** his **livelihood** – can that really be?! הָא אָמַרְתְּ דִּבְרֵי הַכֹּל מוּתָּר – **But you,** Rava, **have said** that in such a case it is **the opinion of all** that **[the returnee] is permitted** to cut his hair! Why does Rebbi imply, by issuing a decision in the matter, that there is a controversy? וְאֶלָּא לְהַרְוִיחָא – **And** would you say, **rather,** that "under the authority of others" refers to one who went abroad **to profit** even more?! וְהָא אָמַרְתְּ נִרְאִין דִּבְרֵי רַבִּי יְהוּדָה בְּהָא – **But you** yourself **have said** that Rebbi stated in the first part of the Baraisa, **"THE OPINION OF R' YEHUDAH APPEARS** correct," **in this** very case! How could Rebbi also favor the conflicting opinion of the Sages in the selfsame matter?![34]

NOTES

infers that *Rif, Rosh* and *Rambam* also rule stringently. However, *Hagahos Ashri,* in the name of *Or Zarua,* concludes that the haircutting is permissible. *Beis Yosef* wonders why the aforementioned *poskim* are stringent in this case, contrary to the general rule that we decide leniently when a doubt arises regarding Rabbinic law. See also *Sfas Emes*; and see *Yad Malachi* (§634), who cites a dispute regarding how to interpret a "תֵּיקוּ" conclusion when a Rabbinical decree is at issue.

29. That is, since he was not compelled to travel abroad but left voluntarily, his failure to groom himself before Yom Tov is not considered unavoidable. Hence, he may not cut his hair when he returns home on Chol HaMoed (*Rashi, Chidushei HaRan*). Other commentators are troubled by the phrase שֶׁלֹּא בִּרְשׁוּת – literally: without permission – which usually connotes the commission of a transgression. But how can traveling aboard be considered a transgression? They therefore cite *Raavad,* who explains that R' Yehudah speaks of someone who left Eretz Yisrael to travel abroad, inasmuch as leaving Eretz Yisrael is a transgression under normal circumstances (*Bava Basra* 91a; see *Rosh, Nimukei Yosef, Ritva* and *Meiri*). Thus, according to this interpretation, the returnee is not permitted to cut his hair during Chol HaMoed because his inability to do so before the festival resulted from his initial transgression.

[Actually, some of the permitted cases of the Mishnah also involve an initial transgression, such as the excommunicate who was released from his ban during Chol HaMoed. Why should he be permitted to cut his hair? *Matzeves Moshe* explains that although the excommunicate did indeed transgress, he did not anticipate *at that time* that his punishment could result in his being unable to groom himself before the festival. The traveler, however, should have realized that he might not be able to groom himself prior to his return to Eretz Yisrael.]

30. *Rashash* deletes the word אַחֲרֵיהֶן in *Rashi's* comment.

31. The Rishonim ask: If all agree that in this case the traveler is permitted to cut his hair during Chol HaMoed, why did the Gemara above summarily conclude that our Mishnah does not accord with R' Yehudah's ruling? The Gemara could have reconciled the two opinions by stating that our Mishnah is permitting haircutting when one went abroad in pursuit of his livelihood, while R' Yehudah is prohibiting it when one went touring [he would, however, agree with the Sages in our Mishnah's case]. *Ritva* explains that, in fact, Rava disputes the earlier Gemara. Besides establishing the parameters of the dispute between R' Yehudah and the Sages, he is also informing us that the Mishnah *can be* reconciled with R' Yehudah's position (for another approach, see *Tosafos*).

Tos. HaRosh asks: If we rule leniently vis-a-vis one who travels abroad to earn his livelihood, why are we not concerned that onlookers will mistakenly assume that all travelers, even tourists, are permitted to cut their hair when they return home on Chol HaMoed? He explains that a person's reason for going abroad is usually public knowledge. False inferences are therefore unlikely.

32. I.e. when the traveler left home voluntarily (see note 29 above).

33. I.e. when he was compelled to leave home.

34. Rebbi's two-part statement would then be self-contradictory: In the first part he would be ruling like R' Yehudah and prohibiting the

מסורת הש"ס

א) [פרש"י ע"ז לקמן יח. ותוס' שם ע"ב], ב) תענית טו:, ג) [שם יז. ע"ש], ד) פסחים לז. חולין קז:, ה) חולין שם [לקמן יח.] תענית כט:, ו) [תוספ' פ"ב], ז) [תוספתא שם], ח) [לקמן יז: תוספתא פ"ב].

הגהות הב"ח

(א) תוס' ד"ה ומנודה כו' בירושלמי מקשה וא"ת הני למה התירו: (ב) בא"ד א"נ לפני המועד לא מצאו לו פתח וגילוח כל הראש נמי אסור כו' אבל גילוח של כל הראש אסור משום: (ג) בא"ד והני דוקא כגון נזיר ומצורע כו' אסור לגלח כל ראשו במועד כו' שמותר לגלח כל ראשו: (ד) ד"ה ושאר כו' א"נ אע"פ שיש דברים אסורות במועד שאין בהן מלאכה אלא טורח כגון פרקמטיא: (ה) בא"ד ואין זה נראה לפי מה שפי': (ו) ד"ה שאין כו' כמי שאין לו אלא חלוק אחד דמי הס"ד: (ז) ד"ה אומן כו' אע"פ שאין להם אלא אומן אחד לא מיבעיא ליה: (ח) ד"ה אלא כו' פ"ק דשחיטת חולין דקאמר נראין דברי ר' יהודה שמלאה באשפה נמי ל"ג ועוד:

רש"י כת"י

מטפחות ידים. שמנגבין בה את הידים בשעת אכילה. מטפחות ספרים. מטפחות שגולל בו ספרו. ל"א מטפחות סַפָּרים זו היא כסות שנותן המסתפר על כתיפיו מפני השער וכן המגלח לבא ממדינת הים ויוצ' מבית האיסורין צריך לכבס אותה מטפחת אע"פ שנכבסה קודם המועד צריך לכבסה תדיר. מטפחות הספג. שמנגבין בה פניו ידיו ורגליו כל היום או כשיוצאין מבית המרחץ לשון עלה ונספג. וכל העולים וכו'. מותרין לכבס בגדיהם. מאי טעמא אסורין. דגילוח שמחה [היא לאדם] וליסתרי. אנשי משמר. כ"ד משמרות של כהנים ושל לוים. אנשי מעמד. משפחת ישראל שהעמידו בערי ישראל ובירושלים לכל משמר ומשמר אותן שבערי ישראל כשהגיע משמרת עבודת כהנים (אם) היו מתפללים בעריהם על קרבן אחיהם שיתקבל ברצון ואותן שבירושלים היו עומדין על גביהן בשעת הקרבת תמידין ומוספין של צבור כדאמרינן (תענית כו.) האיך קרבנו של אדם קרב והוא אינו עומד על גביו ולפיכך היו הללו אנשי מעמד מזומנין שם שאי אפשר שיהיו כל ישראל עומדין שם בירושלים ורואין קרבנם וכלן אסורין לספר ולכבס בשבת שלהן שאם אתה מתירו נמצא משהא עצמו לספר ולכבס עד באמצע השבת שלו ויכנס למשמרתו כשהוא מנוול הילכך אסור כדי שיסתפר קודם למשמרתו.

רש"י

גמ' הכי גרסינן ושאר כל אדם מאי טעמא אסורין כדתנן אנשי משמר כו' ואמר רבה בר בר חנה כו' עד כשהן מנוולים. ומאן דמתרשל ולא גילח מקמי רגל ומטי זמן עלייהו לגלח ברגל החמירו רבנן הואיל ולא מזרזי נפשייהו לספר מקמי רגל דלא להוי ברגל מנוולין אם היו מגלחין במועד לא היו מגלחים לפני המועד ונכנסין לרגל כשהן מנוולין: אבדה לו אבידה. שלא היה לו פנאי לגלח קודם הרגל: דלא מוכחא מילתא. דלא ידעי כולי עלמא דאנוס היה אלא יאמרו הוא מכוין להשהות עד המועד: יאמרו כל הסריקין אסורין וכו'. כלומר דבייתום היה יכול לסרוק חלותיו בלי שהות לפי שהיה לו דפוס ואעפ"כ אסרו משום דאמרי כל הסריקים כו' הכא נמי כיון דלא מיגליא לכולי עלמא אונסיה יאמרו כולי עלמא אסורין לגלח וזה מותר: מי שאין לו אלא חלוק אחד. נמי לאו מוכחא מילתא לכולי עלמא: איזורו מוכיח עליו. דמי שאין לו אלא חלוק אחד פושטו ומתעטף במקטרינו וחוגרו באיזורו ועומד ומכבס החלוק ומודיע לכל שאין לו אלא חלוק אחד: אומן. כגון ספר שהכל באים אצלו ערב הרגל ורואים שאבדה לו אבידה ואנוס הוא ואינו יכול לספר עצמו: כי הנך. דמתניתין דקתני מגלחין דמידע לכל: מפני שיצא שלא ברשות. כלומר הואיל ולא יצא ברשות אחרים אלא ברצון עצמו לאו אנוס הוא: לשוט. אם יצא שלא לצורך ולא יצא אלא כדי לשוט בעולם ולראותו וחזר במועד: דברי הכל אסור. לגלח במועד: למזונות. שיצא לחזר אחר מזונות שאין לו מזונות וחזר במועד אחריהן דברי הכל מותר לגלח במועד לפי שיצא באונס: להרויחא. שיש לו נכסים הרבה ויוצא כדי להרויח יותר: נראין לי דברי רבי יהודה. דאסר בגילוח לבא ממדינת הים כשיצא שלא ברשות: ודברי חכמים. המתירין כשיצא ברשות: אילימא לשוט. דקאמר רבי נראין דברי ר"י בשיצא לשוט דהיינו שלא ברשות הא אמרת וכו' ומאי נראין דברי רבי יהודה הלא שניהם מודים בה אלא פשיטא להרווחא ואשמעינן דנראין לו דברי ר' יהודה שאוסר בגילוח: והא נראין דברי רבי יהודה בהא. וקשיא דרבי אדרבי דברישא נראה לו דברי ר"י דאסר בהרווחא ובסיפא נראה לו דברי חכמים דמתירין הרווחא אלא ודאי איכא למשמע מהכא דלאו הכי הוא כדקאמרת דבלשוט ובמזונות פליגי: ה"ק. לאו היתר דידיה אשמעינן ולא רואה אני קאמר אלא פלוגתייהו קמ"ל במאי פליגי נראין דברי ר"י האוסר לחכמים וכו': קטן הנולד במועד. ולו שערות גדולים מותר לגלח במועד שער ראשו המלערו: שאין לך בית האסורין גדול מזה. ממעי אמו שהיה שם ואנוס הוא: מעיקרא לא. דאם נולד קודם הרגל אינו מגלח ברגל הואיל והיה יכול לגלח קודם הרגל:

ואי

גמרא

ומנודה שהתירו לו חכמים וכן מי שנשאל לחכם והותר [א]מטפחות [א]הידים ומטפחות הספרים ומטפחות הספג [ב]הזבין והזבות והנדות והיולדות וכל העולין מטומאה לטהרה הרי אלו מותרין ושאר כל אדם אסורין: **גמ'** ושאר כל אדם מאי טעמא אסורין כדתנן [ג]אנשי משמר ואנשי מעמד אסורין לספר ולכבס ובחמישי מותרין מפני כבוד השבת ואמר [ג]רבה בר בר חנה אמר ר' אלעזר מ"ט [ד]כדי שלא יכנסו למשמרתן כשהן מנוולין הכא נמי כדי שלא יכנסו לרגל כשהן מנוולין בעי ר' זירא אבדה לו אבידה ערב הרגל כיון דאנים מותר או דלמא כיון דלא מוכחא מילתא לא אמר אביי [ד]יאמרו כל הסריקין אסורין סריקי בייתוס מותרין ולטעמיך הא דאמר רבי אסי אמר רבי יוחנן [ה]כל מי שאין לו אלא חלוק אחד מותר לכבסו בחולו של מועד התם נמי יאמרו כל הסריקין אסורין סריקי בייתוס מותרין הא אתמר עלה אמר מר בר רב אשי איזורו מוכיח עליו רב אשי מתני בעי ר' זירא אומן שאבדה לו אבידה ערב הרגל מהו כיון דאומן הוא מוכחא מילתא או דלמא כיון דלא מוכחא מילתא כי הנך לא תיקו: ממדינת הים: מתניתין דלא כר' יהודה דתניא [ו]ר' יהודה אומר הבא ממדינת הים לא יגלח מפני שיצא שלא ברשות אמר רבא לשוט דברי הכל אסור למזונות דברי הכל מותר לא נחלקו אלא להרויחא מר מדמי ליה כלשוט [ה]ומר מדמי ליה כלמזונות מיתיבי אמר ר' [ז]נראין דברי ר' יהודה כשיצא שלא ברשות ודברי חכמים כשיצא ברשות מאי שלא ברשות אילימא לשוט והאמרת דברי הכל אסור ואלא למזונות והאמרת דברי הכל מותר אלא פשיטא להרויחא אימא סיפא נראין דברי חכמים כשיצא ברשות מאי ברשות אילימא למזונות הא אמרת דברי הכל מותר ואלא להרויחא והא אמרת נראין דברי רבי יהודה בהא הכי קאמר נראין דברי ר' יהודה לרבנן כשיצא שלא ברשות ומאי ניהו לשוט שאפילו חכמים לא נחלקו עליו אלא להרויחא אבל לשוט מודו ליה ונראין דברי רבנן לר' יהודה כשיצא ברשות ומאי ניהו למזונות שאפילו רבי יהודה לא נחלק עליהם אלא להרויחא אבל למזונות מודה להו אמר שמואל קטן הנולד במועד מותר לגלח במועד שאין לך בית האסורין גדול מזה במועד אין מעיקרא לא מתיב ר' פנחס [ח]כל אלו שאמרו מותר לגלח במועד מותר לגלח בימי אבלו הא אסור לגלח במועד אסור לגלח בימי אבלו

ואי

תוספות

ומנודה וכו' ושנשאל. בירושל' מקשה (א) הני למה התירו והלא פשע שלא בא לפני המועד לפני חכמים להתיר לו ומשני שכלו לו שלשים יום של נדוי במועד דאין נדוי פחות משלשים יום וכן מי שנשאל לחכם מוקי לה כשבא בחול המועד אי נמי לפני המועד לא מצאו (ב) בו פתח וגילוח הראש נמי אסור במועד דהא אמר בגמ' שלא יכנסו לרגל מנוולין ואין לך ניוול גדול מזה ושמא לא קאי טעמא בגמרא אלא אשארא אבל גילוח של ראשו אסור משום מלאכה אפילו במקום אונס ושאר גילוח דבעי בגמרא מאי טעמא אסורין והיינו גילוח של יפוי דהוה לך למישרי לצורך המועד אע"פ שהיא מלאכה אבל גילוח כל הראש אסור משום מלאכה והני (ג) כגון נזיר ומצורע הוא דשרי משום מצוה ולפי זה אסור לגלח ראשו במועד ועוד יש לפרש שנראה שמותר לגלח ראשו במועד וא"ת מאי קא משמע לן נזיר ומצורע יש לומר דס"ד דאסור שלא ישהו קרבנותיהן קא משמע לן דשרי ואי מיירי הכא בשלא היה להן פנאי דוקא והוא כדבעי למימר בגמרא יש לומר דהכי קאמר דנזיר ומצורע העולין מטומאה לטהרה דוקא שעולין עתה אבל עולין מטומאה לטהרה מקודם רגל אסורין:

ושאר כל אדם מאי טעמא אסורין. אע"פ שהוא מלאכה היה לנו להתירה לצורך המועד (ד) א"נ [אף] שיש מלאכות אסורות במועד שאין בהן טורח כגון פרקמטיא מכל מקום זה שהוא ליפוי ראוי להתיר לכבוד מועד ויש מפרשים דקאי על גילוח הראש דאסרינן משום טירחא מכל מקום מקשה דהיה לו להתיר לצורך המועד ואין זה (ה) נוטה לפי מה שפירש' המשנה דגילוח כל הראש מלאכה גמורה ואסור: **שאין** לו אלא חלוק אחד מותר לכבסו במועד. ואם תאמר היאך יכבסנו במועד אם כן ישאר במועד בלא חלוק בשעת כיבוס כמו כן היה יכול לכבס קודם המועד ויהיה בלא חלוק בשעת כיבוס וכי תימא כשכבסו קודם מועד ומשום הכי מותר לכבסו במועד א"כ תרתי נמי אם יתלכלכו למה נאסור לו והלא לא פשע י"ל דדי לו בשתי חלוקין אחד ליו"ט ראשון ואחד ליו"ט אחרון בירושלמי אמרו בגדי קטנים מותר לכבסן במועד דניכרים שהם קטנים ומלוכלכין כמי שאין לו אלא חלוק אחד (ו): **אומן** שאבדה לו אבידה ערב הרגל. פירש בקונטרס דלאומן מבעי' ליה אבל בני העיר אע"פ שאין להם (ז) אומן אחר לא מיבעיא ליה דפשיטא דאסורים יש להסתפק אם חלה ונתרפא אם מותר לגלח אם מוכחא מילתא כי הני:

מתני' דלא כר"י. תימה לוקמא אפילו כר"י ולמזונות ואפי' רבי יהודה מודה ושמא כיון דקתני ר"י אומר הבא וכו' משמע שבא לחלוק על המשנה:

אלא להרווחא והא אמרת נראין דברי ר"י בהא. נראה דל"ג ועוד מכלל דפליגי רבנן אפילו למזונות ובההיא פ"ק דשחיטת חולין (דף יב.) (ח) נראין דברי רבי יהודה שמלאה באשפה ל"ג ועוד:

עשה

עין משפט נר מצוה

ג א מיי' פ"ז מהלכות י"ט הלכה כא טוש"ע א"ח סי' תקלד סעיף א:
ד ב מיי' שם:
ה ג ד מיי' פ"ו מהל' כלי המקדש הלכה יא ופ"ז מהל' י"ט הל' יט ופ"א מהל' ביאת מקדש הלכה יב:
ו ה מיי' פ"ז מהלכות י"ט הל' יח טוש"ע א"ח סי' תקלא סעיף ד:

רבינו חננאל

ואלו מגלחין במועד הבא ממדינת הים ומבית השביה והיוצא מבית האסורין כו'. מ"ט כדתנן אנשי משמר ואנשי מעמד אסורין לספר ולכבס ואמרינן מה טעם שלא יכנסו למשמרתן מנוולין דכיון דיודעין דאסורין לכבס אף הן מספרין ומכבסין מקודם ונכנסין מתוקנין ומגוהצין. הכא נמי כדי שלא יכנסו לרגל מנוולין. בעי ר' ירמיה אבדה לו אבידה ערב הרגל כיון דטרוד הוא באבידתו אנוס הוא ומותר לספר ולכבס במועד או דלמא כיון דלא מוכחא מלתא כמו השביה ובית האסורים לא. ועלתה בתיקו. פירוש יאמרו כל הסריקין אסורין כו' הא לגבי מצה בפסח איתמר דאסרו רבנן לעשות מצות סרוקות מפני שהאשה שוהה עליהן ומחמצתן ואמרו בייתוס עושה בדפוס שאין שם שהייה אלא בפעם אחת קובעה בדפוס ונמצאת המצה מצויירת. ומתמהינן התם יאמרו כל הסריקין אסורין סריקי בייתוס מותרין מי יודע כי בדפוס נעשו הכא נמי יאמרו הכל אסורין לספר ולכבס וזה האיש מותר אבל מי שאין לו אלא חלוק אחד מותר לכבסו בחולו של מועד. כי איזורו מוכיח עליו כלומר כשרואין אדם ערום חגור איזור ורוחץ חלוקו כל רואיו יודעין שאין לו אלא חלוק אחד: הבא ממדינת הים. מתניתין דלא כר' יהודה דתניא ר' יהודה אומר הבא ממדינת הים לא יגלח מפני שיצא שלא ברשות אמר רבה לשוט פי' לשוט כמטייל וכמשתעשע כלומר שלא לצורך דברי הכל אסור למזונות כלומר יצא למדינת הים ודחוק לבקש מחיה דברי הכל מותר. כי פליגי ר"י וחכמים כשיצא להרויחא פירוש להתעשר כלומר לסחור ולהרויח. ר"י מדמי ליה לשוט דהא בכאן מחייתו מצויה ואסיר ורבנן מדמו לה ליוצא בבקשת מזון ומותבינן עליה. אמר ר' נראין דברי ר' יהודה שיצא שלא ברשות ונראין דברי חכמים שיצא ברשות ואי אמרינן לא פליגי אלא בהרויחא קשיא א) דר"י ואמר נראין דברי ר' יהודה בהרויחא מכלל דפליגי רבנן עליה ועוד נראין דברי חכמים אלא פליגי אפי' לשוט. והאמרת לשוט דברי הכל אסור. ופרקינן הכי קאמר נראין דברי ר' יהודה לחכמים. ומודה להו כשיצא שלא ברשות ומאי ניהו למזונות שאף ר' יהודה לא חלק אלא בהרויחא וקי"ל כסתמא דמתני' דשרי אפי' מאן דנפיק להרויחא וכן אמר הגאון זצ"ל. אמר שמואל קטן הנולד ברגל מגלחין אותו במועד אין לך בית אסורין גדול ממעי אמו. איני שאם נולד קודם המועד

חשק שלמה על ר"ח א) נראה דל"ל קשיא דרבי אדרבי דברישא אמר נראין כו' ובסיפא אמר נראין דברי חכמים וכו'.

רש"י כת"י (המשך)

ובחמישי מותר. מפני כבוד השבת ובערב שבת לא היו מסתפרין ומתכבסין מפני הטורח. הכא נמי. משום הכי אסורי במועד כדי שלא יכנסו למועד כשהן מנוולין לפי שהם יודעים שהם אסורין להסתפר במועד מקדימין ומסתפרין קודם המועד ונמצאו נכנסין ברגל כשהן טהורין. אבדה לו אבידה. וטרח לחזור אחריה מהו לספר במועד דלאו מוכחא מלתא כי הנך דמתני' שאין הכל יודעין שהוא אנוס ואתי לידי דגמרי מינייהו. כל הסריקין גבי מצה אמרינן ליה במסכ' פסחים פרק (ראשון) [שני] (לז.). בייתוס. פלטר ולו דפוסין שקובע בו מצות ומציירן. מותר לכבסו במועד. וליכא למימר הכא היה לו לכבס מקודם לכן שאפילו מכבסה בערב הרגל צריך לכבסה במועד משום זיעה אבל מי שיש לו ב' חלוקים אסור לכבס במועד שהיה לו לכבס שתיהן קודם הרגל. איזורו מוכיח עליו. שהולך בלא אזור וידוע שאין לו חלוק אלא אותו שהוא מכבס לישנא אחרינא איזורו מוכיח עליו שנוהגין לעשות לולאות בחלוקיהן כנגד האיזור כשיש לו שני חלוקים היה מתיר האזור מזה ומשימו בחלוק שהיה מחליף אבל אם אין לו אלא אחד מניח האזור בקרביטין ומשלחו לכובס והיינו איזורו מוכיח עליו שכל הרואה אזור נתון בחלוקו יודע שאין לו אלא אחד. אומן. ספר שאבדה לו אבידה קודם הרגל ונאנס ולא נסתפר מהו לגלח במועד כיון דאומן הוא והולכין רבים אצלו ערב הרגל להסתפר ממנו ורואין שהוא מחזר אחר אבידתו מוכחא מילתא ושרי או דלמא דלא מוכחא מלתא כי הנך דמתני' הבא ממדינת הים המפורסים לכל אונס שלו. לשוט. אם יצא למדינת הים שלא לסחורה אלא לשוטט בארצות לנחוק ולגוחא בעלמא. למזונות. דאנוס הוא לבקש מזונות ולהשתכר. רווחא. דהוא עשיר ויצא לסחורה להרבות שכר. מר מדמי ליה לשוט. וקרי ליה יצא שלא ברשות ורבנן למתני' קרי ליה יצא ברשות. נראין. רואה אני. דברי ר' יהודה. שאוסר בגילוח לבא ממדינת הים. כשיצא בלא רשות ודברי חכמים. שמתירין אותו בגלוח וכו'. ה"ג אילימא לשוט הא אמרת דברי הכל אסור אלא פשיטא להרווחא אימא סיפא וכו' אילימא לשוט. דקאמ' ר' נראין לי דברי ר' יהודה בשילא (ברשות) לשוט דהיינו שלא ברשות אבל לא דברי חכמים הא אמרת וכו'. אלא. מאי איכא לך למימר. (אלא) פשיט' להרווחא. דקאמר ר' נראין לי דברי ר' יהודה שאוסר בגילוח. והא אמרת. רישא נראין דברי ר' יהודה בהרווחא וקשיא רישא דר' לסיפא דר'. ועוד [מכלל דפליגי רבנן אפילו לשוט והא אמרת דברי הכל אסור] [גי' רש"י כת"י]. פירכא אחריתי דמדקאמ' אמ' ר' רואה אני את דברי חכמים בהרווחא דפליגי לשוט דכי קאמ' רואה אני את דברי חכמים בהרווחא דפליגי כשילא להרווחא מכלל דאיכא אחריתא דאינו רואה את דבריהם והיינו לשוט והאי דלא (פליג) [פריך] מדקאמ' נראין דברי ר' יהודה מכלל דפליג ר' יהודה למזונות משום דהיינו מאי מותיב לעיל אימא [סיפא] נראין דברי חכמים שילא ברשות מאי ברשות למזונות דנראין דברי ר' יהודה דפליג אמזונות הא אמרת רישא וכו' הילכך לא בעי מהדר ומותי' אנראין דברי ר' יהודה וקשיא לן הא ברישא דלעיל אותיב נמי אדרבנן אילימא לשוט הא אמרת דברי הכל אסור ולעולם לא מתרצא מלתא דר' אליבא דרבא אלא לאו שמע מינה כי פליגי ר' יהודה ורבנן [אף] בלשוט הוא דפליגי והיינו דקאמ' ר' נראין ר' יהודה שאוסר ולא דברי חכמים שמתירין בשלא ברשות דהיינו לשוט אבל לא נראין לו דברי ר' יהודה להרווחא ונראין דברי חכמים בשילא לשוט והכי מיתרצא מלתא דר' ומיובתא דרבה דאמ' לשוט דברי הכל אסור וכי פליגי בהרווחא. והאי דקאמ' נראין ולא נראין קאמ' ר' ולאו מכריע הוא והכי קאמ' נראין דברי ר' יהודה שאוסר לרבנן וכו' שאפילו חכמים לא נחלקו וכו' היינו [ל]דברי חכמים שילא ברשות (דווקא מפרש השתא). הנולד במועד וכו'. ושער מלערו כגון אותו שער שקורין שייד"ש. דאין לך בית האסורין. גדול ממעי אמו שהיה שם דאנים הוא הנולד. במועד אין מעיקרא לא. אם נולד קודם הרגל אסור לגלחו במועד דאפשר לגלחו קודם למועד. מותר לגלח בימי אבלו. אע"פ שאבל אסור בתספורת אם בא ממדינת הים ומת לו מת ונמצא אבל מותר לגלח.

The Gemara answers in defense of Rava:

הָכִי קָאָמַר – **[Rebbi]** actually **said thus:** נִרְאִין דִּבְרֵי רַבִּי יְהוּדָה לְרַבָּנָן – **The opinion of R' Yehudah appears** correct **to the Rabbis** כְּשֶׁיָּצָא שֶׁלֹּא בִּרְשׁוּת – **when he embarked not under the authority** of others. וּמַאי נִיהוּ – **And what** case **is that?** לָשׁוּט – When he originally embarked **to roam** about the world for pleasure. שֶׁאֲפִילוּ חֲכָמִים לֹא נֶחְלְקוּ עָלָיו אֶלָּא לְהַרְוִיחָא – **For even the Sages did not dispute [R' Yehudah] except** when he embarked **to profit** even more; אֲבָל לָשׁוּט – **however,** where one departs **to roam** about the world for pleasure, מוֹדוּ לֵיהּ – **[the Sages] concede to [R' Yehudah]** that the man not cut his hair upon his return. The Sages accept the stringent approach of R' Yehudah in that case.[35] וְנִרְאִין דִּבְרֵי רַבָּנָן לְרַבִּי יְהוּדָה – **And,** conversely, **the opinion of the Sages appears** correct **to R' Yehudah** כְּשֶׁיָּצָא בִּרְשׁוּת – **when he embarked under the authority** of others. וּמַאי נִיהוּ – **And what** case **is that?** לִמְזוֹנוֹת – When he originally embarked **for** purposes of seeking **a livelihood.** שֶׁאֲפִילוּ רַבִּי יְהוּדָה לֹא נֶחְלַק עֲלֵיהֶם אֶלָּא לְהַרְוִיחָא – **For even R' Yehudah did not dispute [the Sages] except when** he left **to profit** even more; אֲבָל לִמְזוֹנוֹת – **however,** where one goes **for** his **livelihood,** מוֹדֶה לְהוּ – **[R' Yehudah] concedes to [the Sages]** that the man may cut his hair upon his return.

Another exemption to the prohibition against cutting hair during Chol HaMoed:

אָמַר שְׁמוּאֵל – **Shmuel said:** קָטָן הַנּוֹלָד בַּמּוֹעֵד מוּתָּר לְגַלֵּחַ בַּמּוֹעֵד – **It is permitted on Chol HaMoed to cut the hair of an infant that was born on Chol HaMoed,**[36] שֶׁאֵין לְךָ בֵּית הָאֲסוּרִין גָּדוֹל מִזֶּה – **for you have no prison greater than this**[37] – i.e. the mother's womb. That is, it was impossible to cut the child's hair before Chol HaMoed.

The Gemara infers from Shmuel's ruling:

בַּמּוֹעֵד אֵין – Shmuel stated that if the child was born ***on*** **Chol HaMoed,** it is **indeed** permissible to cut his hair. מֵעִיקָּרָא לֹא – This implies that if the child was born **beforehand** (i.e. prior to Chol HaMoed), it is **not** permissible, since his hair could have been cut before Yom Tov.[38]

The Gemara finds the implication of this implied ruling troubling:

מָתִיב רַב פִּנְחָס – **Rav Pinchas retorted** from the evidence of a Baraisa: כָּל אֵלּוּ שֶׁאָמְרוּ מוּתָּר לְגַלֵּחַ בַּמּוֹעֵד – ALL THOSE regarding WHOM [THE RABBIS] SAID IT IS PERMISSIBLE TO CUT their HAIR DURING CHOL HAMOED, such as those listed in our Mishnah, מוּתָּר לְגַלֵּחַ בִּימֵי אֶבְלוֹ – ARE PERMITTED TO CUT their HAIR also DURING THE DAYS OF [THEIR] MOURNING.[39] הָא אָסוּר לְגַלֵּחַ בַּמּוֹעֵד – From here we may infer that one who is **forbidden to cut** his **hair during Chol HaMoed** אָסוּר לְגַלֵּחַ בִּימֵי אֶבְלוֹ – is likewise **forbidden to cut** his **hair during the days of his mourning.**[40]

NOTES

wealthy businessman from cutting his hair, while in the second part he would be siding with the Sages and permitting it. Rather, we must say – contrary to Rava's understanding – that R' Yehudah and the Sages argue in all three cases: where the departure was (a) for pleasure, (b) for a livelihood, and (c) for additional profit (*Rashi,* as explained by *Menachem Meishiv Nefesh;* cf. *Rashash*).

Ritva suggests yet another challenge to Rava posed by the Baraisa: If the two parts of Rebbi's dictum involve the same case (that of the wealthy businessman), how can the first part be labeled "not under the authority of others" and the second part "under the authority of others"? See there for why the Gemara did not ask this question.

35. The Gemara is answering that Rebbi is not issuing his own rulings, deciding like R' Yehudah in one case and like the Sages in another, as we had originally understood the Baraisa. [That interpretation posed a difficulty to Rava, who had identified only one of the three possible cases as a point of contention between the Sages and R' Yehudah. It was clearly impossible, then, for Rebbi to decide like both disputants in that selfsame case (see note 34 above).] Rather, Rebbi is only establishing the parameters of the Tanna's dispute. Hence, the Baraisa essentially reads: The stringent approach of R' Yehudah appears correct to the Sages in one extreme case, while the lenient approach of the Sages appears correct to R' Yehudah in the opposite extreme case (*Rashi*).

36. Shmuel speaks of an infant who was born with long hair that distresses him (*Rashi, Rashi ms.*). [If cutting the hair is medically mandated, one may do so even if the child was born before Chol HaMoed (*Ritva*).]

37. [And the Mishnah taught that one who is freed from prison during Chol HaMoed is permitted to cut his hair immediately.]

38. *Rashi.*

39. The laws of mourning must be observed for a parent, child, spouse or sibling (see *Leviticus* 21:2-3). For all of these relatives except parents there are two distinct periods of mourning: The first and more stringent is *shivah* (the seven-day period), followed by a stage that lasts from *shivah's* conclusion until the end of thirty days from the beginning of the *shivah* [For children mourning their parents, there is a third mourning period, extending until the end of twelve months.]

During the thirty-day mourning period, one may not cut his hair. However, if the mourning period commences immediately after the mourner has one of the experiences described in our Mishnah (for example, should one become a mourner immediately upon his return from overseas), he may cut his hair (*Rashi ms.*).

40. [Since the Baraisa equates the rules of haircutting with those of mourning with respect to their leniencies, the Gemara assumes a parity in their general prohibitions.]

ומנודה שהתירו לו חכמים וכן מי שנשאל לחכם והותר [א]מטפחות [א]הידים ומטפחות הספרים ומטפחות הספג [ב]הזבין והזבות והנדות והיולדות וכל העולין מטומאה לטהרה הרי אלו מותרין ושאר כל אדם אסורין: **גמ'** ושאר כל אדם מאי טעמא אסורין כדתנן [ג][ג]אנשי משמר ואנשי מעמד אסורין לספר ולכבס ובחמישי מותרין מפני כבוד השבת ואמר [ג]רבה בר בר חנה אמר ר' אלעזר מ"ט [ד]כדי שלא יכנסו למשמרתן כשהן מנוולין הכא נמי כדי שלא יכנסו לרגל כשהן מנוולין בעי ר' זירא אבדה לו אבידה ערב הרגל כיון דאנים מותר או דלמא כיון דלא מוכחא מילתא לא אמר אביי [ד]יאמרו כל הסריקין אסורין סריקי בייתוס מותרין ולטעמיך הא דאמר רבי אסי אמר רבי יוחנן [ה]כל מי שאין לו אלא חלוק אחד מותר לכבסו בחולו של מועד התם נמי יאמרו כל הסריקין אסורין סריקי בייתוס מותרין הא אתמר עלה אמר מר בר רב אשי איזורו מוכיח עליו רב אשי מתני בעי ר' זירא אומן שאבדה לו אבידה ערב הרגל מהו כיון דאומן הוא מוכחא מילתא או דלמא כיון דלא מוכחא מילתא כי הנך לא תיקו: ממדינת הים: מתניתין דלא כר' יהודה דתניא [ו]ר' יהודה אומר הבא ממדינת הים לא יגלח מפני שיצא שלא ברשות אמר רבא לשוט דברי הכל אסור למזונות דברי הכל מותר לא נחלקו אלא להרויחא מר מדמי ליה כלשוט [ה]ומר מדמי ליה כלמזונות מיתיבי אמר ר' [ז]נראין דברי ר' יהודה כשיצא שלא ברשות ודברי חכמים כשיצא ברשות מאי שלא ברשות אילימא לשוט והאמרת דברי הכל אסור ואלא למזונות והאמרת דברי הכל מותר אלא פשיטא להרויחא אימא סיפא נראין דברי חכמים כשיצא ברשות מאי ברשות אילימא למזונות הא אמרת דברי הכל מותר ואלא להרויחא והא אמרת נראין דברי רבי יהודה בהא הכי קאמר נראין דברי ר' יהודה לרבנן כשיצא שלא ברשות ומאי ניהו לשוט שאפילו חכמים לא נחלקו עליו אלא להרויחא אבל לשוט מודו ליה ונראין דברי רבנן לר' יהודה כשיצא ברשות ומאי ניהו למזונות שאפילו רבי יהודה לא נחלק עליהם אלא להרויחא אבל למזונות מודה להו אמר שמואל קטן הנולד במועד מותר לגלח במועד שאין לך בית האסורין גדול מזה במועד אין מעיקרא לא מתיב ר' פנחס [ח]כל אלו שאמרו מותר לגלח במועד מותר לגלח בימי אבלו הא אסור לגלח במועד אסור לגלח בימי אבלו ואי

רש"י

גמ' הכי גרסינן ושאר כל אדם מאי טעמא אסורין כדתנן אנשי משמר כו' ואמר רבה בר בר חנה כו' עד כשהן מנוולים. ומאן דמתרשל ולא גילח מקמי רגל ומטי זמן עלייהו לגלח ברגל החמירו רבנן הואיל ולא מזרזי נפשייהו לספר מקמי רגל דלא להוי ברגל מנוולין אם היו מגלחין במועד לא היו מגלחים לפני המועד ונכנסין לרגל כשהן מנוולין: **אבדה לו אבידה.** שלא היה לו פנאי לגלח קודם הרגל: **דלא מוכחא מילתא.** דלא ידעי כולי עלמא דאנוס היה אלא יאמרו הוא מכוין להשהות עד המועד: **יאמרו כל הסריקין אסורין וכו'.** כלומר דבייתוס היה יכול לסרוק חלותיו בלי שהות לפי שהיה לו דפוס ואעפ"כ אסרו משום דאמרי כל הסריקים כו' הכא נמי כיון דלא מיגליא לכולי עלמא אונסיה יאמרו כולי עלמא אסורין לגלח וזה מותר: **מי שאין לו אלא חלוק אחד.** נמי לאו מוכחא מילתא לכולי עלמא: **איזורו מוכיח עליו.** דמי שאין לו אלא חלוק אחד פושטו ומתעטף במקטרינו וחוגרו באיזורו ועומד ומכבס החלוק ומודיע לכל שאין לו אלא חלוק אחד: **אומן.** כגון ספר שהכל באים אצלו ערב הרגל ורואים שאבדה לו אבידה ואנוס הוא ואינו יכול לספר עצמו: **כי הנך.** דמתניתין דקתני מגלחין דמידע לכל: **מפני שיצא שלא ברשות.** כלומר הואיל ולא יצא ברשות אחרים אלא ברצון עצמו לאו אנוס הוא: **לשוט.** אם יצא שלא לצורך ולא יצא אלא כדי לשוט בעולם ולראותו וחזר במועד: **דברי הכל אסור.** לגלח במועד: **למזונות.** שיצא לחזר אחר מזונות שאין לו מזונות וחזר במועד אחריהן דברי הכל מותר לגלח במועד לפי שיצא באונס: **להרויחא.** שיש לו נכסים הרבה ויצא כדי להרויח יותר: **נראין לי דברי רבי יהודה.** דאסר בגילוח לבא ממדינת הים כשיצא שלא ברשות: **ודברי חכמים.** המתירין כשיצא ברשות: **אילימא לשוט.** דקאמר רבי נראין דברי ר"י בשיצא לשוט דהיינו שלא ברשות הא אמרת וכו' ומאי נראין דברי רבי יהודה הלא שניהם מודים בה אלא פשיטא להרווחא ואשמעינן דנראין לו דברי ר' יהודה שאוסר בגילוח: **והא נראין דברי רבי יהודה בהא.** וקשיא דרבי אדרבי דברישא נראה לו דברי ר"י דאסר בהרווחא ובסיפא נראה לו דברי חכמים דמתירין הרווחא אלא ודאי איכא למשמע מהכא דלאו הכי הוא כדקאמרת דבלשוט ובמזונות פליגי: **ה"ק.** לאו היתר דידיה אשמעינן ולא רואה אני קאמר אלא פלוגתייהו קמ"ל במאי פליגי נראין דברי ר"י האוסר לחכמים וכו': **קטן הנולד במועד.** ולו שערות גדולים מותר לגלח במועד שער ראשו המלצערו: **שאין לך בית האסורין גדול מזה.** ממעי אמו שהיה שם ואנוס הוא: **מעיקרא לא.** דאם נולד קודם הרגל אינו מגלח ברגל הואיל והיה יכול לגלח קודם הרגל:

תוספות

ומנודה וכו' ושנשאל. בירושל' מקשה (א) הני למה התירו והלא פשע שלא בא לפני המועד לפני חכמים להתיר לו ומשני שכלו לו שלשים יום של נדוי במועד דאין נדוי פחות משלשים יום וכן מי שנשאל לחכם מוקי לה כשבא בחול המועד אי נמי לפני המועד לא מצאו (ב) בו פתח וגילוח הראש נמי אסור במועד דהא אמר בגמ' שלא יכנסו לרגל מנוולין ואין לך ניוול גדול מזה ושמא לא קאי טעמא בגמרא אלא אשארא אבל גילוח של ראשו אסור משום מלאכה אפילו במקום אונס ושאר גילוח דבעי בגמרא מאי טעמא אסורין והיינו גילוח של יפוי דהוה לך למישרי לצורך המועד אע"פ שהיא מלאכה אבל גילוח כל הראש אסור משום מלאכה והני (ג) כגון נזיר ומצורע הוא דשרי משום מצוה ולפי זה אסור לגלח ראשו במועד ועוד יש לפרש שנראה שמותר לגלח ראשו במועד וא"ת מאי קא משמע לן נזיר ומצורע יש לומר דס"ד דאסור שלא ישהו קרבנותיהן קא משמע לן דשרי ואי איירי הכא בשלא היה להן פנאי דוקא והוא כדבעי למימר בגמרא יש לומר דהכי קאמר דנזיר ומצורע העולין מטומאה לטהרה דוקא שעולין עתה אבל עולין מטומאה לטהרה מקודם רגל אסורין:

ושאר כל אדם מאי טעמא אסורין. אע"פ שהוא מלאכה היה לנו להתירה לצורך המועד (ד) א"נ [אף] שיש מלאכות אסורות במועד שאין בהן טורח כגון פרקמטיא מכל מקום זה שהוא ליפוי ראוי להתיר לכבוד מועד ויש מפרשים דקאי על גילוח הראש דאסרינן משום טירחא מכל מקום מקשה דהיה לו להתיר לצורך המועד ואין זה (ה) נוטה לפי מה שפירש' המשנה דגילוח כל הראש מלאכה גמורה ואסור: **שאין** לו אלא חלוק אחד מותר לכבסו במועד. ואם תאמר היאך יכבסנו במועד אם כן ישאר במועד בלא חלוק בשעת כיבוס כמו כן היה יכול לכבס קודם המועד ויהיה בלא חלוק בשעת כיבוס וכי תימא כשכבסו קודם מועד ומשום הכי מותר לכבסו במועד א"כ תרתי נמי אם יתלכלכו למה נאסור לו והלא לא פשע י"ל דדי לו בשתי חלוקין אחד ליו"ט ראשון ואחד לי"ט אחרון בירושלמי אמרו בגדי קטנים מותר לכבסן במועד דניכרים שהם קטנים ומלוכלכין כמי שאין לו אלא חלוק אחד (ו): **אומן** שאבדה לו אבידה ערב הרגל. פירש בקונטרס דבאומן מבעי' ליה אבל בני העיר אע"פ שאין להם (ז) אומן אחר לא מיבעיא ליה דפשיטא דאסורים יש להסתפק אם חלה ונתרפא אם מותר לגלח אם מוכחא מילתא כי הני:

מתני' דלא כר"י. תימה לוקמא אפילו כר"י ולמזונות אפי' רבי יהודה מודה ושמא כיון דקתני ר"י אומר הבא וכו' משמע שבא לחלוק על המשנה:

אלא להרווחא והא אמרת נראין דברי ר"י בהא. נראה דל"ג ועוד מכלל דפליגי רבנן אפילו למזונות ובההיא פ"ק דשחיטת חולין (דף יב.) (ח) נראין דברי רבי יהודה שמלאה באשפה ל"ג ועוד:

עין משפט נר מצוה

ג א מיי' פ"ז מהלכות י"ט הלכה כא טוש"ע א"ח סי' תקלד סעיף א:
ד ב מיי' שם:
ה ג ד מיי' פ"ו מהל' כלי המקדש הלכה יא ופ"ז מהל' י"ט הל' יט ופ"א מהל' ביאת מקדש הלכה יב:
ו ה מיי' פ"ז מהלכות י"ט הל' יח טוש"ע א"ח סי' תקלא סעיף ד:

רבינו חננאל

ואלו מגלחין במועד הבא ממדינת הים ומבית השביה והיוצא מבית האסורין כו'. מ"ט כדתנן אנשי משמר ואנשי מעמד אסורין לספר ולכבס ואמרינן מה טעם שלא יכנסו למשמרתן מנוולין דכיון דיודעין דאסורין לכבס אף הן מספרין ומכבסין מקודם ונכנסין מתוקנין ומגוהצין. הכא נמי כדי שלא יכנסו לרגל מנוולין. בעי ר' ירמיה אבדה לו אבידה ערב הרגל כיון דטרוד הוא באבידתו אנוס הוא ומותר לספר ולכבס במועד או דלמא כיון דלא מוכחא מלתא כמו השביה ובית האסורים לא. ועלתה בתיקו. פירוש יאמרו כל הסריקין אסורין כו' הא לגבי מצה בפסח איתמר דאסרו רבנן לעשות מצות סרוקות מפני שהאשה שוהה עליהן ומחמצתן ואמרו בייתוס עושה בדפוס שאין שם שהייה אלא בפעם אחת קובעה בדפוס ונמצאת המצה מצויירת. ומתמהינן התם יאמרו כל הסריקין אסורין סריקי בייתוס מותרין מי יודע כי בדפוס נעשו הכא נמי יאמרו הכל אסורין לספר ולכבס וזה האיש מותר אבל מי שאין לו אלא חלוק אחד מותר לכבסו בחולו של מועד. כי איזורו מוכיח עליו כלומר כשרואין אדם ערום חגור איזור ורוחץ חלוקו כל רואיו יודעין שאין לו אלא חלוק אחד: הבא ממדינת הים. מתניתין דלא כר' יהודה דתניא ר' יהודה אומר הבא ממדינת הים לא יגלח מפני שיצא שלא ברשות אמר רבה לשוט פי' לשוט כמטייל וכמשתעשע כלומר שלא לצורך דברי הכל אסור למזונות כלומר יצא למדינת הים ודחוק לבקש מחיה דברי הכל מותר. כי פליגי ר"י וחכמים כשיצא להרויחא פירוש להתעשר כלומר לסחור ולהרויח. ר"י מדמי ליה לשוט דהא בכאן מחייתו מצויה ואסיר ורבנן מדמו לה ליוצא בבקשת מזון ומותבינן עליה. אמר ר' נראין דברי ר' יהודה שיצא שלא ברשות ונראין דברי חכמים שיצא ברשות ואי אמרינן לא פליגי אלא בהרויחא קשיא א) דר"י ואמר נראין דברי ר' יהודה בהרויחא מכלל דפליגי רבנן עליה ועוד נראין דברי חכמים אלא פליגי אפי' לשוט. והאמרת לשוט דברי הכל אסור. ופרקינן הכי קאמר נראין דברי ר' יהודה לחכמים. ומודה להו כשיצא שלא ברשות ומאי ניהו למזונות שאף ר' יהודה לא חלק אלא בהרויחא וקי"ל כסתמא דמתני' דשרי אפי' להרויחא וכן אמר הגאון זצ"ל. אמר שמואל קטן הנולד ברגל מגלחין אותו במועד שאין לך בית אסורין גדול ממעי אמו. איני שאם נולד קודם המועד

מסורת הש"ס

א) [פרש"י ע"ז לקמן יח. ותוס' שם ע"ב], ב) תענית טו:, ג) [שם יז. ע"ש], ד) פסחים לז. חולין קז:, ה) חולין שם [לקמן יח.] תענית כט:, ו) [תוספ' פ"ב], ז) [תוספתא שם], ח) [לקמן יז: תוספתא פ"ב].

הגהות הב"ח

(א) תוס' ד"ה ומנודה כו' בירושלמי מקשה וא"ח הני למה התירו: (ב) בא"ד א"נ לפני המועד לא מצאו לו פתח וגילוח כל הראש נמי אסור כו' אבל גילוח של כל הראש אסור משום: (ג) בא"ד והני דוקא כגון נזיר ומצורע כו' אסור לגלח כל ראשו במועד כו' שמותר לגלח כל ראשו: (ד) ד"ה ושאר כו' א"נ אע"פ שיש דברים אסורות במועד שאין בהן מלאכה אלא טורח כגון פרקמטיא: (ה) בא"ד ואין זה נראה לפי מה שפי': (ו) ד"ה שאין כו' כמי שאין לו אלא חלוק אחד דמי הס"ד: (ז) ד"ה אומן כו' אע"פ שאין להם אלא אומן אחד לא מיבעיא ליה: (ח) ד"ה אלא כו' פ"ק דשחיטת חולין דקאמר נראין דברי ר' יהודה שמלאה באשפה נמי ל"ג ועוד:

רש"י כת"י

מטפחות ידים. שמנגבין בה את הידים בשעת אכילה. **מטפחות ספרים.** מטפחות שגולל בו ספרו. ל"א מטפחות סַפָּרים זו היא כסות שנותן המסתפר על כתיפיו מפני השער וכן המגלח לבא ממדינת הים וליוצ' מבית האיסורין צריך לכבס אותה מטפחת אע"פ שנכבסה קודם המועד צריך לכבסה תדיר. **מטפחות הספג.** שמנגבין בה פניו ידיו ורגליו כל היום או כשיוצאין מבית המרחץ לשון עלה ונסתפג. **וכל העולים וכו'.** מותרין לכבס בגדיהם. **מאי טעמא אסורין.** דגילוח שמחה [היא לאדם] ולישתרי. **אנשי משמר.** כ"ד משמרות של כהנים ושל לוים. **אנשי מעמד.** משפחת ישראל שהעמידו בערי ישראל ובירושלים לכל משמר ומשמר אותן שבערי ישראל כשהגיע משמרת עבודת כהנים (אם) היו מתפללים בעריהם על קרבן אחיהם שיתקבל ברצון ואותן שבירושלים היו עומדין על גביהן בשעת הקרבת תמידין ומוספין של צבור כדאמרינן (תענית כז.) האיך קרבנו של אדם קרב והוא אינו עומד על גביו ולפיכך היו הללו אנשי מעמד מזומנין שם שאי אפשר שיהיו כל ישראל עומדין שם בירושלם ורואין קרבנם וכלן אסורין לספר ולכבס בשבת שלהן שאם אתה מתירו נמצא משהא עצמו לספר ולכבס עד באמצע השבת שלו ויכנס למשמרתו כשהוא מנוול הילכך אסור כדי שיסתפר קודם למשמרתו.

ובחמישי מותר. מפני כבוד השבת [illegible]

חשק שלמה על ר"ח א) נראה דצ"ל קשיא דר"י דלדרי דברישא אמר נראין דברי ר' יהודה וכו' ובסיפא אמר נראין דברי חכמים וכו'.

[illegible]

עשה

עין משפט נר מצוה

ז א מיי' פ"ה מהל' אבל הלכה ד טוש"ע י"ד סי' שמ סעיף כח:

ח ב מיי' פ"ז מהלכות י"ט הלכה יט טוש"ע א"ח סי' תקלא סעיף ו:

ט ג מיי' פ"י מהלכות אבל הלכה ג ח טוש"ע א"ח סי' תקמח סעיף א:

י ד טוש"ע י"ד סי' שלד סעיף א:

יא ה ו מיי' פ"ז מהל' י"ט הלכה יב טוש"ע א"ח סי' תקמה סעיף י:

יב ז מיי' פי"ג מהל' סנהדרין הלכה ד סמג לאוין רל:

יג ח מיי' שם הלכה ה:

יד ט מיי' פ"י מהל' טומאת צרעת הל' ו סמג עשין רלה:

טו י מיי' פ"ב מהלכות ביאת המקדש הל' ו:

טז כ מיי' שם הל' ח:

יז ל מיי' פ"י מהלכות טומאת צרעת הל' ו:

יח מ מיי' פ"ה מהל' אבל הל' א ג סמג עשין דרבנן ג טוש"ע י"ד סי' שפ סעיף א וסי' שצ סעיף א:

תורה אור השלם

א) וְשָׂמַחְתָּ בְּחַגֶּךָ אַתָּה וּבִנְךָ וּבִתֶּךָ וְעַבְדְּךָ וַאֲמָתֶךָ וְהַלֵּוִי וְהַגֵּר וְהַיָּתוֹם וְהָאַלְמָנָה אֲשֶׁר בִּשְׁעָרֶיךָ: (דברים טז, יד)

ב) לֹא תֹאכְלוּ עַל הַדָּם לֹא תְנַחֲשׁוּ וְלֹא תְעוֹנֵנוּ: (ויקרא יט, כו)

ג) וְהַצָּרוּעַ אֲשֶׁר בּוֹ הַנֶּגַע בְּגָדָיו יִהְיוּ פְרֻמִים וְרֹאשׁוֹ יִהְיֶה פָרוּעַ וְעַל שָׂפָם יַעְטֶה וְטָמֵא טָמֵא יִקְרָא: (ויקרא יג, מה)

ד) וַיֹּאמֶר מֹשֶׁה אֶל אַהֲרֹן וּלְאֶלְעָזָר וּלְאִיתָמָר בָּנָיו רָאשֵׁיכֶם אַל תִּפְרָעוּ וּבִגְדֵיכֶם לֹא תִפְרֹמוּ וְלֹא תָמֻתוּ וְעַל כָּל הָעֵדָה יִקְצֹף וַאֲחֵיכֶם כָּל בֵּית יִשְׂרָאֵל יִבְכּוּ אֶת הַשְּׂרֵפָה אֲשֶׁר שָׂרַף יְיָ: [ויקרא י, ו]

גמרא

ואי אמרת קטן אית ביה פלוגתא ◦ נמצאת אבילות נוהגת בקטן והתניא (א) אמקרעין לקטן מפני (ב) עגמת נפש אמר רב אשי ◦ מי קתני הא אסורין דלמא יש מהן אסור ויש מהן מותר אמימר ואי תימא רב שישא בריה דרב אידי מתני הכי אמר שמואל בקטן מותר לגלחו במועד לא שנא נולד במועד ולא שנא נולד מעיקרא אמר רב פנחס אף אנן נמי תנינא כל אלו שאמרו מותר לגלח במועד מותר לגלח בימי אבלו הא אסורין לגלח במועד אסורין לגלח בימי אבלו אי אמרת קטן אסור נמצאת אבילות נוהגת בקטן ותניא מקרעין לקטן מפני עגמת נפש אמר רב אשי מי קתני הא אסורין דלמא יש מהן אסור ויש מהן מותר גאבל אינו נוהג אבילותו ברגל שנאמר א) ושמחת בחגך אי אבילות דמעיקרא הוא אתי עשה דרבים ודחי עשה דיחיד ואי אבילות דהשתא הוא לא אתי עשה דיחיד ודחי עשה דרבים דמנודה מהו שינהוג נידויו ברגל אמר רב יוסף התא שמע (ג) דנין דיני נפשות ודיני מכות ודיני ממונות ואי לא ציית דינא ומשמתינן ליה ואי סלקא דעתך אינו נוהג נידויו ברגל משומת ואתי מעיקרא אתי רגל דחי ליה השתא משמתינן ליה אנן א"ל אביי ודלמא לעיוני בדיניה דאי לא תימא הכי דיני נפשות דקתני ה"נ דקטלין ליה והא קא מימנעי משמחת יום טוב דתניא ר"ע אומר (ד) מנין זלסנהדרין (שראו בא') שהרגו את הנפש שאין טועמין כל אותו היום ת"ל ב) לא תאכלו על הדם אלא לעיוני בדיניה ה"נ לעיוני בדיניה א"ל אם כן נמצאת מעגה את דינו (ה) חאתו מצפרא ומעייני בדיניה ועיילי ואכלי ושתו כולי יומא והדר אתו בשקיעת החמה (ו) וגמרינן לדיניה וקטלו ליה אמר אביי ת"ש ומנודה שהתירו לו חכמים אמר רבא מי קתני שהתירוהו חכמים שהתירו לו חכמים קתני דאזל ופייסיה לבעל דיניה ואתי קמי דרבנן ושרו ליה מצורע מהו שינהיג צרעתו ברגל אמר אביי תא שמע (ז) והנזיר והמצורע (א) מטומאתו לטהרתו הא בימי טומאתו נהיג ◦ לא מיבעיא קאמר לא מיבעיא בימי טומאתו דלא נהיג אבל לטהרתו ניגזור שמא ישהה קרבנותיו קמ"ל אמר רבא ת"ש ג) והצרוע (ח) טלרבות כהן גדול והא כה"ג דכל השנה כרגל לכולי עלמא דמי דתנן (ט) כהן גדול ימקריב אונן כואינו אוכל שמע מינה לנוהג צרעתו ברגל שמע מינה מאבל אסור בתספורת מדקאמר להו רחמנא לבני אהרן ד) ראשיכם אל תפרעו ◦ מכלל דכולי עלמא אסור

מנודין

רש"י

ואי אמרת בקטן אית ליה פלוגתא. חילוק דנולד קודם הרגל אינו מגלח ברגל ואית לן למימר הואיל ואסור לגלח ברגל אסור לגלח נמי בימי אבלו א"כ נמצאת אתה אומר אבילות אפילו בקטן: מקרעין לקטן. את בגדיו: מפני עגמת נפש. שיבכו הרואין וירבו בכבוד המת ולא מפני שהוא אבל: מי קתני הא אסורין. דמשמע האסורין לגלח במועד אסורין לגלח באבל: יש מהן אסורין. בשאר כל אדם שאסורין לגלח במועד (ג) אסורין לגלח בימי אבלן: ויש מהן מותרין. כגון קטן זה שנולד קודם הרגל שאסור לגלח ברגל מותר לגלח בימי אבלו: אתי עשה דרבים. ושמחת: ודחי עשה דיחיד. אבל דכתיב (ירמיה ו) אבל יחיד עשי לך: דהשתא. שאירעו במועד: דנין דיני נפשות. במועד אבל לא ביום טוב שאסור משום שבות ודייקינן מינה מדדנין במועד מכלל דאי לא ציית נמי משמתינן ליה במועד: אתי רגל ודחי ליה. שאינו נוהג נדוי ברגל: דלמא לעיוני. הא דתני דדנין לא אמרי' דלימא איש פלוני חייב איש פלוני זכאי ואיכא למידק מינה דאי לא ציית משמתינן ליה אלא מעייני בדין ולא אמרי ליה כלום: מענה את דינו. דכי לא אמרו ליה דינו לאלתר דעייני ביה הוה ליה עינוי הדין: אלא. לעולם דנין דינו וגומרין ממש במועד ואיכא למידק מינה אי לא ציית משמתינן ליה ואיכא למשמע מינה דנוהג נמי ברגל ודאמרת א"כ מימנע משמחת י"ט הכא במאי עסקינן דאתו מצפרא כו': ת"ש מנודה שהתירו לו חכמים. קא סלקא דעתך התירו לכל מנודה נידויו ברגל דאין נידוי נוהג ברגל: דאזיל ופייסיה לבעל דיניה. ברגל והתירו לו חכמים ב"ד שבאותו דור: שינהיג צרעתו. שלא יצא אל תוך המחנה ולא יגלח: הא בימי טומאתו נוהג. צרעתו ברגל: ניגזור. שלא יהא מגלח במועד דכיון דגילח צריך להביא קרבן ושמא משהה קרבנותיו עד ליום טוב האחרון ומקריבן ואסור להקריב קרבנות יחיד בי"ט: לרבות כ"ג. שנוהג בו צרעת: הא כהן גדול כל השנה לדידיה כרגל לכולי עלמא דמי. דתנן כ"ג מקריב אונן מדאמר לו אהרן למשה ואכלתי חטאת היום (ויקרא י) ולא אמר למשה והקרבתי מכלל דהקרבה באנינות ולמדנו דכ"ג מקריב אונן אבל כולי עלמא בשאר ימות השנה אונן אינו משלח קרבנותיו כדאמרינן לקמן (דף טו:) שלמים בזמן שהוא שלם ולא בזמן שהוא אונן וברגל משלח וכהן גדול אונן מקריב כל השנה אלמא כל השנה לדידיה כרגל דמי וקתני דנוהג בו צרעת תיפשוט דכל מצורע נוהג צרעתו ברגל: אל תפרעו. גידול שער והאי קרא גבי מיתת נדב ואביהוא כתיב ומדאצטריך קרא למישרי להו מכלל דאחריני אסורין: מצורעין. אע"ג דכתיב וראשו יהיה פרוע הא דריש ליה לקמן להאי פרוע למילתא אחריתי:

תוספות

עשה דיחיד. משמע דאבילות איכא עשה דאורייתא מדלא קאמר ודחי עשה דרבנן והאי דקאמר לעיל (דף יא:) לא מבעיא ימי אבלו דרבנן היינו עשיית מלאכה דנפקא לן (לקמן טו:) באסמכתא מוהפכתי חגיכם לאבל אבל גוף האבילות דאורייתא מיהו נראה לי דשמחת הרגל נמי דרבנן ושמחת היינו בשלמי שמחה כדאיתא בחגיגה (ח.):

מהו שינהוג נידויו ברגל. אוהקשה הרב הא ליכא אלא עשה (ג) ואין עשה דוחה עשה ואפילו עשה ליכא אלא עזרא גזר כדלקמן (דף טז.) והא לאו קושיא היא דהא נידוי דחי לאו דמקלל חברו דאיכא לאו ושמא מסוטה ילפינן ועוד כיון שעבר על דברי הדיינין הרי יש כאן עשה דרבים:

ואי לא ציית דינא משמתינן ליה. תימה לימא דאי לא ניית דינא נחתינן לנכסיה בן מיהו פריך שפיר:

ממנעי משמחת י"ט. הקשה בתוס' הר"א היכי קשה ליה דהא ממנעי משמחת י"ט מאכילה ושתיה וגוף ההריגה דהוא מלאכה לא חיישינן ונראה לי מדאסר רחמנא הבערת בת כהן בשבת מכלל דבמועד שרי אי נמי כיון שהיא מלוה לצורך י"ט קרינא בה:

נמצאת אתה מענה את דינו. קשיא לן דבפ' אחד דיני ממונות (סנהדרין דף לה.) בשמעתין דלפיכך אין דנין (ו בשבת) מוכח דעינוי הדין לא שייך עד שילינוהו אחר שיגמור הדין וכי תימא דלעיוני דהכא היינו גמר דין ולא יהרגוהו עדיין עד אחר הרגל א"כ אמאי פריך לימא לעיוני בעלמא בלא גמר דין ולא יעשוהו גמר דין עד אחר המועד וי"ל דמשתכחי אף על גב דאיכא סופרי דיינין הכותבים דברי כל אחד מ"מ הסברא אשר בלב משתכח ומהאי טעמא אמרינן (שם) דאין דנין בערב שבת דליבא דאינשי איגשי:

אמר אביי ת"ש מנודה שהתירו כו'. אביי לטעמיה דדחי ודלמא לעיוני ואין חושב ראייה להוכחה דלעיל ואע"ג דדחי דאי לא תימא דקאמ' לא חש באותו דיחוי גן ואפי' נראה דיחוי ה"נ מסתברא מ"מ נוכל לומר לעיוני בלאו הכי נמי מסתברא:

והא כ"ג דכל השנה כולה כרגל כו'. משמע דאם אין מנודה נוהג נידוי ברגל הוא הדין כ"ג אינו נוהג נידוי כלל וקשה דהא (ד) כ"ג דן ודנין אותו ואי לא ניית דינא (לא) משמתינן ליה ולמאי דפרישית לעיל דן דנוכל לומר למיחת לנכסיה ניחא:

מנודין

רבינו חננאל

אסור לגלחו במועד. והתנן כל אלו שאמרו מגלחין במועד מותר לגלח בימי אבלו הא אסור לגלח במועד אסור לגלח בימי אבלו ואי אמרת קטן הנולד קודם הרגל אסור לגלח במועד נמצאת אתה אומר אבלות נוהגת בקטן. ותניא מקרעין לקטן מפני עגמת נפש. ודחי רב אשי מי קתני האסורים לגלח במועד אסורים לגלח בימי אבלן מדוקיא הא אסורין בכאן אסורים בכאן שמעי' מיניה דילמא יש מהן אסור ויש מהן מותר א) וכי קתני הא אסורה קתני. איכא דאמרי קטן הנולד בין ברגל בין קודם לרגל מותר לגלחו במועד. אין אבלות נוהגת ברגל דאי אבלות מעיקרא

וְאִי אָמְרַתְּ קָטָן אִית בֵּיהּ פְּלוּגְתָּא – But if you say that the law of **an infant has** in it **a distinction** between his being born before Chol HaMoed and during Chol HaMoed,[1] **נִמְצֵאת אֲבֵילוּת נוֹהֶגֶת בְּקָטָן – it turns out** that the law of **mourning operates in [the case of] a minor.**[2] **וְהָתַנְיָא – But** this cannot be, for **it was taught in** another **Baraisa:** **מְקָרְעִין לְקָטָן מִפְּנֵי עַגְמַת נֶפֶשׁ – WE REND** the garment **FOR A MINOR BECAUSE OF GRIEF,**[3] and not because the child is a mourner.[4] – ? –

The Gemara responds:

אָמַר רַב אַשִׁי – Rav Ashi said: **מִי קָתָנֵי הָא אֲסוּרִין – Did [the Baraisa]** actually **state, "But those who are prohibited** to cut their hair during Chol HaMoed are prohibited to cut their hair during their mourning period"?[5] No, it spoke only of the permitted category. **דִּלְמָא יֵשׁ מֵהֶן אָסוּר – Thus, perhaps** we can still maintain that **there are those** who are prohibited to cut their hair during Chol HaMoed and are likewise **prohibited** during their mourning period (viz. most people), **וְיֵשׁ מֵהֶן מוּתָּר – and** by the same token **there are those** who are prohibited to cut their hair during Chol HaMoed and are, in fact, **permitted** to do so during their mourning period.[6]

Another version of Shmuel's statement and the ensuing debate: **אֲמֵימַר וְאִי תֵּימָא רַב שִׁישָׁא בְּרֵיהּ דְּרַב אִידִי מַתְנֵי הָכִי – Ameimar – and some say Rav Shisha the son of Rav Idi – teach** it **thus:** **אָמַר שְׁמוּאֵל – Shmuel said:** **קָטָן מוּתָּר לְגַלְּחוֹ בַּמּוֹעֵד – It is permitted to cut the hair of an infant during Chol HaMoed,** **לֹא שְׁנָא נוֹלַד בַּמּוֹעֵד –** and **it makes no difference** whether **he was born during Chol HaMoed** **וְלֹא שְׁנָא נוֹלַד מֵעִיקָּרָא – or he was born beforehand.**

The Gemara cites a Baraisa in support of Shmuel:[7]

אָמַר רַב פִּנְחָס – Rav Pinchas said: **אַף אֲנַן נַמִּי תָּנִינָא – We have also learned:** **כָּל אֵלּוּ שֶׁאָמְרוּ מוּתָּר לְגַלֵּחַ בַּמּוֹעֵד – ALL THOSE REGARDING WHOM [THE RABBIS] SAID IT IS PERMISSIBLE TO CUT** their **HAIR DURING CHOL HAMOED,** such as the people listed in the Mishnah, **מוּתָּר לְגַלֵּחַ בִּימֵי אֶבְלוֹ – ARE PERMITTED TO CUT** their **HAIR** also **DURING THE DAYS OF [THEIR] MOURNING.** **הָא אֲסוּרִין לְגַלֵּחַ בַּמּוֹעֵד –** From here we may infer that those who **are forbidden to cut** their **hair during Chol HaMoed** **אֲסוּרִין לְגַלֵּחַ בִּימֵי אֶבְלוֹ – are** likewise **forbidden to cut** their **hair during the days of [their] mourning.** **אִי אָמְרַתְּ קָטָן אָסוּר – Now, if you say it is prohibited** on Chol HaMoed to cut the hair of **an infant** born before Chol HaMoed, **נִמְצֵאת אֲבֵילוּת נוֹהֶגֶת בְּקָטָן – it turns out** that the law of **mourning operates in [the case of] a minor.**[8] **וְתַנְיָא – But** this cannot be, for **it was taught in** another **Baraisa:** **מְקָרְעִין לְקָטָן מִפְּנֵי עַגְמַת נֶפֶשׁ – WE REND** the garment **FOR AN INFANT BECAUSE OF GRIEF,** and not because the child is a mourner. Thus, in order to avoid a conflict between these two Baraisos, we must conclude that an infant's hair may be cut on Chol HaMoed regardless of when he was born – which is precisely Shmuel's position!

The Gemara disputes the proof:

אָמַר רַב אַשִׁי – Rav Ashi said: **מִי קָתָנֵי הָא אֲסוּרִין – Did [the Baraisa]** actually **state, "But those who are prohibited** to cut their hair during Chol HaMoed are prohibited to cut their hair during the mourning period"? No, it spoke only of the permitted category. **דִּלְמָא יֵשׁ מֵהֶן אָסוּר – Thus, perhaps** we can still maintain that **there are those** who are prohibited to cut their hair during Chol HaMoed and are likewise **prohibited** during their mourning period, **וְיֵשׁ מֵהֶן מוּתָּר – and** by the same token **there are those** who are prohibited during Chol HaMoed and are, in fact, **permitted** during the mourning period. Thus, Shmuel's statement is not necessarily supported by R' Pinchas' Baraisa.[9]

Having discovered a connection between the laws of mourning and those of Chol HaMoed, the Gemara addresses the issue of whether mourning is permitted during the festivals:

אָבֵל אֵינוֹ נוֹהֵג אֲבֵילוּתוֹ בָּרֶגֶל – A mourner does not conduct himself in accordance with the laws and customs of **his mourning during the festival,**[10] **שֶׁנֶּאֱמַר ,,וְשָׂמַחְתָּ בְּחַגֶּךָ'' – for it is stated:**[11] ***You shall rejoice on your festival.***

The Gemara elaborates:

אִי אֲבֵילוּת דְּמֵעִיקָּרָא הוּא – If it is a preexisting mourning,[12] we say that **אָתֵי עֲשֵׂה דְּרַבִּים וְדָחֵי עֲשֵׂה דְּיָחִיד – the positive commandment of the public**[13] **comes and supersedes the positive commandment of the individual.**[14] **וְאִי אֲבֵילוּת**

NOTES

1. Viz. in the former case his hair may not be cut during Chol HaMoed, while in the latter case it may (*Rashi*).

2. For since R' Pinchas' Baraisa equates Chol HaMoed and mourning with regard to cutting hair [i.e. explicitly for a leniency and implicitly for a stringency], and since we inferred from Shmuel's ruling that a baby born before Chol HaMoed may not receive a haircut during Chol HaMoed, we can likewise infer that a baby born before becoming a mourner [e.g. a parent died just after his birth] may not receive a haircut during his period of mourning (*Rashi*). Implicit in the Baraisa's implied teaching, then, is the presumption that a minor can have the legal status of a mourner. [See *Chidushei R' Akiva Eiger* for a difficulty with this question, and *Keren Orah* for an answer.]

3. Rending a minor's garment will [impress onlookers with the extent of the child's loss and] move them to tears, thereby augmenting the honor and respect paid to the deceased (*Rashi;* cf. *Rashi ms.*).

4. [The infant is otherwise not bound by the laws of mourning. Hence, one may cut his hair at that time.]

5. That formulation would have established an absolute correlation between being prohibited on Chol HaMoed and being prohibited during mourning (*Rashi*).

6. That is, Shmuel cannot be challenged on the strength of an inference drawn from the Baraisa, for the Baraisa does not speak expressly of those who are forbidden to cut their hair. The Baraisa taught only that those who are permitted to cut their hair during Chol HaMoed may also do so during their mourning period. The Baraisa could thus hold that of those who are prohibited to cut their hair during Chol HaMoed, there are some who are prohibited also during mourning (all men) and some who are not (a minor) [*Rashi*].

7. The very Baraisa used above to challenge Shmuel's position is now cited to support it, since here his opinion is reversed (*Rashi ms.*).

8. For the implication of the Baraisa's implied ruling would then be that it is also forbidden to cut the hair of an infant born prior to his "period of mourning."

9. For the Baraisa could very well hold that of those who are *prohibited* to cut their hair during Chol HaMoed, there are some (viz. minors) who in fact are permitted to do so during mourning (see note 6 above).

10. [This refers to both Yom Tov and Chol HaMoed.]

There is a dispute between Rishonim as to whether a mourner must, however, observe private aspects of mourning (דְּבָרִים שֶׁבְּצִנְעָא) during the festival. *Ramban* maintains that he must, while *Rambam* (*Hil. Aivel* 10:3 with commentaries) holds that he does not (see *Beis Yosef* to *Yoreh Deah* 399; *Ritva* here and below, 23b).

11. *Deuteronomy* 16:14.

12. I.e. the mourning period commenced before the onset of the festival (*Chidushei HaRan;* see *Rashi ms.*).

13. The verse, *You shall rejoice on your festival,* was directed toward the entire Jewish people collectively (*Nimukei Yosef;* see *Rashi*). Alternatively, rejoicing on a festival is deemed a "public commandment" because the entire Jewish nation joins together to celebrate it (*Rashi ms.*).

14. *Rashi* here cites *Jeremiah* 6:26 – אֵבֶל יָחִיד עֲשִׂי־לָךְ, *mourn as if for an only child. Rashi* does not intend to adduce the word יָחִיד as proof that mourning is a commandment of the individual, for even though יָחִיד is often translated "individual," here it connotes *only child.* Indeed, no special Scriptural proof is needed to establish the obvious – that mourning is only for those who have actually suffered the loss, and is not

ואי אמרת קטן אית ביה פלוגתא ° נמצאת אבילות נוהגת בקטן והתניא א) א מקרעין לקטן מפני ב) עגמת נפש אמר רב אשי ° מי קתני הא אסורין דלמא יש מהן אסור ויש מהן מותר אמימר ואי תימא רב שישא בריה דרב אידי מתני הכי אמר שמואל ב קטן מותר לגלחו במועד לא שנא נולד במועד ולא שנא נולד מעיקרא אמר רב פנחס אף אנן נמי תנינא כל אלו שאמרו מותר לגלח במועד מותר לגלח בימי אבלו הא אסורין לגלח במועד אסורין לגלח בימי אבלו אי אמרת קטן אסור נמצאת אבילות נוהגת בקטן ותניא מקרעין לקטן מפני עגמת נפש אמר רב אשי מי קתני הא אסורין דלמא יש מהן אסור ויש מהן מותר ג אבל אינו נוהג אבילותו ברגל שנאמר א) ושמחת בחגך אי אבילות דמעיקרא הוא אתי עשה דרבים ודחי עשה דיחיד ואי אבילות דהשתא הוא לא אתי עשה דיחיד ודחי עשה דרבים ד מנודה מהו שינהוג נידויו ברגל אמר רב יוסף ה תא שמע ג) דנין דיני נפשות ודיני מכות ודיני ממונות ואי לא ציית דינא ו משמתינן ליה ואי סלקא דעתך אינו נוהג נידויו ברגל משומת ואתי מעיקרא אתי רגל דחי ליה השתא משמתינן ליה אנן א"ל אביי ודלמא לעיוני בדיניה דאי לא תימא הכי דיני נפשות דקתני ה"נ דקטלין ליה והא קא מימנעי משמחת יום טוב דתניא ר"ע אומר ד) מנין ז לסנהדרין (שראו בא') שהרגו את הנפש שאין טועמין כל אותו היום ת"ל ב) לא תאכלו על הדם אלא לעיוני בדיניה ה"נ לעיוני בדיניה א"ל אם כן נמצאת מענה את דינו ה) ח אתו מצפרא ומעייני בדיניה ועיילי ואכלי ושתו כולי יומא והדר אתו בשקיעת החמה ו) וגמרינן לדיניה וקטלו ליה אמר אביי ת"ש ומנודה שהתירו לו חכמים אמר רבא מי קתני שהתירוהו חכמים שהתירו לו חכמים קתני דאזל ופייסיה לבעל דיניה ואתי קמי דרבנן ושרו ליה מצורע מהו שינהיג צרעתו ברגל אמר אביי תא שמע ז) והנזיר והמצורע (א) מטומאתו לטהרתו הא בימי טומאתו נהיג ° לא מיבעיא קאמר לא מיבעיא בימי טומאתו דלא נהיג אבל לטהרתו ניגזור שמא ישהה קרבנותיו קמ"ל אמר רבא ת"ש ג) והצרוע ח) ט לרבות כהן גדול והא כה"ג דכל השנה כרגל לכולי עלמא דמי דתנן ט) כהן גדול י מקריב אונן כ ואינו אוכל שמע מינה ל נוהג צרעתו ברגל שמע מינה מ אבל אסור בתספורת מדקאמר להו רחמנא לבני אהרן ד) ראשיכם אל תפרעו ° מכלל דכולי עלמא אסור

מנודין

רש"י

ואי אמרת בקטן אית ליה פלוגתא. חילוק דנולד קודם הרגל אינו מגלח ברגל ואית לן למימר הואיל ואסור לגלח ברגל אסור לגלח נמי בימי אבלו א"כ נמצאת אתה אומר אבילות אפילו בקטן: **מקרעין** לקטן. את בגדיו: **מפני עגמת נפש.** שיבכו הרואין וירבו בכבוד המת ולא מפני שהוא אבל: **מי קתני הא אסורין.** דמשמע האסורין לגלח במועד אסורין לגלח באבל: **יש מהן אסורין.** בשאר כל אדם שאסורין לגלח במועד (ב) אסורין לגלח בימי אבלן: **ויש מהן מותרין.** כגון קטן זה שנולד קודם הרגל שאסור לגלח ברגל מותר לגלח בימי אבלו: **אתי עשה דרבים.** ושמחת: **ודחי עשה דיחיד.** אבל דכתיב (ירמיה ו) אבל יחיד עשי לך: **דהשתא.** שאירעו במועד: **דנין דיני נפשות.** במועד אבל לא ביום טוב שאסור משום שבות ודייקינן מינה מדדנין במועד מכלל דאי לא ציית נמי משמתינן ליה במועד: **אתי רגל ודחי ליה.** שאינו נוהג נדוי ברגל: **דלמא לעיוני.** הא דתני דדנין לא אמרי' דלימא איש פלוני חייב איש פלוני זכאי ואיכא למידק מינה דאי לא ציית משמתינן ליה אלא מעייני בדין ולא אמרי ליה כלום: **מענה את דינו.** דכי לא אמרו ליה דינו לאלתר דעייני ביה הוה ליה עינוי הדין: **אלא.** לעולם דנין דינו וגומרין ממש במועד ואיכא למידק מינה אי לא ציית משמתינן ליה ואיכא למשמע מינה דנוהג נמי ברגל ודאמרת א"כ מימנע משמחת י"ט הכא במאי עסקינן דאתו מצפרא כו': **ת"ש מנודה שהתירו לו חכמים.** קא סלקא דעתך התירו לכל מנודה נידויו ברגל דאין נידוי נוהג ברגל: **דאזיל ופייסיה לבעל דיניה.** ברגל והתירו לו חכמים ב"ד שבאותו דור: **שינהיג צרעתו.** שלא יבא אל תוך המחנה ולא יגלח: **הא בימי טומאתו נוהג.** צרעתו ברגל: **ניגזור.** שלא יהא מגלח במועד דכיון דגילח צריך להביא קרבן ושמא משהה קרבנותיו עד ליום טוב האחרון ומקריבן ואסור להקריב קרבנות יחיד בי"ט: **לרבות כ"ג.** שנוהג בו צרעת: **הא כהן גדול** כל השנה לדידיה כרגל לכולי **עלמא דמי.** דתנן כ"ג מקריב אונן מדאמר לו אהרן למשה ואכלתי חטאת היום (ויקרא י) ולא אמר למשה והקרבתי מכלל דהקרבה באנינות ולמדנו דכ"ג מקריב אונן אבל כולי עלמא בשאר ימות השנה אונן אינו משלח קרבנותיו כדאמרינן לקמן (דף טו:) שלמים בזמן שהוא שלם ולא בזמן שהוא אונן וברגל משלח וכהן גדול אונן מקריב כל השנה אלמא כל השנה לדידיה כרגל דמי וקתני דנוהג בו צרעת תיפשוט דכל מצורע נוהג צרעתו ברגל: **אל תפרעו.** גידול שער והאי קרא גבי מיתת נדב ואביהוא כתיב ומדאצטריך קרא למישרי להו מכלל דאחריני אסורין: **מצורעין.** אע"ג דכתיב וראשו יהיה פרוע הא דריש ליה לקמן להאי פרוע למילתא אחריתי:

מנודין

תוספות

עשה דיחיד. משמע דאבילות איכא עשה דאורייתא מדלא קאמר ודחי עשה דרבנן והאי דקאמר לעיל (דף יא:) לא מבעיא ימי אבלו דרבנן היינו עשיית מלאכה דנפקא לן (לקמן טו:) באסמכתא מוהפכתי חגיכם לאבל אבל גוף האבילות דאורייתא מיהו נראה לי דשמחת הרגל נמי דרבנן ושמחת היינו בשלמי שמחה כדאיתא בחגיגה (ח.):

מהו שינהוג נידויו ברגל. א] והקשה הרב הא ליכא אלא עשה (ג) ואין עשה דוחה עשה ואפילו עשה ליכא אלא עזרא גזר כדלקמן (דף טז.) והא לאו קושיא היא דהא נידוי דחי לאו דמקלל חברו דאיכא לאו ושמא מסוטה ילפינן ועוד כיון שעבר על דברי הדיינין הרי יש כאן עשה דרבים: **ואי** לא ציית דינא משמתינן ליה. תימה לימא דאי לא ציית דינא נחתינן לנכסיה ב] מיהו פריך שפיר: **ממנעי** משמחת י"ט. הקשה בתוס' הר"א היכי קשה ליה דהא ממנעי משמחת י"ט מאכילה ושתיה וגוף ההריגה דהוא מלאכה לא חיישינן ונראה לי מדאסר רחמנא הבערת בת כהן בשבת מכלל דבמועד שרי אי נמי כיון שהיא מלוה לצורך י"ט קרינא בה: **נמצאת** אתה מענה את דינו. קשיא לן דבפ' אחד דיני ממונות (סנהדרין דף לה.) בשמעתין לפיכך אין דנין (ג) בשבת) מוכח דעינוי הדין לא שייך עד שילינוהו אחר שיגמור הדין וכי תימא דלעיוני דהכא היינו גמר דין ולא יהרגוהו עדיין עד אחר הרגל א"כ אמאי פריך לימא לעיוני בעלמא בלא גמר דין ולא יעשוהו גמר דין עד אחר המועד וי"ל דמשתכחי אף על גב דאיכא סופרי דיינין הכותבים דברי כל אחד מ"מ הסברא אשר בלב משתכח ומהאי טעמא אמרינן (שם) דאין דנין בערב שבת דליכא דאינשי אינשי:

אמר אביי ת"ש מנודה שהתירו כו'. אביי לטעמיה דדחי ודלמא לעיוני ואין חושב ראייה להוכחה דלעיל ואע"ג דדחי דאי לא תימא דקאמ' לא חש באותו דיחוי ג] ואפי' נראה דיחוי ה"נ מסתברא מ"מ נוכל לומר לעיוני בלאו הכי נמי מסתברא: **והא** כ"ג דכל השנה כולה כרגל כו'. משמע דאם אין מנודה נוהג נידוי ברגל הוא הדין כ"ג אינו נוהג נידוי כלל וקשה דהא (ד) כ"ג דן ודנין אותו ואי לא ציית דינא (לא) משמתינן ליה ולמאי דפרישית לעיל ד] דנוכל לומר למיחת לנכסיה ניחא:

מנודין

עין משפט נר מצוה

ז א מיי' פ"ח מהל' אבל הלכה ד טוש"ע י"ד סי' שמ סעיף כח:
ח ב מיי' פ"ז מהלכות י"ט הלכה יט טוש"ע א"ח סי' תקלא סעיף ו:
ט ג מיי' פ"י מהלכות אבל הלכה ג ח טוש"ע א"ח סי' תקמח סעיף א:
י ד טוש"ע י"ד סי' שלד סעיף א:
יא ה ו מיי' פ"ז מהל' י"ט הלכה יב טוש"ע א"ח סי' תקמה סעיף י:
יב ז מיי' פי"ג מהל' סנהדרין הלכה ד סמג לאוין רל:
יג ח מיי' שם הלכה ה:
יד ט מיי' פ"י מהל' טומאת צרעת הל' ו סמג עשין רלה:
טו י מיי' פ"ב מהלכות ביאת המקדש הל' ו:
טז כ מיי' שם הל' ח:
יז ל מיי' פ"י מהלכות טומאת צרעת הל' ו:
יח מ מיי' פ"ה מהל' אבל הל' א ב סמג עשין דרבנן ג טוש"ע י"ד סי' שפ סעיף א וסי' שצ סעיף א:

תורה אור השלם

א) וְשָׂמַחְתָּ בְּחַגֶּךָ אַתָּה וּבִנְךָ וּבִתֶּךָ וְעַבְדְּךָ וַאֲמָתֶךָ וְהַלֵּוִי וְהַגֵּר וְהַיָּתוֹם וְהָאַלְמָנָה אֲשֶׁר בִּשְׁעָרֶיךָ: [דברים טז, יד]
ב) לֹא תֹאכְלוּ עַל הַדָּם לֹא תְנַחֲשׁוּ וְלֹא תְעוֹנֵנוּ: [ויקרא יט, כו]
ג) וְהַצָּרוּעַ אֲשֶׁר בּוֹ הַנֶּגַע בְּגָדָיו יִהְיוּ פְרֻמִים וְרֹאשׁוֹ יִהְיֶה פָרוּעַ וְעַל שָׂפָם יַעְטֶה וְטָמֵא טָמֵא יִקְרָא: [ויקרא יג, מה]
ד) וַיֹּאמֶר מֹשֶׁה אֶל אַהֲרֹן וּלְאֶלְעָזָר וּלְאִיתָמָר בָּנָיו רָאשֵׁיכֶם אַל תִּפְרָעוּ וּבִגְדֵיכֶם לֹא תִפְרֹמוּ וְלֹא תָמֻתוּ וְעַל כָּל הָעֵדָה יִקְצֹף וַאֲחֵיכֶם כָּל בֵּית יִשְׂרָאֵל יִבְכּוּ אֶת הַשְּׂרֵפָה אֲשֶׁר שָׂרַף יְיָ: [ויקרא י, ו]

רבינו חננאל

אסור לגלחו במועד. והתנן כל אלו שאמרו מגלחין במועד מותר לגלח בימי אבלו הא אסור לגלח במועד אסור לגלח בימי אבלו ואי אמרת קטן הנולד קודם הרגל אסור לגלח במועד נמצאת אתה אומר אבלות נוהגת בקטן. ותניא מקרעין לקטן מפני עגמת נפש. ודחי רב אשי מי קתני האסורים לגלח במועד אסורים לגלח בימי אבלן מדוקיא הא אסורין בכאן אסורים בכאן שמעי' מיניה דילמא יש מהן אסור ויש מהן מותר א) וכי קתני הא אסורה קתני. איכא דאמרי קטן הנולד בין ברגל בין קודם לרגל מותר לגלחו במועד. אין אבלות נוהגת ברגל דאי אבלות מעיקרא דהא חלה עליה אתי עשה דרבים ושמחת בחגך דהיא שמחה לישראל כולו ודחה עשה דיחיד וכ"ש אבלות דרגל דאכתי לא חיילא עליה דעשה דרבים דחה לה. מנודה מהו לנהוג נדויו ברגל. פשיט רב יוסף. ת"ש דנין במועד דיני נפשות ודיני ממונות ודיני מכות. וכיון דדיינינן ליה אי לא צאית דינא משמתינן ליה ואי ס"ד אין נוהג נידויו ברגל מאן דמשמת מקמי רגל אתי רגל דחי ליה השתא משמתינן ליה. ופריק אביי דילמא האי דנין דקתני עיונא בדינא בעלמא. דאי לא תימא [הכי] דנין דיני נפשות דקתני דינא ממש הוא פסקינן לדיניה וקטלינן ליה במועד. הא מימנעי דייני משמחת י"ט. דתניא ר"ע אומר מנין לסנהדרין שהרגו את הנפש שאין טועמין כו' ולא איפשיטא בהדיא וקי"ל דהלכתא כרבא ומסקנא דשמעתא כוותיה סלקא: מצורע אסיקנא שנוהג צרעתו ברגל. אבל אסור בתספורת שנא' ראשיכם אל תפרעו לבני אהרן מכלל דכ"ע אסור. ב) כר"א דאמר וראשו יהיה פרוע אין פרוע אלא גידול שער דברי רבי אליעזר וכן

מסורת הש"ס

א) [לקמן כו:], ב) [גי' הערוך אגמת ע"ש], ג) [תוספתא פ"ב ע"ש], ד) סנהדרין סג. ע"ש, ה) [אלא כצ"ל וכ"ג רש"י], ו) [צ"ל וגמרי יעב"ץ], ז) [לעיל יג:], ח) [לקמן טו.], ט) יומא יג: הוריות יב: [ב"ק קי. זבחים לט.], י) [צ"ל בע"ש], כ) [סנהדרין יח. ע"ש].

הגהות הב"ח

(א) גמ' ת"ש והנזיר והמצורע העולה מטומאתו: (ב) רש"י ד"ה יש מהן וכו' לגלח במועד יש מהן אסורין לגלח: (ג) תוס' ד"ה מהו כו' הא ליכא אלא עשה דיחיד ואין עשה דיחיד דוחה עשה דרבים ואפילו עשה ליכא:

הגהות מהר"ב רנשבורג

א] תוס' ד"ה מהו שינהיג וכו' והקשה הרב כו' אלא עזרא גזר כדלקמן. עיין ריטב"א דבור המתחיל מנודה: ב] ד"ה ואי לא ציית כו' מיהו פריך שפיר. עיין יד דוד: ג] ד"ה אמר אביי כו' אביי לטעמיה כו' ואפילו נראה דיחוי ה"נ מסתברא כו'. בספריהם היה הגירסא א"ל אביי ודלמא לעיוני ה"נ מסתברא דאי לא תימא הכי כו' וק"ל: ד] ד"ה והא כ"ג כו' ולמאי דפרישית לעיל. בד"ה ואי לא ציית:

גליון הש"ס

גמ' נמצאת אבלות נוהגת בקטן. ק"ל הא אדרבה כיון דבקטן לא שייך אבלות אין זה יוצא מן הכלל וכל שאסור במועד אסור בימי אבלו דימי אבלו היינו במי שהוא אבל משא"כ קטן דאינו אבל ובמועד אינו איסור על הקטן רק על המגלח אבל באבל דהמגלח אינו אבל ועל קטן ליכא איסור וצלע"ג: שם מי קתני הא אסורין. כעין זה זבחים קב ע"א: שם לא מיבעיא קאמר. עיין לקמן דף יח ע"ב תוס' ד"ה העולים: שם מכלל דכולי עלמא אסור. עיין לקמן דף כ"ג ע"ב תוס' ד"ה ואינו אוכל:

רש"י כת"י

ה"ג הא אסורין לגלח במועד אסורין בימי אבלן ואי אמרת קטן. אית חילוק דאם נולד קודם המועד אסור לגלחו כיון דדייקינן הא אסורין לגלח במועד אסורין בימי אבלן נמצ' דאבל אסור לגלח את בנו קטן ונמצא אבילות נוהגת בקטן כלומר מקרעין בגדיו לקטן בנו של אבל. מפני עגמת נפש. שירבו וידברו בכבוד המת אבל משום תורת אבילות לא. מי קתני. בבריתא אסורין לגלח במועד אסורין לגלח בימי אבלן. דילמא. הכא קאמר כל אלו שאמרו מותרין במועד כולן מותרין לגלח בימי אבלן אלא יש מהן מותרין בימי אבלן כגון קטן הנולד לפני הרגל ויש מהן אסורין שאר כל אדם. מתני הכי. דבהדי' מפרש שמואל למלתיה לא שנא נולד במועד ולא שנא קודם המועד והאי דקשיא ליה ללישנא קמא השתא מסייע. רב [אשי]. אמ' מיהא לא תסייע מי קתני האסורין וכו'. אי אבילות דמעיקרא הוא. שחלה קודם המועד עליו. עשה דרבים. ושמחת שכל ישראל עושין ביחד שמחת יום טוב. עשה דיחיד. דקאמ' רחמנא ליחזקאל האנק דום האנח ודום כאבל (מאי שנא האנק מכולהו). ואי אבילות דהשתא. שמת לו מת בתוך המועד וכבר חלה שמחת יום טוב כל שכן דלא אתי עשה דיחיד ודחי עשה דרבים. מנודה מהו. דאבל פשיט' ליה שאבילותו מפסיק במועד אלא מנודה ומצורע מבעיא לי וכן כולהו איבך (אבל) בשיטה זו. דנין. במועד וביום טוב אין דנין [דתנן (ביצה לו:) אלו הן משום רשות לא דנין] וכו' וכיון דדנין ודאי אי לא ציית לדינא משמתינן ליה ואי ס"ד וכו'. והשתא משמתי' ליה. אי לא ציית לדינא בתמיה אלמא נוהג נדויו ברגל. אמ' ליה אביי ודלמא. הא דקתני דנין לעיוני דמעיינין בדיניה ומתרינן ליה לאלתר ואי לא ציית לא משמתינן ליה עד לאחר המועד ופתוחי הוא דפתח ליה נהי דליכא לשהויי למפתח לדינא בתר דעייניה דילמא משתכחי להו לדינייהו וטעמ' כדמפ' בסנהדרין (לה.) אבל דינא לא מקיימינן ליה לאלתר. אלא. לאו לעיוני ומקטל לא קטלינא ליה עד לאחר המועד. נמצאת מענה את דינו. אלא לעולם למקטל ממש ודקא אמרת הא מימנעי משמחת יום טוב אפשר דאתו מצפרא ואכלו ושתו מיא דתניא (תוספתא פסחים פ"ב) שתוי יין אל יורה. וקטלו לי'. דהאי דאמרינן שאין טועמין כלום היינו לאחר שהרגו דכתוב לא תאכלו על הדם והכי נמי בדיני ממונות אי לא ציית משמתינן ליה [משום] דאיכא למימר הכי ואיכ' למימר הכי [אתי למפסט דינו של מנודה בחוה"מ] מאי. ת"ש. ממתני' ומנודה שהתירו לו חכמים לגלח במועד אלמ' אין נדויו נוהג ברגל. מי קתני שהתירוהו. דמשמע משום רגל התירוהו. דאזל פייסיה וכו'. הא לאו הכי איכא למימר דנוהג ואיכא למימר דאינו נוהג. אית דגרסי הכי ת"ש ומנודה שהתירו לו חכמים אמ' ליה רבא מי קתני שהתירוהו שהתירו לו קתני. (שנוהג) [שינהיג] צרעתו ברגל. דאסור בתכבוסת ובשאילת שלום כדמפ' לקמן. דילמא. לא מבעיא קאמ'. ניגזר. דליתסר במועד בגלוח שמא ישהא קרבנותיו אם ירפא קודם המועד ישהא ולא יקריב קרבנותיו עד הרגל דטריחא ליה מילתא לעלות לירושלם שני פעמים ולא יקריבם עד הרגל דהואיל ומותר לגלח ולהקריב קרבנות לרעתו עד הרגל ומצורע נמי מביא שלמים ושמא ישהא נמי להפטר משלמי שמחה דסגיא ליה בשלמי לרעתו. והצרוע. רבויא הוא דכתוב לעיל מיניה איש צרוע הוא טמא הוא וכתוב והצרוע אשר בו הנגע דהא במצורע משתעי. לרבות כהן גדול. שנוהג בו צרעת. דכל השנה. לא חיילא ליה אבילות. לכולי עלמא. ברגל דכולי עלמא לא חיילא אבילות ברגל. דתנן. אין אבילות חלה עליו. מקריב אונן. כהן גדול מקריב אונן דכתוב בכהן גדול על כל נפשות מת לא יבא וכתוב מן המקדש לא יצא ולא יחלל אע"פ שמת לו מת מן המקדש לא יצא שאם יעבוד לא יהא מקדש מחולל בכך (זבחים טו.). ואינו אוכל. [בקרבנותיו שהוא מקריב אונן דקדשים אסורים לאונן ק"ו] ממעשר הקל שאסור באונן דכתוב לא אכלתי באוני ממנו. אלמא כהן גדול דלא חיילא ליה אנינות ואבילות חיילא עליה לרעת הכא נמי מצורע אע"ג דלא חיילא עליה אבילות ברגל חיילא עליה לרעת. אל תפרעו. גבי מיתת נדב ואביהו כתו' ומדאצטריך קרא למשרי מכלל דאחריני אסירי.

חשק שלמה על ר"ח א) אולי צ"ל וכי קתני אסורה הא התירא קתני. ב) נראה דחסר כאן וצ"ל מצורע אסור בתספורת כר"א.

דְּהַשְׁתָּא הוּא – **And if it is a contemporaneous mourning,**[15] לֹא אָתֵי עֲשֵׂה דְיָחִיד וְדָחֵי עֲשֵׂה דְרַבִּים – then certainly **the positive commandment of the individual** (mourning) **does not come and supersede the positive commandment of the public** (rejoicing on the festival).

Having established definitively that rejoicing on the festival supersedes mourning in all cases, the Gemara inquires whether it takes precedence in other, analogous situations:[16]

מְנוּדֶּה – In the case of **an excommunicate,** מַהוּ שֶׁיִּנְהוֹג נִידּוּיוֹ בָּרֶגֶל – **what is [the law] regarding conducting** himself according to the dictates of **his ban during the festival?** May he greet others, wear shoes, and also groom himself and launder his clothing[17] [on Chol HaMoed]?[18]

The Gemara responds:

אָמַר רַב יוֹסֵף – **Rav Yosef said:** תָּא שְׁמַע – **Come, learn** a proof from the following Baraisa: דָּנִין דִּינֵי נְפָשׁוֹת – WE TRY CAPITAL CASES, וְדִינֵי מַכּוֹת – CORPORAL PUNISHMENT CASES[19] וְדִינֵי מָמוֹנוֹת – AND MONETARY CASES on Chol HaMoed.[20]

Rav Yosef infers from the Baraisa:

וְאִי לֹא צָיֵית דִּינָא – **And if [the defendant] does not heed the decision** of the court, מְשַׁמְּתִינַן לֵיהּ – then surely **we excommunicate him** immediately,[21] even though it is Chol HaMoed.

Rav Yosef concludes his proof:

וְאִי סַלְקָא דַעְתָּךְ אֵינוֹ נוֹהֵג נִידּוּיוֹ בָּרֶגֶל – **And if it enters your mind** that **one does not conduct** himself according to the dictates of **his ban during the festival,** מְשׁוּמָּת וְאָתֵי מֵעִיקָּרָא – so that where **one was excommunicated from before** the festival אָתֵי רֶגֶל דָּחֵי לֵיהּ – **the festival comes and supersedes [the ban],** הַשְׁתָּא מְשַׁמְּתִינַן לֵיהּ אֲנַן – can it be said that **now** – during Chol HaMoed itself – **we could excommunicate him?!** It is illogical to maintain that a preexisting ban is superseded while a new ban takes effect during Chol HaMoed. We must therefore conclude that a preexisting ban remains in effect during Chol HaMoed.

The Gemara challenges the proof:

אָמַר לֵיהּ אַבָּיֵי – **Abaye said to [Rav Yosef]:** וְדִלְמָא לְעִיּוּנֵי בְּדִינֵיהּ – **But perhaps** all the Baraisa means when it states that cases are tried during Chol HaMoed is that the judges are permitted **to study** and decide **the case,** but the verdict is not announced until after the festival.[22] – ? –

Abaye offers support for his interpretation of the Baraisa:

דְּאִי לֹא תֵימָא הָכִי – **For if you do not say thus,** דִּינֵי נְפָשׁוֹת דְּקָתָנֵי – then regarding **the capital cases** of **which [the Baraisa] spoke** הָכִי נַמִי דְּקָטְלִין לֵיהּ – **it is indeed so that they execute [a guilty defendant]** during Chol HaMoed![23] וְהָא קָא מִימְּנְעֵי מִשִּׂמְחַת יוֹם טוֹב – **But** that cannot be, for **[the judges] would** then **be prevented from** performing the mitzvah of **rejoicing [on] the festival,** דְּתַנְיָא – **as was taught in a Baraisa:** רַבִּי עֲקִיבָא אוֹמֵר – R' AKIVA SAYS: מִנַּיִן – FROM WHERE is it known לְסַנְהֶדְרִין (שראו באחד) שֶׁהָרְגוּ אֶת הַנֶּפֶשׁ – REGARDING A SANHEDRIN[24] THAT EXECUTED A PERSON שֶׁאֵין טוֹעֲמִין כָּל אוֹתוֹ הַיּוֹם – THAT THEY MAY NOT TASTE food THAT ENTIRE DAY? תַּלְמוּד לוֹמַר ,,לֹא תֹאכְלוּ עַל־הַדָּם" – THE TORAH STATES: *YOU SHALL NOT EAT OVER THE BLOOD.*[25] Since eating is an important aspect of the mitzvah of rejoicing, the judges will be precluded from fulfilling the mitzvah if their verdict is announced and carried out during Chol HaMoed.[26]

Abaye concludes his argument:

אֶלָּא – **Rather,** we must say with regard to capital cases לְעִיּוּנֵי בְּדִינֵיהּ – that the judges are allowed only **to study the case,** but

NOTES

a communal obligation. Rather, *Rashi* quotes the *Jeremiah* verse (עֲשִׂי) to support the Gemara's calling mourning "a positive commandment" (עֲשֵׂה) [as explained by *Rashash;* cf. *Menachem Meishiv Nefesh*]. See *Nimukei Yosef* and *Rashi ms.,* who cite a different verse.

The Gemara's reference to mourning as "a positive commandment" implies that it is of Biblical origin. However, the Rishonim's citations are derived from *Prophets,* which cannot be a source for Biblical law. See *Tosafos* here, who suggest that when no *shelamim* offering is brought, rejoicing on the festival is also not Biblically mandated; see *Shaagas Aryeh* §65 at length. See also *Rosh,* for an extensive discussion of whether mourning is a Rabbinic or Biblical mitzvah.

15. I.e. the relative's death occurred during Chol HaMoed (*Rashi*), after the obligation to rejoice had taken effect (*Rashi ms.*).

16. See *Rashi ms.*

17. Since he was not able to do so beforehand (see *Meiri*).

18. But not on the eve of the festival, since the festival only suspends the ban. However, in the case of a mourner the festival actually *cancels* the mourning period, and so the cancellation takes effect on the eve of the festival for its honor (*Tos. HaRosh* below ד״ה אמר אביי, according to one answer).

Tosafos (as emended by *Bach*) notes that the Gemara has already established that a positive commandment of the public (rejoicing on the festivals) supersedes a positive commandment of the individual (mourning). Certainly, then, the mitzvah of rejoicing supersedes an individual's ban! What, then, is the Gemara's question? *Tosafos* explain that adherence to a ban is also considered a positive commandment of the public, inasmuch as bans are imposed in order to satisfy the public need for acceptance of the judges' authority. For a different approach, see *Tos. HaRosh* and *Ritva.*

19. Literally: judgments of lashes – i.e. cases that could result in the administration of lashes.

20. The Rabbis, however, prohibited the conduct of trials on Yom Tov (*Rashi,* from *Beitzah* 36b).

21. [The term מְשַׁמְּתִינַן will be explained below, 16a note 23.]

The language of the Baraisa implies that the trial is to be conducted to its conclusion as on a weekday – which could involve the imposition of a ban for noncompliance (*Ritva*).

Tosafos question: The law is that if the defendant does not pay the money he owes, the court writes a seizure warrant on his property. If so, why does Rav Yosef presume that we may excommunicate him on Yom Tov, when it may very well be that on Yom Tov the court would go to the next level and seize the defendant's assets? *Tosafos* answer that indeed the Gemara could have asked this but chose a superior deflection to Rav Yosef's proof. (See *Rashash* and *Matzeves Moshe*).

However, *Sefer HaMichtam* maintains that if a litigant refuses to abide by the court's decision and voices that intent in court, he would be immediately excommunicated, and that could occur during Chol HaMoed.

22. Since the litigants do not hear the verdict, they cannot disregard it – and so no inference can be drawn from the Baraisa that recalcitrant litigants are excommunicated during Chol HaMoed (*Rashi*). Other Rishonim explain Abaye as saying that the verdict is indeed announced during Chol HaMoed, but no recalcitrant litigant is excommunicated until after the festival has concluded (*Rashi ms., Ritva, Sefer HaMichtam;* see also *Tosafos* ד״ה נמצאת).

23. [In monetary cases excommunication is always a possibility, since the party found liable may refuse to pay. In capital (and corporal punishment) cases, however, the court announces its decision and then simply executes it. Thus, the Baraisa would seem to mean that the courts are permitted to hand down verdicts on Chol HaMoed, it follows that in capital cases they could perform executions then as well.]

24. I.e. a court of at least twenty-three judges (see *Sanhedrin* 2a).

[The words שראו באחד are omitted based on the parallel text in *Sanhedrin* 63a; see *Dikdukei Soferim*.]

25. *Leviticus* 19:26. [The verse is interpreted to mean: Do not eat when you shed blood.]

26. *Tosafos* ask: Is the mitzvah of rejoicing more critical than the execution itself, which is – after all – a labor (*melachah*) forbidden during Chol HaMoed? *Tosafos* answer that since the Torah elsewhere (see *Yevamos* 6b, 7a) specifically prohibits the Sabbath execution of a Kohen's adulterous daughter, it thereby implies that performing an execution during Chol HaMoed is permitted [inasmuch as the aspect of *melachah* is concerned] (see there for another answer, and see note 20 above).

ואי אמרת קטן אית ביה פלוגתא • נמצאת אבילות נוהגת בקטן והתניא א) א מקרעין לקטן מפני ב) עגמת נפש אמר רב אשי • מי קתני הא אסורין דלמא יש מהן אסור ויש מהן מותר אמימר ואי תימא רב שישא בריה דרב אידי מתני הכי אמר שמואל ב קטן מותר לגלחו במועד לא שנא נולד במועד ולא שנא נולד מעיקרא אמר רב פנחס אף אנן נמי תנינא כל אלו שאמרו מותר לגלח במועד מותר לגלח בימי אבלו הא אסורין לגלח במועד אסורין לגלח בימי אבלו אי אמרת קטן אסור נמצאת אבילות נוהגת בקטן ותניא מקרעין לקטן מפני עגמת נפש אמר רב אשי מי קתני הא אסורין דלמא יש מהן אסור ויש מהן מותר ג אבל אינו נוהג אבילותו ברגל שנאמר א) ושמחת בחגך אי אבילות דמעיקרא הוא אתי עשה דרבים ודחי עשה דיחיד ואי אבילות דהשתא הוא לא אתי עשה דיחיד ודחי עשה דרבים ד מנודה מהו שינהוג נידויו ברגל אמר רב יוסף ה תא שמע ג) דנין דיני נפשות ודיני מכות ודיני ממונות ואי לא ציית דינא ו משמתינן ליה ואי סלקא דעתך אינו נוהג נידויו ברגל משומת ואתי מעיקרא אתי רגל דחי ליה השתא משמתינן ליה אנן א"ל אביי ודלמא לעיוני בדיניה דאי לא תימא הכי דיני נפשות דקתני ה"נ דקטלין ליה והא קא מימנעי משמחת יום טוב דתניא ר"ע אומר ד) מנין ז לסנהדרין (שראו בא') שהרגו את הנפש שאין טועמין כל אותו היום ת"ל ב) לא תאכלו על הדם אלא לעיוני בדיניה ה"נ לעיוני בדיניה א"ל אם כן נמצאת מענה את דינו ה) ח אתו מצפרא ומעייני בדיניה ועיילי ואכלי ושתו כולי יומא והדר אתו בשקיעת החמה ו) וגמרינן לדיניה וקטלו ליה אמר אביי ת"ש ומנודה שהתירו לו חכמים אמר רבא מי קתני שהתירוהו חכמים שהתירו לו חכמים קתני דאזל ופייסיה לבעל דיניה ואתי קמי דרבנן ושרו ליה מצורע מהו שינהיג צרעתו ברגל אמר אביי תא שמע ז) והנזיר והמצורע (א) מטומאתו לטהרתו הא בימי טומאתו נהיג • לא מיבעיא קאמר לא מיבעיא בימי טומאתו דלא נהיג אבל לטהרתו ניגזור שמא ישהה קרבנותיו קמ"ל אמר רבא ת"ש ג) והצרוע ח) ט לרבות כהן גדול והא כה"ג דכל השנה כרגל לכולי עלמא דמי דתנן ט) כהן גדול י מקריב אונן כ ואינו אוכל שמע מינה ל נוהג צרעתו ברגל שמע מינה מ אבל אסור בתספורת מדקאמר להו רחמנא לבני אהרן ד) ראשיכם אל תפרעו • מכלל דכולי עלמא אסור

מנודין

ואי אמרת בקטן אית ליה פלוגתא. חילוק דנולד קודם הרגל אינו מגלח ברגל ואית לן למימר הואיל ואסור לגלח ברגל אסור לגלח נמי בימי אבלו א"כ נמצאת אתה אומר אבילות אפילו בקטן: **מקרעין** לקטן. את בגדיו: **מפני עגמת נפש.** שיבכו הרואין וירבו בכבוד המת ולא מפני שהוא אבל: **מי קתני הא אסורין.** דמשמע האסורין לגלח במועד אסורין לגלח באבל: **יש מהן אסורין.** בשאר כל אדם שאסורין לגלח במועד (ב) אסורין לגלח בימי אבלן: **ויש מהן מותרין.** כגון קטן זה שנולד קודם הרגל שאסור לגלח ברגל מותר לגלח בימי אבלו: **אתי עשה דרבים.** ושמחת: ודחי עשה דיחיד. אבל דכתיב (ירמיה ו) אבל יחיד עשי לך: **דהשתא.** שאירעו במועד: **דנין דיני נפשות.** במועד אבל לא ביום טוב שאסור משום שבות ודייקינן מינה מדדנין במועד מכלל דאי לא ציית נמי משמתינן ליה במועד: **אתי רגל ודחי ליה.** שאינו נוהג נדוי ברגל: **דלמא לעיוני.** הא דתני דדנין לא אמרי' דלימא איש פלוני חייב איש פלוני זכאי ואיכא למידק מינה דאי לא ציית משמתינן ליה אלא מעייני בדין ולא אמרי ליה כלום: **מענה את דינו.** דכי לא אמרו ליה דינו לאלתר דעייני ביה הוה ליה עינוי הדין: **אלא.** לעולם דנין דינו וגומרין ממש במועד ואיכא למידק מינה אי לא ציית משמתינן ליה ואיכא למשמע מינה דנוהג נמי ברגל ודאמרת א"כ מימנע משמחת י"ט הכא במאי עסקינן דאתו מצפרא כו': **ת"ש מנודה שהתירו לו חכמים.** קא סלקא דעתך התירו לכל מנודה נידויו ברגל דאין נידוי נוהג ברגל: **דאזיל ופייסיה לבעל דיניה.** ברגל והתירו לו חכמים ב"ד שבאותו דור: **שינהיג צרעתו.** שלא יבא אל תוך המחנה ולא יגלח: **הא בימי טומאתו נוהג.** צרעתו ברגל: **ניגזור.** שלא יהא מגלח במועד דכיון דגילח צריך להביא קרבן ושמא משהה קרבנותיו עד ליום טוב האחרון ומקריבן ואסור להקריב קרבנות יחיד בי"ט: **לרבות כ"ג.** שנוהג בו צרעת: **הא כהן גדול כל השנה לדידיה כרגל לכולי עלמא דמי.** דתנן כ"ג מקריב אונן מדאמר לו אהרן למשה ואכלתי חטאת היום (ויקרא י) ולא אמר למשה והקרבתי מכלל דהקרבה באנינות ולמדנו דכ"ג מקריב אונן אבל כולי עלמא בשאר ימות השנה אונן אינו משלח קרבנותיו כדאמרינן לקמן (דף טו:) שלמים בזמן שהוא שלם ולא בזמן שהוא אונן וברגל משלח וכהן גדול אונן מקריב כל השנה אלמא כל השנה לדידיה כרגל דמי וקתני דנוהג בו צרעת תיפשוט דכל מצורע נוהג צרעתו ברגל: **אל תפרעו.** גידול שער והאי קרא גבי מיתת נדב ואביהו כתיב ומדאצטריך קרא למישרי להו מכלל דאחריני אסורין: **מצורעין.** אע"ג דכתיב וראשו יהיה פרוע הא דריש ליה לקמן להאי פרוע למילתא אחריתי:

מנודין

עשה דיחיד. משמע דאבילות איכא עשה דאורייתא מדלא קאמר ודחי עשה דרבנן והאי דקאמר לעיל (דף יא:) לא מבעיא ימי אבלו דרבנן היינו עשיית מלאכה דנפקא לן (לקמן טו:) באסמכתא מוהפכתי חגיכם לאבל אבל גוף האבילות דאורייתא מיהו נראה לי דשמחת הרגל נמי דרבנן ושמחת היינו בשלמי שמחה כדאיתא בחגיגה (ח.): **מהו** שינהוג נידויו ברגל. א] והקשה הרב הא ליכא אלא עשה (ג) ואין עשה דוחה עשה ואפילו עשה ליכא אלא עזרא גזר כדלקמן (דף טז.) והא לאו קושיא היא דהא נידוי דחי לאו דמקלל חברו דאיכא לאו ושמא מסוטה ילפינן ועוד כיון שעבר על דברי הדיינין הרי יש כאן עשה דרבים: **ואי** לא ציית דינא משמתינן ליה. תימה לימא דאי לא ציית דינא נחתינן לנכסיה ב] מיהו פריך שפיר: **ממנעי** משמחת י"ט. הקשה בתוס' הר"א היכי קשה ליה דהא ממנעי משמחת י"ט מאכילה ושתיה וגוף ההריגה דהוא מלאכה לא חיישינן ונראה לי מדאסר רחמנא הבערת בת כהן בשבת מכלל דבמועד שרי אי נמי כיון שהיא מצוה לצורך י"ט קרינא ביה: **נמצאת** אתה מענה את דינו. קשיא לן דבפ' אחד דיני ממונות (סנהדרין דף לה.) בשמעתין דלפיכך אין דנין (¹ בשבת) מוכח דעינוי הדין לא שייך עד שילינוהו אחר שיגמור הדין וכי תימא דלעיוני דהכא היינו גמר דין ולא יהרגוהו עדיין עד אחר הרגל א"כ אמאי פריך לימא לעיוני בעלמא בלא גמר דין ולא יעשוהו גמר דין עד אחר המועד וי"ל דמשתכחי אף על גב דאיכא סופרי דיינין הכותבים דברי כל אחד מ"מ הסברא אשר בלב משתכח ומהאי טעמא אמרינן (שם) דאין דנין בערב שבת דליבא דאינשי אינשי: **אמר** אביי ת"ש מנודה שהתירו כו'. אביי לטעמיה דדחי ודלמא לעיוני ואין חושב ראייה להוכחה דלעיל ואע"ג דדחי דאי לא תימא דקאמ' לא חש באותו דיחוי ג] ואפי' נראה דיחוי ה"נ מסתברא מ"מ נוכל לומר לעיוני בלאו הכי נמי מסתברא: **והא** כ"ג דכל השנה כולה כרגל כו'. משמע דאם אין מנודה נוהג נידוי ברגל הוא הדין כ"ג אינו נוהג נידוי כלל וקשה דהא ¹) כ"ג דן ודנין אותו ואי לא ציית דינא (לא) משמתינן ליה ולמאי דפרישית לעיל ד] דנוכל לומר למיחת לנכסיה ניחא:

מנודין

ז א מיי' פ"ט מהל' אבל הלכה ב טוש"ע י"ד סי' שמ סעיף כז:
ח ב מיי' פ"ו מהלכות י"ט הלכה יט טוש"ע א"ח סי' תקמח סעיף ו:
ט ג מיי' פ"ו מהלכות אבל הלכה ג טוש"ע א"ח סי' תקמח סעיף א:
י ד טוש"ע י"ד סי' שלד סעיף א:
יא ה מיי' פ"ה מהל' י"ט הלכה יג טוש"ע א"ח סי' תקמח סעיף י:
יב ו מיי' פי"ב מהל' סנהדרין הלכה ד סמג לאוין קג:
יג ח מיי' שם הלכה ה:
יד ט מיי' פ"י מהל' טומאת צרעת הלכ' ו סמג עשין רלו:
טו י מיי' פ"ב מהלכות ביאת המקדש הלכ' ו:
טז כ מיי' שם הל' ח:
יז ל מיי' פ"י מהלכות טומאת צרעת הל' ו:
יח מ מיי' פ"ה מהל' אבל הל' א ג טוש"ע י"ד סי' שצ סעיף א וסי' שפ סעיף א:

תורה אור השלם

א) וְשָׂמַחְתָּ בְּחַגֶּךָ אַתָּה וּבִנְךָ וּבִתֶּךָ וְעַבְדְּךָ וַאֲמָתֶךָ וְהַלֵּוִי וְהַגֵּר וְהַיָּתוֹם וְהָאַלְמָנָה אֲשֶׁר בִּשְׁעָרֶיךָ: [דברים טז, יד]
ב) לֹא תֹאכְלוּ עַל הַדָּם לֹא תְנַחֲשׁוּ וְלֹא תְעוֹנֵנוּ: [ויקרא יט, כו]
ג) וְהַצָּרוּעַ אֲשֶׁר בּוֹ הַנֶּגַע בְּגָדָיו יִהְיוּ פְרֻמִים וְרֹאשׁוֹ יִהְיֶה פָרוּעַ וְעַל שָׂפָם יַעְטֶה וְטָמֵא טָמֵא יִקְרָא: [ויקרא יג, מה]
ד) וַיֹּאמֶר מֹשֶׁה אֶל אַהֲרֹן וּלְאֶלְעָזָר וּלְאִיתָמָר בָּנָיו רָאשֵׁיכֶם אַל תִּפְרָעוּ וּבִגְדֵיכֶם לֹא תִפְרֹמוּ וְלֹא תָמֻתוּ וְעַל כָּל הָעֵדָה יִקְצֹף וַאֲחֵיכֶם כָּל בֵּית יִשְׂרָאֵל יִבְכּוּ אֶת הַשְּׂרֵפָה אֲשֶׁר שָׂרַף יְיָ: [ויקרא י, ו]

רבינו חננאל

אסור לגלחו במועד. והתנן כל אלו שאמרו מגלחין במועד מותר לגלח בימי אבלו הא אסור לגלח במועד אסור לגלח בימי אבלו ואי אמרת קטן הנולד קודם הרגל אסור לגלחו במועד נמצאת אתה אומר אבלות נוהגת בקטן. ותניא מקרעין לקטן מפני עגמת נפש. ודחי רב אשי מי קתני האסורים לגלח במועד אסורים לגלח בימי אבלן מדוקיא הוא אסורים בכאן אסורים בכאן שמעי' מינה דילמא יש מהן אסור ויש מהן מותר א) וכי קתני הא אסורה קתני. איכא דאמרי קטן הנולד בין ברגל בין קודם לרגל מותר לגלחו במועד. אין אבלות נוהגת ברגל דאי אבלות מעיקרא דהא חלה עליה אתי עשה דרבים ושמחת בחגך דהיא שמחה לישראל כולו ודחה עשה דיחיד וכ"ש אבלות דרגל דאכתי לא חיילא עליה דעשה דרבים דחה לה. מנודה מהו לנהוג נדויו ברגל. פשיט רב יוסף. ת"ש דנין במועד דיני נפשות ודיני ממונות ודיני מכות. וכיון דדיינינן ליה אי לא צאית דינא משמתינן ליה ואי ס"ד אין נוהג נידויו ברגל מאן דמשמת מקמי רגל אתי רגל דחי ליה השתא משמתינן ליה. ופריק אביי דילמא האי דנין דקתני עיונא בדינא בעלמא. דאי לא תימא [הכי] דנין דיני נפשות דקתני דינא ממש הוא פסקינן לדיניה וקטלינן ליה במועד. הא מימנעי דייני משמחת י"ט. דתניא ר"ע אומר מנין לסנהדרין שהרגו את הנפש שאין טועמין כו' ולא איפשיטא בהדיא וקי"ל דהלכתא כרבא ומסקנא דשמעתא כוותיה סלקא: מצורע אסיקנא שנוהג צרעתו ברגל. אבל אסור בתספורת שנא' ראשיכם אל תפרעו לבני אהרן מכלל דכ"ע אסור. ב) כר"א דאמר וראשו יהיה פרוע אין פרוע אלא גידול שער דברי רבי אליעזר וכן

חשק שלמה על ר"ח א) אולי צ"ל וכי קתני אסורה הא התירא קתני. ב) נראה דחסר כאן וצ"ל מצורע אסור בתספורת כר"א.

א) [לקמן כו:], ב) [גי' הערוך אגמת ע"ש], ג) [תוספתא פ"ב ע"ש], ד) סנהדרין סג. ע"ש, ה) [אלא צ"ל וכ"ג רש"י], ו) [צ"ל וגמרי יעב"ץ], ז) [לעיל יג:], ח) [לקמן טו:], ט) יומא יג: הוריות יב: [ב"ק קי. זבחים טו.], י) [צ"ל בע"ש], כ) [סנהדרין יח. ע"ש].

הגהות הב"ח

(א) גמ' מ"ש והנזיר והמצורע מטומאתו: (ב) רש"י ד"ה יש מהן וכו' לגלח במועד אסורין לגלח: (ג) תוס' ד"ה מהו כו' הא ליכא אלא עשה דיחיד ואין עשה דיחיד דוחה עשה דרבים ואפילו עשה ליכא:

הגהות מהר"ב רנשבורג

א] תוס' ד"ה מהו שינהוג וכו' והקשה הרב כו' אלא עזרא גזר כדלקמן. עיין ריטב"א דבור המתחיל מנודה: ב] ד"ה ואי לא ציית כו' מיהו פריך שפיר. עיין יד דוד: ג] ד"ה אמר אביי כו' אביי לטעמיה כו' ואפילו נראה דיחוי ה"נ מסתברא כו'. נספרים היה הגירסא א"ל אביי ודלמא לעיוני ה"נ מסתברא דאי לא תימא הכי כו': ד] ד"ה והא כ"ג כו' ולמאי דפרישית לעיל. בד"ס ולא לייט.

גליון הש"ס

גמ' נמצאת אבלות נוהגת בקטן. ק"ל אדרבה כיון דבקטן לא שייך אבלות אין זה יוצא מן הכלל ולא שאסור במועד אסור בימי אבלו דימי אבלו היינו בימי אבלו שהוא אבל ובמועד אינו אסור רק על הקטן המגלח אינו אסור קטן ליכא איסור ועל קטן ליכא איסור: שם מי קתני הא אסורין. כעין זה זבחים קב ע"ש: שם לא מיבעיא קאמר. עיין לקמן דף יח ע"ב תוס' ד"ה העולים: שם מכלל דכולי עלמא אסור. עיין לקמן דף כ"ג ע"ב תוס' ד"ה ואינו אוכל:

רש"י כת"י

ה"נ הא אסורין לגלח במועד אסורין לגלח בימי אבלן ואי אמרת קטן. אית חילוק דאם נולד קודם הרגל כיון דדייקינן הא אסורין לגלח במועד אסורין לגלח בימי אבלן נמצא קטן ומגלח לגלח בנו קטן

אבילות נוהגת בקטן כלומר מקרעין בגדיו לקטן בנו של אבל. מפני עגמת נפש. שירבו וידברו בכבוד המת אבילות לא. מי קתני. בברייתא אסורין לגלח במועד אסורין לגלח בימי אבלן. דילמא. הכא קאמר כל במועד כולן מותרין לגלח בימי אבלן אלא יש מהן מותרין בימי אבלן כגון קטן הנולד לפני הרגל ויש מהן מתני הכי. דבהדי' מפרש שמואל למלתיה לא שנא נולד במועד ולא שנא קודם המועד והאי דקשיא ליה מסייע. רב [אשין]. אמ' מיהא לא תסייע מי קתני האסורין וכו'. אי אבילות דמעיקרא הוא. עשה דרבים. ושמחת שכל ישראל עושין ביחד שמחת יום טוב. עשה דיחיד. דקאמ' רחמנא ליחו ודוש כאבל (מאי שנא האנק מכולהו). ואי אבילות דהשתא. שמת לו מת בתוך המועד וכבר חלה דלא אתי עשה דיחיד ודחי עשה דרבים. מנודה מהו. דאבל פשיט' ליה שאבילותו מפסיק במועד אלא וכן כולהו אינך (אבל) בשיטה זו. דנין. במועד וביום טוב אין דנין [דתנן (ביצה לו:) אלו הן משום ר דדנין ודאי אי לא ציית לדינא משמתינן ליה ואי ס"ד וכו'. והשתא משמתי' ליה. אי לא ציית לדינא

ברגל. אמ' ליה אביי ודלמא. הא דקתני דנין לעיוני דמעיינין בדיניה ומתרינן ליה לאלתר ואי לא ציית לא משמתינן ליה עד לאחר המועד ופתוחי הוא דפתח ליה נהי דליכא לשהויי למפתח לדינא בתר דעיינוה דילמא משתכחי להו בסנהדרין (לה.) אבל דינא לא מקיימינן ליה לאלתר. אלא. לאו לעיוני ומקטל לא קטלינא ליה עד לאחר המועד. נמצאת מענה את דינו. אלא לעולם למקטל ממש ודקא אמרת הא מימנעי משמחת יום טוב אפשר דאתו מצפרא (תוספתא פסחים פ"ג) שתויי יין אל יורה. וקטלו לי'. דהאי דאמרינן שאין טועמין כלום היינו לאחר שהרגו דכתוב לא תאכלו על הדם והכי נמי בדיני ממונות אי לא ציית משמתינן ליה [משום] דאיכא למימר הכי ואיכ' למימר הכי [אתי בהוה"מ] מאי. ת"ש. ממתני' ומנודה שהתירו לו חכמים לגלח במועד אלמ' אין נדויו נוהג ברגל. מי קתני שהתירוהו. דמשמע משום רגל התירוהו. דאזל פייסיה וכו'. הא לאו הכי איכא למימר דנוהג ואיכא למימר דאינו נוהג ומנודה שהתירו לו חכמים אמ' ליה רבא מי קתני שהתירוהו שהתירו לו קתני. (שנוהג) [שינהיג] צרעתו ברגל. דאסור בתכבוסת ובשאילת שלום כדמפ' לקמן. דילמא. לא מבעיא קאמ'. ניגזר. דליתסר במועד בגלוח שמא ישהא ק המועד ישהא ולא יקריב קרבנותיו עד הרגל דטריחא ליה מילתא לעלות לירושלם שני פעמים ולא יקריבם עד הרגל דהואיל ומותר לגלח ולהקריב קרבנות צרעתו עד הרגל ומצורע נמי מביא שלמים ושמא ישהא נמי להפטר משלמי שמחה ד והצרוע. רבויא הוא דכתוב לעיל מיניה איש צרוע הוא טמא הוא וכתוב והצרוע אשר בו הנגע דהא במצורע משתעי. לרבות כהן גדול. שנוהג בו צרעת. דכל השנה. לא חיילא ליה אבילות. לכולי עלמא. ברגל דכולי עלמא לא חייל אין אבילות חלה עליו. מקריב אונן. כהן גדול מקריב אונן דכתוב בכהן גדול על כל נפשות מת לא יבא וכתוב מן המקדש לא יצא ולא יחלל אע"פ שמת לו מת מן המקדש לא יצא שאם יעבוד לא יהא מקדש מחולל בכך (זבחים טו.). ואי שהוא מקריב אונן דקדשים אסורים לאונן ק"ו] ממעשר הקל שאסור באונן דכתוב לא אכלתי באוני ממנו. אלמא כהן גדול דלא חיילא ליה אנינות ואבילות חיילא עליה צרעת הכא נמי מצורע אע"ג דלא חיילא עליה אבילות ברגל חיילא עליה צ מיתת נדב ואביהו כתו' ומדאצטריך קרא למשרי מכלל דאחריני אסירי.

not to issue a verdict. **הָכָא נַמִּי – Here, too,** regarding monetary matters **לְעַיּוּנֵי בְּדִינֵיהּ** – we must conclude[27] that the judges are allowed only **to study the case.** Hence, no inference can be drawn from the Baraisa that recalcitrant litigants will be excommunicated during Chol HaMoed.

Rav Yosef deflects Abaye's challenge:

אָמַר לֵיהּ – [Rav Yosef] said to [Abaye]: אִם כֵּן – If it is **so** that regarding capital cases on Chol HaMoed a verdict is reached after deliberation but may not be announced immediately,[28] **נִמְצֵאת מְעַנֶּה אֶת דִּינוֹ – it turns out that [the court] is delaying [a party's] justice,** and that is forbidden![29] **[אֶלָּא] – Rather,**[30] the Baraisa must mean that verdicts *are* announced and executed during Chol HaMoed, and yet in capital cases the judges need not forfeit the mitzvah of rejoicing, **אָתוּ מְצַפְּרָא וּמְעַיְּינֵי בְּדִינֵיהּ – for they can come** to the courthouse **in the morning and study the case, וְעַיְילֵי וְאָכְלֵי וְשָׁתוּ כּוּלֵי יוֹמָא – and** then **go out** to their private quarters **and eat and drink** water[31] **the entire day,**[32] **וַהֲדַר אָתוּ בִּשְׁקִיעַת הַחַמָּה וְגַמְרִינַן לְדִינֵיהּ – and then come** back to the courthouse chamber **as the sun sets**[33] **and finalize**[34] **the decision,**[35] **וְקָטְלוּ לֵיהּ – and execute him.**[36]

Abaye again challenges Rav Yosef:

אָמַר אַבַּיֵּי – Abaye said: תָּא שְׁמַע – Come, learn a refutation from our Mishnah, which stated: **וּמְנוּדֶּה שֶׁהִתִּירוּ לוֹ חֲכָמִים** – "And these may cut their hair during Chol HaMoed . . . OR THE EXCOMMUNICATE WHOM THE SAGES RELEASED [from his ban]."[37] – ? –

The Gemara responds:

אָמַר רָבָא – Rava said: מִי קָתָנֵי שֶׁהִתִּירוּהוּ חֲכָמִים – Did [the Mishnah] state that the Sages "released" (which is a general statement)? No! **שֶׁהִתִּירוּ לוֹ חֲכָמִים קָתָנֵי – It stated that sages "released *him*"** (this particular individual); **דְּאָזַל וּפַיְּיסֵיהּ לְבַעַל דִּינֵיהּ** – and this is **because [the excommunicate] went and appeased his claimant, וְאָתֵי קַמֵּי דְּרַבָּנָן וְשָׁרוּ לֵיהּ – and** then **he came before the rabbis and they released him** from his ban.[38]

The Gemara now inquires whether the festivals supersede a different restrictive status:

מְצוֹרָע – In the case of **a *metzora*,**[39] **מַהוּ שֶׁיִּנְהוֹג צָרַעְתּוֹ בָּרֶגֶל – what is [the law] regarding conducting** himself **during the festival** according to the restrictions imposed upon him by **his *tzaraas*?**[40]

The Gemara responds:

אָמַר אַבַּיֵּי – Abaye said: תָּא שְׁמַע – Come, hear a proof from our Mishnah, which stated: **וְהַנָּזִיר וְהַמְּצוֹרָע מִטּוּמְאָתוֹ לְטָהֳרָתוֹ** – "And these may cut their hair during Chol HaMoed . . . OR THE *NAZIR* OR *METZORA* who ascends FROM HIS state of CONTAMINATION TO HIS state of PURITY."[41] **הָא בִּימֵי טוּמְאָתוֹ – Now,** the Mishnah teaches that if the *metzora's* purification process concludes during the festival, he may perform the required haircutting. This implies that until that time – i.e. **during the days of his contamination** that coincide with the days of the festival – **נָהִיג – he conducts** himself according to the restrictions of his *tzaraas*. The Mishnah thus teaches that the festival does not supersede *tzaraas*.

The Gemara deflects the proof:

לֹא מִיבַּעְיָא קָאָמַר – [The Tanna] states a case of ***it is not necessary*** . . . *but,*[42] as follows: **לֹא מִיבַּעְיָא בִּימֵי טוּמְאָתוֹ דְּלֹא נָהִיג – It is not necessary** to state the law of a *metzora* **during the days of his contamination – i.e. that he does not conduct** himself according to the restrictions of his *tzaraas* – for indeed the festival supersedes *tzaraas*. **אֲבָל לְטָהֳרָתוֹ – However,** it is necessary to state the law **of his purification, נִיגְזוֹר שֶׁמָּא יַשְׁהֶה קָרְבְּנוֹתָיו** –

NOTES

27. Since the Baraisa speaks of all the various cases collectively, thus equating their laws with respect to Chol HaMoed.

28. *Rashi*. According to the other Rishonim (see note 22 above): If it is so that the verdict is announced on Chol HaMoed but enforcement of it must be delayed until after the festival.

29. See *Avos* 5:8. See also *Rambam, Hil. Sanhedrin* 12:4; and ibid. 20:6, from *Leviticus* 19:15.

30. *Rashi* and *Mesoras HaShas* add אֶלָּא to the text.

31. Rather than wine, because judges may not render decisions when they are under the influence of alcohol (*Rashi ms., Meiri;* see *Eruvin* 64a). However, *Ritva* maintains that judges may drink wine early in the day if there is sufficient time for the effects of the wine to wear off before they render their verdict. See also *Responsa* of *Rashba* (I §247), who writes that if the judges analyze the case before partaking of wine they may issue their verdict after the drinking, since they may rely on their earlier analysis.

32. *Ritva* notes – based on his assertion (see previous note) that judges may drink wine only early in the day – that this is not meant literally, for on the festivals part of the day should be set aside for personal pleasure [חֶצְיָה לָכֶם] and the other part should be devoted to Godly service [חֶצְיָה לה']. [Rather, the Gemara means that they may do so anytime during the entire day, until close to sunset (see next note).]

33. Actually, they must return somewhat before sunset, since capital cases must be decided during the day (see *Sanhedrin* 32a). Indeed, the texts of *Nimukei Yosef* and *Ritva* state: אָתוּ סָמוּךְ לִשְׁקִיעַת הַחַמָּה, *they return* ***close*** *to sunset.*

34. Our translation follows *Yavetz,* who emends וְגַמְרִינַן (*and we finalize*) to וְגָמְרֵי (*and they finalize*).

35. I.e. by issuing a verdict (according to *Rashi* in note 22 above).

36. [Only at this point, after the execution, are the judges forbidden to eat (*Rashi ms.*).] Thus, when the Baraisa states that "we try capital, corporal punishment and monetary cases" on Chol HaMoed, it means that we try them fully, to their necessary completion. This implies, as Rav Yosef argued, that in monetary cases the court even excommunicates a recalcitrant litigant, which in turn indicates that a festival does not supersede a ban (*Rashi*).

Although Rav Yosef maintains that the Baraisa supports his position, Abaye nonetheless continues to challenge it (in the Gemara that follows). [Perhaps Abaye holds that the Baraisa did not intend to equate the three types of cases absolutely] (see *Tosafos* ד"ה אמר).

37. Abaye understands the Mishnah as meaning that any excommunicate has his ban released for the Yom Tov – i.e. that the Sages decreed that the mitzvah of rejoicing on the festivals shall supersede excommunication [contrary to Rav Yosef's opinion] (*Rashi*). Abaye bases his interpretation on the fact that the Mishnah does not mention any individual circumstance that precipitated the release; thus, Abaye understands it to be a general release by Rabbinic decree (*Ritva*).

38. Had the Mishnah stated only שֶׁהִתִּירוּהוּ (*they released it*) [without the word לו], it would be implying that the Sages lifted the ban from every excommunicate [i.e. the Mishnah would indeed be stating that the Sages issued a general decree that a festival supersedes excommunication, as Abaye understood]. However, the Mishnah states הִתִּירוּ לו (*they released him*), and the word לו (*him*) indicates that the Mishnah speaks of a particular case – i.e. that of one who mollified his claimant, thereby eliminating the basis for his excommunication, and then went and petitioned for its actual annulment. Hence, the Mishnah does not at all suggest that the festivals supersede excommunication, and thus poses no challenge to Rav Yosef (*Ritva*). [*Ritva* adds that some texts state מִי קָתָנֵי שֶׁהִתִּירוּ חֲכָמִים, instead of שֶׁהִתִּירוּהוּ, and notes that this is a more correct version but is not found in any of the manuscripts (see also *Rashash*).]

39. A *metzora* is someone who is ritually contaminated by the affliction called *tzaraas* (see above, 13b note 9; see *Leviticus* 13:45,46).

40. Is he forbidden to enter the Jewish camp (i.e. walled cities in Eretz Yisrael) and cut his hair (*Rashi*), or to launder his clothing and greet other people (*Rashi ms.*), on (Yom Tov and) Chol HaMoed? That is, are the restrictions placed upon a *metzora* superseded by the mitzvah of rejoicing on the festivals?

41. And the end of the Mishnah teaches that a *metzora* may launder his clothes during Chol HaMoed (see above, 14a note 8).

42. In this formulation the author states only the climax of his ruling for emphasis.

ואי אמרת קטן אית ביה פלוגתא ° נמצאת אבילות נוהגת בקטן והתניא א) א מקרעין לקטן מפני ב) עגמת נפש אמר רב אשי ° מי קתני הא אסורין דלמא יש מהן אסור ויש מהן מותר אמימר ואי תימא רב שישא בריה דרב אידי מתני הכי אמר שמואל ב קטן מותר לגלחו במועד לא שנא נולד במועד ולא שנא נולד מעיקרא אמר רב פנחס אף אנן נמי תנינא כל אלו שאמרו מותר לגלח במועד מותר לגלח בימי אבלו הא אסורין לגלח במועד אסורין לגלח בימי אבלו אי אמרת קטן אסור נמצאת אבילות נוהגת בקטן ותניא מקרעין לקטן מפני עגמת נפש אמר רב אשי מי קתני הא אסורין דלמא יש מהן אסור ויש מהן מותר ג אבל אינו נוהג אבילותו ברגל שנאמר א) ושמחת בחגך אי אבילות דמעיקרא הוא אתי עשה דרבים ודחי עשה דיחיד ואי אבילות דהשתא הוא לא אתי עשה דיחיד ודחי עשה דרבים ד מנודה מהו שינהוג נידויו ברגל אמר רב יוסף ה תא שמע ג) דנין דיני נפשות ודיני מכות ודיני ממונות ואי לא צייית דינא ו משמתינן ליה ואי סלקא דעתך אינו נוהג נידויו ברגל משומת ואתי מעיקרא אתי רגל דחי ליה השתא משמתינן ליה אנן א"ל אביי ודלמא לעיוני בדיניה דאי לא תימא הכי דיני נפשות דקתני ה"נ דקטלין ליה והא קא מימנעי משמחת יום טוב דתניא ר"ע אומר ד) מנין ז לסנהדרין (שראו בא') שהרגו את הנפש שאין טועמין כל אותו היום ת"ל ב) לא תאכלו על הדם אלא לעיוני בדיניה ה"נ לעיוני בדיניה א"ל אם כן נמצאת מענה את דינו ה) ח אתו מצפרא ומעייני בדיניה ועיילי ואכלי ושתו כולי יומא והדר אתו בשקיעת החמה ו) וגמרינן לדיניה וקטלו ליה אמר אביי ת"ש ומנודה שהתירו לו חכמים אמר רבא מי קתני שהתירוהו חכמים שהתירו לו חכמים קתני דאזל ופייסיה לבעל דיניה ואתי קמי דרבנן ושרו ליה מצורע מהו שינהיג צרעתו ברגל אמר אביי תא שמע ז) והנזיר והמצורע (א) מטומאתו לטהרתו הא בימי טומאתו נהיג ° לא מיבעיא קאמר לא מיבעיא בימי טומאתו דלא נהיג אבל לטהרתו ניגזור שמא ישהה קרבנותיו קמ"ל אמר רבא ת"ש ג) והצרוע ח) ט לרבות כהן גדול והא כה"ג דכל השנה כרגל לכולי עלמא דמי דתנן ט) כהן גדול י מקריב אונן כ ואינו אוכל שמע מינה ל נוהג צרעתו ברגל שמע מינה מ אבל אסור בתספורת מדקאמר להו רחמנא לבני אהרן ד) ראשיכם אל תפרעו ° מכלל דכולי עלמא אסור

מנודין

רש"י

ואי אמרת בקטן אית ליה פלוגתא. חילוק דנולד קודם הרגל אינו מגלח ברגל ואית לן למימר הואיל ואסור לגלח ברגל אסור לגלח נמי בימי אבלו א"כ נמצאת אתה אומר אבילות אפילו בקטן: מקרעין לקטן. את בגדיו: מפני עגמת נפש. שיבכו הרואין וירבו בכבוד המת ולא מפני שהוא אבל: מי קתני הא אסורין. דמשמע האסורין לגלח במועד אסורין לגלח באבל: יש מהן אסורין. בשאר כל אדם שאסורין לגלח במועד (ב) אסורין לגלח בימי אבלן: ויש מהן מותרין. כגון קטן זה שנולד קודם הרגל שאסור לגלח ברגל מותר לגלח בימי אבלו: אתי עשה דרבים. ושמחת: ודחי עשה דיחיד. אבל דכתיב (ירמיה ו) אבל יחיד עשי לך: דהשתא. שאירעו במועד: דנין דיני נפשות. במועד אבל לא ביום טוב שאסור משום שבות ודייקינן מינה מדדנין במועד מכלל דאי לא ציית נמי משמתינן ליה במועד: אתי רגל ודחי ליה. שאינו נוהג נדוי ברגל: דלמא לעיוני. הא דתני דדנין לא אמרי' דלימא איש פלוני חייב איש פלוני זכאי ואיכא למידק מינה דאי לא ציית משמתינן ליה אלא מעייני בדין ולא אמרי ליה כלום: מענה את דינו. דכי לא אמרו ליה דינו לאלתר דעייני ביה הוה ליה עינוי הדין: אלא. לעולם דנין דינו וגומרין ממש במועד ואיכא למידק מינה אי לא ציית משמתינן ליה ואיכא למשמע מינה דנוהג נמי ברגל ודאמרת א"כ מימנע משמחת י"ט הכא במאי עסקינן דאתו מצפרא כו': ת"ש מנודה שהתירו לו חכמים. קא סלקא דעתך התירו לכל מנודה נידויו ברגל דאין נידוי נוהג ברגל: דאזיל ופייסיה לבעל דיניה. ברגל והתירו לו חכמים ב"ד שבאותו דור: שינהיג צרעתו. שלא יבא אל תוך המחנה ולא יגלח: הא בימי טומאתו נוהג. צרעתו ברגל: ניגזור. שלא יהא מגלח במועד דכיון דגילח צריך להביא קרבן ושמא משהה קרבנותיו עד ליום טוב האחרון ומקריבן ואסור להקריב קרבנות יחיד בי"ט: לרבות כ"ג. שנוהג בו צרעת: הא כהן גדול כל השנה לדידיה כרגל לכולי עלמא דמי. דתנן כ"ג מקריב אונן מדאמר לו אהרן למשה ואכלתי חטאת היום (ויקרא י) ולא אמר למשה והקרבתי מכלל דהקרבה באנינות ולמדנו דכ"ג מקריב אונן אבל כולי עלמא בשאר ימות השנה אונן אינו משלח קרבנותיו כדאמרינן לקמן (דף טו:) שלמים בזמן שהוא שלם ולא בזמן שהוא אונן וברגל משלח וכהן גדול אונן מקריב כל השנה אלמא כל השנה לדידיה כרגל דמי וקתני דנוהג בו צרעת תיפשוט דכל מצורע נוהג צרעתו ברגל: אל תפרעו. גידול שער והאי קרא גבי מיתת נדב ואביהו כתיב ומדאצטריך קרא למישרי להו מכלל דאחריני אסורין: מצורעין. אע"ג דכתיב וראשו יהיה פרוע הא דריש ליה לקמן להאי פרוע למילתא אחריתי:

תוספות

עשה דיחיד. משמע דאבילות איכא עשה דאורייתא מדלא קאמר ודחי עשה דרבנן והאי דקאמר לעיל (דף יא:) לא מבעיא ימי אבלו דרבנן היינו עשיית מלאכה דנפקא לן (לקמן טו:) באסמכתא והפכתי חגיכם לאבל אבל גוף האבילות דאורייתא מיהו נראה לי דשמחת הרגל נמי דרבנן ושמחת היינו בשלמי שמחה כדאיתא בחגיגה (ח.): מהו שינהוג נידויו ברגל. א] והקשה הרב הא ליכא אלא עשה (ג) ואין עשה דוחה עשה ואפילו עשה ליכא אלא עזרא גזר כדלקמן (דף טז.) והא לאו קושיא היא דהא נידוי דחי לאו דמקלל חברו דאיכא לאו ושמא מסוטה ילפינן ועוד כיון שעבר על דברי הדיינין הרי יש כאן עשה דרבים: ואי לא ציית דינא משמתינן ליה. תימה לימא דאי לא לית דינא נחתינן לנכסיה ב] מיהו פריך שפיר: ממנעי משמחת י"ט. הקשה בתוס' הר"א היכי קשה ליה דהא ממנעי משמחת י"ט מאכילה ושתיה וגוף ההריגה דהוא מלאכה לא חיישינן ונראה לי מדאסר רחמנא הבערת בת כהן בשבת מכלל דבמועד שרי אי נמי כיון שהיא מצוה לצורך י"ט קרינא ביה: נמצאת אתה מענה את דינו. קשיא לן דבפ' אחד דיני ממונות (סנהדרין דף לה.) בשמעתין דלפיכך אין דנין (י) בשבת) מוכח דעינוי הדין לא שייך עד שילינוהו אחר שיגמור הדין וכי תימא דלעיוני דהכא היינו גמר דין ולא יהרגוהו עדיין עד אחר הרגל א"כ אמאי פריך לימא לעיוני בעלמא בלא גמר דין ולא יעשוהו גמר דין עד אחר המועד וי"ל דמשתכחי אף על גב דאיכא סופרי דיינין הכותבים דברי כל אחד מ"מ הסברא אשר בלב משתכח ומהאי טעמא אמרינן (שם) דאין דנין בערב שבת דליבא דאינשי אינשי: אמר אביי ת"ש מנודה שהתירו כו'. אביי לטעמיה דדחי ודלמא לעיוני ואין חושב ראייה להוכחה דלעיל ואע"ג דדחי דאי לא תימא דקאמ' לא חש באותו דיחוי ג] ואפי' נראה דיחוי ה"נ מסתברא מ"מ נוכל לומר לעיוני בלאו הכי נמי מסתברא: והא כ"ג דכל השנה כולה כרגל כו'. משמע דאם אין מנודה נוהג נידוי ברגל הוא הדין כ"ג אינו נוהג נידוי כלל וקשה דהא ס) כ"ג דן ודנין אותו ואי לא לית דינא (לא) משמתינן ליה ולמאי דפרישית לעיל ד] דנוכל לומר למיחת לנכסיה ניחא:

עין משפט נר מצוה

ז א מיי' פ"ה מהל' אבל הלכה ד טוש"ע י"ד סי' שמ סעיף כז:
ח ב מיי' פ"ז מהלכות י"ט הלכה יט טוש"ע א"ח סי' תקלא סעיף ו:
ט ג מיי' פ"י מהלכות אבל הלכה ג ח טוש"ע א"ח סי' תקמח סעיף א:
י ד טוש"ע י"ד סי' שלד סעיף א:
יא ה ו מיי' פ"ז מהל' י"ט הלכה יב טוש"ע א"ח סי' תקמה סעיף י:
יב ז מיי' פי"ג מהל' סנהדרין הלכה ד סמג לאוין לג:
יג ח מיי' שם הלכה ה:
יד ט מיי' פ"י מהל' טומאת צרעת הל' ו סמג עשין רלה:
טו י מיי' פ"ב מהלכות ביאת המקדש הל' ו:
טז כ מיי' שם הל' ח:
יז ל מיי' פ"י מהלכות טומאת צרעת הל' ו:
יח מ מיי' פ"ה מהל' אבל הל' א ג סמג עשין דרבנן ג טוש"ע י"ד סי' שפ סעיף א וסי' של סעיף א:

תורה אור השלם

א) וְשָׂמַחְתָּ בְּחַגֶּךָ אַתָּה וּבִנְךָ וּבִתֶּךָ וְעַבְדְּךָ וַאֲמָתֶךָ וְהַלֵּוִי וְהַגֵּר וְהַיָּתוֹם וְהָאַלְמָנָה אֲשֶׁר בִּשְׁעָרֶיךָ: [דברים טז, יד]
ב) לֹא תֹאכְלוּ עַל הַדָּם לֹא תְנַחֲשׁוּ וְלֹא תְעוֹנֵנוּ: [ויקרא יט, כו]
ג) וְהַצָּרוּעַ אֲשֶׁר בּוֹ הַנֶּגַע בְּגָדָיו יִהְיוּ פְרֻמִים וְרֹאשׁוֹ יִהְיֶה פָרוּעַ וְעַל שָׂפָם יַעְטֶה וְטָמֵא טָמֵא יִקְרָא: [ויקרא יג, מה]
ד) וַיֹּאמֶר מֹשֶׁה אֶל אַהֲרֹן וּלְאֶלְעָזָר וּלְאִיתָמָר בָּנָיו רָאשֵׁיכֶם אַל תִּפְרָעוּ וּבִגְדֵיכֶם לֹא תִפְרֹמוּ וְלֹא תָמֻתוּ וְעַל כָּל הָעֵדָה יִקְצֹף וַאֲחֵיכֶם כָּל בֵּית יִשְׂרָאֵל יִבְכּוּ אֶת הַשְּׂרֵפָה אֲשֶׁר שָׂרַף יְיָ: [ויקרא י, ו]

רבינו חננאל

אסור לגלחו במועד. והתנן כל אלו שאמרו מגלחין במועד מותר לגלח בימי אבלו הא אסור לגלח במועד אסור לגלח בימי אבלו ואי אמרת קטן הנולד קודם הרגל אסור לגלח במועד נמצאת אתה אומר אבלות נוהגת בקטן. ותניא מקרעין לקטן מפני עגמת נפש. ודחי רב אשי מי קתני האסורים לגלח במועד אסורים לגלח בימי אבלן מדוקיא הא אסורין בכאן אסורים בכאן שמעי' מיניה דילמא יש מהן אסור ויש מהן מותר א) וכי קתני הא אסורה קתני. איכא דאמרי קטן הנולד בין ברגל בין קודם לרגל מותר לגלחו במועד. אין אבלות נוהגת ברגל דאי אבלות מעיקרא דהא חלה עליה אתי עשה דרבים ושמחת בחגך דהיא שמחה לישראל כולו ודחה עשה דיחיד וכ"ש אבלות דרגל דאכתי לא חיילא עליה דעשה דרבים דחה לה. מנודה מהו לנהוג נדויו ברגל. פשיט רב יוסף. ת"ש דנין במועד דיני נפשות ודיני ממונות ודיני מכות. וכיון דדיינינן ליה אי לא צאית דינא משמתינן ליה ואי ס"ד אין נוהג נידויו ברגל מאן דמשמת מקמי רגל אתי רגל דחי ליה השתא משמתינן ליה. ופריק אביי דילמא האי דנין דקתני עיונא בדינא בעלמא. דאי לא תימא [הכי] דנין דיני נפשות דקתני דינא ממש הוא פסקינן לדיניה וקטלינן ליה במועד. הא מימנעי דייני משמחת י"ט. דתניא ר"ע אומר מנין לסנהדרין שהרגו את הנפש שאין טועמין כו' ולא איפשיטא בהדיא וקי"ל דהלכתא כרבא ומסקנא דשמעתא כוותיה סלקא: מצורע אסיקנא שנוהג צרעתו ברגל. אבל אסור בתספורת שנא' ראשיכם אל תפרעו לבני אהרן מכלל דכ"ע אסור. ב) כר"א דאמר וראשו יהיה פרוע אין פרוע אלא גידול שער דברי רבי אליעזר וכן

חשק שלמה על ר"ח א) אולי צ"ל וכי קתני אסורה הא אסירה קתני. ב) נראה דחסר כאן וצ"ל מצורע אסור בתספורת כר"א.

מסורת הש"ס

א) [לקמן כו:], ב) [גי' הערוך אגמת ע"ש], ג) [תוספתא פ"ב ע"ש], ד) סנהדרין סג. ע"ש, ה) [אלא כצ"ל וכ"ג רש"י], ו) [צ"ל וגמרי יעב"ץ], ז) [לעיל יג:], ח) [לקמן טו.], ט) יומא יג: הוריות יב: [ב"ק קי. זבחים לט.], י) [צ"ל בע"ש], כ) [סנהדרין יח. ע"ש].

הגהות הב"ח

(א) גמ' ת"ש והנזיר והמצורע העולה מטומאתו: (ב) רש"י ד"ה יש מהן וכו' לגלח במועד יש מהן אסורין לגלח: (ג) תוס' ד"ה מהו כו' הא ליכא אלא עשה דיחיד ואין עשה דיחיד דוחה עשה דרבים ואפילו עשה ליכא:

הגהות מהר"ב רנשבורג

א] תוס' ד"ה מהו שינהיג וכו' והקשה הרב כו' אלא עזרא גזר כדלקמן. עיין ריטב"א דבור המתחיל מנודה: ב] ד"ה ואי לא ציית כו' מיהו פריך שפיר. עיין יד דוד: ג] ד"ה אמר אביי כו' אביי לטעמיה כו' ואפילו נראה דיחוי ה"נ מסתברא כו'. בספריהם היה הגירסא א"ל אביי ודלמא לעיוני ה"נ מסתברא דאי לא תימא הכי כו' וק"ל: ד] ד"ה והא כ"ג כו' ולמאי דפרישית לעיל. בד"ה ואי לא ציית:

גליון הש"ס

גמ' נמצאת אבלות נוהגת בקטן. ק"ל הא אדרבה כיון דבקטן לא שייך אבלות אין זה יוצא מן הכלל וכל שאסור במועד אסור בימי אבלו דימי אבלו היינו במי שהוא אבל משא"כ קטן דאינו אבל ובמועד אינו איסור על הקטן רק על המגלח אבל באבל דהמגלח אינו אבל ועל קטן ליכא איסור וצלע"ג: שם מי קתני הא אסורין. כעין זה זבחים קב ע"א: שם לא מיבעיא קאמר. עיין לקמן דף יח ע"ב תוס' ד"ה העולים: שם מכלל דכולי עלמא אסור. עיין לקמן דף כ"ג ע"ב תוס' ד"ה ואינו אוכל:

רש"י כת"י

ה"ג הא אסורין לגלח במועד אסורין בימי אבלן ואי אמרת קטן. אית חילוק דאם נולד קודם המועד אסור לגלחו כיון דדייקינן הא אסורין לגלח במועד אסורין בימי אבלן נמצ' דאבל אסור לגלח את בנו קטן ונמצא אבילות נוהגת בקטן כלומר מקרעין בגדיו לקטן בנו של אבל. מפני עגמת נפש. שירבו וידברו בכבוד המת אבל משום תורת אבילות לא. מי קתני. בברייתא אסורין לגלח במועד אסורין לגלח בימי אבלן. דילמא. הכא קאמר כל אלו שאמרו מותרין במועד כולן מותרין לגלח בימי אבלן אלא יש מהן מותרין בימי אבלן כגון קטן הנולד לפני הרגל ויש מהן אסורין שאר כל אדם. מתני הכי. דבהדי' מפרש שמואל למלתיה לא שנא נולד במועד ולא שנא קודם המועד והאי דקשיא ליה ללישנא קמא השתא מסייע. רב [אשי]. אמ' מיהא לא תסייע מי קתני האסורין וכו'. אי אבילות דמעיקרא הוא. שחלה קודם המועד עליו. עשה דרבים. ושמחת שכל ישראל עושין ביחד שמחת יום טוב. עשה דיחיד. דקאמ' רחמנא ליחזקאל האנק דום התאנח ודום כאבל (מאי שנא האנק מכולהו). ואי אבילות דהשתא. שמת לו מת בתוך המועד וכבר חלה שמחת יום טוב כל שכן דלא אתי עשה דיחיד ודחי עשה דרבים. מנודה מהו. דאבל פשיט' ליה שאבילותו מפסיק במועד אלא מנודה ומצורע מבעיא לי וכן כולהו איך (אבל) בשיטה זו. דנין. במועד וביום טוב אין דנין [דתנן (ביצה לו:) אלו הן משום רשות לא דנין] וכו' וכיון דדנין ודאי אי לא ציית לדינא משמתינן ליה ואי ס"ד וכו'. והשתא משמתי' ליה. אי לא ציית לדינא בתמיה אלמא נוהג נדויו ברגל. אמ' ליה אביי ודלמא. הא דקתני דנין לעיוני דמעיינין בדיניה ומתרינן ליה לאלתר ואי לא ציית לא משמתינן ליה עד לאחר המועד ופתוחי הוא דפתח ליה נהי דליכא לשהויי למפתח לדינא בתר דעיינוה דילמא משתכחי להו לדינייהו וטעמ' כדמפ' בסנהדרין (לה.) אבל דינא לא מקיימינן ליה לאלתר. אלא. לאו לעיוני ומקטל לא קטלינא ליה עד לאחר המועד. נמצאת מענה את דינו. אלא לעולם למקטל ממש ודקא אמרת הא מימנעי משמחת יום טוב אפשר דאתו מצפרא ואכלו ושתו מיא דתניא (תוספתא פסחים פ"ב) שתויי יין אל יורה. וקטלו לי'. דהאי דאמרינן שאין טועמין כלום היינו לאחר שהרגו דכתוב לא תאכלו על הדם והכי נמי בדיני ממונות אי לא ציית משמתינן ליה [משום] דאיכא למימר הכי ואיכ' למימר הכי [אתי למפסק דינו של מנודה בחוה"מ] מאי. ת"ש. ממתני' ומנודה שהתירו לו חכמים לגלח במועד אלמ' אין נדויו נוהג ברגל. מי קתני שהתירוהו. דמשמע משום רגל התירוהו. הא לאו הכי איכא למימר דנוהג ואיכא למימר דאינו נוהג. אית דגרסי הכי ת"ש ומנודה שהתירו לו חכמים אמ' ליה רבא מי קתני שהתירוהו שהתירו לו קתני. (שנוהג) [שינהיג] צרעתו ברגל. דאסור בתכבוסת ובשאילת שלום כדמפ' לקמן. דילמא. לא מבעיא קאמ'. ניגזר. דליתסר במועד בגלוח שמא ישהא קרבנותיו אם ירפא קודם המועד ישהא ולא יקריב קרבנותיו עד הרגל דטריחא ליה מילתא לעלות לירושלים שני פעמים ולא יקריבם עד הרגל דהואיל ומותר לגלח ולהקריב קרבנות צרעתו עד הרגל ומצורע נמי מביא שלמים ושמא ישהא נמי להפטר משלמי שמחה דסגיא ליה בשלמי צרעתו. והצרוע. רבויא הוא דכתוב לעיל מיניה איש צרוע הוא טמא הוא וכתוב והצרוע אשר בו הנגע דהא במצורע משתעי. לרבות כהן גדול. שנוהג בו צרעת. דכל השנה. לא חיילא ליה אבילות. לכולי עלמא. ברגל דכולי עלמא לא חיילא אבילות ברגל. דתנן. אין אבילות חלה עליו. מקריב אונן. כהן גדול מקריב אונן דכתוב בכהן גדול על כל נפשות מת לא יבא וכתוב מן המקדש לא יצא ולא יחלל אע"פ שמת לו מת מן המקדש לא יצא שאם יעבוד לא יהא מקדש מחולל בכך (זבחים טו.). ואינו אוכל. [בקרבנותיו שהוא מקריב אונן דקדשים אסורים לאונן ק"ו] ממעשר הקל שאסור באונן דכתוב לא אכלתי באוני ממנו. אלמא כהן גדול דלא חיילא ליה אנינות ואבילות חיילא עליה צרעת הכא נמי מצורע אע"ג דלא חיילא עליה אבילות ברגל חיילא עליה צרעת. אל תפרעו. גבי מיתת נדב ואביהו כתו' ומדאצטריך קרא למשרי מכלל דאחריני אסירי.

for one might think that **we should decree** that he not cut his hair[43] during Chol HaMoed, for **perhaps he will delay** bringing **his offerings** until the last Yom Tov day.[44] קָא מַשְׁמַע לָן – **[The Tanna]** thus **informs us** that we do not so decree. Thus, no proof can be brought from the Mishnah concerning whether a festival supersedes *tzaraas*.

The Gemara again attempts to answer the question of whether a festival supersedes *tzaraas*:

אָמַר רָבָא – **Rava said:** תָּא שְׁמַע – **Come, learn** a proof from a Baraisa: "וְהַצָּרוּעַ" – The Torah states:[45] ***AND THE PERSON WITH* TZARAAS** *in whom there is the affliction – his garments shall be rent, the hair of his head shall be unshorn ...* לְרַבּוֹת כֹּהֵן גָּדוֹל – This seemingly superfluous word[46] comes **TO INCLUDE THE KOHEN GADOL** in the law of *tzaraas*. וְהָא כֹּהֵן גָּדוֹל דְּכָל הַשָּׁנָה כְּרֶגֶל לְכוּלֵּי עָלְמָא דָּמֵי – **And behold,** the **Kohen Gadol**'s status **of the entire year corresponds to** the **festival** status **of all other people** with regard to mourning,[47] דִּתְנַן – **for we learned in a Mishnah:**[48] כֹּהֵן גָּדוֹל מַקְרִיב אוֹנֵן – **A KOHEN GADOL OFFERS** sacrifices **WHILE HE IS AN** ***ONEIN***, וְאֵינוֹ אוֹכֵל – **BUT HE DOES NOT EAT** his portion of the offerings.[49] שְׁמַע מִינָּה נוֹהֵג צָרַעְתּוֹ בָּרֶגֶל – Hence, **derive from it** that **[a *metzora*] conducts** himself **during the festival** according to the restrictions imposed upon him by **his *tzaraas*.**[50] שְׁמַע מִינָּה – Indeed, **derive** that **from it.**[51]

Having mentioned a mourner in conjunction with an excommunicate and a *metzora*, the Gemara now discusses whether restrictions on a mourner are incumbent on the other two as well:[52]

אָבֵל אָסוּר בְּתִסְפּוֹרֶת – **A mourner is forbidden** to engage **in haircutting,** for מִדְּקָאָמַר לְהוּ רַחֲמָנָא לִבְנֵי אַהֲרֹן – **since the Merciful One said to the sons of Aaron** while they were mourning the deaths of their brothers Nadav and Avihu, "רָאשֵׁיכֶם אַל־תִּפְרָעוּ" – ***Do not leave your heads unshorn,***[53] מִכְּלָל דְּכוּלֵּי עָלְמָא אָסוּר – it follows **by implication that** for **all other** mourners **[haircutting] is forbidden.**[54]

NOTES

43. See above, 13b note 9.

44. Once a *metzora* cuts his hair on the seventh day of his purification process, he becomes obligated to bring the prescribed sacrifice. If the seventh day falls during Chol HaMoed, there is reason to fear that he will delay his offerings somewhat, and come to bring them on the last day of the festival, which is forbidden [individuals are forbidden to offer their sacrifices on the last day of the festival, which is not Chol HaMoed, but Yom Tov]. One might therefore think that to prevent such a transgression we should prohibit the *metzora* to cut his hair on the seventh day of his purification process when it falls during Chol HaMoed, so as to defer the obligation to bring sacrifices until after Yom Tov (*Rashi*). [See *Tos. Rid,* who challenges *Rashi's* explanation on the grounds that such a decree against haircutting is surely unnecessary, for the Kohanim on duty would not accept the *metzora's* offerings on Yom Tov (see also *Sfas Emes*). See *Rashi ms., Tos. HaRosh* and *Tos. Rid* for a different interpretation of the Gemara.]

45. *Leviticus* 13:45.

46. The word וְהַצָּרוּעַ (*and the person with tzaraas*) is repetitive because both the preceding verse – *He is a person with tzaraas, he is contaminated* – and the continuation of this verse – *in whom there is the affliction* – clearly identify the subject of the passage as a *metzora.* The word is therefore available to teach that a person whom we might have thought was exempt from the laws of *tzaraas* (viz. the Kohen Gadol) is indeed subject to them (*Rashi ms.*).

But why do we need a special teaching? Why would we have thought that the Kohen Gadol is exempt from the laws of *tzaraas*? Scripture elsewhere states that the Kohen Gadol *shall not leave his head unshorn and shall not rend his garments* [i.e. over a deceased relative] (*Leviticus* 21:10). We might have thought that this law applies even when he is afflicted with *tzaraas* – he must cut his hair and may not rend his garments. The extra word וְהַצָּרוּעַ is therefore needed to teach that the Kohen Gadol is fully bound by the laws of *tzaraas* (*Sifra* 152). See *Ritva* here.

47. Just as the laws of mourning do not take effect on ordinary Jews during a festival, they do not take effect on a Kohen Gadol the entire year (*Rashi ms., Rabbeinu Chananel;* see *Ritva* and *Keren Orah*).

48. *Horayos* 12b.

49. The first stage of the mourning period, which in general is the preburial period, is called אֲנִינוּת, *aninus;* the mourner is then known as an אוֹנֵן, *onein.* [The exact length of the *aninus* period is the subject of a Tannaic dispute; see *Zevachim* 100b and 101a.]

The Mishnah derives this ruling from the passage in which Aaron (the first Kohen Gadol), who was in a state of *aninus* following the deaths of his two sons Nadav and Avihu, did not consume a *chatas* offering. In response to Moshe's query as to why he failed to eat of the offering, Aaron replied, "*Now that such things befall me – were I to eat this day's chatas offering, would Hashem approve?*" (*Leviticus* 10:19). This answer implies that while Aaron was permitted to offer the sacrifice, he was not permitted to consume it (*Rashi*). [See, however, *Rashi ms., Rashi* to *Yoma* 13b and *Ritva,* who cite *Leviticus* 21:11,12 as the source of this law: *He* (the Kohen Gadol) *shall not come near any dead person; he shall not contaminate himself to his father or his mother. He shall not leave the Temple, and he shall not desecrate the Temple of his God* etc. This passage indicates that a Kohen Gadol may perform the Temple service after the loss of a relative without desecrating the service. See *Zevachim* 16a, where both verses are cited.]

50. The Gemara below (15b) teaches that ordinary people may not send sacrifices to the Temple while in a state of *aninus;* but they may do so during a festival (see Gemara earlier on this *amud*). Inasmuch as we have seen that a Kohen Gadol who is an *onein* may offer sacrifices throughout the year, we can conclude that the entire year for a Kohen Gadol is equivalent to a festival period for all others. Since the Baraisa has taught that a Kohen Gadol is indeed susceptible to *tzaraas,* we can further conclude that the laws of *tzaraas* operate on the festivals for all people – i.e. that *tzaraas* supersedes the festivals (*Rashi;* see *Rashi ms.*).

51. *Tos. HaRosh* asks how is it possible for a Kohen Gadol ever to become a *metzora*! For one to achieve that state, the affliction must first be seen and pronounced "*tzaraas*" by a Kohen; however, there is a rule (see above, 7a) that the Kohanim do not inspect afflictions on a festival. Hence, if a Kohen Gadol's entire year has the status of a festival, his *tzaraas* can never be seen, and he cannot become a *metzora.*

Ritva answers that the rule that *tzaraas* may not be seen by a Kohen during the festivals is only of Rabbinic origin. Our Gemara's discussion concerns Biblical law (see *Tos. HaRosh* for other approaches).

52. *Tos. HaRosh* below (15b, at the conclusion of ד"ה וביום בואו אל הקודש) implies that since so many of the restrictions on a mourner are placed upon excommunicates and *metzoras* as well, it appears that the latter two groups have, to some degree, the status of mourners. The Gemara thus explores the extent to which the laws of mourning apply to them.

53. *Leviticus* 10:6.

54. Since it was necessary for the Torah to permit the sons of Aaron to cut their hair while they were in mourning, we may infer that haircutting is otherwise forbidden to mourners (*Rashi, Rashi ms.*).

The fact that the Gemara derives this prohibition from a Biblical verse appears to refute those who maintain that the laws of mourning are of Rabbinic origin (see above, note 14). However, the commentators explain that these authorities hold that the verse is only a Scriptural support (אַסְמַכְתָּא) for the law, not its actual source (see *Ramban* to *Leviticus* 10:6, *Nimukei Yosef, Ritva* and *Keren Orah*). *Ritva* and *Tos. HaRosh* also deal with difficulties that must be addressed by those who maintain that the laws of mourning are actually derived from this verse.

The Gemara inquires:

מְנוּדִּין וּמְצוֹרָעִין – In the cases of **excommunicates and** ***metzoras,*** מַה הֵן בְּתִסְפּוֹרֶת – **what are [their laws]** with regard to engaging **in haircutting?**[1]

The Gemara responds:

תָּא שְׁמַע – **Come, learn** an answer from a Baraisa: מְנוּדִּין וּמְצוֹרָעִין אֲסוּרִין לְסַפֵּר וּלְכַבֵּס – EXCOMMUNICATES AND *METZORAS* ARE FORBIDDEN TO CUT THEIR HAIR AND LAUNDER their clothing.[2] מְנוּדֶּה שֶׁמֵּת – The Baraisa continues: In the case of AN EXCOMMUNICATE WHO DIES before seeking the court's pardon and a release from his ban,[3] בֵּית דִּין סוֹקְלִין אֶת אֲרוֹנוֹ – THE COURT STONES HIS COFFIN. רַבִּי יְהוּדָה אוֹמֵר – R' YEHUDAH SAYS:[4] לֹא שֶׁיַּעֲמִידוּ עָלָיו גַּל אֲבָנִים כְּגַלּוֹ שֶׁל עָכָן – NOT THAT THEY SHOULD ERECT UPON HIS [GRAVE] A HEAP OF STONES SIMILAR TO THE HEAP of stones placed over the grave OF ACHAN.[5] אֶלָּא – RATHER, בֵּית דִּין שׁוֹלְחִין וּמַנִּיחִין אֶבֶן גְּדוֹלָה עַל אֲרוֹנוֹ – THE COURT SENDS its agents AND THEY PLACE A LARGE STONE ON HIS COFFIN,[6] לְלַמֶּדְךָ – TO TEACH YOU שֶׁכָּל הַמִּתְנַדֶּה וּמֵת בְּנִידּוּיוֹ – THAT in the case of ANYONE WHO IS EXCOMMUNICATED AND DIES while still UNDER HIS BAN, בֵּית דִּין סוֹקְלִין אֶת אֲרוֹנוֹ – THE COURT STONES HIS COFFIN.[7]

The Gemara introduces another set of questions:[8]

אָבֵל חַיָּיב בַּעֲטִיפַת הָרֹאשׁ – **A mourner is obliged** to engage **in wrapping the head,**[9] מִדְּקָאָמַר לֵיהּ רַחֲמָנָא לִיחֶזְקֵאל – for **since the Merciful One told Ezekiel** when commanding him not to mourn, "וְלֹא תַעְטֶה עַל־שָׂפָם" – ***and do not veil yourself to the lips,***[10] מִכְּלַל דְּכוּלֵּי עָלְמָא מִיחַיְּיבֵי – it follows **by implication that all other** mourners **are required** to do so.

The Gemara asks:

מְנוּדֶּה – In the case of **an excommunicate,** מַהוּ בַּעֲטִיפַת הָרֹאשׁ – **what is [the law]** with regard to his engaging **in wrapping the head?**

The Gemara responds:

אָמַר רַב יוֹסֵף – **Rav Yosef said:** תָּא שְׁמַע – **Come, learn** an answer from a Baraisa that describes the practice of Torah scholars after the nation has undertaken thirteen unrequited fasts for rain: וְהֵן מִתְעַטְּפִין וְיוֹשְׁבִין כִּמְנוּדִּין וְכַאֲבֵלִים – AND THEY WRAP THEMSELVES AND SIT LIKE EXCOMMUNICATES AND MOURNERS עַד שֶׁיְּרַחֲמוּ עֲלֵיהֶם מִן הַשָּׁמַיִם – UNTIL MERCY IS SHOWN TO THEM FROM HEAVEN. By comparing these Torah scholars with excommunicates, the Baraisa expressly teaches that excommunicates wrap their heads.

The Gemara deflects the proof:

אָמַר לֵיהּ אַבַּיֵּי – **Abaye said to [Rav Yosef]:** דִּלְמָא מְנוּדֶּה לַשָּׁמַיִם שָׁאנֵי – **Perhaps one who is excommunicated to Heaven is different,** דַּחֲמִיר – **for [his ban]** is more **stringent** than an

NOTES

1. [The Gemara inquires whether the status of excommunicates and *metzoras* includes a prohibition against cutting one's hair (see above, 14b note 52).]

The Gemara mentions the excommunicate and *metzora* together (even though in subsequent queries each case is considered separately) because the Baraisa cited to answer the question addresses both situations simultaneously (*Rashi, Rashi ms.*).

The Rishonim ask why the Gemara inquires whether a *metzora* is permitted to cut his hair when the Torah explicitly forbids it (*Leviticus* 13:45): וְהַצָּרוּעַ אֲשֶׁר־בּוֹ הַנֶּגַע בְּגָדָיו יִהְיוּ פְרֻמִים וְרֹאשׁוֹ יִהְיֶה פָרוּעַ, *And the person with tzaraas in whom there is the affliction — his garments shall be rent, and his head shall be "parua."* The last phrase is usually translated: *and his head shall be unshorn.* What, then, is the Gemara inquiring with regard to the *metzora*? The commentators explain that, in fact, the meaning of the word פָּרוּעַ (*parua*) is the subject of a dispute (below) between R' Eliezer and R' Akiva. Our Gemara follows the view of R' Akiva, who does not interpret *parua* to mean "unshorn" (*Rashi* above, 14b ד״ה מצורעין, *Rashi ms.*, and *Tosafos* ד״ה מנודין ומצורעין; cf. *Tosafos* ד״ה וראשו יהיה פרוע, with *Ritva*).

2. [Here the Baraisa explicitly answers the Gemara's question.] The commentators ask why the Gemara adduces proof from a Baraisa when it could do so from our Mishnah, which states: "And these may cut their hair during [Chol] HaMoed ... the excommunicate whom the sages released [from his ban] ... or a *metzora* [who ascends] from his [state of] contamination to his [state of] purity." The Mishnah implies that only then are they permitted to cut their hair; however, while they are the *metzoras* and excommunicates, they are forbidden to do so. See *Ritva* to our Mishnah ד״ה ומנודה, *Sefer HaMichtam, Talmid R' Yechiel MiParis* and *Hagahos Yavetz* for various approaches to resolving this difficulty.

3. *R' Shlomo ben HaYasom.*

4. R' Yehudah comes to explain the Tanna Kamma's ruling, not to dispute it (*Talmid R' Yechiel MiParis*).

5. By a casting of lots, Achan was found guilty of expropriating the consecrated spoils of Jericho (*Joshua* ch. 7). After he was stoned to death, Scripture reports (ibid. v. 26) that *they piled a great heap of stones upon [his grave].* See *Metzudas David* to *Joshua* 7:26.

6. To serve as a token of stoning (זֵכֶר בְּעָלְמָא) (*Rashi ms., Nimukei Yosef*). The purpose of this symbolic "stoning" was to impress upon observers the seriousness of the excommunicate's transgression (*R' Shlomo ben HaYasom*) and to shame him for dishonoring the Sages [i.e. by failing to seek their pardon and a release from the ban] (*Ritva*). See following note.

7. *Rashi ms.* questions what the statement "to teach you etc." connotes — the Gemara appears to be repeating itself! (see also *Maharatz Chayes*). *Perishah* (to *Tur Yoreh Deah* 334 §17) explains that the "you" of לְלַמֶּדְךָ – *to teach you* — is the onlooker. Thus, the Gemara's statement is interpreted as follows: A stone is placed upon the coffin so that others will take note of the treatment meted out to the transgressor and will not follow in his footsteps. *Derishah* (ibid. §6) adds, in the name of *Rambam,* that this treatment was reserved for heretics and for those who violated the precepts of the Rabbis. Such people are not eulogized, and their mourners do not rend their clothing or remove their shoes. However, if a person had been excommunicated pursuant to a monetary dispute, his coffin is not "stoned" and he is not subject to the other penalties (see *Yoreh Deah* 334:3 and 345:4).

8. See above, 14b note 52.

9. The mourner should cover his head with a cloak or scarf and draw part of it over his mouth and nostrils (*Yoreh Deah* 386:1; cf. *R' Shlomo ben HaYasom;* see also *Meiri* and *Sefer HaMeoros*).

[However, *Rama* to *Yoreh Deah* (ibid.) writes, "In our regions wrapping the head is not performed. This has become the accepted practice and one should not be strict and adopt a practice not followed by our fathers." *Shach* (ibid.) explains that wrapping the head is not done because it leads to excessive ridicule by the gentiles, servants and maidservants among us. He adds, however, that the mourner should perform a slight act of "wrapping" — namely, to lower the hat in front of the eyes (see also *Talmid R' Yechiel MiParis* and *Taz* ibid.).]

10. *Ezekiel* 24:17. In the passage where this verse appears, the prophet is told that his beloved wife would fall victim to a plague. However, he was commanded to refrain from the usual practices of a mourner, which the full verse enumerates: הֵאָנֵק דֹּם מֵתִים אֵבֶל לֹא־תַעֲשֶׂה פְּאֵרְךָ חֲבוֹשׁ עָלֶיךָ וּנְעָלֶיךָ תָּשִׂים בְּרַגְלֶיךָ וְלֹא תַעְטֶה עַל־שָׂפָם וְלֶחֶם אֲנָשִׁים לֹא תֹאכֵל, *Grieve and be silent. Do not practice rites of mourning for the dead. Don your glory upon yourself and place your shoes upon your feet. Do not veil yourself to the lips and do not eat the bread of other people.* [*Rashi* there (to verse 22) explains that mourners find comfort when there are others to console them, but the dimensions of the oncoming tragedy and the loss of the beloved Temple, now symbolized by Ezekiel's personal bereavement, were universal and beyond consolation (see also *Rashi ms.* and *Talmid R' Yechiel MiParis*).]

[Many of the normative laws of mourning are derived from God's instructions to Ezekiel in this verse, and it is cited repeatedly by the Gemara below.]

Thus, Ezekiel was commanded, *do not veil yourself to the lips,* which implies that the practice of mourners was to veil their faces in that manner.

מנודין ומצורעין מה הן בתספורת ת"ש [א] מנודין [ב] ומצורעין אסורין לספר ולכבס מנודה שמת ב"ד סוקלין את ארונו ר' יהודה אומר לא שיעמידו עליו גל אבנים כגלו של עכן [ג] אלא ב"ד שולחין ומניחין אבן גדולה על ארונו (א) ללמדך שכל המתנדה ומת בנידויו ב"ד סוקלין את ארונו [ד] אבל חייב בעטיפת הראש מדקאמר ליה רחמנא ליחזקאל (א) ולא תעטה על שפם מכלל דכולי עלמא מיחייבי מנודה מהו בעטיפת הראש אמר רב יוסף ת"ש (ב) והן מתעטפין ויושבין כמנודין וכאבלים עד שירחמו עליהם מן השמים א"ל אביי דלמא מנודה לשמים שאני דחמיר מצורע מהו בעטיפת הראש ת"ש (ב) ועל שפם יעטה [ה] מכלל שחייב בעטיפת הראש ש"מ (ג) אבל [ו] אסור להניח תפילין מדקאמר ליה רחמנא ליחזקאל (א) פארך חבוש עליך מכלל דכ"ע אסור (ד) מנודה מהו בתפילין תיקו מצורע מהו בתפילין ת"ש (ב) (ה) והצרוע [ז] לרבות כ"ג בגדיו יהיו פרומים [ח] שיהו מקורעים (ב) וראשו יהיה פרוע אין פריעה אלא [ט] גידול שער דברי ר"א ר"ע אומר נאמרה הוייה בראש ונאמרה הוייה בבגד מה הוייה האמורה בבגד דבר שחוץ מגופו אף הוייה בראש דבר שחוץ מגופו מאי לאו אתפילין אמר רב פפא לא (ו) אכומתא וסודרא אבל [י] אסור בשאילת שלום דקאמר ליה רחמנא ליחזקאל (א) האנק דום מנודה מהו בשאילת שלום אמר רב יוסף ת"ש (ז) [כ] ובשאילת שלום שבין אדם לחברו כבני אדם הנזופין למקום א"ל אביי דלמא מנודה לשמים שאני דחמיר מצורע מהו בשאילת שלום ת"ש ועל שפם יעטה שיהו שפתותיו מדובקות זו בזו שיהא כמנודה וכאבל [ל] ואסור בשאילת שלום ש"מ וניפשוט מינה למנודה אמר רב אחא בר פנחס משמיה דרב יוסף מי קתני שאסור שיהא כמנודה וכאבל (ח) [קתני] במילי אחרנייתא ואסור נמי בשאילת שלום [מ] אבל אסור בדברי תורה מדקאמר רחמנא ליחזקאל דום מנודה מהו בדברי תורה אמר רב יוסף ת"ש מנודה [נ] שונה ושונין לו נשכר ונשכרין לו [ס] מוחרם לא שונה ולא שונין לו לא נשכר ולא נשכרין לו [ע] אבל שונה הוא לעצמו שלא יפסיק את למודו [פ] ועושה לו חנות קטנה בשביל פרנסתו ואמר רב זבוני מיא בפקתא דערבות שמע מינה מצורע מהו בדברי תורה (ט) ת"ש (ג) והודעתם לבניך ולבני בניך יום אשר עמדת לפני ה' אלהיך בחורב מה להלן באימה וביראה וברתת ובזיעה מכאן אמרו (י) הזבין והמצורעין ובועלי נדות [צ] מותרין לקרות בתורה ובנביאים ובכתובים ולשנות במדרש ובש"ס בהלכות ובאגדות [ק] ובעלי קריין אסורין ש"מ אבל [ר] אסור (כ) בתכבוסת דכתיב (ד) וישלח יואב תקועה ויקח משם אשה חכמה ויאמר אליה התאבלי נא ולבשי נא בגדי אבל ואל תסוכי שמן והיית כאשה זה ימים רבים מתאבלת על מת מנודין ומצורעין מה הן בתכבוסת ת"ש מנודין ומצורעין אסורין לספר ולכבס ש"מ אבל [ש] חייב בקריעה דקאמר להו רחמנא לבני אהרן (ה) לא תפרומו מכלל דכ"ע מיחייבי מנודה מהו בקריעה תיקו מצורע מהו בקריעה ת"ש (ב) בגדיו יהיו פרומים [ת] שיהו מקורעים שמע מינה אבל [א] חייב בכפיית המטה דתני בר קפרא

דמות

רש"י

מנודין ומצורעין מהו. להכי קאמר להו בהדדי: מנודה שמת וכו'. סיפא דברייתא היא: כגלו של עכן. דכתיב (יהושע ז) ויקימו עליו גל אבנים גדול: והן מתעטפין. מפורש במסכת תענית לאחר שהתענו שלש עשרה ת"צ: מנודה לשמים. כי הני שאני דחמירי ולהכי צריכי עטיפת הראש אבל אחרים אינן צריכין עטיפת הראש: יעטה. משמע עטיפת הראש: פארך. זה תפילין: דבר שהוא חוץ מגופו אף הוייה. האמורה בראש ראשו יהיה פרוע משמע מגולה כענין דכתיב ופרע את ראש האשה (במדבר ה) דבר שהוא חוץ מגופו ולא אמרינן משער שהוא מגופו: מאי לאו. שיהא ראשו מגולה מתפילין: אכומתא וסודרא. כלומר שיהא ראשו מגולה מכומתא וסודרא אבל תפילין מניח: דהא א"ל רחמנא ליחזקאל האנק דום. כלומר בדבר זה תנהוג אבילות שתדום ולא תשאל לשלום: ת"ש. דתני גבי תעניות הן יושבין כמנודין ואבלים כו': שפם. משמע שפתותיו מדובקות: מי קתני כמנודה. שאסור בשאילת שלום: מוחרם. שמחרימין בחרם לאחר ל' יום לאחר הנדוי [א]: בפקתא דערבות. בשוק של אותו מקום: בעלי קריין אסורין. לפי שבא להם מחמת שמחה וקלות ראש וליכא אימה:

דמות

תוספות

מנודין ומצורעין מה הן בתספורת. ומראשו יהיה פרוע לא בעי לאוכוחי דלית ליה דר"א דמוקי לה לקמן בתספורת תדע דלקמן בעי לאוכוחי מינה הנחת תפילין כר"ע:

(ל) **(מנודה)** מהו בעטיפת הראש אמר רב יוסף תא שמע. ולא נראה לו דברי רב פפא דמוקי ראשו יהיה פרוע אכומתא וסודרא:

וראשו יהיה פרוע. צריך עיון אי פליגי הכי בראשיכם אל תפרעו ובגדיכם לא תפרומו דלעיל מייתי (א) עליה תספורת לאבל ולא מייתי מיניה למצורע דמשמע דסבר כר"ע ופליג אדר' אליעזר כדפרישית לעיל ושמא ר"ע לא פליג אדרבי אליעזר דפריעת הראש היינו גידול שער בין במצורע בין באבל ותרוייהו דורש ר"ע ולעיל דלא מייתי מיניה למצורע משום דמשכח ברייתא בהדיא מייתי לה ואע"ג דברישא דסוגיא מייתי אבל אינו נוהג אבילותו ברגל ומניח המשנה דלקמן ומייתי קרא דושמחת לפי שצריך לפרש מנלן מתני' דאבל אינו נוהג אבילותו ברגל אבל ראשו יהיה פרוע דמיירי בגידול שער דומה לו דבר פשוט וניחא ליה לאתויי ברייתא:

אסור בשאילת שלום דקאמר ליה רחמנא ליחזקאל האנק דום. דמשמע שתיקה משאילת שלום ומתלמוד תורה נמי משמע בסמוך מהאנק דום והא דהיה יחזקאל נוהג אבילות בהאנק דום וככל שאר דברים לא היה עושה שהיה צריך להראות בקצת דברים שהוא אבל ולא היה נוהג דיני אבל אלא למשל:

שיהו שפתותיו מדובקות. לעיל דרשינן מיניה עטיפת הראש ושמא תרוייהו משמע א"נ מדכתיב שפם ולא כתיב שפה:

ובועלי נדות מותרין. אחר שטבל לקרי אבל לקריו צריך טבילה ולרבי יהודה משמע התם דלא צריך טבילה לדברי תורה לבעל קרי היכא דלא נטהר ע"י טבילה זו בפרק מי שמתו (ברכות דף כו.) במשמשת ורואה דם ובעל קרי שראה זיבה צריכין טבילה ור' יהודה פוטר והא דהכא בלא טבילה כרבי יהודה צריך ליישב דאיירי רבי יהודה בסיפא דהך ברייתא בפ' מי שמתו (שם דף כב.) וקאמר רבי יהודה שונה הוא בהלכות דרך ארץ וליכא למימר דלרבי יהודה נמי בועלי נדות חייבין טבילה כמו בעל קרי בעלמא דהשתא ומה בעל קרי שראה זיבה אחר כך שהיה חייב כבר פוטר רבי יהודה בועל נדה לא כל שכן מיהו לכאורה נ"ל דלא פליגי רבי יהודה ורבנן אלא בהני טומאות דדומיא דקרי הוי דהיינו דטומאה יוצאה עליו מגופו אבל בטומאת שרצים מודה רבי יהודה דבהדי קרי צריך טבילה א"כ ה"נ בועל נדה מודה דלא חשיב טומאה יוצאה מגופו ואפילו מאן דבעי למימר בפרק אלו דברים בפסחים (דף סח.) ובפ"ק דיומא (דף ו.) דמשתלח חוץ לשתי מחנות כמו בעל קרי מ"מ לא חשיב טומאה יוצאה מגופו ורבי יהודה נמי הצריך טבילה לדברי תורה [ס] בתוספ' פי' דכיון דטומאת בועל נדה מכח קרי רבי יהודה מודה דצריך טבילה:

ה"ג **מנודין** ומצורעין מה הן בתכבוסת ת"ש מנודין ומצורעין אסורין לספר ולכבס. ובספר הרב לא היה כתוב כל זה והיה קשה לרב למה לא בעי ליה ותירץ דכבר אייתי לעיל הך ברייתא דגבי תספורת והאי הקשה לקמן גבי עשיית מלאכה קמיבעי ומביא ברייתא דמתניא לעיל ונשכרין ותירץ דאגב דמצורע קאי בתיקו קא בעי מנודה ומייתי לברייתא דלעיל:

ורחילה

רש"י כת"י

מצורעין. אע"ג דכתו' בהו ראשו יהיה פרוע אפי' הכי קא מבעיא ליה דאיכא דדריש פרוע לקמן למלת' אחריתי. מנודין ומצורעין מהן וכו'. להכי מבעיא ליה תרויהו כחדא משום דמתרלי כחדא תירוצא. מנודה שמת. סיפא דברייתא הוא. כגלו של עכן. דכתוב (ויעמידו) [ויקימו] (יהושע ז) עליו גל אבנים גדול דמשום זכר בעלמא הוא דעבדו. ללמדך. לא ידענא [אמאי קאי]. אבל. פשיטא לי דחייב בעטיפת הראש מדקאמ' ליה רחמנא ליחזקאל לא תעטה על שפם מכלל דבאבל מתים בעי עטוי שפם ורחמנא הוא דאמר ליחזקאל מתים אבל לא תעשה רמז לשונאיהם של ישראל שלא יהו סופדין ומתאבלין זה על זה מרוב מתים שיפלו מהם ולא יוכלו להתאבל עליהן ומתוך פורענות שיבא עליהם בחייהם ישמח כל אחד ואחד במיתתו של חבירו ולא יחול אבל עליו. שפם. לשון שפה גרינו"ן בלע"ז כל ראשו ופרצופו עיטוי. והן מתעטפין. עברו אלו ולא נענו חבירים אין שאילת שלום ביניהן והן מתעטפין וכו' בשלהי פר"ק דתענית. דלמא מנודה לשמים שאני. כגון אלו דלא נענו דחמירי. מצורע נמי לא איבעיא ליה דמקרא מלא אלא יגדיל תורה ויאדיר. פארך. אלו תפלין. הוויה שבראש. יהיה פרוע. הוויה בבגד. יהיו פרומים חוץ מגופו לאפוקי שער דגופו הוא ומיירי בכולי עלמא אפי' בישראל ולא איירי בכהן אלא רישא דקרא והצרוע. מאי. חוץ מגופו לאו לאסר להניח. כומתא. כובע. סודרא סודר יפה. האנק דום. קצת אבילות עשה שתעשה בדממה ולא תשאל לשום אדם לשלום. מבני אדם הנזופין למקום. שאסורין בשאילת שלום גבי עברו אלו ולא נענו (תענית יג:). נזיפה. גערה כדמתרגמי' (בראשית לז) ויגער בו אביו ונזף ביה אבוהי שגערו בו ב"ד ושתקוהו כנזיפה והיינו נמי מנודה לשון על כן לנדה היתה (איכה א) וכמו נע ונד (בראשית ד) שהיה מתנודה עליהם ומתרחקין ממנו בני אדם שלא היו יושבין בד' אמות שלו כדלקמן. [ונפשוט מינה למנודה]. מדקתני שאסור בשאילת שלום כמנודה וכאבל. שונה. לאחרים. נשכר. למלאכת אחרים. מוחרם. שנתנדה שלשה פעמים כדלקמן. שונה הוא לעצמו. בלחש. חנות קטנה. בשביל פרנסתו כלומר מיעוט מלאכה כדי פרנסה. מאי חנות קטנה. פקתא בקעה שבאותו מקום אין שם מים כדאמרינן נמי בשחיטת חולין בפרק כל הבשר (קו.). זבין ומצורעין. ברתת וזיע הן שלבן דואג. ובועלי נדות. נמי אע"פ שמתוך קלות ראש בעל את הנדה לאחר כן לבו דואג מחמת החטא אבל בעלי קריין אם ראו קרי בעלמא מתוך שמחה וקלות ראש הוא וכן אם שמש מטתו נמי לא ברתת הוא לשמחה הוא לו. וישלח יואב תקועה. במנחות (פה:) מפרש מאי שנא תקועה משום דתקועה אלפא לשמן ושמן מפקח והיא חכמה ביותר. לבשו בגדי אבל דמשמע דבגדי אבל מנוולין הן אלמא אסור בתכבוסת. כפיית המטה. שכופה מטתו מלמעלה למטה והופכה.

רבינו חננאל

מנודה וכן מצורע דתניא מנודין ומצורעין אסורין לספר ולכבס. מנודה שמת ב"ד סוקלין את ארונו. ר' יהודה אומר לא שיעמידו עליו גל אבנים כגל עכן. אלא ב"ד שולחין ומניחין אבן על ארונו כו'. אבל חייב בעטיפת הראש מדאמר ליה רחמנא ליחזקאל לא תעטה על שפם מכלל דכ"ע אסירי וכן מנודה דתנן והן מתעטפין ויושבין כמנודין ואבלין עד שירחמו עליהן מן השמים ודחי אביי ודלמא מנודה לשמים דחמיר חייב בעטיפת הראש אבל מנודה לבני אדם לא. ולקולא עבדינן. ולא מחייבינן למנודה בעטיפת הראש דהא איבעיא ולא איפשיטא. מצורע אסיקנא דחייב בעטיפת הראש. אבל אסור בתפלין מדכתיב ביחזקאל פארך חבוש עליך מכלל דכ"ע אסירי מנודה מהו בתפלין תיקו. מצורע מהו בתפלין ולא איפשיטא בהדיא אבל אסור בשאילת שלום מדכתיב ביחזקאל האנק דום אלא דבר מכלל דכ"ע אסירי. מנודה מאי ת"ש מנודה שונה ושונין לו נשכר ונשכרין לו מוחרם לא שונה ולא שונין לו [לא נשכר] ולא נשכרין לו אבל שונה לעצמו שלא יפסיד תלמודו ועושה לו חנות קטנה בפקתא דערבות שהיא ארץ ציה רחוקה מן הישוב לזבוני מיא כדי פרנסתו וכן מצורע מותר בדברי תורה אבל אסור בתכבוסת ובסיכה שנאמר וישלח יואב תקועה ויקח משם אשה חכמה ויאמר אליה התאבלי נא ולבשי נא בגדי אבל ואל תסוכי שמן והיית כאשה זו ימים רבים מתאבלת על מת. אבל אסור ברחיצה דרחיצה בכלל סיכה היא מנודה ומצורע ברחיצה לא איפשיטא בהדיא. אבל חייב בקריעת בגדיו מדכתיב בבני אהרן ובגדיכם לא תפרומו מכלל דכולי עלמא חייבי וכן מצורע מנודה מאי תיקו אבל חייב בכפיית המטה. מנודים ומצורעים מהו תיקו

מסורת הש"ס

א) ברכות יט. עדיות פ"ה מ"ו, ב) תענית יד:, ג) סוכה כה. כתובות ו: ע"ש [מס' שמחות פ"ו ברכות יא. טז:], ד) [עי' תוס' ישנים נדה ז: ד"ה הקשה ה"ר דאבי"ה וכו'], ה) [לעיל יד:], ו) [פי' כומתא מגבעה רכה שהיא כמלא הראש ואין עולה למעלה מן הראש. ערוך], ז) תענית יב:, ח) ס"א, ט) ברכות כב., י) [תוספתא דברכות פ"ב], כ) לקמן יז:, ל) גי' רש"א מלורע.

הגהות הב"ח

(א) תוס' ד"ה וראשו כו' דלעיל מייתי מיניה איסור תספורת לאבל:

גליון הש"ס

תוס' ד"ה ובועלי נדות וכו' ובתוספ' פי' דכיון דטומאת בועל נדה. עיין משנה למלך פ"ג ה"ג מהל' ביאת מקדש:

תורה אור השלם

א) הֶאָנֵק דֹּם מֵתִים אֵבֶל לֹא תַעֲשֶׂה פְּאֵרְךָ חֲבוֹשׁ עָלֶיךָ וּנְעָלֶיךָ תָּשִׂים בְּרַגְלֶיךָ וְלֹא תַעְטֶה עַל שָׂפָם וְלֶחֶם אֲנָשִׁים לֹא תֹאכֵל: [יחזקאל כד, יז]

ב) וְהַצָּרוּעַ אֲשֶׁר בּוֹ הַנֶּגַע בְּגָדָיו יִהְיוּ פְרֻמִים וְרֹאשׁוֹ יִהְיֶה פָרוּעַ וְעַל שָׂפָם יַעְטֶה וְטָמֵא טָמֵא יִקְרָא: [ויקרא יג, מה]

ג) רַק הִשָּׁמֶר לְךָ וּשְׁמֹר נַפְשְׁךָ מְאֹד פֶּן תִּשְׁכַּח אֶת הַדְּבָרִים אֲשֶׁר רָאוּ עֵינֶיךָ וּפֶן יָסוּרוּ מִלְּבָבְךָ כֹּל יְמֵי חַיֶּיךָ וְהוֹדַעְתָּם לְבָנֶיךָ וְלִבְנֵי בָנֶיךָ: יוֹם אֲשֶׁר עָמַדְתָּ לִפְנֵי יְיָ אֱלֹהֶיךָ בְּחֹרֵב בֶּאֱמֹר יְיָ אֵלַי הַקְהֶל לִי אֶת הָעָם וְאַשְׁמִעֵם אֶת דְּבָרָי אֲשֶׁר יִלְמְדוּן לְיִרְאָה אֹתִי כָּל הַיָּמִים אֲשֶׁר הֵם חַיִּים עַל הָאֲדָמָה וְאֶת בְּנֵיהֶם יְלַמֵּדוּן: [דברים ד, ט-י]

ד) וַיִּשְׁלַח יוֹאָב תְּקוֹעָה וַיִּקַּח מִשָּׁם אִשָּׁה חֲכָמָה וַיֹּאמֶר אֵלֶיהָ הִתְאַבְּלִי נָא וְלִבְשִׁי נָא בִגְדֵי אֵבֶל וְאַל תָּסוּכִי שֶׁמֶן וְהָיִית כְּאִשָּׁה זֶה יָמִים רַבִּים מִתְאַבֶּלֶת עַל מֵת: [שמואל ב' יד, ב]

ה) וַיֹּאמֶר מֹשֶׁה אֶל אַהֲרֹן וּלְאֶלְעָזָר וּלְאִיתָמָר בָּנָיו רָאשֵׁיכֶם אַל תִּפְרָעוּ וּבִגְדֵיכֶם לֹא תִפְרֹמוּ וְלֹא תָמֻתוּ וְעַל כָּל הָעֵדָה יִקְצֹף וַאֲחֵיכֶם כָּל בֵּית יִשְׂרָאֵל יִבְכּוּ אֶת הַשְּׂרֵפָה אֲשֶׁר שָׂרַף יְיָ: [ויקרא י, ו]

עין משפט נר מצוה

יט א מיי' פ"ז מהלכות ת"ת הלכה ד סמג לאוין רח ועשין רלה טוש"ע י"ד סי' שלד סעיף ג:
כ ב מיי' פ"י מהלכות טומאת צרעת הלכה ו סמג עשין שם:
כא ג מיי' פ"ז מהלכות ת"ת הלכה ד סמג שם טוש"ע י"ד סי' שלד סעיף ג:
כב ד מיי' פ"ה מהל' אבל הלכה א יט סמג עשין דרבנן ג טוש"ע י"ד סי' שפ סעיף א וסי' שפו:
כג ה מיי' פ"י מהלכות טומאת צרעת הלכה ו סמג עשין רלה:
כד ו מיי' פ"ד מהלכות אבל הלכה ט סמג עשין דרבנן ג טוש"ע י"ד סי' שפ סעיף א וסי' שפח סעיף א [טוש"ע א"ח סי' לח עי' ש"ך יו"ד סי' שלד ס"ק יג]:
כה ז ח ט מיי' פ"י מהל' טומאת צרעת הלכה ו סמג עשין רלה:
כו י מיי' פ"ה מהלכות אבל הלכה א כ סמג עשין דרבנן ג טוש"ע י"ד סי' שפ סעיף א וסי' שפה סעיף א:
כז כ מיי' פ"ג מהלכות תענית הל' ח טוש"ע א"ח סי' תקעה סעיף ז:
כח ל מיי' פ"י מהלכות טומאת צרעת הל' ו סמג עשין רלה:
כט מ מיי' פ"ה מהלכות אבל הל' א טו סמג עשין דרבנן ג טוש"ע י"ד סי' שפ סעיף א וסי' שפד:
ל נ ס ע פ מיי' פ"ז מהלכות ת"ת הל' ד ה טוש"ע י"ד סי' שלד סעיף ג:
לא צ מיי' פ"י מהל' טומאת צרעת הל' ו סמג עשין רלה:
לב ק מיי' פ"ד מהל' ק"ש הל' ח טוש"ע א"ח סי' פח:
לג ר מיי' פ"ה מהלכות אבל הלכה א ג סמג עשין דרבנן ג טוש"ע י"ד סי' שפ סעיף א וסי' שפט סעיף א:
לד ש מיי' פ"ח מהל' אבל הלכה א סמג עשין דרבנן ג טוש"ע שם סי' שמ סעיף א:
לה ת מיי' פ"י מהל' טומאת צרעת הל' ו סמג עשין רלה:
לו א מיי' פ"ה מהלכות אבל הלכה א יח סמג עשין דרבנן ג טוש"ע י"ד סי' שפ סעיף א וסי' שפז סעיף א:

הגהות מהר"ב רנשבורג

א] רש"י ד"ה מוחרם שמחרימין בחרם לאחר ל' יום לאחר הנדוי. נ"ב לאחר ששים תניא לקמן דף טז ע"א ואולי כוונת רש"י אחרי שלשים השניים דתניא שם ושונין לאחר שלשים ומחרימין לאחר ששים:

ordinary ban.[11] – ? –

The Gemara inquires about a *metzora*:

מְצוֹרָע – And in the case of **a *metzora*,** מַהוּ בַּעֲטִיפַת הָרֹאשׁ – **what is [the law]** with regard to his engaging **in wrapping the head?**

The Gemara responds:

תָּא שְׁמַע – **Come, learn** an answer to your inquiry: ,,וְעַל־שָׂפָם יַעְטֶה" – The Torah states regarding a *metzora*:[12] ***and he shall veil himself up to his lips.*** מִכְּלָל שֶׁחַיָּיב בַּעֲטִיפַת הָרֹאשׁ – It follows **by implication that [a *metzora*] is obligated** to engage **in wrapping the head.** שְׁמַע מִינָּהּ – Indeed, **derive it from [this verse].**[13]

Another set of queries:

אָבֵל אָסוּר לְהָנִיחַ תְּפִילִּין – **A mourner is forbidden to don tefillin,**[14] מִדְּקָאָמַר לֵיהּ רַחֲמָנָא לִיחֶזְקֵאל – for **since the Merciful One told Ezekiel,** ,,פְּאֵרְךָ חֲבוֹשׁ עָלֶיךָ" – ***don your glory upon yourself,***[15] מִכְּלָל דְּכוּלֵּי עָלְמָא אָסוּר – it follows **by implication that all other** mourners **are forbidden** to don tefillin.[16]

The Gemara asks:

מְנוּדֶּה – In the case of **an excommunicate,** מַהוּ בִּתְפִילִּין – **what is [the law]** with regard to his donning **tefillin?**

The Gemara responds:

תֵּיקוּ – **Let it stand.** The issue remains unresolved.[17]

The Gemara inquires about a *metzora*:

מְצוֹרָע – And in the case of **a *metzora*,** מַהוּ בִּתְפִילִּין – **what is [the law]** with regard to his donning **tefillin?**

The Gemara responds:

תָּא שְׁמַע – **Come, learn** an answer from a Baraisa: ,,וְהַצָּרוּעַ" – The verse states:[18] ***AND THE PERSON WITH TZARAAS*** – לְרַבּוֹת כֹּהֵן גָּדוֹל – this seemingly extraneous word comes **TO INCLUDE A KOHEN GADOL** in the laws of *tzaraas*.[19] ,,בְּגָדָיו יִהְיוּ פְרֻמִים" – The verse continues: ***HIS GARMENTS SHALL BE PERUMIM*** – שֶׁיִּהוּ מְקוּרָעִים – this means **THAT THEY SHALL BE RENT.** ,,וְרֹאשׁוֹ יִהְיֶה פָרוּעַ" – The verse then states: ***AND HIS HEAD SHALL BE PARUA*** – אֵין פְּרִיעָה אֶלָּא גִּידּוּל שֵׂעָר – **AND** the meaning of **"*PERIAH*" IS NONE OTHER THAN THE** unhindered **GROWTH OF HAIR** on the head. דִּבְרֵי רַבִּי אֱלִיעֶזֶר – These are **THE WORDS OF R' ELIEZER.** רַבִּי עֲקִיבָא אוֹמֵר – **R' AKIVA SAYS:** נֶאֶמְרָה הֲוָיָה בָּרֹאשׁ – A variation of the word **"BEING" IS STATED** regarding **THE** *metzora's* **HEAD,**[20] וְנֶאֶמְרָה הֲוָיָה בְּבֶגֶד – **AND** a variation of **"BEING" IS STATED** also regarding his **GARMENT.**[21] We can therefore apply the rule of *gezeirah shavah*[22] to ascertain the meaning of *periah,* as follows: מָה הֲוָיָה הָאֲמוּרָה בְּבֶגֶד דָּבָר שֶׁחוּץ מִגּוּפוֹ – **JUST AS THE "BEING" STATED REGARDING A GARMENT** concerns **AN ITEM THAT IS EXTERNAL TO HIS BODY** (viz. the garment itself), אַף הֲוָיָה בָּרֹאשׁ דָּבָר שֶׁחוּץ מִגּוּפוֹ – **SO TOO,** the **"BEING"** stated **REGARDING** his **HEAD** concerns **AN ITEM THAT IS EXTERNAL TO HIS BODY.** מַאי לָאו אַתְּפִילִּין – And to **WHAT** item does the verse allude? Does it **NOT** allude **TO TEFILLIN?**[23] Thus, according to R' Akiva, a *metzora* is forbidden to don tefillin. R' Eliezer holds, however, that he is still obligated to perform that mitzvah.

The Gemara rejects this proof:

אָמַר רַב פָּפָּא – **Rav Pappa said:** לֹא – The verse does **not** necessarily allude to tefillin according to R' Akiva. אַכּוּמְתָּא וְסוּדָרָא – Rather, it alludes **to a hat and a turban,** and teaches that a *metzora* may not cover his head with these items.[24]

Another set of queries:

אָבֵל אָסוּר בִּשְׁאֵילַת שָׁלוֹם – **A mourner is forbidden** to engage **in greeting** others,[25] דְּקָאָמַר לֵיהּ רַחֲמָנָא לִיחֶזְקֵאל – **for the Merciful One said to Ezekiel,** ,,הֵאָנֵק דֹּם" – ***Grieve and be silent.***[26]

NOTES

11. Abaye argues that these sages, whose prayers for rain have gone unanswered, should be regarded as having been placed under a Heavenly ban (*Rashi ms.;* see *Nimukei Yosef*). However, ordinary excommunicates are not required to wrap their heads (*Rashi*).

The Gemara's query is not resolved. The Rishonim dispute what the halachah should be in this case (see *Meiri*). *Shach* (334:12), citing "most *poskim,*" opines that an excommunicate is not required to wrap his head. Further, he states that regarding all the queries of the Gemara here that concern an excommunicate and remain unresolved, the practice is to follow the lenient opinion (see below, 16a note 3, for further discussion of the practical halachah in the unresolved cases below).

12. *Leviticus* 13:45.

13. The answer to the Gemara's question is an explicit verse. That being the case, why did the Gemara pose the question in the first place? *Talmid R' Yechiel MiParis* concedes that the query is unnecessary, and adds that the answers to a number of questions raised in this passage are self-evident. Nevertheless, the Gemara asks those questions in order to maintain the self-imposed structure of its discussion (see above, 14b note 52). See, however, *Tosafos* below (ד״ה שיהו), who note that the Gemara derives a different law from this verse [perhaps that is why the Gemara here says, "It follows by implication . . ."].

14. The Gemara below (21a) records a dispute regarding the number of days that a mourner is forbidden to wear tefillin.

15. *Ezekiel* 24:17. פְּאֵרְךָ, *your glory,* refers to tefillin (*Rashi*). Thus, God commanded Ezekiel to wear his tefillin and not publicly mourn his wife (*Nimukei Yosef*).

[Tefillin is called "our glory" because it is our glory to wear a Divinely mandated ornament in a most prominent position – the center of the head. See also *Talmid R' Yechiel MiParis.*]

16. See note 10 above.

17. See *Orach Chaim* 38:13; but see *Mishnah Berurah* there §38.

18. *Leviticus* 13:45, which states in pertinent part: וְהַצָּרוּעַ . . . בְּגָדָיו יִהְיוּ פְרֻמִים וְרֹאשׁוֹ יִהְיֶה פָרוּעַ. The Gemara will now render a threefold interpretation of the verse.

19. See above, 14b note 45.

20. וְרֹאשׁוֹ יִהְיֶה פָרוּעַ – *his head* ***shall be*** *parua.*

21. בְּגָדָיו יִהְיוּ פְרֻמִים – *his garments* ***shall be*** *perumim.*

22. Whereby the common form in each phrase of the verse allows us to draw a legal analogy between the two topics. See *Tosafos* to *Succah* 31a ד״ה ור״י סבר.

23. The word *parua* certainly connotes *uncovered,* as in וּפָרַע אֶת־רֹאשׁ הָאִשָּׁה, *and he shall uncover the head of the woman* (*Numbers* 5:18). Accordingly, the *gezeirah shavah* teaches that the head must be *uncovered* by removing something *external* to the head (i.e. as opposed to removing something that comes from the head – viz. the hair). Removing the tefillin, then, clearly meets R' Akiva's criteria (*Rashi*).

24. *Tosafos* (ד״ה מנודה מהו, which *Maharsha* emends to מצורע מהו) point out that Rav Pappa's interpretation of "*parua*" – the requirement that a *metzora* forgo hat and turban, leaving his head uncovered – is inconsistent with the Gemara's conclusion above that a *metzora* is required to "wrap [and thus cover] his head." *Tosafos* therefore conclude that the Gemara above disputes Rav Pappa (see, however, *Keren Orah*, who understands our Gemara to mean that he should not don splendid clothing).

25. Literally, inquiring about the welfare (of another). The *poskim* dispute which greetings are prohibited. Noting the lenient practice of his day, *Rama* (*Yoreh Deah* 385:1) suggests that those contemporary greetings were not the ones prohibited by the Gemara. *Be'er Heitiv* (ibid. §2) adds that greetings such as צַפְרָא דְמָרֵי טָב (good morning), which is not actually an inquiry about someone's welfare, would be permissible according to this view (cf. *Shach* there §2). In practice, however, *Rama* agrees that one may not greet a mourner during the first 30 days of his mourning period, regardless of how the greeting is worded (see below, 21b, for the parameters of this prohibition).

26. *Ezekiel* 24:17. Although in most respects Ezekiel was commanded *not* to comport himself like a mourner (see note 10 above), he *was* required to observe this rite: "Be silent" and do not inquire about another person's welfare (*Rashi, Rashi ms.;* cf. *Rabbeinu Chananel*). *Tosafos* explain that Ezekiel did observe a few particular rites of mourning (he also abstained from learning Torah; see Gemara below; see *Ritva*).

מנודין ומצורעין מה הן בתספורת ת"ש
מנודין ומצורעין אסורין לספר ולכבס
מנודה שמת ב"ד סוקלין את ארונו
ר' יהודה אומר לא שיעמידו עליו גל
אבנים כגלו של עכן אלא ב"ד שולחין
ומניחין אבן גדולה על ארונו ללמדך
שכל המתנדה ומת בנידויו ב"ד סוקלין
את ארונו אבל חייב בעטיפת הראש
מדקאמר ליה רחמנא ליחזקאל ולא תעטה
על שפם מכלל דכולי עלמא מיחייבי
מנודה מהו בעטיפת הראש אמר רב יוסף
ת"ש והן מתעטפין ויושבין כמנודין
וכאבלים עד שירחמו עליהם מן השמים
א"ל אביי דלמא מנודה לשמים שאני
דחמיר מצורע מהו בעטיפת הראש ת"ש
ועל שפם יעטה מכלל שחייב בעטיפת
הראש ש"מ אבל אסור להניח תפילין
מדקאמר ליה רחמנא ליחזקאל פארך
חבוש עליך מכלל דכ"ע אסור מנודה
מהו בתפילין תיקו מצורע מהו בתפילין
ת"ש והצרוע לרבות כ"ג בגדיו יהיו
פרומים שיהו מקורעים וראשו יהיה
פרוע אין פריעה אלא גידול שער דברי ר"א ר"ע אומר נאמרה הויה בראש
ונאמרה הויה בבגד מה הויה האמורה בבגד דבר שחוץ מגופו אף
הויה בראש דבר שחוץ מגופו מאי לאו אתפילין אמר רב פפא לא
אכומתא וסודרא אבל אסור בשאילת שלום דקאמר ליה רחמנא ליחזקאל
האנק דום מנודה מהו בשאילת שלום אמר רב יוסף ת"ש ובשאילת
שלום שבין אדם לחבירו כבני אדם הנזופין למקום א"ל אביי דלמא מנודה
לשמים שאני דחמיר מצורע מהו בשאילת שלום ת"ש ועל שפם יעטה שיהו
שפתותיו מדובקות זו בזו שיהא כמנודה וכאבל ואסור בשאילת שלום
ש"מ ונפשוט מינה למנודה אמר רב אחא בר פנחס משמיה דרב יוסף מי
קתני שאסור שיהא כמנודה וכאבל [קתני] במילי אחרנייתא ואסור נמי
בשאילת שלום אבל אסור בדברי תורה מדקאמר רחמנא ליחזקאל דום
מנודה מהו בדברי תורה אמר רב יוסף ת"ש מנודה שונה ושונין לו נשכר
ונשכרין לו מוחרם לא שונה ולא שונין לו לא נשכר ולא נשכרין לו אבל
שונה הוא לעצמו שלא יפסיק את למודו ועושה לו חנות קטנה בשביל
פרנסתו ואמר רב זבוני מיא בפקתא דערבות שמע מינה מצורע מהו בדברי
תורה ת"ש והודעתם לבניך ולבני בניך וכתיב יום אשר עמדת לפני ה' אלהיך
בחורב מה להלן באימה וביראה וברתת ובזיעה מכאן אמרו הזבין והמצורעין
ובועלי נדות מותרין לקרות בתורה ובנביאים ובכתובים ולשנות במדרש
ובש"ס בהלכות ובאגדות ובעלי קריין אסורין ש"מ אבל אסור בתכבוסת
דכתיב וישלח יואב תקועה ויקח משם אשה חכמה ויאמר אליה התאבלי נא
ולבשי נא בגדי אבל ואל תסוכי שמן והיית כאשה זה ימים רבים מתאבלת
על מת מנודין ומצורעין מה הן בתכבוסת ת"ש מנודין ומצורעין אסורין לספר
ולכבס ש"מ אבל חייב בקריעה דקאמר להו רחמנא לבני אהרן לא תפרומו
מכלל דכ"ע מיחייבי מנודה מהו בקריעה תיקו מצורע מהו בקריעה ת"ש בגדיו
יהיו פרומים שיהו מקורעין שמע מינה אבל חייב בכפיית המטה דתני בר קפרא
דמות

מנודין ומצורעין מהו. להכי קאמר להו בהדדי משום דפשיט להו בהדדי: מנודה שמת וכו'. סיפא דברייתא היא: כגלו של עכן. דכתיב (יהושע ז) ויקימו עליו גל אבנים גדול: והן מתעטפין. מפורש במסכת תענית לאחר שהתענו שלש עשרה ת"צ: מנודה לשמים. כי הני שאני דחמירי ולהכי צריכי עטיפת הראש אבל אחרים אין צריכין עטיפת הראש: יעטה. משמע עטיפת הראש: פארך. זה תפילין: דבר שהוא חוץ מגופו אף הוייה. האמורה בראש ראשו יהיה פרוע משמע מגולה כענין דכתיב ופרע את ראש האשה (במדבר ה) דבר שהוא חוץ מגופו ולא אמרינן משער שהוא מגופו: מאי לאו. שיהא ראשו מגולה מתפילין: אכומתא וסודרא. כלומר שיהא ראשו מגולה מכומתא וסודרא אבל תפילין מניח: דהא א"ל רחמנא ליחזקאל האנק דום. כלומר בדבר זה תנהוג אבילות שתדום ולא תשאל לשלום: ת"ש. דתני גבי תעניות הן יושבין כמנודין ואבלים כו': שפם. משמע שפתותיו מדובקות: מי קתני כמנודה. שאסור בשאילת שלום: מוחרם. שמחרימין בחרם לאחר ל' יום לאחר הנדוי אן: בפקתא דערבות. בשוק של אותו מקום: בעלי קריין אסורין. לפי שבא להם מחמת שמחה וקלות ראש וליכא אימה:

מנודין ומצורעין מה הן בתספורת. ומראשו יהיה פרוע לא בעי לאוכוחי דלית ליה דר"א דמוקי לה לקמן בתספורת תדע לקמן בעי לאוכוחי מינה הנחת תפילין כר"ע:

(ג) מנודה מהו בעטיפת הראש אמר רב יוסף תא שמע. ולא נראה לו דברי רב פפא דמוקי ראשו יהיה פרוע אכומתא וסודרא:

וראשו יהיה פרוע. צריך עיון אי פליגי הכי בראשיכם אל תפרעו ובגדיכם לא תפרומו דלעיל מייתי (א) עליה תספורת לאבל ולא מייתי מיניה למצורע דמשמע דסבר כר"ע ופליג אדר' אליעזר כדפרישית לעיל ושמא ר"ע לא פליג אדרבי אליעזר דפריעת הראש היינו גידול שער בין במצורע בין באבל ותרוייהו דורש ר"ע ולעיל דלא מייתי מיניה למצורע משום דמשכח ברייתא בהדיא מייתי לה ואע"ג דברישא דסוגיא מייתי אבל אינו נוהג אבילותו ברגל ומניח המשנה דלקמן ומייתי קראי דושמחת לפי שצריך לפרש מנלן מתני' דאבל אינו נוהג אבילותו ברגל אבל ראשו יהיה פרוע דמיירי בגידול שער דומה לו דבר פשוט וניחא ליה לאתויי ברייתא:

אסור בשאילת שלום דקאמר ליה רחמנא ליחזקאל האנק דום. דמשמע שתיקה משאילת שלום ומתלמוד תורה נמי משמע בסמוך מהאנק דום והא דהיה יחזקאל נוהג אבילות בהאנק דום ובכל שאר דברים לא היה עושה שהיה צריך להראות בקצת דברים שהוא אבל ולא היה נוהג דיני אבל אלא למשל:

שיהו שפתותיו מדובקות. לעיל דרשינן מיניה עטיפת הראש ושמא תרווייהו משמע א"נ מדכתיב שפם ולא כתיב שפה:

ובועלי נדות מותרין. אחר שטבל לקרי אבל לקריו צריך טבילה ולרבי יהודה משמע התם דלא צריך טבילה לדברי תורה לבעל קרי היכא דלא נטהר ע"י טבילה זו בפרק מי שמתו (ברכות דף כו.) במשמשת ורואה דם ובעל קרי שראה זיבה צריכין טבילה ור' יהודה פוטר והא דהכא בלא טבילה כרבי יהודה צריך ליישב דאיירי רבי יהודה בסיפא דהך ברייתא בפ' מי שמתו (שם דף כב.) וקאמר רבי יהודה שונה הוא בהלכות דרך ארץ וליכא למימר דלרבי יהודה נמי בועלי נדות חייבין טבילה כמו בעל קרי בעלמא דהשתא ומה בעל קרי שראה זיבה אחר כך שהיה חייב כבר פוטר רבי יהודה בועל נדה לא כל שכן מיהו לכאורה נ"ל דלא פליגי רבי יהודה ורבנן אלא בהני טומאות דדומיא דקרי הוי דהיינו דטומאה יוצאה עליו מגופו אבל בטומאת שרצים מודה רבי יהודה דבהדי קרי צריך טבילה א"כ ה"נ בועל נדה מודה דלא חשיב טומאה יוצאה מגופו ואפילו מאן דבעי למימר בפרק אלו דברים בפסחים (דף סח.) ובפ"ק דיומא (דף ו.) דמשתלח חוץ לשתי מחנות כמו בעל קרי מ"מ לא חשיב טומאה יוצאה מגופו ורבי יהודה נמי הצריך טבילה לדברי תורה בתוספ' פי' דכיון דטומאת בועל נדה מכח קרי רבי יהודה מודה דצריך טבילה:

ה"ג מנודין ומצורעין מה הן בתכבוסת ת"ש מנודין ומצורעין אסורין לספר ולכבס. ובספר הרב לא היה כתוב כל זה והיה קשה לרב למה לא בעי ליה ותירץ דכבר אייתי לעיל הך ברייתא דגבי תספורת והאי הקשה לקמן גבי עשיית מלאכה קמיבעי ומביא ברייתא דמתנייא לעיל ונשכרין ותירץ דאגב דמצורע קאי בתיקו קא בעי מנודה ומייתי לברייתא דלעיל:

מסורת הש"ס

א) ברכות יט. עדיות פ"ה מ"ו, ב) תענית יד:, ג) סוכה כה. כתובות ו: ע"ש [מס' שמחות פ"ו ברכות יא. טז:], ד) [עי' תוס' ישנים נדה ז: ד"ה הקשה ה"ר ראבי"ה וכו'], ה) [לעיל יד:], ו) [פי' כומתא מגבעה רבה שהיא כמלא הראש ואין עולה למעלה מן הראש. ערוך], ז) תענית יג:, ח) ס"א, ט) ברכות כב., י) [תוספתא דברכות פ"ב], כ) לקמן יז:, ל) גי' רש"א מצורע.

הגהות הב"ח

(א) תום' ד"ה וראשו כו' דלעיל מייתי מיניה איסור תספורת לאבל:

גליון הש"ס

תוס' ד"ה ובועלי נדות וכו' ובתוספ' פי' דכיון דטומאת בועל נדה. עיין משנה למלך פ"ג ה"ג מהל' ביאת מקדש:

תורה אור השלם

א) הֵאָנֵק דֹּם מֵתִים אֵבֶל לֹא תַעֲשֶׂה פְּאֵרְךָ חֲבוֹשׁ עָלֶיךָ וּנְעָלֶיךָ תָּשִׂים בְּרַגְלֶיךָ וְלֹא תַעְטֶה עַל שָׂפָם וְלֶחֶם אֲנָשִׁים לֹא תֹאכֵל: [יחזקאל כד, יז]

ב) וְהַצָּרוּעַ אֲשֶׁר בּוֹ הַנֶּגַע בְּגָדָיו יִהְיוּ פְרֻמִים וְרֹאשׁוֹ יִהְיֶה פָרוּעַ וְעַל שָׂפָם יַעְטֶה וְטָמֵא טָמֵא יִקְרָא: [ויקרא יג, מה]

ג) רַק הִשָּׁמֶר לְךָ וּשְׁמֹר נַפְשְׁךָ מְאֹד פֶּן תִּשְׁכַּח אֶת הַדְּבָרִים אֲשֶׁר רָאוּ עֵינֶיךָ וּפֶן יָסוּרוּ מִלְּבָבְךָ כֹּל יְמֵי חַיֶּיךָ וְהוֹדַעְתָּם לְבָנֶיךָ וְלִבְנֵי בָנֶיךָ: יוֹם אֲשֶׁר עָמַדְתָּ לִפְנֵי יְיָ אֱלֹהֶיךָ בְּחֹרֵב בֶּאֱמֹר יְיָ אֵלַי הַקְהֶל לִי אֶת הָעָם וְאַשְׁמִעֵם אֶת דְּבָרָי אֲשֶׁר יִלְמְדוּן לְיִרְאָה אֹתִי כָּל הַיָּמִים אֲשֶׁר הֵם חַיִּים עַל הָאֲדָמָה וְאֶת בְּנֵיהֶם יְלַמֵּדוּן: [דברים ד, ט-י]

ד) וַיִּשְׁלַח יוֹאָב תְּקוֹעָה וַיִּקַּח מִשָּׁם אִשָּׁה חֲכָמָה וַיֹּאמֶר אֵלֶיהָ הִתְאַבְּלִי נָא וְלִבְשִׁי נָא בִגְדֵי אֵבֶל וְאַל תָּסוּכִי שֶׁמֶן וְהָיִית כְּאִשָּׁה זֶה יָמִים רַבִּים מִתְאַבֶּלֶת עַל מֵת: [שמואל ב' יד, ב]

ה) וַיֹּאמֶר מֹשֶׁה אֶל אַהֲרֹן וּלְאֶלְעָזָר וּלְאִיתָמָר בָּנָיו רָאשֵׁיכֶם אַל תִּפְרָעוּ וּבִגְדֵיכֶם לֹא תִפְרֹמוּ וְלֹא תָמֻתוּ וְעַל כָּל הָעֵדָה יִקְצֹף וַאֲחֵיכֶם כָּל בֵּית יִשְׂרָאֵל יִבְכּוּ אֶת הַשְּׂרֵפָה אֲשֶׁר שָׂרַף יְיָ: [ויקרא י, ו]

עין משפט נר מצוה

יט א מיי' פ"ז מהלכות ת"ת הלכה ד סמג לאוין רח ועשין רלה טוש"ע י"ד סי' שלד סעיף ב:
כ ב מיי' פ"י מהלכות טומאת צרעת הלכה ו סמג עשין סס:
כא ג מיי' פ"ז מהלכות ת"ת הלכה ד סמג שם טוש"ע י"ד סי' שלד סעיף ג:
כב ד מיי' פ"ה מהל' אבל הלכה א יט סמג עשין דרבנן ג טוש"ע י"ד סי' שפ סעיף א וסי' שפו:
כג ה מיי' פ"י מהלכות טומאת צרעת הלכה ו סמג עשין רלה:
כד ו מיי' פ"ד מהלכות אבל הלכה ט סמג עשין דרבנן ג טוש"ע י"ד סי' שפ סעיף א וסי' שפח סעיף א [טו"ע א"ח סי' לח עי' ש"ך יו"ד סי' שלד ס"ק יג]:
כה ז ח ט מיי' פ"י מהל' טומאת צרעת הלכה ו סמג עשין רלה:
כו י מיי' פ"ה מהלכות אבל הלכה א כ סמג עשין דרבנן ג טוש"ע י"ד סי' שפ סעיף א וסי' שפה סעיף א:
כז כ מיי' פ"ג מהלכות תענית הל' ח טוש"ע א"ח סי' תקעה סעיף ז:
כח ל מיי' פ"י מהלכות טומאת צרעת הל' ו סמג עשין רלה:
כט מ מיי' פ"ה מהלכות אבל הל' א טו סמג עשין דרבנן ג טוש"ע י"ד סי' שפ סעיף א וסי' שפד:
ל נ ס ע פ מיי' פ"ו מהלכות ת"ת הל' ד ה טוש"ע י"ד סי' שלד סעיף ב:
לא צ מיי' פ"י מהל' טומאת צרעת הל' ו סמג עשין רלה:
לב ק מיי' פ"ד מהל' ק"ש הל' ח טוש"ע א"ח סי' פח:
לג ר מיי' פ"ה מהלכות אבל הלכה א ג סמג עשין דרבנן ג טוש"ע י"ד סי' שפ סעיף א וסי' שפט סעיף א:
לד ש מיי' פ"ח מהל' אבל הלכה א סמג עשין דרבנן ג טוש"ע שם סי' שמ סעיף א:
לה ת מיי' פ"י מהל' טומאת צרעת הל' ו סמג עשין רלה:
לו א מיי' פ"ה מהלכות אבל הלכה א יח סמג עשין דרבנן ג טוש"ע י"ד סי' שפ סעיף א וסי' שפז סעיף א:

הגהות מהר"ב רנשבורג

א] רש"י ד"ה מוחרם שמחרימין בחרם לאחר ל' יום לאחר הנדוי. נ"ב לאחר ששים תניא לקמן דף טז ע"א ואולי כוונת רש"י אחרי שלשים השניים דתניא שם ושונין לאחר שלשים ומחרימין לאחר ששים:

רבינו חננאל

מנודה וכן מצורע דתניא מנודין ומצורעין אסורין לספר ולכבס. מנודה שמת ב"ד סוקלין את ארונו. ר' יהודה אומר לא שיעמידו עליו גל אבנים כגל עכן. אלא ב"ד שולחין ומניחין אבן על ארונו כו'. אבל חייב בעטיפת הראש מדאמר ליה רחמנא ליחזקאל לא תעטה על שפם מכלל דכ"ע אסירי וכן מנודה דתנן והן מתעטפין ויושבין כמנודין ואבלין עד שירחמו עליהן מן השמים ודחי אביי ודלמא מנודה לשמים דחמיר חייב בעטיפת הראש אבל מנודה לבני אדם לא. ולקולא עבדינן. ולא מחייבינן למנודה בעטיפת הראש דהא איבעיא ולא איפשיטא. מצורע אסיקנא דחייב בעטיפת הראש. אבל אסור בתפלין מדכתיב ביחזקאל פארך חבוש עליך מכלל דכ"ע אסירי מנודה מהו בתפלין תיקו. מצורע מהו בתפלין ולא איפשיטא בהדיא אבל אסור בשאילת שלום מדכתיב ביחזקאל האנק דום אלא דבר מכלל דכ"ע אסירי. מנודה מאי ת"ש מנודה שונה ושונין לו נשכר ונשכרין לו מוחרם לא שונה ולא שונין לו [לא נשכר] ולא נשכרין לו אבל שונה לעצמו שלא יפסיד תלמודו ועושה לו חנות קטנה בפקתא דערבות שהיא ארץ ציה רחוקה מן הישוב לזבוני מיא כדי פרנסתו וכן מצורע מותר בדברי תורה אבל אסור בתכבוסת ובסיכה שנאמר וישלח יואב תקועה ויקח משם אשה חכמה ויאמר אליה התאבלי נא ולבשי נא בגדי אבל ואל תסוכי שמן והיית כאשה זו ימים רבים מתאבלת על מת. אבל אסור ברחיצה דרחיצה בכלל סיכה היא מנודה ומצורע ברחיצה לא איפשיטא בהדיא. אבל חייב בקריעת בגדיו מדכתיב בבני אהרן ובגדיכם לא תפרומו מכלל דכולי עלמא חייבי וכן מצורע מנודה מאי תיקו אבל חייב בכפיית המטה. מנודים ומצורעים מהו תיקו

רש"י כת"י

מצורעין. אע"ג דכתו' בהו ראשו יהיה פרוע אפי' הכי קא מבעיא ליה דאיכא דדריש פרוע לקמן למלת' אחריתי. מנודין ומצורעין מהן וכו'. להכי מבעיא ליה תרויהו כחדא משום דמתרצי בחדא תירוצא. מנודה שמת. סיפא דבריתא הוא. כגלו של עכן. דכתוב (ויעמידו) [ויקימו] (יהושע ז) עליו גל אבנים גדול דמשום זכר בעלמא הוא דעבדו. ללמדך. לא ידענא [אמאי קאי]. אבל. פשיטא לי דחייב בעטיפת הראש מדקאמ' ליה רחמנא ליחזקאל לא תעטה על שפם מכלל דבאבל מתים בעי עטוי שפם ורחמנא הוא דאמר ליחזקאל מתים אבל לא תעשה רמז לשונאיהם של ישראל שלא יהו סופדין ומתאבלין זה על זה מרוב מתים שיפלו מהם ולא יוכלו להתאבל עליהן ומתוך פורענות שיבא עליהם בחייהם ישמח כל אחד ואחד במיתתו של חבירו ולא יתאבל עליו. שפם. לשון שפה גרינו"ן בלע"ז כל ראשו ופרצופו עיטוי. והן מתעטפין. עברו אלו ולא נענו חבירים אין שאילת שלום ביניהן והן מתעטפין וכו' בשלהי פר"ק דתענית. דלמא מנודה לשמים שאני. כגון אלו דלא נענו דחמירי. מצורע נמי לא איבעיא ליה דמקרא מלא אלא יגדיל תורה ויאדיר. פארך. אלו תפלין. הוויה שבראש. יהיה פרוע. הוויה בבגד. יהיו פרומים חוץ מגופו לאפוקי שער דגופו הוא ומיירי בכולי עלמא אפי' בישראל ולא איירי בכהן אלא רישא דקרא והצרוע. מאי. חוץ מגופו לאו דאסר להניח. כומתא. כובע. סודרא סודר יפה. האנק דום. קצת אבילות עשה שתעשה בדממה ולא תשאל לשום אדם לשלום. מבני אדם הנזופין למקום. שאסורין בשאילת שלום גבי עברו אלו ולא נענו (תענית יג:). נזיפה. גערה כדמתרגמי' (בראשית לז) ויגער בו אביו ונזף ביה אבוהי שגערו בו ב"ד ושתקוהו בנזיפה והיינו נמי מנודה לשון על כן לנדה היתה (איכה א) וכמו נע ונד (בראשית ד) שהיה מתנודה עליהם ומתרחקין ממנו בני אדם שלא היו יושבין בד' אמות שלו כדלקמן. [ונפשוט מינה למנודה]. מדקתני שאסור בשאילת שלום כמנודה וכאבל. שונה. לאחרים. נשכר. למלאכת אחרים. מוחרם. שנתנדה שלשה פעמים כדלקמן. שונה הוא לעצמו. בלחש. חנות קטנה. בשביל פרנסתו כלומר מיעוט מלאכה כדי פרנסה. מאי חנות קטנה. זבוני מיא בפקתא דערבות. פקתא בקעה שבאותו מקום אין שם מים כדאמרינן נמי בשחיטת חולין בפרק כל הבשר (קז.). זבין ומצורעין. ברתת וזיע הן שלבן דואג. ובועלי נדות. נמי אע"פ שמתוך קלות ראש בעל את הנדה לאחר כן לבו דואג מחמת החטא אבל בעלי קריין בעלמא מתוך שמחה וקלות ראש הוא וכן אם שמש מטתו נמי לא ברתת הוא דשמחה הוא לו. וישלח יואב תקועה. במנחות (פה:) מפרש מאי שנא תקועה משום דתקועה אלפא לשמן ושמן מפקח והיא חכמה ביותר. לבשו בגדי אבל דמשמע דבגדי אבל מנוולין הן אלמא אסור בתכבוסת. כפיית המטה. שכופה מטתו מלמעלה למטה והופכה.

The Gemara inquires:

מְנוּדֶּה – In the case of **an excommunicate,** מַהוּ בִּשְׁאֵילַת שָׁלוֹם – **what is [the law]** with regard to his engaging **in greeting** others?[27]

The Gemara responds:

אָמַר רַב יוֹסֵף – **Rav Yosef said:** תָּא שְׁמַע – **Come, learn** an answer from a Mishnah[28] that teaches the nation how to comport itself following thirteen unrequited fasts for rain: וּבִשְׁאֵילַת שָׁלוֹם שֶׁבֵּין אָדָם לַחֲבֵרוֹ – AND [they should decrease their involvement . . .] IN EACH PERSON GREETING HIS FELLOW. Rather, they should act כִּבְנֵי אָדָם הַנְּזוּפִין לַמָּקוֹם – LIKE PEOPLE WHO ARE REBUKED BY THE OMNIPRESENT.[29] Similarly, an excommunicate, who has been rebuked by the community, should not be the recipient of its greetings.

The Gemara deflects the proof:

אָמַר לֵיהּ אַבָּיֵי – **Abaye said to [Rav Yosef]:** דִּלְמָא מְנוּדֶּה לַשָּׁמַיִם שָׁאנֵי – **Perhaps one who is excommunicated to Heaven**[30] **is different,** דַּחֲמִיר – **for [a Heavenly ban] is** more **stringent** than an ordinary ban. Therefore, perhaps greeting people is not forbidden in the case of ordinary excommunicates.[31] – ? –

The Gemara inquires about a *metzora*:

מְצוֹרָע – And in the case of **a *metzora*,** מַהוּ בִּשְׁאֵילַת שָׁלוֹם – **what is [the law]** with regard to his engaging **in greeting** others?

The Gemara responds:

תָּא שְׁמַע – **Come, learn** an answer from a Baraisa: ,,וְעַל־שָׂפָם יַעְטֶה'' – Scripture states regarding a *metzora*: *AND HE SHALL VEIL HIMSELF UP TO HIS LIPS.*[32] שֶׁיְּהוּ שְׂפָתוֹתָיו מְדוּבָּקוֹת זוֹ בָּזוֹ – The verse teaches THAT HIS LIPS SHALL CLEAVE TO ONE ANOTHER, שֶׁיְּהֵא כִּמְנוּדֶּה וּכְאָבֵל – THAT HE SHOULD BE LIKE AN EXCOMMUNICATE AND A MOURNER, וְאָסוּר בִּשְׁאֵילַת שָׁלוֹם – AND HE IS FORBIDDEN to engage IN GREETING others.[33]

The Gemara concludes:

שְׁמַע מִינָּהּ – Indeed, **derive from [the Baraisa]** that a *metzora* is forbidden to greet people.

The Gemara asks:

וְנִיפְשׁוֹט מִינָּהּ לִמְנוּדֶּה – **But let us extrapolate from [the Baraisa] to** the case of **an excommunicate,**[34] to derive that he, too, is forbidden to greet people![35] – ? –

The Gemara rejects this suggestion:

אָמַר רַב אַחָא בַּר פִּנְחָס מִשְּׁמֵיהּ דְּרַב יוֹסֵף – **Rav Acha bar Pinchas said in the name of Rav Yosef:** מִי קָתָנֵי שֶׁאָסוּר – **Did [the Baraisa] state** that a *metzora* should be like an excommunicate, **"*who* is forbidden"** to greet people? No! שֶׁיְּהֵא כִּמְנוּדֶּה וּכְאָבֵל [קָתָנֵי] בְּמִילֵּי אַחֲרָנְיָיתָא – **[The Baraisa]** in fact **states:** THAT HE SHOULD BE LIKE AN EXCOMMUNICATE AND A MOURNER – that is, **with regard to other matters.** וְאָסוּר נַמִּי בִּשְׁאֵילַת שָׁלוֹם – The Baraisa then concludes: AND, in addition, [THE *METZORA*] IS FORBIDDEN [ALSO] to engage IN GREETING others.[36]

The Gemara introduces another set of queries:

אָבֵל אָסוּר בְּדִבְרֵי תוֹרָה – **A mourner is prohibited** to engage **in** studying **the words of Torah,** מִדְּקָאָמַר רַחֲמָנָא לִיחֶזְקֵאל ,,דֹּם'' – **from** that **which the Merciful One said to Ezekiel: *Be silent!***[37]

The Gemara inquires:

מְנוּדֶּה – In the case of **an excommunicate,** מַהוּ בְּדִבְרֵי תוֹרָה – **what is [the law]** with regard to his engaging **in** studying **the words of Torah?**

The Gemara responds:

אָמַר רַב יוֹסֵף – **Rav Yosef said:** תָּא שְׁמַע – **Come, learn** an answer from a Baraisa: מְנוּדֶּה – AN EXCOMMUNICATE שׁוֹנֶה וְשׁוֹנִין לוֹ – MAY TEACH others AND [OTHERS] MAY TEACH HIM;[38] נִשְׂכָּר וְנִשְׂכָּרִין לוֹ – and HE MAY BE HIRED by others[39] AND [OTHERS] MAY BE HIRED to work FOR HIM. מוּחֲרָם – However, A PERSON PLACED IN *CHEREM*[40] לֹא שׁוֹנֶה וְלֹא שׁוֹנִין לוֹ – MAY NOT TEACH others AND [OTHERS] MAY NOT TEACH HIM; לֹא נִשְׂכָּר וְלֹא נִשְׂכָּרִין לוֹ – and HE MAY NOT BE HIRED by others AND [OTHERS] MAY NOT BE HIRED to work FOR HIM. אֲבָל שׁוֹנֶה הוּא לְעַצְמוֹ – HOWEVER, HE MAY LEARN quietly[41] BY HIMSELF שֶׁלֹּא יַפְסִיק אֶת לִמּוּדוֹ – SO THAT HE WILL NOT INTERRUPT HIS STUDIES.[42] וְעוֹשֶׂה לוֹ חֲנוּת קְטַנָּה בִּשְׁבִיל פַּרְנָסָתוֹ – AND HE MAY ESTABLISH A SMALL STORE FOR HIMSELF FOR THE SAKE OF HIS LIVELIHOOD. וְאָמַר רַב – **And Rav said** in explanation of the last statement in the Baraisa: זַבּוּנֵי מַיָּא בְּפַקְתָּא דַעֲרָבוֹת – **He may sell water in the market**[43] **of Aravos.**

NOTES

27. [By limiting its question to whether an excommunicate is permitted to greet others, the Gemara implies that he is permitted to converse with them (*Rosh*).]

28. *Taanis* 12b.

29. See *Rashi ms.*

30. Such as this community, whose prayers for rain went unanswered (*Rashi ms.*).

31. See above, note 11 second paragraph.

32. *Leviticus* 13:45.

33. Note that the Gemara above derived from this verse (*and he shall veil . . .*) that a *metzora* is required to wrap his head. How can we learn also from there that he is prohibited to greet others? *Rashi* implies that our teaching is from that which the verse states שָׂפָם, a contracted form of the ordinary word for lips (שְׂפָתוֹת). It thereby implies a second halachah – that the *metzora's* lips shall be contracted (i.e. pressed together) [and therefore not used to utter greetings]. See *Tosafos* for other explanations.

34. Which was discussed above inconclusively.

35. For the Baraisa states that a *metzora* is forbidden to greet others "like an excommunicate and a mourner" (*Rashi ms.*, end of ד״ה נזיפה).

36. Had the Baraisa's last phrase been שֶׁאָסוּר בִּשְׁאֵילַת שָׁלוֹם, the Baraisa would read: [The verse teaches] that his lips shall cleave to one another [– i.e.] that he should be like an excommunicate . . ., **who** is forbidden (שֶׁאָסוּר) to greet others. The Baraisa would thus be stating explicitly that an excommunicate is forbidden to offer greetings.

However, the Baraisa's last phrase commences with וְאָסוּר, with a *vav* ("and") rather than a *shin* ("who") beginning the word. The *vav* indicates that the last phrase is independent of the "excommunicate" mentioned in the immediately preceding statement. Rav Acha bar Pinchas thus reads the Baraisa as follows: *And he shall veil . . . to his lips.* [The verse teaches] that his lips shall cleave to one another. [That is, the law of a *metzora* is] that he shall be like an excommunicate and a mourner [i.e. in some matters, such as abstaining from haircutting and laundering], and [also – as we learn from the aforementioned verse –] he is forbidden to greet others. According to Rav Acha's interpretation, then, the Baraisa does not address the excommunicate's status vis-a-vis greeting others.

37. *Ezekiel* 24:17. The Almighty told Ezekiel הֵאָנֵק דֹּם, *Grieve and be silent,* which implies silence from greeting others (as the Gemara learned above) and also silence from uttering words of Torah [inasmuch as both silences are natural concomitants of grief] (*Ritva;* see also *Tosafos*).

[See *Tosafos* to *Kesubos* 6b ד״ה חוץ, who explain why we derive the law for other mourners from Ezekiel with respect to Torah study, while with respect to tefillin we do not derive that mourners are permitted to wear tefillin from the fact that Ezekiel did so.]

38. *Rashi ms. Ritva* adds that this must be done from a distance of four *amos* from the excommunicate – for physical separation is the essence of excommunication.

39. *Rashi ms.*

40. The term *cherem* indicates a more severe form of excommunication. According to *Rashi* (as explained by *Rav Betzalel Ronsburg*), it is imposed after the sinner has incurred two thirty-day *nidui* bans. According to *Rashi ms., cherem* follows three *nidui* bans (see also *Ritva*). See Gemara below (16a).

41. *Rashi ms.*

42. The texts of *Rif* and *Rosh* read: שֶׁלֹּא יַפְסִיד אֶת לִמּוּדוֹ, [he may learn by himself] so that he will not *lose* his learning (see *Rashash*).

43. This is *Rashi's* translation of פַּקְתָּא, according to which "Aravos" is the name of a town. However, *Rashi* to *Chullin* 107a (see *Mesoras*

מנודין ומצורעין מה הן בתספורת ת"ש מנודין ומצורעין אסורין לספר ולכבס מנודה שמת ב"ד סוקלין את ארונו ר' יהודה אומר לא שיעמידו עליו גל אבנים כגלו של עכן אלא ב"ד שולחין ומניחין אבן גדולה על ארונו ללמדך שכל המתנדה ומת בנידויו ב"ד סוקלין את ארונו אבל חייב בעטיפת הראש מדקאמר ליה רחמנא ליחזקאל ולא תעטה על שפם מכלל דכולי עלמא מיחייבי מנודה מהו בעטיפת הראש אמר רב יוסף ת"ש והן מתעטפין ויושבין כמנודין וכאבלים עד שירחמו עליהם מן השמים א"ל אביי דלמא מנודה לשמים שאני דחמיר מצורע מהו בעטיפת הראש ת"ש ועל שפם יעטה מכלל שחייב בעטיפת הראש ש"מ אבל אסור להניח תפילין מדקאמר ליה רחמנא ליחזקאל פארך חבוש עליך מכלל דכ"ע אסור מנודה מהו בתפילין תיקו מצורע מהו בתפילין ת"ש והצרוע לרבות כ"ג בגדיו יהיו פרומים שיהו מקורעים וראשו יהיה פרוע אין פריעה אלא גידול שער דברי ר"א ר"ע אומר נאמרה הוייה בראש ונאמרה הוייה בבגד מה הוייה האמורה בבגד דבר שחוץ מגופו אף הוייה בראש דבר שחוץ מגופו מאי לאו אתפילין אמר רב פפא לא אכומתא וסודרא אבל אסור בשאילת שלום דקאמר ליה רחמנא ליחזקאל האנק דום מנודה מהו בשאילת שלום אמר רב יוסף ת"ש ובשאילת שלום שבין אדם לחברו כבני אדם הנזופין למקום א"ל אביי דלמא מנודה לשמים שאני דחמיר מצורע מהו בשאילת שלום ת"ש ועל שפם יעטה שיהו שפתותיו מדובקות זו בזו שיהא כמנודה וכאבל ואסור בשאילת שלום ש"מ וניפשוט מינה למנודה אמר רב אחא בר פנחס משמיה דרב יוסף מי קתני שאסור שיהא כמנודה וכאבל [קתני] במילי אחרנייתא ואסור נמי בשאילת שלום אבל אסור בדברי תורה מדקאמר רחמנא ליחזקאל דום מנודה מהו בדברי תורה אמר רב יוסף ת"ש מנודה שונה ושונין לו נשכר ונשכרין לו מוחרם לא שונה ולא שונין לו לא נשכר ולא נשכרין לו אבל שונה הוא לעצמו שלא יפסיק את למודו ועושה לו חנות קטנה בשביל פרנסתו ואמר רב זבוני מיא בפקתא דערבות שמע מינה מצורע מהו בדברי תורה ת"ש והודעתם לבניך ולבני בניך יום אשר עמדת לפני ה' אלהיך בחורב מה להלן באימה וביראה וברתת ובזיעה מכאן אמרו הזבין והמצורעין ובועלי נדות מותרין לקרות בתורה ובנביאים ובכתובים ולשנות במדרש ובש"ס בהלכות ובאגדות ובעלי קריין אסורין ש"מ אבל אסור בתכבוסת דכתיב וישלח יואב תקועה ויקח משם אשה חכמה ויאמר אליה התאבלי נא ולבשי נא בגדי אבל ואל תסוכי שמן והיית כאשה זה ימים רבים מתאבלת על מת מנודין ומצורעין מה הן בתכבוסת ת"ש מנודין ומצורעין אסורין לספר ולכבס ש"מ אבל חייב בקריעה דקאמר להו רחמנא לבני אהרן לא תפרומו מכלל דכ"ע מיחייבי מנודה מהו בקריעה תיקו מצורע מהו בקריעה ת"ש בגדיו יהיו פרומים שיהו מקורעין שמע מינה אבל חייב בכפיית המטה דתני בר קפרא

דמות

רש"י

מנודין ומצורעין מהו. להכי קאמר להו בהדדי משום דפשיט להו בהדדי: **מנודה שמת וכו'.** סיפא דברייתא היא: **כגלו של עכן.** דכתיב (יהושע ז) ויקימו עליו גל אבנים גדול: **והן מתעטפין.** מפורש במסכת תענית לאחר שהתענו שלש עשרה ת"ל: **מנודה לשמים.** כי הני שאני דחמירי ולהכי צריכי עטיפת הראש אבל אחרים אין צריכין עטיפת הראש: **יעטה.** משמע עטיפת הראש: **פארך.** זה תפילין: **דבר שהוא חוץ מגופו אף הוייה.** האמורה בראש ראשו יהיה פרוע משמע מגולה כענין דכתיב ופרע את ראש האשה (במדבר ה) דבר שהוא חוץ מגופו ולא אמרינן משער שהוא מגופו: **מאי לאו.** שיהא ראשו מגולה מתפילין: **אכומתא וסודרא.** כלומר שיהא ראשו מגולה מכומתא וסודרא אבל תפילין מניח: **דהא א"ל רחמנא ליחזקאל האנק דום.** כלומר בדבר זה תנהוג אבילות שתדום ולא תשאל לשלום: **ת"ש.** דתני גבי תעניות הן יושבין כמנודין ואבלים כו': **שפם.** משמע שפתותיו מדובקות: **מי קתני כמנודה.** שאסור בשאילת שלום: **מוחרם.** שמחרימין בחרם לאחר ל' יום לאחר הנדוי א]: **בפקתא דערבות.** בשוק של אותו מקום: **בעלי קריין אסורין.** לפי שבא להם מחמת שמחה וקלות ראש וליכא אימה:

תוספות

מנודין ומצורעין מה הן בתספורת. ומראשו יהיה פרוע לא בעי לאוכוחי דלית ליה דר"א דמוקי לה לקמן בתספורת תדע דלקמן בעי לאוכוחי מיניה הנחת תפילין כר"ע:

(מנודה) מהו בעטיפת הראש אמר רב יוסף תא שמע. ולא נראה לו לדברי רב פפא דמוקי ראשו יהיה פרוע אכומתא וסודרא:

וראשו יהיה פרוע. צריך עיון אי פליגי הכי בראשיכם אל תפרעו ובגדיכם לא תפרומו דלעיל מייתי (א) עליה תספורת לאבל ולא מייתי מיניה למצורע דמשמע דסבר כר"ע ופליג אדר' אליעזר כדפרישית לעיל ושמא ר"ע לא פליג אדרבי אליעזר דפריעת הראש היינו גידול שער בין במצורע בין באבל ותרוייהו דורש ר"ע ולעיל דלא מייתי מיניה למצורע משום דמשכח ברייתא בהדיא מייתי לה ואע"ג דברישא דסוגיא מייתי אבל אינו נוהג אבילותו ברגל ומניח המשנה דלקמן ומייתי קראי דושמחת לפי שצריך לפרש מנלן מתני' דאבל אינו נוהג אבילותו ברגל אבל ראשו יהיה פרוע דמיירי בגידול שער דומה לו דבר פשוט וניחא ליה לאתויי ברייתא:

אסור בשאילת שלום דקאמר ליה רחמנא ליחזקאל האנק דום. דמשמע שתיקה משאילת שלום ומתלמוד תורה נמי משמע בסמוך מהאנק דום והא דהיה יחזקאל נוהג אבילות בהאנק דום ובכל שאר דברים לא היה עושה שהיה צריך להראות בקצת דברים שהוא אבל ולא היה נוהג דיני אבל אלא למשל:

שיהו שפתותיו מדובקות. לעיל דרשינן מיניה עטיפת הראש ושמא תרוייהו משמע א"נ מדכתיב שפם ולא כתיב שפה:

ובועלי נדות מותרין. אחר שטבל לקרי אבל לקריו צריך טבילה ולרבי יהודה משמע התם דלא צריך טבילה לדברי תורה לבעל קרי היכא דלא נטהר ע"י טבילה זו בפרק מי שמתו (ברכות דף כו.) במשמשת ורואה דם ובעל קרי שראה זיבה צריכין טבילה ור' יהודה פוטר והא דהכא בלא טבילה כרבי יהודה צריך ליישב דאיירי רבי יהודה בסיפא דהך ברייתא בפ' מי שמתו (שם דף כב.) וקאמר רבי יהודה שונה הוא בהלכות דרך ארץ וליכא למימר דלרבי יהודה נמי בועלי נדות חייבין טבילה כמו בעל קרי בעלמא דהשתא ומה בעל קרי שראה זיבה אחר כך שהיה חייב כבר פוטר רבי יהודה בועל נדה לא כל שכן מיהו לכאורה נ"ל דלא פליגי רבי יהודה ורבנן אלא בהני טומאות דדומיא דקרי הוי דהיינו דטומאה יוצאה עליו מגופו אבל בטומאת שרצים מודה רבי יהודה דבהדי קרי צריך טבילה א"כ ה"נ בועל נדה מודה דלא חשיב טומאה יוצאה מגופו ואפילו מאן דבעי למימר בפרק אלו דברים בפסחים (דף סח.) ובפ"ק דיומא (דף ו.) דמשתלח חוץ לשתי מחנות כמו בעל קרי מ"מ לא חשיב טומאה יוצאה מגופו ורבי יהודה נמי הצריך טבילה לדברי תורה ° בתוספ' פי' דכיון דטומאת בועל נדה מכח קרי רבי יהודה מודה דצריך טבילה:

ה"ג **מנודין** ומצורעין מה הן בתכבוסת ת"ש מנודין ומצורעין אסורין לספר ולכבס. ובספר הרב לא היה כתוב כל זה והיה קשה לרב למה לא בעי ליה ותירץ דכבר אייתי לעיל הך ברייתא דגבי תספורת והא דהקשה לקמן גבי עשיית מלאכה קמיבעי ומביא ברייתא דמתנייא לעיל ונשכרין ותירץ דאגב דמצורע קאי בתיקו קא בעי מנודה ומייתי לברייתא דלעיל:

ורחילה

מסורת הש"ס

א) ברכות יט. עדיות פ"ה מ"ו, ב) תענית יד:, ג) סוכה כה. כתובות ו: ע"ש [מס' שמחות פ"ו ברכות יא. טז:], ד) [ע' תוס' יבמות נה: ד"ה הקשה פ"ה דאבל"ם וכו'], ה) [לעיל יד:], ו) [פי' כומתא מגבעת רבה שהיא כמלא הראש ואין עולה למעלה מן הראש. ערוך], ז) תענית יב:, ח) ע"ש, ט) ברכות כב., י) [תוספתא דברכות פ"ב], כ) לקמן יז:, ל) גי' רש"א מגורע.

הגהות הב"ח

(א) תוס' ד"ה וראשו כו' דלעיל מייתי מיניה איסור תספורת לאבל:

גליון הש"ס

תוס' ד"ה ובועלי נדות וכו' ובתוספ' פי' דכיון דטומאת בועל נדה. עיין משנה למלך פ"ג מהל' ביאת מקדש:

תורה אור השלם

א) הֵאָנֵק דֹּם מֵתִים אֵבֶל לֹא תַעֲשֶׂה פְּאֵרְךָ חֲבוֹשׁ עָלֶיךָ וּנְעָלֶיךָ תָּשִׂים בְּרַגְלֶיךָ וְלֹא תַעְטֶה עַל שָׂפָם וְלֶחֶם אֲנָשִׁים לֹא תֹאכֵל: [יחזקאל כד, יז]

ב) וְהַצָּרוּעַ אֲשֶׁר בּוֹ הַנֶּגַע בְּגָדָיו יִהְיוּ פְרֻמִים וְרֹאשׁוֹ יִהְיֶה פָרוּעַ וְעַל שָׂפָם יַעְטֶה וְטָמֵא טָמֵא יִקְרָא: [ויקרא יג, מה]

ג) רַק הִשָּׁמֶר לְךָ וּשְׁמֹר נַפְשְׁךָ מְאֹד פֶּן תִּשְׁכַּח אֶת הַדְּבָרִים אֲשֶׁר רָאוּ עֵינֶיךָ וּפֶן יָסוּרוּ מִלְּבָבְךָ כֹּל יְמֵי חַיֶּיךָ וְהוֹדַעְתָּם לְבָנֶיךָ וְלִבְנֵי בָנֶיךָ: יוֹם אֲשֶׁר עָמַדְתָּ לִפְנֵי יְיָ אֱלֹהֶיךָ בְּחֹרֵב בֶּאֱמֹר יְיָ אֵלַי הַקְהֶל לִי אֶת הָעָם וְאַשְׁמִעֵם אֶת דְּבָרָי אֲשֶׁר יִלְמְדוּן לְיִרְאָה אֹתִי כָּל הַיָּמִים אֲשֶׁר הֵם חַיִּים עַל הָאֲדָמָה וְאֶת בְּנֵיהֶם יְלַמֵּדוּן: [דברים ד, ט-י]

ד) וַיִּשְׁלַח יוֹאָב תְּקוֹעָה וַיִּקַּח מִשָּׁם אִשָּׁה חֲכָמָה וַיֹּאמֶר אֵלֶיהָ הִתְאַבְּלִי נָא וְלִבְשִׁי נָא בִגְדֵי אֵבֶל וְאַל תָּסוּכִי שֶׁמֶן וְהָיִית כְּאִשָּׁה זֶה יָמִים רַבִּים מִתְאַבֶּלֶת עַל מֵת: [שמואל ב יד, ב]

ה) וַיֹּאמֶר מֹשֶׁה אֶל אַהֲרֹן וּלְאֶלְעָזָר וּלְאִיתָמָר בָּנָיו רָאשֵׁיכֶם אַל תִּפְרָעוּ וּבִגְדֵיכֶם לֹא תִפְרֹמוּ וְלֹא תָמֻתוּ וְעַל כָּל הָעֵדָה יִקְצֹף וַאֲחֵיכֶם כָּל בֵּית יִשְׂרָאֵל יִבְכּוּ אֶת הַשְּׂרֵפָה אֲשֶׁר שָׂרַף יְיָ: [ויקרא י, ו]

עין משפט נר מצוה

יט א מיי' פ"ז מהלכות ת"ת הלכה ד סמג לאוין רח ועשין רלה טוש"ע י"ד סי' שלד סעיף ב:
כ ב מיי' פ"י מהלכות טומאת צרעת הלכה ו סמג עשין שם:
כא ג מיי' פ"ז מהלכות ת"ת הלכה ד סמג שם טוש"ע י"ד סי' שלד סעיף ג:
כב ד מיי' פ"ה מהל' אבל הלכה א יט סמג עשין דרבנן ג טוש"ע י"ד סי' שפ סעיף א וסי' שפו:
כג ה מיי' פ"י מהלכות טומאת צרעת הלכה ו סמג עשין רלה:
כד ו מיי' פ"ד מהלכות אבל הלכה ט סמג עשין דרבנן ג טוש"ע י"ד סי' שפ סעיף א וסי' שפח סעיף א [טוש"ע א"ח סי' לח עי' ש"ך יו"ד סי' שלד ס"ק יב]:
כה ז ח ט מיי' פ"י מהל' טומאת צרעת הלכה ו סמג עשין רלה:
כו י מיי' פ"ה מהלכות אבל הלכה א כ סמג עשין דרבנן ג טוש"ע י"ד סי' שפ סעיף א וסי' שפה סעיף א:
כז כ מיי' פ"ג מהלכות תענית הל' ח טוש"ע א"ח סי' תקעה סעיף ז:
כח ל מיי' פ"י מהלכות טומאת צרעת הל' ו סמג עשין רלה:
כט מ מיי' פ"ה מהלכות אבל הל' א טו סמג עשין דרבנן ג טוש"ע י"ד סי' שפ סעיף א וסי' שפד:
ל נ ס ע פ מיי' פ"ו מהלכות ת"ת הל' ד ה טוש"ע י"ד סי' שלד סעיף ב:
לא צ מיי' פ"י מהל' טומאת צרעת הל' ו סמג עשין רלה:
לב ק מיי' פ"ד מהל' ק"ש הל' ח טוש"ע א"ח סי' פח:
לג ר מיי' פ"ה מהלכות אבל הלכה א ג סמג עשין דרבנן ג טוש"ע י"ד סי' שפ סעיף א וסי' שפט סעיף א:
לד ש מיי' פ"ח מהל' אבל הלכה א סמג עשין דרבנן ב טוש"ע שם סי' שמ סעיף א:
לה ת מיי' פ"י מהל' טומאת צרעת הל' ו סמג עשין רלה:
לו א מיי' פ"ה מהלכות אבל הלכה א יח סמג עשין דרבנן ג טוש"ע י"ד סי' שפ סעיף א וסי' שפז סעיף א:

הגהות מהר"ב רנשבורג

א] רש"י ד"ה מוחרם שמחרימין בחרם לאחר ל' יום לאחר הנדוי. נ"ב לאחר ששים תניא לקמן דף טז ע"א ואולי כוונת רש"י אחרי שלשים השניים דתניא שם ושונין לאחר שלשים ומחרימין לאחר ששים:

רבינו חננאל

מנודה וכן מצורע דתניא מנודין ומצורעין אסורין לספר ולכבס. מנודה שמת ב"ד סוקלין את ארונו. ר' יהודה אומר לא שיעמידו עליו גל אבנים כגל עכן. אלא ב"ד שולחין ומניחין אבן על ארונו כו'. אבל חייב בעטיפת הראש מדאמר ליה רחמנא ליחזקאל לא תעטה על שפם מכלל דכ"ע אסירי וכן מנודה דתנן והן מתעטפין ויושבין כמנודין ואבלין עד שירחמו עליהן מן השמים ודחי אביי ודלמא מנודה לשמים דחמיר חייב בעטיפת הראש אבל מנודה לבני אדם לא. ולקולא עבדינן. ולא מחייבינן למנודה בעטיפת הראש דהא איבעיא ולא איפשיטא. מצורע אסיקנא דחייב בעטיפת הראש. אבל אסור בתפלין מדכתיב ביחזקאל פארך חבוש עליך מכלל דכ"ע אסירי מנודה מהו בתפלין תיקו. מצורע מהו בתפלין ולא איפשיטא בהדיא אבל אסור בשאילת שלום מדכתיב ביחזקאל האנק דום אלא דבר מכלל דכ"ע אסירי. מנודה מאי ת"ש מנודה שונה ושונין לו נשכר ונשכרין לו מוחרם לא שונה ולא שונין לו [לא נשכר] ולא נשכרין לו אבל שונה לעצמו שלא יפסיד תלמודו ועושה לו חנות קטנה בפקתא דערבות שהיא ארץ ציה רחוקה מן הישוב לזבוני מיא כדי פרנסתו וכן מצורע מותר בדברי תורה אבל אסור בתכבוסת ובסיכה שנאמר וישלח יואב תקועה ויקח משם אשה חכמה ויאמר אליה התאבלי נא ולבשי נא בגדי אבל ואל תסוכי שמן והיית כאשה זו ימים רבים מתאבלת על מת. אבל אסור ברחיצה דרחיצה בכלל סיכה היא מנודה ומצורע ברחיצה לא איפשיטא בהדיא. אבל חייב בקריעת בגדיו מדכתיב בבני אהרן ובגדיכם לא תפרומו מכלל דכולי עלמא חייבי וכן מצורע מנודה מאי תיקו אבל חייב בכפיית המטה. מנודים ומצורעים מהו תיקו

רש"י כת"י

מצורעין. אע"ג דכתו' בהו ראשו יהיה פרוע אפי' הכי קא מבעיא ליה דאיכא דדריש פרוע לקמן למלת' אחריתי. **מנודין ומצורעין מהן וכו'.** להכי מבעיא ליה תרויהו כחדא משום דמתרלי בחדא פירוקא. **מנודה שמת.** סיפא דברייתא הוא. **כגלו של עכן.** דכתוב (ויעמידו ויקימו] (יהושע ז) עליו גל אבנים גדול דמשום זכר בעלמא הוא דעבדו. **ללמדך.** לא ידענא [אמאי קאי]. **אבל.** פשיטא לי דחייב בעטיפת הראש מדקאמ' ליה רחמנא ליחזקאל לא תעטה על שפם מכלל דבאבל מתים בעי עטוי שפם ורחמנא הוא דאמר ליחזקאל מתים אבל לא תעשה רמז לשונאיהם של ישראל שלא יהו סופדין ומתאבלין זה על זה מרוב מתים שיפלו מהם ולא יוכלו להתאבל עליהן ומתוך פורענות שיבא עליהם בחייהם ישמח כל אחד ואחד במיתתו של חבירו ולא יחול אבל עליו. **שפם.** לשון שפה גרינו"ן בלע"ז כל ראשו ופרצופו עיטוי. **והן מתעטפין.** עברו אלו ולא נענו חבירים אין שאילת שלום ביניהן והן מתעטפין וכו' בשלהי פר"ק דתענית. **דלמא מנודה לשמים שאני.** כגון אלו דלא נענו דחמירי. מצורע נמי לא איבעיא ליה מקרא מלא אלא יגדיל תורה ויאדיר. **פארך.** אלו תפלין. **יהיה פרוע.** **הוויה שבראש.** **הוויה בבגד.** יהיו פרומים חוץ מגופו לאפוקי שער דגופו הוא ומיירי בכולי עלמא אפי' בישראל ולא איירי בכהן אלא רישא דקרא והצרוע. **מאי.** חוץ מגופו לאו לאסר להניח. **כומתא.** כובע. **סודרא** סודר יפה. **האנק דום.** קצת אבילות עשה שתעשה בדממה ולא תשאל לשום אדם שלום. **מבני אדם הנזופין למקום.** שאסורין בשאילת שלום גבי עברו אלו ולא נענו (תענית יג:). **נזיפה.** גערה כדמתרגמי' (בראשית לז) ויגער בו אביו ונזף ביה אבוהי שגערו בו ב"ד ושתקוהו בנזיפה והיינו נמי מנודה לשון על כן לנדה היתה (איכה א) וכמו נע ונד (בראשית ד) שהיה מתנודה עליהם ומתרחקין ממנו בני אדם שלא היו יושבין בד' אמות שלו כדלקמן. **[ונפשוט מינה למנודה].** מדקתני שאסור בשאילת שלום כמנודה וכאבל. **שונה.** לאחרים. **נשכר.** למלאכת אחרים. **מוחרם.** שנתנדה שלשה פעמים כדלקמן. **שונה הוא לעצמו.** בלחש. **חנות קטנה.** בשביל פרנסתו כלומר מיעוט מלאכה כדי פרנסה. **מאי חנות קטנה. זבוני מיא בפקתא דערבות.** פקתא בקעה שבאותו מקום אין שם מים כדאמרינן נמי בשחיטת חולין בפרק כל הבשר (קז.). **זבין ומצורעין.** ברתת וזיע הן שלבן דואג. **ובועלי נדות.** נמי אע"פ שמתוך קלות ראש בעל את הנדה לאחר כן לבו דואג מחמת החטא אבל בעלי קריין בעלמא מתוך שמחה וקלות ראש הוא וכן אם שמש מטתו נמי לא ברתת הוא דשמחה הוא לו. **וישלח יואב תקועה.** במנחות (פה:) מפרש מאי שנא תקועה אלפא לשמן ושמן מפקח והיא חכמה ביותר. **לבשו בגדי אבל** דמשמע דבגדי אבל מנוולין הן אלמא אסור בתכבוסת. **כפיית המטה.** שכופה מטתו מלמעלה למטה והופכה.

The Gemara concludes:

שְׁמַע מִינָּהּ – Indeed, **derive from [the Baraisa]** that someone under a ban is permitted to learn Torah.

The Gemara inquires about a *metzora*:

מְצוֹרָע – And in the case of **a *metzora*,** מַהוּ בְּדִבְרֵי תוֹרָה – **what is [the law]** with regard to his engaging **in** studying **the words of Torah?**

The Gemara responds:

תָּא שְׁמַע – **Come, learn** an answer to your query from a Baraisa: "וְהוֹדַעְתָּם לְבָנֶיךָ וְלִבְנֵי בָנֶיךָ" – Scripture states: ***YOU SHALL MAKE THEM KNOWN TO YOUR CHILDREN AND YOUR CHILDREN'S CHILDREN***[44] – "יוֹם אֲשֶׁר עָמַדְתָּ לִפְנֵי ה׳ אֱלֹהֶיךָ בְּחֹרֵב" – ***THE DAY THAT YOU STOOD BEFORE HASHEM, YOUR GOD, AT HOREB.***[45] The juxtaposition of the two verses teaches: מַה לְהַלָּן בְּאֵימָה וּבְיִרְאָה וּבִרְתֵת וּבְזִיעָה – **JUST AS THERE,** when the Jews stood at Sinai and received the Torah (v. 10), they did so **IN DREAD AND AWE, WITH TREMBLING AND FEAR,**[46] here also, when Torah is taught in later generations (v. 9), it must be done in dread and awe, with trembling and fear.[47] מִכָּאן אָמְרוּ – **FROM HERE THEY SAID:** הַזָּבִין וְהַמְּצוֹרָעִין וּבוֹעֲלֵי נִדּוֹת – *Tamei* individuals such as **THE *ZAVIM*,**[48] **THE *METZORAS*, AND THOSE WHO HAD RELATIONS WITH MENSTRUANTS**[49] מוּתָּרִין לִקְרוֹת בַּתּוֹרָה וּבַנְּבִיאִים וּבַכְּתוּבִים – **ARE** all **PERMITTED TO READ FROM THE TORAH, PROPHETS AND WRITINGS,** וְלִשְׁנוֹת בַּמִּדְרָשׁ וּבַשַּׁ״ס בַּהֲלָכוֹת וּבָאַגָּדוֹת – and **TO STUDY MIDRASH, TALMUD, HALACHAH AND AGGADIC TEACHINGS.**[50] – וּבַעֲלֵי קְרָיִין אֲסוּרִין – **BUT *BAAL KERIS***[51] **ARE FORBIDDEN** to study these subjects, for their *tumah* was occasioned by levity,[52] which is inconsistent with the feelings of awe that Torah study demands.[53]

The Gemara concludes:

שְׁמַע מִינָּהּ – In any event, **derive from [the explicit statement]** of the Baraisa that a *metzora* is permitted to learn Torah.

The Gemara introduces another set of queries:

אָבֵל אָסוּר בְּתִכְבּוֹסֶת – **A mourner is forbidden** to engage **in laundering,**[54] דִּכְתִיב – **as it is written:**[55] "וַיִּשְׁלַח יוֹאָב תְּקוֹעָה וַיִּקַּח מִשָּׁם אִשָּׁה חֲכָמָה וַיֹּאמֶר אֵלֶיהָ הִתְאַבְּלִי־נָא וְלִבְשִׁי־נָא בִגְדֵי־אֵבֶל וְאַל־תָּסוּכִי שֶׁמֶן וְהָיִית כְּאִשָּׁה זֶה יָמִים רַבִּים מִתְאַבֶּלֶת עַל מֵת" – ***So Yoav sent to Tekoa and brought a wise woman from there. He said to her, "If you please, pretend to be a mourner; wear garments of mourning***[56] ***and do not anoint yourself with oil; be like this for many days, as a woman mourning over a dead person."***

The Gemara asks:

מְנוּדִּין וּמְצוֹרָעִין – And in the cases of **excommunicates and *metzoras*,** מַה הֵן בְּתִכְבּוֹסֶת – **what are [their laws]** with regard to engaging **in laundering?**

The Gemara replies:

תָּא שְׁמַע – **Come, learn** an explicit answer from a Baraisa: מְנוּדִּין וּמְצוֹרָעִין אֲסוּרִין לְסַפֵּר וּלְכַבֵּס – **EXCOMMUNICATES AND *METZORAS* ARE PROHIBITED TO CUT** their **HAIR AND LAUNDER** their clothing. שְׁמַע מִינָּהּ – **Derive** their laws, then, **from [the Baraisa].**

Another set of queries:

אָבֵל חַיָּיב בִּקְרִיעָה – **A mourner is obligated** to engage **in rending** his garment, דְּקָאָמַר לְהוּ רַחֲמָנָא לִבְנֵי אַהֲרֹן – **for the Merciful One said to the** surviving **sons of Aaron,** who were mourning their brothers Nadav and Avihu, "לֹא־תִפְרֹמוּ" – ***Do not rend your garments,***[57] מִכְּלָל דְּכוּלֵּי עָלְמָא מִיחַיְּיבֵי – and it follows **by implication that all other** mourners, who are not specifically admonished thus, **are obligated** to rend their garments.

The Gemara asks:

מְנוּדֶּה – And in the case of **an excommunicate,** מַהוּ בִּקְרִיעָה – **what is [the law]** with regard to his engaging **in rending** his garment?

The Gemara answers:

תֵּיקוּ – **Let it stand.** The issue remains unresolved.

The Gemara asks about a *metzora*:

מְצוֹרָע – And in the case of **a *metzora*,** מַהוּ בִּקְרִיעָה – **what is [the law]** with regard to his engaging **in rending** his garment?

The Gemara replies:

תָּא שְׁמַע – **Come, learn** an explicit answer from a Baraisa: "בְּגָדָיו יִהְיוּ פְרֻמִים" – The Torah states[58] concerning a *metzora*, ***HIS GARMENTS SHALL BE PERUMIM,*** שֶׁיְּהוּ מְקוֹרָעִין – which means **THAT THEY SHALL BE TORN.** שְׁמַע מִינָּהּ – **Derive** the law, then, **from [the Baraisa].**[59]

NOTES

HaShas there) and *Rashi ms.* render פַּקְתָּא "valley." Hence, the place Rav specifies is the Valley of Aravos. In either case, water was scarce there (*Rashi ms.*), and by performing the minimal activity of selling water the sinner can eke out a living (ibid. ד״ה חנות קטנה; see *Ritva* here).

44. *Deuteronomy* 4:9.

45. Ibid. v. 10.

46. Scripture states that the Jewish people were awestruck by the sight they witnessed at Sinai (*Exodus* 20:15): *And the entire people could see the sounds and the flames, the sound of the shofar and the smoking mountain; the people saw and they moved and they stood from afar* (*Rashi* to *Berachos* 22a ד״ה מה להלן באימה).

47. [Our text appears to be defective, and so writes *Rashash*. Ordinarily, a statement commencing with the phrase *Just as there* concludes with a section beginning *here also*. It is written thus in *Berachos* 22a, where the Baraisa is also recorded, and we have translated accordingly.]

48. See above, 14a note 6.

49. See note 53 below.

50. While the three types of people mentioned above are *tamei*, their *tumah* was not proximately caused by acts of excessive frivolity or levity. Hence, they are permitted to study Torah, for indeed in their contaminated state they are seized with trembling and worry (*Rashi ms.;* cf. *Rashi* to *Berachos* 22a ד״ה מכאן אמרו).

Old editions of the Talmud have the word תַּלְמוּד, *Talmud,* in place of שַׁ״ס; see *Dikdukei Soferim* for this and other readings.

51. A *baal keri* is one who experienced a seminal emission. He is *tamei* and must immerse himself in a *mikveh*.

52. I.e. their emissions come from feelings of levity (*Rashi, Rashi ms.*).

53. Above, this Tanna permitted Torah study to one who had relations with a *niddah* (and thereby contracted the *tumah* of *niddah*). Since this same Tanna also forbids a *baal keri* to study Torah, we construe the former case as dealing with a person who *immersed* shortly after cohabiting with the *niddah*. In this way he will have at least removed the *tumah* of *keri* [although he still remains *tamei* for a seven-day period by virtue of his intimate contact with the *niddah*] (*Rashi* to *Berachos* 22a; see also *Tosafos* here ד״ה ובועלי).

54. For the first seven days he is prohibited to launder his clothing even in cold water, and from day eight until day thirty he may not iron his woolen garments (see *Nimukei Yosef*).

55. *II Samuel* 14:2. The verse appears in the following context: After the incident of Amnon and Tamar, King David exiled his son Absalom for killing Amnon (ch. 13). Yoav, David's commander in chief, sought to reconcile David and Absalom. To that end he enlisted a wise woman from the city of Tekoa, directing her to appear before the king as a mourner and to draw a parallel between her story and David's treatment of Absalom. To lend credibility to the woman's tale, Yoav taught her how to be perceived as a mourner. Those instructions are contained in our verse, and are a source for some of the laws of mourning [the verse will be quoted again below, 15b].

56. The implication here is that mourners' clothes are repugnant and soiled, from which we derive that a mourner is prohibited to launder his garments (*Rashi ms.*). See also *Rashi* to *Rif.*

57. *Leviticus* 10:6. *Talmid R' Yechiel MiParis* explains that the deaths of Nadav and Avihu occurred on the first day of the dedication of the Altar. Public displays of mourning were restricted so as not to interfere with the public celebration.

58. *Leviticus* 13:45.

59. Although the *metzora's* law was never in doubt, since it is expressly

מנודין ומצורעין מה הן בתספורת ת"ש [א]מנודין [ב]ומצורעין אסורין לספר ולכבס מנודה שמת ב"ד סוקלין את ארונו ר' יהודה אומר לא שיעמידו עליו גל אבנים כגלו של עכן [ג]אלא ב"ד שולחין ומניחין אבן גדולה על ארונו [א] ללמדך שכל המתנדה ומת בנידויו ב"ד סוקלין את ארונו [ד]אבל חייב בעטיפת הראש מדקאמר ליה רחמנא ליחזקאל [א] ולא תעטה על שפם מכלל דכולי עלמא מיחייבי מנודה מהו בעטיפת הראש אמר רב יוסף ת"ש [ב] והן מתעטפין ויושבין כמנודין וכאבלים עד שירחמו עליהם מן השמים א"ל אביי דלמא מנודה לשמים שאני דחמיר מצורע מהו בעטיפת הראש ת"ש [ב] ועל שפם יעטה [ה]מכלל שחייב בעטיפת הראש ש"מ [ג] אבל [ו]אסור להניח תפילין מדקאמר ליה רחמנא ליחזקאל [א] פארך חבוש עליך מכלל דכ"ע אסור [ד] מנודה מהו בתפילין תיקו מצורע מהו בתפילין ת"ש [ב] [ה] והצרוע [ז]לרבות כ"ג בגדיו יהיו פרומים [ח]שיהו מקורעים [ב] וראשו יהיה פרוע אין פריעה אלא [ט]גידול שער דברי ר"א ר"ע אומר נאמרה הוייה בראש ונאמרה הוייה בבגד מה הוייה האמורה בבגד דבר שחוץ מגופו אף הוייה בראש דבר שחוץ מגופו מאי לאו אתפילין אמר רב פפא לא [ו] אכומתא וסודרא אבל [י]אסור בשאילת שלום דקאמר ליה רחמנא ליחזקאל [א] האנק דום מנודה מהו בשאילת שלום אמר רב יוסף ת"ש [ז] [כ]ובשאילת שלום שבין אדם לחברו כבני אדם הנזופין למקום א"ל אביי דלמא מנודה לשמים שאני דחמיר מצורע מהו בשאילת שלום ת"ש ועל שפם יעטה שיהו שפתותיו מדובקות זו בזו שיהא כמנודה וכאבל [ל]ואסור בשאילת שלום ש"מ וניפשוט מינה למנודה אמר רב אחא בר פנחס משמיה דרב יוסף מי קתני שאסור שיהא כמנודה וכאבל [ח] [קתני] במילי אחרנייתא ואסור נמי בשאילת שלום [מ]אבל אסור בדברי תורה מדקאמר רחמנא ליחזקאל דום מנודה מהו בדברי תורה אמר רב יוסף ת"ש מנודה [נ]שונה ושונין לו נשכר ונשכרין לו [ס]מוחרם לא שונה ולא שונין לו לא נשכר ולא נשכרין לו [ע]אבל שונה הוא לעצמו שלא יפסיק את למודו [פ]ועושה לו חנות קטנה בשביל פרנסתו ואמר רב זבוני מיא בפקתא דערבות שמע מינה מצורע מהו בדברי תורה [ט] ת"ש [ג] והודעתם לבניך ולבני בניך יום אשר עמדת לפני ה' אלהיך בחורב מה להלן באימה וביראה וברתת ובזיעה מכאן אמרו [י] הזבין והמצורעין ובועלי נדות [צ]מותרין לקרות בתורה ובנביאים ובכתובים ולשנות במדרש ובש"ס בהלכות ובאגדות [ק]ובעלי קריין אסורין ש"מ אבל [ר]אסור [כ] בתכבוסת דכתיב [ד] וישלח יואב תקועה ויקח משם אשה חכמה ויאמר אליה התאבלי נא ולבשי נא בגדי אבל ואל תסוכי שמן והיית כאשה זה ימים רבים מתאבלת על מת מנודין ומצורעין מה הן בתכבוסת ת"ש מנודין ומצורעין אסורין לספר ולכבס ש"מ אבל [ש]חייב בקריעה דקאמר להו רחמנא לבני אהרן [ה] לא תפרומו מכלל דכ"ע מיחייבי מנודה מהו בקריעה תיקו מצורע מהו בקריעה ת"ש [ב] בגדיו יהיו פרומים [ת]שיהו מקורעין שמע מינה אבל [א]חייב בכפיית המטה דתני בר קפרא

דמות

רש"י

מנודין ומצורעין מהו. להכי קאמר להו בהדדי משום דפשיט להו בהדדי: מנודה שמת וכו'. סיפא דברייתא היא: כגלו של עכן. דכתיב (יהושע ז) ויקימו עליו גל אבנים גדול: והן מתעטפין. מפורש במסכת תענית לאחר שהתענו שלש עשרה ת"צ: מנודה לשמים. כי הני שאני דחמירי ולהכי צריכי עטיפת הראש אבל אחרים אין צריכין עטיפת הראש: יעטה. משמע עטיפת הראש: פארך. זה תפילין: דבר שהוא חוץ מגופו אף הוייה. האמורה בראש ראשו יהיה פרוע משמע מגולה כענין דכתיב ופרע את ראש האשה (במדבר ה) דבר שהוא חוץ מגופו ולא אמרינן משער שהוא מגופו: מאי לאו. שיהא ראשו מגולה מתפילין: אכומתא וסודרא. כלומר שיהא ראשו מגולה מכומתא וסודרא אבל תפילין מניח: דהא א"ל רחמנא ליחזקאל האנק דום. כלומר בדבר זה תנהוג אבילות שתדום ולא תשאל לשלום: ת"ש. דתני גבי תעניות הן יושבין כמנודין ואבלים כו': שפם. משמע שפתותיו מדובקות: מי קתני כמנודה. שאסור בשאילת שלום: מוחרם. שמחרימין בחרם לאחר ל' יום לאחר הנדוי [א]: בפקתא דערבות. בשוק של אותו מקום: בעלי קריין אסורין. לפי שבא להם מחמת שמחה וקלות ראש וליכא אימה:

דמות

תוספות

מנודין ומצורעין מה הן בתספורת. ומראשו יהיה פרוע לא בעי לאוכוחי דלית ליה דר"א דמוקי לה לקמן בתספורת תדע דלקמן בעי לאוכוחי מינה הנחת תפילין כר"ע:

(מנודה) מהו בעטיפת הראש אמר רב יוסף תא שמע. ולא נראה לו לדברי רב פפא דמוקי ראשו יהיה פרוע אכומתא וסודרא:

וראשו יהיה פרוע. צריך עיון אי פליגי הכי בראשיכם אל תפרעו ובגדיכם לא תפרומו דלעיל מייתי (א) עליה תספורת לאבל ולא מייתי מיניה למצורע דמשמע דסבר כר"ע ופליג אדר' אליעזר כדפרישית לעיל ושמא ר"ע לא פליג אדרבי אליעזר דפריעת הראש היינו גידול שער בין במצורע בין באבל ותרוייהו דורש ר"ע ולעיל דלא מייתי מיניה למצורע משום דמשכח ברייתא בהדיא מייתי לה ואע"ג דברישא דסוגיא מייתי אבל אינו נוהג אבילותו ברגל ומניח המשנה דלקמן ומייתי קרא דושמחת לפי שצריך לפרש מנלן מתני' דאבל אינו נוהג אבילותו ברגל אבל ראשו יהיה פרוע דמיירי בגידול שער דומה לו דבר פשוט וניחא ליה לאתויי ברייתא:

אסור בשאילת שלום דקאמר ליה רחמנא ליחזקאל האנק דום. דמשמע שתיקה משאילת שלום ומתלמוד תורה נמי משמע בסמוך מהאנק דום והא דהיה יחזקאל נוהג אבילות בהאנק דום ובכל שאר דברים לא היה עושה שהיה צריך להראות בקצת דברים שהוא אבל ולא היה נוהג דיני אבל אלא למשל:

שיהו שפתותיו מדובקות. לעיל דרשינן מיניה עטיפת הראש ושמא תרוייהו משמע א"נ מדכתיב שפם ולא כתיב שפה:

ובועלי נדות מותרין. אחר שטבל לקרי אבל לקריו צריך טבילה ולרבי יהודה משמע התם דלא צריך טבילה לדברי תורה לבעל קרי היכא דלא נטהר ע"י טבילה זו בפרק מי שמתו (ברכות דף כו.) במשמשת ורואה דם ובעל קרי שראה זיבה צריכין טבילה ור' יהודה פוטר והא דהכא בלא טבילה כרבי יהודה צריך ליישב דאיירי רבי יהודה בסיפא דהך ברייתא בפ' מי שמתו (שם דף כב.) וקאמר רבי יהודה שונה הוא בהלכות דרך ארץ וליכא למימר דלרבי יהודה נמי בועלי נדות חייבין טבילה כמו בעל קרי בעלמא דהשתא ומה בעל קרי שראה זיבה אחר כך שהיה חייב כבר פוטר רבי יהודה בועל נדה לא כל שכן מיהו לאורה נ"ל דלא פליגי רבי יהודה ורבנן אלא בהני טומאות דדומיא דקרי הוי דהיינו דטומאה יוצאה עליו מגופו אבל בטומאת שרצים מודה רבי יהודה דבהדי קרי צריך טבילה א"כ ה"נ בועל נדה מודה דלא חשיב טומאה יוצאה מגופו ואפילו מאן דבעי למימר בפרק אלו דברים בפסחים (דף סח.) ובפ"ק דיומא (דף ו.) דמשתלח חוץ לשתי מחנות כמו בעל קרי מ"מ לא חשיב טומאה יוצאה מגופו ורבי יהודה נמי הצריך טבילה לדברי תורה [ס] בתוספ' פי' דכיון דטומאת בועל נדה מכח קרי רבי יהודה מודה דצריך טבילה:

ה"ג מנודין ומצורעין מה הן בתכבוסת ת"ש מנודין ומצורעין אסורין לספר ולכבס. ובספר הרב לא היה כתוב כל זה והיה קשה לרב למה לא בעי ליה ותירץ דכבר אייתי לעיל הך ברייתא דגבי תספורת והא הקשה לקמן גבי עשיית מלאכה קמיבעי ומביא ברייתא דמתנייא לעיל ונשכרין ותירץ דאגב דמצורע קאי בתיקו קא בעי מנודה ומייתי לברייתא דלעיל:

ורחילה

רבינו חננאל

מנודה וכן מצורע דתניא מנודין ומצורעין אסורין לספר ולכבס. מנודה שמת ב"ד סוקלין את ארונו. ר' יהודה אומר לא שיעמידו עליו גל אבנים כגל עכן. אלא ב"ד שולחין ומניחין אבן על ארונו כו'. אבל חייב בעטיפת הראש מדאמר ליה רחמנא ליחזקאל לא תעטה על שפם מכלל דכ"ע אסירי וכן מנודה דתנן והן מתעטפין ויושבין כמנודין ואבלין עד שירחמו עליהן מן השמים ודחי אביי ודלמא מנודה לשמים דחמיר חייב בעטיפת הראש אבל מנודה לבני אדם לא. ולקולא עבדינן. ולא מחייבינן למנודה בעטיפת הראש דהא איבעיא ולא איפשיטא. מצורע אסיקנא דחייב בעטיפת הראש. אבל אסור בתפלין מדכתיב ביחזקאל פארך חבוש עליך מכלל דכ"ע אסירי מנודה מהו בתפלין תיקו. מצורע מהו בתפלין ולא איפשיטא בהדיא אבל אסור בשאילת שלום מדכתיב ביחזקאל האנק דום אלא דבר מכלל דכ"ע אסירי. מנודה מאי ת"ש מנודה שונה ושונין לו נשכר ונשכרין לו מוחרם לא שונה ולא שונין לו [לא נשכר] ולא נשכרין לו אבל שונה לעצמו שלא יפסיד תלמודו ועושה לו חנות קטנה בפקתא דערבות שהיא ארץ ציה רחוקה מן הישוב לזבוני מיא כדי פרנסתו וכן מצורע מותר בדברי תורה אבל אסור בתכבוסת ובסיכה שנאמר וישלח יואב תקועה ויקח משם אשה חכמה ויאמר אליה התאבלי נא ולבשי נא בגדי אבל ואל תסוכי שמן והיית כאשה זו ימים רבים מתאבלת על מת. אבל אסור ברחיצה דרחיצה בכלל סיכה היא מנודה ומצורע ברחיצה לא איפשיטא בהדיא. אבל חייב בקריעת בגדיו מדכתיב בבני אהרן ובגדיכם לא תפרומו מכלל דכולי עלמא חייבי וכן מצורע מנודה מאי תיקו אבל חייב בכפיית המטה. מנודים ומצורעים מהו תיקו

רש"י כת"י

מצורעין. אע"ג דכתו' בהו ראשו יהיה פרוע אפי' הכי קא מבעיא ליה דאיכא דדריש פרוע לקמן למלת' אחריתי. מנודין ומצורעין מהן וכו'. להכי מבעיא ליה תרויהו כחדא משום דמתרצי בחדא מילתא. מנודה שמת. סיפא דברייתא הוא. כגלו של עכן. דכתוב (ויעמידו) [ויקימו] (יהושע ז) עליו גל אבנים גדול דמשום זכר בעלמא הוא דעבדו. ללמדך. לא ידענא [אמאי קאי]. אבל. פשיטא לי דחייב בעטיפת הראש מדקאמ' ליה רחמנא ליחזקאל לא תעטה על שפם מכלל דכאבל מתים בעי עטוי שפם ורחמנא הוא דאמר ליחזקאל מתים אבל לא תעשה רמז לשונאיהם של ישראל שלא יהו סופדין ומתאבלין זה על זה מרוב מתים שיפלו מהם ולא יוכלו להתאבל עליהן ומתוך פורענות שיבא עליהם במייהם ישמח כל אחד ואחד במיתתו של חבירו ולא יתאבל אבל עליו. שפם. לשון שפה גרינו"ן בלע"ז כל ראשו ופרצופו עיטוי. והן מתעטפין. עברו אלו ולא נענו חבירים אין שאילת שלום ביניהן והן מתעטפין וכו' בשלהי פר"ק דתענית. דלמא מנודה לשמים שאני. כגון אלו דלא נענו דחמירי. מצורע נמי לא איבעיא ליה דמקרא מלא אלא יגדיל תורה ויאדיר. פארך. אלו תפלין. הוויה שבראש. יהיה פרוע. הוויה בבגד. יהיו פרומים חוץ מגופו לאפוקי שער דגופו הוא ומיירי בכולי עלמא אפי' בישראל ולא איירי בכהן אלא רישא דקרא והצרוע. מאי. חוץ מגופו לאו דאסר להניח. כומתא. כובע. סודרא סודר יפה. האנק דום. קצת אבילות עשה שתעשה בדממה ולא תשאל לשום אדם לשלום. מבני אדם הנזופין למקום. שאסורין בשאילת שלום גבי עברו אלו ולא נענו (תענית יג:). נזיפה. גערה כדמתרגמי' (בראשית לז) ויגער בו אביו ונזף ביה אבוהי שגערו בו ב"ד ושתקוהו בנזיפה והיינו נמי מנודה לשון על כן לנדה היתה (איכה א) וכמו נע ונד (בראשית ד) שהיה מתנודה עליהם ומתרחקין ממנו בני אדם שלא היו יושבין בד' אמות שלו כדלקמן. [ונפשוט מינה למנודה]. מדקתני שאסור בשאילת שלום כמנודה וכאבל. שונה. לאחרים. נשכר. למלאכת אחרים. מוחרם. שנתנדה שלשה פעמים כדלקמן. שונה הוא לעצמו. בלחש. חנות קטנה. בשביל פרנסתו כלומר מיעוט מלאכה כדי פרנסה. מאי חנות קטנה. זבוני מיא בפקתא דערבות. פקתא בקעה שבאותו מקום אין שם מים כדאמרינן נמי בשחיטת חולין בפרק כל הבשר ((קז.). זבין ומצורעין. ברתת וזיע הן שלבן דואג. ובועלי נדות. נמי אע"פ שמתוך קלות ראש בעל את הנדה לאחר כן לבו דואג מחמת החטא אבל בעלי קריין בעלמא מתוך שמחה וקלות ראש הוא וכן אם שמש מטתו נמי לא ברתת הוא דשמחה הוא לו. וישלח יואב תקועה. במנחות (פה:) מפרש מאי שנא תקועה אלפא לשמן ושמן מפקח והיא חכמה ביותר. לבשו בגדי אבל דמשמע דבגדי אבל מנוולין הן אלמא אסור בתכבוסת. כפיית המטה. שכופה מטתו מלמעלה למטה והופכה.

מסורת הש"ס

א) ברכות יט. עדיות פ"ה מ"ו, ב) תענית יד:, ג) סוכה כה. כתובות ו: ע"ש [מס' שמחות פ"ו ברכות יא. טז:], ד) [עי' תוס' ישנים נדה ז: ד"ה הקשה ה"ר דאבי"ה וכו'], ה) [לעיל יד:], ו) [פי' כומתא מגבעה רבה שהיא כמלא הראש ואין עולה למעלה מן הראש. ערוך], ז) תענית יג:, ח) ס"א, ט) ברכות כב., י) [תוספתא דברכות פ"ב], כ) לקמן יז:, ל) גי' רש"א מצורע.

הגהות הב"ח

(א) תוס' ד"ה וראשו כו' דלעיל מייתי מיניה איסור תספורת לאבל:

גליון הש"ס

תוס' ד"ה ובועלי נדות וכו' ובתוספ' פי' דכיון דטומאת בועל נדה. עיין משנה למלך פ"ג ה"ג מהל' ביאת מקדש:

תורה אור השלם

א) הֵאָנֵק דֹּם מֵתִים אֵבֶל לֹא תַעֲשֶׂה פְּאֵרְךָ חֲבוֹשׁ עָלֶיךָ וּנְעָלֶיךָ תָּשִׂים בְּרַגְלֶיךָ וְלֹא תַעְטֶה עַל שָׂפָם וְלֶחֶם אֲנָשִׁים לֹא תֹאכֵל: [יחזקאל כד, יז]

ב) וְהַצָּרוּעַ אֲשֶׁר בּוֹ הַנֶּגַע בְּגָדָיו יִהְיוּ פְרֻמִים וְרֹאשׁוֹ יִהְיֶה פָרוּעַ וְעַל שָׂפָם יַעְטֶה וְטָמֵא טָמֵא יִקְרָא: [ויקרא יג, מה]

ג) רַק הִשָּׁמֶר לְךָ וּשְׁמֹר נַפְשְׁךָ מְאֹד פֶּן תִּשְׁכַּח אֶת הַדְּבָרִים אֲשֶׁר רָאוּ עֵינֶיךָ וּפֶן יָסוּרוּ מִלְּבָבְךָ כֹּל יְמֵי חַיֶּיךָ וְהוֹדַעְתָּם לְבָנֶיךָ וְלִבְנֵי בָנֶיךָ: יוֹם אֲשֶׁר עָמַדְתָּ לִפְנֵי יְיָ אֱלֹהֶיךָ בְּחֹרֵב בֶּאֱמֹר יְיָ אֵלַי הַקְהֶל לִי אֶת הָעָם וְאַשְׁמִעֵם אֶת דְּבָרָי אֲשֶׁר יִלְמְדוּן לְיִרְאָה אֹתִי כָּל הַיָּמִים אֲשֶׁר הֵם חַיִּים עַל הָאֲדָמָה וְאֶת בְּנֵיהֶם יְלַמֵּדוּן: [דברים ד, ט-י]

ד) וַיִּשְׁלַח יוֹאָב תְּקוֹעָה וַיִּקַּח מִשָּׁם אִשָּׁה חֲכָמָה וַיֹּאמֶר אֵלֶיהָ הִתְאַבְּלִי נָא וְלִבְשִׁי נָא בִגְדֵי אֵבֶל וְאַל תָּסוּכִי שֶׁמֶן וְהָיִית כְּאִשָּׁה זֶה יָמִים רַבִּים מִתְאַבֶּלֶת עַל מֵת: [שמואל ב' יד, ב]

ה) וַיֹּאמֶר מֹשֶׁה אֶל אַהֲרֹן וּלְאֶלְעָזָר וּלְאִיתָמָר בָּנָיו רָאשֵׁיכֶם אַל תִּפְרָעוּ וּבִגְדֵיכֶם לֹא תִפְרֹמוּ וְלֹא תָמֻתוּ וְעַל כָּל הָעֵדָה יִקְצֹף וַאֲחֵיכֶם כָּל בֵּית יִשְׂרָאֵל יִבְכּוּ אֶת הַשְּׂרֵפָה אֲשֶׁר שָׂרַף יְיָ: [ויקרא י, ו]

עין משפט נר מצוה

יט א מיי' פ"ז מהלכות ת"ת הלכה ד סמג לאוין רח ועשין רלה טוש"ע י"ד סי' שלד סעיף ג:

כ ב מיי' פ"י מהלכות טומאת צרעת הלכה ו סמג עשין שם:

כא ג מיי' פ"ז מהלכות ת"ת הלכה ד סמג שם טוש"ע י"ד סי' שלד סעיף ג:

כב ד מיי' פ"ה מהל' אבל הלכה א יט סמג עשין דרבנן ג טוש"ע י"ד סי' שפ סעיף א וסי' שפו:

כג ה מיי' פ"י מהלכות טומאת צרעת הלכה ו סמג עשין רלה:

כד ו מיי' פ"ד מהלכות אבל הלכה ט סמג עשין דרבנן ג טוש"ע י"ד סי' שפ סעיף א וסי' שפח סעיף א [שו"ע א"ח סי' לח עי' ש"ך יו"ד סי' שלד ס"ק יב]:

כה ז ח ט מיי' פ"י מהל' טומאת צרעת הלכה ו סמג עשין רלה:

כו י מיי' פ"ה מהלכות אבל הלכה א כ סמג עשין דרבנן ג טוש"ע י"ד סי' שפ סעיף א וסי' שפה סעיף א:

כז כ מיי' פ"ג מהלכות תענית הל' ח טוש"ע א"ח סי' תקעה סעיף ז:

כח ל מיי' פ"י מהלכות טומאת צרעת הל' ו סמג עשין רלה:

כט מ מיי' פ"ה מהלכות אבל הל' א טו סמג עשין דרבנן ג טוש"ע י"ד סי' שפ סעיף א וסי' שפד:

ל נ ס ע פ מיי' פ"ו מהלכות ת"ת הל' ד ה טוש"ע י"ד סי' שלד סעיף ג:

לא צ מיי' פ"י מהל' טומאת צרעת הל' ו סמג עשין רלה:

לב ק מיי' פ"ד מהל' ק"ש הל' ח טוש"ע א"ח סי' פח:

לג ר מיי' פ"ה מהלכות אבל הלכה א ג סמג עשין דרבנן ג טוש"ע י"ד סי' שפ סעיף א וסי' שפט סעיף א:

לד ש מיי' פ"ח מהל' אבל הלכה א סמג עשין דרבנן ג טוש"ע שם סי' שמ סעיף א:

לה ת מיי' פ"י מהל' טומאת צרעת הל' ו סמג עשין רלה:

לו א מיי' פ"ה מהלכות אבל הלכה א יח סמג עשין דרבנן ג טוש"ע י"ד סי' שפ סעיף א וסי' שפז סעיף א:

הגהות מהר"ב רנשבורג

א] רש"י ד"ה מוחרם שמחרימין בחרם לאחר ל' יום לאחר הנדוי. נ"ב לאחר ששים תניא לקמן דף טז ע"א ואולי כוונת רש"י אחרי שלשים השניים דתניא שם ושונין לאחר שלשים ומחרימין לאחר ששים:

Another set of queries:
אָבֵל חַיָּיב בִּכְפִיַּית הַמִּטָּה – **A mourner is obligated** to engage **in overturning the bed,**[60] דְּתָנֵי בַּר קַפָּרָא – **for Bar Kappara taught** a Baraisa to that effect:

NOTES

stated by both the verse and the Baraisa, the Gemara nonetheless desires an expansive discussion (לְרַוְחָא בְּעָלְמָא) of the matter (*Ritva*). *Sfas Emes* suggests, however, that the Gemara is raising the novel question of whether a *metzora* must actually rend his clothing on account of his *tzaraas,* or whether it suffices for him to wear already-torn clothing. The Baraisa subsequently determines from the language of the verse that wearing already-torn garments is acceptable. See *Matzeves Moshe,* and see *Minchas Chinuch* §171 for further discussion of this issue.

60. I.e. turning the bed upside down (*Rashi ms.*) so that its legs point upward (*Nimukei Yosef*). [The details of this requirement will be discussed by the Gemara on 27a.]

This practice is not observed nowadays, for two reasons: (a) Gentiles may think it is a form of sorcery; and (b) our beds are not made like those in Talmudic times, and overturning them would not be a conspicuous sign (*Yoreh Deah* 387:1,2; see *Aruch HaShulchan* §3, who says it is not possible to perform the halachic "overturning" with our beds; see *Chidushei R' Akiva Eiger* there and *Mishmeres Shalom* 20:18).

Overturning the bed serves two functions: (a) Since in those days people sat on beds, if not for the practice of overturning the beds, a mourner would have to eat [and sleep] on the floor. As a result of this practice, he may eat his meals and sleep on an overturned bed (*Nimukei Yosef*) [though he must sit the rest of the time on the floor (*Ramban, Toras HaAdam* p. 183; *Chidushei HaRan*; *Yoreh Deah* 387:1]. (b) An overturned bed is itself a sign of mourning as the Gemara will now state (see *Aruch HaShulchan* 387:1,2).

מסורת הש"ס

א) ברכות יט. עדיות פ"ה מ"ו, ב) תענית יד:, ג) סוכה כה. כתובות ו: ע"ש [מס' שמחות פ"ו ברכות יא. טז:], ד) [עי' תוס' ישנים נדה ז: ד"ה הקשה ה"ר דאבי"ה וכו'], ה) [לעיל יד:], ו) [פי' כומתא מגבעה רבה שהיא כמלא הראש ואין עולה למעלה מן הראש. ערוך], ז) תענית יב:, ח) ס"א, ט) ברכות כב., י) [תוספתא דברכות פ"ב], כ) לקמן יז:, ל) גי' רש"א מצורע.

הגהות הב"ח

(א) תוס' ד"ה וראשו כו' דלעיל מייתי מיניה איסור תספורת לאבל:

גליון הש"ס

תוס' ד"ה ובועלי נדות וכו' ובתוספ' פי' דכיון דטומאת בועל נדה. עיין משנה למלך פ"ג ה"ג מהל' ביאת מקדש:

תורה אור השלם

א) הֵאָנֵק דֹּם מֵתִים אֵבֶל לֹא תַעֲשֶׂה פְּאֵרְךָ חֲבוֹשׁ עָלֶיךָ וּנְעָלֶיךָ תָּשִׂים בְּרַגְלֶיךָ וְלֹא תַעְטֶה עַל שָׂפָם וְלֶחֶם אֲנָשִׁים לֹא תֹאכֵל: [יחזקאל כד, יז]

ב) וְהַצָּרוּעַ אֲשֶׁר בּוֹ הַנֶּגַע בְּגָדָיו יִהְיוּ פְרֻמִים וְרֹאשׁוֹ יִהְיֶה פָרוּעַ וְעַל שָׂפָם יַעְטֶה וְטָמֵא טָמֵא יִקְרָא: [ויקרא יג, מה]

ג) רַק הִשָּׁמֶר לְךָ וּשְׁמֹר נַפְשְׁךָ מְאֹד פֶּן תִּשְׁכַּח אֶת הַדְּבָרִים אֲשֶׁר רָאוּ עֵינֶיךָ וּפֶן יָסוּרוּ מִלְּבָבְךָ כֹּל יְמֵי חַיֶּיךָ וְהוֹדַעְתָּם לְבָנֶיךָ וְלִבְנֵי בָנֶיךָ: יוֹם אֲשֶׁר עָמַדְתָּ לִפְנֵי יְיָ אֱלֹהֶיךָ בְּחֹרֵב בֶּאֱמֹר יְיָ אֵלַי הַקְהֶל לִי אֶת הָעָם וְאַשְׁמִעֵם אֶת דְּבָרָי אֲשֶׁר יִלְמְדוּן לְיִרְאָה אֹתִי כָּל הַיָּמִים אֲשֶׁר הֵם חַיִּים עַל הָאֲדָמָה וְאֶת בְּנֵיהֶם יְלַמֵּדוּן: [דברים ד, ט-י]

ד) וַיִּשְׁלַח יוֹאָב תְּקוֹעָה וַיִּקַּח מִשָּׁם אִשָּׁה חֲכָמָה וַיֹּאמֶר אֵלֶיהָ הִתְאַבְּלִי נָא וְלִבְשִׁי נָא בִגְדֵי אֵבֶל וְאַל תָּסוּכִי שֶׁמֶן וְהָיִית כְּאִשָּׁה זֶה יָמִים רַבִּים מִתְאַבֶּלֶת עַל מֵת: [שמואל ב' יד, ב]

ה) וַיֹּאמֶר מֹשֶׁה אֶל אַהֲרֹן וּלְאֶלְעָזָר וּלְאִיתָמָר בָּנָיו רָאשֵׁיכֶם אַל תִּפְרָעוּ וּבִגְדֵיכֶם לֹא תִפְרֹמוּ וְלֹא תָמֻתוּ וְעַל כָּל הָעֵדָה יִקְצֹף וַאֲחֵיכֶם כָּל בֵּית יִשְׂרָאֵל יִבְכּוּ אֶת הַשְּׂרֵפָה אֲשֶׁר שָׂרַף יְיָ: [ויקרא י, ו]

גמרא

מנודין ומצורעין מה הן בתספורת ת"ש מנודין ומצורעין אסורין לספר ולכבס מנודה שמת ב"ד סוקלין את ארונו ר' יהודה אומר לא שיעמידו עליו גל אבנים כגלו של עכן אלא ב"ד שולחין ומניחין אבן גדולה על ארונו ללמדך שכל המתנדה ומת בנידויו ב"ד סוקלין את ארונו אבל חייב בעטיפת הראש מדקאמר ליה רחמנא ליחזקאל ולא תעטה על שפם מכלל דכולי עלמא מיחייבי מנודה מהו בעטיפת הראש אמר רב יוסף ת"ש והן מתעטפין ויושבין כמנודין וכאבלים עד שירחמו עליהם מן השמים א"ל אביי דלמא מנודה לשמים שאני דחמיר מצורע מהו בעטיפת הראש ת"ש ועל שפם יעטה מכלל שחייב בעטיפת הראש ש"מ אבל אסור להניח תפילין מדקאמר ליה רחמנא ליחזקאל פארך חבוש עליך מכלל דכ"ע אסור מנודה מהו בתפילין תיקו מצורע מהו בתפילין ת"ש והצרוע לרבות כ"ג בגדיו יהיו פרומים שיהו מקורעים וראשו יהיה פרוע אין פריעה אלא גידול שער דברי ר"א ר"ע אומר נאמרה הוייה בראש ונאמרה הוייה בבגד מה הוייה האמורה בבגד דבר שחוץ מגופו אף הוייה בראש דבר שחוץ מגופו מאי לאו אתפילין אמר רב פפא לא אכומתא וסודרא אבל אסור בשאילת שלום דקאמר ליה רחמנא ליחזקאל האנק דום מנודה מהו בשאילת שלום אמר רב יוסף ת"ש ובשאילת שלום שבין אדם לחברו כבני אדם הנזופין למקום א"ל אביי דלמא מנודה לשמים שאני דחמיר מצורע מהו בשאילת שלום ת"ש ועל שפם יעטה שיהו שפתותיו מדובקות זו בזו שיהא כמנודה וכאבל ואסור בשאילת שלום ש"מ וניפשוט מינה למנודה אמר רב אחא בר פנחס משמיה דרב יוסף מי קתני שאסור שיהא כמנודה וכאבל [קתני] במילי אחרנייתא ואסור נמי בשאילת שלום אבל אסור בדברי תורה מדקאמר רחמנא ליחזקאל דום מנודה מהו בדברי תורה אמר רב יוסף ת"ש מנודה שונה ושונין לו נשכר ונשכרין לו מוחרם לא שונה ולא שונין לו לא נשכר ולא נשכרין לו אבל שונה הוא לעצמו שלא יפסיק את למודו ועושה לו חנות קטנה בשביל פרנסתו ואמר רב זבוני מיא בפקתא דערבות שמע מינה מצורע מהו בדברי תורה ת"ש והודעתם לבניך ולבני בניך יום אשר עמדת לפני ה' אלהיך בחורב מה להלן באימה וביראה וברתת ובזיעה מכאן אמרו הזבין והמצורעין ובועלי נדות מותרין לקרות בתורה ובנביאים ובכתובים ולשנות במדרש ובש"ס בהלכות ובאגדות ובעלי קריין אסורין ש"מ אבל אסור בתכבוסת דכתיב וישלח יואב תקועה ויקח משם אשה חכמה ויאמר אליה התאבלי נא ולבשי נא בגדי אבל ואל תסוכי שמן והיית כאשה זה ימים רבים מתאבלת על מת מנודין ומצורעין מה הן בתכבוסת ת"ש מנודין ומצורעין אסורין לספר ולכבס ש"מ אבל חייב בקריעה דקאמר להו רחמנא לבני אהרן לא תפרומו מכלל דכ"ע מיחייבי מנודה מהו בקריעה תיקו מצורע מהו בקריעה ת"ש בגדיו יהיו פרומים שיהו מקורעין שמע מינה אבל חייב בכפיית המטה דתני בר קפרא

דמות

רש"י

מנודין ומצורעין מהו. להכי קאמר להו בהדדי משום דפשיט להו בהדדי: מנודה שמת וכו'. סיפא דברייתא היא: כגלו של עכן. דכתיב (יהושע ז) ויקימו עליו גל אבנים גדול: והן מתעטפין. מפורש במסכת תענית לאחר שהתענו שלש עשרה ת"צ: מנודה לשמים. כי הני שאני דחמירי ולהכי צריכי עטיפת הראש אבל אחרים אינן צריכין עטיפת הראש: יעטה. משמע עטיפת הראש: פארך. זה תפילין: דבר שהוא חוץ מגופו אף הוייה. האמורה בראש ראשו יהיה פרוע משמע מגולה כענין דכתיב ופרע את ראש האשה (במדבר ה) דבר שהוא חוץ מגופו ולא אמרינן משער שהוא מגופו: מאי לאו. שיהא ראשו מגולה מתפילין: אכומתא וסודרא. כלומר שיהא ראשו מגולה מכומתא וסודרא אבל תפילין מניח: דהא א"ל רחמנא ליחזקאל האנק דום. כלומר בדבר זה תנהוג אבילות שתדום ולא תשאל לשלום: ת"ש. דתני גבי תעניות הן יושבין כמנודין ואבלים כו': שפם. משמע שפתותיו מדובקות: מי קתני כמנודה. שאסור בשאילת שלום: מוחרם. שמחרימין בחרם לאחר ל' יום לאחר הנדוי או: בפקתא דערבות. בשוק של אותו מקום: בעלי קריין אסורין. לפי שבא להם מחמת שמחה וקלות ראש וליכא אימה:

תוספות

מנודין ומצורעין מה הן בתספורת. ומראשו יהיה פרוע לא בעי לאוכוחי דלית ליה דר"א דמוקי לה לקמן בתספורת תדע דלקמן בעי לאוכוחי מינה הנחת תפילין כר"ע:

(מנודה) מהו בעטיפת הראש אמר רב יוסף תא שמע. ולא נראה לו דברי רב פפא דמוקי ראשו יהיה פרוע אכומתא וסודרא:

וראשו יהיה פרוע. צריך עיון אי פליגי הכי בראשיכם אל תפרעו ובגדיכם לא תפרומו דלעיל מייתי (א) עליה תספורת לאבל ולא מייתי מיניה למצורע דמשמע דסבר כר"ע ופליג אדר' אליעזר כדפרישית לעיל ושמא ר"ע לא פליג אדרבי אליעזר דפריעת הראש היינו גידול שער בין במצורע בין באבל ותרוייהו דורש ר"ע ולעיל דלא מייתי מיניה למצורע משום דמשכח ברייתא בהדיא מייתי לה ואע"ג דברישא דסוגיא מייתי אבל אינו נוהג אבילותו ברגל ומניח המשנה דלקמן ומייתי קראי דושמחת לפי שצריך לפרש מנלן מתני' דאבל אינו נוהג אבילותו ברגל אבל ראשו יהיה פרוע דמיירי בגידול שער דומה לו דבר פשוט וניחא ליה לאתויי ברייתא:

אסור בשאילת שלום דקאמר ליה רחמנא ליחזקאל האנק דום. דמשמע שתיקה משאילת שלום ותלמוד תורה נמי משמע בסמוך מהאנק דום והא דהיה יחזקאל נוהג אבילות בהאנק דום ובכל שאר דברים לא היה עושה שהיה צריך להראות בקצת דברים שהוא אבל ולא היה נוהג דיני אבל אלא למשל:

שיהו שפתותיו מדובקות. לעיל דרשינן מיניה עטיפת הראש ושמא תרווייהו משמע א"נ מדכתיב שפם ולא כתיב שפה:

ובועלי נדות מותרין. אחר שטבל לקרי אבל לקריו צריך טבילה ולרבי יהודה משמע התם דלא צריך טבילה לדברי תורה לבעל קרי היכא דלא נטהר ע"י טבילה זו בפרק מי שמתו (ברכות דף כו.) במשמשת ורואה דם ובעל קרי שראה זיבה צריכין טבילה ור' יהודה פוטר והא דהכא בלא טבילה כרבי יהודה צריך ליישב דאיירי רבי יהודה בסיפא דהך ברייתא בפ' מי שמתו (שם דף כב.) וקאמר רבי יהודה שונה הוא בהלכות דרך ארץ וליכא למימר דלרבי יהודה נמי בועלי נדות חייבין טבילה כמו בעל קרי בעלמא דהשתא ומה בעל קרי שראה זיבה אחר כך שהיה חייב כבר פוטר רבי יהודה בועל נדה לא כל שכן מיהו לכאורה נ"ל דלא פליגי רבי יהודה ורבנן אלא בהני טומאות דדומיא דקרי הוי דהיינו דטומאה יוצאה עליו מגופו אבל בטומאת שרצים מודה רבי יהודה דבהדי קרי צריך טבילה א"כ ה"נ בועל נדה מודה דלא חשיב טומאה יוצאה מגופו ואפילו מאן דבעי למימר בפרק אלו דברים בפסחים (דף סח.) ובפ"ק דיומא (דף ו.) דמשתלח חוץ לשתי מחנות כמו בעל קרי מ"מ לא חשיב טומאה יוצאה מגופו ורבי יהודה נמי הצריך טבילה לדברי תורה ° בתוספ' פי' דכיון דטומאת בועל נדה מכח קרי רבי יהודה מודה דצריך טבילה:

ה"ג מנודין ומצורעין מה הן בתכבוסת ת"ש מנודין ומצורעין אסורין לספר ולכבס. ובספר הרב לא היה כתוב כל זה והיה קשה לרב למה לא בעי ליה ותירץ דכבר אייתי לעיל הך ברייתא דגבי תספורת ואהא הקשה לקמן גבי עשיית מלאכה קמיבעי ומביא ברייתא דמתנייא לעיל ונשכרין ותירץ דאגב דמצורע קאי בתיקו קא בעי מנודה ומייתי לברייתא דלעיל:

ורחילה

עין משפט נר מצוה

יט א מיי' פ"ז מהלכות ת"ת הלכה ד סמג לאוין רח ועשין רלה טוש"ע י"ד סי' שלד סעיף ב:
כ ב מיי' פ"י מהלכות טומאת צרעת הלכה ו סמג עשין שם:
כא ג מיי' פ"ז מהלכות ת"ת הלכה ד סמג שם טוש"ע י"ד סי' שלד סעיף ג:
כב ד מיי' פ"ה מהל' אבל הלכה א יט סמג עשין דרבנן ג טוש"ע י"ד סי' שפ סעיף א וסי' שפו:
כג ה מיי' פ"י מהלכות טומאת צרעת הלכה ו סמג עשין רלה:
כד ו מיי' פ"ד מהלכות אבל הלכה ט סמג עשין דרבנן ג טוש"ע י"ד סי' שפ סעיף א וסי' שפח סעיף א [שו"ע א"ח סי' לח עי' ש"ך יו"ד סי' שלד ס"ק יג]:
כה ז ח ט מיי' פ"י מהל' טומאת צרעת הלכה ו סמג עשין רלה:
כו י מיי' פ"ה מהלכות אבל הלכה א כ סמג עשין דרבנן ג טוש"ע י"ד סי' שפ סעיף א וסי' שפה סעיף א:
כז כ מיי' פ"ג מהלכות תענית הל' ח טוש"ע א"ח סי' תקעה סעיף ז:
כח ל מיי' פ"י מהלכות טומאת צרעת הל' ו סמג עשין רלה:
כט מ מיי' פ"ה מהלכות אבל הל' א טו סמג עשין דרבנן ג טוש"ע י"ד סי' שפ סעיף א וסי' שפד:
ל נ ס ע פ מיי' פ"ו מהלכות ת"ת הל' ד ה טוש"ע י"ד סי' שלד סעיף ג:
לא צ מיי' פ"י מהל' טומאת צרעת הל' ו סמג עשין רלה:
לב ק מיי' פ"ד מהל' ק"ש הל' ח טוש"ע א"ח סי' פח:
לג ר מיי' פ"ה מהלכות אבל הלכה א ג סמג עשין דרבנן ג טוש"ע י"ד סי' שפ סעיף א וסי' שפט סעיף א:
לד ש מיי' פ"ח מהל' אבל הלכה א סמג עשין דרבנן ב טוש"ע שם סי' שמ סעיף א:
לה ת מיי' פ"י מהל' טומאת צרעת הל' ו סמג עשין רלה:
לו א מיי' פ"ה מהלכות אבל הלכה א יח סמג עשין דרבנן ג טוש"ע י"ד סי' שפ סעיף א וסי' שפז סעיף א:

הגהות מהר"ב רנשבורג

א] רש"י ד"ה מוחרם שמחרימין בחרם לאחר ל' יום לאחר הנדוי. נ"ב לאחר ששים תניא לקמן דף טז ע"א ואולי כוונת רש"י אחרי שלשים השניים דתניא שם ושונין לאחר שלשים ומחרימין לאחר ששים:

רבינו חננאל

מנודה וכן מצורע דתניא מנודין ומצורעין אסורין לספר ולכבס. מנודה שמת ב"ד סוקלין את ארונו. ר' יהודה אומר לא שיעמידו עליו גל אבנים כגל עכן. אלא ב"ד שולחין ומניחין אבן על ארונו כו'. אבל חייב בעטיפת הראש מדאמר ליה רחמנא ליחזקאל לא תעטה על שפם מכלל דכ"ע אסירי וכן מנודה דתנן והן מתעטפין ויושבין כמנודין ואבלין עד שירחמו עליהן מן השמים ודחי אביי ודלמא מנודה לשמים דחמיר חייב בעטיפת הראש אבל מנודה לבני אדם לא. ולקולא עבדינן. ולא מחייבינן למנודה בעטיפת הראש דהא איבעיא ולא איפשיטא. מצורע אסיקנא דחייב בעטיפת הראש. אבל אסור בתפלין מדכתיב ביחזקאל פארך חבוש עליך מכלל דכ"ע אסירי מנודה מהו בתפלין תיקו. מצורע מהו בתפלין ולא איפשיטא בהדיא אבל אסור בשאילת שלום מדכתיב ביחזקאל האנק דום אלא דבר מכלל דכ"ע אסירי. מנודה מאי ת"ש מנודה שונה ושונין לו נשכר ונשכרין לו מוחרם לא שונה ולא שונין לו [לא נשכר] ולא נשכרין לו אבל שונה לעצמו שלא יפסיד תלמודו ועושה לו חנות קטנה בפקתא דערבות שהיא ארץ ציה רחוקה מן הישוב לזבוני מיא כדי פרנסתו וכן מצורע מותר בדברי תורה אבל אסור בתכבוסת ובסיכה שנאמר וישלח יואב תקועה ויקח משם אשה חכמה ויאמר אליה התאבלי נא ולבשי נא בגדי אבל ואל תסוכי שמן והיית כאשה זו ימים רבים מתאבלת על מת. אבל אסור ברחיצה דרחיצה בכלל סיכה היא מנודה ומצורע ברחיצה לא איפשיטא בהדיא. אבל חייב בקריעת בגדיו מדכתיב בבני אהרן ובגדיכם לא תפרומו מכלל דכולי עלמא חייבי וכן מצורע מנודה מאי תיקו אבל חייב בכפיית המטה. מנודים ומצורעים מהו תיקו

רש"י כת"י

מצורעין. אע"ג דכתו' בהו ראשו יהיה פרוע אפי' הכי קא מבעיא ליה דאיכא דדריש פרוע לקמן למלת' אחריתי. מנודין ומצורעין מהן וכו'. להכי מבעיא ליה תרויהו כחדא משום דמתרצי בחדא תירוצא. מנודה שמת. סיפא דברייתא הוא. כגלו של עכן. דכתוב (ויעמידו) [ויקימו] (יהושע ז) עליו גל אבנים גדול דמשום זכר בעלמא הוא דעבדו. ללמדך. לא ידענא [אמאי קאי]. אבל. פשיטא לי דחייב בעטיפת הראש מדקאמ' ליה רחמנא ליחזקאל לא תעטה על שפם מכלל דאבל מתים בעי עטוי שפם ורחמנא הוא דאמר ליחזקאל מתים אבל לא תעשה רמז לשונאיהם של ישראל שלא יהו סופדין ומתאבלין זה על זה מרוב מתים שיפלו מהם ולא יוכלו להתאבל עליהן ומתוך פורענות שיבא עליהם בחייהם ישמח כל אחד ואחד במיתתו של חבירו ולא יחול אבל עליו. שפם. לשון שפה גרינו"ן בלע"ז כל ראשו ופרצופו עיטוי. והן מתעטפין. עברו אלו ולא נענו חבירים אין שאילת שלום ביניהן והן מתעטפין וכו' בשלהי פר"ק דתענית. דלמא מנודה לשמים שאני. כגון אלו דלא נענו דחמירי. מצורע נמי לא איבעיא ליה דמקרא מלא אלא יגדיל תורה ויאדיר. פארך. אלו תפלין. הוויה שבראש. יהיה פרוע. הוויה בבגד. יהיו פרומים חוץ מגופו לאפוקי שער דגופו הוא ומיירי בכולי עלמא אפי' בישראל ולא איירי בכהן אלא רישא דקרא והצרוע. מאי. חוץ מגופו לאו דאסר להניח. כומתא. כובע. סודרא סודר יפה. האנק דום. קצת אבילות עשה שתעשה בדממה ולא תשאל לשום אדם לשלום. מבני אדם הנזופין למקום. שאסורין בשאילת שלום גבי עברו אלו ולא נענו (תענית יג:). נזיפה. גערה כדמתרגמי' (בראשית לז) ויגער בו אביו ונזף ביה אבוהי שגערו בו ב"ד ושתקוהו בנזיפה והיינו נמי מנודה לשון על כן לנדה היתה (איכה א) וכמו נע ונד (בראשית ד) שהיה מתנודה עליהם ומתרחקין ממנו בני אדם שלא היו יושבין בד' אמות שלו כדלקמן. [ונפשוט מינה למנודה]. מדקתני שאסור בשאילת שלום כמנודה וכאבל. שונה. לאחרים. נשכר. למלאכת אחרים. מוחרם. שנתנדה שלשה פעמים כדלקמן. שונה הוא לעצמו. בלאם. חנות קטנה. בשביל פרנסתו כלומר מיעוט מלאכה כדי פרנסה. מאי חנות קטנה. זבוני מיא בפקתא דערבות. פקתא בקעה שבאותו מקום אין שם מים כדאמרינן נמי בשחיטת חולין בפרק כל הבשר (קז.). זבין ומצורעין. ברתת וזיע הן שלבן דואג. ובועלי נדות. נמי אע"פ שמתוך קלות ראש בעל את הנדה לאחר כן לבו דואג מחמת המטה אבל בעלי קריין אם ראו קרי בעלמא מתוך שמחה וקלות ראש הוא וכן אם שמש מטתו נמי לא ברתת הוא דשמחה הוא לו. וישלח יואב תקועה. במנחות (פה:) מפרש מאי שנא תקועה משום דתקועה אלפא לשמן ושמן מפקא והיא חכמה ביותר. לבשו בגדי אבל דמשמע דבגדי אבל מנוולין הן אלמא אסור בתכבוסת. כפיית המטה. שכופה מטתו מלמעלה למטה והופכה.

דמות דיוקני נתתי בהן ובעונותיהם הפכתיה
כפו מטותיהן עליה מנודה [א]ומצורע מה הן
בכפיית המטה תיקו [ג]אבל אסור בעשיית
מלאכה דכתיב א) והפכתי חגיכם לאבל מה
חג אסור במלאכה אף אבל אסור במלאכה
מנודה מהו בעשיית מלאכה אמר רב יוסף
ת"ש [ד] [ג]כשאמרו אסור בעשיית מלאכה לא
אמרו אלא ביום אבל בלילה מותר וכן אתה
מוצא במנודה ובאבל מאי לאו אכולהו לא
אשארא ת"ש מנודה שונה ושונין לו נשכר
ונשכרין לו שמע מינה מצורע מהו בעשיית
מלאכה תיקו [ד]אבל אסור ברחיצה דכתיב
ב) ואל תסוכי שמן ורחיצה בכלל סיכה מנודה
מהו ברחיצה אמר רב יוסף ת"ש [ב] כשאמרו
אסור ברחיצה [ה]לא אמרו אלא כל גופו אבל
פניו ידיו ורגליו מותר וכן אתה מוצא
במנודה ובאבל מאי לאו אכולהו לא אשארא
[ו]מצורע מהו ברחיצה תיקו [ג] [ז]אבל אסור
בנעילת הסנדל מדקאמר ליה רחמנא
ליחזקאל ג) ונעליך תשים ברגליך מכלל דכולי
עלמא אסור [ח]מנודה מהו בנעילת הסנדל
אמר רב יוסף תא שמע [ע] כשאמרו אסור בנעילת הסנדל [ט]לא אמרו אלא
בעיר אבל בדרך מותר [°] הא כיצד יצא לדרך נועל נכנס לעיר חולץ וכן אתה
מוצא במנודה ובאבל מאי לאו אכולהו לא אשארא [י]מצורע מהו בנעילת
הסנדל תיקו [ה] [כ]אבל אסור בתשמיש המטה דכתיב ד) וינחם דוד את בת שבע
אשתו ויבא אליה מכלל דמעיקרא אסור מנודה מהו בתשמיש המטה אמר
רב יוסף ת"ש כל אותן שנים שהיו ישראל במדבר מנודין היו ושימשו
מטותיהן א"ל אביי ודלמא מנודה לשמים שאני דקיל והא אמרת חמיר
ספוקי מספקא ליה זיל הכא קמדחי ליה וזיל הכא קמדחי ליה [ל]מצורע מהו
בתשמיש המטה ת"ש דתניא ה) וישב מחוץ לאהלו שיהא כמנודה [א] וכאבל
[ו] ואסור בתשמיש המטה ואין אהלו אלא אשתו שנא' ו) לך אמור להם שובו לכם
לאהליכם שמע מינה וניפשוט נמי למנודה אמר רב הונא בריה דרב פנחס
משמיה דרב יוסף מי קתני שאסור שיהא כמנודה וכאבל במילי אחרנייתא
ואסור נמי בתשמיש המטה [מ]אבל אינו משלח קרבנותיו דתניא [ז] ר"ש
אומר שלמים בזמן שהוא שלם ולא בזמן שהוא אונן [נ]מנודה מהו שישלח
קרבנותיו אמר רב יוסף ת"ש כל אותן שנים שהיו ישראל במדבר מנודין היו
ושלחו קרבנותיהן א"ל אביי ודלמא מנודה לשמים שאני דקיל והאמרת
חמיר ספוקי מספקא ליה ומדחי ליה מצורע מהו שישלח קרבנותיו [ס]ת"ש
דתניא ז) ואחרי טהרתו אחר פרישתו מן המת שבעת ימים יספרו לו אלו ז' ימי
ספירו ח) וביום באו אל הקודש אל החצר הפנימית לשרת בקודש יקריב חטאתו
זו

ורחיצה בכלל סיכה. תימה אמאי לא בעי מהו בסיכה: **לא אשארא.** דמיירי התם בסוף פ"ק דתענית (דף יג.) בנעילת הסנדל ועשיית מלאכה ועשיית מלאכה לא קאי דהא מנודה שרי במלאכה אלא אנעילת סנדל סוף פ"ק דתענית (שם) מסיק הלכתא אבל אסור בין בחמין בין בצונן אבל לרחוץ פניו ידיו ורגליו בחמין אסור בצונן מותר ולסוך אפילו כל שהוא אסור ובתוס' הרב פי' קשיא ליה מאי שנא בט' באב ויוה"כ אסור לרחוץ אפילו אצבעות כדמשמע בפרק בתרא דיומא (דף עז.) ומביאין לו מטפחת כו' והא תרוייהו מסיכה נפקי אבילות מואל תסוכי שמן יום הכפורים מוסוך לא סכתי (דניאל י) ובשם רשב"ם דלפי המסקנא דמסיק בפ"ק דתענית דאבל מותר לרחוץ פניו ידיו ורגליו בצונן הוא הדין ט' באב ויוה"כ ותימה אמאי לא מייתי בסוגיין דתענית ההיא דמטפחת כו' ובשם רבינו תם שמעתי שהיה אוסר לרחוץ כלל בט' באב ויוה"כ חוץ מידיו שחרית דחשיב להו כמו מלוכלכות בטיט וצואה הואיל ואינו יכול ליגע בפיו ועיניו [°] משום בת מלך: **לא אשארא.** פי' לא קאי אנעילת סנדל אלא ארחיצה וזיל הכא קמדחי ליה [°] וזיל הכא קמדחי ליה דלעשיית מלאכה לא קאי כדפרישית לעיל וא"ת ואמאי לא פשיט מר"א דסוף פרק הזהב (ב"מ דף נט:) [י] קרע את בגדיו וחלץ מנעליו וי"ל דשמא היה מחמיר על עצמו אי נמי מספקא ליה כי היכי דמספקא לן: **ושמשו** מטותיהן. בכל הני דלעיל לא מייתי מבני המדבר דלא ידעי היאך היו נוהגין אלא הא פשיטא לן שהיו משמשים מטותיהן שהרי הם היו פרים ורבים וכן גבי שלחו קרבנות דבסמוך שמא יש להוכיח הכי מן הפסוקים: **וישב** מחוץ לאהלו. פי' בימי ספרו ובימי חלוטו פליגי בה לעיל (דף ז:) כי האי גוונא אמרינן אבל אסור להניח תפילין ולא בכל ימי אבלו קאמרינן אלא יום ראשון בלבד ושני כדלקמן (דף כא.): **ואחרי** טהרתו. פי' בקונטרס דבטומאת מת איירי ז' ימים ימי הזאתו יספרו לו איירי בימי ספירו וכמו מילתא אחריתי קמ"ל וביום באו לעבודה יביא כהן הדיוט עשירית האיפה וחטאתו כמו חיטוי וקדושתו לעבודה מילי מילי קאמר וקשה אמאי לא מפרש ליה בכהן גדול ויש לומר משום דבכהן הדיוט איירי דכתיב כי אם לאב ולאם ואילו כ"ג לא יטמא לאביו ולאמו ולא ניחא ליה למימר כדאמרינן בקדושין (דף עח:) רישא בכהן גדול וסיפא בכהן הדיוט ועוד דלא הוה קמ"ל מידי אבל כהן הדיוט ביום חינוכו אינו כתיב בקרא בפירוש מיהו קשה לן כיון דמילי מילי קאמר אמאי ר"ש אומר בבאו מקריב בזמן שראוי לביאה (ב) וקשה דבפרק תמיד נשחט (פסחים דף סב. ושם) דקאמרינן כל הזבחים ערל וטמא משלחין קרבנותיהן ועוד דהכא נמי לא משמע דאיירי אלא במצורע דהא דבעי מצורע מהו שישלח קרבנותיו מייתי ליה ונראה לי דר"ש לאפוקי מצורע אתי דרבי יהודה דריש ביום באו ביום שמתחנך לעבודה ור"ש מוקי לביום באו דקאי אדלעיל דאיירי במצורע ולא איירי מידי בעשירית האיפה אלא בא לומר דבמצורע דאיירי בקרא כשיטהר ויכנס לעזרה דהיינו לאחר ימי ספרו אז יקריב חטאתו או שאר קרבנותיו ובתוספות פי' דערל וטמא משלחין קרבנותיהן (ג) בטומאת שרץ ולא בטומאה מגופו והקשה על זה מהא דאמרינן במגילה פ"ק (דף ח.) מזובו ולא מנגעו משמע דאם יטהר מזובו יביא קרבן אע"פ שהוא מצורע וכמו כן קשה למאי דפרישית ותירץ דלא איירי התם לענין קרבן אלא שיהא טהור מדין משכב ומושב דחמירא הוה טפי ממצורע וע"ע בפרק כל הזבחים שנתערבו (זבחים עד: ושם) ובפרק כל הגט (גיטין דף כח: ושם) [כ] מפורש קצת דיני סמיכה שצריך בעלים ואם כן אין טמא מביא קרבנותיו [ועי' תוס' יבמות קד: ד"ה דאמר]:

מתרין

דמות דיוקני. בצלם אלהים עשה את האדם (בראשית ט): [**כשאמרו.** חכמים גבי עברו אלו ולא נענו (תענית דף יג.) אסור במלאכה וכו' וכן אתה מוצא במנודה]: **מאי לאו אכולהו.** קאמר דמנודה אסור: **לא אשארא.** דקתני (א) אעטיפת הראש דאמרי' התם (דף יד:) בתענית צבור מתעטפין ויושבין כמנודין: **ורחיצה בכלל סיכה.** דכתיב ותבא כמים בקרבו וכשמן בעצמותיו (תהלים קט): **כשאמרו אסור ברחיצה.** בתענית צבור: **אכולהו.** ארחיצה נמי דמנודה אסור: **לא אשארא.** קאמר דמנודה אית ליה דין דהני דתעניות צבור: **כשאמרו אסור בנעילת הסנדל.** בתענית צבור: **ויבא אליה.** לאחר אבילות: **מנודין היו.** למקום: **ספיקא הוא.** אי קיל אי חמיר: **זיל הכא ומדחי.** דלקולא [ח] אזלי בהדייהו: **לפיכך נקראים שלמים בזמן שהוא שלם.** בדעתו שדעתו מיושבת עליו: **יספרו לו.** לעיל מיניה כתיב ואל מת אדם לא יבא לטמאה ובכהן משתעי ואחרי טהרתו דהיינו מפרישתו מן המת משיפריש מן המת מונין שבעת ימי הזאתו שבעת ימים אחרים יספרו לו מדאפקיה רחמנא בלשון ספירה ולא נקט הזאה שמעינן שבעת ימי ספירו אם נצטרע: **וביום באו** [ט] **ביום טהרתו.** כתיב בכהן גדול:

זו

עין משפט נר מצוה

לז א מיי' פ"י מהלכות טומאת צרעת הל' ו סמג עשין רלה:
לח ב מיי' פ"ה מהל' אבל הל' א ז טוש"ע י"ד סי' שפ סעיף א:
לט ג מיי' פ"ג מהלכות תענית הל' ד טוש"ע א"ח סי' תקעה סעיף ג:
מ ד מיי' פ"ה מהלכות אבל הלכה א ג סמג עשין דרבנן ג טוש"ע י"ד סי' שפ סעיף א:
מא ה מיי' פ"ג מהלכות תענית הל' ד טוש"ע א"ח סי' תקעה סעיף ג:
מב ו מיי' פ"י מהל' טומאת צרעת הל' ו:
מג ז מיי' פ"ה מהל' אבל הל' א ו טוש"ע י"ד סי' שפ סעיף א:
מד ח טוש"ע י"ד סי' שלד סעיף ב:
מה ט מיי' פ"ג מהל' תענית הלכה ד טוש"ע א"ח סי' תקעה סעיף ג:
מו י מיי' פ"י מהלכות טומאת צרעת הל' ו:
מז כ מיי' פ"ה מהלכות אבל הלכה א ה סמג עשין דרבנן ג טוש"ע י"ד סי' שפ סעיף א:
מח ל מיי' פ"י מהלכות טומאת צרעת הל' ו:
מט מ נ ס מיי' פ"ב מהלכות ביאת מקדש הלכה יא סמג לאוין סג:

רבינו חננאל

אבל אסור בעשיית מלאכה שנאמר והפכתי חגיכם לאבל מה חג אסור בעשיית מלאכה אף אבל אסור. מצורע תיקו אבל מנודה מותר במלאכה. אבל אסור בנעילת הסנדל מדכתיב ביחזקאל ונעליך תשים ברגליך. מכלל דכ"ע אסירי. כשאמרו אסור בנעילת הסנדל לא אמרו אלא בעיר אבל בדרך מותר. יצא לדרך נועל. נכנס לעיר חולץ. וכן המנודה. מצורע תיקו. אבל אסור בתשמיש המטה שנאמר וינחם דוד את בת שבע אשתו ויבא אליה. מכלל דמעיקרא אסיר. מנודה מהו ת"ש כל השנים שהיו ישראל במדבר היו כמנודים והיו משמשין מטותיהן. ודלמא שאני מנודה לשמים דקיל והא אמרת מנודה לשמים חמור הוא ספוקי מספקא ליה אזיל הכא מדחי ליה אזיל הכא מדחי ליה. מצורע מהו בתשמיש המטה ולא איפשיטא בהדיא. אבל אינו משלח קרבנותיו שנאמר שלמים בזמן שהוא שלם ולא בזמן שהוא אונן מנודה מהו ולא איפשיטא מצורע מהו ת"ש

תורה אור השלם

א) וְהָפַכְתִּי חַגֵּיכֶם לְאֵבֶל וְכָל שִׁירֵיכֶם לְקִינָה וְהַעֲלֵיתִי עַל כָּל מָתְנַיִם שָׂק וְעַל כָּל רֹאשׁ קָרְחָה וְשַׂמְתִּיהָ כְּאֵבֶל יָחִיד וְאַחֲרִיתָהּ כְּיוֹם מָר: [עמוס ח, י] ב) וַיִּשְׁלַח יוֹאָב תְּקוֹעָה וַיִּקַּח מִשָּׁם אִשָּׁה חֲכָמָה וַיֹּאמֶר אֵלֶיהָ הִתְאַבְּלִי נָא וְלִבְשִׁי נָא בִגְדֵי אֵבֶל וְאַל תָּסוּכִי שֶׁמֶן וְהָיִית כְּאִשָּׁה זֶה יָמִים רַבִּים מִתְאַבֶּלֶת עַל מֵת: [שמואל ב' יד, ב] ג) הֵאָנֵק דֹּם מֵתִים אֵבֶל לֹא תַעֲשֶׂה פְּאֵרְךָ חֲבוֹשׁ עָלֶיךָ וּנְעָלֶיךָ תָּשִׂים בְּרַגְלֶיךָ וְלֹא תַעְטֶה עַל שָׂפָם וְלֶחֶם אֲנָשִׁים לֹא תֹאכֵל: [יחזקאל כד, יז] ד) וַיְנַחֵם דָּוִד אֵת בַּת שֶׁבַע אִשְׁתּוֹ וַיָּבֹא אֵלֶיהָ וַיִּשְׁכַּב עִמָּהּ וַתֵּלֶד בֵּן וַתִּקְרָא אֶת שְׁמוֹ שְׁלֹמֹה וַייָ אֲהֵבוֹ: [שמואל ב' יב, כד] ה) וְכִבֶּס הַמִּטַּהֵר אֶת בְּגָדָיו וְגִלַּח אֶת כָּל שְׂעָרוֹ וְרָחַץ בַּמַּיִם וְטָהֵר וְאַחַר יָבוֹא אֶל הַמַּחֲנֶה וְיָשַׁב מִחוּץ לְאָהֳלוֹ שִׁבְעַת יָמִים: [ויקרא יד, ח] ו) לֵךְ אֱמֹר לָהֶם שׁוּבוּ לָכֶם לְאָהֳלֵיכֶם: [דברים ה, כו] ז) וְאַחֲרֵי טָהֳרָתוֹ שִׁבְעַת יָמִים יִסְפְּרוּ לוֹ: [יחזקאל מד, כו] ח) וּבְיוֹם בֹּאוֹ אֶל הַקֹּדֶשׁ אֶל הֶחָצֵר הַפְּנִימִית לְשָׁרֵת בַּקֹּדֶשׁ יַקְרִיב חַטָּאתוֹ נְאֻם אֲדֹנָי אֱלֹהִים: [יחזקאל מד, כז]

מסורת הש"ס

א) תענית יג., ב) שם [פסחים נד:], ג) [לקמן כ:], ד) תוספתא דתענית פ"א, ה) [לקמן כא.], ו) [לעיל ז:], ז) [זבחים לט:], ח) [עי' ברא"ש ס"ס נא], ט) ביום חינוכו כתיב בכהן הדיוט כצ"ל כפי הסוגיא ופי' התוספות, י) [וע"ש תוספות ד"ה וקרע ובתי"ט נדה ז: ד"ה הקשה ה"ר ראבי"ה], כ) [ובחגיגה טז:].

הגהות הב"ח

(א) רש"י ד"ה לא אשארא דקתני התם אעטיפת הראש: (ב) תוס' ד"ה ואחרי כו' בזמן שראוי לביאה דבפ' תמיד נשחט כו' כצ"ל ותיבת וקשה נמחק: (ג) בא"ד ובתוס' פי' כו' משלחין קרבנותיהן איירי בטומאת שרץ:

הגהות הגר"א

[א] גמ' כמנודה מביתו וכאבל כו' כצ"ל:

גליון הש"ס

גמ' הא כיצד יצא לדרך. עי' לקמן דף כז ע"א תוס' ד"ה אם יכול: תוס' ד"ה לא אשארא דמיירי כו' משום בת מלך. ע' שבת דף קט ע"א: ד"ה לא אשארא פי' לא קאי כו' וזיל הכא קמדחי. וכן כתבו כל הפוסקים ותמיה לי לפי ההלכה בתענית דף יג ע"א דבתענית צבור מותר ברחיצת כל גופו בצונן אם כן על כרחך הך ברייתא מיירי ברחיצת חמין וממילא וכן אתה מוצא במנודה ובאבל לא קאי על רחיצה דהא באבל אפילו אצבע אסור בחמין וכמבואר שם להדיא דקאי אשארא וא"כ מוכח דקאי אנעילת סנדל ונפשט דמנודה אסור בנעילת סנדל וצע"ג:

רש"י כת"י

בעונותיהם הפכתיה. שמחמת שבאדם את פניו הפוכות ומשתנות בר קפרא תני לה לבריתא כווין שכך אומרת שבינה לבני אדם. **אל תסוכי שמן.** יואב כך אמר לתקועית. **רחיצה בכלל סיכה.** דכתוב (תהלים קט) ותבוא כמים בקרבו וכשמן בעצמותיו בפרק בתרא דיומא (עו:). **כשאמרו אסור ברחיצה.** עברו אלו ולא נענו. **וכן אתה מוצא במנודה ובאבל מאי לאו אכולהו.** קאי מנודה נמי דאסור ברחיצה. **לא אשארא.** דקתני אעטיפת הראש דאמרינן (לעיל) (תענית יד:) מתעטפין ויושבין. עטיפה מכסה שפמו וזקנו וחטמו במגלפתו או בטליתו. **מנודין היו** דכתוב (במדבר יד) יום לשנה תשאו את עונותיכם. **ושמשו מטותיהן.** לאו בריתא הוא. **ספוקי מספקא ליה.** לאביי אי חמיר אי קיל. **מצורע מהו בתשמיש המטה.** בימי (חלוטו) [ספורו]. **ואסור בתשמיש המטה.** ולעיל אמרינן שבעת ימים ימי ספירו ולא ימי חלוטו דבימי חלוטו מותר. ואונן נמי אינו משלח שלמים והוא הדין לשאר קרבנות. **כשהוא שלם.** שלם בשמחה נאכל ואבל אינו שלם. **מנודין היו.** דכתוב יום לשנה תשאו את (זנותכם) [עוונותיכם]. והקריבו קרבנות. תמידין שבכל יום. דכתוב לעיל מיניה אל מת אדם לא יבא לטמאה ובכהן משתעי אחרי טהרתו לאחר ימי הזאה שבעת ימים יספרו לו מדאפקיה בלשון ספירה משמע שבעת ימי ספירו ואם יצטרע הוי נמי ימי ספירו גבי טומאת מת וכו' מי הזאה ואגב אורחיה מפרש לקרא כמשמעו. **חטאתו.** של כהן גדול שמביא אחרי טהרתו לא מצינו בתורה והכי מפרש (הזאת) [חטאת] זו עשירית האיפה שמביא כהן הדיוט שמחנכין אותו לעבוד תחלה כדכתוב (ויקרא ו) זה קרבן אהרן ובניו אשר יקריבו ליי ביום המשח אותו עשירית האיפה סלת ואמרינן ובניו לרבות עשירית האיפה של כהן הדיוט לחינוך ולאו אקראי דלעיל קאי אלא מצות כהנים דקאמ' לן יחזקאל. [מכאן שייך לדף טז.] **ר' שמעון אומר.** מקרא נדרש לפניו והכי קאמ' בזמן שהוא ראוי לביאה וכו' בזמן שאינו ראוי לביאה כגון שהיה טומאה מת או מצורע. **אמ' רבא וכו'.** איידי דאיירי במנודה קא מפרש להלכתא דדינא שנידוי בא על ידיהן. **דמזמנינן ליה.** דליתי לבי דינא. **דקבעינן זימנא.** דבעינן למימר (קמן) ליה ביום פלוני (אתו) [תיתי] לבי דינא. **זימנא בתר זמנא.** אם לא בא בזמן ראשון קובעין לו זמן ולא ינדוהו מיד. **קראו שם וגו'.** נביא היה מתנבא על מצרים שיבא נבוכדנצר לאותו זמן כיון שהגיע לאותו זמן ולא בא קראו מלך מצרים שאון המונו שהרחיק והעביר המועד שנבוכדנצר עתיד לבא עליהן והקב"ה קבע להם זמן אחר ואנן נמי זימנא בתר זימנא קבעינן. **מתפקר.** אפקרותא. **בשליחא.** שהעיז פניו בשליח בית דין וחירף ב"ד ובא השליח ואמר לב"ד לא הוי רכיל דכתוב העיני אנשים ההם תנקר ואתו שלוחים ואמרו לו למשה דמשה דכתביה לקרא מנא הוה ידע אי לאו דאמרי ליה. **מנא** לן דאיבעי לן למימר לשליח ב"ד דמשמע מילתא להווא גברא (ברש"י ברי"ף - דאיבעי למימר שליח ב"ד דמשמית ליה לגברא). **דהכי סבר דגברא רבה.** דעת פלוני רצה לנדות את פלוני דצריך לנדותו בשמו של פלוני חכם (ברש"י ברי"ף - בשמן של תלמידי חכמים). **אמר מלאך יי'.** ברק אמ' לשמתו. **דמחרמינן.** בלשון ארור. ל"א דמחרמינן דמשמתינן ליה עד ג' זימנא אי לא נאית לדינא. **אורו ארור.** ואורו דרישא דקרא הרי ג'. **יושביה.** מקום מושב ד' אמות והוא שפרש בשעת השמתא (ברש"י ברי"ף - מקום היושב ד' אמות). **דפרטינן.** מפרשין שאומרין כך וכך עשה פלוני ונתנדה. **שיפורי.** שופרות וטעמא מפרש לקמן. **מירוז.** גברא מישראל הוה ושמתיה משום דלא אתא. **נלחמו הכוכבים.** והוא כוכב ולא אתא ונדוהו. **יחרם כל רכושו.** דהפקר ב"ד הפקר מהכא נפקא לן בכל דוכתא. **ואריב עמם וגו'.** לאותן שהושיבו נשים נכריות. **דכפתינן.** ידיו ורגליו. **ואסרינן.** קושרין על העמוד להלקות. **הרדפה.** מפרש לקמיה שרודפין אחריו בכמה נדוין (ברש"י ברי"ף - בכמה רדופין).

דְּמוּת דְּיוֹקְנִי נָתַתִּי בָּהֶן – God said: "I BESTOWED A LIKENESS OF MY IMAGE UPON [MANKIND],[1] וּבַעֲוֹנוֹתֵיהֶם הֲפַכְתִּיהָ – BUT I OVERTURNED IT ON ACCOUNT OF THEIR SINS. כְּפוּ מִטּוֹתֵיהֶן עָלֶיהָ – Therefore, let them OVERTURN THEIR BEDS OVER IT" – i.e. over the death of a close relative.[2]

The Gemara asks:

מְנוּדֶּה וּמְצוֹרָע – In the cases of **an excommunicate and a *metzora*,** מָה הֵן בִּכְפִיַּית הַמִּטָּה – **what are [their laws]** with regard to engaging **in overturning the bed?**[3]

The Gemara responds:

תֵּיקוּ – **Let it stand.** The issue remains unresolved.

The Gemara introduces another set of questions:

אָבֵל אָסוּר בַּעֲשִׂיַּית מְלָאכָה – **A mourner is prohibited** to engage **in doing work,**[4] דִּכְתִיב ,,וְהָפַכְתִּי חַגֵּיכֶם לְאֵבֶל'' – **for it is written:** ***I will turn your festivals into mourning.***[5] This teaches that מַה חַג אָסוּר בִּמְלָאכָה – **just as** during **a festival one is forbidden** to engage **in work,** אַף אָבֵל אָסוּר בִּמְלָאכָה – **a mourner also is forbidden** to engage **in work.**[6]

The Gemara inquires:

מְנוּדֶּה – In the case of **an excommunicate,** מַהוּ בַּעֲשִׂיַּית מְלָאכָה – **what is [the law]** with regard to his engaging **in doing work?**

The Gemara responds:

אָמַר רַב יוֹסֵף – **Rav Yosef said:** תָּא שְׁמַע – **Come, learn** an answer from a Baraisa:[7] כְּשֶׁאָמְרוּ אָסוּר בַּעֲשִׂיַּית מְלָאכָה – WHEN [THE SAGES] SAID that on a public fast[8] ONE IS PROHIBITED to engage IN DOING WORK, לֹא אָמְרוּ אֶלָּא בַּיּוֹם – THEY SAID it ONLY REGARDING THE DAYTIME; אֲבָל בַּלַּיְלָה מוּתָּר – HOWEVER, AT NIGHT, on the eve of the fast, ONE IS PERMITTED to work . . . וְכֵן אַתָּה מוֹצֵא – AND SIMILARLY, YOU FIND that these laws apply בִּמְנוּדֶּה וּבְאָבֵל – IN [THE CASES OF] AN EXCOMMUNICATE AND A MOURNER.

The Gemara concludes its proof:

מַאי – Now, to **what** does the statement concerning an excommunicate refer? לָאו אַכּוּלְּהוּ – Does it **not** refer **to all** the laws discussed in the Baraisa, including the prohibition against working? Accordingly, the Baraisa teaches that an excommunicate is not permitted to work.

The Gemara rejects the proof:

לֹא – **No,** the statement that the laws of the Baraisa apply to an excommunicate אַשְּׁאָרָא – refers **to other** practices of a public fast day,[9] but not to working.

The Gemara now resolves the issue with an explicit statement from another Baraisa:[10]

תָּא שְׁמַע – **Come, learn** an answer to your question: מְנוּדֶּה שׁוֹנֶה וְשׁוֹנִין לוֹ – AN EXCOMMUNICATE MAY TEACH others AND [OTHERS] MAY TEACH HIM; נִשְׂכָּר וְנִשְׂכָּרִין לוֹ – and HE MAY BE HIRED by others AND [OTHERS] MAY BE HIRED to work FOR HIM. שְׁמַע מִינָּהּ – Indeed, **derive from [this Baraisa]** that an excommunicate is permitted to work.

The Gemara inquires about a *metzora*:

מְצוֹרָע – And in the case of **a *metzora*,** מַהוּ בַּעֲשִׂיַּית מְלָאכָה – **what is [the law]** with regard to his engaging **in doing work?**

The Gemara responds:

תֵּיקוּ – **Let it stand.** The issue remains unresolved.

The Gemara introduces another set of queries:

אָבֵל אָסוּר בִּרְחִיצָה – **A mourner is forbidden** to engage **in bathing,** דִּכְתִיב – **for it is written:** ,,וְאַל־תָּסוּכִי שֶׁמֶן'' – *If you please, pretend to be a mourner; wear garments of mourning* ***and do not anoint yourself with oil.***[11] וּרְחִיצָה בִּכְלַל סִיכָה – **And bathing is included in anointing.**[12] Hence, the verse indicates that a mourner is forbidden to bathe [and anoint himself].

The Gemara inquires:

מְנוּדֶּה – In the case of **an excommunicate,** מַהוּ בִּרְחִיצָה – **what is [the law]** with regard to his engaging **in bathing?**

The Gemara responds:

אָמַר רַב יוֹסֵף – **Rav Yosef said:** תָּא שְׁמַע – **Come, learn** an

NOTES

1. As it is written (*Genesis* 9:6): *In the image of God He made man* (*Rashi*). See also *Genesis* 1:27.

The original form of a thing is called אִיקוּנִין (*icon*); the copy of it is known as דְּיוֹקָן [דְּיוֹ – *second,* קָן, *icon*] (*Aruch*). Others (based on the same etymology) explain דְּיוֹקָן to be an object made to stand as an identifying symbol of a person or entity [rather than an actual image of it] (*Rabbeinu Chananel* cited in *Or Zarua, Piskei Bava Kamma* §420). The דְּמוּת, *likeness,* of it is a figure that approximates the original image but does not fully reproduce it (see *Bava Basra* 58a).

2. Men die because of their sins, and death causes their facial appearance to be "overturned" – i.e. transformed (see *Rashi ms., Talmid R' Yechiel MiParis*). Alternatively, the likeness is transformed from a living one to a dead one (*Nimukei Yosef*).

The reason the bed was chosen to symbolize the overturning of the greatness of man is because it was used in ancient times for both sitting and sleeping (*Perishah, Yoreh Deah* 387) [and thus served to remind him of this lesson when he was most at ease]. Alternatively, the bed was chosen for this lesson because it serves as an intermediary in the creation of new life through the cohabitation that takes place in it (*Yerushalmi* 3:5 [towards the end], as explained by *Korban HaEidah* there).

3. The reason just given for overturning a mourner's bed (to reflect the transformation of the facial appearance caused by death) is not applicable in the case of an excommunicate or a *metzora.* Nevertheless, there are grounds to say that their beds as well should be overturned, because as a result of their sins their place in society has been "overturned," in that they have been transformed into outcasts (*Ritva*).

4. This refers to working for profit or transacting business (see *Yoreh Deah* 380:1,3).

5. *Amos* 8:10.

6. The juxtaposition of mourning and festivals in one verse creates an exegetical analogy (*hekesh*) between the two subjects, thereby allowing one to instruct as to the other.

7. See *Taanis* 13a.

8. When the Jews were faced with calamities, particularly with drought, the Rabbis would declare public fasts. These fasts days are the primary subject of Tractate *Taanis.*

9. I.e. the practice of wrapping one's head, as the Gemara there (*Taanis* 14b) teaches (*Rashi, Rashi ms.;* cf. *Rashash*).

Tosafos and *Raavad* maintain, however, that "the other practices" refers to another rite discussed in the remainder of that Baraisa – viz. abstaining from wearing shoes. [The Baraisa appears in its entirety in *Taanis* 13a, and it is quoted again below in our Gemara. The phrase, "And similarly, you find etc.," appears at the end of the Baraisa.]

10. Which was discussed above, 15a.

11. *II Samuel* 14:2. This verse was cited above (15a) to prove that a mourner may not launder his clothing (see note 55 there). It is again being used as a source for laws of mourning.

12. For Scripture links the two acts: *It has come like water into his innards and like oil into his bones* (*Psalms* 109:18). Hence, in revealing that anointing with oil is prohibited to a mourner, Yoav simultaneously forbids the woman from Tekoa to bathe (*Rashi*). See *Rashi ms.,* who cites the *Psalms* verse and also references *Yoma* 76b. This, however, is problematic, since the Gemara there concludes that that verse speaks of drinking water, not of water for bathing. Note that *Rashi* to *Rif* and *Nimukei Yosef* cite *Yoma* 76b without mentioning the *Psalms* verse. See *Rashash* for an interpretation of our Gemara based on a different verse.

Alternatively, bathing is included in anointing because it was customary in those days to wash oneself before anointing (*Meiri*), as *Ruth* 3:3 appears to indicate (*R' Shlomo ben HaYasom,* and *Tos. Yom Tov* to Mishnah *Moed Katan* 3:6 ד"ה וחכמים אומרים; cf. *Rashash*).

13. This is a continuation of the Baraisa in *Taanis* (13a), which was quoted above (see note 9).

דמות דיוקני נתתי בהן ובעוונותיהם הפכתיה כפו מטותיהן עליה מנודה [א]ומצורע מה הן בכפיית המטה תיקו [ב]אבל אסור בעשיית מלאכה דכתיב א) והפכתי חגיכם לאבל מה חג אסור במלאכה אף אבל אסור במלאכה מנודה מהו בעשיית מלאכה אמר רב יוסף ת"ש (א) [ג]כשאמרו אסור בעשיית מלאכה לא אמרו אלא ביום אבל בלילה מותר וכן אתה מוצא במנודה ובאבל מאי לאו אכולהו לא אשארא ת"ש מנודה שונה ושונין לו נשכר ונשכרין לו שמע מינה מצורע מהו בעשיית מלאכה תיקו [ד]אבל אסור ברחיצה דכתיב ב) ואל תסוכי שמן ורחיצה בכלל סיכה מנודה מהו ברחיצה אמר רב יוסף ת"ש (ב) כשאמרו אסור ברחיצה [ה]לא אמרו אלא כל גופו אבל פניו ידיו ורגליו מותר וכן אתה מוצא במנודה ובאבל מאי לאו אכולהו לא אשארא [ו]מצורע מהו ברחיצה תיקו (ג) [ז]אבל אסור בנעילת הסנדל מדקאמר ליה רחמנא ליחזקאל ג) ונעליך תשים ברגליך מכלל דכולי עלמא אסור [ח]מנודה מהו בנעילת הסנדל אמר רב יוסף תא שמע (ד) כשאמרו אסור בנעילת הסנדל [ט]לא אמרו אלא בעיר אבל בדרך מותר (ה) הא כיצד יצא לדרך נועל נכנס לעיר חולץ וכן אתה מוצא במנודה ובאבל מאי לאו אכולהו לא אשארא [י]מצורע מהו בנעילת הסנדל תיקו (ו) [כ]אבל אסור בתשמיש המטה דכתיב ד) וינחם דוד את בת שבע אשתו ויבא אליה מכלל דמעיקרא אסור מנודה מהו בתשמיש המטה אמר רב יוסף ת"ש כל אותן שנים שהיו ישראל במדבר מנודין היו ושימשו מטותיהן א"ל אביי ודלמא מנודה לשמים שאני דקיל והא אמרת חמיר ספוקי מספקא ליה זיל הכא קמדחי ליה וזיל הכא קמדחי ליה [ל]מצורע מהו בתשמיש המטה ת"ש דתניא ה) וישב מחוץ לאהלו שיהא כמנודה [א] וכאבל (ז) ואסור בתשמיש המטה ואין אהלו אלא אשתו שנא' ו) לך אמור להם שובו לכם לאהליכם שמע מינה וניפשוט נמי למנודה אמר רב הונא בריה דרב פנחס משמיה דרב יוסף מי קתני שאסור שיהא כמנודה וכאבל במילי אחרנייתא ואסור נמי בתשמיש המטה [מ]אבל אינו משלח קרבנותיו דתניא (ח) ר"ש אומר שלמים בזמן שהוא שלם ולא בזמן שהוא אונן [נ]מנודה מהו שישלח קרבנותיו אמר רב יוסף ת"ש כל אותן שנים שהיו ישראל במדבר מנודין היו ושלחו קרבנותיהן א"ל אביי ודלמא מנודה לשמים שאני דקיל והאמרת חמיר ספוקי מספקא ליה ומדחי ליה מצורע מהו שישלח קרבנותיו [ס]ת"ש דתניא ז) ואחרי טהרתו אחר פרישתו מן המת שבעת ימים יספרו לו אלו ז' ימי ספירו ח) וביום באו אל הקודש אל החצר הפנימית לשרת בקודש יקריב חטאתו

זו

רש"י

דמות דיוקני. בצלם אלהים עשה את האדם (בראשית ט): [כשאמרו. חכמים גבי עברו אלו ולא נענו (תענית דף יג.) אסור במלאכה וכו' וכן אתה מוצא במנודה]: מאי לאו אכולהו. קאמר דמנודה אסור: לא אשארא. דקתני (א) אעטיפת הראש דאמרי' התם (דף יד:) בתענית צבור מתעטפין ויושבין כמנודין: ורחיצה בכלל סיכה. דכתיב ותבא כמים בקרבו וכשמן בעצמותיו (תהלים קט): כשאמרו אסור ברחיצה. בתענית צבור: אכולהו. ארחילה נמי דמנודה אסור: לא אשארא. קאמר דמנודה אית ליה דין דהני דתעניות צבור: כשאמרו אסור בנעילת הסנדל. בתענית צבור: ויבא אליה. לאחר אבילות: מנודין היו. למקום: ספיקא הוא. אי קיל אי חמיר: זיל הכא ומדחי. דלקולא ח) אזלי בהדייהו: לפיכך נקראים שלמים בזמן שהוא שלם. בדעתו שדעתו מיושבת עליו: יספרו לו. לעיל מיניה כתיב ואל מת אדם לא יבא לטמאה ובכהן משתעי ואחרי טהרתו דהיינו מפרישתו מן המת משיפריש מן המת מונין שבעת ימי הזאתו שבעת ימים אחרים יספרו לו מדאפקיה רחמנא בלשון ספירה ולא נקט הזאה שמעינן שבעת ימי ספירו אם נצטרע: וביום באו ט) ביום טהרתו. כתיב בכהן גדול:

זו

תוספות

ורחיצה בכלל סיכה. תימה אדבעי מהו ברחילה אמאי לא בעי מהו בסיכה: לא אשארא. דמיירי התם בסוף פ"ק דתענית (דף יג.) בנעילת הסנדל ועשיית מלאכה ואעשיית מלאכה לא קאי דהא מנודה שרי במלאכה אלא אנעילת סנדל סוף פ"ק דתענית (שם) מסיק הלכתא אבל אסור בין בחמין בין בצונן אבל לרחוץ פניו ידיו ורגליו בחמין אסור בצונן מותר ולסוך אפילו כל שהוא אסור ובתוס' הרב פי' קשיא ליה מאי שנא בט' באב ויוה"כ אסור לרחוץ אפילו אצבעות כדמשמע בפרק בתרא דיומא (דף עח.) ומביאין לו מטפחת כו' והא תרוייהו מסיכה נפקי אבילות מואל תסוכי שמן יום הכפורים מוסוך לא סכתי (דניאל י) ובשם רשב"ם דלפי המסקנא דמסיק בפ"ק דתענית דאבל מותר לרחוץ פניו ידיו ורגליו בצונן הוא הדין ט' באב ויוה"כ ותימה אמאי לא מייתי בסוגיין דתענית ההיא דמטפחת כו' ובשם רבינו תם שמעתי שהיה אוסר לרחוץ כלל בט' באב ויוה"כ חוץ מידיו שחרית דחשיב להו כמו מלוכלכות בטיט וצואה הואיל ואינו יכול ליגע בפיו ועיניו ט) משום בת מלך: לא אשארא. פי' לא קאי אנעילת סנדל אלא ארחילה וזיל הכא קמדחי ליה י) וזיל הכא קמדחי ליה דאעשיית מלאכה לא קאי כדפרישית לעיל וא"ת ואמאי לא פשיט מר"א דסוף פרק הזהב (ב"מ דף נט: כ) קרע את בגדיו וחלץ מנעליו וי"ל דשמא היה מחמיר על עצמו אי נמי מספקא ליה כי היכי דמספקא לן: ושמשו מטותיהן. בכל הני דלעיל לא מייתי מבני המדבר דלא ידעי היאך היו נוהגין אלא הא פשיטא לן שהיו משמשים מטותיהן שהרי הם היו פרים ורבים וכן גבי שלחו קרבנות דבסמוך שמא יש להוכיח הכי מן הפסוקים: וישב מחוץ לאהלו. פי' בימי ספרו ובימי חלוטו פליגי בה לעיל (דף ז:) כי האי גוונא אמרינן אבל אסור להניח תפילין ולא בכל ימי אבלו קאמרינן אלא יום ראשון בלבד ושני כדלקמן (דף כא.): ואחרי טהרתו. פי' בקונטרס דבטומאת מת איירי ז' ימים ימי הזאתו יספרו לו איירי בימי ספירו וכמו מילתא אחריתי קמ"ל וביום באו לעבודה יביא כהן הדיוט עשירית האיפה וחטאתו כמו חיטוי וקדושתו לעבודה מילי מילי קאמר וקשה אמאי לא מפרש ליה בכהן גדול ויש לומר משום דבכהן הדיוט איירי דכתיב כי אם לאב ולאם ואילו כ"ג לא יטמא לאביו ולאמו ולא ניחא ליה למימר כדאמרינן בקדושין (דף עח:) רישא בכהן גדול וסיפא בכהן הדיוט ועוד דלא הוה קמ"ל מידי אבל כהן הדיוט ביום חינוכו אינו כתיב בקרא בפירוש מיהו קשה לן כיון דמילי מילי כתיב אמאי ר"ש אומר בבאו מקריב בזמן שראוי לביאה (ב) וקשה דבפרק תמיד נשחט (פסחים דף סב. ושם) דקאמרינן כל הזבחים ערל וטמא משלחין קרבנותיהן ועוד דהכא נמי לא משמע דאיירי אלא במצורע דהא דבעי מצורע מהו שישלח קרבנותיו מייתי ליה ונראה לי דר"ש לאפוקי מצורע אתי דרבי יהודה דריש ביום ביום באו ביום שמתחנך לעבודה ור"ש מוקי לביום באו דקאי אלעיל דאיירי במצורע ולא איירי מידי בעשירית האיפה אלא בא לומר דבמצורע דאיירי בקרא כשיטהר ויכנס לעזרה דהיינו לאחר ימי ספרו אז יקריב חטאתו או שאר קרבנותיו ובתוספות פי' דערל וטמא משלחין קרבנותיהן (ג) בטומאת שרץ ולא בטומאה מגופו והקשה על זה מהא דאמרינן במגילה פ"ק (דף ח.) מזובו ולא מנגעו משמע דאם יטהר מזובו יביא קרבן אע"פ שהוא מצורע וכמו כן קשה למאי דפרישית ותירץ דלא איירי התם לענין קרבן אלא שיהא טהור מדין משכב ומושב דחמירא הוה טפי מבמצורע וצ"ע בפרק כל הזבחים שנתערבו (זבחים עד: ושם) ובפרק כל הגט (גיטין דף כח: ושם) ל) מפורש קצת דיני סמיכה שצריך בעלים ואם כן אין טמא מביא קרבנותיו [וע' תוס' יבמות קד: ד"ה דאמר]:

מתרין

עין משפט נר מצוה

לז א מיי' פ"י מהלכות טומאת צרעת הל' ו סמג עשין רלה:
לח ב מיי' פ"ה מהל' אבל הל' א ז טוש"ע י"ד סי' שפ סעיף א:
לט ג מיי' פ"ג מהלכות תענית הל' ד טוש"ע א"ח סי' תקעה סעיף ג:
מ ד מיי' פ"ה מהלכות אבל הלכה א ג סמג עשין דרבנן ג טוש"ע י"ד סי' שפ סעיף א:
מא ה מיי' פ"ג מהלכות תענית הל' ד טוש"ע א"ח סי' תקעה סעיף ג:
מב ו מיי' פ"י מהל' טומאת צרעת הל' ו:
מג ז מיי' פ"ה מהל' אבל הל' א ו טוש"ע י"ד סי' שפ סעיף א:
מד ח טוש"ע י"ד סי' שלד סעיף ב:
מה ט מיי' פ"ג מהל' תענית הלכה ד טוש"ע א"ח סי' תקעה סעיף ג:
מו י מיי' פ"י מהלכות טומאת צרעת הל' ו:
מז כ מיי' פ"ה מהלכות אבל הלכה א ה סמג עשין דרבנן ג טוש"ע י"ד סי' שפ סעיף א:
מח ל מיי' פ"י מהלכות טומאת צרעת הל' ו:
מט מ נ ס מיי' פ"ב מהלכות ביאת מקדש הלכה יא סמג לאוין שג:

רבינו חננאל

אבל אסור בעשיית מלאכה שנאמר והפכתי חגיכם לאבל מה חג אסור בעשיית מלאכה אף אבל אסור. מצורע תיקו אבל מנודה מותר במלאכה. אבל אסור בנעילת הסנדל מדכתיב ביחזקאל ונעליך תשים ברגליך. מכלל דכ"ע אסירי. כשאמרו אסור בנעילת הסנדל לא אמרו אלא בעיר אבל בדרך מותר. יצא לדרך נועל. נכנס לעיר חולץ. וכן המנודה. מצורע תיקו. אבל אסור בתשמיש המטה שנאמר וינחם דוד את בת שבע אשתו ויבא אליה. מכלל דמעיקרא אסיר. מנודה מהו ת"ש כל השנים שהיו ישראל במדבר היו כמנודים והיו משמשין מטותיהן. ודלמא שאני מנודה לשמים דקיל והא אמרת מנודה לשמים חמור הוא ספוקי מספקא ליה אזיל הכא מדחי ליה אזיל הכא מדחי ליה. מצורע מהו בתשמיש המטה ולא איפשיטא בהדיא. אבל אינו משלח קרבנותיו שנאמר שלמים בזמן שהוא שלם ולא בזמן שהוא אונן מנודה מהו ולא איפשיטא מצורע מהו ת"ש

מסורת הש"ס

א) תענית יג., ב) שם [פסחים נד:], ג) [לקמן כ:], ד) תוספתא דתענית פ"א, ה) [לקמן כא.], ו) [לעיל ז:], ז) [זבחים לט:], ח) [עי' ברא"ש פ"ק נא], ט) ביום חינוכו כתיב בכהן הדיוט כל"ל כפי הסוגיא ופי' התוספות, י) [וע"ש תוספות ד"ה וקרע ובת' נדה ז: ד"ה הקשה ה"ר לאבי"ה], כ) [ובחגיגה טז:].

הגהות הב"ח

(א) רש"י ד"ה לא אשארא דקתני התם אעטיפת הראש: (ב) תום' ד"ה ואחרי כו' בזמן שראוי לביאה דבפרק תמיד נשחט כו' כל"ל ותיבת וקשה נמחק: (ג) בא"ד ובתוס' פי' כו' משלחין קרבנותיהן איירי בטומאת שרץ:

הגהות הגר"א

[א] גמ' כמנודה מביתו ובאבל כו' כל"ל:

גליון הש"ס

גמ' הא כיצד יצא לדרך. עי' לקמן דף כ ע"א תוס' ד"ה אם יכול: תוס' ד"ה לא אשארא דמיירי כו' משום בת מלך. עי' שבת דף קט ע"א: ד"ה לא אשארא פי' לא קאי כו' וזיל הכא קמדחי. וכן כתבו כל הפוסקים ותמיה לי לפי ההלכה בתענית דף יג ע"א דבתענית צבור מותר ברחיצה כל גופו בצונן אם כן על כרחך הך ברייתא מיירי ברחיצה חמין וממילא וכן אתה מוצא במנודה ובאבל לא קאי על רחילה דהא באבל אפילו אצבע אסור בחמין וכמבואר שם לכך דקאי אשאלת שלום ואשאר דברים ואפשר דקאי אנעילת סנדל ועשיית מלאכה דמנודה אסור בנעילת סנדל וצ"ע:

רש"י כת"י

בעונותיהם הפכתיה. שמתחת שבלשם את פניו הפוכות ומשמשות בר קפרא תני לה לגבי רחילה. [illegible] אל תסוכי שמן. יואב כך אמר לתקועית. רחיצה בכלל סיכה. דכתוב (תהלים קט) ותבוא כמים בקרבו וכשמן בעצמותיו בפרק בתרא דיומא (עו:). כשאמרו אסור ברחיצה. עברו אלו ולא נענו. וכן אתה מוצא במנודה ובאבל מאי לאו אכולהו. קאי מנודה נמי דאסור ברחיצה. לא אשארא. דקתני עטיפת הראש דאמרינן (לעיל) (תענית יד:) מתעטפין ויושבין כמנודין [illegible]

תורה אור השלם

א) וְהָפַכְתִּי חַגֵּיכֶם לְאֵבֶל וְכָל שִׁירֵיכֶם לְקִינָה וְהַעֲלֵיתִי עַל כָּל מָתְנַיִם שָׂק וְעַל כָּל רֹאשׁ קָרְחָה וְשַׂמְתִּיהָ כְּאֵבֶל יָחִיד וְאַחֲרִיתָהּ כְּיוֹם מָר: [עמוס ח, י] ב) וַיִּשְׁלַח יוֹאָב תְּקוֹעָה וַיִּקַּח מִשָּׁם אִשָּׁה חֲכָמָה וַיֹּאמֶר אֵלֶיהָ הִתְאַבְּלִי נָא וְלִבְשִׁי נָא בִגְדֵי אֵבֶל וְאַל תָּסוּכִי שֶׁמֶן וְהָיִית כְּאִשָּׁה זֶה יָמִים רַבִּים מִתְאַבֶּלֶת עַל מֵת: [שמואל ב' יד, ב] ג) הֵאָנֵק דֹּם מֵתִים אֵבֶל לֹא תַעֲשֶׂה פְּאֵרְךָ חֲבוֹשׁ עָלֶיךָ וּנְעָלֶיךָ תָּשִׂים בְּרַגְלֶיךָ וְלֹא תַעְטֶה עַל שָׂפָם וְלֶחֶם אֲנָשִׁים לֹא תֹאכֵל: [יחזקאל כד, יז] ד) וַיְנַחֵם דָּוִד אֵת בַּת שֶׁבַע אִשְׁתּוֹ וַיָּבֹא אֵלֶיהָ וַיִּשְׁכַּב עִמָּהּ וַתֵּלֶד בֵּן וַתִּקְרָא אֶת שְׁמוֹ שְׁלֹמֹה וַה' אֲהֵבוֹ: [שמואל ב' יב, כד] ה) וְכִבֶּס הַמִּטַּהֵר אֶת בְּגָדָיו וְגִלַּח אֶת כָּל שְׂעָרוֹ וְרָחַץ בַּמַּיִם וְטָהֵר וְאַחַר יָבוֹא אֶל הַמַּחֲנֶה וְיָשַׁב מִחוּץ לְאָהֳלוֹ שִׁבְעַת יָמִים: [ויקרא יד, ח] ו) לֵךְ אֱמֹר לָהֶם שׁוּבוּ לָכֶם לְאָהֳלֵיכֶם: [דברים ה, כז] ז) וְאַחֲרֵי טָהֳרָתוֹ שִׁבְעַת יָמִים יִסְפְּרוּ לוֹ: [יחזקאל מד, כו] ח) וּבְיוֹם בֹּאוֹ אֶל הַקֹּדֶשׁ אֶל הֶחָצֵר הַפְּנִימִית לְשָׁרֵת בַּקֹּדֶשׁ יַקְרִיב חַטָּאתוֹ נְאֻם אֲדֹנָי אֱלֹהִים: [יחזקאל מד, כז]

בטליתו. מנודין היו דכתוב (במדבר יד) יום לשנה תשאו את עונותיכם. ושמשו מטותיהן. [illegible] מספקא ליה. לאביי אי חמיר אי קיל. מצורע מהו בתשמיש המטה. בימי (חלוטו) [ספורו]. [illegible]

[illegible]

answer from a Baraisa:[13] כְּשֶׁאָמְרוּ אָסוּר בִּרְחִיצָה – WHEN [THE SAGES] SAID that on a public fast ONE IS PROHIBITED to engage IN BATHING, לֹא אָמְרוּ אֶלָּא כָּל גּוּפוֹ – THEY SAID it ONLY with regard to bathing HIS ENTIRE BODY; אֲבָל פָּנָיו יָדָיו וְרַגְלָיו מוּתָּר – HOWEVER, [WASHING] HIS FACE, HIS HANDS AND HIS FEET IS PERMITTED. וְכֵן אַתָּה מוֹצֵא – AND SIMILARLY, YOU FIND that these laws apply בִּמְנוּדֶּה וּבְאָבֵל – IN [THE CASES OF] AN EXCOMMUNICATE AND A MOURNER.

The Gemara concludes its proof:

מַאי – Now, to **what** does the statement concerning an excommunicate refer? לָאו אַכּוּלְּהוּ – Does it **not** refer **to all** the laws of the Baraisa, including the prohibition against bathing? Accordingly, the Baraisa teaches that an excommunicate is forbidden to bathe (his entire body).

The Gemara rejects this proof:

לֹא – **No,** the statement that the laws of the Baraisa apply to an excommunicate אַשְּׁאָרָא – refers **to the other** practices of a public fast day, but not to bathing.[14]

This question is unresolved; the Gemara now inquires about the *metzora*:

מְצוֹרָע – And in the case of **a *metzora*,** מַהוּ בִּרְחִיצָה – **what is [the law]** with regard to engaging **in bathing?**

The Gemara responds:

תֵּיקוּ – **Let it stand.** The issue remains unresolved.

The Gemara introduces another set of queries:

אָבֵל אָסוּר בִּנְעִילַת הַסַּנְדָּל – **A mourner is forbidden** to engage **in wearing shoes,** מִדְּקָאָמַר לֵיהּ רַחֲמָנָא לִיחֶזְקֵאל – for **since the Merciful One said to Ezekiel,**[15] ,,וּנְעָלֶיךָ תָּשִׂים בְּרַגְלֶיךָ'' – ***and place your shoes upon your feet,***[16] מִכְּלָל דְּכוּלֵּי עָלְמָא אָסוּר – it follows **by implication that** for **all other** mourners **[wearing shoes] is prohibited.**[17]

The Gemara inquires:

מְנוּדֶּה – And in the case of **an excommunicate,** מַהוּ בִּנְעִילַת הַסַּנְדָּל – **what is [the law]** with regard to his engaging **in wearing shoes?**

The Gemara responds:

אָמַר רַב יוֹסֵף – **Rav Yosef said:** תָּא שְׁמַע – **Come, learn** an answer from the aforementioned Baraisa in *Taanis*: כְּשֶׁאָמְרוּ אָסוּר בִּנְעִילַת הַסַּנְדָּל – WHEN [THE SAGES] SAID that on a public fast ONE IS PROHIBITED to engage IN WEARING SHOES, לֹא אָמְרוּ אֶלָּא בָּעִיר – THEY SAID it ONLY vis-a-vis doing so IN THE CITY. אֲבָל בַּדֶּרֶךְ מוּתָּר – HOWEVER, [WEARING SHOES] while traveling ON THE ROAD IS PERMITTED. הָא כֵּיצַד – HOW is THIS accomplished? יָצָא לַדֶּרֶךְ נוֹעֵל – When HE GOES OUT TO THE ROAD HE PUTS ON SHOES, נִכְנַס לָעִיר חוֹלֵץ – and when HE ENTERS THE CITY HE REMOVES them. וְכֵן אַתָּה מוֹצֵא – AND SIMILARLY, YOU FIND that these laws apply בִּמְנוּדֶּה וּבְאָבֵל – IN [THE CASES OF] AN EXCOMMUNICATE AND A MOURNER.

The Gemara concludes its proof:

מַאי – Now, to **what** does the statement concerning an excommunicate refer? לָאו אַכּוּלְּהוּ – Does it **not** refer **to all** the laws of the Baraisa, including the prohibition against wearing shoes? Accordingly, the Baraisa teaches that an excommunicate is forbidden to wear shoes (in the city).

The Gemara rejects the proof:

לֹא – **No,** the statement that the laws of the Baraisa apply to an excommunicate אַשְּׁאָרָא – refers **to the other** practices of a public fast day,[18] but not to wearing shoes.

The Gemara inquires about a *metzora*:

מְצוֹרָע – And in the case of **a *metzora*,** מַהוּ בִּנְעִילַת הַסַּנְדָּל – **what is [the law]** with regard to engaging **in wearing shoes?**

The Gemara responds:

תֵּיקוּ – **Let it stand.** The issue remains unresolved.

The Gemara introduces another set of queries:

אָבֵל אָסוּר בְּתַשְׁמִישׁ הַמִּטָּה – **A mourner is forbidden** to engage **in marital relations,** דִּכְתִיב – **for it is written**[19] that upon the conclusion of the mourning period for their infant son ,,וַיְנַחֵם דָּוִד אֵת בַּת־שֶׁבַע אִשְׁתּוֹ וַיָּבֹא אֵלֶיהָ'' – ***David comforted his wife Bathsheba, and he came to her** and lay with her.* מִכְּלָל דְּמֵעִיקָּרָא אָסוּר – This **implies that beforehand,** during the mourning period for their son, **[cohabitation] was prohibited.**[20]

The Gemara inquires:

מְנוּדֶּה – In the case of **an excommunicate,** מַהוּ בְּתַשְׁמִישׁ הַמִּטָּה – **what is [the law]** with regard to engaging **in marital relations?**[21]

The Gemara responds:

אָמַר רַב יוֹסֵף – **Rav Yosef said:** תָּא שְׁמַע – **Come, learn** an answer to your query: כָּל אוֹתָן שָׁנִים שֶׁהָיוּ יִשְׂרָאֵל בַּמִּדְבָּר – **All those years that the Jewish people were in the Wilderness** מְנוּדִּין הָיוּ – **they were** considered **excommunicates** to

NOTES

14. See note 9 above.

15. When instructing him *not* to behave like a mourner, despite the loss of his wife.

16. *Ezekiel* 24:17.

17. See above, 15a note 10.

18. According to *Rashi,* to wrapping the head (see note 9 above). According to *Tosafos* (second ד״ה לא), to the prohibition against bathing. See *Gilyon HaShas* to *Tosafos;* see also *Rashash.*

19. *II Samuel* 12:24.

20. A number of commentators are troubled by Scripture's also reporting that immediately upon learning of his son's death *David got up from the floor and bathed and anointed himself and changed his clothes* (ibid. verse 20). How was he permitted to wash and anoint himself? *Meiri* and *Chidushei HaRan* explain that a king is required to maintain a royal appearance at all times, as the verse states: *Your eyes will behold the king in his splendor* (*Isaiah* 33:17). Hence, although a mourner, King David was permitted to wash and anoint himself to comply with this mandate (see *Yoma* 73b for another example of this). Alternatively, the events of verse 20 took place before the infant was buried, and so David was not yet a mourner. He performed the aforementioned ablutions because he intended to enter the Holy Temple to pray, and did not wish to appear before God looking repugnant (*Tos. HaRosh, Ritva* et al.).

Ritva asks further: If, as many Rishonim maintain, the laws of mourning are Rabbinical in origin, why was David, who lived before the Rabbinical period, bound by them? *Ritva* explains that the prophets of David's era had already decreed that the people observe the various rites of mourning. [*She'arim Metzuyanim BaHalachah* cites *Rambam* (*Hil. Aveil* 1:1), who states that the practices of mourning (after the first day) were established by Moses.]

21. Inasmuch as one is forbidden to approach within four *amos* of an excommunicate, how can the Gemara entertain the possibility that the latter may engage in marital relations? *Ritva* explains that the prohibition does not extend to members of the excommunicate's household. Other Rishonim limit this exemption to his wife, based on the principle אִשְׁתּוֹ כְּגוּפוֹ [literally: his wife is like himself], which establishes husband and wife as one legal entity (see *Ritva* here and *Raavad* cited by *Ran* to *Nedarim* 7b).

22. When the people complained about Eretz Yisrael following the report of the Spies, God decreed that that entire generation of adults perish in the Wilderness over a forty-year period. This punishment corresponded to the forty-day duration of the Spies' stay in Eretz Yisrael, as the Torah states: *Like the number of days that you spied out the Land, forty days, a day for a year, shall you bear your iniquities – forty years* (*Numbers* 14:34) [see *Rashi ms.*]. In fact, as long as the sinful generation remained alive, there was no direct Divine communication with Moses (see *Taanis* 30b; see *Chidushei HaRan* and *R' Shlomo ben HaYasom;* see also *Rashi ms.*). [Thus, the nation was literally *excommunicated* and removed from the

דמות דיוקני נתתי בהן ובעונותיהם הפכתיה כפו מטותיהן עליה מנודה [א]ומצורע מה הן בכפיית המטה תיקו [ב]אבל אסור בעשיית מלאכה דכתיב (א) והפכתי חגיכם לאבל מה חג אסור במלאכה אף אבל אסור במלאכה מנודה מהו בעשיית מלאכה אמר רב יוסף ת"ש (א) [ג]כשאמרו אסור בעשיית מלאכה לא אמרו אלא ביום אבל בלילה מותר וכן אתה מוצא במנודה ובאבל מאי לאו אכולהו לא אשארא ת"ש מנודה שונה ושונין לו נשכר ונשכרין לו שמע מינה מצורע מהו בעשיית מלאכה תיקו [ד]אבל אסור ברחיצה דכתיב (ב) ואל תסוכי שמן ורחיצה בכלל סיכה מנודה מהו ברחיצה אמר רב יוסף ת"ש (ב) כשאמרו אסור ברחיצה [ה]לא אמרו אלא כל גופו אבל פניו ידיו ורגליו מותר וכן אתה מוצא במנודה ובאבל מאי לאו אכולהו לא אשארא [ו]מצורע מהו ברחיצה תיקו (ג) [ז]אבל אסור בנעילת הסנדל מדקאמר ליה רחמנא ליחזקאל (ג) ונעליך תשים ברגליך מכלל דכולי עלמא אסור [ח]מנודה מהו בנעילת הסנדל אמר רב יוסף תא שמע (ד) כשאמרו אסור בנעילת הסנדל [ט]לא אמרו אלא בעיר אבל בדרך מותר ° הא כיצד יצא לדרך נועל נכנס לעיר חולץ וכן אתה מוצא במנודה ובאבל מאי לאו אכולהו לא אשארא [י]מצורע מהו בנעילת הסנדל תיקו (ה) [כ]אבל אסור בתשמיש המטה דכתיב (ד) וינחם דוד את בת שבע אשתו ויבא אליה מכלל דמעיקרא אסור מנודה מהו בתשמיש המטה אמר רב יוסף ת"ש כל אותן שנים שהיו ישראל במדבר מנודין היו ושימשו מטותיהן א"ל אביי ודלמא מנודה לשמים שאני דקיל והא אמרת חמיר ספוקי מספקא ליה זיל הכא קמדחי ליה וזיל הכא קמדחי ליה [ל]מצורע מהו בתשמיש המטה ת"ש דתניא (ה) וישב מחוץ לאהלו שיהא כמנודה [א] וכאבל (ו) ואסור בתשמיש המטה ואין אהלו אלא אשתו שנא' (ו) לך אמור להם שובו לכם לאהליכם שמע מינה וניפשוט נמי למנודה אמר רב הונא בריה דרב פנחס משמיה דרב יוסף מי קתני שאסור שיהא כמנודה וכאבל במילי אחרנייתא ואסור נמי בתשמיש המטה [מ]אבל אינו משלח קרבנותיו דתניא (ז) ר"ש אומר שלמים בזמן שהוא שלם ולא בזמן שהוא אונן [נ]מנודה מהו שישלח קרבנותיו אמר רב יוסף ת"ש כל אותן שנים שהיו ישראל במדבר מנודין היו ושלחו קרבנותיהן א"ל אביי ודלמא מנודה לשמים שאני דקיל והאמרת חמיר ספוקי מספקא ליה ומדחי ליה מצורע מהו שישלח קרבנותיו [ס]ת"ש דתניא (ז) ואחרי טהרתו אחר פרישתו מן המת שבעת ימים יספרו לו אלו ז' ימי ספירו (ח) וביום באו אל הקודש אל החצר הפנימית לשרת בקודש יקריב חטאתו

רש"י

דמות דיוקני. בצלם אלהים עשה את האדם (בראשית ט): [כשאמרו. חכמים גבי עברו אלו ולא נענו (תענית דף יג.) אסור במלאכה וכו' וכן אתה מוצא במנודה]: מאי לאו אכולהו. קאמר דמנודה אסור: לא אשארא. דקתני (א) אעטיפת הראש דאמרי' התם (דף יד:) בתענית צבור מתעטפין ויושבין כמנודין: ורחיצה בכלל סיכה. דכתיב ותבא כמים בקרבו וכשמן בעצמותיו (תהלים קט): כשאמרו אסור ברחיצה. בתענית צבור: אכולהו. ארחילה נמי דמנודה אסור: לא אשארא. קאמר דמנודה אית ליה דין דהני דתעניות צבור: כשאמרו אסור בנעילת הסנדל. בתענית צבור: ויבא אליה. לאחר אבילות: מנודין היו. למקום: ספיקא הוא. אי קיל אי חמיר: זיל הכא ומדחי. דלקולא (ח) אזלי בהדייהו: לפיכך נקראים שלמים בזמן שהוא שלם. בדעתו שדעתו מיושבת עליו: יספרו לו. לעיל מיניה כתיב ואל מת אדם לא יבא לטמאה ובכהן משתעי ואחרי טהרתו דהיינו מפרישתו מן המת משיפריש מן המת מונין שבעת ימי הזאתו שבעת ימים אחרים יספרו לו מדאפקיה רחמנא בלשון ספירה ולא נקט הזאה שמעינן שבעת ימי ספירו אם נצטרע: וביום באו (ט) ביום טהרתו. כתיב בכהן גדול:

תוספות

ורחיצה בכלל סיכה. תימה אדבעי מהו ברחילה אמאי לא בעי מהו בסיכה: לא אשארא. דמיירי התם בסוף פ"ק דתענית (דף יג.) בנעילת הסנדל ועשיית מלאכה ואעשיית מלאכה לא קאי דהא מנודה שרי במלאכה אלא אנעילת סנדל סוף פ"ק דתענית (שם) מסיק הלכתא אבל אסור בין בחמין בין בצונן אבל לרחוץ פניו ידיו ורגליו בחמין אסור בצונן מותר ולסוך אפילו כל שהוא אסור ובתוס' הרב פי' קשיא ליה מאי שנא בט' באב ויוה"כ אסור לרחוץ אפילו אלבעות כדמשמע בפרק בתרא דיומא (דף עח.) ומביאין לו מטפחת כו' והא תרוייהו מסיכה נפקי אבילות מואל תסוכי שמן יום הכפורים מוסוך לא סכתי (דניאל י) ובשם רשב"ם דלפי המסקנא דמסיק בפ"ק דתענית דאבל מותר לרחוץ פניו ידיו ורגליו בצונן הוא הדין ט' באב ויוה"כ ותימה אמאי לא מייתי בסוגיין דתענית ההיא דמטפחת כו' ובשם רבינו תם שמעתי שהיה אוסר לרחוץ כלל בט' באב ויוה"כ חוץ מידיו שחרית דחשיב להו כמו מלוכלכות בטיט ולואה הואיל ואינו יכול ליגע בפיו ועיניו ° משום בת מלך: לא אשארא. פי' לא קאי אנעילת סנדל אלא ארחילה וזיל הכא קמדחי ליה ° וזיל הכא קמדחי ליה דאעשיית מלאכה לא קאי כדפרישית לעיל וא"ת ואמאי לא פשיט מר"א דסוף פרק הזהב (ב"מ דף נט:) קרע את בגדיו וחלץ מנעליו וי"ל דשמא היה מחמיר על עצמו אי נמי מספקא ליה כי היכי דמספקא לן: ושמשו מטותיהן. בכל הני דלעיל לא מייתי מבני המדבר דלא ידעי היאך היו נוהגין אלא הא פשיטא לן שהיו משמשים מטותיהן שהרי הם היו פרים ורבים וכן גבי שלחו קרבנות דבסמוך שמא יש להוכיח הכי מן הפסוקים: וישב מחוץ לאהלו. פי' בימי ספרו ובימי חלוטו פליגי בה לעיל (דף ז:) כי האי גוונא אמרינן אבל אסור להניח תפילין ולא בכל ימי אבלו קאמרינן אלא יום ראשון בלבד ושני כדלקמן (דף כא.): ואחרי טהרתו. פי' בקונטרס דבטומאת מת איירי ז' ימים ימי הזאתו יספרו לו איירי בימי ספירו וכמו מילתא אחריתי קמ"ל וביום באו לעבודה יביא כהן הדיוט עשירית האיפה וחטאתו כמו חיטוי וקדושתו לעבודה מילי מילי קאמר וקשה אמאי לא מפרש ליה בכהן גדול ויש לומר משום דבכהן הדיוט איירי דכתיב כי אם לאב ולאם ואילו כ"ג לא יטמא לאביו ולאמו ולא ניחא ליה למימר כדאמרינן בקדושין (דף עח:) רישא בכהן גדול וסיפא בכהן הדיוט ועוד דלא הוה קמ"ל מידי אבל כהן הדיוט ביום חינוכו אינו כתיב בקרא בפירוש מיהו קשה לן כיון דמילי מילי כתיב אמאי ר"ש אומר בבאו מקריב בזמן שראוי לביאה (ב) וקשה דבפרק תמיד נשחט (פסחים דף סב. ושם) דקאמרינן כל הזבחים ערל וטמא משלחין קרבנותיהן ועוד דהכא נמי לא משמע דאיירי אלא במצורע דהאי דבעי מצורע מהו שישלח קרבנותיו מייתי ליה ונראה לי דר"ש לאפוקי מצורע אתי דרבי יהודה דריש ביום באו ביום שמתחנך לעבודה ור"ש מוקי לביום באו דקאי אדלעיל דאיירי במצורע ולא איירי מידי בעשירית האיפה אלא בא לומר דבמצורע דאיירי בקרא כשיטהר ויכנס לעזרה דהיינו לאחר ימי ספרו אז יקריב חטאתו או שאר קרבנותיו ובתוספות פי' דערל וטמא משלחין קרבנותיהן (ג) בטומאת שרץ ולא בטומאה מגופו והקשה על זה מהא דאמרינן במגילה פ"ק (דף ח.) מזובו ולא מנגעו משמע דאם יטהר מזובו יביא קרבן אע"פ שהוא מצורע וכמו כן קשה לנמי דפרישית ותירץ דלא איירי התם לענין קרבן אלא שיהא טהור מדין משכב ומושב דחמירא הוה טפי ממצורע וצ"ע בפרק כל הזבחים שנתערבו (זבחים עד: ושם) ובפרק כל הגט (גיטין דף כח: ושם) (כ) מפורש קצת דיני סמיכה שצריך בעלים ואם כן אין טמא מביא קרבנותיו [ועי' תוס' יבמות קד: ד"ה דאמר]:

מתרין

עין משפט נר מצוה

לז א מיי' פ"י מהלכות טומאת צרעת הל' ו סמג עשין רלה:
לח ב מיי' פ"ה מהל' אבל הל' א ז טוש"ע י"ד סי' שפ סעיף א:
לט ג מיי' פ"ג מהלכות תענית הל' ד טוש"ע א"ח סי' תקעה סעיף ג:
מ ד מיי' פ"ה מהלכות אבל הלכה א ג סמג עשין דרבנן ג טוש"ע י"ד סי' שפ סעיף א:
מא ה מיי' פ"ג מהלכות תענית הל' ד טוש"ע א"ח סי' תקעה סעיף ג:
מב ו מיי' פ"י מהל' טומאת צרעת הל' ו:
מג ז מיי' פ"ה מהל' אבל הל' א ו טוש"ע י"ד סי' שפ סעיף א:
מד ח טוש"ע י"ד סי' שלד סעיף ב:
מה ט מיי' פ"ג מהל' תענית הלכה ד טוש"ע א"ח סי' תקעה סעיף ג:
מו י מיי' פ"י מהלכות טומאת צרעת הל' ו:
מז כ מיי' פ"ה מהלכות אבל הלכה א ה סמג עשין דרבנן ג טוש"ע י"ד סי' שפ סעיף א:
מח ל מיי' פ"י מהלכות טומאת צרעת הל' ו:
מט מ נ ס מיי' פ"ב מהלכות ביאת מקדש הלכה יא סמג לאוין סג:

רבינו חננאל

אבל אסור בעשיית מלאכה שנאמר והפכתי חגיכם לאבל מה חג אסור בעשיית מלאכה אף אבל אסור בעשיית מלאכה. מצורע תיקו אבל מנודה מותר במלאכה. אבל אסור בנעילת הסנדל מדכתיב ביחזקאל ונעליך תשים ברגליך. מכלל דכ"ע אסירי. כשאמרו אסור בנעילת הסנדל לא אמרו אלא בעיר אבל בדרך מותר. יצא לדרך נועל. נכנס לעיר חולץ. וכן במנודה. מצורע תיקו. אבל אסור בתשמיש המטה שנאמר וינחם דוד את בת שבע אשתו ויבא אליה. מכלל דמעיקרא אסיר. מנודה מהו ת"ש כל השנים שהיו ישראל במדבר היו כמנודים והיו משמשין מטותיהן. ודלמא שאני מנודה לשמים דקיל או אדרבה אמרת מנודה לשמים חמור הוא ספוקי מספקא ליה אזיל הכא מדחי ליה אזיל הכא מדחי ליה. מצורע מהו בתשמיש המטה לא איפשיטא בהדיא. אבל אינו משלח קרבנותיו שנאמר שלמים בזמן שהוא שלם ולא בזמן שהוא אונן מנודה מהו ולא איפשיטא מצורע מהו ת"ש

תורה אור השלם

א) וְהָפַכְתִּי חַגֵּיכֶם לְאֵבֶל וְכָל שִׁירֵיכֶם לְקִינָה וְהַעֲלֵיתִי עַל כָּל מָתְנַיִם שָׂק וְעַל כָּל רֹאשׁ קָרְחָה וְשַׂמְתִּיהָ כְּאֵבֶל יָחִיד וְאַחֲרִיתָהּ כְּיוֹם מָר: [עמוס ח, י] ב) וַיִּשְׁלַח יוֹאָב תְּקוֹעָה וַיִּקַּח מִשָּׁם אִשָּׁה חֲכָמָה וַיֹּאמֶר אֵלֶיהָ הִתְאַבְּלִי נָא וְלִבְשִׁי נָא בִגְדֵי אֵבֶל וְאַל תָּסוּכִי שֶׁמֶן וְהָיִית כְּאִשָּׁה זֶה יָמִים רַבִּים מִתְאַבֶּלֶת עַל מֵת: [שמואל ב' יד, ב] ג) הֵאָנֵק דֹּם מֵתִים אֵבֶל לֹא תַעֲשֶׂה פְּאֵרְךָ חֲבוֹשׁ עָלֶיךָ וּנְעָלֶיךָ תָּשִׂים בְּרַגְלֶיךָ וְלֹא תַעְטֶה עַל שָׂפָם וְלֶחֶם אֲנָשִׁים לֹא תֹאכֵל: [יחזקאל כד, יז] ד) וַיְנַחֵם דָּוִד אֵת בַּת שֶׁבַע אִשְׁתּוֹ וַיָּבֹא אֵלֶיהָ וַיִּשְׁכַּב עִמָּהּ וַתֵּלֶד בֵּן וַתִּקְרָא אֶת שְׁמוֹ שְׁלֹמֹה וַיי אֲהֵבוֹ: [שמואל ב' יב, כד] ה) וְכִבֶּס הַמִּטַּהֵר אֶת בְּגָדָיו וְגִלַּח אֶת כָּל שְׂעָרוֹ וְרָחַץ בַּמַּיִם וְטָהֵר וְאַחַר יָבוֹא אֶל הַמַּחֲנֶה וְיָשַׁב מִחוּץ לְאָהֳלוֹ שִׁבְעַת יָמִים: [ויקרא יד, ח] ו) לֵךְ אֱמֹר לָהֶם שׁוּבוּ לָכֶם לְאָהֳלֵיכֶם: [דברים ה, כז] ז) וְאַחֲרֵי טָהֳרָתוֹ שִׁבְעַת יָמִים יִסְפְּרוּ לוֹ: [יחזקאל מד, כו] ח) וּבְיוֹם בֹּאוֹ אֶל הַקֹּדֶשׁ אֶל הֶחָצֵר הַפְּנִימִית לְשָׁרֵת בַּקֹּדֶשׁ יַקְרִיב חַטָּאתוֹ נְאֻם אֲדֹנָי אֱלֹהִים: [יחזקאל מד, כז]

מסורת הש"ס

א) תענית יג., ב) שם [פסחים נד:], ג) [לקמן כ:], ד) תוספתא דתענית פ"א, ה) [לקמן כא.], ו) [לעיל ז:], ז) [זבחים לט:], ח) [עי' ברא"ש ס"ס נא], ט) ביום חינוכו כתיב בכהן הדיוט כצ"ל כפי הסוגיא ופי' התוספות, י) [וע"ש תוספות ד"ה וקרע ובת"י נדה ז: ד"ה הקשה ה"ר ראבי"ה], כ) [ובחגיגה טז:].

הגהות הב"ח

(א) רש"י ד"ה לא אשארא דקתני התם אעטיפת הראש: (ב) תוס' ד"ה ואחרי כו' בזמן שראוי לביאה דבפ' תמיד נשחט כו' כצ"ל ותיבת וקשה נמחק: (ג) בא"ד ובתוס' פי' כו' משלחין קרבנותיהן איירי בטומאת שרץ:

הגהות הגר"א

[א] גמ' כמנודה מביתו וכאבל כו' כצ"ל:

גליון הש"ס

גמ' הא כיצד יצא לדרך. עי' לקמן דף כז ע"א תוס' ד"ה אם יכול: תוס' ד"ה לא אשארא דמיירי כו' משום בת מלך. ע' שבת דף קט ע"א: ד"ה לא אשארא פי' לא קאי כו' וזיל הכא קמדחי. וכן כתבו כל הפוסקים ותמיה לי לפי הכלכה בתענית דף יג ע"א דלתענית צבור מותר ברחילת כל גופו אף בצונן אם כן אין לו לכתוב הך כ ברחיצה מיירי ברחילת חמין וממילא וכן אתה מוצא במנודה ובאבל על רחילה דהא דאבל אפילו אלבע אסור בחמין וכמבואר בכל הפוסקים א"כ להדיא דקאי אנעילת סנדל ונפשט למנודה אסור בנעילת סנדל ולע"ג:

רש"י כת"י

בעונותיהם הפכתיה. שמתמת שבאדם את פניו הפוכות ומשמנות בר קפיה תני לה לבריתא כעין שכך אומרת שכינה לבני אדם. ואל תסוכי שמן. יואב כך אמר לתקועית. ורחיצה בכלל סיכה. דכתיב (תהלים קט) ותבוא כמים בקרבו וכשמן בעצמותיו בפרק בתרא דיומא (עו:). כשאמרו אסור ברחיצה. עברו אלו ולא נענו. וכן אתה מוצא במנודה ובאבל מאי לאו אכולהו. קאי מנודה נמי דאסור ברחילה. לא אשארא. דקתני אעטיפת הראש דאמרינן (לעיל) (תענית יד:) מתעטפין ויושבין. עטיפה מכסה שפמו וזקנו וחטמו במלנפתו או בטליתו. מנודין היו דכתוב (במדבר יד) יום לשנה תשאו את עונותיכם. ושמשו מטותיהן. לאו בריתא הוא. ספוקי מספקא ליה. לאביי אי חמיר אי קיל. מצורע מהו בתשמיש המטה. בימי (חלוטו) [ספורו]. ואסור בתשמיש המטה. ולעיל אמרינן שבעת ימים ימי ספירו ולא ימי חלוטו דבימי חלוטו מותר. ואונן נמי אינו משלח שלמים והוא הדין לשאר קרבנות. כשהוא שלם. שלם בשמחה נאכל ואבל אינו שלם. מנודין היו. דכתוב יום לשנה תשאו את (זנותיכם) [עונותיכם]. והקריבו קרבנות. תמידין שבכל יום. דכתוב לעיל מיניה אל מת אדם לא יבא לטמאה וכהן משתעי אחרי טהרתו לאחר ימי הזאה שבעת ימים יספרו לו מדאפקיה בלשון ספירה משמע שבעת ימי ספירו ואם יצטרע הוי נמי ימי ספירו גבי טומאת מת וכו' מי הזאה ואגב אורחיה מפרש לקרא כמשמעו. חטאתו. של כהן גדול שמביא אחרי טהרתו לא מצינו בתורה והכי מפרש (הזאת) [חטאת] זו עשירית האיפה שמביא כהן הדיוט שמחנכין אותו לעבוד תחלה כדכתוב (ויקרא ו) זה קרבן אהרן ובניו אשר יקריבו ליי ביום המשח אותו עשירית האיפה סלת ואמרינן ובניו לרבות עשירית האיפה של כהן הדיוט לחינוך ולאו אקראי דלעיל קאי אלא מלות כהנים דקאמ' לן יחזקאל. [מכאן שייך לדף טז.] ר' שמעון אומר. מקרא נדרש לפניו והכי קאמ' בזמן שהוא ראוי לביאה וכו' בזמן שאינו ראוי לביאה כגון שהיה טומאה מת או מצורע. אמ' רבא וכו'. אידי דאיירי במנודה קא מפרש להלכתא דדינא שנידוי בא על ידיהן. דמזמנינן ליה. דליתי לבי דינא. דקבעינן זימנא. דבעינן למימר (קמן) ליה ביום פלוני (אתו) [תיתי] לבי דינא. זימנא בתר זמנא. אם לא בא בזמן ראשון קובעין לו זמן ולא ינידוהו מיד. קראו שם וגו'. נביא היה מתנבא על מצרים שיבא נבוכדנצר לאותו זמן כיון שהגיע לאותו זמן ולא בא קראו מלך מצרים שאון המועד שהרחיק והעביר המועד שנבוכדנצר עתיד לבא עליהן והקב"ה קבע להם זמן אחר ואכן נמי זימנא בתר זימנא קבעינן. מתפקר. אפקרותא. בשליחא. שהעיז פניו בשליח בית דין וחירף ב"ד ובא השליח ואמר לב"ד לא הוי רכיל דכתוב העיני אנשים ההם תנקר ואתו שלוחים ואמרו לו למשה דמשה דכתביה לקרא מנא הוה ידע אי לאו דאמרי ליה. מנא לן דלאיבעי לן למימר לשליח ב"ד דמשמע מילתא להסוא גברא (ברש"י ברי"ף - דאיבעי למימר שליח ב"ד דמשמית ליה לגברא). דהכי סבר דגברא רבה. דעת פלוני רצה לנדות את פלוני דצריך לנדותו בשמו של פלוני חכם (ברש"י ברי"ף - בשמן של תלמידי חכמים). אמר מלאך יי'. ברק אמ' לשמתו. דמחרמינן. בלשון ארור. ל"א דמחרמינן דמשמתינן ליה עד ג' זימנא אי לא נאית לדינא. אורו ארור. ואורו דרישא דקרא הרי ג'. יושביה. מקום מושב ד' אמות והוא שפרש בשעת השמתא (ברש"י ברי"ף - מקום היושב ד' אמות). דפרטינן. מפרשינן שאומרין כך וכך עשה פלוני ונתנדה. שיפורי. שופרות וטעמא מפרש לקמן. מירוז. גברא מישראל הוה ושמתיה משום דלא אתא. נלחמו הכוכבים. והוא כוכב ולא אתא ונדוהו. יחרם כל רכושו. דהפקר ב"ד הפקר מהכא נפקא לן בכל דוכתא. ואריב עמם וגו'. לאותן שהושיבו נשים נכריות. דכפתינן. ידיו ורגליו. ואסרינן. קושרין על העמוד להלקות. הרדפה. מפרש לקמיה שרודפין אחריו בכמה נדוין (ברש"י ברי"ף - בכמה רודפין).

Hashem,[22] וְשִׁימְּשׁוּ מִטּוֹתֵיהֶן – **and** yet **they engaged in marital relations.**[23] Thus, an excommunicate is permitted to engage in marital relations.

The Gemara rejects the proof:

אָמַר לֵיהּ אַבַּיֵּי – **Abaye said to [Rav Yosef]:** וְדִלְמָא מְנוּדֶּה לַשָּׁמַיִם שָׁאנֵי – **But perhaps an excommunicate to Heaven is different,** דְּקִיל – **for [his ban]** may be more **lenient** than an ordinary ban in certain respects.[24] – ? –

The Gemara challenges Abaye's rebuttal:

קִיל – A Heavenly ban is more **lenient** than an ordinary ban?! וְהָא אָמְרַתְּ חָמִיר – **But you** yourself **have said** that it is more **stringent!**[25]

The Gemara responds to the challenger:

סְפוּקֵי מְסַפְּקָא לֵיהּ – In truth, **[Abaye] was in doubt** as to whether a Heavenly ban is more or less stringent than an ordinary ban. Thus, זִיל הָכָא – if you **proceed here** and argue that just as marital relations are permitted in the case of a Heavenly ban, so they are permitted in the case of an ordinary ban, קָמַדְחֵי לֵיהּ – **[Abaye] rebuffs [your argument]** by suggesting that a Heavenly ban is, in fact, more lenient [and consequently countenances cohabitation]. וְזִיל הָכָא – **And** if you **proceed here** and argue that just as wrapping the head is required in the case of a Heavenly ban, so it is required in the case of an ordinary ban, קָמַדְחֵי לֵיהּ – **[Abaye] rebuffs [this argument]** by suggesting that a Heavenly ban is, in fact, more stringent.[26]

The Gemara now inquires about a *metzora*:

מְצוֹרָע – In the case of **a *metzora*,** מַהוּ בְּתַשְׁמִישׁ הַמִּטָּה – **what is [the law]** with regard to engaging **in marital relations?**[27]

The Gemara responds:

תָּא שְׁמַע – **Come, learn** an answer to your query, דְּתַנְיָא – **for it was taught in a Baraisa:** "וְיָשַׁב מִחוּץ לְאָהֳלוֹ", – Scripture states:[28] ***BUT HE SHALL DWELL OUTSIDE HIS TENT*** *for seven days.* שֶׁיְּהֵא כִּמְנוּדֶּה וּכְאָבֵל – The law is THAT [A *METZORA*] SHALL BE treated legally LIKE AN EXCOMMUNICATE AND A MOURNER, וְאָסוּר בְּתַשְׁמִישׁ הַמִּטָּה – AND HE IS FORBIDDEN to engage IN MARITAL RELATIONS, וְאֵין "אָהֳלוֹ" אֶלָּא אִשְׁתּוֹ – AND this is because the phrase *HIS TENT* in the aforementioned verse has NO meaning OTHER THAN "HIS WIFE,"[29] שֶׁנֶּאֱמַר – FOR IT IS STATED:[30] "לֵךְ אֱמֹר לָהֶם שׁוּבוּ לָכֶם לְאָהֳלֵיכֶם" – *GO SAY TO THEM: "RETURN TO YOUR TENTS."*[31]

The Gemara concludes:

שְׁמַע מִינָּהּ – Indeed, **derive from [this explicit statement]** of the Baraisa that a *metzora* is forbidden to engage in marital relations.

The Gemara asks:

וְנִיפְשׁוֹט נַמִּי לִמְנוּדֶּה – **But let us also extrapolate** from the Baraisa **to** the case of **an excommunicate,**[32] to derive that he, too, is forbidden to have marital relations.[33] – ? –

The Gemara rejects this suggestion:

אָמַר רַב הוּנָא בְּרֵיהּ דְּרַב פִּנְחָס מִשְּׁמֵיהּ דְּרַב יוֹסֵף – **Rav Huna, the son of Rav Pinchas, said in the name of Rav Yosef:** מִי קָתָנֵי שֶׁאָסוּר – **Did [the Baraisa] state** that a *metzora* shall be like an excommunicate, ***"who is forbidden"*** to engage in marital relations? No! שֶׁיְּהֵא כִּמְנוּדֶּה וּכְאָבֵל – The Baraisa in fact states: THAT HE SHALL BE treated legally LIKE AN EXCOMMUNICATE AND A MOURNER – בְּמִילֵּי אַחֲרָנְיָיתָא – that is, **with regard to other matters.** וְאָסוּר נַמִּי בְּתַשְׁמִישׁ הַמִּטָּה – The Baraisa then concludes: AND, in addition, [THE *METZORA*] IS FORBIDDEN [ALSO] to engage IN MARITAL RELATIONS.[34]

Another series of queries:

אָבֵל אֵינוֹ מְשַׁלֵּחַ קָרְבְּנוֹתָיו – **A mourner does not send his offerings** to the Temple with an agent,[35] דְּתַנְיָא – **for it was taught in a Baraisa:** רַבִּי שִׁמְעוֹן אוֹמֵר – R' SHIMON SAYS: שְׁלָמִים בִּזְמַן שֶׁהוּא שָׁלֵם – *A SHELAMIM*[36] (literally: whole ones)

NOTES

Divine Presence during those years.] Cf. *Rashi* to *Yevamos* 72a ד״ה איבעית אימא משום.

23. Although the phrase תָּא שְׁמַע, which introduced this answer, generally precedes the citing of a probatory Baraisa, that is not the case here (see *Rashi ms.*). Rather, Rav Yosef is drawing an inference from the fact that the Jews remained 600,000 strong at the conclusion of their forty-year sojourn in the Wilderness, despite the deaths that occurred there. Thus, he concludes, they necessarily engaged in marital relations and begat children (*Tosafos*).

24. *Tos. HaRosh* (end of ד״ה מנודה מהן בנעילת הסנדל) explains why a Heavenly ban might be more lenient: Having marital relations is a mitzvah. Since both the person (who is an excommunicate) and the mitzvah belong to God, we can assume that God does not want His Heavenly excommunication to prevent His creature from performing His commandment. An earthly court, on the other hand, is not in this unique position of authority to differentiate between mitzvah and non-mitzvah mourning rites, and thus may not grant its excommunicates a dispensation to perform the former.

25. Above, 15a, with regard to the practice of wrapping the head and greeting others.

26. Because Abaye is in doubt as to the comparative strengths of the two bans, he in essence holds that a Heavenly ban cannot reliably serve as a source for any legal teaching regarding an ordinary ban. Hence, the issue of an excommunicate engaging in marital relations remains in doubt.

27. In order to achieve purification, a *metzora* must undergo a ceremony that is described in *Leviticus* 14:1-8. For seven days thereafter he is subject to certain restrictions (verse 8), and on the eighth day he brings special offerings (verses 10-32), and then his purification is complete. The Gemara here inquires whether the *metzora* is permitted to have marital relations during those seven intervening days (יְמֵי סְפִירוֹ). The Gemara is *not* inquiring about the prior (prepurification) period of affliction (יְמֵי חֲלוּטוֹ), because the law then is the subject of a dispute [above, 7b] (*Tosafos;* see also *Rashi ms.* with editor's notes).

28. *Leviticus* 14:8, which speaks of a *metzora* who is in the seven-day restricted period.

29. That is, *but he shall dwell outside his tent* is a euphemistic way of saying that the *metzora* shall avoid cohabitation with his wife.

30. *Deuteronomy* 5:27. Following the Revelation on Mt. Sinai, God charged Moses with relaying the message contained in this verse.

31. With delicate language, the Almighty authorized the Jewish men to return to their wives, for marital relations had been prohibited during the three days preceding the Revelation (see *Targum Yonasan ben Uziel* ibid., and *R' Shlomo ben HaYasom*). Hence, we see that "tent" is a euphemism for "wife."

32. Which was discussed above inconclusively (see note 26).

33. For the Baraisa states that a *metzora* is forbidden to cohabit "like an excommunicate and a mourner."

34. Had the Baraisa stated שֶׁאָסוּר בְּתַשְׁמִישׁ הַמִּטָּה, it would read: "[A *metzora*] shall be [treated] like an excommunicate. . . **who** is forbidden (שֶׁאָסוּר) [to engage] in marital relations." The Baraisa would thus be stating explicitly that an excommunicate is forbidden to cohabit.

However, the Baraisa's statement commences with וְאָסוּר, with a *vav* ("and") rather than a *shin* ("who") beginning the word. The *vav* indicates that this phrase is independent of the "excommunicate" mentioned just previously. Rav Huna thus reads the Baraisa as follows: "*But he shall dwell outside his tent.* [Now, the law is] that [a *metzora*] shall be [treated] like an excommunicate and a mourner [i.e. in some legal matters, such as abstaining from haircutting and laundering], and [also – as we learn from the aforementioned verse –] he is forbidden [to engage] in marital relations etc." According to Rav Huna's interpretation, then, the Baraisa does not address the excommunicate's status vis-a-vis cohabiting.

35. Regarding why the Gemara does not discuss a mourner bringing the offering himself, see *Tos. HaRosh.*

36. R' Shimon is interpreting *Leviticus* 3:1: וְאִם־זֶבַח שְׁלָמִים קָרְבָּנוֹ וגו׳, *And if a sacrifice of a shelamim is his offering etc.* The Baraisa, which is

דמות דיוקני נתתי בהן ובעונותיהם הפכתיה כפו מטותיהן עליה מנודה [א]ומצורע מה הן בכפיית המטה תיקו [ב]אבל אסור בעשיית מלאכה דכתיב (א) והפכתי חגיכם לאבל מה חג אסור במלאכה אף אבל אסור במלאכה מנודה מהו בעשיית מלאכה אמר רב יוסף ת"ש (א) [ג]כשאמרו אסור בעשיית מלאכה לא אמרו אלא ביום אבל בלילה מותר וכן אתה מוצא במנודה ובאבל מאי לאו אכולהו לא אשארא ת"ש מנודה שונה ושונין לו נשכר ונשכרין לו שמע מינה מצורע מהו בעשיית מלאכה תיקו [ד]אבל אסור ברחיצה דכתיב (ב) ואל תסוכי שמן ורחיצה בכלל סיכה מנודה מהו ברחיצה אמר רב יוסף ת"ש (ג) כשאמרו אסור ברחיצה [ה]לא אמרו אלא כל גופו אבל פניו ידיו ורגליו מותר וכן אתה מוצא במנודה ובאבל מאי לאו אכולהו לא אשארא [ו]מצורע מהו ברחיצה תיקו (ג) [ז]אבל אסור בנעילת הסנדל מדקאמר ליה רחמנא ליחזקאל (ג) ונעליך תשים ברגליך מכלל דכולי עלמא אסור [ח]מנודה מהו בנעילת הסנדל אמר רב יוסף תא שמע (ד) כשאמרו אסור בנעילת הסנדל [ט]לא אמרו אלא בעיר אבל בדרך מותר ° הא כיצד יצא לדרך נועל נכנס לעיר חולץ וכן אתה מוצא במנודה ובאבל מאי לאו אכולהו לא אשארא [י]מצורע מהו בנעילת הסנדל תיקו (ה) [כ]אבל אסור בתשמיש המטה דכתיב (ד) וינחם דוד את בת שבע אשתו ויבא אליה מכלל דמעיקרא אסור מנודה מהו בתשמיש המטה אמר רב יוסף ת"ש כל אותן שנים שהיו ישראל במדבר מנודין היו ושימשו מטותיהן א"ל אביי ודלמא מנודה לשמים שאני דקיל קיל והא אמרת חמיר ספוקי מספקא ליה זיל הכא קמדחי ליה וזיל הכא קמדחי ליה [ל]מצורע מהו בתשמיש המטה ת"ש דתניא (ה) וישב מחוץ לאהלו שיהא כמנודה [א] וכאבל (ו) ואסור בתשמיש המטה ואין אהלו אלא אשתו שנא' (ו) לך אמור להם שובו לכם לאהליכם שמע מינה וניפשוט נמי למנודה אמר רב הונא בריה דרב פנחס משמיה דרב יוסף מי קתני שאסור כמנודה וכאבל במילי אחרנייתא ואסור נמי בתשמיש המטה [מ]אבל אינו משלח קרבנותיו דתניא (ז) ר"ש אומר שלמים בזמן שהוא שלם ולא בזמן שהוא אונן [נ]מנודה מהו שישלח קרבנותיו אמר רב יוסף ת"ש כל אותן שנים שהיו ישראל במדבר מנודין היו ושלחו קרבנותיהן א"ל אביי ודלמא מנודה לשמים שאני דקיל והאמרת חמיר ספוקי מספקא ליה ומדחי ליה מצורע מהו שישלח קרבנותיו [ס]ת"ש דתניא (ז) ואחרי טהרתו אחר פרישתו מן המת שבעת ימים יספרו לו אלו ז' ימי ספירו (ח) וביום באו אל הקודש אל החצר הפנימית לשרת בקודש יקריב חטאתו

זו

רש"י

דמות דיוקני. בצלם אלהים עשה את האדם (בראשית ט): [כשאמרו. חכמים גבי עברו אלו ולא נענו (תענית דף יג.) אסור במלאכה וכו' וכן אתה מוצא במנודה]: מאי לאו אכולהו. קאמר דמנודה אסור: לא אשארא. דקתני (א) אעטיפת הראש דאמרי' התם (דף יד:) בתענית צבור מתעטפין ויושבין כמנודין: ורחיצה בכלל סיכה. דכתיב ותבא כמים בקרבו וכשמן בעצמותיו (תהלים קט): כשאמרו אסור ברחיצה. בתענית צבור: אכולהו. ארחילה נמי דמנודה אסור: לא אשארא. קאמר דמנודה אית ליה דין דהני דתעניות צבור: כשאמרו אסור בנעילת הסנדל. בתענית צבור: ויבא אליה. לאחר אבילות: מנודין היו. למקום: ספיקא הוא. אי קיל אי חמיר: זיל הכא ומדחי. דלקולא (ח) אזלי בהדייהו: לפיכך נקראים שלמים בזמן שהוא שלם. בדעתו שדעתו מיושבת עליו: יספרו לו. לעיל מיניה כתיב ואל מת אדם לא יבא לטמאה ובכהן משתעי ואחרי טהרתו דהיינו מפרישתו מן המת מסיפרים מן המת מונין שבעת ימי הזאתו שבעת ימים אחרים יספרו לו מדאפקיה רחמנא בלשון ספירה ולא נקט הזאה שמעינן שבעת ימי ספירו אם נצטרע: וביום באו (ט) ביום טהרתו. כתיב בכהן גדול:

תוספות

ורחיצה בכלל סיכה. תימה אדבעי מהו ברחילה אמאי לא בעי מהו בסיכה: לא אשארא. דמיירי התם בסוף פ"ק דתענית (דף יג.) בנעילת הסנדל ועשיית מלאכה ואעשיית מלאכה לא קאי דהא מנודה שרי במלאכה אלא אנעילת סנדל סוף פ"ק דתענית (שם) מסיק הלכתא אבל אסור בין בחמין בין בצונן אבל לרחוץ פניו ידיו ורגליו בחמין אסור בצונן מותר ולסוך אפילו כל שהוא אסור ובתוס' הרב פי' קשיא ליה מאי שנא בט' באב ויוה"כ אסור לרחוץ אפילו אצבעות כדמשמע בפרק בתרא דיומא (דף עז.) ומביאין לו מטפחת כו' והא תרוייהו מסיכה נפקי אבילות מואל תסוכי שמן יום הכפורים מוסוך לא סכתי (דניאל י) ובשם רשב"ם דלפי המסקנא דמסיק בפ"ק דתענית דאבל מותר לרחוץ פניו ידיו ורגליו בצונן הוא הדין ט' באב ויוה"כ ותימה אמאי לא מייתי בסוגיין דתענית ההיא דמטפחת כו' ובשם רבינו תם שמעתי שהיה אוסר לרחוץ כלל בט' באב ויוה"כ חוץ מידיו שחרית דחשיב להו כמו מלוכלכות בטיט וצואה הואיל ואינו יכול ליגע בפיו ועיניו ° משום בת מלך: לא אשארא. פי' לא קאי אנעילת סנדל אלא ארחילה וזיל הכא קמדחי ליה ° וזיל הכא קמדחי ליה דאעשיית מלאכה לא קאי כדפרישית לעיל וא"ת ואמאי לא פשיט מר"א דסוף פרק הזהב (ב"מ דף נט:) [ל] קרע את בגדיו וחלץ מנעליו וי"ל דשמא היה מחמיר על עצמו אי נמי מספקא ליה כי היכי דמספקא לן: ושמשו מטותיהן. בכל הני דלעיל לא מייתי מבני המדבר דלא ידעי היאך היו נוהגין אלא הא פשיטא לן שהיו משמשים מטותיהן שהרי הם היו פרים ורבים וכן גבי שלחו קרבנות דבסמוך שמא יש להוכיח הכי מן הפסוקים: וישב מחוץ לאהלו. פי' בימי ספרו ובימי חלוטו פליגי בה לעיל (דף ז:) כי האי גוונא אמרינן אבל אסור להניח תפילין ולא בכל ימי אבלו קאמרינן אלא יום ראשון בלבד ושני כדלקמן (דף כא.): ואחרי טהרתו. פי' בקונטרס דבטומאת מת איירי ז' ימים ימי הזאתו יספרו לו איירי בימי ספירו וכמו מילתא אחריתי קמ"ל וביום באו לעבודה יביא כהן הדיוט עשירית האיפה וחטאתו כמו חיטוי וקדושתו לעבודה מילי מילי קאמר וקשה אמאי לא מפרש ליה בכהן גדול ויש לומר משום דבכהן הדיוט איירי דכתיב כי אם לאב ולאם ואילו כ"ג לא יטמא לאביו ולאמו ולא ניחא ליה למימר כדאמרינן בקדושין (דף עח:) רישא בכהן גדול וסיפא בכהן הדיוט ועוד דלא הוה קמ"ל מידי אבל כהן הדיוט ביום חינוכו אינו כתיב בקרא בפירוש מיהו קשה לן כיון דמילי מילי כתיב אמאי ר"ש אומר בבאו מקריב בזמן שראוי לביאה (ב) וקשה דבפרק תמיד נשחט (פסחים דף סב. ושם) דקאמרינן כל הזבחים ערל וטמא משלחין קרבנותיהן ועוד דהכא נמי לא משמע דאיירי אלא במצורע דהאי דבעי מצורע מהו שישלח קרבנותיו מייתי ליה ונראה לי דר"ש לאפוקי מצורע אתי דרבי יהודה דריש ביום באו ביום שמתחנך לעבודה ור"ש מוקי לביום באו דקאי אדלעיל דאיירי במצורע ולא איירי מידי בעשירית האיפה אלא בא לומר דבמצורע דאיירי בקרא כשיטהר ויכנס לעזרה דהיינו לאחר ימי ספרו אז יקריב חטאתו או שאר קרבנותיו ובתוספות פי' דערל וטמא משלחין קרבנותיהן (ג) בטומאת שרץ ולא בטומאה מגופו והקשה על זה מהא דאמרינן במגילה פ"ק (דף ח.) מזובו ולא מנגעו משמע דאם יטהר מזובו יביא קרבן אע"פ שהוא מצורע וכמו כן קשה למאי דפרישית ותירץ דלא איירי התם לענין קרבן אלא שיהא טהור מדין משכב ומושב דחמירא הוה טפי מבמצורע וצ"ע בפרק כל הזבחים שנתערבו (זבחים עד: ושם) ובפרק כל הגט (גיטין דף כח: ושם) [כ] מפורש קצת דיני סמיכה שצריך בעלים ואם כן אין טמא מביא קרבנותיו [ועי' תוס' יבמות קד: ד"ה דאמר]:

מתרין

רש"י (המשך)

בטליתו. מנודין היו דכתוב (במדבר יד) יום לשנה תשאו את עונותיכם. ושמשו מטותיהן. ... מספקא ליה. לאביי אי חמיר אי קיל. מצורע מהו בתשמיש המטה. בימי (חלוטו) [ספירו] ... המטה. ולעיל אמרינן שבעת ימים ימי ספירו ולא ימי חלוטו דבימי חלוטו מותר. ואונן נמי אינו משלח ... קרבנות. כשהוא שלם. שלם בשמחה נאכל ואבל אינו שלם. מנודין היו. דכתוב יום לשנה תשאו את ... והקריבו קרבנות. תמידין שבכל יום. דכתוב לעיל מיניה אל מת אדם לא יבא לטמאה ובכהן משתעי ... הזאה שבעת ימים יספרו לו מדאפקיה בלשון ספירה משמע שבעת ימי ספירו ואם יצטרע הוי נמי ימי ... וכו' מי הזאה ואגב אורחיה מפרש לקרא כמשמעו. חטאתו. של כהן גדול שמביא אחרי טהרתו לא ... (הזאת) [חטאת] זו עשירית האיפה שמביא כהן הדיוט שמחנכין אותו לעבוד תחלה כדכתוב (ויקרא ו) זה ... יקריבו ליי' ביום המשח אותו עשירית האיפה סלת ואמרינן ובניו לרבות עשירית האיפה של כהן הדיוט ... קאי אלא מלות כהנים דקאמ' גבי יחזקאל. [מכאן שייך לדף טז.] ר' שמעון אומר. מקרא נדרש לפניו ...

לז א מיי' פ"י מהלכות טומאת צרעת הל' ו סמג עשין רלה:
לח ב מיי' פ"ה מהל' אבל הל' א ז טוש"ע י"ד סי' שפ סעיף א:
לט ג מיי' פ"ג מהלכות תענית הל' ד טוש"ע א"ח סי' תקעה סעיף ג:
מ ד מיי' פ"ה מהלכות אבל הלכה א ג סמג עשין דרבנן ג טוש"ע י"ד סי' שפ סעיף א:
מא ה מיי' פ"ג מהלכות תענית הל' ד טוש"ע א"ח סי' תקעה סעיף ג:
מב ו מיי' פ"י מהל' טומאת צרעת הל' ו:
מג ז מיי' פ"ה מהל' אבל הל' א ו טוש"ע י"ד סי' שפ סעיף א:
מד ח טוש"ע י"ד סי' שלד סעיף ב:
מה ט מיי' פ"ג מהל' תענית הלכה ד טוש"ע א"ח סי' תקעה סעיף ג:
מו י מיי' פ"י מהלכות טומאת צרעת הל' ו:
מז כ מיי' פ"ה מהלכות אבל הלכה א ה סמג עשין דרבנן ג טוש"ע י"ד סי' שפ סעיף א:
מח ל מיי' פ"י מהלכות טומאת צרעת הל' ו:
מט מ נ ס מיי' פ"ב מהלכות ביאת מקדש הלכה יא סמג לאוין שג:

רבינו חננאל

אבל אסור בעשיית מלאכה שנאמר והפכתי חגיכם לאבל מה חג אסור בעשיית מלאכה אף אבל אסור. מצורע תיקו אבל מנודה מותר במלאכה. אבל אסור בנעילת הסנדל מדכתיב ביחזקאל ונעליך תשים ברגליך. מכלל דכ"ע אסירי. כשאמרו אסור בנעילת הסנדל לא אמרו אלא בעיר אבל בדרך מותר. יצא לדרך נועל. נכנס לעיר חולץ. וכן המנודה. מצורע תיקו. אבל אסור בתשמיש המטה שנאמר וינחם דוד את בת שבע אשתו ויבא אליה. מכלל דמעיקרא אסיר. מנודה מהו ת"ש כל השנים שהיו ישראל במדבר היו כמנודים והיו משמשין מטותיהן. ודלמא שאני מנודה לשמים דקיל והא אמרת מנודה לשמים חמור הוא ספוקי מספקא ליה אזיל הכא מדחי ליה אזיל הכא מדחי ליה. מצורע מהו בתשמיש המטה ולא איפשיטא בהדיא. אבל אינו משלח קרבנותיו שנאמר שלמים בזמן שהוא שלם ולא בזמן שהוא אונן מנודה מהו ולא איפשיטא מצורע מהו ת"ש

תורה אור השלם

א) וְהָפַכְתִּי חַגֵּיכֶם לְאֵבֶל וְכָל שִׁירֵיכֶם לְקִינָה וְהַעֲלֵיתִי עַל כָּל מָתְנַיִם שָׂק וְעַל כָּל רֹאשׁ קָרְחָה וְשַׂמְתִּיהָ כְּאֵבֶל יָחִיד וְאַחֲרִיתָהּ כְּיוֹם מָר: [עמוס ח, י] ב) וַיִּשְׁלַח יוֹאָב תְּקוֹעָה וַיִּקַּח מִשָּׁם אִשָּׁה חֲכָמָה וַיֹּאמֶר אֵלֶיהָ הִתְאַבְּלִי נָא וְלִבְשִׁי נָא בִגְדֵי אֵבֶל וְאַל תָּסוּכִי שֶׁמֶן וְהָיִית כְּאִשָּׁה זֶה יָמִים רַבִּים מִתְאַבֶּלֶת עַל מֵת: [שמואל ב' יד, ב] ג) הֵאָנֵק דֹּם מֵתִים אֵבֶל לֹא תַעֲשֶׂה פְּאֵרְךָ חֲבוֹשׁ עָלֶיךָ וּנְעָלֶיךָ תָּשִׂים בְּרַגְלֶיךָ וְלֹא תַעְטֶה עַל שָׂפָם וְלֶחֶם אֲנָשִׁים לֹא תֹאכֵל: [יחזקאל כד, יז] ד) וַיְנַחֵם דָּוִד אֵת בַּת שֶׁבַע אִשְׁתּוֹ וַיָּבֹא אֵלֶיהָ וַיִּשְׁכַּב עִמָּהּ וַתֵּלֶד בֵּן וַתִּקְרָא אֶת שְׁמוֹ שְׁלֹמֹה וַיי אֲהֵבוֹ: [שמואל ב' יב, כד] ה) וְכִבֶּס הַמִּטַּהֵר אֶת בְּגָדָיו וְגִלַּח אֶת כָּל שְׂעָרוֹ וְרָחַץ בַּמַּיִם וְטָהֵר וְאַחַר יָבוֹא אֶל הַמַּחֲנֶה וְיָשַׁב מִחוּץ לְאָהֳלוֹ שִׁבְעַת יָמִים: [ויקרא יד, ח] ו) לֵךְ אֱמֹר לָהֶם שׁוּבוּ לָכֶם לְאָהֳלֵיכֶם: [דברים ה, כז] ז) וְאַחֲרֵי טָהֳרָתוֹ שִׁבְעַת יָמִים יִסְפְּרוּ לוֹ: [יחזקאל מד, כו] ח) וּבְיוֹם בֹּאוֹ אֶל הַקֹּדֶשׁ אֶל הֶחָצֵר הַפְּנִימִית לְשָׁרֵת בַּקֹּדֶשׁ יַקְרִיב חַטָּאתוֹ נְאֻם אֲדֹנָי אֱלֹהִים: [יחזקאל מד, כז]

מסורת הש"ס

א) תענית יג., ב) שם [פסחים נד:], ג) [לקמן כ:], ד) תוספתא דתענית פ"א, ה) [לקמן כא.], ו) [לעיל ז:], ז) [זבחים צט:], ח) [עי' ברא"ש ס"ס נא], ט) ביום חינוכו כתיב בכהן הדיוט כצ"ל כפי הסוגיא ופי' התוספות, י) [וע"ש תוספות ד"ה וקרע ובת"י נדה ז: ד"ה הקשה ה"ר ראבי"ה], כ) [ובחגיגה טז:].

הגהות הב"ח

(א) רש"י ד"ה לא אשארא דקתני התם אעטיפת הראש: (ב) תום' ד"ה ואחרי כו' בזמן שראוי לביאה דבפ' תמיד נשחט כו' כצ"ל ותיבת וקשה נמחק: (ג) בא"ד ובתוס' פי' כו' משלחין קרבנותיהן איירי בטומאת שרץ:

הגהות הגר"א

[א] גמ' כמנודה מביתו וכאבל כו' כצ"ל:

גליון הש"ס

גמ' הא כיצד יצא לדרך. עי' לקמן דף כז ע"א תוס' ד"ה אם יכול: תוס' ד"ה לא אשארא דמיירי כו' משום בת מלך. ע' שבת דף קט ע"א: ד"ה לא אשארא פי' לא קאי כו' וזיל הכא קמדחי. וכן כתבו כל הפוסקים ותמיה לי לפי ההלכה בתענית דף יג ע"א דבתענית צבור מותר ברחילת כל גופו בצונן אם כן על כרחך הך ברייתא מיירי ברחילת חמין וממילא וכן אתה מוצא במנודה ובאבל לא קאי על רחילה דהא באבל אפילו אצבע אסור בחמין וכמבואר שם להדיא דקאי אשארא וא"כ מוכח דקאי אנעילת סנדל ונפסט דמנודה אסור בנעילת סנדל ולע"ג:

רש"י כת"י

בעונותיהם הפכתיה. שמחמת שבאדם מת פניו הפוכות ומשתנות בר קפרא תני לה לברייתא כעין שכך אומרת שכינה לבני אדם. אל תסוכי שמן. יואב כך אמר לתקועית. רחיצה בכלל סיכה. דכתוב (תהלים קט) ותבוא כמים בקרבו וכשמן בעצמותיו בפרק בתרא דיומא (עו:). כשאמרו אסור ברחיצה. עברו אלו ולא נענו. וכן אתה מוצא במנודה ובאבל מאי לאו אכולהו. קאי מנודה נמי דאסור ברחילה. לא אשארא. דקתני אעטיפת הראש דאמרינן (לעיל) (תענית יד:) מתעטפין ויושבין. עטיפה מכסה שפמו וזקנו וחטמו במלנפתו או

indicates that a person brings a *shelamim* offering **WHEN HE IS WHOLE,**[37] וְלֹא בִּזְמַן שֶׁהוּא אוֹנֵן – **AND** thus **NOT WHEN HE IS AN *ONEIN.***[38]

The Gemara inquires:

מְנוּדֶּה – In the case of **an excommunicate,** מַהוּ שֶׁיְּשַׁלַּח קָרְבְּנוֹתָיו – **what is [the law]?** Is it permissible **that he send his offerings** to the Temple?

The Gemara responds:

אָמַר רַב יוֹסֵף – **Rav Yosef said:** תָּא שְׁמַע – **Come, learn** a logical proof that it is:[39] כָּל אוֹתָן שָׁנִים שֶׁהָיוּ יִשְׂרָאֵל בַּמִּדְבָּר – **All those years that the Israelites were in the Wilderness** מְנוּדִּין הָיוּ – they were considered **excommunicates** to Hashem,[40] וְשִׁלְּחוּ קָרְבְּנוֹתֵיהֶן – **and** yet **they sent their offerings** to the Tabernacle.[41] Thus, an excommunicate is permitted to send his offerings.

The Gemara rejects the proof:

אָמַר לֵיהּ אַבַּיֵי – **Abaye said to [Rav Yosef]:** וְדִלְמָא מְנוּדֶּה לַשָּׁמַיִם שָׁאנֵי – **But perhaps an excommunicate to Heaven is different,** דְּקִיל – **for [his ban]** may be more **lenient** than an ordinary ban in certain respects. – ? –

The Gemara challenges Abaye's rebuttal:

קִיל – A Heavenly ban is more **lenient?!** וְהָאָמַרְתְּ חָמִיר – **But you** yourself **have said** that it is more **stringent!**[42]

The Gemara responds to the challenger:

סְפוּקֵי מְסַפְּקָא לֵיהּ – In truth, **[Abaye] was in doubt** as to whether a Heavenly ban is more or less stringent than an ordinary ban, וּמַדְחֵי לֵיהּ – **and** so **he rebuffs [Rav Yosef's proof].**[43] Hence, the issue of an excommunicate sending his offerings remains in doubt.

The Gemara inquires about a *metzora*:

מְצוֹרָע – And in the case of **a *metzora*,** מַהוּ שֶׁיְּשַׁלַּח קָרְבְּנוֹתָיו – **what is [the law]?** Is it permissible **that he send his offerings** to the Temple?[44]

The Gemara responds:

תָּא שְׁמַע – **Come, learn** a proof that it is not, דְּתַנְיָא – **for it was taught in a Baraisa:** ,,וְאַחֲרֵי טָהֳרָתוֹ" – The Prophet states regarding a Kohen who had become *tamei* and must undergo purification before resuming his priestly duties: ***AND THEN AFTER HIS CLEANSING.***[45] אַחַר פְּרִישָׁתוֹ מִן הַמֵּת – That is, **AFTER HIS SEPARATION FROM THE CORPSE** and his subsequent completion of the seven-day purification process for corpse *tumah* (*after his cleansing*),[46] ,,שִׁבְעַת יָמִים יִסְפְּרוּ־לוֹ" – ***THEY SHALL COUNT SEVEN*** more ***DAYS FOR HIM*** – אֵלּוּ שִׁבְעַת יְמֵי סְפִירוֹ – **THESE** additional seven days **ARE THE SEVEN** clean **DAYS OF [A *METZORA'S*] COUNTING,** which precede his final purification ritual.[47] Verse 26 thus discusses the reinstatement of a Kohen who has been disqualified from the priestly service because of two separate conditions: (1) corpse tumah and (2) *tzaraas.* The passage continues: ,,וּבְיוֹם בֹּאוֹ אֶל־הַקֹּדֶשׁ אֶל־הֶחָצֵר הַפְּנִימִית לְשָׁרֵת בַּקֹּדֶשׁ יַקְרִיב חַטָּאתוֹ" – ***ON THE DAY OF HIS ENTRY INTO THE SANCTUARY, TO THE INNER COURTYARD, TO MINISTER IN THE SANCTUARY, HE SHALL BRING HIS CHATAS OFFERING.***[48]

NOTES

recorded in its entirety in *Zevachim* 99b, goes on to derive from the case of *shelamim* that an *onein* is not permitted to send any kind of offering.

37. One brings a *shelamim* only when his mind is "whole," i.e. when he is feeling calm and his mind is clear (*Rashi*), and he is capable of joy (*Rashi ms.*).

38. [Although the Baraisa speaks of an *onein* and our Gemara is asking about a mourner, the logic of the exegesis applies to a mourner as well, for both are in anguish over the loss of their relative.]

The Rishonim discuss the parameters of the law that "a mourner does not send his offerings" – see *Ritva, Meiri* et al.

39. See above, note 23.

40. See above, note 22.

41. During the sojourn in the Wilderness the *tamid* offering (*Rashi ms.*) and other public offerings (*Talmid R' Yechiel MiParis*) were brought on behalf of every Jew. (For another approach, see *R' Shlomo ben HaYasom.*)

42. See above, note 25.

43. See above, note 26.

44. *Tosafos* question how is it possible for a *metzora* to send his sacrifice when an owner must lean his hands on the animal's head (סְמִיכָה) within the Temple precincts, and a *metzora* is forbidden to enter there (and an agent does not perform the leaning). *Ritva* explains that where it is *impossible* for a person to perform the mitzvah of leaning his hands, he may bring the sacrifice without doing so [since the leaning rite is not critical to the validity of the sacrifice] (see also *Talmid R' Yechiel MiParis*).

45. *Ezekiel* 44:26. This verse and the quotations to follow appear in a passage in which the Prophet instructs the Kohanim: וְאֶל־מֵת אָדָם לֹא יָבוֹא לְטָמְאָה כִּי אִם־לְאָב וּלְאֵם וּלְבֵן וּלְבַת לְאָח וּלְאָחוֹת אֲשֶׁר־לֹא־הָיְתָה לְאִישׁ יִטַּמָּאוּ. וְאַחֲרֵי טָהֳרָתוֹ שִׁבְעַת יָמִים יִסְפְּרוּ־לוֹ. וּבְיוֹם בֹּאוֹ אֶל־הַקֹּדֶשׁ אֶל־הֶחָצֵר הַפְּנִימִית לְשָׁרֵת בַּקֹּדֶשׁ יַקְרִיב חַטָּאתוֹ נְאֻם ה׳ אֱלֹהִים, *They shall not approach a human corpse to become contaminated, except that each of them may become contaminated to [the corpse of his] father, mother, son, daughter, brother or sister who had never been married to a man. And then, after his cleansing, they shall count seven days for him. On the day of his entry into the Sanctuary, to the Inner Courtyard, to minister in the Sanctuary, he shall bring his chatas offering – the word of the Lord/Hashem Elokim* (ibid. vs. 25-27).

The simple meaning of the passage is that a Kohen who has become contaminated with corpse *tumah* must purify himself and then bring a *chatas* offering to the Temple. Each of the details in the passage would therefore relate to corpse *tumah* and its purification. However, this interpretation is difficult, as we shall see. In fact, the Baraisa will interpret the passage as relating to three different subjects.

46. *Rashi.* See following note.

47. The Baraisa understands that verse 26 switches from the subject of corpse *tumah* to that of *tzaraas* because it is troubled by the Prophet's mention of יִסְפְּרוּ־לוֹ, *they shall count for him.* While it is true that one contaminated with corpse *tumah* must count seven days for his purification, the verse should have stated – if corpse *tumah* was still its subject – "they shall *sprinkle* him over seven days," since this *tamei* individual is sprinkled with the blood of a red heifer on the third and the seventh days of his seven-day purification process (*Numbers* 19:12). The fact that the Prophet used instead the term סְפִירָה (*counting*) implies that he is speaking of another seven-day purification period – viz. the seven days that must lapse between a Kohen's declaration that the *metzora* is no longer *tamei* and the completion of his purification [*Leviticus* 14:8] (*Rashi;* cf. *Ritva*).

48. Ibid. verse 27.

זוֹ עֲשִׂירִית הָאֵיפָה שֶׁלּוֹ – THIS offering **IS HIS TENTH OF AN** ***EPHAH,*** which is brought by an ordinary Kohen upon his inauguration into the Temple service. **דִּבְרֵי רַבִּי יְהוּדָה – These are THE WORDS OF R' YEHUDAH.**[1] **רַבִּי שִׁמְעוֹן אוֹמֵר** – However, **R' SHIMON SAYS** that the juxtaposition of „(בבאו) [וּבְיוֹם בֹּאוֹ] . . . יַקְרִיב" – ***ON THE DAY OF HIS ENTRY... HE SHALL BRING***[2] teaches that **בִּזְמַן שֶׁרָאוּי לְבִיאָה רָאוּי לְהַקְרָבָה – WHEN [THE KOHEN] IS QUALIFIED FOR ENTERING** the sacred precincts, **HE IS** also **QUALIFIED FOR OFFERING** a sacrifice, **בִּזְמַן שֶׁאֵינוֹ רָאוּי לְבִיאָה אֵינוֹ רָאוּי לְהַקְרָבָה** – but **WHEN HE IS NOT QUALIFIED FOR ENTERING** the Temple, **HE IS** also **NOT QUALIFIED FOR OFFERING** a sacrifice. From here we derive that a *metzora,* who is not fit to enter the Temple, is not permitted to send his offerings.[3]

Having concluded a series of questions that relate, in part, to an excommunicate, the Gemara delves further into the laws of excommunication. It begins with the rules followed by a court when summoning defendants, since defying a proper summons may lead to excommunication.[4]

אָמַר רָבָא – Rava said: מְנָלַן דִּמְשַׁדְּרִין שְׁלִיחָא דְּבֵי דִינָא – From where do we [know] that we send an agent of the court וּמַזְמְנִינַן לֵיהּ לְדִינָא – and summon [the defendant] to appear before it **for judgment?**[5] **דִּכְתִיב – For it is written: „וַיִּשְׁלַח מֹשֶׁה לִקְרֹא לְדָתָן וְלַאֲבִירָם בְּנֵי אֱלִיאָב" – *Moses sent forth to summon Dathan and Aviram, the sons of Eliav.***[6]

Rava continues to adduce Biblical verses as sources for various laws of judicial procedure:

וּמְנָלַן דְּמַזְמְנִינַן לְדִינָא – And from where do we [know] that we, the court, **summon** the defendant to appear **for judgment?**[7] **דִּכְתִיב – For it is written:**[8] **„וַיֹּאמֶר מֹשֶׁה אֶל־קֹרַח אַתָּה וְכָל־עֲדָתְךָ" – *Moses said to Korach, "You and your entire assembly,*** *be before Hashem . . . tomorrow."*[9]

The next query:

לְקַמֵּי גַּבְרָא רַבָּה – How do we know that we must inform the

NOTES

1. The Baraisa interprets this verse as being independent of the preceding one. It views the Prophet, in this passage, as instructing the Kohanim regarding various laws that they will have to observe when they resume the Temple service. After discussing *tumah,* the Prophet turns to the topic of the special meal offering of a tenth of an *ephah* of fine flour that an ordinary Kohen must bring on the day he is initiated into the Temple service.

[One tenth of an *ephah* has the volume equivalent of 43.2 eggs. Modern estimates of this measure vary from 86.4 to 172.8 fluid ounces.]

The Baraisa understands the first part of the verse in *Ezekiel* 44:27 – וּבְיוֹם בֹּאוֹ אֶל־הַקֹּדֶשׁ אֶל־הֶחָצֵר הַפְּנִימִית לְשָׁרֵת בַּקֹּדֶשׁ, *On the day of his entry into the Sanctuary, to the Inner Courtyard to minister in the Sanctuary* – as speaking literally of the inaugural day of his Temple service (*Rashi, Tosafos*). The latter part of the verse – יַקְרִיב חַטָּאתוֹ – instructs that on that day the Kohen *shall offer his* חַטָּאת, a word that usually means "sin-offering." However, the Torah nowhere requires that a Kohen-initiate bring a sin offering. The word חַטָּאת must therefore be interpreted as a variant of חִטּוּי, which can mean "purification" and connotes a preparatory and qualifying act. The Prophet therefore instructs the Kohen to bring the meal offering to qualify for his initiation into the Temple service [see *Leviticus* 6:13] (*Tosafos; Rashi* above, 15b ד"ה וביום בואו, as emended by *Mesoras HaShas;* and *Rashi* ד"ה זו עשירית האיפה שלו; cf. *Tos. HaRosh* and *Ritva*). [*Chazon Ish* (*Zevachim* 4:8) maintains that the last phrase in *Rashi,* beginning אלמא שלא היה יכול, is a new comment that explains the second opinion in the Baraisa – that of R' Shimon (see note 3 below). *Rashi ms.* seems to support this interpretation.]

2. Ibid. verse 27. Our quotation of the verse follows emendation of *Mesoras HaShas.*

3. The Gemara answers its question regarding a *metzora* from R' Shimon's opinion in the Baraisa. According to R' Shimon, verse 27 is to be understood in conjunction with the preceding verse, which deals with the topics of corpse *tumah* and *tzaraas.* That is, verse 27 teaches that the initiate may not bring his meal offering of one tenth of an *ephah* until he is fully purified of his corpse *tumah* or *tzaraas* (*Rashi;* see also *Rashi ms.*). From here we may extrapolate to the case of any *tamei* individual (e.g. an ordinary *metzora*) – that he may not bring (or send) offerings to the Temple until he is purified. (See *Chazon Ish* ibid. for his interpretation of the dispute between R' Yehudah and R' Shimon according to *Rashi;* see also *Talmid R' Yechiel MiParis.*)

Tosafos, however, point out a contradiction between our Gemara and a passage in *Pesachim* (62a), which states that a *tamei* individual may indeed send offerings with others. *Tosafos* note that our Gemara deals only with a *metzora. Tos. HaRosh* explains that a *metzora,* in addition to being *tamei,* is also subject to some of the rules that apply to a mourner. It is because of his "mourner" status that a *metzora* is prohibited to send offerings to the Temple. See also *Ritva* and *Talmid R' Yechiel MiParis.*

This concludes the Gemara's series of queries. See chart for a summary of its findings. Regarding the halachah in those instances where the Gemara leaves the matter unresolved, *Rif, Rosh* and other Rishonim maintain that the more lenient position is to be followed in the case of an excommunicate (except with regard to donning shoes; see above, 15b note 9).

		אָבֵל MOURNER	מְנוּדֶּה EXCOMMUNICATE	מְצוֹרָע *METZORA*
PROHIBITIONS	HAIRCUTTING	FORBIDDEN	FORBIDDEN	FORBIDDEN
	DONNING TEFILLIN	FORBIDDEN	*UNRESOLVED*	*UNRESOLVED*
	GREETING OTHERS	FORBIDDEN	*UNRESOLVED*	FORBIDDEN
	STUDYING TORAH	FORBIDDEN	PERMITTED	PERMITTED
	LAUNDERING	FORBIDDEN	FORBIDDEN	FORBIDDEN
	WORKING	FORBIDDEN	PERMITTED	*UNRESOLVED*
	BATHING	FORBIDDEN	*UNRESOLVED*	*UNRESOLVED*
	WEARING SHOES	FORBIDDEN	*UNRESOLVED*	*UNRESOLVED*
	MARITAL RELATIONS	FORBIDDEN	*UNRESOLVED*	FORBIDDEN
	SENDING SACRIFICES	FORBIDDEN	*UNRESOLVED*	FORBIDDEN
OBLIGATIONS	WRAPPING HEAD	OBLIGATED	*UNRESOLVED*	OBLIGATED
	RENDING GARMENT	OBLIGATED	*UNRESOLVED*	OBLIGATED
	OVERTURNING BED	OBLIGATED	*UNRESOLVED*	*UNRESOLVED*

4. See *Rashi, Rashi ms. and Chidushei HaRan.*

5. I.e. how do we know that the court is permitted to issue a summons through an emissary, so that the judges need not demean themselves by personally inviting the defendant? (*Nimukei Yosef, Chidushei HaRan*). See *Ritva* for further interpretation.

Rosh and *Bach* emend the text to: מְנָלַן דְּקַבְעִינַן דּוּכְתָּא וּמְשַׁדְּרִינַן שְׁלִיחָא דְּבֵי דִינָא, "From where do we [know] that we establish a place [for the court to convene] and send an agent of the court." The phrase וּמַזְמְנִינַן לֵיהּ לְדִינָא ("and we summon him for judgment") is deleted [because it is a duplicate of the Gemara's next question]. However, see *Maharsha* for a defense of our text.

6. *Numbers* 16:12. Korach and his followers had complained to Moses about the elevation of Aaron to the position of Kohen Gadol (*Rashi* to *Numbers* 16:1). The Gemara here understands that *Moses,* who along with God constituted the court, *sent forth* Korach (the court's agent) *to summon Dathan and Abiram* etc. (i.e. Korach's followers) to appear before them for judgment (see *Nimukei Yosef* and *Chidushei HaRan;* cf. *Raavad,* cited by *Nimukei Yosef*). The Gemara will adduce a number of verses from this passage (*Numbers* 16:1-16) as sources for various laws of judicial procedure.

7. [See above, end of note 5.] I.e. how do we know that the judges can compel a litigant to come to the courthouse, rather than their going to him? (*Meiri*).

8. Ibid. 16:16. The Gemara cites various parts of this verse to answer the next four questions. The verse states in full: וַיֹּאמֶר מֹשֶׁה אֶל־קֹרַח אַתָּה וְכָל־עֲדָתְךָ הֱיוּ לִפְנֵי ה׳ אַתָּה וָהֵם וְאַהֲרֹן מָחָר, *Moses said to Korach, "You and your entire assembly, be before Hashem – you and they and Aaron – tomorrow."*

9. Moses, together with God, comprised the court that judged Korach and his assembly (see note 6 above).

זו עשירית האיפה שלו דברי רבי יהודה ר"ש אומר בבאו יקריב בזמן שראוי לביאה ראוי להקרבה בזמן שאינו ראוי לביאה אינו ראוי להקרבה אמר רבא (א) מנלן דמשדרין שליחא דבי דינא ומזמנינן ליה לדינא דכתיב וישלח משה לקרא לדתן ולאבירם בני אליאב ומנלן דמזמנינן לדינא דכתיב ויאמר משה אל קרח אתה וכל עדתך לקמי גברא רבה דכתיב לפני ה' את ופלניא דכתיב אתה והם ואהרן דקבעינן זימנא דכתיב מחר זימנא בתר זימנא דכתיב קראו שם פרעה מלך מצרים שאון העביר המועד ומנלן דאי מתפקר בשליחא דבי דינא ואתי ואמר לא מיתחזי כלישנא בישא דכתיב העיני האנשים ההם תנקר ומנלן דמשמתינן דכתיב אורו מרוז דהכי סברא דגברא רבה דכתיב אמר מלאך ה' ומנלן דמחרמינן דכתיב אורו ארור דאכיל ושתי בהדיה וקאי בארבע אמות דידיה דכתיב יושביה ומנלן דפרטינן חטאיה בציבורא דכתיב כי לא באו לעזרת ה' ואמר עולא בד' מאה שיפורי שמתיה ברק למרוז איכא דאמרי גברא רבה הוה ואיכא דאמרי כוכבא הוה שנאמר מן שמים נלחמו הכוכבים ומנלן דמפקרינן נכסיה דכתיב וכל אשר לא יבא לשלשת הימים בעצת השרים והזקנים יחרם כל רכושו והוא יבדל מקהל הגולה ומנלן דנצינן ולייטינן ומחינן ותלשינן שיער ומשבעינן דכתיב ואריב עמם ואקללם ואכה מהם אנשים ואמרטם ואשביעם ומנלן דכפתינן ואסרינן ועבדינן הרדפה דכתיב הן למות הן לשרושי הן לענש נכסין ולאסורין מאי לשרושי אמר אדא מרי אמר נחמיה בר ברוך אמר רב חייא בר אבין אמר רב יהודה הרדפה מאי הרדפה אמר רב יהודה בריה דרב שמואל בר שילת משמיה דרב מנדין לאלתר ושונין לאחר ל' ומחרימין לאחר ששים א"ל רב הונא בר חיננא הכי אמר רב חסדא מתרין ביה שני וחמישי ושני ה"מ לממונא אבל לאפקירותא לאלתר ההוא טבחא דאיתפקר ברב טובי בר מתנה אימנו עליה אביי ורבא ושמתוהו לסוף אזל פייסיה לבעל דיניה אמר אביי היכי ליעביד לישרי ליה לא חל שמתא עליה תלתין יומין לא לישרי ליה קא בעו רבנן [א] למיעל א"ל לרב אידי בר אבין מידי שמיע לך בהא א"ל הכי אמר רב תחליפא בר אבימי אמר שמואל טוט אסר וטוט שרי אמר ליה ה"מ לממונא אבל לאפקירותא עד דחיילא שמתא עליה תלתין יומין אלמא קסבר אביי הני בי תלתא דשמיתו לא אתו תלתא אחריני ושרו ליה דאיבעיא להו הני בי תלתא דשמיתו מהו למיתי תלתא אחריני ושרו ליה ת"ש מנודה לרב מנודה לתלמיד מנודה לתלמיד אינו מנודה לרב מנודה לעירו מנודה לעיר אחרת מנודה לעיר אחרת אינו מנודה לעירו מנודה לנשיא מנודה לכל ישראל מנודה לכל ישראל אינו מנודה לנשיא רשב"ג אומר אחד מן התלמידים שנידה ומת חלקו אינו מופר ש"מ תלת שמע מינה תלמיד שנידה לכבודו נידויו נידוי ושמע מינה כל אחד ואחד מיפר חלקו וש"מ הני בי תלתא דשמיתו לא אתו תלתא אחריני ושרו ליה אמר אמימר הלכתא הני בי תלתא דשמיתו אתו בי תלתא אחריני ושרו ליה א"ל רב אשי לאמימר והא תניא רשב"ג אומר אחד מן התלמידים שנידה ומת חלקו אינו מופר מאי לאו אינו מופר כלל לא עד דאתו בי תלתא אחריני ושרו ליה ת"ר אין נידוי פחות מל' יום ואין נזיפה פחות מז' ימים ואף על פי שאין ראיה לדבר זכר לדבר שנאמר ואביה ירק ירק בפניה הלא תכלם שבעת ימים אמר רב חסדא נידוי שלנו כנזיפה שלהן ונזיפה דידהו שבעה ותו לא והא ר"ש בר רבי ובר קפרא הוו יתבי וקא גרסי קשיא להו שמעתא א"ל ר"ש לבר קפרא דבר זה צריך רבי א"ל בר קפרא לר"ש ומה רבי אומר בדבר זה אזל א"ל לאבוה איקפד אתא בר קפרא לאיתחזויי ליה א"ל בר קפרא איני מכירך מעולם ידע דנקט מילתא בדעתיה נהג נזיפותא בנפשיה תלתין יומין שוב פעם אחד גזר רבי שלא ישנו לתלמידים בשוק מאי דרש חמוקי ירכיך כמו חלאים מה ירך בסתר

זו עשירית האיפה שלו. שמביא כהן הדיוט כשמחנכין אותו לעבוד תחלה כדכתיב (ויקרא ו) זה קרבן אהרן ובניו אשר יקריבו לה' ביום המשח אותו עשירית האיפה ואמרינן (מנחות דף נא.) ובניו לרבות עשירית האיפה של כהן הדיוט לחינוך ולאו אקראי דלעיל קאי אלא מצות כהנים בעלמא הוא דקאמר יחזקאל אלמא שלא היה יכול להקריב קרבנו עשירית האיפה עד שנטהר מטומאת מת והוא הדין מצרעתו: אמר רבא וכו'. איידי דאיירי במנודה מפרש להו: ומזמינין ליה לדינא. לבעל דין: זימנא בתר זימנא. דאי לא אתי ההוא זימנא קבעינן ליה זימנא אחריתי: קראו שם. שמתא כלומר שמתא לפרעה שהעביר המועד כלומר שהעביר אותו מועד ששמו אחר מועד ראשון: דאי מתפקר בשליחא דרבנן. כלומר שחירף שליח ב"ד ושליח אמר חירפני: העיני האנשים ההם תנקר. אי לאו דשליח דא"ל למשה משה לא הוה ידע: הכי סברא דגברא פלניא. דעת פלוני שבא לנדות את פלוני דצריך לנדותו משמו של אותו חכם: אמר מלאך ה'. ברק אמר לשמתו שהוא שלוחו של מקום: ומחרימין. בארור: ופרטינן חטאיה. דאמרי לאנשי עירו משום הכי והכי משמתינן ליה: כוכבא הוה. מזליה דסיסרא: דמפקרינן לנכסיה. דמאן דלא ציית להו לרבנן: יחרם (ב) הוא וכל רכושו. דהפקר ב"ד הפקר מהכא נפקא לן בכל דוכתי (ט): ואריב עמם ואקללם. לאותם שהושיבו נשים נכריות: דכפתינן. ידיו ורגליו: ואסרינן ליה. שקושרין אותו על העמוד להלקותו: הרדפה. קא מפרש רב יהודה בריה דרב שמואל לרודפו מיד דכיון דלא ציית דינא מנדין אותו: ושונין. ומנדין אותו פעם אחרת: לממונא. שחייב ממון לחבירו ולא רצה לשלם ע"פ ב"ד: לאפקירותא. מבזה תלמידי חכמים: לא חל עליה שמתא ל' יום. ואין שמתא פחותה מל' יום: קא בעו רבנן למיעל. שצריכין לו: טוט אסר טוט שרי. כלומר מצי למישרי ליה אע"ג דלא חל עליה ל' יום דאותו שופר שנדוהו יכול להתיר לו ומישרי ליה בתוך ל' יום: לא אתו אחריני ושרו ליה. מדמהדר איהו נפשיה למישרי: שנידה לכבודו. ולא לשם שמים אלא שהתריס נגדו ודאי כיון דתני אין מנודה לרב ודאי לא נידה אלא בשביל כבודו דאי במילי דאיסורא הוי כמי שמנודה לרב דאין חכמה ואין עצה וגו' (משלי כא) וקתני אין מנודה לרב אבל לכולי עלמא מנודה: כל אחד מיפר חלקו. מדקתני חלקו אינו מופר: לא אתו אחריני ושרו. מדקתני חלקו אינו מופר לעולם אפי' שרו ליה אחריני: נזיפה. גערה כדלקמן: נדוי שלנו. בני בבל: כנזיפה שלהן. ארץ ישראל: צריך רבי. רבי אבוה דר"ש הוה: מה רבי אומר בדבר זה. אין רבי בעולם היודע דבר זה: א"ל לאבוה. לפי תומו ולאו משום לישנא בישא: לאיתחזויי ליה. לבקר את רבי שהיה חולה שקבל עליו יסורין: אמר ליה בר קפרא איני מכירך. רמז לו שאינו רוצה לראותו: חמוקי ירכיך. כמו חמק עבר (שיר ה):

אף

מתרין בו שני וחמישי ושני. פירש בקונטרס שני מתרין בו תחלה ומנדין אותו וכן בחמישי ובשני אחר מחרימין וא"ל שלשים יום ויש מפרשים קודם שינדוהו כלל יתרו בו וכן משמע בפרק הגוזל בתרא (ב"ק דף קיג.):

מסורת הש"ס

א) [נ"ל וביום בואו], ב) ס"א פלניא, ג) [שבועות לו.], ד) [עי' תוספות מנחות לד: ד"ה טט], ה) [לקמן יז.], ו) [עי' תוספות סנהדרין מ. ד"ה מפיקנא], ז) [סוכה מט: ע"ש], ח) [כמו חלאים אין חלאים אלא רבנן כדגרסינן בנדרים מט. והן שמתעסקין בתורה שהיא מעשה ידי אומן. ערוך בערך חמק], ט) [יבמות פט:].

הגהות הב"ח

(א) גמ' אמר רבא מנלן דקבעינן דוכתא ומשדרינן שליחא דבי דינא דכתיב וישלח כו' כצ"ל ותיבות ומזמנינן ליה לדינא נמחק: (ב) רש"י ד"ה יחרם כל רכושו כו' ותיבת הוא נמחק:

הגהות הגר"א

[א] גמ' למיעל. נ"ב נ"א למיזל [ועיין ר"ן ופרש"י שברי"ף]:

תורה אור השלם

א) וּבְיוֹם בֹּאוֹ אֶל הַקֹּדֶשׁ אֶל הֶחָצֵר הַפְּנִימִית לְשָׁרֵת בַּקֹּדֶשׁ יַקְרִיב חַטָּאתוֹ נְאֻם אֲדֹנָי יְיָ: [יחזקאל מד, כז]

ב) וַיִּשְׁלַח מֹשֶׁה לִקְרֹא לְדָתָן וְלַאֲבִירָם בְּנֵי אֱלִיאָב וַיֹּאמְרוּ לֹא נַעֲלֶה: [במדבר טז, יב]

ג) וַיֹּאמֶר מֹשֶׁה אֶל קֹרַח אַתָּה וְכָל עֲדָתְךָ הֱיוּ לִפְנֵי יְיָ אַתָּה וָהֵם וְאַהֲרֹן מָחָר: [במדבר טז, טז]

ד) קָרְאוּ שָׁם פַּרְעֹה מֶלֶךְ מִצְרַיִם שָׁאוֹן הֶעֱבִיר הַמּוֹעֵד: [ירמיה מו, יז]

ה) אַף לֹא אֶל אֶרֶץ זָבַת חָלָב וּדְבַשׁ הֲבִיאֹתָנוּ וַתִּתֶּן לָנוּ נַחֲלַת שָׂדֶה וָכָרֶם הַעֵינֵי הָאֲנָשִׁים הָהֵם תְּנַקֵּר לֹא נַעֲלֶה: [במדבר טז, יד]

ו) אוֹרוּ מֵרוֹז אָמַר מַלְאַךְ יְיָ אֹרוּ אָרוֹר יֹשְׁבֶיהָ כִּי לֹא בָאוּ לְעֶזְרַת יְיָ לְעֶזְרַת יְיָ בַּגִּבּוֹרִים: [שופטים ה, כג]

ז) מִן שָׁמַיִם נִלְחָמוּ הַכּוֹכָבִים מִמְּסִלּוֹתָם נִלְחֲמוּ עִם סִיסְרָא: [שופטים ה, כ]

ח) וְכֹל אֲשֶׁר לֹא יָבוֹא לִשְׁלֹשֶׁת הַיָּמִים כַּעֲצַת הַשָּׂרִים וְהַזְּקֵנִים יָחֳרַם כָּל רְכוּשׁוֹ וְהוּא יִבָּדֵל מִקְּהַל הַגּוֹלָה: [עזרא י, ח]

ט) וָאָרִיב עִמָּם וָאֲקַלְלֵם וָאַכֶּה מֵהֶם אֲנָשִׁים וָאֶמְרְטֵם וָאַשְׁבִּיעֵם בֵּאלֹהִים אִם תִּתְּנוּ בְנֹתֵיכֶם לִבְנֵיהֶם וְאִם תִּשְׂאוּ מִבְּנֹתֵיהֶם לִבְנֵיכֶם וְלָכֶם: [נחמיה יג, כה]

י) וְכָל דִּי לָא לֶהֱוֵא עָבֵד דָּתָא דִי אֱלָהָךְ וְדָתָא דִּי מַלְכָּא אָסְפַּרְנָא דִּינָה לֶהֱוֵא מִתְעֲבֵד מִנֵּהּ הֵן לְמוֹת הֵן לִשְׁרֹשִׁי הֵן לַעֲנָשׁ נִכְסִין וְלֶאֱסוּרִין: [עזרא ז, כו]

כ) וַיֹּאמֶר יְיָ אֶל מֹשֶׁה וְאָבִיהָ יָרֹק יָרַק בְּפָנֶיהָ הֲלֹא תִכָּלֵם שִׁבְעַת יָמִים תִּסָּגֵר שִׁבְעַת יָמִים מִחוּץ לַמַּחֲנֶה וְאַחַר תֵּאָסֵף: [במדבר יב, יד]

ל) מַה יָּפוּ פְעָמַיִךְ בַּנְּעָלִים בַּת נָדִיב חַמּוּקֵי יְרֵכַיִךְ כְּמוֹ חֲלָאִים מַעֲשֵׂה יְדֵי אָמָּן: [שיר השירים ז, ב]

עין משפט נר מצוה

נ א ב ג מיי' פכ"ה מהלכות סנהדרין הל' ח טוש"ע ח"מ סימן יא סעיף א:
נא ד מיי' שם הלכה ו סמג לאוין רח טוש"ע שם וסימן מ סעיף ה בהג"ה:
נב ה מיי' שם הלכה ח ופ"ו מהלכות ת"ת הלכה יד ופכ"ד מהלכות סנהדרין הלכה ז טוש"ע ח"מ סימן ב וטוש"ע י"ד סימן שלד סעיף מג:
נג ו מיי' פ"ז מהלכות ת"ת הלכה יג טוש"ע י"ד סי' שלד סעיף ט:
נד ז מיי' פכ"ד מהל' סנהדרין הלכה ז:
נה ח מיי' שם הלכה ו טוש"ע ח"מ סימן ב בהג"ה:
נו ט י מיי' שם הלכה ח והלכה ט:
נז כ מיי' פ"ז מהלכות ת"ת הלכה ד טוש"ע י"ד סימן שלד סעיף א:
נח ל מיי' פכ"ה מהל' סנהדרין הלכה ח טוש"ע י"ד סימן שלד סעיף א בהג"ה וטוש"ע ח"מ סימן ק סעיף ג:
נט מ מיי' פ"ז מהלכות ת"ת הל' יג טוש"ע י"ד סימן שלד סעיף א:
ס נ מיי' שם הל' ב טוש"ע י"ד סי' שלד סעי' יג:
סא ס מיי' פ"ו שם הל' יג טוש"ע שם סעיף טו:
סב ע מיי' שם טוש"ע שם סעיף כ:
סג פ מיי' שם טוש"ע שם סעיף כא:
סד צ מיי' שם טוש"ע שם סעיף מה:
סה ק טוש"ע שם סעיף כו:
סו ר מיי' פ"ז שם הל' ט טוש"ע שם סעיף כה:
סז ש ת טוש"ע שם סעיף א:

רבינו חננאל

ר"ש אומר כתיב כאן בבאו יקריב עצמו בזמן שראוי לבא בקדש יקריב בזמן שאינו ראוי לביאה אינו ראוי להקרבה. אמר רבא מנ"ל דמשדרינן שליחא מבי דינא ומזמנינן ליה לדינא לקמיה גברא רבה שנאמר ויאמר משה אל קרח אתה וכל עדתך היו לפני ה' ופלניא בעל דינך שנא' אתה והם ואהרן ומנ"ל דקבעינן להו זימנא שנאמר מחר. ומנ"ל דקבעינן זימנא בתר זימנא שנאמר קראו שם פרעה מלך מצרים שאון העביר המועד. העביר המועד שקבעו לו מועד ולא נענש עד אחר כן. מנ"ל דאי מתפקר בשליחא דבי דינא ואתי שליחא ומחוי ליתיה לישנא בישא שנאמר העיני האנשים ההם תנקר לא נעלה ומנ"ל דמשמתינן בהרמנא דגברא רבה שנאמר אורו מרוז אמר וגו' ומנ"ל דמחרמינן ליה נמי דכתיב אורו ארור ומנ"ל דמחרמינן על כל מאן דאכיל ושתי בהדיה וקאי בד' אמות דיליה שנאמר אורו ארור יושביה. ומנ"ל דפרטינן חטאיה שנאמר כי לא באו לעזרת

לעזרת עם ה'. איכא דאמרי מרוז אדם גדול הוה ואיכא דאמרי כוכבא הוה והאי דכתיב יושביה כענין עייש על בניה תנחם. ומנ"ל דמאן דמתפקר אבי דינא מפקרינן נכסיה שנאמר וכל אשר לא יבא לשלשת הימים בעצת השרים והזקנים יחרם כל רכושו והוא יבדל מקהל הגולה. ומנ"ל דנצינן ולטינן ומחינן ומתלשינן שיער ומשבעינן דכתיב ואריב עמם ואקללם ואכה מהם אנשים ואמרטם ואשביעם וגו' ומנ"ל דכפתינן ואסרינן ועבדינן הרדפה שנאמר הן למות הן לשרושי הן לענוש נכסין ולאסורין. מאי לשרושי הרדפה. אמר רב יהודה משמיה דרב מנדין לאלתר דמתפקר ושונין לאחר שלשים ומחרימין לאחר ששים. אמרו משמיה דרב חסדא מתרינן ביה שני וחמישי ושני ואח"כ מנדין אותו. והני מילי לממונא אבל לאפקירותא מנדין לאלתר בלא התראה. ההוא טבחא דאתפקר ברב טובי אימנו אביי ורבא ושמתוהו. אזל פייסיה לרב טובי אמר אביי היכי נעביד נישרי ליה לא חל שמתא עליה שלשים יום נשבקיה בשמתיה קא בעו רבנן לאפטורי. א"ל רב אידי בר אבין הכי אמר שמואל טוט אסר וטוט שרי. כלומר תקיעת השופר היא השמתא הקול שמתיר הוא האוסר הוא המתיר כלומר אינו צריך ימים לחול עליה שמתא א"ל ה"מ לממונא אבל לאפקירותא עד דחייל עליה שמתא שלשים יום. דייקינן מדקאמר אביי בעי רבנן לאפטורי קסבר תלתא דשמיתו לא אתו תלתא אחריני ושרו מאי ת"ש מנודה לרב מנודה לתלמיד מנודה לתלמיד אינו מנודה לרב מנודה לעירו מנודה לעיר אחרת. מנודה לעיר אחרת אינו מנודה לעירו. מנודה לנשיא מנודה לכל ישראל מנודה לכל ישראל אינו מנודה לנשיא. רשב"ג אומר אחד מן התלמידים שנידה ומת חלקו אינו מופר ש"מ תלת ש"מ מדקתני אחד מן התלמידים שנידה ומת וקתני נמי מנודה לתלמיד אינו מנודה לרב דייקינן מינה לרב אינו מנודה הא לכ"ע מנודה ש"מ תלמיד שנידה לכבודו נידויו נידוי ומדקתני ומת חלקו אינו מופר ש"מ כל אחד מיפר חלקו. ש"מ נמי דלא אתו אחריני ושרו חלקו א' אמימר הלכתא א) דמשמתי מופר עד דאתו תלתא אחריני ושרו ליה. ת"ר אין נדוי פחות משלשים יום ואין נזיפה פחות משבעה ואע"פ שאין ראיה לדבר זכר לדבר שנאמר ויאמר ה' אל משה ואביה ירק ירק בפניה הלא תכלם שבעת ימים. אמר רב חסדא נידוי שלנו כנזיפה שלהן ונזיפה דידהו שבעה והא בר קפרא בעידנא דאמר ליה ר' בר קפרא איני מכירך מעולם וכן כדאמר ליה ר' לר' חייא ראה מה קורא לך בחוץ ידעו דנקיט מילתא עלייהו נהגו נזיפתא בנפשייהו תלתין יומין. ואסיקנא נזיפותא דנשיא תלתין יומין. סוגיא דשמעתא כך גזר

חשק שלמה על ר"ח א) נ"ל כי תלתא דשמיתו אתו בי תלתא אחרינא ושרו ליה א"ל רב אשי לאמימר והא תניא וכו' אינו מופר עד דאתו וכו'.

רש"י כת"י

הן למות הן לשרושי הן לענוש נכסין ולאסורין. התם כתו' בספר עזרא (ז). לשרושי. [לשרשו ו]לרדפו לאלתר כיון דלא ציית לדינא מנדין בשני ושונין בחמישי ומחרימין בשני. לממונא. לגזול ממון לחבירו ולא רצו לשלם על פי בית דין. לאפקירותא. חוצפא שהעיז פניו לחרף תלמיד חכם. קא בעו רבנן למיעל. לבא לביתו שצריכין לו. [ל"א מפטרי רבנן ומיזל] אם לא תתיר עכשיו לא אוכל להתירו עוד שהחכמים [ש]הסכימו עמו בנידוי רוצין להפטר מעלי ולילך לדרכם לעריהם ואם ילכו שוב לא יהיה יכול [ע"פ רש"י ברי"ף]. טוט אסר וטוט שרי. בכ"ד מקומות מנדין (ברכות יט.) גימטריא טוטו. בשופר נידוהו ואין צריך ל' יום. שמע מינה תלמיד שנידה. שלא לשם שמים אלא שהתריס כנגדו. נידויו נידוי. לתלמיד אין מנודה לרב ואי לשם שמים שמתיה כגון שעבר עבירה אמאי אין מנודה לרב הא אין חכמה ואין תבונה לכל מקום שיש חלול השם אין חולקין כבוד לרב הא (לכל חכמה) [לכולי עלמא] מנודה. כל אחד ואחד מפר חלקו. חלקו אינו מופר. שמע מינה. מיהך גופה דלא אתו ג' אחריני ושרו ליה. נזיפה. גערה וכדלקמן. נידוי שלנו. של בני בבל כנזיפה דארץ ישראל. רבי. אבוה דר' שמעון ברבי הוה. מה רבי אומר בדבר זה. אין רבי בעולם היודע. אמ' ליה לאבוה. לפי תומו ולא משום לישנא בישא. לאיתחזויי ליה. לבקר רבי שהיה חולה שקבל עליו ייסורין. אינו מכירך. רמז לו שאינו רוצה לראותו. דנקיט מלתא. שנתן הדבר ללבו. חמוקי ירכיך. כמו חמק עבר (שה"ש ה).

defendant that he is to appear **before** a judge who is **a great person?** ,,דִּכְתִיב – לִפְנֵי ה׳״ – **For it is written:** *be **before** **Hashem.***[10]

Another query:

אַתְּ וּפְלָנְיָא – How do we know that the agent informs the defendant: **"You and So-and-so,** the plaintiff, will appear in court"?[11] דִּכְתִיב – **For it is written:**[12] ,,אַתָּה וָהֵם וְאַהֲרֹן״ – *Be before Hashem* – ***you and they*** (i.e. Korach and his assembly, the defendants) ***and Aaron,*** the plaintiff.[13]

Another inquiry:

דְּקָבְעִינַן זִימְנָא – How do we know **that we set a date** for the defendant to appear before the court?[14] דִּכְתִיב ,,מָחָר״ – **For it is written:**[15] *Be before Hashem ... **tomorrow.***

Another query:

זִימְנָא בָּתַר זִימְנָא – How do we know that, if the defendant fails to appear when initially summoned, we establish another **date after** the original **date?**[16] דִּכְתִיב – **For it is written:**[17] ,,קָרְאוּ שָׁם פַּרְעֹה מֶלֶךְ־מִצְרַיִם שָׁאוֹן הֶעֱבִיר הַמּוֹעֵד״ – ***They called out an excommunication [against] Pharaoh, the blustery King of Egypt, [because] he has let the appointed time go by.***[18]

Another query:

וּמְנָלַן דְּאִי מִתְפַּקַר בִּשְׁלִיחָא דְּבֵי דִינָא – **And from where do we [know] that if [the defendant],** when being summoned, arrogantly **vilifies the court's agent**[19] וְאָתֵי וְאָמַר – **and [the agent]** then **comes** before the court **and relates** what occurred, לָא מִיתְחֲזֵי כְּלִישָּׁנָא בִּישָׁא – **[his report] is not considered slander?** דִּכְתִיב – **For it is written:** ,,הַעֵינֵי הָאֲנָשִׁים הָהֵם תְּנַקֵּר״ – *Moses sent forth to summon Dathan and Aviram, the sons of Eliav, but they said, "We shall not go up! ... **Even if you would gouge out the eyes of those men,** we shall not go up! ... This* (response) *distressed Moses greatly.*[20] Now, how could Moses, the judge, have known that Dathan and Aviram so insolently addressed his agent unless the agent told him?[21] Thus, an agent may inform the court if he is mistreated.[22]

The Gemara now focuses on the subject of excommunication itself:

וּמְנָלַן דִּמְשַׁמְּתִינַן – **And from where do we [know] that we excommunicate** a defendant who does not heed a summons to appear in court?[23] דִּכְתִיב ,,אוֹרוּ מֵרוֹז״ – **For it is written:** ***Curse Meiroz!***[24] Meiroz was excommunicated for not responding to Deborah and Barak's call to battle against the Canaanites, from which we derive that excommunication is the punishment for ignoring any official summons.

NOTES

10. Ad loc. If the court includes an outstanding jurist, the defendant should be summoned in the name of that individual, so as to honor him. The proof is that although Moses also served as a judge, he had his agent Korach summon the complainers to appear "before Hashem," rather than "before us" (*Nimukei Yosef;* see also *Chidushei HaRan*).

11. I.e. how do we know that the court's agent reveals to the party being summoned the name of the plaintiff, so that the defendant can attempt an out-of-court settlement, or prepare his case before appearing in court? (*Ritva*). There is a dispute regarding whether the agent must inform the defendant of the exact nature of the claim; see *Shach* to *Choshen Mishpat* 11 §1.

12. Ad loc.

13. *Chidushei HaRan.*

14. *Rashi ms.; Nimukei Yosef.* The court sets a future date and does not confound the defendant by requiring that he appear immediately (*Meiri*).

15. Ad loc.

16. I.e. how do we know that the court does not excommunicate him immediately after his missing the first trial date (*Rashi ms., Nimukei Yosef*), since he might have been unavoidably detained? (*Ritva*).

17. *Jeremiah* 46:17.

18. In the passage where this verse appears, Jeremiah is prophesying about the downfall of Pharaoh, king of Egypt, at the hands of Nebuchadnezzar, king of Babylonia. In this verse Pharaoh's enemies officially excommunicate him, for despite his bluster he failed to appear at the time appointed for battle against Nebuchadnezzar, even though the battle had been postponed once before (*Rashi*). From here we see that excommunication is not warranted until after the second missed appointment.

[The commentators question how the language of the verse suggests that this was Pharaoh's second appointment. See *Rashash.*]

Rashi ms. and *Rashi* to *Rif* explain the verse and proof differently: Jeremiah had prophesied that Nebuchadnezzar would attack Egypt on a certain date. When Nebuchadnezzar failed to appear at that time, "Pharaoh summoned Jeremiah there" (קָרְאוּ שָׁם פַּרְעֹה מֶלֶךְ־מִצְרַיִם). The Egyptian masses reacted with "tumultuous joy" (שָׁאוֹן) because "the time [for Nebuchadnezzar's attack] had come and gone" (הֶעֱבִיר הַמּוֹעֵד). However, as subsequent verses make clear, Hashem had established a new date for the confrontation. Thus, from the fact that Hashem Himself set a second date [i.e. for Egypt's judgment], we derive that an earthly court must do likewise. (See *Rabbeinu Chananel, Nimukei Yosef* and *Ritva* for other approaches.)

As we have explained the Gemara, the court must set two dates before imposing excommunication. However, *Tur* and *Shulchan Orach* (*Choshen Mishpat* §11) interpret the Gemara as requiring *three* dates; see there.

19. This follows *Rashi.* However, according to *Rashi ms.* and others, the question relates to vilifying *the court* in the agent's presence. See *Rashash.*

20. See *Numbers* 16:12, 14-15. I.e. we would not appear before Moses even if you gouged *our* eyes out. [Dathan and Aviram spoke of the gouging of *those men's* eyes, even though they were actually referring to their own, in order to deflect the curse from themselves onto others (*Rashi,* ad loc.).]

21. *Rashi. Rashash* questions this reasoning: Perhaps Moses knew through a Divine revelation? See *Matzeves Moshe* for an answer.

22. [Ordinarily, under Biblical law, one is forbidden to speak disparagingly of another person even if the statement is true (see *Chafetz Chaim* I:1).] Surely Moses' agent would have observed this halachah, and would not have issued his report without the court's permission. The verse thus teaches that in order to prevent people from vilifying the court [and its representatives], disparaging reports such as this are permitted and do not constitute forbidden slander (*Ritva*).

23. There is a dispute between Rishonim regarding the meaning of the word מְשַׁמְּתִין (from שַׁמְתָּא, *shamta*), which we have translated here "excommunicate." *Meiri* maintains that it is a generic term for either of two levels of excommunication: the milder נִדּוּי (*nidui*), or the more severe חֵרֶם (*cherem*) [which will be introduced in the Gemara below]. Hence, the connotation of שַׁמְתָּא in any particular instance must be gleaned from its context. Here *Meiri* appears to understand *shamta* as *nidui,* the milder form of excommunication.

Raavad, quoted in *Tur* (*Yoreh Deah* 334, with *Beis Yosef*), maintains that *shamta* is a separate, intermediate level of excommunication – more severe than *nidui* but milder than *cherem.* The special stringency of *shamta* is that, in addition to the separation requirements of *nidui,* a mortal curse is placed upon the excommunicate [the word שַׁמְתָּא is an acronym for שָׁם מִיתָה, *a designation of death* – see Gemara below, 17a, and *Ritva*]. Thus, according to *Raavad,* the Gemara's question is: From where do we derive that the court may impose שַׁמְתָּא, the middle level of excommunication that includes a curse, on a defendant who refuses to appear in court? (*Raavad* is quoted at length in *Tos. HaRosh* ד״ה ירושלמי ביומוי דר׳ זעירא; cf. *Rambam, Hil. Talmud Torah* 7:1,2; see also *Beis Yosef* to *Yoreh Deah* 334, ד״ה כתב הרמב״ם כיצד הנידוי.)

24. *Judges* 5:23. This verse, which serves as the source for a number of laws that follow, states in full: אוֹרוּ מֵרוֹז אָמַר מַלְאַךְ ה׳ אֹרוּ אָרוֹר יֹשְׁבֶיהָ כִּי לֹא־בָאוּ לְעֶזְרַת ה׳ לְעֶזְרַת ה׳ בַּגִּבּוֹרִים, *"Curse Meiroz," said the angel of Hashem, "Curse! Cursed are its inhabitants, for they failed to come to aid [the nation of] Hashem, to aid [the nation of] Hashem against the mighty."* The identity of Meiroz will be discussed in the Gemara below.

[According to *Raavad* (see previous note), the term אורו (*curse*) implies both physical separation (*nidui*) and a mortal curse – the two components of *shamta,* the middle level of excommunication (see *Tos. HaRosh* ד״ה ירושלמי ביומוי דר׳ זעירא).]

זו עשירית האיפה שלו. שמביא כהן הדיוט כשמחנכין אותו לעבוד תחילה כדכתיב (ויקרא ו) זה קרבן אהרן ובניו אשר יקריבו לה' ביום המשח אותו עשירית האיפה ואמרינן (מנחות דף נא:) ובניו לרבות עשירית האיפה של כהן הדיוט לחינוך ולאו אקראי דלעיל קאי אלא מלות כהנים בעלמא הוא דקאמר יחזקאל אלמא שלא היה יכול להקריב קרבנו עשירית האיפה עד שנטהר מטומאת מת והוא הדין מצרעתו: אמר רבא וכו'. איידי דאיירי במנודה מפרש להו: ומזמינין ליה לדינא. לבעל דין: זימנא בתר זימנא. דאי לא אתי ההוא זימנא קבעינן ליה זימנא אחריתי: קראו שם. שמתא כלומר שמתא לפרעה שהעביר המועד כלומר שהעביר אותו מועד ששמו אחר מועד ראשון: דאי מתפקר בשליחא דרבנן. כלומר שחירף שליח ב"ד ושליח אמר חירפני: העיני האנשים ההם תנקר. אי לאו דשליח דא"ל למשה משה לא הוה ידע: הכי סברא דגברא פלניא. דעת פלוני שבא לנדות את פלוני דצריך לנדותו משמו של אותו חכם: אמר מלאך ה'. ברק אמר לשמתו שהוא שלוחו של מקום: ומחרימין. בארור: ופרטינן חטאיה. דאמרי לאנשי עירו משום הכי והכי משמתינן ליה: כוכבא הוה. מזליה דסיסרא: דמפקרינן לנכסיה. דמאן דלא ציית להו לרבנן: יחרם (ב) הוא וכל רכושו. דהפקר ב"ד הפקר מהכא נפקא לן בכל דוכתי [ט]: ואריב עמם ואקללם. לאותם שהושיבו נשים נכריות: דכפתינן. ידיו ורגליו: ואסרינן ליה. שקושרין אותו על העמוד להלקותו: הרדפה. קא מפרש רב יהודה בריה דרב שמואל לרודפו מיד דכיון דלא ציית דינא מנדין אותו: ושונין. ומנדין אותו פעם אחרת: לממונא. שחייב ממון לחבירו ולא רצה לשלם ע"פ ב"ד: לאפקירותא. מבזה תלמידי חכמים: לא חל עליה שמתא ל' יום. ואין שמתא פחותה מל' יום: קא בעו רבנן למיעל. שצריכין לו: טוט אסר טוט שרי. כלומר מצי למישרי ליה אע"ג דלא חל עליה ל' יום דאותו שופר שנדוהו יכול להתיר לו ומישרי ליה בתוך ל' יום: לא אתו אחריני ושרו ליה. מדמהדר איהו נפשיה למישרי: שנידה לכבודו. ולא לשם שמים אלא שהתריז נגדו ודאי כיון דתני אין מנודה לרב ודאי לא נידה אלא בשביל כבודו דאי במילי דאיסורא הוי כמי שמנודה לרב דאין חכמה ואין עצה וגו' (משלי כא) וקתני אין מנודה לרב אבל לכולי עלמא מנודה: כל אחד מיפר חלקו. מדקתני חלקו אינו מופר: לא אתו אחריני ושרו. מדקתני חלקו אינו מופר לעולם אפי' שרו ליה אחריני: נזיפה. גערה כדלקמן: נדוי שלנו. בני בבל: כנזיפה שלהן. ארץ ישראל: צריך רבי. רבי אבוה דר"ש הוה: מה רבי אומר בדבר זה. אין רבי בעולם היודע דבר זה: א"ל לאבוה. לפי תומו ולאו משום לישנא בישא: לאיתחזויי ליה. לבקר את רבי שהיה חולה שקבל עליו יסורין: אמר ליה בר קפרא איני מכירך. רמז לו שאינו רוצה לראותו: חמוקי ירכיך. כמו חמק עבר (שיר ה): אף

זו עשירית האיפה שלו דברי רבי יהודה ר"ש אומר א) [א] בבאו יקריב בזמן שראוי לביאה ראוי להקרבה בזמן שאינו ראוי לביאה אינו ראוי להקרבה אמר רבא (א) מנלן [א] דמשדרין שליחא דבי דינא ומזמנינן ליה לדינא דכתיב ב) וישלח משה לקרא לדתן ולאבירם בני אליאב ומנלן דמזמנינן לדינא דכתיב ג) ויאמר משה אל קרח אתה וכל עדתך לקמי גברא רבה דכתיב ג) לפני ה' את ופלניא דכתיב אתה והם ואהרן [ב] דקבעינן זימנא דכתיב מחר [ג] זימנא בתר זימנא דכתיב ד) קראו שם פרעה מלך מצרים שאון העביר המועד ומנלן [ד] דאי מתפקר בשליחא דבי דינא ואתי ואמר לא מיתחזי כלישנא בישא דכתיב ה) העיני האנשים ההם תנקר [ה] ומנלן דמשמתינן דכתיב ו) אורו מרוז דהכי סברא דגברא [ו] רבה דכתיב ו) אמר מלאך ה' ומנלן דמחרמינן דכתיב אורו ארור [ז] דאכיל ושתי בהדיה וקאי בארבע אמות דידיה דכתיב יושביה ומנלן [ז] דפרטינן חטאיה בציבורא דכתיב ו) כי לא באו לעזרת ה' ואמר עולא [ו] בד' מאה שיפורי שמתיה ברק למרוז איכא דאמרי גברא רבה הוה ואיכא דאמרי כוכבא הוה שנאמר ז) מן שמים נלחמו הכוכבים ומנלן [ח] דמפקרינן נכסיה דכתיב ח) וכל אשר לא יבא לשלשת הימים בעצת השרים והזקנים יחרם כל רכושו והוא יבדל מקהל הגולה ומנלן [ט] דנצינן ולייטינן ומחינן ותלשינן שיער ומשבעינן דכתיב ט) ואריב עמם ואקללם ואכה מהם אנשים ואמרטם ואשביעם ומנלן [י] דכפתינן ואסרינן ועבדינן הרדפה דכתיב י) הן למות הן לשרושי הן לענש נכסין ולאסורין מאי לשרושי אמר אדא מרי אמר נחמיה בר ברוך אמר רב חייא בר אבין אמר רב יהודה הרדפה מאי הרדפה אמר רב יהודה בריה דרב שמואל בר שילת משמיה דרב מנדין לאלתר [כ] ושונין לאחר ל' ומחרימין לאחר ששים א"ל רב הונא בר חיננא הכי אמר רב חסדא [ל] מתרין ביה שני וחמישי ושני [מ] ה"מ לממונא אבל לאפקירותא לאלתר ההוא טבחא דאיתפקר ברב טובי בר מתנה אימנו עליה אביי ורבא ושמתוהו לסוף אזל פייסיה לבעל דיניה אמר אביי היכי ליעביד לישרי ליה לא חל שמתא עליה תלתין יומין לא לישרי ליה קא בעו רבנן [א] למיעל א"ל לרב אידי בר אבין מידי שמיע לך בהא א"ל הכי אמר רב תחליפא בר אבימי אמר שמואל ק) [נ] טוט אסר וטוט שרי אמר ליה ה"מ לממונא אבל לאפקירותא עד דחיילא שמתא עליה תלתין יומין אלמא קסבר אביי הני בי תלתא דשמיתו לא אתו תלתא אחריני ושרו ליה דאיבעיא להו הני בי תלתא דשמיתו מהו למיתי תלתא אחריני ושרו ליה ת"ש ס) [ס] מנודה לרב מנודה לתלמיד מנודה ו) לתלמיד אינו מנודה לרב [ע] מנודה לעירו מנודה לעיר אחרת מנודה לעיר אחרת אינו מנודה לעירו [פ] מנודה לנשיא מנודה לכל ישראל מנודה לכל ישראל אינו מנודה לנשיא רשב"ג אומר אחד מן התלמידים שנידה ומת חלקו אינו מופר ש"מ תלת שמע מינה [צ] תלמיד שנידה לכבודו נידויו נידוי ושמע מינה [ק] כל אחד ואחד מיפר חלקו וש"מ הני בי תלתא דשמיתו לא אתו תלתא אחריני ושרו ליה אמר אמימר הלכתא הני בי תלתא דשמיתו [ר] אתו בי תלתא אחריני ושרו ליה א"ל רב אשי לאמימר והא תניא רשב"ג אומר אחד מן התלמידים שנידה ומת חלקו אינו מופר מאי לאו אינו מופר כלל לא עד דאתו בי תלתא אחריני ושרו ליה ת"ר [ש] אין נידוי פחות מל' יום ואין נזיפה פחות מז' ימים ואף על פי שאין ראיה לדבר זכר לדבר שנאמר כ) ואביה ירק ירק בפניה הלא תכלם שבעת ימים אמר רב חסדא [ת] נידוי שלנו כנזיפה שלהן ונזיפה דידהו שבעה ותו לא והא ר"ש בר רבי ובר קפרא הוו יתבי וקא גרסי קשיא להו שמעתא א"ל ר"ש לבר קפרא דבר זה צריך רבי א"ל בר קפרא לר"ש ומה רבי אומר בדבר זה אזל א"ל לאבוה איקפד אתא בר קפרא לאיתחזויי ליה א"ל בר קפרא איני מכירך מעולם ידע דנקט מילתא בדעתיה נהג נזיפותא בנפשיה תלתין יומין שוב פעם אחד גזר רבי שלא ישנו לתלמידים בשוק מאי דרש [י] ל) חמוקי ירכיך [ח] כמו חלאים מה ירך בסתר

מתרין בו שני וחמישי ושני. פירש בקונטרס שני מתרין בו תחילה ומנדין אותו וכן בחמישי ובשני אחר מחרימין וא"ל שלשים יום ויש מפרשים קודם שינדוהו כלל יתרו בו וכן משמע בפרק הגוזל בתרא (ב"ק דף קיג.):

א) [נ"ל וביום בואו], ב) ס"א פלניא, ג) [שבועות לו.], ד) [עי' תוספות מנחות לד: ד"ה טט], ה) [לקמן יז.], ו) [עי' תוספות סנהדרין ח. ד"ה מפיקנא], ז) [סוכה מט: ע"ש], ח) [כמו חלאים אין חלאים אלא רבנן כדגרסינן בנדרים מט. וכן שמתעסקין בתורה שהיא מעשה ידי אומן. ערוך בערך חמק], ט) [יבמות פט:].

הגהות הב"ח

(א) גמ' אמר רבא מנלן דקבעינן דוכתא ומשדרינן שליחא דבי דינא דכתיב וישלח כו' כצ"ל ותיבות ומזמנינן ליה לדינא נמחק: (ב) רש"י ד"ה יחרם כל רכושו כו' ותיבת הוא נמחק:

הגהות הגר"א

[א] גמ' למיעל. נ"ב נ"א למיזל [ועיין ר"ן ופרש"י שברי"ף]:

תורה אור השלם

א) וּבְיוֹם בֹּאוֹ אֶל הַקֹּדֶשׁ אֶל הֶחָצֵר הַפְּנִימִית לְשָׁרֵת בַּקֹּדֶשׁ יַקְרִיב חַטָּאתוֹ נְאֻם אֲדֹנָי יְיָ: [יחזקאל מד, כז]

ב) וַיִּשְׁלַח מֹשֶׁה לִקְרֹא לְדָתָן וְלַאֲבִירָם בְּנֵי אֱלִיאָב וַיֹּאמְרוּ לֹא נַעֲלֶה: [במדבר טז, יב]

ג) וַיֹּאמֶר מֹשֶׁה אֶל קֹרַח אַתָּה וְכָל עֲדָתְךָ הֱיוּ לִפְנֵי יְיָ אַתָּה וָהֵם וְאַהֲרֹן מָחָר: [במדבר טז, טז]

ד) קָרְאוּ שָׁם פַּרְעֹה מֶלֶךְ מִצְרַיִם שָׁאוֹן הֶעֱבִיר הַמּוֹעֵד: [ירמיה מו, יז]

ה) אַף לֹא אֶל אֶרֶץ זָבַת חָלָב וּדְבַשׁ הֲבִיאֹתָנוּ וַתִּתֶּן לָנוּ נַחֲלַת שָׂדֶה וָכָרֶם הַעֵינֵי הָאֲנָשִׁים הָהֵם תְּנַקֵּר לֹא נַעֲלֶה: [במדבר טז, יד]

ו) אוֹרוּ מֵרוֹז אָמַר מַלְאַךְ יְיָ אֹרוּ אָרוֹר יֹשְׁבֶיהָ כִּי לֹא בָאוּ לְעֶזְרַת יְיָ לְעֶזְרַת יְיָ בַּגִּבּוֹרִים: [שופטים ה, כג]

ז) מִן שָׁמַיִם נִלְחָמוּ הַכּוֹכָבִים מִמְּסִלּוֹתָם נִלְחֲמוּ עִם סִיסְרָא: [שופטים ה, כ]

ח) וְכֹל אֲשֶׁר לֹא יָבוֹא לִשְׁלֹשֶׁת הַיָּמִים כַּעֲצַת הַשָּׂרִים וְהַזְּקֵנִים יָחֳרַם כָּל רְכוּשׁוֹ וְהוּא יִבָּדֵל מִקְּהַל הַגּוֹלָה: [עזרא י, ח]

ט) וָאָרִיב עִמָּם וָאֲקַלְלֵם וָאַכֶּה מֵהֶם אֲנָשִׁים וָאֶמְרְטֵם וָאַשְׁבִּיעֵם בֵּאלֹהִים אִם תִּתְּנוּ בְנֹתֵיכֶם לִבְנֵיהֶם וְאִם תִּשְׂאוּ מִבְּנֹתֵיהֶם לִבְנֵיכֶם וְלָכֶם: [נחמיה יג, כה]

י) וְכָל דִּי לָא לֶהֱוֵא עָבֵד דָּתָא דִי אֱלָהָךְ וְדָתָא דִּי מַלְכָּא אָסְפַּרְנָא דִּינָה לֶהֱוֵא מִתְעֲבֵד מִנֵּהּ הֵן לְמוֹת הֵן לִשְׁרֹשִׁי הֵן לַעֲנָשׁ נִכְסִין וְלֶאֱסוּרִין: [עזרא ז, כו]

כ) וַיֹּאמֶר יְיָ אֶל מֹשֶׁה וְאָבִיהָ יָרֹק יָרַק בְּפָנֶיהָ הֲלֹא תִכָּלֵם שִׁבְעַת יָמִים תִּסָּגֵר שִׁבְעַת יָמִים מִחוּץ לַמַּחֲנֶה וְאַחַר תֵּאָסֵף: [במדבר יב, יד]

ל) מַה יָּפוּ פְעָמַיִךְ בַּנְּעָלִים בַּת נָדִיב חַמּוּקֵי יְרֵכַיִךְ כְּמוֹ חֲלָאִים מַעֲשֵׂה יְדֵי אָמָּן: [שיר השירים ז, ב]

עין משפט נר מצוה

נ א ב ג מיי' פכ"ה מהלכות סנהדרין הל' ח טוש"ע ח"מ סימן יא סעיף א:
נא ד מיי' שם הלכה ו סמג לאוין רח טוש"ע שם וסימן ח סעיף ה בהג"ה:
נב ה מיי' שם הלכה ח ופ"ו מהלכות ת"ת הלכה יד ופכ"ד מהלכות סנהדרין הלכה ז טוש"ע ח"מ סימן ב וטוש"ע י"ד סימן שלד סעיף מג:
נג ו מיי' פ"ז מהלכות ת"ת הלכה יג טוש"ע י"ד סי' שלד סעיף ט:
נד ז מיי' פכ"ד מהל' סנהדרין הלכה ז:
נה ח מיי' שם הלכה ו טוש"ע ח"מ סימן ב בהג"ה:
נו ט י מיי' שם הלכה ח והלכה ט:
נז כ מיי' פ"ז מהלכות ת"ת הלכה ד טוש"ע י"ד סימן שלד סעיף א:
נח ל מיי' פכ"ה מהל' סנהדרין הלכה ח טוש"ע י"ד סימן שלד סעיף א בהג"ה וטוש"ע ח"מ סימן ק סעיף ג:
נט מ מיי' פ"ז מהלכות ת"ת הל' יג טוש"ע י"ד סימן שלד סעיף א:
ס נ מיי' שם הל' י"ב טוש"ע י"ד סי' שלד סעי' יג:
סא ס מיי' פ"ו שם הל' יג טוש"ע שם סעיף טו:
סב ע מיי' שם טוש"ע שם סעיף כ:
סג פ מיי' שם טוש"ע שם סעיף כא:
סד צ מיי' שם טוש"ע שם סעיף מה:
סה ק טוש"ע שם סעיף כו:
סו ר מיי' פ"ז שם הל' ט טוש"ע שם סעיף כה:
סז ש ת טוש"ע שם סעיף א:

רבינו חננאל

ר"ש אומר כתיב כאן בבאו יקריב עצמו בזמן שראוי לבא בקדש יקריב בזמן שאינו ראוי לביאה אינו ראוי להקרבה. אמר רבא מנ"ל דמשדרינן שליחא מבי דינא ומזמנינן ליה לדינא לקמיה גברא רבה שנאמר ויאמר משה אל קרח אתה וכל עדתך היו לפני ה' ופלניא בעל דינך שנא' אתה והם ואהרן ומנ"ל דקבעינן להו זימנא שנאמר מחר. ומנ"ל דקבעינן זימנא בתר זימנא שנאמר קראו שם פרעה מלך מצרים שאון העביר המועד. העביר המועד שקבעו לו מועד ולא נענש עד אחר כן. מנ"ל דאי מתפקר בשליחא דבי דינא ואתי שליחא ומחוי ליתיה לישנא בישא שנאמר העיני האנשים ההם תנקר לא נעלה ומנ"ל דמשמתינן בהרמנא דגברא רבה שנאמר אורו מרוז אמר וגו' ומנ"ל דמחרמינן ליה נמי דכתיב אורו ארור ומנ"ל דמחרמינן על כל מאן דאכיל ושתי בהדיה וקאי בד' אמות דיליה שנאמר אורו ארור יושביה. ומנ"ל דפרטינן חטאיה שנאמר כי לא באו לעזרת ה' פי' לעזרת עם ה'. איכא דאמרי מרוז אדם גדול הוה ואיכא דאמרי כוכבא הוה והאי דכתיב יושביה כענין עייש על בניה תנחם. ומנ"ל דמאן דמתפקר אבי דינא מפקרינן נכסיה שנאמר וכל אשר לא יבא לשלשת הימים בעצת השרים והזקנים יחרם כל רכושו והוא יבדל מקהל הגולה. ומנ"ל דנצינן ולטינן ומחינן ומתלשינן שיער ומשבעינן דכתיב ואריב עמם ואקללם ואכה מהם אנשים ואמרטם ואשביעם וגו' ומנ"ל דכפתינן ואסרינן ועבדינן הרדפה שנאמר הן למות הן לשרושי הן לענוש נכסין ולאסורין. מאי לשרושי הרדפה. אמר רב יהודה משמיה דרב מנדין לאלתר דמתפקר ושונין לאחר שלשים ומחרימין לאחר ששים. אמרו משמיה דרב חסדא מתרינן ביה שני וחמישי ושני ואח"כ מנדין אותו. והני מילי לממונא אבל לאפקירותא מנדין לאלתר בלא התראה. ההוא טבחא דאתפקר ברב טובי אימנו אביי ורבא ושמתי' אזל פייסיה לרב טובי אמר אביי היכי נעביד נישרי ליה לא חל שמתא עליה שלשים יום נשבקיה בשמתיה קא בעו רבנן לאפטורי. א"ל רב אידי בר אבין הכי אמר שמואל טוט אסר וטוט שרי. כלומר תקיעת השופר היא השמתא הקול שמכריז בתקיעת שופר הוא האוסר הוא המתיר כלומר אינו צריך ימים לחול עליה שמתא א"ל ה"מ לממונא אבל לאפקירותא עד דחייל עליה שמתא שלשים יום. דייקינן מדקאמר אביי בעי רבנן לאפטורי קסבר תלתא דשמיתו לא אתו תלתא אחרינא ושרו מאי ת"ש מנודה לרב מנודה לתלמיד מנודה לתלמיד אינו מנודה לרב מנודה לעירו מנודה לעיר אחרת. מנודה לעיר אחרת אינו מנודה לעירו. מנודה לנשיא מנודה לכל ישראל מנודה לכל ישראל אינו מנודה לנשיא. רשב"ג אומר אחד מן התלמידים שנידה ומת חלקו אינו מופר ש"מ תלת ש"מ מדקתני אחד מן התלמידים שנידה ומת וקתני נמי מנודה לתלמיד אינו מנודה לרב דייקינן מינה לרב אינו מנודה הא לכ"ע מנודה ש"מ תלמיד שנידה לכבודו נידויו נידוי ומדקתני ומת חלקו אינו מופר ש"מ דכל אחד מיפר חלקו. ש"מ נמי דלא אתו אחריני ושרו חלקו א' אמימר הלכתא א) דמשמתי מופר עד דאתו תלתא אחריני ושרו ליה. ת"ר אין נדוי פחות משלשים יום ואין נזיפה פחות משבעה ואע"פ שאין ראיה לדבר זכר לדבר שנאמר ויאמר ה' אל משה ואביה ירק ירק בפניה הלא תכלם שבעת ימים. אמר רב חסדא נידוי שלנו כנזיפה שלהן ונזיפה דידהו שבעה איני והא בר קפרא בעידנא דאמר ליה ר' בר קפרא איני מכירך מעולם וכן כדאמר ליה ר' לר' חייא ראה מה קורא לך בחוץ ידעו דנקיט מילתא עלייהו נהגו נזיפתא בנפשייהו תלתין יומין. ואסיקנא נזיפותא דנשיא תלתין יומין. סוגיא דשמעתא כך גזר

חשק שלמה על ר"ח א) נ"ל כי צ"ל דמשמתי לא אתו תלתא אחריני ושרו ליה וכו' ... אינו מופר עד דאתו וכו'.

רש"י כת"י

הן למות הן לשרושי הן לענוש נכסין ולאסורין. התם כתו' בספר עזרא (ז). לשרושי. [לשרשו ו]לרדפו לאלתר כיון דלא ציית לדינא מנדין בשני ושונין בחמישי ומחרימין בשני. לממונא. לגזל ממון לחבירו ולא רצו לשלם על פי בית דין. אפקרותא. חוצפא שהעיז פניו לחרף תלמיד חכם. קא בעו רבנן למיעל. לבא לביתו שצריכין לו. [ל"א מפטרי רבנן ומיזל] אם לא מתיר עכשיו לא אוכל להתירו עוד שהחכמים [ש]הסכימו עמו בנידוי רוצין להפטר מעלי ולילך לדרכם לעריהם ואם ילכו שוב לא יהיה ניתר. [ע"פ רש"י ברי"ף]. טוט אסר וטוט שרי. בכ"ד מקומות מנדין (ברכות יט.) גימטריא טוט. בשופר נידוהו ובשופר התירוהו ואין צריך ל' יום. שמע מינה תלמיד שנידה. שלא לשם שמים אלא שהתריס כנגדו. נידויו נידוי. מדקתני מנודה לתלמיד אין מנודה לרב ואי לשם שמים שמתיה כגון שעבר עבירה אמאי אין מנודה לרב הא אין חכמה ואין תבונה לנגד יי' דבכל מקום שיש חלול השם אין חולקין כבוד לרב הא (לכל חכמה) [לכולי עלמא] מנודה. כל אחד ואחד מפר חלקו. מדקתני חלקו אינו מופר. שמע מינה. מיהך גופה דלא אתו ג' אחריני ושרו ליה. נזיפה. גערה וכדלקמן. נידוי שלנו. של בני בבל כנזיפה דארץ ישראל. רבי. אבוה דר' שמעון ברבי הוה. מה רבי אומר בדבר זה. אין רבי בעולם היודע. אמ' ליה לאבוה. לפי תומו ולא משום לישנא בישא. לאיתחזויי ליה. לבקר רבי שהיה חולה שקבל עליו ייסורין. איני מכירך. רמז לו שאינו רוצה לראותו. דנקיט מלתא. שנתן הדבר ללבו. חמוקי ירכיך. כמו חמק עבר (שה"ש ה).

Another question:
דְּהָכִי סְבָרָא דְּגַבְרָא רַבָּה – From where do we derive **that** an excommunicate must be informed regarding his ban: **"This is the decision of a** particular **great man"?**[25] דִּכְתִיב ,,אָמַר מַלְאַךְ ה׳ ״ – **For it is written** regarding the excommunication of Meiroz: ***said the angel of Hashem.*** That is, Meiroz was informed that his ban came by order of Barak, the angel (agent) of Hashem.[26]

The Gemara asks:
וּמְנָלַן דִּמַחַרְמִינַן – **And from where do we [know] that we can impose *cherem,*** the highest level of excommunication, with the term "cursed"?[27] דִּכְתִיב ,,אֹרוּ אָרוֹר״ – **For it is written** in the Meiroz verse: ***Curse! Cursed.***[28]

Another query:
דְּאָכִיל וְשָׁתֵי בַּהֲדֵיהּ – From where do we know that one **who eats and drinks with [an excommunicate]** וְקָאֵי בְּאַרְבַּע אַמּוֹת דִּידֵיהּ – **and stands in his four *amos*** is acting improperly? דִּכְתִיב ,,יֹשְׁבֶיהָ״ – **For it is written** in the Meiroz verse: *Curse! Cursed are **its inhabitants.***[29]

Another query:
וּמְנָלַן דִּפַרְטִינַן חֶטְאֵיהּ בְּצִיבּוּרָא – **And from where do we [know] that we publicly specify the transgression** for which the sinner is being excommunicated?[30] דִּכְתִיב – **For it is written** in the Meiroz verse: ,,כִּי לֹא־בָאוּ לְעֶזְרַת ה׳ ״ – *Curse Meiroz. . . **for they failed to come to aid** [the nation of] **Hashem.***[31] וְאָמַר עוּלָּא – **And Ulla said:** בְּאַרְבַּע מְאָה שִׁיפּוּרֵי שַׁמְּתֵיהּ בָּרָק לְמֵרוֹז – **With four hundred shofars Barak excommunicated Meiroz.**[32]

The Gemara attempts to identify Meiroz:
אִיכָּא דְּאָמְרֵי גַּבְרָא רַבָּה הֲוָה – **There are** those **who say** that **[Meiroz] was a great man,**[33] וְאִיכָּא דְּאָמְרֵי כּוֹכָבָא הֲוָה – **and there are** those **who say** that **[Meiroz] was a star,**[34] שֶׁנֶּאֱמַר ,,מִן־שָׁמַיִם נִלְחָמוּ הַכּוֹכָבִים״ – **for it is stated** there in the Meiroz passage:[35] ***From heaven they fought, the very stars** from their orbits did battle with Sisera.*[36]

The Gemara now discusses other punitive powers of the court:
וּמְנָלַן דְּמַפְקְרִינַן נִכְסֵיהּ – **And from where do we [know] that** if one disobeys the Rabbis' commands, **we may declare his property ownerless?**[37] דִּכְתִיב – **For it is written:** ,,וְכֹל אֲשֶׁר לֹא־יָבוֹא לִשְׁלֹשֶׁת הַיָּמִים (בעצת) [כַּעֲצַת] הַשָּׂרִים וְהַזְּקֵנִים יָחֳרַם כָּל־רְכוּשׁוֹ וְהוּא יִבָּדֵל מִקְּהַל הַגּוֹלָה״ – ***And whoever does not come within three days, as proposed by the princes and the elders, all his property shall be confiscated and he shall be separated from the congregation of the exile.***[38]

Another inquiry:
וּמְנָלַן דְּנָצִינַן – **And from where do we [know] that we** (the court) **may,** at our discretion, **contend** with disobedient individuals,[39] וְלַיְיטִינַן וּמָחֵינַן – **and curse and strike** them, וְתָלְשִׁינַן שֵׂיעָר – **and tear out** their **hair**[40] **and compel** them **to swear** וּמַשְׁבְּעִינַן that they will not repeat their transgressions in the future?[41] דִּכְתִיב – **For it is written:** ,,וָאָרִיב עִמָּם וָאֲקַלְלֵם וָאַכֶּה מֵהֶם אֲנָשִׁים וָאֶמְרְטֵם וָאַשְׁבִּיעֵם״ – ***So I contended with them and I cursed them. I beat some of their men and tore their hair out. I placed them under oath.***[42]

Another inquiry:
וּמְנָלַן דִּכַפְּתִינַן – **And from where do we [know] that,** at our discretion, **we may bind** a disobedient individual's hands and feet

NOTES

25. I.e. the sinner must by excommunicated in the name of the sage who authorized the ban (*Rashi, Rashi ms.*). Otherwise, he cannot be held accountable for disregarding the impending ban, since he could argue that he thought that the agent issued the ban on his own initiative. However, once the sinner is advised that the ban's author is a great sage (and his court), but still rejects it, he deserves whatever punishment he receives (*Nimukei Yosef*).

[Our text of the Gemara (סְבָרָא דְּגַבְרָא רַבָּה) implies that it is the dishonoring of a "great man" (by ignoring his ban) that justifies punishment. However, *Rashi's* text states: סְבָרָא דְּגַבְרָא פְּלָנְיָא ("the decision of such-and-such person"), which implies that announcing the ban's author serves only to dispel the notion that "excommunication" is the agent's idea.]

26. This follows *Rashi and Rashi ms.* Other Rishonim (*Ran* and *Nimukei Yosef*) explain that Barak was the agent of the angel. Barak thus told the people to separate themselves from Meiroz upon the order of God's angel.

27. *Rashi ms.,* first interpretation [in *Rashi's* text it is a statement, not a question: "And we impose *cherem* with the term 'cursed,' for it is written . . ."]. Alternatively: From where do we know that after the sinner has twice ignored an order of *nidui* the court may impose *cherem*? (see *Rashi ms.,* second interpretation; see *Nimukei Yosef*).

Cherem is the highest level of excommunication. In addition to enduring physical separation (of four *amos*) and a mortal curse, the sinner is banned from all forms of interpersonal benefit – e.g. no one may study with him, or hire or be hired by him (*Nimukei Yosef;* see Gemara above, 15a, and *Yoreh Deah* 334:2).

28. [See note 24 above.] A variation of the word ארר (*curse*) is mentioned three times in that verse: אוֹרוּ מֵרוֹז, *Curse Meiroz,* and אֹרוּ אָרוֹר, *Curse! Cursed.* This teaches that an obstreperous defendant is placed under two thirty-day *nidui* bans, and if he is still defiant the court may impose *cherem* (*Nimukei Yosef*).

29. "Inhabitants" refers to Meiroz's companions. They are "cursed" in that they are included in the excommunicate's ban, in the sense that they are forbidden to socialize with him (eating, drinking, etc.). Furthermore, the court – at its discretion, depending on the severity of the excommunicate's malfeasance – may impose other restrictions on his companions, such as prohibiting them to pray or recite Grace After Meals with him (*Ritva;* cf. *Rabbeinu Chananel*).

30. Without a Scriptural mandate we would not publicize the transgression, since publicly shaming an individual is forbidden (*R' Shlomo ben HaYasom*).

31. At this point the Gemara understands that Meiroz was a general who refused to come to Barak's assistance with his troops (*Chidushei HaRan*).

32. We thus see that Meiroz's transgression was *specified* (*for they failed to come to aid* etc.), and the four hundred shofars blasting ensured a *public* hearing of the announcement.

33. See above, note 31.

34. *Meiroz* was Sisera's constellation (מַזָּל), which controlled his fate (see *Rashi;* for other explanations, see *Rabbeinu Chananel* and *Talmid R' Yechiel MiParis;* see also *Hagahos Yavetz*).

Talmid R' Yechiel MiParis mentions a variant text: אִיכָּא דְּאָמְרֵי דִּיסְקַרְתָּא הֲוָה, "There are [those] who say [Meiroz] was a small town." According to this version, the inhabitants of the town were excommunicated because they failed to respond to Barak's call.

35. *Judges* 5:20.

36. I.e. the fates (מַזָּלוֹת) turned against Sisera. (For a discussion of the concept of *mazal,* see Schottenstein ed. of *Shabbos,* 156a note 49.)

37. This is a discretionary power that vests in the court; there is no obligation to exercise it in every case of disobedience [and this is true of every discretionary power mentioned below] (*Nimukei Yosef*).

38. *Ezra* 10:8. In order to exhort the people to banish the non-Jewish wives that some had taken in Babylonia, Ezra and the leaders of the nation [the men of the Great Assembly (*Rashi* to *Gittin* 36b ד״ה יחרם כל רכושו)] decreed that all the returning exiles were to gather in Jerusalem within three days, or suffer the penalties stated in this verse. From here we see that the court is empowered to confiscate the property of those who disregard its decrees. [This verse is the source of the rule הֶפְקֵר בֵּית דִּין הֶפְקֵר – *whatever is declared ownerless by the court is ownerless* (*Rashi, Rashi ms., Nimukei Yosef*).]

39. As in *Exodus* 21:22 – וְכִי־יִנָּצוּ אֲנָשִׁים, *Should men contend with each other.* That is, the court should argue and "fight" with such people until they realize what they have done (see *Talmid R' Yechiel MiParis*).

40. In order to humiliate and admonish them (ibid.).

41. Ibid.

42. *Nehemiah* 13:25. Nehemiah reports how he dealt with those Jews who had married non-Jewish women in Babylonia.

זו עשירית האיפה שלו דברי רבי יהודה ר"ש אומר א) בבאו יקריב בזמן שראוי לביאה ראוי להקרבה בזמן שאינו ראוי לביאה אינו ראוי להקרבה אמר רבא (א) מנלן דמשדרין שליחא דבי דינא ומזמנינן ליה לדינא דכתיב ב) וישלח משה לקרא לדתן ולאבירם בני אליאב ומנלן דמזמנינן לדינא דכתיב ג) ויאמר משה אל קרח אתה וכל עדתך לקמי גברא רבה דכתיב ג) לפני ה' את ופלניא דכתיב אתה והם ואהרן דקבעינן זימנא דכתיב מחר זימנא בתר זימנא דכתיב ד) קראו שם פרעה מלך מצרים שאון העביר המועד ומנלן דאי מתפקר בשליחא דבי דינא ואתי ואמר לא מיתחזי כלישנא בישא דכתיב ה) העיני האנשים ההם תנקר ומנלן דמשמתינן דכתיב ו) אורו מרוז דהכי סברא דגברא רבה דכתיב ו) אמר מלאך ה' ומנלן דמחרמינן דכתיב אורו ארור דאכיל ושתי בהדיה וקאי בארבע אמות דידיה דכתיב יושביה ומנלן דפרטינן חטאיה בציבורא דכתיב ו) כי לא באו לעזרת ה' ואמר עולא בד' מאה שיפורי שמתיה ברק למרוז איכא דאמרי גברא רבה הוה ואיכא דאמרי כוכבא הוה שנאמר ז) מן שמים נלחמו הכוכבים ומנלן דמפקרינן נכסיה דכתיב ח) וכל אשר לא יבא לשלשת הימים בעצת השרים והזקנים יחרם כל רכושו והוא יבדל מקהל הגולה ומנלן דנצינן ולייטינן ומחינן ותלשינן שיער ומשבעינן דכתיב ט) ואריב עמם ואקללם ואכה מהם אנשים ואמרטם ואשביעם ומנלן דכפתינן ואסרינן ועבדינן הרדפה דכתיב י) הן למות הן לשרושי הן לענש נכסין ולאסורין מאי לשרושי אמר אדא מרי אמר נחמיה בר ברוך אמר רב חייא בר אבין אמר רב יהודה הרדפה מאי הרדפה אמר רב יהודה בריה דרב שמואל בר שילת משמיה דרב מנדין לאלתר ושונין לאחר ל' ומחרימין לאחר ששים א"ל רב הונא בר חיננא הכי אמר רב חסדא מתרין ביה שני וחמישי ושני ה"מ לממונא אבל לאפקירותא לאלתר ההוא טבחא דאיתפקר ברב טובי בר מתנה אימנו עליה אביי ורבא ושמתוהו לסוף אזל פייסיה לבעל דיניה אמר אביי היכי ליעביד לישרי ליה לא חל שמתא עליה תלתין יומין לא לישרי ליה קא בעו רבנן [א]למיעל א"ל לרב אידי בר אבין מידי שמיע לך בהא א"ל הכי אמר רב תחליפא בר אבימי אמר שמואל ז) טוט אסר וטוט שרי אמר ליה ה"מ לממונא אבל לאפקירותא עד דחיילא שמתא עליה תלתין יומין אלמא קסבר אביי הני בי תלתא דשמיתו לא אתו תלתא אחריני ושרו להו דאיבעיא להו הני בי תלתא דשמיתו מהו למיתי תלתא אחריני ושרו ליה ת"ש מנודה לרב מנודה לתלמיד ז) לתלמיד אינו מנודה לרב מנודה לעירו מנודה לעיר אחרת מנודה לעיר אחרת אינו מנודה לעירו מנודה לנשיא מנודה לכל ישראל מנודה לכל ישראל אינו מנודה לנשיא רשב"ג אומר אחד מן התלמידים שנידה ומת חלקו אינו מופר ש"מ תלת שמע מינה תלמיד שנידה לכבודו נידויו נידוי ושמע מינה כל אחד ואחד מיפר חלקו וש"מ הני בי תלתא דשמיתו לא אתו תלתא אחריני ושרו ליה אמר אמימר הלכתא הני בי תלתא דשמיתו אתו בי תלתא אחריני ושרו ליה א"ל רב אשי לאמימר והא תניא רשב"ג אומר אחד מן התלמידים שנידה ומת חלקו אינו מופר מאי לאו אינו מופר כלל לא עד דאתו בי תלתא אחריני ושרו ליה ת"ר אין נידוי פחות מל' יום ואין נזיפה פחות מז' ימים ואף על פי שאין ראיה לדבר זכר לדבר שנאמר כ) ואביה ירק ירק בפניה הלא תכלם שבעת ימים אמר רב חסדא נידוי שלנו כנזיפה שלהן ונזיפה דידהו שבעה ותו לא והא ר"ש בר רבי ובר קפרא הוו יתבי וקא גרסי קשיא להו שמעתא א"ל ר"ש לבר קפרא דבר זה צריך רבי א"ל בר קפרא לר"ש ומה רבי אומר בדבר זה אזל א"ל לאבוה איקפד אתא בר קפרא לאיתחזויי ליה א"ל בר קפרא איני מכירך מעולם ידע דנקט מילתא בדעתיה נהג נזיפותא בנפשיה תלתין יומין שוב פעם אחד גזר רבי שלא ישנו לתלמידים בשוק מאי דרש ל) חמוקי ירכיך כמו חלאים מה ירך בסתר

רש"י

זו עשירית האיפה שלו. שמביא כהן הדיוט כשמחנכין אותו לעבוד תחילה כדכתיב (ויקרא ו) זה קרבן אהרן ובניו אשר יקריבו לה' ביום המשח אותו עשירית האיפה ואמרינן (מנחות דף נא:) ובניו לרבות עשירית האיפה של כהן הדיוט לחינוך ולאו אקראי דלעיל קאי אלא מלות כהנים בעלמא הוא דקאמר יחזקאל אלמא שלא היה יכול להקריב קרבנו עשירית האיפה עד שנטהר מטומאת מת והוא הדין מצרעתו: אמר רבא וכו'. איידי דאיירי במנודה מפרש להו: ומזמנינן ליה לדינא. לבעל דין: זימנא בתר זימנא. דאי לא אתי ההוא זימנא קבעינן ליה זימנא אחריתי: קראו שם. שמתא כלומר שמתא לפרעה שהעביר המועד כלומר שהעביר אותו מועד ששמו אחר מועד ראשון: דאי מתפקר בשליחא דרבנן. כלומר שחירף שליח ב"ד ושליח אמר חירפני: העיני האנשים ההם תנקר. אי לאו דשליח דא"ל למשה משה לא הוה ידע: הכי סברא דגברא פלניא. דעת פלוני שבא לנדות את פלוני דצריך לנדותו משמו של אותו חכם: אמר מלאך ה'. ברק אמר לשמתו שהוא שלוחו של מקום: ומחרימין. בארור: ופרטינן חטאיה. דאמרי לאנשי עירו משום הכי והכי משמתינן ליה: כוכבא הוה. מזליה דסיסרא: דמפקרינן לנכסיה. דמאן דלא ציית להו לרבנן: יחרם (ב) הוא וכל רכושו. דהפקר ב"ד הפקר מהכא נפקא לן בכל דוכתי ט): ואריב עמם ואקללם. לאותם שהושיבו נשים נכריות: דכפתינן. ידיו ורגליו: ואסרינן ליה. שקושרין אותו על העמוד להלקותו: הרדפה. קא מפרש רב יהודה בריה דרב שמואל לרודפו מיד דכיון דלא ציית דינא מנדין אותו: ושונין. ומנדין אותו פעם אחרת: לממונא. שחייב ממון לחבירו ולא רצה לשלם ע"פ ב"ד: לאפקירותא. מבזה תלמידי חכמים: לא חל עליה שמתא ל' יום. ואין שמתא פחותה מל' יום: קא בעו רבנן למיעל. שצריכין לו: טוט אסר טוט שרי. כלומר מאי למישרי ליה אע"ג דלא חל עליה ל' יום דאותו שופר שנדוהו יכול להתיר לו ומישרי ליה בתוך ל' יום: לא אתו אחריני ושרו ליה. מדמהדר איהו נפשיה למישרי: שנידה לכבודו. ולא לשם שמים אלא שהתריז נגדו ודאי כיון דתני אין מנודה לרב ודאי לא נידה אלא בשביל כבודו דאי במילי דאיסורא הוי כמי שמנודה לרב דאין חכמה ואין עצה וגו' (משלי כא) וקתני אין מנודה לרב אבל לכולי עלמא מנודה: כל אחד מיפר חלקו. מדקתני חלקו אינו מופר: לא אתו אחריני ושרו. מדקתני חלקו אינו מופר לעולם אפי' שרו ליה אחריני: נזיפה. גערה כדלקמן: נדוי שלנו. בני בבל: כנזיפה שלהן. ארץ ישראל: צריך רבי. רבי אבוה דר"ש הוה: מה רבי אומר בדבר זה. אין רבי בעולם היודע דבר זה: א"ל לאבוה. לפי תומו ולאו משום לישנא בישא: לאיתחזויי ליה. לבקר את רבי שהיה חולה שקבל עליו יסורין: אמר ליה בר קפרא איני מכירך. רמז לו שאינו רוצה לראותו: חמוקי ירכיך. כמו חמק עבר (שיר ה):

תוספות

מתרין בו שני וחמישי ושני. פירש בקונטרס שני מתרין בו תחילה ומנדין אותו וכן בחמישי ובשני אחר מחרימין וא"צ שלשים יום ויש מפרשים קודם שינדוהו כלל יתרו בו וכן משמע בפרק הגוזל בתרא (ב"ק דף קיג.):

מסורת הש"ס

א) [צ"ל וביום בואו], ב) ס"א פלניא, ג) [שבועות לו.], ד) [עי' תוספות מנחות לד: ד"ה טט], ה) [לקמן יז.], ו) [עי' תוספות סנהדרין ח. ד"ה מפיקנא], ז) [סוכה מט: ע"ש], ח) [כמו חלאים אין חלאים אלא רבנן כדגרסינן בנדרים מט. והן שמתעסקין בתורה שהיא מעשה ידי אומן. ערוך בערך חמק], ט) [יבמות פט:].

הגהות הב"ח

(א) גמ' אמר רבא מנלן דקבעינן דוכתא ומשדרינן שליחא דבי דינא דכתיב וישלח כו' כצ"ל ותיבות ומזמנינן ליה לדינא נמחק: (ב) רש"י ד"ה יחרם כל רכושו כו' ותיבת הוא נמחק:

הגהות הגר"א

[א] גמ' למיעל. נ"ב נ"א למיזל [ועיין ר"ן ופרש"י שבריי"ף]:

תורה אור השלם

א) וּבְיוֹם בֹּאוֹ אֶל הַקֹּדֶשׁ אֶל הֶחָצֵר הַפְּנִימִית לְשָׁרֵת בַּקֹּדֶשׁ יַקְרִיב חַטָּאתוֹ נְאֻם אֲדֹנָי יְיָ: [יחזקאל מד, כז]

ב) וַיִּשְׁלַח מֹשֶׁה לִקְרֹא לְדָתָן וְלַאֲבִירָם בְּנֵי אֱלִיאָב וַיֹּאמְרוּ לֹא נַעֲלֶה: [במדבר טז, יב]

ג) וַיֹּאמֶר מֹשֶׁה אֶל קֹרַח אַתָּה וְכָל עֲדָתְךָ הֱיוּ לִפְנֵי יְיָ אַתָּה וָהֵם וְאַהֲרֹן מָחָר: [במדבר טז, טז]

ד) קָרְאוּ שָׁם פַּרְעֹה מֶלֶךְ מִצְרַיִם שָׁאוֹן הֶעֱבִיר הַמּוֹעֵד: [ירמיה מו, יז]

ה) אַף לֹא אֶל אֶרֶץ זָבַת חָלָב וּדְבַשׁ הֲבִיאֹתָנוּ וַתִּתֶּן לָנוּ נַחֲלַת שָׂדֶה וָכָרֶם הַעֵינֵי הָאֲנָשִׁים הָהֵם תְּנַקֵּר לֹא נַעֲלֶה: [במדבר טז, יד]

ו) אוֹרוּ מֵרוֹז אָמַר מַלְאַךְ יְיָ אֹרוּ אָרוֹר יֹשְׁבֶיהָ כִּי לֹא בָאוּ לְעֶזְרַת יְיָ לְעֶזְרַת יְיָ בַּגִּבּוֹרִים: [שופטים ה, כג]

ז) מִן שָׁמַיִם נִלְחָמוּ הַכּוֹכָבִים מִמְּסִלּוֹתָם נִלְחֲמוּ עִם סִיסְרָא: [שופטים ה, כ]

ח) וְכֹל אֲשֶׁר לֹא יָבוֹא לִשְׁלֹשֶׁת הַיָּמִים כַּעֲצַת הַשָּׂרִים וְהַזְּקֵנִים יָחֳרַם כָּל רְכוּשׁוֹ וְהוּא יִבָּדֵל מִקְּהַל הַגּוֹלָה: [עזרא י, ח]

ט) וָאָרִיב עִמָּם וָאֲקַלְלֵם וָאַכֶּה מֵהֶם אֲנָשִׁים וָאֶמְרְטֵם וָאַשְׁבִּיעֵם בֵּאלֹהִים אִם תִּתְּנוּ בְנֹתֵיכֶם לִבְנֵיהֶם וְאִם תִּשְׂאוּ מִבְּנֹתֵיהֶם לִבְנֵיכֶם וְלָכֶם: [נחמיה יג, כה]

י) וְכָל דִּי לָא לֶהֱוֵא עָבֵד דָּתָא דִי אֱלָהָךְ וְדָתָא דִּי מַלְכָּא אָסְפַּרְנָא דִּינָה לֶהֱוֵא מִתְעֲבֵד מִנֵּהּ הֵן לְמוֹת הֵן לִשְׁרֹשִׁי הֵן לַעֲנָשׁ נִכְסִין וְלֶאֱסוּרִין: [עזרא ז, כו]

כ) וַיֹּאמֶר יְיָ אֶל מֹשֶׁה וְאָבִיהָ יָרֹק יָרַק בְּפָנֶיהָ הֲלֹא תִכָּלֵם שִׁבְעַת יָמִים תִּסָּגֵר שִׁבְעַת יָמִים מִחוּץ לַמַּחֲנֶה וְאַחַר תֵּאָסֵף: [במדבר יב, יד]

ל) מַה יָּפוּ פְעָמַיִךְ בַּנְּעָלִים בַּת נָדִיב חַמּוּקֵי יְרֵכַיִךְ כְּמוֹ חֲלָאִים מַעֲשֵׂה יְדֵי אָמָּן: [שיר השירים ז, ב]

עין משפט נר מצוה

נ א ב ג מיי' פכ"ה מהלכות סנהדרין הל' ח טוש"ע ח"מ סימן יא סעיף א:
נא ד מיי' שם הלכה ו סמג לאוין רח טוש"ע שם וסימן ח סעיף ה בהג"ה:
נב ה מיי' שם הלכה ח ופ"ו מהלכות ת"ת הלכה יד ופכ"ד מהלכות סנהדרין הלכה ז טוש"ע ח"מ סימן ב וטוש"ע י"ד סימן שלד סעיף מג:
נג ו מיי' פ"ז מהלכות ת"ת הלכה יג טוש"ע י"ד סי' שלד סעיף ט:
נד ז מיי' פכ"ד מהל' סנהדרין הלכה ז:
נה ח מיי' שם הלכה ו טוש"ע ח"מ סימן ב בהג"ה:
נו ט י מיי' שם הלכה ח והלכה ט:
נז כ מיי' פ"ז מהלכות ת"ת הלכה ד טוש"ע י"ד סימן שלד סעיף א:
נח ל מיי' פכ"ה מהל' סנהדרין הלכה ח טוש"ע י"ד סימן שלד סעיף א בהג"ה וטוש"ע ח"מ סימן ק סעיף ג:
נט מ מיי' פ"ז מהלכות ת"ת הל' יג טוש"ע י"ד סימן שלד סעיף א:
ס נ מיי' שם הלי"ב טוש"ע י"ד סי' שלד סעי' יג:
סא ס מיי' פ"ו שם הל' יג טוש"ע שם סעיף טו:
סב ע מיי' שם טוש"ע שם סעיף כ:
סג פ מיי' שם טוש"ע שם סעיף כא:
סד צ מיי' שם טוש"ע שם סעיף מה:
סה ק טוש"ע שם סעיף כו:
סו ר מיי' פ"ז שם הל' ט טוש"ע שם סעיף כה:
סז ש ת טוש"ע שם סעיף א:

רבינו חננאל

ר"ש אומר כתיב כאן בבאו יקריב עצמו בזמן שראוי לבא בקדש יקריב בזמן שאינו ראוי לביאה אינו ראוי להקרבה. אמר רבא מנ"ל דמשדרינן שליחא מבי דינא ומזמנינן ליה לדינא לקמיה גברא רבה שנאמר ויאמר משה אל קרח אתה וכל עדתך היו לפני ה' ופלניא בעל דינך שנא' אתה והם ואהרן ומנ"ל דקבעינן להו זימנא שנאמר מחר. ומנ"ל דקבעינן זימנא בתר זימנא שנאמר קראו שם פרעה מלך מצרים שאון העביר המועד. העביר המועד שקבעו לו מועד ולא נענש עד אחר כן. מנ"ל דאי מתפקר בשליחא דבי דינא ואתי שליחא ומחוי ליתיה לישנא בישא שנאמר העיני האנשים ההם תנקר לא נעלה ומנ"ל דמשמתינן בהרמנא דגברא רבה שנאמר אורו מרוז אמר וגו' ומנ"ל דמחרמינן ליה נמי דכתיב אורו ארור ומנ"ל דמחרמינן על כל מאן דאכיל ושתי בהדיה וקאי בד' אמות דיליה שנאמר אורו ארור יושביה. ומנ"ל דפרטינן חטאיה שנאמר כי לא באו לעזרת ה' פי' לעזרת עם ה'. איכא דאמרי מרוז אדם גדול הוה ואיכא דאמרי כוכבא הוה והאי דכתיב יושביה כענין עייש על בניה תנחם. ומנ"ל דמאן דמתפקר אבי דינא מפקרינן נכסיה שנאמר וכל אשר לא יבא לשלשת הימים בעצת השרים והזקנים יחרם כל רכושו והוא יבדל מקהל הגולה. ומנ"ל דנצינן ולטינן ומחינן ומתלשינן שיער ומשבעינן דכתיב ואריב עמם ואקללם ואכה מהם אנשים ואמרטם ואשביעם וגו' ומנ"ל דכפתינן ואסרינן ועבדינן הרדפה שנאמר הן למות הן לשרושי הן לענוש נכסין ולאסורין. מאי לשרושי הרדפה. אמר רב יהודה משמיה דרב מנדין לאלתר דמתפקר ושונין לאחר שלשים ומחרימין לאחר ששים. אמרו משמיה דרב חסדא מתרינן ביה שני וחמישי ושני ואח"כ מנדין אותו. והני מילי לממונא אבל לאפקירותא מנדין לאלתר בלא התראה. ההוא טבחא דאתפקר ברב טובי אימנו אביי ורבא ושמתי' אזל פייסיה לרב טובי אמר אביי היכי נעביד נישרי ליה לא חל שמתא עליה שלשים יום נשבקיה בשמתיה קא בעו רבנן לאפטורי. א"ל רב אידי בר אבין הכי אמר שמואל טוט אסר וטוט שרי. כלומר תקיעת השופר היא השמתא הקול שמכריז בתקיעת שופר הוא האוסר הוא המתיר כלומר אינו צריך ימים לחול עליה שמתא א"ל ה"מ לממונא אבל לאפקירותא עד דחייל עליה שמתא שלשים יום. דייקינן מדקאמר אביי בעי רבנן לאפטורי קסבר תלתא דשמיתו לא אתו תלתא אחרינא ושרו מאי ת"ש מנודה לרב מנודה לתלמיד מנודה לתלמיד אינו מנודה לרב מנודה לעירו מנודה לעיר אחרת. מנודה לעיר אחרת אינו מנודה לעירו. מנודה לנשיא מנודה לכל ישראל מנודה לכל ישראל אינו מנודה לנשיא. רשב"ג אומר אחד מן התלמידים שנידה ומת חלקו אינו מופר ש"מ תלת ש"מ מדקתני אחד מן התלמידים שנידה ומת וקתני נמי מנודה לתלמיד אינו מנודה לרב דייקינן מינה לרב אינו מנודה הא לכ"ע מנודה ש"מ תלמיד שנידה לכבודו נידויו נידוי ומדקתני ומת חלקו אינו מופר ש"מ דכל אחד מיפר חלקו. ש"מ נמי דלא אתו אחריני ושרו חלקו א' אמימר הלכתא א) דמשמתי מופר עד דאתו תלתא אחריני ושרו ליה. ת"ר אין נדוי פחות משלשים יום ואין נזיפה פחות משבעה ואע"פ שאין ראיה לדבר זכר לדבר שנאמר ויאמר ה' אל משה ואביה ירק ירק בפניה הלא תכלם שבעת ימים. אמר רב חסדא נידוי שלנו כנזיפה שלהן ונזיפה דידהו שבעה איני והא בר קפרא בעידנא דאמר ליה ר' בר קפרא איני מכירך מעולם וכן כדאמר ליה ר' לר' חייא ראה מה קורא לך בחוץ ידעו דנקיט מילתא עלייהו נהגו נזיפתא בנפשייהו תלתין יומין. ואסיקנא נזיפותא דנשיא תלתין יומין. סוגיא דשמעתא כך גזר

חשק שלמה על ר"ח א) נ"ל בי תלתא דשמיתו אתו בי תלתא אחרינא ושרו ליה א"ל רב אשי לאמימר והא תניא וכו' חלקו אינו מופר לא אינו מופר עד דאתו וכו'.

רש"י כת"י

הן למות הן לשרושי הן לענוש נכסין ולאסורין. התם כתו' בספר עזרא (ז). לשרושי. [לשרשו ו]לרדפו לאלתר כיון דלא ציית לדינא מנדין בשני ושונין בחמישי ומחרימין בשני. לממונא. לגזול ממון לחבירו ולא רצו לשלם על פי בית דין. אפקרותא. חוצפא שהעיז פניו לחרף תלמיד חכם. קא בעו רבנן למיעל. לבא לביתו שצריכין לו. [נ"א מפטרי רבנן ומיזל] אם לא תתיר עכשיו לא תוכל להתירו עוד שהחכמים [ש]הסכימו עמו בנידוי רוצין להפטר מעלי ולילך לדרכם לעריהם ואם ילכו שוב לא יהיה ניתר. [ע"פ רש"י ברי"ף]. טוט אסר וטוט שרי. בכ"ד מקומות מנדין (ברכות יט.) גימטריא טוט. בשופר נידוהו ובשופר התירוהו ואין צריך ל' יום. שמע מינה תלמיד שנידה. שלא לשם שמים אלא שהתרים כנגדו. נידויו נידוי. מדקתני מנודה לתלמיד אין מנודה לרב ואי לשם שמים שמתיה כגון שעבר עבירה אמאי אין מנודה לרב הא אין חכמה ואין תבונה לנגד יי' דבכל מקום שיש חלול השם אין חולקין כבוד לרב הא (לכל חכמה) [לכולי עלמא] מנודה. כל אחד ואחד מפר חלקו. מדקתני חלקו אינו מופר. שמע מינה. מיהך גופה דלא אתו ג' אחריני ושרו ליה. נזיפה. גערה וכדלקמן. נידוי שלנו. של בני בבל כנזיפה דארץ ישראל. רבי. אבוה דר' שמעון ברבי הוה. מה רבי אומר בדבר זה. אין רבי בעולם היודע. אמ' ליה לאבוה. לפי תומו ולא משום לישנא בישא. לאיתחזויי ליה. לבקר רבי שהיה חולה שקבל עליו ייסורין. אינו מכירך. רמז לו שאינו רוצה לראותו. דנקיט מלתא. שנתן הדבר ללבו. חמוקי ירכיך. כמו חמק עבר (שה"ש ה).

וְאַסְרִינַן – **and tie him** to a post in order to give him lashes,[43] וְעַבְדִינַן הַרְדָּפָה – **and we perform "pursuit"?**[44]

The Gemara responds:

דִּכְתִיב – **For it is written:** ,,הֵן לְמוֹת הֵן לִשְׁרֹשִׁי[45] הֵן־לַעֲנָשׁ נִכְסִין וְלֶאֱסוּרִין" – *Anyone who does not fulfill the Law of your God and the law of the king, judgment shall be swiftly executed against him,* ***whether to be put to death or uprooted*** *(lishroshi)* ***or to be punished with loss of property or with imprisonment.***[46]

The Gemara asks regarding a difficult word in the verse:

מַאי ,,לִשְׁרֹשִׁי" – **What is** meant by ***uprooting [lishroshi]?***

The Gemara responds:

אָמַר אַדָּא מָרִי אָמַר נְחֶמְיָה בַּר בָּרוּךְ – **Adda Mari said in the name of Nechemyah bar Baruch,** אָמַר רַב חִיָּיא בַּר אָבִין אָמַר רַב יְהוּדָה – who said it **in the name of Rav Chiya bar Avin,** who said it **in the name of Rav Yehudah:** הַרְדָּפָה – It means **pursuit [*hardafah*]** [i.e. we "uproot" him by pursuing him].

The Gemara seeks further clarification:

מַאי הַרְדָּפָה – And **what is** meant by **"pursuit"?**

The Gemara answers:

אָמַר רַב יְהוּדָה בְּרֵיהּ דְּרַב שְׁמוּאֵל בַּר שִׁילַת מִשְּׁמֵיהּ דְּרַב – **Rav Yehudah the son of Rav Shmuel bar Shilas said in the name of Rav:** מְנַדִּין לְאַלְתַּר – **We excommunicate** the disobedient individual **immediately,** וְשׁוֹנִין לְאַחַר שְׁלֹשִׁים – **and we repeat** the excommunication **after thirty** days if he has not repented,[47] וּמַחְרִימִין לְאַחַר שִׁשִּׁים – **and** then **we place** him **in *cherem* after sixty days** if he is still unrepentant. Thus, we "pursue" the disobedient individual [i.e. "perform *hardafah*"] by repeatedly excommunicating him.[48]

The Gemara presents a conflicting opinion:

אָמַר לֵיהּ רַב הוּנָא בַּר חִינָּנָא – **Rav Huna bar Chinana said to [Rav Yehudah]:** הָכִי אָמַר רַב חִסְדָּא – **Rav Chisda said thus:** מַתְרִין בֵּיהּ שֵׁנִי – **We warn [the disobedient individual] on Monday** and immediately excommunicate him, וַחֲמִישִׁי – **and** if he does not repent we warn him on **Thursday** and again immediately excommunicate him, וְשֵׁנִי – **and** if he is still unrepentant on the following **Monday,**[49] we place him in *cherem.*[50]

The Gemara qualifies Rav Chisda's ruling:

הָנֵי מִילֵּי לְמָמוֹנָא – **These words** apply only **to a monetary** case.[51] אֲבָל לְאַפְקִירוּתָא לְאַלְתַּר – **However, for** showing **contempt** to the Torah or a Torah scholar[52] one is excommunicated **immediately,** with no warnings.[53]

The Gemara records a related incident:

הַהוּא טַבָּחָא דְּאִיתְפַּקַּר בְּרַב טוֹבִי בַּר מַתְנָה – **A certain butcher** once **acted contemptuously toward Rav Tovi bar Masnah.** אִימְּנוּ עֲלֵיהּ אַבַּיֵי וְרָבָא – **Abaye and Rava were appointed** to investigate the matter[54] and to take appropriate action, וְשַׁמְּתוּהוּ – **and they excommunicated**[55] **him.** לְסוֹף אָזַל פַּיְיסֵיהּ לְבַעַל דִּינֵיהּ – **Eventually [the butcher] went** and **appeased his adversary,**[56] whereupon אָמַר אַבַּיֵי – **Abaye said** to his colleagues: הֵיכִי לֶיעֱבִיד – **How shall [this matter] be handled?** לִישְׁרֵי לֵיהּ – **To release him** from excommunication is impossible, לֹא חָל שַׁמְתָּא עֲלֵיהּ תְּלָתִין יוֹמִין – since **the *shamta*-ban has not been in force upon him thirty days.**[57] לֹא לִישְׁרֵי לֵיהּ – On the other hand, **not to release him** would also be impossible, קָא בָּעוּ רַבָּנָן לְמֵיעַל – since **the Rabbis need to come** to his house to purchase meat.[58] אָמַר לֵיהּ לְרַב אִידִי בַּר אָבִין – **[Abaye]** then **said to Rav Idi bar Avin:** מִידִי שְׁמִיעַ לָךְ בְּהָא – **Have you heard anything** from your teachers **regarding this** matter? אָמַר לֵיהּ – **[Rav Idi] said to [Abaye]:** הָכִי אָמַר רַב תַּחֲלִיפָא בַּר אַבִימִי אָמַר שְׁמוּאֵל – **Rav Tachalifa bar Avimi said thus in the name of Shmuel:** טוּט אָסַר וְטוּט שָׁרֵי – **A** shofar's **toot**[59] **restricted** him, **and a** shofar's **toot** can immediately **release him** from the ban. Although the ban has not been in effect for thirty days, the shofar blast that proclaimed his excommunication can now announce his release.[60]

NOTES

43. The Gemara is not referring to Biblical lashes. Rather, the court is empowered to beat this person with a rod in order to admonish him and to set an example for others (*Talmid R' Yechiel MiParis*).

44. The meaning of "performing *hardafa* (pursuit)" will be explained below. Cf. *Nimukei Yosef.*

45. [According to the Masoretic tradition, this word is read as the Gemara has recorded it – לִשְׁרֹשִׁי (*lishroshi*). However, it is written לשרשו, with a *vav* at the end.]

46. *Ezra* 7:26. This verse concludes a letter of instruction and authorization issued by King Artaxeres to Ezra upon the latter's ascent to Eretz Yisrael. In the previous verse the king had empowered Ezra to appoint *men who know the Law of your God* as judges. In our verse the king enumerates their powers.

[Since the king insisted that the judges be Torah scholars, it follows that the punishments they were authorized to impose were consistent with Jewish law.]

47. *Nimukei Yosef.*

48. *Rashi ms., Ritva.* See *Nimukei Yosef* and *Chidushei HaRan* for alternate explanations of the term.

49. [Monday and Thursday are mentioned because on those days the court held its regular sessions; see *Bava Kamma* 82a.]

50. This interpretation follows *Rashi* (as explained by *Tosafos*), and understands the dispute as follows: According to Rav Yehudah, it is necessary to wait thirty days between the first two *nidui* bans and between the second *nidui* ban and *cherem.* According to Rav Chisda, however, the court need wait only until its next regular session before imposing the next sanction.

In the opinion of most Rishonim, however, Rav Chisda is saying that before the imposition of even the first *nidui* ban the disobedient individual must be given three warnings – e.g. on Monday, on Thursday and on the following Monday [see *Tosafos* (second explanation), *Tos. HaRosh, Nimukei Yosef* and *Ritva*]. Only then does the regime of sanctions prescribed by Rav Yehudah commence. Rav Yehudah holds, on the other hand, that no week of prior warnings is necessary.

51. I.e. warnings are extended only where a defendant refuses to pay a monetary judgment awarded by a court (*Rashi, Rashi ms.;* but see *Tos. HaRosh, Ritva* et al., who prescribe a different procedure for that case, and explain that the Gemara speaks of where the defendant completely disregards a summons to appear for a monetary proceeding).

52. *Hagahos Asheri* to *Rosh* §5.

53. *Chidushei HaRan.*

54. [Along with a third judge.]

55. For the precise meaning of שַׁמְתָּא, see note 23 above.

56. Rav Tovi bar Masnah (*Nimukei Yosef*).

57. Abaye maintains that a *shamta*-ban must be in effect for a minimum of thirty days (*Rashi*).

58. Perhaps meeting the needs of the Rabbis is grounds for releasing the butcher from his ban (*Rashi, Rashi ms.;* see *Ritva*) [in view of the fact that he had propitiated Rav Tovi].

Hagahos HaGra, as well as a number of Rishonim (*Ran, Talmid R' Yechiel MiParis;* see also *Ritva*), emend the text to קָא בָּעַן רַבָּנַן לְמֵיזַל (*the rabbis sought to depart*), which means that the rabbis who had excommunicated him were planning to go their separate ways and would not be available to release him from the ban when the thirty-day period expired. And other rabbis are not permitted to release him, as we shall see below (see *Ritva*). See *Rabbeinu Chananel, Rif, Rashi ms.* and *Ritva* for other versions of the text.

59. See *Rashi* with *Menachem Meishiv Nefesh;* cf. *Rashi ms.,* who writes that the numerical value of טוט is 24, which alludes to the twenty-four occasions when excommunication is imposed (see *Berachos* 19a); see *Ritva* (quoting *Tosafos*) for another explanation of טוט.

60. That is to say, there is no need to wait the full thirty days, even where a person was excommunicated for insulting a Torah scholar, since

זו עשירית האיפה שלו. שמביא כהן הדיוט כשמחנכין אותו לעבוד תחילה כדכתיב (ויקרא ו) זה קרבן אהרן ובניו אשר יקריבו לה' ביום המשח אותו עשירית האיפה ואמרינן (מנחות דף נא:) ובניו לרבות עשירית האיפה של כהן הדיוט לחינוך ולאו אקראי דלעיל קאי אלא מלות כהנים בעלמא הוא דקאמר יחזקאל אלמא שלא היה יכול להקריב קרבנו עשירית האיפה עד שנטהר מטומאת מת והוא הדין מצרעתו: אמר רבא וכו'. איידי דאיירי במנודה מפרש להו: ומזמינין ליה לדינא. לבעל דין: זימנא בתר זימנא. דאי לא אתי ההוא זימנא קבעינן ליה זימנא אחריתי: קראו שם. שמתא כלומר שמתא לפרעה שהעביר המועד כלומר שהעביר אותו מועד ששמו אחר מועד ראשון: דאי מתפקר בשליחא דרבנן. כלומר שחירף שליח ב"ד ושליח אמר חירפני: העיני האנשים ההם תנקר. אי לאו דשליח דא"ל למשה משה לא הוה ידע: הכי סברא דגברא פלניא. דעת פלוני שבא לנדות את פלוני דצריך לנדותו משמו של אותו חכם: אמר מלאך ה'. ברק אמר לשמתו שהוא שלוחו של מקום: ומחרימין. בארור: ופרטינן חטאיה. דאמרי לאנשי עירו משום הכי והכי משמתינן ליה: כוכבא הוה. מזליה דסיסרא: דמפקרינן לנכסיה. דמאן דלא ציית להו לרבנן: יחרם (ג) הוא וכל רכושו. דהפקר ב"ד הפקר מהכא נפקא לן בכל דוכתי ט): ואריב עמם ואקללם. לאותם שהושיבו נשים נכריות: דכפתינן. ידיו ורגליו: ואסרינן ליה. שקושרין אותו על העמוד להלקותו: הרדפה. קא מפרש רב יהודה בריה דרב שמואל לרודפו מיד דכיון דלא ציית דינא מנדין אותו: ושונין. ומנדין אותו פעם אחרת: לממונא. שחייב ממון לחבירו ולא רצה לשלם ע"פ ב"ד: לאפקירותא. מבזה תלמידי חכמים: לא חל עליה שמתא ל' יום. ואין שמתא פחותה מל' יום: קא בעו רבנן למיעל. שצריכין לו: טוט אסר טוט שרי. כלומר מאי למישרי ליה אע"ג דלא חל עליה ל' יום דאותו שופר שנדוהו יכול להתיר לו ומישרי ליה בתוך ל' יום: לא אתו אחריני ושרו ליה. מדמהדר איהו נפשיה למישרי: שנידה לכבודו. ולא לשם שמים אלא שהתריז נגדו ודאי כיון דתני אין מנודה לרב ודאי לא נידה אלא בשביל כבודו דאי במילי דאיסורא הוי כמי שמנודה לרב דאין חכמה ואין עצה וגו' (משלי כא) וקתני אין מנודה לרב אבל לכולי עלמא מנודה: כל אחד מיפר חלקו. מדקתני חלקו אינו מופר: לא אתו אחריני ושרו. מדקתני חלקו אינו מופר לעולם אפי' שרו ליה אחריני: נזיפה. גערה כדלקמן: נדוי שלנו. בני בבל: כנזיפה שלהן. ארץ ישראל: צריך רבי. רבי אבוה דר"ש הוה: מה רבי אומר בדבר זה. אין רבי בעולם היודע דבר זה: א"ל לאבוה. לפי תומו ולאו משום לישנא בישא: לאיתחזויי ליה. לבקר את רבי שהיה חולה שקבל עליו יסורין: אמר ליה בר קפרא איני מכירך. רמז לו שאינו רוצה לראותו: חמוקי ירכיך. כמו חמק עבר (שיר ה): אף

זו עשירית האיפה שלו דברי רבי יהודה ר"ש אומר א) [א] בבאו יקריב בזמן שראוי לביאה ראוי להקרבה בזמן שאינו ראוי לביאה אינו ראוי להקרבה אמר רבא (א) מנלן [א] דמשדרין שליחא דבי דינא ומזמנינן ליה לדינא דכתיב ב) וישלח משה לקרא לדתן ולאבירם בני אליאב ומנלן דמזמנינן לדינא דכתיב ג) ויאמר משה אל קרח אתה וכל עדתך לקמי גברא רבה דכתיב ג) לפני ה' את ופלניא דכתיב אתה והם ואהרן [ב] דקבעינן זימנא דכתיב מחר [ג] זימנא בתר זימנא דכתיב ד) קראו שם פרעה מלך מצרים שאון העביר המועד ומנלן [ד] דאי מתפקר בשליחא דבי דינא ואתי ואמר לא מיתחזי כלישנא בישא דכתיב ה) העיני האנשים ההם תנקר [ה] ומנלן דמשמתינן דכתיב ו) אורו מרוז דהכי סברא דגברא [ו] רבה דכתיב ו) אמר מלאך ה' ומנלן דמחרמינן דכתיב אורו ארור [ו] דאכיל ושתי בהדיה וקאי בארבע אמות דידיה דכתיב יושביה ומנלן [ז] דפרטינן חטאיה בציבורא דכתיב ו) כי לא באו לעזרת ה' ואמר עולא [ג] בד' מאה שיפורי שמתיה ברק למרוז איכא דאמרי גברא רבה הוה ואיכא דאמרי כוכבא הוה שנאמר ז) מן שמים נלחמו הכוכבים ומנלן [ח] דמפקרינן נכסיה דכתיב ח) וכל אשר לא יבא לשלשת הימים בעצת השרים והזקנים יחרם כל רכושו והוא יבדל מקהל הגולה ומנלן [ט] דנצינן וליטינן ומחינן ותלשינן שיער ומשבעינן דכתיב ט) ואריב עמם ואקללם ואכה מהם אנשים ואמרטם ואשביעם ומנלן [י] דכפתינן ואסרינן ועבדינן הרדפה דכתיב י) הן למות הן לשרושי הן לענש נכסין ולאסורין מאי לשרושי אמר אדא מרי אמר נחמיה בר ברוך אמר רב חייא בר אבין אמר רב יהודה הרדפה מאי הרדפה אמר רב יהודה בריה דרב שמואל בר שילת משמיה דרב מנדין לאלתר [כ] ושונין לאחר ל' ומחרימין לאחר ששים א"ל רב הונא בר חיננא הכי אמר רב חסדא [ל] מתרין ביה שני וחמישי ושני [מ] ה"מ לממונא אבל לאפקירותא לאלתר ההוא טבחא דאיתפקר ברב טובי בר מתנה אימנו עליה אביי ורבא ושמתוהו לסוף אזל פייסיה לבעל דיניה אמר אביי היכי ליעביד לישרי ליה לא חל שמתא עליה תלתין יומין לא לישרי ליה קא בעו רבנן [א] למיעל א"ל לרב אידי בר אבין מידי שמיע לך בהא א"ל הכי אמר רב תחליפא בר אבימי אמר שמואל ד) [נ] טוט אסר וטוט שרי אמר ליה ה"מ לממונא אבל לאפקירותא עד דחיילא שמתא עליה תלתין יומין אלמא קסבר אביי הני בי תלתא דשמיתו לא אתו תלתא אחריני ושרו ליה דאיבעיא להו הני בי תלתא דשמיתו מהו למיתי תלתא אחריני ושרו ליה ת"ש ה) [ס] מנודה לרב מנודה לתלמיד מנודה ו) לתלמיד אינו מנודה לרב [ע] מנודה לעירו מנודה לעיר אחרת מנודה לעיר אחרת אינו מנודה לעירו [פ] מנודה לנשיא מנודה לכל ישראל מנודה לכל ישראל אינו מנודה לנשיא רשב"ג אומר אחד מן התלמידים שנידה ומת חלקו אינו מופר ש"מ תלת שמע מינה [צ] תלמיד שנידה לכבודו נידויו נידוי ושמע מינה [ק] כל אחד ואחד מיפר חלקו וש"מ הני בי תלתא דשמיתו לא אתו תלתא אחריני ושרו ליה אמר אמימר הלכתא הני בי תלתא דשמיתו [ר] אתו בי תלתא אחריני ושרו ליה א"ל רב אשי לאמימר והא תניא רשב"ג אומר אחד מן התלמידים שנידה ומת חלקו אינו מופר מאי לאו אינו מופר כלל לא עד דאתו בי תלתא אחריני ושרו ליה ת"ר [ש] אין נידוי פחות מל' יום ואין נזיפה פחות מז' ימים ואף על פי שאין ראיה לדבר זכר לדבר שנאמר כ) ואביה ירק ירק בפניה הלא תכלם שבעת ימים אמר רב חסדא [ת] נידוי שלנו כנזיפה שלהן ונזיפה דידהו שבעה ותו לא והא ר"ש בר רבי ובר קפרא הוו יתבי וקא גרסי קשיא להו שמעתא א"ל ר"ש לבר קפרא דבר זה צריך רבי א"ל בר קפרא לר"ש ומה רבי אומר בדבר זה אזל א"ל לאבוה איקפד אתא בר קפרא לאיתחזויי ליה א"ל בר קפרא איני מכירך מעולם ידע דנקט מילתא בדעתיה נהג נזיפותא בנפשיה תלתין יומין שוב פעם אחד גזר רבי שלא ישנו לתלמידים בשוק מאי דרש ז) ל) חמוקי ירכיך ח) כמו חלאים מה ירך בסתר

מתרין בו שני וחמישי ושני. פירש בקונטרס שני מתרין בו תחילה ומנדין אותו וכן בחמישי ובשני אחר מחרימין וא"ל שלשים יום ויש מפרשים קודם שינדוהו כלל יתרו בו וכן משמע בפרק הגוזל בתרא (ב"ק דף קיג.):

מסורת הש"ס

א) [נ"ל וביום בואו], ב) ס"א פלניא, ג) [שבועות לו.], ד) [עי' תוספות מנחות לד: ד"ה טט], ה) [לקמן יז.], ו) [עי' תוספות סנהדרין ח. ד"ה מפיקנא], ז) [סוכה מט: ע"ש], ח) [כמו חלאים אין חלאים אלא רבנן כדגרסינן בנדרים מט. והן שמתעסקין בתורה שהיא מעשה ידי אומן. ערוך בערך חמק], ט) [יבמות פט:].

הגהות הב"ח

(א) גמ' אמר רבא מנלן דקבעינן דוכתא ומשדרינן שליחא דבי דינא דכתיב וישלח כו' כצ"ל ותיבות ומזמנינן ליה לדינא נמחק: (ב) רש"י ד"ה יחרם כל רכושו כו' ותיבת הוא נמחק:

הגהות הגר"א

[א] גמ' למיעל. נ"ב נ"א למיזל [ועיין ר"ן ופרש"י שברי"ף]:

תורה אור השלם

א) וּבְיוֹם בֹּאוֹ אֶל הַקֹּדֶשׁ אֶל הֶחָצֵר הַפְּנִימִית לְשָׁרֵת בַּקֹּדֶשׁ יַקְרִיב חַטָּאתוֹ נְאֻם אֲדֹנָי יְיָ: [יחזקאל מד, כז]

ב) וַיִּשְׁלַח מֹשֶׁה לִקְרֹא לְדָתָן וְלַאֲבִירָם בְּנֵי אֱלִיאָב וַיֹּאמְרוּ לֹא נַעֲלֶה: [במדבר טז, יב]

ג) וַיֹּאמֶר מֹשֶׁה אֶל קֹרַח אַתָּה וְכָל עֲדָתְךָ הֱיוּ לִפְנֵי יְיָ אַתָּה וָהֵם וְאַהֲרֹן מָחָר: [במדבר טז, טז]

ד) קָרְאוּ שָׁם פַּרְעֹה מֶלֶךְ מִצְרַיִם שָׁאוֹן הֶעֱבִיר הַמּוֹעֵד: [ירמיה מו, יז]

ה) אַף לֹא אֶל אֶרֶץ זָבַת חָלָב וּדְבַשׁ הֲבִיאֹתָנוּ וַתִּתֶּן לָנוּ נַחֲלַת שָׂדֶה וָכָרֶם הַעֵינֵי הָאֲנָשִׁים הָהֵם תְּנַקֵּר לֹא נַעֲלֶה: [במדבר טז, יד]

ו) אוֹרוּ מֵרוֹז אָמַר מַלְאַךְ יְיָ אֹרוּ אָרוֹר יֹשְׁבֶיהָ כִּי לֹא בָאוּ לְעֶזְרַת יְיָ לְעֶזְרַת יְיָ בַּגִּבּוֹרִים: [שופטים ה, כג]

ז) מִן שָׁמַיִם נִלְחָמוּ הַכּוֹכָבִים מִמְּסִלּוֹתָם נִלְחֲמוּ עִם סִיסְרָא: [שופטים ה, כ]

ח) וְכֹל אֲשֶׁר לֹא יָבוֹא לִשְׁלֹשֶׁת הַיָּמִים כַּעֲצַת הַשָּׂרִים וְהַזְּקֵנִים יָחֳרַם כָּל רְכוּשׁוֹ וְהוּא יִבָּדֵל מִקְּהַל הַגּוֹלָה: [עזרא י, ח]

ט) וָאָרִיב עִמָּם וָאֲקַלְלֵם וָאַכֶּה מֵהֶם אֲנָשִׁים וָאֶמְרְטֵם וָאַשְׁבִּיעֵם בֵּאלֹהִים אִם תִּתְּנוּ בְנֹתֵיכֶם לִבְנֵיהֶם וְאִם תִּשְׂאוּ מִבְּנֹתֵיהֶם לִבְנֵיכֶם וְלָכֶם: [נחמיה יג, כה]

י) וְכָל דִּי לָא לֶהֱוֵא עָבֵד דָּתָא דִי אֱלָהָךְ וְדָתָא דִּי מַלְכָּא אָסְפַּרְנָא דִּינָה לֶהֱוֵא מִתְעֲבֵד מִנֵּהּ הֵן לְמוֹת הֵן לִשְׁרֹשִׁי הֵן לַעֲנָשׁ נִכְסִין וְלֶאֱסוּרִין: [עזרא ז, כו]

כ) וַיֹּאמֶר יְיָ אֶל מֹשֶׁה וְאָבִיהָ יָרֹק יָרַק בְּפָנֶיהָ הֲלֹא תִכָּלֵם שִׁבְעַת יָמִים תִּסָּגֵר שִׁבְעַת יָמִים מִחוּץ לַמַּחֲנֶה וְאַחַר תֵּאָסֵף: [במדבר יב, יד]

ל) מַה יָּפוּ פְעָמַיִךְ בַּנְּעָלִים בַּת נָדִיב חַמּוּקֵי יְרֵכַיִךְ כְּמוֹ חֲלָאִים מַעֲשֵׂה יְדֵי אָמָּן: [שיר השירים ז, ב]

עין משפט נר מצוה

נ א ב ג מיי' פכ"ה מהלכות סנהדרין הל' ח טוש"ע ח"מ סימן יא סעיף א:
נא ד מיי' שם הלכה ו סמג לאוין רח טוש"ע שם וסימן ח סעיף ה בהג"ה:
נב ה מיי' שם הלכה ח ופ"ו מהלכות ת"ת הלכה יד ופכ"ד מהלכות סנהדרין הלכה ז טוש"ע ח"מ סימן ב וטוש"ע י"ד סימן שלד סעיף מג:
נג ו מיי' פ"ז מהלכות ת"ת הלכה יג טוש"ע י"ד סי' שלד סעיף ט:
נד ז מיי' פכ"ד מהל' סנהדרין הלכה ז:
נה ח מיי' שם הלכה ו טוש"ע ח"מ סימן ב בהג"ה:
נו ט י מיי' שם הלכה ח והלכה ט:
נז כ מיי' פ"ז מהלכות ת"ת הלכה ד טוש"ע י"ד סימן שלד סעיף א:
נח ל מיי' פכ"ה מהל' סנהדרין הלכה ח טוש"ע י"ד סימן שלד סעיף א בהג"ה וטוש"ע ח"מ סימן ק סעיף ג:
נט מ מיי' פ"ז מהלכות ת"ת הל' יג טוש"ע י"ד סימן שלד סעיף א:
ס נ מיי' שם הל' ב טוש"ע י"ד סי' שלד סעי' יג:
סא ס מיי' פ"ז שם הל' יג טוש"ע שם סעיף טו:
סב ע מיי' שם טוש"ע שם סעיף כ:
סג פ מיי' שם טוש"ע שם סעיף כא:
סד צ מיי' שם טוש"ע שם סעיף מה:
סה ק טוש"ע שם סעיף כו:
סו ר מיי' פ"ז שם הל' ט טוש"ע שם סעיף כה:
סז ש ת טוש"ע שם סעיף א:

רבינו חננאל

ר"ש אומר כתיב כאן בבאו יקריב עצמו בזמן שראוי לבא בקדש יקריב בזמן שאינו ראוי לביאה אינו ראוי להקרבה. אמר רבא מנ"ל דמשדרינן שליחא מבי דינא ומזמנינן ליה לדינא לקמיה גברא רבה שנאמר ויאמר משה אל קרח אתה וכל עדתך היו לפני ה' ופלניא בעל דינך שנא' אתה והם ואהרן ומנ"ל דקבעינן להו זימנא שנאמר מחר. ומנ"ל דקבעינן זימנא בתר זימנא שנאמר קראו שם פרעה מלך מצרים שאון העביר המועד. העביר המועד שקבעו לו מועד ולא נענש עד אחר כן. מנ"ל דאי מתפקר בשליחא דבי דינא ואתי שליחא ומחוי ליתיה לישנא בישא שנאמר העיני האנשים ההם תנקר לא נעלה ומנ"ל דמשמתינן בהרמנא דגברא רבה שנאמר אורו מרוז אמר וגו' ומנ"ל דמחרמינן ליה נמי דכתיב אורו ארור ומנ"ל דמחרמינן על כל מאן דאכיל ושתי בהדיה וקאי בד' אמות דיליה שנאמר אורו ארור יושביה. ומנ"ל דפרטינן חטאיה שנאמר כי לא באו לעזרת ה' פי' לעזרת עם ה'. איכא דאמרי מרוז אדם גדול הוה ואיכא דאמרי כוכבא הוה והאי דכתיב יושביה כענין עייש על בניה תנחם. ומנ"ל דמאן דמתפקר אבי דינא מפקרינן נכסיה שנאמר וכל אשר לא יבא לשלשת הימים בעצת השרים והזקנים יחרם כל רכושו והוא יבדל מקהל הגולה. ומנ"ל דנצינן ולטינן ומחינן ומתלשינן שיער ומשבעינן דכתיב ואריב עמם ואקללם ואכה מהם אנשים ואמרטם ואשביעם וגו' ומנ"ל דכפתינן ואסרינן ועבדינן הרדפה שנאמר הן למות הן לשרושי הן לענוש נכסין ולאסורין. מאי לשרושי הרדפה. אמר רב יהודה משמיה דרב מנדין לאלתר דמתפקר ושונין לאחר שלשים ומחרימין לאחר ששים. אמרו משמיה דרב חסדא מתרינן ביה שני וחמישי ושני ואח"כ מנדין אותו. והני מילי לממונא אבל לאפקירותא מנדין לאלתר בלא התראה. ההוא טבחא דאתפקר ברב טובי אימנו אביי ורבא ושמתי' אזל פייסיה לרב טובי אמר אביי היכי נעביד נישרי ליה לא חל שמתא עליה שלשים יום נשבקיה בשמתיה קא בעו רבנן לאפטורי. א"ל רב אידי בר אבין הכי אמר שמואל טוט אסר וטוט שרי. כלומר תקיעת השופר היא השמתא הקול שמכריז בתקיעת שופר הוא האוסר הוא המתיר כלומר אינו צריך ימים לחול עליה שמתא א"ל ה"מ לממונא אבל לאפקירותא עד דחייל עליה שמתא שלשים יום. דייקינן מדקאמר אביי בעי רבנן לאפטורי קסבר תלתא דשמיתו לא אתו תלתא אחרינא ושרו מאי ת"ש מנודה לרב מנודה לתלמיד מנודה לתלמיד אינו מנודה לרב מנודה לעירו מנודה לעיר אחרת. מנודה לעיר אחרת אינו מנודה לעירו. מנודה לנשיא מנודה לכל ישראל מנודה לכל ישראל אינו מנודה לנשיא. רשב"ג אומר אחד מן התלמידים שנידה ומת חלקו אינו מופר ש"מ תלת ש"מ מדקתני אחד מן התלמידים שנידה ומת וקתני נמי מנודה לתלמיד אינו מנודה לרב דייקינן מינה לרב אינו מנודה הא לכ"ע מנודה ש"מ תלמיד שנידה לכבודו נידויו נידוי ומדקתני ומת חלקו אינו מופר ש"מ דכל אחד מיפר חלקו. ש"מ נמי דלא אתו אחריני ושרו חלקו א' אמימר הלכתא א) דמשמתי מופר עד דאתו תלתא אחריני ושרו ליה. ת"ר אין נדוי פחות משלשים יום ואין נזיפה פחות משבעה ואע"פ שאין ראיה לדבר זכר לדבר שנאמר ויאמר ה' אל משה ואביה ירק ירק בפניה הלא תכלם שבעת ימים. אמר רב חסדא נידוי שלנו כנזיפה שלהן ונזיפה דידהו שבעה איני והא בר קפרא בעידנא דאמר ליה ר' בר קפרא איני מכירך מעולם וכן כדאמר ליה ר' לר' חייא ראה מה קורא לך בחוץ ידעו דנקיט מילתא עלייהו נהגו נזיפתא בנפשייהו תלתין יומין. ואסיקנא נזיפותא דנשיא תלתין יומין. סוגיא דשמעתא כך גזר

חשק שלמה על ר"ח א) נ"ל בי תלתא דשמיתו אתו בי תלתא אחרינא ושרו ליה א"ל רב אשי לאמימר והא תניא וכו' חלקו אינו מופר לא אינו מופר עד דאתו וכו'.

רש"י כת"י

הן למות הן לשרושי הן לענוש נכסין ולאסורין. התם כתו' בספר עזרא (ז). לשרושי. [לשרשו ו]לרדפו לאלתר כיון דלא ציית לדינא מנדין בשני ושונין בחמישי ומחרימין בשני. לממונא. לגזול ממון לחבירו ולא רצו לשלם על פי בית דין. אפקרותא. חוצפא שהעיז פניו לחרף תלמיד חכם. קא בעו רבנן למיעל. לבא לביתו שצריכין לו. [ל"א מפטרי רבנן ומיזל] אם לא תתיר עכשיו לא תוכל להתירו עוד שהחכמים [ש]הסכימו עמו בנידוי רוצין להפטר מעלי ולילך לדרכם לעריהם ואם ילכו שוב לא יהיה ניתר. [ע"פ רש"י ברי"ף]. טוט אסר וטוט שרי. בכ"ד מקומות מנדין (ברכות יט.) גימטריא טוטו. בשופר נידוהו ובשופר התירוהו ואין צריך ל' יום. שמע מינה תלמיד שנידה. שלא לשם שמים אלא שהתרים כנגדו. נידויו נידוי. מדקתני מנודה לתלמיד אין מנודה לרב ואי לשם שמים שמתיה כגון שעבר עבירה אמאי אין מנודה לרב הא אין חכמה ואין תבונה לנגד יי' דבכל מקום שיש חלול השם אין חולקין כבוד לרב הא (לכל חכמה) [לכולי עלמא] מנודה. כל אחד ואחד מפר חלקו. מדקתני חלקו אינו מופר. שמע מינה. מיהך גופה דלא אתו ג' אחריני ושרו ליה. נזיפה. גערה וכדלקמן. נידוי שלנו. של בני בבל כנזיפה דארץ ישראל. רבי. אבוה דר' שמעון ברבי הוה. מה רבי אומר בדבר זה. אין רבי בעולם היודע. אמ' ליה לאבוה. לפי תומו ולא משום לישנא בישא. לאיתחזויי ליה. לבקר רבי שהיה חולה שקבל עליו ייסורין. אינו מכירך. רמז לו שאינו רוצה לראותו. דנקיט מלתא. שנתן הדבר ללבו. חמוקי ירכיך. כמו חמק עבר (שה"ש ה).

Abaye rejects the proof:

אָמַר לֵיהּ – **[Abaye] said to [Rav Idi]:** הָנֵי מִילֵּי לְמָמוֹנָא – **These words** of Shmuel **apply to** an excommunication stemming from **a monetary** case. אֲבָל לְאַפְקִירוּתָא – **However,** if one was excommunicated **for** showing **contempt** to the Torah or a Torah scholar, which is the case at hand, עַד דְּחָיְילָא שַׁמְתָּא עֲלֵיהּ תְּלָתִין יוֹמִין – he cannot be released **until the** ***shamta*** **-ban has been in force upon him thirty days.** Hence, Shmuel's dictum does not apply here.

The Gemara derives from this incident an answer to an unresolved legal question:

אַלְמָא קָסָבַר אַבַּיֵי – From here **we see** that **Abaye holds** הָנֵי בֵּי תְּלָתָא דְּשַׁמְּתוּהוּ – that in the case of **those three** judges **who excommunicated** an individual, לֹא אָתוּ תְּלָתָא אַחֲרִינֵי וְשָׁרוּ לֵיהּ – **three other** judges **may not come along and release him** from his ban. Rather, only the judges who pronounced the ban are empowered to terminate it.[61]

The Gemara now commences a discussion of this very question:

דְּאִיבַּעְיָא לְהוּ – **For they have inquired** in the academy: הָנֵי בֵּי תְּלָתָא דְּשַׁמְּתוּהוּ – Regarding **those three** judges **who excommunicated** a person, מַהוּ לְמֵיתֵי תְּלָתָא אַחֲרִינֵי וְשָׁרוּ לֵיהּ – **is it** permissible **to bring three other** judges **and have them release him?**[62]

The Gemara responds:

תָּא שְׁמַע – **Come, hear** an answer from a Baraisa: מְנוּדֶּה לָרַב מְנוּדֶּה לַתַּלְמִיד – One who is EXCOMMUNICATED TO THE TEACHER[63] IS EXCOMMUNICATED also TO THE STUDENT.[64] מְנוּדֶּה לַתַּלְמִיד אֵינוֹ מְנוּדֶּה לָרַב – However, one who is EXCOMMUNICATED TO THE STUDENT[65] IS NOT EXCOMMUNICATED TO THE TEACHER.[66] מְנוּדֶּה לְעִירוֹ מְנוּדֶּה לְעִיר אַחֶרֶת – One who is EXCOMMUNICATED TO the inhabitants of HIS CITY[67] IS EXCOMMUNICATED also TO the inhabitants of ANOTHER CITY.[68] מְנוּדֶּה לְעִיר אַחֶרֶת אֵינוֹ מְנוּדֶּה לְעִירוֹ – However, one who is EXCOMMUNICATED TO the inhabitants of ANOTHER CITY IS NOT EXCOMMUNICATED TO the inhabitants of HIS CITY.[69] מְנוּדֶּה לַנָּשִׂיא מְנוּדֶּה לְכָל יִשְׂרָאֵל – One who is EXCOMMUNICATED TO THE *NASI* IS EXCOMMUNICATED TO ALL OF ISRAEL. מְנוּדֶּה לְכָל יִשְׂרָאֵל אֵינוֹ מְנוּדֶּה לַנָּשִׂיא – However, one who is EXCOMMUNICATED TO ALL OF ISRAEL IS NOT EXCOMMUNICATED TO THE *NASI.*[70] רַבָּן שִׁמְעוֹן בֶּן גַּמְלִיאֵל אוֹמֵר – RABBAN SHIMON BEN GAMLIEL SAYS: אֶחָד מִן הַתַּלְמִידִים שֶׁנִּידָּה וּמֵת – In the case of ONE OF THE STUDENTS WHO EXCOMMUNICATED another person AND then DIED, חֶלְקוֹ אֵינוֹ מוּפָר – HIS PORTION of the ban IS NOT REVOKED by another.[71]

The Gemara draws the following conclusions:

שְׁמַע מִינָּהּ תְּלָת – **Derive from [the Baraisa] three** laws: שְׁמַע מִינָּהּ תַּלְמִיד שֶׁנִּידָּה לִכְבוֹדוֹ – **Derive from it** that in the case of **a student who excommunicated** another person **for his** own **honor,** נִידּוּיוֹ נִידּוּי – **his excommunication is a** valid **excommunication.**[72] וּשְׁמַע מִינָּהּ כָּל אֶחָד וְאֶחָד מֵיפֵר חֶלְקוֹ – **And derive from it** that **each and everyone** who participated in issuing a ban must **revoke his** own **portion.**[73] וּשְׁמַע מִינָּהּ הָנֵי בֵּי תְּלָתָא דְּשַׁמְּתוּהוּ – **And,** finally, **derive from it** that in the case of **those three** judges **who excommunicated** an individual, לֹא אָתוּ תְּלָתָא אַחֲרִינֵי וְשָׁרוּ לֵיהּ – **three other** judges **may not come along and release him** from his ban.[74]

NOTES

appeasement and reconciliation have taken place (*Rashi,* as explained by *Ritva*).

Meiri and *Chidushei HaRan* explain the Gemara differently: The Rabbis were concerned that the premature lifting of a ban (i.e. within thirty days) would undermine the excommunication penalty since people – unaware of the ban's termination – would see the excommunicate interacting freely in society and wonder why. Shmuel thus assured his colleagues that this is not a concern, for the same shofar blast that informed people of an excommunication's inception is also used to notify them of its premature termination (see also *Matzeves Moshe*). [According to *Meiri,* then, an actual second shofar blast is essential; according to *Rashi's* view of the Gemara, it is not (see *Ritva* ibid.).]

61. The proof that Abaye holds this way is the fact that he, one of the judges who excommunicated the butcher, specifically tried to participate personally in lifting the ban (*Rashi*).

According to the Rishonim who emended the text above to קָא בָּעֵן רַבָּנָן לְמֵיזַל (*the rabbis sought to depart* – see note 58), the proof lies simply in the fact that those rabbis were about to disperse and Abaye was concerned that they would be unavailable to lift the ban (see *Ritva* ד״ה קא בעי רבנן מיזל).

62. For a discussion of whether a judicial release of any sort is required for a ban whose time has run its course, see *Ritva* in ד״ה הכי אמר שמואל.

63. I.e. even for an indignity that does not rise to the level of contempt (אַפְקִירוּתָא) [*Ritva*]. Since he committed only an ordinary act of disrespect, he is excommunicated only to the teacher (and his students) [see notes 66 and 72 below].

64. I.e. he is excommunicated to all of that teacher's students (*Nimukei Yosef*). *Ran* opines that he is excommunicated to the entire city. See *Tur Yoreh Deah* 334 with *Beis Yosef,* and see *Shach* ibid. §30.

65. I.e. the student's honor was slighted but the affront did not constitute "contempt" (*Ritva*).

66. Nor is he excommunicated to *any* scholar greater than the insulted student (*Ritva*).

Raavad (cited by *Ritva* and *Rosh;* see also *Nimukei Yosef*) refers to the excommunicate under discussion as a "partial excommunicate" (מְנוּדֶּה לַחֲצָאִין). *Raavad* maintains that the offender is not subject to those restrictions (discussed above, 15a) that render *nidui* a form of mourning. Rather, he is penalized only in that the people to whom he is specifically excommunicated [e.g. a teacher and his students] must distance themselves from him in order to embarrass him.

67. For committing against them an indignity that does not rise to the level of "contempt" against the Torah (*Ritva;* cf. *Bach* to *Yoreh Deah* 334 ד״ה מנודה לעירו; see also *Meiri*).

68. I.e. another city of equal or lesser size, but not a larger one (*Raavad,* cited by *Ritva*).

69. Residents of the other city simply lack the authority to excommunicate a person to the residents of his own town as well. However, their excommunication does extend to residents of other cities that are equal (or smaller) in size (*Nimukei Yosef, Ritva;* see *Meiri* for a dissenting opinion). [Some Rishonim (e.g. *Nimukei Yosef*) focus on prominence, not size.]

70. *Nasi* was the title conferred upon the head of the community in *Eretz Yisrael.* [*Meiri* implies that this law applies to the established and undisputed leader of any generation.] As before, the Baraisa speaks of a "partial excommunicate" (*Meiri;* see note 66 above).

71. For example, if a person was placed in *nidui* by three people and one of them died, the remaining two cannot release the excommunicate unless the deceased had given permission prior to his demise (*Chidushei HaRan*).

72. This is the second case of the Baraisa. As *Ritva and Nimukei Yosef* explain, the student excommunicated someone for slighting his honor, not for transgressing a prohibition of the Torah. (Had that been the case, even the teacher would be bound to observe the ban.) Nevertheless, the Baraisa teaches that the student's act of excommunicating is effective, for by stating that the sinner "is not excommunicated to the teacher," it implies that he is excommunicated to everyone else (*Rashi;* see *Menachem Meishiv Nefesh,* who deletes the first וַדַּאי in the text of *Rashi*).

73. This is implied by Rabban Shimon ben Gamliel's statement: "[If] one of the [excommunicators] died, his portion is not revoked" (*Rashi, Rashi ms.;* cf. *Nimukei Yosef*).

74. This, too, is derived from Rabban Shimon's statement, since "his portion is not revoked" implies that it is *never* revoked – i.e. even if another court attempts to do so (*Rashi*). See, however, Gemara below.

זו עשירית האיפה שלו דברי רבי יהודה ר"ש אומר בבאו יקריב בזמן שראוי לביאה ראוי להקרבה בזמן שאינו ראוי לביאה אינו ראוי להקרבה אמר רבא (א) מנלן דמשדרין שליחא דבי דינא ומזמנינן ליה לדינא דכתיב וישלח משה לקרא לדתן ולאבירם בני אליאב ומנלן דמזמנינן לדינא דכתיב ויאמר משה אל קרח אתה וכל עדתך לקמי גברא רבה דכתיב לפני ה' את ופלניא דכתיב אתה והם ואהרן דקבעינן זימנא דכתיב מחר זימנא בתר זימנא דכתיב קראו שם פרעה מלך מצרים שאון העביר המועד ומנלן דאי מתפקר בשליחא דבי דינא ואתי ואמר לא מיתחזי כלישנא בישא דכתיב העיני האנשים ההם תנקר ומנלן דמשמתינן דכתיב אורו מרוז דהכי סברא דגברא רבה דכתיב אמר מלאך ה' ומנלן דמחרמינן דכתיב אורו ארור דאכיל ושתי בהדיה וקאי בארבע אמות דידיה דכתיב יושביה ומנלן דפרטינן חטאיה בציבורא דכתיב כי לא באו לעזרת ה' ואמר עולא בד' מאה שיפורי שמתיה ברק למרוז איכא דאמרי גברא רבה הוה ואיכא דאמרי כוכבא הוה שנאמר מן שמים נלחמו הכוכבים ומנלן דמפקרינן נכסיה דכתיב וכל אשר לא יבא לשלשת הימים בעצת השרים והזקנים יחרם כל רכושו והוא יבדל מקהל הגולה ומנלן דנצינן ולייטינן ומחינן ותלשינן שיער ומשבעינן דכתיב ואריב עמם ואקללם ואכה מהם אנשים ואמרטם ואשביעם ומנלן דכפתינן ואסרינן ועבדינן הרדפה דכתיב הן למות הן לשרושי הן לענש נכסין ולאסורין מאי לשרושי אמר אדא מרי אמר נחמיה בר ברוך אמר רב חייא בר אבין אמר רב יהודה הרדפה מאי הרדפה אמר רב יהודה בריה דרב שמואל בר שילת משמיה דרב מנדין לאלתר ושונין לאחר ל' ומחרימין לאחר ששים א"ל רב הונא בר חיננא הכי אמר רב חסדא מתרין ביה שני וחמישי ושני ה"מ לממונא אבל לאפקירותא לאלתר ההוא טבחא דאיתפקר ברב טובי בר מתנה אימנו עליה אביי ורבא ושמתוהו לסוף אזל פייסיה לבעל דיניה אמר אביי היכי ליעביד לישרי ליה לא חל שמתא עליה תלתין יומין לא לישרי ליה קא בעו רבנן [א]למיעל א"ל לרב אידי בר אבין מידי שמיע לך בהא א"ל הכי אמר רב תחליפא בר אבימי אמר שמואל טוט אסר וטוט שרי אמר ליה ה"מ לממונא אבל לאפקירותא עד דחיילא שמתא עליה תלתין יומין אלמא קסבר אביי הני בי תלתא דשמיתו לא אתו תלתא אחריני ושרו ליה דאיבעיא להו הני בי תלתא דשמיתו מהו למיתי תלתא אחריני ושרו ליה ת"ש מנודה לרב מנודה לתלמיד מנודה לתלמיד אינו מנודה לרב מנודה לעירו מנודה לעיר אחרת מנודה לעיר אחרת אינו מנודה לעירו מנודה לנשיא מנודה לכל ישראל מנודה לכל ישראל אינו מנודה לנשיא רשב"ג אומר אחד מן התלמידים שנידה ומת חלקו אינו מופר ש"מ תלת שמע מינה תלמיד שנידה לכבודו נידויו נידוי ושמע מינה כל אחד ואחד מיפר חלקו וש"מ הני בי תלתא דשמיתו לא אתו תלתא אחריני ושרו ליה אמר אמימר הלכתא הני בי תלתא דשמיתו אתו בי תלתא אחריני ושרו ליה א"ל רב אשי לאמימר והא תניא רשב"ג אומר אחד מן התלמידים שנידה ומת חלקו אינו מופר מאי לאו אינו מופר כלל לא עד דאתו בי תלתא אחריני ושרו ליה ת"ר אין נידוי פחות מל' יום ואין נזיפה פחות מז' ימים ואף על פי שאין ראיה לדבר זכר לדבר שנאמר ואביה ירק ירק בפניה הלא תכלם שבעת ימים אמר רב חסדא נידוי שלנו כנזיפה שלהן ונזיפה דידהו שבעה ותו לא והא ר"ש בר רבי ובר קפרא הוו יתבי וקא גרסי קשיא להו שמעתא א"ל ר"ש לבר קפרא דבר זה צריך רבי א"ל בר קפרא לר"ש ומה רבי אומר בדבר זה אזל א"ל לאבוה איקפד אתא בר קפרא לאיתחזויי ליה א"ל בר קפרא איני מכירך מעולם ידע דנקט מילתא בדעתיה נהג נזיפותא בנפשיה תלתין יומין שוב פעם אחד גזר רבי שלא ישנו לתלמידים בשוק מאי דרש חמוקי ירכיך כמו חלאים מה ירך בסתר

רש"י

זו עשירית האיפה שלו. שמביא כהן הדיוט כשמחנכין אותו לעבוד תחילה כדכתיב (ויקרא ו) זה קרבן אהרן ובניו אשר יקריבו לה' ביום המשח אותו עשירית האיפה ואמרינן (מנחות דף נא:) ובניו לרבות עשירית האיפה של כהן הדיוט לחינוך ולאו אקראי דלעיל קאי אלא מלות כהנים בעלמא הוא דקאמר יחזקאל אלמא שלא היה יכול להקריב קרבנו עשירית האיפה עד שנטהר מטומאת מת והוא הדין מצרעתו: אמר רבא וכו'. איידי דאיירי במנודה מפרש להו: ומזמינין ליה לדינא. לבעל דין: זימנא בתר זימנא. דאי לא אתי ההוא זימנא קבעינן ליה זימנא אחריתי: קראו שם. שמתא כלומר שמתא לפרעה שהעביר המועד כלומר שהעביר אותו מועד ששמו אחר מועד ראשון: דאי מתפקר בשליחא דרבנן. כלומר שחירף שליח ב"ד ושליח אמר חירפני: העיני האנשים ההם תנקר. אי לאו דשליח דא"ל למשה משה לא הוה ידע: הכי סברא דגברא פלניא. דעת פלוני שבא לנדות את פלוני דצריך לנדותו משמו של אותו חכם: אמר מלאך ה'. ברק אמר לשמתו שהוא שלוחו של מקום: ומחרימין. בארור: ופרטינן חטאיה. דאמרי לאנשי עירו משום הכי והכי משמתינן ליה: כוכבא הוה. מזליה דסיסרא: דמפקרינן לנכסיה. דמאן דלא ציית להו לרבנן: יחרם (ב) הוא וכל רכושו. דהפקר ב"ד הפקר מהכא נפקא לן בכל דוכתי (ט): ואריב עמם ואקללם. לאותם שהושיבו נשים נכריות: דכפתינן. ידיו ורגליו: ואסרינן ליה. שקושרין אותו על העמוד להלקותו: הרדפה. קא מפרש רב יהודה בריה דרב שמואל לרודפו מיד דכיון דלא ציית דינא מנדין אותו: ושונין. ומנדין אותו פעם אחרת: לממונא. שחייב ממון לחבירו ולא רצה לשלם ע"פ ב"ד: לאפקירותא. מבזה תלמידי חכמים: לא חל עליה שמתא ל' יום. ואין שמתא פחותה מל' יום: קא בעו רבנן למיעל. שצריכין לו: טוט אסר טוט שרי. כלומר מצי למישרי ליה אע"ג דלא חל עליה ל' יום דאותו שופר שנדוהו יכול להתיר לו ומישרי ליה בתוך ל' יום: לא אתו אחריני ושרו ליה. מדמהדר איהו נפשיה למישרי: שנידה לכבודו. ולא לשם שמים אלא שהתריז נגדו ודאי כיון דתני אין מנודה לרב ודאי לא נידה אלא בשביל כבודו דאי במילי דאיסורא הוי כמי שמנודה לרב דאין חכמה ואין עצה וגו' (משלי כא) וקתני אין מנודה לרב אבל לכולי עלמא מנודה: כל אחד מיפר חלקו. מדקתני חלקו אינו מופר: לא אתו אחריני ושרו. מדקתני חלקו אינו מופר לעולם אפי' שרו ליה אחריני: נזיפה. גערה כדלקמן: נדוי שלנו. בני בבל: כנזיפה שלהן. ארץ ישראל: צריך רבי. רבי אבוה דר"ש הוה: מה רבי אומר בדבר זה. אין רבי בעולם היודע דבר זה: א"ל לאבוה. לפי תומו ולאו משום לישנא בישא: לאיתחזויי ליה. לבקר את רבי שהיה חולה שקבל עליו יסורין: אמר ליה בר קפרא איני מכירך. רמז לו שאינו רוצה לראותו: חמוקי ירכיך. כמו חמק עבר (שיר ה):

אף

תוספות

מתרין בו שני וחמישי ושני. פירש בקונטרס שני מתרין בו תחילה ומנדין אותו וכן בחמישי ובשני אחר מחרימין וא"ל שלשים יום ויש מפרשים קודם שינדוהו כלל יתרו בו וכן משמע בפרק הגוזל בתרא (ב"ק דף קיג.):

מסורת הש"ס

א) [צ"ל וביום בואו], ב) פ"א פלניא, ג) [שבועות לו.], ד) [עי' תוספות מנחות לד: ד"ה טטו], ה) [לקמן יז.], ו) [עי' תוספות סנהדרין ח. ד"ה מפיקנא], ז) [סוכה מט: ע"ש], ח) [כמו חלאים אין חלאים אלא רבנן כדגרסינן בנדרים מט. והן שמתעסקין בתורה שהיא מעשה ידי אומן. ערוך בערך חמק], ט) [יבמות פט:].

הגהות הב"ח

(א) גמ' אמר רבא מנלן דקבעינן דוכתא ומשדרינן שליחא דבי דינא דכתיב וישלח כו' כצ"ל ותיבות ומזמנינן ליה לדינא נמחק: (ב) רש"י ד"ה יחרם כל רכושו כו' ותיבת הוא נמחק:

הגהות הגר"א

[א] גמ' למיעל. נ"ב נ"א למיזל [ועיין ר"ן ופרש"י שבר"ף]:

תורה אור השלם

א) וּבְיוֹם בֹּאוֹ אֶל הַקֹּדֶשׁ אֶל הֶחָצֵר הַפְּנִימִית לְשָׁרֵת בַּקֹּדֶשׁ יַקְרִיב חַטָּאתוֹ נְאֻם אֲדֹנָי יֱיִ: [יחזקאל מד, כז]

ב) וַיִּשְׁלַח מֹשֶׁה לִקְרֹא לְדָתָן וְלַאֲבִירָם בְּנֵי אֱלִיאָב וַיֹּאמְרוּ לֹא נַעֲלֶה: [במדבר טז, יב]

ג) וַיֹּאמֶר מֹשֶׁה אֶל קֹרַח אַתָּה וְכָל עֲדָתְךָ הֱיוּ לִפְנֵי יְיָ אַתָּה וָהֵם וְאַהֲרֹן מָחָר: [במדבר טז, טז]

ד) קָרְאוּ שָׁם פַּרְעֹה מֶלֶךְ מִצְרַיִם שָׁאוֹן הֶעֱבִיר הַמּוֹעֵד: [ירמיה מו, יז]

ה) אַף לֹא אֶל אֶרֶץ זָבַת חָלָב וּדְבַשׁ הֲבִיאֹתָנוּ וַתִּתֶּן לָנוּ נַחֲלַת שָׂדֶה וָכָרֶם הַעֵינֵי הָאֲנָשִׁים הָהֵם תְּנַקֵּר לֹא נַעֲלֶה: [במדבר טז, יד]

ו) אוֹרוּ מֵרוֹז אָמַר מַלְאַךְ יְיָ אֹרוּ אָרוֹר יֹשְׁבֶיהָ כִּי לֹא בָאוּ לְעֶזְרַת יְיָ לְעֶזְרַת יְיָ בַּגִּבּוֹרִים: [שופטים ה, כג]

ז) מִן שָׁמַיִם נִלְחָמוּ הַכּוֹכָבִים מִמְּסִלּוֹתָם נִלְחֲמוּ עִם סִיסְרָא: [שופטים ה, כ]

ח) וְכֹל אֲשֶׁר לֹא יָבוֹא לִשְׁלֹשֶׁת הַיָּמִים כַּעֲצַת הַשָּׂרִים וְהַזְּקֵנִים יָחֳרַם כָּל רְכוּשׁוֹ וְהוּא יִבָּדֵל מִקְּהַל הַגּוֹלָה: [עזרא י, ח]

ט) וָאָרִיב עִמָּם וָאֲקַלְלֵם וָאַכֶּה מֵהֶם אֲנָשִׁים וָאֶמְרְטֵם וָאַשְׁבִּיעֵם בֵּאלֹהִים אִם תִּתְּנוּ בְנֹתֵיכֶם לִבְנֵיהֶם וְאִם תִּשְׂאוּ מִבְּנֹתֵיהֶם לִבְנֵיכֶם וְלָכֶם: [נחמיה יג, כה]

י) וְכָל דִּי לָא לֶהֱוֵא עָבֵד דָּתָא דִי אֱלָהָךְ וְדָתָא דִּי מַלְכָּא אָסְפַּרְנָא דִּינָה לֶהֱוֵא מִתְעֲבֵד מִנֵּהּ הֵן לְמוֹת הֵן לִשְׁרֹשִׁי הֵן לַעֲנָשׁ נִכְסִין וְלֶאֱסוּרִין: [עזרא ז, כו]

כ) וַיֹּאמֶר יְיָ אֶל מֹשֶׁה וְאָבִיהָ יָרֹק יָרַק בְּפָנֶיהָ הֲלֹא תִכָּלֵם שִׁבְעַת יָמִים תִּסָּגֵר שִׁבְעַת יָמִים מִחוּץ לַמַּחֲנֶה וְאַחַר תֵּאָסֵף: [במדבר יב, יד]

ל) מַה יָּפוּ פְעָמַיִךְ בַּנְּעָלִים בַּת נָדִיב חַמּוּקֵי יְרֵכַיִךְ כְּמוֹ חֲלָאִים מַעֲשֵׂה יְדֵי אָמָּן: [שיר השירים ז, ב]

עין משפט נר מצוה

נ א ב ג מיי' פכ"ה מהלכות סנהדרין הל' ח טוש"ע ח"מ סימן יא סעיף א:
נא ד מיי' שם הלכה ו סמג לאוין רח טוש"ע שם וסימן ח סעיף ה בהג"ה:
נב ה מיי' שם הלכה ח ופ"ו מהלכות ת"ת הלכה יד ופכ"ד מהלכות סנהדרין הלכה ז טוש"ע ח"מ סימן ב וטוש"ע י"ד סימן שלד סעיף מג:
נג ו מיי' פ"ז מהלכות ת"ת הלכה יג טוש"ע י"ד סי' שלד סעיף ט:
נד ז מיי' פכ"ד מהל' סנהדרין הלכה ז:
נה ח מיי' שם הלכה ו טוש"ע ח"מ סימן ב בהג"ה:
נו ט י מיי' שם הלכה ח והלכה ט:
נז כ מיי' פ"ז מהלכות ת"ת הלכה ד טוש"ע י"ד סימן שלד סעיף א:
נח ל מיי' פכ"ה מהל' סנהדרין הלכה ח טוש"ע י"ד סימן שלד סעיף א בהג"ה וטוש"ע ח"מ סימן ק סעיף ג:
נט מ מיי' פ"ז מהלכות ת"ת הל' יג טוש"ע י"ד סימן שלד סעיף א:
ס נ מיי' שם הל' יב טוש"ע י"ד סי' שלד סעי' יג:
סא ס מיי' פ"ו שם הל' יג טוש"ע שם סעיף טו:
סב ע מיי' שם טוש"ע שם סעיף כ:
סג פ מיי' שם טוש"ע שם סעיף כא:
סד צ מיי' שם טוש"ע שם סעיף מה:
סה ק טוש"ע שם סעיף כו:
סו ר מיי' פ"ז שם הל' ט טוש"ע שם סעיף כה:
סז ש ת טוש"ע שם סעיף א:

רבינו חננאל

ר"ש אומר כתיב כאן בבאו יקריב עצמו בזמן שראוי לבא בקדש יקריב בזמן שאינו ראוי לביאה אינו ראוי להקרבה. אמר רבא מנ"ל דמשדרינן שליחא מבי דינא ומזמנינן ליה לדינא לקמיה גברא רבה שנאמר ויאמר משה אל קרח אתה וכל עדתך היו לפני ה' ופלניא בעל דינך שנא' אתה והם ואהרן ומנ"ל דקבעינן להו זימנא שנאמר מחר. ומנ"ל דקבעינן זימנא בתר זימנא שנאמר קראו שם פרעה מלך מצרים שאון העביר המועד. העביר המועד שקבעו לו מועד ולא נענש עד אחר כן. מנ"ל דאי מתפקר בשליחא דבי דינא ואתי שליחא ומחוי ליתיה לישנא בישא שנאמר העיני האנשים ההם תנקר לא נעלה ומנ"ל דמשמתינן בהרמנא דגברא רבה שנאמר אורו מרוז אמר וגו' ומנ"ל דמחרמינן ליה נמי דכתיב אורו ארור ומנ"ל דמחרמינן על כל מאן דאכיל ושתי בהדיה וקאי בד' אמות דיליה שנאמר אורו ארור יושביה. ומנ"ל דפרטינן חטאיה שנאמר כי לא באו לעזרת ה' פי' לעזרת עם ה'. איכא דאמרי מרוז אדם גדול הוה ואיכא דאמרי כוכבא הוה והאי דכתיב יושביה כענין עייש על בניה תנחם. ומנ"ל דמאן דמתפקר אבי דינא מפקרינן נכסיה שנאמר וכל אשר לא יבא לשלשת הימים בעצת השרים והזקנים יחרם כל רכושו והוא יבדל מקהל הגולה. ומנ"ל דנצינן ולטינן ומחינן ומתלשינן שיער ומשבעינן דכתיב ואריב עמם ואקללם ואכה מהם אנשים ואמרטם ואשביעם וגו' ומנ"ל דכפתינן ואסרינן ועבדינן הרדפה שנאמר הן למות הן לשרושי הן לענוש נכסין ולאסורין. מאי לשרושי הרדפה. אמר רב יהודה משמיה דרב מנדין לאלתר דמתפקר ושונין לאחר שלשים ומחרימין לאחר ששים. אמרו משמיה דרב חסדא מתרינן ביה שני וחמישי ושני ואח"כ מנדין אותו. והני מילי לממונא אבל לאפקירותא מנדין לאלתר בלא התראה. ההוא טבחא דאתפקר ברב טובי אימנו אביי ורבא ושמתוהו אזל פייסיה לרב טובי אמר אביי היכי נעביד נישרי ליה לא חל שמתא עליה שלשים יום נשבקיה בשמתיה קא בעו רבנן לאפטורי. א"ל רב אידי בר אבין הכי אמר שמואל טוט אסר וטוט שרי. כלומר תקיעת השופר היא השמתא הקול שמכריז בתקיעת שופר הוא האוסר הוא המתיר כלומר אינו צריך ימים לחול עליה שמתא א"ל ה"מ לממונא אבל לאפקירותא עד דחייל עליה שמתא שלשים יום. דייקינן מדקאמר אביי בעי רבנן לאפטורי קסבר תלתא דשמיתו לא אתו תלתא אחרינא ושרו מאי ת"ש מנודה לרב מנודה לתלמיד מנודה לתלמיד אינו מנודה לרב מנודה לעירו מנודה לעיר אחרת. מנודה לעיר אחרת אינו מנודה לעירו. מנודה לנשיא מנודה לכל ישראל מנודה לכל ישראל אינו מנודה לנשיא. רשב"ג אומר אחד מן התלמידים שנידה ומת חלקו אינו מופר ש"מ תלת ש"מ מדקתני אחד מן התלמידים שנידה ומת וקתני נמי מנודה לתלמיד אינו מנודה לרב ש"מ מינה לרב אינו מנודה הא לכ"ע מנודה ש"מ תלמיד שנידה לכבודו נידויו נידוי ומדקתני ומת חלקו אינו מופר ש"מ כל אחד מיפר חלקו. ש"מ נמי דלא אתו אחריני ושרו חלקו א' אמימר הלכתא א) דמשמתי מופר עד דאתו תלתא אחריני ושרו ליה. ת"ר אין נדוי פחות משלשים יום ואין נזיפה פחות משבעה ואע"פ שאין ראיה לדבר זכר לדבר שנאמר ויאמר ה' אל משה ואביה ירק ירק בפניה הלא תכלם שבעת ימים. אמר רב חסדא נידוי שלנו כנזיפה שלהן ונזיפה דידהו שבעה ותו לא. והא בר קפרא בעידנא דאמר ליה ר' בר קפרא איני מכירך מעולם וכן כדאמר ליה ר' לר' חייא ראה מה קורא לך בחוץ ידעו דנקיט מילתא עלייהו נהגו נזיפתא בנפשייהו תלתין יומין. ואסיקנא נזיפותא דנשיא תלתין יומין. סוגיא דשמעתא כך גזר

חשק שלמה על ר"ח א) נ"ל בי תלתא דשמיתו אתו בי תלתא אחרינא ושרו ליה א"ל רב אשי לאמימר והא תניא וכו' חלקו אינו מופר עד דאתו וכו'.

רש"י כת"י

הן למות הן לשרושי הן לענוש נכסין ולאסורין. התם כתו' בספר עזרא (ז). לשרושי. [לשרשו ו]לרדפו לאלתר כיון דלא ציית לדינא מנדין בשני ושונין בחמישי ומחרימין בשני. לממונא. לגזול ממון לחבירו ולא רצו לשלם על פי בית דין. אפקרותא. חוצפא שהעיז פניו לחרף תלמיד חכם. קא בעו רבנן למיעל. לבא לביתו שצריכין לו. [נ"א מפטרי רבנן ומיזל] אם לא תתיר עכשיו לא תוכל להתירו עוד שהחכמים [ש]הסכימו עמו בנידוי רוצין להפטר מעלי ולילך לדרכם לעריהם ואם ילכו שוב לא יהיה ניתר. [ע"פ רש"י ברי"ף]. טוט אסר וטוט שרי. בכ"ד מקומות מנדין (ברכות יט.) גימטריא טוט. בשופר נידוהו ובשופר התירוהו ואין צריך ל' יום. שמע מינה תלמיד שנידה. שלא לשם שמים אלא שהתרים כנגדו. נידויו נידוי. מדקתני מנודה לתלמיד אין מנודה לרב ואי לשם שמים שמתיה כגון שעבר עבירה אמאי אין מנודה לרב הא אין חכמה ואין תבונה לנגד יי' דבכל מקום שיש חלול השם אין חולקין כבוד לרב הא (לכל חכמה) [לכולי עלמא] מנודה. כל אחד ואחד מפר חלקו. מדקתני חלקו אינו מופר. שמע מינה. מיהך גופה דלא אתו ג' אחריני ושרו ליה. נזיפה. גערה וכדלקמן. נידוי שלנו. של בני בבל כנזיפה דארץ ישראל. רבי. אבוה דר' שמעון ברבי הוה. מה רבי אומר בדבר זה. אין רבי בעולם היודע. אמ' ליה לאבוה. לפי תומו ולא משום לישנא בישא. לאיתחזויי ליה. לבקר רבי שהיה חולה שקבל עליו ייסורין. אינו מכירך. רמז לו שאינו רוצה לראותו. דנקיט מילתא. שנתן הדבר ללבו. חמוקי ירכיך. כמו חמק עבר (שה"ש ה).

This last teaching of the Baraisa supports Abaye's decision to participate personally in revoking the butcher's ban. However, another Amora takes a different approach:

אָמַר אֲמֵימַר – **Ameimar said:** הִלְכְתָא – **The law is,** הָנֵי בֵּי תְּלָתָא דְּשַׁמְּתוּהוּ – that in the case of **these three** judges **who excommunicated** an individual, אָתוּ בֵּי תְּלָתָא אַחֲרִינֵי וְשָׁרוּ לֵיהּ – **three other** judges **may** indeed **come and release him** from his ban.[75]

The Gemara challenges this opinion:

אֲמַר לֵיהּ רַב אַשִׁי לְאֲמֵימַר – **Rav Ashi said to Ameimar:** וְהָא תַנְיָא – **But it was taught in a Baraisa:** רַבָּן שִׁמְעוֹן בֶּן גַּמְלִיאֵל אוֹמֵר – RABBAN SHIMON BEN GAMLIEL SAYS: אֶחָד מִן הַתַּלְמִידִים שֶׁנִּידָּה וּמֵת – In the case of ONE OF THE STUDENTS WHO EXCOMMUNICATED another individual AND then DIED, חֶלְקוֹ אֵינוֹ מוּפָר – HIS PORTION of the ban IS NOT REVOKED by another. מַאי לָאו אֵינוֹ מוּפָר כְּלָל – **Is** the Baraisa **not** stating that **[this portion]** of the ban **cannot be revoked at all** – i.e. even by another judge acting in place of the deceased?! – ? –

Ameimar deflects the challenge:

לֹא – **No!** עַד דְּאָתוּ בֵּי תְּלָתָא אַחֲרִינֵי וְשָׁרוּ לֵיהּ – The Baraisa means that the ban remains in effect **until three other** judges **come along and release him.**

The Gemara returns to the question of the duration of a *nidui*-ban:

תָּנוּ רַבָּנָן – **The Rabbis taught** in a Baraisa: אֵין נִידּוּי פָּחוֹת מִשְּׁלֹשִׁים יוֹם – THERE IS NO *NIDUI*-BAN [FOR] LESS THAN THIRTY DAYS.[76] וְאֵין נְזִיפָה פָּחוֹת מִשִּׁבְעָה יָמִים – AND THERE IS NO "REBUKE" [FOR] LESS THAN SEVEN DAYS.[77] וְאַף עַל פִּי שֶׁאֵין רְאָיָה לַדָּבָר – AND EVEN THOUGH THERE IS NO PROOF FOR THE MATTER of the time frame of rebuke, זֵכֶר לַדָּבָר – there is A Scriptural ALLUSION TO THE MATTER,[78] שֶׁנֶּאֱמַר – FOR IT IS STATED: "וְאָבִיהָ יָרֹק יָרַק בְּפָנֶיהָ הֲלֹא תִכָּלֵם שִׁבְעַת יָמִים" – *Hashem said to Moses: "WERE HER FATHER TO SPIT IN HER FACE, WOULD SHE NOT BE HUMILIATED FOR SEVEN DAYS? Let her be quarantined outside the camp for seven days, and then she may be brought in.*[79]

A related, Amoraic ruling:

אָמַר רַב חִסְדָּא – **Rav Chisda said:** נִידּוּי שֶׁלָּנוּ כִּנְזִיפָה שֶׁלָּהֶן – **Our *nidui*-ban** in Babylonia **is equivalent to** their **rebuke** in Eretz Yisrael,[80] וּנְזִיפָה דִּידְהוּ שִׁבְעָה – **and their rebuke** lasts for **seven** days.

The Gemara challenges Rav Chisda's last statement:

וְתוּ לֹא – **And** a rebuke in Eretz Yisrael lasts **no more** than seven days?! וְהָא רַבִּי שִׁמְעוֹן בַּר רַבִּי וּבַר קַפָּרָא הֲווּ יָתְבֵי וְקָא גָּרְסֵי – **But R' Shimon bar Rebbi and Bar Kappara were** once **sitting and learning** together קַשְׁיָא לְהוּ שְׁמַעְתָּא – and **they found a** certain **teaching difficult.** אָמַר לֵיהּ רַבִּי שִׁמְעוֹן לְבַר קַפָּרָא – **R' Shimon said to Bar Kappara,** דָּבָר זֶה צָרִיךְ רַבִּי – **"This matter requires** consultation with **Rebbi."**[81] אָמַר לֵיהּ בַּר קַפָּרָא לְרַבִּי שִׁמְעוֹן – **Bar Kappara said to R' Shimon** in reply, וּמָה רַבִּי אוֹמֵר בְּדָבָר זֶה – **"And what** could **Rebbi** possibly **say regarding this matter?!"**[82] אֲזַל אָמַר לֵיהּ לַאֲבוּהּ – **[R' Shimon]** subsequently **went** and innocently[83] **told his father,** Rebbi, what Bar Kappara had said. אִיקְפַּד – **[Rebbi] was indignant.** אָתָא בַּר קַפָּרָא לְאִיתְחֲזוּיֵי לֵיהּ – Sometime afterward **Bar Kappara came to appear before [Rebbi].**[84] אָמַר לֵיהּ – **[Rebbi] said to him,** בַּר קַפָּרָא אֵינִי מַכִּירְךָ מֵעוֹלָם – **"Bar Kappara, I do not recognize you."**[85] יָדַע דְּנָקַט מִילְּתָא בְּדַעְתֵּיהּ – **[Bar Kappara]** then **understood that [Rebbi] had taken the matter to heart.**[86] נָהַג נְזִיפוּתָא בְּנַפְשֵׁיהּ תְּלָתִין יוֹמִין – **He** therefore **conducted** the regimen of **rebuke upon himself for thirty days.**[87] From here we see

NOTES

75. Provided that they are [at least] equal in stature to those who imposed the ban (*Raavad,* quoted by *Rosh* and *Nimukei Yosef* [from *Nimukei Yosef* it seems that this is permitted only if one of the judges died]; see, however, *Ritva* and *Talmid R' Yechiel MiParis;* cf. *Rambam, Hil. Talmud Torah* 7:9 with *Lechem Mishneh*).

76. There are two ways to understand this statement. According to *Raavad* (cited by *Rosh* and other Rishonim), it means that the standard *nidui* is for thirty days. However, it may be rescinded within that time if the excommunicate propitiates the injured party and petitions the court to release him. If he does not make amends, the ban nonetheless terminates after thirty days, provided that the excommunicate petitions the court for his release. If he fails to do even that, he remains in a state of *nidui.* [According to this approach, the *nidui* resembles a punishment. Hence, its termination after thirty days is not contingent on appeasement – much as additional lashes are not given when one remains unrepentant after receiving the required amount (see *Rosh* and *Ritva*).]

The second interpretation of the Baraisa's statement is that where the ban was imposed for contemptuous behavior (אַפְקִירוּתָא), it can never be prematurely rescinded – i.e. even if appeasement is made. This accords with Abaye's view in the Gemara above (see *Ritva, Rosh MiLunel, Meiri* et al.; see *Keren Orah* for an extended discussion of the duration of the various types of excommunication).

77. *Nezifah* is a state of *rebuke* for one who incurs the displeasure of his teacher or a great person. It is not a form of *nidui,* and therefore the rebuked individual is not subject to *nidui's* restrictions. Rather, he must behave as one who has been humiliated by his superior, by confining himself to his quarters, avoiding people, and minimizing his business and social activities. Termination of *nezifah* is not contingent on appeasement or formal release, since this humbling experience is itself an appeasement (*Ritva;* see also *Rosh* §7 in the name of *Raavad,* and *Nimukei Yosef*).

78. [Despite the lack of conclusive evidence from Scripture, there is a verse in *Numbers* that intimates the rule.]

79. *Numbers* 12:14. Miriam had spoken ill of her brother Moses, and as a result was afflicted with *tzaraas.* Moses prayed to Hashem on her behalf. The verse quoted was Hashem's response: She will be cured of *tzaraas,* but must remain quarantined for seven days, as befitting one who has received rebuke. *Maharsha* (below, 16b ד״ה נהג) explains that the verse only intimates that *nezifah* lasts seven days, but is not a conclusive proof thereof, because the actual cause of her sequestration was the *tzaraas,* not the rebuke.

80. See *Keren Orah* for a discussion of why there was a distinction between Eretz Yisrael and Babylonia. See *Yoreh Deah* 334:1.

81. The word *Rebbi* means teacher, but it was also the honorific bestowed upon R' Yehudah HaNasi, Bar Kappara's teacher and R' Shimon's father, who was the head of the Sanhedrin and the spiritual leader of the community in Eretz Yisrael.

82. I.e. there is no *Rebbi* (teacher) in the world who could resolve this difficulty (*Rashi*).

83. R' Shimon did not intend to speak *lashon hara* (slander) [and was unaware that Bar Kappara's statement might prove offensive to Rebbi] (*Rashi*). See *Chafetz Chaim, Clal* 7 *Be'er Mayim Chaim* §18, for a discussion of why Rebbi was permitted to accept and act upon what he was told, inasmuch as it is ordinarily forbidden to accept disparaging remarks.

84. Rebbi was ailing (he had accepted afflictions upon himself), and Bar Kappara wished to perform the mitzvah of visiting the sick (*Rashi*).

85. Rebbi thus intimated that he did not wish to see Bar Kappara (*Rashi*). The comments of *Rashi* and *Rashi ms.* imply that the word מֵעוֹלָם did not appear in their texts; cf. *Maharsha* and *Iyun Yaakov.*

86. *Rashi ms.*

87. *Rosh* (middle of §7) asks why Bar Kappara remained in this state for the entire thirty days. He should have immediately appeased Rebbi, and Rebbi could have then released him. If, as the Gemara concluded above, it is possible to terminate prematurely the more severe *nidui,* surely it is possible to do the same to a rebuke. *Rosh* explains that, in fact, *nidui* and "rebuke" are not comparable. On the contrary, because of the very severity of *nidui* the Rabbis were lenient and permitted a premature release (after appeasement); however, they did not provide that remedy for the less stringent "rebuke."

עין משפט
נר מצוה

נ א ב ג מיי' פכ"ה מהלכות סנהדרין הל' ח טוש"ע ח"מ סימן יא סעיף א:
נא ד מיי' שם הלכה ו סמג לאוין רח טוש"ע שם וסימן ח סעיף ה בהג"ה:
נב ה מיי' שם הלכה ח ופ"ו מהלכות הלכה יד ופכ"ד מהלכות סנהדרין הלכה ז טוש"ע ח"מ סימן ג וטוש"ע י"ד סימן שלד סעיף מג:
נג ו מיי' פ"ז מהלכות ת"מ הלכה ה טוש"ע י"ד סי' שלד סעיף ט:
נד ז מיי' פכ"ד מהל' סנהדרין הלכה ז:
נה ח מיי' שם הלכה ו טוש"ע ח"מ סימן ג בהג"ה:
נו ט י מיי' שם הלכה ח והלכה ט:
נז כ מיי' פ"ז מהלכות ת"ת הלכה ד טוש"ע י"ד סימן שלד סעיף א:
נח ל מיי' פכ"ה מהל' סנהדרין הלכה ח טוש"ע י"ד סימן שלד סעיף א בהג"ה וטוש"ע ח"מ סימן ק סעיף ג:
נט מ מיי' פ"ו מהלכות ת"ת הל' יג טוש"ע י"ד סימן שלד סעיף א:
ס נ מיי' שם הל' יב טוש"ע י"ד סי' שלד סעי' יג:
סא ס מיי' פ"ו שם הל' יג טוש"ע שם סעיף טו:
סב ע מיי' שם טוש"ע שם סעיף כ:
סג פ מיי' שם טוש"ע שם סעיף כא:
סד צ מיי' שם טוש"ע שם סעיף מה:
סה ק טוש"ע שם סעיף כו:
סו ר מיי' פ"ז שם הל' ט טוש"ע שם סעיף כה:
סז ש ת טוש"ע שם סעיף א:

מסורת הש"ס

א) [ע"ל וביום בואו], ב) ס"א פלניא, ג) [שבועות לו.], ד) [ע' תוספות מנחות נג: ד"ה טעו], ה) [לקמן יז.], ו) [ע' תוספות סנהדרין ח. ד"ה מפיקנא], ז) [סוכה מט: ע"ש], ח) [כמו מלאים אין מלאים אלא רבנן כדגרסינן בנדרים מט. והן שמתעסקין בתורה שהיא מעשה ידי אומן. ערוך בערך חמק], ט) [יבמות פט:].

זו עשירית האיפה שלו דברי רבי יהודה ר"ש אומר א) [א] בבאו יקריב בזמן שראוי לביאה ראוי להקרבה בזמן שאינו ראוי לביאה אינו ראוי להקרבה אמר רבא (א) מנלן [א]דמשדרין שליחא דבי דינא ומזמנינן ליה לדינא דכתיב ב) וישלח משה לקרא לדתן ולאבירם בני אליאב ומנלן דמזמנינן לדינא דכתיב ג) ויאמר משה אל קרח אתה וכל עדתך לקמי גברא רבה דכתיב ג) לפני ה' את ופלניא דכתיב אתה והם ואהרן [ב]דקבעינן זימנא דכתיב מחר [ג]זימנא בתר זימנא דכתיב ד) קראו שם פרעה מלך מצרים שאון העביר המועד ומנלן [ד]דאי מתפקר בשליחא דבי דינא ואתי ואמר לא מיתחזי כלישנא בישא דכתיב ה) העיני האנשים ההם תנקר [ה]ומנלן דמשמתינן דכתיב ו) אורו מרוז דהכי סברא דגברא [ג]רבה דכתיב ו) אמר מלאך ה' ומנלן דמחרמינן דכתיב אורו ארור [ו]דאכיל ושתי בהדיה וקאי בארבע אמות דידיה דכתיב יושביה ומנלן [ז]דפרטינן חטאיה בציבורא דכתיב ו) כי לא באו לעזרת ה' ואמר עולא [ג]בד' מאה שיפורי שמתיה ברק למרוז איכא דאמרי גברא רבה הוה ואיכא דאמרי כוכבא הוה שנאמר ז) מן שמים נלחמו הכוכבים ומנלן [ח]דמפקרינן נכסיה דכתיב ח) וכל אשר לא יבא לשלשת הימים בעצת השרים והזקנים יחרם כל רכושו והוא יבדל מקהל הגולה ומנלן [ט]דנצינן ולייטינן ומחינן ותלשינן שיער ומשבעינן דכתיב ט) ואריב עמם ואקללם ואכה מהם אנשים ואמרטם ואשביעם ומנלן [י]דכפתינן ואסרינן ועבדינן הרדפה דכתיב י) הן למות הן לשרושי הן לענש נכסין ולאסורין מאי לשרושי אמר אדא מרי אמר נחמיה בר ברוך אמר רב חייא בר אבין אמר רב יהודה הרדפה מאי הרדפה אמר רב יהודה בריה דרב שמואל בר שילת משמיה דרב מנדין לאלתר [כ]ושונין לאחר ל' ומחרימין לאחר ששים א"ל רב הונא בר חיננא הכי אמר רב חסדא [ל]מתרין ביה שני וחמישי ושני [מ]ה"מ לממונא אבל לאפקירותא לאלתר ההוא טבחא דאיתפקר ברב טובי בר מתנה אימנו עליה אביי ורבא ושמתוהו לסוף אזל פייסיה לבעל דיניה אמר אביי היכי ליעביד לישרי ליה לא חל שמתא עליה תלתין יומין לא לישרי ליה קא בעו רבנן [א]למיעל א"ל לרב אידי בר אבין מידי שמיע לך בהא א"ל הכי אמר רב תחליפא בר אבימי אמר שמואל ד) [נ]טוט אסר וטוט שרי אמר ליה ה"מ לממונא אבל לאפקירותא עד דחיילא שמתא עליה תלתין יומין אלמא קסבר אביי הני בי תלתא דשמיתו לא אתו תלתא אחריני ושרו ליה דאיבעיא להו הני בי תלתא דשמיתו מהו למיתי תלתא אחריני ושרו ליה ת"ש ה) [ס]מנודה לרב מנודה לתלמיד מנודה ו) לתלמיד אינו מנודה לרב [ע]מנודה לעירו מנודה לעיר אחרת מנודה לעיר אחרת אינו מנודה לעירו [פ]מנודה לנשיא מנודה לכל ישראל מנודה לכל ישראל אינו מנודה לנשיא רשב"ג אומר אחד מן התלמידים שנידה ומת חלקו אינו מופר ש"מ תלת שמע מינה [צ]תלמיד שנידה לכבודו נידויו נידוי ושמע מינה [ק]כל אחד ואחד מיפר חלקו וש"מ הני בי תלתא דשמיתו לא אתו תלתא אחריני ושרו ליה אמר אמימר הלכתא הני בי תלתא דשמיתו [ר]אתו בי תלתא אחריני ושרו ליה א"ל רב אשי לאמימר והא תניא רשב"ג אומר אחד מן התלמידים שנידה ומת חלקו אינו מופר מאי לאו אינו מופר כלל לא עד דאתו בי תלתא אחריני ושרו ליה ת"ר [ש]אין נידוי פחות מל' יום ואין נזיפה פחות מז' ימים ואף על פי שאין ראיה לדבר זכר לדבר שנאמר כ) ואביה ירק ירק בפניה הלא תכלם שבעת ימים אמר רב חסדא [ת]נידוי שלנו כנזיפה שלהן ונזיפה דידהו שבעה ותו לא והא ר"ש בר רבי ובר קפרא הוו יתבי וקא גרסי קשיא להו שמעתא א"ל ר"ש לבר קפרא דבר זה צריך רבי א"ל בר קפרא לר"ש ומה רבי אומר בדבר זה אזל א"ל לאבוה איקפד אתא בר קפרא לאיתחזויי ליה א"ל בר קפרא איני מכירך מעולם ידע דנקט מילתא בדעתיה נהג נזיפותא בנפשיה תלתין יומין שוב פעם אחד גזר רבי שלא ישנו לתלמידים בשוק מאי דרש ח) ל) חמוקי ירכיך כמו חלאים מה ירך בסתר

מתרין בו שני וחמישי ושני. פירש בקונטרס שני מתרין בו תחילה ומנדין אותו וכן בחמישי ובשני אחר מחרימין וא"ל שלשים יום ויש מפרשים קודם שינדוהו כלל יתרו בו וכן משמע בפרק הגוזל בתרא (ב"ק דף קיג.):

זו עשירית האיפה שלו. שמביא כהן הדיוט כשמחנכין אותו לעבוד תחילה כדכתיב (ויקרא ו) זה קרבן אהרן ובניו אשר יקריבו לה' ביום המשח אותו עשירית האיפה ואמרינן (מנחות דף נא:) ובניו לרבות עשירית האיפה של כהן הדיוט לחינוך ולאו אקראי דלעיל קאי אלא מלות כהנים בעלמא הוא דקאמר יחזקאל אלמא שלא היה יכול להקריב קרבנו עשירית האיפה עד שנטהר מטומאת מת והוא הדין מצרעתו: אמר רבא וכו'. איידי דאיירי במנודה מפרש להו: ומזמנינן ליה לדינא. לבעל דין: זימנא בתר זימנא. דאי לא אתי ההוא זימנא קבעינן ליה זימנא אחריתי: קראו שם. שמתא כלומר שמתא לפרעה שהעביר המועד כלומר שהעביר אותו מועד ששמו אחר מועד ראשון: דאי מתפקר בשליחא דרבנן. כלומר שחירף שליח ב"ד ושליח אמר חירפני: העיני האנשים ההם תנקר. אי לאו דשליח דא"ל למשה משה לא הוה ידע: הכי סברא דגברא פלניא. דעת פלוני שבא לנדות את פלוני דצריך לנדותו משמו של אותו חכם: אמר מלאך ה'. ברק אמר לשמתו שהוא שלוחו של מקום: ומחרימין. בארור: ופרטינן חטאיה. דאמרי לאנשי עירו משום הכי והכי משמתינן ליה: כוכבא הוה. מזליה דסיסרא: דמפקרינן לנכסיה. דמאן דלא ציית להו לרבנן: יחרם (ב) הוא וכל רכושו. דהפקר ב"ד הפקר מהכא נפקא לן בכל דוכתי ט): ואריב עמם ואקללם. לאותם שהושיבו נשים נכריות: דכפתינן. ידיו ורגליו: ואסרינן ליה. שקושרין אותו על העמוד להלקותו: הרדפה. קא מפרש רב יהודה בריה דרב שמואל לרודפו מיד דכיון דלא ציית דינא מנדין אותו: ושונין. ומנדין אותו פעם אחרת: לממונא. שחייב ממון לחבירו ולא רצה לשלם ע"פ ב"ד: לאפקירותא. מבזה תלמידי חכמים: לא חל עליה שמתא ל' יום. ואין שמתא פחותה מל' יום: קא בעו רבנן למיעל. שצריכין לו: טוט אסר טוט שרי. כלומר מצי למישרי ליה אע"ג דלא חל עליה ל' יום דאותו שופר שנדוהו יכול להתיר לו ומישרי ליה בתוך ל' יום: לא אתו אחריני ושרו ליה. מדמהדר איהו נפשיה למישרי: שנידה לכבודו. ולא לשם שמים אלא שהתריז נגדו ודאי כיון דתני אין מנודה לרב ודאי לא נידה אלא בשביל כבודו דאי במילי דאיסורא הוי כמי שמנודה לרב דאין חכמה ואין עצה וגו' (משלי כא) וקתני אין מנודה לרב אבל לכולי עלמא מנודה: כל אחד מיפר חלקו. מדקתני חלקו אינו מופר: לא אתו אחריני ושרו. מדקתני חלקו אינו מופר לעולם אפי' שרו ליה אחריני: נזיפה. גערה כדלקמן: נדוי שלנו. בני בבל: כנזיפה שלהן. ארץ ישראל: צריך רבי. רבי אבוה דר"ש הוה: מה רבי אומר בדבר זה. אין רבי בעולם היודע דבר זה: א"ל לאבוה. לפי תומו ולאו משום לישנא בישא: לאיתחזויי ליה. לבקר את רבי שהיה חולה שקבל עליו יסורין: אמר ליה בר קפרא איני מכירך. רמז לו שאינו רוצה לראותו: חמוקי ירכיך. כמו חמק עבר (שיר ה): אף

הגהות הב"ח

(א) גמ' אמר רבא מנלן דקבעינן דוכתא ומשדרינן שליחא דבי דינא דכתיב וישלח כו' כצ"ל ותיבות ומזמנינן ליה לדינא נמחק: (ב) רש"י ד"ה יחרם כל רכושו כו' ותיבות הוא נמחק:

הגהות הגר"א

[א] גמ' למיעל. נ"ב נ"א למיזל [ועיין ר"ן ופרש"י שבר"ף]:

תורה אור השלם

א) וּבְיוֹם בֹּאוֹ אֶל הַקֹּדֶשׁ אֶל הֶחָצֵר הַפְּנִימִית לְשָׁרֵת בַּקֹּדֶשׁ יַקְרִיב חַטָּאתוֹ נְאֻם אֲדֹנָי יֱהֹוִה: [יחזקאל מד, כז]
ב) וַיִּשְׁלַח מֹשֶׁה לִקְרֹא לְדָתָן וְלַאֲבִירָם בְּנֵי אֱלִיאָב וַיֹּאמְרוּ לֹא נַעֲלֶה: [במדבר טז, יב]
ג) וַיֹּאמֶר מֹשֶׁה אֶל קֹרַח אַתָּה וְכָל עֲדָתְךָ הֱיוּ לִפְנֵי יְיָ אַתָּה וָהֵם וְאַהֲרֹן מָחָר: [במדבר טז, טז]
ד) קָרְאוּ שָׁם פַּרְעֹה מֶלֶךְ מִצְרַיִם שָׁאוֹן הֶעֱבִיר הַמּוֹעֵד: [ירמיה מו, יז]
ה) אַף לֹא אֶל אֶרֶץ זָבַת חָלָב וּדְבַשׁ הֲבִיאֹתָנוּ וַתִּתֶּן לָנוּ נַחֲלַת שָׂדֶה וָכָרֶם הַעֵינֵי הָאֲנָשִׁים הָהֵם תְּנַקֵּר לֹא נַעֲלֶה: [במדבר טז, יד]
ו) אוֹרוּ מֵרוֹז אָמַר מַלְאַךְ יְיָ אֹרוּ אָרוֹר יֹשְׁבֶיהָ כִּי לֹא בָאוּ לְעֶזְרַת יְיָ לְעֶזְרַת יְיָ בַּגִּבּוֹרִים: [שופטים ה, כג]
ז) מִן שָׁמַיִם נִלְחָמוּ הַכּוֹכָבִים מִמְּסִלּוֹתָם נִלְחֲמוּ עִם סִיסְרָא: [שופטים ה, כ]
ח) וְכֹל אֲשֶׁר לֹא יָבוֹא לִשְׁלֹשֶׁת הַיָּמִים כַּעֲצַת הַשָּׂרִים וְהַזְּקֵנִים יָחֳרַם כָּל רְכוּשׁוֹ וְהוּא יִבָּדֵל מִקְּהַל הַגּוֹלָה: [עזרא י, ח]
ט) וָאָרִיב עִמָּם וָאֲקַלְלֵם וָאַכֶּה מֵהֶם אֲנָשִׁים וָאֶמְרְטֵם וָאַשְׁבִּיעֵם בֵּאלֹהִים אִם תִּתְּנוּ בְנֹתֵיכֶם לִבְנֵיהֶם וְאִם תִּשְׂאוּ מִבְּנֹתֵיהֶם לִבְנֵיכֶם וְלָכֶם: [נחמיה יג, כה]
י) וְכָל דִּי לָא לֶהֱוֵא עָבֵד דָּתָא דִי אֱלָהָךְ וְדָתָא דִּי מַלְכָּא אָסְפַּרְנָא דִּינָה לֶהֱוֵא מִתְעֲבֵד מִנֵּהּ הֵן לְמוֹת הֵן לִשְׁרֹשִׁי הֵן לַעֲנָשׁ נִכְסִין וְלֶאֱסוּרִין: [עזרא ז, כו]
כ) וַיֹּאמֶר יְיָ אֶל מֹשֶׁה וְאָבִיהָ יָרֹק יָרַק בְּפָנֶיהָ הֲלֹא תִכָּלֵם שִׁבְעַת יָמִים תִּסָּגֵר שִׁבְעַת יָמִים מִחוּץ לַמַּחֲנֶה וְאַחַר תֵּאָסֵף: [במדבר יב, יד]
ל) מַה יָּפוּ פְעָמַיִךְ בַּנְּעָלִים בַּת נָדִיב חַמּוּקֵי יְרֵכַיִךְ כְּמוֹ חֲלָאִים מַעֲשֵׂה יְדֵי אָמָּן: [שיר השירים ז, ב]

רבינו חננאל

ר"ש אומר כתיב כאן בבאו יקריב עצמו בזמן שראוי לבא בקדש יקריב בזמן שאינו ראוי לביאה אינו ראוי להקרבה. אמר רבא מנ"ל דמשדרינן שליחא מבי דינא ומזמנינן ליה לדינא לקמיה גברא רבה שנאמר ויאמר משה אל קרח אתה וכל עדתך היו לפני ה' ופלניא בעל דינך שנא' אתה והם ואהרן ומנ"ל דקבעינן להו זימנא שנאמר מחר. ומנ"ל דקבעינן זימנא בתר זימנא שנאמר קראו שם פרעה מלך מצרים שאון העביר המועד. העביר המועד שקבעו לו מועד ולא נענש עד אחר כן. מנ"ל דאי מתפקר בשליחא דבי דינא ואתי שליחא ומחוי ליתיה לישנא בישא שנאמר העיני האנשים ההם תנקר לא נעלה ומנ"ל דמשמתינן בהרמנא דגברא רבה שנאמר אורו מרוז אמר וגו' ומנ"ל דמחרמינן ליה נמי דכתיב אורו ארור ומנ"ל דמחרמינן על כל מאן דאכיל ושתי בהדיה וקאי בד' אמות דיליה שנאמר אורו ארור יושביה. ומנ"ל דפרטינן חטאיה שנאמר כי לא באו לעזרת ה' פי' לעזרת עם ה'. איכא דאמרי מרוז אדם גדול הוה ואיכא דאמרי כוכבא הוה והאי דכתיב יושביה כענין עייש על בניה תנחם. ומנ"ל דמאן דמתפקר אבי דינא מפקרינן נכסיה שנאמר וכל אשר לא יבא לשלשת הימים בעצת השרים והזקנים יחרם כל רכושו והוא יבדל מקהל הגולה. ומנ"ל דנצינן ולטינן ומחינן ומתלשינן שיער ומשבעינן דכתיב ואריב עמם ואקללם ואכה מהם אנשים ואמרטם ואשביעם וגו' ומנ"ל דכפתינן ואסרינן ועבדינן הרדפה שנאמר הן למות הן לשרושי הן לענוש נכסין ולאסורין. מאי לשרושי הרדפה. אמר רב יהודה משמיה דרב מנדין לאלתר דמתפקר ושונין לאחר שלשים ומחרימין לאחר ששים. אמרו משמיה דרב חסדא מתרינן ביה שני וחמישי ושני ואח"כ מנדין אותו. והני מילי לממונא אבל לאפקירותא מנדין לאלתר בלא התראה. ההוא טבחא דאתפקר ברב טובי אימנו אביי ורבא ושמתי' אזל פייסיה לרב טובי אמר אביי היכי נעביד נישרי ליה לא חל שמתא עליה שלשים יום נשבקיה בשמתיה קא בעו רבנן לאפטורי. א"ל רב אידי בר אבין הכי אמר שמואל טוט אסר וטוט שרי. כלומר תקיעת השופר היא השמתא הקול שמכריז בתקיעת שופר הוא האוסר הוא המתיר כלומר אינו צריך ימים לחול עליה שמתא א"ל ה"מ לממונא אבל לאפקירותא עד דחייל עליה שמתא שלשים יום. דייקינן מדקאמר אביי בעי רבנן לאפטורי קסבר תלתא דשמיתו לא אתו תלתא אחרינא ושרו מאי ת"ש מנודה לרב מנודה לתלמיד אינו מנודה לרב מנודה לעירו מנודה לעיר אחרת. מנודה לעיר אחרת אינו מנודה לעירו. מנודה לנשיא מנודה לכל ישראל מנודה לכל ישראל אינו מנודה לנשיא. רשב"ג אומר אחד מן התלמידים שנידה ומת חלקו אינו מופר ש"מ תלת ש"מ מדקתני אחד מן התלמידים שנידה ומת וקתני נמי מנודה לתלמיד אינו מנודה לרב דייקינן מינה לרב אינו מנודה הא לכ"ע מנודה ש"מ תלמיד שנידה לכבודו נידויו נידוי ומדקתני ומת חלקו אינו מופר ש"מ דכל אחד מיפר חלקו. ש"מ נמי דלא אתו אחריני ושרו חלקו א' אמימר הלכתא א) דמשמתי מופר עד דאתו תלתא אחריני ושרו ליה. ת"ר אין נדוי פחות משלשים יום ואין נזיפה פחות משבעה ואע"פ שאין ראיה לדבר זכר לדבר שנאמר ויאמר ה' אל משה ואביה ירק ירק בפניה הלא תכלם שבעת ימים. אמר רב חסדא נידוי שלנו כנזיפה שלהן ונזיפה דידהו שבעה איני והא בר קפרא בעידנא דאמר ליה ר' בר קפרא איני מכירך מעולם וכן כדאמר ליה ר' לר' חייא ראה מה קורא לך בחוץ ידעו דנקיט מילתא עלייהו נהגו נזיפתא בנפשייהו תלתין יומין. ואסיקנא נזיפותא דנשיא תלתין יומין. סוגיא דשמעתא כך גזר

חשק שלמה על ר"ח א) נ"ל בי תלתא דשמיתו אתו בי תלתא אחרינא ושרו ליה א"ל רב אשי לאמימר והא תניא וכו' חלקו אינו מופר לא אינו מופר עד דאתו וכו'.

רש"י כת"י

הן למות הן לשרושי הן לענוש נכסין ולאסורין. התם כתו' בספר עזרא (ז). לשרושי. [לשרשו ו]לרדפו לאלתר כיון דלא ציית לדינא מנדין בשני ושונין בחמישי ומחרימין בשני. לממונא. לגזול ממון לחבירו ולא רצו לשלם על פי בית דין. אפקרותא. חוצפה שהעיז פניו לחרף תלמיד חכם. קא בעו רבנן למיעל. לבא לביתו שצריכין לו. [ל"א מפטרי רבנן ומיזל] אם לא תתיר עכשיו לא תוכל להתירו עוד שהחכמים [ש]הסכימו עמו בנידוי רוצין להפטר מעלי' ולילך לדרכם לעריהם ואם ילכו שוב לא יהיה ניתר. [ע"פ רש"י ברי"ף]. טוט אסר וטוט שרי. בכ"ד מקומות מנדין (ברכות יט.) גימטריא טוט. בשופר נידוהו ובשופר התירוהו ואין צריך ל' יום. שמע מינה תלמיד שנידה. שלא לשם שמים אלא שהחריס כנגדו. נידויו נידוי. מדקתני מנודה לתלמיד אין מנודה לרב ואי לשם שמים שמחיה כגון שעבר עבירה אמאי אין מנודה לרב הא אין חכמה ואין תבונה לנגד יי' דבכל מקום שיש חלול השם אין חולקין כבוד לרב הא (לכל חכמה) [לכולי עלמא] מנודה. כל אחד ואחד מפר חלקו. מדקתני חלקו אינו מופר. שמע מינה. מיהך גופה דלא אתו ג' אחריני ושרו ליה. נזיפה. גערה וכדלקמן. נידוי שלנו. של בני בבל כנזיפה דארץ ישראל. רבי. אבוה דר' שמעון ברבי הוה. מה רבי אומר בדבר זה. אין רבי בעולם היודע. אמ' ליה לאבוה. לפי תומו ולא משום לישנא בישא. לאיתחזויי ליה. לבקר רבי שהיה חולה שקבל עליו ייסורין. אינו מכירך. רמז לו שאינו רוצה לראותו. דנקיט מלתא. שנתן הדבר ללבו. חמוקי ירכיך. כמו חמק עבר (שה"ש ה).

that rebuke was practiced for thirty days in Eretz Yisrael, where this incident occurred, and not for the seven days that Rav Chisda averred. – ? –

The Gemara buttresses its challenge to Rav Chisda with a second incident:

שׁוּב פַּעַם אֶחָד – One other time, גָּזַר רַבִּי שֶׁלֹּא יִשְׁנוּ לְתַלְמִידִים בַּשּׁוּק – Rebbi decreed that [Torah teachers] should not instruct their **students in the marketplace** (i.e. publicly).

The Gemara interjects a question:

מַאי דָּרַשׁ – What verse **did [Rebbi] expound** to underpin his decree?[88]

The Gemara responds:

,,חַמּוּקֵי יְרֵכַיִךְ כְּמוֹ חֲלָאִים" – Scripture states,[89] ***Your hidden***[90] ***thighs are like jewels,*** *the work of a master's hand,*[91] which implies: **מַה יָּרֵךְ בַּסֵּתֶר – Just as the thigh** is kept **private,**

NOTES

88. Rebbi did not derive his decree from the verse; rather, he first perceived a need for the decree, and then found support for it in Scripture (*Matzeves Moshe* below, 16b end of ד״ה ואעורר; see *Succah* 41b).

89. *Song of Songs* 7:2.

90. The word חַמּוּקֵי connotes "hidden," as in חָמַק עָבָר, *had concealed [himself] and gone* (ibid. 5:6) [*Rashi, Rashi ms.*].

91. Rebbi found an analogy to Torah in this verse, since Torah is the handiwork of God (*Rashi* below, 16b ד״ה אף דברי תורה בסתר).

זו עשירית האיפה שלו. שמביא כהן הדיוט כשמחנכין אותו לעבוד תחילה כדכתיב (ויקרא ו) זה קרבן אהרן ובניו אשר יקריבו לה' ביום המשח אותו עשירית האיפה ואמרינן (מנחות דף נא:) ובניו לרבות עשירית האיפה של כהן הדיוט לחינוך ולאו אקראי דלעיל קאי אלא מלות כהנים בעלמא הוא דקאמר יחזקאל אלמא שלא היה יכול להקריב קרבנו עשירית האיפה עד שנטהר מטומאת מת והוא הדין מלרעתו: אמר רבא וכו'. איידי דאיירי במנודה מפרש להו: ומזמינין ליה לדינא. לבעל דין: זימנא בתר זימנא. דאי לא אתי ההוא זימנא קבעינן ליה זימנא אחריתי: קראו שם. שמתא כלומר שמתא לפרעה שהעביר המועד כלומר שהעביר אותו מועד ששמו אחר מועד ראשון: דאי מתפקר בשליחא דרבנן. כלומר שחירף שליח ב"ד ושליח אמר חירפני: העיני האנשים ההם תנקר. אי לאו דשליח דא"ל למשה משה לא הוה ידע: הכי סברא דגברא פלניא. דעת פלוני שבא לנדות את פלוני דצריך לנדותו משמו של אותו חכם: אמר מלאך ה'. ברק אמר לשמתו שהוא שלוחו של מקום: ומחרימין. בארור: ופרטינן חטאיה. דאמרי לאנשי עירו משום הכי והכי משמתינן ליה: כוכבא הוה. מזליה דסיסרא: דמפקרינן לנכסיה. דמאן דלא ציית להו לרבנן: יחרם (ב) הוא וכל רכושו. דהפקר ב"ד הפקר מהכא נפקא לן בכל דוכתי [ט]: ואריב עמם ואקללם. לאותם שהושיבו נשים נכריות: דכפתינן. ידיו ורגליו: ואסרינן ליה. שקושרין אותו על העמוד להלקותו: הרדפה. קא מפרש רב יהודה בריה דרב שמואל לרודפו מיד דכיון דלא ציית דינא מנדין אותו: ושונין. ומנדין אותו פעם אחרת: לממונא. שחייב ממון לחבירו ולא רצה לשלם ע"פ ב"ד: לאפקירותא. מבזה תלמידי חכמים: לא חל עליה שמתא ל' יום. ואין שמתא פחותה מל' יום: קא בעו רבנן למיעל. שצריכין לו: טוט אסר טוט שרי. כלומר מלי למישרי ליה אע"ג דלא חל עליה ל' יום דאותו שופר שנדוהו יכול להתיר לו ומישרי ליה בתוך ל' יום: לא אתו אחריני ושרו ליה. מדמהדר איהו נפשיה למישרי: שנידה לכבודו. ולא לשם שמים אלא שהתריז נגדו ודאי כיון דתני אין מנודה לרב ודאי לא נידה אלא בשביל כבודו דאי במילי דאיסורא הוי כמי שמנודה לרב דאין חכמה ואין עצה וגו' (משלי כא) וקתני אין מנודה לרב אבל לכולי עלמא מנודה: כל אחד מיפר חלקו. מדקתני חלקו אינו מופר: לא אתו אחריני ושרו. מדקתני חלקו אינו מופר לעולם אפי' שרו ליה אחריני: נזיפה. גערה כדלקמן: נדוי שלנו. בני בבל: כנזיפה שלהן. ארץ ישראל: צריך רבי. רבי אבוה דר"ש הוה: מה רבי אומר בדבר זה. אין רבי בעולם היודע דבר זה: א"ל לאבוה. לפי תומו ולאו משום לישנא בישא: לאיתחזויי ליה. לבקר את רבי שהיה חולה שקבל עליו יסורין: אמר ליה בר קפרא איני מכירך. רמז לו שאינו רוצה לראותו: חמוקי ירכיך. כמו חמק עבר (שיר ה): אף

זו עשירית האיפה שלו דברי רבי יהודה ר"ש אומר א) [א] בבאו יקריב בזמן שראוי לביאה ראוי להקרבה בזמן שאינו ראוי לביאה אינו ראוי להקרבה אמר רבא (א) מנלן [א]דמשדרין שליחא דבי דינא ומזמנינן ליה לדינא דכתיב ב) וישלח משה לקרא לדתן ולאבירם בני אליאב ומנלן דמזמנינן לדינא דכתיב ג) ויאמר משה אל קרח אתה וכל עדתך לקמי גברא רבה דכתיב ג) לפני ה' את ופלניא דכתיב אתה והם ואהרן [ב]דקבעינן זימנא דכתיב מחר [ג]זימנא בתר זימנא דכתיב ד) קראו שם פרעה מלך מצרים שאון העביר המועד ומנלן [ד]דאי מתפקר בשליחא דבי דינא ואתי ואמר לא מיתחזי כלישנא בישא דכתיב ה) העיני האנשים ההם תנקר [ה]ומנלן דמשמתינן דכתיב ו) אורו מרוז דהכי סברא דגברא ג) רבה דכתיב ו) אמר מלאך ה' ומנלן דמחרמינן דכתיב אורו ארור [ו]דאכיל ושתי בהדיה וקאי בארבע אמות דידיה דכתיב יושביה ומנלן [ז]דפרטינן חטאיה בציבורא דכתיב ו) כי לא באו לעזרת ה' ואמר עולא ג) בד' מאה שיפורי שמתיה ברק למרוז איכא דאמרי גברא רבה הוה ואיכא דאמרי כוכבא הוה שנאמר ז) מן שמים נלחמו הכוכבים ומנלן [ח]דמפקרינן נכסיה דכתיב ח) וכל אשר לא יבא לשלשת הימים בעצת השרים והזקנים יחרם כל רכושו והוא יבדל מקהל הגולה ומנלן [ט]דנצינן ולייטינן ומחינן ותלשינן שיער ומשבעינן דכתיב ט) ואריב עמם ואקללם ואכה מהם אנשים ואמרטם ואשביעם ומנלן [י]דכפתינן ואסרינן ועבדינן הרדפה דכתיב י) הן למות הן לשרושי הן לענש נכסין ולאסורין מאי לשרושי אמר אדא מרי אמר נחמיה בר ברוך אמר רב חייא בר אבין אמר רב יהודה הרדפה מאי הרדפה אמר רב יהודה בריה דרב שמואל בר שילת משמיה דרב מנדין לאלתר [כ]ושונין לאחר ל' ומחרימין לאחר ששים א"ל רב הונא בר חיננא הכי אמר רב חסדא [ל]מתרין ביה שני וחמישי ושני [מ]ה"מ לממונא אבל לאפקירותא לאלתר ההוא טבחא דאיתפקר ברב טובי בר מתנה אימנו עליה אביי ורבא ושמתוהו לסוף אזל פייסיה לבעל דיניה אמר אביי היכי ליעביד לישרי ליה לא חל שמתא עליה תלתין יומין לא לישרי ליה קא בעו רבנן [א]למיעל א"ל לרב אידי בר אבין מידי שמיע לך בהא א"ל הכי אמר רב תחליפא בר אבימי אמר שמואל ס) [נ]טוט אסר וטוט שרי אמר ליה ה"מ לממונא אבל לאפקירותא עד דחיילא שמתא עליה תלתין יומין אלמא קסבר אביי הני בי תלתא דשמיתו לא אתו תלתא אחריני ושרו ליה דאיבעיא להו הני בי תלתא דשמיתו מהו למיתי תלתא אחריני ושרו ליה ת"ש ע) [ס]מנודה לרב מנודה לתלמיד מנודה פ) לתלמיד אינו מנודה לרב [ע]מנודה לעירו מנודה לעיר אחרת מנודה לעיר אחרת אינו מנודה לעירו [פ]מנודה לנשיא מנודה לכל ישראל מנודה לכל ישראל אינו מנודה לנשיא רשב"ג אומר אחד מן התלמידים שנידה ומת חלקו אינו מופר ש"מ תלת שמע מינה [צ]תלמיד שנידה לכבודו נידויו נידוי ושמע מינה [ק]כל אחד ואחד מיפר חלקו וש"מ הני בי תלתא דשמיתו לא אתו תלתא אחריני ושרו ליה אמר אמימר הלכתא הני בי תלתא דשמיתו [ר]אתו בי תלתא אחריני ושרו ליה א"ל רב אשי לאמימר והא תניא רשב"ג אומר אחד מן התלמידים שנידה ומת חלקו אינו מופר מאי לאו אינו מופר כלל לא עד דאתו בי תלתא אחריני ושרו ליה ת"ר [ש]אין נידוי פחות מל' יום ואין נזיפה פחות מז' ימים ואף על פי שאין ראיה לדבר זכר לדבר שנאמר כ) ואביה ירק ירק בפניה הלא תכלם שבעת ימים אמר רב חסדא [ת]נידוי שלנו כנזיפה שלהן ונזיפה דידהו שבעה ותו לא והא ר"ש בר רבי ובר קפרא הוו יתבי וקא גרסי קשיא להו שמעתא א"ל ר"ש לבר קפרא דבר זה צריך רבי א"ל בר קפרא לר"ש ומה רבי אומר בדבר זה אזל א"ל לאבוה איקפד אתא בר קפרא לאיתחזויי ליה א"ל בר קפרא איני מכירך מעולם ידע דנקט מילתא בדעתיה נהג נזיפותא בנפשיה תלתין יומין שוב פעם אחד גזר רבי שלא ישנו לתלמידים בשוק מאי דרש ז) ל) חמוקי ירכיך ס) כמו חלאים מה ירך בסתר

מתרין בו שני וחמישי ושני. פירש בקונטרס שני מתרין בו תחילה ומנדין אותו וכן בחמישי ובשני אחר מחרימין וא"ל שלשים יום ויש מפרשים קודם שינדוהו כלל יתרו בו וכן משמע בפרק הגוזל בתרא (ב"ק דף קיג.):

מסורת הש"ם

א) [צ"ל וביום בואו], ב) ס"א פלניא, ג) [שבועות לו.], ד) [עי' תוספות מנחות לד: ד"ה טט], ה) [לקמן יז.], ו) [עי' תוספות סנהדרין ח. ד"ה מפיקנא], ז) [סוכה מט: ע"ש], ח) [כמו חלאים אין חלאים אלא רבנן כדגרסינן בנדרים מט. והן שמתעסקין בתורה שהיא מעשה ידי אומן. עיין בערך חמק], ט) [יבמות פט:].

הגהות הב"ח

(א) גמ' אמר רבא מנלן דקבעינן דוכתא ומשדרינן שליחא דבי דינא דכתיב וישלח כו' כצ"ל ותיבות ומזמנינן ליה לדינא נמחק: (ב) רש"י ד"ה יחרם כל רכושו כו' ותיבת הוא נמחק:

הגהות הגר"א

[א] גמ' למיעל. נ"ב נ"א למיזל [ועיין ר"ן ופרש"י שבריי"ף]:

תורה אור השלם

א) וּבְיוֹם בֹּאוֹ אֶל הַקֹּדֶשׁ אֶל הֶחָצֵר הַפְּנִימִית לְשָׁרֵת בַּקֹּדֶשׁ יַקְרִיב חַטָּאתוֹ נְאֻם אֲדֹנָי יֱיָ: [יחזקאל מד, כז]

ב) וַיִּשְׁלַח מֹשֶׁה לִקְרֹא לְדָתָן וְלַאֲבִירָם בְּנֵי אֱלִיאָב וַיֹּאמְרוּ לֹא נַעֲלֶה: [במדבר טז, יב]

ג) וַיֹּאמֶר מֹשֶׁה אֶל קֹרַח אַתָּה וְכָל עֲדָתְךָ הֱיוּ לִפְנֵי יְיָ אַתָּה וָהֵם וְאַהֲרֹן מָחָר: [במדבר טז, טז]

ד) קָרְאוּ שָׁם פַּרְעֹה מֶלֶךְ מִצְרַיִם שָׁאוֹן הֶעֱבִיר הַמּוֹעֵד: [ירמיה מו, יז]

ה) אַף לֹא אֶל אֶרֶץ זָבַת חָלָב וּדְבַשׁ הֲבִיאֹתָנוּ וַתִּתֶּן לָנוּ נַחֲלַת שָׂדֶה וָכָרֶם הַעֵינֵי הָאֲנָשִׁים הָהֵם תְּנַקֵּר לֹא נַעֲלֶה: [במדבר טז, יד]

ו) אוֹרוּ מֵרוֹז אָמַר מַלְאַךְ יְיָ אֹרוּ אָרוֹר יֹשְׁבֶיהָ כִּי לֹא בָאוּ לְעֶזְרַת יְיָ לְעֶזְרַת יְיָ בַּגִּבּוֹרִים: [שופטים ה, כג]

ז) מִן שָׁמַיִם נִלְחָמוּ הַכּוֹכָבִים מִמְּסִלּוֹתָם נִלְחֲמוּ עִם סִיסְרָא: [שופטים ה, כ]

ח) וְכֹל אֲשֶׁר לֹא יָבוֹא לִשְׁלֹשֶׁת הַיָּמִים בַּעֲצַת הַשָּׂרִים וְהַזְּקֵנִים יָחֳרַם כָּל רְכוּשׁוֹ וְהוּא יִבָּדֵל מִקְּהַל הַגּוֹלָה: [עזרא י, ח]

ט) וָאָרִיב עִמָּם וָאֲקַלְלֵם וָאַכֶּה מֵהֶם אֲנָשִׁים וָאֶמְרְטֵם וָאַשְׁבִּיעֵם בֵּאלֹהִים אִם תִּתְּנוּ בְנֹתֵיכֶם לִבְנֵיהֶם וְאִם תִּשְׂאוּ מִבְּנֹתֵיהֶם לִבְנֵיכֶם וְלָכֶם: [נחמיה יג, כה]

י) וְכָל דִּי לָא לֶהֱוֵא עָבֵד דָּתָא דִי אֱלָהָךְ וְדָתָא דִּי מַלְכָּא אָסְפַּרְנָא דִּינָה לֶהֱוֵא מִתְעֲבֵד מִנֵּהּ הֵן לְמוֹת הֵן לִשְׁרֹשִׁי הֵן לַעֲנָשׁ נִכְסִין וְלֶאֱסוּרִין: [עזרא ז, כו]

כ) וַיֹּאמֶר יְיָ אֶל מֹשֶׁה וְאָבִיהָ יָרֹק יָרַק בְּפָנֶיהָ הֲלֹא תִכָּלֵם שִׁבְעַת יָמִים תִּסָּגֵר שִׁבְעַת יָמִים מִחוּץ לַמַּחֲנֶה וְאַחַר תֵּאָסֵף: [במדבר יב, יד]

ל) מַה יָּפוּ פְעָמַיִךְ בַּנְּעָלִים בַּת נָדִיב חַמּוּקֵי יְרֵכַיִךְ כְּמוֹ חֲלָאִים מַעֲשֵׂה יְדֵי אָמָּן: [שיר השירים ז, ב]

עין משפט נר מצוה

נ א ב ג מיי' פכ"ה מהלכות סנהדרין הל' ח טוש"ע ח"מ סימן יא סעיף א:

נא ד מיי' שם הלכה ו סמג לאוין רח טוש"ע שם וסימן ח סעיף ה בהג"ה:

נב ה מיי' שם הלכה ח ופ"ו מהלכות ת"ת הלכה יד ופכ"ד מהלכות סנהדרין הלכה ז טוש"ע ח"מ סימן ב וטוש"ע י"ד סימן שלד סעיף מג:

נג ו מיי' פ"ז מהלכות ת"ת הלכה יג טוש"ע י"ד סי' שלד סעיף ט:

נד ז מיי' פכ"ד מהל' סנהדרין הלכה ז:

נה ח מיי' שם הלכה ו טוש"ע ח"מ סימן ב בהג"ה:

נו ט י מיי' שם הלכה ח והלכה ט:

נז כ מיי' פ"ז מהלכות ת"ת הלכה ד טוש"ע י"ד סימן שלד סעיף א:

נח ל מיי' פכ"ה מהל' סנהדרין הלכה ח טוש"ע י"ד סימן שלד סעיף א בהג"ה וטוש"ע ח"מ סימן ק סעיף ג:

נט מ מיי' פ"ז מהלכות ת"ת הל' יג טוש"ע י"ד סימן שלד סעיף א:

ס נ מיי' שם הל' יב טוש"ע י"ד סי' שלד סעי' יג:

סא ס מיי' פ"ו שם הל' יג טוש"ע שם סעיף טו:

סב ע מיי' שם טוש"ע שם סעיף כ:

סג פ מיי' שם טוש"ע שם סעיף כא:

סד צ מיי' שם טוש"ע שם סעיף מה:

סה ק טוש"ע שם סעיף כו:

סו ר מיי' פ"ז שם הל' ט טוש"ע שם סעיף כה:

סז ש ת טוש"ע שם סעיף א:

רבינו חננאל

ר"ש אומר כתיב כאן בבאו יקריב עצמו בזמן שראוי לבא בקדש יקריב בזמן שאינו ראוי לביאה אינו ראוי להקרבה. אמר רבא מנ"ל דמשדרינן שליחא מבי דינא ומזמנינן ליה לדינא לקמיה גברא רבה שנאמר ויאמר משה אל קרח אתה וכל עדתך היו לפני ה' ופלניא בעל דינך שנא' אתה והם ואהרן ומנ"ל דקבעינן להו זימנא שנאמר מחר. ומנ"ל דקבעינן זימנא בתר זימנא שנאמר קראו שם פרעה מלך מצרים שאון העביר המועד. העביר המועד שקבעו לו מועד ולא נענש עד אחר כן. מנ"ל דאי מתפקר בשליחא דבי דינא ואתי שליחא ומחוי ליתיה לישנא בישא שנאמר העיני האנשים ההם תנקר לא נעלה ומנ"ל דמשמתינן בהרמנא דגברא רבה שנאמר אורו מרוז אמר וגו' ומנ"ל דמחרמינן ליה נמי דכתיב אורו ארור ומנ"ל דמחרמינן על כל מאן דאכיל ושתי בהדיה וקאי בד' אמות דיליה שנאמר אורו ארור יושביה. ומנ"ל דפרטינן חטאיה שנאמר כי לא באו לעזרת ה' פי' לעזרת עם ה'. איכא דאמרי מרוז אדם גדול הוה ואיכא דאמרי כוכבא הוה והאי דכתיב יושביה כענין עייש על בניה תנחם. ומנ"ל דמאן דמתפקר אבי דינא מפקרינן נכסיה שנאמר וכל אשר לא יבא לשלשת הימים בעצת השרים והזקנים יחרם כל רכושו והוא יבדל מקהל הגולה. ומנ"ל דנצינן ולטינן ומחינן ומתלשינן שיער ומשבעינן דכתיב ואריב עמם ואקללם ואכה מהם אנשים ואמרטם ואשביעם וגו' ומנ"ל דכפתינן ואסרינן ועבדינן הרדפה שנאמר הן למות הן לשרושי הן לענוש נכסין ולאסורין. מאי לשרושי הרדפה. אמר רב יהודה משמיה דרב מנדין לאלתר דמתפקר ושונין לאחר שלשים ומחרימין לאחר ששים. אמרו משמיה דרב חסדא מתרינן ביה שני וחמישי ושני ואח"כ מנדין אותו. והני מילי לממונא אבל לאפקירותא מנדין לאלתר בלא התראה. ההוא טבחא דאתפקר ברב טובי אימנו אביי ורבא ושמתי' אזל פייסיה לרב טובי אמר אביי היכי נעביד נישרי ליה לא חל שמתא עליה שלשים יום נשבקיה בשמתיה קא בעו רבנן לאפטורי. א"ל רב אידי בר אבין הכי אמר שמואל טוט אסר וטוט שרי. כלומר תקיעת השופר היא השמתא הקול שמכריז בתקיעת שופר הוא האוסר הוא המתיר כלומר אינו צריך ימים לחול עליה שמתא א"ל ה"מ לממונא אבל לאפקירותא עד דחייל עליה שמתא שלשים יום. דייקינן מדקאמר אביי בעי רבנן לאפטורי קסבר תלתא דשמיתו לא אתו תלתא אחרינא ושרו מאי ת"ש מנודה לרב מנודה לתלמיד מנודה לתלמיד אינו מנודה לרב מנודה לעירו מנודה לעיר אחרת. מנודה לעיר אחרת אינו מנודה לעירו. מנודה לנשיא מנודה לכל ישראל מנודה לכל ישראל אינו מנודה לנשיא. רשב"ג אומר אחד מן התלמידים שנידה ומת חלקו אינו מופר ש"מ תלת ש"מ מדקתני אחד מן התלמידים שנידה ומת וקתני נמי מנודה לתלמיד אינו מנודה לרב דייקינן מינה לרב אינו מנודה הא לכ"ע מנודה ש"מ תלמיד שנידה לכבודו נידויו נידוי ומדקתני ומת חלקו אינו מופר ש"מ דכל אחד מיפר חלקו. ש"מ נמי דלא אתו אחריני ושרו חלקו א' אמימר הלכתא א) דמשמתי מופר עד דאתו תלתא אחריני ושרו ליה. ת"ר אין נדוי פחות משלשים יום ואין נזיפה פחות משבעה ואע"פ שאין ראיה לדבר זכר לדבר שנאמר ויאמר ה' אל משה ואביה ירק ירק בפניה הלא תכלם שבעת ימים. אמר רב חסדא נידוי שלנו כנזיפה שלהן ונזיפה דידהו שבעה איני והא בר קפרא בעידנא דאמר ליה ר' בר קפרא איני מכירך מעולם וכן כדאמר ליה ר' לר' חייא ראה מה קורא לך בחוץ ידעו דנקיט מילתא עלייהו נהגו נזיפתא בנפשייהו תלתין יומין. ואסיקנא נזיפותא דנשיא תלתין יומין. סוגיא דשמעתא כך גזר

חשק שלמה על ר"ח א) נ"ל בי תלתא דשמיתו אתו בי תלתא אחרינא ושרו ליה א"ל רב אשי לאמימר והא תניא וכו' חלקו אינו מופר לא אינו מופר עד דאתו וכו'.

רש"י כת"י

הן למות הן לשרושי הן לענוש נכסין ולאסורין. התם כתו' בספר עזרא (ז). לשרושי. [לשרשו ו]לרדפו לאלתר כיון דלא ציית לדינא מנדין בשני ושונין בחמישי ומחרימין בשני. לממונא. לגוזל ממון לחבירו ולא רצו לשלם על פי בית דין. אפקרותא. חוצפא שהעיז פניו לחרף תלמיד חכם. קא בעו רבנן למיעל. לבא לביתו שצריכין לו. [ל"א מפטרי רבנן ומיזל] אם לא תתיר עכשיו לא אוכל להתירו עוד שהחכמים [ש]הסכימו עמו בנידוי רוצין להפטר מעלי ולילך לדרכם לעריהם ואם ילכו שוב לא יהיה ניתר. [ע"פ רש"י ברי"ף]. טוט אסר וטוט שרי. בכ"ד מקומות מנדין (ברכות יט.) גימטריא טוט. בשופר נידוהו ובשופר התירוהו ואין צריך ל' יום. שמע מינה תלמיד שנידה. שלא לשם שמים אלא שהתרים כנגדו. נידויו נידוי. מדקתני מנודה לתלמיד אין מנודה לרב ואי לשם שמים שמתיה כגון שעבר עבירה אמאי אין מנודה לרב הא אין חכמה ואין תבונה לנגד יי' דבכל מקום שיש חלול השם אין חולקין כבוד לרב הא (לכל חכמה) [לכולי עלמא] מנודה. כל אחד ואחד מפר חלקו. מדקתני חלקו אינו מופר. שמע מינה. מיהך גופה דלא אתו ג' אחריני ושרו ליה. נזיפה. גערה וכדלקמן. נידוי שלנו. של בני בבל כנזיפה דארץ ישראל. רבי. אבוה דר' שמעון ברבי הוה. מה רבי אומר בדבר זה. אין רבי בעולם היודע. אמ' ליה לאבוה. לפי תומו ולא משום לישנא בישא. לאיתחזויי ליה. לבקר רבי שהיה חולה שקבל עליו ייסורין. איני מכירך. רמז לו שאינו רוצה לראותו. דנקיט מלתא. שנתן הדבר ללבו. חמוקי ירכיך. כמו חמק עבר (שה"ש ה).

עין משפט
נר מצוה

סח א טוש"ע י"ד סימן שלד סעיף א:

[א] אף דברי תורה בסתר יצא רבי חייא ושנה לשני בני אחיו בשוק [ב] לרב ולרבה בר בר חנה שמע ר' איקפד אתא ר' חייא לאיתחזויי ליה א"ל [ג] עייא מי קורא לך בחוץ ידע דנקט מילתא בדעתיה נהג נזיפותא בנפשיה תלתין יומין ביום תלתין שלח ליה תא הדר שלח ליה דלא ליתי מעיקרא מאי סבר ולבסוף מאי סבר מעיקרא סבר [ד] מקצת היום ככולו ולבסוף סבר לא אמרינן מקצת היום ככולו לסוף אתא א"ל אמאי אתית א"ל דשלח לי מר דליתי והא שלחי לך דלא תיתי א"ל זה ראיתי וזה לא ראיתי קרי עליה [א] ברצות ה' דרכי איש גם אויביו ישלים אתו מ"ט עבד מר הכי א"ל דכתיב [ב] חכמות בחוץ תרונה א"ל [ה] אם קרית לא שנית ואם שנית לא שילשת ואם שילשת לא פירשו לך חכמות בחוץ תרונה כדרבא דאמר רבא כל העוסק בתורה מבפנים תורתו מכרזת עליו מבחוץ והא כתיב [ג] לא מראש בסתר דברתי ההוא ביומי דכלה ור' חייא האי חמוקי ירכיך מאי עביד לה מוקי לה בצדקה ובגמילות חסדים אלמא נזיפה דידהו תלתין יומין נזיפת נשיא שאני [א] ונזיפה דידן כמה הוי חד יומא כי הא דשמואל ומר עוקבא כי הוו יתבי גרסי שמעתא הוה יתיב מר עוקבא קמיה דשמואל ברחוק ד' אמות וכי הוו יתבי בדינא הוה יתיב שמואל קמיה דמר עוקבא ברחוק ד' אמות והוו חייקי ליה דוכתא למר עוקבא [ו] בציפתא ויתיב עילויה כי היכי דלישתמען מיליה כל יומא הוה מלוי ליה מר עוקבא לשמואל עד אושפיזיה יומא חד איטריד בדיניה הוה אזיל שמואל בתריה כי מטא לביתיה א"ל לא נגה לך לישרי לי מר בתיגריה ידע דנקט מילתא בדעתיה נהג נזיפותא בנפשיה חד יומא ההיא איתתא דהוות יתבה בשבילא הוות פשטה כרעה וקא מניפה [ז] חושלאי והוה חליף ואזיל צורבא מרבנן ולא איכנעה מקמיה אמר כמה חציפא ההיא איתתא אתאי לקמיה דר"נ אמר לה מי שמעת שמתא מפומיה אמרה ליה לא אמר לה זילי נהוגי נזיפותא חד יומא בנפשיך זוטרא בר טוביה הוה קפסיק סידרא קמיה דרב יהודה כי מטא להאי פסוקא [ד] ואלה דברי דוד האחרונים א"ל אחרונים מכלל דאיכא ראשונים מאי נינהו שתיק ולא אמר ליה ולא מידי הדר א"ל אחרונים מכלל דאיכא ראשונים ראשונים מאי היא א"ל מאי דעתך דלא ידע פירושא דהאי קרא לאו גברא רבה הוא ידע דנקט מילתא בדעתיה נהג נזיפותא בנפשיה חד יומא ודאתן עלה מיהא אחרונים מכלל דאיכא ראשונים מאי היא [ה] וידבר דוד לה' את דברי השירה הזאת ביום הציל ה' אותו מכף כל אויביו ומכף שאול אמר לו הקב"ה לדוד [ס] דוד שירה אתה אומר על מפלתו של שאול [ע] אלמלי אתה שאול והוא דוד איבדתי כמה דוד מפניו היינו דכתיב [ו] שגיון לדוד אשר שר לה' על דברי כוש בן ימיני וכי כוש שמו והלא שאול שמו אלא מה כושי משונה בעורו אף שאול משונה במעשיו כיוצא בדבר אתה אומר [ז] על אודות האשה הכושית אשר לקח וכי כושית שמה והלא ציפורה שמה אלא מה כושית משונה בעורה אף ציפורה משונה במעשיה כיוצא בדבר אתה אומר [ח] וישמע עבד מלך הכושי וכי כושי שמו והלא צדקיה שמו אלא מה כושי משונה בעורו אף צדקיה משונה במעשיו כיוצא בדבר אתה אומר [ט] הלא כבני כושיים אתם לי ([ט] בית) ישראל וכי כושיים שמן והלא ישראל שמן אלא מה כושי משונה בעורו אף ישראל משונין במעשיהן מכל האומות [י] א"ר שמואל בר נחמני א"ר יונתן מאי דכתיב [ד] נאם דוד בן ישי ונאם הגבר הוקם על נאם דוד בן ישי שהקים עולה של תשובה [י] אמר אלהי ישראל לי דבר צור ישראל מושל באדם צדיק מושל יראת אלהים מאי קאמר א"ר אבהו ה"ק אמר אלהי ישראל לי דבר צור ישראל אני מושל באדם מי מושל בי צדיק שאני [כ] גוזר גזרה ומבטלה [כ] אלה שמות הגבורים אשר לדוד יושב בשבת וגו' מאי קאמר א"ר אבהו ה"ק ואלה שמות גבורותיו של דוד יושב בשבת בשעה שהיה יושב בישיבה לא היה יושב על גבי כרים וכסתות אלא על גבי קרקע דכל כמה דהוה רביה עירא היאירי קיים הוה מתני להו לרבנן על גבי כרים וכסתות כי נח נפשיה הוה מתני דוד לרבנן והוה יתיב על גבי קרקע אמרו ליה ליתיב מר אכרים וכסתות לא קביל עליה תחכמוני אמר רב אמר לו הקב"ה הואיל והשפלת עצמך תהא כמוני שאני גוזר גזרה ואתה מבטלה ראש השלישים תהא ראש לשלשת אבות [ס] הוא עדינו העצני כשהיה יושב ועוסק בתורה היה מעדן עצמו כתולעת ובשעה שיוצא למלחמה היה מקשה עצמו כעץ על שמונה מאות חלל בפעם אחת שהיה זורק חץ ומפיל שמונה מאות חלל בפעם אחת והיה מתאנח על מאתים דכתיב [ל] איכה ירדף אחד אלף יצתה בת קול ואמרה [מ] רק בדבר אוריה החתי אמר רבי תנחום בריה דרבי חייא איש כפר עכו אמר רבי יעקב בר אחא אמר ר' שמלאי ואמרי לה אמר ר' תנחום אמר רב הונא לחודיה
תלמיד

אף דברי תורה בסתר. דכתיב בסיפיה דקרא מעשה ידי אומן התורה מעשה אומנתו של הקדוש ברוך הוא: (א) רב בר אחוה דרבי חייא דהוא בר אחתיה ורבה בר בר חנה בר אחוה דר' חייא [דלאו] בר אחתיה כדאמרינן בסנהדרין [ו]: עייא. כך כינה שמו של ר' חייא לשון גנאי: ראה מי קורא לך. כלומר לא מכאן: תא. בוא אלי והדר שלח ליה לא תיתי: וזה. שליח שני לא ראיתי: ברצות ה' דרכי איש גם אויביו ישלים אתו. כי הוא על כרחו בא: מאי טעמא עבדת הכי. דשנית בשוק: ביומא דכלה. דרשה שהכל מלויין שם: מוקים ליה בצדקה. דמיבעי למיעבד בסתר: מר עוקבא. כתלמיד לשמואל דשמואל גדול בתורה יותר ממר עוקבא: כי יתבן בדינא כו'. משום דמר עוקבא היה נשיא: חייקי ליה דוכתיה. מנמיכין לו מקום כשיושב בדין: כי היכי דמשתמע ליה מיליה. דשמואל רביה בתורה: איטריד. מר עוקבא בדינא שהיה מחשב בדין ולא אידכר ליה למיזל בתר שמואל: לא נגה לך. כלומר לא סגי לך דאזילנא בתרך:
ליסרי

לישרי לי מר בתיגריה. הב לי רשותא למיהדר: ידע. מר עוקבא: דנקט. שמואל בדעתיה משום דאזיל בתריה: מי שמעת שמתא מפומיה. אי שמית לך: פסיק סידרא. לימד פרשיות: מכלל דאיכא ראשונים. והלא לא מצינו שאמר דוד דברי אלא במקרא זה דדברי לשון נבואה: אתה שאול. שנולדת במזלו: והוא דוד. שנולד במזל שלך: אבדתי כמה דוד. שהוא צדיק ממך: שגיון. שגגה היתה לו: משונה במעשיו. צדיק גמור: שהקים עולה של תשובה. שהוא שב תחלה ונתן דרך לשבים כדאמרינן בפ"ק דע"ז (דף ד:) לא דוד ראוי לאותו מעשה אלא שאם חטא יחיד אומרים לו כלך אצל דוד שמחל לו הקב"ה אותו עון אף אתה חזור בתשובה: צור ישראל. מושל באדם אני מי מושל בי צדיק מושל בי ומבטלה: עירא היאירי. הוה מתני לדוד [מ] אגב כרי' וכסתות ודוד הוה מתני לרבנן על גבי קרקע: ראש לג' אבות. שהוא הולך לפניהם לעוה"ב: מעדן עצמו. כופף עצמו ידיו ורגליו ביחד ויושב לארץ: בדבר אוריה החתי. נטלו לו מאתים:
תלמיד

לא החשיך כלומר עדיין לא תרשני ללכת מפניך. לישרי לי מר תגרא. כלומר התירנו מלער זה והרשנו לשוב לביתי. כרעה. רגל שלה. שמתא. נדוי. קפסיק סידרא. לומד פרשיות. אמ' אלו דברי דוד האחרונים מכלל דאיכא ראשונים. והא לא מצינו שאמ' דוד דברי אלא במקרא זה ודברי הוא לשון נבואה. הדר. בעיא מיני' זימנא אחריתי דברי דוד היכן מצינו שכתב דוד דברי. [דלא ידע פירושא]. כל שלא ידע טעם זה איבד חכמתו בתמיה. אלמלא. אתה נולד במזל של שאול והוא נולד במזלך. איבדתי. דוד מלפניו שהוא צדיק ממך. שגיון. טעות הוא בידי והכי קאמ' אלה דברי דוד האחרונים אלה היו עיקר אבל הראשונים אשר שר על שאול לא היה בהן ממש. משונה במעשיו. שכל דורו רשעים והוא צדיק. שהקים עולה של תשובה. כדאמרינן בפרק קמ' דע"ז (ד:) לא דוד ראוי לאותו מעשה אלא שאם חטא יחידי אומרין לו כלך אצל יחיד דוד שמחל לו הקב"ה לאותו עון אף אתה חזור בך בתשובה ותועיל לך. *[עולה. לשון תועלת]* [רש"י ע"י]. אמר. דוד לי דבר צור ישראל ומושל באדם אתה ומי מושל בי צדיק מושל ביראת אלהים שגוזר הקב"ה גזירה על האדם לדיק מושל בה ומבטלה. מאי קאמ'. אטו בשבת תחכמוני שמות גבורים נינהו. בשבת משמע ישיבה נמוכה. תהא ראש לשלשת אבות. לעולם שכול' חיים וכתוב ועבדי דוד מלך עליהם (יחזקאל לז). מעדן. כופף ידיו ורגליו ויושב לארץ כמו התקשר מעדנות כימה (איוב לח). מתאנח על מאתים. שמסרין מאלף דכתוב גבי אומות העולם איכה ירדוף אחד אלף וגו' כאן בזמן שאין ישראל עושין רצונו של מקום ירדוף אחד מהאומות אלף מישראל ושנים יניסו רבבה אבל בזמן שישראל עושין רצונו של מקום אחד מישראל רודף מאומות העולם אלף ועל זה היה דוד מתאנח מפני מה באומות העולם כתוב איכה ירדוף אחד אלף וגו' [אע"פ שאינם עושים רצונו של מקום ובזמן שעושין רצונו של מקום אמר ורדפו מכם חמשה מאה וגו'] ופשטיה דקרא הכי כתוב לעיל מיניה אמרתי אפאיהם אמ' הקב"ה אכלה אותם באפי ובחמתי ואשביתה [מאנוש] זכרם אם לא מפני שיאמרו אויביהם ידינו רמה וכחנו עמדה לנו כי [העובדי כוכבים] גוי אובד עצות המה ויאמרו שהם השמידום בכחם אבל אם יבינו לאחריתם שיאמרו איכה ירדוף אחד ממנו אלף מישראל אם לא כי צורם מכרם שלא יהו נוטלין כבוד לעצמם (ברש"י בע"י - עטרה לשמם) אז ירדוף אחד מהן אלף [מישראל].

רבינו חננאל

ר' שלא ישנו לתלמידים בשוק שנאמר חמוקי ירכיך כמו חלאים ואין חלאים אלא רבנן כדגרסינן בנדרים (מט.) מאן חולים רבנן והן שמתעסקים בתורה שהיא מעשה ידי אמן ואמר רבי מה ירך זה בסתר אף דברי תורה בסתר והני מילי בשאר ימות השנה. אבל ביומי דכלה לא שנאמר חכמות בחוץ תרונה ברחובות תתן קולה. ונזיפה דידן כמה הוי חד יומא כמר עוקבא כד ידע דנקיט שמואל מלתא בדעתיה נהג נזיפותא בנפשיה חד יומא וכרב נחמן דאמר לההיא דשמעה מפומיה דצורבא מרבנן כמה חציפא הא [אתתא זילי] נהוג בנפשיך חד יומא. מר זוטרא בר טוביה הוה פסיק סידריה קמיה דרב יהודה מטי להאי קרא ואלה דברי דוד האחרונים מכלל דאיכא ראשונים שאליה ולא הגיד ליה. א"ל אטו מאן דלא ידע פירושא דהאי פסוקא לאו גברא רבה הוא ידע דנקיט מילתא בדעתיה נהג נזיפותא בנפשיה חד יומא. פשטוה דראשונים הן דברי השיר אשר שר דוד ביום הציל ה' אותו מכף כל אויביו ומיד שאול. א"ל הקב"ה שירה אתה אומר על מפלתו של שאול כו'. כיון דידע דחטא חזר והודה כי שגג כדכתיב שגיון לדוד אשר שר לה' על דברי כוש בן ימיני ופי' כי כוש הוא שאול. ולפיכך אמר אלה דברי דוד האחרונים נאם דוד בן ישי נאם הגבר הוקם על שהקים עולה של תשובה. רוח ה' דבר בי ומלתו על לשוני. אמר אלהי ישראל לי דבר צור ישראל אמר לי הוא המושל באדם וצדיק הוא המושל ביראת אלהים הוא מושל בדברו כי מבטל בתחינתו גזירות של הקב"ה הרעות מלבוא על עמו ישראל. יושב בשבת תחכמוני כו' עדינו העצני

תורה אור השלם

א) בִּרְצוֹת יְיָ דַּרְכֵי אִישׁ גַּם אוֹיְבָיו יַשְׁלִם אִתּוֹ: [משלי טז, ז]

ב) חָכְמוֹת בַּחוּץ תָּרֹנָּה בָּרְחֹבוֹת תִּתֵּן קוֹלָהּ: [משלי א, כ]

ג) קִרְבוּ אֵלַי שִׁמְעוּ זֹאת לֹא מֵרֹאשׁ בַּסֵּתֶר דִּבַּרְתִּי מֵעֵת הֱיוֹתָהּ שָׁם אָנִי וְעַתָּה אֲדֹנָי אֱלֹהִים שְׁלָחַנִי וְרוּחוֹ: [ישעיה מח, טז]

ד) וְאֵלֶּה דִּבְרֵי דָוִד הָאַחֲרֹנִים נְאֻם דָּוִד בֶּן יִשַׁי וּנְאֻם הַגֶּבֶר הֻקַם עַל מְשִׁיחַ אֱלֹהֵי יַעֲקֹב וּנְעִים זְמִרוֹת יִשְׂרָאֵל: [שמואל ב' כג, א]

ה) וַיְדַבֵּר דָּוִד לַייָ אֶת דִּבְרֵי הַשִּׁירָה הַזֹּאת בְּיוֹם הִצִּיל יְיָ אֹתוֹ מִכַּף כָּל אֹיְבָיו וּמִכַּף שָׁאוּל: [שמואל ב' כב, א] ו) שִׁגָּיוֹן לְדָוִד אֲשֶׁר שָׁר לַייָ עַל דִּבְרֵי כוּשׁ בֶּן יְמִינִי: [תהלים ז, א] ז) וַתְּדַבֵּר מִרְיָם וְאַהֲרֹן בְּמשֶׁה עַל אֹדוֹת הָאִשָּׁה הַכֻּשִׁית אֲשֶׁר לָקָח כִּי אִשָּׁה כֻשִׁית לָקָח: [במדבר יב, א] ח) וַיִּשְׁמַע עֶבֶד מֶלֶךְ הַכּוּשִׁי אִישׁ סָרִיס וְהוּא בְּבֵית הַמֶּלֶךְ כִּי נָתְנוּ אֶת יִרְמְיָהוּ אֶל הַבּוֹר וְהַמֶּלֶךְ יוֹשֵׁב בְּשַׁעַר בִּנְיָמִן: [ירמיה לח, ז] ט) הֲלוֹא כִבְנֵי כֻשִׁיִּים אַתֶּם לִי בְּנֵי יִשְׂרָאֵל נְאֻם יְיָ הֲלוֹא אֶת יִשְׂרָאֵל הֶעֱלֵיתִי מֵאֶרֶץ מִצְרַיִם וּפְלִשְׁתִּיִּים מִכַּפְתּוֹר וַאֲרָם מִקִּיר: [עמוס ט, ז] י) אָמַר אֱלֹהֵי יִשְׂרָאֵל לִי דִבֶּר צוּר יִשְׂרָאֵל מוֹשֵׁל בָּאָדָם צַדִּיק מוֹשֵׁל יִרְאַת אֱלֹהִים: [שמואל ב' כג, ג] כ) אֵלֶּה שְׁמוֹת הַגִּבֹּרִים אֲשֶׁר לְדָוִד יֹשֵׁב בַּשֶּׁבֶת תַּחְכְּמֹנִי רֹאשׁ הַשָּׁלִשִׁי הוּא עֲדִינוֹ הָעֶצְנִי עַל שְׁמֹנֶה מֵאוֹת חָלָל בְּפַעַם אֶחָת: [שמואל ב' כג, ח] ל) אֵיכָה יִרְדֹּף אֶחָד אֶלֶף וּשְׁנַיִם יָנִיסוּ רְבָבָה אִם לֹא כִּי צוּרָם מְכָרָם וַייָ הִסְגִּירָם: [דברים לב, ל] מ) אֲשֶׁר עָשָׂה דָוִד אֶת הַיָּשָׁר בְּעֵינֵי יְיָ וְלֹא סָר מִכֹּל אֲשֶׁר צִוָּהוּ כֹּל יְמֵי חַיָּיו רַק בִּדְבַר אוּרִיָּה הַחִתִּי: [מלכים א' טו, ה]

מסורת הש"ס

א) סוכה מט:, ב) פסחים ד., ג) [כריתות ח.], ד) [פסחים ד. וש"נ], ה) [ברכות יח.], ו) מחלצת עיין רש"י שבת קמ: ד"ה אליפתא חדתא ובערוך ערך לפא ועיין מהרש"א בח"ה ובח"א, ז) שעורין קלופין רש"י סנהדרין כז. ד"ה מושלא והיא היתה מניפה קליפתן מתוכן עיין מהרש"א, ח) [עיין תוספות מגילה כא. ד"ה אלמלא], ט) [צ"ל בני], י) ע"ז ה., כ) [שבת סג. ב"מ פה.], ל) [דף ה.], מ) צ"ל אגבי.

הגהות הב"ח

(א) רש"י ד"ה רב בר אחוה. נ"ב עיין לקמן בדף כ' ע"א:

גליון הש"ס

גמ' דוד שירה אתה אומר. עיין יומא דף כב ע"ב תוספות ד"ה והאמר: שם הוא עדינו העצני. עיין רש"י תענית דף כח ע"א ד"ה בני עדין הן הן:

רש"י כת"י

אף דברי תורה בסתר. דכתו' בסיפיה דקרא מעשה ידי אמן התורה מעשי ידי אומנתו של הקב"ה. לשני בני אחיו. רב בר אחוה ובר אחתיה דר' חייא ורבה בר בר חנה אחוה דר' חייא בפרק קמ' דסנהדרין (ה.). (עוזיע) [עייא]. כך כינה שמו של ר' חייא לשם גנאי וכן אתה מוצא במקרא האמינון אחיך (שמואל ב יג, כ). ראה מי קורא לך בחוץ. כלומר לא מכאן. הדר שלח ליה. רבי לא תיתי. זה. שליח שני לא ראיתי. ברצות יי' דרכי איש. שלא ראה ר' חייא שליח ששלחתי לו בשניה דאי הוה חזי ליה אלא אתאי. לא שנית. הפסוק פעם שני. בחוץ תרונה. החכמה עצמה מרננת. בסתר דברתי. בשעת מתן תורה אלמא תורה נשנית בחוץ. ביומי דכלא שדורשין דרשה ברבים. דילמ' נזיפה דנשיא שאני. דר' נשיא הוה. כי הוו יתבי גרסי הוה יתיב מר עוקבא קמיה דשמואל. כתלמיד לפני רבו דשמואל חכם טפי. וכי הוה יתיב בדינא הוה יתיב מר עוקבא קמיה דשמואל ברחוק ד' אמות. כתלמיד לפני רבו דמר עוקבא אב בית דין הוה ומזרע בית דוד הוה במסכת שבת בפרק במה אשה יוצאה (שבת נה.). והוו חייקו ליה דוכתא למר עוקבא. במקו' נמוך. בציפת[א]. במחצלת של בית המדרש. כי היכי. דליתיב מר שמואל במקום גבוה ולישתמען מילי דמר שמואל. מלוה. מר עוקבא למר שמואל עד אושפיזה. אמ' ליה. שמואל לא נגהא ליה עדין

אַף דִּבְרֵי תּוֹרָה בַּסֵּתֶר – **so too, the words of Torah** should be studied **in a private** setting.

The Gemara resumes the story:

יָצָא רַבִּי חִיָּיא וְשָׁנָה לִשְׁנֵי בְּנֵי אֶחָיו בַּשּׁוּק – Nevertheless, **R' Chiya went out and taught** Torah **to his two nephews in the marketplace** – לְרַב וּלְרַבָּה בַּר בַּר חָנָה – namely, **to Rav and to Rabbah bar bar Chanah.**[1] שָׁמַע רַבִּי אִיקְפַּד – **Rebbi heard** that R' Chiya had defied his decree, and **was upset.**[2] אֲתָא רַבִּי חִיָּיא לְאִיתְחֲזוּיֵי לֵיהּ – Sometime afterward **R' Chiya came to appear before [Rebbi],** אָמַר לֵיהּ – and **[Rebbi] said to him,** עִיָּיא מִי קוֹרֵא לְךָ בַּחוּץ – **"Iya,**[3] **who is calling to you outside?"**[4] יָדַע דְּנָקַט מִילְּתָא בְּדַעְתֵּיהּ – **[R' Chiya]** then **understood that [Rebbi] had taken the matter to heart.** נְהַג נְזִיפוּתָא בְּנַפְשֵׁיהּ תְּלָתִין יוֹמִין – **He** therefore **conducted** the regimen of **rebuke upon himself for thirty days.**[5] בְּיוֹם תְּלָתִין שְׁלַח לֵיהּ – **On the thirtieth day [Rebbi] sent to [R' Chiya]** the following message: תָּא – **"Come** visit me." הֲדַר שְׁלַח לֵיהּ דְּלָא לֵיתֵי – However, **[Rebbi] subsequently sent** another message **to [R' Chiya],** instructing **that he should not come.**

The Gemara again interjects a question:

מֵעִיקָּרָא מַאי סָבַר – **What did [Rebbi] hold initially,** when he invited R' Chiya to come, וּלְבַסּוֹף מַאי סָבַר – **and what did he hold in the end,** when he withdrew his invitation? What was the reason for his reversal?

The Gemara responds:

מֵעִיקָּרָא סָבַר מִקְצָת הַיּוֹם כְּכוּלּוֹ – **Initially [Rebbi] held** that **part of the day is like the entire [day],** וּלְבַסּוֹף סָבַר לֹא אָמְרִינַן מִקְצָת הַיּוֹם כְּכוּלּוֹ – **but in the end he held** that **we do not say part of the day is like the entire [day].**[6]

The Gemara resumes the story:

לְסוֹף אֲתָא – **In the end [R' Chiya] came** to see Rebbi.[7] אָמַר לֵיהּ – אַמַּאי אָתֵית – **[Rebbi] said to him: "Why did you come?"** אָמַר לֵיהּ דְּשַׁלַּח לִי מַר דְּלֵיתֵי – **[R' Chiya] said to him: "Because** master sent a message **to me that I should come."** וְהָא שְׁלַחִי לָךְ דְּלָא תֵּיתֵי – Rebbi responded: **"But I** later **sent** a message **to you that you should not come!"** אָמַר לֵיהּ זֶה רָאִיתִי וְזֶה לֹא רָאִיתִי – **[R' Chiya] said to him** in reply: **"I saw this** first messenger, who bid me to come, **but I did not see this** second messenger." קָרֵי עֲלֵיהּ ,,בִּרְצוֹת ה׳ דַּרְכֵי־אִישׁ גַּם־אוֹיְבָיו יַשְׁלִם אִתּוֹ" – **[Rebbi]** thereupon **applied to [R' Chiya]** the following verse: ***When Hashem favors a man's ways, even his foes will make peace with him.***[8]

The story continues with Rebbi returning to the original conflict:

מַאי טַעְמָא עָבֵד מַר הָכִי – Rebbi then asked: **"Why did master do this?"**[9] אָמַר לֵיהּ – **[R' Chiya] said to [Rebbi]** in reply: דִּכְתִיב ,,חָכְמוֹת בַּחוּץ תָּרֹנָּה" – **Because it is written:**[10] ***Wisdom***[11] ***sings out in the street;*** *it gives forth its voice in the squares.* אָמַר לֵיהּ – **[Rebbi]** thereupon **said to [R' Chiya]:** אִם קָרִיתָ לֹא שָׁנִיתָ – **If you read** this verse once, **you** must **not have [read]** it **a second time;** וְאִם שָׁנִיתָ לֹא שִׁילַּשְׁתָּ – **and if you did [read]** it **a second time, you did not [read]** it **a third time,** in order to plumb for its meaning.[12] וְאִם שִׁילַּשְׁתָּ לֹא פֵּירְשׁוּ לָךְ – **And if you did [read]** it **a third time, they** certainly **did not explain** it **to you** properly,[13] for the true interpretation of ,,חָכְמוֹת בַּחוּץ תָּרֹנָּה" כִּדְרָבָא – ***Wisdom sings out in the streets*** **accords with** the dictum **of Rava,**[14] דְּאָמַר רָבָא – **for Rava said:** כָּל הָעוֹסֵק בַּתּוֹרָה מִבִּפְנִים – **Anyone who is engaged in** the study of **Torah from within** the confines of the study hall תּוֹרָתוֹ מַכְרֶזֶת עָלָיו מִבַּחוּץ – can be assured that **his learning will proclaim him abroad,** to the world at large.[15]

NOTES

1. Rav was the son of R' Chiya's half brother and half sister. [*Rashi* below, 20a ד״ה רב בר אחוה וכו׳, and *Pesachim* 4a, explains the relationships: R' Chiya's father, R' Acha of Kofri, had a son (Aivu) from a previous marriage, and his mother had a daughter (Ima) from a previous marriage. Eventually, Aivu married Ima (his stepsister, to whom he was not related at all), and Rav was their child. Thus, Rav was the son of R' Chiya's half brother (Aivu) and half sister (Ima) as well.] Rabbah bar bar Chanah was the son of another of R' Chiya's brothers (*Rashi*). [See *Rashash,* who opines that this nephew's name was Rabbah bar Chanah.]

2. The question arises: How indeed could R' Chiya violate the decree of the *Nasi,* who also was his own teacher (see note 5 below)? *Benayahu* explains that R' Chiya thought that Rebbi's decree applied only to one who taught ordinary students, for lecturing them in public would inevitably attract notice and draw a large gathering of people, which Rebbi held was inappropriate. However, publicly teaching his nephews, who were members of his household, would hardly be noticed, and thus would not draw large crowds. Rebbi nevertheless objected to R' Chiya's initiative, for by issuing a general decree Rebbi meant to prohibit all learning in the marketplace. See also *Hagahos Yavetz.*

3. Rebbi showed his displeasure by using a disparaging nickname (see *Rashi*). *Maharsha* explains that Rebbi was ridiculing R' Chiya's inability to pronounce the guttural letters ח and ע.

Ordinarily, it is forbidden to call someone by a disrespectful nickname (see *Bava Metzia* 58b). However, a teacher is permitted to use strong language to reprimand his student and caution him against erring further [which, presumably, was Rebbi's intention] (see *Responsa Chavos Yair* §152). [That responsum, which is appended to *Sefer Chafetz Chaim,* explains a number of Talmudic statements that appear, at first blush, to constitute *lashon hara* (slander).]

4. The texts of *Rashi, Rashi ms.* and *R' Shlomo ben HaYasom* all state רְאֵה מִי קוֹרֵא לְךָ בַּחוּץ (*See who is calling you outside*), which is a delicate way of saying, "Depart from here" (*Rashi, Rashi ms.*), or of implying, "Others are calling you – not I" (*R' Shlomo ben HaYasom*). By mentioning *outside,* Rebbi alluded to the reason for his displeasure (*Maharsha*).

5. *Matzeves Moshe* points out that it is not unusual for a student to dispute his teacher. Indeed, R' Chiya differed with Rebbi on other occasions (see *Niddah* 14a-b and *Chullin* 15b) and Rebbi did not object. Why did he become so upset this time? *Matzeves Moshe* explains that on those other occasions the dispute was of a scholarly, theoretical nature, while here R' Chiya *acted* contrary to Rebbi's will; for that reason Rebbi was upset. Furthermore, R' Chiya should have had a face-to-face discussion with Rebbi before acting, so as to afford Rebbi an opportunity to dissuade him. R' Chiya was wrong to act without even discussing the matter.

6. That is, we do not say it with regard to *nidui* [and rebuke]; rather, thirty complete days are required (*Talmid R' Yechiel MiParis*). [For a discussion of how Rebbe views "part of the day is like the entire day" vis-a-vis other issues, such as mourning, see *Matzeves Moshe* here and *Keren Orah* to Gemara below, 19b ד״ה אמר אביי הלכה.]

7. I.e. at the behest of and accompanied by the first messenger (*R' Shlomo ben HaYasom*).

8. *Proverbs* 16:7. Since *Hashem favored* R' Chiya's *ways,* He arranged to have his "*foe*" – Rebbi – *make peace with him.* Because R' Chiya encountered only the first messenger, Rebbi was compelled to meet with R' Chiya, which led to their reconciliation (see *Rashi*).

9. Why did you, R' Chiya, teach in the marketplace, in contravention of my decree? (*Rashi*).

10. Ibid. 1:20.

11. The wisdom of the Torah (*Rashi* ad loc.).

12. See *Rashi* to *Berachos* 18a ד״ה לא שנית.

13. You did not adequately serve your mentors, for they could have explained the verse to you (*Maharsha;* see also *R' Shlomo ben HaYasom*).

14. [This cannot mean that Rebbi quoted Rava, since Rava lived a number of generations later. Rather, the Gemara informs us that Rebbi understood the verse according to the aphorism that Rava would later formally expound.]

15. *Talmid R' Yechiel MiParis.*

If a person studies Torah for its own sake in the *beis hamedrash* and interacts with other scholars, he will merit to interpret the law correctly. His Torah decisions will be accepted by his colleagues, and will be repeated in his name throughout the community. Thus, *his learning will proclaim (extol) him abroad* (*Benayahu*).

אף דברי תורה בסתר יצא רבי חייא ושנה לשני בני אחיו בשוק לרב ולרבה בר בר חנה שמע ר' איקפד אתא ר' חייא לאיתחזויי ליה א"ל עייא מי קורא לך בחוץ ידע דנקט מילתא בדעתיה נהג נזיפותא בנפשיה תלתין יומין ביום תלתין שלח ליה תא הדר שלח ליה דלא ליתי מעיקרא מאי סבר ולבסוף מאי סבר מעיקרא סבר מקצת היום ככולו ולבסוף סבר לא אמרינן מקצת היום ככולו לסוף אתא א"ל אמאי אתית א"ל דשלח לי מר דליתי והא שלחי לך דלא תיתי א"ל זה ראיתי וזה לא ראיתי קרי עליה ברצות ה' דרכי איש גם אויביו ישלים אתו מ"ט עבד מר הכי א"ל דכתיב חכמות בחוץ תרונה א"ל אם קרית לא שנית ואם שנית לא שילשת ואם שילשת לא פירשו לך חכמות בחוץ תרונה כדרבא דאמר רבא כל העוסק בתורה מבפנים תורתו מכרזת עליו מבחוץ והא כתיב לא מראש בסתר דברתי ההוא ביומי דכלה ור' חייא האי חמוקי ירכיך מאי עביד לה מוקי לה בצדקה ובגמילות חסדים אלמא נזיפה דידהו תלתין יומין נזיפת נשיא שאני ונזיפה דידן כמה הוי חד יומא כי הא דשמואל ומר עוקבא כי הוו יתבי גרסי שמעתא הוה יתיב מר עוקבא קמיה דשמואל ברחוק ד' אמות וכי הוו יתבי בדינא הוה יתיב שמואל קמיה דמר עוקבא ברחוק ד' אמות והוו חייקי ליה דוכתא למר עוקבא בציפתא ויתיב עילויה כי היכי דלישתמען מיליה כל יומא הוה מלוי ליה מר עוקבא לשמואל עד אושפיזיה יומא חד איטריד בדיניה הוה אזיל שמואל בתריה כי מטא לביתיה א"ל לא נגה לך לישרי לי מר בתיגריה ידע דנקט מילתא בדעתיה נהג נזיפותא בנפשיה חד יומא ההיא איתתא דהוות יתבה בשבילא הוות פשטה כרעה וקא מניפה חושלאי והוה חליף ואזיל צורבא מרבנן ולא איכנעה מקמיה אמר כמה חציפא ההיא איתתא אתאי לקמיה דר"נ אמר לה מי שמעת שמתא מפומיה אמרה ליה לא אמר לה זילי נהוגי נזיפותא חד יומא בנפשיך זוטרא בר טוביה הוה קפסיק סידרא קמיה דרב יהודה כי מטא להאי פסוקא ואלה דברי דוד האחרונים א"ל אחרונים מכלל דאיכא ראשונים מאי נינהו שתיק ולא אמר ליה ולא מידי הדר א"ל אחרונים מכלל דאיכא ראשונים מאי היא א"ל מאי דעתך דלא ידע פירושא דהאי קרא לאו גברא רבה הוא ידע דנקט מילתא בדעתיה נהג נזיפותא בנפשיה חד יומא ודאתן עלה מיהא אחרונים מכלל דאיכא ראשונים מאי היא וידבר דוד לה' את דברי השירה הזאת ביום הציל ה' אותו מכף כל אויביו ומכף שאול אמר לו הקב"ה לדוד ° דוד שירה אתה אומר על מפלתו של שאול אלמלי אתה שאול והוא דוד איבדתי כמה דוד מפניו היינו דכתיב שגיון לדוד אשר שר לה' על דברי כוש בן ימיני וכי כוש שמו והלא שאול שמו אלא מה כושי משונה בעורו אף שאול משונה במעשיו כיוצא בדבר אתה אומר על אודות האשה הכושית אשר לקח וכי כושית שמה והלא ציפורה שמה אלא מה כושית משונה בעורה אף ציפורה משונה במעשיה כיוצא בדבר אתה אומר וישמע עבד מלך הכושי וכי כושי שמו והלא צדקיה שמו אלא מה כושי משונה בעורו אף צדקיה משונה במעשיו כיוצא בדבר אתה אומר הלא כבני כושיים אתם לי (בית) ישראל וכי כושיים שמן והלא ישראל שמן אלא מה כושי משונה בעורו אף ישראל משונין במעשיהן מכל האומות א"ר שמואל בר נחמני א"ר יונתן מאי דכתיב נאם דוד בן ישי ונאם הגבר הוקם על נאם דוד בן ישי שהקים עולה של תשובה אמר אלהי ישראל לי דבר צור ישראל מושל באדם צדיק מושל יראת אלהים מאי קאמר א"ר אבהו ה"ק אמר אלהי ישראל לי דבר צור ישראל אני מושל באדם מי מושל בי צדיק שאני גוזר גזרה ומבטלה אלה שמות הגבורים אשר לדוד יושב בשבת וגו' מאי קאמר א"ר אבהו ה"ק ואלה שמות גבורותיו של דוד יושב בשבת בשעה שהיה יושב בישיבה לא היה יושב על גבי כרים וכסתות אלא על גבי קרקע דכל כמה דהוה רביה עירא היאירי קיים הוה מתני להו לרבנן על גבי כרים וכסתות כי נח נפשיה הוה מתני דוד לרבנן והוה יתיב על גבי קרקע אמרו ליה ליתיב מר אכרים וכסתות לא קביל עליה תחכמוני אמר רב אמר לו הקב"ה הואיל והשפלת עצמך תהא כמוני שאני גוזר גזרה ואתה מבטלה ראש השלישים תהא ראש לשלשת אבות ° הוא עדינו העצני כשהיה יושב ועוסק בתורה היה מעדן עצמו כתולעת ובשעה שיוצא למלחמה היה מקשה עצמו כעץ על שמונה מאות חלל בפעם אחת שהיה זורק חץ ומפיל שמונה מאות חלל בפעם אחת והיה מתאנח על מאתים דכתיב איכה ירדף אחד אלף יצתה בת קול ואמרה רק בדבר אוריה החתי אמר רבי תנחום בריה דרבי חייא איש כפר עכו אמר רבי יעקב בר אחא אמר ר' שמלאי ואמרי לה אמר ר' תנחום אמר רב הונא לחודיה

תלמיד

רש"י

אף דברי תורה בסתר. דכתיב בסיפיה דקרא מעשה ידי אומן התורה מעשה אומנתו של הקדוש ברוך הוא: (א) רב בר אחוה דרבי חייא דהוא בר אחתיה ורבה בר בר חנה בר אחוה דר' חייא [דלאו] בר אחתיה כדאמרינן בסנהדרין: עייא. כך כינה שמו של ר' חייא לשון גנאי: ראה מי קורא לך. כלומר לא מכאן: תא. בוא אלי והדר שלח ליה לא תיתי: וזה. שליח שני לא ראיתי: ברצות ה' דרכי איש גם אויביו ישלים אתו. כי הוא על כרחו בא: מאי טעמא עבדת הכי. דשנית בשוק: ביומא דכלה. דרשה שהכל מלויין שם: מוקים ליה בצדקה. דמיבעי למיעבד בסתר: מר עוקבא. כתלמיד לשמואל דשמואל גדול בתורה יותר ממר עוקבא: כי יתבן בדינא כו'. משום דמר עוקבא היה נשיא: חייקי ליה דוכתיה. מנמיכין לו מקום כשיושב בדין: כי היכי דמשתמע ליה מיליה. דשמואל רביה בתורה: איטריד. מר עוקבא בדינא שהיה מחשב בדין ולא אידכר ליה למיזל בתר שמואל: לא נגה לך. כלומר לא סגי לך דאזילנא בתרך: לישרי לי מר בתיגריה. הב לי רשותא למיהדר: ידע. מר עוקבא: דנקט. שמואל בדעתיה משום דאזיל בתריה: מי שמעת שמתא מפומיה. אי שמית לך: פסיק סידרא. לימד פרשיות: מכלל דאיכא ראשונים. והלא לא מצינו שאמר דוד דברי אלא במקרא זה לדברי לשון נבואה: אתה שאול. שנולדת במזלו: והוא דוד. שנולד במזל שלך: אבדתי כמה דוד. שהוא צדיק ממך: שגיון. שגגה היתה לו: משונה במעשיו. צדיק גמור: שהקים עולה של תשובה. שהוא שב תחלה ונתן דרך לשבים כדאמרינן בפ"ק דע"ז (דף ד:) לא דוד ראוי לאותו מעשה אלא שאם חטא יחיד אומרים לו כלך אצל דוד שמחל לו הקב"ה אותו עון אף אתה חזור בתשובה: צור ישראל. מושל באדם אני מי מושל בי צדיק מושל בי ומבטלה: עירא היאירי. הוה מתני לדוד אגב כרי' וכסתות ודוד הוה מתני לרבנן על גבי קרקע: ראש לג' אבות. שהוא הולך לפניהם לעוה"ב: מעדן עצמו. כופף עצמו ידיו ורגליו ביחד ויושב לארץ: בדבר אוריה החתי. נטלו לו מאתים:

תלמיד

רש"י כת"י

אף דברי תורה בסתר. דכתו' בסיפיה דקרא מעשה ידי אמן התורה מעשי ידי אומנתו של הקב"ה. לשני בני אחיו. רב בר אחוה ובר אחתיה דר' חייא ורבה בר בר חנה אחוה דר' חייא בפרק קמ' דסנהדרין (ה.). (עוזיע) [עייא]. כך כינה שמו של ר' חייא לשם גנאי וכן אתה מוצא במקרא האמינון אחיך (שמואל ב יג, כ). ראה מי קורא לך בחוץ. כלומר לא מכאן. הדר שלח ליה. רבי לא תיתי. זה. שליח שני לא ראיתי. ברצות יי' דרכי איש. שלא ראה ר' חייא שליח ששלחתי לו בשניה דאי הוה חזי ליה אלא אתאי. לא שנית. הפסוק פעם שני. בחוץ תרונה. החכמה עצמה מרננת. בסתר דברתי. בשעת מתן תורה אלמא תורה נשנית בחוץ. ביומי דכלא שדורשין דרשה ברבים. דילמ' נזיפה דנשיא שאני. דר' נשיא הוה. כי הוו יתבי גרסי הוה יתיב מר עוקבא קמיה דשמואל. כתלמיד לפני רבו דשמואל חכם טפי. וכי הוה יתיב בדינא הוה יתיב מר עוקבא קמיה דשמואל ברחוק ד' אמות. כתלמיד לפני רבו דמר עוקבא אב בית דין הוה ומזרע בית דוד הוה במסכת שבת בפרק במה אשה יוצאה (שבת נה.). והוו חייקו ליה דוכתא למר עוקבא. במקו' נמוך. בציפת[א]. במחצלת של בית המדרש. כי היכי. דליתיב מר שמואל במקום גבוה ולישתמען מילי דמר שמואל. מלוה. מר עוקבא למר שמואל עד אושפיזה. אמ' ליה. שמואל לא נגהא ליה עדין לא הספיק כלומר עדיין לא תרשני ללכת מפניך. לישרי לי מר תגרא. כלומר התירנו מצער זה והרשנו לשוב לביתי. כרעה. רגל שלה. שמתא. נדוי. קפסיק סידרא. לומד פרשיות. אמ' אלו דברי דוד האחרונים מכלל דאיכא ראשונים. והא לא מצינו שאמ' דוד דברי אלא במקרא זה ודברי הוא לשון נבואה. הדר. בעיא מיני' זימנא אחריתי דברי דוד היכן מצינו שכתב דוד דברי. [דלא ידע פירושא]. כל שלא ידע טעם זה איבד חכמתו בתמיה. אלמלא. אתה נולד במזל של שאול והוא נולד במזלך. איבדתי. דוד מלפניו שהוא צדיק ממך. שגיון. טעות הוא בידי והכי קאמ' אלה דברי דוד האחרונים אלה היו עיקר אבל הראשונים אשר שר על שאול לא היה בהן ממש. משונה במעשיו. שכל דורו רשעים והוא צדיק. שהקים עולה של תשובה. כדאמרינן בפרק קמ' דע"ז (ד:) לא דוד ראוי לאותו מעשה אלא שאם חטא יחידי אומרין לו כלך אצל יחיד דוד שמחל לו הקב"ה לאותו עון אף אתה חזור בך בתשובה ותועיל לך. *[עולה. לשון תועלת]* [רש"י ע"י]. אמר. דוד לי דבר צור ישראל ומושל באדם אתה ומי מושל בי צדיק מושל בירא' אלהים שגוזר הקב"ה גזירה על האדם צדיק מושל בה ומבטלה. מאי קאמ'. אטו בשבת תחכמוני שמות גבורים נינהו. בשבת משמע ישיבה נמוכה. תהא ראש לשלשת אבות. לעולם שכול' חיים וכתוב ועבדי דוד מלך עליהם (יחזקאל לז). מעדן. כופף ידיו ורגליו ויושב לארץ כמו התקשר מעדנות כימה (איוב לח). מתאנח על מאתים. שחסרין מאלף דכתוב גבי אומות העולם איכה ירדוף אחד אלף וגו' כאן בזמן שאין ישראל עושין רצונו של מקום ירדוף אחד מהאומות אלף מישראל ושנים יניסו רבבה אבל בזמן שישראל עושין רצונו של מקום אחד מישראל רודף מאמות העולם אלף ועל זה היה דוד מתאנח מפני מה באומות העולם כתוב איכה ירדוף אחד אלף וגו' [אע"פ שאינם עושים רצונו של מקום ובזמן שעושין רצונו של מקום אמר ורדפו מכם חמשה מאה וגו'] ופשטיה דקרא הכי כתוב לעיל מיניה אמרתי אפאיהם אמ' הקב"ה אכלה אותם באפי ובחמתי ואשביתה [מאנוש] זכרם אם לא מפני אויביהם שיאמרו ידינו רמה וכחנו עמדה לנו כי [העובדי כוכבים] גוי אובד עצות המה ויאמרו שהם השמידום בכחם אבל אם יבינו לאחריתם שיאמרו איכה ירדוף אחד ממנו אלף מישראל אם לא כי צורם מכרם שלא יהו נוטלין כבוד לעצמם (ברש"י בע"י - עטרה לשמם) אז ירדוף אחד מהן אלף [מישראל].

עין משפט נר מצוה

סח א טוש"ע י"ד סימן שלד סעיף א:

רבינו חננאל

ר' שלא ישנו לתלמידים בשוק שנאמר חמוקי ירכיך כמו חלאים ואין חלאים אלא רבנן כדגרסינן בנדרים (מט.) מאן חולים רבנן והן שמתעסקים בתורה שהיא מעשה ידי אמן ואמר רבי מה ירך זה בסתר אף דברי תורה בסתר והני מילי בשאר ימות השנה. אבל ביומי דכלה לא שנאמר חכמות בחוץ תרונה ברחובות תתן קולה. ונזיפה דידן כמה הוי חד יומא כמר עוקבא כד ידע דנקיט שמואל מלתא בדעתיה נהג נזיפותא בנפשיה חד יומא וכרב נחמן דאמר להההיא דשמעה מפומיה דצורבא מרבנן כמה חציפא הא [אתתא זילי] נהוג בנפשיך חד יומא. מר זוטרא בר טוביה הוה פסיק סידריה קמיה דרב יהודה מטי להאי קרא ואלה דברי דוד האחרונים מכלל דאיכא ראשונים שאליה ולא הגיד ליה. א"ל אטו מאן דלא ידע פירושא דהאי פסוקא לאו גברא רבה הוא ידע דנקיט מילתא בדעתיה נהג נזיפותא בנפשיה חד יומא. פשטה דראשונים הן דברי השיר אשר שר דוד ביום הציל ה' אותו מכף כל אויביו ומיד שאול. א"ל הקב"ה שירה אתה אומר על מפלתו של שאול כו'. כיון דידע דחטא חזר והודה כי שגג כדכתיב שגיון לדוד אשר שר לה' על דברי כוש בן ימיני ופי' כי כוש הוא שאול. ולפיכך אמר אלה דברי דוד האחרונים נאם דוד בן ישי נאם הגבר הוקם על שהקים עולה של תשובה. רוח ה' דבר בי ומלתו על לשוני. אמר אלהי ישראל לי דבר צור ישראל אמר לי הוא המושל באדם וצדיק הוא המושל ביראת אלהים הוא מושל בדברו כי מבטל בתחינתו גזירות של הקב"ה הרעות מלבוא על עמו ישראל. יושב בשבת תחכמוני כו' עדינו העצני

תורה אור השלם

א) בִּרְצוֹת יְיָ דַּרְכֵי אִישׁ גַּם אוֹיְבָיו יַשְׁלִם אִתּוֹ: [משלי טז, ז]

ב) חָכְמוֹת בַּחוּץ תָּרֹנָּה בָּרְחֹבוֹת תִּתֵּן קוֹלָהּ: [משלי א, כ]

ג) קִרְבוּ אֵלַי שִׁמְעוּ זֹאת לֹא מֵרֹאשׁ בַּסֵּתֶר דִּבַּרְתִּי מֵעֵת הֱיוֹתָהּ שָׁם אָנִי וְעַתָּה אֲדֹנָי אֱלֹהִים שְׁלָחַנִי וְרוּחוֹ: [ישעיה מח, טז]

ד) וְאֵלֶּה דִּבְרֵי דָוִד הָאַחֲרֹנִים נְאֻם דָּוִד בֶּן יִשַׁי וּנְאֻם הַגֶּבֶר הֻקַם עָל מְשִׁיחַ אֱלֹהֵי יַעֲקֹב וּנְעִים זְמִרוֹת יִשְׂרָאֵל: [שמואל ב' כג, א]

ה) וַיְדַבֵּר דָּוִד לַייָ אֶת דִּבְרֵי הַשִּׁירָה הַזֹּאת בְּיוֹם הִצִּיל יְיָ אֹתוֹ מִכַּף כָּל אֹיְבָיו וּמִכַּף שָׁאוּל: [שמואל ב' כב, א] ו) שִׁגָּיוֹן לְדָוִד אֲשֶׁר שָׁר לַייָ עַל דִּבְרֵי כוּשׁ בֶּן יְמִינִי: [תהלים ז, א] ז) וַתְּדַבֵּר מִרְיָם וְאַהֲרֹן בְּמֹשֶׁה עַל אֹדוֹת הָאִשָּׁה הַכֻּשִׁית אֲשֶׁר לָקָח כִּי אִשָּׁה כֻשִׁית לָקָח: [במדבר יב, א] ח) וַיִּשְׁמַע עֶבֶד מֶלֶךְ הַכּוּשִׁי אִישׁ סָרִיס וְהוּא בְּבֵית הַמֶּלֶךְ כִּי נָתְנוּ אֶת יִרְמְיָהוּ אֶל הַבּוֹר וְהַמֶּלֶךְ יוֹשֵׁב בְּשַׁעַר בִּנְיָמִן: [ירמיה לח, ז] ט) הֲלוֹא כִבְנֵי כֻשִׁיִּים אַתֶּם לִי בְּנֵי יִשְׂרָאֵל נְאֻם יְיָ הֲלוֹא אֶת יִשְׂרָאֵל הֶעֱלֵיתִי מֵאֶרֶץ מִצְרַיִם וּפְלִשְׁתִּיִּים מִכַּפְתּוֹר וַאֲרָם מִקִּיר: [עמוס ט, ז] י) אָמַר אֱלֹהֵי יִשְׂרָאֵל לִי דִבֶּר צוּר יִשְׂרָאֵל מוֹשֵׁל בָּאָדָם צַדִּיק מוֹשֵׁל יִרְאַת אֱלֹהִים: [שמואל ב' כג, ג] כ) אֵלֶּה שְׁמוֹת הַגִּבֹּרִים אֲשֶׁר לְדָוִד יֹשֵׁב בַּשֶּׁבֶת תַּחְכְּמֹנִי רֹאשׁ הַשָּׁלִשִׁי הוּא עֲדִינוֹ הָעֶצְנִי עַל שְׁמֹנֶה מֵאוֹת חָלָל בְּפַעַם אֶחָת: [שמואל ב' כג, ח] ל) אֵיכָה יִרְדֹּף אֶחָד אֶלֶף וּשְׁנַיִם יָנִיסוּ רְבָבָה אִם לֹא כִּי צוּרָם מְכָרָם וַייָ הִסְגִּירָם: [דברים לב, ל] מ) אֲשֶׁר עָשָׂה דָוִד אֶת הַיָּשָׁר בְּעֵינֵי יְיָ וְלֹא סָר מִכֹּל אֲשֶׁר צִוָּהוּ כֹּל יְמֵי חַיָּיו רַק בִּדְבַר אוּרִיָּה הַחִתִּי: [מלכים א' טו, ה]

מסורת הש"ס

א) סוכה מט:, ב) פסחים ד., ג) [כריתות ח.], ד) [פסחים ד. וש"נ], ה) [ברכות יח.], ו) מחצלת עיין רש"י שבת קמ: ד"ה אליפתא חדתא ובערוך ערך לפא ועיין מהרש"א בח"ה ובח"א, ז) שעורין קלופין רש"י סנהדרין כז. ד"ה מושלא והיא היתה מניפה קליפתן מתוכן עיין מהרש"א, ח) [עיין תוספות מגילה כא. ד"ה אלמלא], ט) [נ"ל בני], י) ע"ז ה., כ) [שבת סג. ב"מ פה.], ל) [דף ה.], מ) נ"ל אגבי.

הגהות הב"ח

(א) רש"י ד"ה רב בר אחוה. נ"ב עיין לקמן בדף כ' ע"א:

גליון הש"ס

גמ' דוד שירה אתה אומר. עיין יומא דף כב ע"ב תוספות ד"ה והאמר: שם הוא עדינו העצני. עיין רש"י תענית דף כח ע"א ד"ה בני עדין הן הן:

The Gemara asks:

וְהָא כְּתִיב ,,לֹא מֵרֹאשׁ בַּסֵּתֶר דִּבַּרְתִּי'' – **But it is written: *I did not speak in secrecy at first.*** [16]

The Gemara answers, defending Rebbi:

הַהוּא בְּיוֹמֵי דְּכַלָּה – **That** verse speaks **of the days of the *kallah.*** [17]

The Gemara now poses a difficulty to R' Chiya:

וְרַבִּי חִיָּיא הַאי ,,חַמּוּקֵי יְרֵכַיִךְ'' מַאי עָבֵיד לֵהּ – **But what does R' Chiya do with this** verse, ***your hidden thighs,*** upon which Rebbi based his decree?[18]

The Gemara responds:

מוֹקֵי לֵהּ בִּצְדָקָה וּבִגְמִילוּת חֲסָדִים – **He applies it to charity and acts of lovingkindness.** They should be performed covertly.[19]

The Gemara now concludes its original question:

אַלְמָא נְזִיפָה דִּידְהוּ תְּלָתִין יוֹמִין – From these two incidents **we see** that **their** practice of **"rebuke"** (*nezifah*) in Eretz Yisrael lasts for **thirty days,** not the seven days stated by Rav Chisda.[20] – ? –

The Gemara deflects the challenge:

נְזִיפַת נָשִׂיא שָׁאנֵי – **A rebuke** arising from the displeasing **of a *Nasi* is different,** and more severe, since he is the spiritual leader of the entire land.[21] Ordinarily, however, rebuke in Eretz Yisrael lasts for seven days.

The Gemara now addresses a heretofore unasked question:

וּנְזִיפָה דִּידָן כַּמָּה הָוֵי – **And how** long **is our** practice of **rebuke** in Babylonia?[22]

The Gemara responds:

חַד יוֹמָא – It lasts for **one day,** כִּי הָא דִּשְׁמוּאֵל וּמָר עוּקְבָא – **like this** following incident **involving Shmuel and Mar Ukva.**

As a preface to its narrative, the Gemara depicts the relationship between these two great scholars:

כִּי הֲווּ יָתְבֵי גָּרְסֵי שְׁמַעְתָּא – **When they would sit** and **study Torah,** הֲוָה יָתִיב מַר עוּקְבָא קַמֵּיהּ דִּשְׁמוּאֵל בְּרָחוֹק אַרְבַּע אַמּוֹת – **Mar Ukva would sit before Shmuel at a distance of four *amos*,** as would a student before his teacher, because Shmuel was the greater scholar.[23] וְכִי הֲווּ יָתְבֵי בְּדִינָא – **But when they sat in judgment,** הֲוָה יָתִיב שְׁמוּאֵל קַמֵּיהּ דְּמָר עוּקְבָא בְּרָחוֹק אַרְבַּע אַמּוֹת – **Shmuel would sit before Mar Ukva at a distance of four *amos*,** because Mar Ukva was the head of the court in Babylonia and presided over it.[24] וַהֲווּ חַיְיקֵי לֵיהּ דּוּכְתָּא לְמָר עוּקְבָא – **And** yet **they dug out a place for Mar Ukva,** בְּצִיפְּתָא – which they covered **with a mat,** וְיָתִיב עִילָּוֵיהּ – **and he sat on it,** כִּי הֵיכִי דְּלִישְׁתַּמְעָן מִילֵּיהּ – **so that he,** Mar Ukva, **could hear [Shmuel's] words** and benefit from his guidance.[25]

Having established that Shmuel was the greater scholar, the Gemara relates the probative incident:

כָּל יוֹמָא הֲוָה מְלַוֵּי לֵיהּ מַר עוּקְבָא לִשְׁמוּאֵל עַד אוּשְׁפִּיזֵיהּ – **Each day Mar Ukva would escort Shmuel to his lodging place.**[26] יוֹמָא חַד אִיטְרִיד בְּדִינֵיהּ – However, **one day [Mar Ukva] was preoccupied with his court case,**[27] הֲוָה אָזִיל שְׁמוּאֵל בַּתְרֵיהּ – and so **Shmuel was walking behind him** as they went home from the courthouse. כִּי מְטָא לְבֵיתֵיהּ – **When they reached [Mar Ukva's] house,** אָמַר לֵיהּ – **[Shmuel] said to him:** לֹא נָגַהּ לָךְ – **"Are [your actions] not clear to you?**[28] לִישְׁרֵי לִי מַר בְּתִיגְרֵיהּ – **Let master release me from his dispute!"**[29] יָדַע דְּנָקַט מִילְּתָא בְּדַעְתֵּיהּ – **[Mar Ukva]** immediately **understood that [Shmuel] had taken the matter**[30] **to heart.** נָהַג נְזִיפוּתָא בְּנַפְשֵׁיהּ חַד יוֹמָא – **He** therefore **conducted** the regimen of **rebuke upon himself for one day.** From this episode we see that *nezifah* in Babylonia lasts for one day.

The Gemara relates another probative incident:

הַהִיא אִיתְּתָא דַּהֲוַות יָתְבָה בִּשְׁבִילָא – There was once **a certain woman who was sitting alongside a path.** הֲוַות פָּשְׁטָה כַּרְעָהּ –

NOTES

16. *Isaiah* 48:16. The Gemara understood that the verse refers to the Divine Revelation at Mt. Sinai. Since that initial lesson was given in a very open and public place – even the gentiles were aware of it (see *R' Shlomo ben HaYasom*) – we can infer that it is always proper to teach Torah in a public place [where it is accessible to all] (*Rashi ms.;* see also *Talmid R' Yechiel MiParis*).

17. "Days of the *kallah*" refers to the days on which public Torah lectures were held (*Talmid R' Yechiel MiParis;* see *Rashi*). Alternatively, the reference is to the public lectures that were conducted in the months preceding Pesach and Succos to teach the laws of the upcoming festival (*R' Shlomo ben HaYasom*).

The term *kallah* (bride) intimates that people would assemble *en masse* for the lectures much as people gather to view a bride's nuptials (ibid.).

18. Rebbe understood from *your hidden thighs . . . the work of a master's hand* (*Song of Songs* 7:2) that Torah – the "handiwork" of Hashem – should also be "hidden" (i.e. studied in private).

19. *Rashi. Maharsha* explains that in this verse King Solomon is addressing a בַּת נָדִיב, a term that can be interpreted to mean *daughter of a generous man* – i.e. one who gives charity and engages in acts of lovingkindness. [Thus, the phrase חַמּוּקֵי יְרֵכַיִךְ (*your hidden thighs*) characterizes the activities of the נָדִיב (*the generous man*) as having been performed surreptitiously.]

20. Above, 16a.

21. *R' Shlomo ben HaYasom. Maharsha* observes that the Gemara above (16a) derived *nezifah's* seven-day duration from the story of Miriam, who was sequestered for seven days pursuant to a Divine rebuke. How, then, can a rebuke incurred by displeasing a *Nasi* be more severe than God's Own rebuke? *Maharsha* explains that the story of Miriam serves as a Scriptural support for *nezifah's* seven-day duration, not as its actual source (see above, 16a note 79). See *Maharsha* for another explanation.

22. The Gemara's discussion began above (16a) with Rav Chisda's statement that *nidui* in Babylonia lasts for only seven days, which is comparable to the duration of *nezifah* (rebuke) in Eretz Yisrael. Since Rav Chisda made no mention of *nezifah* in Babylonia [where he lived], the Gemara now inquires as to its duration (*R' Shlomo ben HaYasom*).

23. *Rashi, Rashi ms.*

24. Mar Ukva was the אַב בֵּית דִּין, the religious leader of Babylonian Jewry (see *Rashash*), and was a descendant of King David (*Rashi ms.,* based on *Shabbos* 55a; see *Rashi*). Therefore, he presided over the court, even though Shmuel – a greater scholar – was present, and so in the courtroom Shmuel sat before Mar Ukva as a student before his teacher (*Rashi ms.*).

Meiri draws a moral lesson from Shmuel's conduct: It is wrong for one person, even a superior, to usurp authority in another's legitimate sphere of responsibility.

25. While presiding over the court, Mar Ukva sat in a lowered station so that he could easily hear Shmuel's opinion, for Shmuel was still his Torah teacher (*Rashi,* whose text of the Gemara contained the word לֵיהּ – "so that (Shmuel's) words could be heard לֵיהּ, *by him*" [viz. Mar Ukva]). Others understand the Gemara differently. According to *Talmid R' Yechiel MiParis,* Mar Ukva was placed in a *higher* position; according to *Hagahos Yavetz,* he sat on a special seat. In either event, the point was that *Mar Ukva's* words "would be heard" – i.e. would carry authority. See *Maharsha* for another explanation.

26. Both after the learning sessions in the academy and the legal sessions in court (*R' Shlomo ben HaYasom*).

27. Mar Ukva was pondering a court case before him and became lost in his thoughts. As a result, he forgot to display the honor due his teacher by walking behind Shmuel to his lodging (*Rashi*).

28. I.e. do you realize that you not only compelled me to walk behind you, but you unnecessarily delay me? (see *Rashi ms., Rashi, R' Shlomo ben HaYasom*).

29. I.e. give me permission to return to my lodgings (*Rashi;* see *Rashi ms.*).

Rabbeinu Shlomo ben HaYasom explains that Shmuel was not permitted to depart without Mar Ukva's permission because of a halachah found in Tractate *Derech Eretz:* A person should not take leave of his friend until he notifies him [of his intent]. Even a teacher must seek permission from his student.

30. Of his having to walk behind Mar Ukva (*Rashi*).

עין משפט
נר מצוה

סח א טוש"ע י"ד סימן שלד סעיף א:

רבינו חננאל

ר' שלא ישנו לתלמידים בשוק שנאמר חמוקי ירכיך כמו חלאים ואין חלאים אלא רבנן כדגרסינן בנדרים (מט.) מאן חולים רבנן והן שמתעסקים בתורה שהיא מעשה ידי אמן ואמר רבי מה ירך זה בסתר אף דברי תורה בסתר והני מילי בשאר ימות השנה. אבל ביומי דכלה לא שנאמר חכמות בחוץ תרונה ברחובות תתן קולה. ונזיפה דידן כמה הוי חד יומא כמר עוקבא כד ידע דנקיט שמואל מלתא בדעתיה נהג נזיפותא בנפשיה חד יומא וכרב נחמן דאמר לההיא דשמעה מפומיה דצורבא מרבנן כמה חציפא הא [אתתא זילי] נהוג בנפשך חד יומא. מר זוטרא בר טוביה הוה פסיק סידריה קמיה דרב יהודה מטי להאי קרא ואלה דברי דוד האחרונים מכלל דאיכא ראשונים שאליה ולא הגיד ליה. א"ל אטו מאן דלא ידע פירושא דהאי פסוקא לאו גברא רבה הוא ידע דנקיט מילתא בדעתיה נהג נזיפותא בנפשיה חד יומא. פשטוה דראשונים הן דברי השיר אשר שר דוד ביום הציל ה' אותו מכף כל אויביו ומיד שאול. א"ל הקב"ה שירה אתה אומר על מפלתו של שאול כו'. כיון דידע דחטא חזר והודה כי שגג כדכתיב שגיון לדוד אשר שר לה' על דברי כוש בן ימיני ופי' כי כוש הוא שאול. ולפיכך אמר אלה דברי דוד האחרונים נאם דוד בן ישי נאם הגבר הוקם על שהקים עולה של תשובה. רוח ה' דבר בי ומלתו על לשוני. אמר אלהי ישראל לי דבר צור ישראל אמר לי הוא המושל באדם וצדיק הוא המושל ביראת אלהים הוא מושל בדברו כי מבטל בתחינתו גזירות של הקב"ה הרעות מלבוא על עמו ישראל. יושב בשבת תחכמוני כו' עדינו העצני

תורה אור השלם

א) בִּרְצוֹת יְיָ דַּרְכֵי אִישׁ גַּם אוֹיְבָיו יַשְׁלִם אִתּוֹ: [משלי טז, ז]

ב) חָכְמוֹת בַּחוּץ תָּרֹנָּה בָּרְחֹבוֹת תִּתֵּן קוֹלָהּ: [משלי א, כ]

ג) קִרְבוּ אֵלַי שִׁמְעוּ זֹאת לֹא מֵרֹאשׁ בַּסֵּתֶר דִּבַּרְתִּי מֵעֵת הֱיוֹתָהּ שָׁם אָנִי וְעַתָּה אֲדֹנָי אֱלֹהִים שְׁלָחַנִי וְרוּחוֹ: [ישעיה מח, טז]

ד) וְאֵלֶּה דִּבְרֵי דָוִד הָאַחֲרֹנִים נְאֻם דָּוִד בֶּן יִשַׁי וּנְאֻם הַגֶּבֶר הֻקַם עָל מְשִׁיחַ אֱלֹהֵי יַעֲקֹב וּנְעִים זְמִרוֹת יִשְׂרָאֵל: [שמואל ב' כג, א]

ה) וַיְדַבֵּר דָּוִד לַייָ אֶת דִּבְרֵי הַשִּׁירָה הַזֹּאת בְּיוֹם הִצִּיל יְיָ אֹתוֹ מִכַּף כָּל אֹיְבָיו וּמִכַּף שָׁאוּל: [שמואל ב' כב, א] ו) שִׁגָּיוֹן לְדָוִד אֲשֶׁר שָׁר לַייָ עַל דִּבְרֵי כוּשׁ בֶּן יְמִינִי: [תהלים ז, א] ז) וַתְּדַבֵּר מִרְיָם וְאַהֲרֹן בְּמֹשֶׁה עַל אֹדוֹת הָאִשָּׁה הַכֻּשִׁית אֲשֶׁר לָקָח כִּי אִשָּׁה כֻשִׁית לָקָח: [במדבר יב, א] ח) וַיִּשְׁמַע עֶבֶד מֶלֶךְ הַכּוּשִׁי אִישׁ סָרִיס וְהוּא בְּבֵית הַמֶּלֶךְ כִּי נָתְנוּ אֶת יִרְמְיָהוּ אֶל הַבּוֹר וְהַמֶּלֶךְ יוֹשֵׁב בְּשַׁעַר בִּנְיָמִן: [ירמיה לח, ז] ט) הֲלוֹא כִבְנֵי כֻשִׁיִּים אַתֶּם לִי בְּנֵי יִשְׂרָאֵל נְאֻם יְיָ הֲלוֹא אֶת יִשְׂרָאֵל הֶעֱלֵיתִי מֵאֶרֶץ מִצְרַיִם וּפְלִשְׁתִּיִּים מִכַּפְתּוֹר וַאֲרָם מִקִּיר: [עמוס ט, ז] י) אָמַר אֱלֹהֵי יִשְׂרָאֵל לִי דִבֶּר צוּר יִשְׂרָאֵל מוֹשֵׁל בָּאָדָם צַדִּיק מוֹשֵׁל יִרְאַת אֱלֹהִים: [שמואל ב' כג, ג] כ) אֵלֶּה שְׁמוֹת הַגִּבֹּרִים אֲשֶׁר לְדָוִד יֹשֵׁב בַּשֶּׁבֶת תַּחְכְּמֹנִי רֹאשׁ הַשָּׁלִשִׁי הוּא עֲדִינוֹ הָעֶצְנִי עַל שְׁמֹנֶה מֵאוֹת חָלָל בְּפַעַם אֶחָת: [שמואל ב' כג, ח] ל) אֵיכָה יִרְדֹּף אֶחָד אֶלֶף וּשְׁנַיִם יָנִיסוּ רְבָבָה אִם לֹא כִּי צוּרָם מְכָרָם וַייָ הִסְגִּירָם: [דברים לב, ל] מ) אֲשֶׁר עָשָׂה דָוִד אֶת הַיָּשָׁר בְּעֵינֵי יְיָ וְלֹא סָר מִכֹּל אֲשֶׁר צִוָּהוּ כֹּל יְמֵי חַיָּיו רַק בִּדְבַר אוּרִיָּה הַחִתִּי: [מלכים א' טו, ה]

[א] אף דברי תורה בסתר יצא רבי חייא ושנה לשני בני אחיו בשוק [ב] לרב ולרבה בר בר חנה שמע ר' איקפד אתא ר' חייא לאיתחזויי ליה א"ל [ג] עייא מי קורא לך בחוץ ידע דנקט מילתא בדעתיה נהג נזיפותא בנפשיה תלתין יומין ביום תלתין שלח ליה תא הדר שלח ליה דלא ליתי מעיקרא מאי סבר ולבסוף מאי סבר מעיקרא סבר [ד] מקצת היום ככולו ולבסוף סבר לא אמרינן מקצת היום ככולו לסוף אתא א"ל אמאי אתית א"ל דשלח לי מר דליתי והא שלחי לך דלא תיתי א"ל זה ראיתי וזה לא ראיתי קרי עליה [א] ברצות ה' דרכי איש גם אויביו ישלים אתו מ"ט עבד מר הכי א"ל דכתיב [ב] חכמות בחוץ תרונה א"ל [ה] אם קרית לא שנית ואם שנית לא שילשת ואם שילשת לא פירשו לך חכמות בחוץ תרונה כדרבא דאמר רבא כל העוסק בתורה מבפנים תורתו מכרזת עליו מבחוץ והא כתיב [ג] לא מראש בסתר דברתי ההוא ביומי דכלה ור' חייא האי חמוקי ירכיך מאי עביד לה מוקי לה בצדקה ובגמילות חסדים אלמא נזיפה דידהו תלתין יומין נזיפת נשיא שאני [א] ונזיפה דידן כמה הוי חד יומא כי הא דשמואל ומר עוקבא כי הוו יתבי גרסי שמעתא הוה יתיב מר עוקבא קמיה דשמואל ברחוק ד' אמות וכי הוו יתבי בדינא הוה יתיב שמואל קמיה דמר עוקבא ברחוק ד' אמות והוו חייקי ליה דוכתא למר עוקבא [ו] בציפתא ויתיב עילויה כי היכי דלישתמען מיליה כל יומא הוה מלוי ליה מר עוקבא לשמואל עד אושפיזיה יומא חד איטריד בדיניה הוה אזיל שמואל בתריה כי מטא לביתיה א"ל לא נגה לך לישרי לי מר בתיגריה ידע דנקט מילתא בדעתיה נהג נזיפותא בנפשיה חד יומא ההיא איתתא דהוות יתבה בשבילא הוות פשטה כרעה וקא מניפה [ז] חושלאי והוה חליף ואזיל צורבא מרבנן ולא איכנעה מקמיה אמר כמה חציפא ההיא איתתא אתאי לקמיה דר"נ אמר לה מי שמעת שמתא מפומיה אמרה ליה לא אמר לה זילי נהוגי נזיפותא חד יומא בנפשיך זוטרא בר טוביה הוה קפסיק סידרא קמיה דרב יהודה כי מטא להאי פסוקא [ד] ואלה דברי דוד האחרונים א"ל אחרונים מכלל דאיכא ראשונים מאי נינהו שתיק ולא אמר ליה ולא מידי הדר א"ל אחרונים מכלל דאיכא ראשונים מאי היא א"ל מאי דעתך דלא ידע פירושא דהאי קרא לאו גברא רבה הוא ידע דנקט מילתא בדעתיה נהג נזיפותא בנפשיה חד יומא ודאתן עלה מיהא אחרונים מכלל דאיכא ראשונים מאי היא [ה] וידבר דוד לה' את דברי השירה הזאת ביום הציל ה' אותו מכף כל אויביו ומכף שאול אמר לו הקב"ה לדוד [°] דוד שירה אתה אומר על מפלתו של שאול [ח] אלמלי אתה שאול והוא דוד איבדתי כמה דוד מפניו היינו דכתיב [ו] שגיון לדוד אשר שר לה' על דברי כוש בן ימיני וכי כוש שמו והלא שאול שמו אלא מה כושי משונה בעורו אף שאול משונה במעשיו כיוצא בדבר אתה אומר [ז] על אודות האשה הכושית אשר לקח וכי כושית שמה והלא ציפורה שמה אלא מה כושית משונה בעורה אף ציפורה משונה במעשיה כיוצא בדבר אתה אומר [ח] וישמע עבד מלך הכושי וכי כושי שמו והלא צדקיה שמו אלא מה כושי משונה בעורו אף צדקיה משונה במעשיו כיוצא בדבר אתה אומר [ט] הלא כבני כושיים אתם לי ([ט] בית) ישראל וכי כושיים שמן והלא ישראל שמן אלא מה כושי משונה בעורו אף ישראל משונין במעשיהן מכל האומות [י] א"ר שמואל בר נחמני א"ר יונתן מאי דכתיב [ד] נאם דוד בן ישי ונאם הגבר הוקם על נאם דוד בן ישי שהקים עולה של תשובה [י] אמר אלהי ישראל לי דבר צור ישראל מושל באדם צדיק מושל יראת אלהים מאי קאמר א"ר אבהו ה"ק אמר אלהי ישראל לי דבר צור ישראל אני מושל באדם מי מושל בי צדיק שאני [כ] גוזר גזרה ומבטלה [כ] אלה שמות הגבורים אשר לדוד יושב בשבת וגו' מאי קאמר א"ר אבהו ה"ק ואלה שמות גבורותיו של דוד יושב בשבת בשעה שהיה יושב בישיבה לא היה יושב על גבי כרים וכסתות אלא על גבי קרקע דכל כמה דהוה רביה עירא היאירי קיים הוה מתני להו לרבנן על גבי כרים וכסתות כי נח נפשיה הוה מתני דוד לרבנן והוה יתיב על גבי קרקע אמרו ליה ליתיב מר אכרים וכסתות לא קביל עליה תחכמוני אמר רב אמר לו הקב"ה הואיל והשפלת עצמך תהא כמוני שאני גוזר גזרה ואתה מבטלה ראש השלישים תהא ראש לשלשת אבות [°] הוא עדינו העצני כשהיה יושב ועוסק בתורה היה מעדן עצמו כתולעת ובשעה שיוצא למלחמה היה מקשה עצמו כעץ על שמונה מאות חלל בפעם אחת שהיה זורק חץ ומפיל שמונה מאות חלל בפעם אחת והיה מתאנח על מאתים דכתיב [ל] איכה ירדף אחד אלף יצתה בת קול ואמרה [מ] רק בדבר אוריה החתי אמר רבי תנחום בריה דרבי חייא איש כפר עכו אמר רבי יעקב בר אחא אמר ר' שמלאי ואמרי לה אמר ר' תנחום אמר רב הונא ואמרי לה אמר רב הונא לחודיה

תלמיד

אף דברי תורה בסתר. דכתיב בסיפיה דקרא מעשה ידי אומן התורה מעשה אומנתו של הקדוש ברוך הוא: (א) רב בר אחוה דרבי חייא דהוא בר אחתיה ורבה בר בר חנה בר אחוה דר' חייא [דלאו] בר אחתיה כדאמרינן בסנהדרין[ל]: עייא. כך כינה שמו של ר' חייא לשון גנאי: ראה מי קורא לך. כלומר לא מכאן: תא. בוא אלי והדר שלח ליה לא תיתי: וזה. שליח שני לא ראיתי: ברצות ה' דרכי איש גם אויביו ישלים אתו. כי הוא על כרחו בא: מאי טעמא עבדת הכי. דשנית בשוק: ביומא דכלה. דרשה שהכל מלויין שם: מוקים ליה בצדקה. דמיבעי למיעבד בסתר: מר עוקבא. כתלמיד לשמואל דשמואל גדול בתורה יותר ממר עוקבא: כי יתבן בדינא כו'. משום דמר עוקבא היה נשיא: חייקי ליה דוכתיה. מנמיכין לו מקום כשיושב בדין: כי היכי דמשתמע ליה מיליה. דשמואל רביה בתורה: איטריד. מר עוקבא בדינא שהיה מחשב בדין ולא אידכר ליה למיזל בתר שמואל: לא נגה לך. כלומר לא סגי לך דאזילנא בתרך: לישרי לי מר בתיגריה. הב לי רשותא למיהדר: ידע. מר עוקבא: דנקט. שמואל בדעתיה משום דאזיל בתריה: מי שמעת שמתא מפומיה. אי שמית לך: פסיק סידרא. לימד פרשיות: מכלל דאיכא ראשונים. והלא לא מצינו שאמר דוד דברי אלא במקרא זה דדברי לשון נבואה: אתה שאול. שנולדת במזלו: והוא דוד. שנולד במזל שלך: אבדתי כמה דוד. שהוא צדיק ממך: שגיון. שגגה היתה לו: משונה במעשיו. צדיק גמור: שהקים עולה של תשובה. שהוא שב תחלה ונתן דרך לשבים כדאמרינן בפ"ק דע"ז (דף ד:) לא דוד ראוי לאותו מעשה אלא שאם חטא יחיד אומרים לו כלך אצל דוד שמחל לו הקב"ה אותו עון אף אתה חזור בתשובה: צור ישראל. מושל באדם אני מי מושל בי צדיק מושל בי ומבטלה: עירא היאירי. הוה מתני לדוד [מ] אגב כרי' וכסתות ודוד הוה מתני לרבנן על גבי קרקע: ראש לג' אבות. שהוא הולך לפניהם לעוה"ב: מעדן עצמו. כופף עצמו ידיו ורגליו ביחד ויושב לארץ: בדבר אוריה החתי. נטלו לו מאתים:

מסורת הש"ס

א) סוטה מט:, ב) פסחים ד., ג) [כריתות ח.], ד) [פסחים ד. וש"נ], ה) [ברכות יח.], ו) מתחלת עיין רש"י שבת קמ: ד"ה אליפתא חדתא ובערוך ערך צפא ועיין מהרש"א בח"א ובח"א, ז) שעורין קלופין רש"י סנהדרין כז. ד"ה חושלא והיא היתה מניפה קליפתן מתוכן עיין מהרש"א, ח) [עיין תוספות מגילה כא. ד"ה אלמלא], ט) [צ"ל בני], י) ע"ז ה., כ) [שבת סג. ב"מ פה.], ל) [דף ה.], מ) צ"ל אגבי.

הגהות הב"ח

(א) רש"י ד"ה רב בר אחוה. נ"ב עיין לקמן בדף כ' ע"א:

גליון הש"ס

גמ' דוד שירה אתה אומר. עיין יומא דף כב ע"ב תוספות ד"ה והאמר: שם הוא עדינו העצני. עיין רש"י תענית דף כח ע"א ד"ה בני עדין הן הן:

רש"י כת"י

אף דברי תורה בסתר. דכתי' בסיפיה דקרא מעשה ידי אמן התורה מעשי ידי אומנתו של הקב"ה. לשני בני אחיו. רב בר אחוה וכר אחתיה דר' חייא ורבה בר בר חנה אחוה דר' חייא בפרק קמ' דסנהדרין (ה.). (עוזיע) [עייא]. כך כינה שמו של ר' חייא לשם גנאי וכן אתה מוצא במקרא האמינון אמיך (שמואל ב יג, כ). ראה מי קורא לך בחוץ. כלומר לא מכאן. הדר שלח ליה. רבי לא תיתי. זה. שליח שני לא ראיתי. ברצות יי' דרכי איש. שלא ראה ר' חייא שליח שלשלחתי לו בשניה דאי הוה חזי ליה אלא אתאי. לא שנית. הפסוק פעם שני. בחוץ תרונה. החכמה עצמה מרננת. בסתר דברתי. בשעת מתן תורה אלמא תורה נשנית בתוך. ביומי דכלא שדורשין דרשה ברבים. דילמ' נזיפה דנשיא שאני. דר' נשיא הוה. כי הוו יתבי גרסי הוה יתיב מר עוקבא קמיה דשמואל. כתלמיד לפני רבו דשמואל חכם טפי. וכי הוה יתיב בדינא הוה יתיב מר עוקבא קמיה דשמואל ברחוק ד' אמות. כתלמיד לפני רבו דמר עוקבא אב בית דין הוה ומורע בית דוד הוה במסכת שבת בפרק במה אשה יוצאה (שבת נה.). והוו חייקו ליה דוכתא למר עוקבא. במקו' נמוך. [בציפתא]. במחצלת של בית המדרש. כי היכי. דליתיב מר שמואל במקום גבוה ולישתמען מילי דמר שמואל. מלוה. מר עוקבא למר שמואל עד אושפיזיה. אמ' ליה. שמואל לא נגהא ליה עדין לא החשיך כלומר עדיין לא תרשני ללכת מפניך. לישרי לי מר תגרא. כלומר התירנו מלער זה והרשנו לשוב לביתי. כרעה. רגל שלה. שמתא. נדוי. קפסיק סידרא. לומד פרשיות. אמ' אלו דברי דוד האחרונים מכלל דאיכא ראשונים. והא לא מצינו שאמ' דוד דברי אלא במקרא זה ודברי הוא לשון נבואה. הדר. בעיא מיני' זימנא אחריתי דברי דוד היכן מצינו שכתב דוד דברי. [דלא ידע פירושא]. כל שלא ידע טעם זה איבד חכמתו בתמיה. אלמלא. אתה נולד במזל של שאול והוא נולד במזלך. איבדתי. דוד מלפניו שהוא צדיק ממך. שגיון. טעות הוא בידי והכי קאמ' אלה דברי דוד האחרונים אלה היו עיקר אבל הראשונים אשר שר על שאול לא היה בהן ממש. משונה במעשיו. שכל דורו רשעים והוא צדיק. שהקים עולה של תשובה. כדאמרינן בפרק קמ' דע"ז (ד:) לא דוד ראוי לאותו מעשה אלא שאם חטא יחידי אומרין לו כלך אצל יחיד דוד שמחל לו הקב"ה לאותו עון אף אתה חזור בך בתשובה ותועיל לך. *[עולה. לשון תועלת]* [רש"י ע"י]. אמר. דוד לי דבר צור ישראל ומושל באדם אתה ומי מושל בי צדיק מושל ביראת אלהים שגוזר הקב"ה גזירה על האדם צדיק מושל בה ומבטלה. מאי קאמ'. אטו בשבת תחכמוני שמות גבורים נינהו. בשבת משמע ישיבה נמוכה. תהא ראש לשלשת אבות. לעולם שכול' חיים וכתוב ועבדי דוד מלך עליהם (יחזקאל לז). מעדן. כופף ידיו ורגליו ויושב לארץ כמו התקשר מעדנות כימה (איוב לח). מתאנח על מאתים. שחסרין מאלף דכתוב גבי אומות העולם איכה ירדוף אחד אלף וגו' כאן בזמן שאין ישראל עושין רצונו של מקום ירדוף אחד מהאומות אלף מישראל ושנים יניסו רבבה אבל בזמן שישראל עושין רצונו של מקום אחד מישראל רודף מאמות העולם אלף ועל זה היה דוד מתאנח מפני מה באומות העולם כתוב איכה ירדוף אחד אלף וגו' [אע"פ שאינם עושים רצונו של מקום ובזמן שעושין רצונו של מקום אמר ורדפו מכם חמשה מאה וגו'] ופשטיה דקרא הכי כתוב לעיל מיניה אמרתי אפאיהם אמ' הקב"ה אכלה אותם באפי ובחמתי ואשביתה [מאנוש] זכרם אם לא מפני אויביהם שיאמרו ידינו רמה וכמו עמדה לנו כי [העובדי כוכבים] גוי אובד עצות המה ויאמרו שהם השמידום בכחם אבל אם יבינו לאחריתם שיאמרו איכה ירדוף אחד ממנו אלף מישראל אם לא כי צורם מכרם שלא יהו נוטלין כבוד לעצמם (ברש"י בע"י - עטרה לשמם) אז ירדוף אחד מהן אלף [מישראל].

She extended her leg so that it partially blocked the path,[31] וְקָא מְנִיפָה חוּשְׁלָאֵי – **and she was winnowing hulled barley seeds.** וַהֲוָה חָלֵיף וְאָזִיל צוּרְבָא מֵרַבָּנָן – Eventually **a young rabbinical student passed by** וְלֹא אִיכַּנְעָה מִקַּמֵּיהּ – **and she did not defer to him.**[32] אָמַר כַּמָּה חֲצִיפָא הַהִיא אִיתְּתָא – **[The student] exclaimed: "How brazen is that woman!"** אֲתַאי לְקַמֵּיהּ דְּרַב נַחְמָן – After the incident **[the woman] came before Rav Nachman** to inquire whether the scholar had, by his remark, excommunicated her. אָמַר לָהּ מִי שָׁמַעַתְּ שַׁמְתָּא מִפּוּמֵיהּ – **[Rav Nachman] said to her, "Did you hear** the word ***'shamta'*** issue **from his mouth?"**[33] אָמְרָה לֵיהּ לֹא – **She said to him, "No."** אָמַר לָהּ זִילִי נְהוֹגִי נְזִיפוּתָא חַד יוֹמָא בְּנַפְשִׁיךְ – **He said to her,** "Then **go** and **conduct** the regime of **rebuke upon yourself for one day,** and that is sufficient."[34]

A third and final probative incident:

זוּטְרָא בַּר טוֹבִיָּה הֲוָה קָפָסִיק סִידְרָא קַמֵּיהּ דְּרַב יְהוּדָה – **Zutra bar Toviah was reciting Biblical passages before Rav Yehudah.** כִּי מָטָא לְהַאי פְּסוּקָא ,,וְאֵלֶּה דִּבְרֵי דָוִד הָאַחֲרֹנִים" – **When he reached this verse,**[35] ***And these are David's last words,***[36] אָמַר לֵיהּ – **[Zutra bar Toviah] said to [Rav Yehudah]:** אַחֲרוֹנִים – "Inasmuch as Scripture refers to the song as David's ***last*** prophetic *words,* מִכְּלָל דְּאִיכָּא רִאשׁוֹנִים – it follows **by implication that there are earlier ones!** רִאשׁוֹנִים מַאי נִינְהוּ – These **earlier** prophecies – **what are they?"**[37] שָׁתִיק וְלֹא אָמַר לֵיהּ וְלֹא מִידֵי – **[Rav Yehudah] was silent and did not say anything to him.** הֲדַר אָמַר לֵיהּ – **Again [Zutra bar Toviah] said to [Rav Yehudah]:** אַחֲרוֹנִים – "Since Scripture refers to the song as David's ***last*** prophetic *words,* מִכְּלָל דְּאִיכָּא רִאשׁוֹנִים – it follows **by implication that there are earlier ones!** רִאשׁוֹנִים מַאי הִיא – These **earlier ones, what are they?"** אָמַר לֵיהּ – **[Rav Yehudah] said to him:** מַאי דַּעְתָּךְ – **"What are you thinking?** דְּלֹא יָדַע פֵּירוּשָׁא דְּהַאי קְרָא לָאו גַּבְרָא רַבָּה הוּא – That one **who does not know the explanation of this verse** has lost his wisdom[38] and **is not a great man?!"**[39] יָדַע דְּנָקַט מִילְּתָא בְּדַעְתֵּיהּ – **[Zutra bar Toviah]** then **understood that [Rav Yehudah] had taken the matter to heart.** נָהַג נְזִיפוּתָא בְּנַפְשֵׁיהּ חַד יוֹמָא – **He** therefore **conducted** the regimen of **rebuke upon himself for one day.** Here, then, is another proof that *nezifah* in Babylonia lasts for one day.

Having concluded its narrative, the Gemara tackles the perplexing verse cited by Zutra bar Toviah:

וְדַאֲתָן עֲלָהּ מִיהָא – **And since, in any event, we have come upon [the problem]** אַחֲרוֹנִים – that since the verse states *David's **last*** (prophetic) *words,* מִכְּלָל דְּאִיכָּא רִאשׁוֹנִים – it follows **by implication that there are earlier ones,** let us then ask ourselves: רִאשׁוֹנִים מַאי הִיא – These **earlier ones, what are they?**

The Gemara begins its explanation by citing a verse:

,,וַיְדַבֵּר דָּוִד לַה׳ אֶת־דִּבְרֵי הַשִּׁירָה הַזֹּאת בְּיוֹם הִצִּיל ה׳ אֹתוֹ מִכַּף כָּל־אֹיְבָיו וּמִכַּף שָׁאוּל" – ***David spoke to Hashem the words of this song on the day that Hashem delivered him from the hand of all his enemies and from the hand of Saul.***[40] אָמַר לוֹ הַקָּדוֹשׁ בָּרוּךְ הוּא לְדָוִד – **The Holy One, Blessed is He, said to David** in reaction to his song,[41] דָּוִד שִׁירָה אַתָּה אוֹמֵר עַל מַפַּלְתּוֹ שֶׁל שָׁאוּל – **"David, you are reciting a song about the downfall of Saul!**[42] אִלְמָלֵי אַתָּה שָׁאוּל וְהוּא דָּוִד – **Were you Saul and he David,** אִיבַּדְתִּי כַּמָּה דָּוִד מִפָּנָיו – **I would have destroyed many Davids before him!"**[43] הַיְינוּ דִּכְתִיב – **This is why it is written**[44] in David's *Psalms,* in response to this rebuke, ,,שִׁגָּיוֹן לְדָוִד אֲשֶׁר־שָׁר לַה׳ עַל־דִּבְרֵי־כוּשׁ בֶּן־יְמִינִי" – ***A [song of the] shigayon***[45] ***by David, which he sang to Hashem concerning the matter of Cush ben Yemini*** (i.e. Saul).[46]

NOTES

31. Thereby compelling others to walk around her in order to pass by (*Talmid R' Yechiel MiParis*).

32. She did not retract her leg to allow him to pass (*Talmid R' Yechiel MiParis*).

33. I.e. did you hear him expressly excommunicate you? (*Rashi;* for a discussion of the term *shamta,* see above, 16a note 23).

34. See *R' Shlomo ben HaYasom.* From this story as well we see that *nezifah* in Babylonia was practiced for only one day.

35. *II Samuel* 23:1.

36. Of prophecy (*Rashi;* see following note). The verse introduces a short song in which David speaks prophetically of his noble station and of the Divine inspiration of his *Psalms.*

37. *Rashi* maintains that the term דִּבְרֵי (*words*) connotes prophecy (see also *Targum* to the verse). Yet [although David was inspired by the Divine spirit (רוּחַ הַקֹּדֶשׁ)], in no other verse do we find that David uttered the word דִּבְרֵי and spoke prophetically. Zutra therefore wonders why our verse implies that he did.

[Commentaries both to the verse (*Abarbanel*) and to the Gemara (*Ritva, Rashash*) note that the word דִּבְרֵי often appears in non-prophetic contexts (e.g. it introduces the Book of *Ecclesiastes,* which is generally considered a non-prophetic work). See there for discussions of this problem, and see *Raavad,* cited by *Tos. HaRosh,* for a different understanding of Zutra bar Toviah's question.]

38. *Rashi ms.*

39. Zutra bar Toviah thought that Rav Yehudah did not initially respond because he did not understand the question; Zutra therefore repeated it. However, Rav Yehudah thought that Zutra was aware of his inability to answer the question, and that Zutra repeated it in order to vex him (*Talmid R' Yechiel MiParis*). Therefore, Rav Yehudah responded, "Am I no longer a sage in your eyes because I cannot explain that verse?" (*R' Shlomo ben HaYasom*).

This incident teaches how vigilant a person must be to insure that his words and actions do not embarrass another. Thus, should one pose a question to a scholar and not receive a response, he should not repeat the question, lest he embarrass the scholar by compelling him to admit his ignorance (*Meiri*).

40. *II Samuel* 22:1. [This verse introduces a song in which King David praises Hashem for being his protector and savior. The song also appears, with minor differences, as the eighteenth Psalm.]

41. David's song immediately precedes the verse we are discussing. The Gemara now reports God's reaction to the song, which will allow us to interpret *David's last words* in a way that obviates the aforementioned difficultly.

42. *Rif* (in *Ein Yaakov*) notes that, in fact, David did not sing about Saul's downfall, but thanked Hashem for his own salvation. See there for a discussion of this point.

43. Were it not for your respective fates (מַזָּלוֹת), you would have fallen before him, because he is more righteous than you (*Rashi*). It was the Divine plan that David found a royal dynasty. Therefore, although he was the less deserving of the two, David was permitted to survive Saul (*R' Shlomo ben HaYasom;* for other approaches see *Maharsha,* and *HaKoseiv, Iyun Yaakov* and *Chidushei Geonim* in *Ein Yaakov*); see also introduction to *Meiri's* commentary on *Psalms*).

44. *Psalms* 7:1.

45. The term *shigayon* usually refers to a type of musical instrument (*Rashi* ad loc., *Talmid R' Yechiel MiParis*). However, the Gemara understands the word as a derivative of שְׁגִיאָה, *error* (*Rashi*). According to this interpretation, the verse states: *An error, on David's part, when he sang to Hashem concerning the matter* [of the downfall] *of Cush* (i.e. Saul) *ben Yemini* (*Talmid R' Yechiel MiParis;* see *Rashi, R' Shlomo ben HaYasom*). [*Ben Yemini* indicates that Saul came from the tribe of Benjamin – *Binyamin,* in Hebrew (*Talmid R' Yechiel MiParis; Ibn Ezra* ad loc.).]

46. The Gemara had originally understood that the verse, *And these are David's last words* (*Samuel* 23:1), implied that David had previously spoken prophetically (see above, note 37). The Gemara sought to identify that recorded prophecy. The Gemara now maintains that David's use of the term דִּבְרֵי (*words*) there does not introduce a prophecy. Rather, David was referring to his own words in the immediately preceding chapter (*II Samuel* 22), where he inappropriately sang of Saul's downfall. He now (in the first verse of the next chapter [ibid. 23]) appends a caveat: *But these*

אף דברי תורה בסתר יצא רבי חייא ושנה לשני בני אחיו בשוק לרב ולרבה בר בר חנה שמע ר' איקפד אתא ר' חייא לאיתחזויי ליה א"ל עייא מי קורא לך בחוץ ידע דנקט מילתא בדעתיה נהג נזיפותא בנפשיה תלתין יומין ביום תלתין שלח ליה תא הדר שלח ליה דלא ליתי מעיקרא מאי סבר ולבסוף מאי סבר מעיקרא סבר מקצת היום ככולו ולבסוף סבר לא אמרינן מקצת היום ככולו לסוף אתא א"ל אמאי אתית א"ל דשלח לי מר דליתי והא שלחי לך דלא תיתי א"ל זה ראיתי וזה לא ראיתי קרי עליה ברצות ה' דרכי איש גם אויביו ישלים אתו מ"ט עבד מר הכי א"ל דכתיב חכמות בחוץ תרונה א"ל אם קרית לא שנית ואם שנית לא שילשת ואם שילשת לא פירשו לך חכמות בחוץ תרונה כדרבא דאמר רבא כל העוסק בתורה מבפנים תורתו מכרזת עליו מבחוץ והא כתיב לא מראש בסתר דברתי ההוא ביומי דכלה ור' חייא האי חמוקי ירכיך מאי עביד לה מוקי לה בצדקה ובגמילות חסדים אלמא נזיפה דידהו תלתין יומין נזיפת נשיא שאני ונזיפה דידן כמה הוי חד יומא כי הא דשמואל ומר עוקבא כי הוו יתבי גרסי שמעתא הוה יתיב מר עוקבא קמיה דשמואל ברחוק ד' אמות וכי הוו יתבי בדינא הוה יתיב שמואל קמיה דמר עוקבא ברחוק ד' אמות והוו חייקי ליה דוכתא למר עוקבא בציפתא ויתיב עילויה כי היכי דלישתמען מיליה כל יומא הוה מלוי ליה מר עוקבא לשמואל עד אושפיזיה יומא חד איטריד בדיניה הוה אזיל שמואל בתריה כי מטא לביתיה א"ל לא נגה לך לישרי לי מר בתיגריה ידע דנקט מילתא בדעתיה נהג נזיפותא בנפשיה חד יומא ההיא איתתא דהוות יתבה בשבילא הוות פשטה כרעה וקא מניפה חושלאי והוה חליף ואזיל צורבא מרבנן ולא איכנעה מקמיה אמר כמה חציפא ההיא איתתא אתאי לקמיה דר"נ אמר לה מי שמעת שמתא מפומיה אמרה ליה לא אמר לה זילי נהוגי נזיפותא חד יומא בנפשך זוטרא בר טוביה הוה קפסיק סידרא קמיה דרב יהודה כי מטא להאי פסוקא ואלה דברי דוד האחרונים א"ל אחרונים מכלל דאיכא ראשונים מאי נינהו שתיק ולא אמר ליה ולא מידי הדר א"ל אחרונים מכלל דאיכא ראשונים מאי היא א"ל מאי דעתך דלא ידע פירושא דהאי קרא לאו גברא רבה הוא ידע דנקט מילתא בדעתיה נהג נזיפותא בנפשיה חד יומא ודאתן עלה מיהא אחרונים מכלל דאיכא ראשונים מאי היא וידבר דוד לה' את דברי השירה הזאת ביום הציל ה' אותו מכף כל אויביו ומכף שאול אמר לו הקב"ה לדוד דוד שירה אתה אומר על מפלתו של שאול אלמלי אתה שאול והוא דוד איבדתי כמה דוד מפניו היינו דכתיב שגיון לדוד אשר שר לה' על דברי כוש בן ימיני וכי כוש שמו והלא שאול שמו אלא מה כושי משונה בעורו אף שאול משונה במעשיו כיוצא בדבר אתה אומר על אודות האשה הכושית אשר לקח וכי כושית שמה והלא ציפורה שמה אלא מה כושית משונה בעורה אף ציפורה משונה במעשיה כיוצא בדבר אתה אומר וישמע עבד מלך הכושי וכי כושי שמו והלא צדקיה שמו אלא מה כושי משונה בעורו אף צדקיה משונה במעשיו כיוצא בדבר אתה אומר הלא כבני כושיים אתם לי (בית) ישראל וכי כושיים שמן והלא ישראל שמן אלא מה כושי משונה בעורו אף ישראל משונין במעשיהן מכל האומות א"ר שמואל בר נחמני א"ר יונתן מאי דכתיב נאם דוד בן ישי ונאם הגבר הוקם על נאם דוד בן ישי שהקים עולה של תשובה אמר אלהי ישראל לי דבר צור ישראל מושל באדם צדיק מושל יראת אלהים מאי קאמר א"ר אבהו ה"ק אמר אלהי ישראל לי דבר צור ישראל אני מושל באדם מי מושל בי צדיק שאני גוזר גזרה ומבטלה אלה שמות הגבורים אשר לדוד יושב בשבת וגו' מאי קאמר א"ר אבהו ה"ק ואלה שמות גבורותיו של דוד יושב בשבת בשעה שהיה יושב בישיבה לא היה יושב על גבי כרים וכסתות אלא על גבי קרקע דכל כמה דהוה רביה עירא היאירי קיים הוה מתני להו לרבנן על גבי כרים וכסתות כי נח נפשיה הוה מתני דוד לרבנן והוה יתיב על גבי קרקע אמרו ליה ליתיב מר אכרים וכסתות לא קביל עליה תחכמוני אמר רב אמר לו הקב"ה הואיל והשפלת עצמך תהא כמוני שאני גוזר גזרה ואתה מבטלה ראש השלישים תהא ראש לשלשת אבות הוא עדינו העצני כשהיה יושב ועוסק בתורה היה מעדן עצמו כתולעת ובשעה שיוצא למלחמה היה מקשה עצמו כעץ על שמונה מאות חלל בפעם אחת שהיה זורק חץ ומפיל שמונה מאות חלל בפעם אחת והיה מתאנח על מאתים דכתיב איכה ירדף אחד אלף יצתה בת קול ואמרה רק בדבר אוריה החתי אמר רבי תנחום בריה דרבי חייא איש כפר עכו אמר רבי יעקב בר אחא אמר ר' שמלאי ואמרי לה אמר ר' תנחום אמר רב הונא ואמרי לה אמר רב הונא לחודיה

תלמיד

רש"י

אף דברי תורה בסתר. דכתיב בסיפיה דקרא מעשה ידי אומן התורה מעשה אומנתו של הקדוש ברוך הוא: (א) רב בר אחוה דרבי חייא דהוא בר אחתיה ורבה בר בר חנה בר אחוה דר' חייא [דלאו] בר אחתיה כדאמרינן בסנהדרין: עייא. כך כינה שמו של ר' חייא לשון גנאי: ראה מי קורא לך. כלומר לא מכאן: תא. בוא אלי והדר שלח ליה לא תיתי: וזה. שליח שני לא ראיתי: ברצות ה' דרכי איש גם אויביו ישלים אתו. כי הוא על כרחו בא: מאי טעמא עבדת הכי. דשנית בשוק: ביומא דכלה. דרשה שהכל מצויין שם: מוקים ליה בצדקה. דמיבעי למיעבד בסתר: מר עוקבא. כתלמיד לשמואל דשמואל גדול בתורה יותר ממר עוקבא: כי יתבן בדינא כו'. משום דמר עוקבא היה נשיא: חייקי ליה דוכתיה. מנמיכין לו מקום כשיושב בדין: כי היכי דמשתמע ליה מיליה. דשמואל רביה בתורה: איטריד. מר עוקבא בדינא שהיה מחשב בדין ולא אידכר ליה למיזל בתר שמואל: לא נגה לך. כלומר לא סגי לך דאזילנא בתרך: לישרי לי מר בתיגריה. הב לי רשותא למיהדר: ידע. מר עוקבא: דנקט. שמואל בדעתיה משום דאזיל בתריה: מי שמעת שמתא מפומיה. אי שמית לך: פסיק סידרא. לימד פרשיות: מכלל דאיכא ראשונים. והלא לא מצינו שאמר דוד דברי אלא במקרא זה לדברי לשון נבואה: אתה שאול. שנולדת במזלו: והוא דוד. שנולד במזל שלך: אבדתי כמה דוד. שהוא צדיק ממך: שגיון. שגגה היתה לו: משונה במעשיו. צדיק גמור: שהקים עולה של תשובה. שהוא שב תחלה ונתן דרך לשבים כדאמרינן בפ"ק דע"ז (דף ד:) לא דוד ראוי לאותו מעשה אלא שאם חטא יחיד אומרים לו כלך אצל דוד שמחל לו הקב"ה אותו עון אף אתה חזור בתשובה: צור ישראל. מושל באדם אני מי מושל בי צדיק מושל בי ומבטלה: עירא היאירי. הוה מתני לדוד אגב כרי' וכסתות ודוד הוה מתני לרבנן על גבי קרקע: ראש לג' אבות. שהוא הולך לפניהם לעוה"ב: מעדן עצמו. כופף עצמו ידיו ורגליו ביחד ויושב לארץ: בדבר אוריה החתי. נטלו לו מאתים:

תלמיד

עין משפט נר מצוה

סח א טוש"ע י"ד סימן של"ד סעיף א:

רבינו חננאל

ר' שלא ישנו לתלמידים בשוק שנאמר חמוקי ירכיך כמו חלאים ואין חלאים אלא רבנן כדגרסינן בנדרים (מט.) מאן חולים רבנן והן שמתעסקים בתורה שהיא מעשה ידי אמן ואמר רבי מה ירך זה בסתר אף דברי תורה בסתר והני מילי בשאר ימות השנה. אבל ביומי דכלה לא שנאמר חכמות בחוץ תרונה ברחובות תתן קולה. ונזיפה דידן כמה הוי חד יומא כמר עוקבא כד ידע דנקיט שמואל מלתא בדעתיה נהג נזיפותא בנפשיה חד יומא וכרב נחמן דאמר לההיא דשמעה מפומיה דצורבא מרבנן כמה חציפא הא [אתתא זילי] נהוג בנפשיך חד יומא. מר זוטרא בר טוביה הוה פסיק סידריה קמיה דרב יהודה מטי להאי קרא ואלה דברי דוד האחרונים מכלל דאיכא ראשונים שאליה ולא הגיד ליה. א"ל אטו מאן דלא ידע פירושא דהאי פסוקא לאו גברא רבה הוא ידע דנקיט מילתא בדעתיה נהג נזיפותא בנפשיה חד יומא. פשטוה דראשונים הן דברי השיר אשר שר דוד ביום הציל ה' אותו מכף כל אויביו ומיד שאול. א"ל הקב"ה שירה אתה אומר על מפלתו של שאול כו'. כיון דידע דחטא חזר והודה כי שגג כדכתיב שגיון לדוד אשר שר לה' על דברי כוש בן ימיני ופי' כי כוש הוא שאול. ולפיכך אמר אלה דברי דוד האחרונים נאם דוד בן ישי נאם הגבר הוקם על שהקים עולה של תשובה. רוח ה' דבר בי ומלתו על לשוני. אמר אלהי ישראל לי דבר צור ישראל אמר לי הוא המושל באדם וצדיק הוא המושל ביראת אלהים הוא מושל בדברו כי מבטל בתחינתו גזירות של הקב"ה הרעות מלבוא על עמו ישראל. יושב בשבת תחכמוני כו' עדינו העצני

תורה אור השלם

א) בִּרְצוֹת יְיָ דַּרְכֵי אִישׁ גַּם אוֹיְבָיו יַשְׁלִם אִתּוֹ: [משלי טז, ז]

ב) חָכְמוֹת בַּחוּץ תָּרֹנָּה בָּרְחֹבוֹת תִּתֵּן קוֹלָהּ: [משלי א, כ]

ג) קִרְבוּ אֵלַי שִׁמְעוּ זֹאת לֹא מֵרֹאשׁ בַּסֵּתֶר דִּבַּרְתִּי מֵעֵת הֱיוֹתָהּ שָׁם אָנִי וְעַתָּה אֲדֹנָי אֱלֹהִים שְׁלָחַנִי וְרוּחוֹ: [ישעיה מח, טז]

ד) וְאֵלֶּה דִּבְרֵי דָוִד הָאַחֲרֹנִים נְאֻם דָּוִד בֶּן יִשַׁי וּנְאֻם הַגֶּבֶר הֻקַם עָל מְשִׁיחַ אֱלֹהֵי יַעֲקֹב וּנְעִים זְמִרוֹת יִשְׂרָאֵל: [שמואל ב' כג, א]

ה) וַיְדַבֵּר דָּוִד לַייָ אֶת דִּבְרֵי הַשִּׁירָה הַזֹּאת בְּיוֹם הִצִּיל יְיָ אֹתוֹ מִכַּף כָּל אֹיְבָיו וּמִכַּף שָׁאוּל: [שמואל ב' כב, א] ו) שִׁגָּיוֹן לְדָוִד אֲשֶׁר שָׁר לַייָ עַל דִּבְרֵי כוּשׁ בֶּן יְמִינִי: [תהלים ז, א] ז) וַתְּדַבֵּר מִרְיָם וְאַהֲרֹן בְּמֹשֶׁה עַל אֹדוֹת הָאִשָּׁה הַכֻּשִׁית אֲשֶׁר לָקָח כִּי אִשָּׁה כֻשִׁית לָקָח: [במדבר יב, א] ח) וַיִּשְׁמַע עֶבֶד מֶלֶךְ הַכּוּשִׁי אִישׁ סָרִיס וְהוּא בְּבֵית הַמֶּלֶךְ כִּי נָתְנוּ אֶת יִרְמְיָהוּ אֶל הַבּוֹר וְהַמֶּלֶךְ יוֹשֵׁב בְּשַׁעַר בִּנְיָמִן: [ירמיה לח, ז] ט) הֲלוֹא כִבְנֵי כֻשִׁיִּים אַתֶּם לִי בְּנֵי יִשְׂרָאֵל נְאֻם יְיָ הֲלוֹא אֶת יִשְׂרָאֵל הֶעֱלֵיתִי מֵאֶרֶץ מִצְרַיִם וּפְלִשְׁתִּיִּים מִכַּפְתּוֹר וַאֲרָם מִקִּיר: [עמוס ט, ז] י) אָמַר אֱלֹהֵי יִשְׂרָאֵל לִי דִבֶּר צוּר יִשְׂרָאֵל מוֹשֵׁל בָּאָדָם צַדִּיק מוֹשֵׁל יִרְאַת אֱלֹהִים: [שמואל ב' כג, ג] כ) אֵלֶּה שְׁמוֹת הַגִּבֹּרִים אֲשֶׁר לְדָוִד יֹשֵׁב בַּשֶּׁבֶת תַּחְכְּמֹנִי רֹאשׁ הַשָּׁלִשִׁי הוּא עֲדִינוֹ הָעֶצְנִי עַל שְׁמֹנֶה מֵאוֹת חָלָל בְּפַעַם אֶחָת: [שמואל ב' כג, ח] ל) אֵיכָה יִרְדֹּף אֶחָד אֶלֶף וּשְׁנַיִם יָנִיסוּ רְבָבָה אִם לֹא כִּי צוּרָם מְכָרָם וַייָ הִסְגִּירָם: [דברים לב, ל] מ) אֲשֶׁר עָשָׂה דָוִד אֶת הַיָּשָׁר בְּעֵינֵי יְיָ וְלֹא סָר מִכֹּל אֲשֶׁר צִוָּהוּ כֹּל יְמֵי חַיָּיו רַק בִּדְבַר אוּרִיָּה הַחִתִּי: [מלכים א' טו, ה]

מסורת הש"ס

א) סוכה מט:, ב) פסחים ד., ג) [כריתות ח.], ד) [פסחים ד. וש"נ], ה) [ברכות יח.], ו) מחללת עיין רש"י שבת קמ: ד"ה אליפתא חדתא ובערוך ערך לפא ועיין מהרש"א בח"ה ובח"א, ז) שעורין קלופין רש"י סנהדרין כז. ד"ה חושלא והיא היתה מניפה קליפתן מתוכן עיין מהרש"א, ח) [עיין תוספות מגילה כא. ד"ה אלמלא], ט) [צ"ל בני], י) ע"ז ה., כ) [שבת סג. ב"מ פה.], ל) [דף ה.], מ) צ"ל אגבי.

הגהות הב"ח

(א) רש"י ד"ה רב בר אחוה. נ"ב עיין לקמן בדף כ' ע"א:

גליון הש"ס

גמ' דוד שירה אתה אומר. עיין יומא דף כב ע"ב תוספות ד"ה והאמר: שם הוא עדינו העצני. עיין רש"י תענית דף כח ע"א ד"ה בני עדין הן הן:

רש"י כת"י

אף דברי תורה בסתר. דכתו' בסיפיה דקרא מעשה ידי אמן התורה מעשי ידי אומנתו של הקב"ה. לשני בני אחיו. רב בר אחוה ובר אחתיה דר' חייא ורבה בר בר חנה אחוה דר' חייא בפרק קמ' דסנהדרין (ה.). (עוזיע) [עייא]. כך כינה שמו של ר' חייא לשם גנאי וכן אתה מוצא במקרא האמינון אחיך (שמואל ב יג, כ). ראה מי קורא לך בחוץ. כלומר לא מכאן. הדר שלח ליה. רבי לא תיתי. זה. שליח שני לא ראיתי. ברצות יי' דרכי איש. שלא ראה ר' חייא שליח ששלחתי לו בשניה דאי הוה חזי ליה אלא אתאי. לא שנית. הפסוק פעם שני. בחוץ תרונה. החכמה עצמה מרננת. בסתר דברתי. בשעת מתן תורה אלמא תורה נשנית בתוך. ביומי דכלא שדורשין דרשה ברבים. דילמ' נזיפה דנשיא שאני. דר' נשיא הוה. כי הוו יתבי גרסי הוה יתיב מר עוקבא קמיה דשמואל. כתלמיד לפני רבו דשמואל חכם טפי. וכי הוה יתיב בדינא הוה יתיב מר עוקבא קמיה דשמואל ברחוק ד' אמות. כתלמיד לפני רבו דמר עוקבא אב בית דין הוה ומזרע בית דוד הוה במסכת שבת בפרק במה אשה יוצאה (שבת נה.). והוו חייקו ליה דוכתא למר עוקבא. במקו' נמוך. בציפת[א]. במחללת של בית המדרש. כי היכי. דליתיב מר שמואל במקום גבוה ולישתמען מילי דמר שמואל. מלוה. מר עוקבא למר שמואל עד אושפיזה. אמ' ליה. שמואל לא נגהא ליה עדין לא המשיך כלומר עדיין לא תרשני ללכת מפניך. לישרי לי מר תגרא. כלומר התירנו מלער זה והרשנו לשוב לביתי. כרעה. רגל שלה. שמתא. נדוי. קפסיק סידרא. לומד פרשיות. אמ' אלו דברי דוד האחרונים מכלל דאיכא ראשונים. והא לא מצינו שאמ' דוד דברי אלא במקרא זה ודברי הוא לשון נבואה. הדר. בעיא מיני' זימנא אחריתי דברי דוד היכן מצינו שכתב דוד דברי. [דלא ידע פירושא]. כל שלא ידע טעם זה איבד חכמתו בתמיה. אלמלא. אתה נולד במזל של שאול והוא נולד במזלך. איבדתי. דוד מלפניו שהוא צדיק ממך. שגיון. טעות הוא בידי והכי קאמ' אלה דברי דוד האחרונים אלה היו עיקר אבל הראשונים אשר שר על שאול לא היה בהן ממש. משונה במעשיו. שכל דורו רשעים והוא צדיק. שהקים עולה של תשובה. כדאמרינן בפרק קמ' דע"ז (ד:) לא דוד ראוי לאותו מעשה אלא שאם חטא יחידי אומרין לו כלך אצל יחיד דוד שמחל לו הקב"ה לאותו עון אף אתה חזור בך בתשובה ותועיל לך. *[עולה. לשון תועלת]* [רש"י ע"י]. אמר. דוד לי דבר צור ישראל ומושל באדם אתה ומי מושל בי צדיק מושל בירא' אלהים שגוזר הקב"ה גזירה על האדם צדיק מושל בה ומבטלה. מאי קאמ'. אטו בשבת תחכמוני שמות גבורים נינהו. בשבת משמע ישיבה נמוכה. תהא ראש לשלשת אבות. לעולם שכול' חיים וכתוב ועבדי דוד מלך עליהם (יחזקאל לז). מעדן. כופף ידיו ורגליו ויושב לארץ כמו התקשר מעדנות כימה (איוב לח). מתאנח על מאתים. שחסרין מאלף דכתוב גבי אומות העולם איכה ירדוף אחד אלף וגו' כאן בזמן שאין ישראל עושין רצונו של מקום ירדוף אחד מהאומות אלף מישראל ושנים יניסו רבבה אבל בזמן שישראל עושין רצונו של מקום אחד מישראל רודף מאמות העולם אלף ועל זה היה דוד מתאנח מפני מה באומות העולם כתוב איכה ירדוף אחד אלף וגו' [אע"פ שאינם עושים רצונו של מקום ובזמן שעושין רצונו של מקום אמר ולדפו מכם חמשה מאה וגו'] ופשטיה דקרא הכי כתוב לעיל מיניה אמרתי אפאיהם אמ' הקב"ה אכלה אותם באפי ובחמתי ואשביתה [מאנוש] זכרם אם לא מפני אויביהם שיאמרו ידינו רמה וכתנו עמדה לנו כי [העובדי כוכבים] גוי אובד עצות המה ויאמרו שהם השמידום בכחם אבל אם יבינו לאחריתם שיאמרו איכה ירדוף אחד ממנו אלף מישראל אם לא כי צורם מכרם שלא יהו נוטלין כבוד לעצמם (ברש"י בע"י - עטרה לשמם) אז ירדוף אחד מהן אלף [מישראל].

The Gemara challenges this interpretation:

וְכִי כּוּשׁ שְׁמוֹ וַהֲלֹא שָׁאוּל שְׁמוֹ – **Is "Cush" his name?! But his name is Saul!**[47] How could the verse, which speaks of "Cush," be referring to Saul?

The Gemara deflects the challenge:

אֶלָּא מַה כּוּשִׁי מְשׁוּנֶּה בְּעוֹרוֹ – **Rather,** Cush is not a name but a characterization, for **just as a Cushite is unusual in** the aspect of **his skin,**[48] אַף שָׁאוּל מְשׁוּנֶּה בְּמַעֲשָׂיו – **so Saul was unusual in** the aspect of **his deeds.**[49]

The Gemara mentions other instances where the word Cush is used as a characterization rather than as a proper name:

כַּיּוֹצֵא בַּדָּבָר אַתָּה אוֹמֵר – **You may say a similar thing** about the following verse: "עַל־אֹדוֹת הָאִשָּׁה הַכֻּשִׁית אֲשֶׁר לָקָח" – *Miriam and Aaron spoke against Moses* ***regarding the Cushite woman he had married.***[50] וְכִי כּוּשִׁית שְׁמָהּ וַהֲלֹא צִיפּוֹרָה שְׁמָהּ – **Is "Cushis" her name?!**[51] **But her name is Zipporah!**[52] אֶלָּא מַה כּוּשִׁית מְשׁוּנָּה בְּעוֹרָהּ – **Rather,** the word comes to teach that **just as a Cushite woman is unusual in** the aspect of **her skin,** אַף צִיפּוֹרָה מְשׁוּנָּה בְּמַעֲשֶׂיהָ – **so Zipporah was unusual in** the aspect of **her deeds.**[53]

Another example:

כַּיּוֹצֵא בַּדָּבָר אַתָּה אוֹמֵר – **You may say a similar thing** about the following verse: "וַיִּשְׁמַע עֶבֶד־מֶלֶךְ הַכּוּשִׁי" – *And the servant of the Cushite king heard . . .*[54] וְכִי כּוּשִׁי שְׁמוֹ וַהֲלֹא צִדְקִיָּה שְׁמוֹ – **Is "Cushi" his name?! But his name is Tzidkiah!** אֶלָּא מַה כּוּשִׁי מְשׁוּנֶּה בְּעוֹרוֹ – **Rather,** the word comes to teach that **just as a Cushite is unusual in** the aspect of **his skin,** אַף צִדְקִיָּה מְשׁוּנֶּה בְּמַעֲשָׂיו – **so Tzidkiah was unusual in** the aspect of **his deeds.**[55]

A final example:

כַּיּוֹצֵא בַּדָּבָר אַתָּה אוֹמֵר – **You may say a similar thing** about this verse: "הֲלוֹא כִבְנֵי כֻשִׁיִּים אַתֶּם לִי (בית) [בְּנֵי] יִשְׂרָאֵל" – ***Behold, you are like the children of the Cushites to Me, O Children of Israel.***[56] וְכִי כּוּשִׁיִּים שְׁמָן וַהֲלֹא יִשְׂרָאֵל שְׁמָן – **Is "Cushites" their name?! But their name is Israel!** אֶלָּא מַה כּוּשִׁי מְשׁוּנֶּה בְּעוֹרוֹ – **Rather,** the word teaches that **just as a Cushite is unusual in** the aspect of **his skin,** אַף יִשְׂרָאֵל מְשׁוּנִּין בְּמַעֲשֵׂיהֶן מִכָּל הָאוּמּוֹת – **so** the Children of **Israel are different from all the** other **nations in** the aspect of **their deeds.**[57]

Having discussed at length the verse, *And these are David's last words* (*II Samuel* 23:1), the Gemara elucidates other difficult verses in that chapter:[58]

אָמַר רַבִּי שְׁמוּאֵל בַּר נַחְמָנִי אָמַר רַבִּי יוֹנָתָן – **R' Shmuel bar Nachmani said in the name of R' Yonasan:** מַאי דִּכְתִיב – **What is** the meaning of that **which is written:**[59] "נְאֻם דָּוִד בֶּן־יִשַׁי וּנְאֻם הַגֶּבֶר הֻקַם עָל" – ***The words of David son of Jesse, the words of the man who was "hukam al"?***[60]

The Gemara explains:

נְאֻם דָּוִד בֶּן יִשַׁי שֶׁהֵקִים עוּלָּהּ שֶׁל תְּשׁוּבָה – It means: **"The words of David son of Jesse, who established the benefit of repentance."**[61]

The Gemara continues its interpretation of that passage. Verse 3 there states:

"אָמַר אֱלֹהֵי יִשְׂרָאֵל לִי דִבֶּר צוּר יִשְׂרָאֵל מוֹשֵׁל בָּאָדָם צַדִּיק מוֹשֵׁל יִרְאַת אֱלֹהִים" – ***The God of Israel has said – the Rock of Israel has spoken to me – the ruler of men. The righteous man rules through the fear of God.***[62]

The Gemara asks:

מַאי קָאָמַר – **What is [the verse] saying?** After proclaiming that God is the ruler of men, how can it conclude by stating that the righteous man rules?

The Gemara responds:

אָמַר רַבִּי אַבָּהוּ – **R' Abahu said:** הָכִי קָאָמַר – **[The verse]** actually **states thus:** "אָמַר אֱלֹהֵי יִשְׂרָאֵל לִי דִבֶּר צוּר יִשְׂרָאֵל" – ***The God of Israel has said – the Rock of Israel has spoken to me.*** אֲנִי מוֹשֵׁל בָּאָדָם – **I** ***rule*** **over** ***men.*** מִי מוֹשֵׁל בִּי – **But who,** as it were, ***rules over*** **Me?** צַדִּיק – ***A righteous person,*** שֶׁאֲנִי

NOTES

are David's last words – as if to say, "Look elsewhere (i.e. in *Psalm* 7) for my last, more considered and principal assessment of Saul. What I said in Chapter 22 was baseless and in error" (see *Rashi ms.*).

47. The Gemara assumes that the verse speaks of Saul since most of David's dealings were with Saul, and Scripture never reports his involvement with anyone named Cush (*Maharsha*).

48. Cushites are darkskinned (*Rashi* to *Numbers* 12:1).

49. He was a *completely* righteous individual (*Rashi*). Alternatively, he was righteous, while all the rest of his generation was evil (*Rashi ms.;* see *Talmid R' Yechiel MiParis*).

50. *Numbers* 12:1. Miriam and Aaron, Moses' sister and brother, complained to each other that Moses had stopped having intimate relations with his wife Zipporah (whom our verse calls *the Cushite woman*). As a result, Hashem afflicted Miriam with *tzaraas.*

51. Although הַכֻּשִׁית, *the Cushite,* is not a personal name but a nationality, the Gemara is bothered by the fact that we know Moses' wife is named Zipporah and we know she was not a Cushite. Why, then, assign to her that description? [Perhaps the Gemara uses the term שֵׁם (*name*) in the sense of *essence* – i.e. in what essential way did Zipporah resemble a Cushite? This explanation will apply also to the two cases below: Is the essence of Tzidkiah or the Children of Israel that of a Cushite?]

52. The Gemara assumes that "Cushis" refers to Zipporah, and not to another wife (of Cushite extraction), because the woman is called "*the* Cushite." The definite article *the* (the familiar ה) indicates that Scripture is referring to a wife who has been mentioned already, and only Zipporah is previously identified as Moses' wife (*Exodus* 2:21) [*Maharsha*].

53. She was an uncommonly modest woman (*Talmid R' Yechiel MiParis;* see there for another explanation; see also *Benayahu*).

54. *Jeremiah* 38:7.

[The commentaries to the verse translate עֶבֶד־מֶלֶךְ הַכּוּשִׁי either as "the Cushite servant of the king" (*Rashi*) or as "Evedmelech (a proper name), the Cushite" (*Radak, Metzudos*). According to either interpretation, the term *the Cushite* describes the servant. Our Gemara, however, understands it to be a characterization of the king, Tzidkiah (Zedekiah). *Maharsha* explains that since the verse uses the definite article (*the* Cushite), it perforce refers to a king mentioned previously – viz. King Tzidkiah, and not a heretofore unknown servant.]

55. Tzidkiah was a righteous person, while the rest of his generation was evil (*HaKoseiv* [in *Ein Yaakov*]).

56. *Amos* 9:7.

57. The Prophet characterizes Israel as different from the other nations in the pejorative sense: Whereas the nations refuse to abandon their despicable and inferior idolatry, Israel forsook the exalted worship of Hashem to pay homage to images of wood and stone (*Raavad,* cited by *Tos. HaRosh*). Cf. *Maharsha.*

58. *Talmid R' Yechiel MiParis.*

59. *II Samuel* 23:1.

60. The words הֻקַם עָל (*hukam al*) are difficult to understand in this context, as a description of King David.

61. The Gemara interprets the word עָל as a derivative of תּוֹעֶלֶת [use, benefit] (see *Rashi* in *Ein Yaakov*). That is, David was the one who demonstrated the use and effectiveness of repentance. Although he had completely conquered his evil inclination, Hashem decreed that he sin with Bathsheba so that his repentance would serve as an example to all sinners, teaching them that sincere penitence will assuredly bring Divine absolution (*Rashi,* from *Avodah Zarah* 4b-5a).

62. The usual translation of the verse is: *The God of Israel has said – the Rock of Israel has spoken to me – [Become a] ruler over men; a righteous one, who rules through the fear of God* (*Rashi* to the verse). [However, our Gemara interprets the phrase, *the ruler of men,* as a Divine attribute, not as an instruction to David.]

[א] אף דברי תורה בסתר יצא רבי חייא ושנה לשני בני אחיו בשוק [ב] לרב ולרבה בר בר חנה שמע ר' איקפד אתא ר' חייא לאיתחזויי ליה א"ל [ג] עייא מי קורא לך בחוץ ידע דנקט מילתא בדעתיה נהג נזיפותא בנפשיה תלתין יומין ביום תלתין שלח ליה תא הדר שלח ליה דלא ליתי מעיקרא מאי סבר ולבסוף מאי סבר מעיקרא סבר [ד] מקצת היום ככולו ולבסוף סבר לא אמרינן מקצת היום ככולו לסוף אתא א"ל אמאי אתית א"ל דשלח לי מר דליתי והא שלחי לך דלא תיתי א"ל זה ראיתי וזה לא ראיתי קרי עליה [א] ברצות ה' דרכי איש גם אויביו ישלים אתו מ"ט עבד מר הכי א"ל דכתיב [ב] חכמות בחוץ תרונה א"ל [ה] אם קרית לא שנית ואם שנית לא שילשת ואם שילשת לא פירשו לך חכמות בחוץ תרונה כדרבא דאמר רבא כל העוסק בתורה מבפנים תורתו מכרזת עליו מבחוץ והא כתיב [ג] לא מראש בסתר דברתי ההוא ביומי דכלה ור' חייא האי חמוקי ירכיך מאי עביד לה מוקי לה בצדקה ובגמילות חסדים אלמא נזיפה דידהו תלתין יומין נזיפת נשיא שאני [א] ונזיפה דידן כמה הוי חד יומא כי הא דשמואל ומר עוקבא כי הוו יתבי גרסי שמעתא הוה יתיב מר עוקבא קמיה דשמואל ברחוק ד' אמות וכי הוו יתבי בדינא הוה יתיב שמואל קמיה דמר עוקבא ברחוק ד' אמות והוו חייקי ליה דוכתא למר עוקבא [ו] בציפתא ויתיב עילויה כי היכי דלישתמען מיליה כל יומא הוה מלוי ליה מר עוקבא לשמואל עד אושפיזיה יומא חד איטריד בדיניה הוה אזיל שמואל בתריה כי מטא לביתיה א"ל לא נגה לך לישרי לי מר בתיגריה ידע דנקט מילתא בדעתיה נהג נזיפותא בנפשיה חד יומא ההיא איתתא דהוות יתבה בשבילא הוות פשטה כרעה וקא מניפה [ז] חושלאי והוה חליף ואזיל צורבא מרבנן ולא איכנעה מקמיה אמר כמה חציפא ההיא איתתא אתאי לקמיה דר"נ אמר לה מי שמעת שמתא מפומיה אמרה ליה לא אמר לה זילי נהוגי נזיפותא חד יומא בנפשיך זוטרא בר טוביה הוה קפסיק סידרא קמיה דרב יהודה כי מטא להאי פסוקא [ד] ואלה דברי דוד האחרונים א"ל אחרונים מכלל דאיכא ראשונים מאי נינהו שתיק ולא אמר ליה ולא מידי הדר א"ל אחרונים מכלל דאיכא ראשונים מאי היא א"ל מאי דעתך דלא ידע פירושא דהאי קרא לאו גברא רבה הוא ידע דנקט מילתא בדעתיה נהג נזיפותא בנפשיה חד יומא ודאתן עלה מיהא אחרונים מכלל דאיכא ראשונים מאי היא [ה] וידבר דוד לה' את דברי השירה הזאת ביום הציל ה' אותו מכף כל אויביו ומכף שאול אמר לו הקב"ה לדוד ° דוד שירה אתה אומר על מפלתו של שאול [ח] אלמלי אתה שאול והוא דוד איבדתי כמה דוד מפניו היינו דכתיב [ו] שגיון לדוד אשר שר לה' על דברי כוש בן ימיני וכי כוש שמו והלא שאול שמו אלא מה כושי משונה בעורו אף שאול משונה במעשיו כיוצא בדבר אתה אומר [ז] על אודות האשה הכושית אשר לקח וכי כושית שמה והלא ציפורה שמה אלא מה כושית משונה בעורה אף ציפורה משונה במעשיה כיוצא בדבר אתה אומר [ח] וישמע עבד מלך הכושי וכי כושי שמו והלא צדקיה שמו אלא מה כושי משונה בעורו אף צדקיה משונה במעשיו כיוצא בדבר אתה אומר [ט] הלא כבני כושיים אתם לי ([ט] בית) ישראל וכי כושיים שמן והלא ישראל שמן אלא מה כושי משונה בעורו אף ישראל משונין במעשיהן מכל האומות [י] א"ר שמואל בר נחמני א"ר יונתן מאי דכתיב [ד] נאם דוד בן ישי ונאם הגבר הוקם על נאם דוד בן ישי שהקים עולה של תשובה [י] אמר אלהי ישראל לי דבר צור ישראל מושל באדם צדיק מושל יראת אלהים מאי קאמר א"ר אבהו ה"ק אמר אלהי ישראל לי דבר צור ישראל אני מושל באדם מי מושל בי צדיק שאני [כ] גוזר גזרה ומבטלה [כ] אלה שמות הגבורים אשר לדוד יושב בשבת וגו' מאי קאמר א"ר אבהו ה"ק ואלה שמות גבורותיו של דוד יושב בשבת בשעה שהיה יושב בישיבה לא היה יושב על גבי כרים וכסתות אלא על גבי קרקע דכל כמה דהוה רביה עירא היאירי קיים הוה מתני להו לרבנן על גבי כרים וכסתות כי נח נפשיה הוה מתני דוד לרבנן והוה יתיב על גבי קרקע אמרו ליה ליתיב מר אכרים וכסתות לא קביל עליה תחכמוני אמר רב אמר לו הקב"ה הואיל והשפלת עצמך תהא כמוני שאני גוזר גזרה ואתה מבטלה ראש השלישים תהא ראש לשלשת אבות ° הוא עדינו העצני כשהיה יושב ועוסק בתורה היה מעדן עצמו כתולעת ובשעה שיוצא למלחמה היה מקשה עצמו כעץ על שמונה מאות חלל בפעם אחת שהיה זורק חץ ומפיל שמונה מאות חלל בפעם אחת והיה מתאנח על מאתים דכתיב [ל] איכה ירדף אחד אלף יצתה בת קול ואמרה [מ] רק בדבר אוריה החתי אמר רבי תנחום בריה דרבי חייא איש כפר עכו אמר רבי יעקב בר אחא אמר ר' שמלאי ואמרי לה אמר ר' תנחום אמר רב הונא לחודיה

תלמיד

אף דברי תורה בסתר. דכתיב בסיפיה דקרא מעשה ידי אומן התורה מעשה אומנתו של הקדוש ברוך הוא: (א) רב בר אחוה דרבי חייא דהוא בר אחתיה ורבה בר בר חנה בר אחוה דר' חייא [דלאו] בר אחתיה כדאמרינן בסנהדרין [ל]: עייא. כך כינה שמו של ר' חייא לשון גנאי: ראה מי קורא לך. כלומר לא מכאן: תא. בוא אלי והדר שלח ליה לא תיתי: וזה. שליח שני לא ראיתי: ברצות ה' דרכי איש גם אויביו ישלים אתו. כי הוא על כרחו בא: מאי טעמא עבדת הכי. דשנית בשוק: ביומא דכלה. דרשה שהכל מצויין שם: מוקים ליה בצדקה. דמיבעי למיעבד בסתר: מר עוקבא. כתלמיד לשמואל דשמואל גדול בתורה יותר ממר עוקבא: כי יתבן בדינא כו'. משום דמר עוקבא היה נשיא: חייקי ליה דוכתיה. מנמיכין לו מקום כשיושב בדין: כי היכי דמשתמע ליה מיליה. דשמואל רביה בתורה: איטריד. מר עוקבא בדינא שהיה מחשב בדין ולא אידכר ליה למיזל בתר שמואל: לא נגה לך. כלומר לא סגי לך דאזילנא בתרך:

לישרי לי מר בתיגריה. הב לי רשותא למיהדר: ידע. מר עוקבא: דנקט. שמואל בדעתיה משום דאזיל בתריה: מי שמעת שמתא מפומיה. אי שמית לך: פסיק סידרא. לימד פרשיות: מכלל דאיכא ראשונים. והלא לא מצינו שאמר דוד דברי אלא במקרא זה לדברי לשון נבואה: אתה שאול. שנולדת במזלו: והוא דוד. שנולד במזל שלך: אבדתי כמה דוד. שהוא לדיק ממך: שגיון. שגגה היתה לו: משונה במעשיו. לדיק גמור: שהקים עולה של תשובה. שהוא שב תחלה ונתן דרך לשבים כדאמרינן בפ"ק דע"ז (דף ד:) לא דוד ראוי לאותו מעשה אלא שאם חטא יחיד אומרים לו כלך אצל דוד שמחל לו הקב"ה אותו עון אף אתה חזור בתשובה: צור ישראל. מושל באדם אני מי מושל בי לדיק מושל בי ומבטלה: עירא היאירי. הוה מתני לדוד [מ] אגב כרי' וכסתות ודוד הוה מתני לרבנן על גבי קרקע: ראש לג' אבות. שהוא הולך לפניהם לעוה"ב: מעדן עצמו. כופף עצמו ידיו ורגליו ביחד ויושב לארץ: בדבר אוריה החתי. נטלו לו מאתים:

תלמיד

לא הספיק כלומר עדיין לא תרשני ללכת מפניך. לישרי לי מר תגרא. כלומר התירנו מלער זה והרשנו לשוב לביתי. כרעה. רגל שלה. שמתא. נדוי. קפסיק סידרא. לומד פרשיות. אמ' אלו דברי דוד האחרונים מכלל דאיכא ראשונים. והא לא מלינו שאמ' דוד דברי אלא במקרא זה ודברי הוא לשון נבואה. הדר. בעיא מיני' זימנא אחריתי דברי דוד היכן מלינו שכתב דוד דברי. [דלא ידע פירושא]. כל שלא ידע טעם זה איבד חכמתו בתמיה. אלמלא. אתה נולד במזל של שאול והוא נולד במזלך. איבדתי. דוד מלפניו שהוא לדיק ממך. שגיון. טעות הוא בידי והכי קאמ' אלה דברי דוד האחרונים אלה היו עיקר אבל הראשונים אשר שר על שאול לא היה כהן ממש. משונה במעשיו. שכל דורו רשעים והוא לדיק. שהקים עולה של תשובה. כדאמרינן בפרק קמ' דע"ז (ד:) לא דוד ראוי לאותו מעשה אלא שאם חטא יחידי אומרין לו כלך אלל יחיד דוד שמחל לו הקב"ה לאותו עון אף אתה חזור בך בתשובה ומועיל לך. *[עולה. לשון מועלת]* [רש"י ע"י]. אמר. דוד לי דבר לור ישראל ומושל באדם אתה ומי מושל בי לדיק מושל בירא' אלהים שגוזר הקב"ה גזירה על האדם לדיק מושל בה ומבטלה. מאי קאמ'. אטו בשבת תחכמוני שמות גבורים נינהו. בשבת משמע ישיבה נמוכה. תהא ראש לשלשת אבות. לעולם שכול' חיים וכתוב ועבדי דוד מלך עליהם (יחזקאל לז). מעדן. כופף ידיו ורגליו ויושב לארץ כמו התקשר מעדנות כימה (איוב לח). מתאנח על מאתים. שמסרין מאלף דכתוב גבי אומות העולם איכה ירדוף אחד אלף וגו' כאן בזמן שאין ישראל עושין רלונו של מקום ירדוף אחד מהאומות אלף מישראל ושנים יניסו רבבה אבל בזמן שישראל עושין רלונו של מקום אחד מישראל רודף מאתים מאומות העולם אלף ועל זה היה דוד מתאנח מפני מה באומות העולם כתוב איכה ירדוף אחד אלף וגו' [אע"פ שאינם עושים רלונו של מקום ובזמן שעושין רלונו של מקום אמר ורדפו מכם חמשה מאה וגו'] ופשטיה דקרא הכי כתוב לעיל מיניה אמרתי אפאיהם אמ' הקב"ה אכלה אותם באפי ובחמתי ואשביתם [מאנוש] זכרם אם לא מפני אויביהם שיאמרו ידינו רמה וכחנו עמדה לנו כי [העובדי כוכבים] גוי אובד עלות המה ויאמרו שהם השמידום בכחם אבל אם יבינו לאחריתם שיאמרו איכה ירדוף אחד ממנו אלף מישראל אם לא כי לורם מכרם שלא יהו נוטלין כבוד לעלמם (ברש"י בע"י - עטרה לשמם) אז ירדוף אחד מהן אלף [מישראל].

עין משפט נר מצוה

סח א טוש"ע י"ד סימן שלד סעיף א:

רבינו חננאל

ר' שלא ישנו לתלמידים בשוק שנאמר חמוקי ירכיך כמו חלאים ואין חלאים אלא רבנן כדגרסינן בנדרים (מט.) מאן חולים רבנן והן שמתעסקים בתורה שהיא מעשה ידי אמן ואמר רבי מה ירך זה בסתר אף דברי תורה בסתר והני מילי בשאר ימות השנה. אבל ביומי דכלה לא שנאמר חכמות בחוץ תרונה ברחובות תתן קולה. ונזיפה דידן כמה הוי חד יומא כמר עוקבא כד ידע דנקיט שמואל מלתא בדעתיה נהג נזיפותא בנפשיה חד יומא וכרב נחמן דאמר לההיא דשמעה מפומיה דצורבא מרבנן כמה חציפא הא [אתתא זילין] נהוג בנפשיך חד יומא. מר זוטרא בר טוביה הוה פסיק סידריה קמיה דרב יהודה מטי להאי קרא ואלה דברי דוד האחרונים מכלל דאיכא ראשונים שאליה ולא הגיד ליה. א"ל אטו מאן דלא ידע פירושא דהאי פסוקא לאו גברא רבה הוא ידע דנקיט מילתא בדעתיה נהג נזיפותא בנפשיה חד יומא. פשטוה דראשונים הן דברי השיר אשר שר דוד ביום הציל ה' אותו מכף כל אויביו ומיד שאול. א"ל הקב"ה שירה אתה אומר על מפלתו של שאול כו'. כיון דידע דחטא חזר והודה כי שגג כדכתיב שגיון לדוד אשר שר לה' על דברי כוש בן ימיני ופי' כי כוש הוא שאול. ולפיכך אמר אלה דברי דוד האחרונים נאם דוד בן ישי נאם הגבר הוקם על שהקים עולה של תשובה. רוח ה' דבר בי ומלתו על לשוני. אמר אלהי ישראל לי דבר צור ישראל אמר לי הוא המושל באדם וצדיק הוא המושל ביראת אלהים הוא מושל בדברו כי מבטל בתחינתו גזירות של הקב"ה הרעות מלבוא על עמו ישראל. יושב בשבת תחכמוני כו' עדינו העצני

תורה אור השלם

א) בִּרְצוֹת יְיָ דַּרְכֵי אִישׁ גַּם אוֹיְבָיו יַשְׁלִם אִתּוֹ: [משלי טז, ז]

ב) חָכְמוֹת בַּחוּץ תָּרֹנָּה בָּרְחֹבוֹת תִּתֵּן קוֹלָהּ: [משלי א, כ]

ג) קִרְבוּ אֵלַי שִׁמְעוּ זֹאת לֹא מֵרֹאשׁ בַּסֵּתֶר דִּבַּרְתִּי מֵעֵת הֱיוֹתָהּ שָׁם אָנִי וְעַתָּה אֲדֹנָי אֱלֹהִים שְׁלָחַנִי וְרוּחוֹ: [ישעיה מח, טז]

ד) וְאֵלֶּה דִּבְרֵי דָוִד הָאַחֲרֹנִים נְאֻם דָּוִד בֶּן יִשַׁי וּנְאֻם הַגֶּבֶר הֻקַם עַל מְשִׁיחַ אֱלֹהֵי יַעֲקֹב וּנְעִים זְמִרוֹת יִשְׂרָאֵל: [שמואל ב' כג, א]

ה) וַיְדַבֵּר דָּוִד לַייָ אֶת דִּבְרֵי הַשִּׁירָה הַזֹּאת בְּיוֹם הִצִּיל יְיָ אֹתוֹ מִכַּף כָּל אֹיְבָיו וּמִכַּף שָׁאוּל: [שמואל ב' כב, א] ו) שִׁגָּיוֹן לְדָוִד אֲשֶׁר שָׁר לַייָ עַל דִּבְרֵי כוּשׁ בֶּן יְמִינִי: [תהלים ז, א] ז) וַתְּדַבֵּר מִרְיָם וְאַהֲרֹן בְּמֹשֶׁה עַל אֹדוֹת הָאִשָּׁה הַכֻּשִׁית אֲשֶׁר לָקָח כִּי אִשָּׁה כֻשִׁית לָקָח: [במדבר יב, א] ח) וַיִּשְׁמַע עֶבֶד מֶלֶךְ הַכּוּשִׁי אִישׁ סָרִיס וְהוּא בְּבֵית הַמֶּלֶךְ כִּי נָתְנוּ אֶת יִרְמְיָהוּ אֶל הַבּוֹר וְהַמֶּלֶךְ יוֹשֵׁב בְּשַׁעַר בִּנְיָמִן: [ירמיה לח, ז] ט) הֲלוֹא כִבְנֵי כֻשִׁיִּים אַתֶּם לִי בְּנֵי יִשְׂרָאֵל נְאֻם יְיָ הֲלוֹא אֶת יִשְׂרָאֵל הֶעֱלֵיתִי מֵאֶרֶץ מִצְרַיִם וּפְלִשְׁתִּיִּים מִכַּפְתּוֹר וַאֲרָם מִקִּיר: [עמוס ט, ז] י) אָמַר אֱלֹהֵי יִשְׂרָאֵל לִי דִבֶּר צוּר יִשְׂרָאֵל מוֹשֵׁל בָּאָדָם צַדִּיק מוֹשֵׁל יִרְאַת אֱלֹהִים: [שמואל ב' כג, ג] כ) אֵלֶּה שְׁמוֹת הַגִּבֹּרִים אֲשֶׁר לְדָוִד יֹשֵׁב בַּשֶּׁבֶת תַּחְכְּמֹנִי רֹאשׁ הַשָּׁלִשִׁי הוּא עֲדִינוֹ הָעֶצְנִי עַל שְׁמֹנֶה מֵאוֹת חָלָל בְּפַעַם אֶחָת: [שמואל ב' כג, ח] ל) אֵיכָה יִרְדֹּף אֶחָד אֶלֶף וּשְׁנַיִם יָנִיסוּ רְבָבָה אִם לֹא כִּי צוּרָם מְכָרָם וַייָ הִסְגִּירָם: [דברים לב, ל] מ) אֲשֶׁר עָשָׂה דָוִד אֶת הַיָּשָׁר בְּעֵינֵי יְיָ וְלֹא סָר מִכֹּל אֲשֶׁר צִוָּהוּ כֹּל יְמֵי חַיָּיו רַק בִּדְבַר אוּרִיָּה הַחִתִּי: [מלכים א' טו, ה]

מסורת הש"ס

א) סוכה מט:, ב) פסחים ד., ג) [כריתות ח.], ד) [פסחים ד. וש"נ], ה) [ברכות יח.], ו) מחלצת עיין רש"י שבת קמ: ד"ה אליפתא חדתא ובערוך ערך צפא ועיין מהרש"א בח"ה ובח"א, ז) שעורין קלופין רש"י סנהדרין כז. ד"ה מושלא והיא היתה מניפה קליפתן מתוכן עיין מהרש"א, ח) [עיין תוספות מגילה כא. ד"ה אלמלא], ט) [צ"ל בני], י) ע"ז ה., כ) [שבת סג. ב"מ פה.], ל) [דף ה.], מ) צ"ל אגבי.

הגהות הב"ח

(א) רש"י ד"ה רב בר אחוה. נ"ב עיין לקמן בדף כ' ע"א:

גליון הש"ס

גמ' דוד שירה אתה אומר. עיין יומא דף כב ע"ב תוספות ד"ה והאמר: שם הוא עדינו העצני. עיין רש"י תענית דף כח ע"א ד"ה בני עדין הן הן:

רש"י כת"י

אף דברי תורה בסתר. דכתו' בסיפיה דקרא מעשה ידי אמן התורה מעשי ידי אומנתו של הקב"ה. לשני בני אחיו. רב בר אחוה ובר אחתיה דר' חייא ורבה בר בר חנה אחוה דר' חייא בפרק קמ' דסנהדרין (ה.). (עוזיע) [עייא]. כך כינה שמו של ר' חייא לשם גנאי וכן אתה מולא במקרא האמינון אחיך (שמואל ב יג, כ). ראה מי קורא לך בחוץ. כלומר לא מכאן. הדר שלח ליה. רבי לא תיתי. זה. שליח שני לא ראיתי. ברצות יי' דרכי איש. שלא ראה ר' חייא שליח ששלחתי לו בשניה דאי הוה חזי ליה אלא אתאי. לא שנית. הפסוק פעם שני. בחוץ תרונה. החכמה עלמה מרננת. בסתר דברתי. בשעת מתן תורה אלמא תורה נשנית בחוץ. ביומי דכלא שדורשין דרשה ברבים. דילמ' נזיפה דנשיא שאני. דר' נשיא הוה. כי הוו יתבי גרסי הוה יתיב מר עוקבא קמיה דשמואל. כתלמיד לפני רבו דשמואל חכם טפי. וכי הוה יתיב בדינא הוה יתיב מר עוקבא קמיה דשמואל ברחוק ד' אמות. כתלמיד לפני רבו דמר עוקבא אב בית דין הוה ומזרע בית דוד הוה במסכת שבת בפרק במה אשה יולאה (שבת נה.). והוו חייקו ליה דוכתא למר עוקבא. במקו' נמוך. בציפת[א]. במחללת של בית המדרש. כי היכי. דליתיב מר שמואל במקום גבוה ולישתמען מילי דמר שמואל. מלוה. מר עוקבא למר שמואל עד אושפיזיה. אמ' ליה. שמואל לא נגהא ליה עדין

גּוֹזֵר גְּזֵרָה – **for I decree a** harsh **punishment** on a person וּמְבַטְּלָהּ – **and he cancels it** with his prayers.[63]

Another interpretation:

"אֵלֶּה שְׁמוֹת הַגִּבֹּרִים אֲשֶׁר לְדָוִד יֹשֵׁב בַּשֶּׁבֶת וגו׳" – The passage further states:[64] ***These are the names of David's mighty men: One who sat in the assembly*** **etc.** *[a sagacious man, head of the captains – he is Adino the Etznite [who stood] over eight hundred corpses at one time].*

The Gemara asks:

מַאי קָאָמַר – **What is [the verse] saying?** Are בַּשֶּׁבֶת (*one who sat in the assembly*) and תַּחְכְּמֹנִי (*a sagacious man*) the names of David's warriors?[65]

The Gemara responds:

אָמַר רַבִּי אַבָּהוּ – **R' Abahu said:** הָכִי קָאָמַר – **[The verse]** actually **states thus:** וְאֵלֶּה שְׁמוֹת גְּבוּרוֹתָיו שֶׁל דָּוִד – **"And these are the names of David's mighty deeds:**[66] יוֹשֵׁב בַּשֶּׁבֶת – **He sat in a low position."**[67]

The Gemara explains what is meant by "a low position":

בְּשָׁעָה שֶׁהָיָה יוֹשֵׁב בִּישִׁיבָה – **When [David] sat in the academy,** לֹא הָיָה יוֹשֵׁב עַל גַּבֵּי כָּרִים וּכְסָתוֹת – **he did not sit upon mattresses and cushions;** אֶלָּא עַל גַּבֵּי קַרְקַע – **rather,** he sat **on the ground.** דְּכָל כַּמָּה דַּהֲוָה רַבֵּיהּ עִירָא הַיָּאִירִי קַיָּים – **For as long as his teacher, Ira HaYa'iri, was alive,** הֲוָה מַתְנֵי לְהוּ לְרַבָּנָן עַל גַּבֵּי כָּרִים וּכְסָתוֹת – **[Ira] would teach the rabbis**[68] while seated **upon mattresses and cushions.** כִּי נָח נַפְשֵׁיהּ הֲוָה מַתְנֵי דָּוִד לְרַבָּנָן – **When [Ira] died, David would teach the rabbis,** וַהֲוָה יָתִיב עַל גַּבֵּי קַרְקַע – **and he would sit on the ground.** אָמְרוּ לֵיהּ לֵיתִיב מַר אַכָּרִים וּכְסָתוֹת – **[The rabbis] said to him, "Let master sit upon mattresses and cushions,"** לֹא קַבִּיל עֲלֵיהּ – but **he did not accept upon himself** to sit in an elevated position.[69]

Verse 8 continues by revealing David's rewards for such humility:

"תַּחְכְּמֹנִי" – The verse then states, ***tachkemoni,*** and אָמַר רַב – **Rav said** in elucidation thereof: אָמַר לוֹ הַקָּדוֹשׁ בָּרוּךְ הוּא – **The Holy One, Blessed is He, said to [David]:** הוֹאִיל וְהִשְׁפַּלְתָּ עַצְמְךָ – **Since you lowered yourself**[70] by sitting on the ground while teaching Torah, תְּהֵא כָּמוֹנִי – **you shall be like Me,**[71] שֶׁאֲנִי גּוֹזֵר גְּזֵרָה וְאַתָּה מְבַטְּלָהּ – **for I decree a** harsh **punishment and you cancel it.**

The verse states another reward:

"רֹאשׁ הַשָּׁלִשִׁים" – ***The head of the "shalishi,"*** and this reward is: תְּהֵא רֹאשׁ לִשְׁלֹשֶׁת אָבוֹת – **You shall be the leader for the three forefathers.**[72]

Verse 8 now resumes recounting David's mighty deeds:

"הוּא עֲדִינוֹ הָעֶצְנִי" – ***He is Adino, the Etznite.*** This implies that כְּשֶׁהָיָה יוֹשֵׁב וְעוֹסֵק בַּתּוֹרָה – **when [David] would sit and engage in Torah** study, הָיָה מְעַדֵּן עַצְמוֹ כְּתוֹלַעַת – **he would bend himself like a worm.**[73] וּבְשָׁעָה שֶׁיּוֹצֵא לַמִּלְחָמָה – **But when he went out to war,** הָיָה מַקְשֶׁה עַצְמוֹ כְּעֵץ – **he would harden himself like wood.**[74]

Verse 8 continues:

"עַל־שְׁמֹנֶה מֵאוֹת חָלָל בְּפַעַם אֶחָת" – *[Who stood]* ***over eight hundred corpses at one time.*** This means that שֶׁהָיָה זוֹרֵק חֵץ – **[David] would shoot an arrow** וּמַפִּיל שְׁמוֹנֶה מֵאוֹת חָלָל בְּפַעַם אַחַת – **and fell eight hundred bodies at one time.**[75] וְהָיָה מִתְאַנֵּחַ עַל מָאתַיִם – **But he would sigh over** the **two hundred** enemies he did not kill, דִּכְתִיב – **for it is written:**[76] "אֵיכָה יִרְדֹּף אֶחָד אֶלֶף" – ***How could one pursue a thousand?*** This verse implies that one truly righteous Israelite will be able to destroy one thousand of his enemies; hence, David sighed because he slew only eight hundred.[77] יָצְתָה בַּת קוֹל וְאָמְרָה – **A Heavenly voice** then **issued forth and said:** "רַק בִּדְבַר אוּרִיָּה הַחִתִּי" – ***"Except for the matter of Uriah the Hittite,***[78] David was a completely righteous man." However, because of that lapse he did not merit to destroy the full thousand enemies with one blow.[79]

The Gemara returns to the subject of excommunication:

אָמַר רַבִּי תַּנְחוּם בְּרֵיהּ דְּרַבִּי חִיָּיא אִישׁ כְּפַר עַכּוֹ אָמַר רַבִּי יַעֲקֹב בַּר אַחָא – **R' Tanchum, the son of R' Chiya the resident of the village of Acco, said in the name of R' Yaakov bar Acha,** אָמַר רַבִּי שִׂמְלַאי – who said it **in the name of R' Simlai** – וְאָמְרֵי לָהּ אָמַר רַבִּי תַּנְחוּם אָמַר רַב הוּנָא – **and some say it: R' Tanchum said in the name of Rav Huna** – וְאָמְרֵי לָהּ אָמַר רַב הוּנָא לְחוּדֵיהּ – **and some** others **say it: Rav Huna himself said:**

NOTES

63. See *Rashi, Rashi ms., Rashi* in *Ein Yaakov* and *Maharsha.*

64. *II Samuel* 23:8.

65. *Rashi ms., Chidushei HaRan, Talmid R' Yechiel MiParis, Maharsha;* cf. *R' Shlomo ben HaYasom* and *Rif* in *Ein Yaakov.*

66. The Gemara interprets the word גִּבֹּרִים not as *mighty men* but as *mighty deeds* (גְּבוּרוֹת). Hence, the verse is describing David's own accomplishments (*Chidushei HaRan*).

67. *Rashi ms., Talmid R' Yechiel MiParis;* cf. *HaKoseiv* in *Ein Yaakov.*

68. Including David (*Rashi*).

69. David's refusal to sit in an exalted position while teaching Torah, despite the fact that he was king, demonstrates his might (*Maharsha;* see also *Talmid R' Yechiel MiParis*).

70. I.e. diminished your own stature (see previous note).

71. The Gemara interprets the word תַּחְכְּמֹנִי as an acronym: When the letter "ה" is substituted for the letter "ח" (a common exegetical practice, since both are guttural sounds), the word is read as תְּהֵא כָּמוֹנִי – *you shall be like Me* (*Benayahu*). That is, just as I have the power to cancel all human decrees, so you shall be empowered to cancel Mine (*Maharsha*).

72. [הַשָּׁלִשִׁי, *the three,* connotes a particular group of three – viz. the forefathers Abraham, Isaac and Jacob.] Thus, David's reward is that he will lead the forefathers into the World to Come (*Rashi;* see *Rashi ms.*). Alternatively, our Gemara alludes to *Pesachim* (119b), where we are told that after the resurrection of the dead a great feast will be held for the righteous, and David will lead the forefathers in reciting the Grace After Meals (*Maharsha*). See *Chidushei HaRan, Rashash* and *Hagahos Yavetz* for other approaches.

73. I.e. he would bend [עֲדִינוֹ (*Adino*) derives from the root עדן, *bend*] his torso forward, so that his hands rested on his legs and he inclined toward the ground (*Rashi, Rashi ms.*). David would thus abase himself when learning Torah because Torah is incompatible with pride (*R' Shlomo ben HaYasom*). For another approach, see *Rabbeinu Chananel* and *Aruch* (cited by *Maharsha* and *Benayahu*).

74. The softness and humility David displayed when learning Torah vanished in times of war, when he stood strong and rigid like wood [הָעֶצְנִי (*the Etznite*) connotes *one who resembles wood* (עֵץ)]. The verse thus teaches that David's stance was always appropriate to the situation at hand (*R' Shlomo ben HaYasom*).

75. Even though the verse makes no mention of an arrow, it does say that David felled the eight hundred enemy soldiers "at one time." This perforce means "with one blow," and that is possible only with an arrow, which can travel through eight hundred bodies (*Maharsha*).

76. *Deuteronomy* 32:30.

77. Although *Rashi* ad loc. understands the verse to mean that one gentile will overcome one thousand Jews, *Rashi ms.* explains that *Rashi's* interpretation obtains in those times when Jews do not fulfill Hashem's will. However, when they do adhere to the Torah, each Jew will indeed be able to overcome one thousand of his enemies (cf. *Maharsha*). *HaKoseiv* (in *Ein Yaakov*) adds: Surely Hashem will bless the Jews when they are deserving, at least to the extent that He empowered their enemies.

78. *I Kings* 15:5.

79. *See Rashi.*

תַּלְמִיד שֶׁנִּידָּה לִכְבוֹדוֹ – In the case of a Rabbinical **student who excommunicated** someone **for** the sake of **his honor,**[1] נִדּוּיוֹ נִידּוּי – **his excommunication is a** valid **excommunication,**[2] דְּתַנְיָא – **for it was taught in a Baraisa:**[3] מְנוּדֶּה לָרַב מְנוּדֶּה לַתַּלְמִיד – One who is EXCOMMUNICATED TO THE TEACHER IS EXCOMMUNICATED also TO THE STUDENT. מְנוּדֶּה לַתַּלְמִיד אֵינוֹ מְנוּדֶּה לָרַב – However, one who is EXCOMMUNICATED TO THE STUDENT IS NOT EXCOMMUNICATED TO THE TEACHER. לָרַב הוּא דְּאֵינוֹ מְנוּדֶּה – Now, in the last case of the Baraisa it is **to the teacher that he is not excommunicated;** הָא לְכוּלֵּי עָלְמָא מְנוּדֶּה – **this** implies that **he is,** however, **excommunicated to everyone else.**[4] לְמַאי – **For what** offense was he excommunicated? אִי בְּמִילֵּי דִשְׁמַיָּא – **If** you say it was one **involving a Heavenly matter,**[5] in such a case he would be excommunicated to the teacher as well,[6] "אֵין חָכְמָה וְאֵין תְּבוּנָה וְאֵין עֵצָה לְנֶגֶד ה׳" – for Scripture states:[7] ***There is neither wisdom nor understanding nor counsel against Hashem.***[8] אֶלָּא לָאו לִכְבוֹד עַצְמוֹ – **Rather, is it not** so that the student excommunicated this person **for the** sake of **his own honor,** and yet the Baraisa rules that the offender is excommunicated to everyone else. The Baraisa thus implicitly proves that when a Rabbinical student issues an excommunication for his own honor, the excommunication is valid.

The Gemara records a related ruling:

אָמַר רַב יוֹסֵף – **Rav Yosef said:** צוּרְבָא מֵרַבָּנָן עָבִיד דִּינָא לְנַפְשֵׁיהּ – **A young rabbinical student may enforce the law for himself**[9] בְּמִילְּתָא דִּפְסִיקָא לֵיהּ – **in a matter that is clear to him.**[10]

The Gemara relates an incident involving the excommunication of a Torah scholar:

הַהוּא צוּרְבָא מֵרַבָּנָן – There was once **a certain young rabbinical student** דַּהֲווּ סָנוּ שׁוּמְעָנֵיהּ – **whose reputation was hateful.**[11] אָמַר רַב יְהוּדָה – **Rav Yehudah said** to his colleagues: הֵיכִי לֶיעֱבִיד – **How shall we act** in this matter? לְשַׁמְתֵּיהּ – Is it appropriate **to excommunicate him?** צְרִיכֵי לֵיהּ רַבָּנָן – That is not desirable, since **the rabbis need him.**[12] לָא לְשַׁמְתֵּיהּ – On the other hand, **not to excommunicate him,** however, קָא מִיתַּחִיל שְׁמָא דִשְׁמַיָּא – would cause **the Name of Heaven to be desecrated.**[13] אֲמַר לֵיהּ לְרַבָּה בַּר בַּר חָנָה – **[Rav Yehudah]** then **said to Rabbah bar bar Chanah:** מִידִי שְׁמִיעַ לָךְ בְּהָא – **Did you hear anything about this** type of dilemma from your teachers? אֲמַר לֵיהּ – **[Rabbah] said to [Rav Yehudah]** in reply: הָכִי אָמַר רַבִּי יוֹחָנָן – **Thus said R' Yochanan:** מַאי דִּכְתִיב – **What is** the meaning of that **which is written:**[14] "כִּי־שִׂפְתֵי כֹהֵן יִשְׁמְרוּ־דַעַת, – ***For the lips of the Kohen should safeguard knowledge,*** וְתוֹרָה יְבַקְשׁוּ מִפִּיהוּ – ***and [people] should seek teaching from his mouth,*** כִּי מַלְאַךְ ה׳־צְבָאוֹת הוּא" – ***for he is*** [*like*] ***an angel of the God of Hosts?*** אִם דּוֹמֶה הָרַב לְמַלְאַךְ ה׳ – It means that **if the teacher resembles an angel of God,**[15] יְבַקְשׁוּ תוֹרָה מִפִּיו – **[people] may seek Torah** instruction **from his mouth;** וְאִם לָאו – **but if not,** אַל יְבַקְשׁוּ תוֹרָה מִפִּיו – **they may not seek Torah from his mouth.** Rav Yehudah understood from this teaching that he should act boldly. שַׁמְתֵּיהּ רַב יְהוּדָה – Therefore, **Rav Yehudah excommunicated [the scholar under suspicion].**[16]

The Gemara relates the next part of the story, which occurred sometime later:

לְסוֹף אִיחֲלַשׁ רַב יְהוּדָה – **Eventually Rav Yehudah became ill.** אָתוּ רַבָּנָן לְשִׁיוּלֵי בֵּיהּ – **The rabbis came to inquire about him,** וְאָתָא אִיהוּ נַמִּי בַּהֲדַיְיהוּ – **and [the excommunicated scholar] also came with them.**[17] כַּד חַזְיֵיהּ רַב יְהוּדָה – **When Rav Yehudah saw him,** חַיֵּיךְ – **[Rav Yehudah] laughed.** אֲמַר לֵיהּ – **[The excommunicated scholar] said to [Rav Yehudah]:** לָא מִסְתַּיֵּיךְ דְּשַׁמְתֵּיהּ לְהַהוּא גַּבְרָא – **It is not enough for you that you excommunicated that person,**[18] אֶלָּא אַחוּכֵי נַמִּי חָיֵיךְ בִּי – **but you also laugh** mockingly **at me?!** אֲמַר לֵיהּ – **[Rav Yehudah] said to him:** לָאו בְּדִידָךְ מְחַיֵּיכְנָא – **I am not laughing**

NOTES

1. The excommunicate committed an act of disrespect or against the student, one that did not rise to the level of contempt against the Torah (אַפְקָרוּתָא). See above, 16a note 65.

2. And people must remain at a distance of four *amos* from him (*Nimukei Yosef*).

3. See above, 16a, with notes 63-66.

4. Although the insulting individual is not excommunicated to the student's teacher (or to *any* scholar greater than the student; see *Ritva* ibid.), he *is* excommunicated to everyone else.

5. I.e. one of the mitzvos of the Torah (*R' Shlomo ben HaYasom*).

6. *Nimukei Yosef, R' Shlomo ben HaYasom.*

7. *Proverbs* 21:30.

8. I.e. no wise or discerning man has any significance when compared to Hashem. Hence, whenever there is a desecration of His Name [caused by a violation of His law], we do not honor one's Torah teacher or other great sage [by exempting him from an excommunication arising from the violation] (*Rashi* ad loc.).

9. Even though we rule that *any person* may take extralegal measures to protect his property or rights, and this is so even if he will suffer no irretrievable loss by waiting until the court adjudicates the matter (see *Bava Kamma* 27b-28a), Rav Yosef must nonetheless expressly include Torah scholars in this law – for one might think that their obligation to deal pleasantly with other people excludes them from this permit (*Nimukei Yosef;* see also *Ritva*). See *Choshen Mishpat* §4 for the details of applying this law.

10. E.g. in a monetary dispute, he may seize money that he knows is owed to him if the debtor refuses to pay (*Rashi* to *Rif;* see also *Rashi*). Others hold, however, that Rav Yosef speaks not of financial matters but of excommunication, which is the topic under current discussion. Accordingly, he teaches that not only may a rabbinical student issue a partial excommunication for the sake of his own honor (the Gemara's previous case), but in a case where excommunication is obviously deserved – such as where one Jew calls another 'a slave' – the student can excommunicate the offender with the full force of a *beis din,* so that the offender is excommunicated to all of Israel (*Tos. HaRosh;* cf. last interpretation [וי״מ] in *Nimukei Yosef*).

11. I.e. bad rumors circulated concerning him (*Rashi*). *Rashi* to *Megillah* (25b) specifies that he was reputed to be an adulterer. *Ritva* here writes that the rumors concerned his meeting privately with unmarried women. See also *Tos. HaRosh.*

12. He is the Torah teacher of all the rabbinical students and rabbis in his community (*Rashi*).

Even though it is permissible to learn Torah from an excommunicate (as we learned above, 15a), it is unlikely that a Torah scholar would suffer the embarrassment of doing so (see *Rashi ms., Ritva;* cf. *Nimukei Yosef*).

13. The spectacle of this reputed sinner brazenly teaching Torah to those who are aware of his alleged transgressions constitutes a desecration of God's Holy Name (*Rashi ms.*). Alternatively, covering up the transgression [and allowing him to continue teaching] constitutes the desecration (*Ritva, Nimukei Yosef;* see *Ritva* for a third explanation).

14. *Malachi* 2:7.

15. I.e. if he has a sterling character and reputation.

16. The one factor weighing against excommunication was the community's need for this scholar's Torah instruction. However, R' Yochanan's verse nullifies that factor, for the scholar's hateful reputation disqualifies him from serving as a Torah teacher (*Rashi, Ritva*). See *Shach* to *Yoreh Deah* 246:8 for the parameters of this law.

17. However, he kept at a distance of four *amos* from the other visitors (*Nimukei Yosef*).

18. The excommunicate spoke of himself in the third person so as to "deflect" his curse onto another, so to speak (*Rashi ms.*)

תלמיד שנידה לכבודו נדויו נידוי דתניא מנודה לרב מנודה לתלמיד מנודה לתלמיד אינו מנודה לרב לרב הוא דאינו מנודה הא לכולי עלמא מנודה למאי אי במילי דשמיא אין חכמה ואין תבונה ואין עצה לנגד ה' אלא לאו לכבוד עצמו אמר רב יוסף צורבא מרבנן עביד דינא לנפשיה במילתא דפסיקא ליה ההוא צורבא מרבנן דהוו סנו שומעניה א"ר יהודה היכי ליעביד לשמתיה צריכי ליה רבנן לא לשמתיה קא מיתחיל שמא דשמיא א"ל לרבב"ח מידי שמיע לך בהא א"ל הכי א"ר יוחנן מאי דכתיב כי שפתי כהן ישמרו דעת ותורה יבקשו מפיהו כי מלאך ה' צבאות הוא אם דומה הרב למלאך ה' יבקשו תורה מפיו ואם לאו אל יבקשו תורה מפיו שמתיה רב יהודה לסוף איחלש רב יהודה אתו רבנן לשיולי ביה ואתא איהו נמי בהדייהו כד חזייה רב יהודה חייך אמר ליה לא מסתייך דשמתיה להההוא גברא אלא אחוכי נמי חייך בי א"ל לאו בדידך מחייכנא אלא דכי אזלינא להההוא עלמא בדיחא דעתאי דאפילו לגברא כוותך לא חניפי ליה נח נפשיה דרב יהודה אתא לבי מדרשא אמר להו שרו לי אמרו ליה רבנן גברא דחשיב כרב יהודה ליכא הכא דלישרי לך אלא זיל לגביה דר' יהודה נשיאה דלישרי לך אזל לקמיה א"ל לר' אמי פוק עיין בדיניה אי מיבעי למישרא ליה שרי ליה עיין ר' אמי בדיניה סבר למישרא ליה עמד ר' שמואל בר נחמני על רגליו ואמר ומה שפחה של בית רבי לא נהגו חכמים קלות ראש בנידויה שלש שנים יהודה חבירינו על אחת כמה וכמה א"ר זירא מאי דקמן דאתא האידנא האי סבא בבי מדרשא דהא כמה שני לא אתא ש"מ לא מיבעי למישרא ליה לא שרא ליה נפק כי קא בכי ואזיל אתא זיבורא וטרקיה אאמתיה ושכיב עיילוהו למערתא דחסידי ולא קיבלוהו עיילוהו למערתא דדייני וקיבלוהו מ"ט דעבד כר' אילעאי דתניא ר' אילעאי אומר אם רואה אדם שיצרו מתגבר עליו ילך למקום שאין מכירין אותו וילבש שחורים ויתעטף שחורים ויעשה מה שלבו חפץ ואל יחלל שם שמים בפרהסיא שפחה של בית רבי מאי היא דאמתא דבי רבי חזיתיה לההוא גברא דהוה מחי לבנו גדול אמרה ליהוי ההוא גברא בשמתא דקעבר משום ולפני עור לא תתן מכשול דתניא ולפני עור לא תתן מכשול במכה לבנו גדול הכתוב מדבר ריש לקיש הוה מנטר פרדיסא אתא ההוא גברא וקאכיל תאיני רמא ביה קלא ולא אשגח ביה אמר ליהוי ההוא גברא בשמתא א"ל אדרבה ליהוי ההוא גברא בשמתא אם ממון נתחייבתי לך נידוי מי נתחייבתי לך אתא לבי מדרשא א"ל שלו נידוי שלך אינו נידוי ומאי תקנתיה זיל לגביה דלישרי לך לא ידענא ליה אמרו ליה זיל לגבי נשיאה דלישרי לך דתניא נידוהו ואינו יודע מי נידהו ילך אצל נשיא ויתיר לו נדויו אמר רב הונא באושא התקינו אב בית דין שסרח אין מנדין אותו אלא אומר לו הכבד ושב בביתך חזר וסרח מנדין אותו מפני חילול השם ופליגא דריש לקיש דאמר ריש לקיש תלמיד חכם שסרח אין מנדין אותו בפרהסיא שנאמר וכשלת היום וכשל גם נביא עמך לילה כסהו כלילה מר זוטרא חסידא כי מיחייב צורבא מרבנן שמתא ברישא משמית נפשיה והדר משמית לדידיה כי הוה עייל באושפיזיה שרי ליה לנפשיה והדר שרי ליה לדידיה אמר רב גידל אמר רב ת"ח מנדה לעצמו ומיפר לעצמו אמר רב פפא תיתי לי דלא שמיתי צורבא מרבנן מעולם אלא כי קא מיחייב צורבא מרבנן שמתא היכי עביד כי הא דבמערבא מימנו אנגידא דצורבא מרבנן ולא מימנו אשמתא מאי שמתא אמר רב שם מיתה ושמואל אמר שממה יהיה ומהניא ביה כי טיחיא בתנורא ופליגא דריש לקיש דאמר ריש לקיש כשם שנכנסת במאתים וארבעים ושמונה איברים כך כשהיא יוצאה ממאתים וארבעים ושמונה איברים כשהיא נכנסת דכתיב והיתה העיר חרם חרם בגימטריא מאתים וארבעים ושמונה הוו כשהיא יוצאה דכתיב ברוגז רחם תזכור רחם בגימטריא הכי הוו אמר רב יוסף שדי שמתא אגנובתא דכלבא ואיהי דידה עבדה דההוא כלבא דהוה אכיל מסאני דרבנן ולא הוו קא ידעי מנו ושמתו ליה איתלי ביה נורא בגנובתיה ואכלתיה ההוא אלמא דהוה קא מצער ליה להההוא צורבא מרבנן אתא לקמיה דרב יוסף א"ל זיל שמתיה א"ל מסתפינא מיניה אמר ליה שקילי פתיחא עליה כל שכן דמסתפינא מיניה א"ל שקליה אחתיה בכדא ואחתיה

רש"י

תלמיד חכם שנידה לכבודו. כבר פירשתי למעלה: עביד (איניש) דינא לנפשיה. דאמר ליה את מחייבת לי הכי והכי: דפסיקא ליה. שודאי הוא לו ולא ספק: סנו שומעניה. שיוצאין עליו שמועות רעות: צריכי ליה רבנן. דאתריה דהוה רבהון: ואם לאו אל יבקשו תורה. הואיל וסנו שומעניה הא דצריכי ליה רבנן לאו כלום הוא דמוטב דלא ילפי מיניה: אתא איהו. האי מנודה נמי בהדייהו: מאי דקמן. כלומר היכי מתרמי דעל האי סבא ר' שמואל בר נחמני האידנא לבית המדרש: שמע מינה. דלהכי איתרמי דאתא האידנא לבי מדרשא דלאו מזליה הוא דלישרי ליה: וטרקיה אאמתיה. נשכו למנודה באמתו: ולא קבלוהו. דהדרא עכנא למערתא ולא פתחה פיה: דייני. ראשי ב"ד וחסידים עדיפי מינייהו: מאי טעמא. קבלוהו: דעבד כרבי אילעאי וכו'. בהני שמועות רעות: מה שלבו חפץ. עבירה והואיל ואין מכירין אותו שם ליכא חלול השם (א) ואמר לן רבי משום רב האי גאון ויעשה מה שלבו חפץ רוצה לומר דודאי כיון שלבוש שחורים וכו' אני ערב בדבר שאינו חפץ מכאן ואילך בעבירה: דקא עבר משום ולפני עור לא תתן מכשול. דכיון דגדול הוא שמא מבעט באביו והוה ליה איהו מכשילו: שלך אינו נידוי. דלאו בדינא שמתיה: הכבד. בלשון הזה אומרים לו עשה עצמך כאדם שכבד עליו ראשו ושב בביתך בלשון כבוד אומר לו (ב) לישנא אחרינא הכבד התכבד כבודך שתשב בביתך: כסהו. אל תבזה אותו בפרהסיא: כלילה. שחשיכה ואין אדם רואה: משמית נפשיה. משום יקרא דההוא צורבא מדרבנן: מימנו אנגידא. מלקות ומלקות יפה להם יותר משמתא והוו מלקי להו: ומהניא כי טיחיא בתנורא. כשומן שטוחין את התנור ונבלע בתוכו שאין יוצא לעולם כלומר מכה לכל מאן דמשמתינן ליה דלא נפקא מיניה לעולם: ופליגא דר"ש ב"ל. דאמר יוצאה: גנובתיה. זנב: דידה עבדא. ומלקי ליה: מסתפינא מיניה. דגברא אלמא הוא: שקיל פתיחא עלויה. כתוב עליו שמתא: שקליה. לכתב שמתא: ואחתיה

תוספות

וטרקיה. נשכו באמתו ויש מפרשים מדה כנגד מדה משום דנחשד בזנות: ולא קיבלוהו. דהדרא ליה עכנא: דעבד אדרבי אילעאי. ולכך לא קיבלוהו אע"פ שהיה תלמיד חכם וי"ג דעבד כר' אילעאי ומשום הכי קיבלוהו דייני:

אם רואה אדם שיצרו מתגבר עליו. וכתב ר"ח חס ושלום לא הותר לו לעשות עבירה אלא ע"י כך יכנע לבו בפ"ק דקדושין (דף מ. ושם) פירשתי [ח]:

נידוי מי נתחייבתי לך. אע"פ שמשמתין בעבור ממון כדאמרינן לעיל (דף טז.) הני מילי לממונא י"ל שהיה לו לקרותו לב"ד תחילה שמא יפרע ועוד דבב"ד נמי צריך שני וחמישי ושני כדפירשתי לעיל וכדמשמע בפרק הגוזל בתרא (ב"ק דף קיג.) ולא דמי לאיסורא ([ט] דמכין) לאלתר כדאמר [י] בההוא גברא דקאכל תמרי שנשרו בשבת וכן [ריש] פרק הדר (עירובין דף סג.) ובשם רבינו תם שמעתי שהיו רגילין באותו מקום שאוכלין באילנות ונותן דמים והשתא לא היו עוברים על הגזל:

משמית נפשיה. משום צער שצריך לנדות ת"ח א"נ כדי שיהא זכור להתיר והא דלא התיר לחבירו מתחילה כדאמרינן בשבועות פרק קמא (דף יד.) יבא זכאי ויכפר על החייב לכך טוב כשיתיר לחבירו שיהא הוא מותר קודם: שלא

מסורת הש"ס

א) [לעיל טז.], ב) חגיגה טו: ע"ש, ג) חגיגה טז. קידושין מ., ד) מנחות לט., ה) [נדרים ז:], ו) [נדרים ז: וע"ש דפריך פשיטא ומשני], ז) פסחים נב., ח) [ועי' תוס' חגיגה טז. ד"ה ויעשה וכו'], ט) [נ"ל דמנדין], י) [לא נמצא בשום מקום].

הגהות הב"ח

(א) רש"י ד"ה מה שלבו כו' ואמר לן רבי. נ"ב ולפ"ז ה"ק מ"ט קבלוהו וכ"ה במקצת פרש"י: (ב) ד"ה הכבד כו' לישנא אחרינא. נ"ב וכן משמע פי' הקרא במלכים ב יד:

גליון הש"ס

גמ' אי במילי דשמיא. עיין תוס' סנהדרין דף ח ע"א ד"ה מפיקנא: שם למערתא דדייני וקיבלוהו. עי' שבת דף י ע"א תוס' ד"ה אי איכא: שם אמר רב הונא באושא התקינו. בכ"מ פ"ז ה"א מהל' ת"ת הגירסא אמר רב אויא:

תורה אור השלם

א) אֵין חָכְמָה וְאֵין תְּבוּנָה וְאֵין עֵצָה לְנֶגֶד יְיָ: [משלי כא, ל]

ב) כִּי שִׂפְתֵי כֹהֵן יִשְׁמְרוּ דַעַת וְתוֹרָה יְבַקְשׁוּ מִפִּיהוּ כִּי מַלְאַךְ יְיָ צְבָאוֹת הוּא: [מלאכי ב, ז]

ג) לֹא תְקַלֵּל חֵרֵשׁ וְלִפְנֵי עִוֵּר לֹא תִתֵּן מִכְשֹׁל וְיָרֵאתָ מֵּאֱלֹהֶיךָ אֲנִי יְיָ: [ויקרא יט, יד]

ד) הַכֵּה הִכִּיתָ אֶת אֱדוֹם וּנְשָׂאֲךָ לִבֶּךָ הִכָּבֵד וְשֵׁב בְּבֵיתֶךָ וְלָמָּה תִתְגָּרֶה בְּרָעָה וְנָפַלְתָּה אַתָּה וִיהוּדָה עִמָּךְ: [מלכים ב' יד, י]

ה) וְכָשַׁלְתָּ הַיּוֹם וְכָשַׁל גַּם נָבִיא עִמְּךָ לָיְלָה וְדָמִיתִי אִמֶּךָ: [הושע ד, ה]

ו) וְהָיְתָה הָעִיר חֵרֶם הִיא וְכָל אֲשֶׁר בָּהּ לַייָ רַק רָחָב הַזּוֹנָה תִּחְיֶה הִיא וְכָל אֲשֶׁר אִתָּהּ בַּבַּיִת כִּי הֶחְבְּאַתָה אֶת הַמַּלְאָכִים אֲשֶׁר שָׁלָחְנוּ: [יהושע ו, יז]

ז) יְיָ שָׁמַעְתִּי שִׁמְעֲךָ יָרֵאתִי יְיָ פָּעָלְךָ בְּקֶרֶב שָׁנִים חַיֵּיהוּ בְּקֶרֶב שָׁנִים תּוֹדִיעַ בְּרֹגֶז רַחֵם תִּזְכּוֹר: [חבקוק ג, ב]

רש"י כת"י

והכתוב אין חכמה ואין תבונה וכו'. והוי נמי מנודה לרב. דפסיקא ליה [לברור הדין ידין ומוציא מבעל חובו בע"כ] [רש"י ברי"ף]. סנו שומעניה. מעשיו מכוערין. צריכי ליה רבנן. ללמוד תורה מפיו ואף על גב דאמרינן לעיל מנודה שונה לאחרים מסתמא אין תלמיד חכם הולך ויושב לפניו. מיתחיל. מתחלל שם שמים שילמדו ממנו אחרים שיודעין שעבר ולא נתביים. אמ' ליה. האי תלמיד לרב יהודה. לא מסתייך וכו' להההוא גברא. קללתו תולה באחרים. אי מבעי למשרא ליה. אם יכולין להתיר נדויו של רב יהודה שרו ליה. שפחה של בית ר'. מפרש לקמן. ולא נהגו וכו'. שלא התירו נדויה עד ג' שנים. מאי דקמן. היכי מיתרמי דעל האי[ן] (תנא) [סבא] ר' שמואל בר נחמני בי מדרשא. טרקיה אאמתיה. נשכו למנודה באמתו. אבר. ולא קבלוה. דהדר עכנא למערתיה ולא פתח פיה. דייני. ראשי ב"ד וחסידי מעלו מינייהו. מאי טעמא. לא קבלוה אמערתא [דחסידי] אנוס בילרו הוה. דעבד אדר' [נ"א - דעבד כדר'] אלעאי. ההוא דסנו שומעניה [דהא אפשר לתקוני נפשיה כדר' אלעאי] שהלך למקום שאין מכירין אותו ועשה שם חפצי לבו בצינעה ומשום דלא חלל [שם שמים] בפרהסיא קבלוה אמערתא דדייני. למקום שאין מכירין אותו. ולא ינהגו בו כבוד ויכוף את יצרו וילבש שחורים שמשפיל את עצמו ולא יתגבר עליו יצרו. ויעשה מה שלבו חפץ. דודאי לא יזקק לבו לעבירה כך מפורש בתשובת רבינו האיי. לישנא אחרינא יעשה מה שלבו חפץ מוטב שיחלל בצנעה ואל יחלל בפרהסיה. איני וכו'. אטו מי איכא תקנתא במי שהולך למקום שאין מכירין אותו ועושה בסתר והאמ' ר' וכו' בסתר כאילו דוחה רגלי שכינה שהוא בכל מקום וכתוב לדיק אתה יי' ולא יגור במגורך רע. הא דמצי כייף. כאלו דוחה רגלי שכינה. דלא מצי כייף ילבש שחורים. בריה רבה. בנו הגדול. לא תתן מכשול. שגורם לבנו שמפטפט כנגדו. רמא ביה קלא. גער בו. נידוי מי נתחייבתי לך. שהיה לך להורידני לבית דין. אתא ריש לקיש לבית מדרשא. הכבד. עשה עצמך כאדם שכבד בראשו ושב בביתך בלשון כבוד אומ' לו. ל"א הכבד התכבד בכבודך שתשב בביתך. כסהו. לא תבזהו בפרהסיא. בלילה שחשיכה ואין כל אדם יכול לראות. משמית נפשיה. מפני כבודו. הוה עייל באושפיזיה. שרי ליה מיד שלא היה רוצה להתירו בפניו אלא כשנכנס לביתו מתיר לו נידויו כדי שלא תהא קללת חבירו עולה על מטתו. מנדה לעצמו. את עצמו לישנא [אחרינא] לכבודו. מימנו אנגידא. מתמנין להלקותו. שם מיתה. שממיתו. שמה. שממה. ועיילא בגופיה כי טייחא. שומן שטחין בו את התנור ונבלע בתוך התנור שאינו יכול לצאת לעולם. ופליגי דר' שמעון [בן לקיש]. דאמ' יצאה. זגבתא דכלבא. זנב הכלב. שמתא דידיה עבדא. דמהניא ביה. שקילי פתיחא. בקש לחכמים לכתוב לו עליו שטר שמתא ותראה לו ולא יזיק עוד פתיחא שפותחת ונוקבת לבו של אדם כמן לשון והמה פתיחות (תהלים נה). שקליה. לשטר שמתא. ואחתיה בכדא בי קברי. כדי שיהיו המתים נסכמים בשמתא וגם לא יגלו.

עין משפט נר מצוה

[סט] [א] מיי' פ"ו מהל' ת"ת הלכה יד טוש"ע י"ד סימן שלד סעיף ח:

סט א מיי' פ"ב מהל' סנהדרין הלכה יב טוש"ע ח"מ סימן ד:

ע ב מיי' פ"ו מהל' ת"ת הל' יד ופ"ז הלכה א טוש"ע י"ד סימן שלד סעיף מב וסעיף מג:

עא ג מיי' פ"ו מהלכות ת"ת שם ופ"ו מהל' ממרים הלכה ט טוש"ע י"ד סי' שלד סעיף מג:

עב ד מיי' פ"ו מהלכות ת"ת שם טוש"ע שם סעיף לט וסעיף מג:

עג ה מיי' שם פ"ז הל' י:

עד ו מיי' שם הל' א טוש"ע שם סעי' מב:

עה ז מיי' שם הלכה יא טוש"ע שם סעי' לג:

עו ח מיי' שם הלכה א טוש"ע שם סעי' מב:

רבינו חננאל

העצני כו' עד רק בדבר אוריה החתי כולן פשוטין הן. עדינו שהיה מעדן עצמו להיות מיושב דעת בדברי תורה וכשיוצא למלחמה קשה כעץ. אמר רב הונא ת"ח שנידה לכבודו נידויו נידוי דדייק מדתניא מנודה לתלמיד אינו מנודה לרב לבדו הא לכ"ע מנודה והני מילי לכבוד עצמו אבל במילי דשמיא אין חכמה ואין תבונה לנגד ה'. אמר רב יוסף צורבא מרבנן עביד דינא לנפשיה. במלתא דפסיקא ליה. כגון הקורא לחבירו עבד יהא בנידוי וכיוצא בו. ההוא צורבא מרבנן דהוה סני שומעניה שהיה שם שמים מתחלל על ידו. כגון הא דגרסינן בסוף יוה"כ מי שיש בידו חילול השם. יצחק דבי ר' אמי אמר כל שחביריו מתביישין משמועתו היכי דמי דאמרי שרי ליה מריה לפלוני. אבל הא דאמר רב כגון אנא דשקילנא בישרא כו'. ודאמר ר' יוחנן כגון אנא דאי מסגינא ד' אמות בלא תורה ובלא תפילין על עצמן בלבד אמרו ולא על זולתם שהיו מחמירין הרבה על עצמם. הלא תראה שכל אחד כך אמר כגון אנא אבל כ"ע כדאמרן וכגון אלישע אחר שהיה מתעסק בספרי מינין ושותה במיני זמר דגרסינן זמר יווני לא פסק מביתו. אמרו עליו על אחר שהיה עומד מבית המדרש הרבה ספרי מינים היו נושרין לו מחיקו וגרסינן נמי השותה במיני זמר כו' וכל צורבא מרבנן דהכי עובדיה מתקריה סנו שומעניה. ואמר רב יהודה בההוא צורבא מרבנן דהוו סני שומעניה כדאמרן היכי נעביד ביה נשמתיה צריכי ליה רבנן לא נשמתיה קא מתחלל שם שמים. א"ל רבה בר בר חנה הכי אמר ר' יוחנן מ"ד כי שפתי כהן ישמרו דעת ותורה יבקשו מפיהו כי מלאך ה' צבאות הוא. אם דומה הרב למלאך ה' צבאות יבקשו תורה מפיהו ואם לאו אל יבקשו תורה מפיהו. שמתיה רב יהודה ולא שרייא לשמתיה לא הוא ולא ר' יהודה נשיאה ואמר רב יהודה בעידנא דשכיב בדיחנא דאפילו לגברא רבא כי האי לא חניפי ליה ולא אשכח חד דשרי ליה עד דטרקיה זיבורא אאמתיה ושכיב עיילוה למערתא דחסידי ולא קיבלוה עיילוה למערתא דדייני וקיבלוה. מאי סני שומעניה דעבד כר' אילעאי דתניא ר' אילעאי הזקן אומר אם רואה אדם שיצרו מתגבר עליו פירוש מבקש לשתות במיני זמר ולשמוח בשמחה המרגילה לידי עבירה כגון זה אמר ילך למקום שאין מכירין אותו וילבש שחורין ויכסה שחורין ויעשה מה שלבו חפץ כגון אכילה ושתייה במיני זמר וכיוצא בהן אבל דבר עבירה שיש בה דין אדם או דין שמים ואפילו חייבי לאוין או חייבי עשה וכ"ש למעלה שאיסורן איסור עולם ח"ו שהתיר ר' אילעאי ואפילו בסתר אלא דבר שפירשנו למעלה הוא שאמר לעשות. ואפילו דברים הללו לא התירן לו אלא אמר כמשיא עצה לעשות כך כדי להבריח את יצרו להשלים תאותו וכיון שיראה עצמו לבוש שחורין ועטוף שחורין משתבר יצרו ונמנע ואינו עושה וזה צורבא מרבנן עשה כר' אילעאי ולבש שחורין ונתעטף ואחר זה כולן חזר לשתות במיני זמר כגון שהיה עושה [אלישע] ולפיכך שמתיה רב יהודה תנא דבי ר' ישמעאל ולפני עור לא תתן מכשול זה המכה בנו הגדול שכיון שהוא גדול חוזר גם הוא ומכה אביו זה ונמצא כי אביו גורם לו והכשילו: ריש לקיש הוה מנטר פרדיסא אתא ההוא גברא אכיל תאיני רמא ביה קלא לא אשגח ביה אמר ליהוי ההוא גברא בשמתא. א"ל אדרבה ליהוי ההוא גברא בשמתא. אם ממון נתחייבתי לך נידוי מי נתחייבתי לך אתא שאיל לבי מדרשא [א"ל] שלו נידוי שלך אינו נידוי זיל לגבי נשיאה דלישרי לך. דתנא נידוהו ואינו יודע מי נדהו ילך אצל נשיא ויפר לו. ירושלמי הדא אמרה המנדה למי שאינו צריך וחזר הוא ונידהו נידוי השני נידוי. אמר רב הונא באושא התקינו אב בית דין שסרח אין מנדין אותו אלא אומר לו הכבד ושב בביתך חזר וסרח מנדין אותו מפני חילול השם ריש לקיש אמר תלמיד חכם שסרח אין מבזין אותו בפרהסיא שנאמר וכשלת היום וכשל גם נביא עמך

at you.[19] אֶלָּא דְּכִי אָזְלִינָא לְהַהוּא עָלְמָא – **Rather, when I go to that world** of souls after I die, בְּדִיחָא דַּעְתַּאי – **my mind will be cheered** by the fact דַּאֲפִילּוּ לְגַבְרָא כְּוָותָךְ לֹא חֲנִיפִי לֵיהּ – **that I did not flatter even a person** as great **as you.**[20] That notion, triggered by the sight of you, has caused me to laugh joyfully even now.

The story continues:

נָח נַפְשֵׁיהּ דְּרַב יְהוּדָה – After a time[21] **Rav Yehudah died.** אָתָא לְבֵי מִדְרְשָׁא אֲמַר לְהוּ – Whereupon **[the excommunicated scholar] came to the study hall** and **said to [the rabbis]:** שְׁרוּ לִי – **Release me** from my ban. אָמְרוּ לֵיהּ רַבָּנָן – **The rabbis said to him** in reply: גַּבְרָא דַּחֲשִׁיב כְּרַב יְהוּדָה לֵיכָּא הָכָא דְּלִישְׁרֵי לָךְ – **There is no person here that is as important as Rav Yehudah who can release you.**[22] אֶלָּא זִיל לְגַבֵּיהּ דְּרַבִּי יְהוּדָה נְשִׂיאָה דְּלִישְׁרֵי לָךְ – **Rather, go to R' Yehudah Nesiah,**[23] **who can release you.** אֲזַל לְקַמֵּיהּ – **[The excommunicate] went before [R' Yehudah Nesiah]** and made his request, אֲמַר לֵיהּ לְרַבִּי אַמִּי – whereupon **[the latter] said to R' Ami:** פּוּק עַיֵּין בְּדִינֵיהּ – **Go out** and **look into his case.**[24] אִי מִיבָּעֵי לְמִישְׁרָא לֵיהּ – **If it is required**[25] **to release him,** שְׁרֵי לֵיהּ – then **release him.** עַיֵּין רַבִּי אַמִּי בְּדִינֵיהּ – **R' Ami** dutifully **looked into [the excommunicate's] case,** סָבַר לְמִישְׁרָא לֵיהּ – and based upon what he found **thought to release him** from the ban. עֲמַד רַבִּי שְׁמוּאֵל בַּר נַחְמָנִי עַל רַגְלָיו וְאָמַר – However, **R' Shmuel bar Nachmani rose to his feet** in the study hall **and exclaimed:** וּמָה שִׁפְחָה שֶׁל בֵּית רַבִּי – **Since** in the case of **the maidservant of Rebbi's**[26] **household** לֹא נָהֲגוּ חֲכָמִים קַלּוּת רֹאשׁ בְּנִידּוּיָהּ שָׁלֹשׁ שָׁנִים – **the sages did not treat her excommunication**[27] **lightly** for **three years,**[28] יְהוּדָה חֲבֵירֵינוּ – then regarding **Yehudah, our colleague,** עַל אַחַת כַּמָּה וְכַמָּה – **how much more so** should his excommunication not be treated lightly! אָמַר רַבִּי זֵירָא – Whereupon **R' Zeira said** to the assembled scholars: מַאי דְּקַמָּן – How do we explain **what** has happened **before us,** דְּאָתָא הָאִידְנָא הַאי סָבָא בְּבֵי מִדְרְשָׁא – **that just today this elder,** R' Shmuel bar Nachmani, **came to the study hall,** דְּהָא כַּמָּה שְׁנֵי לֹא אָתָא – **whereas for several years he has not come?!** שְׁמַע מִינָּהּ לֹא מִיבָּעֵי לְמִישְׁרָא לֵיהּ – **Learn from it** that **it is not proper to release [this scholar]** from his ban.[29] לֹא שְׁרָא לֵיהּ – R' Yehudah Nesiah was swayed by this compelling argument, and so **he did not release [the scholar].**

The Gemara concludes the story by relating the scholar's ultimate fate:

נְפַק – Rejected and dejected, **[the scholar] left** the study hall. כִּי קָא בָּכֵי וְאָזִיל – **While he was walking along and weeping** אָתָא זִיבּוּרָא וְטַרְקֵיהּ אַאַמְּתֵיהּ – **a bee came and bit him on his male organ,**[30] וְשָׁכִיב – **and he died.** עַיְילוּהוּ לִמְעָרְתָּא דַּחֲסִידֵי – **They brought [his corpse] to the** burial **cave of the pious,** וְלֹא קִיבְּלוּהוּ – **but they did not accept it.**[31] עַיְילוּהוּ לִמְעָרְתָּא דְּדַיָּינֵי וְקִיבְּלוּהוּ – **They** then **brought it to the** burial **cave of the judges,**[32] **and they accepted it.**

The Gemara asks:

מַאי טַעְמָא – **What is the reason** that the scholar's corpse was accepted into the cave of the judges?

The Gemara answers:

דְּעָבַד כְּרַבִּי אִילְעַאי – **Because he acted in accordance with** the ruling of **R' Il'ai,**[33] דְּתַנְיָא – **for it was taught in a Baraisa:** רַבִּי אִילְעַאי אוֹמֵר – R' IL'AI SAYS: אִם רוֹאֶה אָדָם שֶׁיִּצְרוֹ מִתְגַּבֵּר עָלָיו – IF A PERSON SEES THAT HIS evil INCLINATION IS OVERWHELMING HIM, יֵלֵךְ לְמָקוֹם שֶׁאֵין מַכִּירִין אוֹתוֹ – HE SHOULD GO TO A PLACE WHERE THEY DO NOT RECOGNIZE HIM וְיִלְבַּשׁ שְׁחוֹרִים וְיִתְעַטֵּף שְׁחוֹרִים – AND CLOTHE HIMSELF IN BLACK AND WRAP HIMSELF IN BLACK, וְיַעֲשֶׂה מַה שֶּׁלִּבּוֹ חָפֵץ – AND HE SHOULD DO WHAT HIS HEART DESIRES, וְאַל יְחַלֵּל שֵׁם שָׁמַיִם בְּפַרְהֶסְיָא – AND HE SHOULD NOT DESECRATE THE NAME OF HEAVEN OPENLY.[34]

R' Shmuel bar Nachmani had recalled in his impassioned argument the excommunication imposed by Rebbi's maidservant. The Gemara now asks:

שִׁפְחָה שֶׁל בֵּית רַבִּי – With regard to the excommunication imposed

NOTES

19. The fact that Rav Yehudah answered him teaches that one is permitted to converse with an excommunicate (*Ritva*).

20. I.e. by refraining from excommunicating you.

21. I.e. within three years of his imposing the ban (see Gemara below).

22. For one court to cancel another's ban, it must at least equal the other court in wisdom and number (see *Ritva* here and above, 16a end of ד״ה הכי אמר שמואל וגו׳). See also *Rambam* and *Raavad, Hil. Talmud Torah* 7:7,9, with *Lechem Mishneh.*

23. [He was a *Nasi,* the son of Rabban Gamliel and the grandson of R' Yehudah HaNasi.] Rav Yehudah and R' Yehudah Nesiah were contemporaries (*Ritva, R' Shlomo ben HaYasom*), and R' Yehudah Nesiah was Rav Yehudah's equal (*Ritva*).

24. I.e. review the Baraisos; perhaps you will find one that constitutes grounds for leniency in such a case (*R' Shlomo ben HaYasom*).

25. I.e. if it is proper (*R' Shlomo ben HaYasom*).

26. At the time of this incident R' Shmuel bar Nachmani was very old. Hence, he knew R' Yehudah Nesiah's grandfather, R' Yehudah HaNasi [Rebbi] (*R' Shlomo ben HaYasom*).

27. I.e. the one she imposed.

28. I.e. they did not release the excommunicate until three years had passed (*Rashi ms., Nimukei Yosef;* see *Ritva,* and *Tos. HaRosh* at length). The Gemara will cite this incident below.

29. That is, for this reason it [providentially] transpired that R' Shmuel came suddenly and unexpectedly to the yeshivah today [and argued against nullifying the ban]: to teach us that it is not the scholar's fate (מַזָּל) to be released from his ban [i.e. Heaven opposes it] (*Rashi*). See *Maharatz Chayes.*

30. Thus, he was punished measure for measure, since he was suspected of having had illicit relations (*Tosafos;* see also *Ritva* and *Nimukei Yosef*).

31. A snake had encircled the mouth of the cave and did not allow the corpse to be brought in (*Rashi* et al.; see *Bava Kamma* 117b).

32. I.e. the heads of the court, who are of lesser stature than the pious (*Rashi, Rashi ms., Nimukei Yosef*). *Ritva* implies that since these judges act according to strict justice, they are inferior to the pious, who temper their actions with mercy and go beyond the letter of the law (לִפְנִים מִשּׁוּרַת הַדִּין).

33. Because the scholar dealt with his illicit passions in the manner prescribed by R' Il'ai (in the Baraisa that follows), he merited burial in the cave of the judges (*Rashi;* see *Ritva* and *Nimukei Yosef* at length).

Our elucidation has followed our text of the Gemara. In the texts of *Tosafos* and *Rashi ms.,* however, the Gemara answers: דְּעָבַר אַדְּרַבִּי אִילְעַאי, *because he transgressed* [the ruling of] *R' Il'ai.* These Rishonim therefore interpret the Gemara's question and answer as follows: What is the reason (מַאי טַעְמָא) that the scholar's corpse was *not* accepted into the cave of the *pious*? [He was coerced into sinning by his evil inclination! (*Rashi ms.*).] It is because he transgressed the ruling of R' Il'ai (דְּעָבַר אַדְּרַבִּי אִילְעַאי), which prescribes a course for subduing one's illicit passions.

34. Since he is not recognized in that foreign place [and since his humble attire deflects attention from him (*Rashi* to *Kiddushin* 40a ד״ה ילבש שחורים)], his sinning will not cause a desecration of God's Name (*Rashi*). [According to this interpretation, and following our text of the Gemara's answer (see previous note), the scholar's body was admitted to the cave of the judges because he avoided desecrating God's Name.]

Rashi, however, cites another interpretation of the Baraisa, that of Rav Hai Gaon, who holds that R' Il'ai never meant to prescribe a formula for sinning. Rather, being in a place where one is unknown and thus not respected (see *Rashi ms.*), and wearing humbling attire, will undoubtedly deflate one's passions and prevent him from sinning (see also *Tosafos* and *Rashi ms.*). [According to this interpretation, the scholar's body was admitted to the cave of the judges because, in fact, he abstained from sinning.]

תלמיד שנידה לכבודו נדויו נידוי דתניא א) מנודה לרב מנודה לתלמיד מנודה לתלמיד אינו מנודה לרב לרב הוא דאינו מנודה הא לכולי עלמא מנודה למאי ° אי [א]במילי דשמיא א) אין חכמה ואין תבונה ואין עצה לנגד ה' אלא לאו לכבוד עצמו אמר רב יוסף צורבא מרבנן [א]עביד דינא לנפשיה במילתא דפסיקא ליה [ב]ההוא צורבא מרבנן דהוו סנו שומעניה א"ר יהודה היכי ליעביד לשמתיה צריכי ליה רבנן לא לשמתיה קא מיתחיל שמא דשמיא א"ל לרבב"ח מידי שמיע לך בהא א"ל הכי א"ר יוחנן ג) מאי דכתיב ב) כי שפתי כהן ישמרו דעת ותורה יבקשו מפיהו כי מלאך ה' צבאות הוא אם דומה הרב למלאך ה' יבקשו תורה מפיו ואם לאו אל יבקשו תורה מפיו שמתיה רב יהודה לסוף איחלש רב יהודה אתו רבנן לשיולי ביה ואתא איהו נמי בהדייהו כד חזייה רב יהודה חייך אמר ליה לא מסתייך דשמתיה לההוא גברא אלא אחוכי נמי חייך בי א"ל לאו בדידך מחייכנא אלא דכי אזילנא לההוא עלמא בדיחא דעתאי דאפילו לגברא כוותך לא חניפי ליה נח נפשיה דרב יהודה אתא לבי מדרשא אמר להו שרו לי אמרו ליה רבנן גברא דחשיב כרב יהודה ליכא הכא דלישרי לך אלא זיל לגביה דר' יהודה נשיאה דלישרי לך אזל לקמיה א"ל לר' אמי פוק עיין בדיניה אי מיבעי למישרא ליה שרי ליה עיין ר' אמי בדיניה סבר למישרא ליה עמד ר' שמואל בר נחמני על רגליו ואמר ומה שפחה של בית רבי לא נהגו חכמים קלות ראש בנידויה שלש שנים יהודה חבירינו על אחת כמה וכמה א"ר זירא מאי דקמן דאתא האידנא האי סבא בבי מדרשא דהא כמה שני לא אתא ש"מ לא מיבעי למישרא ליה לא שרא ליה נפק כי קא בכי ואזיל אתא זיבורא וטרקיה אאמתיה ושכיב עיילוהו למערתא דחסידי ולא קיבלוהו עיילוהו ° למערתא דדייני וקיבלוהו מ"ט דעבד כר' אילעאי דתניא ג) ר' אילעאי אומר אם רואה אדם שיצרו מתגבר עליו ילך למקום שאין מכירין אותו וילבש שחורים ויתעטף שחורים ויעשה מה שלבו חפץ ואל יחלל שם שמים בפרהסיא שפחה של בית רבי מאי היא דאמתא דבי רבי חזיתיה לההוא גברא דהוה מחי לבנו גדול [ג]אמרה ליהוי ההוא גברא בשמתא דקעבר משום ג) ולפני עור לא תתן מכשול דתניא ולפני עור לא תתן מכשול במכה לבנו גדול הכתוב מדבר ריש לקיש הוה מנטר פרדיסא אתא ההוא גברא וקאכיל תאיני רמא ביה קלא ולא אשגח ביה אמר ליהוי ההוא גברא בשמתא א"ל אדרבה ליהוי ההוא גברא בשמתא אם ממון נתחייבתי לך נידוי מי נתחייבתי לך אתא לבי מדרשא [ד]א"ל שלו נידוי שלך אינו נידוי ומאי תקנתיה זיל לגביה דלישרי לך לא ידענא ליה אמרו ליה זיל לגבי נשיאה דלישרי לך דתניא [ה]נידוהו ואינו יודע מי נידהו ילך אצל נשיא ויתיר לו נדויו ° אמר רב הונא באושא התקינו אב בית דין שסרח אין מנדין אותו אלא אומר לו ד) הכבד ושב בביתך חזר וסרח מנדין אותו מפני חילול השם ופליגא דריש לקיש ז) דאמר ריש לקיש [ו]תלמיד חכם שסרח אין מנדין אותו בפרהסיא שנאמר ה) וכשלת היום וכשל גם נביא עמך לילה כסהו כלילה ט) מר זוטרא חסידא כי מיחייב צורבא מרבנן שמתא ברישא משמית נפשיה והדר משמית לדידיה כי הוה עייל באושפיזיה שרי ליה לנפשיה והדר שרי ליה לדידיה י) אמר רב גידל אמר רב [ז]ת"ח מנדה לעצמו ומיפר לעצמו אמר רב פפא תיתי לי דלא שמיתי צורבא מרבנן מעולם אלא כי קא מיחייב צורבא מרבנן שמתא היכי עביד כי הא ו) דבמערבא [ח]מימנו אנגידא דצורבא מרבנן ולא מימנו אשמתא מאי שמתא אמר רב שם מיתה ושמואל אמר שממה יהיה ומהניא ביה כי טיחיא בתנורא ופליגא דריש לקיש דאמר ריש לקיש כשם שנכנסת במאתים וארבעים ושמונה איברים כך כשהיא יוצאה ממאתים וארבעים ושמונה איברים כשהיא נכנסת דכתיב ו) והיתה העיר חרם חרם בגימטריא מאתים וארבעים ושמונה הוו כשהיא יוצאה דכתיב ז) ברוגז רחם תזכור רחם בגימטריא הכי הוו אמר רב יוסף שדי שמתא אגנובתא דכלבא ואיהי דידה עבדה דההוא כלבא דהוה אכיל מסאני דרבנן ולא הוו קא ידעי מנו ושמתו ליה איתלי ביה נורא בגנובתיה ואכלתיה ההוא אלמא דהוה קא מצער ליה להההוא צורבא מרבנן אתא לקמיה דרב יוסף א"ל זיל שמתיה א"ל מסתפינא מיניה אמר ליה כל שכן דמסתפינא מיניה א"ל שקליה אחתיה בכדא ואחתיה

וטרקיה. נשכו אאמתו ויש מפרשים מדה כנגד מדה משום דנחשד בזנות: **ולא** קיבלוהו. דהדרא ליה עכנא: **דעבר** אדרבי אילעאי. ולכך לא קיבלוהו אע"פ שהיה תלמיד חכם וי"ג דעבד כר' אילעאי ומשום הכי קיבלוהו דייני:

אם רואה אדם שיצרו מתגבר עליו. וכתב ר"ח חס ושלום לא הותר לו לעשות עבירה אלא ע"י כך יכנע לבו בפ"ק דקדושין (דף מ. ושם) פירשתי [ט]:

נידוי מי נתחייבתי לך. אע"פ שמשמתין בעבור ממון כדאמרינן לעיל (דף טז.) הני מילי לממונא י"ל שהיה לו לקרותו לב"ד תחילה שמא יפרע ועוד דבב"ד נמי צריך שני וחמישי ושני כדפירשתי לעיל וכדמשמע בפרק הגוזל בתרא (ב"ק דף קיג.) ולא דמי לאיסורא ([ט] דמכין) לאלתר כדאמר [י] בההוא גברא דקאכל תמרי שנשרו בשבת וכן [ריש] פרק הדר (עירובין דף סג.) ובשם רבינו תם שמעתי שהיו רגילין באותו מקום שאוכלין באילנות ונותן דמים והשתא לא היו עוברים על הגזל:

משמית נפשיה. משום צער שצריך לנדות ת"ח א"נ כדי שיהא זכור להתיר והא דלא התיר לחבירו מתחילה כדאמרינן בשבועות פרק קמא (דף יד.) יבא זכאי ויכפר על החייב לכך טוב כשיתיר לחבירו שיהא הוא מותר קודם: שלא

תלמיד חכם שנידה לכבודו. כבר פירשתי למעלה: עביד (איניש) דינא לנפשיה. דאמר ליה את מחייבת לי הכי והכי: דפסיקא ליה. שודאי הוא לו ולא ספק: סנו שומעניה. שיוצאין עליו שמועות רעות: צריכי ליה רבנן. דאתריה דהוה רבהון: ואם לאו אל יבקשו תורה. הואיל וסנו שומעניה הא דצריכי ליה רבנן לאו כלום הוא דמוטב דלא ילפי מיניה: אתא איהו. האי מנודה נמי בהדייהו: מאי דקמן. כלומר היכי מתרמי דעל האי סבא ר' שמואל בר נחמני האידנא לבית המדרש: שמע מינה. דלהכי איתרמי דאתא האידנא לבי מדרשא דלאו מזליה הוא דלישרי ליה: וטרקיה אאמתיה. נשכו למנודה באמתו: ולא קבלוהו. דהדרא עכנא למערתא ולא פתחה פיה: דייני. ראשי ב"ד וחסידים עדיפי מינייהו: מאי טעמא. קבלוהו: דעבד כרבי אילעאי וכו'. בהני שמועות רעות: מה שלבו חפץ. עבירה והואיל ואין מכירין אותו שם ליכא חלול השם (א) ואמר לן רבי משום רב האי גאון ויעשה מה שלבו חפץ רוצה לומר דודאי כיון שלבוש שחורים וכו' אני ערב בדבר שאינו חפץ מכאן ואילך בעבירה: דקא עבר משום ולפני עור לא תתן מכשול. דכיון דגדול הוא שמא מבעט באביו והוה ליה איהו מכשילו: שלך אינו נידוי. דלאו בדינא שמתיה: הכבד. בלשון הזה אומרים לו עשה עצמך כאדם שכבד עליו ראשו ושב בביתך בלשון כבוד אומר לו (ב) לישנא אחרינא הכבד התכבד כבודך שתשב בביתך: כסהו. אל תבזה אותו בפרהסיא: בלילה. שחשיכה ואין אדם רואה: משמית נפשיה. משום יקרא דההוא צורבא מדרבנן: מימנו אנגידא. מלקות ומלקות יפה להם יותר משמתא והוו מלקי להו: ומהניא כי טיחיא בתנורא. כשומן שטוחין את התנור ונבלע בתוכו שאין יוצא לעולם כלומר מכה לכל מאן דמשמתינן ליה דלא נפקא מיניה לעולם: ופליגא דר"ש ב"ל. דאמר יוצאה: גנובתיה. זנב: דידה עבדא. ומלקי ליה: מסתפינא מיניה. דגברא אלמא הוא: שקיל פתיחא עלויה. כתוב עליו שמתא: שקליה. לכתב שמתא: ואחתיה

מסורת הש"ס

א) [לעיל טז.], ב) חגיגה טו: ע"ש, ג) חגיגה טז. קידושין מ., ד) מנחות לט:, ה) [נדרים ז:], ו) [נדרים ז: וע"ש דפריך פשיטא ומשני], ז) פסחים נב., ח) [ועי' תוס' חגיגה טז. ד"ה ויעשה וכו'], ט) [צ"ל דמנדין], י) [לא נמצא בשום מקום].

הגהות הב"ח

(א) רש"י ד"ה מה שלבו כו' ואמר לן רבי. נ"ב ולפ"ז ה"ק מ"ט קבלוהו וכ"ה במקצת פרש"י: (ב) ד"ה הכבד כו' לישנא אחרינא. נ"ב וכן משמע פי' הקרא במלכים ב יד:

גליון הש"ס

גמ' אי במילי דשמיא. עיין תוס' סנהדרין דף ח ע"א ד"ה מפיקנא: שם למערתא דדייני וקיבלוהו. עי' שבת דף י ע"א תוס' ד"ה אי איכא: שם אמר רב הונא באושא התקינו. בכ"מ פ"ז ה"א מהל' ת"ת הגירסא אמר רב אויא:

תורה אור השלם

א) אֵין חָכְמָה וְאֵין תְּבוּנָה וְאֵין עֵצָה לְנֶגֶד יְיָ: [משלי כא, ל]

ב) כִּי שִׂפְתֵי כֹהֵן יִשְׁמְרוּ דַעַת וְתוֹרָה יְבַקְשׁוּ מִפִּיהוּ כִּי מַלְאַךְ יְיָ צְבָאוֹת הוּא: [מלאכי ב, ז]

ג) לֹא תְקַלֵּל חֵרֵשׁ וְלִפְנֵי עִוֵּר לֹא תִתֵּן מִכְשֹׁל וְיָרֵאתָ מֵּאֱלֹהֶיךָ אֲנִי יְיָ: [ויקרא יט, יד]

ד) הַכֵּה הִכִּיתָ אֶת אֱדוֹם וּנְשָׂאֲךָ לִבֶּךָ הִכָּבֵד וְשֵׁב בְּבֵיתֶךָ וְלָמָּה תִתְגָּרֶה בְּרָעָה וְנָפַלְתָּה אַתָּה וִיהוּדָה עִמָּךְ: [מלכים ב' יד, י]

ה) וְכָשַׁלְתָּ הַיּוֹם וְכָשַׁל גַּם נָבִיא עִמְּךָ לָיְלָה וְדָמִיתִי אִמֶּךָ: [הושע ד, ה]

ו) וְהָיְתָה הָעִיר חֵרֶם הִיא וְכָל אֲשֶׁר בָּהּ לַייָ רַק רָחָב הַזּוֹנָה תִּחְיֶה הִיא וְכָל אֲשֶׁר אִתָּהּ בַּבַּיִת כִּי הֶחְבְּאַתָה אֶת הַמַּלְאָכִים אֲשֶׁר שָׁלָחְנוּ: [יהושע ו, יז]

ז) יְיָ שָׁמַעְתִּי שִׁמְעֲךָ יָרֵאתִי יְיָ פָּעָלְךָ בְּקֶרֶב שָׁנִים חַיֵּיהוּ בְּקֶרֶב שָׁנִים תּוֹדִיעַ בְּרֹגֶז רַחֵם תִּזְכּוֹר: [חבקוק ג, ב]

רש"י כת"י

והכתוב אין חכמה ואין תבונה וכו'. והוי נמי מנודה לרב. דפסיקא ליה [לברור הדין ידין ומוציא מבעל חובו בע"כ] [רש"י ברי"ף]. סנו שומעניה. מעשיו מכוערין. צריכי ליה רבנן. ללמוד תורה מפיו ואף על גב דאמרינן לעיל מנודה שונה לאחרים מסתמא אין תלמיד חכם הולך ויושב לפניו. מיתחיל. מתחלל שם שמים שילמדו ממנו אחרים שיודעין שעבר ולא נתביים. אמ' ליה. האי תלמיד לרב יהודה. לא מסתייך וכו' לההוא גברא. קללתו תולה באחרים. אי מבעי למשרא ליה. אם יכולין להתיר נדויו של רב יהודה שרו ליה. שפחה של בית ר'. מפרש לקמן. ולא נהגו וכו'. שלא התירו נדויה עד ג' שנים. מאי דקמן. היכי מיתרמי דעל האי[ן] (תנא) [סבא] ר' שמואל בר נחמני בי מדרשא. טרקיה אאמתיה. נשכו למנודה באמתו. אבר. ולא קבלוה. דהדר עכנא למערתיה ולא פתח פיה. דיני. ראשי ב"ד וחסידי מעלו מינייהו. מאי טעמא. לא קבלוה אמערתא [דחסידי] אנוס בילרו הוה. דעבד אדר' [נ"א - דעבד כדר'] אלעאי. ההוא דסנו שומעניה [דהא אפשר לתקוני נפשיה כדר' אלעאי] שהלך למקום שאין מכירין אותו ועשה שם חפצי לבו בצינעה ומשום דלא חלל [שם שמים] בפרהסיא קבלוה אמערתא דדייני. למקום שאין מכירין אותו. ולא ינהגו בו כבוד ויכוף את יצרו וילבש שחורים שמשפיל את עצמו ולא יתגבר עליו יצרו. ויעשה מה שלבו חפץ. דודאי לא יזקק לבו לעבירה כך מפורש בתשובת רבינו האיי. לישנא אחרינא יעשה מה שלבו חפץ מוטב שיחלל בצנעה ואל יחלל בפרהסיא. איני וכו'. אטו מי איכא תקנתא במי שהולך למקום שאין מכירין אותו ועושה בסתר והאמ' ר' וכו' בסתר כאילו דוחה רגלי שכינה שהוא בכל מקום וכתוב צדיק אתה יי' ולא יגור במגורך רע. הא דמצי כייף. כאלו דוחה רגלי שכינה. דלא מצי כייף ילבש שחורים. בריה רבה. בנו הגדול. לא תתן מכשול. שגורם לבנו שמפטפט כנגדו. רמא ביה קלא. גער בו. נידוי מי נתחייבתי לך להורידני לבית דין. אתא ריש לקיש לבית מדרשא. הכבד. עשה עצמך כאדם שכבד בראשו ושב לו. ל"א הכבד התכבד בכבודך שתשב בביתך. כסהו. לא תבזהו בפרהסיא. בלילה שחשיכה ואין כל אדם נפשיה. מפני כבודו. הוה עייל באושפיזיה. שרי ליה מיד שלא היה רוצה להתירו בפניו אלא כשנכנס כדי שלא תהא קללת חבירו עולה על מטתו. מנדה לעצמו. את עצמו לישנא [אחרינא] לכבודו. מימנו לקותו. שם מיתה. שממיתו. שמה. שממה. ועיילא בגופיה כי טייחא. שומן שטחין בו את התנור ונבלע בתוך התנור שאינו יכול לצאת לעולם. ופליגי דר' שמעון [בן לקיש]. דאמ' יצאה. זנבתא דכלבא. זנב הכלב. שמתא ביה. שקילי פתיחא. בקש לחכמים לכתוב לו עליו שטר שמתא ותראה לו ולא יזקק עוד פתיחא שפותחת ונוקבת לבו של אדם כמו לשון והמה פתיחות (תהלים נה). שקליה. לשטר שמתא. ואחתיה בכדא בי קברי. כדי שיהיו המתים נסכמים בשמתא וגם לא יגלו.

עין משפט נר מצוה

[סט] [א] מיי' פ"ו מהל' ת"ת הלכה יד טוש"ע י"ד סימן שלד סעיף יז:

סט א מיי' פ"ב מהל' סנהדרין הלכה יב טוש"ע ח"מ סימן ד:

ע ב מיי' פ"ו מהל' ת"ת הל' יד ופ"ז הלכה א טוש"ע י"ד סימן שלד סעיף מב וסעיף מג:

עא ג מיי' פ"ו מהלכות ת"ת שם ופ"ו מהל' ממרים הלכה ט טוש"ע י"ד סי' שלד סעיף מג:

עב ד מיי' פ"ו מהלכות ת"ת שם טוש"ע שם סעיף לט וסעיף מג:

עג ה מיי' שם פ"ז הל' י:

עד ו מיי' שם הל' א טוש"ע שם סעי' מב:

עה ז מיי' שם הלכה יא טוש"ע שם סעי' לג:

עו ח מיי' שם הלכה א טוש"ע שם סעי' מב:

רבינו חננאל

העצני כו' עד רק בדבר אוריה החתי כולן פשוטין הן. עדינו שהיה מעדן עצמו להיות מיושב דעת בדברי תורה וכשיוצא למלחמה קשה כעץ. אמר רב הונא ת"ח שנידה לכבודו נידויו נידוי דדייק מדתניא מנודה לתלמיד אינו מנודה לרב לבדו הא לכ"ע מנודה והני מילי לכבוד עצמו אבל במילי דשמיא אין חכמה ואין תבונה לנגד ה'. אמר רב יוסף צורבא מרבנן עביד דינא לנפשיה. במלתא דפסיקא ליה. כגון הקורא לחבירו עבד יהא בנידוי וכיוצא בו. ההוא צורבא מרבנן דהוה סני שומעניה שהיה שם שמים מתחלל על ידו. כגון הא דגרסינן בסוף יוה"כ מי שיש בידו חילול השם. יצחק דבי ר' אמי אמר כל שחביריו מתביישין משמועתו היכי דמי דאמרי שרי ליה מריה לפלוני. אבל הא דאמר רב כגון אנא דשקילנא בישרא כו'. ודאמר ר' יוחנן כגון אנא דאי מסגינא ד' אמות בלא תורה ובלא תפילין על עצמן בלבד אמרו ולא על זולתם שהיו מחמירין הרבה על עצמם. הלא תראה שכל אחד כך אמר כגון אנא אבל כ"ע כדאמרן וכגון אלישע אחר שהיה מתעסק בספרי מינין ושותה במיני זמר דגרסינן זמר יווני לא פסק מביתו. אמרו עליו על אחר שהיה עומד מבית המדרש הרבה ספרי מינים היו נושרין לו מחיקו וגרסינן נמי השותה במיני זמר כו' וכל צורבא מרבנן דהכי עובדיה מתקריה סנו שומעניה. ואמר רב יהודה בההוא צורבא מרבנן דהוו סני שומעניה כדאמרן היכי נעביד ביה נשמתיה צריכי ליה רבנן לא נשמתיה קא מתחלל שם שמים. א"ל רבה בר בר חנה הכי אמר ר' יוחנן מ"ד כי שפתי כהן ישמרו דעת ותורה יבקשו מפיהו כי מלאך ה' צבאות הוא. אם דומה הרב למלאך ה' צבאות יבקשו תורה מפיהו ואם לאו אל יבקשו תורה מפיהו. שמתיה רב יהודה ולא שרייא לשמתיה לא הוא ולא ר' יהודה נשיאה ואמר רב יהודה בעידנא דשכיב בדיחנא דאפילו לגברא רבא כי האי לא חניפי ליה ולא אשכח חד דשרי ליה עד דטרקיה זיבורא אאמתיה ושכיב עיילוה למערתא דחסידי ולא קיבלוה עיילוה למערתא דדייני וקיבלוה. מאי סני שומעניה דעבד כר' אילעאי דתניא ר' אילעאי הזקן אומר אם רואה אדם שיצרו מתגבר עליו פירוש מבקש לשתות במיני זמר ולשמוח בשמחה המרגילה לידי עבירה כגון זה אמר ילך למקום שאין מכירין אותו וילבש שחורין ויכסה שחורין ויעשה מה שלבו חפץ כגון אכילה ושתייה במיני זמר וכיוצא בהן אבל דבר עבירה שיש בה דין אדם או דין שמים ואפילו חייבי לאוין או חייבי עשה וכ"ש למעלה שאיסורן איסור עולם ח"ו שהתיר ר' אילעאי ואפילו בסתר אלא דבר שפירשנו למעלה הוא שאמר לעשות. ואפילו דברים הללו לא התירן לו אלא אמר כמשיא עצה לעשות כך כדי להבריח את יצרו להשלים תאותו וכיון שיראה עצמו לבוש שחורין ועטוף שחורין משתבר יצרו ונמנע ואינו עושה וזה צורבא מרבנן עשה כר' אילעאי ולבש שחורין ונתעטף ואחר זה כולן חוזר לשתות במיני זמר כגון שהיה עושה [אלישע] ולפיכך שמתיה רב יהודה תנא דבי ר' ישמעאל ולפני עור לא תתן מכשול זה המכה בנו הגדול שכיון שהוא גדול חוזר גם הוא ומכה אביו זה ונמצא כי אביו גורם לו והכשילו: ריש לקיש הוה מנטר פרדיסא אתא ההוא גברא אכיל תאיני רמא ביה קלא לא אשגח ביה אמר ליהוי ההוא גברא בשמתא. א"ל אדרבה ליהוי ההוא גברא בשמתא. אם ממון נתחייבתי לך נידוי מי נתחייבתי לך אתא שאיל לבי מדרשא [א"ל] שלו נידוי שלך אינו נידוי זיל לגבי נשיאה דלישרי לך. דתנא נידוהו ואינו יודע מי נדהו ילך אצל נשיא ויפר לו. **ירושלמי** הדא אמרה המנדה למי שאינו צריך וחזר הוא ונידהו נידוי השני נידוי. אמר רב הונא באושא התקינו אב בית דין שסרח אין מנדין אותו אלא אומר לו הכבד ושב בביתך חזר וסרח מנדין אותו מפני חילול השם ריש לקיש אמר תלמיד חכם שסרח אין מבזין אותו בפרהסיא שנאמר וכשלת היום וכשל גם נביא עמך

by **the maidservant of Rebbi's household,** מַאי הִיא – **what is** the story behind **it?**

The Gemara answers:

דְּאַמְתָא דְּבֵי רַבִּי חֲזִיתֵיהּ לְהַהוּא גַּבְרָא דַּהֲוָה – It once happened **that a maidservant of Rebbi's household saw a certain man** מָחֵי לִבְנוֹ גָּדוֹל – **who was striking his mature son.**[35] אָמְרָה – **[The maidservant] exclaimed:** לֶיהֱוֵי הַהוּא גַּבְרָא בְּשַׁמְתָּא – **Let that man be in** a state of **excommunication,** דְּקָעָבַר מִשּׁוּם ,,וְלִפְנֵי עִוֵּר לֹא תִתֵּן מִכְשֹׁל״ – **for he has sinned because of** the prohibition, ***You shall not place a stumbling block before the blind.***[36]

The Gemara offers a validation of her reasoning:

דְּתַנְיָא – **For it was taught** similarly **in a Baraisa:** ,,וְלִפְנֵי עִוֵּר לֹא תִתֵּן מִכְשֹׁל״ – The Torah states, ***YOU SHALL NOT PLACE A STUMBLING BLOCK BEFORE THE BLIND,*** בְּמַכֶּה לִבְנוֹ גָּדוֹל הַכָּתוּב מְדַבֵּר – and **THE VERSE IS SPEAKING OF ONE WHO STRIKES HIS MATURE SON.**

The Gemara recounts another incident involving excommunication:

רֵישׁ לָקִישׁ הֲוָה מְנַטֵּר פַּרְדֵּיסָא – **Reish Lakish was** once **guarding an orchard.** אָתָא הַהוּא גַּבְרָא וְקָאָכִיל תְּאֵינֵי – **A certain man came by and** began **eating figs** from the trees. רָמָא בֵּיהּ קָלָא – **[Reish Lakish] raised** his **voice against [the trespasser],**[37] וְלֹא אַשְׁגַּח בֵּיהּ – **but [the latter] paid no heed to him.** אָמַר לֶיהֱוֵי הַהוּא גַּבְרָא בְּשַׁמְתָּא – **[Reish Lakish]** then **exclaimed: Let that man be in** a state of **excommunication!** אָמַר לֵיהּ – **[The trespasser] said to [Reish Lakish]** in reply: אַדְּרַבָּה לֶיהֱוֵי הַהוּא גַּבְרָא בְּשַׁמְתָּא – **On the contrary! Let that man** (Reish Lakish) **be in** a state of **excommunication,** for אִם מָמוֹן נִתְחַיַּבְתִּי לָךְ – **if** it is so that **I owe you money** for taking the figs, נִידּוּי מִי נִתְחַיַּבְתִּי לָךְ – **do I owe you an excommunication?!**[38] אָתָא לְבֵי מִדְרְשָׁא – **[Reish Lakish]**[39] subsequently **came to the study hall** to inquire about the matter. אָמְרוּ לֵיהּ – **[The rabbis] said to him:** שֶׁלּוֹ נִידּוּי שֶׁלְּךָ אֵינוֹ נִידּוּי – **His is a** valid **excommunication;**[40] **yours is not** a valid **excommunication.**[41] וּמַאי תַּקַּנְתֵּיהּ – Reish Lakish then asked: **But** if his excommunication has taken effect, **what is its remedy?** How do I free myself from it? זִיל לְגַבֵּיהּ דְּלִישְׁרֵי לָךְ – They answered him: **Go to [the trespasser]** and request **that he release you.** לֹא יָדַעְנָא לֵיהּ – Reish Lakish responded: **I do not know him.** I shall never be able to locate him. אָמְרוּ לֵיהּ זִיל לְגַבֵּי נְשִׂיאָה דְּלִישְׁרֵי לָךְ – **[The rabbis] said to him: Go to the** ***Nasi*** and request **that he release you,** דְּתַנְיָא – **for it is taught in a Baraisa:** נִידּוּהוּ וְאֵינוֹ יוֹדֵעַ מִי נִידָּהוּ – IF THEY EXCOMMUNICATED [A PERSON] AND HE DOES NOT KNOW WHO EXCOMMUNICATED HIM, יֵלֵךְ אֵצֶל נָשִׂיא – HE SHOULD GO TO THE *NASI* וְיַתִּיר לוֹ נִדּוּיוֹ – AND [THE *NASI*] WILL RELEASE HIS BAN FOR HIM.

The Gemara discusses further the excommunication of great Torah scholars:

אָמַר רַב הוּנָא – **Rav Huna said:** בְּאוּשָׁא הִתְקִינוּ – **They decreed in Usha**[42] אַב בֵּית דִּין שֶׁסָּרַח אֵין מְנַדִּין אוֹתוֹ – that in the case of **an** ***av beis din***[43] **who sinned, we do not excommunicate him** explicitly.[44] אֶלָּא אוֹמֵר לוֹ – **Rather, [we]** respectfully **say to him:** ,,הִכָּבֵד וְשֵׁב בְּבֵיתֶךָ״ – ***Maintain your honor and stay in your house.***[45] חָזַר וְסָרַח – If, despite this sanction, **he again sinned,** מְנַדִּין אוֹתוֹ מִפְּנֵי חִילּוּל הַשֵּׁם – **we** explicitly[46] **excommunicate him on account of** the **desecration of** God's **Name** that would ensue if a corrupt individual such as he continued to serve in the high office of *av beis din.*

The Gemara presents a dissenting opinion:

וּפְלִיגָא דְּרֵישׁ לָקִישׁ – **And [this ruling]** of Rav Huna **disagrees with** the opinion **of Reish Lakish,** דְּאָמַר רֵישׁ לָקִישׁ – **for Reish Lakish has said:** תַּלְמִיד חָכָם שֶׁסָּרַח – In the case of **a Torah scholar who sinned,** אֵין מְנַדִּין אוֹתוֹ בְּפַרְהֶסְיָא – **we never excommunicate him openly,** שֶׁנֶּאֱמַר – **for it is stated:**[47] ,,וְכָשַׁלְתָּ הַיּוֹם וְכָשַׁל גַּם־נָבִיא עִמְּךָ לָיְלָה״ – ***You will stumble by day, and the [false] prophet who is with you will also stumble, as if by night.*** כַּסֵּהוּ כַּלַּיְלָה – The latter part of the verse teaches that **one must conceal [the sinful leader]**[48] **as night,** which brings darkness, conceals all things from view.

More discussion of excommunicating Torah scholars:

מַר זוּטְרָא חֲסִידָא כִּי מִיחַיַּיב צוּרְבָא מֵרַבָּנָן שַׁמְתָּא – **Whenever Mar Zutra the Pious subjected a young rabbinical student to** ***shamta,*** בְּרֵישָׁא מְשַׁמֵּית נַפְשֵׁיהּ – **first he imposed** ***shamta*** **on himself**[49] וַהֲדַר מְשַׁמֵּית לְדִידֵיהּ – **and then he imposed** ***shamta*** **on [the student].** כִּי הֲוָה עָיֵיל בְּאוּשְׁפִּיזֵיהּ – And **when he would enter his lodgings** for the night, שָׁרֵי לֵיהּ לְנַפְשֵׁיהּ – **he released himself** from his self-imposed ban וַהֲדַר שָׁרֵי לֵיהּ לְדִידֵיהּ – **and then he released [the student].**[50]

The Gemara adduces support for Mar Zutra's self-directed actions:

אָמַר רַב גִּידֵּל אָמַר רַב – **Rav Gidal said in the name of Rav:** תַּלְמִיד חָכָם מְנַדֶּה לְעַצְמוֹ וּמֵיפֵר לְעַצְמוֹ – **A Torah scholar can excommunicate himself, and can release himself** from the ban.[51]

NOTES

35. גָּדוֹל usually means *oldest* or *adult.* The sense here, however, is that of a child mature enough to resist his father's blows by either hitting or cursing him, even if he is a minor (*Ritva;* cf. *Rashi ms.*). *Rama* to *Yoreh Deah* 240:20, rules that it refers only to a mature *adult;* see there.

36. *Leviticus* 19:14. The maidservant interpreted this verse homiletically, as a prohibition against causing someone to sin impulsively (see *Rambam, Sefer HaMitzvos Lo Saaseh* §299, and *Chinuch* §232). By striking a child who is prone to retaliate, a parent puts that child in jeopardy of violating the Biblical injunctions against hitting and cursing his parents (*Rashi*).

37. I.e. he scolded him for stealing the figs (*Rashi ms.*).

38. Although excommunications are issued in monetary cases (see Gemara above, 16a), the trespasser argued that his excommunication was unjustified because Reish Lakish should first have sued him in court (*Tosafos, Rashi ms.;* see *Tosafos* for another explanation, and see *Nimukei Yosef*).

39. *Rashi ms.*

40. From here we learn that one who illegally excommunicates another (e.g. Reish Lakish) is himself liable to excommunication (*Nimukei Yosef*).

41. Since you had no legal grounds for excommunicating him (*Rashi*).

42. Usha was a town in the Galilee where the Sanhedrin met after it left Yavneh (see *Rosh Hashanah* 31b).

43. Literally: head of the court. He was the Head of the Sanhedrin.

44. *Chidushei HaRan*

45. *II Kings* 14:10. This verse is part of a reply to a message Amaziah, king of Judah, sent to Jehoash, the king of Israel against whom Amaziah contemplated war. The Sages recite this verse to a sinful *av beis din* as if to say to him: Have respect for your honor by remaining in your house. Alternatively, הִכָּבֵד can mean *be heavy,* so that the sages were in effect saying to the *av beis din:* Make yourself like one whose head is heavy and must therefore stay in his house (*Rashi, Rashi ms., Ritva, Nimukei Yosef*).

46. *Nimukei Yosef.*

47. *Hosea* 4:5.

48. I.e. do not humiliate him by excommunicating him openly (*Rashi, Rashi ms.*).

49. For the sake of the student's honor (*Rashi, Rashi ms.*). *Tosafos* explain that this was an expression of his anguish for having to excommunicate a Torah scholar (see there for another explanation).

50. So that he would not pass the night while under Mar Zutra's ban (*R' Shlomo ben HaYasom;* see *Rashi ms.*).

51. See *Nedarim* 7b and *Ran* there ד״ה ת״ח מנדה לעצמו, and *Yoreh Deah* 334:33, for the parameters of this law.

תלמיד שנידה לכבודו נדויו נידוי דתניא מנודה לרב מנודה לתלמיד מנודה לתלמיד אינו מנודה לרב לרב הוא דאינו מנודה הא לכולי עלמא מנודה למאי אי [א]במילי דשמיא אין חכמה ואין תבונה ואין עצה לנגד ה' אלא לאו לכבוד עצמו אמר רב יוסף צורבא מרבנן עביד דינא לנפשיה במילתא דפסיקא ליה ההוא צורבא מרבנן דהוו סנו שומעניה א"ר יהודה היכי ליעביד לשמתיה צריכי ליה רבנן לא לשמתיה קא מיתחיל שמא דשמיא א"ל לרבב"ח מידי שמיע לך בהא א"ל הכי א"ר יוחנן מאי דכתיב כי שפתי כהן ישמרו דעת ותורה יבקשו מפיהו כי מלאך ה' צבאות הוא אם דומה הרב למלאך ה' יבקשו תורה מפיו ואם לאו אל יבקשו תורה מפיו שמתיה רב יהודה לסוף איחלש רב יהודה אתו רבנן לשיולי ביה ואתא איהו נמי בהדייהו כד חזייה רב יהודה חייך אמר ליה לא מסתייך דשמתיה להההוא גברא אלא אחוכי נמי חייך בי א"ל לאו בדידך מחייכנא אלא דכי אזלינא להההוא עלמא בדיחא דעתאי דאפילו לגברא כוותך לא חניפי ליה נח נפשיה דרב יהודה אתא לבי מדרשא אמר להו שרו לי אמרו ליה רבנן ליכא הכא דלישרי לך אלא זיל לגביה דר' יהודה נשיאה דלישרי לך אזל לקמיה א"ל לר' אמי פוק עיין בדיניה אי מיבעי למישרא ליה שרי ליה עיין ר' אמי בדיניה סבר למישרא ליה עמד ר' שמואל בר נחמני על רגליו ואמר ומה שפחה של בית רבי לא נהגו חכמים קלות ראש בנידויה שלש שנים יהודה חבירינו על אחת כמה וכמה א"ר זירא מאי דקמן דאתא האידנא האי סבא בבי מדרשא דהא כמה שני לא אתא ש"מ לא מיבעי למישרא ליה לא שרא ליה נפק כי קא בכי ואזיל אתא זיבורא וטרקיה אאמתיה ושכיב עיילוהו למערתא דחסידי ולא קיבלוהו עיילוהו למערתא דדייני וקיבלוהו מ"ט דעבד כר' אילעאי דתניא ר' אילעאי אומר אם רואה אדם שיצרו מתגבר עליו ילך למקום שאין מכירין אותו וילבש שחורים ויתעטף שחורים ויעשה מה שלבו חפץ ואל יחלל שם שמים בפרהסיא שפחה של בית רבי מאי היא דאמתא דבי רבי חזיתיה להההוא גברא דהוה מחי לבנו גדול אמרה ליהוי ההוא גברא בשמתא דקעבר משום ולפני עור לא תתן מכשול דתניא ולפני עור לא תתן מכשול במכה לבנו גדול הכתוב מדבר ריש לקיש הוה מנטר פרדיסא אתא ההוא גברא וקאכיל תאיני רמא ביה קלא ולא אשגח ביה אמר ליהוי ההוא גברא בשמתא א"ל אדרבה ליהוי ההוא גברא בשמתא אם ממון נתחייבתי לך נידוי מי נתחייבתי לך אתא לבי מדרשא א"ל שלו נידוי שלך אינו נידוי ומאי תקנתיה זיל לגביה דלישרי לך לא ידענא ליה אמרו ליה זיל לגבי נשיאה דלישרי לך דתניא נידוהו ואינו יודע מי נידהו ילך אצל נשיא ויתיר לו נדויו אמר רב הונא באושא התקינו אב בית דין שסרח אין מנדין אותו אלא אומר לו הכבד ושב בביתך חזר וסרח מנדין אותו מפני חילול השם ופליגא דריש לקיש דאמר ריש לקיש תלמיד חכם שסרח אין מנדין אותו בפרהסיא שנאמר וכשלת היום וכשל גם נביא עמך לילה כסהו כלילה מר זוטרא חסידא כי מיחייב צורבא מרבנן שמתא ברישא משמית נפשיה והדר משמית לדידיה כי הוה עייל באושפיזיה שרי ליה לנפשיה והדר שרי ליה לדידיה אמר רב גידל אמר רב ת"ח מנדה לעצמו ומיפר לעצמו אמר רב פפא תיתי לי דלא שמיתי צורבא מרבנן מעולם אלא כי קא מיחייב צורבא מרבנן שמתא היכי עביד כי הא דבמערבא מימנו אנגידא דצורבא מרבנן ולא מימנו אשמתא מאי שמתא אמר רב שם מיתה ושמואל אמר שממה יהיה ומהניא ביה כי טיחיא בתנורא ופליגא דריש לקיש דאמר ריש לקיש כשם שנכנסת במאתים וארבעים ושמונה איברים כך כשהיא יוצאה ממאתים וארבעים ושמונה איברים כשהיא נכנסת דכתיב והיתה העיר חרם חרם בגימטריא מאתים וארבעים ושמונה הוו כשהיא יוצאה דכתיב ברוגז רחם תזכור רחם בגימטריא הכי הוו אמר רב יוסף שדי שמתא אגנובתא דכלבא ואיהי דידה עבדה דההוא כלבא דהוה אכיל מסאני דרבנן ולא הוו קא ידעי מנו ושמתו ליה איתלי ביה נורא בגנובתיה ואכלתיה ההוא אלמא דהוה קא מצער ליה להההוא צורבא מרבנן אתא לקמיה דרב יוסף א"ל זיל שמתיה א"ל מסתפינא מיניה אמר ליה שקילי פתיחא עליה כל שכן דמסתפינא מיניה א"ל שקליה אחתיה בכדא ואחתיה

רש"י

תלמיד חכם שנידה לכבודו. כבר פירשתי למעלה: עביד (איניש) דינא לנפשיה. דאמר ליה את מחייבת לי הכי והכי: דפסיקא ליה. שודאי הוא לו ולא ספק: סנו שומעניה. שיוצאין עליו שמועות רעות: צריכי ליה רבנן. דאתריה דהוה רבהון: ואם לאו אל יבקשו תורה. הואיל וסנו שומעניה הא דצריכי ליה רבנן לאו כלום הוא דמוטב דלא ילפי מיניה: אתא איהו. האי מנודה נמי בהדייהו: מאי דקמן. כלומר היכי מתרמי דעל האי סבא ר' שמואל בר נחמני האידנא לבית המדרש: שמע מינה. דלהכי איתרמי דאתא האידנא לבי מדרשא דלאו מזליה הוא דלישרי ליה: וטרקיה אמתיה. נשכו למנודה באמתו: ולא קבלוהו. דהדרא עכנא למערתא ולא פתחה פיה: דייני. ראשי ב"ד וחסידים עדיפי מינייהו: מאי טעמא. קבלוהו: דעבד כרבי אילעאי וכו'. בהני שמועות רעות: מה שלבו חפץ. עבירה והואיל ואין מכירין אותו אם ליכא חלול השם (א) ואמר לן רבי משום רב האי גאון ויעשה מה שלבו חפץ רוצה לומר דודאי כיון שלבוש שחורים וכו' אני ערב בדבר שאינו חפץ מכאן ואילך בעבירה: דקא עבר משום ולפני עור לא תתן מכשול. דכיון דגדול הוא שמא מבעט באביו והוה ליה איהו מכשילו: שלך אינו נידוי. דלאו בדינא שמתיה: הכבד. בלשון הזה אומרים לו עשה עצמך כאדם שכבד עליו ראשו ושב בביתך בלשון כבוד אומר לו (ב) לישנא אחרינא הכבד התכבד כבודך שתשב בביתך: כסהו. אל תבזה אותו בפרהסיא: כלילה. שחשיכה ואין אדם רואה: משמית נפשיה. משום יקרא דההוא צורבא מדרבנן: מימנו אנגידא. מלקות ומלקות יפה להם יותר משמתא והוו מלקי להו: ומהניא כי טיחיא בתנורא. כשומן שטוחין את התנור ונבלע בתוכו שאין יוצא לעולם כלומר מכה לכל מאן דמשמתינן ליה דלא נפקא מיניה לעולם: ופליגא דר"ש ב"ל. דאמר יוצאה: גנובתיה. זנב: דידה עבדא. ומלקי ליה: מסתפינא מיניה. דגברא אלמא הוא: שקיל פתיחא עלויה. כתוב עליו שמתא: שקליה. לכתב שמתא: ואחתיה

תוספות

וטרקיה. נשכו אמתו ויש מפרשים מדה כנגד מדה משום דנחשד בזנות: ולא קיבלוהו. דהדרא ליה עכנא: דעבד אדרבי אילעאי. ולכך לא קיבלוהו אע"פ שהיה תלמיד חכם וי"ג דעבד כר' אילעאי ומשום הכי קיבלוהו דייני: אם רואה אדם שיצרו מתגבר עליו. וכתב ר"ח חס ושלום לא הותר לו לעשות עבירה אלא ע"י כך יכנע לבו בפ"ק דקדושין (דף מ. ושם) פירשתי(ח): נידוי מי נתחייבתי לך. אע"פ שמשמתין בעבור ממון כדאמרינן לעיל (דף טז.) הני מילי לממונא י"ל שהיה לו לקרותו לב"ד תחילה שמא יפרע ועוד דבב"ד נמי צריך שני וחמישי ושני כדפירשתי לעיל וכדמשמע בפרק הגוזל בתרא (ב"ק דף קיג.) ולא דמי לאיסורא (ט) דמכין לאלתר כדאמר (י) בההוא גברא דקאכל תמרי שנשרו בשבת וכן [ריש] פרק הדר (עירובין דף סג.) ובשם רבינו תם שמעתי שהיו רגילין באותו מקום שאוכלין באילנות ונותן דמים והשתא לא היו עוברים על הגזל: משמית נפשיה. משום צער שצריך לנדות ת"ח א"נ כדי שיהא זכור להתיר והא דלא התיר לחבירו מתחילה כדאמרינן בשבועות פרק קמא (דף יח.) יבא זכאי ויכפר על החייב לכך טוב כשיתיר לחבירו שיהא הוא מותר קודם: שלא

עין משפט נר מצוה

[סח] [א] מיי' פ"ו מהל' ת"ת הלכה יד טוש"ע י"ד סימן שלד סעיף יח:
סט א מיי' פ"ב מהל' סנהדרין הלכה יב טוש"ע ח"מ סימן ד:
ע ב מיי' פ"ו מהל' ת"ת הל' יד ופ"ז הלכה א טוש"ע י"ד סימן שלד סעיף מב וסעיף מג:
עא ג מיי' פ"ו מהלכות ת"ת שם ופ"ו מהל' ממרים הלכה ט טוש"ע י"ד סי' שלד סעיף מג:
עב ד מיי' פ"ו מהלכות ת"ת שם טוש"ע שם סעיף לט וסעיף מג:
עג ה מיי' שם פ"ז הל' י:
עד ו מיי' שם הל' א טוש"ע שם סעי' מב:
עה ז מיי' שם הלכה יא טוש"ע שם סעי' לג:
עו ח מיי' שם הלכה א טוש"ע שם סעי' מב:

רבינו חננאל

העצני כו' עד רק בדבר אוריה החתי כולן פשוטין הן. עדינו שהיה מעדן עצמו להיות מיושב דעת בדברי תורה וכשיוצא למלחמה קשה כעץ. אמר רב הונא ת"ח שנידה לכבודו נידויו נידוי דדייק מדתניא מנודה לתלמיד אינו מנודה לרב לבדו הא לכ"ע מנודה והני מילי לכבוד עצמו אבל במילי דשמיא אין חכמה ואין תבונה לנגד ה'. אמר רב יוסף צורבא מרבנן עביד דינא לנפשיה. במלתא דפסיקא ליה. כגון הקורא לחבירו עבד יהא בנידוי וכיוצא בו. ההוא צורבא מרבנן דהוה סני שומעניה שהיה שם שמים מתחלל על ידו. כגון הא דגרסינן בסוף יוה"כ מי שיש בידו חילול השם. יצחק דבי ר' אמי אמר כל שחביריו מתביישין משמועתו היכי דמי דאמרי שרי ליה מריה לפלוני. אבל הא דאמר רב כגון אנא דשקילנא בישרא כו'. ודאמר ר' יוחנן כגון אנא דאי מסגינא ד' אמות בלא תורה ובלא תפילין על עצמן בלבד אמרו ולא על זולתם שהיו מחמירין הרבה על עצמם. הלא תראה שכל אחד כך אמר כגון אנא אבל כ"ע כדאמרן וכגון אלישע אחר שהיה מתעסק בספרי מינין ושותה במיני זמר דגרסינן זמר יווני לא פסק מביתו. אמרו עליו על אחר שהיה עומד מבית המדרש הרבה ספרי מינים היו נושרין לו מחיקו וגרסינן נמי השותה במיני זמר כו' וכל צורבא מרבנן דהכי עובדיה מתקריה סנו שומעניה. ואמר רב יהודה בההוא צורבא מרבנן דהוו סני שומעניה כדאמרן היכי נעביד ביה נשמתיה צריכי ליה רבנן לא נשמתיה קא מתחלל שם שמים. א"ל רבה בר בר חנה הכי אמר ר' יוחנן מ"ד כי שפתי כהן ישמרו דעת ותורה יבקשו מפיהו כי מלאך ה' צבאות הוא. אם דומה הרב למלאך ה' צבאות יבקשו תורה מפיהו ואם לאו אל יבקשו תורה מפיהו. שמתיה רב יהודה ולא שרייא לשמתיה לא הוא ולא ר' יהודה נשיאה ואמר רב יהודה בעידנא דשכיב בדיחנא דאפילו לגברא רבא כי האי לא חניפי ליה ולא אשכח חד דשרי ליה עד דטרקיה זיבורא אאמתיה ושכיב עיילוה למערתא דחסידי ולא קיבלוה עיילוה למערתא דדייני וקיבלוה. מאי סני שומעניה דעבד כר' אילעאי דתניא ר' אילעאי הזקן אומר אם רואה אדם שיצרו מתגבר עליו פירוש מבקש לשתות במיני זמר ולשמוח בשמחה המרגילה לידי עבירה כגון זה אמר ילך למקום שאין מכירין אותו וילבש שחורין ויכסה שחורין ויעשה מה שלבו חפץ כגון אכילה ושתייה במיני זמר וכיוצא בהן אבל דבר עבירה שיש בה דין אדם או דין שמים ואפילו חייבי לאוין או חייבי עשה וכ"ש למעלה שאיסורן איסור עולם ח"ו שהתיר ר' אילעאי ואפילו בסתר אלא דבר שפירשנו למעלה הוא שאמר לעשות. ואפילו דברים הללו לא התירן לו אלא אמר כמשיא עצה לעשות כך כדי להבריח את יצרו להשלים תאותו וכיון שיראה עצמו לבוש שחורין ועטוף שחורין משתבר יצרו ונמנע ואינו עושה וזה צורבא מרבנן עשה כר' אילעאי ולבש שחורין ונתעטף ואחר זה כולן חזר לשתות במיני זמר כגון שהיה עושה [אלישע] ולפיכך שמתיה רב יהודה תנא דבי ר' ישמעאל ולפני עור לא תתן מכשול זה המכה בנו הגדול שכיון שהוא גדול חוזר גם הוא ומכה אביו זה ונמצא כי אביו גורם לו והכשילו: ריש לקיש הוה מנטר פרדיסא אתא ההוא גברא אכיל תאיני רמא ביה קלא לא אשגח ביה אמר ליהוי ההוא גברא בשמתא. א"ל אדרבה ליהוי ההוא גברא בשמתא. אם ממון נתחייבתי לך נידוי מי נתחייבתי לך אתא שאיל לבי מדרשא [א"ל] שלו נידוי שלך אינו נידוי זיל לגבי נשיאה דלישרי לך. דתנא נידוהו ואינו יודע מי נדהו ילך אצל נשיא ויפר לו. ירושלמי הדא אמרה המנדה למי שאינו צריך וחזר הוא ונידהו נידוי השני נידוי. אמר רב הונא באושא התקינו אב בית דין שסרח אין מנדין אותו אלא אומר לו הכבד ושב בביתך חזר וסרח מנדין אותו מפני חילול השם ריש לקיש אמר תלמיד חכם שסרח אין מבזין אותו בפרהסיא שנאמר וכשלת היום וכשל גם נביא עמך

מסורת הש"ס

א) [לעיל טז.], ב) חגיגה טו: ע"ש, ג) חגיגה טז. קידושין מ., ד) מנחות לט:, ה) [נדרים ז:], ו) [נדרים ז: וע"ש דפריך פשיטא ומשני], ז) פסחים נב., ח) [ועי' תוס' חגיגה טז. ד"ה ויעשה וכו'], ט) [צ"ל דמנדין], י) [לא נמצא בשום מקום].

הגהות הב"ח

(א) רש"י ד"ה מה שלבו כו' ואמר לן רבי. נ"ב ולפ"ז ה"ק מ"ט קבלוהו וכ"ה במקצת פרש"י: (ב) ד"ה הכבד כו' לישנא אחרינא. נ"ב וכן משמע פי' הקרא במלכים ב יד:

גליון הש"ס

גמ' אי במילי דשמיא. עיין תוס' סנהדרין דף ח ע"א ד"ה מפיקנא: שם למערתא דדייני וקיבלוהו. עי' שבת דף י ע"א תוס' ד"ה אי איכא: שם אמר רב הונא באושא התקינו. בכ"מ פ"ז ה"א מהל' ת"ת הגירסא אמר רב אויא:

תורה אור השלם

א) אֵין חָכְמָה וְאֵין תְּבוּנָה וְאֵין עֵצָה לְנֶגֶד יְיָ: [משלי כא, ל]
ב) כִּי שִׂפְתֵי כֹהֵן יִשְׁמְרוּ דַעַת וְתוֹרָה יְבַקְשׁוּ מִפִּיהוּ כִּי מַלְאַךְ יְיָ צְבָאוֹת הוּא: [מלאכי ב, ז]
ג) לֹא תְקַלֵּל חֵרֵשׁ וְלִפְנֵי עִוֵּר לֹא תִתֵּן מִכְשֹׁל וְיָרֵאתָ מֵּאֱלֹהֶיךָ אֲנִי יְיָ: [ויקרא יט, יד]
ד) הַכֵּה הִכִּיתָ אֶת אֱדוֹם וּנְשָׂאֲךָ לִבֶּךָ הִכָּבֵד וְשֵׁב בְּבֵיתֶךָ וְלָמָּה תִתְגָּרֶה בְּרָעָה וְנָפַלְתָּה אַתָּה וִיהוּדָה עִמָּךְ: [מלכים ב' יד, י]
ה) וְכָשַׁלְתָּ הַיּוֹם וְכָשַׁל גַּם נָבִיא עִמְּךָ לָיְלָה וְדָמִיתִי אִמֶּךָ: [הושע ד, ה]
ו) וְהָיְתָה הָעִיר חֵרֶם הִיא וְכָל אֲשֶׁר בָּהּ לַייָ רַק רָחָב הַזּוֹנָה תִּחְיֶה הִיא וְכָל אֲשֶׁר אִתָּהּ בַּבַּיִת כִּי הֶחְבְּאַתָה אֶת הַמַּלְאָכִים אֲשֶׁר שָׁלָחְנוּ: [יהושע ו, יז]
ז) יְיָ שָׁמַעְתִּי שִׁמְעֲךָ יָרֵאתִי יְיָ פָּעָלְךָ בְּקֶרֶב שָׁנִים חַיֵּיהוּ בְּקֶרֶב שָׁנִים תּוֹדִיעַ בְּרֹגֶז רַחֵם תִּזְכּוֹר: [חבקוק ג, ב]

רש"י כת"י

והכתוב אין חכמה ואין תבונה וכו'. והוי נמי מנודה לרב. דפסיקא ליה [לברור הדין ידין ומוליא מבעל חובו בע"כ] [רש"י ברי"ף]. סנו שומעניה. מעשיו מכוערין. צריכי ליה רבנן. ללמוד תורה מפיו ואף על גב דאמרינן לעיל מנודה שונה לאחרים מסתמא אין תלמיד חכם הולך ויושב לפניו. מיתחיל. מתחלל שם שמים שילמדו ממנו אחרים שיודעין שעבר ולא נתביים. אמ' ליה. האי תלמיד לרב יהודה. לא מסתייך וכו' להההוא גברא. קללתו תולה באחרים. אי מבעי למשרא ליה. אם יכולין להתיר נדויו של רב יהודה שרו ליה. שפחה של בית ר'. מפרש לקמן. ולא נהגו וכו'. שלא התירו נדויה עד ג' שנים. מאי דקמן. היכי מיתרמי דעל האן (תנא) [סבא] ר' שמואל בר נחמני בי מדרשא. טרקיה אאמתיה. נשכו למנודה באמתו. אבר. ולא קבלוה. דהדר עכנא למערתיה ולא פתח פיה. דייני. ראשי ב"ד וחסידי מעלו מינייהו. מאי טעמא. לא קבלוה אמערתא [דחסידי] אנוס ביצרו הוה. דעבד אדר' [נ"א - דעבד כדר'] אלעאי. ההוא דסנו שומעניה [דהא אפשר לתקוני נפשיה כדר' אלעאי] שהלך למקום שאין מכירין אותו ועשה שם חפצי לבו בצינעה ומשום דלא חלל [שם שמים] בפרהסיא קבלוה אמערתא דדייני. למקום שאין מכירין אותו. ולא ינהגו בו כבוד ויכוף את יצרו וילבש שחורים שמשפיל את עצמו ולא יתגבר עליו יצרו. ויעשה מה שלבו חפץ. דודאי לא יזקק לבו לעבירה כך מפורש בתשובת רבינו האיי. לישנא אחרינא יעשה מה שלבו חפץ מוטב שיחלל בצנעה ואל יחלל בפרהסיא. איני וכו'. אטו מי איכא תקנתא במי שהולך למקום שאין מכירין אותו ועושה בסתר והאמ' ר' וכו' בסתר כאילו דוחה רגלי שכינה שהוא בכל מקום וכתוב לדיק אתה יי' ולא יגור במגורך רע. הא דמצי כייף. כאלו דוחה רגלי שכינה. דלא מצי כייף ילבש שחורים. בריה רבה. בנו הגדול. לא תתן מכשול. שגורם לבנו שמפטפט כנגדו. רמא ביה קלא. גער בו. נידוי מי נתחייבתי לך. שהיה לך להורידני לבית דין. אתא ריש לקיש לבית מדרשא. הכבד. עשה עצמך כאדם שכבד בראשו ושב בביתך בלשון כבוד אומ' לו. ל"א הכבד התכבד בכבודך שתשב בביתך. כסהו. לא תבזהו בפרהסיא. בלילה שחשיכה ואין כל אדם יכול לראות. משמית נפשיה. מפני כבודו. הוה עייל באושפיזיה. שרי ליה מיד שלא היה רוצה להתירו בפניו אלא כשנכנס לביתו מתיר לו נידויו כדי שלא תהא קללת חבירו עולה על מטתו. מנדה לעצמו. את עצמו לישנא [אחרינא] לכבודו. מימנו אנגידא. מתמנין להלקותו. שם מיתה. שממיתו. שמה. שממה. ועיילא בגופיה כי טייחא. שומן שטמין בו את התנור ונבלע בתוך התנור שאינו יכול לצאת לעולם. ופליגי דר' שמעון [בן לקיש]. דאמ' יצאה. זנבתא דכלבא. זנב הכלב. שמתא דידיה עבדא. דמהניא ביה. שקילי פתיחא. בקש לחכמים לכתוב לו עליו שטר שמתא ותראה לו ולא יזיק עוד פתיחא שפותחת ונוקבת לבו של אדם כחץ לשון והמה פתיחות (תהלים נה). שקליה. לשטר שמתא. ואחתיה בכדא בי קברי. כדי שיהיו המתים נסכמים בשמתא וגם לא יגלו.

One Amora takes a jaundiced view of excommunicating rabbinical students:

אָמַר רַב פָּפָּא – Rav Pappa said: תֵּיתֵי לִי – May [reward] come to me, דְּלָא שַׁמִּיתִי צוּרְבָא מֵרַבָּנָן מֵעוֹלָם – for I have never imposed *shamta* on a young rabbinical student.[52]

The Gemara asks:

אֶלָּא כִּי קָא מִיחַיֵּיב צוּרְבָא מֵרַבָּנָן שַׁמְתָּא – But when a young rabbinical student is liable to *shamta*, הֵיכִי עָבִיד – how did [Rav Pappa] act? Surely he did not reject every form of punishment!

The Gemara answers:

כִּי הָא – He acted **like this** practice, **דִּבְמַעֲרָבָא מִימְנוּ אַנְגִּידָא דְּצוּרְבָא מֵרַבָּנָן – for in the West** (Eretz Yisrael) **they vote** to impose **lashes on a rabbinical student** who sins, **וְלָא מִימְנוּ אַשַּׁמְתָּא – and they do not vote** to impose ***shamta.***[53] Rav Pappa likewise imposed lashes.

The Gemara inquires about the etymology of the word שַׁמְתָּא, *shamta:*

מַאי שַׁמְתָּא – What is the derivation of ***shamta?***

The Gemara presents two opinions:

אָמַר רַב – Rav said: It is an acrostic from the words **שָׁם מִיתָה – "a designation of death."**[54] **וּשְׁמוּאֵל אָמַר – And Shmuel said:** It is an acrostic from the words שְׁמָמָה and תְּהִי – **"it will be a desolation," וּמַהֲנְיָא בֵּיהּ כִּי טִיחְיָא בְּתַנּוּרָא** – **and** this implies that **[the excommunication] affects [a person] like animal fat that is smeared on** the tiles of **an oven.**[55]

The Gemara presents a dissenting opinion:

וּפְלִיגָא דְּרֵישׁ לָקִישׁ – And [Shmuel's understanding] of the effect of excommunication **disagrees with** that **of Reish Lakish,**[56] **דְּאָמַר רֵישׁ לָקִישׁ – for Reish Lakish has said: כְּשֵׁם שֶׁנִּכְנֶסֶת בְּמָאתַיִם וְאַרְבָּעִים וּשְׁמוֹנָה אֵיבָרִים – Just as [excommunication] enters the two hundred and forty-eight limbs** of a man,[57] **כָּךְ כְּשֶׁהִיא יוֹצְאָה – so, when it departs, יוֹצְאָה מִמָּאתַיִם וְאַרְבָּעִים וּשְׁמוֹנָה אֵיבָרִים – it departs from** all **two hundred and forty-eight limbs.**

Reish Lakish adduces support for his dictum:

כְּשֶׁהִיא נִכְנֶסֶת – When [excommunication] enters a person, it pervades all 248 limbs, **דִּכְתִיב – for it is written, "וְהָיְתָה הָעִיר חֵרֶם" – *And the city shall be* cherem,**[58] **"חֵרֶם" בְּגִימַטְרִיָּא מָאתַיִם וְאַרְבָּעִים וּשְׁמוֹנָה הֲווּ** – and **the numerical value of "*cherem*" is two hundred and forty-eight.**[59] **כְּשֶׁהִיא יוֹצְאָה** – And **when [excommunication] departs,** it departs from all 248 limbs, **דִּכְתִיב – for it is written,**[60] **"בְּרֹגֶז רַחֵם תִּזְכּוֹר" – *in wrath, remember to be merciful,* "רַחֵם" בְּגִימַטְרִיָּא הָכִי הֲווּ** – and **the numerical value of "*rachem*"** (*be merciful*) **is** precisely **this** – two hundred and forty-eight.[61]

The Gemara reveals the extent of excommunication's effects:

אָמַר רַב יוֹסֵף – Rav Yosef said: שְׁדֵי שַׁמְתָּא אַגְּנוּבְתָּא דְּכַלְבָּא – Cast a *shamta* on the tail of a dog וְאִיהִי דִּידָהּ עָבְדָה – and it will do its work,[62] **דְּהַהוּא כַּלְבָּא דַּהֲוָה אָכִיל מְסָאנֵי דְּרַבָּנָן – for** there was once **a certain dog that would eat the rabbis' shoes וְלָא הֲווּ קָא יָדְעֵי מַנּוּ – and they did not know who it was** that was inflicting this damage, **וְשַׁמְּתוּ לֵיהּ – and** so **they excommunicated [the anonymous culprit]. אִיתְלֵי בֵּיהּ נוּרָא בִּגְנוּבְתֵּיהּ וַאֲכַלְתֵּיהּ** – As a result, **a fire caught onto the [dog's] tail and consumed [the tail].**[63]

Another story about the power of an excommunication:

הַהוּא אַלְּמָא דַּהֲוָה קָא מְצַעֵר לֵיהּ – There was once **a certain bully לְהַהוּא צוּרְבָא מֵרַבָּנָן – who used to torment a certain young rabbinical student. אֲתָא לְקַמֵּיהּ דְּרַב יוֹסֵף – [The scholar]** finally **came before Rav Yosef** for advice. **אָמַר לֵיהּ – [Rav Yosef] said to him: זִיל שַׁמְתֵּיהּ – Go excommunicate [the bully]. אָמַר לֵיהּ – He said to [Rav Yosef]** in response: **מִסְתְּפִינָא מִינֵּיהּ – I am afraid of him,** since he is strong.[64] **אָמַר לֵיהּ – [Rav Yosef]** then **said to [the scholar]: שְׁקִילִי פְּתִיחָא עֲלֵיהּ – Take out a *pesicha* on him,**[65] and he will fear you.[66] **כָּל שֶׁכֵּן דְּמִסְתְּפִינָא מִינֵּיהּ** – The student replied: **All the more so would I fear him!**[67] **אָמַר לֵיהּ – [Rav Yosef] told him: שְׁקְלֵיהּ – Take [a writ of excommunication] אַחְתֵּיהּ בְּכַדָּא – and place it in a jar,**[68]

NOTES

52. See *Sfas Emes* here for a discussion of this opinion as contrasted to the Gemara's previous case of a Torah scholar suspected of having illicit relations.

53. In the West they avoid excommunicating a student as much as possible out of concern for the honor of the Torah that the student represents. No such consideration exists when lashes are warranted, for since lashes are a less severe punishment, the publicity generated by voting for their imposition is not so damaging to the student's reputation and the Torah's honor (*Rashi* to *Pesachim* 52a ד״ה מימנו אנגדא וגו׳; see *Rashi* here).

54. See above, 16a note 23.

55. I.e. the fat is absorbed into the sides of the oven and never oozes out. Similarly, excommunication has a lasting [and devastating] effect on the one who is banned – i.e. even after it is nullified (*Rashi; Ritva*).

56. Who holds that the lingering effect of excommunication eventually departs (*Rashi, Rashi ms.*).

57. See *Makkos* 23b. [Reish Lakish agrees that the experience of excommunication is all-pervading.]

58. *Joshua* 6:17, wherein Joshua instructs the people, as the conquest of Jericho nears completion, that the city is to become *cherem* – consecrated property for Hashem.

59. גִימַטְרִיָא, *gematria,* is a method of Biblical exegesis based on the numerical value assigned to each letter of the Hebrew alphabet. In our case, the word *cherem* is comprised of the following three letters, with their respective numerical values: ח = 8, ר = 200 and ם = 40, for a total of 248. From this we can infer that *cherem,* which as one of the various levels of excommunication (see above, 16a note 23) represents excommunication in general, enters all 248 limbs of the banned individual.

For a discussion of why Reish Lakish selected this verse in *Joshua* from among the innumerable verses in *Tanach* that contain the word *cherem,* see *Maharsha* and *Iyun Yaakov.*

60. *Habakkuk* 3:2.

61. [*Racheim* (רַחֵם) and *cherem* (חֵרֶם) have the same letters, and thus identical numerical values.] In Reish Lakish's homiletical interpretation of the verse, the Prophet beseeches Hashem that *in wrath* (i.e. when the attribute of justice imposes excommunication on an individual and it pervades his 248 limbs), *remember to be merciful* (*rachem*) on those 248 limbs (and let them suffer no deleterious aftereffects) [*Maharsha*].

62. I.e. it will harm the tail (*Rashi*).

63. Even though a tail is not one of the essential limbs of a dog, the excommunication nonetheless destroyed it (*Maharsha*).

64. *Rashi.*

65. I.e. execute a writ of excommunication against him (*Rashi*). This document was called a "*pesicha*" [literally: opening] because it was typically drawn up at the beginning of a court case for a defendant who failed to answer the summons to appear (*Ritva; see there for another explanation*).

66. *Ritva.*

67. [I.e. he would be doubly angry if I put the excommunication in writing.]

68. See *Rashi* ד״ה ואחתיה בכדא (printed below on next *amud*) and emendation of *Menachem Meishiv Nefesh;* and see below, 17b note 2.

תלמיד שנידה לכבודו נדויו נידוי דתניא [א] מנודה לרב מנודה לתלמיד מנודה לתלמיד אינו מנודה לרב לרב הוא דאינו מנודה הא לכולי עלמא מנודה למאי ° אי [א] במילי דשמיא [א] אין חכמה ואין תבונה ואין עצה לנגד ה' אלא לאו לכבוד עצמו אמר רב יוסף צורבא מרבנן [א] עביד דינא לנפשיה במילתא דפסיקא ליה [ב] ההוא צורבא מרבנן דהוו סנו שומעניה א"ר יהודה היכי ליעביד לשמתיה צריכי ליה רבנן לא לשמתיה קא מיתחיל שמא דשמיא א"ל לרבב"ח מידי שמיע לך בהא א"ל הכי א"ר יוחנן [ג] מאי דכתיב [ב] כי שפתי כהן ישמרו דעת ותורה יבקשו מפיהו כי מלאך ה' צבאות הוא אם דומה הרב למלאך ה' יבקשו תורה מפיו ואם לאו אל יבקשו תורה מפיו שמתיה רב יהודה לסוף איחלש רב יהודה אתו רבנן לשיולי ביה ואתא איהו נמי בהדייהו כד חזייה רב יהודה חייך אמר ליה לא מסתייך דשמתיה לההוא גברא אלא אחוכי נמי חייך בי א"ל לאו בדידך מחייכנא אלא דכי אזלינא לההוא עלמא בדיחא דעתאי דאפילו לגברא כוותך לא חניפי ליה נח נפשיה דרב יהודה אתא לבי מדרשא אמר להו שרו לי אמרו ליה רבנן גברא דחשיב כרב יהודה ליכא הכא דלישרי לך אלא זיל לגביה דר' יהודה נשיאה דלישרי לך אזל לקמיה א"ל לר' אמי פוק עיין בדיניה אי מיבעי למישרא ליה שרי ליה עיין ר' אמי בדיניה סבר למישרא ליה עמד ר' שמואל בר נחמני על רגליו ואמר ומה שפחה של בית רבי לא נהגו חכמים קלות ראש בנידויה שלש שנים יהודה חבירינו על אחת כמה וכמה א"ר זירא מאי דקמן דאתא האידנא האי סבא בבי מדרשא דהא כמה שני לא אתא ש"מ לא מיבעי למישרא ליה לא שרא ליה נפק כי קא בכי ואזיל אתא זיבורא וטרקיה אאמתיה ושכיב עיילוהו למערתא דחסידי ולא קיבלוהו עיילוהו ° למערתא דדייני וקיבלוהו מ"ט דעבד כר' אילעאי דתניא [ג] ר' אילעאי אומר אם רואה אדם שיצרו מתגבר עליו ילך למקום שאין מכירין אותו וילבש שחורים ויתעטף שחורים ויעשה מה שלבו חפץ ואל יחלל שם שמים בפרהסיא שפחה של בית רבי מאי היא דאמתא דבי רבי חזיתיה לההוא גברא דהוה מחי לבנו גדול [ג] אמרה ליהוי ההוא גברא בשמתא דקעבר משום [ג] ולפני עור לא תתן מכשול דתניא ולפני עור לא תתן מכשול במכה לבנו גדול הכתוב מדבר ריש לקיש הוה מנטר פרדיסא אתא ההוא גברא וקאכיל תאיני רמא ביה קלא ולא אשגח ביה אמר ליהוי ההוא גברא בשמתא א"ל אדרבה ליהוי ההוא גברא בשמתא אם ממון נתחייבתי לך נידוי מי נתחייבתי לך אתא לבי מדרשא [ד] א"ל שלו נידוי שלך אינו נידוי ומאי תקנתיה זיל לגביה דלישרי לך לא ידענא ליה אמרו ליה זיל לגבי נשיאה דלישרי לך דתניא [ה] נידוהו ואינו יודע מי נידהו ילך אצל נשיא ויתיר לו נדויו ° אמר רב הונא באושא התקינו אב בית דין שסרח אין מנדין אותו אלא אומר לו [ד] הכבד ושב בביתך חזר וסרח מנדין אותו מפני חילול השם ופליגא דריש לקיש [ו] דאמר ריש לקיש [י] תלמיד חכם שסרח אין מנדין אותו בפרהסיא שנאמר [ה] וכשלת היום וכשל גם נביא עמך לילה כסהו כלילה [ט] מר זוטרא חסידא כי מיחייב צורבא מרבנן שמתא ברישא משמית נפשיה והדר משמית לדידיה כי הוה עייל באושפיזיה שרי ליה לנפשיה והדר שרי ליה לדידיה [י] אמר רב גידל אמר רב [י] ת"ח מנדה לעצמו ומיפר לעצמו אמר רב פפא תיתי לי דלא שמיתי צורבא מרבנן מעולם אלא כי קא מיחייב צורבא מרבנן שמתא היכי עביד כי הא [י] דבמערבא [ח] מימנו אנגידא דצורבא מרבנן ולא מימנו אשמתא מאי שמתא אמר רב שם מיתה ושמואל אמר שממה יהיה ומהניא ביה כי טיחיא בתנורא ופליגא דריש לקיש דאמר ריש לקיש כשם שנכנסת במאתים וארבעים ושמונה איברים כך כשהיא יוצאה ממאתים וארבעים ושמונה איברים כשהיא נכנסת דכתיב [ו] והיתה העיר חרם חרם בגימטריא מאתים וארבעים ושמונה הוו כשהיא יוצאה דכתיב [ז] ברוגז רחם תזכור רחם בגימטריא הכי הוו אמר רב יוסף שדי שמתא אגנובתא דכלבא ואיהי דידה עבדה דההוא כלבא דהוה אכיל מסאני דרבנן ולא הוו קא ידעי מנו ושמתו ליה איתלי ביה נורא בגנובתיה ואכלתיה ההוא אלמא דהוה קא מצער ליה להההוא צורבא מרבנן אתא לקמיה דרב יוסף א"ל זיל שמתיה א"ל מסתפינא מיניה אמר ליה שקול פתיחא עליה כל שכן דמסתפינא מיניה א"ל שקליה אחתיה בכדא ואחתיה

רש"י

תלמיד חכם שנידה לכבודו. כבר פירשתי למעלה: עביד (איניש) דינא לנפשיה. דאמר ליה את מחייבת לי הכי והכי: דפסיקא ליה. שודאי הוא לו ולא ספק: סנו שומעניה. שיוצאין עליו שמועות רעות: צריכי ליה רבנן. דאתריה דהוה רבהון: ואם לאו אל יבקשו תורה. הואיל וסנו שומעניה הא דצריכי ליה רבנן לאו כלום הוא דמוטב דלא ילפי מיניה: אתא איהו. האי מנודה נמי בהדייהו: מאי דקמן. כלומר היכי מתרמי דעל האי סבא ר' שמואל בר נחמני האידנא לבית המדרש: שמע מינה. דלהכי איתרמי דאתא האידנא לבי מדרשא דלאו מזליה הוא דלישרי ליה: וטרקיה אאמתיה. נשכו למנודה באמתו: ולא קבלוהו. דהדרא עכנא למערתא ולא פתחה פיה: דייני. ראשי ב"ד וחסידים עדיפי מינייהו: מאי טעמא. קבלוהו: דעבד כרבי אילעאי וכו'. בהני שמועות רעות: מה שלבו חפץ. עבירה והואיל ואין מכירין אותו שם ליכא חלול השם (א) ואמר לן רבי משום רב האי גאון ויעשה מה שלבו חפץ רוצה לומר דודאי כיון שלבוש שחורים וכו' אני ערב בדבר שאינו חפץ מכאן ואילך בעבירה: דקא עבר משום ולפני עור לא תתן מכשול. דכיון דגדול הוא שמא מבעט באביו והוה ליה איהו מכשילו: שלך אינו נידוי. דלאו בדינא שמתיה: הכבד. בלשון הזה אומרים לו עשה עצמך כאדם שכבד עליו ראשו ושב בביתך בלשון כבוד אומר לו (ב) לישנא אחרינא הכבד התכבד כבודך שתשב בביתך: כסהו. אל תבזה אותו בפרהסיא: בלילה. שחשיכה ואין אדם רואה: משמית נפשיה. משום יקרא דההוא צורבא מדרבנן: מימנו אנגידא. מלקות ומלקות יפה להם יותר משמתא והוו מלקי להו: ומהניא כי טיחיא בתנורא. כשומן שטוחין את התנור ונבלע בתוכו שאין יוצא לעולם כלומר מכה לכל מאן דמשמתינן ליה דלא נפקא מיניה לעולם: ופליגא דר"ש ב"ל. דאמר יוצאה: גנובתיה. זנב: דידה עבדא. ומלקי ליה: מסתפינא מיניה. דגברא אלמא הוא: שקיל פתיחא עלויה. כתוב עליו שמתא: שקליה. לכתב שמתא: ואחתיה

תוספות

וטרקיה. נשכו אאמתו ויש מפרשים מדה כנגד מדה משום דנחשד בזנות: ולא קיבלוהו. דהדרא ליה עכנא: דעבר אדרבי אילעאי. ולכך לא קיבלוהו אע"פ שהיה תלמיד חכם וי"ג דעבד כר' אילעאי ומשום הכי קיבלוהו דייני:

אם רואה אדם שיצרו מתגבר עליו. וכתב ר"ת חס ושלום לא הותר לו לעשות עבירה אלא ע"י כך יכנע לבו בפ"ק דקדושין (דף מ. ושם) פירשתי [ט]:

נידוי מי נתחייבתי לך. אע"פ שמשמתין בעבור ממון כדאמרינן לעיל (דף טז.) הני מילי לממונא י"ל שהיה לו לקרותו לב"ד תחילה שמא יפרע ועוד דבב"ד נמי צריך שני וחמישי ושני כדפירשתי לעיל וכדמשמע בפרק הגוזל בתרא (ב"ק דף קיג.) ולא דמי לאיסורא ([ט] דמכין) לאלתר כדאמר [י] בההוא גברא דקאכל תמרי שנשרו בשבת וכן [ריש] פרק הדר (עירובין דף סג.) ובשם רבינו תם שמעתי שהיו רגילין באותו מקום שאוכלין באילנות ונותן דמים והשתא לא היו עוברים על הגזל:

משמית נפשיה. משום צער שצריך לנדות ת"ח א"נ כדי שיהא זכור להתיר והא דלא התיר לחבירו מתחילה כדאמרינן בשבועות פרק קמא (דף יד.) יבא זכאי ויכפר על החייב לכך טוב כשיתיר לחבירו שיהא הוא מותר קודם: שלא

עין משפט נר מצוה

[סט] [א] מיי' פ"ו מהל' ת"ת הלכה יד טוש"ע י"ד סימן שלד סעיף יז:

סט א מיי' פ"ב מהל' סנהדרין הלכה יב טוש"ע ח"מ סימן ד:

ע ב מיי' פ"ו מהל' ת"ת הל' יד ופ"ז הלכה א טוש"ע י"ד סימן שלד סעיף מב וסעיף מג:

עא ג מיי' פ"ו מהלכות ת"ת שם ופ"ו מהל' ממרים הלכה ט טוש"ע י"ד סי' שלד סעיף מג:

עב ד מיי' פ"ו מהלכות ת"ת שם טוש"ע שם סעיף לט וסעיף מג:

עג ה מיי' שם פ"ז הל' י:

עד ו מיי' שם הל' א טוש"ע שם סעי' מג:

עה ז מיי' שם הלכה יא טוש"ע שם סעי' לג:

עו ח מיי' שם הלכה א טוש"ע שם סעי' מב:

רבינו חננאל

העצני כו' עד רק בדבר אוריה החתי כולן פשוטין הן. עדינו שהיה מעדן עצמו להיות מיושב דעת בדברי תורה וכשיוצא למלחמה קשה כעץ. אמר רב הונא ת"ח שנידה לכבודו נידויו נידוי דדייק מדתניא מנודה לתלמיד אינו מנודה לרב לבדו הא לכ"ע מנודה והני מילי לכבוד עצמו אבל במילי דשמיא אין חכמה ואין תבונה לנגד ה'. אמר רב יוסף צורבא מרבנן עביד דינא לנפשיה. במלתא דפסיקא ליה. כגון הקורא לחבירו עבד יהא בנידוי וכיוצא בו. ההוא צורבא מרבנן דהוה סני שומעניה שהיה שם שמים מתחלל על ידו. כגון הא דגרסינן בסוף יוה"כ מי שיש בידו חילול השם. יצחק דבי ר' אמי אמר כל שחביריו מתביישין משמועתו היכי דמי דאמרי שרי ליה מריה לפלוני. אבל הא דאמר רב כגון אנא דשקילנא בישרא כו'. ודאמר ר' יוחנן כגון אנא דאי מסגינא ד' אמות בלא תורה ובלא תפילין על עצמן בלבד אמרו ולא על זולתם שהיו מחמירין הרבה על עצמם. הלא תראה שכל אחד כך אמר כגון אנא אבל כ"ע כדאמרן וכגון אלישע אחר שהיה מתעסק בספרי מינין ושותה במיני זמר דגרסינן זמר יווני לא פסק מביתו. אמרו עליו על אחר שהיה עומד מבית המדרש הרבה ספרי מינים היו נושרין לו מחיקו וגרסינן נמי השותה במיני זמר כו' וכל צורבא מרבנן דהכי עובדיה מתקריה סנו שומעניה. ואמר רב יהודה בההוא צורבא מרבנן דהוו סני שומעניה כדאמרן היכי נעביד ביה נשמתיה צריכי ליה רבנן לא נשמתיה קא מתחלל שם שמים. א"ל רבה בר בר חנה הכי אמר ר' יוחנן מ"ד כי שפתי כהן ישמרו דעת ותורה יבקשו מפיהו כי מלאך ה' צבאות הוא. אם דומה הרב למלאך ה' צבאות יבקשו תורה מפיהו ואם לאו אל יבקשו תורה מפיהו. שמתיה רב יהודה ולא שרייא לשמתיה לא הוא ולא ר' יהודה נשיאה ואמר רב יהודה בעידנא דשכיב בדיחנא דאפילו לגברא רבא כי האי לא חניפי ליה ולא אשכח חד דשרי ליה עד דטרקיה זיבורא אאמתיה ושכיב עיילוה למערתא דחסידי ולא קיבלוה עיילוה למערתא דדייני וקיבלוה. מאי סני שומעניה דעבד כר' אילעאי דתניא ר' אילעאי הזקן אומר אם רואה אדם שיצרו מתגבר עליו פירוש מבקש לשתות במיני זמר ולשמוח בשמחה המרגילה לידי עבירה כגון זה אמר ילך למקום שאין מכירין אותו וילבש שחורין ויכסה שחורין ויעשה מה שלבו חפץ כגון אכילה ושתייה במיני זמר וכיוצא בהן אבל דבר עבירה שיש בה דין אדם או דין שמים ואפילו חייבי לאוין או חייבי עשה וכ"ש למעלה שאיסורן איסור עולם ח"ו שהתיר ר' אילעאי ואפילו בסתר אלא דבר שפירשנו למעלה הוא שאמר לעשות. ואפילו דברים הללו לא התירן לו אלא אמר כמשיא עצה לעשות כך כדי להבריח את יצרו להשלים תאותו וכיון שיראה עצמו לבוש שחורין ועטוף שחורין משתבר יצרו ונמנע ואינו עושה וזה צורבא מרבנן עשה כר' אילעאי ולבש שחורין ונתעטף ואחר זה כולן חזר לשתות במיני זמר כגון שהיה עושה [אלישע] ולפיכך שמתיה רב יהודה תנא דבי ר' ישמעאל ולפני עור לא תתן מכשול זה המכה בנו הגדול שכיון שהוא גדול חוזר גם הוא ומכה אביו זה ונמצא כי אביו גורם לו והכשילו: ריש לקיש הוה מנטר פרדיסא אתא ההוא גברא אכיל תאיני רמא ביה קלא לא אשגח ביה אמר ליהוי ההוא גברא בשמתא. א"ל אדרבה ליהוי ההוא גברא בשמתא. אם ממון נתחייבתי לך נידוי מי נתחייבתי לך אתא שאיל לבי מדרשא [א"ל] שלו נידוי שלך אינו נידוי זיל לגבי נשיאה דלישרי לך. דתנא נידוהו ואינו יודע מי נדהו ילך אצל נשיא ויפר לו. ירושלמי הדא אמרה המנדה למי שאינו צריך וחזר הוא ונידהו נידוי השני נידוי. אמר רב הונא באושא התקינו אב בית דין שסרח אין מנדין אותו אלא אומר לו הכבד ושב בביתך חזר וסרח מנדין אותו מפני חילול השם ריש לקיש אמר תלמיד חכם שסרח אין מבזין אותו בפרהסיא שנאמר וכשלת היום וכשל גם נביא עמך

מסורת הש"ס

א) [לעיל טז.], ב) חגיגה טו: ע"ש, ג) חגיגה טז. קידושין מ., ד) מנחות לט:, ה) [נדרים ז:], ו) [נדרים ז: וע"ש דפריך פשיטא ומשני], ז) פסחים נב., ח) [ועי' תוס' חגיגה טז. ד"ה ויעשה וכו'], ט) [צ"ל דמנדין], י) [לא נמצא בשום מקום].

הגהות הב"ח

(א) רש"י ד"ה מה שלבו כו' ואמר לן רבי. נ"ב ולפ"ז ה"ק מ"ט קבלוהו וכ"ה במקצת פרש"י: (ב) ד"ה הכבד כו' לישנא אחרינא. נ"ב וכן משמע פי' הקרא במלכים ב יד:

גליון הש"ס

גמ' אי במילי דשמיא. עיין תוס' סנהדרין דף ח ע"א ד"ה מפיקנא: שם למערתא דדייני וקיבלוהו. עי' שבת דף י ע"א תוס' ד"ה אי איכא: שם אמר רב הונא באושא התקינו. בכ"מ פ"ז ה"א מהל' ת"ת הגירסא אמר רב אויא:

תורה אור השלם

א) אֵין חָכְמָה וְאֵין תְּבוּנָה וְאֵין עֵצָה לְנֶגֶד יְיָ: [משלי כא, ל]

ב) כִּי שִׂפְתֵי כֹהֵן יִשְׁמְרוּ דַעַת וְתוֹרָה יְבַקְשׁוּ מִפִּיהוּ כִּי מַלְאַךְ יְיָ צְבָאוֹת הוּא: [מלאכי ב, ז]

ג) לֹא תְקַלֵּל חֵרֵשׁ וְלִפְנֵי עִוֵּר לֹא תִתֵּן מִכְשֹׁל וְיָרֵאתָ מֵּאֱלֹהֶיךָ אֲנִי יְיָ: [ויקרא יט, יד]

ד) הַכֵּה הִכִּיתָ אֶת אֱדוֹם וּנְשָׂאֲךָ לִבֶּךָ הִכָּבֵד וְשֵׁב בְּבֵיתֶךָ וְלָמָּה תִתְגָּרֶה בְּרָעָה וְנָפַלְתָּה אַתָּה וִיהוּדָה עִמָּךְ: [מלכים ב' יד, י]

ה) וְכָשַׁלְתָּ הַיּוֹם וְכָשַׁל גַּם נָבִיא עִמְּךָ לָיְלָה וְדָמִיתִי אִמֶּךָ: [הושע ד, ה]

ו) וְהָיְתָה הָעִיר חֵרֶם הִיא וְכָל אֲשֶׁר בָּהּ לַייָ רַק רָחָב הַזּוֹנָה תִּחְיֶה הִיא וְכָל אֲשֶׁר אִתָּהּ בַּבַּיִת כִּי הֶחְבְּאַתָה אֶת הַמַּלְאָכִים אֲשֶׁר שָׁלָחְנוּ: [יהושע ו, יז]

ז) יְיָ שָׁמַעְתִּי שִׁמְעֲךָ יָרֵאתִי יְיָ פָּעָלְךָ בְּקֶרֶב שָׁנִים חַיֵּיהוּ בְּקֶרֶב שָׁנִים תּוֹדִיעַ בְּרֹגֶז רַחֵם תִּזְכּוֹר: [חבקוק ג, ב]

רש"י כת"י

והכתוב אין חכמה ואין תבונה וכו'. והוי נמי מנודה לרב. דפסיקא ליה [לברור הדין ידין ומוציא מבעל חובו בע"כ] [רש"י ברי"ף]. סנו שומעניה. מעשיו מכוערין. צריכי ליה רבנן. ללמוד תורה מפיו ואף על גב דאמרינן לעיל מנודה שונה לאחרים מסתמא אין תלמיד חכם הולך ויושב לפניו. מיתחיל. מתחלל שם שמים שילמדו ממנו אחרים שיודעין שעבר ולא נתכיים. אמ' ליה. האי תלמיד לרב יהודה. לא מסתייך וכו' להההוא גברא. קללתו תולה באחרים. אי מבעי למשרא ליה. אם יכולין להתיר נדויו של רב יהודה שרו ליה. שפחה של בית ר'. מפרש לקמן. ולא נהגו וכו'. שלא התירו נדויה עד ג' שנים. מאי דקמן. היכי מיתרמי דעל האי[ן] (תנא) [סבא] ר' שמואל בר נחמני בי מדרשא. טרקיה אאמתיה. נשכו למנודה באמתו. אבר. ולא קבלוה. דהדר עכנא למערתיה ולא פתח פיה. דייני. ראשי ב"ד וחסידי מעלו מינייהו. מאי טעמא. לא קבלוה אמערתא [דחסידי] אגוס בילרו הוה. דעבר אדר' [נ"א - דעבד כדר'] אלעאי. ההוא דסנו שומעניה [דהא אפשר לתקוני נפשיה כדר' אלעאי] שהלך למקום שאין מכירין אותו ועשה שם חפצי לבו בצינעה ומשום דלא חלל [שם שמים] בפרהסיא קבלוה אמערתא דדייני. למקום שאין מכירין אותו. ולא ינהגו בו כבוד ויכוף את יצרו וילבש שחורים שמשפיל את עצמו ולא יתגבר עליו יצרו. ויעשה מה שלבו חפץ. דודאי לא יזקק לבו לעבירה כך מפורש בתשובת רבינו האיי. לישנא אחרינא יעשה מה שלבו חפץ מוטב שיחלל בצנעה ואל יחלל בפרהסיא. איני וכו'. אטו מי איכא תקנתא כמי שהולך למקום שאין מכירין אותו ועושה בסתר והאמ' ר' וכו' בסתר כאילו דוחה רגלי שכינה שהוא בכל מקום וכתוב צדיק אתה יי' ולא יגור במגורך רע. הא דמצי כייף. כאלו דוחה רגלי שכינה. דלא מצי כייף ילבש שחורים. בריה רבה. בנו הגדול. לא תתן מכשול. שגורם לבנו שמפטפט כנגדו. רמא ביה קלא. גער בו. נידוי מי נתחייבתי לך. שהיה לך להורידני לבית דין. אתא ריש לקיש לבית מדרשא. הכבד. עשה עצמך כאדם שכבד בראשו ושב בביתך בלשון כבוד אומ' לו. ל"א הכבד התכבד בכבודך שתשב בביתך. כסהו. לא תבזהו בפרהסיא. בלילה שחשיכה ואין כל אדם יכול לראות. משמית נפשיה. מפני כבודו. הוה עייל באושפיזיה. שרי ליה מיד שלא היה רוצה להתירו בפניו אלא כשנכנס לביתו מתיר לו נידויו כדי שלא תהא קללת חבירו עולה על מטתו. מנדה לעצמו. את עצמו לישנא [אחרינא] לכבודו. מימנו אנגידא. מתמנין להלקותו. שם מיתה. שממיתו. שמה. שממה. ועיילא בגופיה כי טייחא. שומן שטחין בו את התנור ונבלע בתוך התנור שאינו יכול לצאת לעולם. ופליגי דר' שמעון [בן לקיש]. דאמ' יצאה. זנבתא דכלבא. זנב הכלב. שמתא דידיה עבדא. דמהניא ביה. שקילי פתיחא. בקש לחכמים לכתוב לו עליו שטר שמתא ותראה לו ולא יזיקך עוד פתיחא שפותחת ונוקבת לבו של אדם כמו לשון והמה פתיחות (תהלים נה). שקליה. לשטר שמתא. ואחתיה בכדא בי קברי. כדי שיהיו המתים נסכמים בשמתא וגם לא יגלו.

ואחתיה בי קברי וקרי ביה אלפא שפורי בארבעין יומין אזיל עביד הכי פקע כדא ומית אלמא מאי שפורי שנפרעין ממנו מאי תברא אמר רב יצחק בריה דרב יהודה תברי בתי רמי דתניא [א] אמר רבן שמעון בן גמליאל כל מקום שנתנו חכמים עיניהם או מיתה או עוני: והנזיר והמצורע מטומאתו לטהרתו: בעא מיניה רבי ירמיה מרבי זירא בשלא היה להם פנאי או דלמא אף בשהיה להם פנאי אמר ליה תנינא [א] כל אלו שאמרו מותרין לגלח במועד בשלא היה להם פנאי אבל היה להם פנאי אסורים [ב] נזיר ומצורע אע"פ שהיה להם פנאי מותרים שלא ישהו קרבנותיהן תנא הכהן והאבל מותרין בגילוח האי אבל היכי דמי אילימא שחל שמיני שלו בערב הרגל [ג] איבעי ליה לגלוחי בערב הרגל אלא שחל שמיני שלו להיות בשבת ערב הרגל [ד] איבעי ליה לגלוחי ערב שבת דאמר רב חסדא אמר רבינא בר שילא [ג] [ה] הלכה כאבא שאול ומודים חכמים לאבא שאול בשחל שמיני שלו להיות בשבת ערב הרגל שמותר לגלח בערב שבת לא צריכא [ו] שחל שביעי שלו להיות בשבת ערב הרגל תנא ברא סבר לה כאבא שאול דאמר [ד] [ז] מקצת היום ככולו ויום שביעי עולה לו לכאן ולכאן וכיון דשבת הוי אנוס הוא תנא דידן סבר לה כרבנן דאמרי לא אמרינן מקצת היום ככולו ואכתי לא שלים אבילות דשבעה האי כהן היכי דמי אילימא דשלים משמרתו ערב הרגל איבעי ליה לגלוחי ערב הרגל לא צריכא [ח] דשלים משמרתו ברגל תנא דידן סבר כיון [ז] דתנן [ט] בשלשה פרקים בשנה היו כל המשמרות שוות באימורי הרגלים ובחילוק לחם הפנים כמאן דלא שלים משמרתו ברגל דמי ותנא ברא סבר אע"ג דשייך בהנך משמרות משמרתיה מיהא שלימא ליה תנו רבנן [ח] כל אלו שאמרו מותרין לגלח במועד מותרין לגלח בימי אבלן והתניא אסורים אמר רב חסדא אמר רב שילא [י] כי תניא הכא מותרין בשתכפוהו אבליו אי בשתכפוהו אבליו מאי איריא כל אלו שאמרו אפי' כולי עלמא נמי דתניא [ט] [כ] תכפוהו אבליו זה אחר זה הכביד שערו מיקל בתער [ל] ומכבס כסותו במים הא אתמר עלה אמר רב חסדא [מ] בתער ולא במספרים [נ] במים ולא בנתר ולא באהל אמר רב חסדא זאת אומרת [י] אבל אסור בתכבוסת ת"ר [כ] כשם שאמרו אסור לגלח במועד כך אסור ליטול צפורנים במועד דברי ר' יהודה [ס] ורבי יוסי מתיר וכשם שאמרו אבל אסור לגלח בימי אבלו כך אסור ליטול צפורנים בימי אבלו דברי רבי יהודה ורבי יוסי מתיר אמר עולא הלכה כרבי יהודה באבל והלכה כרבי יוסי במועד שמואל אמר הלכה

ואחתיה בכדא. תקע בתוך הכד ולא ישמעו: בי קברי. דלא שכיחי תמן אינשי: וקרי ביה. כלומר תקע ביה אלפין שיפורי: מאי תברי. למה תוקעין תקיעה ושברים: תברי בתי רמי. כלומר שמתא משבר בתים גבוהים: בשלא היה להן פנאי. דדוקא נקט שעלו מטומאתם ברגל לפיכך מגלחין שלא היה להן פנאי לגלח דעדיין לא עלו מטומאתן: או דלמא אע"פ שהיה להם פנאי. ולא גילחו קודם המועד מותרים לגלח במועד: שלא ישהו קרבנותיהן. בתגלחתן עד לאחר הרגל דנזיר ומצורע אין מביאין קרבנותיהן עד לאחר גילוח כדכתיב בהו קראי הלכך לא קנסינן להו בדלא עבדי מקמי רגל דזימנין דלא עביד קמי רגל (א) ומיאסרי להו במועד נמצא שמשהין הקרבנות ואין קריבין ביום השמיני בזמנן לפיכך אמרו מגלח במועד דמוטב לקרב זמן הקרבה ולא לאחר: איבעי ליה לגלוחי ערב הרגל. דתנן מתניתין (לקמן דף יט.) הקובר מתו שמונה ימים קודם הרגל בטלו ממנו גזרת ל' יום ומותר בגילוח הואיל וכבר התחיל יום אחד מן השלשים וזה הואיל ולא גילח ערב הרגל לא יגלח ברגל: בשבת ערב הרגל. והוי אנוס דלא מצי לגלח בשמיני ערב הרגל להכי מגלח ברגל: איבעי ליה לגלוחי ערב שבת. שהוא שביעי: הלכה כאבא שאול. דאפילו לא קבר אלא שבעה ימים קודם הרגל בטלה ממנו גזרת שלשים: ומודים חכמים לאבא שאול. אע"ג דבעו שמונה: בשחל שמיני להיות בשבת ערב הרגל. דהוי אנוס: שמותר לגלח בערב שבת. שהוא שביעי: האי תנא דברייתא. דתני אבל מגלח במועד: סבר כאבא שאול. דיום שביעי עולה לכאן ולכאן לשבעה ולשלשים וכיון דכבר התחילו שלשים איבעי ליה לגלוחי קודם הרגל אלא דשבת הוי ואנוס הוא להכי מגלח במועד: ותנא דידן. דתני אלו מגלחין ברגל ולא אבל: סבר כרבנן דאמרי לא אמרינן מקצת היום ככולו. אלא שבעה שלימין בעינן ואכתי לא שלים אבילות דשבעה קודם הרגל ולא הוי אנוס דאפי' לא הוי שבת לא מצי לגלח להכי אינו מגלח במועד: דשלים משמרתו ערב הרגל. בשבת דלעולם לא שלמה משמרה אלא בשבת: איבעי ליה לגלוחי ערב הרגל. כלומר בערב שבת שהוא ערב הרגל דהא אמרינן (לעיל דף יד.) אנשי משמר אסורין בגילוח ובחמישי מותרין מפני כבוד השבת: דשלים משמרה ברגל. כגון דהוי יום חמישי יום ראשון של רגל דלא מצי לגלח דהוי י"ט ושלים משמרתו בשבת שהוא יום שלישי לרגל: תנא דידן. דאמר אינו מגלח במועד: סבר כיון דתנן בשלשה פרקים. בשלשה רגלים כל המשמרות שוים אכתי כמאן דלא שליס משמרתו דמי ועדיין יש לו חלק באימורי רגלים ולא שליס משמרתו בכל הרגל להכי אינו מגלח ברגל כדתנן אנשי משמר אסורין לגלח: ותנא ברא. דאמר מותרין לגלח: אע"ג דשייך בהנך משמרות. (ט) [שליס] עיקר משמרתו דידיה להכי מותר בגילוח: הא אתמר עלה. הא דתני תכפוהו אבליו מיקל בתער ולא במספרים וקתני ברייתא דלכל הני שמותרין לגלח במועד מותרין לגלח בימי אבלו כשתכפוהו אבליו ומגלח במספרים: זאת אומרת. מדתני תכפוהו אבליו מכבס כסותו במים מכלל דשאר אבל אסור בתכבוסת:

שלא ישהו קרבנותיהן. אע"ג דתגלחת דנזיר לא מעכבא [י] מכל מקום רגיל הוא לגלח דמצוה הוא לגלח ולשלוח שערו תחת הדוד: **כשחל** שמיני בשבת. כגון שמע שמועה בשבת דקבורתו לא היה בשבת ובירושלמי מוקי לה כשגררתו חיה ונתייאשו לבקש דמונין לו משעה שנתייאשו:

ותנא דידן סבר לה כרבנן. ואין להקשות מ"מ יגלח ע"ש כמו חל שבעה שלו בערב שבת ערב הרגל דשרו רבנן לגלח ואע"ג דלית להו מקצת היום ככולו באבילות דהתם נשלם האבילות קודם יו"ט אע"ג דמגלח קודם שנשלם דהא לית להו מקצת היום ככולו באבילות והכא מיהא אית להו משום כבוד יו"ט דאשכחן (יומא דף ו:) בזב וזבה דהויא מקצת היום ככולו אבל כשיש עדיין ימי אבילות לא אבל תימה (ב) דהיכי אסרינן מהאי דלא תני מתניתין האבל והכהן מותרים לגלח משום דלית ליה פנאי והא מיבעיא לעיל (דף יד.) באבדה לו אבידה ולא פשיט מדלא תני לה [ס] דאיכא למימר תנא ושייר כמו כן הני תני ושייר ויש לומר כיון דאשכחנא פלוגתא דאבא שאול ורבנן באבל אית לן למימר דתנא דמתני' וברייתא בהכי פליגי וכיון דבאבל פליגי בכהן נמי פליגי:

זאת אומרת אבל אסור בתכבוסת. וא"ת פשיטא דהא אפי' שאר מלאכות אסור וי"ל משום דקתני לקמן (דף כא.) אלו דברים שאבל אסור בהן ולא קתני תכבוסת אי נמי תכבוסת ([ע] חייב) קאמר:

ה"ג **ושמואל** אמר הלכה כר' יוסי בזו ובזו דאמר שמואל הלכה כדברי המיקל באבל. וא"ת בעירובין (דף מו. ושם) דאמר [ל] שמואל הלכה כדברי המיקל בעירוב ואמר נמי הלכה כרבי יוחנן בן נורי ומקשה התם תרתי למה לי (ג) כו' וי"ל איצטריך הכא לאפוקי מדעולא וא"ת וכיון דאית ליה לשמואל רבי יהודה ור' יוסי הלכה כרבי יוסי כדאמרינן פרק מי שהוציאוהו (שם:) למה ליה למימר הכא הלכה כרבי יוסי וי"ל לאפוקי מדעולא ואעולא לא קשיא מידי מהתם דהיכא דאתמר אתמר כדאמר התם:

עז א מיי' פ"ז מהלכות יו"ט הלכה יט סמג לאוין עה טוש"ע א"ח סי' תקלא סעי' ד:
עח ב מיי' שם:
עט ג ד ה מיי' פ"י מהלכות אבל הל' ז טוש"ע י"ד סימן שצט סעיף ג:
פ ו ז מיי' שם ופ"ז מהלכות יו"ט הלכה יח טוש"ע א"ח סימן תקלא סעיף ז וטוש"ע י"ד סימן שצט סעיף ג:
פא ח מיי' פ"ז מהלכות יו"ט הלכה יט ופ"א מהלכות ביאת מקדש הלכה יג:
פב ט מיי' פ"ד מהל' כלי המקדש הלכה ד ה:
פג י כ מיי' פ"ו מהל' אבל הל' יג טוש"ע י"ד סימן של סעיף ג:
פד ל מיי' שם טוש"ע י"ד סימן שפט סעיף א:
פה מ מיי' שם טוש"ע י"ד סי' של סעי' ג:
פו נ מיי' שם טוש"ע י"ד סימן שפט סעיף א:
פז ס מיי' פ"ז מהלכות יו"ט הלכה כ טוש"ע א"ח סי' תקלב סעיף א:

רבינו חננאל

עמך לילה כסהו כלילה אמר רב תלמיד חכם מנדה לעצמו ומיפר לעצמו רב זוטרא חסידא כי הוה מתחייב ת"ח נידוי הוה משמית נפשיה ברישא והדר משמית ליה. וכד הוה עייל לביתיה הוה א) שרי ליה ברישא והדר שרי לנפשיה. אמר רב פפא תיתי לי דלא שמיתנא צורבא מרבנן מעולם כי הא דבני מערבא מימנו אנגידא דצורבא מרבנן ולא מימנו אשמותיה אלא מכסין אותו. מאי שמתא. רב אמר שם מיתה כלומר מיתה בה ושמואל אמר שם תהא כלומר שם תיתי כדכתיב ובאה אל בית הגנב וגו'. אמר אבוה דשמואל ומהניא כי טחיה בתנורא כלומר אינה יוצאה משם לעולם. ופליגא דר"ל דאמר כשם שנכנס ברמ"ח איברים כדכתיב והיית חרם. חר"ם בגימטריא רמ"ח הוי כך יוצאה ברמ"ח איברים שנאמר ברוגז רחם תזכור. רח"ם בגימטריא רמ"ח הוי. אמר רב יוסף שדי שמתא אגנובתא דכלבתא והיא דידה עבדה ההוא כלבא דהוה אכיל מסאני דרבנן ולא הוה ידעי מאן דעבד הא מלתא ושמתו ליה ואתלי נורא בגנובתיה ואכלתיה ההוא אלמא דהוה מצער ההוא צורבא מרבנן כו'. והאידנא נמי מאן דבעי הכי כרב יוסף רשאי. מאי שיפורא אמר רבא שנפרעין ממנו מאי תברי בתי. תניא אמר ר' שמעון בן גמליאל כל מקום שנתנו חכמים עיניהם בו או מיתה או עוני: **ירושלמי** ריב"ל זמין ליה לחד בר נש ג' זימני ולא אשגח ביה אמר אילולי דלא חרמית ב"נ מן יומא הוינא מחרים

א) חגיגה ה: נדרים ז: ע"ש סוטה מו., ב) לקמן יט., ג) [לעיל טז: פסחים ד. וש"נ], ד) סוכה נה:, ה) [לעיל יד. תוספתא פ"ב], ו) תענית יג., ז) לעיל טו., ח) [תוספתא פ"ב], ט) רש"א, י) [נזיר מו.], כ) גי' רש"א מים, ל) [ע"ש דאי' ריב"ל].

הגהות הב"ח

(א) רש"י ד"ה שלא ישהו כו' דלא עביד קמי רגל ואי אסרינן להו במועד: (ב) תוס' ד"ה ותנא כו' אבל תימה דהיכי פשיטא ליה דלתנא דידן לא שרינן ממאי דלא תני במתני' כו' באבדה לו אבדה ולא פשיטא ליה דלאו אינו מגלח מדלא תני לה: (ג) ד"ה ושמואל כו' ומקשה התם תרתי למה לי ה"ג קשיא תרתי למה לי וי"ל דאיצטריך הכא:

גליון הש"ס

תוס' ד"ה ותנא דידן וכו' דאיכא למימר תנא ושייר. עיין שבת דף עה ע"ב תוספות ד"ה חסר אחת ובכתובות רפ"ג תוספות ד"ה ועל הכותים:

רש"י כת"י

וקרי ביה אלפא שיפורי. תקע כפיך בתוך הכד אלף פעמים ולא ישמע הקול. מאי טעמ' משמתין בשיפורי. שנפרעין ממנו. דדייקין בשמא. מאי (טעמ') תברי. מאי טעמ' תקעינן בשמתא כעין שלשה שברים. תברי בתי רמי. שמתא משפיל בתים הרמים לישנא אחרינא תברי בתי ורמי שובר בתים ומשליכן לארץ. כל מקום שנתנו חכמים את עיניהם וכו'. לפי שהם חריפין ומחודדין ומדקדקין כמה שהן רואין יותר מכל אדם לפיכך עין שלהם קשה שמתא אין לך נתינת עין גדולה מזו. בשלא היה להם פנאי. שלא נתרפא המצורע עד (תוך הרגל) [קרוב לרגל] וכן שלא שלמו ימי נזירות עד [תוך] הרגל דכיון שלא היה להם פנאי לא קנסינן להו משום שלא יכנסו לרגל כשהן מנוולין דהא לא אפשר לעשות להו קודם לכן. כל תנינא בריתא. כל אלו. הבא ממדינת הים וכו'. אע"פ שהיה להם פנאי. מותרין לגלח אע"פ שעבירה היא בידם מוטב שיגלחו במועד ולא ישהו קרבנותם עד לאחר גילוח כדכתיבי קראי והילכך לא קנסינן כי היכי דליעבדו מקמי הרגל דזימנין דלא עבד קודם הרגל ואי אסרינן ליה ברגל נמצא שמשהין קרבנותם ואינן

וּקְרֵי בֵּיהּ – וְאַחֲתֵיהּ בֵּי קִבְרֵי – and then **put the jar in a cemetery**[1] אַלְפָּא שִׁיפּוּרֵי בְּאַרְבְּעִין יוֹמִין – **and blow a thousand shofar blasts in [the jar]**[2] **on forty days.** אֲזִיל עֲבֵיד הָכִי – **[The student] went** and **did this,** פְּקַע כַּדָּא וּמִית אַלְמָא – and **the jar burst and the bully died.**[3]

The Gemara asks:

מַאי שִׁפּוּרֵי – **What is** the significance of using **shofar blasts** in an excommunication ritual?[4]

The Gemara answers:

שֶׁנִּפְרָעִין מִמֶּנּוּ – **Because** through excommunication **we exact retribution from [the evildoer].**[5]

The Gemara again asks:

מַאי תַּבְרָא – **What is** the reason we blow **broken** blasts at an excommunication?[6]

The Gemara answers:

אָמַר רַב יִצְחָק בְּרֵיהּ דְּרַב יְהוּדָה – **Rav Yitzchak the son of Rav Yehudah said:** תַּבְרֵי בָּתֵּי רָמֵי – The broken blasts (תַּבְרֵי) allude to the fact that **[excommunication] breaks** (i.e. shatters – תבר) **tall buildings,**[7] דְּתַנְיָא – **as it was taught in a Baraisa:** אָמַר רַבָּן שִׁמְעוֹן בֶּן גַּמְלִיאֵל – RABBAN SHIMON BEN GAMLIEL SAID: כָּל מָקוֹם שֶׁנָּתְנוּ חֲכָמִים עֵינֵיהֶם – WHEREVER THE SAGES SET THEIR EYES, אוֹ מִיתָה אוֹ עוֹנִי – EITHER DEATH OR POVERTY[8] ensues.[9]

The Mishnah said:

וְהַנָּזִיר וְהַמְּצוֹרָע מִטּוּמְאָתוֹ לְטָהֳרָתוֹ – And these people may cut their hair . . . OR THE *NAZIR* OR *METZORA* who ascends FROM HIS state of *TUMAH* TO HIS state of PURITY.

The Gemara seeks to clarify an ambiguity in the Mishnah:

בְּעָא מִינֵּיהּ רַבִּי יִרְמְיָה מֵרַבִּי זֵירָא – **R' Yirmiyah inquired of R' Zeira:** בְּשֶׁלֹּא הָיָה לָהֶם פְּנַאי – Does the Mishnah allow them to cut their hair only in a case **where they did not have an opportunity** to do so before the festival, i.e. where they became *tahor* on the festival itself;[10] אוֹ דִּלְמָא אַף בְּשֶׁהָיָה לָהֶם פְּנַאי – **or, perhaps,** does the Mishnah allow them to cut their hair on Chol HaMoed **even** in a case **where they had an opportunity** to do so before the festival, i.e. where they became *tahor* before the festival?[11]

R' Zeira resolves the question:

אָמַר לֵיהּ תְּנֵינָא – **He said to him: We learned** the answer in **the** following **Baraisa:** כָּל אֵלּוּ שֶׁאָמְרוּ מוּתָּרִין לְגַלֵּחַ בַּמּוֹעֵד – ALL THOSE people OF WHOM [THE SAGES] SAID THAT THEY ARE PERMITTED TO CUT THEIR HAIR ON THE FESTIVAL[12] בְּשֶׁלֹּא הָיָה לָהֶם פְּנַאי – may do so only in a case WHERE THEY HAD NO OPPORTUNITY to cut their hair before the festival; אֲבָל הָיָה לָהֶם פְּנַאי אֲסוּרִים – BUT IF THEY HAD AN OPPORTUNITY to cut their hair before the festival THEY ARE FORBIDDEN to do so on the festival. נָזִיר וּמְצוֹרָע – However, in the case of A *NAZIR* OR A *METZORA* who became *tahor,* אַף עַל פִּי שֶׁהָיָה לָהֶם פְּנַאי מוּתָּרִים – EVEN IF THEY HAD AN OPPORTUNITY to cut their hair before the festival, and failed to do so, THEY ARE PERMITTED to cut their hair on the festival, שֶׁלֹּא יַשְׁהוּ קָרְבְּנוֹתֵיהֶן – LEST THEY DELAY THEIR OFFERINGS.[13]

The Gemara cites a Baraisa which introduces other examples of persons who are allowed to cut their hair on Chol HaMoed:

תָּנָא – **It was taught in a Baraisa:** הַכֹּהֵן וְהָאָבֵל מוּתָּרִין בְּגִילּוּחַ – A KOHEN AND A MOURNER, who could not cut their hair before the festival,[14] MAY CUT THEIR HAIR on Chol HaMoed.

The Gemara proceeds to clarify the meaning of the Baraisa, and also to establish why our Mishnah made no mention of these cases. The Gemara first addresses the case of a mourner:[15]

הַאי אָבֵל הֵיכִי דָמֵי – **What is the case of this mourner,** whom the

NOTES

1. A place that the living do not frequent (*Rashi*). According to *Rashi ms.,* this was done so that the dead will concur with the excommunication.

2. This follows *Rashi* [as emended by *Menachem Meishiv Nefesh*]. Alternatively: Bang your hand on the inner wall of the jar a thousand times, and the sound will not be heard (*Rashi ms.*).

3. *Maharsha* explains this mysterious ritual: An earthenware vessel resembles a human being, for when it breaks it is irretrievably lost, just as a human who dies is irretrievably lost. Hence, by placing the writ of excommunication in the jar the student symbolically gave it to the bully. The other acts he performed were also symbolic: Putting the jar in a graveyard alludes to the bully's death and burial; the total number of blasts also alludes to the bully's end, for "a thousand" is the end (i.e. the single highest) of all numbers in the Hebrew system; and the "forty days" of repetition intimate the forty days required for the creation of a human fetus (i.e. it is that forty days of potential we are now destroying). [The Gemara itself will now explain the relevance of blowing a shofar.]

4. See *Rashi ms., Nimukei Yosef* and *Maharsha.*

5. The word *shofar* (שׁוֹפָר) is cognate with *peraah* (פְּרָעָה), and so the very name of the instrument connotes retribution (*Nimukei Yosef;* see also *Rashi ms.*).

6. According to *Rashi,* the question is why we blow broken blasts (שְׁבָרִים, which in Aramaic is תַּבְרֵי) along with a prolonged blast (תְּקִיעָה). According to *Rashi ms.*: Why do we blow three broken blasts? According to *Nimukei Yosef*: Why do we blow *only* broken blasts?

7. In this interpretation the word רָמֵי is rendered *tall* (see *Rashi*). *Rashi ms.* cites another interpretation, which understands it to mean *cast down;* accordingly, the Gemara is stating: [Excommunication] breaks buildings and casts them down to the ground.

8. Poverty is the equivalent of death, as is stated in *Nedarim* 7b (*Maharsha*).

9. The Sages are exceptionally sharp and precise, for they perceive far more than ordinary people. Hence, their "eyes" are "tough"; and so when their eyes are set on evildoers for purposes of exacting punishment, the effect is devastating ("either death or poverty"). Our Gemara is teaching that there is no greater "setting of their eyes" than their imposition of an excommunication (*Rashi ms.*).

10. [And for that reason they may cut their hair on Chol HaMoed, just as, for example, someone who was let out of jail on the festival may cut his hair on Chol HaMoed.]

11. [Although normally the Rabbis forbade someone who had an opportunity to cut his hair before the festival to cut his hair on Chol HaMoed (see above, 14a), perhaps in this case they did not do so. The reason why this might be so will emerge from the Gemara's resolution of the inquiry.]

12. [E.g. someone who was let out of jail, or who arrived from a sea voyage.]

13. Since a *nazir* and a *metzora* who became *tahor* cannot offer their prescribed sacrifices until after they cut their hair (see *Leviticus* 14:8 ff.; *Numbers* 6:9 ff.), were they – for some reason – to neglect to cut their hair before the festival, and were we to then penalize them and insist that they not cut their hair on the festival either, it would result in their sacrifices being considerably delayed. Therefore, in such a case the Rabbis chose not to penalize them, and allowed them to cut their hair on the festival so as not to further delay their offerings (*Rashi;* see also *Ritva*). See also *Mishneh LeMelech* to *Hil. Yom Tov* 7:19, who explains *Rashi's* comments here.

14. [A mourner is prohibited to cut his hair during *sheloshim,* and a Kohen is prohibited to cut his hair during the week that his *mishmar* serves in the Temple (see above, 14a).] The Gemara will proceed to clarify the cases (see below, end of note 23).

15. Several words of introduction to the following Gemara are in order:

In general, the mourning periods of *shivah* and *sheloshim* are canceled whenever they are interrupted by a festival. Thus, if a festival interrupted *shivah, shivah* is canceled; likewise, if a festival interrupted *sheloshim, sheloshim* is canceled. Note, however, that a festival cancels *shivah* only if *shivah* had already commenced before the festival; likewise, it cancels *sheloshim* only if *sheloshim* (which follows *shivah*) had already commenced before the festival.

Thus, for example, if the festival fell during *shivah, shivah* is canceled; but *sheloshim,* which had not yet begun – since *sheloshim* first begins after *shivah* – is not. (These laws will be amplified more fully in the Mishnah below, 19a, and in the Gemara that follows there.)

Although, as stated, *sheloshim* first begins after *shivah,* the Gemara later (19b) records a dispute between Abba Shaul and the Sages regarding precisely when *shivah* passes into *sheloshim.* According to the

שלא ישהו קרבנותיהן. אע"ג דתגלחת דנזיר לא מעכבא מכל מקום רגיל הוא לגלח דמצוה הוא לגלח ולשלוח שערו תחת הדוד: **כשחל** שמיני בשבת. כגון שמע שמועה בשבת דקבורתו לא היה בשבת ובירושלמי מוקי לה כשגררתו חיה ונתייאשו לבקש דמונין לו משעה שנתייאשו:

ותנא דידן סבר לה כרבנן. ואין להקשות מ"מ יגלח ע"ש כמו חל שבעה שלו בערב שבת ערב הרגל דשרו רבנן לגלח ואע"ג דלית להו מקצת היום ככולו באבילות דהתם נשלם האבילות קודם יו"ט אע"ג דמגלח קודם שנשלם דהא לית להו מקצת היום ככולו באבילות והכא מיהא אית להו משום כבוד יו"ט דאשכחן (יומא דף ו:) בזב וזבה דהויא מקצת היום ככולו אבל כשיש עדיין ימי אבילות לא אבל תימה (ג) דהיכי אסרינן מהאי דלא תני מתניתין האבל והכהן מותרים לגלח משום דלית ליה פנאי והא מיבעיא לעיל (דף יד.) באבדה לו אבידה ולא פשיט מדלא תני לה דאיכא למימר תנא ושייר כמו כן הני תני ושייר ויש לומר כיון דאשכחנא פלוגתא דאבא שאול ורבנן באבל אית לן למימר דתנא דמתני' וברייתא בהכי פליגי וכיון דבאבל פליגי בכהן נמי פליגי:

זאת אומרת אבל אסור בתכבוסת. וא"ת פשיטא דהא אפי' שאר מלאכות אסור וי"ל משום דקתני לקמן (דף כא.) אלו דברים שאבל אסור בהן ולא קתני תכבוסת אי נמי תכבוסת (חייב) קאמר:

ושמואל אמר הלכה כר' יוסי בזו ובזו דאמר שמואל הלכה כדברי המיקל באבל. וא"ת בעירובין (דף מו. ושם) דאמר שמואל הלכה כדברי המיקל בעירוב ואמר נמי הלכה כרבי יוחנן בן נורי ומקשה התם תרתי למה לי (ג) כו' וי"ל איצטריך הכא לאפוקי מדעולא וא"ת וכיון דאית ליה לשמואל ר' יהודה ור' יוסי הלכה כרבי יוסי כדאמרינן פרק מי שהוציאוהו (שם:) למה ליה למימר הכא הלכה כרבי יוסי וי"ל לאפוקי מדעולא ועולא לא קשיא מידי מהתם דהיכא דאתמר אתמר כדאמר התם:

ואחתיה בי קברי וקרי ביה אלפא שפורי בארבעין יומין אזיל עביד הכי פקע כדא ומית אלמא מאי שפורי שנפרעין ממנו מאי תברא אמר רב יצחק בריה דרב יהודה תברי בתי רמי דתניא אמר רבן שמעון בן גמליאל כל מקום שנתנו חכמים עיניהם או מיתה או עוני: והנזיר והמצורע מטומאתו לטהרתו: בעא מיניה רבי ירמיה מרבי זירא בשלא היה להם פנאי או דלמא אף בשהיה להם פנאי אמר ליה תנינא כל אלו שאמרו מותרין לגלח במועד בשלא היה להם פנאי אבל היה להם פנאי אסורים נזיר ומצורע אע"פ שהיה להם פנאי מותרים שלא ישהו קרבנותיהן תנא הכהן והאבל מותרין בגילוח האי אבל היכי דמי אילימא שחל שמיני שלו בערב הרגל איבעי ליה לגלוחי בערב הרגל אלא שחל שמיני שלו להיות בשבת ערב הרגל איבעי ליה לגלוחי ערב שבת דאמר רב חסדא אמר רבינא בר שילא הלכה כאבא שאול ומודים חכמים לאבא שאול בשחל שמיני שלו להיות בשבת ערב הרגל שמותר לגלח בערב שבת לא צריכא שחל שביעי שלו להיות בשבת ערב הרגל תנא ברא סבר לה כאבא שאול דאמר מקצת היום ככולו ויום שביעי עולה לו לכאן ולכאן וכיון דשבת הוי אנוס הוא תנא דידן סבר לה כרבנן דאמרי לא אמרינן מקצת היום ככולו ואכתי לא שלים אבילות דשבעה האי כהן היכי דמי אילימא דשלים משמרתו ערב הרגל איבעי ליה לגלוחי ערב הרגל לא צריכא דשלים משמרתו ברגל תנא דידן סבר כיון דתנן בשלשה פרקים בשנה היו כל המשמרות שוות באימורי הרגלים ובחילוק לחם הפנים כמאן דלא שלים משמרתו ברגל דמי ותנא ברא סבר אע"ג דשייך בהנך משמרות משמרתיה מיהא שלימא ליה תנו רבנן כל אלו שאמרו מותרין לגלח במועד מותרין לגלח בימי אבלן והתניא אסורים אמר רב חסדא אמר רב שילא כי תניא הכא מותרין בשתכפוהו אבליו אי בשתכפוהו אבליו מאי איריא כל אלו שאמרו אפי' כולי עלמא נמי דתניא תכפוהו אבליו זה אחר זה הכביד שערו מיקל בתער ומכבס כסותו במים הא אתמר עלה אמר רב חסדא בתער ולא במספרים במים ולא בנתר ולא באהל אמר רב חסדא זאת אומרת אבל אסור בתכבוסת ת"ר כשם שאמרו אסור לגלח במועד כך אסור ליטול צפורנים במועד דברי ר' יהודה ורבי יוסי מתיר וכשם שאמרו אבל אסור לגלח בימי אבלו כך אסור ליטול צפורנים בימי אבלו דברי רבי יהודה ורבי יוסי מתיר אמר עולא הלכה כרבי יהודה באבל והלכה כרבי יוסי במועד שמואל אמר הלכה

ואחתיה בכדא. תקע בתוך הכד ולא ישמעו: בי קברי. דלא שכיחי תמן אינשי: וקרי ביה. כלומר תקע ביה אלפין שיפורי: מאי תברי. למה תוקעין תקיעה ושברים: תברי בתי רמי. כלומר שמתא משבר בתים גבוהים: בשלא היה להן פנאי. דדוקא נקט שעלו מטומאתם ברגל לפיכך מגלחין שלא היה להן פנאי לגלח דעדיין לא עלו מטומאתן: או דלמא אע"פ שהיה להם פנאי. ולא גילחו קודם המועד מותרים לגלח במועד: שלא ישהו קרבנותיהן. בתגלחתן עד לאחר הרגל דנזיר ומצורע אין מביאין קרבנותיהן עד לאחר גילוח כדכתיב בהו קראי הלכך לא קנסינן להו בדלא עבדי מקמי רגל דזימנין דלא עביד קמי רגל (א) ומיאסרי להו במועד נמצא שמשהין הקרבנות ואין קריבין ביום השמיני בזמנן לפיכך אמרו מגלח במועד דמוטב לקרב זמן הקרבה ולא לאחר: איבעי ליה לגלוחי ערב הרגל. דתנן מתניתין (לקמן דף יט.) הקובר מתו שמונה ימים קודם הרגל בטלו ממנו גזרת ל' יום ומותר בגילוח הואיל וכבר התחיל יום אחד מן השלשים חה הואיל ולא גילח ערב הרגל לא יגלח ברגל: בשבת ערב הרגל. והוי אנוס דלא מצי לגלח בשמיני ערב הרגל להכי מגלח ברגל: איבעי ליה לגלוחי ערב שבת. שהוא שביעי: הלכה כאבא שאול. דאפילו לא קבר אלא שבעה ימים קודם הרגל בטלה ממנו גזרת שלשים: ומודים חכמים לאבא שאול. אע"ג דבעו שמונה: בשחל שמיני להיות בשבת ערב הרגל. דהוי אנוס: שמותר לגלח בערב שבת. שהוא שביעי: האי תנא דברייתא. דתני אבל מגלח במועד: סבר כאבא שאול. דיום שביעי עולה לכאן ולכאן לשבעה ולשלשים וכיון דכבר התחילו שלשים איבעי ליה לגלוחי קודם הרגל אלא דשבת הוי ואנוס הוא להכי מגלח במועד: ותנא דידן. דתני אלו מגלחין ברגל ולא אבל: סבר כרבנן דאמרי לא אמרינן מקצת היום ככולו. אלא שבעה שלימין בעינן ואכתי לא שלים אבילות דשבעה קודם הרגל ולא הוי אנוס דאפי' לא הוי שבת לא מצי לגלח להכי אינו מגלח במועד: דשלים משמרתו ערב הרגל. בשבת דלעולם לא שלמה משמרה אלא בשבת: איבעי ליה לגלוחי ערב הרגל. כלומר בערב שבת שהוא ערב הרגל דהא אמרינן (לעיל דף יד.) אנשי משמר אסורין בגילוח ובחמישי מותרין מפני כבוד השבת: דשלים משמרה ברגל. כגון דהוי יום חמישי יום ראשון של רגל דלא מצי לגלח דהוי י"ט ושלים משמרתו בשבת שהוא יום שלישי לרגל: תנא דידן. דאמר אינו מגלח במועד: סבר כיון דתנן בשלשה פרקים. בשלשה רגלים כל המשמרות שוים אכתי כמאן דלא שלים משמרתו דמי ועדיין יש לו חלק באימורי רגלים ולא שלים משמרתו בכל הרגל להכי אינו מגלח ברגל כדתנן אנשי משמר אסורין לגלח: ותנא ברא. דאמר מותרין לגלח: אע"ג דשייך בהנך משמרות. [שלים] עיקר משמרתו דידיה להכי מותר בגילוח: הא אתמר עלה. הא דתני תכפוהו אבליו מיקל בתער ולא במספרים וקאתי ברייתא דכל הני שמותרין לגלח במועד מותרין לגלח בימי אבלו כשתכפוהו אבליו ומגלח במספרים: זאת אומרת. מדתני תכפוהו אבליו מכבס כסותו מכלל דשאר אבל אסור בתכבוסת:

הלכה

Baraisa allows to cut his hair on Chol HaMoed? אִילֵימָא שֶׁחָל שְׁמִינִי שֶׁלּוֹ בְּעֶרֶב הָרֶגֶל – **If you say that his eighth** day of mourning **fell on the eve of the festival,**[16] אִיבָּעֵי לֵיהּ לְגַלּוּחֵי בְּעֶרֶב הָרֶגֶל – why, in that case **he ought to have cut his hair on the eve of the festival** and, since he neglected to do so, why should we allow him to cut his hair on Chol HaMoed?[17]

The Gemara makes another suggestion, only to reject it:

אֶלָּא שֶׁחָל שְׁמִינִי שֶׁלּוֹ לִהְיוֹת בְּשַׁבָּת עֶרֶב הָרֶגֶל – **Rather,** perhaps you will suggest that the case is **that his eighth** day of mourning **fell on the Sabbath,** which was also **the eve of the festival.**[18] אִיבָּעֵי לֵיהּ לְגַלּוּחֵי עֶרֶב שַׁבָּת – But this is not a solution; for in such a case even the Sages agree that **he ought to have cut his hair on** Friday, **the Sabbath eve,** which was his seventh day of mourning! דְּאָמַר רַב חִסְדָּא אָמַר רָבִינָא בַּר שִׁילָא – **For Rav Chisda said in the name of Ravina bar Shila:** הֲלָכָה כְּאַבָּא שָׁאוּל – **The halachah follows Abba Shaul** that part of a day is like the whole day, and so he is allowed to cut his hair on the seventh day of mourning in honor of an approaching festival;[19] וּמוֹדִים חֲכָמִים לְאַבָּא שָׁאוּל – **and,** what is more, even **the Sages concede to Abba Shaul,** בְּשֶׁחָל שְׁמִינִי שֶׁלּוֹ לִהְיוֹת בְּשַׁבָּת עֶרֶב הָרֶגֶל – in a case **where his eighth** day of mourning **fell on the Sabbath,** which was **the eve of a festival,** שֶׁמּוּתָּר לְגַלֵּחַ בְּעֶרֶב שַׁבָּת – **that he is permitted to cut his hair** on Friday, **the Sabbath eve,** in honor of the festival.[20] Since he may cut his hair before the festival, there is no reason to permit him to cut his hair on Chol HaMoed! – **?** –

The Gemara resolves the difficulty:

לֹא צְרִיכָא שֶׁחָל שְׁבִיעִי שֶׁלּוֹ לִהְיוֹת בְּשַׁבָּת עֶרֶב הָרֶגֶל – In truth, the Baraisa speaks of none of the above cases. **Rather,** the permit of which the Baraisa speaks **is necessary concerning a case where his seventh** day of mourning **fell on the Sabbath, which was the eve of a festival.** תַּנָּא בָּרָא סָבַר לָהּ כְּאַבָּא שָׁאוּל – **And the Tanna of the Baraisa follows the view of Abba Shaul,** דְּאָמַר מִקְצָת הַיּוֹם כְּכוּלּוֹ – **that part of a day is like the whole [day],** וְיוֹם שְׁבִיעִי עוֹלֶה לוֹ לְכָאן וּלְכָאן – **so that the seventh day** of mourning **counts both here and here,** i.e. both as the last day of *shivah* and as the first day of *sheloshim*. Consequently, *sheloshim* will have begun before the festival and the festival cancels *sheloshim,* allowing him to cut his hair before the festival. וְכֵיוָן דְּשַׁבָּת הָוֵי אָנוּס הוּא – **But since [the festival eve]** in this case **is** also **the Sabbath he is prevented by unavoidable circumstances** from cutting his hair on the festival eve, and therefore he may cut his hair on Chol HaMoed.[21]

The Gemara now explains the view of our Mishnah, which made no mention of this case:

תַּנָּא דִּידָן סָבַר לָהּ כְּרַבָּנָן – As for **our Tanna,**[22] **he follows the view of the Sages** דְּאָמְרֵי לֹא אָמְרִינַן מִקְצָת הַיּוֹם כְּכוּלּוֹ – **who maintain that we do not say that part of a day is like the whole [day],** וְאַכַּתִּי לֹא שְׁלִים אֲבִילוּת דְּשִׁבְעָה – **and,** therefore, **the mourning of the seven** days of *shivah* is not over until the end of the seventh day. Therefore, *sheloshim* was not canceled by the festival, and so even if the festival eve had been a weekday he would not have been allowed to cut his hair. It cannot, therefore, be said that he was prevented from cutting his hair by the circumstance of the Sabbath occurring that day; he therefore may not cut his hair on Chol HaMoed.[23]

The Gemara now turns its attention to the other case mentioned in the Baraisa:

הַאי כֹּהֵן הֵיכִי דָּמֵי – **What is the case of this Kohen,** whom the Baraisa allows to cut his hair on Chol HaMoed? אִילֵימָא דִּשְׁלִים מִשְׁמַרְתּוֹ עֶרֶב הָרֶגֶל – **If you say that** the Sabbath on which **his *mishmar* ended**[24] fell **on the eve of the festival,**[25] אִיבָּעֵי לֵיהּ

NOTES

Sages, *shivah* lasts for a full seven days; *sheloshim* then follows, beginning with (the night preceding) the eighth day. Accordingly, in order for *sheloshim* to have begun before the festival (and thus be canceled by the festival) there must have been eight days of mourning before the festival.

Abba Shaul, however, maintains that *part of a day is like the whole day;* in other words, the observance of part of the seventh day of *shivah* is sufficient to bring *shivah* to a close, and *sheloshim* then begins on the very same day. Consequently, the festival will cancel *sheloshim* even if there were only seven days of mourning prior to the festival.

One of the restrictions of *sheloshim* is the prohibition of cutting hair. Where the festival cancels *sheloshim,* the prohibition of *sheloshim* is likewise canceled.

Furthermore, in such a case the mourner may cut his hair on the festival eve, in honor of the approaching festival (see below, 19a).

16. In this case, *sheloshim* began before the festival, thus, the festival cancels *sheloshim* according to all opinions, and he may cut his hair on the festival eve (*Rashi*).

17. Since he could have cut his hair on the festival eve, and neglected to do so, why should he be allowed to cut his hair on the festival itself? [He should be no different than anyone else who could have cut his hair in honor of the festival and who is forbidden to cut his hair on Chol HaMoed] (*Rashi*).

18. And since it was the Sabbath he was prevented by that circumstance from shaving on the festival eve; hence, he should be allowed to cut his hair on Chol HaMoed (*Rashi*).

19. Since, according to Abba Shaul, *sheloshim* begins on the seventh day; once *sheloshim* has begun, the advent of the festival cancels *sheloshim* and he may cut his hair in honor of the approaching festival.

20. Since there were eight days of mourning before the festival, the festival cancels *sheloshim,* allowing him to cut his hair before the festival in honor of the festival. And since, in this case, the festival eve was a Sabbath, when he may not cut his hair, the Sages were lenient and allowed him to cut his hair on Friday, the last day of *shivah* (see *Rashi* and *Rashi ms.*).

[Although it is normally forbidden to cut one's hair during *shivah* – even in honor of an approaching festival (see next note) – in this case the Sages were lenient and, to this limited extent, accepted Abba Shaul's principle that part of the day is like the whole day, so that *shivah* is considered to have ended Friday morning, allowing him to cut his hair later in the day in honor of the festival (see *Rashi ms.* ד״ה ה״ג and below, 19b ד״ה כשחל שמיני; *Tosafos* ד״ה ותנא דידן).]

21. He may not, however, cut his hair on Friday – his sixth day of mourning – since it is axiomatic that one cannot cut one's hair during *shivah,* even in honor of an approaching festival (see the sources cited in the previous note).

22. I.e. the Tanna who authored our Mishnah and did not list the case of a mourner.

23. [Since he cannot be said to have been *prevented* by the Sabbath from shaving before the festival, the ordinary injunction against shaving on Chol HaMoed applies.]

Our explanation of the Sages' view follows *Rashi.* See, however, *Rashash,* who wonders why *Rashi* did not explain simply that since *sheloshim* was not canceled by the festival the restrictions of *sheloshim* remain in force, and so he may not cut his hair during Chol HaMoed on account of the *sheloshim* restrictions to which he is still subject. In answer, he suggests that *Rashi's* view is that even in a case such as this where *sheloshim* was not canceled by the festival, the restrictions of *sheloshim* are nonetheless suspended for the duration of the festival, and resume only after the festival (see below, 19b note 27).

However, *Rashash* confesses himself at a loss to understand why the very circumstance of his having been in mourning before the festival – Sabbath or not – should not be sufficient for us to consider him to have been prevented by circumstances beyond his control from cutting his hair before the festival, so that we should waive the prohibition against cutting one's hair on Chol HaMoed.

24. The *mishmaros* that served in the Temple would relieve each other every Sabbath [see above, 14a note 11] (*Rashi*).

25. I.e. the first day of the festival fell out on Sunday (*Rashi;* cf. *Rashi ms.; Ritva*).

שלא ישהו קרבנותיהן. אע"ג דמגלחת דנזיר לא מעכבא מכל מקום רגיל הוא לגלח דמצוה הוא לגלח ולשלוח שערו תחת הזבח: **כשחל** שמיני בשבת. כגון שמע שמועה בשבת דקבורתו לא היה בשבת ובירושלמי מוקי לה כשגררתו חיה ונתייאשו לבקש דמונין לו משעה שנתייאשו:

ותנא דידן סבר לה כרבנן. ואין להקשות מ"מ יגלח ע"ש כמו חל שבעה שלו בערב שבת ערב הרגל דשרו רבנן לגלח ואע"ג דלית להו מקצת היום ככולו באבילות דהתם נשלם האבילות קודם יו"ט אע"ג דמגלח קודם שנשלם דהא לית להו מקצת היום ככולו באבילות והכא מיהא אית להו משום כבוד יו"ט דאשכחן (יומא דף ו:) בזב וזבה דהויא מקצת היום ככולו אבל כשיש עדיין ימי אבילות לא אבל תימה (ג) דהיכי אסרינן מהאי דלא מתניתין האבל והכהן מותרים לגלח משום דלית ליה פנאי והא מיבעיא לעיל (דף יז.) באבדה לו אבידה ולא פשיט מדלא תני לה דאיכא למימר תנא ושייר כמו כן הכי תני ושייר ויש לומר כיון דאשכחנא פלוגתא דאבא שאול ורבנן באבל אית לן למימר דתנא דמתני' ובריית' בהכי פליגי וכיון דבאבל פליגי בכהן נמי פליגי:

זאת אומרת אבל אסור בתכבוסת. וא"ת פשיטא דהא אפי' שאר מלאכות אסור וי"ל משום דקתני לקמן (דף כג.) אלו דברים שאבל אסור בהן ולא קתני תכבוסת אי נמי תכבוסת (ה) חייב) קאמר:

ה"ג **ושמואל** אמר הלכה כר' יוסי בזו ובזו דאמר שמואל הלכה כדברי המיקל באבל. וא"ת בעירובין (דף מו. וסם) דאמר שמואל הלכה כדברי המיקל בעירוב ואמר נמי הלכה כרבי יוחנן בן נורי ומקשה התם תרתי למה לי (ג) כו' וי"ל איצטריך הכא לאפוקי מדעולא וא"ת וכיון דאית ליה לשמואל רבי יהודה ור' יוסי הלכה כרבי יוסי דאמרינן פרק מי שהוציאוהו (שם:) למה ליה למימר הכא הלכה כרבי יוסי וי"ל לאפוקי מדעולא ואעולא לא קשיא מידי מהתם דהיכא דאתמר אתמר כדאמר התם:

ואחתיה בי קברי וקרי ביה אלפא שפורי בארבעין יומין אזיל עביד הכי פקע כדא ומית אלמא מאי שפורי שנפרעין ממנו מאי תברא אמר רב יצחק בריה דרב יהודה תברי בתי רמי דתניא אמר רבן שמעון בן גמליאל כל מקום שנתנו חכמים עיניהם או מיתה או עוני: והנזיר והמצורע מטומאתו לטהרתו: בעא מיניה רבי ירמיה מרבי זירא בשלא היה להם פנאי או דלמא אף בשהיה להם פנאי אמר ליה תנינא כל אלו שאמרו מותרין לגלח במועד בשלא היה להם פנאי אבל היה להם פנאי אסורים נזיר ומצורע אע"פ שהיה להם פנאי מותרים שלא ישהו קרבנותיהן תנא הכהן והאבל מותרין בגילוח האי אבל היכי דמי אילימא שחל שמיני שלו בערב הרגל איבעי ליה לגלוחי בערב הרגל אלא שחל שמיני שלו להיות בשבת ערב הרגל איבעי ליה לגלוחי ערב שבת דאמר רב חסדא אמר רבינא בר שילא הלכה כאבא שאול ומודים חכמים לאבא שאול בשחל שמיני שלו להיות בשבת ערב הרגל שמותר לגלח בערב שבת לא צריכא שחל שביעי שלו להיות בשבת ערב הרגל תנא ברא סבר לה כאבא שאול דאמר מקצת היום ככולו ויום שביעי עולה לו לכאן ולכאן וכיון דשבת הוי אנוס הוא תנא דידן סבר לה כרבנן דאמרי לא אמרינן מקצת היום ככולו ואכתי לא שלים אבילות דשבעה האי כהן היכי דמי אילימא דשלים משמרתו ערב הרגל איבעי ליה לגלוחי ערב הרגל לא צריכא דשלים משמרתו ברגל תנא דידן סבר כיון דתנן בשלשה פרקים בשנה היו כל המשמרות שוות באימורי הרגלים ובחילוק לחם הפנים כמאן דלא שלים משמרתו ברגל דמי ותנא ברא סבר אע"ג דשייך בהנך משמרות משמרתיה מיהא שלימא ליה תנו רבנן כל אלו שאמרו מותרין לגלח במועד מותרין לגלח בימי אבלן והתניא אסורים אמר רב חסדא אמר רב שילא כי תניא הכא מותרין בשתכפוהו אבליו אי בשתכפוהו אבליו מאי איריא כל אלו שאמרו אפי' כולי עלמא נמי דתניא תכפוהו אבליו זה אחר זה הכביד שערו מיקל בתער ומכבס כסותו במים הא אתמר עלה אמר רב חסדא בתער ולא במספרים במים ולא בנתר ולא באהל אמר רב חסדא זאת אומרת אבל אסור בתכבוסת ת"ר כשם שאמרו אסור לגלח במועד כך אסור ליטול צפורנים במועד דברי ר' יהודה ורבי יוסי מתיר וכשם שאמרו אבל אסור לגלח בימי אבלו כך אסור ליטול צפורנים בימי אבלו דברי רבי יהודה ורבי יוסי מתיר אמר עולא הלכה כרבי יהודה באבל והלכה כרבי יוסי במועד שמואל אמר הלכה

ואחתיה בכדא. תקע בתוך הכד ולא ישמעו: בי קברי. דלא שכיחי תמן אינשי: וקרי ביה. כלומר תקע ביה אלפין שיפורי: מאי תברי. למה תוקעין תקיעה ושברים: תברי בתי רמי. כלומר שממית משבר בתים גבוהים: בשלא היה להן פנאי. דוקא נקט שעלו מטומאתם ברגל לפיכך מגלחין שלא היה להן פנאי לגלח דעדיין לא עלו מטומאתן: או דלמא אע"פ שהיה להם פנאי. ולא גילחו קודם המועד מותרים לגלח במועד: שלא ישהו קרבנותיהן. בתגלחתן עד לאחר הרגל דנזיר ומצורע אין מביאין קרבנותיהן עד לאחר גילוח דכתיב בהו קראי הלכך לא קנסינן להו דלא עבדי מקמי רגל דזימנין דלא עביד קמי רגל (א) ומיאסרי להו במועד נמצא שמשהין הקרבנות ואין קריבין ביום השמיני דזמנו לפיכך מגלחין במועד דמועד לקרב זמן הקרבה ולא לאחר: איבעי ליה לגלוחי ערב הרגל. דתנן מתניתין (לקמן דף יט.) הקובר מתו שמונה ימים קודם הרגל בטלו ממנו גזרת ל' יום ומותר בגילוח הואיל וכבר התחיל יום אחד מן השלשים חזו הואיל ולא גילח ערב הרגל לא יגלח ברגל: בשבת ערב הרגל. והוי אנוס דלא מצי לגלח בשמיני ערב הרגל להכי מגלח ברגל: איבעי ליה לגלוחי ערב שבת. שהוא שביעי: הלכה כאבא שאול. דאפילו לא קבר אלא שבעה ימים קודם הרגל בטלה ממנו גזרת שלשים: ומודים חכמים לאבא שאול. אע"ג דבעו שמונה: בשחל שמיני להיות בשבת ערב הרגל. דהוי אנוס: שמותר לגלח בערב שבת. שהוא שביעי: האי תנא דברייתא. דתני אבל מגלח במועד: סבר כאבא שאול. דיום שביעי עולה לכאן ולכאן לשבעה ולשלשים וכיון דכבר התחילו שלשים איבעי ליה לגלוחי קודם הרגל אלא דשבת הוי ואנוס הוא להכי מגלח במועד: ותנא דידן. דתני אלו מגלחין ברגל ולא אבל: סבר כרבנן דאמרי לא אמרינן מקצת היום ככולו. ואכתי לא שלים אבילות דשבעה קודם הרגל ולא הוי אנוס דאפי' לא הוי שבת לא מצי לגלח להכי לא מגלח במועד: דשלים משמרתו ערב הרגל. בשבת דלעולם לא שלמה משמרה אלא בשבת: איבעי ליה לגלוחי ערב הרגל. כלומר בערב שבת שהוא ערב הרגל דהא אמרינן (לעיל דף יז.) אנשי משמר אסורין בגלוח ובחמישי מותרין מפני כבוד השבת: דשלים משמרתו ברגל. כגון דהוי יום חמישי יום ראשון של רגל דלא מצי לגלח דהוי י"ט ושלים משמרתו בשבת שהוא יום שלישי לרגל: תנא דידן. דאמר אינו מגלח במועד: סבר כיון דתנן בשלשה פרקים. בשלשה רגלים כל המשמרות שוים אלמא כמאן דלא שלים משמרתו דמי ועדיין יש לו חלק באימורי רגלים ולא שלים משמרתו בכל הרגל להכי אינו מגלח במועד כדתנן אנשי משמר אסורין לגלח: ותנא ברא. דאמר מותרין לגלח: אע"ג דשייך בהנך משמרות. [שלים] עיקר משמרתו דידיה להכי מותר בגילוח: הא אתמר עלה. הא דתני תכפוהו אבליו מיקל בתער ולא במספרים וקאמר ברייתא לכל הני שמותרין לגלח במועד מותרין לגלח בימי אבלן בשתכפוהו אבליו ומגלח במספרים: זאת אומרת. מדתני תכפוהו אבליו מכבס כסותו מכלל דשאר אבל אסור בתכבוסת: הלכה

עין משפט נר מצוה

עז א מיי' פ"ו מהלכות יו"ט הלכה יט סמג לאוין עה טוש"ע א"ח סי' תקלא סעי' ד:

עח ב מיי' שם:

עט ג ד ה מיי' פ"ו מהלכות אבל הל' ה טוש"ע י"ד סימן שצט סעיף ג:

פ ו ז מיי' שם ופ"ז מהלכות יו"ט הלכה יח טוש"ע א"ח סימן תקלא סעיף ו וטוש"ע י"ד סימן שצט סעיף ג:

פא ח מיי' פ"ד מהלכות כלי המקדש הלכה ד:

פב ט מיי' פ"ד מהל' כלי המקדש הלכה ד ה:

פג י כ מיי' פ"ה מהל' אבל הל' יג טוש"ע י"ד סימן של סעיף ג:

פד ל מיי' שם טוש"ע י"ד סימן שפט סעיף ה:

פה מ מיי' שם טוש"ע י"ד סי' שפט סעיף ה:

פו נ מיי' שם טוש"ע י"ד סימן שפט סעיף ה:

פז ס מיי' פ"ז מהלכות יו"ט הלכה כ טוש"ע א"ח סי' תקלב סעיף א:

רבינו חננאל

עמך לילה כסהו כלילה אמר רב תלמיד חכם מנדה לעצמו ומיפר לעצמו רב זוטרא חסידא כי הוה מתחייב ת"ח נידוי הוה משמית נפשיה ברישא והדר משמית ליה...

מסורת הש"ס

הגהות הב"ח

גליון הש"ס

רש"י כת"י

לְגַלּוּחֵי עֶרֶב הָרֶגֶל – why, **he ought to have cut his hair on the eve of the festival!**[26] Why, then, should we allow him to cut his hair on Chol HaMoed?

The Gemara concludes:

לֹא צְרִיכָא דִּשְׁלִים מִשְׁמַרְתּוֹ בָּרֶגֶל – No; that is certainly not the case here. **Rather,** the Baraisa's permit **is necessary concerning a case where** the Sabbath on which **his** ***mishmar*** **ended** fell **in** the middle **of the festival.**[27]

The Gemara proceeds to explain the point of issue between the Baraisa and our Mishnah, which made no mention of such a case: תַּנָּא דִּידַן סָבַר – **Our Tanna maintains** that כֵּיוָן דִּתְנַן – **since it was taught in a Mishnah:**[28] בִּשְׁלֹשָׁה פְּרָקִים בַּשָּׁנָה הָיוּ כָּל הַמִּשְׁמָרוֹת שָׁווֹת – DURING THREE PERIODS OF THE YEAR – i.e. the three pilgrimage festivals of Pesach, Shavuos and Succos – ALL twenty-four *MISHMAROS* WERE EQUAL בְּאֵימוּרֵי הָרְגָלִים וּבְחִילּוּק לֶחֶם הַפָּנִים – IN the sharing of THE *EMURIM* OF THE FESTIVALS[29] AND IN THE DIVISION OF THE *PANIM* BREADS,[30] כְּמַאן דְּלֹא שְׁלִים מִשְׁמַרְתּוֹ בָּרֶגֶל דָּמֵי – **it is as if his** ***mishmar*** **did not end on the festival,** but continued until the close of the festival.[31] וְתַנָּא בָּרָא סָבַר – On the other hand, **the Tanna of the Baraisa maintains** אַף עַל גַּב דְּשַׁיֵּיךְ בְּהָנָךְ מִשְׁמָרוֹת – that **although he has an association,** along **with** all **those** other ***mishmaros,*** in the festival offerings, מִשְׁמַרְתֵּיהּ מִיהָא שְׁלִימָא לֵיהּ – **nonetheless** since the term of **his own** ***mishmar*** **ended** on the festival he is permitted at that point to cut his hair.

The Gemara cites a Baraisa:

תָּנוּ רַבָּנָן – **The Rabbis taught in a Baraisa:** כָּל אֵלּוּ שֶׁאָמְרוּ מוּתָּרִין לְגַלֵּחַ בַּמּוֹעֵד – ALL THOSE ABOUT WHOM [THE SAGES] SAID THAT THEY MAY CUT THEIR HAIR ON CHOL HAMOED מוּתָּרִין לְגַלֵּחַ בִּימֵי אֶבְלָן – MAY CUT THEIR HAIR WHILE IN MOURNING, as well.[32]

The Gemara questions this:

וְהָתַנְיָא אֲסוּרִים – **But it was taught in a Baraisa:** THEY[33] ARE FORBIDDEN to cut their hair while in mourning! – ? –

The Gemara answers:

אָמַר רַב חִסְדָּא אָמַר רַב שֵׁילָא – **Rav Chisda said in the name of Rav Shila:** כִּי תַנְיָא הָכָא מוּתָּרִין – **When the Baraisa taught here that they are permitted** to cut their hair during mourning, בְּשֶׁתְּכָפוּהוּ אֲבָלָיו – it referred to a case **where his mourning periods occurred in succession,** i.e. while he was still in mourning for one relative another died. Since, as a result, his mourning is of an unusually long duration, and since he did not have an opportunity to cut his hair before the first mourning period began, the Rabbis were lenient and allowed him to cut his hair during the second mourning period.

The Gemara questions this solution:

אִי בְּשֶׁתְּכָפוּהוּ אֲבָלָיו מַאי אִירְיָא כָּל אֵלּוּ שֶׁאָמְרוּ – **If** the Baraisa speaks of a case **where his mourning periods occurred in succession, then why did it single out** people **about whom [the Sages] said** they may cut their hair on Chol HaMoed, i.e. people who had no opportunity to cut their hair before their mourning began? אֲפִילּוּ כּוּלֵּי עָלְמָא נַמֵּי – After all, in such a case – where several mourning periods occurred in a row – **everybody** can **also** cut their hair while in mourning, even people who cut their hair before they began mourning! דְּתַנְיָא – **For it was taught in a Baraisa:** תְּכָפוּהוּ אֲבָלָיו זֶה אַחַר זֶה – IF HIS MOURNING periods OCCURRED IN SUCCESSION, ONE AFTER THE OTHER, הִכְבִּיד שְׂעָרוֹ מֵיקֵל בְּתַעַר – THEN IF HIS HAIR BECAME BURDENSOME HE MAY LIGHTEN IT WITH A RAZOR, וּמְכַבֵּס כְּסוּתוֹ בְּמַיִם – AND HE MAY WASH HIS TUNIC IN WATER.[34] – ? –

The Gemara answers:

הָא אִתְּמַר עֲלָהּ – There is no difficulty; **for it was said regarding that** last Baraisa: אָמַר רַב חִסְדָּא – **Rav Chisda said:** בְּתַעַר וְלֹא בְּמִסְפָּרַיִם – The Baraisa means that he may cut the hair of his head **with a razor** only, **but not with scissors,** as he would normally do; בְּמַיִם וְלֹא בְּנֶתֶר וְלֹא בְּאָהָל – likewise, he may wash his tunic **in water, but not in** ***neser*** **or** ***ahal,*** in the usual manner.[35] The first Baraisa teaches that Rav Chisda's distinction applies to a case where several mourning periods occurred in succession; but where, in addition, he did not have an opportunity to cut his hair or to wash his clothing before the first mourning period began (having been, for example, in jail), he may, after the first mourning period has passed, even cut his hair with scissors and wash his clothing with detergent.[36]

NOTES

26. That is, he ought to have cut his hair on Friday [in honor of the approaching Sabbath and the approaching festival]; for we learned earlier (14a) that even during the week that his *mishmar* is on duty a Kohen may cut his hair on [Thursday or] Friday in honor of the Sabbath (ibid.).

27. For example, the festival began on Thursday, so that the Sabbath on which his *mishmar* ended fell on the third day of the festival (ibid.). Since the eve of the festival fell on the Wednesday of his *mishmar* service, when he was certainly not permitted to cut his hair, he may cut it on Chol HaMoed (Sunday). See *Rashash;* see also *Keren Orah.*

28. *Succah* 55b.

29. During the three festivals, all twenty-four *mishmaros* were equally permitted [to participate in the sacrificial service and] to receive a portion from the Kohanim's share of the prescribed festival offerings. These included the breast and thigh of the שַׁלְמֵי חֲגִיגָה, *festival peace offerings,* and the hides of the עוֹלוֹת רְאִיָּה, *personal festival olah offerings* [and the festival *mussaf* offerings] (*Rashi* to *Succah* ibid.).

Usually the term אֵימוּרִים, *emurim,* refers to those portions of the animal that are burned on the Altar. The Gemara (*Succah* ibid.) explains how this term is appropriately applied by this Mishnah to the Kohanic gifts from the sacrifices (ibid.).

30. Every Shabbos, twelve fresh *panim* breads (known as *lechem hapanim*) were arranged on the table in the Sanctuary (see *Leviticus* 24:8), and the previous week's breads were removed and divided between the incoming and the outgoing *mishmaros.* The Mishnah informs us that on a festival Shabbos the *lechem hapanim* were divided equally among all twenty-four *mishmaros.*

31. Since the Kohen continues [to serve and] to receive a portion from the sacrifices of the festival, it is as if his *mishmar* continued to be on duty right through the festival; consequently, the prohibition of shaving during one's *mishmar* remains in force until after the festival (*Rashi;* see *Rashi ms.*).

32. [Thus, for example, someone who was let out of jail during *shivah* or *sheloshim* may cut his hair immediately.]

33. [Viz. those people who are permitted to cut their hair on Chol HaMoed.]

34. The Gemara at this point attaches no special significance to the Baraisa's mention of a razor and of water; it assumes that they are mentioned only because one typically cuts one's hair with a razor and washes one's clothing with water (*Ritva*).

35. *Neser* and *ahal* are types of detergent. *Rashi* (to *Shabbos* 89b and *Sanhedrin* 49b) identifies *neser* as an earth extract called niter.

By cutting his hair with a razor, rather than with scissors, and by washing his clothing without detergent, he deviates from the normal manner of carrying out these activities, in deference to his mourning conditioning (*Ritva;* see also *Nemukei Yosef*).

Ritva adds that he should use only cold water to wash his clothing, but not hot water; cf. *Chidushei HaRan.*

36. Since these methods are more effective (see *Nimukei Yosef*).

The following conclusions emerge from this Gemara:

(a) Someone who had no opportunity to cut his hair and wash his clothing before he began to be in mourning is nonetheless forbidden to cut his hair or to wash his clothing while in mourning. (b) If such a person – who had no opportunity to cut his hair before he began to be in mourning – then experienced several mourning periods in succession, he may cut his hair with scissors and may wash his clothing with detergent once the first mourning period has passed. (c) If, however, he

עז א מיי' פ"ז מהלכות יו"ט הלכה יט סמג לאוין עה טוש"ע א"ח סי' תקלא סעי' ד:
עח ב מיי' שם:
עט ג ד ה מיי' פ"י מהלכות אבל הל' ז טוש"ע י"ד סימן שצט סעיף ג:
פ ו ז מיי' שם ופ"ז מהלכות יו"ט הלכה יח טוש"ע א"ח סימן תקלא סעיף ז וטוש"ע י"ד סימן שצט סעיף ג:
פא ח מיי' פ"ז מהלכות יו"ט הלכה יט ופ"א מהלכות ביאת מקדש הלכה יג:
פב ט מיי' פ"ד מהל' כלי המקדש הלכה ד ה:
פג י כ מיי' פ"ו מהל' אבל הל' יג טוש"ע י"ד סימן של סעיף ג:
פד ל מיי' שם טוש"ע י"ד סימן שפט סעיף א:
פה מ מיי' שם טוש"ע י"ד סי' של סעי' ג:
פו נ מיי' שם טוש"ע י"ד סימן שפט סעיף א:
פז ס מיי' פ"ז מהלכות יו"ט הלכה כ טוש"ע א"ח סי' תקלב סעיף א:

רבינו חננאל

עמך לילה כסהו כלילה אמר רב תלמיד חכם מנדה לעצמו ומיפר

גמרא

ואחתיה בי קברי וקרי ביה אלפא שפורי בארבעין יומין אזיל עביד הכי פקע כדא ומית אלמא מאי שפורי שנפרעין ממנו מאי תברא אמר רב יצחק בריה דרב יהודה תברי בתי רמי דתניא [א] אמר רבן שמעון בן גמליאל כל מקום שנתנו חכמים עיניהם או מיתה או עוני: והנזיר והמצורע מטומאתו לטהרתו: בעא מיניה רבי ירמיה מרבי זירא בשלא היה להם פנאי או דלמא אף בשהיה להם פנאי אמר ליה תנינא [א] כל אלו שאמרו מותרין לגלח במועד בשלא היה להם פנאי אבל היה להם פנאי אסורים [ב] נזיר ומצורע אע"פ שהיה להם פנאי מותרים שלא ישהו קרבנותיהן תנא הכהן והאבל מותרין בגילוח האי אבל היכי דמי אילימא שחל שמיני שלו בערב הרגל [ג] איבעי ליה לגלוחי בערב הרגל אלא שחל שמיני שלו להיות בשבת ערב הרגל [ד] איבעי ליה לגלוחי ערב שבת דאמר רב חסדא אמר רבינא בר שילא [ג] [ה] הלכה כאבא שאול ומודים חכמים לאבא שאול בשחל שמיני שלו להיות בשבת ערב הרגל שמותר לגלח בערב שבת לא צריכא [ו] שחל שביעי שלו להיות בשבת ערב הרגל תנא ברא סבר לה כאבא שאול דאמר [ג] [ז] מקצת היום ככולו ויום שביעי עולה לו לכאן ולכאן וכיון דשבת הוי אנוס הוא תנא דידן סבר לה כרבנן דאמרי לא אמרינן מקצת היום ככולו ואכתי לא שלים אבילות דשבעה האי כהן היכי דמי אילימא דשלים משמרתו ערב הרגל איבעי ליה לגלוחי ערב הרגל לא צריכא [ח] דשלים משמרתו ברגל תנא דידן סבר כיון [ד] דתנן [ט] בשלשה פרקים בשנה היו כל המשמרות שוות באימורי הרגלים ובחילוק לחם הפנים כמאן דלא שלים משמרתו ברגל דמי ותנא ברא סבר אע"ג דשייך בהנך משמרות משמרתיה מיהא שלימא ליה תנו רבנן [ה] כל אלו שאמרו מותרין לגלח במועד מותרין לגלח בימי אבלן והתניא אסורים אמר רב חסדא אמר רב שילא [י] כי תניא הכא מותרין בשתכפוהו אבליו אי בשתכפוהו אבליו מאי איריא כל אלו שאמרו אפי' כולי עלמא נמי דתניא [ו] [כ] תכפוהו אבליו זה אחר זה הכביד שערו מיקל בתער [ל] ומכבס כסותו במים הא אתמר עלה אמר רב חסדא [מ] בתער ולא במספרים [נ] במים ולא בנתר ולא באהל אמר רב חסדא זאת אומרת [ז] אבל אסור בתכבוסת ת"ר [ח] כשם שאמרו אסור לגלח במועד כך אסור ליטול צפורנים במועד דברי ר' יהודה [ס] ורבי יוסי מתיר וכשם שאמרו אבל אסור לגלח בימי אבלו כך אסור ליטול צפורנים בימי אבלו דברי רבי יהודה ורבי יוסי מתיר אמר עולא הלכה כרבי יהודה באבל והלכה כרבי יוסי במועד שמואל אמר הלכה

רש"י

ואחתיה בכדא. תקע בתוך הכד ולא ישמעו: בי קברי. דלא שכיחי תמן אינשי: וקרי ביה. כלומר תקע ביה אלפין שיפורי: מאי תברי. למה תוקעין תקיעה ושברים: תברי בתי רמי. כלומר שמתא משבר בתים גבוהים: בשלא היה להן פנאי. דדוקא נקט שעלו מטומאתם ברגל לפיכך מגלחין שלא היה להן פנאי לגלח דעדיין לא עלו מטומאתן: או דלמא אע"פ שהיה להם פנאי. ולא גילחו קודם המועד מותרים לגלח במועד: שלא ישהו קרבנותיהן. בתגלחתן עד לאחר הרגל דנזיר ומצורע אין מביאין קרבנותיהן עד לאחר גילוח כדכתיב בהו קראי הלכך לא קנסינן להו בדלא עבדי מקמי רגל דזימנין דלא עביד קמי רגל (א) ומיאסרי להו במועד נמצא שמשהין הקרבנות ואינן קריבין ביום השמיני בזמנן לפיכך אמרו מגלח במועד דמוטב לקרב זמן הקרבה ולא לאחר: איבעי ליה לגלוחי ערב הרגל. דתנן מתניתין (לקמן דף יט.) הקובר מתו שמונה ימים קודם הרגל בטלו ממנו גזרת ל' יום ומותר בגילוח הואיל וכבר התחיל יום אחד מן השלשים וזה הואיל ולא גילח ערב הרגל לא יגלח ברגל: בשבת ערב הרגל. והוי אנוס דלא מצי לגלח בשמיני ערב הרגל להכי מגלח ברגל: איבעי ליה לגלוחי ערב שבת. שהוא שביעי: הלכה כאבא שאול. דאפילו לא קבר אלא שבעה ימים קודם הרגל בטלה ממנו גזרת שלשים: ומודים חכמים לאבא שאול. אע"ג דבעו שמונה: בשחל שמיני להיות בשבת ערב הרגל. דהוי אנוס: שמותר לגלח בערב שבת. שהוא שביעי: האי תנא דברייתא. דתני אבל מגלח במועד: סבר כאבא שאול. דיום שביעי עולה לכאן ולכאן לשבעה ולשלשים וכיון דכבר התחילו שלשים איבעי ליה לגלוחי קודם הרגל אלא דשבת הוי ואנוס הוא להכי מגלח במועד: ותנא דידן. דתני אלו מגלחין ברגל ולא אבל: סבר כרבנן דאמרי לא אמרינן מקצת היום ככולו. אלא שבעה שלימין בעינן ואכתי לא שליס אבילות דשבעה קודם הרגל ולא הוי אנוס דאפי' לא הוי שבת לא מצי לגלח להכי אינו מגלח במועד: דשלים משמרתו ערב הרגל. בשבת דלעולם לא שלמה משמרה אלא בשבת: איבעי ליה לגלוחי ערב הרגל. כלומר בערב שבת שהוא ערב הרגל דהא אמרינן (לעיל דף יד.) אנשי משמר אסורין בגילוח ובחמישי מותרין מפני כבוד השבת: דשלים משמרה ברגל. כגון דהוי יום חמישי יום ראשון של רגל דלא מצי לגלח דהוי י"ט ושליס משמרתו בשבת שהוא יום שלישי לרגל: תנא דידן. דאמר אינו מגלח במועד: סבר כיון דתנן בשלשה פרקים. בשלשה רגלים כל המשמרות שוים אלמא כמאן דלא שליס משמרתו דמי ועדיין יש לו חלק באימורי רגלים ולא שליס משמרתו בכל הרגל להכי אינו מגלח ברגל כדתנן אנשי משמר אסורין לגלח: ותנא ברא. דאמר מותרין לגלח: אע"ג דשייך בהנך משמרות. [שליס] עיקר משמרתו דידיה להכי מותר בגילוח: הא אתמר עלה. הא דתני תכפוהו אבליו מיקל בתער ולא במספרים וקאתי ברייתא לכל הני שמותרין לגלח במועד מותרין לגלח בימי אבלו כשתכפוהו אבליו ומגלח במספרים: זאת אומרת. מדתני תכפוהו אבליו מכבס כסותו מכלל דשאר אבל אסור בתכבוסת:

תוספות

שלא ישהו קרבנותיהן. אע"ג דתגלחת דנזיר לא מעכבא [י] מכל מקום רגיל הוא לגלח דמצוה הוא לגלח ולשלוח שערו תחת הדוד: כשחל שמיני בשבת. כגון שמע שמועה בשבת דקבורתו לא היה בשבת וירושלמי מוקי לה כשגררתו חיה ונתייאשו לבקש דמונין לו משעה שנתייאשו:

ותנא דידן סבר לה כרבנן. ואין להקשות מ"מ יגלח ע"ש כמו חל שבעה שלו בערב שבת ערב הרגל דשרו רבנן לגלח ואע"ג דלית להו מקצת היום ככולו באבילות דהתם נשלם האבילות קודם יו"ט אע"ג דמגלח קודם שנשלם דהא לית להו מקצת היום ככולו באבילות והכא מיהא אית להו משום כבוד יו"ט דאשכחן (יומא דף ו:) בזב וזבה דהויא מקצת היום ככולו אבל כשיש עדיין ימי אבילות לא אבל תימה (ב) דהיכי אסרינן מהאי דלא תני מתניתין האבל והכהן מותרים לגלח משום דלית ליה פנאי והא מיבעיא לעיל (דף יד.) באבדה לו אבידה ולא פשיט מדלא תני לה [ס] דאיכא למימר תנא ושייר כמו כן הני תני ושייר ויש לומר כיון דאשכחנא פלוגתא דאבא שאול ורבנן באבל אית לן למימר דתנא דמתני' וברייתא בהכי פליגי וכיון דבאבל פליגי בכהן נמי פליגי:

זאת אומרת אבל אסור בתכבוסת. וא"ת פשיטא דהא אפי' שאר מלאכות אסור וי"ל משום דקתני לקמן (דף כא.) אלו דברים שאבל אסור בהן ולא קתני תכבוסת אי נמי תכבוסת ([ס] חייב) קאמר:

ה"ג ושמואל אמר הלכה כר' יוסי בזו ובזו דאמר שמואל הלכה כדברי המיקל באבל. וא"ת בעירובין (דף מו. ושם) דאמר [ל] שמואל הלכה כדברי המיקל בעירוב ואמר נמי הלכה כרבי יוחנן בן נורי ומקשה התם תרתי למה לי (ג) כו' וי"ל איצטריך הכא לאפוקי מדעולא וא"ת וכיון דאית ליה לשמואל רבי יהודה ור' יוסי הלכה כרבי יוסי כדאמרינן פרק מי שהוציאוהו (שם:) למה ליה למימר הכא הלכה כרבי יוסי וי"ל לאפוקי מדעולא ואעולא לא קשיא מידי מהתם דהיכא דאתמר אתמר כדאמר התם:

מסורת הש"ס

א) חגיגה ה: נדרים ז: ע"ש סוטה מו:, ב) לקמן יט:, ג) [לעיל טז: פסחים ד. וש"נ], ד) סוכה נה:, ה) [לעיל יד. תוספתא פ"ב], ו) תענית יג., ז) לעיל טו., ח) [תוספתא פ"ב], ט) רש"א, י) [נזיר מו.], כ) גי' רש"א מים, ל) [ע"ש דאי' ריב"ל].

הגהות הב"ח

(א) רש"י ד"ה שלא ישהו כו' דלא עביד קמי רגל ואי אסרינן להו במועד: (ב) תוס' ד"ה ותנא כו' אבל תימה דהיכי פשיטא ליה לתנא דידן לא שרינן ממאי דלא תני במתני' כו' באבדה לו אבדה ולא פשיטא ליה דאינו מגלח מדלא תני לה: (ג) ד"ה ושמואל כו' ומקשה התם תרתי למה לי ה"נ קשיא תרתי למה לי וי"ל דאיצטריך הכא:

גליון הש"ס

תוס' ד"ה ותנא דידן וכו' דאיכא למימר תנא ושייר. עיין שבת דף עה ע"ב תוספות ד"ה חסר אחת ובכתובות רפ"ג תוספות ד"ה ועל הכותית:

רש"י כת"י

וקרי ביה אלפא שיפורי. תקע כפיך בתוך הכד אלף פעמים ולא ישמע הקול. מאי טעמ' משמתין בשיפורי.

The Gemara draws an inference from the Baraisa:

אָמַר רַב חִסְדָּא – **Rav Chisda said:** זֹאת אוֹמֶרֶת אָבֵל אָסוּר בְּתַכְבּוֹסֶת – **This** Baraisa, which allows washing one's tunic in water if several mourning periods occurred in succession, **indicates that** ordinarily **a mourner is forbidden to wash** his clothing.[37]

Having discussed the prohibition against cutting hair on Chol HaMoed, the Gemara now discusses whether one may cut his nails then:

תָּנוּ רַבָּנָן – **The Rabbis taught in a Baraisa:** כְּשֵׁם שֶׁאָמְרוּ אָסוּר לְגַלֵּחַ בַּמּוֹעֵד – JUST AS [THE SAGES] SAID that IT IS FORBIDDEN TO CUT one's HAIR ON CHOL HAMOED, כָּךְ אָסוּר לִיטוֹל צִפּוֹרְנַיִם בַּמּוֹעֵד – SO did they say that IT IS FORBIDDEN TO CUT one's NAILS ON CHOL HAMOED; דִּבְרֵי רַבִּי יְהוּדָה – this is THE OPINION OF R' YEHUDAH.[38] וְרַבִּי יוֹסֵי מַתִּיר – BUT R' YOSE PERMITS cutting nails on Chol HaMoed.[39]

This dispute applies in the case of a mourner as well:

וּכְשֵׁם שֶׁאָמְרוּ אָבֵל אָסוּר לְגַלֵּחַ בִּימֵי אֶבְלוֹ – AND JUST AS [THE SAGES] SAID that IT IS FORBIDDEN FOR A MOURNER TO CUT his HAIR DURING HIS PERIOD OF MOURNING,[40] כָּךְ אָסוּר לִיטוֹל צִפּוֹרְנַיִם בִּימֵי אֶבְלוֹ – SO did they say that IT IS FORBIDDEN for him TO CUT his NAILS DURING HIS PERIOD OF MOURNING; דִּבְרֵי רַבִּי יְהוּדָה – this is THE OPINION OF R' YEHUDAH.[41] וְרַבִּי יוֹסֵי מַתִּיר – BUT R' YOSE PERMITS a mourner to cut his nails.[42]

The Gemara cites a halachic decision regarding both disputes:

אָמַר עוּלָּא הֲלָכָה כְּרַבִּי יְהוּדָה בְּאֵבֶל – **Ulla said** that **the halachah follows** the opinion of **R' Yehudah concerning laws of mourning** (i.e. cutting nails is prohibited to a mourner), וַהֲלָכָה כְּרַבִּי יוֹסֵי בְּמוֹעֵד – **but the halachah follows R' Yose in the case of Chol HaMoed** (i.e. cutting nails is permitted on Chol HaMoed).[43]

A dissenting halachic decision:

שְׁמוּאֵל אָמַר – But **Shmuel says** that

NOTES

was able to cut his hair and wash his clothing before he began to be in mourning, and he then experienced several mourning periods in succession, he may cut his hair with a razor, but not with scissors, and he may wash his clothing with water, but not with detergent (*Shulchan Aruch, Yoreh Deah* 389:1 and 390:3).

37. The Gemara (15a) has already deduced a Scriptural source for this prohibition; the novel element in Rav Chisda's ruling is that he may not even wash his clothing *in cold water,* unless he experienced several mourning periods in succession (*Ritva; Chidushei HaRan;* see also *Tosafos; Tos. HaRosh*).

Most Rishonim maintain that this prohibition applies only during *shivah,* but not during *sheloshim* (*Rambam, Hil. Aveil* 5:1; *Ramban, Toras HaAdam* p. 188 in the Chavel ed.; *Tur,* and *Shulchan Aruch, Yoreh Deah* 389:1). According to *Ritva* (cited by *Tosafos* 23a ד״ה כל), however, the prohibition extends to *sheloshim* as well.

According to *Rashi* (cited by *Tosafos* 24b ד״ה ברכת) it is permitted to wear freshly washed clothing during *shivah,* so long as the actual laundering took place before *shivah* began. *Ramban* (ibid. p. 190, cited by *Tur* loc. cit.), however, disagrees; in his view, the essence of this prohibition is wearing freshly washed clothing, while the act of laundering itself falls under the heading of a different prohibition: doing work, which is also forbidden during *shivah* (see above, 15b).

38. The Sages prohibited haircutting on Chol HaMoed because otherwise people might delay cutting their hair until then and appear unkempt when the festival begins (Gemara above, 14a). R' Yehudah maintains that cutting nails, which is also required to avoid an unkempt appearance, was prohibited on Chol HaMoed for the same reason (*Ritva*).

39. R' Yose reasons that long nails are so unsightly that people surely trim them before Yom Tov. No enactment is required to encourage them to do so.

An alternative explanation: Since nails grow back very quickly, even if one did cut them before Yom Tov, one would have to cut them again on Chol HaMoed (*Ritva*).

40. See end of 14b for the Scriptural source.

41. Like the prohibition against haircutting, the prohibition against cutting nails also applies through the thirty-day mourning period (*Ritva* et al.).

R' Yehudah derives that a mourner may not cut his nails from the law of the captive woman (*Deuteronomy* 21:10-14). The Torah states: וְעָשְׂתָה אֶת־צִפָּרְנֶיהָ (*Deuteronomy* 21:12), which R' Yehudah renders as meaning that she must let her nails grow. This is presumably an expression of mourning for her father and mother, for it is stated in the next verse: *She shall weep for her father and her mother* (*Ritva, Ran*).

42. Even during the seven-day mourning period (*Ran;* see 18a note 8).

R' Yose possibly understands the Torah's commandment regarding a captive woman as requiring her to *cut* her nails. Alternatively, R' Yose agrees with R' Yehudah's interpretation that she must let her nails grow; however, in R' Yose's opinion, this is not intended as an expression of mourning, but as a means of making herself unattractive to her captor (*Ritva, Ran*).

43. From Ulla's ruling it is evident that in this context the laws of Chol HaMoed are more lenient than those of mourning (*Ritva*). [The prohibitions against cutting hair and nails on Chol HaMoed are only Rabbinic, whereas the parallel laws with respect to mourning have a Scriptural basis.]

הֲלָכָה כְּרַבִּי יוֹסֵי בְּמוֹעֵד וּבְאָבֵל – **the halachah follows R' Yose with regard to both Chol HaMoed and a mourner** (i.e. nail cutting is permitted in both cases). דְּאָמַר שְׁמוּאֵל – **For Shmuel said:** הֲלָכָה כְּדִבְרֵי הַמֵּיקֵל בְּאָבֵל – **The halachah follows the one who rules leniently** in disputes **pertaining to** the laws of **mourning.**[1]

A related incident:

פִּנְחָס אֲחוּהַ דְּמַר שְׁמוּאֵל אִיתְרַע בֵּיהּ מִילְתָא – **An** unfortunate **thing occurred to Pinchas the brother of Mar Shmuel,** i.e. a close relative of his died.[2] עַל שְׁמוּאֵל לְמִישְׁאַל טַעְמָא מִינֵּיהּ – **Shmuel went in to console him**[3] חַזְנְהוּ לְטוּפְרֵי[4] דַּהֲוּוּ נְפִישָׁן – **and saw that his nails were long.** אָמַר לֵיהּ אַמַּאי לֹא שָׁקְלַתְּ לְהוּ – **[Shmuel] asked him: "Why have you not cut them?"** אָמַר לֵיהּ – **[Pinchas] replied to [Shmuel]:** אִי בְּדִידֵיהּ הֲוָה מִי מְזַלְזְלַתְּ בֵּיהּ כּוּלֵּי הַאי – **"Had this happened to you,**[5] **would you have treated it so lightly?"**[6] הֲוַאי ,,כִּשְׁגָגָה שֶׁיּוֹצָא מִלִּפְנֵי הַשַּׁלִּיט'' – **[Pinchas's remark] was** ***like an error proceeding from a ruler,***[7] וְאִיתְרַע בֵּיהּ מִילְתָא בִּשְׁמוּאֵל – **and an** unfortunate **thing occurred to Shmuel,** i.e. he too lost a close relative. עַל פִּנְחָס אֲחוּהַ לְמִישְׁאַל טַעְמָא מִינֵּיהּ – **Pinchas his brother went in to console him.** שַׁקְלִינְהוּ לְטוּפְרֵיהּ חַבְטִינְהוּ לְאַפֵּיהּ – **[Shmuel] took his nails and hurled them** angrily **at him.**[8] אָמַר לֵיהּ – **He said to [Pinchas]:** לֵית לָךְ בְּרִית כְּרוּתָה לַשְּׂפָתַיִם – **"Do you not hold that a covenant has been made with the lips?"**[9]

The Scriptural source for the last point:

דְּאָמַר רַבִּי יוֹחָנָן – **As R' Yochanan said:** מִנַּיִן שֶׁבְּרִית כְּרוּתָה לַשְּׂפָתַיִם – **From where** do we know **that a covenant has been made with the lips?** שֶׁנֶּאֱמַר – **For it is stated:** ,,וַיֹּאמֶר אַבְרָהָם אֶל־נְעָרָיו שְׁבוּ־לָכֶם פֹּה עִם־הַחֲמוֹר וַאֲנִי וְהַנַּעַר נֵלְכָה עַד־כֹּה וְנִשְׁתַּחֲוֶה וְנָשׁוּבָה אֲלֵיכֶם'' – ***Abraham said to his young men: "Stay here by yourselves with the donkey, while I and the lad*** [Isaac] ***go yonder; we will worship and we will return to you."***[10] וְאִיסְתַּיְיעָא מִלְּתָא דַּהֲדוּר תַּרְוַיְיהוּ – **And the matter** of Abraham's prediction, "*we* will return to you," **was effective** in **that both of them** indeed **returned.**[11]

The Gemara discusses Shmuel's ruling that a mourner[12] is permitted to cut his nails:

סָבוּר מִינֵּיהּ דְּיָד אֵין דְּרֶגֶל לֹא – **They** initially **understood [Shmuel]** to mean that the nails **of the hand – yes!** they may be cut; but the nails **of the foot – no!** they may not be cut.[13] אָמַר רַב עָנָן בַּר תַּחְלִיפָא – However, **Rav Anan the son of Tachalifa said:** לְדִידִי מִפָּרְשָׁא לִי מִינֵּיהּ דִּשְׁמוּאֵל – **It was explicitly stated to me by Shmuel** לֹא שְׁנָא דְּיָד וְלֹא שְׁנָא דְּרֶגֶל – that **there is no distinction between** the nails **of the hand and** those **of the foot.**[14]

A qualification of the permit to cut one's nails:

אָמַר רַב חִיָּיא בַּר אַשִׁי אָמַר רַב – **Rav Chiya bar Ashi said in the name of Rav:** וּבִגְנוֹסְטְרָא אָסוּר – **But it is forbidden** to cut nails **with scissors.**[15]

The Gemara records the behavior of an Amora with respect to cutting nails on Chol HaMoed:

אָמַר רַב שֶׁמֶן בַּר אַבָּא – **Rav Shemen bar Abba said:** הֲוָה קָאֵימְנָא קַמֵּיהּ דְּרַבִּי יוֹחָנָן בֵּי מִדְרְשָׁא בְּחוּלּוֹ שֶׁל מוֹעֵד – **I was** once **standing before R' Yochanan in the study hall on Chol HaMoed,** וְשַׁקְלִינְהוּ לְטוּפְרֵיהּ בְּשִׁינֵּיהּ וְזַרְקִינְהוּ – **and he removed his nails**

NOTES

1. The Gemara's wording implies that Shmuel did not actually say that a mourner may cut his nails. Rather, it attributed this opinion to Shmuel on the basis of his rule that in disputes about the laws of mourning the halachah follows the lenient view (see below). And once the Gemara has established that Shmuel follows the opinion of R' Yose regarding a mourner, it may assume that he follows R' Yose's view regarding Chol HaMoed as well, for the laws of Chol HaMoed in this context are more lenient than those of mourning, as is evident from Ulla's statement above [end of 17b] (*Ritva;* cf. *Tosafos* to 17b ד״ה ה״ג ושמואל).

[Shmuel's rule, that the halachah always follows the more lenient opinion in issues of mourning, applies only to Tannaic, and not Amoraic, disputes (*Tosafos* below, 24a ד״ה הכי, and to *Kesubos* 4a ד״ה אבל דברים, *Rosh* to *Kesubos* ibid. §7, *Mordechai* here §906, all citing *Halachos Gedolos; Ramban* to 19a). Others, though, extend this rule even to Amoraic rulings (*Mordechai* §882). In any event, it does not apply to post-Talmudic disputes (see *Chazon Ish, Eruvin, Likkutim* 4:10; see also *Sdei Chemed, Klalim,* מערכה ה׳ §118, at length).]

2. His child died (*Rashi ms.*).

3. *Rashi.* [Literally: to ask him a reason.]

4. The text of *Ein Yaakov* reads לְטוּפְרֵיהּ with a ה.

5. Literally: to him.

6. If you had been bereaved, would you have treated the mourning so lightly as to cut your nails? (*Rashi*).

7. *Ecclesiastes* 10:5. I.e. like a king who mistakenly decreed that someone be imprisoned or executed (*Rashi ms.*).

8. This incident presumably took place during the initial seven-day mourning period [for that is when people visit the mourner to console him]. It thus indicates that when Shmuel permitted a mourner to cut his nails [as recorded at the top of this *amud*], he meant even during the first seven days (*Ritva*).

It is "wicked" to casually toss away one's nail trimmings because they are hazardous (see Gemara below). Therefore, we must say that after Shmuel threw his nails he collected them before they could do any harm (*Rashi;* see *Ran*).

Even according to those who permit a mourner to cut his nails, there is a question whether he may do so in the regular manner, e.g. with scissors (see note 15). If Shmuel prohibits the regular manner, he must have trimmed his nails by some other method, such as biting them with his teeth, or using one nail to cut another (see *Ritva*).

9. A man's words may inadvertently contain some prophecy of the future (see *Maharsha*). [One should therefore avoid the mention of anything undesirable that could happen in the future, lest his words carry a prophetic message, which once expressed is less likely to be reversed.]

10. *Genesis* 22:5.

11. Abraham thought that he was going to offer Isaac as a sacrifice. He told his attendants, however, that Isaac would return (see *Ibn Ezra* for the reason). Although this statement was not made with the intention that it be taken as truth, it nevertheless came to pass.

12. It is evident from *Rashi* ד״ה סבור that the following discussion pertains to a mourner. However, *Rashi ms.* mentions Chol HaMoed as well. See note 15.

13. Fingernails must be cut to avoid looking repulsive (*Rashi*), whereas cutting toenails [on a frequent basis] is merely an indulgence (*Nimukei Yosef*).

14. Rather, a mourner may cut both his fingernails and his toenails. [It is certainly permissible to cut toenails on Chol HaMoed, which is treated more leniently than mourning in this regard.]

15. *Rashi* translates גְּנוֹסְטְרִי as *scissors. Aruch,* though, asserts that גְּנוֹסְטְרִי is an instrument used specifically to clip nails (see *Tosafos*).

Rav teaches that one may not cut even fingernails in a usual manner [e.g. with scissors or some other instrument]. Rather, one must employ an unusual method, such as biting them with one's teeth, or using one nail to cut another (see *Rashi ms.* and *Ritva*).

Several authorities maintain that this qualification applies only in the case of a mourner. Since nails can be trimmed adequately without scissors, the extra enhancement yielded by scissors is considered an adornment, which is forbidden to a mourner. On Chol HaMoed, though, when adornment is desirable, there is no reason to prohibit the use of scissors (*Rif* with *Milchamos Hashem; Rosh; Rambam, Hil. Yom Tov* 7:20 and *Hil. Aveil* 5:2; *Tur* and *Shulchan Aruch, Orach Chaim* 532:1 and *Yoreh Deah* 390:7).

Others, however, prohibit the use of scissors even on Chol HaMoed (see *Rashi ms., Tosafos, Baal HaMaor* and *Ritva*). *Rama* reports that the current practice follows the stringent opinion (*Orach Chaim* ibid.).

[א] הלכה כרבי יוסי במועד ובאבל [א] דאמר שמואל הלכה כדברי המיקל באבל פנחס אחוה דמר שמואל איתרע (א) ביה מילתא על שמואל למישאל טעמא מיניה חזנהו לטופרי דהוו נפישן אמר ליה אמאי לא שקלת להו אמר ליה אי בדידיה הוה מי מזלזלת ביה כולי האי [ב] הואי [א] כשגגה שיוצא מלפני השליט ואיתרע ביה מילתא בשמואל על פנחס אחוה למישאל טעמא מיניה שקלינהו לטופריה חבטינהו לאפיה אמר ליה לית לך [ג] ברית כרותה לשפתים דאמר ר' יוחנן מנין שברית כרותה לשפתים שנאמר [ב] ויאמר אברהם אל נעריו שבו לכם פה עם החמור ואני והנער נלכה עד כה ונשתחוה ונשובה אליכם ואיסתייעא מלתא דהדור תרוייהו סבור מיניה דיד אין דרגל לא אמר רב ענן בר תחליפא לדידי מפרשא לי מיניה דשמואל לא שנא דיד ולא שנא דרגל אמר רב חייא בר אשי אמר רב [ב] ובגנוסטרא אסור אמר רב שמן בר אבא הוה קאימנא קמיה דר' יוחנן בי מדרשא בחולו של מועד ושקלינהו לטופריה בשיניה וזרקינהו שמע מינה תלת שמע מינה מותר ליטול צפרנים בחולו של מועד ושמע מינה אין בהן משום מיאוס ושמע מינה מותר לזורקן איני והתניא [ד] שלשה דברים נאמרו בצפרנים [ה] הקוברן צדיק שורפן [ו] חסיד זורקן רשע טעמא מאי שמא תעבור עליהן [°] אשה עוברה ותפיל אשה בי מדרשא לא שכיחא וכי תימא זימנין דמיכנשי להו ושדי להו אבראי כיון דאשתני אשתני אמר רב יהודה אמר רב זוג בא מחמתן לפני רבי ומר זוטרא מתני זוג בא מחמתן לפני רבי ובקשו ממנו צפרנים והתיר להם ואם בקשו ממנו שפה התיר להם ושמואל אמר אף בקשו ממנו שפה [ג] והתיר להם אמר אביטול ספרא משמיה דרב ([ז] פפא) שפה מזוית [[א]] לזוית אמר רבי אמי ובשפה המעכבת א"ר נחמן בר יצחק לדידי כשפה המעכבת דמי לי ואמר אביטול ספרא משמיה דרב ([ח] פפא) פרעה שהיה בימי משה הוא אמה וזקנו אמה ופרמשתקו אמה וזרת לקיים מה שנאמר [ג] ושפל אנשים יקים עליה ואמר אביטול ספרא משמיה דרב ([ט] פפא) פרעה שהיה בימי משה אמגושי היה שנאמר [ד] הנה יוצא המימה וגו': ואלו מכבסין במועד הבא ממדינת הים: אמר רב אסי א"ר יוחנן [י] [ד] מי שאין לו אלא חלוק אחד מותר לכבסו בחולו של מועד מתיב ר' ירמיה אלו מכבסין במועד הבא ממדינת הים כו' הני אין מי שאין לו אלא חלוק אחד לא אמר ליה ר' יעקב לר' ירמיה אסברה לך מתני' אע"ג דאית ליה תרי ומטנפי שלח רב יצחק בר יעקב בר גיורי משמיה דר' יוחנן [ה] כלי פשתן מותר לכבסן בחולו של מועד מתיב רבא [כ] מטפחות הידים מטפחות הספרים

רש"י

הלכה כרבי יוסי במועד. דמתיר: איתרע ביה מילתא. בפנחס אחוה [ל] דפנחס הוה אבל: עייל שמואל לישאל ביה טעמא. לדבר על לבו דפנחס: אילו בדידיה הוה. כלומר אילו היית אבל: מי מזלזלת ביה כולי האי. באבילות דשקלת לטופרך: ואיתרע ביה מילתא. אבילות: שקלינהו לטופריה חבטינהו לאפיה. זרקינהו מרוב כעס והדר מכנס להו דזורקן רשע: ברית כרותה לשפתים. דכתיב ונשתחוה ונשובה אליכם וכן הוה דחזרו תרוייהו: סבור מיניה דיד. מותר בימי אבלו משום דמאיס דרגל לא: גינוסטרי. מספרים: אין בהם משום מיאוס. מדשקל ליה בשיניה: ושדי ליה לאבראי. ועברה עלייהו איתתא אברא: כיון דאישתני. מההוא דוכתא דהוו מעיקרא אישתני ולא מזקי: ומר זוטרא מתני. בברייתא דבקשו ממנו לפרנים בימי אבלו ולאו משמיה דרב יהודה: ואם בקשו ממנו שפה היה מתיר להם. כלומר אנא חזינא לדעתיה אי שאלו לגלח השפה היה מתיר להם דאין בהם משום בל תשחית פאת זקנך (ויקרא יט): מזוית לזוית. מסוף הפה לסוף האחר מותר לגלח שהרי מעכבת אכילה ושתיה ומאיס: ולדידי. דאינא דעתי כל השפה כשפה המעכבת דמי דאינא לי דעתי: פרמשתקו. אמתו: אמגושי הוה דכתיב הנה יוצא המימה. מחלוקת במס' שבת (דף עה.) חד אמר חרשי להכי יוצא ליאור בשביל מכשפות ואידך אמר גידופי להכי יוצא שאומר לי יאורי ואני עשיתני: [מ] מטפחות ידים. שמנגבין בהן ידים משום דמאיס: [נ] מטפחות הספוג. שמנגבין בהן עצמן כשיוצאין מבית המרחץ: ושעלו מטומאתן. במועד: מתני'. דקתני אלו מכבסין אע"ג דאית ליה תרי ומטנפי אבל מי שאין לו אלא חלוק אחד דכולי עלמא שרי:

כלי

תוספות

ואיסתייעא מילתא דהדור. תימה דלמא מדה טובה מרובה והוה ליה לאתויי הא דאמר עולא בעלמא (ברכות דף יט. ע"ש) לעולם אל יפתח אדם פיו לשטן שנאמר שמעו דבר ה' קציני סדום כו' (ישעיה א): ובגנוסטרי אסור. פי' בערוך [ס] שהוא כלי המתוקן ליטול לפרנים וכך שמו ומלשון דגנוסטרא אסור משמע שהיה מתיר בין בתער בין במספרים ולאו דוקא בשינים מיהו קאמר בגמרא רבי יוחנן דשקלינהו בשיניו משמע דוקא בשיניו שרי ותימה דלעיל אמרינן הלכה כר' יוסי במועד לדברי הכל ושמא רבי יוחנן סבר הלכה כר' יהודה ומפרש טעמא דמחמרינן במועד טפי מבאבל [°] ולא כרב שישא בריה דרב אידי דאמר דברים המותרין בחולו של מועד אסורין בימי אבלו ורבינו תם פירש דכשם שמותר בשיניו כך מותר ליטול לפרניו [בזו] מאחר דבכל זה חשוב שינוי לענין שבת בפ' המלניע (שבת דף לד:) ושמעתי בשם רבי שמשון בר אברהם שבחול המועד מותר ליטול לפרנים לנשים דקתני בירושלמי גבי ועושה אשה תכשיטיה במועד וחשיב נוטלת שערה ולפרניה ול"ע בהלכות גדולות נמי אמרינן והאשה מותרת בנטילת שער לאחר שבעה ונראה דבאשה נשואה דוקא קאמר ומיירי במעברת סרק על פניה וטופלה בסיד שהוא משום תכשיט שלא תתגנה על בעלה אבל בתספורת ממש אסורה וגם בשם רבינו חיים שמעתי שהיה מתיר נטילת לפרנים במועד ובהלכות גדולות פוסק (ב) שבעה אסור בגנוסטרי בשיניו מותר לאחר שבעה מותר אף בגנוסטרי ולא ידענא מנא ליה דברייתא איירי תוך שבעה אי משום דקתני בימי אבלו ה"נ קתני ימי אבלו גבי גילוח והיינו כל שלשים וקאמר כשם שאסור לגלח בימי אבלו כך אסור ליטול לפרניו בימי אבלו משמע כל שלשים ואי סברי כר' יוסי יתירו לגמרי וי"ל דסברי כר' יוסי ומסתבר להו דאפילו רבי יוסי היה אוסר בגנוסטרי תוך שבעה דומיא דמועד או שמא (ג) מעשה דשמואל משמע קצת דשקלינהו לטופריה חבטינהו באפיה דמיירי תוך שבעה דוקא דבתוך שבעה היה ובשיניו היה מדקא אמרינן בתר הכי ובגנוסטרי אסור משמע דשמואל לא היה בגנוסטרי ולא אשכחנא דאסר רק תוך שבעה כשהלך רב פנחס לנחמו: בקשו ממנו שפה. יש לפרש על ידי שינוי דומיא דלפרנים ונראה דהכא פירוש דוקא לאחר שבעה: אע"ג דאית ליה תרי ומטנפי. מדלא משני הכא במאי עסקינן בשלא כיבסו לפני הרגל דלא שרינן מי שאין לו אלא חלוק אחד אלא היכא דכבסו לפני הרגל אבל לא כבסו דפשע לא שרי משמע דמי שאין לו אלא חלוק אחד שרי לכבסו במועד אפילו פשע ולא כבסו לפני המועד כך נראה לי ובתוספות מסופק בזה ונראה לי דהכי משמע מדלא מפליג ונראה דגבי אבל לא שרינן כשאין לו אלא חלוק אחד דהא אפילו אם היו לו מכובסין אסור ללבוש מה שאין כן ברגל ל"ע בכהן שחלה משמרתו ברגל אם מותר לכבס לתנא דלעיל (דף יז:) דתנא כהן ואבל אפילו לתנא דידן אם חל שלישי להיות בעי"ט שאסור ברחיצה עד הערב ופירש בקונטרס עד הלילה בלונן או עד חול המועד ואינו מותר לרחוץ מבעי"ט מיהו כשחל שביעי שלו בערב הרגל דאסור לכבס ולרחוץ כל היום מותר לכבס ברגל ול"ע אם אמת הוא שמותר מאי טעמא לא תני:

עין משפט נר מצוה

פח א ב מיי' פ"ה מהל' אבל הלכה ב סמג עשין דרבנן ג טוש"ע י"ד סי' שצ סעיף ז:
פט ג מיי' פ"ז מהלכות יו"ט הלכה כ טור ש"ע א"ח סי' תקלא סעיף ח:
צ ד מיי' שם הלכה כא סמג לאוין סה טור ש"ע א"ח סי' תקלד סעיף א:
צא ה מיי' וסמג שם טוש"ע שם סעיף ב:

תורה אור השלם

א) יֵשׁ רָעָה רָאִיתִי תַּחַת הַשָּׁמֶשׁ כִּשְׁגָגָה שֶׁיֹּצָא מִלִּפְנֵי הַשַּׁלִּיט: [קהלת י, ה]
ב) וַיֹּאמֶר אַבְרָהָם אֶל נְעָרָיו שְׁבוּ לָכֶם פֹּה עִם הַחֲמוֹר וַאֲנִי וְהַנַּעַר נֵלְכָה עַד כֹּה וְנִשְׁתַּחֲוֶה וְנָשׁוּבָה אֲלֵיכֶם: [בראשית כב, ה]
ג) בִּגְזֵרַת עִירִין פִּתְגָמָא וּמֵאמַר קַדִּישִׁין שְׁאֵלְתָא עַד דִּבְרַת דִּי יִנְדְּעוּן חַיַּיָּא דִּי שַׁלִּיט עִלָּאָה בְּמַלְכוּת אֲנָשָׁא וּלְמַן דִּי יִצְבֵּא יִתְּנִנַּהּ וּשְׁפַל אֲנָשִׁים יְקִים עֲלַהּ: [דניאל ד, יד]
ד) לֵךְ אֶל פַּרְעֹה בַּבֹּקֶר הִנֵּה יֹצֵא הַמַּיְמָה וְנִצַּבְתָּ לִקְרָאתוֹ עַל שְׂפַת הַיְאֹר וְהַמַּטֶּה אֲשֶׁר נֶהְפַּךְ לְנָחָשׁ תִּקַּח בְּיָדֶךָ: [שמות ז, טו]

רבינו חננאל

א) פיסקא דנזיר והמצורע מטומאתו לטהרתו. אוקימנא כדתניא כל אלו שאמרו מותרים לגלח במועד. בשלא היה להן פנאי. אבל היה להן פנאי לגלח ולא גילחו אסורין והנזיר והמצורע אע"פ שהיה להן פנאי לגלח ולא גילחו מותרין שלא ישהו קרבנותיהם. תנא האבל והכהן מותרין לגלח במועד. אוקימנא באבל שחל שביעי שלו להיות בשבת ערב הרגל. תנא ברא סבר לה כאבא שאול דאמר מקצת היום ככולו. ויום שביעי עולה לו לכאן ולכאן. וכיון דשבת הואי אנוס הוא לפיכך מגלח במועד. ותנא דידן סבר לה כרבנן כו'. כהן נמי כגון דשלים ליה משמרתו ברגל כו'. ופשוטה היא: ת"ר תכפוהו אבליו זה אחר זה. פי' קודם שישלים ימי אבל זה מת לו מת אחר וכן עוד בתוך ימי אבל זה מת לו מת אחר הכביד שערו מיקל בתער ומכבס כסותו במים. ואמר רב חסדא נוטל שערו בתער ולא במספריים. מכבס במים לבדם ולא בנתר ולא בחול. זאת אומרת אבל אסור בתכבוסת: ת"ר כשם שאסור לגלח במועד כך אסור ליטול צפרנים. ור' יוסי מתיר ליטול צפרנים במועד ובאבל. ואסיקנא כשמואל דאמר הלכתא כדברי המיקל באבל. דאמר שמואל הלכתא כר' יוסי במועד ובאבל ל"ש צפרנים דיד ל"ש צפרנים דרגל. אמר רב ובגנוסטרא אסור. אמר רב שמן הוה קאימנא קמיה דר' יוחנן בבי מדרשא וחזיתיה דשקלינהו לטופריה בשיניה וזרקינהו. ש"מ תלת. ש"מ מותר ליטול צפרנים במועד וש"מ מדשקלינהו בשיניה אין בהם משום מיאוס. וש"מ מדזרקינהו מותר לזורקן. והתניא ג' דברים נאמרו בצפרנים קוברן צדיק שורפן חסיד זורקן רשע. מ"ט שמא תעבור אשה עוברה עליהן ותפיל. ופרקינן אשה בי מדרשא לא שכיחא. וכי תימא זמנין דמכנשו ושדי להו לבראי כיון דאשתני אישתני. אמר רב יהודה אמר רב זוג בא לפני רבי ובקשו ממנו מהו ליטול צפרנים והתיר להם. ושמואל אמר גם עשיית שפה בקשו ממנו והתיר להם. ואסיקנא עשיית שפה מזוית לזוית. כלומר אם צריכה כולה תקון שרי. אבל מקצתה לא. ב) הנחה כל שהיא מעכבת. פי' אם עשה שפמו והניח מקצתו שאינו עשוי מותר ליטלו כי מעכבתו באכילתו. ג) ובכיוצא בה אמר רב נחמן לדידי שפה כי הנחה מעכבת דמי לי. ואלו כולם שאמרו בתוך שלשים יום. אבל בשבעת ימי האבל אסור בכולן. שמואל נכנס לבקר פנחס אחיו בימי אבלו וראה צפרניו גדולים. אמר ליה אמאי [לא שקלית] להו. א"ל אילו בך היה מי הוית מזלזל כולי האי. הואי כשגגה שיוצא מלפני השליט. ואירע אבל לשמואל נכנס פנחס אחיו לבקרו שקלינהו לטופריה חבטינהו באפיה. א"ל לית לך ברית כרותה לשפתים שנאמר ואני והנער נלכה עד כה ונשתחוה ונשובה אליכם. ואסתייעא מלתא והדרי תרווייהו ואתו. פרעה שהיה בימי משה הוא אמה וזקנו אמה ופרמשתקו אמה וזרת לקיים הכתוב ושפל אנשים יקים עליה: מתני' ואלו מכבסין במועד הבא ממדינת הים כו'. א"ר אסי א"ר יוחנן מי שאין לו אלא חלוק אחד מותר לכבסו בחולו של מועד. איני והתנינן אלו מכבסין במועד הבא ממדינת הים כו' וחשיב להו כל מי שהתירו לו חכמים לכבס במועד. ולא תני מי שאין לו אלא חלוק אחד בהדייהו. ופרקינן [מתני' אע"ג דאית לי' תרי ומטנפין] שרי לכבסינהו לכלהו. משמיה דר' יוחנן אמרו כלי פשתן מותר לכבסן במועד. והני מטפחות דתנינן במתני' דלאו

חשק שלמה על ר"ח א) מכאן עד ואסיקנא כשמואל דאמר הלכתא כדברי המיקל שייך לעיל יז ע"ב. ב) עי' הגי' בבה"ג ואולם גי' רבינו יותר נכונה. ג) נ"ל דחסר בדברי רבינו ר' אמי אמר שפה נמי כל שמעכבת ויוצא בה וכו'.

מסורת הש"ס

א) עירובין מו. לקמן יט: [ב. כב. כו: בכורות מט. חולין נ.], ב) [כתובות נג. סב: ב"מ סח.], ג) [סנהדרין קב. ע"ש], ד) נדה יז., ה) הגדה זו יש לה סוד, ו) [עי' פי' שכתבו תוס' נדה יז. ד"ה שורפן וכו' בשם הערוך], ז) [בהרא"ש ליתא], ח) [בילקוט ובע"י ליתא], ט) [בע"י וגם בתוס' שבת עה. ד"ה אמגושי כו' מוכח דליתא משמי' דרב], י) תענית כט: לעיל יד. חולין קז:, כ) לעיל יד., ל) נ"א דשמואל, מ) [שייך למתני' דלעיל יד.], נ) [ג"ז שייך שם], ס) [בערך גנסטר וגרסתו אמר רב ובגנוסטרי אסור וע"ש שהאריך].

הגהות הב"ח

(א) גמ' אחוה דמר שמואל איתרע ליה מילתא: (ב) תוס' ד"ה ובגנוסטרי כו' ובה"ג פוסק תוך שבעה אסור: (ג) בא"ד או שמא ממעשה דשמואל משמע קצת מדשקלינהו לטופריה כו' אסור משמע דמעשה דשמואל לא היה:

הגהות הגר"א

[א] גמ' לזוית. נ"ב הנחה כל שמעכבת ר' אמי אמר ובשפה המעכבת. כ"ה גירסת בה"ג וע' רא"ש מש"ס. (ועמ"ש רבינו בא"ח סי' תקל"א):

גליון הש"ס

גמ' אשה עוברה ותפיל. עי' סנהדרין דף נט ע"א תד"ה ליכא: תוס' ד"ה ובגנוסטרי וכו' ולא כרב שישא בריה דרב אידי. לעיל דף יד ע"ב:

רש"י כת"י

אמ' שמואל [הלכה כר' יוסי]. דמיקל (ר' יוסי). איתרע ליה מלתא. אבילות בפנחס אחוה דשמואל שמת בנו. למישאל טעמ'. לדבר על לבו. אי בדידיה הוה. אם היית אבל מי היית מזלזל כל כך. כשגגה היוצאה מלפני השליט. שגזר השליט גזירה על האדם להורגו שלא בכוונה או לחבשו והלכו ומכשוהו. זרקינהו באפיה. בכעס וכגון דהדר מכנס להו ושדי להו אבראי. ברית כרותה. דכתיב ונשתחוה ונשובה אליכם וכן הוה. סבור מינה. לפרנים דיד אין למשקל במועד ובימי אבל. (ברגל דבגנוסטר) [גנוסטרי]. מספרים אסור ליטול לפרניו במועד ואבל אלא בידיו או בשניו. אין בהן משום מיאוס. אם נוטלן בשיניו שהרי נטלן בפניו ולית ביה משום הרק בפני חבירו ונמאס ומשום הורג כינה וכו' (חגיגה ה.). כיון דאישתני. שגררן ממקומן למקום אחר אישתני ושוב אין מזיקין. ומר זוטרא מתני. בברייתא הכי וכו' ולאו משמיה דרב יהודה. מחמתן. מקום. זוג. שני תלמידי חכמים. ובקשו ממנו. אם מותר ליטלן במועד. שפה. גרינו"ן. מזוית לזוית. מותר לגלח את כולה במועד. הנחה כל שמעכבת. לא ידענא ולא גרסינן לה. שפה. שער השפה שעל גבי הפה שמעכבת אכילה ושתיה שאינה מעכבת שער של לדדין. ולדידי. דאינא דעתאי כולה כשפה המעכבת. עשית שפה מזוית לזוית פר"ח כלומר אם צריכה כולה תיקון שרי אבל מקצתה לא הנחה כל שהוא מעכבת פירוש אם עשה שפמו והניח מקצת שאינו עשוי מותר ליטלו כמו שמעכבת באכילתו. פרמשקתו. ערלתו. ושפל אנשים יקים עלה. על המלכות. אמגושי היה. פלוגתא היא במסכת שבת (עה.) מאן דאמ' אמגושי (דינו) גדופי שמגדף את השם לכך יוצא המימה שמשתבח עצמו ואמ' יאור לי ואני עשיתני שמחזיק עצמו באלוה וכשהוא נצרך לנקביו נכנס למים ונפנה שם מאן דאמ' חרשי מכשף ויוצא המימה לעשות כישוף. ומי שנשאל לחכם. שנדר שלא לכבס בגדיו ונשאל [לחכם במועד] לכבס במועד והתיר לו נדרו. מתניתין. דקא חשיב הנך אפילו אית ליה תרי חלוקים ומטנפי אבל כולי עלמא אי אית להו תרין חלוקין לאו אנוסין נינהו דהוה להו לכבס קודם המועד ואסור לכבס במועד ואם אין לו אלא חלוק אחד מותר שאף על פי שהוא מכבסה קודם המועד צריך לכבסה פעם אחרת אבל מי שיש לו שני חלוקים יכול לכבס האחת קודם המועד ולובשה מיד ולכבס האחרת וכדפרשינן לעיל. בר גיורי. שם חכם הוא. כלי פשתן. מזדהם טפי ולית ליה [ביה נמי] טירחא כולי האי וכל הנך דאסרינן במתניתין בגדי למר.

with his teeth and cast them aside. שְׁמַע מִינָּהּ תְּלָת – **Learn three** things **from [R' Yochanan's behavior]:** שְׁמַע מִינָּהּ מוּתָּר לִיטוֹל צִפָּרְנַיִם בְּחוּלוֹ שֶׁל מוֹעֵד – **Learn from it** that **it is permitted to cut nails on Chol HaMoed;** וּשְׁמַע מִינָּהּ אֵין בָּהֶן מִשּׁוּם מִיאוּס – **learn from it** that **[biting nails] is not repulsive;**[16] וּשְׁמַע מִינָּהּ מוּתָּר לְזוֹרְקָן – **and learn from it** that **it is permitted to cast [nail trimmings]** into a public area.[17]

The Gemara questions the last law:

אִינִי – **Is this indeed so?** וְהָתַנְיָא – **But it was taught in a Baraisa:** שְׁלֹשָׁה דְּבָרִים נֶאֶמְרוּ בְּצִפָּרְנַיִם – THREE THINGS WERE SAID WITH RESPECT TO NAILS: הַקּוֹבְרָן צַדִּיק – ONE WHO BURIES THEM in the ground IS RIGHTEOUS; שׂוֹרְפָן חָסִיד – ONE WHO BURNS THEM IS PIOUS; זוֹרְקָן רָשָׁע – and ONE WHO CASTS THEM into a place that people traverse IS WICKED.[18]

The Gemara answers:

טַעְמָא מַאי – **What is the reason** for the injunction against casting nails into a public area? שֶׁמָּא תַּעֲבוֹר עֲלֵיהֶן אִשָּׁה עוּבָּרָה וְתַפִּיל – The reason is that **a pregnant woman might pass over them and miscarry** as a result.[19] אִשָּׁה בֵּי מִדְרְשָׁא לֹא שְׁכִיחָא – However, **a woman does not frequent a study hall.** Hence, it was permitted for R' Yochanan to cast his nails there.

The Gemara raises an objection which it immediately deflects:

וְכִי תֵּימָא זִימְנִין דְּמִיכַּנְשֵׁי לְהוּ וְשָׁדֵי לְהוּ אַבָּרָאֵי – **And if you say** that **sometimes the nails are collected** from the floor of the study hall **and tossed outside,**[20] that is not a problem, כֵּיוָן דְּאִשְׁתַּנֵּי אִישְׁתַּנֵּי – because **once they have changed** their location, **they have been changed,** i.e. they cease to be hazardous.[21]

A related incident:

אָמַר רַב יְהוּדָה אָמַר רַב – **Rav Yehudah said in the name of Rav:** זוּג בָּא מֵחַמְתָּן לִפְנֵי רַבִּי – **A pair** of Torah scholars[22] **came from Chamsan before Rebbi . . .**

Before proceeding with the narrative, the Gemara records another source for it:

וּמָר זוּטְרָא מַתְנֵי – **But Mar Zutra taught** it in a Baraisa:[23] זוּג בָּא מֵחַמְתָּן לִפְנֵי רַבִּי – **A pair** of Torah scholars **came from Chamsan before Rebbi . . .**

The narrative is resumed:

וּבִקְשׁוּ מִמֶּנּוּ צִפָּרְנַיִם – **They asked [Rebbi]** whether one may cut his **nails,**[24] וְהִתִּיר לָהֶם – **and he permitted** it **to them.** וְאִם בִּקְשׁוּ מִמֶּנּוּ שָׂפָה הִתִּיר לָהֶם – **And** it was evident from Rebbi's remarks at the time that **if they would have asked him about** cutting the hair above the **lip, he would have permitted** that **to them** as well.[25] וּשְׁמוּאֵל אָמַר אַף בִּקְשׁוּ מִמֶּנּוּ שָׂפָה וְהִתִּיר לָהֶם – **And Shmuel says** that **in fact they did ask him** about cutting the hair above the **lip, and he permitted** it to **them.**

The last point is clarified:

אָמַר אֲבִיטוּל סַפְרָא מִשְּׁמֵיהּ דְּרַב (פפא) – **Avitul the scribe**[26] **said in the name of Rav:**[27] שָׂפָה מִזָּוִית לְזָוִית – One may cut the hair above the **lip from** one **corner** of the mouth **to** the other **corner** of the mouth.[28]

A qualification of this permit:

אָמַר רַבִּי אַמִּי – **R' Ami said:** וּבְשָׂפָה הַמְעַכֶּבֶת – **But** the permit applies only **to** hair above the **lip that blocks** the passage of food.[29] אָמַר רַב נַחְמָן בַּר יִצְחָק – **Rav Nachman bar Yitzchak**

NOTES

16. For R' Yochanan removed his nails with his teeth (*Rashi*). This is not forbidden under the commandment אַל־תְּשַׁקְּצוּ אֶת־נַפְשֹׁתֵיכֶם, *Do not make yourselves abominable* (*Leviticus* 11:43), which the Gemara in *Makkos* (16b) interprets as meaning that one may not do abominable things, e.g. drinking water from a bloodletter's tube (*Talmid R' Yechiel MiParis;* see *Rambam, Hil. Maachalos Asuros* 17:29-32 for elaboration on this prohibition).

Alternatively, the Gemara's point is that biting one's nails is permitted in public. It is not deemed an offensive practice which may not be done before other people, such as killing a louse or spitting [see *Chagigah* 5a] (*Rashi ms.*).

17. Although nail trimmings can be harmful (see continuation of the Gemara).

Tosafos argue that since R' Yochanan used his teeth, he evidently forbids the use of scissors to cut one's nails on Chol HaMoed (see note 15). But other Rishonim contend that if this proof is valid, the Gemara would surely have included it among those that can be derived from R' Yochanan's behavior. They explain that no proof can be derived from this incident, because it took place in a study hall, where scissors are not available in any event (see *Rif, Baal HaMaor, Milchamos Hashem* and *R' Shlomo ben HaYasom;* cf. *Ritva* and *Ran*).

18. He who casts them in an open area may cause a pregnant woman passing over them to miscarry (see next note); hence, he is wicked. The righteous person buries them to avoid this possibility; and the pious person goes to the extra length of burning them, thereby assuring that the nails will never become uncovered (*Rashi* to *Niddah* 17a ד״ה חסיד; see also *Aruch* cited by *Tosafos* ibid.).

A pious person [חָסִיד] is on a higher level than a righteous person [צַדִּיק] (*Rashi* ibid.). Whereas a righteous person is careful to do the right thing, a pious person goes beyond the letter of the law (*Ran*).

19. Her revulsion at seeing them might have a physical effect on her, causing her to miscarry. Alternatively, nail trimmings effect miscarriage through supernatural means (*Ran;* see *Eitz Yosef* and *Ben Yehoyada*).

20. [After the floor of the study hall is swept, the sweepings are cast into the street] where a pregnant woman might pass over them (*Rashi*).

21. Nails are harmful only where they initially fall (*Rashi*). Once they have fallen somewhere and were then swept away or moved, they are not [so repulsive as to be] hazardous to one's health. See *Ran* and *R' Shlomo ben HaYasom.*

22. *Rashi ms.*

23. Mar Zutra taught this incident in the context of a Baraisa, as opposed to reporting it in the name of Rav Yehudah (*Rashi;* see *Menachem Meishiv Nefesh*).

24. They asked whether a *mourner* may cut his nails (*Rashi, Tosafos, Rabbeinu Chananel*). Other Rishonim, though, understand the question as referring to Chol HaMoed (*Rashi ms., Milchamos Hashem, Rosh, Nimukei Yosef* et al.).

25. A mourner may shave off his moustache. Thus we learn that he [or any other man] does not thereby violate the general prohibition (*Leviticus* 19:27): וְלֹא תַשְׁחִית אֵת פְּאַת זְקָנֶךָ, *you shall not destroy the edge of your beard* (*Rashi;* see *Chasam Sofer*).

Alternatively, the Gemara means merely that a mourner may *trim* his moustache [if it gets in the way of food when he eats]. Some authorities permit this even during the seven-day mourning period (*Raavad* [cited by *Nimukei Yosef*], *Ran*), whereas others allow it only after the first seven days (*Tosafos*).

As mentioned in the previous note, many Rishonim understand this discussion as referring to Chol HaMoed, rather than to a mourner. In their opinion, a mourner may not trim his moustache at all, even during the thirty-day mourning period, and even if it interferes with eating (*Meiri, Nimukei Yosef* [first opinion]; see *Rambam, Hil. Aveil* 5:2 and 6:2; see note 29).

26. Alternatively: Avitul the barber [in which case the word is vowelized סַפָּרָא] (*R' Shlomo ben HaYasom*).

27. Emendation according to *Mesoras HaShas.* The name "Pappa" does not appear in the text of *Rosh.*

28. For any hair above the lip could get in the way of food and becomes repulsive (*Rashi*).

29. I.e. one may trim the hair above the lip only if it gets in the way of food.

R' Ami does not disagree with the teaching reported by Avitul in the name of Rav; rather, he explains it (*Beur HaGra* on *Orach Chaim* 531:8).

Different versions of the text, which may affect the halachah, are followed by many Rishonim (see *Hagahos HaGra;* see also *Rabbeinu Chananel* and *Beur HaGra* ibid.). *Shulchan Aruch* rules that on Chol HaMoed one may cut the moustache [even if it does not obstruct food] (*Orach Chaim* ibid.). A mourner, though, may cut his moustache only if it obstructs food and even then only after the seven-day mourning period (*Yoreh Deah* 390; see *Shach* and *Gra* ad loc.).

הלכה כרבי יוסי במועד ובאבל [א] דאמר שמואל הלכה כדברי המיקל באבל פנחס אחוה דמר שמואל איתרע (א) ביה מילתא על שמואל למישאל טעמא מיניה חזנהו לטופרי דהוו נפישן אמר ליה אמאי לא שקלת להו אמר ליה אי בדידיה הוה מי מזלזלת ביה כולי האי [ג] הואי [א] כשגגה שיוצא מלפני השליט ואיתרע ביה מילתא בשמואל על פנחס אחוה למישאל טעמא מיניה שקלינהו לטופריה חבטינהו לאפיה אמר ליה לית לך [ג] ברית כרותה לשפתים דאמר ר' יוחנן מנין שברית כרותה לשפתים שנאמר [ב] ויאמר אברהם אל נעריו שבו לכם פה עם החמור ואני והנער נלכה עד כה ונשתחוה ונשובה אליכם ואיסתייעא מלתא דהדור תרוייהו סבור מיניה דיד אין דרגל לא אמר רב ענן בר תחליפא לדידי מפרשא לי מיניה דשמואל לא שנא דיד ולא שנא דרגל אמר רב חייא בר אשי אמר רב [ב] ובגנוסטרא אסור אמר רב שמן בר אבא הוה קאימנא קמיה דר' יוחנן בי מדרשא בחולו של מועד ושקלינהו לטופריה בשיניה וזרקינהו שמע מינה תלת שמע מינה מותר ליטול צפרנים בחולו של מועד ושמע מינה אין בהן משום מיאוס ושמע מינה מותר לזורקן איני והתניא [ד] שלשה דברים נאמרו בצפרנים [ה] הקוברן צדיק שורפן [ו] חסיד זורקן רשע טעמא מאי שמא תעבור עליהן [ה] אשה עוברה ותפיל אשה בי מדרשא לא שכיחא וכי תימא זימנין דמיכנשי להו ושדי להו אבראי כיון דאשתני אשתני אמר רב יהודה אמר רב זוג בא מחמתן לפני רבי ומר זוטרא מתני זוג בא מחמתן לפני רבי ובקשו ממנו צפרנים והתיר להם ואם בקשו ממנו שפה התיר להם ושמואל אמר אף בקשו ממנו שפה [ג] והתיר להם אמר אביטול ספרא משמיה דרב ([ז] פפא) שפה מזוית [א] לזוית אמר רבי אמי ובשפה המעכבת א"ר נחמן בר יצחק לדידי כשפה המעכבת דמי לי ואמר אביטול ספרא משמיה דרב ([ח] פפא) פרעה שהיה בימי משה הוא אמה וזקנו אמה ופרמשתקו אמה וזרת לקיים מה שנאמר [ג] ושפל אנשים יקים עליה ואמר אביטול ספרא משמיה דרב ([ט] פפא) פרעה שהיה בימי משה אמגושי היה שנאמר [ד] הנה יוצא המימה וגו': ואלו מכבסין במועד הבא ממדינת הים: אמר רב אסי א"ר יוחנן [י] [ד] מי שאין לו אלא חלוק אחד מותר לכבסו בחולו של מועד מתיב ר' ירמיה אלו מכבסין במועד הבא ממדינת הים כו' הני אין מי שאין לו אלא חלוק אחד לא אמר ליה ר' יעקב לר' ירמיה אסברה לך מתני' אע"ג דאית ליה תרי ומטנפי שלח רב יצחק בר יעקב בר גיורי משמיה דר' יוחנן [ה] כלי פשתן מותר לכבסן בחולו של מועד מתיב רבא [כ] מטפחות הידים מטפחות הספרים

רש"י

הלכה כרבי יוסי במועד. דמתיר: איתרע ביה מילתא. בפנחס אחוה [ל] דפנחס הוה אבל: עייל שמואל לישאל ביה טעמא. לדבר על לבו דפנחס: אילו בדידיה הוה. כלומר אילו היית אבל: מי מזלזלת ביה כולי האי. באבילות דשקלת לטופרך: ואיתרע ביה מילתא. אבילות: שקלינהו לטופריה חבטינהו לאפיה. זרקינהו מרוב כעס והדר מכנס להו לזורקן רשע: ברית כרותה לשפתים. דכתיב ונשתחוה ונשובה אליכם וכן הוה דחזרו תרוייהו: סבור מיניה דיד. מותר בימי אבלו משום דמאיס דרגל לא: גינוסטרי. מספרים: אין בהם משום מיאוס. מדשקל ליה בשיניה: ושדי ליה לאבראי. ועברה עלייהו איתתא אבראי: כיון דאישתני. מההוא דוכתא דהוו מעיקרא אישתני ולא מזקי: ומר זוטרא מתני. בברייתא דבקשו ממנו לפרנים בימי אבלו ולאו משמיה דרב יהודה: ואם בקשו ממנו שפה היה מתיר להם. כלומר אנא חזינא לדעתיה אי שאלו לגלח השפה היה מתיר להם דאין בהם משום בל תשחית פאת זקנך (ויקרא יט): מזוית לזוית. מסוף הפה לסוף האחר מותר לגלח שהרי מעכבת אכילה ושתיה ומאיס: ולדידי. דאינא דעתי כל השפה כשפה המעכבת דמי דאינא לי דעתי: פרמשתקו. אמתו: אמגושי הוה דכתיב הנה יוצא המימה. מחלוקת במס' שבת (דף עה.) חד אמר חרשי להכי יוצא ליאור בשביל מכשפות ואידך אמר גידופי להכי יוצא שאומר לי יאורי ואני עשיתני: [מ] מטפחות ידים. שמנגבין בהן ידים משום דמאיס: [נ] מטפחות הספוג. שמנגבין בהן עצמן כשיוצאין מבית המרחץ: ושעלו מטומאתן. במועד: מתני'. דקתני אלו מכבסין אע"ג דאית ליה תרי ומטנפי אבל מי שאין לו אלא חלוק אחד דכולי עלמא שרי:

תוספות

ואיסתייעא מילתא דהדור. תימה דלמא מדה טובה מרובה והוה ליה לאתויי הא דאמר עולא בעלמא (ברכות דף יט. ע"ש) לעולם אל יפתח אדם פיו לשטן שנאמר שמעו דבר ה' קציני סדום כו' (ישעיה א): ובגנוסטרי אסור. פי' בערוך [ס] שהוא כלי המתוקן ליטול צפרנים וכך שמו ומלשון דגנוסטרא אסור משמע שהיה מתיר בין בתער בין במספרים ולאו דוקא בשינים מיהו קאמר בגמרא רבי יוחנן דשקלינהו בשיניו משמע דוקא בשיניו שרי ותימה דלעיל אמרינן הלכה כר' יוסי במועד לדברי הכל ושמא רבי יוחנן סבר הלכה כר' יהודה ומפרש טעמא דמחמרינן במועד טפי מבאבל [ה] ולא כרב שישא בריה דרב אידי דאמר דברים המותרין בחולו של מועד אסורין בימי אבלו ורבינו תם פירש דכשם שמותר בשיניו כך מותר ליטול צפרניו [בזו] מחבירתה דכל זה חשוב שינוי לענין שבת בפ' המצניע (שבת דף לד:) ושמעתי בשם רבי שמשון בר אברהם שבחול המועד מותר ליטול צפרנים לנשים דקתני בירושלמי גבי ועושה אשה תכשיטיה במועד וחשיב נוטלת שערה וצפרניה וצ"ע בהלכות גדולות נמי אמרינן והאשה מותרת בנטילת שער לאחר שבעה ונראה דבאשה נשואה דוקא קאמר ומיירי במעברת סרק על פניה וטופלה בסיד שהוא משום תכשיט שלא תתגנה על בעלה אבל בתספורת ממש אסורה וגם בשם רבינו חיים שמעתי שהיה מתיר נטילת צפרנים במועד ובהלכות גדולות פוסק (ב) שבעה אסור בגנוסטרי בשיניו מותר לאחר שבעה מותר אף בגנוסטרי ולא ידענא מנא ליה דברייתא איירי תוך שבעה אי משום דקתני בימי אבלו ה"נ קתני ימי אבלו גבי גילוח והיינו כל שלשים וקאמר כשם שאסור לגלח בימי אבלו כך אסור ליטול צפרניו בימי אבלו משמע כל שלשים ואי סברי כר' יוסי יתירו לגמרי וי"ל דסברי כר' יוסי ומסתבר להו דאפילו רבי יוסי היה אוסר בגנוסטרי תוך שבעה דומיא דמועד או שמא (ג) מעשה דשמואל משמע קצת דשקלינהו לטופריה חבטינהו באפיה דמיירי תוך שבעה דוקא דבתוך שבעה היה ובשיניו היה מדקא אמרינן בתר הכי ובגנוסטרי אסור משמע דשמואל לא היה בגנוסטרי ולא אשכחנא דאסר רק תוך שבעה כשהלך רב פנחס לנחמו: בקשו ממנו שפה. יש לפרש על ידי שינוי דומיא דלפרנים ונראה דהכא פירוש דוקא לאחר שבעה: אע"ג דאית ליה תרי ומטנפי. מדלא משני הכא במאי עסקינן בשלא כיבסו לפני הרגל דלא שרינן מי שאין לו אלא חלוק אחד אלא היכא דכבסו לפני הרגל אבל לא כבסו דפשע לא שרי משמע דמי שאין לו אלא חלוק אחד שרי לכבסו במועד אפילו פשע ולא כבסו לפני המועד כך נראה לי ובתוספות מסופק בזה ונראה לי דהכי משמע מדלא מפליג ונראה דגבי אבל לא שרינן כשאין לו אלא חלוק אחד דהא אפילו אם היו לו מכובסין אסור ללבוש מה שאין כן ברגל נ"ע בכהן ששלמה משמרתו ברגל אם מותר לכבס לתנא דלעיל (דף יד:) דתנא כהן ואבל אפילו לתנא דידן אם חל שלישי להיות בעי"ט שאסור ברחילה עד הערב ופירש בקונטרס עד הלילה בלונן או עד חול המועד בחמין ואינו מותר לרחוץ מבעי"ט מיהו כשחל שביעי שלו בערב הרגל דאסור לכבס ולרחוץ כל היום מותר לכבס ברגל ול"ע אם אמת הוא שמותר מאי טעמא לא תני:

רש"י כת"י

אמ' שמואל [הלכה כר' יוסי]. המיקל (ר' יוסי). איתרע בפנחס מלתא. אבילות בפנחס אחוה דשמואל שמת בנו. למישאל טעמו. לדבר על לבו. אי בדידיה הוה. אם היית אבל מי היית מזולזל כל כך. כשגגה היוצאה מלפני השליט. שגזר השליט גזירה על האדם להורגו שלא בכוונה ולא לתכתו והלכו והכהו. זרקינהו באפיה. וכגון דהדר מכנס להו שמואל ושדי להו אברא. ברית כרותה. דכתוב ונשתחוה ונשובה אליכם וכן הוה. סבור מינה. לפרנים דיד אין למשקל במועד וביומי אבל. (ברגל דבכנוסטר) [גנוסטרי]. מספרים אסור ליטול לפרניו במועד ואבל אלא בידיו או בשניו. אין בהן משום מיאוס. אם נוטלן בשיניו שהרי נטלן בפניו ולית ביה משום הרק בפני חבירו ונמאס ומשום הורג כינה וכו' (חגיגה ה.). כיון דאישתני. שגררן ממקומן למקום אחר אישתני ושוב אין מזיקין. ומר זוטרא מתני. בבריתא הכי וכו' ולאו משמיה דרב יהודה. מחמתן. מקום. זוג. שני תלמידי חכמים. ובקשו ממנו. אם מותר ליטלן במועד. שפה. גרינ"ן. מזוית לזוית. מותר לגלח את כולה במועד. הנחה כל שמעכבת. לא ידענא ולא גרסינן לה. שפה. שער השפה שעל גבי הפה שמעכבת אכילה ושתיה שאינה מעכבת שער של לדדין. ולדידי. דאינא דעתאי כולה כשפה המעכבת. עשית שפה מזוית לזוית פר"ח כלומר אם צריכה כולה תיקון שרי אבל מקצתה לא הנחה כל שהוא מעכבת פירוש אם עשה שפמו והניח מקצת שאינו עשוי מותר ליטלו כמו שמעכבת באכילתו. פרמשקתו. ערלתו. ושפל אנשים יקים עלה. על המלכות. אמגושי היה. פלוגתא היא במסכת שבת (עה.) מאן דאמ' אמגושי (דינו) גדופי שמגדף את השם לכך יוצא המימה שמשתבח עצמו ואמ' יאור לי ואני עשיתני שמחזיק עצמו באלוה וכשהוא נצרך לנקביו נכנס למים ונפנה שם מאן דאמ' חרשי מכשף ויוצא המימה לעשות כישוף. ומי שנשאל לחכם. שנדר שלא לכבס בגדיו ונשאל [לחכם במועד] לכבס במועד והתיר לו נדרו. מתניתין. דקא חשיב הנך אפילו אית ליה תרי חלוקים ומטנפי אבל כולי עלמא אי אית להו תרין חלוקין לאו אנוסין נינהו דהוה להו לכבס קודם המועד ואסור לכבס במועד ואם אין לו אלא חלוק אחד מותר שאף על פי שהוא מכבסה קודם המועד צריך לכבסה פעם אחרת אבל מי שיש לו שני חלוקים יכול לכבס האחת קודם המועד ולובשה מיד ולכבס האחרת וכדפרשינן לעיל. בר גיורי. שם חכם הוא. כלי פשתן. מזדהם טפי ולית ליה [ביה נמי] טירחא כולי האי וכל הנך דאסרינן במתניתין בגדי למר.

רבינו חננאל

א) פיסקא דנזיר והמצורע מטומאתו לטהרתו. אוקימנא כדתניא כל אלו שאמרו מותרים לגלח במועד. בשלא היה להן פנאי. אבל היה להן פנאי לגלח ולא גילחו אסורין והנזיר והמצורע אע"פ שהיה להן פנאי לגלח ולא גילחו מותרין שלא ישהו קרבנותיהם. תנא האבל והכהן מותרין לגלח במועד. אוקימנא באבל שחל שביעי שלו להיות בשבת ערב הרגל. תנא ברא סבר לה כאבא שאול דאמר מקצת היום ככולו. ויום שביעי עולה לו לכאן ולכאן. וכיון דשבת הואי אנוס הוא לפיכך מגלח במועד. ותנא דידן סבר לה כרבנן כו'. כהן נמי כגון דשלים ליה משמרתו ברגל כו'. ופשוטה היא: ת"ר תכפוהו אבליו זה אחר זה. פי' קודם שישלים ימי אבל זה מת לו מת אחר וכן עוד בתוך ימי אבל זה מת לו מת אחר הכביד שערו מיקל בתער ומכבס כסותו במים. ואמר רב חסדא נוטל שערו בתער ולא במספריים. מכבס במים לבדם ולא בנתר ולא בחול. זאת אומרת אבל אסור בתכבוסת: ת"ר כשם שאסור לגלח במועד כך אסור ליטול צפרנים. ור' יוסי מתיר ליטול צפרנים במועד ובאבל. ואסיקנא כשמואל דאמר הלכתא כדברי המיקל באבל. דאמר שמואל הלכתא כר' יוסי במועד ובאבל ל"ש צפרנים דיד ל"ש צפרנים דרגל. אמר רב ובגנוסטרא אסור. אמר רב שמן הוה קאימנא קמיה דר' יוחנן בבי מדרשא וחזיתיה דשקלינהו לטופריה בשיניה וזרקינהו. ש"מ תלת. ש"מ מותר ליטול צפרנים במועד וש"מ מדשקלינהו בשיניה אין בהם משום מיאוס. וש"מ מדזרקינהו מותר לזורקן. והתניא ג' דברים נאמרו בצפרנים קוברן צדיק שורפן חסיד זורקן רשע. מ"ט שמא תעבור אשה עוברה עליהן ותפיל. ופרקינן אשה בי מדרשא לא שכיחא. וכי תימא זמנין דמכנשו ושדי להו לבראי כיון דאשתני אישתני. אמר רב יהודה אמר רב זוג בא לפני רבי ובקשו ממנו מהו ליטול צפרנים והתיר להם. ושמואל אמר גם עשיית שפה בקשו ממנו והתיר להם. ואסיקנא עשיית שפה מזוית לזוית. כלומר אם צריכה כולה תקון שרי. אבל מקצתה לא. ב) הנחה כל שהיא מעכבת. פי' אם עשה שפמו והניח מקצתו שאינו עשוי מותר ליטלו כי מעכבתו באכילתו. ג) ובכיוצא בה אמר רב נחמן לדידי שפה כי הנחה מעכבת דמי לי. ואלו כולם שאמרו בתוך שלשים יום. אבל בשבעת ימי האבל אסור בכולן. שמואל נכנס לבקר פנחס אחיו בימי אבלו וראה צפרניו גדולים. אמר ליה אמאי [לא שקלית] להו. א"ל אילו בך היה מי הוית מזולזל כולי האי. הואי כשגגה שיוצא מלפני השליט. ואירע אבל לשמואל נכנס פנחס אחיו לבקרו שקלינהו לטופריה חבטינהו באפיה. א"ל לית לך ברית כרותה לשפתים שנאמר ואני והנער נלכה עד כה ונשתחוה ונשובה אליכם. ואסתייעא מלתא והדרי תרווייהו ואתו. פרעה שהיה בימי משה הוא אמה וזקנו אמה ופרמשתקו אמה וזרת לקיים הכתוב ושפל אנשים יקים עליה: מתני' ואלו מכבסין במועד הבא ממדינת הים כו'. א"ר אסי א"ר יוחנן מי שאין לו אלא חלוק אחד מותר לכבסו בחולו של מועד. איני והתנינן אלו מכבסין במועד הבא ממדינת הים כו' וחשיב להו כל מי שהתירו לו חכמים לכבס במועד. ולא תני מי שאין לו אלא חלוק אחד בהדייהו. ופרקינן [מתני' אע"ג דאית לי' תרי ומטנפי] שרי לכבסינהו לכלהו. משמיה דר' יוחנן אמרו כלי פשתן מותר לכבסן במועד. והני מטפחות דתנינן במתני' דלאו

חשק שלמה על ר"ח א) מכאן עד ואסיקנא כשמואל דאמר הלכתא כדברי המיקל שייך לעיל יז ע"ב. ב) עי' הגי' בבה"ג ואולם גי' רבינו יותר נכונה. ג) נ"ל דחסר בדברי רבינו ר' אמי אמר שפה נמי כל שמעכבת וכיוצא בה וכו'.

מסורת הש"ס

א) עירובין מו. לקמן יט: [כ. כג. כו: כתובות מג. חולין נג.], ב) [כתובות מג. סב: ב"מ סה.], ג) [סנהדרין קב. ע"ש], ד) נדה יז., ה) הגדה זו יש לה סוד, ו) [עי' פי' שכתבו תוס' נדה יז. ד"ה שורפן וכו' בשם הערוך], ז) [ברכות נט.], ח) [ילקוט ועע"ש ליתא], ט) [בע"י וגם בתוס' שבת עה. ד"ה אמגושי כו' מוכח דהיה משמי' דרב], י) תענית כט: לעיל יד., כ) חולין קז:, ל) נ"א דשמואל, מ) [שייך למתני' דלעיל יד.], נ) [נ"ז שייך שם], ס) [בערוך נגסטר וגרסתו אמר רב ובגנוסטרי אסור וע"ש שהאריך].

הגהות הב"ח

(א) גמ' אחוה דמר שמואל איתרע ליה מילתא: (ב) תוס' ד"ה ובגנוסטרי כו' וכו' פוסק תוך שבעה אסור: (ג) בא"ד או מעשה דשמואל משמע מדשקלינהו לטופריה כו' אסור משמע מעשה דשמואל לא היה:

הגהות הגר"א

[א] גמ' לזוית. נ"ב הנחה כל שמעכבת ר' אמי אמר והספה המעכבת. כ"ה גירסת בה"ג וער' רא"ש מ"ש. (ועמ"ש רבינו בא"ח סי' תקל"א):

גליון הש"ס

גמ' אשה עוברה ותפיל. עי' סנהדרין דף נט ע"א תד"ה ליכא: תוס' ד"ה ובגנוסטרי וכו' ולא כרב שישא בריה דרב אידי. לעיל דף יא ע"ב:

עין משפט נר מצוה

פח א ב מיי' פ"ה מהל' אבל הלכה ג סמג עשין דרבנן ג טוש"ע י"ד סי' שצ סעיף ז:

פט ג מיי' פ"ז מהלכות יו"ט הלכה כ טור ש"ע א"ח סי' תקלב סעיף א:

צ ד מיי' שם הלכה כא סמג לאוין עה טור ש"ע א"ח סי' תקלד סעיף א:

צא ה מיי' וסמג שם טוש"ע שם סעיף ג:

תורה אור השלם

א) יֵשׁ רָעָה רָאִיתִי תַּחַת הַשָּׁמֶשׁ כִּשְׁגָגָה שֶׁיֹּצָא מִלִּפְנֵי הַשַּׁלִּיט: [קהלת י, ה]

ב) וַיֹּאמֶר אַבְרָהָם אֶל נְעָרָיו שְׁבוּ לָכֶם פֹּה עִם הַחֲמוֹר וַאֲנִי וְהַנַּעַר נֵלְכָה עַד כֹּה וְנִשְׁתַּחֲוֶה וְנָשׁוּבָה אֲלֵיכֶם: [בראשית כב, ה]

ג) בִּגְזֵרַת עִירִין פִּתְגָמָא וּמֵאמַר קַדִּישִׁין שְׁאֵלְתָא עַד דִּבְרַת דִּי יִנְדְּעוּן חַיַּיָּא דִּי שַׁלִּיט עִלָּאָה בְּמַלְכוּת אֲנָשָׁא וּלְמַן דִּי יִצְבֵּא יִתְּנִנַּהּ וּשְׁפַל אֲנָשִׁים יְקִים עֲלַהּ: [דניאל ד, יד]

ד) לֵךְ אֶל פַּרְעֹה בַּבֹּקֶר הִנֵּה יֹצֵא הַמַּיְמָה וְנִצַּבְתָּ לִקְרָאתוֹ עַל שְׂפַת הַיְאֹר וְהַמַּטֶּה אֲשֶׁר נֶהְפַּךְ לְנָחָשׁ תִּקַּח בְּיָדֶךָ: [שמות ז, טו]

said: לְדִידִי כְּשָׂפָה הַמְעַכֶּבֶת דָּמֵי לִי – **In my case,** all hair above the lip is treated **as** hair above the **lip that blocks** the passage of food.[30]

Having quoted one statement by Avitul the scribe in the name of Rav (Pappa), the Gemara records two other statements from this source:

(פפא) וְאָמַר אֲבִיטוּל סַפְרָא מִשְּׁמֵיהּ דְּרַב – **And Avitul the scribe said in the name of Rav:**[31] פַּרְעֹה שֶׁהָיָה בִּימֵי מֹשֶׁה – **The pharaoh who lived in the time of Moses** הוּא אַמָּה – **was** one *amah* tall, וּזְקָנוֹ אַמָּה – **and his beard was** one *amah* long, וּפַרְמַשְׁתָּקוֹ אַמָּה וָזֶרֶת – **and his member was** one *amah* **and** one *zeres* long.[32] לְקַיֵּים מַה שֶּׁנֶּאֱמַר – This serves **to fulfill that which is stated:** ,,וּשְׁפַל אֲנָשִׁים יָקִים עָלֶיהָ" – *God rules over the kingdom of man . . .* ***and He appoints the lowest of men over it.***[33]

(פפא) וְאָמַר אֲבִיטוּל סַפְרָא מִשְּׁמֵיהּ דְּרַב – **And Avitul the scribe said in the name of Rav:**[34] פַּרְעֹה שֶׁהָיָה בִּימֵי מֹשֶׁה אַמְגּוּשִׁי הָיָה – **The pharaoh who lived in the time of Moses was an *amgushi,***[35] שֶׁנֶּאֱמַר ,,הִנֵּה יֹצֵא הַמַּיְמָה וגו' " – **for it is stated:** ***behold, he [Pharaoh] goes out to the water.***[36]

The Mishnah (13b) stated:

וְאֵלּוּ מְכַבְּסִין בַּמּוֹעֵד הַבָּא מִמְּדִינַת הַיָּם – AND THESE people MAY LAUNDER their clothing DURING CHOL HAMOED: ONE WHO ARRIVED FROM OVERSEAS, etc.

The Gemara cites another instance in which laundering is permitted:

אָמַר רַב אַסִּי אָמַר רַבִּי יוֹחָנָן – **Rav Assi said in the name of R' Yochanan:** מִי שֶׁאֵין לוֹ אֶלָּא חָלוּק אֶחָד מוּתָּר לְכַבְּסוֹ בְּחוּלוֹ שֶׁל מוֹעֵד – **One who has only one tunic is allowed to launder it on Chol HaMoed.**[37]

This ruling is challenged:

מָתִיב רַבִּי יִרְמְיָה – **R' Yirmiyah challenged it** on the basis of our Mishnah: אֵלּוּ מְכַבְּסִין בַּמּוֹעֵד הַבָּא מִמְּדִינַת הַיָּם כו' – AND THESE people MAY LAUNDER their clothing DURING CHOL HAMOED: ONE WHO ARRIVED FROM OVERSEAS, etc. By listing only these people, the Mishnah implies that הָנֵי אִין – **these** people – **yes!** they may launder clothing on Chol HaMoed; מִי שֶׁאֵין לוֹ אֶלָּא חָלוּק אֶחָד לֹא – but **one who has only one tunic** – **no!** he may not.

The challenge is deflected:

אָמַר לֵיהּ רַבִּי יַעֲקֹב לְרַבִּי יִרְמְיָה – **R' Yaakov said to R' Yirmiyah:** אַסְבְּרָה לָךְ – **I will explain it to you.** מַתְנִיתִין אַף עַל גַּב דְּאִית לֵיהּ תְּרֵי וּמְטַנְפֵי – **Our Mishnah** means that in these circumstances (i.e. one who arrived from overseas, etc.) one may launder his clothing **even if he has** ***two*** tunics **that are soiled.**[38]

Another qualification of the prohibition to wash clothing on Chol HaMoed:

שָׁלַח רַב יִצְחָק בַּר יַעֲקֹב בַּר גִּיוֹרֵי מִשְּׁמֵיהּ דְּרַבִּי יוֹחָנָן – **Rav Yitzchak the son of Yaakov the son of Giyorei sent** the following message **in the name of R' Yochanan:** כְּלֵי פִּשְׁתָּן מוּתָּר לְכַבְּסָן בְּחוּלוֹ שֶׁל מוֹעֵד – **Linen garments may be laundered on Chol HaMoed.**[39]

This ruling is challenged:

מָתִיב רָבָא – **Rava challenged** it from our Mishnah: מִטְפְּחוֹת הַיָּדַיִם – On Chol HaMoed one may launder HAND TOWELS[40] מִטְפְּחוֹת – and CLOTHS

NOTES

30. Being a fastidious person, Rav Nachman bar Yitzchak was bothered by any hair growth above his lip. He was therefore allowed to trim all of it [whereas other people may trim only the hairs that interfere with eating] (*Rashi*).

31. The name "Pappa" does not appear in *Ein Yaakov*.

32. A *zeres* is half an *amah*.

These measurements are intended metaphorically. Pharaoh is described as being only one *amah* tall to symbolize that he was a lowly, despised man. The equivalence between the length of his beard (which is the glory of a man's face) and his height signifies that his lowliness was matched by his vanity. That is, the more despised he was the more he lorded himself arrogantly over Israel. Both measurements are exceeded by the length of his member, thus demonstrating that he was overwhelmed by lust (*HaBoneh* [*Ein Yaakov*]; see also *Ben Yehoyada*).

33. *Daniel* 4:14.

34. See note 31 (cf. *Tosafos* to *Shabbos* 75a ד"ה אמגושא).

35. The Gemara in *Shabbos* (75a) cites a dispute as to the meaning of *amgushi* (or *amgusha*): According to Rav it means a sorcerer, whereas Shmuel defines it as a blasphemer (*Rashi;* see *Tosafos* ibid.). [Some relate *amgushi* to the *magi* – a priestly caste in ancient Persia.]

36. *Exodus* 7:15. God instructed Moses to meet Pharaoh by the Nile, where Pharaoh would bathe every morning.

According to the opinion that defines *amgushi* as sorcerer, Pharaoh frequented the Nile for purposes of sorcery. According to the view that it means blasphemer, Pharaoh would go to the river and declare (*Ezekiel* 29:3): *"Mine is my river, and I have made myself"* (*Rashi*). That is, he portrayed himself as a god. Seeking to conceal that he engaged in normal bodily functions, he would enter the river every morning and relieve himself there (see *Rashi ms.*).

37. Ordinarily, it is prohibited to launder clothing on Chol HaMoed. [The Sages enacted this prohibition to ensure that people would launder their clothing before the festival (see above, 14a).] However, if a person has only one garment, then even if he did wash it before Yom Tov he would still have to wash it again on Chol HaMoed (*Rashi ms.* et al.). [See above, 14a and note 24 there for further explanation.]

38. That is, our Mishnah refers only to people who own two [or more] tunics. Shortly before the festival, they could wash one tunic, put it on immediately and then wash the other one (*Rashi ms.;* see *Ran*). In this way they could avoid the need to wash any tunic on Chol HaMoed. Consequently, they are forbidden to wash their tunics on Chol HaMoed – even if all of them are soiled – except in the circumstances listed (e.g. one had just returned from a trip abroad). The Mishnah does not speak of a person who has only one tunic – he is allowed to wash it on Chol HaMoed under all circumstances, since he has no other option (*Rashi*).

39. Washing such garments is permitted on Chol HaMoed because it requires relatively little effort (*Rashi* on 18b). Furthermore, they are soiled so easily that even if they were washed before Yom Tov, they would have to be washed again on Chol HaMoed (*Rashi ms., Nimukei Yosef, Ran*).

As stated in the Gemara, the halachah is that one may launder linen garments on Chol HaMoed. Nevertheless, the accepted practice is to refrain from doing so (see *Shulchan Aruch, Orach Chaim* 534:2).

40. See 14a note 3.

[א] הלכה כרבי יוסי במועד ובאבל (א) דאמר שמואל הלכה כדברי המיקל באבל פנחס אחוה דמר שמואל איתרע (א) ביה מילתא על שמואל למישאל טעמא מיניה חזנהו לטופריה דהוו נפישן אמר ליה אמאי לא שקלת להו אמר ליה אי בדידיה הוה מי מזלזלת ביה כולי האי (ג) הואי (א) כשגגה שיוצא מלפני השליט ואיתרע ביה מילתא בשמואל על פנחס אחוה למישאל טעמא מיניה שקלינהו לטופריה חבטינהו לאפיה אמר ליה לית לך (ג) ברית כרותה לשפתים דאמר ר' יוחנן מנין שברית כרותה לשפתים שנאמר (ב) ויאמר אברהם אל נעריו שבו לכם פה עם החמור ואני והנער נלכה עד כה ונשתחוה ונשובה אליכם ואיסתייעא מלתא דהדור תרווייהו סבור מיניה דיד אין דרגל לא אמר רב ענן בר תחליפא לדידי מפרשא לי מיניה דשמואל לא שנא דיד ולא שנא דרגל אמר רב חייא בר אשי אמר רב [ב] ובגנוסטרא אסור אמר רב שמן בר אבא הוה קאימנא קמיה דר' יוחנן בי מדרשא בחולו של מועד ושקלינהו לטופריה בשיניה וזרקינהו שמע מינה תלת שמע מינה מותר ליטול צפרנים בחולו של מועד ושמע מינה אין בהן משום מיאוס ושמע מינה מותר לזורקן איני והתניא (ד) שלשה דברים נאמרו בצפרנים (ה) הקוברן צדיק שורפן (ו) חסיד זורקן רשע טעמא מאי שמא תעבור עליהן ° אשה עוברה ותפיל אשה בי מדרשא לא שכיחא וכי תימא זימנין דמיכנשי להו ושדי להו אבראי כיון דאשתני אשתני אמר רב יהודה אמר רב זוג בא מחמתן לפני רבי ומר זוטרא מתני זוג בא מחמתן לפני רבי ובקשו ממנו צפרנים והתיר להם ואם בקשו ממנו שפה התיר להם ושמואל אמר אף בקשו ממנו שפה [ג] והתיר להם אמר אביטול ספרא משמיה דרב (ז) פפא) שפה מזוית [א] לזוית אמר רבי אמי ובשפה המעכבת א"ר נחמן בר יצחק לדידי כשפה המעכבת דמי לי ואמר אביטול ספרא משמיה דרב (ח) פפא) פרעה שהיה בימי משה הוא אמה וזקנו אמה ופרמשתקו אמה וזרת לקיים מה שנאמר (ג) ושפל אנשים יקים עליה ואמר אביטול ספרא משמיה דרב (ט) פפא) פרעה שהיה בימי משה אמגושי היה שנאמר (ד) הנה יוצא המימה וגו': ואלו מכבסין במועד הבא ממדינת הים: אמר רב אסי א"ר יוחנן (י) [ד] מי שאין לו אלא חלוק אחד מותר לכבסו בחולו של מועד מתיב ר' ירמיה אלו מכבסין במועד הבא ממדינת הים כו' הני אין מי שאין לו אלא חלוק אחד לא אמר ליה ר' יעקב לר' ירמיה אסברה לך מתני' אע"ג דאית ליה תרי ומטנפי שלח רב יצחק בר יעקב בר גיורי משמיה דר' יוחנן [ה] כלי פשתן מותר לכבסן בחולו של מועד מתיב רבא (כ) מטפחות הידים מטפחות הספרים

רש"י

הלכה כרבי יוסי במועד. דמתיר: **איתרע ביה מילתא.** בפנחס אחוה (ל) דפנחס הוה אבל: **עייל שמואל לישאל ביה טעמא.** לדבר על לבו דפנחס: **אילו בדידיה הוה.** כלומר אילו היית אבל: **מי מזלזלת ביה כולי האי.** באבילות דשקלת לטופרך: **ואיתרע ביה מילתא.** אבילות: **שקלינהו לטופריה חבטינהו לאפיה.** זרקינהו מרוב כעס והדר מכנס להו דזורקן רשע: **ברית כרותה לשפתים.** דכתיב ונשתחוה ונשובה אליכם וכן הוה דחזרו תרוייהו: **סבור מיניה דיד.** מותר בימי אבלו משום דמאיס דרגל לא: **גינוסטרי.** מספרים: **אין בהם משום מיאוס.** מדשקל ליה בשיניה: **ושדי ליה לאבראי.** ועברה עלייהו איתתא אברא: **כיון דאישתני.** מההוא דוכתא דהוו מעיקרא אישתני ולא מזקי: **ומר זוטרא מתני.** בברייתא דבקשו ממנו לפרנים בימי אבלו ולאו משמיה דרב יהודה: **ואם בקשו ממנו שפה היה מתיר להם.** כלומר אנא חזינא לדעתיה אי שאלו לגלח השפה היה מתיר להם דאין בהם משום בל תשחית פאת זקנך (ויקרא יט): **מזוית לזוית.** מסוף הפה לסוף האחר מותר לגלח שהרי מעכבת אכילה ושתיה ומאיס: **ולדידי.** דאמינא דעתי כל השפה כשפה המעכבת דמי דאמינא לי דעתי: **פרמשתקו.** אמתו: **אמגושי הוה דכתיב הנה יוצא המימה.** מחלוקת במס' שבת (דף עה.) חד אמר חרשי להכי יוצא ליאור בשביל מכשפות ואידך אמר גידופי להכי יוצא שאומר לי יאורי ואני עשיתני: (מ) **מטפחות ידים.** שמנגבין בהן ידים משום דמאיס: (נ) **מטפחות הספוג.** שמנגבין בהן עצמן כשיוצאין מבית המרחץ: **ושעלו מטומאתן.** במועד: **מתני'.** דקתני אלו מכבסין אע"ג דאית ליה תרי ומטנפי אבל מי שאין לו אלא חלוק אחד דכולי עלמא שרי: כלי

תוספות

ואיסתייעא מילתא דהדור. תימה דלמא מדה טובה מרובה והוה ליה לאתויי הא דאמר עולא בעלמא (ברכות דף יט. ע"ש) לעולם אל יפתח אדם פיו לשטן שנאמר שמעו דבר ה' קציני סדום כו' (ישעיה א): **ובגנוסטרי אסור.** פי' בערוך (ס) שהוא כלי המתוקן ליטול לפרנים וכך שמו ולשון דגנוסטרא אסור משמע שהיה מתיר בין בתער בין במספרים ולאו דוקא בשינים מיהו קאמר בגמרא רבי יוחנן דשקלינהו בשיניו משמע דוקא בשיניו שרי ותימה דלעיל אמרינן הלכה כר' יוסי במועד לדברי הכל ושמא רבי יוחנן סבר הלכה כר' יהודה ומפרש טעמא דמחמרינן במועד טפי מבאבל ° ולא כרב שישא בריה דרב אידי דאמר דברים המותרין בחולו של מועד אסורין בימי אבלו ורבינו תם פירש דכשם שמותר בשיניו כך מותר ליטול לפרניו [בזו] מחבירתה דכל זה חשוב שינוי לענין שבת בפ' המלניע (שבת דף לד:) ושמעתי בשם רבי שמשון בר אברהם שבחול המועד מותר ליטול לפרנים לנשים דקתני בירושלמי גבי ועושה אשה תכשיטיה במועד וחשיב נוטלת שערה ולפרניה ול"ע בהלכות גדולות נמי אמרינן והאשה מותרת בנטילת שער לאחר שבעה ונראה דבאשה נשואה דוקא קאמר ומיירי במעברת סרק על פניה וטופלה בסיד שהוא משום תכשיט שלא תתגנה על בעלה אבל בתספורת ממש אסורה וגם בשם רבינו חיים שמעתי שהיה מתיר נטילת לפרנים במועד ובהלכות גדולות פוסק (ב) שבעה אסור בגנוסטרי בשיניו מותר לאחר שבעה מותר אף בגנוסטרי ולא ידענא מנא ליה דברייתא איירי תוך שבעה אי משום דקתני בימי אבלו ה"נ קתני ימי אבלו גבי גילוח והיינו כל שלשים וקאמר כשם שאסור לגלח בימי אבלו כך אסור ליטול לפרניו בימי אבלו משמע כל שלשים ואי סברי כר' יוסי יתירו לגמרי וי"ל דסברי כר' יוסי ומסתבר להו דאפילו רבי יוסי היה אוסר בגנוסטרי תוך שבעה דומיא דמועד או שמא (ג) מעשה דשמואל משמע קצת דשקלינהו לטופריה חבטינהו באפיה דמיירי תוך שבעה דוקא דבתוך שבעה היה ובשיניו היה מדקא אמרינן בתר הכי ובגנוסטרי אסור משמע דשמואל לא היה בגנוסטרי ולא אשכחנא דאסר רק תוך שבעה כשהלך רב פנחס לנחמו: **בקשו** ממנו שפה. יש לפרש על ידי שינוי דומיא דלפרנים ונראה דהכא פירוש דוקא לאחר שבעה: **אע"ג** דאית ליה תרי ומטנפי. מדלא משני הכא במאי עסקינן בשלא כיבסו לפני הרגל דלא שרינן מי שאין לו אלא חלוק אחד אלא היכא דכבסו לפני הרגל אבל לא כבסו דפשע לא שרי משמע דמי שאין לו אלא חלוק אחד שרי לכבסו במועד אפילו פשע ולא כבסו לפני המועד כך נראה לי ובתוספות מסופק בזה ונראה לי דהכי משמע מדלא מפליג ונראה דגבי אבל לא שרינן כשאין לו אלא חלוק אחד דהא אפילו אם היו לו מכובסין אסור ללבוש מה שאין כן ברגל ל"ע בכהן ששלמה משמרתו ברגל אם מותר לכבס לתנא דלעיל (דף יז:) דתנא כהן ואבל אפילו לתנא דידן אם חל שלישי להיות בעי"ט שאסור ברחילה עד הערב ופירש בקונטרס עד הלילה בלונן או עד חול המועד בחמין ואינו מותר לרחוץ מבעי"ט מיהו כשחל שביעי שלו בערב הרגל דאסור לכבס ולרחוץ כל היום מותר לכבס ברגל ול"ע אם אמת הוא שמותר מאי טעמא לא תני:

עין משפט נר מצוה

פח א ב מיי' פ"ה מהל' אבל הלכה ג סמג עשין דרבנן ג טוש"ע י"ד סי' שצ סעיף ז:

פט ג מיי' פ"ז מהלכות יו"ט הלכה כ טור ש"ע א"ח סי' תקלא סעיף ח:

צ ד מיי' שם הלכה כא סמג לאוין סה טור ש"ע א"ח סי' תקלד סעיף א:

צא ה מיי' וסמג שם טוש"ע שם סעיף ג:

תורה אור השלם

א) יֵשׁ רָעָה רָאִיתִי תַּחַת הַשָּׁמֶשׁ כִּשְׁגָגָה שֶׁיֹּצָא מִלִּפְנֵי הַשַּׁלִּיט: [קהלת י, ה]

ב) וַיֹּאמֶר אַבְרָהָם אֶל נְעָרָיו שְׁבוּ לָכֶם פֹּה עִם הַחֲמוֹר וַאֲנִי וְהַנַּעַר נֵלְכָה עַד כֹּה וְנִשְׁתַּחֲוֶה וְנָשׁוּבָה אֲלֵיכֶם: [בראשית כב, ה]

ג) בִּגְזֵרַת עִירִין פִּתְגָמָא וּמֵאמַר קַדִּישִׁין שְׁאֵלְתָא עַד דִּבְרַת דִּי יִנְדְּעוּן חַיַּיָּא דִּי שַׁלִּיט עִלָּאָה בְּמַלְכוּת אֲנָשָׁא וּלְמַן דִּי יִצְבֵּא יִתְּנִנַּהּ וּשְׁפַל אֲנָשִׁים יְקִים עֲלַהּ: [דניאל ד, יד]

ד) לֵךְ אֶל פַּרְעֹה בַּבֹּקֶר הִנֵּה יֹצֵא הַמַּיְמָה וְנִצַּבְתָּ לִקְרָאתוֹ עַל שְׂפַת הַיְאֹר וְהַמַּטֶּה אֲשֶׁר נֶהְפַּךְ לְנָחָשׁ תִּקַּח בְּיָדֶךָ: [שמות ז, טו]

רבינו חננאל

א) פיסקא דנזיר והמצורע מטומאתו לטהרתו. אוקימנא כדתניא כל אלו שאמרו מותרים לגלח במועד. בשלא היה להן פנאי. אבל היה להן פנאי לגלח ולא גילחו אסורין והנזיר והמצורע אע"פ שהיה להן פנאי לגלח ולא גילחו מותרין שלא ישהו קרבנותיהם. תנא האבל והכהן מותרין לגלח במועד. אוקימנא באבל שחל שביעי שלו להיות בשבת ערב הרגל. תנא ברא סבר לה כאבא שאול דאמר מקצת היום ככולו. ויום שביעי עולה לו לכאן ולכאן. וכיון דשבת הואי אנוס הוא לפיכך מגלח במועד. ותנא דידן סבר לה כרבנן כו'. כהן נמי כגון דשלים ליה משמרתו ברגל כו'. ופשוטה היא: ת"ר תכפוהו אבליו זה אחר זה. פי' קודם שישלים ימי אבל זה מת לו מת אחר וכן עוד בתוך ימי אבל זה מת לו מת אחר הכביד שערו מיקל בתער ומכבס כסותו במים. ואמר רב חסדא נוטל שערו בתער ולא במספריים. מכבס במים לבדם ולא בנתר ולא בחול. זאת אומרת אבל אסור בתכבוסת: ת"ר כשם שאסור לגלח במועד כך אסור ליטול צפרנים. ור' יוסי מתיר ליטול צפרנים במועד ובאבל. ואסיקנא כשמואל דאמר הלכתא כדברי המיקל באבל. דאמר שמואל הלכתא כר' יוסי במועד ובאבל ל"ש צפרנים דיד ל"ש צפרנים דרגל. אמר רב ובגנוסטרא אסור. אמר רב שמן הוה קאימנא קמיה דר' יוחנן בבי מדרשא וחזיתיה דשקלינהו לטופריה בשיניה וזרקינהו. ש"מ תלת. ש"מ מותר ליטול צפרנים במועד וש"מ מדשקלינהו בשיניה אין בהם משום מיאוס. וש"מ מדזרקינהו מותר לזורקן. והתניא ג' דברים נאמרו בצפרנים קוברן צדיק שורפן חסיד זורקן רשע. מ"ט שמא תעבור אשה עוברה עליהן ותפיל. ופרקינן אשה בי מדרשא לא שכיחא. וכי תימא זמנין דמכנשו ושדי להו לבראי כיון דאשתני אישתני. אמר רב יהודה אמר רב זוג בא לפני רבי ובקשו ממנו מהו ליטול צפרנים והתיר להם. ושמואל אמר גם עשיית שפה בקשו ממנו והתיר להם. ואסיקנא עשיית שפה מזוית לזוית. כלומר אם צריכה כולה תקון שרי. אבל מקצתה לא. ג) הנחה כל שהיא מעכבת. פי' אם עשה שפמו והניח מקצתו שאינו עשוי מותר ליטלו כי מעכבתו באכילתו. ג) ובכיוצא בה אמר רב נחמן לדידי שפה כי הנחה מעכבת דמי לי. ואלו כולם שאמרו בתוך שלשים יום. אבל בשבעת ימי האבל אסור בכולן. שמואל נכנס לבקר פנחס אחיו בימי אבלו וראה צפרניו גדולים. אמר ליה אמאי [לא שקלית] להו. א"ל אילו בך היה מי הוית מזלזל כולי האי. הואי כשגגה שיוצא מלפני השליט. ואירע אבל לשמואל נכנס פנחס אחיו לבקרו שקלינהו לטופריה חבטינהו באפיה. א"ל לית לך ברית כרותה לשפתים שנאמר ואני והנער נלכה עד כה ונשתחוה ונשובה אליכם. ואסתייעא מלתא והדרי תרווייהו ואתו. פרעה שהיה בימי משה הוא אמה וזקנו אמה ופרמשתקו אמה וזרת לקיים הכתוב ושפל אנשים יקים עליה: **מתני'** ואלו מכבסין במועד הבא ממדינת הים כו'. א"ר אסי א"ר יוחנן מי שאין לו אלא חלוק אחד מותר לכבסו בחולו של מועד. איני והתנינן אלו מכבסין במועד הבא ממדינת הים כו' וחשיב להו כל מי שהתירו לו חכמים לכבס במועד. ולא תני מי שאין לו אלא חלוק אחד בהדייהו. ופרקינן [מתני' אע"ג דאית לי' תרי ומטנפי] שרי לכבסינהו לכלהו. משמיה דר' יוחנן אמרו כלי פשתן מותר לכבסן במועד. והני מטפחות דתנינן במתני' דלאו

מסורת הש"ס

א) עירובין מו. לקמן יט: [כ. כב. כו: בכורות מט. חולין נג.], ב) [כתובות כג. סב: ב"מ סח.], ג) [סנהדרין קב. ע"ש], ד) נדה יז., ה) סוטה זו יש לה סוף, ו) [עי' פי' שכתבו תוס' נדה יז. ד"ה שורפן וכו' בשם הערוך], ז) [בערוך ליתא], ח) [ילקוט ובע"י ליתא], ט) [בע"י וגם בתוס' שבת עה. ד"ה אמגושי כו' מוכח דהיא משמי' דרב], י) תענית כט: לעיל יד. חולין קז:, כ) לעיל יד., ל) נ"א דשמואל, מ) [שייך למתני' דלעיל יד.], נ) [ג"ז שייך שם], ס) [בערך גנסטר גרסתו אמר רב ובגנוסטרי אסור וע"ש שהאריך].

הגהות הב"ח

(א) גמ' אחוה דמר שמואל איתרע ליה מילתא: (ב) תוס' ד"ה ובגנוסטרי כו' ובה"ג פוסק תוך שבעה אסור: (ג) בא"ד או שמא מעשה דשמואל משמע קצת מדשקלינהו לטופריה כו' אסור משמע דמעשה דשמואל לא היה:

הגהות הגר"א

[א] גמ' לזוית. נ"ב הנחה כל שמעכבת ר' אמי אמר והשפה המעכבת. כ"ה גירסת בה"ג ועי' רא"ש ומ"ש. (ועמ"ש בבינינו בא"ח סי' תקל"א):

גליון הש"ס

גמ' אשה עוברה ותפיל. עי' סנהדרין דף נט ע"א תד"ה ליכא: תוס' ד"ה ולא כרב שישא בריה דרב אידי. לעיל דף יט ע"ב:

רש"י כת"י

אמ' שמואל [הלכה כר' יוסי]. דמתיר. איתרע ליה מילתא. אבילות בפנחס אחוה דשמואל שמת בנו. למישאל טעמא. לדבר על לבו. אי בדידיה הוה. אם היית אבל מי היית מזלזל כל כך. כשגגה היוצאה מלפני השליט. שגזר השליט גזירה על האדם להורגו שלא בכוונה או לחבשו והלכו ותפשוהו. זרקינהו באפיה. מכעס וכגון דהדר מכנס להו שמואל ושדי להו אבראי. ברית כרותה. דכתוב ונשתחוה ונשובה אליכם וכן הוה. סבור מינה. לפרנים דיד אין למשקל במועד ובימי אבל. (ברגל דבכנוסטר) [גנוסטרי]. מספרים אסור ליטול צפרניו במועד ואבל אלא בידיו או בשיניו. אין בהן משום מיאום. אם נוטלן בשיניו שהרי נטלן בפניו ולית ביה משום הרק בפני חבירו ונמאס ומשום הורג כינה וכו' (חגיגה ג.). כיון דאישתני. שגררן ממקומן למקום אחר אישתני ושוב אין מזיקין. ומר זוטרא מתני. בברייתא הכי וכו' ולאו משמיה דרב יהודה. מחמתן. מקום. זוג. שני תלמידי חכמים. ובקשו ממנו. אם מותר ליטלן במועד. שפה. גרינו"ן. מזוית לזוית. מותר לגלח את כולה במועד. הנחה כל שמעכבת. לא ידענא ולא גרסינן לה. שפה. שער השפה שעל גבי הפה שמעכבת אכילה ושתיה שאינה מעכבת שער של לדדין. ולדידי. דאמינא דעתאי כולה כשפה המעכבת. עשית שפה מזוית לזוית פר"ח כלומר אם צריכה כולה תיקון שרי אבל מקצתה לא הנחה כל שהוא מעכבת פירוש אם עשה שפמו והניח מקצת שאינו עשוי מותר ליטלו כמו שמעכבת באכילתו. פרמשקתו. ערלתו. ושפל אנשים יקים עלה. על המלכות. אמגושי היה. פלוגתא היא במסכת שבת (עה.) מאן דאמ' אמגושי (דינו) גדופי שמגדף את השם לכך יוצא המימה שמשתבח עצמו ואמ' יאור לי ואני עשיתני שמחזיק עצמו באלוה וכשהוא נצרך לנקביו נכנס למים ונפנה שם מאן דאמ' חרשי מכשף ויוצא המימה לעשות כישוף. ומי שנשאל לחכם. שנדר שלא לכבס בגדיו ונשאל [לחכם במועד] לכבס במועד והתיר לו נדרו. מתניתין. דקא חשיב הנך אפילו אית ליה תרי חלוקים ומטנפי אבל כולי עלמא אי אית להו תרין חלוקין לאו אנוסין נינהו דהוה להו לכבס קודם המועד ואסור לכבס במועד ואם אין לו אלא חלוק אחד מותר שאף על פי שהוא מכבסה קודם המועד צריך לכבסה פעם אחרת אבל מי שיש לו שני חלוקים יכול לכבס האחת קודם המועד ולובשה מיד ולכבס האחרת וכדפרשינן לעיל. בר גיורי. שם חכם הוא. כלי פשתן. מודהם טפי ולית ליה [ביה נמי] טירחא כולי האי וכל הנך דאסרינן במתניתין בגדי למר.

חשק שלמה על ר"ח א) מכאן עד ואסיקנא כשמואל דאמר הלכתא כדברי המיקל שייך לעיל יז ע"ב. ב) עי' הגי' בבה"ג ואולם גי' רבינו יותר נכונה. ג) נ"ל דחסר בדברי רבינו ר' אמי אמר שפה נמי כל שמעכבת וכיוצא בה וכו'.

עין משפט
נר מצוה

צב א מיי' פ"ז מהלכות י"ט הלכה יב סמג לאוין עה טוש"ע א"ח סי' תקמה סעיף ה:
צג ב מיי' פ"ז מהלכות י"ט הלכה טו סמג לאוין עה טוש"ע א"ח סי' תקמו סעיף א:
צד ג מיי' פכ"ג מהל' אישות הלכה יג ופ"ו מהל' זכייה ומתנה הלכה יז סמג עשין מח טוש"ע אה"ע סי' נא:
צה ד מיי' פ"ז מהלכות י"ט הלכה טו טור ש"ע א"ח סי' תקמו סעיף א:
צו ה מיי' פ"ו מהלכות י"ט הלכה יב סמג לאוין עה טוש"ע א"ח סי' תקמה סעיף ו:
צז ו ז מיי' שם הלכה יג טוש"ע שם סעיף א ג:

תורה אור השלם

א) וַיַּעַן לָבָן וּבְתוּאֵל וַיֹּאמְרוּ מֵיְיָ יָצָא הַדָּבָר לֹא נוּכַל דַּבֵּר אֵלֶיךָ רַע אוֹ טוֹב: [בראשית כד, נ]
ב) וְאָבִיו וְאִמּוֹ לֹא יָדְעוּ כִּי מֵיְיָ הִיא כִּי תֹאֲנָה הוּא מְבַקֵּשׁ מִפְּלִשְׁתִּים וּבָעֵת הַהִיא פְּלִשְׁתִּים מֹשְׁלִים בְּיִשְׂרָאֵל: [שופטים יד, ד]
ג) בַּיִת וָהוֹן נַחֲלַת אָבוֹת וּמֵיְיָ אִשָּׁה מַשְׂכָּלֶת: [משלי יט, יד]
ד) וַיְחַפְּאוּ בְנֵי יִשְׂרָאֵל דְּבָרִים אֲשֶׁר לֹא כֵן עַל יְיָ אֱלֹהֵיהֶם וַיִּבְנוּ לָהֶם בָּמוֹת בְּכָל עָרֵיהֶם מִמִּגְדַּל נוֹצְרִים עַד עִיר מִבְצָר: [מלכים ב יז, ט]
ה) וַיְקַנְאוּ לְמֹשֶׁה בַּמַּחֲנֶה לְאַהֲרֹן קְדוֹשׁ יְיָ: [תהלים קו, טז]

מ) **הספרים.** פירוש להסתפר ובמסתפר לכל אותם שהתירו חכמים וי"ג הספרים ומטפחת י) הספגנין ובירושלמי קאמר עלה מטפחת הספרים [אין] מכבסין אותן במי רגלים מפני הכבוד ואין נראה לי להביא ראיה דאיירי בכתבי הקדש דאפילו דאיירי בהאומן המספר שייך כבוד המסתפרים שטוחנין אותן בפניהם וכשמסתפרין אין כבוד להם במטונפין:

ע) **העולים** מטומאה לטהרה. במצורע איירי דהא מצורע אסור לכבס כדאמר לעיל (דף טו.) ומסופק אם נאמר כן בעולה מטומאת מת ונבילה שצריך לכבס בגדיו או אמרינן דוקא מצורע הואיל ואסור לכבס כל בגדיו שלו מיהו מה שפירש דבמצורע איירי קשיא לן אי אמרינן דמצורע אינו נוהג ברגל א"כ מאי איריא עולים מטומאה לטהרה אפילו בימי צרעתו נמי מותר לכבס ברגל דלא מצי למימר לא מיבעיא קאמר דלעיל (דף יד:) דאם כן לא שייך שמא ישהו קרבנותיהן דבשלמא גילוח הוא בשעת קרבן אבל כיבוס לא שייך לקרבן ויש לומר דכיבוס נמי שייך לקרבן:

מתקיף לה אביי מאן לימא לן. ועי"ג דאביי גופיה שני לעיל מתני' אליבא דרבי יוחנן אינו סובר כן: **ואלו** כותבין במועד. נראה דכל הני הוו דבר האבד פן ימות הנותן או העדים או ב"ד או ילכו למדינת הים:

ואיגרות רשות. בירושלמי מפרש פריסת שלום ויש מפרשים ליווי השלטון כמו אל תתודע לרשות (אבות פ"א מ"י):

אין כותבין שטרי חוב. פירשו בתוספות הוא הדין שטר מכירה דהא בהדי אלו כותבין במועד לא חשיב שטר מכירה ולי נראה דהא דלא קתני משום דאין כותבין שטר מכירה אלא על הקרקע ואמרינן לעיל (דף יג.) אין מוכרין בתים אלא לצורך המועד ולצורך המועד פשיטא דשרי והוא הדין אם מכר קודם המועד ועתה רוצה לכתוב דשרי במועד דהא נמי דבר האבד רק אם היה לו אונס ולא יכול לכתוב קודם המועד: **הן** הן דברים הנקנין באמירה. בפ' הנושא (כתובות דף קב:) מפורש: **ומי** אמר שמואל שמא יקדמנו אחר. תימה לי אמאי לא משני הא בזוג שני הא בזוג ראשון כדמשני פרק שני דסנהדרין (דף כב.) ובפרק קמא דסוטה (דף ב. ושם):

הספרים הני אין כלי פשתן לא אמר ליה אביי מתני' אפילו דשאר מיני אמר בר הדיא לדידי חזי לי ימה של טבריה דמפקי לה משיכלי דמני כיתנא בחולא דמועדא מתקיף לה אביי מאן לימא לן דברצון חכמים עבדי דלמא שלא ברצון חכמים עבדי: **מתני'** ואלו כותבין במועד קדושי נשים וגיטין ושוברין דייתיקי מתנה ופרוזבולין איגרות שום ואיגרות מזון שטרי חליצה ומיאונים ושטרי בירורין גזרות בית דין ואיגרות של רשות: **גמ'** אמר שמואל מותר לארס אשה בחולו של מועד שמא יקדמנו אחר לימא מסייע ליה ואלו כותבין במועד קדושי נשים מאי לאו שטרי קדושין ממש לא שטרי פסיקתא וכדרב גידל אמר רב דאמר רב גידל אמר רב כמה אתה נותן לבנך כך וכך כמה אתה נותן לבתך כך וכך עמדו וקדשו קנו הן הן הדברים הנקנין באמירה לימא מסייע ליה אין נושאין נשים במועד לא בתולות ולא אלמנות ולא מיבמין מפני ששמחה היא לו הא לארס שרי לא מיבעיא קאמר לא מיבעיא לארס דלא קעביד מצוה אלא אפילו לישא נמי דקא עביד מצוה אסור תא שמע דתנא דבי שמואל מארסין אבל לא כונסין ואין עושין סעודת אירוסין ולא מיבמין מפני ששמחה היא לו ש"מ ומי אמר שמואל שמא יקדמנו אחר והאמר רב יהודה אמר שמואל בכל יום ויום בת קול יוצאת ואומרת בת פלוני לפלוני שדה פלוני לפלוני אלא שמא יקדמנו אחר ברחמים כי הא דרבא שמעיה להוא גברא דבעי רחמי ואמר תזדמן לי פלניתא א"ל לא תיבעי רחמי הכי אי חזיא לך לא אזלא מינך ואי לא כפרת בה' בתר הכי שמעיה דקאמר או איהו לימות מקמה או איהי תמות מקמיה א"ל לאו אמינא לך לא תיבעי עלה דמילתא הכי אמר רב משום רבי ראובן בן אצטרובילי מן התורה ומן הנביאים ומן הכתובים מה' אשה לאיש מן התורה דכתיב ויען לבן ובתואל ויאמרו מה' יצא הדבר מן הנביאים דכתיב ואביו ואמו לא ידעו כי מה' היא מן הכתובים דכתיב בית והון נחלת אבות ומה' אשה משכלת ואמר רב משום רבי ראובן בן אצטרובילי ואמרי לה במתניתא תנא א"ר ראובן בן אצטרובילי אין אדם נחשד בדבר אלא א"כ עשאו ואם לא עשאו כולו עשה מקצתו ואם לא עשה מקצתו הרהר בלבו לעשותו ואם לא הרהר בלבו לעשותו ראה אחרים שעשו ושמח מתיב רבי יעקב ויחפאו בני ישראל דברים אשר לא כן על ה' אלהיהם התם להכעיס הוא דעבוד תא שמע ויקנאו למשה במחנה לאהרן קדוש ה' רב שמואל בר יצחק אמר מלמד שכל אחד קינא לאשתו ממשה התם משום שנאה הוא דעבוד ת"ש אמר רבי יוסי יהא חלקי עם מי שחושדין אותו בדבר ואין בו ואמר רב פפא לדידי חשדון ולא הוה בי לא קשיא הא בקלא דפסיק הא בקלא דלא פסיק וקלא דלא פסיק עד כמה אמר אביי אמרה לי אם דומי דמתא יומא ופלגא והני מילי דלא פסק ביני ביני אבל פסק ביני ביני לית לן בה וכי פסק ביני ביני לא אמרן אלא דלא פסק מחמת יראה אבל פסק מחמת יראה לא א) ולא אמרן אלא דלא הדר נבט אבל הדר נבט לא ולא אמרן אלא דלית ליה אויבים אבל אית ליה אויבים אויבים הוא דאפקוה לקלא: **מתני'** אין כותבין שטרי חוב במועד ואם אינו מאמינו או שאין לו מה יאכל הרי זה יכתוב אין כותבין ספרים תפילין ומזוזות במועד ואין מגיהין אות אחת אפילו בספר עזרא רבי יהודה אומר כותב אדם תפילין ומזוזות לעצמו

וטווה

י) **כלי פשתן.** דלא נפיש טירחא: **מטפחות הספרים.** של פשתן: **הני אין.** אבל שאר כלי פשתן לא: **אפילו דשאר מיני.** כלומר מטפחות דשאר מינין כגון לצמר דאע"ג דנפיש טירחא שרי לכבס אבל שאר כלים דשאר מינין לא אבל כלי פשתן שרי לכבס: **משיכלי.** ספלים:
מתני' קדושי נשים. שכתב בשטר הרי את מקודשת לי דאשה נקנית בשטר: **דייתיקי.** שטר צוואה: **פרוזבולין.** שכותב מלוה בשטר שאינו משמט ולא משמיט ליה שמיטה: **איגרות שום.** בכך שמו בית דין שדה זו ונתנו לאחים כך וכך נגדו: **איגרות מזון.** פלוני קבל לזון בת אשתו: **שטרי בירורים.** בירכו ב"ד חלק זה לזה וחלק זה לזה: **גזרות ב"ד.** פסקי דינין: **ואיגרות של רשות.** צווי וקיום של שלטון: **גמ' כדרב גידל.** שכותב תנאי זה בשטר: **ניקנין באמירה.** בלא קנין: **דקא עביד מצוה.** דעוסק בפריה ורביה: **כפרת בה'.** באמנה דקאמר דלא מסייע לאותה כלום הואיל ולא מזומנה (א) ליה כלומר השתא לגנות עלה ולא מסתייעא מילתא: **אמר.** אי לא מנסבא לא איהי תמות מקמאי דלא איחזי כד מנסבא לאחר ולצער בה: **או איהו.** עלמא ימות מקמי דמינסבא איהי לאידך ולהכי מארס במועד שלא יקדמנו אחר ברחמים שתמות שמות היא: **נחשד בדבר.** עבירה: **להכעיס עבוד.** ולדעי דלא הוה: **בקלא דפסיק.** לא היה ביה: **קלא דלא פסיק.** היה ביה: **דומי.** חשד כמו לא ישא בת דומה (סוטה דף מ.): **אבל הדר נבט.** דבתר דפסיק התחיל קלא נבט נשמע דמיון כמו במסכת תענית (דף ד.) האי צורבא מרבנן דמי לפרלידה דתותי קלא כיון דנבט נבט ופי' זה וזה לשון לחה: **מתני' ואם אינו מאמינו.** המלוה ללוה: **או שאין לו מה יאכל.** לסופר: **אפילו בספר עזרא.** ס"ת של עזרא ואני שמעתי עזרה בה' ופי' ספר מוגה היה בעזרה שממנו היו מגיהים כל ספרי גולה: **לעצמו.** לקיים זה המלוה אבל לצבור למכור דלדך שכירות הוא חשיב מלאכה כדאמרינן לעיל (דף יב.) אונכרא דכיון דלאו אגרא קשקיל שרשויי בעלמא הוא ושרי: וטווה

מסורת הש"ס

א) [גיטין מה.], ב) כתובות קב., ג) ג"ז שם. קידושין ט:, ד) לעיל ח:, ה) סנהדרין כב. ע"ש סוטה ב. ע"ש, ו) סנהדרין קיא, ז) שבת קיח:, ח) [קידושין לא: וש"נ], ט) יבמות כה., י) [לעיל יג.], כ) שייך לע"א, ל) [אבונגרי כצ"ל], מ) [שייך לעיל יד. במשנה], נ) עיין מהרש"א, ס) [ע"ש הלכה ב], ע) שייך לדף יד. במתני', פ) נ"ל לוקחין, צ) שייך לעיל קודם ד"ה אין כותבין, ק) ג"ז שייך לעיל.

הגהות הב"ח

(א) רש"י ד"ה כפרת כו' הואיל ולא מזומנה לך כלומר:

הגהות מהר"ב רנשבורג

א] גמ' ולא אמרן אלא דלא הדר נבט. כלומר דלא יצא עכ"ל הערוך בערך נבט ועי' בפרש"י דמפרש מלשון לחה. ואיך שיהיה הפי' דלא הדר שוב ונשמע כדפרש"י מעיקרא נבט נשמע וכו' ולפענ"ד דברי הש"ס אלו קא מהדרי אדלעיל דקא משנין ל"ק הא בקלא דפסיק וכו' וקא מפרש הש"ס בתחילה עד כמה הוי קלא דלא פסיק וכל דיני וחלוקי קלא דלא פסיק והשתא קא מהדר תו לפרושי דקלא דפסיק לא אמרן אלא דלא הדר נבט כו' ודוק היטב. דלפ"ז הוי ג' חלוקים בדבר דבקלא דלא פסיק יומא ופלגא אית בי' ודאי משמע. וקלא דפסיק לגמרי דלא הדר נביט לית בי' שום ממש. וקלא דפסיק דהדר נבט אף דלא הוי מיומא ופלגא נהי דלא ברי גמור הוא דאית בי' ממש עכ"פ איכא לספוקי ביה ולא נפיק מתורת חשדא. אולי אית בי'. כנלענ"ד ברור ודוק היטב. ורא"י גמורה מצאתי לפירושי הזה. דביבמות דף כ"ה ע"א ליתא להך ולא אמרן בתרא יעוש"ה ולדברינו מיושב משום דלענין להוציא אשה מבעלה איירי ואספיקא לא מפקינן והדר נבט רק ספיקא הוי ודו"ק היטב כי נכון הוא:

גליון הש"ס

גמ' מאן לימא לן דברצון חכמים. עיין תשובת מהרי"ט ח"א סי' פג:

רש"י כת"י

הנך אין שאר. פשתן לא. מתניתין. דקתני מטפחות ידים וספרים שרו אפי' דשאר מינין כגון ש'ל' של צמר. דמפקי לה. כובסין אותה בני אדם. משיכלי. ספלים מלאים בגדים לכבס בחולו של מועד. מתקיף לה אביי. לרב הדיא לדידי דאמינא לכבס כלומר דכלי פשתן יכול לכבס במועד. קדושי אשה. כגון הרי את מקודשת לי ומקדשה בשטר דאשה נקנית בשטר והילכך יכול לכתוב כגון שמתיירא שמא יקדמנה אחר דהוה ליה דבר האבד וכן כולם משום דבר האבד מותרין. גיטין. שרוצה זה לצאת בשיירא ואם אינו כותב עכשיו הרי הוה נמי כפרקמטיא האבד שהרי תשב זו עגונה. ושוברין. שמא יאמר הלוה לא אפרע לך הואיל ואין לי שובר וילך לדרכו ויפסיד זה. דייתיקי. מתנת שכיב מרע דא תהא למיקם ולהיות. מתנה. מתנת בריא דאי לא כתיב ליה מפסיד המקבל דשמא יחזור זה הנותן. ופרוזבולין. שלא תשמט שביעית ויפסיד פרוזבול הלל תקנו במס' גיטין (לו.) והוא שטר שכותבין בו מוסרני שטרותי לב"ד [שכל חוב] שיש לי אצל פלוני שאגבנו כל זמן [שארצה] דשוב אין שביעית משמטת הלואתו והרי הוא כאילו גבו ב"ד חובו של זה ולא קרינא ביה ולא יגוש פרוס בולי ובוטי תקנה לעניים ולעשירים. אגרות שום. ששמו ב"ד נכסי לוה ונתנו למלוה ל"א שום היתומים. אגרות מזון שקבל עליו לזון בת אשתו. מיאונין. קטנה שלא הביאה שתי שערות יכולה לימאן בבעלה שיכולה לומר אי אפשר בפלוני בעלי ומבטלת קדושין ומותרת בלא גט והוא שהשיאוה אמה או אחיה דאם קבל בה אביה קדושין שוב אינה ממאנת דכתוב את בתי נתתי לאיש הזה. שטרי בירורין. שטר שבוררין להם ב"ד זה בורר לו אחד וזה בורר לו וכותבין כדי שלא יחזרו בהן הדיינין ובעלי הדין. גזירות ב"ד. פסק דין כותבין במועד כיון דהשתא הוא דשכיחי ב"ד. ל"א גזירות שגוזרין עליו לקבל את הדין. אגרות של רשות. צווי השלטון. לישנא אחרינא אגרות של שלום. מותר. לאדם לקדש אשה בלא סעודה כדאמרינן לקמן דאין עושין סעודת אירוסין וליכא הכא משום מערב שמחה בשמחה דכי אמרינן אין מערבין היינו לישא בשכונסה בשבעה ימי נישואין. שמא יקדמנה אחר. [המשך בדף יט.]

רבינו חננאל

כלי פשתן אלא צמר ושל שאר מינין זולתי. אמר בר הדיא אנא חזיתי ים טבריא דמפקי לה משיכלי ומכבסי בהו מאני דכיתנא בחולי דמועדא. א"ל אביי ומאן לימא לן דברצון חכמים עבוד דלמא שלא ברצון חכמים עביד: ירושלמי תני מטפחות ספרים אין מכבסין אותן במי רגלים מפני הכבוד אלא מכבסין אותן בנתר ובורית: מתני' אלו כותבין [במועד] קדושי נשים גיטין ושוברין דיתיקאות מתנות פרוזבולין איגרות שום איגרות מזון שטרי חליצה ומיאונין שטרי ברורין גזירות ב"ד איגרות רשות: ירושל' (שטרי חוב) [ושוברין] אומי לוגיאוס. ואיגרות של רשות. איגרות שאילת שלום. איגרות שום. שום היתומים. איגרות מזון מזונות אלמנה של (רשות כו') עד גזירות ב"ד. אלו גזרי דינין (ואיגרות של רשות זו שאילת שלום) קידושי נשים. אוקימנא שטרי פסיקתא. כמה אתה נותן לבנך. כמה אתה נותן לבתך כך וכך ועמדו וקדשו הן הן הדברים הנקנין באמירה: ירושלמי איגרות של רשות זו שאילת שלום. אמר שמואל מותר ליארס בחולו של מועד שמא יקדמנו אחר. איני והא איהו דאמר מ' יום קודם יצירת הולד בכל יום ב"ק יוצאת ומכרזת בת פלוני לפלוני כו'. ופרקינן שמא יקדמנו אחר בתפלה. תנא דבי מנשה מארסין במועד ואין כונסין ואין עושין סעודת אירוסין ולא מייבמין מפני ששמחה היא לו. אבל מחזיר גרושתו. אמר רב מן התורה ומן הנביאים ומן הכתובים מה' אשה לאיש. מן התורה שנאמר מה' יצא הדבר. מן הנביאים שנאמר ואביו [ואמו] לא ידעו כי מה' היה הדבר. מן הכתובים דכתיב בית והון נחלת אבות ומה' אשה משכלת. ואמר רב אין אדם נחשד בדבר אלא אם כן עשאו או כולו או מקצתו או הרהר בלבו לעשותו או ראה אחרים שעשאוהו וייטב בעיניו. איני והכתיב ויחפאו בני ישראל דברים אשר לא כן על ה' אלהיהם. ופרקינן התם להכעיס הוא דעבוד. והכתיב וישמע משה ויפול על פניו. ואמר ר' יוחנן שחשדוהו באשת איש. וכתיב ויקנאו למשה במחנה מלמד שכל אחד קנא על אשתו. ופרקינן התם משום שנאה עשו כך. ת"ש דא"ר יוסי יהא חלקי עם מי שחושדין אותו בדבר ואין בו. ואמר רב פפא לדידי חשדו לי ולא הוה בי ואסיקנא בקלא דלא פסיק ובאתרא דלית ליה אויבים. אבל היכא דאית ליה אויבים מעיקרא לאו מלתא היא דאויבים הוא דאפקוה לקלא: מתני' אין כותבין שטרי חוב במועד אם אינו מאמינו או שאין לו א) הרי זה יכתוב. אין כותבין סתו"מ. ואין מגיהין אות אחת ואפילו בספר העזרה כו'.

ת"ר

חשק שלמה על ר"ח א) אולי צ"ל שאין לו מעות לקנות.

הַסַּפָּרִים – OF THE BARBERS.[1] The Mishnah implies that הָנֵי אִין – these linen garments (hand towels, etc.) – yes! they may be laundered on Chol HaMoed, כְּלֵי פִּשְׁתָּן לֹא – but other linen garments – no! they may not be laundered on Chol HaMoed.[2]

The challenge is deflected:

אָמַר לֵיהּ אַבַּיֵי – Abaye said to him: מַתְנִיתִין אֲפִילּוּ דִּשְׁאָר מִינֵי – Our Mishnah means that even if these garments (hand towels, etc.) are made of other materials besides linen,[3] they may be washed on Chol HaMoed. In the case of linen garments, however, all types of garments (even those not listed in the Mishnah) may be washed on Chol HaMoed.

The Gemara attempts another proof:

אָמַר בַּר הִידָיָא – Bar Hidaya said: לְדִידִי חֲזִי לִי יַמָּה שֶׁל טְבֶרְיָא – I personally saw at the sea of Tiberias דְּמַפְקֵי לָהּ מְשִׁיכְלֵי דְמָנֵי כִּיתָּנָא בְּחוּלָּא דְמוֹעֲדָא – that [people] were taking bowls of linen garments out to it on Chol HaMoed for the purpose of washing the garments there. Thus we see that washing linen garments is permitted on Chol HaMoed.

The proof is deflected:

מַתְקִיף לָהּ אַבַּיֵי – Abaye objected to it: מַאן לֵימָא לָן – Who can say to us דִּבִרְצוֹן חֲכָמִים עָבְדֵי – that they acted with the consent of the Sages? דִּלְמָא שֶׁלֹּא בִּרְצוֹן חֲכָמִים עָבְדֵי – Perhaps they acted without the consent of the Sages!

Mishnah The previous Mishnah (13b-14a) listed circumstances in which it is permitted to cut hair and launder clothing on Chol HaMoed. This Mishnah teaches when it is permitted to write on Chol HaMoed:[4]

וְאֵלּוּ כּוֹתְבִין בַּמּוֹעֵד – **And these may be written on Chol HaMoed:**[5] קִדּוּשֵׁי נָשִׁים – documents for **the betrothal**[6] **of women,**[7] וְגִיטִין – **bills of divorce,**[8] וְשׁוֹבְרִין – **receipts,**[9] דַּיְיתִיקֵי – **sickbed wills,**[10] מַתָּנָה – **gift** documents,[11] וּפְרוֹזְבּוּלִין – ***prozbulin,***[12] אִיגְּרוֹת שׁוּם – **letters of evaluation,**[13] וְאִיגְּרוֹת מָזוֹן – **letters of**

NOTES

1. See 14a note 4.

2. By specifying these particular garments (hand towels, etc.), which are presumably made of linen, the Mishnah indicates that other linen items may not be washed on Chol HaMoed (*Rashi, Talmid R' Yechiel MiParis*).

3. E.g. wool or cotton (*Nimukei Yosef*).

4. Work requiring skill of a professional caliber [מַעֲשֵׂה אוּמָּן] is generally prohibited on Chol HaMoed (Mishnah 11a; see General Introduction). Therefore, calligraphy, which is a skilled craft, is prohibited. Some authorities forbid even writing in a noncalligraphic manner, for they consider the simple act of writing to be a professional form of labor (*Bach, Orach Chaim* 545:1; *Mishnah Berurah* §4; see further, note 19).

It should be noted that even unprofessional labor [מַעֲשֵׂה הֶדְיוֹט] is prohibited on Chol HaMoed unless it serves some purpose related to the festival (*Tosafos* to 10a ד״ה ההדיוט; General Intoduction).

5. The following documents are needed to avoid an irretrievable loss of a financial or personal nature (*Rashi ms., Tosafos* et al.; cf. *Rambam, Hil. Yom Tov* 7:12). For the sake of avoiding an irretrievable loss, even professional labor, such as the stylized writing of an official document, is permitted (above, 2a; General Introduction). Hence, these documents may be written on Chol HaMoed. In general, although they could be written after the festival, one is not obligated to wait until then, because the people required to create the document (e.g. judges, witnesses) might be unavailable at that time (see *Tosafos, Tos. HaRosh, Nimukei Yosef, Meiri* et al.).

6. The marital bond is established in two stages: (a) קִידּוּשִׁין, *kiddushin* (or אֵרוּסִין, *erusin*), which renders the couple legally married, though they are not yet allowed to live together; (b) נִשּׂוּאִין, *nisuin,* which permits them to engage in conjugal relations. [For lack of a better English term, we use "betrothal" to signify the first stage.]

7. I.e. a document that states "You are betrothed to me." Giving such a document to a woman is one of the methods that effect *kiddushin* (*Rashi, Rashi ms.* et al.; see, however, the alternative explanation given in the Gemara below). [The Gemara will explain why failure to write this document on Chol HaMoed could result in an irretrievable loss.]

8. If a husband is about to embark on a journey, he may write his wife a bill of divorce on Chol HaMoed [to take effect should he fail to return by a certain date]. The reason is that if he does not provide her with a divorce, and then fails to return, she would suffer an irretrievable loss, because she would then be prohibited to remarry [unless evidence is produced of his death] (*Rashi ms., Ritva, Nimukei Yosef*).

Rashi (ms.) apparently means that a divorce may be written on Chol HaMoed only where the husband is leaving on a journey [or a similar situation] (*Maggid Mishneh* [*Hil. Yom Tov* 7:12], *Peirush L'Achad HaKadmonim al HaRif*). Other commentators, however, argue that since the Mishnah does not state otherwise, it allows writing a divorce in all circumstances. They interpret *Rashi (ms.)* as giving the reason for this general permit. That is, in light of the one situation where a divorce is needed to avoid an irretrievable loss, the Sages issued a general permit to write a divorce on Chol HaMoed, even where a loss is not involved [לא פלוג] (*Beis Yosef, Orach Chaim* 545 ד״ה וכותבין גיטי נשים).

This dispute applies to the other documents listed in our Mishnah as well. According to the first opinion, no document may be written on Chol HaMoed except in the specific circumstances where this is necessary [e.g. it is known that the witnesses are leaving town after the festival] (*Peirush L'Achad HaKadmonim al HaRif*). According to the second view, the documents may be written on Chol HaMoed even where those circumstances do not exist (*Talmid R' Yechiel MiParis; Maggid Mishneh, Beis Yosef;* see *Tur* and *Shulchan Aruch,* 545:5).

9. A debtor has the right to demand a receipt upon payment of a debt [unless the creditor still possesses the loan document, in which case returning that document to the debtor removes the need for a receipt]. Therefore, a creditor is allowed to write a receipt on Chol HaMoed, because otherwise the debtor might refuse to pay him at that time. Should the debtor then leave town, the creditor will never regain his money (*Rashi ms., Nimukei Yosef*).

10. I.e. a document attesting to the bequest of a שְׁכִיב מְרַע, *seriously ill person.* The Sages instituted that a seriously ill person can transfer property through oral declaration alone, without a formal *kinyan.* However, a document recording the transfer is required to prove that it took place. Without this document, the bequest may be contested by the deceased's heirs, resulting in a loss to the recipient.

This document may be written on Chol HaMoed, lest the witnesses depart after the festival (*Nimukei Yosef*).

11. It is possible to transfer ownership of real estate by handing the recipient a document in which the matter is recorded. One may write such a document on Chol HaMoed, for fear that the benefactor might change his mind later and decide not to grant the gift (*Meiri;* see *Rashi ms.*). [*Ritva* explains why this would be considered a "loss" on the part of the intended recipient, as opposed to a lack of profit.]

Alternatively, the gift was effected by some other means and the document is needed only as proof of the transaction. It may be written on Chol HaMoed, because the witnesses might leave after the festival, and the benefactor could then claim that the transaction never took place (*Nimukei Yosef, Ran*).

12. Under Biblical law, outstanding debts are automatically canceled at the end of every *shemittah* year (*Deuteronomy* 15:1-3). To prevent people from refraining to lend money close to the *shemittah* (for fear that the debt will be canceled before it is paid), the Sages instituted that a creditor may draw up a document which transfers his outstanding loans to the court. Loans owned by the court are not canceled by *shemittah.* Therefore, the creditor, acting as the court's agent, can collect the debt at any time. This document is called a *prozbul.* [The legal basis for Hillel's enactment is discussed further in *Gittin* 36a-b.]

A *prozbul* may be written on Chol HaMoed, because the creditor might not find an eligible court after the festival (*Meiri;* see also *Nimukei Yosef* and *Ran*).

13. I.e. a document drawn up by a court attesting to their evaluation of a particular field in a deceased person's estate. This field was awarded to

עין משפט נר מצוה

צב א מיי' פ"ז מהלכות י"ט הלכה יב סמג לאוין עה טוש"ע א"ח סי' תקמ סעיף א:

צג ב מיי' פ"ז מהלכות י"ט הלכה טו סמג לאוין עה טוש"ע א"ח סי' תקמו סעיף א:

צד ג מיי' פכ"ג מהל' אישות הלכה יג ופ"י מהל' זכייה ומתנה הלכה יז סמג עשין מח טוש"ע אה"ע סי' לג:

צה ד מיי' פ"ז מהלכות י"ט הלכה טו טור ש"ע א"ח סי' תקמו סעיף א:

צו ה מיי' פ"ז מהלכות י"ט הלכה יג סמג לאוין עה טוש"ע א"ח סי' תקמה סעיף ו:

צז ו ז מיי' שם הלכה יג טוש"ע שם סעיף א ג:

תורה אור השלם

א) וַיַּעַן לָבָן וּבְתוּאֵל וַיֹּאמְרוּ מֵיְיָ יָצָא הַדָּבָר לֹא נוּכַל דַּבֵּר אֵלֶיךָ רַע אוֹ טוֹב: [בראשית כד, נ]

ב) וְאָבִיו וְאִמּוֹ לֹא יָדְעוּ כִּי מֵיְיָ הִיא כִּי תֹאֲנָה הוּא מְבַקֵּשׁ מִפְּלִשְׁתִּים וּבָעֵת הַהִיא פְּלִשְׁתִּים מֹשְׁלִים בְּיִשְׂרָאֵל: [שופטים יד, ד]

ג) בַּיִת וָהוֹן נַחֲלַת אָבוֹת וּמֵיְיָ אִשָּׁה מַשְׂכָּלֶת: [משלי יט, יד]

ד) וַיְחַפְּאוּ בְנֵי יִשְׂרָאֵל דְּבָרִים אֲשֶׁר לֹא כֵן עַל יְיָ אֱלֹהֵיהֶם וַיִּבְנוּ לָהֶם בָּמוֹת בְּכָל עָרֵיהֶם מִמִּגְדַּל נוֹצְרִים עַד עִיר מִבְצָר: [מלכים ב' יז, ט]

ה) וַיְקַנְאוּ לְמֹשֶׁה בַּמַּחֲנֶה לְאַהֲרֹן קְדוֹשׁ יְיָ: [תהלים קו, טז]

רבינו חננאל

כלי פשתן אלא צמר ושל שאר מינין זולתי. אמר בר הדיא אנא חזיתי ים טבריא דמפקי לה משיכלי ומכבסי בהו מאני דכיתנא בחולי דמועדא. א"ל אביי ומאן לימא לן דברצון חכמים עבוד דלמא שלא ברצון חכמים עביד: **ירושלמי** תני מטפחות ספרים אין מכבסין אותן במי רגלים מפני הכבוד אלא מכבסין אותן בנתר ובורית: **מתני'** אלו כותבין [במועד] קדושי נשים גיטין ושוברין דיתיקאות מתנות פרוזבולין איגרות שום איגרות מזון שטרי חליצה ומיאונין שטרי ברורין גזירות ב"ד איגרות רשות: **ירושל'** (שטרי חוב) [ושוברין] אומי לוגיאוס. ואיגרות של רשות. איגרות שאילת שלום. איגרות שום. שום היתומים. איגרות מזון מזונות אלמנה של (רשות כו') עד גזירות ב"ד. אלו גזרי דינין (ואיגרות של רשות זו שאילת שלום) קידושי נשים. אוקימנא שטרי פסיקתא. כמה אתה נותן לבנך. כמה אתה נותן לבתך כך וכך ועמדו וקדשו הן הן הדברים הנקנין באמירה: **ירושלמי** איגרות של רשות זו שאילת שלום. אמר שמואל מותר ליארס בחולו של מועד שמא יקדמנו אחר. איני והא איהו דאמר מ' יום קודם יצירת הולד בכל יום ב"ק יוצאת ומכרזת בת פלוני לפלוני כו'. ופרקינן שמא יקדמנו אחר בתפלה. תנא דבי מנשה מארסין במועד ואין כונסין ואין עושין סעודת אירוסין ולא מייבמין מפני ששמחה היא לו. אבל מחזיר גרושתו. אמר רב מן התורה ומן הנביאים ומן הכתובים מה' אשה לאיש. מן התורה שנאמר מה' יצא הדבר. מן הנביאים שנאמר ואביו [ואמו] לא ידעו כי מה' היה הדבר. מן הכתובים דכתיב בית והון נחלת אבות ומה' אשה משכלת. ואמר רב אין אדם נחשד בדבר אלא אם כן עשאו או כולו או מקצתו או הרהר בלבו לעשותו או ראה אחרים שעשאוהו וייטב בעיניו. איני והכתיב ויחפאו בני ישראל דברים אשר לא כן על ה' אלהיהם. ופרקינן התם להכעיס הוא דעבוד. והכתיב וישמע משה ויפול על פניו. ואמר ר' יוחנן שחשדוהו באשת איש. וכתיב ויקנאו למשה במחנה מלמד שכל אחד ואחד קינא על אשתו. ופרקינן התם משום שנאה עשו כך. ת"ש דא"ר יוסי יהא חלקי עם מי שחושדין אותו בדבר ואין בו. ואמר רב פפא לדידי חשדו לי ולא הוה בי ואסיקנא בקלא דלא פסיק ובאתרא דלית ליה אויבים. אבל היכא דאית ליה אויבים מעיקרא לאו מלתא היא דאויבים הוא דאפקוה לקלא: **מתני'** אין כותבין שטרי חוב במועד אם אינו מאמינו או שאין לו מה יאכל. שאין לו א) הרי זה יכתוב. אין כותבין סתו"מ. ואין מגיהין אות אחת ואפילו בספר העזרה כו'.

ת"ר

חשק שלמה על ר"ח א) אולי צ"ל שאין לו מעות לקנות.

תוספות

מ) **הספרים.** פירוש להסתפר ובמסתפר לכל אותם שהתירו חכמים וי"ג הספרים ומטפחת נ) הספגנין ובירושלמי קאמר עלה מטפחת הספרים [אין] מכבסין אותן במי רגלים ס) מפני הכבוד ואין נראה לי להביא ראיה דאיירי בכתבי הקדש דאפילו דאיירי באומן המספר שייך כבוד המסתפרים שנותנין אותן בפניהם וכשמסתפרין אין כבוד להם במטונפין:

ע) **העולים** מטומאה לטהרה. במצורע איירי דהא מצורע אסור לכבס כדאמר לעיל (דף טו.) ומסופק אם נאמר כן בעולה מטומאת מת ונבילה שצריך לכבס בגדיו או אמרינן דוקא מצורע הואיל ואסור לכבס כל בגדיו שלו מיהו מה שפירש דבמצורע איירי קשיא לן אי אמרינן דמצורע אינו נוהג צרעתו ברגל א"כ מאי איריא עולים מטומאה לטהרה אפילו בימי צרעתו נמי מותר לכבס ברגל דלא מצי למימר לא מיבעיא קאמר כדלעיל (דף יד:) דאם כן לא שייך שמא ישהו קרבנותיהן דבשלמא גילוח הוא בשעת קרבן אבל כיבוס לא שייך לקרבן ויש לומר דכיבוס נמי שייך לקרבן:

מתקיף לה אביי מאן לימא לן. ואע"ג דאביי גופיה שני לעיל מתני' אליבא דרבי יוחנן אינו סובר כן:

ואלו כותבין במועד. נראה דכל הני הוו דבר האבד פן ימות הנותן או העדים או ב"ד או ילכו למדינת הים:

ואיגרות רשות. בירושלמי מפרש פריסת שלום ויש מפרשים ליווי השלטון כמו אל תתודע לרשות (אבות פ"א מ"י):

אין כותבין שטרי חוב. פירשו בתוספות הוא הדין שטר מכירה דהא בהדי אלו כותבין במועד לא חשיב שטר מכירה ולי נראה דהא דלא קתני משום דאין כותבין שטר מכירה אלא על הקרקע ואמרינן לעיל (דף יג.) אין פ) מוכרין בתים אלא לצורך המועד ולצורך המועד פשיטא דשרי והוא הדין אם מכר קודם המועד ועתה רוצה לכתוב דשרי במועד דהא נמי דבר האבד רק אם היה לו אונס ולא יכול לכתוב קודם המועד: צ) **הן** הן דברים הנקנין באמירה. בפ' הנושא (כתובות דף קב:) מפורש: ק) **ומי** אמר שמואל שמא יקדמנו אחר. תימה לי אמאי לא משני הא בזוג שני הא בזוג ראשון כדמשני פרק שני דסנהדרין (דף כב.) ובפרק קמא דסוטה (דף ב. ושם):

וטווה

גמרא

הספרים הני אין כלי פשתן לא אמר ליה אביי מתני' אפילו דשאר מיני אמר בר הדיא לדידי חזי לי ימה של טבריה דמפקי לה משיכלי דמני כיתנא בחולא דמועדא מתקיף לה אביי ° א) מאן לימא לן דברצון חכמים עבדי דלמא שלא ברצון חכמים עבדי: **מתני'** א ואלו כותבין במועד קדושי נשים וגיטין ושוברין דייתיקי מתנה ופרוזבולין איגרות שום ואיגרות מזון שטרי חליצה ומיאונים ושטרי בירורין גזרות בית דין ואיגרות של רשות: **גמ'** אמר שמואל ב מותר לארס אשה בחולו של מועד שמא יקדמנו אחר לימא מסייע ליה ואלו כותבין במועד קדושי נשים מאי לאו שטרי קדושין ממש ג) לא שטרי פסיקתא וכדרב גידל אמר רב ג דאמר רב גידל אמר רב כמה אתה נותן לבנך כך וכך כמה אתה נותן לבתך כך וכך עמדו וקדשו קנו הן הן הדברים הנקנין באמירה לימא מסייע ליה ד) אין נושאין נשים במועד לא בתולות ולא אלמנות ולא מיבמין מפני ששמחה היא לו הא לארס שרי לא מיבעיא קאמר לא מיבעיא לארס דלא קעביד מצוה אלא אפילו לישא נמי דקא עביד מצוה אסור תא שמע דתנא דבי שמואל מארסין אבל לא כונסין ד ואין עושין סעודת אירוסין ולא מיבמין מפני ששמחה היא לו ש"מ ומי אמר שמואל שמא יקדמנו אחר והאמר רב יהודה אמר שמואל ה) בכל יום ויום בת קול יוצאת ואומרת בת פלוני לפלוני שדה פלוני לפלוני אלא שמא יקדמנו אחר ברחמים כי הא דרבא שמעיה לההוא גברא דבעי רחמי ואמר תזדמן לי פלניתא א"ל לא תיבעי רחמי הכי אי חזיא לך לא אזלא מינך ואי לא כפרת בה' בתר הכי שמעיה דקאמר או איהו לימות מקמה או איהי תמות מקמיה א"ל לאו אמינא לך לא תיבעי עלה דמילתא הכי אמר רב משום רבי ראובן בן אצטרובילי מן התורה ומן הנביאים ומן הכתובים מה' אשה לאיש מן התורה דכתיב א) ויען לבן ובתואל ויאמרו מה' יצא הדבר מן הנביאים דכתיב ב) ואביו ואמו לא ידעו כי מה' היא מן הכתובים דכתיב ג) בית והון נחלת אבות ומה' אשה משכלת ואמר רב משום רבי ראובן בן אצטרובילי ואמרי לה במתניתא תנא א"ר ראובן בן אצטרובילי אין אדם נחשד בדבר אלא א"כ עשאו ואם לא עשה כולו עשה מקצתו ואם לא עשה מקצתו הרהר בלבו לעשותו ואם לא הרהר בלבו לעשותו ראה אחרים שעשו ושמח מתיב רבי יעקב ד) ויחפאו בני ישראל דברים אשר לא כן על ה' אלהיהם התם להכעיס הוא דעבוד תא שמע ה) ויקנאו למשה במחנה לאהרן קדוש ה' רב שמואל בר יצחק אמר מלמד שכל אחד קינא לאשתו ממשה התם משום שנאה הוא דעבוד ת"ש אמר רבי יוסי י) יהא חלקי עם מי שחושדין אותו בדבר ואין בו ואמר רב פפא לדידי חשדון ולא הוה בי לא קשיא הא בקלא דפסיק הא בקלא דלא פסיק וקלא דלא פסיק עד כמה ס) אמר אביי אמרה לי אם ט) דומי דמתא יומא ופלגא והני מילי דלא פסק בינני ביני אבל פסק בינני ביני לית לן בה וכי פסק בינני ביני לא אמרן אלא דלא פסק מחמת יראה אבל פסק מחמת יראה לא אן) ולא אמרן אלא דלא הדר נבט אבל הדר נבט לא ולא אמרן אלא דלית ליה אויבים אבל אית ליה אויבים אויבים הוא דאפקוה לקלא: **מתני'** י) ה אין כותבין שטרי חוב במועד ואם אינו מאמינו או שאין לו מה יאכל הרי זה יכתוב ו אין כותבין ספרים תפילין ומזוזות במועד ואין מגיהין אות אחת אפילו בספר עזרא רבי יהודה אומר ז כותב אדם תפילין ומזוזות לעצמו

וטווה

רש"י

ל) **כלי פשתן.** דלא נפיש טירחא: **מטפחות הספרים.** של פשתן: **הני אין.** אבל שאר כלי פשתן לא: **אפילו דשאר מיני.** כלומר מטפחות דשאר מינין כגון דלמר אע"ג דנפיש טירחא שרי לכבס אבל שאר כלים דשאר מינין לא אבל כלי פשתן שרי לכבס: **משיכלי.** ספלים: **מתני'** **קדושי נשים.** שכתב בשטר הרי את מקודשת לי דאשה נקנית בשטר: **דייתיקי.** שטר צוואה: **פרוזבולין.** שכותב מלוה בשטר שאינו משמט ולא משמיט ליה שמיטה: **איגרות שום.** בכך שמו בית דין שדה זו ונתנו לאחים כך וכך נגדו: **איגרות מזון.** פלוני קבל לזון בת אשתו: **שטרי בירורים.** ביררו ב"ד חלק זה לזה וחלק זה לזה: **גזרות ב"ד.** פסקי דינין: **ואיגרות של רשות.** צווי וקיום של שלטון: **גמ'** **כדרב גידל.** שכותב תנאי זה בשטר: **ניקנין באמירה.** בלא קנין: **דקא עביד מצוה.** דעוסק בפריה ורביה: **כפרת בה'.** באמנה דקאמר דלא מסייע צלותא כלום הואיל ולא מזמנה (א) ליה כלומר השתא צלינא עלה ולא אסתייעא מילתא: **אמר.** אי לא מנסבא או איהי תמות מקמאי דלא איחזי כד מנסבא לאחר ואצער בה: **או איהו.** עצמו ימות מקמי דתינסבא איהי לאידך ולהכי מארס במועד שלא יקדמנו אחר ברחמים שתמות היא: **נחשד בדבר.** עבירה: **להכעיס עבוד.** וידעי דלא היה: **בקלא דפסיק.** לא היה ביה: **קלא דלא פסיק.** היה ביה: **דומי.** חשד כמו לא ישא בת דומה (סוטה דף כג.): **אבל הדר נבט.** דבתר דפסיק התחיל קלא נבט נשמע דמיון כמו במסכת תענית (דף ד.) האי צורבא מרבנן דמי לפרצידא דתותי קלא כיון דנבט נבט ופי' זה וזה לשון צמח: **מתני'** **ואם אינו מאמינו.** המלוה ללוה: **או שאין לו מה יאכל.** לסופר: **אפילו בספר עזרא.** ס"ת של עזרא ואני שמעתי עזרה בה' ופי' ספר מוגה היה בעזרה שממנו היו מגיהים כל ספרי גולה: **לעצמו.** לקיים זה המלוה אבל לצבור למכור דדרך שכירות הוה חשיב מלאכה כדאמרינן לעיל (דף יב.) ל) אונכרא דכיון דלאו אגרא קשקיל שרשויי בעלמא הוא ושרי:

מסורת הש"ס

א) [גיטין מה:], ב) כתובות קב., ג) ג"ז שם. קידושין ט:, ד) לעיל ח:, ה) סנהדרין כב. ע"ש סוטה ב. ע"ש, ו) סנהדרין קיא, ז) שבת קיט., ח) [קידושין לג. וש"נ], ט) יבמות כה:, י) [לעיל יג.], כ) שייך לע"א, ל) [אבודרהם כל"ן], מ) [שייך לעיל יד: במשנה], נ) עיין מהרש"א, ס) [ע"ש הלכה בן, ע) שייך לדף יז. במשנה], פ) צ"ל לוקחין, צ) שייך לעיל קודם ד"ה אין כותבין, ק) ג"ז שייך לעיל.

הגהות הב"ח

(א) רש"י ד"ה כפרת כו' הואיל ולא מזמנה לך כלומר:

הגהות מהר"ב רנשבורג

אן] גמ' ולא אמרן אלא דלא הדר נבט. כלומר דלא יצא עכ"ל הערוך בערך נבט ועי' בפרש"י דמפרש מלשון צמח. ואיך שיהיה הפי' דלא הדר שוב ונשמע כדפרש"י מעיקרא נבט נשמע וכו' ולפענ"ד דברי הש"ס אלו קא מהדרי אדלעיל דקא מסיימין ל"ק הא בקלא דפסיק וכו' וקא מפרש הש"ס בתחילה עד כמה הוי קלא דלא פסיק וכל דיני וחלוקי קלא דלא פסיק והשתא קא מהדר תו לפרושי דקלא דפסיק לא אמרן אלא דלא הדר נבט כו' ודוק היטב. דלפ"ז הוי ג' חלוקים בדבר דבקלא דלא פסיק יומא ופלגא אית בי' ודאי משמא. וקלא דפסיק לגמרי דלא הדר נביט לית בי' שום ממש. וקלא דפסיק דהדר נבט אף דלא הוי מיומא ופלגא נהי דלא ברי גמור הוא דלאית בי' ממש עכ"פ איכא לספוקי ביה ולא נפיק מתורת חשדא. אולי אית בי'. כנלענ"ד ברור ודוק היטב. ולאיי' גמורה מצאתי לפירושי הזה. דביבמות דף כ"ה ע"א לימא להך ולא אמרן בתרא יעוש"ה ולדברינו מיושב משום דלענין להוציא אשה מבעלה מיירי ואספיקא לא מפקינן והדר נבט רק ספיקא הוי ודו"ק היטב כי נכון הוא:

גליון הש"ס

גמ' מאן לימא לן דברצון חכמים. עיין תשובת מהרי"ט ח"א סי' פג:

רש"י כת"י

הנך אין שאר. פשתן לא. מתניתין. דקתני מטפחות ידים וספרים שרו אפי' דשאר מינין כגון ש"ל של צמר. דמפקי לה. כובסין אותה בני אדם. משיכלי. ספלים מלאים בגדים לכבס בחולו של מועד. מתקיף לה אביי. לרב הדיא לדידי דאמינא לכבס כלומר דכלי פשתן יכול לכבס במועד. קדושי אשה. כגון הרי את מקודשת לי ומקדשה בשטר דאשה נקנית בשטר והילך יכול לכתוב כגון שמתיירא שמא יקחנה אחר דהוה ליה דבר האבד וכן כולם משום דבר האבד מותרין. גיטין. שרוצה זה לצאת בשיירא ואם אינו כותב עכשיו הרי הוה נמי כפרקמטיא האבד שהרי תשב זו עגונה. ושוברין. שמא יאמר הלוה לא אפרע לך הואיל ואין לי שובר וילך לדרכו ויפסיד זה. דייתיקי. מתנת שכיב מרע דא תהא למיקם ולהיות. מתנה. מתנת בריא דאי לא כתיב ליה מפסיד המקבל דשמא יחזור זה הנותן. ופרוזבולין. שלא תשמט שביעית ויפסיד פרוזבול הלל תקנו במס' גיטין (לו.) והוא שטר שכותבין בו מוסרני שטרותי לב"ד [שכל חוב] שיש לי אצל פלוני שאגבנו כל זמן [שארצה] דשוב אין שביעית משמטת הלואתו והרי הוא כאילו גבו ב"ד חובו של זה ולא קרינא ביה ולא יגוש פרוסבול פרוס בולי ובוטי תקנה לעניים ולעשירים. אגרות שום. ששמו ב"ד נכסי לוה ונתנו למלוה לי"א שום היתומים. אגרות מזון שקבל עליו לזון בת אשתו. מיאונין. קטנה שלא הביאה שתי שערות יכולה לימאן בבעלה שיכולה לומר אי אפשר בפלוני בעלי ומבטלת קדושין ומותרת בלא גט והוא שהשיאוה אמה או אחיה דאם קבל בה אביה קדושין שוב אינה ממאנת דכתוב את בתי נתתי לאיש הזה. שטרי בירורין. שטר שבוררין להם ב"ד זה בורר לו אחד וזה בורר לו אחד וכותבין כדי שלא יחזרו בהן הדיינין ובעלי הדין. גזירות ב"ד. פסק דין כותבין במועד כיון דהשתא הוא דשכיחי ב"ד. לי"א גזירות שגוזרין עליו לקבל את הדין. אגרות של רשות. צווי השלטון. לישנא אחרינא אגרות של שלום. מותר. לאדם לקדש אשה בלא סעודה כדאמרינן לקמן דאין עושין סעודת אירוסין וליכא הכא משום מערב שמחה בשמחה דכי אמרינן אין מערבין היינו לישא בשכונסה בשבעה ימי נישואין. שמא יקדמנה אחר.

[המשך בדף יט.]

support,[14] שְׁטָרֵי חֲלִיצָה וּמִיאוּנִים – **certificates of *chalitzah***[15] **and refusal,**[16] וְשִׁטְרֵי בֵּירוּרִין – **certificates of selection,**[17] גְּזֵרוֹת בֵּית דִּין – records of **court edicts**[18] וְאִיגְּרוֹת שֶׁל רָשׁוּת – **and letters of the government.**[19]

Gemara The Gemara cites a statement related to the Mishnah's listing of "documents for the betrothal of women":

אָמַר שְׁמוּאֵל – **Shmuel said:** מוּתָּר לְאָרֵס אִשָּׁה בְּחוּלּוֹ שֶׁל מוֹעֵד – **It is permitted to betroth a woman on Chol HaMoed,** שֶׁמָּא יְקַדְּמֶנּוּ אַחֵר – **lest another man precede him** in betrothing her.[20]

The Gemara attempts to prove Shmuel's ruling:

לֵימָא מְסַיֵּיע לֵיהּ – **Shall we say** that **[our Mishnah] supports [Shmuel]?** וְאֵלוּ כּוֹתְבִין בַּמּוֹעֵד – AND THESE MAY BE WRITTEN ON CHOL HAMOED: קִדּוּשֵׁי נָשִׁים – documents for THE BETROTHAL OF WOMEN. מַאי לָאו שִׁטְרֵי קִדּוּשִׁין מַמָּשׁ – **What,** then, is the Mishnah referring to if **not documents of actual betrothal** (i.e. documents that effect betrothal)?[21] Thus we see that it is permitted to betroth a woman on Chol HaMoed.[22]

The Gemara deflects the proof:

לֹא – **No!** שְׁטָרֵי פְּסִיקְתָּא – The Mishnah could be referring to **documents of allotment,**[23] וְכִדְרַב גִּידֵּל אָמַר רַב – **in accor-**

NOTES

one heir, while fields of equivalent value were awarded to the other heirs (*Rashi; Rashi ms.* second explanation). If the document of evaluation is not written, the evaluation might be contested, resulting in a loss to the heir to whom the property was awarded. This document may be written for him on Chol HaMoed in case the court is not available afterwards (*Meiri*).

Alternatively, this refers to a court document stating that a property has been assessed and confiscated to satisfy a debt. The creditor requires this document as proof that the court seized the property from the debtor and assigned it to him (*Rashi ms.* first explanation; *Rashi* to *Bava Metzia* 20a; *Nimukei Yosef, Ran*). Once the court has evaluated the property, they destroy the creditor's note of indebtedness before they write the certificate of evaluation. This is done in order to prevent the creditor from collecting his debt twice (*Bava Basra* 169a). Thus, if a court is not allowed to write a certificate of evaluation on Chol HaMoed after the note of indebtedness has been destroyed [and then the witnesses depart], the creditor will be left without any proof (*Nimukei Yosef, Ran*).

14. A document which states that a man obligated himself to provide for his stepdaughter's support (*Rashi, Rashi ms., Nimukei Yosef, Ran;* cf. *Rabbeinu Chananel; Rambam, Commentary to the Mishnah*). This document may be written on Chol HaMoed, since the witnesses might not be available afterward to attest to the obligation, and the husband could then deny the entire matter (*Nimukei Yosef, Ran*).

15. When a childless man dies, his widow is not free to remarry anyone but his (paternal) brothers. Should they all refuse to marry her, one of them must perform with her the procedure known as *chalitzah* (literally: removal of the shoe) to release her from her bond to them and allow her to marry anyone she wishes (*Deuteronomy* 25:5-10). The court then draws a document certifying that she has undergone *chalitzah* and is eligible to remarry.

This certificate may be written on Chol HaMoed in case she leaves on a journey after the festival (*Talmid R' Yechiel MiParis*). Alternatively, she might meet a man who wishes to marry her [immediately after the festival] (*Meiri*).

16. Under Biblical law, a father may contract a marriage for his underage daughter. In the case of an orphan, the Rabbis gave this right to her mother or brothers. Since the marriage contracted by them is valid only by Rabbinic law, should she wish to dissolve the marriage, the Rabbis did not require her to obtain a regular divorce from her husband. Rather, she may herself annul the marriage at any time before reaching her maturity by declaring before a court of three (see *Yevamos* 107b; *Rambam Hil. Gerushin* 11:8 with *Maggid Mishneh*; *Shulchan Aruch Even HaEzer* 155:4) judges her unwillingness to continue in the marriage. This process is called מֵיאוּן, *mei'un* (refusal). The court then gives her a document certifying that she has annulled her marriage and is now permitted to remarry.

The certificate may be issued on Chol HaMoed, because she might reach maturity [soon] after the festival, and then it will be too late for her to repeat the annulment (*Nimukei Yosef, Ran*). [She does not have to wait until after the festival for the court to certify this annulment, because the court might not be available then.] See also *Meiri's* explanation, cited in the previous note, which applies here as well.

17. These documents record how the court had divided an estate among the inheritors (*Rashi, Ran;* see, however, *Maharatz Chayes*). [It may be written on Chol HaMoed, because the court might not be available to write it later. Without this document, the division could be contested, resulting in a loss for one of the heirs.]

An alternative explanation: Litigants in a monetary case may each choose one of the three judges needed to try such a case, with the third judge being chosen by either both litigants together, or by the two judges already empaneled (see Mishnah, *Sanhedrin* 23a). The purpose of having a document recording each litigant's choice of a judge is to prevent them from retracting their choices (*Rashi ms., Rashi* to *Bava Metzia* 20a; *Ritva, Nimukei Yosef, Meiri;* see *Maharatz Chayes*). This documentation may be done on Chol HaMoed, because otherwise they might retract their choices and then be unable to find other judges who are as qualified as the first ones (*Meiri*). Alternatively, if the matter is not recorded, one of the judges might leave, thereby jeopardizing the prospects for a peaceful settlement (*Nimukei Yosef*).

18. I.e. rulings handed down by a court. These should be recorded immediately, since the court might not be available later (*Rashi ms.*). Alternatively, the judges might forget their decision and not arrive at the same one again (*Nimukei Yosef*).

19. I.e. records of laws issued by the government (*Rashi; Rashi ms.*). [Apparently, there was a concern that the laws would be forgotten if not recorded immediately.] Alternatively, correspondence with the government concerning the community's affairs (*Rashi,* as cited by *Ritva* and *Ran*).

Another interpretation is that the Mishnah refers to certificates granted by the Jewish government (i.e. the *Nasi*) authorizing individuals to serve as judges. Since unauthorized judges are liable for damages stemming from certain forms of erroneous decisions, the lack of such a document could result in an irretrievable loss (*Ran; Peirush L'Achad HaKadmonim al HaRif;* see *Korban Nesanel* אות ע׳).

The *Talmud Yerushalmi* reads רְשׁוּת, *reshus* (optional), instead of רָשׁוּת, *rashus* (government). Accordingly, the reference is to "optional letters," i.e. social correspondence (quoted by *Rif, Tosafos* et al.; see *Korban Nesanel* אות פ׳). Such letters are not written with the same care and attention as more formal texts; hence, the writing of these letters is tantamount to unprofessional labor [מַעֲשֵׂה הֶדְיוֹט] (*Rambam, Hil. Yom Tov* 7:14). Furthermore, these letters contribute to the festive joy of the writer and the recipient (see *Ritva*). [Both reasons are necessary, because even unprofessional labor is forbidden on Chol HaMoed unless it serves a purpose related to the festival (*Mishnah Berurah* 545:30; see *Beur Halachah* ibid. ד״ה ואפילו).]

Some authorities permit social correspondence only in the case of irretrievable loss, e.g. it contains important information about a friend's welfare and one might not find a messenger to deliver it after the festival. In this case, where the letter serves to prevent a loss, it may be written even in a professional manner [מַעֲשֵׂה אוּמָן] (*Tos. HaRosh, Ran, Meiri, Hasagos HaRaavad* ad loc.).

20. If the *kiddushin* is postponed until after the festival, the prospective bride might consent to marry someone else in the meanwhile, resulting in an irretrievable loss to the prospective groom (see *Ritva*).

This constitutes a real loss on his part, and not just the lack of a gain, because a man has a need for a wife, and if he does not marry this woman he might not find another like her (*Ritva*).

[*Ritva* explains why it might have been thought that *kiddushin* is forbidden on Chol HaMoed had Shmuel not taught to the contrary.]

21. [See notes 6 and 7.] It is also possible to betroth a woman by giving her an object of value. However, if a groom has no such object to give his bride, he must write this document to avoid losing her (see *Ritva*).

22. If one may not betroth a woman on Chol HaMoed, why would he be allowed to write the document only to leave it until after the festival? (*Ritva*).

23. These record the sums that the parents of the bride and groom promise to provide for the new couple.

הספרים הני אין כלי פשתן לא אמר ליה אביי מתני' אפילו דשאר מיני אמר בר הידיא לדידי חזי לי ימה של טבריה דמפקי לה משיכלי דמני כיתנא בחולא דמועדא מתקיף לה אביי [א] מאן לימא לן דברצון חכמים עבדי דלמא שלא ברצון חכמים עבדי: **מתני'** [א] ואלו כותבין במועד קדושי נשים וגיטין ושוברין דייתיקי מתנה ופרוזבולין איגרות שום ואיגרות מזון שטרי חליצה ומיאונים ושטרי בירורין גזרות בית דין ואיגרות של רשות: **גמ'** אמר שמואל [ב] מותר לארס אשה בחולו של מועד שמא יקדמנו אחר לימא מסייע ליה ואלו כותבין במועד קדושי נשים מאי לאו שטרי קדושין ממש [ג] לא שטרי פסיקתא וכדרב גידל אמר רב [ג] דאמר רב גידל אמר רב [ג] כמה אתה נותן לבנך כך וכך כמה אתה נותן לבתך כך וכך עמדו וקדשו קנו הן הן הדברים הנקנין באמירה לימא מסייע ליה [ד] אין נושאין נשים במועד לא בתולות ולא אלמנות ולא מיבמין מפני ששמחה היא לו הא לארס שרי לא מיבעיא קאמר לא מיבעיא לארס דלא קעביד מצוה אלא אפילו לישא נמי דקא עביד מצוה אסור תא שמע דתנא דבי שמואל מארסין אבל לא כונסין [ד] ואין עושין סעודת אירוסין ולא מיבמין מפני ששמחה היא לו ש"מ ומי אמר שמואל שמא יקדמנו אחר והאמר רב יהודה אמר שמואל [ה] בכל יום ויום בת קול יוצאת ואומרת בת פלוני לפלוני שדה פלוני לפלוני אלא שמא יקדמנו אחר ברחמים כי הא דרבא שמעיה לההוא גברא דבעי רחמי ואמר תזדמן לי פלניתא א"ל לא תיבעי רחמי הכי אי חזיא לך לא אזלא מינך ואי לא כפרת בה' בתר הכי שמעיה דקאמר או איהו לימות מקמה או איהי תמות מקמיה א"ל לאו אמינא לך לא תיבעי עלה דמילתא הכי אמר רב משום רבי ראובן בן אצטרובילי מן התורה ומן הנביאים ומן הכתובים מה' אשה לאיש מן התורה דכתיב [א] ויען לבן ובתואל ויאמרו מה' יצא הדבר מן הנביאים דכתיב [ב] ואביו ואמו לא ידעו כי מה' היא מן הכתובים דכתיב [ג] בית והון נחלת אבות ומה' אשה משכלת ואמר רב משום רבי ראובן בן אצטרובילי ואמרי לה במתניתא תנא א"ר ראובן בן אצטרובילי אין אדם נחשד בדבר אלא א"כ עשאו ואם לא עשאו כולו עשה מקצתו ואם לא עשה מקצתו הרהר בלבו לעשותו ואם לא הרהר בלבו לעשותו ראה אחרים שעשו ושמח מתיב רבי יעקב [ד] ויחפאו בני ישראל דברים אשר לא כן על ה' אלהיהם התם להכעיס הוא דעבוד [י] תא שמע [ה] ויקנאו למשה במחנה לאהרן קדוש ה' רב שמואל בר יצחק אמר מלמד שכל אחד קינא לאשתו ממשה התם משום שנאה הוא דעבוד ת"ש אמר רבי יוסי [ז] יהא חלקי עם מי שחושדין אותו בדבר ואין בו ואמר רב פפא לדידי חשדון ולא הוה בי לא קשיא הא בקלא דפסיק הא בקלא דלא פסיק וקלא דלא פסיק עד כמה [ח] אמר אביי אמרה לי אם [ט] דומי דמתא יומא ופלגא והני מילי דלא פסק ביני ביני אבל פסק ביני ביני לית לן בה וכי פסק ביני ביני לא אמרן אלא דלא פסק מחמת יראה אבל פסק מחמת יראה לא [א] ולא אמרן אלא דלא הדר נבט אבל הדר נבט לא ולא אמרן אלא דלית ליה אויבים אבל אית ליה אויבים אויבים הוא דאפקוה לקלא: **מתני'** [י] [ה] אין כותבין שטרי חוב במועד ואם אינו מאמינו או שאין לו מה יאכל הרי זה יכתוב [ו] אין כותבין ספרים תפילין ומזוזות במועד ואין מגיהין אות אחת אפילו בספר עזרא רבי יהודה אומר [ז] כותב אדם תפילין ומזוזות לעצמו

וטווה

רש"י

כלי פשתן. דלא נפיש טירחא: מטפחות הספרים. של פשתן: הני אין. אבל שאר כלי פשתן לא: אפילו דשאר מיני. כלומר מטפחות דשאר מינין כגון דצמר אע"ג דנפיש טירחא שרי לכבס אבל שאר כלים דשאר מינין לא אבל כלי פשתן שרי לכבס: משיכלי. ספלים: **מתני'** קדושי נשים. שכתב בשטר הרי את מקודשת לי דאשה נקנית בשטר: דייתיקי. שטר צוואה: פרוזבולין. שכותב מלוה בשטר שאינו משמט ולא משמיט ליה שמיטה: איגרות שום. בכך שמו בית דין שדה זו ונתנו לאחים כך וכך נגדו: איגרות מזון. פלוני קבל לזון בת אשתו: שטרי בירורים. ביררו ב"ד חלק זה לזה וחלק זה לזה: גזרות ב"ד. פסקי דינין: ואיגרות של רשות. לווי וקיום של שלטון: **גמ'** כדרב גידל. שכותב תנאי זה בשטר: ניקנין באמירה. בלא קנין: דקא עביד מצוה. דעוסק בפריה ורביה: כפרת בה'. באמנה דקאמר דלא מסייע צלותא כלום הואיל ולא מזמנה (א) ליה כלומר השתא צלינא עלה ולא אסתייעא מילתא: אמר. אי לא מנסבא או איהי תמות מקמאי דלא איחזי כד מנסבא לאחר ואצער בה: או איהו. עלמו ימות מקמי דתינסבא איהי לאידך ולהכי מארס במועד שלא יקדמנו אחר ברחמים שתמות היא: נחשד בדבר. עבירה: להכעיס עבוד. וידעי דלא היה: בקלא דפסיק. לא היה ביה: קלא דלא פסיק. היה ביה: דומי. חסד כמו לא ישא בת דומה (סוטה דף מז.): אבל הדר נבט. דבתר דפסיק התחיל קלא נבט נשמע דמיון כמו במסכת תענית (דף ז.) האי צורבא מרבנן דמי לפרצידא דתותי קלא כיון דנבט נבט ופי' זה וזה לשון צמח: **מתני'** ואם אינו מאמינו. המלוה ללוה: או שאין לו מה יאכל. לסופר: אפילו בספר עזרא. ס"ת של עזרא ואני שמעתי עזרה בה' ופי' ספר מוגה היה בעזרה שממנו היו מגיהים כל ספרי גולה: לעצמו. לקיים זה המלוה אבל לצבור למכור דדרך שכירות הוה חשיב מלאכה כדאמרינן לעיל (דף יב.) [ל] אונכרא דכיון דלאו אגרא קשקיל שרשויי בעלמא הוא ושרי:

וטווה

תוספות

[מ] **הספרים.** פירוש להסתפר ובמסתפר לכל אותם שהתירו חכמים וי"ג הספרים ומטפחת [י] הספגנין וירושלמי קאמר עלה מטפחת הספרים [אין] מכבסין אותן במי רגלים [פ] מפני הכבוד ואין נראה לי להביא ראיה דאיירי בכתבי הקדש דאפילו דאיירי באומן המספר שייך כבוד המסתפרים שנותנין אותן בפניהם וכשמסתפרין אין כבוד להם במטונפין:

[ע] **העולים** מטומאה לטהרה. במצורע איירי דהא מצורע אסור לכבס כדאמר לעיל (דף טו.) ומספק אם נאמר כן בעולה מטומאת מת ונבילה שצריך לכבס בגדיו או אמרינן דוקא מצורע הואיל ואסור לכבס כל בגדיו שלו מיהו מה שפירש דבמצורע איירי קשיא לן אי אמרינן דמצורע אינו נוהג צרעתו ברגל א"כ מאי איריא עולים מטומאה לטהרה אפילו בימי צרעתו נמי מותר לכבס ברגל דלא מצי למימר לא מיבעיא קאמר כדלעיל (דף יד:) דאם כן לא שייך שמא ישהו קרבנותיהן דבשלמא גילוח הוא בשעת קרבן אבל כיבוס לא שייך לקרבן ויש לומר דכיבוס נמי שייך לקרבן:

מתקיף לה אביי מאן לימא לן. ואע"ג דאביי גופיה שני לעיל מתני' אליבא דרבי יוחנן אינו סובר כן: **ואלו** כותבין במועד. נראה דכל הני הוו דבר האבד פן ימות הנותן או העדים או ב"ד או ילכו למדינת הים:

ואיגרות רשות. בירושלמי מפרש פריסת שלום ויש מפרשים ליווי השלטון כמו אל תתודע לרשות (אבות פ"א מ"י):

אין כותבין שטרי חוב. פירשו בתוספות הוא הדין שטר מכירה דהא בהדי אלו כותבין במועד לא חשיב שטר מכירה ולי נראה דהא דלא קתני משום דאין כותבין שטר מכירה אלא על הקרקע ואמרינן לעיל (דף יג.) אין [פ] מוכרין בתים אלא לצורך המועד ולצורך המועד פשיטא דשרי והוא הדין אם מכר קודם המועד ועתה רוצה לכתוב דשרי במועד דהא נמי דבר האבד רק אם היה לו אונס ולא יכול לכתוב קודם המועד: [צ] **הן** הן דברים הנקנין באמירה. בפ' הנושא (כתובות דף קב:) מפורש: [ק] **ומי** אמר שמואל שמא יקדמנו אחר. תימה לי אמאי לא משני הא בזוג שני הא בזוג ראשון כדמשני פרק שני דסנהדרין (דף כב.) ובפרק קמא דסוטה (דף ב. וסס):

וטווה

עין משפט נר מצוה

צב א מיי' פ"ז מהלכות י"ט הלכה יג סמג לאוין עה טוש"ע א"ח סי' תקמה סעיף ה:

צג ב מיי' פ"ז מהלכות י"ט הלכה טו סמג לאוין עה טוש"ע א"ח סי' תקמו סעיף א:

צד ג מיי' פכ"ג מהל' אישות הלכה יג ופ"ו מהל' זכייה ומתנה הלכה יז סמג עשין מח טוש"ע אה"ע סי' נא:

צה ד מיי' פ"ז מהלכות י"ט הלכה טו טור ש"ע א"ח סי' תקמו סעיף א:

צו ה מיי' פ"ו מהלכות י"ט הלכה יג סמג לאוין עה טוש"ע א"ח סי' תקמה סעיף ו:

צז ו ז מיי' שם הלכה יג טוש"ע שם סעיף א ג:

תורה אור השלם

א) וַיַּעַן לָבָן וּבְתוּאֵל וַיֹּאמְרוּ מֵיְיָ יָצָא הַדָּבָר לֹא נוּכַל דַּבֵּר אֵלֶיךָ רַע אוֹ טוֹב: [בראשית כד, נ]

ב) וְאָבִיו וְאִמּוֹ לֹא יָדְעוּ כִּי מֵיְיָ הִיא כִּי תֹאֲנָה הוּא מְבַקֵּשׁ מִפְּלִשְׁתִּים וּבָעֵת הַהִיא פְּלִשְׁתִּים מֹשְׁלִים בְּיִשְׂרָאֵל: [שופטים יד, ד]

ג) בַּיִת וָהוֹן נַחֲלַת אָבוֹת וּמֵיְיָ אִשָּׁה מַשְׂכָּלֶת: [משלי יט, יד]

ד) וַיְחַפְּאוּ בְנֵי יִשְׂרָאֵל דְּבָרִים אֲשֶׁר לֹא כֵן עַל יְיָ אֱלֹהֵיהֶם וַיִּבְנוּ לָהֶם בָּמוֹת בְּכָל עָרֵיהֶם מִמִּגְדַּל נוֹצְרִים עַד עִיר מִבְצָר: [מלכים ב' יז, ט]

ה) וַיְקַנְאוּ לְמֹשֶׁה בַּמַּחֲנֶה לְאַהֲרֹן קְדוֹשׁ יְיָ: [תהלים קו, טז]

רבינו חננאל

כלי פשתן אלא צמר ושל שאר מינין זולתי. אמר בר הדיא אנא חזיתי ים טבריא דמפקי לה משיכלי ומכבסי בהו מאני דכיתנא בחולי דמועדא. א"ל אביי ומאן לימא לן דברצון חכמים עבוד דלמא שלא ברצון חכמים עביד: ירושלמי תני מטפחות ספרים אין מכבסין אותן במי רגלים מפני הכבוד אלא מכבסין אותן בנתר ובורית: מתני' אלו כותבין [במועד] קדושי נשים גיטין ושוברין דיתיקאות מתנות פרוזבולין איגרות שום איגרות מזון שטרי חליצה ומיאונין שטרי ברורין גזירות ב"ד איגרות רשות: ירושל' (שטרי חוב) [ושוברין] אומי לוגיאוס. ואיגרות של רשות. איגרות שאילת שלום. איגרות שום. שום היתומים. איגרות מזון מזונות אלמנה של (רשות כו') עד גזירות ב"ד. אלו גזרי דינין (ואיגרות של רשות זו שאילת שלום) קידושי נשים. אוקימנא שטרי פסיקתא. כמה אתה נותן לבנך. כמה אתה נותן לבתך כך וכך ועמדו וקדשו הן הן הדברים הנקנין באמירה: ירושלמי איגרות של רשות זו שאילת שלום. אמר שמואל מותר לארס אשה בחולו של מועד שמא יקדמנו אחר. איני והא איהו דאמר מ' יום קודם יצירת הולד בכל יום ב"ק יוצאת ומכרזת בת פלוני לפלוני כו'. ופרקינן שמא יקדמנו אחר בתפלה. תנא דבי שמואל מארסין במועד אבל לא כונסין ואין עושין סעודת אירוסין ולא מייבמין מפני ששמחה היא לו. [illegible] אמר רב משום ר' ראובן בן אצטרובילי מן התורה ומן הנביאים ומן הכתובים מה' אשה לאיש. [illegible] מה' יצא הדבר. מן הנביאים [illegible] ואביו ואמו לא ידעו כי מה' היא. מן הכתובים דכתיב בית והון נחלת אבות ומה' אשה משכלת. ואמר רב [illegible] אין אדם נחשד בדבר אלא אם כן עשאו [illegible] או הרהר בלבו לעשותו או ראה אחרים [illegible] ויחפאו בני ישראל דברים אשר לא כן על ה' אלהיהם. ופרקינן התם להכעיס הוא דעבוד. [illegible] וכתיב ויקנאו למשה במחנה מלמד שכל אחד ואחד קינא את אשתו ממשה [illegible] יהא חלקי עם מי שחושדין אותו בדבר ואין בו. [illegible] מתני' אין כותבין שטרי חוב במועד ואם אינו מאמינו או שאין לו [א] מה יאכל הרי זה יכתוב. אין כותבין ספרים תפלין ומזוזות. ואין מגיהין אות אחת ואפילו בספר העזרה כו'.

ת"ר

חשק שלמה על ר"ח א) אולי צ"ל שאין לו מעות לקנות.

מסורת הש"ס

א) [גיטין מה.], ב) כתובות קב., ג) ג"ז שם. קידושין ט:, ד) לעיל ח:, ה) סנהדרין כב. ע"ש סוטה ב. ע"ש, ו) סנהדרין קיא, ז) שבת קיח:, ח) [קידושין לא: וש"נ], ט) יבמות כה., י) [לעיל יג.], כ) שייך לע"א, ל) [אבוגרי כצ"ל], מ) [שייך לעיל יד. במשנה], נ) עיין מהרש"א, ס) [ע"ש הלכה ב], ע) שייך לדף יד. במתני', פ) צ"ל לוקחין, צ) שייך לעיל קודם ד"ה אין כותבין, ק) ג"ז שייך לעיל.

הגהות הב"ח

(א) רש"י ד"ה כפרת כו' הואיל ולא מזמנה לך כלומר:

הגהות מהר"ב רנשבורג

א] גמ' ולא אמרן אלא דלא הדר נבט. כלומר דלא יצא עכ"ל הערוך בערך נבט ועי' בפרש"י דמפרש מלשון צמח. ואיך שיהיה הפי' דלא הדר שוב ונשמע כדפרש"י מעיקרא נבט נשמע וכו' ולפענ"ד דברי הש"ס אלו קא מהדרי אדלעיל דקא משנינן ל"ק הא בקלא דפסיק וכו' וקא מפרש הש"ס בתחילה עד כמה הוי קלא דלא פסיק וכל דיני ותלוקי קלא דלא פסיק והשתא קא מהדר תו לפרושי דקלא דפסיק לא אמרן אלא דלא הדר נבט כו' ודוק היטב. דלפ"ז הוי ג' חלוקים בדבר דבקלא דלא פסיק יומא ופלגא אית בי' ודאי משמא. וקלא דפסיק לגמרי דלא הדר נביט לית בי' שום ממש. וקלא דפסיק דהדר נבט אף דלא הוי מיומא ופלגא נהי דלא ברי גמור הוא דאית בי' ממש עכ"פ איכא לספוקי ביה ולא נפיק מתורת חשדא. אולי אית בי'. כנלענ"ד ברור ודוק היטב. וראיי' גמורה מצאתי לפירושי הזה. דביבמות דף כ"ה ע"א ליתא להך ולא אמרן בתרא יעוש"ה ולדברינו מיושב משום דלענין להוציא אשה מבעלה מיירי ואספיקא לא מפקינן והדר נבט רק ספיקא הוי ודו"ק היטב כי נכון הוא:

גליון הש"ס

גמ' מאן לימא לן דברצון חכמים. עיין תשובת מהרי"ט ח"א סי' פג:

רש"י כת"י

הנך אין שאר. פשתן לא. מתניתין. דקתני מטפחות ידים וספרים שרו אפי' דשאר מינין כגון ש"ל של צמר. דמפקי לה. כובסין אותה בני אדם. משיכלי. ספלים מלאים בגדים לכבס בחולו של מועד. מתקיף לה אביי. לרב הדיא לדידי דאמינא לכבס כלומר דכלי פשתן יכול לכבס במועד. קדושי אשה. כגון הרי את מקודשת לי ומקדשה בשטר דאשה נקנית בשטר

וסילקך יכול לכתוב כגון שמתירא שמא יקפנה אחר דהוה ליה דבר האבד וכן כולם משום דבר האבד מותרין. גיטין. שרוצה זה לצאת בשיירא ואם אינו כותב עכשיו הרי הוה נמי כפרקמטיא האבד שהרי תשב זו עגונה. ושוברין. שמא יאמר הלוה לא אפרע לך הואיל ואין לי שובר וילך לדרכו ויפסיד זה. דייתיקי. מתנת שכיב מרע דלא תהא למיקם ולהיות. מתנה. מתנת בריא דאי לא כתיב ליה מפסיד המקבל דשמא יחזור זה הנותן. ופרוזבולין. שלא תשמט שביעית ויפסיד פרוזבול הלל תקנו במס' גיטין (לו.) והוא שטר שכותבין בו מוסרני שטרותי לב"ד [שכל חוב] שיש לי אצל פלוני שאגבנו כל זמן [שארצה] דשוב אין שביעית משמטת הלואתו והרי הוא כאילו גבו ב"ד חובו של זה ולא קרינא ביה ולא יגוש פרוסבול פרוס בולי ובוטי תקנה לעניים ולעשירים. אגרות שום. ששמו ב"ד נכסי לוה ונתנו למלוה ל"א שום היתומים. אגרות מזון שקבל עליו לזון בת אשתו. מיאונין. קטנה שלא הביאה שתי שערות יכולה לימאן בבעלה שיכולה לומר אי אפשר בפלוני בעלי ומבטלת קדושין ומותרת בלא גט והוא שהשיאוה אמה או אחיה דאם היה אביה קדושין שוב אינה ממאנת דכתוב את בתי נתתי לאיש הזה. שטרי בירורין. שטר שבוררין להם ב"ד זה בורר לו אחד וזה בורר לו אחד וכותבין כדי שלא יחזרו בהן הדיינין ובעלי הדין. גזירות ב"ד. פסק דין כותבין במועד כיון דהשתא הוא דשכיחי ב"ד. ל"א גזירות שגוזרין עליו לקבל את הדין. אגרות של רשות. לווי השלטון. לישנא אחרינא אגרות של שלום. מותר. לאדם לקדש אשה בלא סעודה כדאמרינן לקמן דאין עושין סעודת אירוסין וליכא הכא משום מערב שמחה בשמחה דכי אמרינן אין מערבין היינו לישא בשכונסה בשבעה ימי נישואין. שמא יקדמנה אחר. [המשך בדף יט.]

dance with Rav Gidel's teaching **in the name of Rav,** דְּאָמַר רַב גִּידֵּל אָמַר רַב – **for Rav Gidel said in the name of Rav** that the financial conditions of a forthcoming marriage can be finalized in the following manner: Before the betrothal, the father of the bride says to the father of the groom, כַּמָּה אַתָּה נוֹתֵן לְבִנְךָ – **"How much are you giving for your son?"** The groom's father answers, כָּךְ וְכָךְ – **"Such and such** an amount," and then continues, כַּמָּה אַתָּה נוֹתֵן לְבִתְּךָ – **"How much are you giving for your daughter?"** The bride's father replies, כָּךְ וְכָךְ – **"Such and such** an amount." עָמְדוּ וְקִדְּשׁוּ קָנוּ – If **they** then **stand up and carry out** the act of betrothal, the obligations that each party accepted **are made binding;**[24] הֵן הֵן הַדְּבָרִים הַנִּקְנִין בַּאֲמִירָה – for **these** obligations **are of the things that are made legally binding through speech** alone.[25]

The Gemara attempts a different proof for Shmuel's ruling: לֵימָא מְסַיֵּיעַ לֵיהּ – **Say that [the following Mishnah] supports him:** אֵין נוֹשְׂאִין נָשִׁים בַּמּוֹעֵד – WE MAY NOT MARRY WOMEN ON CHOL HAMOED, לֹא בְּתוּלוֹת וְלֹא אַלְמָנוֹת – NEITHER VIRGINS NOR WIDOWS, וְלֹא מְיַבְּמִין – AND WE MAY NOT PERFORM *YIBUM,*[26] מִפְּנֵי שֶׁשִּׂמְחָה הִיא לוֹ – BECAUSE IT IS A source of JOY TO HIM.[27] This Mishnah implies: הָא לְאָרֵס שָׁרֵי – **But to betroth** a woman on Chol HaMoed **is permitted,**[28] as Shmuel ruled.

The Gemara deflects the proof:

לֹא מִיבַּעְיָא קָאָמַר – Perhaps **[the Tanna] formulates** the Mishnah according to the principle that **there is no need** to state the more obvious case. That is, לֹא מִיבַּעְיָא לְאָרֵס – **there is no need** to state that **to betroth** a woman, דְּלֹא קָעָבִיד מִצְוָה – **where he is not performing a mitzvah,**[29] is forbidden on Chol HaMoed; אֶלָּא אֲפִילּוּ לִישָּׂא נַמִּי – **rather,** the Mishnah teaches that **even to marry** a woman, דְּקָא עָבִיד מִצְוָה – **where he *is* performing** a **mitzvah,**[30] אָסוּר – **is forbidden** on Chol HaMoed.[31]

The Gemara adduces incontestable proof for Shmuel's ruling: תָּא שְׁמַע – **Come, learn** a proof from the following: דְּתָנָא דְּבֵי שְׁמוּאֵל – **For a Baraisa of the academy of Shmuel has taught:** מְאָרְסִין – ONE MAY BETROTH a woman on Chol HaMoed; אֲבָל לֹא כּוֹנְסִין – BUT ONE MAY NOT MARRY a woman, וְאֵין עוֹשִׂין סְעוּדַת אֵירוּסִין – NOR MAKE A BETROTHAL FEAST,[32] וְלֹא מְיַבְּמִין – NOR PERFORM *YIBUM,* מִפְּנֵי שֶׁשִּׂמְחָה הִיא לוֹ – BECAUSE IT IS a source of JOY FOR HIM. שְׁמַע מִינָּהּ – **Learn from [this Baraisa]** that betrothal is permitted on Chol HaMoed.

Shmuel stated that one may betroth a woman on Chol HaMoed because otherwise another man might take her. The Gemara notes that this reason is contradicted by another of Shmuel's teachings: וּמִי אָמַר שְׁמוּאֵל שֶׁמָּא יְקַדְּמֶנּוּ אַחֵר – **But did Shmuel really say, "lest another man precede him"?** וְהָאָמַר רַב יְהוּדָה אָמַר שְׁמוּאֵל – **Why, Rav Yehudah has said in the name of Shmuel:** בְּכָל יוֹם וָיוֹם בַּת קוֹל יוֹצֵאת וְאוֹמֶרֶת – **Every single day**[33] **a Heavenly voice emanates and declares:**[34] בַּת פְּלוֹנִי לִפְלוֹנִי – **"The daughter of So-and-so** is destined **for So-and-so;**[35] שָׂדֶה פְּלוֹנִי לִפְלוֹנִי – **such-and-such a field** is destined **for So-and-so."**[36] Since one's mate is predetermined, how can one man lose his prospective bride to another?[37]

NOTES

24. Literally: they acquired.

25. I.e. without a formal *kinyan* (*Rashi*). A *kinyan* is not required to finalize the agreement, for the act of *kiddushin* itself serves to do this. By virtue of the benefit the parties receive through their children marrying one other, they decisively accept upon themselves to fulfill their promises (*Rashi* to *Kiddushin* 9b).

According to the Gemara's current premise, *kiddushin* is prohibited on Chol HaMoed. Nevertheless, if the agreements and the *kiddushin* were made before the festival, the document may be written on Chol HaMoed to serve as proof of the commitments already finalized (see *Ritva* and *Sfas Emes*).

26. I.e. the marriage between the widow of a childless man and one of his brothers (see note 15).

27. This is explained above, 8b-9a.

28. By specifying *nisuin* and *yibum,* the Mishnah implies that *kiddushin,* which is not as great a source of joy, is permitted on Chol HaMoed (*Talmid R' Yechiel MiParis*).

29. I.e. it is not a complete mitzvah [for the marriage is not consummated until *nisuin*] (*R' Shlomo ben HaYasom;* cf. *R' Avraham ben HaRambam,* cited by *Kesef Mishneh, Hil. Ishus* 1:2 [end]; see *She'arim Metzuyanim BaHalachah*).

30. I.e. the mitzvah of procreation (*Rashi*). [Conjugal relations are permitted after *nisuin.*]

31. The Gemara is currently suggesting that, contrary to Shmuel's opinion, there are *greater* grounds to prohibit *kiddushin* than to prohibit *nisuin* (or *yibum*). Therefore, the Mishnah needs only to state that *nisuin* and *yibum* are forbidden, because it then goes without saying that *kiddushin* is forbidden.

32. Although the *kiddushin* itself is permitted on Chol HaMoed, the celebratory meal may not be held then, because that is a greater manifestation of joy.

33. The Gemara elsewhere (*Sotah 2a, Sanhedrin* 22a) records the beginning of this teaching as follows: אַרְבָּעִים יוֹם קוֹדֶם יְצִירַת הַוָּלָד וגו׳, *Forty days before the formation of an embryo,* etc. [That is, at the moment of conception, for an embryo reaches its initial stage of formation forty days after conception (*Talmid R' Yechiel MiParis,* based on *Niddah* 30b).] Our version apparently means that the Heavenly voice emanates each day from the time of conception (see *Rabbeinu Chananel*).

34. In the Heavenly academy (*Rashi ms.*). [*Rashi's* point is apparently that unlike a regular בַּת קוֹל, *Heavenly voice,* which can be heard by select individuals (for example, see above, 9a), this one cannot be divined by man at all.]

35. That is, a man's wife is chosen by Heaven at the time of his conception. In this respect, marriage is unlike other events that befall a person, which are determined each year in accordance with his deeds (*Ran* ד״ה ומד׳ אשה משכלת).

God does not interfere with man's free will to choose whether to observe or transgress His commandments (see *Rambam, Hil. Teshuvah* ch. 5). Thus, one is at liberty to choose not to fulfill the mitzvah of marriage. Since, however, a person is naturally inclined to marry, a mate is selected for him by Heaven (see *Ran*).

The Heavenly voice mentions the name of the man himself ("So-and-so") whereas it names the woman after her father ("the daughter of So-and-so"). This is because a husband is typically older than his wife. Thus, when the husband is conceived, his wife is as yet unborn. She can therefore be identified only through her father (*Maharsha* to *Sotah* ibid.; *Ben Yehoyada* here).

This preordained selection is made only with respect to a first marriage. One's partner in a subsequent marriage is determined in accordance with one's deeds at that time (*Sotah* 2a and *Sanhedrin* 22a; see note 37).

36. I.e. the property that the woman brings into the marriage as her dowry (*Ran*).

Alternatively, this could refer to a person's general wealth, as the Gemara in *Niddah* (16b) states: "The angel appointed over conception is named *Lailah.* It takes the drop [from which the child will be conceived], sets it before the Holy One, Blessed is He, and says before Him: 'Master of the Universe! What will become of this drop? [Will the person who develops from it be] strong or weak, intelligent or foolish, rich or poor?' " (*Talmid R' Yechiel MiParis; HaKoseiv* [*Ein Yaakov*] in the name of *Tosafos;* see *Maharsha*).

At the moment a man is assigned a wife, it is appropriate to determine the extent of the sustenance he will provide her and the family they create together (*Einei Yitzchak* [*Ein Yaakov*]).

[Although one's blessings in life (marriage partner, livelihood, etc.) are preordained, they are not realized unless one makes reasonable efforts to obtain them (see *Chovos HaLevavos, Shaar HaBitachon* chs. 3,4; see also *Rambam's* Introduction to *Pirkei Avos* ch. 8).]

37. The message of a Heavenly voice (בַּת קוֹל) cannot be nullified (*Rashi*

הספרים הני אין כלי פשתן לא אמר ליה אביי מתני' אפילו דשאר מיני אמר בר הדיא לדידי חזי לי ימה של טבריה דמפקי לה משיכלי דמני כיתנא בחולא דמועדא מתקיף לה אביי מאן לימא לן דברצון חכמים עבדי דלמא שלא ברצון חכמים עבדי: **מתני'** ואלו כותבין במועד קדושי נשים וגיטין ושוברין דייתיקי מתנה ופרוזבולין איגרות שום ואיגרות מזון שטרי חליצה ומיאונים ושטרי בירורין גזרות בית דין ואיגרות של רשות: **גמ'** אמר שמואל מותר לארס אשה בחולו של מועד שמא יקדמנו אחר לימא מסייע ליה ואלו כותבין במועד קדושי נשים מאי לאו שטרי קדושין ממש לא שטרי פסיקתא וכדרב גידל אמר רב דאמר רב גידל אמר רב כמה אתה נותן לבנך כך וכך כמה אתה נותן לבתך כך וכך עמדו וקדשו קנו הן הן הדברים הנקנין באמירה לימא מסייע ליה אין נושאין נשים במועד לא בתולות ולא אלמנות ולא מיבמין מפני ששמחה היא לו הא לארס שרי לא מיבעיא קאמר לא מיבעיא לארס דלא קעביד מצוה אלא אפילו לישא נמי דקא עביד מצוה אסור תא שמע דתנא דבי שמואל מארסין אבל לא כונסין ואין עושין סעודת אירוסין ולא מיבמין מפני ששמחה היא לו ש"מ ומי אמר שמואל שמא יקדמנו אחר והאמר רב יהודה אמר שמואל בכל יום ויום בת קול יוצאת ואומרת בת פלוני לפלוני שדה פלוני לפלוני אלא שמא יקדמנו אחר ברחמים כי הא דרבא שמעיה להוא גברא דבעי רחמי ואמר תזדמן לי פלניתא א"ל לא תיבעי רחמי הכי אי חזיא לך לא אזלא מינך ואי לא כפרת בה' בתר הכי שמעיה דקאמר או איהו לימות מקמה או איהי תמות מקמיה א"ל לאו אמינא לך לא תיבעי עלה דמילתא הכי אמר רב משום רבי ראובן בן אצטרובילי מן התורה ומן הנביאים ומן הכתובים מה' אשה לאיש מן התורה דכתיב ויען לבן ובתואל ויאמרו מה' יצא הדבר מן הנביאים דכתיב ואביו ואמו לא ידעו כי מה' היא מן הכתובים דכתיב בית והון נחלת אבות ומה' אשה משכלת ואמר רב משום רבי ראובן בן אצטרובילי ואמרי לה במתניתא תנא א"ר ראובן בן אצטרובילי אין אדם נחשד בדבר אלא א"כ עשאו ואם לא עשה כולו עשה מקצתו ואם לא עשה מקצתו הרהר בלבו לעשותו ואם לא הרהר בלבו לעשותו ראה אחרים שעשו ושמח מתיב רבי יעקב ויחפאו בני ישראל דברים אשר לא כן על ה' אלהיהם התם להכעיס הוא דעבוד תא שמע ויקנאו למשה במחנה לאהרן קדוש ה' רב שמואל בר יצחק אמר מלמד שכל אחד קינא לאשתו ממשה התם משום שנאה הוא דעבוד ת"ש אמר רבי יוסי יהא חלקי עם מי שחושדין אותו בדבר ואין בו ואמר רב פפא לדידי חשדון ולא הוה בי לא קשיא הא בקלא דפסיק הא בקלא דלא פסיק וקלא דלא פסיק עד כמה אמר אביי אמרה לי אם דומי דמתא יומא ופלגא והני מילי דלא פסק ביני ביני אבל פסק ביני ביני לית לן בה וכי פסק ביני ביני לא אמרן אלא דלא פסק מחמת יראה אבל פסק מחמת יראה לא ולא אמרן אלא דלא הדר נבט אבל הדר נבט לא ולא אמרן אלא דלית ליה אויבים אבל אית ליה אויבים אויבים הוא דאפקוה לקלא: **מתני'** אין כותבין שטרי חוב במועד ואם אינו מאמינו או שאין לו מה יאכל הרי זה יכתוב אין כותבין ספרים תפילין ומזוזות במועד ואין מגיהין אות אחת אפילו בספר עזרא רבי יהודה אומר כותב אדם תפילין ומזוזות לעצמו וטווה

רש"י

כלי פשתן. דלא נפיש טירחא: מטפחות הספרים. של פשתן: הני אין. אבל שאר כלי פשתן לא: אפילו דשאר מיני. כלומר מטפחות דשאר מינין כגון דלמר אע"ג דנפיש טירחא שרי לכבס אבל שאר כלים דשאר מינין לא אבל כלי פשתן שרי לכבס: משיכלי. ספלים: מתני' קדושי נשים. שכתב בשטר הרי את מקודשת לי דאשה נקנית בשטר: דייתיקי. שטר צוואה: פרוזבולין. שכותב מלוה בשטר שאינו משמט ולא משמיט ליה שמיטה: איגרות שום. בכך שמו בית דין שדה זו ונתנו לאחים כך וכך נגדו: איגרות מזון. פלוני קבל לזון בת אשתו: שטרי בירורים. בירורו ב"ד חלק זה לזה וחלק זה לזה: גזרות ב"ד. פסקי דינין: ואיגרות של רשות. לווי וקיום של שלטון: גמ' כדרב גידל. שכותב תנאי זה בשטר: ניקנין באמירה. בלא קנין: דקא עביד מצוה. דעוסק בפריה ורביה: כפרת בה'. באמנה דקאמר דלא מסייע לאותה כלום הואיל ולא מזומנה (א) ליה כלומר השתא לגנאי עלה ולא באמונה מילתא: אמר. אי לא מנסבא לו איהי תמות מקמאי דלא איחזי כד מנסבא לאחר ולאצער בה: או איהו. עצמו ימות מקמי דתינסבא איהי לאידך ולהכי מארס במועד שלא יקדמנו אחר ברחמים שתמות היא: נחשד בדבר. עבירה: להכעיס עבוד. וידעי דלא היה: בקלא דפסיק. לא היה בה: קלא דלא פסיק. היה בה: דומי. חשד כמו לא ישא בת דומה (סוטה דף מ.): אבל הדר נבט. דבתר דפסיק התחיל קלא נבט נשמע דמיון כמו במסכת תענית (דף ד.) האי צורבא מרבנן דמי לפרלידא דמותי קלא כיון דנבט נבט ופי' זה וזה לשון צמח: מתני' ואם אינו מאמינו. המלוה ללוה: או שאין לו מה יאכל. לסופר: אפילו בספר עזרא. ס"ת של עזרא ואני שמעתי עזרה בה' ופי' ספר מוגה היה בעזרה שממנו היו מגיהים כל ספרי גולה: לעצמו. לקיים זה המלוה אבל לא לצבור למכור דלדך שכירות הוא חשיב מלאכה כדאמרינן לעיל (דף יג.) אוכרנה דכיון דלאו אגרא קשקיל פרשוי בעלמא הוא ושרי: וטווה

תוספות

מ) **הספרים.** פירוש להספפר ובמספפר לכל אותם שהסירו חכמים ... וי"ג הספרים ומטפחת ... הספסגין וירושלמי קאמר עלה מטפחת הספרים [אין] מכבסין אותן במי רגלים מפני הכבוד ואין נראה לי להביא ראיה דאיירי בכתבי הקדש דאפילו דאיירי בלומן המספר שייך כבוד המספריים שנותנין אותן בפניהם וכשמספרין אין כבוד להם כמטונפין:

ע) **העולים** מטומאה לטהרה. במצורע איירי דהא מצורע אסור לכבס כדאמר לעיל (דף טו.) ומסופק אם נאמר כן בעולה מטומאת מת ונבילה שצריך לכבס בגדיו או אמרינן דוקא מצורע הואיל ואסור לכבס כל בגדיו שלו מיהו מה שפירש דבמצורע איירי קשיא לן אי אמרינן דמצורע אינו נוהג לרעתו ברגל א"כ מאי איריא עולים מטומאה לטהרה אפילו בימי לרעתו נמי מותר לכבס ברגל דלא מצי למימר לא מיבעיא קאמר כדלעיל (דף יד:) דאם כן לא שייך שמא ישהו קרבנותיהן דבשלמא גילוח הוא בשעת קרבן אבל כיבוס לא שייך לקרבן ויש לומר דכיבוס נמי שייך לקרבן:

מתקיף לה אביי מאן לימא לן. ולע"ג דאביי גופיה שני לעיל מתני' אליבא דרבי יוחנן אינו סובר כן: **ואלו** כותבין במועד. נראה דכל הני הוו דבר האבד פן ימות הנותן או העדים או ב"ד או ילכו למדינת הים: **ואיגרות** רשות. בירושלמי מפרש פריסת שלום ויש מפרשים ליווי השלטון כמו אל תתודע לרשות (אבות פ"א מ"י):

אין כותבין שטרי חוב. פירשו בתוספות הוא הדין שטר מכירה דהא בהדי אלו כותבין במועד לא חשיב שטר מכירה ולי נראה דהא דלא קתני משום דאין כותבין שטר מכירה אלא על הקרקע ואמרינן לעיל (דף יג.) אין פ) מוכרין בתים אלא לצורך המועד ולצורך המועד פשיטא דשרי והוא הדין אם מכר קודם המועד ועתה רוצה לכתוב דשרי במועד דהא נמי דבר האבד רק אם היה לו אונס ולא יכול לכתוב קודם המועד: צ) **הן** הן דברים הנקנין באמירה. בפ' האשה (כתובות דף קב:) מפורש: ק) **ומי** אמר שמואל שמא יקדמנו אחר. תימה לי אמאי לא משני הא בזוג ראשון הא בזוג שני כדמשני פרק קמא דסנהדרין (דף כב.) ובפרק קמא דסוטה (דף ב. ושם): וטווה

עין משפט נר מצוה

צב א מיי' פ"ו מהלכות י"ט הלכה יג סמג לאוין עה טוש"ע א"ח סי' תקמה סעיף ה:
צג ב מיי' פ"ז מהלכות י"ט הלכה טו סמג לאוין עה טוש"ע א"ח סי' תקמו סעיף א:
צד ג מיי' פכ"ג מהל' אישות הלכה יג ופ"ו מהל' זכייה ומתנה הלכה ח סמג עשין מח טוש"ע אה"ע סי' נא:
צה ד מיי' פ"ז מהלכות י"ט הלכה טו טור ש"ע א"ח סי' תקמו סעיף ג:
צו ה מיי' פ"ז מהלכות י"ט הלכה יב סמג לאוין עה טוש"ע א"ח סי' תקמה סעיף ו:
צז ו ז מיי' שם הלכה יג טוש"ע שם סעיף א ג:

תורה אור השלם

א) וַיַּעַן לָבָן וּבְתוּאֵל וַיֹּאמְרוּ מֵיְיָ יָצָא הַדָּבָר לֹא נוּכַל דַּבֵּר אֵלֶיךָ רַע אוֹ טוֹב: [בראשית כד, נ]
ב) וְאָבִיו וְאִמּוֹ לֹא יָדְעוּ כִּי מֵיְיָ הִיא כִּי תֹאֲנָה הוּא מְבַקֵּשׁ מִפְּלִשְׁתִּים וּבָעֵת הַהִיא פְּלִשְׁתִּים מֹשְׁלִים בְּיִשְׂרָאֵל: [שופטים יד, ד]
ג) בַּיִת וָהוֹן נַחֲלַת אָבוֹת וּמֵיְיָ אִשָּׁה מַשְׂכָּלֶת: [משלי יט, יד]
ד) וַיְחַפְּאוּ בְנֵי יִשְׂרָאֵל דְּבָרִים אֲשֶׁר לֹא כֵן עַל יְיָ אֱלֹהֵיהֶם וַיִּבְנוּ לָהֶם בָּמוֹת בְּכָל עָרֵיהֶם מִמִּגְדַּל נוֹצְרִים עַד עִיר מִבְצָר: [מלכים ב' יז, ט]
ה) וַיְקַנְאוּ לְמֹשֶׁה בַּמַּחֲנֶה לְאַהֲרֹן קְדוֹשׁ יְיָ: [תהלים קו, טז]

רבינו חננאל

כלי פשתן אלא צמר ושל שאר מינין זולתי. אמר בר הדיא אנא חזיתי ים טבריא דמפקי לה משיכלי ומכבסי בהו מאני דכיתנא בחולי דמועדא. א"ל אביי ומאן לימא לן דברצון חכמים עבוד דלמא שלא ברצון חכמים עביד: ירושלמי תני מטפחות ספרים אין מכבסין אותן במי רגלים מפני הכבוד אלא מכבסין אותן בנתר ובורית: מתני' אלו כותבין [במועד] קדושי נשים גיטין ושוברין דיתיקאות מתנות פרוזבולין איגרות שום איגרות מזון שטרי חליצה ומיאונין שטרי בירורין גזירות ב"ד איגרות של רשות: ירושל' (שטרי חוב) [ושוברין] אומי לגוניאס. איגרות של רשות. איגרות שאילת שלום. איגרות שום. שום היתומים. איגרות מזון מזונות אלמנה של (רשות כו') עד גזירות ב"ד. אלו גזרי דינין (איגרות של רשות זו שאילת שלום) קידושי נשים. אוקימנא שטרי פסיקתא. כמה אתה נותן לבנך. כמה אתה נותן לבתך כך וכך ועמדו וקדשו הן הן הדברים הנקנין באמירה: ירושלמי איגרות של רשות זו שאילת שלום. אמר שמואל מותר לארס בחולו של מועד שמא יקדמנו אחר בתפלה. תנא דבי מנשה מארסין במועד ואין כונסין ואין עושין סעודת אירוסין ולא מייבמין מפני ששמחה היא לו. אבל מחזיר גרושתו. אמר רב מן התורה ומן הנביאים ומן הכתובים מה' אשה לאיש. מן התורה שנאמר ... מן הנביאים שנאמר ואביו [ואמו] לא ידעו כי מה' היא הדבר. מן הכתובים דכתיב בית והון נחלת אבות ... אמר רב אין אדם נחשד בדבר אלא אם כן עשאו או כולו או מקצתו או הרהר בלבו לעשותו או ראה ... ב בעינין. איני והכתיב ויחפאו בני ישראל דברים אשר לא כן על ה' אלהיהם. ופרקינן התם להכעיס ... ושמע משה ויפול על פניו. ואמר ר' יוחנן שחשדוהו באשת איש. וכתיב ויקנאו למשה במחנה מלמד ... על אשתו. ופרקינן התם משום שנאה עשו כך. ת"ש דא"ר יוסי יהא חלקי עם מי שחושדין אותו בדבר ... לדידי חשדו לי ולא הוה בי ואסיקנא בקלא דלא פסיק ובאתרא דלית ליה אויבים. אבל היכא דאית ... או מלתא היא דאויבים הוא דאפקוה לקלא: מתני' אין כותבין שטרי חוב במועד אם אינו מאמינו או שאין לו א) הרי זה יכתוב. אין כותבין סתו"מ. ואין מגיהין אות אחת ואפילו בספר העזרה כו'.
ת"ר

חשק שלמה על ר"ח א) אולי צ"ל שאין לו מעות לקנות.

מסורת הש"ס

א) [גיטין מה.], ב) כתובות קב., ג) ג"ז שם. קידושין ט:, ד) לעיל ח:, ה) סנהדרין כב. ע"ש סוטה ב. ע"ש, ו) סנהדרין קיא:, ז) שבת קיח:, ח) [קידושין לא: וש"נ], ט) יבמות כה., י) [לעיל יג.], כ) שייך לע"א, ל) [אבוגגרי כל"ג], מ) [שייך לעיל יד. במשנה], נ) עיין מהרש"א, ס) [ע"ש הלכה כן], ע) שייך לדף יד. במשני', פ) צ"ל ואוקמינן, צ) שייך לעיל קודם ד"ה אין כותבין, ק) ג"ז שייך לעיל.

הגהות הב"ח

(א) רש"י ד"ה כפרת כו' הואיל ולא מזומנה לך כלומר:

הגהות מהר"ב רנשבורג

א] גמ' ולא אמרן **אלא דלא הדר נבט.** כלומר דלא יצא עכ"ל הערוך בערך נבט ועי' בפרש"י דמפרש מלשון למח. ואיך שיהיה הפי' דלא הדר שוב ונשמע כדפרש"י מעיקרא נבט נשמע וכו' ולפענ"ד דברי הש"ס אלו קא מסדרי אדלעיל דקא מסיים ר"ק הא בקלא דפסיק וכו' וקא מפרש הש"ס בתחילה עד כמה הוי קלא דלא פסיק וכל דיני ותלוקי קלא דלא פסיק והשתא קא מהדר נמי לפרושי קלא דפסיק לא אמרן אלא דלא הדר נבט ודוק היטב. ...

גליון הש"ס

גמ' מאן לימא לן דברצון חכמים. עיין תשובת מהרי"ט ח"א סי' פג:

רש"ש

הנך אין שאר. פשתן לא. מתניתין. דקתני מטפחות ידים וספרים שרי אפי' דשאר מינין כגון ש'. של למר. דמפקי לה. כובסין אותה בני אדם. משיכלי. ספלים מלאים בגדים לכבסם בחולו של מועד. מתקיף לה אביי. לרב הדיא לדידי אמלתא לכבס כלומר דכלי פשתן וכו'. קדושי אשה. כגון הרי את מקודשת לי ומקדשה בשטר דאשה נקנית בשטר.

יכולה לגרוש ... לצאת בשיירא ואם אינו כותב עכשיו הרי הוא נמי כפרקמטיא האבד שהרי חשב זו עגונה. ושוברין. שמא יאמר הלוה לא אפרע לך הואיל ואין לי שובר וילך לדרכו ויפסיד זה. דייתיקי. מתנת שכיב מרע דא תהא למיקם ולהיות. מתנה. מתנת בריא דאי לא כתיב ליה מפסיד המקבל דשמא יחזור זה הנותן. ופרוזבולין. שלא תשמט שביעית ויפסיד פרוזבול הלל תקנו במס' גיטין (לו.) והוא שטר שכותבין בו מוסרני שטרותי לב"ד [שכל חוב] שיש לי אצל פלוני שאגבנו כל זמן [שארצה] דשוב אין שביעית משמטת הלואתו והרי הוא כאילו גבו ב"ד חובו של זה ולא קרינא ביה ולא יגוש פרוסבול בולי ובוטי תקנה לעניים ולעשירים. אגרות שום. ששמו ב"ד נכסי לוה ונתנו למלוה ל"א שום היתומים. אגרות מזון שקבל עליו לזון בת אשתו. מיאונין. קטנה שלא הביאה שתי שערות יכולה לימאן בבעלה שיכולה לומר אי אפשר בפלוני בעלי ומבטלת קדושין ומותרת בלא גט והוא שהשיאוה אמה או אחיה דאם קבל בה אביה קדושין שוב אינה ממאנת דכתוב את בתי נתתי לאיש הזה. שטרי בירורין. שטר שבוררין להם ב"ד זה בורר לו אחד וזה בורר לו אחד וכותבין כדי שלא יחזרו בהן הדיינין ובעלי הדין. גזירות ב"ד. פסק דין כותבין במועד כיון דהשתא הוא דשכיחי ב"ד. ל"א גזירות שגוזרין עליו לקבל את הדין. אגרות של רשות. צווי השלטון. לישנא אחרינא אגרות של שלום. מותר. לאדם לקדש אשה בלא סעודה כדאמרינן לקמן דאין עושין סעודת אירוסין וליכא הכא משום מערב שמחה בשמחה דכי אמרינן אין מערבין היינו לישא בשכונסה בשבעה ימי נישואין. שמא יקדמנה אחר. [המשך בדף יט.]

The Gemara resolves the contradiction:

אֶלָּא שֶׁמָּא יְקַדְּמֶנּוּ אַחֵר בְּרַחֲמִים – Rather, Shmuel means, **lest another man precede him through prayer.**[38]

The Gemara illustrates that prayer can deprive a man of his designated wife:

כִּי הָא דְּרָבָא – As exemplified by **this** incident **involving Rava:** **שְׁמְעֵיהּ לְהָהוּא גַּבְרָא דְּבָעֵי רַחֲמֵי וְאָמַר – He heard a certain man beseeching God's mercy, saying:** **תִּזְדַּמֵּן לִי פְּלָנִיתָא – "Let So-and-so** [i.e. a certain woman] **be available for me."** **אָמַר לֵיהּ – [Rava] said to him:** **לֹא תִּיבָּעֵי רַחֲמֵי הָכִי – "Do not beseech God's mercy** for **this.** **אִי חַזְיָא לָךְ לֹא אַזְלָא מִינָּךְ – If she is meant for you, she will not go from you;**[39] **וְאִי לֹא כָּפְרַתְּ בַּה׳ –** and if she is **not** meant for you, your request will be denied, and **you will renounce** the power of **God** to answer prayer."[40] **בָּתַר הָכִי שְׁמְעֵיהּ דְּקָאָמַר – After that** episode, **[Rava] heard him say:** **אוֹ אִיהוּ לֵימוּת מִקַּמָּהּ – "Either he** [i.e. himself] **dies before her,** **אוֹ אִיהִי תָּמוּת מִקַּמֵּיהּ – or she dies before him!"**[41] **אָמַר לֵיהּ – [Rava] said to him:** **לָאו אֲמֵינָא לָךְ לֹא תִּיבָּעֵי עֲלָהּ דְּמִילְּתָא הָכִי – "Didn't I tell you not to pray for this matter?"**[42]

The Gemara cites Scriptural sources which demonstrate that one's wife is selected by Heaven:

אָמַר רַב מִשּׁוּם רַבִּי רְאוּבֵן בֶּן אִצְטְרוֹבִילִי – Rav said in the name of R' Reuvain the son of Itzterovili: **מִן הַתּוֹרָה וּמִן הַנְּבִיאִים וּמִן הַכְּתוּבִים מֵה׳ אִשָּׁה לְאִישׁ –** We can derive **from the Pentateuch, the Prophets and the Writings** that it is **from God** that **a woman** is assigned **to a man.** **מִן הַתּוֹרָה דִּכְתִיב –** We can derive it **from the Pentateuch, for it is written:** **"וַיַּעַן לָבָן וּבְתוּאֵל וַיֹּאמְרוּ מֵה׳ יָצָא הַדָּבָר" – *Then Laban and Bethuel answered and said, "The matter stemmed from God."***[43] **מִן הַנְּבִיאִים דִּכְתִיב –** We can derive it **from the Prophets, for it is written:** **"וְאָבִיו וְאִמּוֹ לֹא יָדְעוּ כִּי מֵה׳ הִיא" – *His father and mother did not know that it was from God.***[44] **מִן הַכְּתוּבִים דִּכְתִיב –** And we can derive it **from Writings, for it is written:** **"בַּיִת וָהוֹן נַחֲלַת אָבוֹת וּמֵה׳ אִשָּׁה מַשְׂכָּלֶת" – *A house and wealth are an inheritance from fathers, but an intelligent woman is from God.***[45]

Another Aggadic teaching reported by Rav in the name of R' Reuvain the son of Itzterovili:

וְאָמַר רַב מִשּׁוּם רַבִּי רְאוּבֵן בֶּן אִצְטְרוֹבִילִי – And Rav said in the name of R' Reuvain the son of Itzterovili, **וְאָמְרֵי לָהּ בְּמַתְנִיתָא תָּנָא – and some say it was taught in a Baraisa:** **אָמַר רַבִּי רְאוּבֵן בֶּן אִצְטְרוֹבִילִי – R' REUVAIN THE SON OF ITZTEROVILI SAID:** **אֵין אָדָם נֶחְשָׁד בְּדָבָר אֶלָּא אִם כֵּן עֲשָׂאוֹ – A PERSON IS NOT SUSPECTED**[46] **OF SOMETHING** (i.e. a sin) **UNLESS HE HAS DONE IT.** **וְאִם לֹא עָשָׂה כּוּלּוֹ עָשָׂה מִקְצָתוֹ – AND IF HE HAS NOT DONE ALL OF IT, HE HAS DONE PART OF IT.** **וְאִם לֹא עָשָׂה מִקְצָתוֹ הִרְהֵר בְּלִבּוֹ לַעֲשׂוֹתוֹ – AND IF HE HAS NOT DONE PART OF IT, HE HAS THOUGHT OF DOING IT.**[47] **וְאִם לֹא הִרְהֵר בְּלִבּוֹ לַעֲשׂוֹתוֹ – AND IF HE HAS NOT THOUGHT OF DOING IT,** **רָאָה אֲחֵרִים שֶׁעָשׂוּ וְשָׂמַח – HE HAS SEEN OTHERS DO IT AND WAS GLAD.**

This teaching is challenged:

מָתִיב רַבִּי יַעֲקֹב – R' Yaakov challenged it from the following verse: **"וַיְחַפְּאוּ בְנֵי־יִשְׂרָאֵל דְּבָרִים אֲשֶׁר לֹא־כֵן עַל־ה׳ אֱלֹהֵיהֶם" – *The Children of Israel imputed things that were not so to Hashem their God.***[48] Thus we see that people are capable of entertaining suspicions that are completely unfounded. – ? –

The Gemara answers:

הָתָם לְהַכְעִיס הוּא דַּעֲבוּד – In that case, they acted as they did **in order to provoke God's anger.** They knew, however, that their accusations had no basis in truth.

NOTES

ms.; see further, note 41).

The Gemara does not answer that the predetermined selection applies to a first marriage whereas Shmuel refers only to subsequent marriages (see end of note 35). For in the absence of evidence to the contrary it appears that Shmuel's ruling applies to both types of marriage (see *Sfas Emes*).

38. This is explained below, note 41.

39. And there is no need for this prayer (*Talmid R' Yechiel MiParis*).

40. When you see that your prayer is not heeded, you might adopt the heretical belief that prayer is ineffective (*Rashi;* see *Rabbeinu Gershom* and *Aruch* [ע׳ כפר [ז; cf. *Rashi* cited by *Ran*). See next note for a different explanation.

41. If I do not marry her, I will be unable to bear seeing her marry someone else. Therefore, either let her die before I see her marry another man or let me die before she marries. [This prayer could succeed because it does not contradict the selection made in Heaven.] It is to this situation that Shmuel refers when he says that one may betroth a woman on Chol HaMoed lest another man precede him. If one does not betroth his bride at the earliest opportunity, a jealous suitor might pray that she die first (*Rashi;* see *Rif* [*Ein Yaakov*], who raises several difficulties with this explanation of the Gemara).

Other Rishonim follow a version of the text in which Rava said to the man: כָּפְרַתְּ בָּהּ, *you will renounce her* [as opposed to כָּפְרַתְּ בַּה׳, *you will renounce God*]. That is, if this woman was not designated for you, but you marry her anyway, you will ultimately regret it (*Rashi ms.*). The man did not heed Rava's advice and he married the woman of his prayers. Eventually, he hated her so intensely that he prayed that either one of them die an early death: "Either he dies before her or she dies before him" (*Ran*). *Nimukei Yosef* explains that the original decree can never be nullified. Thus, even if someone succeeds through prayer in marrying a woman who was not previously selected for him, the marriage will not last. He will die early or divorce her and then she will marry the man to whom she had been designated by Heaven.

According to this explanation of the Gemara, the reason one may betroth a woman on Chol HaMoed is that otherwise another might succeed in beseeching God to let him marry her first (*Nimukei Yosef, Ran, Ritva* et al.). [Although her marriage to the other man will not endure, the fact that it could happen at all provides sufficient grounds for permitting betrothal on Chol HaMoed.]

42. I had warned you not to pray for this woman. See, now, how this misplaced prayer has turned into something so depraved as a wish for the death of her or yourself (based on *Rashi;* see, however, *Maharsha* and *Menachem Meishiv Nefesh*).

According to the second approach (see previous note), Rava refers directly to the warning he had given the man previously. That is, did I not warn you that if you pray for her [though she is not meant for you], you would end up hating her? (see *Menachem Meishiv Nefesh*).

43. *Genesis* 24:50. Rebeccah's brother [Laban] and father [Bethuel] said this in response to Eliezer's proposal that Rebeccah marry Isaac.

44. *Judges* 14:4. When Samson told his parents that he sought to marry a certain Philistine woman, they attempted to dissuade him. They were unaware that she had been ordained as Samson's mate from the time of his conception. The union was part of the Divine plan to afflict the Philistines, who were ruling Israel at that time (*Maharsha;* see continuation of the narrative).

45. *Proverbs* 19:14. By stating that a wife is from God, while a house and property are not, this verse appears to contradict the Gemara in *Niddah* 16b (cited in note 36), which teaches that Heaven decides whether a person will be rich or poor. *Maharsha* answers that besides the decree at one's conception, it is also possible to attain wealth as an indirect consequence of a decree relating to someone else (e.g. an heir gains property when the Divinely ordained time arrives for the death of his father). This is in contrast to an intelligent wife, who comes only by way of the decree issued at one's conception.

46. This refers to a rumor that circulates among the local community (see continuation of the Gemara).

47. Although people cannot know what is in his mind, God punishes him for his evil thoughts by arranging for a suspicion to arise about him (*Maharsha*).

48. *II Kings* 17:9. The chapter records the sins of the Ten Tribes that led to their exile.

עין משפט נר מצוה

צב א מיי' פ"ז מהלכות י"ט הלכה יב סמג לאוין עה טוש"ע א"ח סי' תקמה סעיף ה:
צג ב מיי' פ"ז מהלכות י"ט הלכה טז סמג לאוין עה טוש"ע א"ח סי' תקמו סעיף א:
צד ג מיי' פכ"ג מהל' אישות הלכה יג ופ"ו מהל' זכייה ומתנה הלכה יז סמג עשין מח טוש"ע אה"ע סי' נא:
צה ד מיי' פ"ז מהלכות י"ט הלכה טז טור ש"ע א"ח סי' תקמו סעיף א:
צו ה מיי' פ"ז מהלכות י"ט הלכה יב סמג לאוין עה טוש"ע א"ח סי' תקמה סעיף ו:
צז ו ז מיי' שם הלכה יג טוש"ע שם סעיף א ג:

תורה אור השלם

א) וַיַּעַן לָבָן וּבְתוּאֵל וַיֹּאמְרוּ מֵיְיָ יָצָא הַדָּבָר לֹא נוּכַל דַּבֵּר אֵלֶיךָ רַע אוֹ טוֹב: [בראשית כד, נ]

ב) וְאָבִיו וְאִמּוֹ לֹא יָדְעוּ כִּי מֵיְיָ הִיא כִּי תֹאֲנָה הוּא מְבַקֵּשׁ מִפְּלִשְׁתִּים וּבָעֵת הַהִיא פְּלִשְׁתִּים מֹשְׁלִים בְּיִשְׂרָאֵל: [שופטים יד, ד]

ג) בַּיִת וָהוֹן נַחֲלַת אָבוֹת וּמֵיְיָ אִשָּׁה מַשְׂכָּלֶת: [משלי יט, יד]

ד) וַיְחַפְּאוּ בְנֵי יִשְׂרָאֵל דְּבָרִים אֲשֶׁר לֹא כֵן עַל יְיָ אֱלֹהֵיהֶם וַיִּבְנוּ לָהֶם בָּמוֹת בְּכָל עָרֵיהֶם מִמִּגְדַּל נוֹצְרִים עַד עִיר מִבְצָר: [מלכים ב' יז, ט]

ה) וַיְקַנְאוּ לְמֹשֶׁה בַּמַּחֲנֶה לְאַהֲרֹן קְדוֹשׁ יְיָ: [תהלים קו, טז]

רבינו חננאל

כלי פשתן אלא צמר ושל שאר מינין זולתי. אמר בר הדיא אנא חזיתי ים טבריא דמפקי לה משיכלי ומכבסי בהו מאני דכיתנא בחולי דמועדא. א"ל אביי ומאן לימא לן דברצון חכמים עבוד דלמא שלא ברצון חכמים עביד: ירושלמי תני מטפחות ספרים אין מכבסין אותן במי רגלים מפני הכבוד אלא מכבסין אותן בנתר ובורית: מתני' אלו כותבין [במועד] קדושי נשים גיטין ושוברין דיתיקאות מתנות פרוזבולין איגרות שום איגרות מזון שטרי חליצה ומיאונין שטרי ברורין גזירות ב"ד איגרות רשות: ירושל' (שטרי חוב) [ושוברין] אומי לוגיאוס. ואיגרות של רשות. איגרות שאילת שלום. איגרות שום. שום היתומים. איגרות מזון מזונות אלמנה של (רשות כו') עד גזירות ב"ד. אלו גזרי דינין (ואיגרות של רשות זו שאילת שלום) קידושי נשים. אוקימנא שטרי פסיקתא. כמה אתה נותן לבנך. כמה אתה נותן לבתך כך וכך ועמדו וקדשו הן הן הדברים הנקנין באמירה: ירושלמי איגרות של רשות זו שאילת שלום. אמר שמואל מותר ליארס בחולו של מועד שמא יקדמנו אחר. איני והא איהו דאמר מ' יום קודם יצירת הולד בכל יום ב"ק יוצאת ומכרזת בת פלוני לפלוני כו'. ופרקינן שמא יקדמנו אחר בתפלה. תנא דבי מנשה מארסין במועד ואין כונסין ואין עושין סעודת אירוסין ולא מייבמין מפני ששמחה היא לו. אבל מחזיר גרושתו. אמר רב מן התורה ומן הנביאים ומן הכתובים מה' אשה לאיש. מן התורה שנאמר מה' יצא הדבר. מן הנביאים שנאמר ואביו [ואמו] לא ידעו כי מה' היה הדבר. מן הכתובים דכתיב בית והון נחלת אבות ומה' אשה משכלת. ואמר רב אין אדם נחשד בדבר אלא אם כן עשאו או כולו או מקצתו או הרהר בלבו לעשותו או ראה אחרים שעשאוהו וייטב בעיניו. איני והכתיב ויחפאו בני ישראל דברים אשר לא כן על ה' אלהיהם. ופרקינן התם להכעיס הוא דעבוד. והכתיב וישמע משה ויפול על פניו. ואמר ר' יוחנן שחשדוהו באשת איש. וכתיב ויקנאו למשה במחנה מלמד שכל אחד ואחד קינא על אשתו. ופרקינן התם משום שנאה עשו כך. ת"ש דא"ר יוסי יהא חלקי עם מי שחושדין אותו בדבר ואין בו. ואמר רב פפא לדידי חשדו לי ולא הוה בי ואסיקנא בקלא דלא פסיק ובאתרא דלית ליה אויבים. אבל היכא דאית ליה אויבים מעיקרא לאו מלתא היא דאויבים הוא דאפקוה לקלא: מתני' אין כותבין שטרי חוב במועד אם אינו מאמינו או שאין לו מה יאכל. שאין לו א) הרי זה יכתוב. אין כותבין סתו"מ. ואין מגיהין אות אחת ואפילו בספר העזרה כו'.
ת"ר

חשק שלמה על ר"ח א) אולי צ"ל שאין לו מעות לקנות.

תוספות

(מ) **הספרים.** פירוש להסתפר ובמסתפר לכל אותם שהתירו חכמים וי"ג הספרים ומטפחת (נ) הספגין ובירושלמי קאמר עלה מטפחת הספרים [אין] מכבסין אותן במי רגלים (ס) מפני הכבוד ואין נראה לי להביא ראיה דאיירי בכתבי הקדש דאפילו דאיירי באומן המספר שייך כבוד המסתפרים שנותנין אותן בפניהם וכשמסתפרין אין כבוד להם במטונפין:

(ע) **העולים** מטומאה לטהרה. במצורע איירי דהא מצורע אסור לכבס כדאמר לעיל (דף טו.) ומספקא אם נאמר כן בעולה מטומאת מת ונבילה שצריך לכבס בגדיו או אמרינן דוקא מצורע הואיל ואסור לכבס כל בגדיו שלו מיהו מה שפירש דבמצורע איירי קשיא לן אי אמרינן דמצורע אינו נוהג צרעתו ברגל א"כ מאי איריא עולים מטומאה לטהרה אפילו בימי צרעתו נמי מותר לכבס ברגל דלא מצי למימר לא מיבעיא קאמר כדלעיל (דף יד:) דאם כן לא שייך שמא ישהו קרבנותיהן דבשלמא גילוח הוא בשעת קרבן אבל כיבוס לא שייך לקרבן ויש לומר דכיבוס נמי שייך לקרבן:

מתקיף לה אביי מאן לימא לן. ואע"ג דאביי גופיה שני לעיל מתני' אליבא דרבי יוחנן אינו סובר כן: **ואלו** כותבין במועד. נראה דכל הני הוו דבר האבד פן ימות הנותן או העדים או ב"ד או ילכו למדינת הים:

ואיגרות רשות. בירושלמי מפרש פריסת שלום ויש מפרשים ליווי השלטון כמו אל תתודע לרשות (אבות פ"א מ"י):

אין כותבין שטרי חוב. פירשו בתוספות הוא הדין שטר מכירה דהא בהדי אלו כותבין במועד לא חשיב שטר מכירה ולי נראה דהא דלא קתני משום דאין כותבין שטר מכירה אלא על הקרקע ואמרינן לעיל (דף יג.) אין (פ) מוכרין בתים אלא לצורך המועד ולצורך המועד פשיטא דשרי והוא הדין אם מכר קודם המועד ועתה רוצה לכתוב דשרי במועד דהא נמי דבר האבד רק אם היה לו אונס ולא יכול לכתוב קודם המועד: (צ) **הן** הן דברים הנקנין באמירה. בפ' הנושא (כתובות דף קב:) מפורש: (ק) **ומי** אמר שמואל שמא יקדמנו אחר. תימה לי אמאי לא משני הא בזוג שני הא בזוג ראשון כדמשני פרק שני דסנהדרין (דף כב.) ובפרק קמא דסוטה (דף ב. וש"נ):

גמרא

הספרים הני אין כלי פשתן לא אמר ליה אביי מתני' אפילו דשאר מיני אמר בר הדיא לדידי חזי לי ימה של טבריה דמפקי לה משיכלי דמני כיתנא בחולא דמועדא מתקיף לה אביי (א) מאן לימא לן דברצון חכמים עבדי דלמא שלא ברצון חכמים עבדי: **מתני'** (א) ואלו כותבין במועד קדושי נשים וגיטין ושוברין דייתיקי מתנה ופרוזבולין איגרות שום ואיגרות מזון שטרי חליצה ומיאונים ושטרי בירורין גזרות בית דין ואיגרות של רשות: **גמ'** אמר שמואל (ב) מותר לארס אשה בחולו של מועד שמא יקדמנו אחר לימא מסייע ליה ואלו כותבין במועד קדושי נשים מאי לאו שטרי קדושין ממש (ג) לא שטרי פסיקתא וכדרב גידל אמר רב (ג) דאמר רב גידל אמר רב (ג) כמה אתה נותן לבנך כך וכך כמה אתה נותן לבתך כך וכך עמדו וקדשו קנו הן הן הדברים הנקנין באמירה לימא מסייע ליה (ד) אין נושאין נשים במועד לא בתולות ולא אלמנות ולא מיבמין מפני ששמחה היא לו הא לארס שרי לא מיבעיא קאמר לא מיבעיא לארס דלא קעביד מצוה אלא אפילו לישא נמי דקא עביד מצוה אסור תא שמע דתנא דבי שמואל מארסין אבל לא כונסין (ד) ואין עושין סעודת אירוסין ולא מיבמין מפני ששמחה היא לו ש"מ ומי אמר שמואל שמא יקדמנו אחר והאמר רב יהודה אמר שמואל (ה) בכל יום ויום בת קול יוצאת ואומרת בת פלוני לפלוני שדה פלוני לפלוני אלא שמא יקדמנו אחר ברחמים כי הא דרבא שמעיה לההוא גברא דבעי רחמי ואמר תזדמן לי פלניתא א"ל לא תיבעי רחמי הכי אי חזיא לך לא אזלא מינך ואי לא כפרת בה' בתר הכי שמעיה דקאמר או איהו לימות מקמה או איהי תמות מקמיה א"ל לאו אמינא לך לא תיבעי עלה דמילתא הכי אמר רב משום רבי ראובן בן אצטרובילי מן התורה ומן הנביאים ומן הכתובים מה' אשה לאיש מן התורה דכתיב (א) ויען לבן ובתואל ויאמרו מה' יצא הדבר מן הנביאים דכתיב (ב) ואביו ואמו לא ידעו כי מה' היא מן הכתובים דכתיב (ג) בית והון נחלת אבות ומה' אשה משכלת ואמר רב משום רבי ראובן בן אצטרובילי ואמרי לה במתניתא תנא א"ר ראובן בן אצטרובילי אין אדם נחשד בדבר אלא א"כ עשאו ואם לא עשה כולו עשה מקצתו ואם לא עשה מקצתו הרהר בלבו לעשותו ואם לא הרהר בלבו לעשותו ראה אחרים שעשו ושמח מתיב רבי יעקב (ד) ויחפאו בני ישראל דברים אשר לא כן על ה' אלהיהם התם להכעיס הוא דעבוד (ה) תא שמע (ה) ויקנאו למשה במחנה לאהרן קדוש ה' רב שמואל בר יצחק אמר מלמד שכל אחד קינא לאשתו ממשה התם משום שנאה הוא דעבוד ת"ש אמר רבי יוסי (ו) יהא חלקי עם מי שחושדין אותו בדבר ואין בו ואמר רב פפא לדידי חשדון ולא הוה בי לא קשיא הא בקלא דפסיק הא בקלא דלא פסיק וקלא דלא פסיק עד כמה אמר אביי אמרה לי אם (ט) דומי דמתא יומא ופלגא והני מילי דלא פסק ביני ביני אבל פסק ביני ביני לית לן בה וכי פסק ביני ביני לא אמרן אלא דלא פסק מחמת יראה אבל פסק מחמת יראה לא (א) ולא אמרן אלא דלא הדר נבט אבל הדר נבט לא ולא אמרן אלא דלית ליה אויבים אבל אית ליה אויבים הוא דאפקוה לקלא: **מתני'** (י) (ה) אין כותבין שטרי חוב במועד ואם אינו מאמינו או שאין לו מה יאכל הרי זה יכתוב (ו) אין כותבין ספרים תפילין ומזוזות במועד ואין מגיהין אות אחת אפילו בספר עזרא רבי יהודה אומר (ז) כותב אדם תפילין ומזוזות לעצמו

וטווה

רש"י

(כ) כלי פשתן. דלא נפיש טירחא: מטפחות הספרים. של פשתן: הני אין. אבל שאר כלי פשתן לא: אפילו דשאר מיני. כלומר מטפחות דשאר מינין כגון דלמר אע"ג דנפיש טירחא שרי לכבס אבל שאר כלים דשאר מינין לא אבל כלי פשתן שרי לכבס: משיכלי. ספלים: **מתני'** קדושי נשים. שכתב בשטר הרי את מקודשת לי דאשה נקנית בשטר: דייתיקי. שטר צוואה: פרוזבולין. שכותב מלוה בשטר שאינו משמט ולא משמיט ליה שמיטה: איגרות שום. בכך שמו בית דין שדה זו ונתנו לאחים כך וכך נגדו: איגרות מזון. פלוני קבל לזון בת אשתו: שטרי בירורים. ביררו ב"ד חלק זה לזה וחלק זה לזה: גזרות ב"ד. פסקי דינין: ואיגרות של רשות. צווי וקיום של שלטון: **גמ'** כדרב גידל. שכותב תנאי זה בשטר: ניקנין באמירה. בלא קנין: דקא עביד מצוה. דעוסק בפריה ורביה: כפרת בה'. באמנה דקאמר דלא מסייע צלותא כלום הואיל ולא מזמנה (א) ליה כלומר השתא צלינא עלה ולא אסתייעא מילתא: אמר. אי לא מנסבא או איהי תמות מקמאי דלא איחזי כד מנסבא לאחר ואצער בה: או איהו. עלמו ימות מקמי דתינסבא איהי לאידך ולהכי מארס במועד שלא יקדמנו אחר ברחמים שתמות היא: נחשד בדבר. עבירה: להכעיס עבוד. וידעי דלא היה: בקלא דפסיק. לא היה ביה: קלא דלא פסיק. היה ביה: דומי. חשד כמו לא ישא בת דומה (סוטה דף מ.): אבל הדר נבט. דבתר דפסיק התחיל קלא נבט נשמע דמיון כמו במסכת תענית (דף ד.) האי צורבא מרבנן דמי לפרצידא דתותי קלא כיון דנבט נבט ופי' זה וזה לשון צמח: **מתני'** ואם אינו מאמינו. המלוה ללוה: או שאין לו מה יאכל. לסופר: אפילו בספר עזרא. ס"ת של עזרא ואני שמעתי עזרה בה' ופי' ספר מוגה היה בעזרה שממנו היו מגיהים כל ספרי גולה: לעצמו. לקיים זה המלוה אבל לצבור למכור דדרך שכירות הוה חשיב מלאכה כדאמרינן לעיל (דף יב.) (ל) אונכרא דכיון דלאו אגרא קשקיל שרשויי בעלמא הוא ושרי:

וטווה

מסורת הש"ס

א) [גיטין מה.], ב) כתובות קב., ג) ג"ז שם. קידושין ט:, ד) לעיל ח:, ה) סנהדרין כב. ע"ש סוטה ב. ע"ש, ו) סנהדרין קיא, ז) שבת קיח:, ח) [קידושין לא: וש"נ], ט) יבמות כה., י) [לעיל יג.], כ) שייך לע"א, ל) [אבונגרי כצ"ל], מ) [שייך לעיל יד. במשנה], נ) עיין מהרש"א, ס) [ע"ש הלכה ב], ע) שייך לדף יד. במתני', פ) צ"ל לוקחין, צ) שייך לעיל קודם ד"ה אין כותבין, ק) ג"ז שייך לעיל.

הגהות הב"ח

(א) רש"י ד"ה כפרת כו' הואיל ולא מזמנה לך כלומר:

הגהות מהר"ב רנשבורג

א] גמ' ולא אמרן אלא דלא הדר נבט. כלומר דלא יצא עכ"ל הערוך בערך נבט ועי' בפרש"י דמפרש מלשון צמח. ואיך שיהיה הפי' דלא הדר שוב ונשמע כדפרש"י מעיקרא נבט נשמע וכו' ולפענ"ד דברי הש"ס אלו קא מהדרי אדלעיל דקא משנינן ל"ק הא בקלא דפסיק וכו' וקא מפרש הש"ס בתחילה עד כמה הוי קלא דלא פסיק וכל דיני וחלוקי קלא דלא פסיק והשתא קא מהדר תו לפרושי דקלא דפסיק לא אמרן אלא דלא הדר נבט כו' ודוק היטב. דלפ"ז הוי ג' חלוקים בדבר דבקלא דלא פסיק יומא ופלגא אית בי' וודאי משמע. וקלא דפסיק לגמרי דלא הדר נביט לית בי' שום ממש. וקלא דפסיק דהדר נבט אף דלא הוי מיומא ופלגא נהי דלא ברי גמור הוא דאית בי' ממש עכ"פ איכא לספוקי ביה ולא נפיק מתורת חשדא. אולי אית בי'. כנלענ"ד ברור ודוק היטב. ורא"י גמורה מצאתי לפירושי הזה. דביבמות דף כ"ה ע"א ליתא להך ולא אמרן בתרא יעוש"ה ולדברינו מיושב משום דלענין להוציא אשה מבעלה מיירי ואספיקא לא מפקינן והדר נבט רק ספיקא הוי ודו"ק היטב כי נכון הוא:

גליון הש"ס

גמ' מאן לימא לן דברצון חכמים. עיין תשובת מהרי"ט ח"א סי' פג:

רש"י כת"י

הגך אין שאר. פשתן לא. מתניתין. דקתני מטפחות ידים וספרים שרו אפי' דשאר מינין כגון ש"ל של למר. דמפקי לה. כובסין אותה בני אדם. משיכלי. ספלים מלאים בגדים לכבס בחולו של מועד. מתקיף לה אביי. לרב הדיא לדידי דאמינא לכבס כלומר דכלי פשתן יכול לכבס במועד. קדושי אשה. כגון הרי את מקודשת לי ומקדשה בשטר דאשה נקנית בשטר והילכך יכול לכתוב כגון שמתיירא שמא יקדמנה אחר דהוה ליה דבר האבד וכן כולם משום דבר האבד מותרין. גיטין. שרוצה זה לצאת בשיירא ואם אינו כותב עכשיו הרי הוה נמי כפרקמטיא האבד שהרי תשב זו עגונה. ושוברין. שמא יאמר הלוה לא אפרע לך הואיל ואין לי שובר וילך לדרכו ויפסיד זה. דייתיקי. מתנת שכיב מרע דלא תהא למיקם ולהיות. מתנה. מתנת בריא דאי לא כתיב ליה מפסיד המקבל דשמא יחזור זה הנותן. ופרוזבולין. שלא תשמט שביעית ויפסיד פרוזבול הלל תקנו במס' גיטין (לו.) והוא שטר שכותבין בו מוסרני שטרותי לב"ד [שכל חוב] שיש לי אצל פלוני שאגבנו כל זמן [שארצה] דשוב אין שביעית משמטת הלואתו והרי הוא כאילו גבו ב"ד חובו של זה ולא קרינא ביה ולא יגוש פרוסבול פרוס בולי ובוטי תקנה לעניים ולעשירים. אגרות שום. ששמו ב"ד נכסי לוה ונתנו למלוה ל"א שום היתומים. אגרות מזון שקבל עליו לזון בת אשתו. מיאונין. קטנה שלא הביאה שתי שערות יכולה לימאן בבעלה שיכולה לומר אי אפשר בפלוני בעלי ומבטלת קדושין ומותרת בלא גט והוא שהשיאוה אמה או אחיה דאם קבל בה אביה קדושין שוב אינה ממאנת דכתוב את בתי נתתי לאיש הזה. שטרי בירורין. שטר שבוררין להם ב"ד זה בורר לו אחד וזה בורר לו וכותבין כדי שלא יחזרו בהן הדיינין ובעלי הדין. גזירות ב"ד. פסק דין כותבין במועד כיון דהשתא הוא דשכיחי ב"ד. ל"א גזירות שגוזרין עליו לקבל את הדין. אגרות של רשות. צווי השלטון. לישנא אחרינא אגרות של שלום. מותר. לאדם לקדש אשה בלא סעודה כדאמרינן לקמן דאין עושין סעודת אירוסין וליכא הכא משום מערב שמחה בשמחה דכי אמרינן אין מערבין היינו לישא בשכונסה בשבעה ימי נישואין. שמא יקדמנה אחר. [המשך בדף יט.]

The Gemara raises another challenge to R' Reuven's teaching: תָּא שְׁמַע – **Come, hear** a proof from the following verse: ,,וַיְקַנְאוּ לְמֹשֶׁה בַּמַּחֲנֶה לְאַהֲרֹן קְדוֹשׁ ה׳ " – ***They were jealous of Moses in the camp, of Aaron, Hashem's holy one.***[49] רַב שְׁמוּאֵל בַּר יִצְחָק אָמַר – And **Rav Shmuel bar Yitzchak said** in interpretation of this verse: מְלַמֵּד שֶׁכָּל אֶחָד קִינֵּא לְאִשְׁתּוֹ מִמֹּשֶׁה – **It teaches that every [husband] formally warned his wife against** secluding herself with **Moses.**[50] Thus, Moses was suspected of a transgression of which he was surely innocent.

The Gemara answers:

הָתָם מִשּׁוּם שִׂנְאָה הוּא דְּעָבוּד – **In that case, they acted** as they **did because of** their **hatred** of Moses.[51] R' Reuvain's teaching applies to suspicions that are not motivated by hatred.

Another challenge to R' Reuvain's teaching:

תָּא שְׁמַע – **Come, hear** a proof from the following Baraisa: אָמַר רַבִּי יוֹסֵי – R' YOSE SAID: יְהֵא חֶלְקִי עִם מִי שֶׁחוֹשְׁדִין אוֹתוֹ בְּדָבָר וְאֵין בּוֹ – MAY MY SHARE BE WITH ONE WHO IS SUSPECTED OF SOMETHING OF WHICH HE IS INNOCENT.[52] וְאָמַר רַב פָּפָּא – **Furthermore, Rav Pappa said:** לְדִידִי חֲשָׁדוּן וְלָא הֲוָה בִּי – **I was** once **suspected of something of which I was innocent.**[53] These statements show that it is possible to be suspected of a sin and yet be innocent of it.[54] – ? –

The Gemara answers:

לָא קַשְׁיָא – This is **not a difficulty,** הָא בְּקָלָא דְּפָסִיק – because **this** (i.e. the statements made by R' Yose and Rav Pappa) refers **to a rumor that stopped,**[55] הָא בְּקָלָא דְּלָא פָּסִיק – whereas **this** (i.e. R' Reuvain's teaching) refers **to a rumor that did not stop.**[56]

The Gemara clarifies this answer:

וְקָלָא דְּלָא פָּסִיק עַד כַּמָּה – **And how long** must **"a rumor that did not stop"** endure for it to be legitimate? אָמַר אַבַּיֵי אָמְרָה לִי אֵם – **Abaye said: Mother told me**[57] that דּוּמֵי דְּמָתָא יוֹמָא וּפַלְגָא – **suspicions in** the local **town** last **a day and a half.**[58]

A further qualification:

וְהָנֵי מִילֵּי דְּלָא פָּסַק בֵּינֵי בֵּינֵי – **However, this is so** (viz. that a rumor lasting one and a half days is legitimate) **where it did not stop in the meantime;** אֲבָל פָּסַק בֵּינֵי בֵּינֵי לֵית לָן בָּהּ – **but** if **it did stop in the meantime, we are not concerned about it.**[59]

A further qualification:

וְכִי פָּסַק בֵּינֵי בֵּינֵי – **However,** even if **the rumor stopped in the meantime,** לָא אָמְרָן – **we do not say** that it is baseless אֶלָּא דְּלָא פָּסַק מֵחֲמַת יִרְאָה – **except where it did not stop as a result of fear;** אֲבָל פָּסַק מֵחֲמַת יִרְאָה לֹא – **but if it stopped as a result of fear,** it is **not** baseless.[60]

Another qualification:

וְלָא אָמְרָן – **However, we do not say** that a rumor which stopped in the meantime (not as a result of fear) is baseless אֶלָּא דְּלָא הֲדַר נְבַט – **except where it did not spring up again** with the same force as before;[61] אֲבָל הֲדַר נְבַט לֹא – **but if it did spring**

NOTES

49. *Psalms* 106:16. The verse speaks of Korach's rebellion against Moses and Aaron.

50. *Rashi* to *Sanhedrin* 110a. According to Torah law, if a husband suspects his wife of having committed adultery, he must formally warn her to avoid seclusion with the other man. If she disregards the warning and is observed going into seclusion with him, there is sufficient circumstantial evidence to establish the likelihood that an act of adultery has occurred, at which point she becomes prohibited to her husband until her innocence can be established (see *Numbers* 5:11-31 and *Sotah* 2a). The husband's formal warning is called קִנּוּי, *kinui,* from verse 14 ibid.: וְקִנֵּא אֶת־אִשְׁתּוֹ, *he had warned his wife.*

Thus, the word קנא has two connotations: jealousy, and the formal warning given a suspected adulteress by her husband. The aforecited verse from *Psalms* is usually translated *They were jealous of Moses,* and is interpreted to mean that Korach and his followers were jealous of the authority Moses and Aaron had assumed (see *Ibn Ezra* there). However, Rav Shmuel bar Yitzchak expounds the verse as follows: *They* (i.e. the people) *formally warned* their wives to stay away *from Moses in the camp* because they suspected their wives of committing adultery with him.

51. Moses's enemies spread this rumor in an attempt to discredit him; they did not actually believe that he was guilty (*Talmid R' Yechiel MiParis*).

The commentators struggle to understand how such an egregious canard could have gained any currency whatsoever among the people (see the commentators on *Ein Yaakov;* see also *Shelah HaKadosh, Parashas Korach,* p. 69b). *Maharsha* (*Sanhedrin* ibid.) explains that the accusation was accepted because Moses had separated from his wife. The scoffers proclaimed that it was impossible for a frail mortal to abstain permanently from conjugal relations, and so Moses must have been engaging in illicit affairs.

Imrei Tzvi (ibid.) offers a different explanation of the husbands' suspicions: When the Jewish people needed gold in order to make the Golden Calf, the husbands demanded that the wives contribute their jewelry. The women adamantly refused to comply, saying, "We will not listen to you!" (*Pirkei DeRabbi Eliezer* 45). On the other hand, when Moses later requested that the women contribute their jewelry for the building of the Tabernacle, they responded enthusiastically (*Exodus* 35:22). It was thus evident that the wives obeyed Moses more willingly than they obeyed their own husbands, and this enraged the husbands. In their anger they determined to keep their wives away from Moses, and they did so by issuing a formal *sotah* warning to them. This warning perforce bore the legal implication that the husbands suspected their wives of committing adultery with Moses. Thus, the husbands did not actually suspect Moses of adultery; rather, such suspicions were merely the concomitance of their effort to remove their wives from Moses' sphere of influence.

52. For this is an effective means of atonement (*Meiri; Ritva* to *Shabbos* 118b).

53. *Maharshal* (*Shabbos* 118b) suggests that Rav Pappa is referring to an incident recorded in *Bava Basra* 10a. As Rav Pappa was climbing a ladder, his foot slipped on one of the rungs and he nearly fell to his death. Rav Pappa did not understand why he deserved this brush with death. Another Amora suggested that perhaps a pauper had come to him (Rav Pappa was the administrator of a charity fund) and he had neglected to assist him. Here Rav Pappa states that this was an undeserved reproach. [See, however, *Maharsha* to *Bava Basra* ibid.]

Alternatively, the reference may be to the incident cited by *Rashi* and *Rashbam* to *Pesachim* 112b: A certain gentile woman owed Rav Pappa some money. One day, before Rav Pappa came to collect the debt, she strangled her child and laid him on the bed. When Rav Pappa entered, she told him to sit on the bed while she would go and fetch the money. He did so. When she returned, she said, "You have killed my son!" Rav Pappa was forced to leave the country (*Zeicher Yehosef, Haamek She'eilah* 40:7, cited by *Megadim Chadashim* to *Shabbos* 118b; see also *Rashash* to *Shabbos* 140b).

54. Rav Pappa clearly meant that he had not even *thought* of commiting the sin of which he was accused, for if he had, his statement would lack novel content (*Maharsha*).

55. I.e. a subsequent rumor circulated that asserted the person's innocence (*Rashi* to *Yevamos* 25a ד״ה דפסיק; see also *Rashi ms.* ד״ה הדר נבט). Alternatively, those spreading the rumor fell silent (*R' Shlomo ben HaYasom*).

56. A rumor that ends prematurely is surely unfounded, but one that lasts a significant time (defined below) has a basis in fact (*Rashi*).

57. Abaye was an orphan. He often quoted the nurse who raised him, referring to her as "mother" (see *Kiddushin* 31b). For several examples, see *Shabbos* 133b-134a.

58. Thus, if a rumor lasts a day and a half, it is presumably grounded in fact.

59. If the rumor stopped and then started again, even if it ultimately lasted a total of one and a half days, it is still inconsequential (based on *Ran,* cited in note 61).

60. If the rumor stopped because those spreading it believed that they would suffer retribution [but it later restarted], it is assumedly valid.

61. *Ritva.* Some commentators explain that the resumption of the rumor lasted a day and a half in its own right (*Ran* and *Sfas Emes*).

הספרים הני אין כלי פשתן לא אמר ליה אביי מתני' אפילו דשאר מיני אמר בר הדיא לדידי חזי לי ימה של טבריה דמפקי לה משיכלי דמני כיתנא בחולא דמועדא מתקיף לה אביי ^(א) מאן לימא לן דברצון חכמים עבדי דלמא שלא ברצון חכמים עבדי: **מתני'** ^(א) ואלו כותבין במועד קדושי נשים וגיטין ושוברין דייתיקי מתנה ופרוזבולין איגרות שום ואיגרות מזון שטרי חליצה ומיאונים ושטרי בירורין גזרות בית דין ואיגרות של רשות: **גמ'** אמר שמואל ^(ב) מותר לארס אשה בחולו של מועד שמא יקדמנו אחר לימא מסייע ליה ואלו כותבין במועד קדושי נשים מאי לאו שטרי קדושין ממש ^(ג) לא שטרי פסיקתא וכדרב גידל אמר רב ^(ד) דאמר רב גידל אמר רב ^(ג) כמה אתה נותן לבנך כך וכך כמה אתה נותן לבתך כך וכך עמדו וקדשו קנו הן הן הדברים הנקנין באמירה לימא מסייע ליה ^(ה) אין נושאין נשים במועד לא בתולות ולא אלמנות ולא מיבמין מפני ששמחה היא לו הא לארס שרי לא מיבעיא קאמר לא מיבעיא לארס דלא קעביד מצוה אלא אפילו לישא נמי דקא עביד מצוה אסור תא שמע דתנא דבי שמואל מארסין אבל לא כונסין ^(ד) ואין עושין סעודת אירוסין ולא מיבמין מפני ששמחה היא לו ש"מ ומי אמר שמואל שמא יקדמנו אחר והאמר רב יהודה אמר שמואל ^(ו) בכל יום ויום בת קול יוצאת ואומרת בת פלוני לפלוני שדה פלוני לפלוני אלא שמא יקדמנו אחר ברחמים כי הא דרבא שמעיה לההוא גברא דבעי רחמי ואמר תזדמן לי פלניתא א"ל לא תיבעי רחמי הכי אי חזיא לך לא אזלא מינך ואי לא כפרת בה' בתר הכי שמעיה דקאמר או איהו לימות מקמה או איהי תמות מקמיה א"ל לאו אמינא לך לא תיבעי עלה דמילתא הכי אמר רב משום רבי ראובן בן אצטרובילי מן התורה ומן הנביאים ומן הכתובים מה' אשה לאיש מן התורה דכתיב ^(א) ויען לבן ובתואל ויאמרו מה' יצא הדבר מן הנביאים דכתיב ^(ב) ואביו ואמו לא ידעו כי מה' היא מן הכתובים דכתיב ^(ג) בית והון נחלת אבות ומה' אשה משכלת ואמר רב משום רבי ראובן בן אצטרובילי ואמרי לה במתניתא תנא א"ר ראובן בן אצטרובילי אין אדם נחשד בדבר אלא א"כ עשאו ואם לא עשה כולו עשה מקצתו ואם לא עשה מקצתו הרהר בלבו לעשותו ואם לא הרהר בלבו לעשותו ראה אחרים שעשו ושמח מתיב רבי יעקב ^(ד) ויחפאו בני ישראל דברים אשר לא כן על ה' אלהיהם התם להכעיס הוא דעבוד ^(ז) תא שמע ^(ה) ויקנאו למשה במחנה לאהרן קדוש ה' רב שמואל בר יצחק אמר מלמד שכל אחד קינא לאשתו ממשה התם משום שנאה הוא דעבוד ת"ש אמר רבי יוסי ^(ח) יהא חלקי עם מי שחושדין אותו בדבר ואין בו ואמר רב פפא לדידי חשדון ולא הוה בי לא קשיא הא בקלא דפסיק הא בקלא דלא פסיק וקלא דלא פסיק עד כמה ^(ט) אמר אביי אמרה לי אם ^(י) דומי דמתא יומא ופלגא והני מילי דלא פסק ביני ביני אבל פסק ביני ביני לית לן בה וכי פסק ביני ביני לא אמרן אלא דלא פסק מחמת יראה אבל פסק מחמת יראה לא ^(א) ולא אמרן אלא דלא הדר נבט אבל הדר נבט לא ולא אמרן אלא דלית ליה אויבים אבל אית ליה אויבים אויבים הוא דאפקוה לקלא: **מתני'** ^(כ) ^(ה) אין כותבין שטרי חוב במועד ואם אינו מאמינו או שאין לו מה יאכל הרי זה יכתוב ^(ו) אין כותבין ספרים תפילין ומזוזות במועד ואין מגיהין אות אחת אפילו בספר עזרא רבי יהודה אומר ^(ז) כותב אדם תפילין ומזוזות לעצמו

^(ל) כלי פשתן. דלא נפיש טירחא: מטפחות הספרים. של פשתן: הני אין. אבל שאר כלי פשתן לא: אפילו דשאר מיני. כלומר מטפחות דשאר מינין כגון דלמר אע"ג דנפיש טירחא שרי לכבס אבל שאר כלים דשאר מינין לא אבל כלי פשתן שרי לכבס: משיכלי. ספלים: **מתני'** קדושי נשים. שכתב בשטר הרי את מקודשת לי דאשה נקנית בשטר: דייתיקי. שטר צוואה: פרוזבולין. שכותב מלוה בשטר שאינו משמט ולא משמיט ליה שמיטה: איגרות שום. בכך שמו בית דין שדה זו ונתנו לאחים כך וכך נגדו: איגרות מזון. פלוני קבל לזון בת אשתו: שטרי בירורים. ביררו ב"ד חלק זה לזה וחלק זה לזה: גזרות ב"ד. פסקי דינין: ואיגרות של רשות. צווי וקיום של שלטון: **גמ'** כדרב גידל. שכותב תנאי זה בשטר: ניקנין באמירה. בלא קנין: דקא עביד מצוה. דעוסק בפריה ורביה: כפרת בה'. באמנה דקאמר דלא מסייע צלותא כלום הואיל ולא מזמנה ^(א) ליה כלומר השתא צלינא עלה ולא אסתייעא מילתא: אמר. אי לא מנסבא או איהי תמות מקמאי דלא איחזי כד מנסבא לאחר ואצער בה: או איהו. עצמו ימות מקמי דתינסבא איהי לאידך ולהכי מארס במועד שלא יקדמנו אחר ברחמים שתמות היא: נחשד בדבר. עבירה: להכעיס עבוד. וידעי דלא היה: בקלא דפסיק. לא היה ביה: קלא דלא פסיק. היה ביה: דומי. חשד כמו לא ישא בת דומה (סוטה דף מ.): אבל הדר נבט. דבתר דפסיק התחיל קלא נבט נשמע דמיון כמו במסכת תענית (דף ד.) האי צורבא מרבנן דמי לפרצידא דתותי קלא כיון דנבט נבט ופי' זה וזה לשון צמח: **מתני'** ואם אינו מאמינו. המלוה ללוה: או שאין לו מה יאכל. לסופר: אפילו בספר עזרא. ס"ת של עזרא ואני שמעתי עזרה בה' ופי' ספר מוגה היה בעזרה שממנו היו מגיהים כל ספרי גולה: לעצמו. לקיים זה המלוה אבל לצבור למכור דדרך שכירות הוה חשיב מלאכה כדאמרינן לעיל (דף יב.) ^(ל) אונכרא דכיון דלאו אגרא קשקיל שרשויי בעלמא הוא ושרי:

^(מ) **הספרים.** פירוש להסתפר ובמסתפר לכל אותם שהתירו חכמים וי"ג הספרים ומטפחת ^(נ) הספגנין וירושלמי קאמר עלה מטפחת הספרים [אין] מכבסין אותן במי רגלים ^(ס) מפני הכבוד ואין נראה לי להביא ראיה דאיירי בכתבי הקדש דאפילו דאיירי באומן המספר שייך כבוד המסתפרים שנותנין אותן בפניהם וכשמסתפרין אין כבוד להם במטונפין:

^(ע) **העולים** מטומאה לטהרה. במצורע איירי דהא מצורע אסור לכבס כדאמר לעיל (דף טו.) ומסופק אם נאמר כן בעולה מטומאת מת ונבילה שצריך לכבס בגדיו או אמרינן דוקא מצורע הואיל ואסור לכבס כל בגדיו שלו מיהו מה שפירש דבמצורע איירי קשיא לן אי אמרינן דמצורע אינו נוהג צרעתו ברגל א"כ מאי איריא עולים מטומאה לטהרה אפילו בימי צרעתו נמי מותר לכבס ברגל דלא מצי למימר לא מיבעיא קאמר כדלעיל (דף יד:) דאם כן לא שייך שמא ישהו קרבנותיהן דבשלמא גילוח הוא בשעת קרבן אבל כיבוס לא שייך לקרבן ויש לומר דכיבוס נמי שייך לקרבן:

מתקיף לה אביי מאן לימא לן. ואע"ג דאביי גופיה שני לעיל מתני' אליבא דרבי יוחנן אינו סובר כן: **ואלו** כותבין במועד. נראה דכל הני הוו דבר האבד פן ימות הנותן או העדים או ב"ד או ילכו למדינת הים:

ואיגרות רשות. בירושלמי מפרש פריסת שלום ויש מפרשים ליווי השלטון כמו אל תתודע לרשות (אבות פ"א מ"י):

אין כותבין שטרי חוב. פירשו בתוספות הוא הדין שטר מכירה דהא בהדי אלו כותבין במועד לא חשיב שטר מכירה ולי נראה דהא דלא קתני משום דאין כותבין שטר מכירה אלא על הקרקע ואמרינן לעיל (דף יג.) אין ^(פ) מוכרין בתים אלא לצורך המועד ולצורך המועד פשיטא דשרי והוא הדין אם מכר קודם המועד ועתה רוצה לכתוב דשרי במועד דהא נמי דבר האבד רק אם היה לו אונס ולא יכול לכתוב קודם המועד: ^(צ) **הן** הן דברים הנקנין באמירה. בפ' הנושא (כתובות דף קב:) מפורש: ^(ק) **ומי** אמר שמואל שמא יקדמנו אחר. תימה לי אמאי לא משני הא בזוג שני הא בזוג ראשון כדמשני פרק שני דסנהדרין (דף כב.) ובפרק קמא דסוטה (דף ב. וסס):

והילכך יכול לכתוב כגון שמתיירא שמא יקחנה אחר דהוה ליה דבר האבד וכן כולם משום דבר האבד מותרין. גיטין. שרוצה זה לצאת בשיירא ואם אינו כותב עכשיו הרי הוה נמי כפרקמטיא האבד שהרי תשב זו עגונה. ושוברין. שמא יאמר הלוה לא אפרע לך הואיל ואין לי שובר וילך לדרכו ויפסיד זה. דייתיקי. מתנת שכיב מרע דא תהא למיקם ולהיות. מתנה. מתנת בריא דאי לא כתיב ליה מפסיד המקבל דשמא יחזור זה הנותן. ופרוזבולין. שלא תשמט שביעית ויפסיד פרוזבול הלל תקנו במס' גיטין (לו.) והוא שטר שכותבין בו מוסרני שטרותי לב"ד [שכל חוב] שיש לי אצל פלוני שאגבנו כל זמן [שארצה] דשוב אין שביעית משמטת הלואתו והרי הוא כאילו גבו ב"ד חובו של זה ולא קרינא ביה ולא יגוש פרוסבול פרוס בולי ובוטי תקנה לעניים ולעשירים. **אגרות שום.** ששמו ב"ד נכסי לוה ונתנו למלוה לי"א שום היתומים. **אגרות מזון** שקבל עליו לזון בת אשתו. **מיאונין.** קטנה שלא הביאה שתי שערות יכולה לימאן בבעלה שיכולה לומר אי אפשר בפלוני בעלי ומבטלת קדושין ומותרת בלא גט והוא שהשיאוה אמה או אחיה דאם קבל בה אביה קדושין שוב אינה ממאנת דכתוב את בתי נתתי לאיש הזה. **שטרי בירורין.** שטר שבוררין להם ב"ד זה בורר לו אחד וזה בורר לו וכותבין כדי שלא יחזרו בהן הדיינין ובעלי הדין. **גזירות ב"ד.** פסק דין כותבין במועד כיון דהשתא הוא דשכיחי ב"ד. ל"א גזירות שגוזרין עליו לקבל את הדין. **אגרות של רשות.** צווי השלטון. לישנא אחרינא אגרות של שלום. **מותר.** לאדם לקדש אשה בלא סעודה כדאמרינן לקמן דאין עושין סעודת אירוסין וליכא הכא משום מערב שמחה בשמחה דכי אמרינן אין מערבין היינו לישא בשכונסה בשבעה ימי נשואין. **שמא יקדמנה אחר.** [המשך בדף יט.]

עין משפט נר מצוה

צב א מיי' פ"ז מהלכות י"ט הלכה יג סמג לאוין עה טוש"ע א"ח סי' תקמה סעיף ה:

צג ב מיי' פ"ז מהלכות י"ט הלכה טו סמג לאוין עה טוש"ע א"ח סי' תקמו סעיף א:

צד ג מיי' פכ"ג מהל' אישות הלכה יג ופ"ו מהל' זכייה ומתנה הלכה יח סמג עשין מח טוש"ע אה"ע סי' נא:

צה ד מיי' פ"ז מהלכות י"ט הלכה טו טור ש"ע א"ח סי' תקמו סעיף א:

צו ה מיי' פ"ו מהלכות י"ט הלכה יג סמג לאוין עה טוש"ע א"ח סי' תקמה סעיף ו:

צז ו ז מיי' שם הלכה יג טוש"ע שם סעיף א ג:

תורה אור השלם

א) וַיַּעַן לָבָן וּבְתוּאֵל וַיֹּאמְרוּ מֵיְיָ יָצָא הַדָּבָר לֹא נוּכַל דַּבֵּר אֵלֶיךָ רַע אוֹ טוֹב: [בראשית כד, נ]

ב) וְאָבִיו וְאִמּוֹ לֹא יָדְעוּ כִּי מֵיְיָ הִיא כִּי תֹאֲנָה הוּא מְבַקֵּשׁ מִפְּלִשְׁתִּים וּבָעֵת הַהִיא פְּלִשְׁתִּים מֹשְׁלִים בְּיִשְׂרָאֵל: [שופטים יד, ד]

ג) בַּיִת וָהוֹן נַחֲלַת אָבוֹת וּמֵיְיָ אִשָּׁה מַשְׂכָּלֶת: [משלי יט, יד]

ד) וַיְחַפְּאוּ בְנֵי יִשְׂרָאֵל דְּבָרִים אֲשֶׁר לֹא כֵן עַל יְיָ אֱלֹהֵיהֶם וַיִּבְנוּ לָהֶם בָּמוֹת בְּכָל עָרֵיהֶם מִמִּגְדַּל נוֹצְרִים עַד עִיר מִבְצָר: [מלכים ב' יז, ט]

ה) וַיְקַנְאוּ לְמֹשֶׁה בַּמַּחֲנֶה לְאַהֲרֹן קְדוֹשׁ יְיָ: [תהלים קו, טז]

רבינו חננאל

כלי פשתן אלא צמר ושל שאר מינין זולתי. אמר בר הדיא אנא חזיתי ים טבריא דמפקי לה משיכלי ומכבסי בהו מאני דכיתנא בחולי דמועדא. א"ל אביי ומאן לימא לן דברצון חכמים עבוד דלמא שלא ברצון חכמים עביד: **ירושלמי** תני מטפחות ספרים אין מכבסין אותן במי רגלים מפני הכבוד אלא מכבסין אותן בנתר ובורית: **מתני'** אלו כותבין [במועד] קדושי נשים גיטין ושוברין דיתיקאות מתנות פרוזבולין איגרות שום איגרות מזון שטרי חליצה ומיאונין שטרי ברורין גזירות ב"ד איגרות רשות: **ירושל'** (שטרי חוב) [ושוברין] אומי לוגיאוס. ואיגרות של רשות. איגרות שאילת שלום. איגרות שום. שום היתומים. איגרות מזון מזונות אלמנה של (רשות כו') עד גזירות ב"ד. אלו גזרי דינין (ואיגרות של רשות זו שאילת שלום) קידושי נשים. אוקימנא שטרי פסיקתא. כמה אתה נותן לבנך. כמה אתה נותן לבתך כך וכך ועמדו וקדשו הן הן הדברים הנקנין באמירה: **ירושלמי** איגרות של רשות זו שאילת שלום. אמר שמואל מותר ליארס בחולו של מועד שמא יקדמנו אחר. איני והא איהו דאמר מ' יום קודם יצירת הולד בכל יום ב"ק יוצאת ומכרזת בת פלוני לפלוני כו'. ופרקינן שמא יקדמנו אחר בתפלה. תנא דבי מנשה מארסין במועד ואין כונסין ואין עושין סעודת אירוסין ולא מייבמין מפני ששמחה היא לו. אבל מחזיר גרושתו. אמר רב מן התורה ומן הנביאים ומן הכתובים מה' אשה לאיש. מן התורה שנאמר מה' יצא הדבר. מן הנביאים שנאמר ואביו [ואמו] לא ידעו כי מה' היה הדבר. מן הכתובים דכתיב בית והון נחלת אבות ומה' אשה משכלת. ואמר רב אין אדם נחשד בדבר אלא אם כן עשאו או כולו או מקצתו או הרהר בלבו לעשותו או ראה אחרים שעשאוהו וייטב בעיניו. איני והכתיב ויחפאו בני ישראל דברים אשר לא כן על ה' אלהיהם. ופרקינן התם להכעיס הוא דעבוד. והכתיב וישמע משה ויפול על פניו. ואמר ר' יוחנן שחשדוהו באשת איש. וכתיב ויקנאו למשה במחנה מלמד שכל אחד ואחד קינא על אשתו. ופרקינן התם משום שנאה עשו כך. ת"ש דא"ר יוסי יהא חלקי עם מי שחושדין אותו בדבר ואין בו. ואמר רב פפא לדידי חשדו לי ולא הוה בי ואסיקנא בקלא דלא פסיק ובאתרא דלית ליה אויבים. אבל היכא דאית ליה אויבים מעיקרא לאו מלתא היא דאויבים הוא דאפקוה לקלא: **מתני'** אין כותבין שטרי חוב במועד אם אינו מאמינו או שאין לו מה יאכל. שאין לו ^(א) הרי זה יכתוב. אין כותבין סתו"מ. ואין מגיהין אות אחת ואפילו בספר העזרה כו'.

חשק שלמה על ר"ח א) אולי צ"ל שאין לו מעות לקנות.

מסורת הש"ס

א) [גיטין מה.], ב) כתובות קב., ג) ג"ז שם. קידושין ט:, ד) לעיל ח:, ה) סנהדרין כב. ע"ש סוטה ב. ע"ש, ו) סנהדרין קיא, ז) שבת קיח:, ח) [קידושין לא: וש"נ], ט) יבמות כה., י) [לעיל יג.], כ) שייך לע"א, ל) [אבונגרי כל"ל], מ) [שייך לעיל יד. במשנה], נ) עיין מהרש"א, ס) [ע"ש הלכה ב], ע) שייך לדף יד. במתני', פ) צ"ל לוקחין, צ) שייך לעיל קודם ד"ה אין כותבין, ק) ג"ז שייך לעיל.

הגהות הב"ח

(א) רש"י ד"ה כפרת כו' הואיל ולא מזמנה לך כלומר:

הגהות מהר"ב רנשבורג

א] גמ' ולא אמרן אלא דלא הדר נבט. כלומר דלא יצא עכ"ל הערוך בערך נבט ועי' בפרש"י דמפרש מלשון צמח. ואיך שיהיה הפי' דלא הדר שוב ונשמע כדפרש"י מעיקרא נבט נשמע וכו' ולפענ"ד דברי הש"ס אלו קא מהדרי אדלעיל דקא משנין ל"ק הא בקלא דפסיק וכו' וקא מפרש הש"ס בתחילה עד כמה הוי קלא דלא פסיק וכל דיני וחלוקי קלא דלא פסיק והשתא קא מהדר תו לפרושי דקלא דפסיק לא אמרן אלא דלא הדר נבט כו' ודוק היטב. דלפ"ז הוי ג' חלוקים בדבר דקלא דלא פסיק יומא ופלגא אית בי' ודאי משמע. וקלא דפסיק לגמרי דלא הדר נביט לית בי' שום ממש. וקלא דפסיק דהדר נבט אף דלא הוי מיומא ופלגא נהי דלא ברי גמור הוא דאית בי' ממש עכ"פ איכא לספוקי ביה ולא נפיק מתורת חשדא. אולי אית בי'. כנלענ"ד ברור ודוק היטב. ורא"י גמורה מצאתי לפירושי הזה. דביבמות דף כ"ה ע"א ליתא להך ולא אמרן בתרא יעוש"ה ולדברינו מיושב משום דלענין להוציא אשה מבעלה איירי ואספיקא לא מפקינן והדר נבט רק ספיקא הוי ודו"ק היטב כי נכון הוא:

גליון הש"ס

גמ' מאן לימא לן דברצון חכמים. עיין תשובת מהרי"ט ח"א סי' פג:

רש"י כת"י

הנך אין שאר. פשתן לא. מתניתין. דקתני מטפחות ידים וספרים שרו אפי' דשאר מינין כגון ש"ל של צמר. דמפקי לה. כובסין אותה בני אדם. משיכלי. ספלים מלאים בגדים לכבס בחולו של מועד. מתקיף לה אביי. לרב הדיא לדידי דאמינא לכבס כלומר דכלי פשתן יכול לכבס במועד. קדושי אשה. כגון הרי את מקודשת לי ומקדשה בשטר דאשה נקנית בשטר

up again with the same force as before, it is **not** baseless.[62]

A final qualification:

וְלֹא אָמְרָן – **And we do not say** that a rumor is based on the truth אֶלָּא דְּלֵית לֵיהּ אוֹיְבִים – **except where he** [the person under suspicion] **has no enemies;** אֲבָל אִית לֵיהּ אוֹיְבִים – **but if he does have enemies,** אוֹיְבִים הוּא דְּאַפְּקוּהָ לְקָלָא – we say that **it was the enemies who issued the rumor.**[63]

Mishnah The Mishnah lists texts that may not be written on Chol HaMoed: אֵין כּוֹתְבִין שְׁטָרֵי חוֹב בַּמּוֹעֵד – **We may not write loan documents on Chol HaMoed.** וְאִם אֵינוֹ מַאֲמִינוֹ – **However, if [the creditor] does not trust the [debtor],**[64] אוֹ שֶׁאֵין לוֹ מַה יֹּאכַל – **or if [the scribe]**[65] **has nothing to eat,**[66] הֲרֵי זֶה יִכְתּוֹב – **then this one**[67] **may write** the document. אֵין כּוֹתְבִין סְפָרִים תְּפִילִין וּמְזוּזוֹת בַּמּוֹעֵד – **We may not write** Torah **scrolls, tefillin or** ***mezuzos*** **on Chol HaMoed.**[68] וְאֵין מַגִּיהִין אוֹת אַחַת אֲפִילוּ בְּסֵפֶר עֶזְרָא – **Indeed, we may not correct a single letter even in the** Torah **scroll of Ezra.**[69]

A dissenting view:

רַבִּי יְהוּדָה אוֹמֵר – **R' Yehudah says:** כּוֹתֵב אָדָם תְּפִילִין וּמְזוּזוֹת לְעַצְמוֹ – **A person may write tefillin or** ***mezuzos*** **for himself;**[70]

NOTES

62. We have explained this segment in accordance with *Ritva* and *Ran* (cf. *Hagahos R' Betzalel Ronsburg*).

63. The Gemara, in effect, said this above when it asserted that R' Reuvain ben Itzterovili's teaching does not apply to a rumor based on hatred (*Rashi ms.* ד״ה משום שנאה).

A rumor directed at someone who has enemies carries no weight even if it does not stop at all (*Ritva,* citing *Rashi*).

In conclusion, a rumor is assumed to have substance if its subject has no enemies and it endures for at least one and a half days without stopping. If it stopped prematurely and then restarted, it is baseless, unless it stopped as a result of fear or it restarted with the same intensity as before.

64. The creditor refuses to lend the money unless a document is drawn up as proof of the loan (*Nimukei Yosef, Meiri*). The borrower, however, needs the money [on Chol HaMoed] (*Rashi ms., Nimukei Yosef;* see *Magen Avraham* 545:23). Alternatively, he does not need the money until after the festival but he might not be able to obtain a loan at that time (*Magen Avraham* ibid.). In such circumstances, the document may be written on Chol HaMoed [even in a professional manner], since the debtor would not obtain the loan without it and thus suffer an irretrievable loss.

The first clause of the Mishnah ("We may not write loan documents on Chol HaMoed") refers to a case in which the lender trusts the borrower and is prepared to lend him the money without a document (*Meiri*). Since, in that case, failure to write a document would not cause the borrower an irretrievable loss, it may not be written on Chol HaMoed. [Although some Rishonim maintain that a document needed to avoid a loss in one circumstance may be written on Chol HaMoed in all circumstances (see note 8), that rule apparently does not apply here (see *Keren Orah* ד״ה שם גמרא אמר שמואל).]

If the creditor demands a document as proof *after* the money has already been transferred, it may be written on Chol HaMoed. In that case, we are afraid that the witnesses to the loan might be unavailable after the festival, and then the creditor would be left without the proof needed to regain his money (*Magen Avraham* §22; cf. *Tos. Yom Tov*).

65. The Gemara above, 13a, explained this clause as referring to a professional scribe hired to write the document.

66. He does not have even bread and water (*Magen Avraham* 542:1; cf. *Eliyah Rabbah* ibid. §3). A person in such dire need is allowed to perform even professional labor on Chol HaMoed to earn money for food (above, 13a; *Shulchan Aruch, Orach Chaim* 542:2).

67. I.e. the scribe, in the case where he has nothing to eat.

68. Although this is the work of Heaven [מְלֶאכֶת שָׁמַיִם], and even if the scribe is writing these articles for his own use and not to sell to others, he is still forbidden to write them on Chol HaMoed (*Nimukei Yosef; Rabbeinu Yehonasan* cited by *Ran;* cf. *Ran;* see also the opinions recorded by *Tosafos* to 19a ד״ה רבי יוסי).

The Mishnah refers to a case in which the Torah scroll is not needed by the public during the festival. If, however, a community needs to write a Torah scroll (or correct an old one) so that they will have one available for their public Torah readings, they may do so on Chol HaMoed (*Beis Yosef, Orach Chaim* 545 [beginning]; *Shulchan Aruch* ibid. §2; see also *Ritva* to 18a ד״ה אין כותבים ספרים and *Beur Halachah* ד״ה ולצורך רבים). [Even professional labor (such as the writing of a Torah scroll) is permitted on Chol HaMoed for communal needs provided that the public will benefit from the work *during* the festival (*Rosh* ch. 1 §6; *Mishnah Berurah* 544:1).]

69. This was a scroll [written by Ezra the Scribe] from which the Kohen Gadol read on Yom Kippur (*Ritva;* see *Meiri* cited by *Dikdukei Soferim* §8). It served as the prototype for the correction of other scrolls (*Tiferes Yisrael* §35).

Alternatively, the text reads סֵפֶר עֲזָרָה, *Scroll of the Courtyard.* [This reading is primary (*Hagahos Yavetz; Dikdukei Soferim;* see *Rabbeinu Gershom* with editorial note §149).] According to this version, the Mishnah refers to a Torah scroll kept in the Temple Courtyard; it had a highly accurate text that was used to correct all other scrolls (*Rashi*). Other Rishonim explain that it was used in the Temple Courtyard for the public Torah readings by the Kohen Gadol on Yom Kippur (*Rashi ms., Nimukei Yosef*) and by the king in the *Hakheil* ceremony (*Rashi* to *Bava Basra* 14b ד״ה ספר; see also *Meiri* and *Rambam, Hil. Sefer Torah* 7:2). This scroll was written by Moses (*Rashi* ibid.).

Although it served a communal need, this scroll may not be corrected on Chol HaMoed (*Rashi ms.*); rather, one must wait until after the festival (*Nimukei Yosef*). The Mishnah refers to a case in which the scroll is not required for use during the festival (*Ritva;* see previous note).

70. I.e. to fulfill the mitzvah of tefillin or *mezuzah.* R' Yehudah specifies that one may write them "for himself," because he agrees that it is forbidden to write tefillin and *mezuzos* for the purpose of selling them to others. Even permitted forms of labor may not be done on Chol HaMoed for profit [unless one has no food to eat] (*Rashi,* from Gemara above, 12a). [*Rashi* implies that only profiteering is forbidden; one may write tefillin to give to others without payment (see *Tur, Orach Chaim* 545; cf. *Ran; Rambam, Hil. Yom Tov* 7:13).]

Although writing tefillin and *mezuzos* is certainly professional labor (מַעֲשֵׂה אוּמָן), R' Yehudah permits it for the sake of the mitzvah. [It should be noted, though, that professional labor is not permitted for most other mitzvos (*Rama, Orach Chaim* 544:1).]

Some authorities seek to prove from here that the mitzvah of tefillin applies on Chol HaMoed (in contrast to the Sabbath and Yom Tov). Others, however, argue that even if the mitzvah does not apply on Chol HaMoed, R' Yehudah would nevertheless allow writing tefillin on Chol HaMoed so that they will be available for use *after* the festival (*Ran;* see *Meiri; Tosafos* to 19a ד״ה ר׳ יוסי; *Ritva* to 19a; *Tosafos* to *Menachos* 36b ד״ה יצאו). [For an examination of the question whether the mitzvah of wearing tefillin applies on Chol HaMoed, see *Tosafos* et al. *Shulchan Aruch* (*Orach Chaim* 31:2) forbids the wearing of tefillin on Chol HaMoed, whereas *Rama* (ibid.) deems it obligatory. The accepted practice varies from one community to another (see *Mishnah Berurah* §8).]

By mentioning only tefillin and *mezuzos,* R' Yehudah indicates that he permits only the writing of these articles and not Torah scrolls. Thus, R' Yehudah would agree that a scribe may not write or correct a Torah scroll on Chol HaMoed even for himself [i.e. to fulfill the mitzvah of writing one's own scroll] (see *Maggid Mishneh* on *Hil. Yom Tov* 7:13, who suggests an explanation for this; cf. *Re'ah* cited by *Maggid Mishneh;* see also *Shaar HaTziyun* 545:1).

וְטוֹוֶה עַל יְרֵיכוֹ תְּכֵלֶת לְצִיצִיתוֹ – **and he may spin** *techeiles* wool **on his thigh for his** ***tzitzis.***[1]

Gemara The following Baraisa records a three-way dispute about creating tefillin, *mezuzos* and *tzitzis* on Chol HaMoed:

תָּנוּ רַבָּנָן – **The Rabbis taught in a Baraisa:** כּוֹתֵב אָדָם תְּפִילִּין וּמְזוּזוֹת לְעַצְמוֹ – **ONE MAY WRITE TEFILLIN AND** ***MEZUZOS*** **FOR HIMSELF,** וְטוֹוֶה עַל יְרֵיכוֹ תְּכֵלֶת לְצִיצִיתוֹ – **AND ONE MAY SPIN** ***TECHEILES*** wool **ON HIS THIGH FOR HIS** ***TZITZIS.*** וְלַאֲחֵרִים בְּטוֹבָה – **AND FOR OTHERS** he may do these things **AS A FAVOR,** not for payment.[2] דִּבְרֵי רַבִּי מֵאִיר – This is **THE OPINION OF R' MEIR.** רַבִּי יְהוּדָה אוֹמֵר – But **R' YEHUDAH SAYS:** מַעֲרִים וּמוֹכֵר אֶת שֶׁלּוֹ – **HE MAY EMPLOY A RUSE AND SELL HIS OWN** tefillin and *mezuzos* to others וְחוֹזֵר וְכוֹתֵב לְעַצְמוֹ – **AND THEN WRITE** new ones **FOR HIMSELF.**[3] רַבִּי יוֹסֵי אוֹמֵר – **R' YOSE SAYS:** כּוֹתֵב וּמוֹכֵר כְּדַרְכּוֹ כְּדֵי פַּרְנָסָתוֹ – **HE MAY WRITE AND SELL** them **IN HIS USUAL MANNER** to raise **ENOUGH** money **FOR HIS SUSTENANCE.**[4]

The Gemara cites a halachic decision:

אוֹרֵי לֵיהּ רַב לְרַב חֲנַנְאֵל – **Rav taught Rav Chananel**[5] the following decision, וְאָמְרֵי לָהּ רַבָּה בַּר בַּר חָנָה לְרַב חֲנַנְאֵל – **and some say** that it was **Rabbah bar bar Chanah** who **taught** it to **Rav Chananel:** הֲלָכָה כּוֹתֵב וּמוֹכֵר כְּדַרְכּוֹ כְּדֵי פַּרְנָסָתוֹ – **The halachah is** that **one may write and sell them in his usual manner** to raise **enough** money **for his sustenance.**[6]

The Mishnah concluded:

וְטוֹוֶה עַל יְרֵיכוֹ תְּכֵלֶת – **AND HE MAY SPIN** ***TECHEILES*** wool **ON HIS THIGH.**

A Baraisa discusses this matter further:

תָּנוּ רַבָּנָן – **The Rabbis taught in a Baraisa:** טוֹוֶה אָדָם עַל יְרֵיכוֹ תְּכֵלֶת לְצִיצִיתוֹ – **A PERSON MAY SPIN** ***TECHEILES*** wool **ON HIS THIGH FOR HIS** ***TZITZIS,*** אֲבָל לֹא בְּאֶבֶן – **BUT** he may **NOT** spin it **WITH A STONE;**[7] דִּבְרֵי רַבִּי אֱלִיעֶזֶר – this is **THE OPINION OF R' ELIEZER.** וַחֲכָמִים אוֹמְרִים – **BUT THE SAGES SAY:** אַף בְּאֶבֶן – He may spin it **EVEN WITH A STONE.**[8]

The Baraisa now records a different version of this dispute:

רַבִּי יְהוּדָה אוֹמֵר מִשְּׁמוֹ – **R' YEHUDAH SAYS**[9] **IN THE NAME OF** [R' **ELIEZER]:** בְּאֶבֶן אֲבָל לֹא בְּפֶלֶךְ – One may spin *techeiles* wool **WITH A STONE BUT NOT WITH A SPINDLE.** וַחֲכָמִים אוֹמְרִים – **AND THE SAGES SAY:** בֵּין בְּאֶבֶן בֵּין בְּפֶלֶךְ – One may spin it **WITH EITHER A STONE OR A SPINDLE.**[10]

A halachic decision:

אָמַר רַב יְהוּדָה אָמַר שְׁמוּאֵל – **Rav Yehudah said in the name of Shmuel,** וְכֵן אָמַר רַבִּי חִיָּיא בַּר אַבָּא אָמַר רַבִּי יוֹחָנָן – **and so said R' Chiya bar Abba in the name of R' Yochanan:** הֲלָכָה בֵּין בְּאֶבֶן בֵּין בְּפֶלֶךְ – **The halachah is** that one may spin *techeiles* wool on Chol HaMoed **with either a stone or a spindle.** וַהֲלָכָה כּוֹתֵב כְּדַרְכּוֹ וּמוֹכֵר כְּדֵי פַּרְנָסָתוֹ – **And the halachah is** that **one may write** tefillin and *mezuzos* on Chol HaMoed **in his usual manner and sell** them to raise **enough** money **for his sustenance.**[11]

Mishnah We learned earlier [14b] that when mourning coincides with a festival the mitzvah of rejoicing on the festival supersedes the mitzvah of mourning. The Mishnah discusses the ramifications of this principle:

הַקּוֹבֵר אֶת מֵתוֹ שְׁלֹשָׁה יָמִים קוֹדֶם לָרֶגֶל – Regarding **one who buries his dead** relative **three days before the festival,**[12]

NOTES

1. The Torah prescribes that some threads in *tzitzis* be dyed with a special blue dye known as תְּכֵלֶת, *techeiles.* The wool for these threads may be spun into thread on Chol HaMoed, but not in the usual manner (e.g. with a spindle or by twisting it between one's fingers). Rather, one must rub the wool against one's thigh (*Rashi*). The same applies to the other (non*techeiles*) threads in *tzitzis* (*Beis Yosef* and *Bach, Orach Chaim* 545 ד״ה מותר לטוות; cf. *Hagahos Ashri*).

R' Yehudah does not require that tefillin and *mezuzos* be written in an unusual manner. This is because the only adequate deviation from the usual manner of writing is to break up the letters, and that would render the tefillin or *mezuzah* invalid (see *Tosafos;* see also *Mishnah Berurah* ibid. §43).

2. *Rashi.* See 18b note 70.

3. In our Mishnah R' Yehudah implied that one may write tefillin on Chol HaMoed only for personal use, and not to sell to others (see 18b note 70). Here, however, R' Yehudah adds that the following subterfuge is permissible: The scribe may take his own tefillin and sell them to a customer. At that point, he does not have tefillin for his personal use; therefore, he may write a new pair of tefillin for himself. Once he has done so, he is allowed to sell the new tefillin as well. He may repeat this cycle as often as necessary throughout the days of Chol HaMoed (*Rashi*).

Though R' Yehudah and R' Yose (whose statement follows) mention only articles that are written, i.e. tefillin and *mezuzos,* it seems that their rulings apply to *tzitzis* as well (based on *Mishnah Berurah* §12 and *Shaar HaTziyun* §13; cf. *Bach*).

4. This does not refer to basic staples, e.g. bread and water. Rather, even if the scribe has enough food to eat, he may earn money for the purpose of buying meat and wine to enhance his enjoyment of the festival (*Rashi ms., Nimukei Yosef, Rosh, Ritva, Ran* et al.; cf. *Rambam, Hil. Yom Tov* 7:13 with *Maggid Mishneh;* see *Tosafos;* see also *Beis Yosef* ibid. ד״ה ומש״כ רבינו ואסור). R' Yose cannot mean that the scribe may earn money for basic staples, for that is permitted even by R' Meir (*Rashi ms.;* see 18b note 66).

One is normally forbidden to earn money [beyond his basic needs] on Chol HaMoed; nevertheless, R' Yose permits it in this case, since the labor is done for the sake of a mitzvah (*Meiri*).

The dispute in this Baraisa apparently concerns only the writing of tefillin for sale to others: R' Meir rules that this is prohibited, R' Yehudah permits it in the manner of a subterfuge, and R' Yose permits it in the normal manner. All agree that one may write tefillin for his own use. In our Mishnah, however, the Tanna Kamma prohibited the writing of tefillin even for oneself (see 18b note 68). Thus, it appears that the Tanna Kamma of our Mishnah represents a fourth view, which is not recorded in this Baraisa (*Tos. HaRav* cited by *Tosafos* ד״ה רבי יוסי). [For a different explanation of R' Yose's view, which resolves this problem, see the sources listed at the beginning of this note.]

5. Rav Chananel was a scribe (*Tosafos* ד״ה רבי יוסי, from *Megillah* 18b).

6. I.e. we follow the opinion of R' Yose.

In conclusion, a scribe may write tefillin on Chol HaMoed for himself or to give to others without payment. He is allowed to write tefillin for sale only if the proceeds are needed to purchase items that will enhance his enjoyment of the festival (see *Tur* and *Shulchan Aruch, Orach Chaim* 545:3, with *Mishnah Berurah* and *Beur Halachah*).

7. That is, one may not tie a stone to the end of the thread so that the thread is taut when it is spun (see *Rashi*). Alternatively, the stone is used in place of a spindle (*Rashi ms.*).

8. The Sages do not require as great a deviation as R' Eliezer does.

9. R' Yehudah disputes the Tanna Kamma's version of the opinions of both R' Eliezer and the Sages (*Ritva*).

10. According to this version of the Sages' view, one need not make any deviation from the usual methods, since his purpose is to fulfill the mitzvah of *tzitzis* (*Nimukei Yosef*).

11. The laws recorded in note 6 apparently apply to spinning threads for *tzitzis* even if one uses a spindle (see end of note 3).

12. For example, the burial took place on Sunday and the festival began Tuesday night.

The mourning observances of *shivah* and *sheloshim* generally begin immediately after burial (*Tosafos*). Actually, there are circumstances under which these observances may begin earlier (see below, 22a) or later (see below, 20a) than this. In any event, the Mishnah's intent is that *shivah* began three days before the festival.

וטווה על ירכו תכלת לציציתו: גמ' ת"ר כותב אדם תפילין ומזוזות לעצמו וטווה על ירכו תכלת לציציתו ולאחרים בטובה דברי רבי מאיר ר' יהודה אומר מערים ומוכר את שלו וחוזר וכותב לעצמו ר' יוסי אומר כותב ומוכר כדרכו כדי פרנסתו אורי ליה רב לרב חננאל ואמרי לה רבה בר בר חנה לרב חננאל הלכה כותב ומוכר כדרכו כדי פרנסתו: וטווה על ירכו תכלת: ת"ר טווה אדם על ירכו תכלת לציציתו אבל לא באבן דברי ר' אליעזר וחכמים אומרים אף באבן ר' יהודה אומר משמו באבן אבל לא בפלך וחכמים אומרים בין באבן בין בפלך אמר רב יהודה אמר שמואל וכן א"ר חייא בר אבא א"ר יוחנן הלכה בין באבן בין בפלך והלכה כותב כדרכו ומוכר כדי פרנסתו: מתני' הקובר את מתו שלשה ימים קודם לרגל בטלה הימנו גזרת שבעה שמונה בטלו הימנו גזרת שלשים מפני שאמרו שבת עולה ואינה מפסקת רגלים מפסיקין ואינן עולין ר' אליעזר אומר משחרב בית המקדש עצרת כשבת רבן גמליאל אומר ראש השנה ויום הכפורים כרגלים וחכמים אומרים לא כדברי זה ולא כדברי זה אלא עצרת כרגלים ראש השנה ויוה"כ כשבת: גמ' אמר רב גזרת בטלו ימים לא בטלו וכן א"ר הונא גזרת בטלו ימים לא בטלו ורב ששת אמר אפילו ימים נמי בטלו מ"ט ימים לא בטלו שאם לא גילח ערב הרגל אסור לגלח אחר הרגל

והתניא

רש"י

וטווה על ירכו. החוטין אבל לא בידו בין אצבעותיו ובפלך כדרך חול: גמ' לאחרים בטובה. ולא בשכר: מערים ומוכר שלו. כן עושה כל ימות החג: כדי פרנסתו. בהרווחה ולא מיירי במי שאין לו מה יאכל: אבל לא באבן. שתולה בחוט כדי שיוכל לשזרו יפה: מתני' הקובר מתו שלשה ימים קודם הרגל. הואיל ועיקר אבילות אינו אלא שלשה ימים: בטלה ממנו גזרת שבעה. דלאחר הרגל אינו צריך למנות יותר: שמונה ימים. קודם הרגל בטלה ממנו גזרת שלשים דהואיל והתחיל יום אחד מן השלשים אינו צריך לשמור כלום לאחר הרגל דין שלשים אלא ° מותר לאלתר בתכבוסת בגיהוץ ותספורת: שבת עולה. אירע שבת בימי אבלו עולה למנין שבעה: ואינה מפסקת. דלאחר שבת צריך להשלים שבעה ימי אבלות עם השבת: והרגלים מפסיקין. דכי קבר מתו שלשה ימים קודם הרגל מפסיק האבילות לגמרי ולאחר הרגל אין משלים כלום: ואין עולין. דכי קבר מתו בתוך הרגל דלא בטלה ממנו גזרת ז' אין ימי הרגל עולין למנין ז' ימי אבילות אלא לאחר הרגל צריך לישב ז' ימי אבילות זו היא סברתי אבל בהעתק מלאתי ואין עולין דכי קבר את מתו שני ימים לפני הרגל דלא בטלה ממנו גזרת שבעה אין ימי הרגל עולין למנין שבעת ימי אבלו אלא לאחר הרגל צריך לישב ה' ימי אבלות להשלים לשני ימים שנהג לפני הרגל (א) ואני אומר כי טעות סופר הוא דמה שנזכר ° שלשה ימים לפני הרגל לאו דוקא ואפילו שעה אחת לפני הרגל בטלה ממנו גזרת שבעה דהרגל מפסיק: משחרב בית המקדש. שאין לעצרת תשלומין כל ז' ואינו אלא יום אחד: כשבת. ודינו כשבת דעולה ואינה מפסקת: ראש השנה כשבת. הואיל ואינו אלא יום אחד: גמ' גזרת. שלשים בטלו אבל ימים לא בטלו שלשים יום לא בטלו דעדיין תלויין ועומדים: מאי טעמא ימים לא בטלו. כלומר באיזה ענין לא בטלו ימים: שאם לא גילח ערב הרגל. דכי בטלו גזרת שלשים ואיבעי ליה לגלוחי ערב הרגל ולא גילח: אסור לגלח אחר הרגל. כל שלשים יום:

והתניא

תוספות

וטווה על ירכו תכלת לציציתו. פירוש ע"י שינוי אבל בתפילין אי אפשר בשינוי שצריך כתיבה תמה ובעשיית תפילין וציצית לא איירי במתני' ושמא אין איסור כי אם בכתיבה וטוייה ומה שנהגו לכתוב בעוגל לא מצינו היתר (ג) וכן פירש בתוספות הרב בשם רבנו ואפילו על ידי הדחק על יהודי אחד שתפוס היה התירו בדוחק גם על ידי היפוך שהוא נקרא מלד אחר לא היו מתירין וגם אי לא אסור משום מלאכה הא אסרינן ° אפילו טירחא דלאו מלאכה בפרק קמא (דף ז.) מיהו נהגו לומר דמתני' לא איירי על ידי היפוך ויש כותבין על ידי חילוק האות וכן היה עושה רבי זקני והיו"ד שאי אפשר היה כותב בכתב הפוך: רבי יהודה אומר מערים. לכאורה מחמיר יותר מרבי מאיר שהתיר לאחרים ובתוספות פירשו דרבי מאיר אינו מתיר אלא בהערמה ולא הבנתי: רבי יוסי אומר כותב ומוכר כדי פרנסתו. דשרי לגמרי לאחרים בשכר ודוקא כדי פרנסתו ולכאורה מיקל מכולהו וכן פי' הר"א עוד פי' דכולהו הוי שרי כדי פרנסתו דאין לו מה יאכל ולא איירי אלא כשיש לו מה יאכל ומחמיר רבי יוסי יותר מכולהו ולישנא לא משמע הכי דהוה ליה למימר אינו כותב אלא כדי פרנסתו מיהו במילתא דרבי יהודה קשה נמי קצת דהוה ליה למימר אינו כותב אלא כדי פרנסתו על ידי אחרים או על ידי הערמה והשתא מתני' אתיא כרבי מאיר ויש מפרשים דכדי פרנסתו נמי לא משמע דאין לו מה יאכל ד) שרי דהואיל לצורך מלוה מותר להשתכר בה דבחנם לא ירצה לעשות כן ומתניתין פירש בתוספות הרב דפליגא אכולהו ותנא אחר הוא וה"ר יונה פירש דאתיא כתנא קמא והכי פירושו אין כותבין ספרים תפילין ומזוזות כדי למוכרם או כדי להניחם ועוד פי' דאתיא כרבי יוסי לפי מה שפירש שרבי יוסי מחמיר ואין ראיה מכאן שמותר להניח תפילין דדלמא רבי מאיר ורבי יהודה לטעמייהו דסבירא להו פרק המוצא תפילין (עירובין דף צו: ושם) שבת זמן תפילין [ורבה] ורבה בר בר חנה נמי הכי מצי סברי ואע"ג דכולהו אמוראי דפרק הקומץ רבה (מנחות דף לו: ושם) משמע דאית להו שבת לאו זמן תפילין הוא אבל ר' יצחק בן אברהם היה מביא מן הירושלמי להתיר להניח דאמר בירושלמי חד בר נש אובד תפילוי בחולא דמועדא אתא לקמיה דרב חננאל פי' שיכתוב לו לפי שהיה סופר כדאיתא במגילה (דף יח:) שלחיה לקמיה דרבה בר בר חנה אמר ליה זיל הב ליה תפילך ואת כתב לך דתנן כותב אדם תפילין לעצמו אתא לקמיה דרב אמר ליה כתוב ליה פירוש בלא הערמה מתני' פליגא על רב כותב אדם תפילין ומזוזה לעצמו הא לאחר לא רב פתר לה בכותב להניח פירוש רב מעמיד המשנה להניחם אחר המועד אבל להניחם במועד שרי ובהלכות גדולות פסק דאסור להניח תפילין בחולו של מועד ולטעם שממעט שבתות וימים טובים מימים ימימה מסתבר שפיר דממעט חולו של מועד ולמאן דדריש (מנחות דף לו:) מלך לאות יצאו שבתות וימים טובים שהן בעצמן אות יש לומר לפי שאין עושין מלאכה כי אם בדבר האבד אבל קשיא למאי דפרישית לעיל (דף ב. ד"ה משקין) דמלאכה דחול המועד מדרבנן היכי ממעט להו יש לומר הואיל ואוכל מצה ויושב בסוכה אין צריך אות ואם הוא אמת דבחול המועד חייב בתפילין יש לומר הואיל ועושין מלאכה בו אין אות ומימים ימימה נמי לא ממעט אלא יום טוב דחלוק משאר ימים: הקובר את מתו. להכי נקט קובר דאבילות מתחלת משעת סתימת הגולל כדאמרינן לקמן (דף כ.): שלשה ימים. כך הוא עיקר אבילות לכמה מילי ואמרינן לקמן (שם:) שלשה ימים לבכי: מאי טעמא לא בטלו. הכא הוה ניחא טפי לגרום ימים לענין מאי לא בטלו ואין צריך להגיה דהיא היא: שאם לא גילח ערב הרגל כו'. ונראה לי דה"ה לא כיבס ולא רחץ ערב הרגל אם מותר לרחוץ ולכבס מבערב יו"ט ולא כיבס ולא רחץ לא יכבס ברגל והשתא ניחא הא דקתני גזרת שבעה בטלו הא ימים לא בטלו ומיהו קשיא לן דקאמר בסמוך שכשם שמצות שלשה מבטלת גזרת שבעה אפילו לתנא קמא דמבטלת אפילו ימים שמביא אבא שאול ראיה למצות שלשים שבטלו לגמרי אפילו ימים והרי"ן פי' דדוקא לא גילח אבל לא כיבס לא דמותר לכבס אפילו לא כיבס שהוא צורך גדול יותר ואין נראה לי טעמו דאם הוא צורך גדול כ"ש שיש לנו לקנסו בשלא עשה קודם הרגל ונכנס ברגל ולפירוש הקונטרס דמפרש לקמן שאם חל שלישי להיות ערב הרגל שאסור ברחיצה עד הערב זהו עד שתחשכה אם כן לא שייך לקנסו במה שלא רחץ ולא כבס וא"כ ימים לענין מאי לא בטלו גבי שבעה מיהו יש לומר דאם לא רחץ ברגל אסור לרחוץ אחר הרגל ועוד יש לומר אגב דנקט סיפא גזרת נקט ברישא גזרת ועוד נראה לי דרישא ה"פ שלשה ימים בטלה גזרת שבעה הא שני ימים לא בטלה גזרת מ"מ פי' אמת מדקאמר בסמוך שכשם שגזרת שלשה מבטלת גזרת ז' כו' משמע שזה פשוט אפילו לת"ק והשתא תימה לי דכי משני שאם לא גילח בו תינח סיפא אבל ברישא דקאמר בטלה הימנו גזרת ז' אמאי נקט גזרת ולענין מאי קאמר ימים לא בטלו וי"ל דאגב דנקט סיפא גזרת תנא נמי רישא גזרת ועוד נראה לי דרישא ה"פ שלשה ימים בטלה גזרת ז' הא שני ימים בטלו גזרת הא ימים לא בטלו לענין דנוהג דברים שבצינעא:

והתניא

מסורת הש"ס

א) נזיר טו., ב) [ע' תוס' לקמן כד. ד"ה עצרת], ג) תוספ' ע"ז לקמן כד., ד) אלא כדי פרנסתו היינו בהרווחה שרי וכו' כן הוא גירסת מהרש"א.

הגהות הב"ח

(א) רש"י ד"ה ואין עולין כו' (ואני אומר כי טעות סופר הוא וכו' דהרגל מפסיק) תא"מ ונ"ב הדבר פשוט שאיזה תלמיד טועה כתבו בגליון דהא מוכח לקמן דף כ דלתנא דידן [דוקא שלשה ימים]: (ג) תוס' ד"ה וטווה כו' לא מצינו היתר בזה וכן פירש כו' ואפילו ע"י הדחק אסור ועל יהודי אחד:

גליון הש"ס

רש"י ד"ה שמונה ימים וכו' מותר לאלתר בתכבוסת. עי' יבמות דף מג ע"א ברש"י ד"ה מקום שמותר ועיין לקמן דף כג ע"א תוס' ד"ה כל שלשים: ד"ה ואין עולין וכו' ג"י לאו דוקא. קשה לי הא בהדיא מבואר לקמן דף כ ע"א דלתנא דמתני' דהכא ג"י דוקא כדאמרי' שם הלכה כתנא דידן דאמר שלשה וצ"ע: תוס' ד"ה וטווה וכו' אפי' טירחא דלאו מלאכה. עי' לעיל דף יב ע"ב תוס' ד"ה מכנים:

רש"י כת"י

וישאנה והוי דבר האבד. ואלו כותבין במועד וכו' דהוי דבר האבד שמא יקדמנה אחר. ומי אמ' שמואל וכו'. בתמיה. בת קול יוצאת ואומרת בישיבה של מעלה אלמא דאין אדם יכול לקדמן לה דבת קול אינה בטילה. ברחמים. שיתפלל ומבטלה (ברש"י ברי"ף - שיתפלל ומתבטלת גזירת בת פלוני לפלוני). דקא בעי רחמי. ואמ' רחמנא תזדמן לי פלוניתא. ואי לא. אם אינה בת מזלך לסוף כפרת בה תתנחם עליה. לישנא אחרינא כפרת בה' נמצאת אתה כופר בבוראך לומר שאין בידו לזמן לך אשה ורוצה אתה לשאינה אע"פ שאינה בת מזלך. ואביו ואמו. דשמשון. לא ידעו. כי מיי' הוא כי תואנה הוא מבקש מפלשתים. על יי' אלהיהם. וקב"ה מי הוה ביה מידי ואפילו הכי חפאו עליו. (ברש"י כת"י הגי' כאן) ת"ש וישמע משה ויפול על פניו מה שמועה שמע אמר רב שמואל בר נחמני שחשדוהו באשת איש. מנא לן דחשדוהו ויקנאו למשה במחנה. משום שנאה. כדלקמן והוא דלית ליה אויבים וכי אמרינן שלא מחמת שנאה אמרינן. דומי. חשודות נחשד על חשודות שבעירו דומי כגון אל ישא בת דומה (סוטה כז.). הדר נבט. שרוננין בו כל היום תדיר קאמ' אלא כשהיה מרגן חבירו מכתיבו והיינו פסק ביני. הדר נבט. הקול. אין כותבין שטרי חוב במועד. הואיל ויכול לכתבן לאחר המועד. ואם. אין המלוה מאמינו ואינו רוצה להלוותו בלא שטר והלוה צריך למעות כותבין אותו. ואם אין לו מה יאכל (ס"א - או שאין לו מה יאכל). הסופר הזה הרי זה יכתובו ויטול השכר להתפרנס בו דשכר פעולה שאין לו מה יאכל שרי. אפילו בספר עזרא (ס"א - עזרה). אפילו בספר תורה של עזרה שכהן גדול קורא בו ביום הכפורים כדמפרש במסכ' במסכת יומא (סח:) ולע"ג דצריך לרבים אין כותבין בו אות אחת. לעצמו. לקיים את המלוה אבל לא למכור או לשמור. [ע"כ שייך לדף יח:] וטווה על ירכו וכו'. שנותן החוט של תכלת על ירכו ומשפשף והוא נטוה מאליו אבל לא בידיו בין אצבעותיו אבל לא בפלך כדרך שהוא עושה בחול. ואחרים. עושה בטובה בחנם אבל לא בשכירות דדרך שכירות אסור דחשיב מלאכה כדאמ' לעיל גבי אכוונגרי דכיון דלאו אגרי שקלי שרשויי בעלמא הוא ושרי. כדי פרנסתו. בהרווחה ולא דמי לשאין לו מה יאכל דהכי אפילו ר' מאיר [מודה ד]שרי. תכלת. צבע של חלזון הכי אמרינן בפרק התכלת (מנחות מד:). לציציתו לצילית שלו. באבן. שכן דרך למי שאין לו פלך תולה אבן וקושרה בראש החוט ומגלגל בו את החוט [וטווהו]. ר' [יהודה] אומר

ל"א הרגלים מפסיקין שאם לא נהג אלא שני ימים מפסיקין דלא נהגו במועד ואין עולין דלא לינהוג דודאי נהוג והיינו דאמרינן לקמן איידי דתני סיפא אין עולין דהתם לא איפשר בלא עולין אהכי תנא רישא עולה ומאי עולה לחשבון שבעה ולא דמי הך עולין לעולין דרישא ולא הוי עולין לחשבון שבעת ימי אבילות אלא הכי הוא עולה מסלק ממנו אבילות ואין מפסיק לעולם אלא לאחר הרגל נהוג ולעולם שבת אינה עולה למנין ז' והאידנא דהוי שבת ממנינא משום דקיימא לן כמאן דאמר יש אבילות בשבת וגם לקמן אמרינן דברים שבצנעה נוהג וליכא לפרושי אין הרגלים עולין אסיפא שאם לא קברו לא שבעה ימים קודם הרגל אין הרגל עולה למנין שלשים דודאי עולין בגמרא [כדאמרינן] ואם קברו בתוך הרגל אם עולה למנין שלשים אי לא מבעיא לן בגמרא. שחרב בית המקדש. דאין לעצרת תשלומין כל שבעה לקרבן ולית ליה תורת הרגל והרי הוא כשבת ואינה מפסקת גזירת שלשים כגון גילוח וגיהוץ. בטלו. שיכול לגלח ולגהץ את בגדיו אבל ימי שלשים לא בטלו כלומר עדיין הם תלוין ועומדין שאם יגלח לכבוד הרגל ודאי בטלו לגמרי ואי לאו אסור לגלות אחר הרגל עד שלשים וכדמפרש. ימים אמאי לא בטלו. כלומר למאי הלכתא לא בטלו ימים.

עין משפט נר מצוה

צח א ב מיי' פ"ו מהלכות י"ט הלכה יג טוש"ע א"ח סי' תקמה סעיף ג:
צט ג מיי' פ"ו מהל' אבל הלכה א סמג עשין ב טוש"ע י"ד סי' ת סעיף א:
ק ד מיי' שם הלכה ג טוש"ע שם סי' שצט סעיף ב:
קא ה מיי' שם טור ש"ע שם סעיף ו:
קב ו מיי' שם טוש"ע שם סעיף ח:

רבינו חננאל

ת"ר כותבין תפילין ומזוזות לעצמן ולאחרים בטובה דברי ר' מאיר ר' יהודה אומר מערים ומוכר וחוזר וכותב לעצמו ר' יוסי אומר כותב ומוכר כדרכו כדי פרנסתו. אורי ליה רב לרב חננאל הלכה כותב ומוכר כדרכו כדי פרנסתו: וטווה אדם על ירכו תכלת לציציתו אסיקנא אמר רב יהודה אמר שמואל וכן א"ר חייא בר אבא א"ר יוחנן טווה אדם בין באבן בין בפלך. והלכה כותב ומוכר כדי פרנסתו: מתני' הקובר את מתו ג' ימים קודם לרגל בטלה הימנו גזירת שבעה. קברו קודם לרגל שמונה ימים בטלה הימנו גזירת שלשים מפני שאמרו שבת עולה ואינה מפסקת. רגלים מפסיקין ואינן עולין כו'. אמר רב גזרת בטלו. ימים לא בטלו. פי' גזרת בטלו נדחה גזירת האבילות גבי הרגל שיש לו לגלח וזולתי זה מגזירת האבילות. ואם לא גילח ערב הרגל אסור לו לגלח אחר הרגל. כי ימים לא בטלו

רש"י כת"י

משמו. של ר' אליעזר. הקובר את מתו וכו'. שמת קודם הרגל ונהג אבילותו ג' ימים קודם הרגל. [בטלה הימנו גזירת שבעה. שהרגל מפסיק אבלותו דקתני בסמוך דכיון דנהג ג' ימים לפני הרגל] מותר לצאת מפתח ביתו ומותר בעשיית מלאכה ואינו חייב בכפיית המטה דבטלו ממנו גזרת. שבעה ואין צריך להתאבל עוד אבל לא גזירת שלשים שצריך למנות עוד שלשים יום אחר הרגל עם השלשה שעברו כבר שהן מהשלשים. שמנה. הואיל ונכנס לימי הגילוח קודם הרגל אתי רגל ומבטל את השאר לגמרי. השבת. שבתוך אבילות עומד לו למנין שבעה. ואינה מפסקת. שאינה מבטלת השאר אבל יושב ומתאבל אחר השבת. הרגלים מפסיקין ואינן עולין. אם נהג שלשה ימים קודם הרגל מפסיק את השאר שאינו מתאבל עוד וכן שמנה ימים קודם הרגל הרגל מפסיק ומבטל גזירת שלשים ואינן עולין ארישא קאי שאם לא נהג אלא שני ימים [או] שהתחיל אבילותו ברגל אין הרגלים עולין למנין שבעה וצריך לו לישב אחר הרגל.

בָּטְלָה הֵימֶנּוּ גְּזֵרַת שִׁבְעָה – **the restriction[s] of seven** days of mourning **are canceled for him.**[13] שְׁמוֹנָה – If the burial was **eight** days before the festival, בָּטְלוּ הֵימֶנּוּ גְּזֵרַת שְׁלֹשִׁים – then even **the restriction[s] of the thirty** days of mourning **are canceled for him.**[14]

Although the occurrence of a festival cancels mourning, the same is not true of the Sabbath. As the Mishnah explains:[15]

מִפְּנֵי שֶׁאָמְרוּ – **For [the Sages] said:** שַׁבָּת עוֹלָה וְאֵינָהּ מַפְסֶקֶת – **The Sabbath is included** in the seven days of *shivah,* **and does not cut** them **short,**[16] רְגָלִים מַפְסִיקִין וְאֵינָן עוֹלִין – but **the festivals cut** them **short**[17] **and are not included** in them.[18]

The Mishnah considers whether all the festivals are alike in this regard:

רַבִּי אֱלִיעֶזֶר אוֹמֵר – R' Eliezer says: מִשֶּׁחָרַב בֵּית הַמִּקְדָּשׁ עֲצֶרֶת כְּשַׁבָּת – **Since the destruction of the Temple, Shavuos is** treated in this regard **as the Sabbath.**[19] רַבָּן גַּמְלִיאֵל אוֹמֵר – **Rabban Gamliel says:** רֹאשׁ הַשָּׁנָה וְיוֹם הַכִּפּוּרִים כִּרְגָלִים – **Rosh Hashanah and Yom Kippur are** treated in this regard **as festivals.**[20] וַחֲכָמִים אוֹמְרִים לֹא כְּדִבְרֵי זֶה וְלֹא כְּדִבְרֵי זֶה – **But the Sages say neither like [R' Eliezer] nor like [Rabban Gamliel;** neither is Shavuos treated as the Sabbath, nor are Rosh Hashanah and Yom Kippur treated as festivals. אֶלָּא עֲצֶרֶת כִּרְגָלִים רֹאשׁ הַשָּׁנָה וְיוֹם הַכִּפּוּרִים כְּשַׁבָּת – **Rather, Shavuos is** treated **as the** other **festivals, and Rosh Hashanah and Yom Kippur are** treated **as the Sabbath.**[21]

NOTES

13. [The word גְּזֵירַת translates literally as: *the decree of.*] I.e. not only are the restrictions of *shivah* not observed during the festival, they do not even resume after the festival.

However, this is true only if *shivah* began three days before the festival, so that there was time enough to observe at least the first three days of *shivah,* which are its primary phase, when mourning is most intense (*Rashi, Tosafos* et al.; for other ramifications of the distinction between the first three and the later days of *shivah* see below, 21b and 27b). If, however, *shivah* began less than three days before the festival then *shivah* is not canceled, and the balance of the seven days of *shivah* must be observed after the festival (see *Rashi* ד״ה הקובר and ד״ה ואין עולין with *Hagahos HaBach*).

Although this is the view of our Mishnah, the halachah follows a dissenting view, recorded later in the Gemara [20a], according to which a festival always cancels *shivah* so long as *shivah* began to be observed before the festival, even if only for a minimal amount of time (see *Shulchan Aruch, Yoreh Deah* 399:1 with *Taz* and *Shach*).

14. The *sheloshim* period begins after the completion of *shivah* and extends until the thirtieth day from the burial. If *shivah* began eight days before the festival, then the festival eve was the first day of *sheloshim;* once *sheloshim* has begun, the arrival of the festival can cancel it.

In short, the arrival of a festival cancels *shivah* only if *shivah* began some time – according to our Mishnah, three days; according to the dissenting view, even a very short time – before the festival. Likewise, a festival cancels *sheloshim* only if *sheloshim* began before the festival.

15. [See *Nimukei Yosef;* cf. *Ritva.*]

16. Unlike the festivals, the advent of Sabbath does not cut *shivah* short; rather, the seven days of *shivah* continue unabated right through the Sabbath, with the Sabbath itself counted as one of the seven days. (Regarding whether any or all of the restrictions of *shivah* are actually observed on the Sabbath itself, see below, 23b ff.)

[As for the reason for this difference between the Sabbath and the festivals, see below, notes 19 and 20.]

17. If *shivah* began three days before the festival.

18. Even if burial took place fewer than three days before the festival, or on the festival itself, in which cases the festival does not cancel *shivah,* nonetheless the days of the festival are not counted towards the seven days of *shivah;* rather, the balance of the seven days of *shivah* must be observed after the festival ends (see *Rashi* with *Hagahos HaBach;* cf. *Rashash* and *Poras Yosef;* see also *Rashi ms.; Ritva*).

[In such cases as these, where the festival does not cancel *shivah* and the days of the festival are not counted towards *shivah,* the restrictions of *shivah* are suspended for the duration of the festival, and are resumed only after the festival has passed. See further below, 19b note 26, regarding the extent of this suspension.]

19. According to R' Eliezer, the reason for the distinction between the Sabbath and the festivals is as follows: By rights, the festivals, too, should not have interfered with the course of *shivah; shivah* could continue right through a festival, as it does through the Sabbath, with the days of the festival counting towards the seven days of *shivah.* (However, the restrictions of *shivah* would certainly not be observed on the festival, since that would conflict with the mitzvah of rejoicing on the festival; see above, 14b.) However, inasmuch as Pesach and Succos both last for at least seven days, were they to count towards the seven days of *shivah* there would never be any days of *shivah* left to observe after the festival! Therefore, since the occurrence of a festival will in any case interrupt the ordinary observance of *shivah,* the Rabbis legislated either that the festival cancel *shivah* altogether (where *shivah* began three days before the festival), or that the count of seven days be suspended during the festival and resumed after the festival (where *shivah* began fewer than three days before the festival, or where burial took place on the festival itself). But in the case of the Sabbath, where this consideration does not apply, the seven days of *shivah* are counted right through the Sabbath.

As for Shavuos, although it lasts for only one day, it is still reckoned a seven-day festival, because the law is that if someone neglected on Shavuos to bring the requisite festival sacrifices (which every Jewish male must offer on a festival) he may continue to offer them until seven days have passed.

However, reasons R' Eliezer, once the Temple was destroyed this last consideration no longer applies and there is no longer any reason to distinguish between Shavuos and the Sabbath; accordingly, the days of *shivah* are counted right through Shavuos. As for Rosh Hashanah and Yom Kippur, they certainly did not cancel *shivah,* even in Temple times, since they do not last for seven days (*Ramban; Nimukei Yosef*).

20. Rabban Gamliel understands the reason for the distinction between the Sabbath and the festivals differently. According to him, even the Sabbath ought, by rights, to cancel *shivah,* since the restrictions of *shivah* are not observed on the Sabbath (see below, 23b). However, were that to be the case, then no *shivah* could ever be completed without interruption, since every seven-day period includes one Sabbath! It was therefore legislated that the Sabbath should not interrupt, but, rather, should count towards the seven days of *shivah.* Since this consideration does not apply to Rosh Hashanah and to Yom Kippur, they cancel *shivah.* Likewise, according to Rabban Gamliel, Shavuos – even after the destruction of the Temple – cancels *shivah* (*Ramban* here; see also *Toras HaAdam* [Chavel ed.] p. 226, reproduced in *Chidushei HaRamban* below, 23b ד״ה ודברים שבצינעא).

[Other Rishonim explain the distinction between the Sabbath and a festival differently. They write that on a festival there is a commandment to rejoice (see *Deuteronomy* 16:14), which stands in diametric opposition to the state of mourning and cancels it (see above, 14b). On the Sabbath, in contrast, although one is enjoined to enjoy the Sabbath (see *Isaiah* 53:13; *Shabbos* 118b), there is no actual requirement of rejoicing; hence, the Sabbath is not entirely antithetical to the state of mourning and, therefore, does not cancel it (*Nimukei Yosef; Tosafos* to 23b ד״ה מאן; *Meiri* to our Mishnah).]

21. Fundamentally, the Sages agree with R' Eliezer that the salient distinction between the Sabbath and the festivals is that the festivals last for at least seven days, while the Sabbath does not. Consequently, they equate Rosh Hashanah and Yom Kippur with the Sabbath. However, since in Temple times Shavuos was, in effect, a seven-day festival, they maintain that the law in regard to Shavuos did not change after the destruction of the Temple, so that even today Shavuos cancels *shivah* (ibid.).

א וטווה על יריכו תכלת לציציתו: **גמ'** ת"ר כותב אדם תפילין ומזוזות לעצמו וטווה על יריכו תכלת לציציתו ולאחרים בטובה דברי רבי מאיר ר' יהודה אומר מערים ומוכר את שלו וחוזר וכותב לעצמו ר' יוסי אומר כותב ומוכר כדרכו כדי פרנסתו אורי ליה רב לרב חננאל ואמרי לה רבה בר בר חנה לרב חננאל הלכה ב כותב ומוכר כדרכו כדי פרנסתו: וטווה על יריכו תכלת: ת"ר טווה אדם על יריכו תכלת לציציתו אבל לא באבן דברי ר' אליעזר וחכמים אומרים אף באבן ר' יהודה אומר משמו באבן אבל לא בפלך וחכמים אומרים בין באבן בין בפלך אמר רב יהודה אמר שמואל וכן א"ר חייא בר אבא א"ר יוחנן הלכה בין באבן בין בפלך והלכה כותב כדרכו ומוכר כדי פרנסתו: **מתני'** א) הקובר את מתו שלשה ימים קודם לרגל בטלה הימנו גזרת שבעה שמונה בטלו הימנו גזרת שלשים מפני שאמרו ג שבת עולה ואינה מפסקת ד רגלים מפסיקין ואינן עולין ר' אליעזר אומר משחרב בית המקדש ב) עצרת כשבת רבן גמליאל אומר ה ראש השנה ויום הכפורים כרגלים וחכמים אומרים ג) לא כדברי זה ולא כדברי זה אלא ו עצרת כרגלים ראש השנה ויוה"כ כשבת: **גמ'** אמר רב גזרת בטלו ימים לא בטלו וכן א"ר הונא גזרת בטלו ימים לא בטלו ורב ששת אמר אפילו ימים נמי בטלו מ"ט ימים לא בטלו שאם לא גילח ערב הרגל אסור לגלח אחר הרגל

והתניא

וטווה על יריכו. החוטין אבל לא בידו בין אלבעותיו ובפלך כדרך חול: **גמ'** לאחרים בטובה. ולא בשכר: מערים ומוכר שלו. כן עושה כל ימות החג: כדי פרנסתו. בהרווחה ולא מיירי במי שאין לו מה יאכל: **אבל לא באבן.** שתולה בחוט כדי שיוכל לשוזרו יפה: **מתני'** הקובר מתו שלשה ימים קודם הרגל. הואיל ועיקר אבילות אינו אלא שלשה ימים: **בטלה ממנו גזרת שבעה.** דלאחר הרגל אינו צריך למנות יותר: **שמונה ימים.** קודם הרגל בטלה ממנו גזרת שלשים דהואיל והתחיל יום אחד מן השלשים אינו צריך לשמור כלום לאחר הרגל דין שלשים אלא ° מותר לאלתר בתכבוסת בגיהוץ ותספורת: **שבת עולה.** אירע שבת בימי אבלו עולה למנין שבעה: **ואינה מפסקת.** דלאחר שבת צריך להשלים שבעה ימי אבלות עם השבת: **והרגלים מפסיקין.** דכי קבר מתו שלשה ימים קודם הרגל מפסיק האבילות לגמרי ולאחר הרגל אין משלים כלום: **ואין עולין.** דכי קבר מתו בתוך הרגל דלא בטלה ממנו גזרת ז' אין ימי הרגל עולין למנין ז' ימי אבילות אלא לאחר הרגל צריך לישב ז' ימי אבילות זו היא סברתי אבל בהעתק מלאתי ואין עולין דכי קבר את מתו שני ימים לפני הרגל דלא בטלה ממנו גזרת שבעה אין ימי הרגל עולין למנין שבעת ימי אבלו אלא לאחר הרגל צריך לישב ה' ימי אבלות להשלים לשני ימים שנהג לפני הרגל (א) ואני אומר כי טעות סופר הוא דמה שנזכר ° שלשה ימים לפני הרגל לאו דוקא ואפילו שעה אחת לפני הרגל בטלה ממנו גזרת שבעה דהרגל מפסיק: **משחרב בית המקדש.** שאין לעלרת תשלומין כל ז' ואינו אלא יום אחד: **כשבת.** ודינו כשבת דעולה ואינה מפסקת: **ראש השנה כשבת.** הואיל ואינו אלא יום אחד: **גמ'** גזרת. שלשים בטלו אבל ימים לא בטלו דעדיין תלויין ועומדים: **מאי טעמא ימים לא בטלו.** כלומר באיזה ענין לא בטלו ימים: **שאם לא גילח ערב הרגל.** דכי בטלו גזרת שלשים ואיבעי ליה לגלוחי ערב הרגל ולא גילח: **אסור לגלח אחר הרגל.** כל שלשים יום:

וטווה על יריכו תכלת לציציתו. פירוש ע"י שינוי אבל בתפילין אי אפשר בשינוי שצריך כתיבה תמה ועשיית תפילין וצילית לא איירי במתני' ושמא אין איסור כי אם בכתיבה וטוייה ומה שנהגו לכתוב בעוגל לא מלינו היתר (ב) וכן פירש בתוספות הרב בשם רבו ואפילו על ידי הדחק על יהודי אחד שתפוס היה התירו בדוחק גם על ידי היפוך שהוא נקרא מלד אחר לא היו מתירין וגם אי לא אסור משום מלאכה הא אסרינן ° אפילו טירחא דלאו מלאכה בפרק קמא (דף ז.) מיהו נהגו לומר דמתני' לא איירי על ידי היפוך ויש כותבין על ידי חילוק האות וכן היה עושה רבי זקני והיו"ד שאי אפשר היה כותב בכתב הפוך: **רבי** יהודה אומר מערים. לכאורה מחמיר יותר מרבי מאיר שהתיר לאחרים ובתוספות פירשו דרבי מאיר אינו מתיר אלא בהערמה ולא הבנתי: **רבי** יוסי אומר כותב ומוכר כדי פרנסתו. דשרי לגמרי לאחרים בשכר ודוקא כדי פרנסתו ולכאורה מיקל מכולהו וכן פי' הר"א עוד פי' דכולהו הוי שרי כדי פרנסתו דאין לו מה יאכל ולא איירי אלא כשיש לו מה יאכל ומחמיר רבי יוסי יותר מכולהו ולישנא לא משמע הכי דהוה ליה למימר אינו כותב אלא כדי פרנסתו מיהו במילתא דרבי יהודה קשה נמי קלת דהוה ליה למימר אינו כותב אלא כדי פרנסתו על ידי אחרים או על ידי הערמה והשתא מתני' אתיא כרבי מאיר ויש מפרשים דכדי פרנסתו נמי לא משמע דאין לו מה יאכל ד) שרי דהואיל דלורך מלוה מותר להשתכר בה דבחנם לא ירלה לעשות כן ומתניתין פירש בתוספות הרב דפליגא אכולהו ותנא אחר הוא וה"ר יונה פירש דאתיא כתנא קמא והכי פירושו אין כותבין ספרים תפילין ומזוזות כדי למוכרם או כדי להניחם ועוד פי' דאתיא כרבי יוסי לפי מה שפירש שרבי יוסי מחמיר ואין ראיה מכאן שמותר להניח תפילין דדלמא רבי מאיר ורבי יהודה לטעמייהו דסבירא להו פרק המוצא תפילין (עירובין דף צו: ושם) שבת זמן תפילין [ורב] ורבה בר בר חנה נמי הכי מלי סברי ואע"ג דכולהו אמוראי דפרק הקומץ רבה (מנחות דף לו: ושם) משמע דאית להו שבת לאו זמן תפילין הוא אבל ר' יצחק בן אברהם היה מביא מן הירושלמי להתיר להניח דאמר בירושלמי חד בר נש אוכד תפילוי בחולא דמועדא אתא לקמיה דרב חננאל פי' שיכתוב לו לפי שהיה סופר כדאיתא במגילה (דף יח:) שלחיה לקמיה דרבה בר בר חנה אמר ליה זיל הב ליה תפילך ואת כתב לך דתנן כותב אדם תפילין לעצמו אתא לקמיה דרב אמר ליה כתוב ליה פירוש בלא הערמה מתני' פליגא על רב כותב אדם תפילין ומזוזה לעצמו הא לאחר לא רב פתר לה בכותב להניח פירוש רב מעמיד המשנה להניחם אחר המועד אבל להניחם במועד שרי ובהלכות גדולות פסק דאסור להניח תפילין בחולו של מועד ולטעם שממעט שבתות וימים טובים מימים ימימה מסתבר שפיר דממעט חולו של מועד ולמאן דדריש (מנחות דף לו:) מלך לאות יצאו שבתות וימים טובים שהן בעצמן אות יש לומר לפי שאין עושין מלאכה כי אם בדבר האבד אבל קשיא למאי דפרישית לעיל (דף ב. ד"ה משקין) דמלאכה דחול המועד מדרבנן היכי ממעט להו יש לומר הואיל ואוכל מלה ויושב בסוכה אין צריך אות ואם הוא אמת דבחול המועד חייב בתפילין יש לומר הואיל ועושין מלאכה בו אין אות ומימים ימימה נמי לא ממעט אלא יום טוב דחלוק משאר ימים: **הקובר** את מתו. להכי נקט קובר דאבילות מתחלת משעת סתימת הגולל כדאמרינן לקמן (דף כ.): **שלשה** ימים. כן הוא עיקר אבילות לכמה מילי ואמרינן לקמן (שם:) שלשה ימים לבכי: **מאי** טעמא לא בטלו. הכא הוה ניחא טפי לגרוס ימים לענין מאי לא בטלו ואין צריך להגיה דהיא היא: **שאם** לא גילח ערב הרגל כו'. ונראה לי דה"ה לא כיבס ולא רחץ ערב הרגל אם מותר לרחוץ ולכבס מבערב יו"ט ולא כיבס ולא רחץ לא יכבס ברגל והשתא ניחא הא דקתני גזרת שבעה בטלו הא ימים לא בטלו ומיהו קשיא לן דקאמר בסמוך שכשם שמלות שלשה מבטלת גזרת שבעה אפילו לתנא קמא דמבטלת אפילו ימים שמביא אבא שאול ראיה למלות שלשים שבטלו לגמרי אפילו ימים והרי"ן פי' דדוקא לא גילח אבל לא כיבס לא דמותר לכבס אפילו לא כיבס שהוא לורך גדול יותר ואין נראה לי טעמו דאם הוא לורך גדול כ"ש שיש לנו לקנסו בשלא עשה קודם הרגל ונכנס ברגל ולפירוש הקונטרס דמפרש לקמן שאם חל שלישי להיות ערב הרגל שאסור ברחילה עד הערב זהו עד שחשכה אם כן לא שייך לקנסו במה שלא רחץ ולא כבס וא"כ ימים לענין מאי לא בטלו גבי שבעה מיהו יש לומר דאם לא רחץ ברגל אסור לרחוץ אחר הרגל ועוד יש לומר אגב דנקט ברישא גזרת נקט סיפא גזרת ועוד נראה לי דרישא ה"פ שלשה ימים בטלה גזרת שבעה הא שני ימים לא בטלה גזרת מ"מ פי' אמת מדקאמר בסמוך שכשם שגזרת שלשה מבטלת גזרת ז' כו' משמע שזה פשוט אפילו לת"ק והשתא תימה לי דכי משני שאם לא גילח בו תינח סיפא אבל ברישא דקאמר בטלה הימנו גזרת ז' אמאי נקט גזרת ולענין מאי קאמר ימים לא בטלו וי"ל דאגב דנקט סיפא גזרת תנא נמי רישא גזרת ועוד נראה לי דרישא ה"פ שלשה ימים בטלה גזרת ז' הא שני ימים בטלו גזרת הא ימים לא בטלו לענין דנוהג דברים שבלינעא:

והתניא

אלא כשהיה מרכן חבירו מכחישו והיינו פסק ביני. הדר גבט. הקול. **אין כותבין שטרי חוב במועד.** הואיל ויכול לכתבן לאחר המועד. **ואם.** אין המלוה מאמינו ואינו רוצה להלוותו בלא שטר והלוה צריך למעות כותבין אותו. **ואם אין לו מה יאכל** (ס"א - או שאין לו מה יאכל). הסופר הזה הרי זה יכתובו ויטול השכר להתפרנס בו דשכר פעולה שאין לו מה יאכל שרי. **אפילו בספר עזרא** (ס"א - עזרה). אפילו בספר תורה של עזרה שכהן גדול קורא בו ביום הכפורים כדמפרש במסכת יומא (סח:) ואע"ג דלריך לרבים אין כותבין בו אות אחת. **לעצמו.** לקיים את המצוה אבל לא למכור או לשמור. [ע"כ שייך לדף יח:] **וטווה על יריכו וכו'.** שנותן החוט של תכלת על יריכו ומשפשף והוא נטוה מאליו אבל לא בידיו בין אלבעותיו אבל לא בפלך כדרך שהוא עושה בחול. **ואחרים.** עושה בטובה בחנם אבל לא בשכירות דדרך שכירות אסור דחשיב מלאכה כדאמ' לעיל גבי אכוונגרי דכיון דלאו אגרי שקלי שרשויי בעלמא הוא ושרי. **כדי פרנסתו.** בהרווחה ולא דמי לשאין לו מה יאכל דהכי אפילו ר' מאיר [מודה ד]שרי. **תכלת.** לבע של חלזון הכי אמרינן בפרק התכלת (מנחות מד:). **לציציתו** לגלית שלו. **באבן.** שכן דרך למי שאין לו פלך תולה אבן וקושרה בראש החוט ומגלגל בו את החוט [וטווהו]. ר' **[יהודה] אומר**

ל"א הרגלים מפסיקין שאם לא נהג אלא שני ימים מפסיקין דלא נהגו במועד ואינן עולין דלא לינהוג דודאי נהוג והיינו דאמרינן לקמן איידי דתני סיפא אין עולין דהתם לא איפשר בלא עולין אהכי תנא רישא עולה ומאי עולה לחשבון שבעה ולא דמי הך עולין לעולין דרישא ולא הוי עולין לחשבון שבעת ימי אבילות אלא הכי הוא עולה מסלק ממנו אבילות ואין מפסיק לעולם אלא לאחר הרגל נהוג ולעולם שבת אינה עולה למנין ז' והאידנא דהוי שבת ממנינא משום דקיימא לן כמאן דאמר יש אבילות בשבת וגם לקמן אמרינן דברים שבלנעה נוהג וליכא לפרושי אין הרגלים עולין אסיפא שאם לא קברו לא שבעה ימים קודם הרגל אין הרגל עולה למנין שלשים דודאי עולין בגמרא [כדאמרינן] ואם קברו בתוך הרגל אם עולה למנין שלשים אי לא מבעיא לן בגמרא. **שחרב בית המקדש.** דאין לעלרת תשלומין כל שבעה לקרבן ולית ליה תורת הרגל והרי הוא כשבת ואינה מפסקת גזירת שלשים כגון גילוח וגיהוץ. **בטלו.** שיכול לגלח ולגהץ את בגדיו אבל ימי שלשים לא בטלו כלומר עדיין הם תלוין ועומדין שאם יגלח לכבוד הרגל ודאי בטלו לגמרי ואי לאו אסור לגלוח אחר הרגל עד שלשים וכדמפרש. **ימים אמאי לא בטלו.** כלומר למאי הלכתא לא בטלו ימים.

מסורת הש"ס

א) נזיר טו., ב) [ע' תוס' לקמן כד. ד"ה עלתה], ג) תוספ' ע"ז לקמן כד., ד) אלא כדי פרנסתו היינו בהרווחה שרי וכו' כך הוא גירסת מהרש"ל.

הגהות הב"ח

(א) רש"י ד"ה ואין עולין כו' (ואני אומר כי טעות סופר הוא וכו' דהרגל מפסיק) תא"מ ונ"ב הדבר פשוט שאיזה תלמיד טועה כתבו בגליון דהא מוכח לקמן דף כ ע"א דלמאי דקי"ל [דוקא שלשה ימים]: (ב) תוס' ד"ה וטווה כו' לא מלינו היתר בזה וכן פירש כו' ואפילו ע"י הדחק אסור ועל יהודי אחד:

גליון הש"ס

רש"י ד"ה שמונה ימים וכו' מותר לאלתר בתכבוסת. ע' יבמות דף מג ע"ב ברש"י ד"ה מקום מנהג ועיין לקמן דף כג ע"א תוס' ד"ה כל שלשים: ד"ה ואין עולין וכו' בא"ד לאו דוקא. קשה לי הא הדיא מבואר לקמן דף כ ע"א דלתנא דמתני' דסכלה וע"ש דוקא דמתני' שם הלכה כתנא דידן דלאחר שלשה וכו': תוס' ד"ה וטווה וכו' אפי' טירחא דלאו מלאכה. עי' לעיל דף יב ע"ב תוס' ד"ה מכנים:

רש"י כת"י

וישאנה והוי דבר האבד. **ואלו כותבין במועד וכו'** דהוי דבר האבד שמא יקחנה אחר. ומי **אמ' שמואל וכו'.** בתמיה. **בת קול יוצאת ואומרת** בישיבה של מעלה אלמא דאין אדם יכול לקדמן לה דבת קול אינה בטילה. **ברחמים.** שיתפלל ומבטלה (ברש"י ברי"ף - שיתפלל ומתבטלת גזירת בת פלוני לפלוני). **דקא בעי רחמי.** ואמ' רחמנא תזדמן לי פלוניתא. **ואי לא.** אם אינה בת מזלך לסוף כפרת בה תתנכס עליה. לישנא אחרינא כפרת בה' נמצאת אתה כופר בבורלך לומר שאין בידו לזמן לך אשה ורולה אתה לשאינה אע"פ שאינה בת מזלך. **ואביו ואמו.** דשמשון. **לא ידעו.** כי מיי' הוא כי תואנה הוא מבקש מפלשתים. **על יי' אלהיהם.** וקב"ה מי הוה ביה מידי ואפילו הכי חפאו עליו. (ברש"י כת"י הגי' כאן) **ת"ש וישמע משה ויפול על פניו** מה שמועה שמע **אמר רב שמואל בר נחמני** שחשדוה **באשת איש.** מנא לן דחשדוהו ויקנאו למשה במחנה. **משום שנאה.** כדלקמן והוא דלית ליה אויבים וכי אמרינן שלא מחמת שנאה אמרינן. **דומי.** חשודות נחשד על חשודות שבעירו דומי כגון אל ישא בת דומה (סוטה כו.). **הדר גבט.** שרוגנין בו כל היום תדיר קמא'

עין משפט נר מצוה

צח א ב מיי' פ"ז מהלכות י"ט הלכה יג טוש"ע א"ח סי' תקמה סעיף ג: צט ג מיי' פ"י מהל' אבל הלכה א סמג עשין ב טוש"ע י"ד סי' ת סעיף א: ק ד מיי' שם הלכה ג טוש"ע שם סי' שלט סעיף ג: קא ה מיי' שם טוש"ע שם סעיף ו: קב ו מיי' שם טוש"ע שם סעיף ח:

רבינו חננאל

ת"ר כותבין תפילין ומזוזות לעצמן ולאחרים בטובה דברי ר' מאיר ר' יהודה אומר מערים ומוכר וחוזר וכותב לעצמו ר' יוסי אומר כותב ומוכר כדרכו כדי פרנסתו. אורי ליה רב לרב חננאל הלכה כותב ומוכר כדרכו כדי פרנסתו: וטווה אדם על ירכו תכלת לציציתו אסיקנא אמר רב יהודה אמר שמואל וכן א"ר חייא בר אבא א"ר יוחנן טווה אדם בין באבן בין בפלך. והלכה כותב ומוכר כדי פרנסתו: מתני' הקובר את מתו ג' ימים קודם לרגל בטלה הימנו גזירת שבעה. קברו קודם לרגל שמונה ימים בטלה הימנו גזירת שלשים מפני שאמרו שבת עולה ואינה מפסקת. רגלים מפסיקין ואינן עולין כו'. אמר רב גזרת בטלו. ימים לא בטלו. פי' גזרת בטלו נדחה גזירת האבילות גבי הרגל שיש לו לגלח וזולתי זה מגזירת האבילות. ואם לא גילח ערב הרגל אסור לו לגלח אחר הרגל. כי ימים לא בטלו

רש"י כת"י

משמו. של ר' אליעזר. **הקובר את מתו וכו'.** שמת קודם הרגל ונהג אבילותו ג' ימים קודם הרגל. **[בטלה הימנו גזירת שבעה.** שהרגל מפסיק אבלותו כדקתני בסמוך דכיון דנהג ג' ימים לפני הרגל] מותר לאאת מפתח ביתו ומותר בעשיית מלאכה ואינו חייב בכפיית המטה דבטלו ממנו גזרת. שבעה ואין צריך להתאבל עוד אבל לא גזירת שלשים שצריך למנות עוד שלשים יום אחר הרגל עם השלשה שעברו כבר שהן מהשלשים. **שמנה.** הואיל ונכנס לימי הגילוח קודם הרגל אתי רגל ומבטל את השאר לגמרי. **השבת.** שבתוך אבילות עומד לו למנין שבעה. **ואינה מפסקת.** שאינה מבטלת השאר אבל יושב ומתאבל אחר השבת. **הרגלים מפסיקין ואינן עולין.** אם נהג שלשה ימים קודם הרגל מפסיק את השאר שאינו מתאבל עוד וכן שמנה ימים קודם הרגל הרגל מפסיק ומבטל גזירת שלשים ואינן עולין ארישא קאי שאם לא נהג אלא שני ימים [או] שהתחיל אבילותו ברגל אין הרגלים עולין למנין שבעה וצריך לישב אחר הרגל.

Gemara The Mishnah taught that if a festival falls after *sheloshim* has begun,[22] the remainder of *sheloshim* is canceled.[23] The Gemara now discusses the nature of this cancellation:

אָמַר רַב – **Rav said:** גְּזֵרַת בָּטְלוּ יָמִים לֹא בָּטְלוּ – **The restriction[s]** of *sheloshim* **are canceled,** but **the days** themselves **are not canceled.** וְכֵן אָמַר רַב הוּנָא – **And so said Rav Huna:** גְּזֵרַת בָּטְלוּ יָמִים לֹא בָּטְלוּ – **The restriction[s]** of *sheloshim* **are canceled,** but **the days** themselves **are not canceled.**[24] וְרַב שֵׁשֶׁת אָמַר אֲפִילוּ יָמִים נַמִּי בָּטְלוּ – **But Rav Sheishess said: Even the days** themselves **are canceled.**

The Gemara explains:

מַאי טַעְמָא יָמִים לֹא בָּטְלוּ – In **what sense**[25] did Rav and Rav Huna state that **the days** themselves **are not canceled?** שֶׁאִם לֹא גִּילַּח עֶרֶב הָרֶגֶל – **In that if he did not shave on the eve of the festival** אָסוּר לְגַלֵּחַ אַחַר הָרֶגֶל – **he is forbidden to shave after the festival,**[26] until the full thirty days from the burial have passed.

NOTES

22. I.e. if burial took place eight days before the festival.

23. Furthermore, as is clear from the ensuing Gemara, in such a case he may even shave on the festival eve, in honor of the approaching festival (see *Ritva*).

24. The Gemara will immediately explain the meaning of this statement.

25. This expression usually means: *what is the reason;* the usage here is anomalous (see *Tosafos*).

26. Rav and Rav Huna maintain that since the reason a festival cancels *sheloshim* is in order that he be able to prepare himself in honor of the festival, and not enter the festival unshaven and unkempt, if he fails to avail himself of this opportunity and does not shave before the festival *sheloshim* is not canceled, and he may no longer shave until *sheloshim* has passed (*Ritva;* see also *Tosafos* regarding whether Rav and Rav Huna would likewise maintain that if the mourner failed to bathe or launder his clothes in honor of the festival he may not do so after the festival).

מסורת הש"ס

א) נזיר טו., ב) [ע' תוס' לקמן כד. ד"ה עצרת], ג) תוספ' ע"ז לקמן כד., ד) אלא כדי פרנסתו היינו בהרווחה שרי וכו' כן הוא גירסת מהרש"א.

א וטווה על ירכו תכלת לציציתו: **גמ'** ת"ר כותב אדם תפילין ומזוזות לעצמו וטווה על ירכו תכלת לציציתו ולאחרים בטובה דברי רבי מאיר ר' יהודה אומר מערים ומוכר את שלו וחוזר וכותב לעצמו ר' יוסי אומר כותב ומוכר כדרכו כדי פרנסתו אורי ליה רב לרב חננאל ואמרי לה רבה בר בר חנה לרב חננאל הלכה ב כותב ומוכר כדרכו כדי פרנסתו: וטווה על ירכו תכלת: ת"ר טווה אדם על ירכו תכלת לציציתו אבל לא באבן דברי ר' אליעזר וחכמים אומרים אף באבן ר' יהודה אומר משמו באבן אבל לא בפלך וחכמים אומרים בין באבן בין בפלך אמר רב יהודה אמר שמואל וכן א"ר חייא בר אבא א"ר יוחנן הלכה בין באבן בין בפלך והלכה כותב כדרכו ומוכר כדי פרנסתו: **מתני'** א) הקובר את מתו שלשה ימים קודם לרגל בטלה הימנו גזרת שבעה שמונה בטלו הימנו גזרת שלשים מפני שאמרו ג שבת עולה ואינה מפסקת ד רגלים מפסיקין ואינן עולין ר' אליעזר אומר משחרב בית המקדש ב) עצרת כשבת רבן גמליאל אומר ה ראש השנה ויום הכפורים כרגלים וחכמים אומרים ג) לא כדברי זה ולא כדברי זה אלא ו עצרת כרגלים ראש השנה ויוה"כ כשבת: **גמ'** אמר רב גזרת בטלו ימים לא בטלו וכן א"ר הונא גזרת בטלו ימים לא בטלו ורב ששת אמר אפילו ימים נמי בטלו מ"ט ימים לא בטלו שאם לא גילח ערב הרגל אסור לגלח אחר הרגל

והתניא

רש"י

וטווה על ירכו. החוטין אבל לא בידו בין אצבעותיו ובפלך כדרך חול: **גמ'** לאחרים בטובה. ולא בשכר: מערים ומוכר שלו. כן עושה כל ימות החג: כדי פרנסתו. בהרווחה ולא מיירי במי שאין לו מה יאכל: **אבל לא באבן.** שתולה בחוט כדי שיוכל לשוזרו יפה: **מתני'** הקובר מתו שלשה ימים קודם הרגל. הואיל ועיקר אבילות אינו אלא שלשה ימים: **בטלה ממנו** גזרת שבעה. דלאחר הרגל אינו צריך למנות יותר: **שמונה ימים.** קודם הרגל בטלה ממנו גזרת שלשים דהואיל והתחיל יום אחד מן השלשים אינו צריך לשמור כלום לאחר הרגל דין שלשים אלא ° מותר לאלתר בתכבוסת בגיהוץ ותספורת: **שבת** עולה. אירע שבת בימי אבלו עולה למנין שבעה: **ואינה מפסקת.** דלאחר שבת צריך להשלים שבעה ימי אבלות עם השבת: **והרגלים מפסיקין.** דכי קבר מתו שלשה ימים קודם הרגל מפסיק האבילות לגמרי ולאחר הרגל אין משלים כלום: **ואין עולין.** דכי קבר מתו בתוך הרגל דלא בטלה ממנו גזרת ז' אין ימי הרגל עולין למנין ז' ימי אבילות אלא לאחר הרגל צריך לישב ז' ימי אבילות זו היא סברתי אבל בהעתק מצאתי ואין עולין דכי קבר את מתו שני ימים לפני הרגל דלא בטלה ממנו גזרת שבעה אין ימי הרגל עולין למנין שבעת ימי אבלו אלא לאחר הרגל צריך לישב ה' ימי אבלות להשלים לשני ימים שנהג לפני הרגל (א) ואני אומר כי טעות סופר הוא דמה שנזכר ° שלשה ימים לפני הרגל לאו דוקא ואפילו שעה אחת לפני הרגל בטלה ממנו גזרת שבעה דהרגל מפסיק: **משחרב בית המקדש.** שאין לעצרת תשלומין כל ז' ואינו אלא יום אחד: **כשבת.** ודינו כשבת דעולה ואינה מפסקת: **ראש השנה כשבת.** הואיל ואינו אלא יום אחד: **גמ'** גזרת. שלשים בטלו אבל ימים לא בטלו שלשים יום לא בטלו דעדיין תלויין ועומדים: **מאי טעמא ימים לא בטלו.** כלומר באיזה ענין לא בטלו ימים: **שאם לא גילח ערב** הרגל. דכי בטלו גזרת שלשים ואיבעי ליה לגלוחי ערב הרגל ולא גילח: **אסור לגלח אחר הרגל.** כל שלשים יום:

והתניא

תוספות

וטווה על ירכו תכלת לציציתו. פירוש ע"י שינוי אבל בתפילין אי אפשר בשינוי שצריך כתיבה תמה ובעשיית תפילין וליכא לא איירי במתני' ושמא אין איסור כי אם בכתיבה וטוייה ומה שנהגו לכתוב בעוגל לא מצינו היתר (ב) וכן פירש בתוספות הרב בשם רבו ואפילו על ידי הדחק על יהודי אחד שתפוס היה התירו בדוחק גם על ידי היפוך שהוא נקרא מלד אחר לא היו מתירין וגם אי לא אסור משום מלאכה הא אסרינן ° אפילו טירחא דלאו מלאכה בפרק קמא (דף ד.) מיהו נהגו לומר דמתני' לא איירי על ידי היפוך ויש כותבין על ידי חילוק האות וכן היה עושה רבי זקני והיו"ד שאי אפשר היה כותב בכתב הפוך: **רבי** יהודה אומר מערים. לכאורה מחמיר יותר מרבי מאיר שהתיר לאחרים ובתוספות פירשו דרבי מאיר אינו מתיר אלא בהערמה ולא הבנתי: **רבי** יוסי אומר כותב ומוכר כדי פרנסתו. דשרי לגמרי לאחרים בשכר ודוקא כדי פרנסתו ולכאורה מיקל מכולהו וכן פי' הר"א עוד פי' דכולהו הוי שרי כדי פרנסתו דאין לו מה יאכל ולא איירי אלא כשיש לו מה יאכל ומחמיר רבי יוסי יותר מכולהו ולישנא לא משמע הכי דהוה ליה למימר אינו כותב אלא כדי פרנסתו מיהו במילתא דרבי יהודה קשה נמי קצת דהוה ליה למימר אינו כותב אלא כדי פרנסתו על ידי אחרים או על ידי הערמה והשתא מתני' אתיא כרבי מאיר ויש מפרשים דכדי פרנסתו נמי לא משמע דאין לו מה יאכל ד) שרי דהואיל דצורך מצוה מותר להשתכר בה דבחנם לא ירצה לעשות כן ומתניתין פירש בתוספות הרב דפליגא אכולהו ותנא אחר הוא וה"ר יונה פירש דאתיא כתנא קמא והכי פירושו אין כותבין ספרים תפילין ומזוזות כדי למוכרם או כדי להניחם ועוד פי' דאתיא כרבי יוסי לפי מה שפירש שרבי יוסי מחמיר ואין ראיה מכאן שמותר להניח תפילין דדלמא רבי מאיר ורבי יהודה לטעמייהו דסבירא להו פרק המוצא תפילין (עירובין דף צו: ושם) שבת זמן תפילין [ורבה] ורבה בר בר חנה נמי הכי מלי סברי ואע"ג דכולהו אמוראי דפרק הקומץ רבה (מנחות דף לו: ושם) משמע דאית להו שבת לאו זמן תפילין הוא אבל ר' יצחק בן אברהם היה מביא מן הירושלמי להתיר להניח דאמר בירושלמי חד בר נש אובד תפילוי בחולא דמועדא אתא לקמיה דרב חננאל פי' שיכתוב לו לפי שהיה סופר כדאיתא במגילה (דף יח:) שלחיה לקמיה דרבה בר בר חנה אמר ליה זיל הב ליה תפילך ואת כתב לך דתנן כותב אדם תפילין לעצמו אתא לקמיה דרב אמר ליה כתוב ליה פירוש בלא הערמה מתני' פליגא על רב כותב אדם תפילין ומזוזה לעצמו הא לאחר לא רב פתר לה בכותב להניח פירוש רב מעמיד המשנה להניחם אחר המועד אבל להניחם במועד שרי ובהלכות גדולות פסק דאסור להניח תפילין בחולו של מועד ולטעם שממעט שבתות וימים טובים מימים ימימה מסתבר שפיר דממעט חולו של מועד ולמאן דדריש (מנחות דף לו:) מלך לאות יצאו שבתות וימים טובים שהן בעצמן אות יש לומר לפי שאין עושין מלאכה כי אם בדבר האבד אבל קשיא למאי דפרישית לעיל (דף ג. ד"ה משקין) דמלאכה דחול המועד מדרבנן היכי ממעט להו יש לומר הואיל ואוכל מצה ויושב בסוכה אין צריך אות ואם הוא אמת דבחול המועד חייב בתפילין יש לומר הואיל ועושין מלאכה בו אין אות ומימים ימימה נמי לא ממעט אלא יום טוב דחלוק משאר ימים: **הקובר** את מתו. להכי נקט קובר דאבילות מתחלת משעת סתימת הגולל כדאמרינן לקמן (דף כז.): **שלשה** ימים. כך הוא עיקר אבילות לכמה מילי ואמרינן לקמן (שם:) שלשה ימים לבכי: **מאי** טעמא לא בטלו. הכא הוה ניחא טפי לגרוס ימים לענין מאי לא בטלו ואין צריך להגיה דהיא היא: **שאם** לא גילח ערב הרגל כו'. ונראה לי דה"ה לא כיבס ולא רחץ ערב הרגל אם מותר לרחוץ ולכבס מבערב יו"ט ולא כיבס ולא רחץ לא יכבס ברגל והשתא ניחא הא דקתני גזרת שבעה בטלו הא ימים לא בטלו ומיהו קשיא לן דקאמר בסמוך שכשם שמצות שלשה מבטלת גזרת שבעה אפילו לתנא קמא דמבטלת אפילו ימים שמביא אבא שאול ראיה למצות שלשים שבטלו לגמרי אפילו ימים והרי"ן פי' דדוקא לא גילח אבל לא כיבס לא דמותר לכבס אפילו לא כיבס שהוא צורך גדול יותר ואין נראה לי טעמו דאם הוא צורך גדול כ"ש שיש לנו לקנסו בשלא עשה קודם הרגל ונכנס ברגל ולפירוש הקונטרס דמפרש לקמן שאם חל שלישי להיות ערב הרגל שאסור ברחילה עד הערב זהו עד שתחשכה אם כן לא שייך לקנסו במה שלא רחץ ולא כבס וא"כ ימים לענין מאי לא בטלו גבי שבעה מיהו יש לומר דאם לא רחץ ברגל אסור לרחוץ אחר הרגל ועוד יש לומר אגב דנקט סיפא גזרת נקט ברישא גזרת ועוד נראה לי דרישא ה"פ שלשה ימים בטלה גזרת שבעה הא שני ימים לא בטלה גזרת מ"מ פי' אמת מדקאמר בסמוך שכשם שגזרת שלשה מבטלת גזרת ז' כו' משמע שזה פשוט אפילו לת"ק והשתא תימה לי דכי משני שאם לא גילח בו תינח סיפא אבל ברישא דקאמר בטלה הימנו גזרת ז' אמאי נקט גזרת ולענין מאי קאמר ימים לא בטלו וי"ל דאגב דנקט סיפא גזרת תנא נמי רישא גזרת ועוד נראה לי דרישא ה"פ שלשה ימים בטלה גזרת ז' הא שני ימים בטלו גזרת הא ימים לא בטלו לענין דנוהג דברים שבצינעא:

והתניא

עין משפט נר מצוה

צח א ב מיי' פ"ז מהלכות י"ט הלכה יג טוש"ע א"ח סי' תקמה סעיף ג:
צט ג מיי' פ"י מהל' אבל הלכה א סמג עשין ב טוש"ע י"ד סי' ת סעיף א:
ק ד מיי' שם הלכה ג טוש"ע שם סי' שצט סעיף ב:
קא ה מיי' שם טור ש"ע שם סעיף ו:
קב ו מיי' שם טוש"ע שם סעיף ח:

רבינו חננאל

ת"ר כותבין תפילין ומזוזות לעצמן ולאחרים בטובה דברי ר' מאיר ר' יהודה אומר מערים ומוכר וחוזר וכותב לעצמו ר' יוסי אומר כותב ומוכר כדרכו כדי פרנסתו. אורי ליה רב לרב חננאל הלכה כותב ומוכר כדרכו כדי פרנסתו: וטווה אדם על ירכו תכלת לציציתו אסיקנא אמר רב יהודה אמר שמואל וכן א"ר חייא בר אבא א"ר יוחנן טווה אדם בין באבן בין בפלך. והלכה כותב ומוכר כדי פרנסתו: **מתני'** הקובר את מתו ג' ימים קודם לרגל בטלה הימנו גזירת שבעה. קברו קודם לרגל שמונה ימים בטלה הימנו גזירת שלשים מפני שאמרו שבת עולה ואינה מפסקת. רגלים מפסיקין ואינן עולין כו'. אמר רב גזרת בטלו. ימים לא בטלו. פי' גזרת בטלו נדחו גזירת האבילות גבי הרגל שיש לו לגלח וזולתי זה מגזירת האבילות. ואם לא גילח ערב הרגל אסור לו לגלח אחר הרגל. כי ימים לא בטלו

הגהות הב"ח

(א) רש"י ד"ה ואין עולין כו' (ואני אומר כי טעות סופר הוא וכו' דהרגל מפסיק) תא"מ ונ"ב הדבר פשוט שאיזה תלמיד טועה כתבו בגליון דהא מוכח לקמן דף כ דלתנא דידן [דוקא שלשה ימים]: (ב) תוס' ד"ה וטווה כו' לא מצינו היתר בזה וכן פירש כו' ואפילו ע"י הדחק אסור ועל יהודי אחד:

גליון הש"ס

רש"י ד"ה שמונה ימים וכו' מותר לאלתר בתכבוסת. עי' יבמות דף מג ע"א ברש"י ד"ה מקום שמותר ועיין לקמן דף כג ע"א תוס' ד"ה כל שלשים: ד"ה ואין עולין וכו' ג"י לאו דוקא. קשה לי הא בהדיא מבואר לקמן דף כ ע"א דלתנא דמתני' דהכא ג"י דוקא כדאמרי' שם הלכה כתנא דידן דאמר שלשה וצ"ע: תוס' ד"ה וטווה וכו' אפי' טירחא דלאו מלאכה. ע' לעיל דף יב ע"ב תוס' ד"ה מכנים:

רש"י כת"י

וישאנה והוי דבר האבד. **ואלו כותבין במועד** וכו' דהוי דבר האבד שמא יקחנה אחר. ומי **אמ' שמואל וכו'.** בחמיה. **בת קול יוצאת ואומרת** בישיבה של מעלה אלמא דאין אדם יכול לקדמן לה דבת קול אינה בטילה. **ברחמים.** שיתפלל ומבטלה (ברש"י ברי"ף - שיתפלל ומתבטלת גזירת בת פלוני לפלוני). **דקא בעי רחמי.** ואמ' רחמנא תזדמן לי פלוניתא. **ואי לא.** אם אינה בת מזלך לסוף כפרת בה מתנחם עליה. לישנא אחרינא כפרת בה' נמצאת אתה כופר בבוראך לומר שאין בידו לזמן לך אשה ורוצה אתה לשאינה אע"פ שאינה בת מזלך. **ואביו ואמו.** דשמשון. **לא ידעו.** כי מיי' הוא כי תואנה הוא מבקש מפלשתים. **על יי' אלהיהם.** וקב"ה מי הוה ביה מידי ואפילו הכי חפאו עליו. (ברש"י כת"י הגי' כאן) **ת"ש וישמע משה ויפול על פניו** מה שמועה שמע **אמר רב שמואל בר נחמני** שחשדוה **באשת איש.** מנא לן דחשדוהו ויקנאו למשה במחנה. **משום שנאה.** כדלקמן והוא דלית ליה אויבים וכי אמרינן שלא מחמת שנאה אמרינן. **דומי.** חשודות נחשד על חשודות שבעירו דומי כגון אל ישא בת דומה (סוטה כז.). **הדר נבט.** שרוגנין בו כל היום תדיר קאמ' אלא כשהיה מרגן חבירו מכחישו והיינו פסק ביני. **הדר נבט.** הקול. **אין כותבין שטרי חוב במועד.** הואיל ויכול לכתבן לאחר המועד. **ואם.** אין המלוה מאמינו ואינו רוצה להלוותו בלא שטר והלוה צריך למעות כותבין אותו. **ואם אין לו מה יאכל** (ס"א - **או שאין לו מה יאכל**). הסופר הזה הרי זה יכתובו ויטול השכר להתפרנס בו דשכר פעולה שאין לו מה יאכל שרי. **אפילו בספר עזרא** (ס"א - עזרה). אפילו בספר תורה של עזרה שכהן גדול קורא בו ביום הכפורים כדמפרש במסכ' במסכת יומא (סח:) ואע"ג דלצריך לרבים אין כותבין בו אות אחת. **לעצמו.** לקיים את המצוה אבל לא למכור או לשמור. [ע"כ שייך לדף יח:] **וטווה על ירכו וכו'.** שנותן החוט של תכלת על ירכו ומשפשף והוא נטוה מאליו אבל לא בידיו בין אצבעותיו אבל לא בפלך כדרך שהוא עושה בחול. **ואחרים.** עושה בטובה בחנם אבל לא בשכירות דדרך שכירות אסור דחשיב מלאכה כדאמ' לעיל גבי אכוונגרי דכיון דלאו אגרי שקלי ברשויי בעלמא הוא ושרי. **כדי פרנסתו.** בהרווחה ולא דמי לשאין לו מה יאכל דהכי אפילו ר' מאיר [מודה ד]שרי. **תכלת.** לבע של חלזון הכי אמרינן בפרק התכלת (מנחות מד:). **לציציתו** לציצית שלו. **באבן.** שכן דרך למי שאין לו פלך תולה אבן וקושרה בראש החוט ומגלגל בו את החוט [וטוויהו]. **ר' [יהודה] אומר**

רש"י כת"י

משמו. של ר' אליעזר. **הקובר את מתו וכו'.** שמת קודם הרגל ונוהג אבילותו ג' ימים קודם הרגל. **בטלה הימנו גזירת שבעה.** שהרגל מפסיק אבלותו דקמאי בסמוך דכיון דנהג ג' ימים לפני הרגל מותר לאחת מפחת ביתו ומותר בעשיית מלאכה ואינו חייב בכפיית המטה דבטלו ממנו גזרת. שבעה ואין צריך להתאבל עוד אלא גזירת שלשים שצריך למנות עוד שלשים יום אחר הרגל עם השלשה שעברו וכל שכן מהשלשים. **שמונה.** הואיל ונכנס לימי הגילות קודם הרגל אחר רגל ונבטל את השאר לגמרי. **השבת.** שבתות אבילות עומד לו למנין שבעה. **ואינה מפסקת.** שאינה מבטלת השאר אלא יושב ומתאבל אחר השבת. **הרגלים מפסיקין ואינן עולין.** אם נהג שלשה ימים קודם הרגל מפסיק את השאר שאינו מתאבל עוד ואם שמנה ימים קודם הרגל הרגל מפסיק ומבטל גזירת שלשים ואינן עולין אריסא קאי שאם לא נהג אלא שני ימים [או] שהתחיל אבילותו ברגל אין הרגלים עולין למנין שבעה וצריך לו לישב אחר הרגל.

ל"א הרגלים מפסיקין שאם לא נהג אלא שני ימים מפסיקין דלא נהגו במועד ואין עולין דלא לינהוג דודאי נהוג. והיינו דאמרינן לקמן איידי דתני סיפא אין עולין דהתם לא איפשר בלא עולין אהכי תנא רישא עולה ומאי עולה לחשבן עולין לעולין דרישא ולא הוי עולין לחשבון שבעת ימי אבילות אלא הכי הוא עולה מסלק ממנו אבילות ואין מפסיק לעולם אלא לאחר הרגל נהוג ולעולם שבת אינה עולה למנין ז' והאידנא דהוי שבת ממנינא משום דקיימא לן כמאן דאמר יש אבילות בשבת וגם לקמן אמרינן דברים שבצנעה נוהג וליכא לפרושי אין הרגלים עולין אסיפא שאם לא קברו לא שבעה ימים קודם הרגל הרגל עולה למנין שלשים דודאי עולין בגמרא [כדאמרינן] ואם קברו בתוך הרגל אם עולה למנין שלשים אי לא מבעיא לן בגמרא. **שחרב בית המקדש.** דאין לעצרת תשלומין כל שבעה לקרבן וליח ליה תורת הרגל והרי הוא כשבת ואינה מפסקת גזירת שלשים כגון גילוח וגיהוץ. **בטלו.** שיכול לגלח ולגהץ את בגדיו אבל ימי שלשים לא בטלו כלומר עדיין הם תלויין ועומדין שאם יגלח לכבוד הרגל ודאי בטלו לגמרי ואי לאו אסור לגלוח אחר הרגל עד שלשים וכדמפרש. **ימים אמאי לא בטלו.** כלומר למאי הלכתא לא בטלו ימים.

עין משפט נר מצוה

קג א ב ג מיי' פ"י מהלכות אבל הלכה ה ו ז טוש"ע י"ד סי' שלט סעיף ג:

קד ד מיי' שם ה"ז סמג עשין דרבנן ב טור ש"ע שם סי' שלה סעיף א:

קה ה מיי' פ"ג מהל' נזירות הלכה א סמג לאוין רב:

קו ו מיי' פ"י מהלכות אבל הלכה ו טוש"ע א"ח סי' תקמח סעיף י וטוש"ע י"ד סי' שלט סעיף ה:

והתניא [א] הקובר את מתו שלשה ימים קודם לרגל בטלה הימנו גזרת שבעה שמונה ימים קודם לרגל בטלה הימנו גזרת שלשים ומגלח ערב הרגל אם לא גילח ערב הרגל אסור לגלח אחר הרגל אבא שאול אומר [א]מותר לגלח אחר הרגל שכשם שמצות שלשה מבטלת גזרת שבעה כך מצות שבעה מבטלת גזרת שלשים שבעה והאנן שמונה תנן [ב] קסבר אבא שאול מקצת היום ככולו ויום שביעי עולה לו לכאן ולכאן [ג] אמר רב חסדא אמר רבינא בר שילא [ב]הלכה כאבא שאול ומודים חכמים לאבא שאול [ג]כשחל שמיני שלו להיות בשבת ערב הרגל שמותר לגלח בערב שבת כמאן אזלא הא דאמר רב עמרם אמר רב אבל כיון שעמדו מנחמין מאצלו מותר ברחיצה כמאן כאבא שאול אמר אביי הלכה כאבא שאול ביום שבעה ומודים חכמים לאבא שאול ביום שלשים דאמרינן מקצת היום ככולו רבא אמר הלכה כאבא שאול ביום שלשים ואין הלכה כאבא שאול ביום שבעה ונהרדעי אמרי [ד]הלכה כאבא שאול בזו ובזו [ד] דאמר שמואל הלכה כדברי המיקל באבל שלשים יום מנלן יליף פרע פרע מנזיר כתיב הכא (א) ראשיכם אל תפרעו וכתיב התם (ב) גדל פרע שער ראשו מה להלן שלשים אף כאן שלשים והתם מנלן [ה] אמר רב מתנה [ה]סתם נזירות שלשים יום מאי טעמא אמר קרא (ב) קדוש יהיה יהיה בגימטריא תלתין הוו אמר רב הונא בריה דרב יהושע הכל מודין [ו]כשחל שלישי שלו להיות ערב הרגל שאסור ברחיצה עד הערב אמר רב נחמיה בריה דרב יהושע אשכחתינהו לרב פפי ולרב פפא דיתבי וקאמרי הלכה כרב הונא בריה דרב יהושע איכא דאמרי אמר רב נחמיה בריה דרב יוסף אשכחתינהו לרב פפי ולרב פפא ולרב הונא בריה דרב יהושע דיתבי וקאמרי הכל מודים שאם חל שלישי שלו להיות ערב הרגל שאסור ברחיצה עד הערב בעא מיניה אביי ([ו] מרבא) קברו ברגל רגל עולה לו למנין שלשים או אין רגל עולה לו למנין שלשים ° למנין שבעה לא קמיבעיא לי דלא נהגא מצות שבעה ברגל כי קא מיבעיא לי למנין שלשים דקא נהגא מצות שלשים ברגל מאי א"ל אינו עולה איתיביה [ז] הקובר את מתו שני ימים קודם הרגל מונה חמשה ימים אחר הרגל ומלאכתו נעשית ע"י אחרים ועבדיו ושפחותיו עושים בצינעא בתוך ביתו ואין רבים מתעסקין עמו שכבר

רש"י

והתניא. סייעתא: שכשם (א) שגזרת שלשה מבטלת שבעה. דכי קבר מתו שלשה ימים לפני הרגל אינו יושב לאחר הרגל כלום: כך (ב) גזרת שבעה מבטלת גזרת שלשים. דכי קבר מתו שבעה ימים קודם הרגל בטלה ממנו גזרת שלשים דאפילו לא גילח ערב הרגל מגלח אחר הרגל: ויום (ג) שבעה עולה לכאן ולכאן. דחשיב נמי שמיני: כיון שעמדו מנחמים מאצלו. היינו ביום ז': כמאן כאבא שאול. דאמר עולה לכאן ולכאן דחשיב נמי שמיני דמבטל ממנו גזרת שלשים: ומודים הן לאבא שאול. ביום שלשים לקבורת מתו דמותר לגלח דלא בעינן שלשים שלימין דאמרינן מקלת היום ככולו: מנלן. דשלשים יום אסור בגילוח: ראשיכם אל תפרעו. הא שאר אבלים חייבים משמע: הכל מודים. אפילו אבא שאול דאמר מקלת היום ככולו: שאסור ברחיצה עד הערב. דודאי שלש שלימין בעינן עד הערב ולערב רוחץ בצונן או ימתין עד חולו של מועד וירחץ בחמין: למנין שבעה לא קמבעיא לי. דודאי אינו עולה דודאי לא נהגא מצות שבעה ברגל דהא אינו אסור בנעילת הסנדל ואינו נוהג בכפיית המטה: דהא נהגא מצות שלשים ברגל. דהא ברגל נמי אסור בגיהוץ ובתספורת כשלשים: ואין רבים מתעסקין עמו. כלומר אין צריכין לנחמו אחר הרגל שכבר נחמוהו שבעה ימים ברגל: כל

תוספות

והתניא. בניחותא הקובר את מתו כו'. הקשה בתוספות הרב אמאי לא קאמר כתנאי ורב ששת כאבא שאול ורב הונא כתנא קמא א] ושמא משום דברייתא מזכיר לשון בטלו וקאמר לדידיה ימים לא בטלו א"כ לא סבירא הברייתא כרב ששת דרב ששת קאמר ימים נמי בטלו משום דלשון בטלו משמע בכולו כן נראה לי:

הלכה כאבא שאול. נראה דהלכה כמותו בכל מאי דפליג אתנא קמא בין במקצת היום ככולו בין לענין אם לא גילח מדלא מפליג בהלכה כאבא שאול במקצת היום ככולו ולא בגילח הרי"ן בירושלמי מקשה לרבנן דאבא שאול מה בין יום שלשים ליום שמיני דקאמר מקצת היום ככולו ומגלח ערב הרגל ויום שלשים לא אמר מקצת היום ככולו שיהא מגלח בו ומשני משום כבוד הרגל התירו תדע [ח] שהרי חל שמיני שלו בערב הרגל מגלח ערב הרגל ואילו חל שלשים בשבת אינו מגלח בערב שבת:

אתיא פרע פרע מנזיר. יש שאומרים שאסור לאבל להיות סורק ראשו לאחר שבעה משום דאמרינן (נזיר דף מב.) נזיר חופף ומפספס אבל לא סורק ואנן ילפינן מנזיר ואין נראה כלל דהא בנזיר אסור ודאי שאפילו תלש שערו אסור אבל לענין אבילות שהוא משום יפוי לא ובשעת מעשה שאלתי ממורי ריב"א והתיר לי והר"ר יום טוב פירש כיון דקיימא לן מקצת יום שבעה ככולו ועולה לכאן ולכאן מקצת היום ככולו ויכול לגלח ביום עשרים ותשעה ב] ובתוספות הרב לא פירש כן דלא אמרינן שיהא יום שבעה לשני ימים לענין שלשים יום:

תלתין הוו. ולבר פדא דאמר בנזיר בפ"ק (דף ה.) נזיר להזיר כ"ט אסור שלשים שרי ונזירות הוא עשרים ותשעה יום לדידיה א"כ סבר על כרחך כדפירש אבא שאול מיהו יש לומר לכתחילה אינו מגלח בנזיר עד שלשים יום מדרבנן כדמשמע הכא ובירושלמי מקשה מן המשנה (שם דף טז.) דאמר גלח ביום שלשים יצא ומשני תמן לשעבר הכא מתחילה והיינו כדפרישית:

שאסור ברחיצה עד הערב. פי' בקונטרס ולערב יכול לרחוץ גופו בצונן אי נמי פניו ידיו ורגליו אבל כל גופו בחמין לא דאסור לרחוץ בי"ט א"נ יש לפרש בחמי טבריא א"נ לשטוף מותר כדאי' פרק כירה (שבת דף לט: ושם) אי נמי בחמין שהוחמו בקרקע ואמר בפרק כירה מחלוקת בחמין שהוחמו בכלי וא"ת מאי שנא דלא אמרינן מקצת היום ככולו בשלישי ובשביעי לרבנן ° ובשביעי לאבא שאול שרינן על ידי מקצת היום ככולו וכי תימא משום דאפשר לרחוץ ביו"ט ולא יהא ניוול תינח רחילה אלא כיבוס מאי איכא למימר ואין נראה לר"י דכיבוס שרי בשלישי וי"ל דבאבילות שבעה חמיר טפי דבה"ג מפרש הוא הדין רביעי וחמישי אסור עד הערב ע"כ פי' בתוספות ° והרי"ט פירש עד הערב היינו [ט] מבערב י"ט ולאפוקי דלא שרי מן הבקר ונראה דהוא הדין בכיבוס מותר לערב מעי"ט ולפירושו נראה דשבעה קודם הרגל אליבא דרבנן מותר מבערב י"ט [י] ומדקאמר הכל מודים פירוש אפילו אבא שאול דשרי בשביעי מן הבקר הכא מודה לרבנן דלא שרי מן הבקר אלא יש לו דין שביעי לרבנן:

קברו ברגל רגל עולה לו מן המנין שלשים או אינו עולה. פירש בתוספות דהוא הדין דמיבעיא לן בקברו שני ימים קודם הרגל וקשיא לן דהא בסמוך משמע דפשיטא בקברו שני ימים קודם הרגל דקאמרינן מאי לאו אסיפא לא ארישא משמע דרישא ניחא ליה ושמא היה הרב רוצה לומר דתרווייהו מיבעי ליה וכי פשיט בעי למיפשט הכל ומשני דלא תיפשוט הכל:

דלא נוהגין מצות שבעה ברגל. ומיהו דברים שבצינעא נוהגין כדמשמע פ"ק דכתובות (דף ד. ושם) דקאמרינן כל אותן הימים הוא ישן בין האנשים והיא ישינה בין הנשים מסייע ליה לרבי יוחנן וכן פירש הרב בשם רבו ממתני' מאי למיפשט דאינו עולה למנין שבעה דקתני מפסיקין ואין עולין ולכל הפחות איירי לענין שבעה ומיהו יש לומר דנותן טעם מנין לו פשוט דמתניתין איירי שאינו עולה למנין שבעה אימא לענין שלשים:

ומלאכתו נעשית ע"י אחרים. אפילו בביתו ° אע"ג דאמר לעיל בפ"ב (דף יא:) היתה מלאכתו ביד אחרים בתוך ביתו אסור לעשות בבתיהם מותר וי"ל דהכא מיירי בדבר האבד:

גליון הש"ס

גמ' למנין שבעה לא קמיבעיא לי דלא נהגא מצות שבעה ברגל. עי' לקמן דף כג ע"ב תוס' ד"ה יש אבילות בשבת: תוס' ד"ה שאסור ברחיצה וכו' ובשביעי לאבא שאול. נ"ל ובשמיני: בא"ד והרי"ט פירש וכו'. עי' לקמן דף כג ע"א תוס' ד"ה ואמר לאחותה: ד"ה ומלאכתו וכו' אע"ג דאמר לעיל. תמוה לי הא הכא מקילי' רק אחר שכלמו ז' ימים מתחילת אבילות ולע"ג:

תורה אור השלם

א) וַיֹּאמֶר מֹשֶׁה אֶל אַהֲרֹן וּלְאֶלְעָזָר וּלְאִיתָמָר בָּנָיו רָאשֵׁיכֶם אַל תִּפְרָעוּ וּבִגְדֵיכֶם לֹא תִפְרֹמוּ וְלֹא תָמֻתוּ וְעַל כָּל הָעֵדָה יִקְצֹף וַאֲחֵיכֶם כָּל בֵּית יִשְׂרָאֵל יִבְכּוּ אֶת הַשְּׂרֵפָה אֲשֶׁר שָׂרַף יְיָ: [ויקרא י, ו]

ב) כָּל יְמֵי נֶדֶר נִזְרוֹ תַּעַר לֹא יַעֲבֹר עַל רֹאשׁוֹ עַד מְלֹאת הַיָּמִם אֲשֶׁר יַזִּיר לַייָ קָדֹשׁ יִהְיֶה גַּדֵּל פֶּרַע שְׂעַר רֹאשׁוֹ: [במדבר ו, ה]

רבינו חננאל

ומקשינן עליה והתניא הקובר את מתו שלשה ימים קודם לרגל ג' ימים בטלה הימנו גזירת שבעה. ח' ימים קודם לרגל בטלה הימנו גזירת שלשים ומגלח ערב הרגל. ואם לא גילח אסור לגלח אחר הרגל. אבא שאול אומר מותר לגלח אחר הרגל. שכשם שמצות שלשה מבטלת גזירת שבעה. כלומר כיון שקיים מצות אבלות ג' ימים כן מצות ז' מבטלת גזירת שלשים. ומקשינן כן מצות שבעה והאנן שמונה תנן. ופרקינן אבא שאול סבר מקצת היום ככולו ויום השביעי עולה לו למנין שבעה. ושאר יום השביעי כולו עולה לו למנין שלשים. וכיון שקיים מצות שלשים במקצת היום דיו לו. ומגלח ערב הרגל ואם לא גילח אחר הרגל מגלח לאחר הרגל. ואמרו רב חסדא הלכה כאבא שאול. קשיא לרב דאמר ימים לא בטלו. ג) ופריק רב כי קאמרינן הלכתא כאבא שאול בשבעה ואין צריך שמונה כרבנן דפליגי עליה. ומודים חכמים לאבא שאול ביום ל' שמקצת היום ככולו ואסיקנא הלכתא כאבא שאול בין ביום שביעי בין ביום שלשים דמקצת היום ככולו. והני מילי בתשלום שבעה ובתשלום שלשים. אבל בזמן שהרגל מפסיק האבלות לא כרב הונא בריה דרב יהושע דאמר הכל מודים שאם חל שלישי שלו להיות ערב הרגל שאסור ברחיצה עד הערב. ואמרינן הלכתא כרב הונא בריה דרב יהושע. ד) בעא מיניה אביי מרבה קברו ברגל עולה לו הרגל למנין שלשים או לא. ודאי למנין שבעה אינו עולה דהא לא נהג ביה מצות אבלות דהא פח"ז נת"ר רשות כי תיבעי לך שלשים דהא קיים בה מצות גילוח שהיא מצות שלשים א"ל אין עולה לו אפילו למנין שלשים. ושקלינן וטרינן ודברים פשוטים הן. ומסקנא דשמעתא הלכת' למעשה הנקבר אפילו שעה אחת קודם לרגל בטלה הימנו גזרת אבלות. אבל הנקבר ברגל לא חיילא עליה אבלות אלא אחר הרגל ונקיט שבעת ימי אבלות מי"ט האחרון שהוא י"ט שני ואע"ג דלא נהיג ביה אבל עולה למנין שבעה ועצרת ור"ה ויוה"כ מפסיקין אבלות כרגלים כדפסיק רבינא.

והלכתא

חשק שלמה על ר"ח א) נראה דל"ל ואם לא גילח ערב הרגל אסור לגלח וכו'. ב) אולי צ"ל ומקצת יום השביעי וכו'. ג) נראה מזה שהיה לו גירסא אחרת בסוגיין ולפי גרסא זו משמע דהלכה כרב בזה דימים לא בטלו ועי' ברמב"ן בתוה"א שהאריך להוכיח דהלכה כאב"ש בכולהו ע"ש. ד) והדין דאמרינן בגמרא דמודים חכמים לאב"ש כשחל שמיני שלו וכו' שמותר לגלח בע"ש כתבו רבינו להלן דף כג ע"ב ומש"כ שם בד' רבינו שמותר לגלח ביום ששי עט"ה וצ"ל בע"ש.

מסורת הש"ס

א) [נזיר טו.] מס' שמחות פ"ו ע"ש, ב) [לעיל יז: פסחים ד. וש"נ], ג) לעיל יז., ד) לעיל יח. וש"נ עירובין מו., ה) נזיר ה. לט. תענית יז. [סנהדרין כב:], ו) [צ"ל מרבה], ז) [תוספתא פ"ב], ח) שהרי כשחל שמיני שלו בשבת ערב הרגל מגלח בע"ש ואילו חל שלשים כו' [illegible], ט) מבערב י"ט כ"ל, י) צ"ל ודקאמר.

הגהות הב"ח

(א) רש"י ד"ה שכשם שגזרת שלשה מבטלת גזירת שבעה דכי קבר מתו: (ב) ד"ה כך מצות שבעה מבטלת: (ג) ד"ה ויום שביעי עולה:

הגהות מהר"ב רנשבורג

א] תוס' ד"ה והתניא כו' ושמא משום דברייתא מזכיר לשון בטלו וקאמר לדידיה ימים לא בטלו כו'. [illegible]

ב] בד"ה אתיא פרע פרע מנזיר וכו' ובתוספות הרב לא פירש כן. [illegible]

רש"י כת"י

והתניא. סייעתא. ומגלח. שמותר לגלח ערב הרגל. שכשם שמצות שלשה. דנהג שלשה ימים קודם הרגל מבטלת שבעה דהתם ליה [illegible] גילח ולא גילח [illegible] אסור לגלח. כך [illegible] ז'. שקברו שבעה ימים קודם הרגל מבטלת גזירת שלשים בין גילח בין לא גילח. מקצת. יום השביעי ככלו אם נהג מקלתו השלים שבעה ימים [illegible] ועולה לו למנין השלמה מקלתו להשלמת שבעה ומקלתו להתחלת שלשים ומותר לגלח ערבית לכבוד הרגל דבתרתי [illegible] שאול חדא דלא בעי שמנה קודם הרגל דשבעה גופיה חשבינן חליו להתחלת שלשים דכמאן דנהג יום אחד דמי ואתי [illegible] לאחריני ואידך דאפילו לא גילח נמי מבטל הרגל. כשחל שמיני שלו להיות בשבת. שמותר לגלח ערב שבת [illegible] גגזירת שלשים לדחות אם לא מפני השבת הכי אמרי רבנן יום שבעה עולה לכאן ולכאן. אבל. אין אסור ברחילה אלא [illegible] וביום ז' גופיה כיון שעומדין מנחמין [מ]אלו בבקר מותר ברחילה דמקלת היום ככולו כאבא שאול. ומודים חכמים [illegible] שאול ביום שלשים. דמקלת היום ככולו ומותר לגלח בו ביום. רבא. פליג אדרבינא דאמ' לעיל הלכה כאבא שאול [illegible] ימי אבילות דמקלת היום ככולו. הלכה כאבא שאול ביום שלשים. קסבר דאפי' אשלשים פליגי רבנן ולית [illegible] חכמים לאבא שאול. הני שלשים מנא לן. שבעה נפקי ליה לקמן מוהפכתי חגיכם לאבל מה חג שבעה אף אבילות שבעה [illegible] כתוב הכא ראשיכם אל תפרעו. דמיזהר להו רחמנא שלא יגדלו שער דכהנים הם הא אחר שהוא אבל חייב [illegible] הראש שלשים יום דכתוב בנזיר גדל פרע שער ראשו. הכל מודים. אפי' אבא שאול דאמ' מקלת היום ככולו. כשחל [illegible] שלו. ערב הרגל שהפסיק רגל אבילותו. שאסור ברחיצה עד הערב. ולערב רוחץ בלונן או ימתין עד חולו של מועד [illegible] בחמין והוא הדין נמי אם חל רביעי שלו אבל אם חל שני שלו ערב הרגל אסור ברחילה ואפי' לאחר הרגל עד מלאת לו [illegible] דהשתא אין רגל מפסיק. עולה למנין ל'. שיהא מונה שבעת ימי הרגל ושבעה ימי אבילות שנוהג לאחר הרגל ומשלים [illegible] עד ל'. למנין שבעה. לא מבעיא לן דאינה נוהגת ברגל שבע' כפיית המטה ולילך יחף ולישב בדד כדאמרינן בריש [illegible] אבילות נוהגת ברגל וכיון דלא נהגא לא סלקי למנין שבעה. מצות שלשים. גילוח ותספורת נוהגין ברגל דאסירי (ודוקא) ברגל דוקא קא מבעיא ליה דאי קברו ג' ימים קודם הרגל פשיטא לן דעולה לו למנין שלשים הואיל ונהג באבילות ז' במקלת [illegible] לקמן בברייתא אבל קברו ברגל דלא נהגא באבילות ז' כלל מהו שיהא עולה לו למנין שלשים ואע"פ שעדיין צריך למנות ז' אחר כן מונה ימי הרגל למנין שלשים למפרע. שני ימים קודם הרגל. אין הרגל מפסיקן ומונה חמשה אחר הרגל. ומלאכתו נעשית [illegible] אחרים. באותן חמשה ימים (שהן) [שאין] חמורים כל כך כולן הן כאלו [היו] סמוכין לקבורת מתו מה שאין כן בימי אבלו ממש כדאמרינן לעיל דאין עושין לו בימי אבלו אלא דבר האבד כגון זימיו הפוכין בורו לגוף. ואין רבים מתעסקין בו. לנחמו כאותן [illegible]

The Gemara brings Tannaic support for both of these views:[1] וְהָתַנְיָא – **And so it was taught in a Baraisa:** הַקּוֹבֵר אֶת מֵתוֹ שְׁלֹשָׁה יָמִים קוֹדֶם לָרֶגֶל – Regarding ONE WHO BURIES HIS DEAD relative THREE DAYS BEFORE THE FESTIVAL, בָּטְלָה הֵימֶנּוּ גְּזֵרַת שִׁבְעָה – THE RESTRICTION[S] OF THE SEVEN days of mourning ARE CANCELED FOR HIM. שְׁמוֹנָה יָמִים קוֹדֶם לָרֶגֶל – If the burial was EIGHT DAYS BEFORE THE FESTIVAL, so that *sheloshim* began before the onset of the festival, בָּטְלָה הֵימֶנּוּ גְּזֵרַת שְׁלֹשִׁים – THE RESTRICTION[S] OF THE THIRTY days of mourning ARE CANCELED FOR HIM, וּמְגַלֵּחַ עֶרֶב הָרֶגֶל – AND so HE MAY SHAVE ON THE EVE OF THE FESTIVAL. אִם לֹא גִילַּח עֶרֶב הָרֶגֶל – But IF HE DID NOT take advantage of this dispensation and SHAVE ON THE EVE OF THE FESTIVAL אָסוּר לְגַלֵּחַ אַחַר הָרֶגֶל – then HE IS FORBIDDEN TO SHAVE AFTER THE FESTIVAL.[2] אַבָּא שָׁאוּל אוֹמֵר – But ABBA SHAUL SAYS: מוּתָּר לְגַלֵּחַ אַחַר הָרֶגֶל – HE IS PERMITTED TO SHAVE AFTER THE FESTIVAL even if he did not shave before the festival.[3] שֶׁכְּשֵׁם שֶׁמִּצְוַת שְׁלֹשָׁה מְבַטֶּלֶת גְּזֵרַת שִׁבְעָה – FOR, says Abba Shaul, JUST AS his having observed THE MITZVAH OF mourning for THREE days before the festival allows the festival to CANCEL THE RESTRICTION[S] OF THE SEVEN days of *shivah,* even without his shaving before the festival, כָּךְ מִצְוַת שִׁבְעָה מְבַטֶּלֶת גְּזֵרַת שְׁלֹשִׁים – SO his having observed THE MITZVAH OF mourning for SEVEN days allows the festival to CANCEL THE RESTRICTION[S] OF THE THIRTY days of *sheloshim,* even without his shaving before the festival.[4]

Abba Shaul spoke of the festival canceling *sheloshim* after seven days of mourning were observed. The Gemara questions this: שִׁבְעָה – After only **seven** days? וְהָאֲנַן שְׁמוֹנָה תְּנַן – **But we were taught in the Mishnah** that *sheloshim* is canceled only if burial took place at least **eight** days before the festival! – ? –

The Gemara explains:

קָסָבַר אַבָּא שָׁאוּל מִקְצַת הַיּוֹם כְּכוּלּוֹ – **Abba Shaul maintains that part of the day is like the whole [day],** וְיוֹם שְׁבִיעִי עוֹלֶה לוֹ לְכָאן וּלְכָאן – and **the seventh day** of mourning **counts both ways:** both as the last day of *shivah* and as the first day of *sheloshim.*[5]

It emerges that the Sages and Abba Shaul differ on two separate issues: a) whether the festival cancels *sheloshim* if he did not take advantage of the dispensation to shave before the festival, and b) whether part of a day counts as the whole day. The Gemara records a halachic ruling regarding this dispute:

אָמַר רַב חִסְדָּא אָמַר רָבִינָא בַּר שִׁילָא – **Rav Chisda said in the name of Ravina bar Shila:** הֲלָכָה כְּאַבָּא שָׁאוּל – **The halachah is in accordance with Abba Shaul.**[6] וּמוֹדִים חֲכָמִים לְאַבָּא שָׁאוּל – **And,** furthermore, **the Sages concede to Abba Shaul** כְּשֶׁחָל שְׁמִינִי שֶׁלּוֹ לִהְיוֹת בְּשַׁבָּת עֶרֶב הָרֶגֶל – **that if his eighth** day of mourning **fell on a Sabbath** which was also **the eve of a festival**[7] שֶׁמּוּתָּר לְגַלֵּחַ בְּעֶרֶב שַׁבָּת – **then he may shave on Sabbath eve,** i.e. on Friday.[8]

The Gemara cites a ruling which is based on Abba Shaul's principle that part of the day is like the whole day:

כְּמַאן אָזְלָא הָא דְּאָמַר רַב עַמְרָם אָמַר רַב – **In accordance with whom is that which Rav Amram said in the name of Rav:** אָבֵל כֵּיוָן שֶׁעָמְדוּ מְנַחֲמִין מֵאֶצְלוֹ מוּתָּר בִּרְחִיצָה – Regarding **a mourner, as soon as the consolers rise to leave him** on the seventh day of *shivah* **he may bathe?**[9] כְּמַאן – In accordance **with whom?** כְּאַבָּא שָׁאוּל – In accordance **with Abba Shaul;** for since, according to Abba Shaul, part of a day is like a whole day, it is sufficient that he observed *shivah* for part of the seventh day, after which *shivah* may be brought to a close.[10]

NOTES

1. *Ritva;* cf. *Tosafos.*

2. This view of the Tanna Kamma explicitly supports Rav and Rav Huna.

3. [Of course, he may not shave on the festival itself, or even on Chol HaMoed, since there is a general prohibition against shaving on those days, except in the special circumstances outlined in the first Mishnah of this chapter.]

Abba Shaul's view corresponds to that of Rav Sheishess.

4. Abba Shaul argues – against the Tanna Kamma's view that *sheloshim* is canceled only if he took advantage of the dispensation to shave before the festival in honor of the festival – as follows:

We know that if burial took place three days before the festival the festival then cancels any further observance of *shivah.* It is clear that in such a case he still cannot shave, since refraining from shaving is part of the observance of *sheloshim,* and – since *sheloshim* had not yet begun when the festival began – the festival canceled only *shivah,* not *sheloshim.* [We see, then, that the festival cancels *shivah* even though this cancellation will still not allow him to enter the festival in a well-groomed condition.] Likewise, argues Abba Shaul, where burial took place far enough in advance of the festival for *sheloshim* to have begun, so that the festival cancels *sheloshim,* it does so even if he did not take advantage of the cancellation to groom himself for the festival (*Rashi ms.;* cf. *Ritva;* see also *Tosafos* to 19a ד״ה שאם).

Note that Abba Shaul speaks of the festival canceling *sheloshim* where burial took place *seven* days before the festival, whereas the Tanna Kamma (and our Mishnah) stated that the festival cancels *sheloshim* only if burial took place at least *eight* days before the festival. The Gemara will immediately address this point.

5. As we learned earlier [17b], Abba Shaul maintains that observance of the beginning of the last day of *shivah* counts as a full day, bringing *shivah* to a close. The *sheloshim* period then begins immediately, on the very same day (see *Tosafos* ד״ה אתיא). Consequently, if burial took place seven days before the festival, *sheloshim* will have already begun and the festival can then cancel it. Our Mishnah (along with the Tanna Kamma of the Baraisa) does not accept this principle; rather, according to our Mishnah, *shivah* continues until the end of the seventh day and *sheloshim* begins on the eight day. Therefore, according to our Mishnah, the festival cannot cancel *sheloshim* unless burial took place eight days before the festival.

6. On both counts: Part of a day counts as the whole day, and the festival cancels *sheloshim* even if he did not shave before the festival (*Tosafos;* see also *Ramban*).

7. I.e. the eighth day of mourning (which is, according to the Sages, the first day of *sheloshim*) fell on a Sabbath which coincided with the eve of a festival.

8. Since burial took place eight days before the festival, the festival cancels *sheloshim,* allowing him to shave before the festival in honor of the festival. And since, in this case, the festival eve was a Sabbath, when he may not shave, the Sages were lenient and allowed him to shave on Friday, the last day of *shivah.*

[Although it is normally forbidden to shave during *shivah* – even in honor of an approaching festival – in this case the Sages were lenient and, to this limited extent, accepted Abba Shaul's principle that part of the day is like the whole day, so that *shivah* is considered to have ended Friday morning, allowing him to shave later in the day in honor of the festival (see *Rashi ms.; Tosafos* to 17b ד״ה ותנא דידן).]

9. And, likewise, cease observing all the other restrictions of *shivah* (*Ritva*).

10. [The part of the morning in which he observed the *shivah* restrictions counts for the entire seventh day, bringing *shivah* to a close. It is not, however, sufficient for him to observe the restrictions of *shivah* during the previous evening; for the seven days of *shivah* must be counted through seven *days,* not nights (*Rosh* §30; *Shulchan Aruch, Yoreh Deah* 395:1; for another view see *Tur* ad loc.; *Ramban;* see also *Teshuvos Radvaz* 3:559, cited by *Pischei Teshuvah* to *Yoreh Deah* ibid.).

[However, if he did not receive any condolence calls on the seventh day, he must observe *shivah* until the time that the consolers would begin to come on the other days, which corresponds to the time the services have ended in the synagogue (*Rama* ibid.). [See, however, *Ritva,* here, who states that if he did not receive any condolence calls he must observe *shivah* until the end of the seventh day (see *Keren Orah*; see also *Shach Yoreh Deah* 402:4 and *Tur* there §5; *Pischei Teshuvah* ibid. 395:2).]

והתניא ^(א) הקובר את מתו שלשה ימים קודם לרגל בטלה הימנו גזרת שבעה שמונה ימים קודם לרגל בטלה הימנו גזרת שלשים ומגלח ערב הרגל אם לא גילח ערב הרגל אסור לגלח אחר הרגל אבא שאול אומר ^א מותר לגלח אחר הרגל שכשם שמצות שלשה מבטלת גזרת שבעה כך מצות שבעה מבטלת גזרת שלשים שבעה והאנן שמונה תנן ^(ב) קסבר אבא שאול מקצת היום ככולו ויום שביעי עולה לו לכאן ולכאן ^(ג) אמר רב חסדא אמר רבינא בר שילא ^ב הלכה כאבא שאול ומודים חכמים לאבא שאול ^ג כשחל שמיני שלו להיות בשבת ערב הרגל שמותר לגלח בערב שבת כמאן אזלא הא דאמר רב עמרם אמר רב אבל כיון שעמדו מנחמין מאצלו מותר ברחיצה כמאן כאבא שאול אמר אביי הלכה כאבא שאול ביום שבעה ומודים חכמים לאבא שאול ביום שלשים דאמרינן מקצת היום ככולו רבא אמר הלכה כאבא שאול ביום שלשים ואין הלכה כאבא שאול ביום שבעה ונהרדעי אמרי ^ד הלכה כאבא שאול בזו ובזו ^(ד) דאמר שמואל הלכה כדברי המיקל באבל שלשים יום מנלן יליף פרע פרע מנזיר כתיב הכא ^(א) ראשיכם אל תפרעו וכתיב התם ^(ב) גדל פרע שער ראשו מה להלן שלשים אף כאן שלשים והתם מנלן ^(ה) אמר רב מתנה ^ה סתם נזירות שלשים יום מאי טעמא אמר קרא ^(ב) קדוש יהיה יהיה בגימטריא תלתין הוו אמר רב הונא בריה דרב יהושע הכל מודין ^ו כשחל שלישי שלו להיות ערב הרגל שאסור ברחיצה עד הערב אמר רב נחמיה בריה דרב יהושע אשכחתינהו לרב פפי ולרב פפא דיתבי וקאמרי הלכה כרב הונא בריה דרב יהושע איכא דאמרי אמר רב נחמיה בריה דרב יוסף אשכחתינהו לרב פפי ולרב פפא ולרב הונא בריה דרב יהושע דיתבי וקאמרי הכל מודים שאם חל שלישי שלו להיות ערב הרגל שאסור ברחיצה עד הערב בעא מיניה אביי (^(ו) מרבא) קברו ברגל רגל עולה לו למנין שלשים או אין רגל עולה לו למנין שלשים ^ז למנין שבעה לא קמיבעיא לי דלא נהגא מצות שבעה ברגל כי קא מיבעיא לי למנין שלשים דקא נהגא מצות שלשים ברגל מאי א"ל אינו עולה איתיביה ^(ז) הקובר את מתו שני ימים קודם הרגל מונה חמשה ימים אחר הרגל ומלאכתו נעשית ע"י אחרים ועבדיו ושפחותיו עושים בצינעא בתוך ביתו ואין רבים מתעסקין עמו שכבר

והתניא. סייעתא. שכשם (א) שגזרת שלשה מבטלת שבעה. דכי קבר מתו שלשה ימים לפני הרגל אינו יושב לאחר הרגל כלום: כך (ב) גזרת שבעה מבטלת גזרת שלשים. דכי קבר מתו שבעה ימים קודם הרגל בטלה ממנו גזרת שלשים דאפילו לא גילח ערב הרגל מגלח אחר הרגל: ויום (ג) שבעה עולה לכאן ולכאן. דחשיב נמי שמיני: כיון שעמדו מנחמים מאצלו. היינו ביום ז': כמאן כאבא שאול. דאמר עולה לכאן ולכאן דחשיב נמי שמיני דמבטל ממנו גזרת שלשים: ומודים הן לאבא שאול. ביום שלשים לקבורת מתו דמותר לגלח דלא בעינן שלשים שלימין דאמרינן מקצת היום ככולו: מנלן. דשלשים יום אסור בגילוח: ראשיכם אל תפרעו. הא שאר אבלים חייבים משמע: הכל מודים. אפילו אבא שאול דאמר מקצת היום ככולו: שאסור ברחיצה עד הערב. דודאי שלש שלימין בעינן עד הערב ולערב רוחץ בצונן או ימתין עד חולו של מועד וירחץ בחמין: למנין שבעה לא קמבעיא לי. דודאי אינו עולה דודאי לא נהגא מצות שבעה ברגל דהא אינו אסור בנעילת הסנדל ואינו נוהג בכפיית המטה: דהא נהגא מצות שלשים ברגל. דהא ברגל נמי אסור בגיהוץ ובתספורת כשלשים: ואין רבים מתעסקין עמו. כלומר אין צריכין לנחמו אחר הרגל שכבר נחמוהו שבעה ימים ברגל: כל

והתניא. בניחותא הקובר את מתו כו'. הקשה בתוספות הרב אמאי לא קאמר כתנאי ורב ששת כאבא שאול ורב הונא כתנא קמא או ושמא משום דברייתא מזכיר לשון בטלו וקאמר לדידיה ימים לא בטלו א"כ לא סבירא הברייתא כרב ששת דרב ששת קאמר ימים נמי בטלו משום דלשון בטלו משמע בכולו כן נראה לי:

הלכה כאבא שאול. נראה דהלכה כמותו בכל מאי דפליג אתנא קמא בין במקצת היום ככולו בין לענין אם לא גילח מדלא מפליג בהלכה כאבא שאול במקצת היום ככולו ולא בגילח הרי"ן בירושלמי מקשה לרבנן דאבא שאול מה בין יום שלשים ליום שמיני דקאמר מקצת היום ככולו ומגלח ערב הרגל ויום שלשים לא אמר מקצת היום ככולו שיהא מגלח בו ומשני משום כבוד הרגל התירו תדע ^(ח) שהרי חל שמיני שלו בערב הרגל מגלח ערב הרגל ואילו חל שלשים בשבת אינו מגלח בערב שבת:

אתיא פרע פרע מנזיר. יש שאומרים שאסור לאבל להיות סורק ראשו לאחר שבעה משום דאמרינן (נזיר דף מב.) נזיר חופף ומפספס אבל לא סורק ואנן ילפינן מנזיר ואין נראה כלל דהא בנזיר אסור ודאי שאפילו תלש שערו אסור אבל לענין אבילות שהוא משום יפוי לא ובשעת מעשה שאלתי ממורי ריב"א והתיר לי והר"ר יום טוב פירש כיון דקיימא לן מקצת יום שבעה ככולו ועולה לכאן ולכאן מקצת היום ככולו ויכול לגלח ביום עשרים ותשעה בו] ובתוספות הרב לא פירש כן דלא אמרינן שיהא יום שבעה לשני ימים לענין שלשים יום:

תלתין הוו. ולבר פדא דאמר בנזיר בפ"ק (דף ה.) נזיר להזיר כ"ט אסור שלשים שרי ונזירות הוא עשרים ותשעה יום לדידיה א"כ סבר על כרחך כדפירש אבא שאול מיהו יש לומר לכתחילה אינו מגלח בנזיר עד שלשים יום מדרבנן כדמשמע הכא ובירושלמי מקשה מן המשנה (שם דף טז.) דאמר גלח ביום שלשים יצא ומשני תמן לשעבר הכא מתחילה והיינו כדפרישית:

שאסור ברחיצה עד הערב. פי' בקונטרס ולערב יכול לרחוץ גופו בצונן אי נמי פניו ידיו ורגליו אבל כל גופו בחמין לא דאסור לרחוץ בי"ט א"נ יש לפרש בחמי טבריא א"נ לשטוף מותר כדאי' פרק כירה (שבת דף לט: ושם) אי נמי בחמין שהוחמו בקרקע ואמר בפרק כירה מחלוקת בחמין שהוחמו בכלי וא"ת מאי שנא דלא אמרינן מקצת היום ככולו בשלישי ובשביעי לרבנן ^ס ובשביעי לאבא שאול שרינן על ידי מקצת היום ככולו וכי תימא משום דאפשר לרחוץ ביו"ט ולא יהא ניוול תינח רחילה אלא כיבוס מאי איכא למימר ואין נראה לר"י דכיבוס שרי בשלישי וי"ל דבאבילות שבעה חמיר טפי בה"ג מפרש הוא הדין רביעי וחמישי אסור עד הערב ע"כ פי' בתוספות ^ס והרי"ט פירש עד הערב היינו ^(ט) מבערב י"ט ולאפוקי דלא שרי מן הבקר ונראה דהוא הדין בכיבוס מותר לערב מעי"ט ולפירושו נראה דשבעה קודם הרגל אליבא דרבנן מותר מבערב י"ט ^(י) ומדקאמר הכל מודים פירוש אפילו אבא שאול דשרי בשביעי מן הבקר הכא מודה לרבנן דלא שרי מן הבקר אלא יש לו דין שביעי לרבנן:

קברו ברגל רגל עולה לו מן המנין שלשים או אינו עולה. פירש בתוספות דהוא הדין דמיבעיא לן בקברו שני ימים קודם הרגל דקאמרינן מאי לאו אסיפא לא ארישא משמע דברישא ניחא ליה ושמא היה הרב רוצה לומר דתרוייהו מיבעי ליה וכי פשיט בעי למיפשט הכל ומשני דלא תיפשוט הכל:

דלא נוהגין מצות שבעה ברגל. ומיהו דברים שבלינעא נוהגין כדמשמע פ"ק דכתובות (דף ד. ושם) דקאמרינן כל אותן הימים הוא ישן בין האנשים והיא ישינה בין הנשים מסייע ליה לרבי יוחנן וכן פירש הרב בשם רבו ממתני' מאי למיפשט דאינו עולה למנין שבעה דקתני מפסיקין ואין עולין ולכל הפחות איירי לענין שבעה ומיהו יש לומר דנותן טעם מנין לו פשוט דמתניתין איירי שאינו עולה למנין שבעה אימא לענין שלשים:

ומלאכתו נעשית ע"י אחרים. אפילו בביתו ^ס אע"ג דאמר לעיל בפ"ב (דף יא:) היתה מלאכתו ביד אחרים בתוך ביתו אסור לעשות בבתיהם מותר וי"ל דהכא איירי בדבר האבד:

קודם הרגל מבטלת גזירת שלשים בין גילח בין לא גילח. מקצת. יום השביעי ככלו אם נהג מקצתו … ועולה לו למנין השלמה מקצתו להשלמת שבעה ומקצתו להתחלת שלשים ומותר לגלח ערבית לכבוד … שאול הדא דלא בעי שמנה קודם הרגל דשבעה גופיה חשבינן אליו להתחלת שלשים דכמאן דנהג יום … לאחריני ואידך דאפילו לא גילח נמי מבטל הרגל. **כשחל שמיני שלו להיות בשבת.** שמותר לג… גגזירת שלשים לדחות אם לא מפני השבת הכי אמרי רבנן יום שבעה עולה לכאן ולכאן. **אבל.** אין … וביום ז' גופיה כיון שעומדין מנחמין [מ]אללו בבקר מותר ברחילה דמקצת היום ככולו כאבא שאול. … **שאול ביום שלשים.** דמקצת היום ככולו ומותר לגלח בו ביום. **רבא.** פליג אדרבינא דאמ' לעיל … ימי אבילות דמקצת היום ככולו. **הלכה כאבא שאול ביום שלשים.** קסבר דאפי' אשלשים פ… חכמים לאבא שאול. **הני שלשים מנא לן.** שבעה נפקי ליה לקמן מוהפכתי חגיכם לאבל מה חג שב… כתוב **הכא ראשיכם אל תפרעו.** דמיזדהר להו רחמנא שלא יגדלו שער דכהנים הם הא אח… הראש שלשים יום דכתוב בנזיר גדל פרע שער ראשו. **הכל מודים.** אפי' אבא שאול דאמ' מקצת הי… שלו. ערב הרגל שהפסיק רגל אבילותו. **שאסור ברחיצה עד הערב.** ולערב רוחץ בצונן או ימת… בחמין והוא הדין נמי אם חל רביעי שלו אבל אם חל שני שלו ערב הרגל אסור ברחילה ואפי' לאחר הר… דהשתא אין רגל מפסיק. **עולה למנין ל'.** שיהא מונה שבעת ימי הרגל ושבעה ימי אבילות שנוהג …

…תא כאבא שאול בשבעה ואין צריך שמונה כרבנן דפליגי עליה. ומודים חכמים לאבא שאול ביום ל' … ואסיקנא הלכתא כאבא שאול בין ביום שביעי בין ביום שלשים דמקצת היום ככולו. והני מילי … שלום שלשים. אבל בזמן שהרגל מפסיק האבלות לא כרב הונא בריה דרב יהושע דאמר הכל מודים … לו להיות ערב הרגל שאסור ברחיצה עד הערב. ואמרינן הלכתא כרב הונא בריה דרב יהושע. ד) בעא … קברו ברגל עולה לו הרגל למנין שלשים או לא. ודאי למנין שבעה אינו עולה דהא לא נהג ביה מצות … …"ר רשות כי תיבעי לך שלשים דהא קיים בה מצות גילוח שהיא מצות שלשים א"ל אין עולה לו אפילו … …ינן וטרינן ודברים פשוטים הן. ומסקנא דשמעתא הלכת' למעשה הנקבר אפילו שעה אחת קודם לרגל … …בלות. אבל הנקבר ברגל לא חיילא עליה אבלות אלא אחר הרגל ונקיט שבעת ימי אבלות מי"ט האחרון … …ג דלא נהיג ביה אבל עולה למנין שבעה ועצרת ור"ה ויוה"כ מפסיקין אבלות כרגלים כדפסיק רבינא.

והלכתא

…"ח א) נראה דל"ל ואם לא גילח ערב הרגל אסור לגלח וכו'. ב) אולי ל"ל ומקלת יום השביעי וכו'. ג) נראה מזה שהיה … ולפי גרסא זו משמע דהלכה כרב בזה דימים לא בטלו ועי' ברמב"ן בתוה"א שהאריך להוכיח דהלכה כאב"ש בכולהו … בגמרא דמודים חכמים לאב"ש כשחל שמיני שלו וכו' שמותר לגלח בע"ש כתבו רבינו להלן דף כג ע"ב ומש"כ שם כד' רבינו שמותר לגלח ביום ששי עס"ה וצ"ל בע"ש.

The Gemara records three Amoraic views regarding the scope of the dispute between Abba Shaul and the Sages and how the halachah rules on this matter:

אָמַר אַבַּיֵי הֲלָכָה כְּאַבָּא שָׁאוּל בְּיוֹם שְׁבִיעָה – **Abaye said: The halachah follows Abba Shaul in** regard to **the seventh day** of mourning, so that part of the seventh day suffices to bring *shivah* to an end. **וּמוֹדִים חֲכָמִים לְאַבָּא שָׁאוּל בְּיוֹם שְׁלֹשִׁים דְּאָמְרִינַן מִקְצָת הַיּוֹם כְּכוּלּוֹ** – **And** even **the Sages concede to Abba Shaul in** regard to **the thirtieth day that we say that part of the day is like the whole [day],** so that *sheloshim* ends on the morning of the thirtieth day.[11] **רָבָא אָמַר הֲלָכָה כְּאַבָּא שָׁאוּל בְּיוֹם שְׁלֹשִׁים** – **Rava said: The halachah follows Abba Shaul in** regard to **the thirtieth day,** **וְאֵין הֲלָכָה כְּאַבָּא שָׁאוּל בְּיוֹם שְׁבִיעָה** – **but the halachah does not follow Abba Shaul in** regard to **the seventh day.** **וּנְהַרְדְּעֵי אָמְרֵי הֲלָכָה כְּאַבָּא שָׁאוּל בְּזוֹ וּבְזוֹ** – **The Sages of Nehardea,** however, **say: The halachah follows Abba Shaul** both **in this** case **and in that,** i.e. both in regard to *shivah* and in regard to *sheloshim.*[12]

The Gemara explains the basis for the ruling of the Sages of Nehardea:

דְּאָמַר שְׁמוּאֵל הֲלָכָה כְּדִבְרֵי הַמֵּיקֵל בְּאֵבֶל – **For Shmuel,** who was from Nehardea, **said: The halachah always follows the** more **lenient opinion in** issues of **mourning** law; since in this case the lenient view is held by Abba Shaul, the halachah follows his view.[13]

The Gemara adduces a source for the prohibition to shave during the thirty days of *sheloshim:*

שְׁלֹשִׁים יוֹם מְנָלַן – **From where** do we derive **the thirty-day** period during which a mourner may not shave? **יָלִיף ,,פֶּרַע'' ,,פֶּרַע'' מִנָּזִיר** – **It is derived** through the *gezeirah shavah* of ***growth, growth*** **from** the case of **a *nazir*,** as follows: **כְּתִיב הָכָא ,,רָאשֵׁיכֶם אַל־תִּפְרָעוּ''** – **It is written here,** when Moses forbade Aaron and his sons to engage in mourning: ***Do not let the hair of your head grow*** *and do not rend your garments . . .*[14] **וּכְתִיב הָתָם ,,גַּדֵּל פֶּרַע שְׂעַר רֹאשׁוֹ''** – **And it is written there,** in regard to a *nazir: . . .* ***the growth of hair on his head shall grow.***[15] **מַה לְּהַלָּן שְׁלֹשִׁים אַף כָּאן שְׁלֹשִׁים** – **Just as there,** in the case of a *nazir,* the verse means that he must grow his hair for **thirty** days,[16] **so too here,** in regard to mourning, growing one's hair long means growing it for **thirty** days.[17]

Which leads to the question:

וְהָתָם מְנָלַן – **And from where** do we derive it **there** in the case of a *nazir*?

The Gemara explains:

אָמַר רַב מַתְנָה – **Rav Masnah said:** **סְתָם נְזִירוּת שְׁלֹשִׁים יוֹם** – The Mishnah[18] states that **standard *nezirus* is for thirty days.**[19] **מַאי טַעְמָא** – **What is the reason** for this? **אָמַר קְרָא ,,קָדֹשׁ יִהְיֶה''** – For the Torah says: ***it*** *[his hair]* ***shall be holy,*** *the growth of hair on his head shall grow;*[20] **יִהְיֶה בְּגִימַטְרִיָּא תְּלָתִין הָווּ** – and the Hebrew term for **"it shall be" has the numeric value of thirty.**[21] This alludes to the fact that the standard term of *nezirus* is thirty days.[22]

As we have seen, according to Abba Shaul the restrictions of *shivah* come to an end on the morning of the last day of *shivah.* The Gemara cites an exception to this rule:

אָמַר רַב הוּנָא בְּרֵיהּ דְּרַב יְהוֹשֻׁעַ – **Rav Huna the son of Rav Yehoshua said:** **הַכֹּל מוֹדִין בְּשֶׁחָל שְׁלִישִׁי שֶׁלּוֹ לִהְיוֹת עֶרֶב הָרֶגֶל** – **All agree that if his third** day of mourning **fell on the eve of a festival,** **שֶׁאָסוּר בִּרְחִיצָה עַד הָעֶרֶב** – **then he may not bathe until evening.**[23]

The Gemara cites other Amoraim who concur with this ruling:

אָמַר רַב נְחֶמְיָה בְּרֵיהּ דְּרַב יְהוֹשֻׁעַ – **Rav Nechemyah the son of Rav Yehoshua said:** **אַשְׁכַּחְתִּינְהוּ לְרַב פַּפִּי וּלְרַב פָּפָּא דְּיָתְבֵי וְקָאָמְרֵי הֲלָכָה כְּרַב הוּנָא בְּרֵיהּ דְּרַב יְהוֹשֻׁעַ** – **I encountered Rav Pappi and Rav Pappa sitting** together **and saying: The halachah is in accordance with** the ruling of **Rav Huna the son of Rav Yehoshua.**

NOTES

11. Consequently, he may even shave on the thirtieth day itself (*Rashi*).

12. In sum: In regard to *shivah,* Rava rules like the Sages that seven full days are required while Abaye and the Sages of Nehardea rule like Abba Shaul that *shivah* ends in the morning.

According to both Rava and the Sages of Nehardea, the dispute between Abba Shaul and the Sages extends to the last day of *sheloshim,* as well, and the halachah follows the lenient view of Abba Shaul. According to Abaye even the Sages concede that this leniency applies to the last day of *sheloshim.*

13. See above, 18a note 1.

14. *Leviticus* 10:6.

The verse tells of Moses' admonition to Aaron and his remaining sons, Elazar and Isamar, not to observe the normal practices of mourning for Aaron's other two sons, Nadav and Avihu, who were struck down on the day of the dedication of the Sanctuary. Since Moses told them not to grow their hair long, we can infer that letting one's hair grow is one of the normal observances of mourning.

15. *Numbers* 6:5.

16. The Gemara will shortly adduce a source for this.

17. [*Raavad* (cited by *Rosh* §3 and *Ramban, Toras HaAdam* p. 214 in the Chavel ed., reproduced in *Chidushei HaRamban* fol. 32b; see also *Hasagos HaRaavad* to *Hil. Aveil* 6:1) takes this to be a full-fledged Biblical derivation, and ascribes to the restriction against shaving during *sheloshim* the force of Biblical law. (Likewise, he considers the prohibition of wearing pressed clothing during *sheloshim* to be Biblical, since Moses spoke to Aaron and his sons both about their hair and their clothing.) Other Rishonim (*Rosh, Ramban* and *Rambam,* loc. cit.) disagree and maintain that the present derivation is only an *asmachta* and that the restrictions of *sheloshim* are only Rabbinic.]

18. *Nazir* 5a.

19. I.e. if a person declared: "I am a *nazir,*" without specifying the duration of his term of *nezirus,* he is a *nazir* for thirty days. Moreover, there can be no term of *nezirus* shorter than thirty days (see *Rosh* and *Rambam* to the Mishnah, loc. cit.).

20. *Numbers* ibid.

21. The numeric value of the word יהיה is thirty. The letter י equals ten, while the letter ה equals five. Together, then, יהיה equals thirty.

22. *Gematria,* the numeric valuation of the Hebrew alphabet, is not one of the thirteen hermeneutic principles through which laws can be derived from Scripture. Evidently, the law that standard *nezirus* is thirty days was known from the Oral Law, and the apparent derivation here based on *gematria* is merely a Scriptural allusion in support of the Oral Law (*Rosh, Rambam* loc. cit.).

23. [Although the festival cancels the remainder of *shivah,* making this the last day of *shivah,* he still may not bathe until evening. Even Abba Shaul, who generally maintains that part of a day is like the whole day, agrees that in this case we do not apply this principle, because doing so would result in his observing less than three full days of *shivah,* and it is a given that the first three days of *shivah* – which are its most important component – must be observed in full (see above, 19a note 13). Therefore, he cannot bathe until evening and the onset of the festival. Even then, he can bathe only in cold water, since there is a general prohibition against bathing in hot water on a festival (see *Shabbos* 40a); alternatively, he can wait until Chol HaMoed and bathe then in hot water (*Rashi*).

[According to the foregoing, it follows that if it was one of the later days of *shivah* – rather than the third day – that fell on the festival eve, then we would apply the principle that part of a day is like the whole day and allow him to bathe before the festival (see *Korban Nesanel* 26:6). For other views see *Tosafos; Rif; Rosh* §26; *Ramban; Shulchan Aruch, Yoreh Deah* 239:5).]

והתניא [א] הקובר את מתו שלשה ימים קודם לרגל בטלה הימנו גזירת שבעה שמונה ימים קודם לרגל בטלה הימנו גזירת שלשים ומגלח ערב הרגל אם לא גילח ערב הרגל אסור לגלח אחר הרגל אבא שאול אומר [א] מותר לגלח אחר הרגל שכשם שמצות שלשה מבטלת גזירת שבעה כך מצות שבעה מבטלת גזירת שלשים שבעה והאנן שמונה תנן [ב] קסבר אבא שאול מקצת היום ככולו ויום שביעי עולה לו לכאן ולכאן [ג] אמר רב חסדא אמר רבינא בר שילא [ב] הלכה כאבא שאול ומודים חכמים לאבא שאול [ג] כשחל שמיני שלו להיות בשבת ערב הרגל שמותר לגלח בערב שבת כמאן אזלא הא דאמר רב עמרם אמר רב אבל כיון שעמדו מנחמין מאצלו מותר ברחיצה כמאן כאבא שאול אמר אביי הלכה כאבא שאול ביום שבעה ומודים חכמים לאבא שאול ביום שלשים דאמרינן מקצת היום ככולו רבא אמר הלכה כאבא שאול ביום שלשים ואין הלכה כאבא שאול ביום שבעה ונהרדעי אמרי [ד] הלכה כאבא שאול בזו ובזו [ד] דאמר שמואל הלכה כדברי המיקל באבל שלשים יום מנלן יליף פרע פרע מנזיר כתיב הכא [א] ראשיכם אל תפרעו וכתיב התם [ב] גדל פרע שער ראשו מה להלן שלשים אף כאן שלשים והתם מנלן [ה] אמר רב מתנה [ה] סתם נזירות שלשים יום מאי טעמא אמר קרא [ב] קדוש יהיה בגימטריא תלתין הוו אמר רב הונא בריה דרב יהושע הכל מודין [ו] כשחל שלישי שלו להיות ערב הרגל שאסור ברחיצה עד הערב אמר רב נחמיה בריה דרב יהושע אשכחתינהו לרב פפי ולרב פפא דיתבי וקאמרי הלכה כרב הונא בריה דרב יהושע איכא דאמרי אמר רב נחמיה בריה דרב יוסף אשכחתינהו לרב פפי ולרב פפא ולרב הונא בריה דרב יהושע דיתבי וקאמרי הכל מודים שאם חל שלישי שלו להיות ערב הרגל שאסור ברחיצה עד הערב בעא מיניה אביי ([ו] מרבא) קברו ברגל רגל עולה לו למנין שלשים או אין רגל עולה לו למנין שלשים ° למנין שבעה לא קמיבעיא לי דלא נהגא מצות שבעה ברגל כי קא מיבעיא לי למנין שלשים דקא נהגא מצות שלשים ברגל מאי א"ל אינו עולה איתיביה [ז] הקובר את מתו שני ימים קודם הרגל מונה חמשה ימים אחר הרגל ומלאכתו נעשית ע"י אחרים ועבדיו ושפחותיו עושים בצינעא בתוך ביתו ואין רבים מתעסקין עמו שכבר

רש"י

והתניא. סייעתא: שכשם (א) שגזרת שלשה מבטלת שבעה. דכי קבר מתו שלשה ימים לפני הרגל אינו יושב לאחר הרגל כלום: כך (ב) גזרת שבעה מבטלת גזרת שלשים. דכי קבר מתו שבעה ימים קודם הרגל בטלה ממנו גזרת שלשים דאפילו לא גילח ערב הרגל מגלח אחר הרגל: ויום (ג) שבעה עולה לכאן ולכאן. דחשיב נמי שמיני: כיון שעמדו מנחמים מאצלו. היינו ביום ז': כמאן כאבא שאול. דאמר עולה לכאן ולכאן דחשיב נמי שמיני דמבטל ממנו גזרת שלשים: ומודים הן לאבא שאול. ביום שלשים לקבורת מתו דמותר לגלח דלא בעינן שלשים שלימין דאמרינן מקצת היום ככולו: מנלן. דשלשים יום אסור בגילוח: ראשיכם אל תפרעו. הא שאר אבלים חייבים משמע: הכל מודים. אפילו אבא שאול דאמר מקצת היום ככולו: שאסור ברחיצה עד הערב. דודאי שלש שלימין בעינן עד הערב ולערב רוחץ בצונן או ימתין עד חולו של מועד וירחץ בחמין: למנין שבעה לא קמבעיא לי. דודאי אינו עולה דודאי לא נהגא מצות שבעה ברגל דהא אינו אסור בנעילת הסנדל ואינו נוהג בכפיית המטה: דהא נהגא מצות שלשים ברגל. דהא ברגל נמי אסור בגיהוץ ובתספורת כשלשים: ואין רבים מתעסקין עמו. כלומר אין צריכין לנחמו אחר הרגל שכבר נחמוהו שבעה ימים ברגל: כל

תוספות

והתניא. בניחותא הקובר את מתו כו'. הקשה בתוספות הרב אמאי לא קאמר כתנאי ורב ששת כאבא שאול ורב הונא כתנא קמא אן ושמא משום דברייתא מזכיר לשון בטלו וקאמר לדידיה ימים לא בטלו א"כ לא סבירא הברייתא כרב ששת דרב ששת קאמר ימים נמי בטלו משום דלשון בטלו משמע בכולו כן נראה לי:

הלכה כאבא שאול. נראה דהלכה כמותו בכל מאי דפליג אתנא קמא בין במקצת היום ככולו בין לענין אם לא גילח מדלא מפליג בהלכה כאבא שאול במקצת היום ככולו ולא בגילח הרי"ן בירושלמי מקשה לרבנן דאבא שאול מה בין יום שלשים ליום שמיני דקאמר מקצת היום ככולו ומגלח ערב הרגל ויום שלשים לא אמר מקצת היום ככולו שיהא מגלח בו ומשני משום כבוד הרגל התירו תדע [ח] שהרי חל שמיני שלו בערב הרגל מגלח ערב הרגל ואילו חל שלשים בשבת אינו מגלח בערב שבת:

אתיא פרע פרע מנזיר. יש שאומרים שאסור לאבל להיות סורק ראשו לאחר שבעה משום דאמרינן (נזיר דף מב.) נזיר חופף ומפספס אבל לא סורק ואנן ילפינן מנזיר ואין נראה כלל דהא בנזיר אסור ודאי שאפילו תלש שערו אסור אבל לענין אבילות שהוא משום יפוי לא ובשעת מעשה שאלתי ממורי ריב"א והתיר לי והר"ר יום טוב פירש כיון דקיימא לן מקצת יום שבעה ככולו ועולה לכאן ולכאן מקצת היום ככולו ויכול לגלח ביום עשרים ותשעה בן ובתוספות הרב לא פירש כן דלא אמרינן שיהא יום שבעה לשני ימים לענין שלשים יום:

תלתין הוו. ולבר פדא דאמר בנזיר בפ"ק (דף ה.) נזיר להזיר כ"ט אסור שלשים שרי ונזירות הוא עשרים ותשעה יום לדידיה א"כ סבר על כרחך כדפירש אבא שאול מיהו יש לומר לכתחילה אינו מגלח בנזיר עד שלשים יום מדרבנן כדמשמע הכא ובירושלמי מקשה מן המשנה (שם דף טז.) דאמר גלח ביום שלשים יצא ומשני תמן לשעבר הכא מתחילה והיינו כדפרישית:

שאסור ברחיצה עד הערב. פי' בקונטרס ולערב יכול לרחוץ גופו בצונן אי נמי פניו ידיו ורגליו אבל כל גופו בחמין לא דאסור לרחוץ בי"ט א"נ יש לפרש בחמי טבריא א"נ לשטוף מותר כדאי' פרק כירה (שבת דף לט: ושם) אי נמי בחמין שהוחמו בקרקע ואמר בפרק כירה מחלוקת בחמין שהוחמו בכלי וא"ת מאי שנא דלא אמרינן מקצת היום ככולו בשלישי ובשביעי לרבנן ° ובשביעי לאבא שאול שרינן על ידי מקצת היום ככולו וכי תימא משום דאפשר לרחוץ ביו"ט ולא יהא ניוול תינח רחילה אלא כיבוס מאי איכא למימר ואין נראה לר"י דכיבוס שרי בשלישי וי"ל דבאבילות שבעה חמיר טפי בה"ג מפרש הוא הדין רביעי וחמישי אסור עד הערב ע"כ פי' בתוספות ° והרי"ט פירש עד הערב היינו [ט] מבערב י"ט ולאפוקי דלא שרי מן הבקר ונראה דהוא הדין בכיבוס מותר לערב מעי"ט ולפירושו נראה דשבעה קודם הרגל אליבא דרבנן מותר מבערב י"ט [י] ומדקאמר הכל מודים פירוש אפילו אבא שאול דשרי בשביעי מן הבקר הכא מודה לרבנן דלא שרי מן הבקר אלא יש לו דין שביעי לרבנן:

קברו ברגל רגל עולה לו מן המנין שלשים או אינו עולה. פירש בתוספות דהוא הדין דמיבעיא לן בקברו שני ימים קודם הרגל וקשיא לן דהא בסמוך משמע דפשיטא בקברו שני ימים קודם הרגל דקאמרינן מאי לאו אסיפא לא ארישא משמע דברישא ניחא ליה ושמא היה הרב רוצה לומר דתרוייהו מיבעי ליה וכי פשיט בעי למיפשט הכל ומשני דלא תיפשוט הכל:

דלא נוהגין מצות שבעה ברגל. ומיהו דברים שבצינעא נוהגין כדמשמע פ"ק דכתובות (דף ד. ושם) דקאמרינן כל אותן הימים הוא ישן בין האנשים והיא ישינה בין הנשים מסייע ליה לרבי יוחנן וכן פירש הרב בשם רבו ממתני' מאי למיפשט דאינו עולה למנין שבעה דקתני מפסיקין ואין עולין ולכל הפחות איירי לענין שבעה ומיהו יש לומר דנותן טעם מנין לו פשוט דמתניתין איירי שאינו עולה למנין שבעה איימא לענין שלשים:

ומלאכתו נעשית ע"י אחרים. אפילו בביתו ° אע"ג דאמר לעיל בפ"ב (דף יא:) היתה מלאכתו ביד אחרים בתוך ביתו אסור לעשות בבתיהם מותר וי"ל דהכא מיירי בדבר האבד:

עין משפט נר מצוה

קג א ב ג מיי' פ"י מהלכות אבל הלכה ה ו ז טוש"ע י"ד סי' שלט סעיף ג:

קד ד מיי' שם ה"ו סמג עשין דרבנן ב טור ש"ע שם סי' שצה סעיף א:

קה ה מיי' פ"ג מהל' נזירות הלכה א סמג לאוין רב:

קו ו מיי' פ"י מהלכות אבל הלכה ו טוש"ע א"ח סי' תקמח סעיף י וטוש"ע י"ד סי' שלט סעיף ה:

גליון הש"ס

גמ' למנין שבעה לא קמיבעיא לי דלא נהגא מצות שבעה ברגל. עי' לקמן דף כג ע"א תוס' ד"ה אבילות בשבת: תוס' ד"ה שאסור ברחיצה וכו' ובשביעי לאבא שאול. נ"ל ובשמיני: באו"ד והרי"ט פירש וכו'. עי' לקמן דף כג ע"א תוס' ד"ה ולמלאכתו: ד"ה ומלאכתו וכו' אע"ג דאמר לעיל. תמוה לי הא הכא מקילי רק אחר שכלו ז' ימים מתחלת אבילות ועצ"ג:

תורה אור השלם

א) וַיֹּאמֶר מֹשֶׁה אֶל אַהֲרֹן וּלְאֶלְעָזָר וּלְאִיתָמָר בָּנָיו רָאשֵׁיכֶם אַל תִּפְרָעוּ וּבִגְדֵיכֶם לֹא תִפְרֹמוּ וְלֹא תָמֻתוּ וְעַל כָּל הָעֵדָה יִקְצֹף וַאֲחֵיכֶם כָּל בֵּית יִשְׂרָאֵל יִבְכּוּ אֶת הַשְּׂרֵפָה אֲשֶׁר שָׂרַף יְיָ: (ויקרא י, ו)

ב) כָּל יְמֵי נֶדֶר נִזְרוֹ תַּעַר לֹא יַעֲבֹר עַל רֹאשׁוֹ עַד מְלֹאת הַיָּמִם אֲשֶׁר יַזִּיר לַייָ קָדֹשׁ יִהְיֶה גַּדֵּל פֶּרַע שְׂעַר רֹאשׁוֹ: (במדבר ו, ה)

רבינו חננאל

ומקשינן עליה והתניא הקובר את מתו לרגל ג' ימים בטלה הימנו גזירת שבעה. ח' ימים קודם לרגל בטלה הימנו גזירת שלשים ומגלח ערב הרגל. אסור לגלח אחר הרגל. אבא שאול אומר אף מגלח אחר הרגל. שכשם שמצות שלשה מבטלת גזירת שבעה. כלומר כיון שקיים מצות אבלות ג' ימים כך מצות ז' מבטלת גזירת שלשים. ומקשינן כך מצות שבעה והאנן שמונה תנן. ופרקינן אבא שאול סבר מקצת היום ככולו ג) ויום השביעי עולה לו למנין שבעה. ושאר יום השביעי כולו עולה לו למנין שלשים. וכיון שקיים מצות שלשים במקצת היום דיו לו. ומגלח ערב הרגל ואם לא גילח מגלח אחר הרגל. ואמרו הלכתא כאבא שאול. קשיא לרב דאמר ימים לא בטלו. ג) ופריק רב כי קאמרינן הלכתא כאבא שאול בשבעה ואין צריך שמונה כרבנן דפליגי עליה. ומודים חכמים לאבא שאול ביום ל' שמקצת היום ככולו ואסיקנא הלכתא כאבא שאול בין ביום שביעי בין ביום שלשים דמקצת היום ככולו. ואהני מילי בתשלום שבעה ובתשלום שלשים. אבל בזמן שהרגל מפסיק האבלות הלכה כרב הונא בריה דרב יהושע דאמר הכל מודים שאם חל שלישי שלו להיות ערב הרגל שאסור ברחיצה עד הערב. ואמרינן הלכתא כרב הונא בריה דרב יהושע. ד) בעא מיניה אביי מרבה קברו ברגל רגל עולה לו למנין שלשים או לא. ודאי למנין שבעה לא עולה דהא לא נהג ביה מצות אבלות [illegible] כי תיבעי לך שלשים דהא קיים בה מצות גלוית שהיא מצות שלשים א"ל אין עולה לו אפילו למנין שלשים. ושקלינן וטרינן ודברים פשוטים הן. ומסקנא דשמעתא הלכתי למעשה הנקבר אפילו שעה אחת קודם לרגל [illegible] אבל הנקבר ברגל לא חיילא עליה אבלות עד שיעבור הרגל [illegible] שבועות ור"ה ויוה"כ מפסיקין אבלות כרגלים כדפסק רבינא. והלכתא

חשק שלמה על ר"ח

א) נראה דצ"ל ואם לא גילח ערב הרגל אסור לגלח וכו'. ב) אולי צ"ל ומקצת ערב הרגל וכו'. ג) [illegible]

[illegible] קודם הרגל מבטלת גזירת שלשים בין גילח בין לא גילח. מקצת. היום שביעי ככולו [illegible] כשחל שמיני שלו להיות בשבת [illegible] הלכה כאבא שאול [illegible] ומודים חכמים לאבא שאול ביום שלשים [illegible] ראשיכם אל תפרעו [illegible] הכל מודים [illegible] שאסור ברחיצה עד הערב [illegible] למנין שבעה [illegible] עולה [illegible]

אבילות נוהגת ברגל וכיון דלא נהגא בלא סלקי למנין שבעה. מצות שלשים [illegible] ומלאכתו נעשית על ידי אחרים [illegible] ואין רבים מתעסקין בו. [illegible]

מסורת הש"ס

א) [נזיר טו.] מס' שמחות פ"ו ע"ש, ב) [לעיל יז: פסחים ד. וש"נ], ג) לעיל יח, ד) לעיל יח. וש"נ, ה) נזיר ה. לג. תענית יז. [סנהדרין כב:], ו) [צ"ל מרבה], ז) [תוספתא פ"ב], ח) שהרי כשחל שמיני שלו בשבת ערב הרגל מגלח בע"ש ואילו כו' רי"ף ור"ל וכ"ה בירושלמי ור"ל אפי' אבא שאול פ"ב כן ולא"כ מוכח דהטעם הוא משום כבוד הרגל. העתק מחולפי גרסאות, ט) מבערב בערב י"ט כצ"ל, י) צ"ל ודקאמר.

הגהות הב"ח

(א) רש"י ד"ה שכשם שמצות שלשה מבטלת גזירת שבעה דכי קבר מתו: (ב) ד"ה כך מצות שבעה מבטלת: (ג) ד"ה ויום שביעי עולה:

הגהות מהר"ב רנשבורג

א] תוס' ד"ה והתניא כו' ושמא משום דברייתא מזכיר לשון בטלו וקאמר לדידיה ימים לא בטלו כו'. [illegible]

רש"י כת"י

והתניא. סייעתא. ומגלח. שמותר בגילוח ערב הרגל. שכשם שמצות שלשה. היכא דנהג שלשה ימים אבילות קודם הרגל מבטלת גזירת שבעה [illegible] סקברו שבעה ימים

An alternate version of this episode is cited:

אִיכָּא דְאָמְרִי אָמַר רַב נְחֶמְיָה בְּרֵיהּ דְּרַב יוֹסֵף – **Some report** this version: **Rav Nechemyah the son of Rav Yosef said:** אַשְׁכַּחְתִּינְהוּ לְרַב פַּפִּי וּלְרַב פָּפָּא וּלְרַב הוּנָא בְּרֵיהּ דְּרַב יְהוֹשֻׁעַ דְּיָתְבֵי וְקָאָמְרֵי – **I encountered Rav Pappi and Rav Pappa and Rav Huna the son of Rav Yehoshua sitting** together **and saying:** הַכֹּל מוֹדִים שֶׁאִם חָל שְׁלִישִׁי שֶׁלּוֹ לִהְיוֹת עֶרֶב הָרֶגֶל – **All agree that if his third** day of mourning **fell on the eve of a festival,** שֶׁאָסוּר בִּרְחִיצָה עַד הָעֶרֶב – **then he may not bathe until evening.**

As we have seen, if someone buried his relative on the festival itself, *shivah* is not observed until after the festival,[24] which leads to the following question:

בְּעָא מִינֵּיהּ אַבַּיֵי (מרבא) [מֵרַבָּה] – **Abaye inquired of Rabbah:** קְבָרוֹ בָּרֶגֶל – **If he buried** his relative **during the festival,** רֶגֶל עוֹלֶה לוֹ לְמִנְיַן שְׁלֹשִׁים אוֹ אֵין רֶגֶל עוֹלֶה לוֹ לְמִנְיַן שְׁלֹשִׁים – **are the festival** days themselves **included in the count of thirty** days of *sheloshim,* **or are the festival** days **not included in the count of thirty** days of *sheloshim*?

Abaye elaborates:

לְמִנְיַן שִׁבְעָה לֹא קָמִיבַּעְיָא לִי – **I have no doubt** that they are not included **in the count of seven** days of *shivah,*[25] דְּלֹא נָהֲגָא מִצְוַת שִׁבְעָה בָּרֶגֶל – since the restrictions of **the seven** days of *shivah* **are not observed during the festival.**[26] כִּי קָא מִיבַּעְיָא לִי לְמִנְיַן שְׁלֹשִׁים – **What I do inquire is** whether the festival is included **in the count of thirty** days of *sheloshim,* דְּקָא נָהֲגָא מִצְוַת שְׁלֹשִׁים בָּרֶגֶל – for **since** the restrictions of **the thirty** days of *sheloshim* **are observed on the festival,**[27] it can be argued that the days of the festival should count toward the thirty days of *sheloshim.* מַאי – **What** is the law in this regard?[28]

Rabbah answers:

אָמַר לֵיהּ אֵינוֹ עוֹלֶה – **He said to him: It is not included;** rather, the reckoning of thirty days first begins after the festival.

Abaye questions Rabbah's ruling from a Baraisa, which deals with cases where the festival does not cancel *shivah*:

אֵיתִיבֵיהּ – **He challenged it** from the following Baraisa:[29] הַקּוֹבֵר אֶת מֵתוֹ שְׁנֵי יָמִים קוֹדֶם הָרֶגֶל – ONE WHO BURIES HIS DEAD relative TWO DAYS BEFORE THE FESTIVAL מוֹנֶה חֲמִשָּׁה יָמִים אַחַר הָרֶגֶל – COUNTS FIVE DAYS of *shivah* AFTER THE FESTIVAL,[30] וּמְלַאכְתּוֹ נַעֲשֵׂית עַל יְדֵי אֲחֵרִים – during which HIS WORK MAY BE DONE BY OTHERS on his behalf, וַעֲבָדָיו וְשִׁפְחוֹתָיו עוֹשִׂים בְּצִינְעָא בְּתוֹךְ בֵּיתוֹ – AND HIS SLAVES AND MAIDSERVANTS MAY DO work for him DISCREETLY IN HIS HOME;[31] וְאֵין רַבִּים מִתְעַסְּקִין עִמּוֹ – AND THE PUBLIC DO NOT OCCUPY THEMSELVES WITH paying HIM condolence calls,

NOTES

24. Neither *shivah* nor *sheloshim* is canceled, since neither began before the festival.

25. Rather, he must observe a full seven days of *shivah* after the festival.

26. The restrictions of *shivah,* such as removing one's shoes and turning over one's bed, do not apply on Yom Tov. Consequently, it stands to reason that the days of the festival cannot be included in reckoning the seven days of *shivah* (*Rashi*) as, indeed, our Mishnah states explicitly (see *Ritva*).

[Rishonim dispute whether the Gemara means that no *shivah* restrictions apply on Yom Tov or, perhaps, only that public displays of mourning are suspended on Yom Tov, but private aspects of *shivah* observance (such as, for example, refraining from marital relations) are observed. See *Tosafos* here ד״ה דלא; *Rashi* to *Kesubos* 4a ד״ה מסייע ליה; *Tosafos* ad loc.; *Ramban* below, 23b; *Rambam, Hil. Aivel* 10:3; *Shulchan Aruch, Yoreh Deah* 399:1; see also below, 23b note 6.]

27. The [primary] restrictions of *sheloshim,* viz. shaving and wearing freshly pressed clothing, actually coincide with festival law, since shaving and all forms of laundering are generally forbidden on a festival, even for nonmourners (*Rashi*).

[*Ramban* below, 23b (ד״ה ועוד אני אומר), goes further and maintains that the restrictions of *sheloshim* are observed on a festival even in points where they do not coincide with ordinary festival law. For example, a mourner observing *sheloshim* may not wear freshly pressed clothing that was pressed before the festival, although festival law would not ordinarily forbid this. Similarly, a mourner during *sheloshim* may not participate in friendly parties, something that is not generally forbidden on Yom Tov. See also *Rosh* §28; *Tur, Yoreh Deah* §399; *Beis Yosef* ad loc. ד״ה ומ״ש ומדברי א״א ז״ל; *Ramban, Toras HaAdam* p. 234 in the Chavel ed., reproduced in *Chidushei HaRamban* fol. 38b ד״ה עוד מצאתי לרב; see also the gloss of *R' Isser Zalman Meltzer,* ad loc.]

28. The basis for Abaye's inquiry is the following: On the one hand, since the restrictions of *sheloshim* are observed on the festival, the days of the festival ought to be counted towards *sheloshim.* On the other hand, perhaps the thirty days of *sheloshim* cannot begin before *shivah* (which ordinarily counts as the first seven days of *sheloshim*); and since in this case *shivah* does not begin until after the festival, neither can *sheloshim* (see *Rashi ms.* and *Keren Orah*).

29. *Tosefta, Moed Katan* 2:4.

30. This Baraisa follows the view of our Mishnah (see above, 19a note 13) that the festival cancels *shivah* only if burial took place three days before the festival. Therefore, since in this case burial took place only two days before the festival, *shivah* is not canceled; rather, it is merely suspended for the duration of the festival, and the remaining five days of *shivah* must be observed after the festival.

31. Although it is normally forbidden for a mourner during *shivah* to do work, or even to have others do work for him (except in cases of financial loss; see above 11b), in this case – since these last five days of *shivah* are more than a week removed from the burial itself – we are more lenient and allow others to do work on his behalf (*Rashi ms.;* see also *Maharam MeRotenburg, Hil. Semachos* §83; cf. *Rashash; Sfas Emes*).

Tur (*Yoreh Deah* §399) explain further that, although in regard to other restrictions the festival does not count towards the days of *shivah* (since the restrictions of *shivah* do not apply on the festival), in regard to the restriction against doing work the festival days are counted, since it is forbidden to do work on the festival anyway. *Ramban* (*Toras HaAdam,* p. 223 in the Chavel ed., reproduced in *Chidushei HaRamban* fol. 31b) offers a similar explanation.

Consequently, during these five days other people may do work on his behalf in their homes, and his own servants may even do work on his behalf in his own home (*Shulchan Aruch, Yoreh Deah* 399:2; cf. *Tosafos*).

שֶׁכְּבָר נִתְעַסְּקוּ בּוֹ בָּרֶגֶל – SINCE THEY ALREADY OCCUPIED THEMSELVES WITH paying HIM condolence calls DURING THE FESTIVAL.[1] כְּלָלוֹ שֶׁל דָּבָר – THE RULE IS: כָּל שֶׁהוּא מִשּׁוּם אָבֵל רֶגֶל מַפְסִיקוֹ – WHATEVER PERTAINS TO THE MOURNER himself IS CURTAILED BY THE FESTIVAL,[2] וְכָל שֶׁהוּא מִשּׁוּם עִסְקֵי רַבִּים אֵין רֶגֶל מַפְסִיקוֹ – WHILE WHATEVER PERTAINS TO THE PUBLIC'S OCCUPATION with comforting him[3] IS NOT CURTAILED BY THE FESTIVAL.[4]

Having discussed a case where burial took place shortly before the festival, the Baraisa turns to a case where burial took place on the festival itself:

קְבָרוֹ שְׁלֹשָׁה יָמִים בְּסוֹף הָרֶגֶל – If HE BURIED HIM on the festival itself, ON THE THIRD TO LAST DAY OF THE FESTIVAL, מוֹנֶה שִׁבְעָה אַחַר הָרֶגֶל – then HE COUNTS SEVEN days of *shivah* AFTER THE FESTIVAL.[5] אַרְבָּעָה יָמִים הָרִאשׁוֹנִים רַבִּים מִתְעַסְּקִין בּוֹ – For THE FIRST FOUR of these seven DAYS THE PUBLIC OCCUPY THEMSELVES WITH paying HIM condolence calls, שְׁלֹשָׁה יָמִים הָאַחֲרוֹנִים אֵין רַבִּים מִתְעַסְּקִין בּוֹ – but during THE LAST THREE of these seven DAYS THE PUBLIC DO NOT OCCUPY THEMSELVES WITH paying HIM condolence calls, שֶׁכְּבָר נִתְעַסְּקוּ בָּרֶגֶל – SINCE THEY ALREADY OCCUPIED THEMSELVES WITH paying him such calls DURING the last three days of THE FESTIVAL.[6]

Having established that the festival does not count towards the seven days of *shivah,*[7] the Baraisa now addresses the question of whether the days of the festival are applied toward the thirty days of *sheloshim:*

וְרֶגֶל עוֹלֶה לוֹ – AND THE FESTIVAL IS INCLUDED in reckoning the *sheloshim* period.

Abaye concludes his challenge:

מַאי לָאו אַסֵּיפָא – Now to which case does the conclusion of the Baraisa – that the festival counts toward *sheloshim* – refer? **Is it not** referring **to the last clause** that preceded it, in which burial took place on the festival itself? And, if so, the Baraisa contradicts Rabbah's ruling that in such a case the festival does not count toward *sheloshim!* – ? –

The Gemara answers:

לֹא אַרֵישָׁא – **No;** the conclusion of the Baraisa refers back **to the first clause** of the Baraisa, in which burial took place two days before the festival. In that case, since *shivah* was begun before the festival, the festival itself does count towards the thirty days of *sheloshim.* But where burial took place on the festival itself, then the festival does not count toward *sheloshim,* as Rabbah said.[8]

Abaye continues to challenge Rabbah:

אֵיתִיבֵיהּ – **He challenged him** from the following Baraisa: רֶגֶל עוֹלֶה לוֹ לְמִנְיַן שְׁלֹשִׁים – THE FESTIVAL IS INCLUDED IN THE COUNT OF THIRTY DAYS of *sheloshim.* כֵּיצַד – HOW SO? קְבָרוֹ בִּתְחִילַּת הָרֶגֶל – If HE BURIED HIM IN THE BEGINNING OF THE FESTIVAL מוֹנֶה שִׁבְעָה אַחַר הָרֶגֶל – then HE COUNTS all SEVEN days of *shivah* AFTER THE FESTIVAL, וּמְלַאכְתּוֹ נַעֲשֵׂית עַל יְדֵי אֲחֵרִים – during which HIS WORK MAY BE DONE BY OTHERS on his behalf, וַעֲבָדָיו וְשִׁפְחוֹתָיו עוֹשִׂין בְּצִנְעָא בְּתוֹךְ בֵּיתוֹ – AND HIS SLAVES AND MAIDSERVANTS MAY DO work for him DISCREETLY IN HIS HOME; וְאֵין רַבִּים מִתְעַסְּקִין בּוֹ שֶׁכְּבָר נִתְעַסְּקוּ בּוֹ בָּרֶגֶל – AND THE PUBLIC DO NOT OCCUPY THEMSELVES WITH paying HIM condolence calls, SINCE THEY ALREADY OCCUPIED THEMSELVES with paying HIM such calls DURING THE FESTIVAL. וְרֶגֶל עוֹלֶה לוֹ – AND THE FESTIVAL IS INCLUDED in reckoning the *sheloshim* period. This Baraisa states clearly that – contrary to Rabbah's ruling – even where burial took place on the festival itself the days of the festival *do* count towards the thirty days of *sheloshim!* – ? –

The Gemara acknowledges:

תְּיוּבְתָּא – **It is** indeed **a refutation.**

The Gemara's conclusion, then, is that even if burial took place on the festival itself, the days of the festival count towards the thirty days of *sheloshim.* The Gemara proceeds to cite other Amoraim who reached the same conclusion:

כִּי אֲתָא רָבִין אָמַר רַבִּי יוֹחָנָן – **When Ravin came** to Babylonia **he said in the name of R' Yochanan:** אֲפִילּוּ קְבָרוֹ בָּרֶגֶל – **Even if he buried him during the festival,** the festival is included in the thirty days of *sheloshim.* וְכֵן אוֹרֵי לֵיהּ רַבִּי אֶלְעָזָר לְרַבִּי פְּדָת בְּרֵיהּ – **And so did R' Elazar instruct R' Pedas, his son,** saying: אֲפִילּוּ קְבָרוֹ בָּרֶגֶל – **Even if he buried him during the festival,** the festival is included in the thirty days of *sheloshim.*

In the Mishnah we learned that the festival cancels *shivah* only if burial took place three days before the festival. The Gemara now cites a Baraisa which bears on this issue:

תָּנוּ רַבָּנַן – **The Rabbis taught** in a Baraisa: קִיֵּים כְּפִיַּית הַמִּטָּה שְׁלֹשָׁה יָמִים קוֹדֶם הָרֶגֶל – If HE FULFILLED THE obligation of OVERTURNING THE BED[9] for THREE DAYS BEFORE THE FESTIVAL, אֵינוֹ צָרִיךְ לִכְפוֹתָהּ אַחַר הָרֶגֶל – then HE IS NOT REQUIRED TO OVERTURN IT again AFTER THE FESTIVAL, since the festival cancels *shivah;* דִּבְרֵי רַבִּי אֱלִיעֶזֶר – these are THE WORDS OF R' ELIEZER.[10] וַחֲכָמִים אוֹמְרִים אֲפִילּוּ יוֹם אֶחָד וַאֲפִילּוּ שָׁעָה אַחַת – BUT

NOTES

1. During the seven days of *shivah* the mourner is visited by people who offer him words of condolence. Although the various restrictions of *shivah* do not apply on the festival, the paying of condolence calls does continue even during the festival. Consequently, the festival counts towards the seven days in which condolence calls are paid and they are not continued after the festival (*Rashi;* see also *Tosafos*).

2. That is, the restrictions of *shivah,* which are observed by the mourner, are suspended for the duration of the festival and – since we are dealing with a case where the festival did not cancel *shivah* altogether – these lost days of *shivah* must be made up after the festival (see *Rashi* and *Rashi ms.*).

[Regarding whether *all* the restrictions of *shivah* are suspended for the duration of the festival, or only those restrictions that are visible to the public, see above, 19b note 26.]

3. *Rashi;* see also *Tosafos.*

4. Rather, the public continue to pay him condolence calls, even during the festival, until seven days from the burial have passed.

5. Here too, since no days of *shivah* were observed before the festival, *shivah* is not canceled, but merely suspended for the duration of the festival, after which all seven days must be observed.

[The Rishonim cite a ruling in the name of *Rav Hai Gaon* to the effect that in the Diaspora, where an additional day of Yom Tov is observed, this last, additional day counts as the first day of *shivah,* even though the restrictions of *shivah* do not go into effect until the next day, after Yom Tov is completely over; see *Rosh* §27; *Ramban; Shulchan Aruch* 399:2. See *Ramban* for the rationale behind this ruling.]

6. Therefore, the last three days of the festival are reckoned together with the first four days of *shivah* for a total of seven days in which condolence calls were paid, and they need not be continued any further.

7. At least in regard to the restrictions that apply to the mourner himself.

8. Since, according to Rabbah, *sheloshim* cannot begin before *shivah* (*Rashi;* cf. *Teshuvos Noda BiYehudah, Orach Chaim* I:14; see also above, 19b note 28).

9. See above, 15a note 60.

10. R' Eliezer's ruling is, in essence, identical with that of our Mishnah.

However, from the fact that R' Eliezer emphasizes that he overturned his bed, *Raavad* (cited by *Rosh* §25 and *Shulchan Aruch, Yoreh Deah* 399:1) infers that a festival cancels *shivah* only if the mourner actually practiced the observances of *shivah,* such as overturning his bed, before the festival. But if he did not keep these observances, then the festival does not cancel *shivah* and he must observe seven days of *shivah* after the festival. [See also *Keren Orah; Teshuvos Chasam Sofer, Yoreh Deah* §342.]

שכבר נתעסקו בו ברגל כללו של דבר כל שהוא משום אבל רגל מפסיקו וכל שהוא משום עסקי רבים אין רגל מפסיקו קברו שלשה ימים בסוף הרגל מונה שבעה אחר הרגל ארבעה ימים הראשונים רבים מתעסקין בו שלשה ימים האחרונים אין רבים מתעסקין בו שכבר נתעסקו ברגל ורגל עולה לו מאי לאו אסיפא לא ארישא איתיביה רגל עולה לו למנין שלשים כיצד קברו בתחילת הרגל מונה שבעה אחר הרגל [א]ומלאכתו נעשית על ידי אחרים ועבדיו ושפחותיו עושין בצנעא בתוך ביתו ואין רבים מתעסקין בו שכבר נתעסקו בו ברגל ורגל עולה לו תיובתא כי אתא רבין אמר רבי יוחנן [ב]אפילו קברו ברגל וכן ° אורי ליה ר' אלעזר לרבי פדת בריה אפילו קברו ברגל ת"ר [א)]קיים כפיית המטה שלשה ימים קודם הרגל אינו צריך לכפותה אחר הרגל דברי רבי אליעזר וחכמים אומרים אפי' יום אחד ואפי' שעה אחת א"ר אלעזר בר' שמעון ° הן הן דברי ב"ש הן הן דברי בית הלל שבית שמאי אומרים שלשה ימים וב"ה אומרים אפי' יום אחד אמר רב הונא אמר ר' חייא בר אבא אמר ר' יוחנן ואמרי לה אמר (א) ([ב] ליה) ר' יוחנן לר' חייא בר אבא ולרב הונא אפי' יום אחד אפי' שעה אחת רבא אמר [ג]הלכה כתנא דידן דאמר שלשה רבינא איקלע לסורא דפרת א"ל רב חביבא לרבינא הלכתא מאי אמר ליה אפי' יום אחד [ג]ואפילו שעה אחת יתיב רבי חייא בר אבא ורבי אמי ור' יצחק נפחא אקילעא דרבי יצחק בן אלעזר נפק מילתא מבינייהו מנין לאבילות שבעה דכתיב [א)] והפכתי חגיכם לאבל מה חג שבעה אף אבילות שבעה ואימא עצרת דחד יומא ההוא מיבעי ליה לכדריש לקיש דאמר ר"ל משום ר' יהודה נשיאה מנין לשמועה רחוקה שאינה נוהגת אלא יום אחד דכתיב והפכתי חגיכם לאבל ואשכחן עצרת דאיקרי חד יומא חג [ד]ת"ר שמועה קרובה נוהגת שבעה ושלשים שמועה רחוקה אינה נוהגת אלא יום אחד [ד]איזו היא קרובה ואיזו היא רחוקה קרובה בתוך שלשים רחוקה לאחר שלשים דברי ר"ע וחכמים אומרים אחת שמועה קרובה ואחת שמועה רחוקה נוהגת שבעה ושלשים אמר רבה בר בר חנה א"ר יוחנן [ה]כל מקום שאתה מוצא יחיד מקיל ורבים מחמירין הלכה כרבים חוץ מזו שאע"פ שרבי עקיבא מקיל וחכמים מחמירין [ה]הלכה כרבי עקיבא [ו]דאמר שמואל הלכה כדברי המקיל באבל רב חנינא אתיא ליה שמועה דאבוה מבי חוזאי אתא לקמיה דרב חסדא אמר ליה שמועה רחוקה אינה נוהגת אלא יום אחד רב נתן בר אמי אתא ליה שמועה דאימיה מבי חוזאי אתא לקמיה דרבא אמר ליה הרי אמרו שמועה רחוקה אינה נוהגת אלא יום אחד בלבד איתיביה במה דברים אמורים בחמשה מתי מצוה אבל על אביו ועל אמו שבעה ושלשים אמר ליה יחידאה היא ולא סבירא לן כוותיה דתניא [ז]מעשה ומת אביו של רבי צדוק בגינזק והודיעוהו לאחר שלש שנים ובא ושאל את אלישע בן אבויה וזקנים שעמו ואמרו נהוג שבעה ושלשים וכשמת בנו של רבי אחייה בגולה ישב עליו שבעה ושלשים איני והא [ח]רב בר אחוה דרבי חייא דהוא בר אחתיה דר' חייא כי סליק להתם אמר ליה אבא קיים

רש"י

כל שהוא משום אבל רגל מפסיקו. שצריך להשלימו אחר הרגל כיון דכי ישב שני ימים לפני הרגל צריך להשלים ולישב חמשה ימים אחר הרגל: כל שהוא משום עסקי רבים. כלומר תנחומי רבים אין רגל מפסיקו [כדי] שיהא צריך להשלים ולעסוק בו אחר הרגל אלא מתעסקין בו ברגל: ארבעה ימים הראשונים. של אחר הרגל רבים מתעסקים בו ומשלימין לשלשה שנתעסקו ברגל שכבר נתעסקו בו ברגל שלשה ימים: ורגל עולה. למנין שלשים: מאי לאו אסיפא. הא דתני דרגל עולה למנין שלשים היינו אסיפא אקברו ברגל ותיפשוט מינה דכי קברו ברגל עולה למנין שלשים וקשיא לרבא דאמר אינו עולה: לא ארישא. קא מהדר אקברו שני ימים קודם הרגל רגל עולה לו למנין שלשים דהתם ודאי עולה לו הואיל וכבר התחיל באבילות אבל קברו ברגל לא ידענא: בתחילת הרגל. ביום ראשון של רגל וקשיא לרבא: שכבר נתעסקו ברגל. כל שבעה: אפילו קברו ברגל. רגל עולה למנין שלשים ולא מיבעיא קברו קודם הרגל: תנא דידן. היינו תנא א]([ט] דברייתא): במה דברים אמורים. שאינה נוהגת אלא יום אחד: אלא חמשה. מהני שבעה מתי מצוה דכתיב בקרא (ויקרא כא) בנו ובתו אחיו ואחותו ואשתו: יחידאה היא. ולא ר' עקיבא דלר"ע לא שנא אביו ואמו לא שנא שאר קרוביו: בגינזק. מקום: רב בר אחוה דר' חייא דהוא בר אחתיה דר' חייא. דרבי אחא מכפרי נשא לאה והוליד ממנה איבו מתה ונשא רחל ולה בת מאיש אחר וממנה נולד רבי חייא ונשא איבו הבת ונולד להן רב ונמצא רב בר איבו בר אחוה דרבי חייא מאבוה ובר אחתיה מאמיה: כי סליק. רב מעירו דבבל לא"י שהיה רבי חייא שם: א"ל. רבי חייא לרב: אבא קיים. ר"ל איבו אביך קיים הוא: א"ל

תוספות

שכבר נתעסקו בו ברגל. תנחומין וברכה בשורה והרי"ט דפירש לענין הבראה חולק על מחזור מויטר"י שפירש בשם רש"י שהיה אומר ° שאין עושים הבראה ברגל הואיל וליכא אבילות ולאחר הרגל נמי לא יעשוה הואיל ובטלה סעודה ראשונה פי' דמספקא ליה לרש"י אי הבראה במועד אי לאחר המועד דשמא הבראה אינו עסקי רבים הואיל ויחיד יכול לעשות ועל הבראה פירש לקמן כל יום ראשון אסור לאכול משלו אפי' אוכל שתי פעמים ביום דהא לא קאמר גמרא סעודה ראשונה אלא יום ראשון:

שלשה ימים אחרונים אין רבים מתעסקין בו. פירש בתוספות דהוא הדין דמלאכתו נעשית ע"י אחרים: אמר רבי יוחנן אפילו יום אחד אפי' שעה אחת. קשיא לי דהא אית ליה לר' יוחנן [י] הלכה כסתם משנה:

מה חג שבעה. ובירושלמי דייק אימא שמונה כשמונה דחג ומשני שמיני רגל בפני עצמו הוא ומויעש לאביו אבל שבעת ימים (בראשית נ) לא מצי לאתויי דהתם קודם קבורה היה ובירושלמי משני דאין למידין מקודם מתן תורה והתם בירושלמי מייתי קראי טובא:

כל מקום שאתה מוצא יחיד מקיל ורבים מחמירין. והוא הדין יחיד מחמיר ורבים מקילין הלכה כרבים ומשום דהכא איירי ביחיד מקיל נקיט הכי וכל מקום לאו דוקא דבהרבה מקומות פוסק כדברי היחיד והיכא דלאתמר אתמר ועוד דבעירוב אומר הלכה כדברי המקיל אפי' לגבי רבים מיהו התם היינו ריב"ל ולא רבי יוחנן פר' מי שהוציאוהו (עירובין מו.):

יחידאה היא. ואף על גב דלעיל נקיט וחכ"א:

[כ] איבו קיים. עדיין לא השיבותיך על איבו כך פי' בקונטרס וקשה שהיה לר' חייא לומר אמך קיימת ולא אימא דמשמע אמו של ר' חייא ועוד דרב היה לו להשיב אבא ולא היה לו לקרות אביו בשם איבו ונראה שר"ח גורס א"ל אבא קיים א"ל אבא קיים אימא קיימת א"ל אימא קיימת פירש ר' חייא היה שואל על אביו ואמו ורב היה משיב לו על אביו ואם שלו ואין לנו להקשות מה לנו לומר דרב בר אחוה דרבי חייא ובר אחתיה בשלמא לפירוש ראשון הביאו לומר מה היה חושש ר' חייא על אביו ועל אמו של רב כי לפירוש זה נמי י"ל דהוצרך יפה שלא תאמר מה היה לו לרב להשיב על אביו ואמו שלו כמו כן היה לו להשיב שאר בני אדם קיימין אבל השתא קמ"ל שהיה משיב לו לפי שהיה אחיו של ר' חייא ונוח לו להשמיעו חדשות טובות דלא לימא לא ובשר לקרובים כדאמרינן בריש פסחים (דף ג: ושם) לא ובשר לסוסים ולחמורים וי"ג אמר ליה אבא קיים אמר ליה אימא קיימת א"ל אימא קיימת אמר ליה אבא קיים וכפר"ח וכענין שפירש ר"ח לגירסת ר"ח (ב) ורבי חייא היה שואל על אביו ואמו שלו והוא משיב על אביו ואמו של עלמו ומה שלא היה משיב לו כמו גירסת ר"ח שאם היה משיב לו אבא קיים כשהיה שואל על אביו שלו משום דהוה משמע שהיה משיב לו על אביו של רבי חייא שהיה רגיל לקרות אבי אביו אבא:

עין משפט נר מצוה

קז א טוש"ע י"ד סימן שלט סעיף ב:

קח ב מיי' פ"י מהלכות אבל הלכה ח טוש"ע שם:

קט ג מיי' שם הלכה ג סמג עשין דרבנן ב ובלאוין עה טוש"ע שם סעיף א:

קי ד ה מיי' שם פ"ז הלכה א סמג שם טוש"ע י"ד סימן תב סעיף א:

רבינו חננאל

והלכתא אפילו יום אחד או שעה אחת נמצאת אומר מי שמת לו מת בתוך הרגל נקיט שבעה מיו"ט שני של יו"ט האחרון ואף על פי שיו"ט שני אין נוהג בו אבילות ונקיט ל' מההוא יומא דמית ביה ומאן דשכיב ליה שכבא ביו"ט שני של יו"ט האחרון או ביו"ט שני דעצרת א) נהיג אבל בו ביום דהוא יום קבורה והוא מדאורייתא דכתיב ואכלתי חטאת היום וכתיב נמי ואחריתה כיום מר והוא יום המיתה הלכך יום מיתה מדאורייתא ויו"ט שני מדרבנן אתי דאורייתא ומבטל דרבנן ונהיג ביה אבלות כשאר יומי. מניין לאבלות שהיא שבעה שנאמר והפכתי חגיכם לאבל. מה חג שבעה אף אבלות שבעה. ומניין לשמועה רחוקה שאינה נוהגת אלא יום אחד כבר הקיש הכתוב האבל לחג ומצאנו עצרת שהוא חג והוא יום אחד: ת"ר שמועה קרובה נוהגת שבעה ושלשים שמועה רחוקה אינה נוהגת אלא יום אחד איזו היא קרובה ואיזו היא רחוקה קרובה בתוך שלשים לקבורתו רחוקה לאחר שלשים דברי ר' עקיבא וחכמים אומרים אחת זו ואחת זו נוהגת שבעה ושלשים. אמר רבה בר בר חנה אמר רבי יוחנן כל מקום שאתה מוצא יחיד מקיל ורבים מחמירין הלכה כמחמירין חוץ מזו. שאע"פ שר' עקיבא מקיל וחכמים מחמירין הלכה כר' עקיבא דאמר שמואל הלכה כדברי המקיל באבל. והא דתניא בד"א כי שמועה רחוקה אינה נוהגת אלא יום אחד בה' מתי מצוה פי' בחמשה שמצוה להתאבל עליהן. והן בנו ובתו ואחיו ואחותו ואשתו. אבל על אביו ועל אמו אפי' שמועה רחוקה נוהגת שבעה ושלשים לית הלכתא כוותיה דהא יחידאה היא כלומר אלישע בן אבויה וה' זקנים שהיו עמו והורו בשמועה רחוקה לנהוג שבעה ושלשים יחידים הן ולא סבירא לן כוותייהו דהא רב חסדא ורבה הורו על אביו ועל אמו בשמועה רחוקה שלא לנהוג אלא יום

חשק שלמה על ר"ח

א) כל דברי רבינו אלו הובא בא"ז בח"ב סימן תל"ב בשמו וכן דעת בה"ג ורב אלפס ז"ל וע"ש בא"ז וברא"ש מש"כ על זה.

מסורת הש"ס

א) [תוספ' פ"ב], ב) [צ"ל להו], ג) [לקמן כא.], ד) ערובין מו., ה) [שם], ו) לעיל יח. יט: לקמן כב. כו: ערובין מו. [בכורות מט. חולין נ.], ז) נזיר מד. שמחות פי"ב, ח) פסחים ד. [סנהדרין ה.], ט) [צ"ל דמשנה], י) [שבת מו.], כ) שייך לע"ב.

הגהות הב"ח

(א) גמ' ואמרי לה אמר ליה ר' יוחנן לר' חייא בר אבא ור' חייא בר אבא לרב הונא אפילו יום אחד: (ב) תום' ד"ה איבו כו' לגירסת ר"ח דר' חייא היה שואל כו' כשהיה שואל על אביו שלו הוה משמע כו' כצ"ל ותיבת משום נמחק:

הגהות מהר"ב רנשבורג

א] רש"י ד"ה תנא דידן היינו תנא דברייתא. נ"ב תנא דמתני' נמי קאמר שלשה ימים קודם הרגל וצ"ע ונלע"ד דרש"י אתי שפיר לשיטתו שפי' במתניתין לכתמשנה לאו דוקא שלשה ימים אלא אפילו שעה אחת והיינו מדקתני במשנה דרגלים מפסיקין משא"כ הכא בברייתא שלשה ימים דוקא דהא לא קתני מפסיקין ועוד דפליגי נמי חכמים עלה ולרש"י מיושב קושית התוס' בד"ה אמר ר' יוחנן והתוספות לשיטתם מקשים דפירשו לעיל במשנה כהיש מפרשים דשלשה ימים דוקא וקצת מזה כוונתי לבעל יד דוד וכ"כ בעל שושנים לדוד:

גליון הש"ס

גמ' אורי ליה רבי אלעזר לרבי פדת בריה. עיין נדה דף ח ע"א תוס' ד"ה ואמר ר' פדת: שם הן הן. כעין זה כתובות דף ס ע"ב: תוס' ד"ה שכבר כו' שאין עושין הבראה ברגל. עי' לקמן דף כד ע"ב תוס' ד"ה אלא:

תורה אור השלם

א) וְהָפַכְתִּי חַגֵּיכֶם לְאֵבֶל וְכָל שִׁירֵיכֶם לְקִינָה וְהַעֲלֵיתִי עַל כָּל מָתְנַיִם שָׂק וְעַל כָּל רֹאשׁ קָרְחָה וְשַׂמְתִּיהָ כְּאֵבֶל יָחִיד וְאַחֲרִיתָהּ כְּיוֹם מָר: [עמוס ח, י]

רש"י כת"י

שכבר נתעסקו בו ברגל. דקתני טעמ' כל שהוא עסקי רבים כגון נחומין אין רגל מבטלן [ואין] מפסיקין ומנחמין אותו ברגל הלכך אין צריך לחזור ולנחמו. כל הוא משום אבל רגל מבטלה כלומר דאין נוהג ברגל ולא דמי האי מפסיק למפסיק דמתני'. אין רגל מפסיק כלומר נוהג ברגל עצמו. מאי לאו אסיפא. דקברו בתוך הרגל וקתני עולה לו דהיינו למנין ל' (דילמא) ד]למנין שבעה ליכא למימר דהא בהדיא קתני מונה ז' אחר הרגל. לא ארישא דקתני קברו ב' ימים קודם הרגל דהתם ודאי עולה לו הואיל וכבר התחיל באבילות במקצת וקודם שפסק הרגל עברו ט' ימים שהתחיל וב' ימים נכנס ברגל תל' ימי גילוח כל הנך רגל עולה לו דקתני למנין שלושים קאמ' הא למנין שבעה ליכא למימר דהא קתני צריך למנות אחר הרגל. קיים כפיית המטה. כלומר נהג אבילות. אפי' יום אחד ואפי' שעה אחת קודם הרגל בטלה ממנו גזירת [שבעה] והכי הלכתא דהלכה כדברי המקיל באבל אבל גזירת שלשים עולה למנין שבעה כדרך שעולה לו אם קבר ברגל ומונה שבעת ימי אבל אחר הרגל ואין רבים מתעסקין בו שכבר נתעסקו בו ברגל הכי מסקנא. סורא דפרת. שיושבת על נהר פרת. אקילעא. אכניסת פתח ביתו. ההוא מבעי ליה וכו'. דחגיכם כולם משמע בין פסח ועצרת וסוכות. ה"ג איתביה במה דברים אמורים. דקאמר ר' עקי' דשמועה רחוקה אינה נוהגת אלא יום אחד. בחמשה מתי מצוה. בנו בתו אחיו ואחותו שאינו הקרוב אליו דהיינו אשתו שמצוה היא כדאמרינן בסמוך דכהן מצוה ליטמא עליהן ומצוה להתאבל עליהן אלמא דעל אביו ואמו לא קאמ' ר' עקי' דאינה נוהגת אלא יום אחד והא דקתני נוהג שבעה ושלשים יחידאה היא ולא ר' עקיבא היא דלר' עקיבא לא שנא אביו ואמו שמועה רחוקה אינה נוהגת אלא יום אחד ואנן כר' עקיבא סבירא לן דהלכתא כותיה. בגינזק. מקום. בנו של ר' (חייא) [אחייה] בגולה. בבבל. רב בר אחוה דר' חייא הוה אביו של ר' חייא נשא לאה והוליד ממנה איבו מתה לאה ונשא את רחל ולה בת מאיש אחר ומרחל נולד ר' חייא ואותה הבת נשא איבו וממנה נולד רב ונמצא רב בר איבו אחוה דר' חייא מאביו ובן אחותו מאמו. אמ' ליה ר' חייא לרב איבו קיים אמ' ליה אימא קיימת. שלא רצה לומר שנפטר משום מוציא דבה הוא כסיל (משלי י).

THE SAGES SAY: EVEN if he overturned his bed for only **A DAY OR AN HOUR**[11] before the festival, *shivah* is canceled by the arrival of the festival.

The Baraisa continues, citing another Tanna who maintains that this dispute echoes an identical, earlier Tannaic dispute: אָמַר רַבִּי אֶלְעָזָר בְּרַבִּי שִׁמְעוֹן – **R' ELAZAR THE SON OF R' SHIMON SAID:** הֵן הֵן דִּבְרֵי בֵּית שַׁמַּאי הֵן הֵן דִּבְרֵי בֵּית הִלֵּל – **THESE ARE THE WORDS OF BEIS SHAMMAI,** while **THESE ARE THE WORDS OF BEIS HILLEL;** שֶׁבֵּית שַׁמַּאי אוֹמְרִים שְׁלֹשָׁה יָמִים – **FOR,** says R' Elazar the son of R' Shimon, **BEIS SHAMMAI SAY** that **THREE DAYS** of *shivah* must first be observed in order for the festival to cancel *shivah,* וּבֵית הִלֵּל אוֹמְרִים אֲפִילוּ יוֹם אֶחָד – **WHILE BEIS HILLEL SAY** that it is sufficient for **EVEN ONE DAY** of *shivah* to be observed in order for the festival to cancel *shivah.*

The Gemara cites different opinions regarding the final halachah on this issue:

אָמַר רַב הוּנָא אָמַר רַבִּי חִיָּיא בַּר אַבָּא אָמַר רַבִּי יוֹחָנָן – **Rav Huna said in the name of R' Chiya bar Abba who said in the name of R' Yochanan;** וְאָמְרִי לָהּ אָמַר (ליה) [לְהוּ] רַבִּי יוֹחָנָן לְרַבִּי חִיָּיא בַּר אַבָּא וּלְרַב הוּנָא – **and some say that R' Yochanan said it to R' Chiya bar Abba and to Rav Huna:** אֲפִילוּ יוֹם אֶחָד אֲפִילוּ שָׁעָה אַחַת – If he observed *shivah* **even** for only **one day or one hour** the festival can then cancel *shivah.* רָבָא אָמַר הֲלָכָה כְּתַנָּא דִּידָן דְּאָמַר שְׁלֹשָׁה – But **Rava said** that **the halachah is like our Tanna**[12] **who says** that **three** days of *shivah* are required.

The Gemara cites a related incident:

רָבִינָא אִיקְלַע לְסוּרָא דִּפְרָת – **Ravina** once **came to** the town of **Sura by the Euphrates.**[13] אָמַר לֵיהּ רַב חֲבִיבָא לְרָבִינָא – **Said Rav Chaviva to Ravina:** הִלְכְתָא מַאי – **What is the halachah** regarding this issue? אָמַר לֵיהּ אֲפִילוּ יוֹם אֶחָד וַאֲפִילוּ שָׁעָה אַחַת – **He answered him: Even** if he observed *shivah* for only **one day or one hour** it is sufficient and the festival then cancels *shivah.*[14]

A source for the seven-day mourning period is given:

יָתִיב רַבִּי חִיָּיא בַּר אַבָּא וְרַבִּי אַמִּי וְרַבִּי יִצְחָק נַפְחָא אַקִּילְעָא דְּרַבִּי יִצְחָק בֶּן אֶלְעָזָר – **R' Chiya bar Abba, R' Ami and R' Yitzchak Nafcha were sitting on the porch of R' Yitzchak the son of Elazar,** נְפַק מִילְּתָא מִבֵּינַיְיהוּ – and **the** following **matter came up between them:** מִנַּיִן לַאֲבֵילוּת שִׁבְעָה – **From where** do we derive that the primary period of **mourning** lasts for **seven** days? דִּכְתִיב ,,וְהָפַכְתִּי חַגֵּיכֶם לְאֵבֶל'' – **For it says:**[15] ***And I will turn your festivals to mourning;*** מָה חַג שִׁבְעָה אַף אֲבֵילוּת שִׁבְעָה – from which we infer that **just as a festival is seven** days,[16] **so mourning is for seven** days.[17]

The Gemara asks:

וְאֵימָא עֲצֶרֶת דְּחַד יוֹמָא – **But say** that mourning should be compared to the festival of **Shavuos, which is one day** in duration; thus, there would only be one day of *shivah!* – ? –

The Gemara answers:

הַהוּא מִיבָּעֵי לֵיהּ לִכְדְרֵישׁ לָקִישׁ – **That** analogy to Shavuos **is needed for** the exposition **of Reish Lakish;** דְּאָמַר רֵישׁ לָקִישׁ מִשּׁוּם רַבִּי יְהוּדָה נְשִׂיאָה – **for Reish Lakish said in the name of R' Yehudah Nesiah:** מִנַּיִן לִשְׁמוּעָה רְחוֹקָה שֶׁאֵינָהּ נוֹהֶגֶת אֶלָּא יוֹם אֶחָד – **From where** do we derive **that** mourning that results from **a delayed report is observed for only one day?**[18] דִּכְתִיב ,,וְהָפַכְתִּי חַגֵּיכֶם לְאֵבֶל'' – **For it says: *And I will turn your festivals to mourning;*** וְאַשְׁכְּחַן עֲצֶרֶת דְּאִיקְּרִי חַד יוֹמָא חַג – **and we find** in the case of **Shavuos that one day is termed a festival.**[19]

The Gemara cites a Baraisa which relates to this issue of the obligation to mourn upon receiving a report of a death in the family:

תָּנוּ רַבָּנָן – **The Rabbis taught** in a Baraisa: שְׁמוּעָה קְרוֹבָה נוֹהֶגֶת שִׁבְעָה וּשְׁלֹשִׁים – Upon receiving **A CURRENT REPORT** of a death in the family, the laws of mourning **ARE OBSERVED FOR** the **SEVEN** days of *shivah* **AND** the **THIRTY** days of *sheloshim,* beginning from the time he received the report; שְׁמוּעָה רְחוֹקָה אֵינָהּ נוֹהֶגֶת אֶלָּא יוֹם אֶחָד – but upon receiving **A DELAYED REPORT** the laws of mourning **ARE OBSERVED FOR ONLY ONE DAY.** אֵיזוֹ הִיא קְרוֹבָה וְאֵיזוֹ הִיא רְחוֹקָה – **WHICH** report **IS** considered **CURRENT AND WHICH IS** considered **DELAYED?** קְרוֹבָה בְּתוֹךְ שְׁלֹשִׁים – **A CURRENT** report is one received **WITHIN THIRTY DAYS** of death; רְחוֹקָה לְאַחַר שְׁלֹשִׁים – **A DELAYED** report is one received **AFTER THIRTY DAYS** from the time of death;[20] דִּבְרֵי רַבִּי עֲקִיבָא – these are **THE WORDS OF R' AKIVA.** וַחֲכָמִים אוֹמְרִים – **BUT THE SAGES SAY:** אַחַת שְׁמוּעָה קְרוֹבָה וְאַחַת שְׁמוּעָה רְחוֹקָה נוֹהֶגֶת שִׁבְעָה וּשְׁלֹשִׁים – Regardless of **WHETHER IT IS A CURRENT REPORT OR A DELAYED REPORT** the laws of mourning **ARE OBSERVED FOR THE** full term of **SEVEN AND THIRTY** days.

The Gemara discusses which of these views the halachah follows:

אָמַר רַבָּה בַּר בַּר חָנָה אָמַר רַבִּי יוֹחָנָן – **Rabbah bar bar Chanah said in the name of R' Yochanan:** כָּל מָקוֹם שֶׁאַתָּה מוֹצֵא יָחִיד מֵקֵיל וְרַבִּים מַחְמִירִין – **Wherever you find an individual ruling leniently and many who** dispute him and **rule stringently,**

NOTES

11. "One hour," in this context, means even a minimal amount of time (*Shach, Yoreh Deah* 399:1).

12. I.e. like the Tanna of our Mishnah (*Rashi,* as emended by the marginal gloss).

13. Not to be confused with the famous town of Sura, where a Torah academy existed for hundreds of years (see *Rashi* to *Bava Metzia* 61b ד״ה סורא).

14. This is, likewise, the ruling of *Tur* and *Shulchan Aruch* (*Yoreh Deah* ibid.).

15. *Amos* 8:10.

16. [Pesach and Succos (not counting Shemini Atzeres; see *Tosafos*) both last for seven days.]

17. [See above, 15b, where the Gemara used this same exposition to derive that a mourner may not perform work during *shivah.*]

Some Rishonim maintain that although this exposition is merely an *asmachta,* there is, however, another source that would indicate that the institution of seven days of *shivah* is of Biblical origin (*Rif* to *Berachos* folio 9b-10a in the name of "certain Rabbis"). Most Rishonim, however, agree that the observance of seven days of *shivah* is a Rabbinic institution (*Rif* loc. cit.; *Rambam, Hil. Aveil* 1:1; *Ramban; Rosh* to our chapter §3; see also *Berachos* 16b with Rishonim). These Rishonim differ, however, regarding the first day of *shivah:* In one view, the first day of *shivah* is a Biblical obligation (at least where it coincides with the day of death) (*Rif, Rambam* and *Ramban,* loc. cit.); while according to the other view even the first day of *shivah* is only Rabbinic (*Rosh* loc. cit.).

18. That is, one who finds out about a relative's death long after the fact (שְׁמוּעָה רְחוֹקָה literally means: *a faraway report*) observes the laws of mourning for only one day. (The Gemara will shortly define how long the interval between death and the report must be in order to qualify as a delayed report.)

19. The sense of the Gemara's answer is that since the verse compares mourning to "your festivals" (in the plural) it implies that all of the festivals find some counterpart in the laws of *shivah.* Hence, Pesach and Succos, which last for seven days, have their counterpart in ordinary *shivah* which lasts for seven days, whereas Shavuos, which lasts for one day, has its counterpart in the case of a delayed report, when mourning is observed for only one day (*Rashi ms.;* see also *Ritva*).

20. [In this case we do not apply the principle that *part of a day is like the whole day;* rather, even a report received on the afternoon of the thirtieth day is considered a current report and a full term of *shivah* and *sheloshim* must be observed (*Rif,* folio 12a; *Rosh* §33; *Shulchan Aruch, Yoreh Deah* 402:1).]

שכבר נתעסקו בו ברגל כללו של דבר כל שהוא משום אבל רגל מפסיקו וכל שהוא משום עסקי רבים אין רגל מפסיקו קברו שלשה ימים בסוף הרגל מונה שבעה אחר הרגל ארבעה ימים הראשונים רבים מתעסקין בו שלשה ימים האחרונים אין רבים מתעסקין בו שכבר נתעסקו ברגל ורגל עולה לו מאי לאו אסיפא לא ארישא איתיביה רגל עולה לו למנין שלשים כיצד קברו בתחילת הרגל מונה שבעה אחר הרגל א ומלאכתו נעשית על ידי אחרים ועבדיו ושפחותיו עושין בצנעא בתוך ביתו ואין רבים מתעסקין בו שכבר נתעסקו בו ברגל ורגל עולה לו תיובתא כי אתא רבין אמר רבי יוחנן ב אפילו קברו ברגל וכן ° אורי ליה ר' אלעזר לרבי פדת בריה אפילו קברו ברגל ת"ר (א) קיים כפיית המטה שלשה ימים קודם הרגל אינו צריך לכפותה אחר הרגל דברי רבי אליעזר וחכמים אומרים אפי' יום אחד ואפי' שעה אחת א"ר אלעזר בר' שמעון ° הן הן דברי ב"ש הן הן דברי בית הלל שבית שמאי אומרים שלשה ימים וב"ה אומרים אפי' יום אחד אמר רב הונא אמר ר' חייא בר אבא אמר ר' יוחנן ואמרי לה אמר (א) (ג ליה) ר' יוחנן לר' חייא בר אבא ולרב הונא אפי' יום אחד אפי' שעה אחת רבא אמר (ג) הלכה כתנא דידן דאמר שלשה רבינא איקלע לסורא דפרת א"ל רב חביבא לרבינא הלכתא מאי אמר ליה אפי' יום אחד ג ואפילו שעה אחת יתיב רבי חייא בר אבא ורבי אמי ור' יצחק נפחא אקילעא דרבי יצחק בן אלעזר נפק מילתא מבינייהו מנין לאבילות שבעה דכתיב (א) והפכתי חגיכם לאבל מה חג שבעה אף אבילות שבעה ואימא עצרת דחד יומא ההוא מיבעי ליה לכדריש לקיש דאמר ר"ל משום ר' יהודה נשיאה מנין לשמועה רחוקה שאינה נוהגת אלא יום אחד דכתיב והפכתי חגיכם לאבל ואשכחן עצרת דאיקרי חד יומא חג (ד) ת"ר שמועה קרובה נוהגת שבעה ושלשים שמועה רחוקה אינה נוהגת אלא יום אחד ד איזו היא קרובה ואיזו היא רחוקה קרובה בתוך שלשים רחוקה לאחר שלשים דברי ר"ע וחכמים אומרים אחת שמועה קרובה ואחת שמועה רחוקה נוהגת שבעה ושלשים אמר רבה בר בר חנה א"ר יוחנן (ה) כל מקום שאתה מוצא יחיד מקיל ורבים מחמירין הלכה כרבים חוץ מזו שאע"פ שרבי עקיבא מקיל וחכמים מחמירין ה הלכה כרבי עקיבא (ו) דאמר שמואל הלכה כדברי המקיל באבל רב חנינא אתיא ליה שמועה דאבוה מבי חוזאי אתא לקמיה דרב חסדא אמר ליה שמועה רחוקה אינה נוהגת אלא יום אחד רב נתן בר אמי אתא ליה שמועה דאימיה מבי חוזאי אתא לקמיה דרבא אמר ליה הרי אמרו שמועה רחוקה אינה נוהגת אלא יום אחד בלבד איתיביה במה דברים אמורים בחמשה מתי מצוה אבל על אביו ועל אמו שבעה ושלשים אמר ליה יחידאה היא ולא סבירא לן כוותיה דתניא (ז) מעשה ומת אביו של רבי צדוק בגינזק והודיעוהו לאחר שלש שנים ובא ושאל את אלישע בן אבויה וזקנים שעמו ואמרו נהוג שבעה ושלשים וכשמת בנו של רבי אחייה בגולה ישב עליו שבעה ושלשים איני והא (ח) רב בר אחוה דרבי חייא דהוא בר אחתיה דר' חייא כי סליק להתם אמר ליה אבא קיים

רש"י

כל שהוא משום אבל רגל מפסיקו. שצריך להשלימו אחר הרגל כיון דכי ישב שני ימים לפני הרגל צריך להשלים ולישב חמשה ימים אחר הרגל: כל שהוא משום עסקי רבים. כלומר תנחומי רבים אין רגל מפסיקו [כדי] שיהא צריך להשלים ולעסוק בו אחר הרגל אלא מתעסקין בו ברגל: ארבעה ימים הראשונים. של אחר הרגל רבים מתעסקים בו ומשלימין לשלשה שנתעסקו ברגל שכבר נתעסקו בו ברגל שלשה ימים: ורגל עולה. למנין שלשים: מאי לאו אסיפא. הא דתני דרגל עולה למנין שלשים היינו אסיפא אקברו ברגל ותיפשוט מינה דכי קברו ברגל עולה למנין שלשים וקשיא לרבא דאמר אינו עולה: לא ארישא. קא מהדר אקברו שני ימים קודם הרגל רגל עולה לו למנין שלשים דהתם ודאי עולה לו הואיל וכבר התחיל באבילות אבל קברו ברגל לא ידענא: בתחילת הרגל. ביום ראשון של רגל וקשיא לרבא: שכבר נתעסקו ברגל. כל שבעה: אפילו קברו ברגל. רגל עולה למנין שלשים ולא מיבעיא קברו קודם הרגל: תנא דידן. היינו תנא א](ט) דברייתא): במה דברים אמורים. שאינה נוהגת אלא יום אחד: אלא חמשה. מהני שבעה מתי מלוה דכתיב בקרא (ויקרא כא) בנו ובתו אחיו ואחותו ואשתו: יחידאה היא. ולא ר' עקיבא דלר"ע לא שנא אביו ואמו לא שנא שאר קרוביו: בגינזק. מקום: רב בר אחוה דר' חייא דהוא בר אחתיה דר' חייא. דרבי אחא מכפרי נשא לאה והוליד ממנה אייבו מתה ונשא רחל ולה בת מאיש אחר וממנה נולד רבי חייא ונשא אייבו הבת ונולד להן רב ונמצא רב בר אייבו בר אחוה דרבי חייא מאבוה ובר אחתיה מאמיה: כי סליק. רב מעירו דבבל לא"י שהיה רבי חייא שם: א"ל. רבי חייא לרב: אבא קיים. ר"ל אייבו אביך קיים הוא: א"ל

תוספות

שכבר נתעסקו בו ברגל. תנחומין וברכה בשורה והרי"ט דפירש לענין הבראה חולק על מחזור מויטר"י שפירש בשם רש"י שהיה אומר ° שאין עושים הבראה ברגל הואיל וליכא אבילות ולאחר הרגל נמי לא יעשוה הואיל ובטלה סעודה ראשונה פי' דמספקא ליה לרש"י אי הבראה במועד אי לאחר המועד דשמא הבראה אינו עסקי רבים הואיל ויחיד יכול לעשות ועל הבראה פירש לקמן כל יום ראשון אסור לאכול משלו אפי' אוכל שתי פעמים ביום דהא לא קאמר גמרא סעודה ראשונה אלא יום ראשון:

שלשה ימים אחרונים אין רבים מתעסקין בו. פירש בתוספות דהוא הדין דמלאכתו נעשית ע"י אחרים:

אמר רבי יוחנן אפילו יום אחד אפי' שעה אחת. קשיא לי דהא אית ליה לר' יוחנן (י) הלכה כסתם משנה:

מה חג שבעה. ובירושלמי דייק אימא שמונה כשמונה דחג ומשני שמיני רגל בפני עצמו הוא ומויעש לאביו אבל שבעת ימים (בראשית נ) לא מצי לאתויי דהתם קודם קבורה היה ובירושלמי משני דאין למידין מקודם מתן תורה והתם בירושלמי מייתי קראי טובא:

כל מקום שאתה מוצא יחיד מקיל ורבים מחמירין. והוא הדין יחיד מחמיר ורבים מקילין הלכה כרבים ומשום דהכא איירי ביחיד מקיל נקיט הכי וכל מקום לאו דוקא דבהרבה מקומות פוסק כדברי היחיד והיכא דאתמר אתמר ועוד דבעירוב אומר הלכה כדברי המקיל אפי' לגבי רבים מיהו התם היינו ריב"ל ולא רבי יוחנן פר' מי שהוציאוהו (עירובין מו.):

יחידאה היא. ואף על גב דלעיל נקיט וחכ"א:

(כ) אייבו קיים. עדיין לא השיבותיך על אייבו כך פי' בקונטרס וקשה שהיה לר' חייא לומר אמך קיימת ולא אימא דמשמע אמו של ר' חייא ועוד דרב היה לו להשיב אבא ולא היה לו לקרות אביו בשם אייבו ונראה שר"ח גורס א"ל אבא קיים א"ל אבא קיים אימא קיימת א"ל אימא קיימת פירש ר' חייא היה שואל על אביו ואמו ורב היה משיב לו על אביו ואם שלו ואין לנו להקשות מה לנו לומר דרב בר אחוה דרבי חייא ובר אחתיה בשלמא לפירוש ראשון הביאו לומר מה היה חושש ר' חייא על אביו ועל אמו של רב כי לפירוש זה נמי י"ל דהוצרך יפה שלא תאמר מה היה לו לרב להשיב על אביו ואמו שלו כמו כן היה לו להשיב שאר בני אדם קיימין אבל השתא קמ"ל שהיה משיב לו לפי שהיה אחיו של ר' חייא ונוח לו להשמיעו חדשות טובות דלא לימא נא ובשר לקרובים כדאמרינן בריש פסחים (דף ג: ושם) נא ובשר לסוסים ולחמורים וי"ג אמר ליה אבא קיים אמר ליה אימא קיימת א"ל אימא קיימת אמר ליה אבא קיים וכפר"ח וכענין שפירש ר"ח לגירסת ר"ח (ב) ורבי חייא היה שואל על אביו ואמו שלו והוא משיב על אביו ואמו של עצמו ומה שלא היה משיב לו כמו גירסת ר"ח שאם היה משיב לו אבא קיים כשהיה שואל על אביו שלו משום דהוה משמע שהיה משיב לו על אביו של רבי חייא שהיה רגיל לקרות אבי אביו אבא:

רש"י כת"י

שכבר נתעסקו בו ברגל. כדקתני טעמ' כל שהוא עסקי רבים כגון נחומין אין רגל מבטלן [ואין] מפסיקין ומנחמין אותו ברגל הלכך אין צריך לחזור ולנחמו. כל הוא משום אבל רגל מבטלה כלומר דאין נוהג ברגל ולא דמי האי מפסיק למפסיק דמתני'. אין רגל מפסיק כלומר נוהג ברגל עצמו. מאי לאו אסיפא. דקברו בתוך הרגל וקתני עולה לו דהיינו למנין ל' (דילמא) ד]למנין שבעה ליכא למימר דהא בהדיא קתני מונה ז' אחר הרגל. לא ארישא דקתני קברו ב' ימים קודם הרגל דהתם ודאי עולה לו הואיל וכבר התחיל באבילות במקצת וקודם שפסק הרגל עברו ט' ימים שהתחיל וכ' ימים נכנס ברגל מל' ימי גילוח כל הנך רגל עולה לו דקתני למנין שלושים קאמ' הא למנין שבעה ליכא למימר דהא קתני צריך למנות אחר הרגל. קיים כפיית המטה. כלומר נהג אבילות. אפי' יום אחד ואפי' שעה אחת קודם הרגל בטלה ממנו גזירת [שבעה] והכי הלכתא דהלכה כדברי המקיל באבל אבל גזירת שלשים עולה למנין שבעה כדרך שעולה לו אם קבר ברגל ומונה שבעת ימי אבל אחר הרגל ואין רבים מתעסקין בו שכבר נתעסקו בו ברגל הכי מסקנא. סורא דפרת. שיושבת על נהר פרת. אקילעא. אכניסת פתח ביתו. ההוא מבעי ליה וכו'. דחגיכם כולם משמע בין פסח ועצרת וסוכות. ה"ג איתביה במה דברים אמורים. דקאמר ר' עקי' דשמועה רחוקה אינה נוהגת אלא יום אחד. בחמשה מתי מצוה. בנו בתו אחיו ואחותו שאמרו הקרוב אליו [illegible] אמ' ליה ר' חייא לרב אייבו קיים אמ' ליה אימא קיימת [illegible] (משלי י).

עין משפט נר מצוה

קז א טוש"ע י"ד סימן שצט סעיף ג:

קח ב מיי' פ"י מהלכות אבל הלכה ח טוש"ע שם:

קט ג מיי' שם הלכה ג סמג עשין דרבנן ב ובלאוין עה טוש"ע שם סעיף א:

קי ד ה מיי' שם פ"ז הלכה א סמג שם טוש"ע י"ד סימן תב סעיף א:

רבינו חננאל

והלכתא אפילו יום אחד או שעה אחת ומנצאת אומר מי שמת לו מת בתוך הרגל נקיט שבעה מיו"ט שני של יו"ט האחרון ואף על פי שיו"ט שני אינו נוהג בו אבילות ונקיט ל' מההוא יומא דמית ביה ומאן דשכיב ליה שכבא ביו"ט שני של יו"ט האחרון או ביו"ט שני דעצרת א) נהיג אבל ביום דהוא יום קבורה והוא מדאורייתא דכתיב ואכלתי חטאת היום וכתיב נמי ואחריתה כיום מר והוא יום המיתה הלכך יום מיתה מדאורייתא ויו"ט שני מדרבנן אתי דאורייתא ומבטל דרבנן ונהיג ביה אבלות כשאר יומי. מניין לאבלות שהיא שבעה שנאמר והפכתי חגיכם לאבל. מה חג שבעה אף אבלות שבעה. ומניין לשמועה רחוקה שאינה נוהגת אלא יום אחד כבר הקיש הכתוב האבל לחג ומצאנו עצרת שהוא חג והוא יום אחד: ת"ר שמועה קרובה נוהגת שבעה ושלשים שמועה רחוקה אינה נוהגת אלא יום אחד איזו היא קרובה ואיזו היא רחוקה קרובה בתוך שלשים לקבורתו רחוקה לאחר שלשים דברי ר' עקיבא וחכמים אומרים אחת זו ואחת זו נוהגת שבעה ושלשים. אמר רבה בר בר חנה אמר רבי יוחנן כל מקום שאתה מוצא יחיד מקיל ורבים מחמירין הלכה כרבים חוץ מזו. שאע"פ שר' עקיבא מקיל וחכמים מחמירין הלכה כר' עקיבא דאמר שמואל הלכה כדברי המקיל באבל. והא דתניא בד"א כי שמועה רחוקה אינה נוהגת אלא יום אחד בה' מתי מצוה פי' בחמשה שמצוה להתאבל עליהן והן בנו ובתו ואחיו ואחותו ואשתו. אבל על אביו ועל אמו אפי' שמועה רחוקה נוהגת שבעה ושלשים ליה הלכתא כוותיה דהא יחידאה היא כלומר אלישע בן אבויה וה' זקנים שהיו עמו והורו בשמועה רחוקה לנהוג שבעה ושלשים יחידים הן ולא סבירא לן כוותייהו דהא רב חסדא ורבה הורו על אביו ועל אמו בשמועה רחוקה שלא לנהוג אלא יום

חשק שלמה על ר"ח

א) כל דברי רבינו אלו הובא בא"ז בס"ב סימן תל"ב בשמו וכן דעת בה"ג ורב אלפס ז"ל וע"ש בא"ז וברא"ש מש"כ על זה.

מסורת הש"ס

א) [תוספ' פ"ב], ב) [צ"ל לדהן], ג) [לקמן כא.], ד) עירובין מו., ה) [שם], ו) לעיל יט: לקמן כב., ז) עירובין מו. [בכורות מט. חולין ג.], ז) נזיר מד. שמחות פי"ב, ח) פסחים ד. [סנהדרין ה.], ט) [צ"ל דמשנה], י) [שבת מו.], כ) שייך לע"ב.

הגהות הב"ח

(א) גמ' ואמרי לה אמר ליה ר' יוחנן לר' חייא בר אבא ור' חייא בר אבא לרב הונא אפילו יום אחד: (ב) תוס' ד"ה אייבו כו' לגירסת ר"ח דר' חייא היה שואל כו' כשהיה שואל על אביו שלו הוה משמע כו' כצ"ל ותיבת משום נמחק:

הגהות מהר"ב רנשבורג

א] רש"י ד"ה תנא דידן היינו תנא דברייתא. נ"ב תנא דמתני' נמי קאמר שלשה ימים קודם הרגל וצ"ע ולענ"ד דרש"י אתי שפיר לשיטתו [illegible] ולרש"י מיושב קושית התוס' בד"ה ר' יוחנן והתוספות דפירשו לעיל מקשים לשיטתם [illegible] וכ"כ בעל שושנים לדוד:

גליון הש"ס

גמ' אורי ליה רבי אלעזר לרבי פדת בריה. עיין נדה דף ע"ב תוס' ד"ה ואמר ר' פדת: שם הן הן. כעין זה כתובות דף ק ע"ב: תוס' ד"ה שכבר כו' שאין עושין הבראה ברגל. עי' לקמן דף כד ע"ב תוס' ד"ה אלא.

תורה אור השלם

א) וְהָפַכְתִּי חַגֵּיכֶם לְאֵבֶל וְכָל שִׁירֵיכֶם לְקִינָה וְהַעֲלֵיתִי עַל כָּל מָתְנַיִם שָׂק וְעַל כָּל רֹאשׁ קָרְחָה וְשַׂמְתִּיהָ כְּאֵבֶל יָחִיד וְאַחֲרִיתָהּ כְּיוֹם מָר: [עמוס ח, י]

הֲלָכָה כְּרַבִּים – **the halachah follows the majority** who rule stringently,[21] חוּץ מִזּוֹ – **except in** a case such as **this,** שֶׁאַף עַל פִּי שֶׁרַבִּי עֲקִיבָא מֵקִיל – **where even though R' Akiva rules leniently** – exempting the recipient of a delayed report from a full term of mourning – וַחֲכָמִים מַחְמִירִין – **and the** more numerous **Sages rule stringently,** הֲלָכָה כְּרַבִּי עֲקִיבָא – **the law follows** the lenient view of **R' Akiva.** דְּאָמַר שְׁמוּאֵל הֲלָכָה כְּדִבְרֵי הַמֵּקִיל בְּאֵבֶל – **For Shmuel said: The halachah always follows the** more **lenient opinion in** issues of **mourning** law.[22]

The Gemara recounts some episodes in which other Amoraim also ruled like R' Akiva regarding a delayed report:

רַב חֲנִינָא אַתְיָא לֵיהּ שְׁמוּעָה דַּאֲבוּהָ מִבֵּי חוֹזָאֵי – A delayed **report of his father's** death **came to Rav Chanina from Bei Choza'ei.**[23] אֲתָא לְקַמֵּיהּ דְּרַב חִסְדָּא – **He came before Rav Chisda** to inquire how he should conduct himself. אָמַר לֵיהּ שְׁמוּעָה רְחוֹקָה אֵינָהּ נוֹהֶגֶת אֶלָּא יוֹם אֶחָד – Whereupon **[Rav Chisda] said to him:** Upon receipt of **a delayed report** the laws of mourning **are observed for only one day,** as R' Akiva stated in the Baraisa. רַב נָתָן בַּר אַמֵּי אֲתָא לֵיהּ שְׁמוּעָה דְּאִימֵּיהּ מִבֵּי חוֹזָאֵי – **A** delayed **report of his mother's death came to Rav Nassan bar Ami from Bei Choza'ei.** אֲתָא לְקַמֵּיהּ דְּרָבָא – **He came before Rava** to inquire how he should conduct himself. אָמַר לֵיהּ הֲרֵי אָמְרוּ שְׁמוּעָה רְחוֹקָה אֵינָהּ נוֹהֶגֶת אֶלָּא יוֹם אֶחָד בִּלְבַד – Whereupon **[Rava] said to him: Why they have said** that upon receiving **a delayed report** the laws of mourning **are observed for only one day.**

Rav Nassan bar Ami challenges this ruling:

אֵיתִיבֵיהּ – Upon hearing this **he challenged [Rava]** from the following Baraisa: בַּמֶּה דְּבָרִים אֲמוּרִים – IN WHAT cases DOES THIS ruling – that a delayed report requires mourning for only one day – APPLY? בַּחֲמִשָּׁה מֵתֵי מִצְוָה – Only IN case of the death of one of THE other FIVE RELATIVES for whom one is required to mourn;[24] אֲבָל עַל אָבִיו וְעַל אִמּוֹ שִׁבְעָה וּשְׁלֹשִׁים – BUT FOR HIS FATHER AND MOTHER he observes SEVEN days of *shivah* AND THIRTY days of *sheloshim* even after receiving a delayed report. Therefore, argued Rav Nassan bar Ami, since in my case it was my mother who died I ought to observe the full term of *shivah* and *sheloshim!* – ? –

Rava answers:

אָמַר לֵיהּ יְחִידָאָה הִיא – **He said to him: That** Baraisa represents the opinion of **an individual** Tanna, וְלֹא סְבִירָא לָן כְּוָותֵיהּ – **and we do not accept his view;** rather, we follow the view of R' Akiva who made no such distinction and ruled categorically that a delayed report requires no more than a single day's mourning.

Rava identifies this individual Tanna:[25]

דְּתַנְיָא – **For we learned in a Baraisa:**[26] מַעֲשֶׂה וּמֵת אָבִיו שֶׁל רַבִּי צָדוֹק בְּגִינְזַק – IT HAPPENED THAT R' TZADOK'S FATHER DIED IN the distant locality of GINZAK, וְהוֹדִיעוּהוּ לְאַחַר שָׁלֹשׁ שָׁנִים – AND THEY INFORMED HIM of it THREE YEARS LATER. וּבָא וְשָׁאַל אֶת אֱלִישָׁע בֶּן אֲבוּיָה וּזְקֵנִים שֶׁעִמּוֹ – Whereupon HE CAME BEFORE ELISHA THE SON OF AVUYAH[27] AND THE SAGES WHO WERE WITH HIM to inquire how he should conduct himself. וְאָמְרוּ – AND THEY SAID to him: נְהוֹג שִׁבְעָה וּשְׁלֹשִׁים – OBSERVE both THE SEVEN days of *shivah* AND THE THIRTY days of *sheloshim.*[28]

The Baraisa continues:

וּכְשֶׁמֵּת בְּנוֹ שֶׁל רַבִּי אֲחִיָּה בַּגּוֹלָה – AND WHEN THE SON OF R' ACHIYAH DIED IN THE DIASPORA[29] and his father, in the Land of Israel, was informed of it more than thirty days later, יָשַׁב עָלָיו שִׁבְעָה וּשְׁלֹשִׁים – HE SAT SEVEN days of *shivah* AND THIRTY days of *sheloshim* FOR HIM.

Apparently R' Achiyah followed the view of the Sages who took issue with R' Akiva in the Baraisa cited earlier, and who maintain that even a distant report requires the observance of a full term of *shivah* and *sheloshim.* This leads to the following difficulty:

אִינִי – Is this **indeed so?** וְהָא רַב בַּר אֲחוּהָ דְּרַבִּי חִיָּיא – **But** consider the following episode: **Rav was the son of R' Chiya's brother,** Aivu, דְּהוּא בַּר אֲחָתֵיהּ דְּרַבִּי חִיָּיא – **and** also **the son of [R' Chiya's] sister.**[30] כִּי סָלִיק לְהָתָם – **When [Rav] went up there,** i.e. when Rav went from Babylonia to the Land of Israel, where R' Chiya lived, אָמַר לֵיהּ אַבָּא קַיָּים – [R' Chiya] asked him: "Is your **father,** Aivu, **alive?"**

NOTES

21. This is not a hard and fast rule; often we find that the Gemara itself will rule in favor of a minority opinion. The point is that, all other considerations being equal, the halachah will follow the majority opinion (*Tosafos*).

The halachah follows the majority where they are lenient as well; the Gemara speaks of a case where the majority are stringent in order to highlight the contrast to mourning law, where the halachah does not follow the majority *even* where they are stringent, as the Gemara proceeds to state (ibid.; see also *Ritva*).

22. See above, 18a note 1.

23. Bei Choza'ei was a locality in Babylonia (*Rashi* to *Taanis* 21b).

24. Viz. a brother, sister, wife, son or daughter (*Rashi*).

25. [See *Ritva;* cf. *Tosafos.*]

26. *Maseches Semachos* §12.

27. [A (somewhat) parallel passage in *Nazir* (44a) reads: *Yehoshua the son of Elisha.* Even according to the reading found here, *Hagahos R' Yaakov Emden* argues that this was not the famous Elisha ben Avuyah who became an apostate but, rather, a different person of the same name; but cf. *R' Shlomo ben HaYasom.*]

28. Apparently Elisha the son of Avuyah maintains that in the case of a parent one observes a full term of *shivah* and *sheloshim* even for a delayed report. It is his opinion that is reflected in the Baraisa that Rav Nassan bar Ami quoted (*Ritva;* cf. *Rashash*).

Note that it is clear from this episode that it was not Elisha the son of Avuyah alone who held this view, since the Baraisa speaks of other sages who ruled together with him. Rava's statement that this is an individual view should not be taken literally [his point is that it is not the view which is accepted] (ibid.; see also *Tos. HaRosh*).

29. I.e. in Babylonia (*Rashi ms.*).

30. See above, 16b note 1.

שכבר נתעסקו בו ברגל כללו של דבר כל שהוא משום אבל רגל מפסיקו וכל שהוא משום עסקי רבים אין רגל מפסיקו קברו שלשה ימים בסוף הרגל מונה שבעה אחר הרגל ארבעה ימים הראשונים רבים מתעסקין בו שלשה ימים האחרונים אין רבים מתעסקין בו שכבר נתעסקו ברגל ורגל עולה לו מאי לאו אסיפא לא ארישא איתיביה רגל עולה לו למנין שלשים כיצד קברו בתחילת הרגל מונה שבעה אחר הרגל א ומלאכתו נעשית על ידי אחרים ועבדיו ושפחותיו עושין בצנעא בתוך ביתו ואין רבים מתעסקין בו שכבר נתעסקו בו ברגל ורגל עולה לו תיובתא כי אתא רבין אמר רבי יוחנן ב אפילו קברו ברגל וכן ° אורי ליה ר׳ אלעזר לרבי פדת בריה אפילו קברו ברגל ת"ר א) קיים כפיית המטה שלשה ימים קודם הרגל אינו צריך לכפותה אחר הרגל דברי רבי אליעזר וחכמים אומרים אפי׳ יום אחד ואפי׳ שעה אחת א"ר אלעזר בר׳ שמעון ° הן הן דברי ב"ש הן הן דברי בית הלל שבית שמאי אומרים שלשה ימים וב"ה אומרים אפי׳ יום אחד אמר רב הונא אמר ר׳ חייא בר אבא אמר ר׳ יוחנן ואמרי לה אמר (א) (ב) ליה) ר׳ יוחנן לר׳ חייא בר אבא ולרב הונא אפי׳ יום אחד אפי׳ שעה אחת רבא אמר ג הלכה כתנא דידן דאמר שלשה רבינא איקלע לסורא דפרת א"ל רב חביבא לרבינא הלכתא מאי אמר ליה אפי׳ יום אחד ג ואפילו שעה אחת יתיב רבי חייא בר אבא ורבי אמי ור׳ יצחק נפחא אקילעא דרבי יצחק בן אלעזר נפק מילתא מבינייהו מנין לאבילות שבעה דכתיב א) והפכתי חגיכם לאבל מה חג שבעה אף אבילות שבעה ואימא עצרת דחד יומא ההוא מיבעי ליה לכדריש לקיש דאמר ר"ל משום ר׳ יהודה נשיאה מנין לשמועה רחוקה שאינה נוהגת אלא יום אחד דכתיב והפכתי חגיכם לאבל ואשכחן עצרת דאיקרי חד יומא חג ד) ת"ר שמועה קרובה נוהגת שבעה ושלשים שמועה רחוקה אינה נוהגת אלא יום אחד ד איזו היא קרובה ואיזו היא רחוקה קרובה בתוך שלשים רחוקה לאחר שלשים דברי ר"ע וחכמים אומרים אחת שמועה קרובה ואחת שמועה רחוקה נוהגת שבעה ושלשים אמר רבה בר בר חנה א"ר יוחנן ה) כל מקום שאתה מוצא יחיד מקיל ורבים מחמירין הלכה כרבים חוץ מזו שאע"פ שרבי עקיבא מקיל וחכמים מחמירין ה הלכה כרבי עקיבא ו) דאמר שמואל הלכה כדברי המקיל באבל רב חנינא אתיא ליה שמועה דאבוה מבי חוזאי אתא לקמיה דרב חסדא אמר ליה שמועה רחוקה אינה נוהגת אלא יום אחד רב נתן בר אמי אתא ליה שמועה דאימיה מבי חוזאי אתא לקמיה דרבא אמר ליה הרי אמרו שמועה רחוקה אינה נוהגת אלא יום אחד בלבד איתיביה במה דברים אמורים בחמשה מתי מצוה אבל על אביו ועל אמו שבעה ושלשים אמר ליה יחידאה היא ולא סבירא לן כוותיה דתניא ז) מעשה ומת אביו של רבי צדוק בגינזק והודיעוהו לאחר שלש שנים ובא ושאל את אלישע בן אבויה וזקנים שעמו ואמרו נהוג שבעה ושלשים וכשמת בנו של רבי אחייה בגולה ישב עליו שבעה ושלשים איני והא ח) רב בר אחוה דרבי חייא דהוא בר אחתיה דר׳ חייא כי סליק להתם אמר ליה אבא קיים

רש"י

כל שהוא משום אבל רגל מפסיקו. שצריך להשלימו אחר הרגל כיון דכי ישב שני ימים לפני הרגל צריך להשלים ולישב חמשה ימים אחר הרגל: כל שהוא משום עסקי רבים. כלומר תנחומי רבים אין רגל מפסיקו [כדי] שיהא צריך להשלים ולעסוק בו אחר הרגל אלא מתעסקין בו ברגל: ארבעה ימים הראשונים. של אחר הרגל רבים מתעסקים בו ומשלימין לשלשה שנתעסקו ברגל שכבר נתעסקו בו ברגל שלשה ימים: ורגל עולה. למנין שלשים: מאי לאו אסיפא. הא דתני דרגל עולה למנין שלשים היינו אסיפא אקברו ברגל ותיפשוט מינה דכי קברו ברגל עולה למנין שלשים וקשיא לרבא דאמר אינו עולה: לא ארישא. קא מהדר אקברו שני ימים קודם הרגל רגל עולה לו למנין שלשים דהתם ודאי עולה לו הואיל וכבר התחיל באבילות אבל קברו ברגל לא ידענא: בתחילת הרגל. ביום ראשון של רגל וקשיא לרבא: שכבר נתעסקו ברגל. כל שבעה: אפילו קברו ברגל. רגל עולה למנין שלשים ולא מיבעיא קברו קודם הרגל: תנא דידן. היינו תנא א](ט) דברייתא): במה דברים אמורים. שאינה נוהגת אלא יום אחד: אלא חמשה. מהני שבעה מתי מצוה דכתיב בקרא (ויקרא כא) בנו ובתו אחיו ואחותו ואשתו: יחידאה היא. ולא ר׳ עקיבא דלר"ע לא שנא אביו ואמו לא שנא שאר קרוביו: בגינזק. מקום: רב בר אחוה דר׳ חייא דהוא בר אחתיה דר׳ חייא. דרבי אחא מכפרי נשא לאה והוליד ממנה איבו מתה ונשא רחל ולה בת מאיש אחר וממנה נולד רבי חייא ונשא איבו הבת ונולד להן רב ונמצא רב בר איבו בר אחוה דרבי חייא מאבוה ובר אחתיה מאמיה: כי סליק. רב מעירו דבבל לא"י שהיה רבי חייא שם: א"ל. רבי חייא לרב: אבא קיים. ר"ל איבו אביך קיים הוא: א"ל

תוספות

שכבר נתעסקו בו ברגל. תנחומין וברכה בשורה והרי"ט דפירש לענין הבראה חולק על מחזור מויטר"י שפירש בשם רש"י שהיה אומר ° שאין עושים הבראה ברגל הואיל וליכא אבילות ולאחר הרגל נמי לא יעשוה הואיל ובטלה סעודה ראשונה פי׳ דמספקא ליה לרש"י אי הבראה במועד אי לאחר המועד דשמא הבראה אינו עסקי רבים הואיל ויחיד יכול לעשות ועל הבראה פירש לקמן כל יום ראשון אסור לאכול משלו אפי׳ אוכל שתי פעמים ביום דהא לא קאמר גמרא סעודה ראשונה אלא יום ראשון:

שלשה ימים אחרונים אין רבים מתעסקין בו. פירש בתוספות דהוא הדין דמלאכתו נעשית ע"י אחרים:

אמר רבי יוחנן אפילו יום אחד אפי׳ שעה אחת. קשיא לי דהא אית ליה לר׳ יוחנן י) הלכה כסתם משנה:

מה חג שבעה. ובירושלמי דייק אימא שמונה כשמונה דחג ומשני שמיני רגל בפני עצמו הוא ומויעש לאביו אבל שבעת ימים (בראשית נ) לא מצי לאתויי דהתם קודם קבורה היה ובירושלמי משני דאין למידין מקודם מתן תורה והתם בירושלמי מייתי קראי טובא:

כל מקום שאתה מוצא יחיד מקיל ורבים מחמירין. והוא הדין יחיד מחמיר ורבים מקילין הלכה כרבים ומשום דהכא איירי ביחיד מקיל נקיט הכי וכל מקום לאו דוקא דבהרבה מקומות פוסק כדברי היחיד והיכא דאתמר אתמר ועוד דבעירובין אומר הלכה כדברי המקיל אפי׳ לגבי רבים מיהו התם היינו ריב"ל ולא רבי יוחנן פר׳ מי שהוציאוהו (עירובין מו.):

יחידאה היא. ואף על גב דלעיל נקיט וחכ"א:

כ) איבו קיים. עדיין לא השיבותיך על איבו כך פי׳ בקונטרס וקשה שהיה לר׳ חייא לומר אמך קיימת ולא אימא דמשמע אמו של ר׳ חייא ועוד דרב היה לו להשיב אבא ולא היה לו לקרות אביו בשם איבו ונראה שר"ת גורס א"ל אבא קיים א"ל אבא קיים אימא קיימת א"ל אימא קיימת פירש ר׳ חייא היה שואל על אביו ואמו ורב היה משיב לו על אביו ואם שלו ואין לנו להקשות מה לנו לומר דרב בר אחוה דרבי חייא ובר אחתיה בשלמא לפירוש ראשון הביאו לומר מה היה חושש ר׳ חייא על אביו ועל אמו של רב כי לפירוש זה נמי י"ל דהולך יפה שלא תאמר מה היה לו לרב להשיב על אביו ואמו שלו כמו כן היה לו להשיב שאר בני אדם קיימין אבל השתא קמ"ל שהיה משיב לו לפי שהיה אחיו של ר׳ חייא ונוח לו להשמיעו חדשות טובות דלא לימא לא ובשר לקרובים כדאמרינן בריש פסחים (דף ג: ושם) לא ובשר לסוסים ולחמורים וי"ג אמר ליה אבא קיים אמר ליה אימא קיימת א"ל אימא קיימת אמר ליה אבא קיים וכפר"ח וכענין שפירש ר"ח לגירסת ר"ח (ב) ורבי חייא היה שואל על אביו ואמו שלו והוא משיב על אביו ואמו של עצמו ומה שלא היה משיב לו כמו גירסת ר"ח שאם היה משיב לו אבא קיים כשהיה שואל על אביו שלו משום דהוה משמע שהיה משיב לו על אביו של רבי חייא שהיה רגיל לקרות אבי אביו אבא:

רש"י כת"י

שכבר נתעסקו בו ברגל. כדקתני טעמ׳ כל שהוא עסקי רבים כגון נחומין אין רגל מבטלן [ואין] מפסיקין ומנחמין אותו ברגל הלכך אין צריך לחזור ולנחמו. כל הוא משום אבל רגל מבטלו כלומר דאין נוהג ברגל ולא דמי האי מפסיק למפסיק דמתני׳. אין רגל מפסיק כלומר נוהג ברגל עצמו. מאי לאו אסיפא. דקברו בתוך הרגל וקתני עולה לו דהיינו למנין ל׳ (דילמא) ד]למנין שבעה ליכא למימר דהא בהדיא קתני מונה ז׳ אחר הרגל. לא ארישא דקתני קברו ב׳ ימים קודם הרגל דהתם ודאי עולה לו הואיל וכבר התחיל באבילות במקצת וקודם שפסק הרגל עברו ט׳ ימים שהתחיל וב׳ ימים נכנס ברגל מל׳ ימי גילוח כל הנך רגל עולה לו דקתני למנין שלושים קאמ׳ הא למנין שבעה ליכא למימר דהא קתני צריך למנות אחר הרגל. קיים כפיית המטה. כלומר נהג אבילות. אפי׳ יום אחד ואפי׳ שעה אחת קודם הרגל בטלה ממנו גזירת [שבעה] והכי הלכתא דהלכה כדברי המקיל באבל אבל גזירת שלשים עולה למנין שבעה כדרך שעולה לו אם קבר ברגל ומונה שבעת ימי אבל אחר הרגל ואין רבים מתעסקין בו שכבר נתעסקו בו ברגל הכי מסקנא. סורא דפרת. שיושבת על נהר פרת. אקילעא. אכניסת פתח ביתו. ההוא מבעי ליה וכו׳. דחגיכם כולם משמע בין פסח ועצרת וסוכות. ה"ג איתביה במה דברים אמורים. דקאמר ר׳ עקי׳ דשמועה רחוקה אינה נוהגת אלא יום אחד. בחמשה מתי מצוה. בנו בתו אחיו ואחותו שאלו הקרוב אליו דהיינו אשתו שמצוה היא כדאמרינן בסמוך דכהן מצוה ליטמא עליהן ומצוה להתאבל עליהן אלמא דעל אביו ואמו לא קאמ׳ ר׳ עקי׳ דאינה נוהגת אלא יום אחד והא דקתני נוהג שבעה ושלשים יחידאה היא ולא ר׳ עקיבא היא דלר׳ עקיבא לא שנא אביו ואמו שמועה רחוקה אינה נוהגת אלא יום אחד ואנן כר׳ עקיבא סבירא לן דהלכתא כותיה. בגינזק. מקום. בנו של ר׳ (חייא) [אחייה] בגולה. בבבל. רב בר אחוה דר׳ חייא הוה אביו של ר׳ חייא נשא לאה והוליד ממנה איבו מתה לאה ונשא את רחל ולה בת מאיש אחר ומרחל נולד ר׳ חייא ואותה הבת נשא איבו וממנה נולד רב ונמצא רב בר איבו אחוה דר׳ חייא מאביו ובן אחותו מאמו. אמ׳ ליה ר׳ חייא לרב איבו קיים אמ׳ ליה אימא קיימת. שלא רצה לומר שנפטר משום מוציא דבה הוא כסיל (משלי י).

רבינו חננאל

והלכתא אפילו יום אחד או שעה אחת נמצאת אומר מי שמת לו מת בתוך הרגל נקיט שבעה מיו"ט שני של יו"ט האחרון ואף על פי שיו"ט שני אין נוהג בו אבילות ונקיט ל׳ מההוא יומא דמית ביה ומאן דשכיב ליה שכבא ביו"ט שני של יו"ט האחרון או ביו"ט שני דעצרת א) נהיג אבל בו ביום דהוא יום קבורה והוא מדאורייתא דכתיב ואכלתי חטאת היום וכתיב נמי ואחריתה כיום מר והוא יום המיתה הלכך יום מיתה מדאורייתא ויו"ט שני מדרבנן אתי דאורייתא ומבטל דרבנן ונהיג ביה אבלות כשאר יומי. ומניין לאבלות שהיא שבעה שנאמר והפכתי חגיכם לאבל. מה חג שבעה אף אבלות שבעה. ומניין לשמועה רחוקה שאינה נוהגת אלא יום אחד כבר הקיש הכתוב האבל לחג ומצאנו עצרת שהוא חג והוא יום אחד: ת"ר שמועה קרובה נוהגת שבעה ושלשים שמועה רחוקה אינה נוהגת אלא יום אחד איזו היא קרובה ואיזו היא רחוקה קרובה בתוך שלשים לקבורתו רחוקה לאחר שלשים דברי ר׳ עקיבא וחכמים אומרים אחת זו ואחת זו נוהגת שבעה ושלשים. אמר רבה בר בר חנה אמר רבי יוחנן כל מקום שאתה מוצא יחיד מקיל ורבים מחמירין הלכה כמחמירין חוץ מזו. שאע"פ שר׳ עקיבא מקיל וחכמים מחמירין הלכה כר׳ עקיבא דאמר שמואל הלכה כדברי המקיל באבל. והא דתניא בד"א כי שמועה רחוקה אינה נוהגת אלא יום אחד בה׳ מתי מצוה פי׳ בחמשה שמצוה להתאבל עליהן. והן בנו ובתו ואחיו ואחותו ואשתו. אבל על אביו ועל אמו אפי׳ שמועה רחוקה נוהגת שבעה ושלשים לית הלכתא כוותיה דהא יחידאה היא כלומר אלישע בן אבויה וה׳ זקנים שהיו עמו והורו בשמועה רחוקה לנהוג שבעה ושלשים יחידים הן ולא סבירא לן כוותייהו דהא רב חסדא ורבה הורו על אביו ועל אמו בשמועה רחוקה שלא לנהוג אלא יום

עין משפט נר מצוה

קז א טוש"ע י"ד סימן שצט סעיף ב:
קח ב מיי׳ פ"י מהלכות אבל הלכה ח טוש"ע שם:
קט ג מיי׳ שם הלכה ג סמג עשין דרבנן ב ובלאוין עה טוש"ע שם סעיף א:
קי ד ה מיי׳ שם פ"ז הלכה א סמג שם טוש"ע י"ד סימן תב סעיף א:

מסורת הש"ס

א) [תוספ׳ פ"ב], ב) [נ"ל להו], ג) [לקמן כא.], ד) עירובין מו., ה) [שם], ו) לעיל יח. יט: לקמן כב. כו: עירובין מו. [בכורות מט. חולין ג.], ז) נזיר מד. שמחות פי"ב, ח) פסחים ד. [סנהדרין ה.], ט) [נ"ל דמשנה], י) [שבת מו.], כ) שייך לע"ב.

הגהות הב"ח

(א) גמ׳ ואמרי לה אמר ליה ר׳ יוחנן לר׳ חייא בר אבא ור׳ חייא בר אבא לרב הונא אפילו יום אחד: (ב) תוס׳ ד"ה איבו כו׳ לגירסת ר"ת דר׳ חייא היה שואל כו׳ כשהיה שואל על אביו שלו הוה משמע כו׳ כצ"ל ותיבת משום נמחק:

הגהות מהר"ב רנשבורג

א] רש"י ד"ה תנא דידן היינו תנא דברייתא. נ"ב תנא דמתני׳ נמי קאמר שלשה ימים קודם הרגל וצ"ע ונלע"ד דרש"י אתי שפיר לשיטתו שפי׳ במתניתין דלהמשנה לאו דוקא שלשה ימים אלא אפילו שעה אחת והיינו מדקתני במשנה דרגלים מפסיקין משא"כ הכא בברייתא שלשה ימים דוקא דהא לא קתני מפסיקין ועוד דפליגי נמי חכמים עלה ולרש"י מיושב קושית התוס׳ בד"ה אמר ר׳ יוחנן והתוספות לשיטתם מקשים דפירשו לעיל במשנה כהיש מפרשים דשלשה ימים דוקא וקצת מזה כוונתי לבעל יד דוד וכ"כ בעל שושנים לדוד:

גליון הש"ס

גמ׳ אורי ליה רבי אלעזר לרבי פדת בריה. עיין נדה דף ח ע"א תוס׳ ד"ה ואמר ר׳ פדת: שם הן הן. כעין זה כתובות דף ס ע"ב: תוס׳ ד"ה שכבר כו׳ שאין עושין הבראה ברגל. עי׳ לקמן דף כד ע"ב תוס׳ ד"ה אלא:

תורה אור השלם

א) וְהָפַכְתִּי חַגֵּיכֶם לְאֵבֶל וְכָל שִׁירֵיכֶם לְקִינָה וְהַעֲלֵיתִי עַל כָּל מָתְנַיִם שָׂק וְעַל כָּל רֹאשׁ קָרְחָה וְשַׂמְתִּיהָ כְּאֵבֶל יָחִיד וְאַחֲרִיתָהּ כְּיוֹם מָר: [עמוס ח, י]

חשק שלמה על ר"ח

א) כל דברי רבינו אלו הובא בא"ז בח"ב סימן תל"ב בשמו וכן דעת בה"ג ורב אלפס ז"ל וע"ש בא"ז וברא"ש מש"כ על זה.

אמר ליה אימא קיימת אמר ליה אימא קיימת א"ל אבא קיים אמר ליה לשמעיה חלוץ לי מנעלי ° והולך אחרי כלי לבית המרחץ שמע מינה תלת שמע מינה [א] אבל אסור בנעילת הסנדל ושמע מינה שמועה רחוקה אינה נוהגת אלא יום אחד ושמע מינה [ב] א מקצת היום ככולו רבי חייא לחוד רבי אחייה לחוד אמר רבי יוסי בר אבין ב שמע שמועה קרובה ברגל ולמוצאי הרגל נעשית רחוקה עולה לו ואינו נוהג אלא יום אחד תני רבי אדא דמן קסרי קמיה דר' יוחנן ג שמע שמועה קרובה בשבת ולמוצאי שבת נעשית רחוקה אינו נוהג אלא יום אחד קורע או אינו קורע רבי מני אמר ד אינו קורע רבי חנינא אמר קורע אמר ליה רבי מני לר' חנינא בשלמא לדידי דאמינא אינו קורע היינו דלא איכא אבילות שבעה אלא לדידך דאמרת קורע קריעה בלא שבעה מי איכא ולא והתניא איסי אבוה דרבי זירא ואמרי לה אחוה דרבי זירא קמיה דר' זירא ° ה מי שאין לו חלוק לקרוע ונזדמן לו בתוך שבעה קורע לאחר שבעה אינו קורע עני ר' זירא בתריה במה דברים אמורים בחמשה מתי מצוה ו אבל על אביו ועל אמו קורע והולך כי תניא ההיא לכבוד אביו ואמו ת"ר ז כל האמור בפרשת כהנים שכהן מיטמא להן אבל מתאבל עליהן ואלו הן אשתו אביו ואמו אחיו ואחותו בנו ובתו [א] הוסיפו עליהן אחיו ואחותו הבתולה מאמו ואחותו נשואה בין מאביו בין מאמו [ג] וכשם שמתאבל עליהם כך מתאבל על שניים שלהם דברי ר"ע רבי שמעון בן אלעזר אומר אינו מתאבל אלא על בן בנו ועל אבי אביו וחכ"א ח כל שמתאבל עליו מתאבל עמו חכמים היינו תנא קמא איכא בינייהו עמו ט בבית [ד] כי הא דאמר ליה רב לחייא בריה וכן א"ל רב הונא לרבה בריה באפה נהוג אבילותא בלא אפה לא תינהוג אבילותא מר עוקבא שכיב ליה בר חמוה סבר למיתב עליה שבעה ושלשים על רב הונא לגביה אשכחיה אמר ליה צודנייתא בעית למיכל לא אמרו לכבוד אשתו י אלא חמיו וחמותו דתניא [ה] מי שמת חמיו או חמותו כ אינו רשאי לכוף את אשתו להיות כוחלת ולהיות פוקסת אלא כופה מטתו ונוהג עמה אבילות וכן היא שמת חמיה או חמותה אינה רשאה להיות כוחלת ולהיות פוקסת אלא כופה מטתה ונוהגת עמו אבילות ותניא אידך [ו] אף על פי שאמרו אינו רשאי לכוף את אשתו להיות כוחלת ולהיות פוקסת באמת אמרו מוזגת לו את הכוס ומצעת לו מטה ומרחצת לו פניו ידיו ורגליו קשיין אהדדי אלא לאו שמע מינה כאן בחמיו וחמותו כאן בשאר קרובים שמע מינה תניא נמי הכי לא אמרו לכבוד אשתו אלא חמיו וחמותו בלבד אמימר שכיב ליה בר בריה קרע עילויה אתא בריה קרע באפיה אידכר דמיושב קרע קם קרע מעומד אמר ליה רב אשי לאמימר קריעה ל דמעומד [ז] מנלן דכתיב א) ויקם איוב ויקרע את מעילו אלא

רש"י

א"ל אימא קיימת. בלשון שאלה הוא כלומר (א) שאתה שואל על אבי שאל על אמי שאף היא אחותך: א"ל. ר' חייא ואמך אחותי קיימת היא: א"ל. רב אבא קיים עדיין לא השבתיך עליו וממילא הבין ויש אומרים בניחותא היה רב משיבו על מי שאינו שואל כדי שיבין מן הכלל וקשה בעיני לומר שרב יוציא דבר שקר מפיו: חלוץ מנעלי. להתאבל על אחי ואחותי: והולך כלי אחרי לבית המרחץ. ללמד הלכה (ב) נתכוין שאין שמועה רחוקה לאחר שלשים נוהגת אלא יום אחד ומקצת היום ככולו: למוצאי הרגל נעשית רחוקה. דהוי שלשים יום: אינה נוהגת אלא יום אחד. אע"פ דכי שמע עדיין היתה קרובה עולה הרגל להשלים שלשים דהוי שמועה רחוקה: אינו קורע. עכשיו דנוהג יום אחד לשמועה רחוקה: היינו דליכא אבילות שבעה. כלומר משום דליכא שבעה אינו קורע: קורע והולך. אחר שבעה אע"ג דליכא שבעה: אבל מתאבל עליהן. על אותן קרובים: אחיו מאמו. שלא מאביו דקרא משמע מאביו שלא מאמו: אחותו נשואה בין מאביו בין מאמו. דבקרא לא אשכחן אלא אבתולה: על שניים שלהן. אבי אביו ועל בן בנו ועל בן בתו ועל בן אחותו: כל שמתאבל עליו מתאבל עמו. כלומר מתאבל עם אביו כשהוא מתאבל על אב שלו נמצא זה מתאבל על אבי אביו וכן כל שמתאבל עליו כגון שמתאבל על בנו מתאבל עמו כלומר מתאבל עם בנו כשהוא מתאבל (ג) פי' על בן שלו ונמצא זה מתאבל על בן בנו: היינו תנא קמא. של רבי שמעון: עמו בבית. דתנא קמא לא בעי שיהא אביו או (בן) בנו עמו בבית ויושב עמו וחכמים בעו עמו בבית: כי האי. ענין דא"ל רב לר' חייא וכו': באפה. דאיתתך כשהיא אבילה דהאי נמי כל שמתאבל עליו כגון אשתו מתאבל עמו בפניו: צידונייתא. סעודות דאבל: קשיין אהדדי. דהכא קתני מצעת לו מטתו והכא קתני כופה מטתו: בשאר קרובי אשתו. מצעת לו מטתו: אתא בריה. הדר אמימר קרע באפיה דבריה: קם קרע. פעם שלישית: אודייני

תוספות

עולה לו. פירוש הרגל עולה לו למנין שאינו נוהג אלא יום אחד:

קורע או אינו קורע. דוקא כענין זה מיבעי ליה לפי שהיה חייב לקרוע בשעת שמועה אבל שמע שמועה רחוקה בחול אינו קורע כלל ואפי' על אביו ואמו וכן קאמר נמי בסמוך כי תניא ההיא בכבוד אביו ואמו והכי משמע לעיל דלא מלינו לר' חייא שקרע אע"פ שהיה אביו ואמו לגירסת ר"ח וא"ת אי מהא משמע דאינו קורע על אביו ואמו אמאי לא קאמר ש"מ דאינו קורע יש לומר דאינו מביא ש"מ כי אם ממה שראינו שעשה אבל ממה שלא ראינו אינו מביא ראיה מכל מקום מדלא קבעי הש"ס כלל אם רבי חייא קרע משמע א"נ לקרוע ובתשובת רבינו זקיני פי' דאינו קורע על שמועה רחוקה אפי' על אביו ואמו והרי"ן וגם בתוס' הרב מסופק והא דאמר בסמוך מי שאין לו חלוק וכו' מיירי כגון שהיה שאול מחבירו או נתמלא קרעים ונראה לי שיש לסמוך יותר על ה"ג מרב נטח גאון דאין קורעים לאחר ל' יום אלא על אביו ואמו בלבד וברכת אבלים נחלקו בה"ג אם שמע בשבת אם חייב לברך ברכת אבלים דיש מפרשים דנקרא דברים שבצינעא וי"א כיון דמברכין בג' או בעשרה לאו דברים שבצינעא הוא:

ואחותו נשואה בין מאביו בין מאמו. לא מיבעי מאביו אלא אפי' מאמו נמי:

על שניים שלהם. פי' הנולדים מהן אבל באחיהם ובנשותיהם היה מסופק בתוספות הרב בשם רבו ולא ידענא מאי שנא:

על אבי אביו ועל בן בנו. פירוש בתוספות הרב בשם רבו דהוא הדין אבי אמו ובת בתו:

באפה נהוג אבילות. פירוש בתוספות בכל דיני אבלות נעילת הסנדל ורחיצה וסיכה וכולן כל זמן שהוא בפניה ובפ"ק דכתובות (דף ד:) קאמר עמו בבית ושמא באפה דוקא או שמא בכל הבית:

ומרחצת לו פניו ידיו ורגליו. בחמין קאמר דאילו בצונן היא נמי מותרת:

אלא בחמיו וחמותו. והוא הדין היא נוהגת עמו בחמיה וחמותה והא דקתני לעיל כל שמתאבל עליו מתאבל עמו בכל שאר קרובים קאמר אבל אשתו יש חילוק בין חמיו וחמותו לשאר קרובים:

אתא בריה קרע באפיה. להיות נוהג עמו אבילות ותימה כיון דקרע כבר וכי צריך לקרוע כלל לפני הקרובים ושמא לאשמועינן דבאפיה נוהג אבילות והר"א פירש אתא בריה קרע באפיה לפי שאמימר קרע מיושב ואתא בנו להזכירו שהוא טעה לקרוע מיושב והקריעה זה עשה בנו של אמימר ועל ידי כך נזכר אמימר וקרע פעם שניה מעומד:

אלא

עין משפט נר מצוה

קיא א מיי' פ"ז מהל' אבל הלכה א סמג עשין דרבנן ב טוש"ע י"ד סימן תב סעיף א:

קיב ב ג מיי' שם הלכה ג וסמג שם טוש"ע י"ד שם סעיף ה:

קיג ד מיי' שם הל' א טוש"ע שם סעי' ד:

קיד ה ו מיי' פ"ח שם הלכה ו טוש"ע י"ד סימן שמ סעיף יח:

קטו ז מיי' שם פ"ב הלכה א סמג שם טוש"ע י"ד סימן שעד סעיף ד:

קטז ח ט י מיי' שם הלכה ד ה טוש"ע שם סעיף ו:

קיז כ מיי' שם הל' ה טוש"ע שם וסימן שפא סעיף ו:

קיח ל מיי' שם פ"ח הלכה א סמג שם טוש"ע י"ד סימן שמ סעיף א:

רבינו חננאל

אחד. ועוד ר' חייא נהג על אביו ועל אמו בשמועה רחוקה יום אחד ולמדנו ממנו ג' דברים. למדנו כי האבל אסור בנעילת הסנדל. וכי שמועה רחוקה אינה נוהגת אלא יום אחד. וכי מקצת היום ככולו תני ר' אדא קמיה דר' יוחנן שמע שמועה קרובה בשבת ולמו"ש נעשה רחוקה עולה לו ואינה נוהגת אלא יום אחד. וכן א"ר יוסי בר אבין שמע שמועה קרובה ברגל ולמוצאי הרגל נעשית רחוקה אינה נוהגת אלא יום אחד כללו של דבר כל יום שמועה שאינו נוהג בו אבלות כאילו עדיין לא שמע. השומע שמועה רחוקה ברגל קורע או אינו קורע ר' מני אמר אינו קורע ר' חנינא אמר קורע ר' מני אמר אינו קורע דכל היכא דליכא עליה אבלות שבעה אינו קורע איני והא תני איסי אבוה דר' זירא מי שאין לו (אלא חלוק אחד) [חלוק לקרוע] ונזדמן לו חלוק בתוך שבעה קורע לאחר שבעה אינו קורע. הנה קורע בתוך שבעה ואע"פ שאינו נוהג אחר הקריעה שבעה. וכי תימא משום דהיא בתוך שבעה ועוד הא תני ר' זירא בתריה בד"א בה' מתי מצוה פי' חמשה מכלל השבעה שהוא מצוה להתאבל עליהם. אבל על אביו ועל אמו קורע והולך. הנה שאין שם אבלות קורע ופרקינן כי תניא היא דר' זירא לכבוד אביו ואמו: ת"ר כל האמור בפרשת כהנים כהן מיטמא להם אבל מתאבל עליהם. ואלו הן אביו ואמו בנו ובתו אחיו ואחותו ואשתו הוסיפו עליהן אחיו ואחותו בתולה מאמו ואחותו נשואה מאביו וכשם שמתאבל עליהן כך מתאבל על שניים שלהם דברי ר"ע ר"ש בן אלעזר אומר אינו מתאבל אלא על [אבי] אביו ועל בן בנו. וחכמים אומרים כל שמתאבל עליו מתאבל עליהן. וקיי"ל כחכמים.

ואוקימנא עמו בבית כגון ראובן שמת לו בן נוהג יעקב אביו עמו בבית בלבד. וכי הא דאמר ליה רב לחייא בריה. ורב הונא אמר לרבה בריה חמיך וחמותך שמתו ואשתך מתאבלת עליהן באפה כלומר בבית עמה נהוג אבלות שלא בפניה לא תנהוג כלל מפני כבוד אשתו א"ל רב הונא למר עוקבא לא אמרו לכבוד אשתו אלא חמיו וחמותו בלבד ותניא כוותיה וכדתניא מי שמת חמיו או חמותו כופה מטתו ונוהג אבלות עמה וכן אם מת חמיה או חמותה אינה רשאה להיות כוחלת ופוקסת אלא כופה מטתה

מסורת הש"ס

א) [לעיל טו:], ב) [לעיל טז: פסחים ד. וש"נ], ג) [שמחות פ"ד], ד) כתובות ד:, ה) ג"ז שם, ו) ג"ז שם, ז) [עי' תוספות סנהדרין ס. ד"ה אתיא וכו' מה שהניחו סוגי' דהכא בתימה].

הגהות הב"ח

(א) רש"י ד"ה א"ל אימא כו' כלומר עד שאתה שואל: (ב) ד"ה והולך כו' ללמד הלכה לתלמידים נתכוין: (ג) ד"ה כל שמתאבל וכו' כשהוא מתאבל על בן שלו ותיבת פי' נמחק:

הגהות מהר"ב רנשבורג

א] גמ' הוסיפו עליהן אחיו אחותו הבתולה מאמו ואחותו נשואה כו'. נ"ב עיין ריטב"א:

גליון הש"ס

גמ' והולך אחרי כלי. עיין לקמן דף כד ע"ב תוספות ד"ה אלא קרוביו: שם מי שאין לו חלוק. עיין לקמן דף כד ע"א תוספות ד"ה וכל קרע ובתוספות ד"ה כי תניא:

תורה אור השלם

א) וַיָּקָם אִיּוֹב וַיִּקְרַע אֶת מְעִלוֹ וַיָּגָז אֶת רֹאשׁוֹ וַיִּפֹּל אַרְצָה וַיִּשְׁתָּחוּ: [איוב א, כ]

רש"י כת"י

מקצת היום ככולו. אלמא קסבר ר' חייא אינה נוהגת אלא יום אחד. שמועה קרובה ברגל. (ולאחר) שעדיין לא עברו שלשים יום. עולה לו. רגל כאלו לא נשמע לו עד סוף הרגל. ולמוצאי שבת נעשית רחוקה. כגון שהיה יום שבת יום שלשים. קורע או אינו קורע השומע שמועה רחוקה. אינו קורע. אלא בחלוק. קורע והולך. אפילו לאחר שבעה אלמא קריעה אע"ג דליכא שבעה דהא חלפי להו. לכבוד אביו ואמו. ולאו משום חיוב קריעה. כל האמור בפרשת כהנים. בסדר אמור אל הכהנים. שכהן. מצוה ליטמא להן לפי שהן קרובין כל אדם מתאבל עליהן. הוסיפו עליהן. לענין אבל. אחיו מאמו ואחותו [ה]בתולה מאמו ואחותו נשואה בין מאביו בין מאמו. דאין כהן מיטמא לאחיו ולאחותו שלא מאביו בדנפקא לן בתורת כהנים מקרא ולענין אבל הוסיפום. שניים. בן בנו בן אחיו [אבי אביו ו]אבי אמו ו]אחי אביו לא הוה שני. אינו מתאבל. על השניים כולן אלא על אבי אביו ועל בן בנו בלבד. כל שהוא מתאבל עליו. אם הוא מת כגון אביו ואחיו אם מת לאביו מת או לאחיו מת מתאבל עמהן וכגון (דאתו) [דאתי האי מת] מקורבא דידיה. [בבית]. לרבנן בתראי אין אבילות נוהג אלא בשעה שהוא נכנס לבית [אחיו] האבל וכשיוצא משם אין אבילות מוטל עליו פר"ח. באפה. בפני אשתך דהיינו נמי כל שמתאבל עליו ומתאבל בבית בפניו. בר חמוה. אחי אשתו לא חשיב שני. למיתב עליה. משום אשתו שרצה להתאבל עמה. צודנייתא בעית למיכל. אתה רוצה לאכול מטעמים ולכך אתה נוהג אבילות לעשות לו כדרך שאר אבלים. לא אמרו לכבוד אשתו אלא חמיו וחמותו. בלבד. מוזגת לו את הכוס ומצעת לו את המטה. שאע"פ שאין נדה עושה מלאכות אילו לבעלה משום גזירת תשמיש גבי ימי אבלה לא גזור רבנן. קשיין אהדדי. דקתני לעיל נוהג עמה אבילות והכא קתני רוחץ פניו ידיו ורגליו ותרויהו לרבי הני מתנייתא הא דתניא מי שמת חמיו או חמותו וכו' אשמעינן דנוהג עמה אבילות משום חמיו וחמותו ומאידך שמעינן דבשאר קרובים לא דאי מההיא הוה אמינא הוא הדין לשאר קרובים. אתא בריה. הדר אמימר קרע באפיה דבריה. קם קרע. פעם שלישית. ויקם יואב ויקרע וגו'. על עסקי בניו ובנותיו שמתו.

אָמַר לֵיהּ אִימָּא קַיֶּימֶת – Not wanting to report bad news, **Rav replied to him** by asking: **"Is my mother alive?"**[1] אָמַר לֵיהּ אִימָּא קַיֶּימֶת – **[R' Chiya]** then **asked him:** "So, **is your mother alive?"** אָמַר לֵיהּ אַבָּא קַיָּים – **[Rav] answered him: "Is my father alive?"**[2] אָמַר לֵיהּ לְשַׁמָּעֵיהּ – Understanding that both his brother and sister had passed away, **[R' Chiya] said to his attendant:** חֲלוֹץ לִי מִנְעָלַי – **"Take off my shoes,**[3] וְהוֹלֵךְ אַחֲרַי כֵּלַי לְבֵית הַמֶּרְחָץ – **and carry my clothing after me to the bathhouse."**[4]

The Gemara concludes its question, noting the several lessons that can be derived from R' Chiya's instruction to his attendant; the apparent contradiction emerges from one of them:

שְׁמַע מִינָּהּ תְּלָת – **Learn from it** the following **three** laws: שְׁמַע מִינָּהּ אָבֵל אָסוּר בִּנְעִילַת הַסַּנְדָּל – **Learn from it that a mourner is forbidden to wear shoes.**[5] וּשְׁמַע מִינָּהּ שְׁמוּעָה רְחוֹקָה אֵינָהּ נוֹהֶגֶת אֶלָּא יוֹם אֶחָד – **And learn from it** that mourning that results from **a delayed report is observed for only one day.** וּשְׁמַע מִינָּהּ מִקְצָת הַיּוֹם כְּכוּלּוֹ – **And learn from it that part of the day is like the whole** day. But if R' Chiya maintains that a delayed report requires only a minimal mourning, then why did he observe a full term of *shivah* and *sheloshim* when he received the delayed report of his son's death, as recounted in the previous Baraisa?[6]

The Gemara answers:

רַבִּי חִיָּיא לְחוּד רַבִּי אֲחִיָּיה לְחוּד – **R' Chiya is one** person **and R' Achiyah is a different** person.

The Gemara continues to discuss the case of a delayed report:

אָמַר רַבִּי יוֹסֵי בַּר אָבִין – **R' Yose bar Avin said:** שָׁמַע שְׁמוּעָה קְרוֹבָה בָּרֶגֶל – **If he received a current report on a festival,** וּלְמוֹצָאֵי הָרֶגֶל נַעֲשֵׂית רְחוֹקָה – **but by the end of the festival it became delayed,**[7] עוֹלֶה לוֹ וְאֵינוֹ נוֹהֵג אֶלָּא יוֹם אֶחָד – the festival **is included** in calculating thirty days, so that it is deemed a delayed report **and he observes only one day** of mourning.[8]

The Gemara cites another, similar ruling:

תָּנֵי רַבִּי אַדָּא דְּמִן קֵסָרִי קַמֵּיהּ דְּרַבִּי יוֹחָנָן – **R' Adda of Caesarea taught a Baraisa before R' Yochanan:** שָׁמַע שְׁמוּעָה קְרוֹבָה בְּשַׁבָּת וּלְמוֹצָאֵי שַׁבָּת נַעֲשֵׂית רְחוֹקָה – IF HE RECEIVED A CURRENT REPORT ON THE SABBATH, AND BY THE END OF THE SABBATH IT BECAME DELAYED, אֵינוֹ נוֹהֵג אֶלָּא יוֹם אֶחָד – HE OBSERVES ONLY ONE DAY of mourning.[9]

The Gemara raises a related issue:

קוֹרֵעַ אוֹ אֵינוֹ קוֹרֵעַ – In the case of a delayed report,[10] **does he rend** his clothing **or does he not rend** his clothing? רַבִּי מָנִי אָמַר אֵינוֹ קוֹרֵעַ – **R' Mani says: He does not rend his clothing.**[11] רַבִּי חֲנִינָא אָמַר קוֹרֵעַ – **R' Chanina says: He does rend** his clothing.

R' Mani challenges R' Chanina:

אָמַר לֵיהּ רַבִּי מָנִי לְרַבִּי חֲנִינָא – **R' Mani said to R' Chanina:** בִּשְׁלָמָא לְדִידִי דְּאָמִינָא אֵינוֹ קוֹרֵעַ – **It is all right according to me, who maintains that he does not rend** his garments; הַיְינוּ דְּלֵיכָּא שִׁבְעָה אֲבֵילוּת – **that is** reasonable **since there are not seven days of** *shivah* **mourning** being observed. For I believe that the obligation to rend one's clothing is only fulfilled in conjunction with the observance of seven days of *shivah.* אֶלָּא לְדִידָךְ דְּאָמְרַתְּ קוֹרֵעַ – **But according to you, who maintains that he does rend** his clothing, קְרִיעָה בְּלֹא שִׁבְעָה מִי אִיכָּא – **can there be rending** of clothing **without seven** days of *shivah?*[12]

The basis for the dispute between R' Mani and R' Chanina thus emerges: R' Mani maintains that the obligation to rend one's clothing is linked to the observance of *shivah,* whereas R' Chanina does not accept this. The Gemara proceeds to challenge R' Mani's view:

וְלֹא – **But** can there be **no** rending of clothing without *shivah*? (והתניא) [וְהָתָנֵי] אִיסִי אֲבוּהַ דְּרַבִּי זֵירָא – **But Isi, the father of R' Zeira, taught a Baraisa,**[13] וְאָמְרֵי לָהּ אֲחוּהַ דְּרַבִּי זֵירָא – **and others say it was the brother of R' Zeira,** קַמֵּיהּ דְּרַבִּי זֵירָא – **before R' Zeira** as follows: מִי שֶׁאֵין לוֹ חָלוּק לִקְרוֹעַ – ONE WHO HAS NO GARMENT TO REND at first,[14] וְנִזְדַּמֵּן לוֹ בְּתוֹךְ שִׁבְעָה קוֹרֵעַ – AND HE then OBTAINED ONE DURING THE SEVEN days of *shivah,* HE

NOTES

1. As if to say: Besides asking about my father Aivu, you should also have asked about my mother (*Rashi,* first and preferred explanation; cf. *Tosafos*).

2. That is to say: I did not answer you about my father yet (ibid.)!

3. To mourn over my brother and my sister (*Rashi*). [Wearing shoes is one of the activities that is prohibited during *shivah.*]

4. R' Chiya headed to the bathhouse even though bathing is forbidden during *shivah.* He intended with this to teach his students that one receiving a delayed report need observe the restrictions of mourning for only one day and, furthermore, that part of a day is like a whole day in this regard; thus, having shed his shoes for a short while, he would have fulfilled the obligation of *shivah* and could then proceed to bathe himself (*Rashi*).

For the short time that he did observe *shivah* R' Chiya was, of course, required to abstain from all activities that are forbidden during *shivah,* e.g. bathing, marital relations etc. It was, however, necessary that he perform at least one act that would go beyond mere passive abstention, an act that would be a positive demonstration of his mourning. He fulfilled this requirement by the act of shedding his shoes. Had he been barefoot to begin with, he would have had to find some other way to demonstrate his mourning; for example, he might have overturned his bed or cloaked himself in the manner of a mourner (*Ramban; Shulchan Aruch, Yoreh Deah* 402:2).

5. Actually, the fact that a mourner observing *shivah* may not wear shoes is a well-known halachah and does not need to be adduced from this episode (see above, 15b). Rather, the novel element here is that where someone received a delayed report of a death it is sufficient a demonstration of mourning for him to remove his shoes for a short time, and it is not necessary for him to also overturn his bed and cloak himself in the fashion of a mourner [see previous note] (*Ramban;* cf. *Keren Orah;* see also *Chidushei HaRan* and *Rabbeinu David* to *Pesachim* 4a).

6. Actually, the previous Baraisa spoke of R' Achiyah; the Gemara at this point assumes that R' Chiya and R' Achiyah are one and the same person.

7. I.e. by the time the end of the festival arrived, when *shivah* should have commenced, more than thirty days had passed since the death.

8. Since mourning is not observed on the festival itself, it is as if the report was not received until after the festival, by which time it is deemed a delayed report (see *Rabbeinu Chananel*).

[Even according to those Rishonim who maintain that private aspects of *shivah* mourning are observed on a festival (see above, 19b note 26), such observance is not sufficient to give him the status of a true mourner. He does not become a mourner, in the proper sense of the word, until after the festival, and since by that time more than thirty days have elapsed since the death, he is treated like one who received a delayed report (*Ramban, Toras HaAdam,* p. 228 in the Chavel ed., reproduced in *Chidushei HaRamban* below, 33b ד״ה ועוד אני אומר).]

9. Since the restrictions of mourning do not apply on the Sabbath, it is as if he did not receive word of the death until after the Sabbath (see *Rabbeinu Chananel* and *Ramban,* loc. cit.; see also *Keren Orah*). [Regarding whether private aspects of mourning apply on the Sabbath, see below, 23b.]

10. [See *Rashi ms.; Rif*; *Rosh*; cf. *Tosafos.*]

11. The basis for R' Mani's view will emerge shortly.

12. [See *Ritva,* who discusses why the law that we rend our clothing for a *Nasi* or a Torah sage that dies does not contradict this rule.]

13. Emendation follows *Hagahos Yavetz.*

14. For instance, someone whose clothing is borrowed and, therefore, may not be torn (*Tosafos;* see there and *Ritva* for other instances of someone who is unable to rend his clothing).

אמר ליה אימא קיימת אמר ליה אימא קיימת א"ל אבא קיים אמר ליה לשמעיה חלוץ לי מנעלי ° והולך אחרי כלי לבית המרחץ שמע מינה תלת שמע מינה (א) אבל אסור בנעילת הסנדל ושמע מינה שמועה רחוקה אינה נוהגת אלא יום אחד ושמע מינה (ב) א מקצת היום ככולו רבי חייא לחוד רבי אחייה לחוד אמר רבי יוסי בר אבין ב שמע שמועה קרובה ברגל ולמוצאי הרגל נעשית רחוקה עולה לו ואינו נוהג אלא יום אחד תני רבי אדא דמן קסרי קמיה דר' יוחנן ג שמע שמועה קרובה בשבת ולמוצאי שבת נעשית רחוקה אינו נוהג אלא יום אחד קורע או אינו קורע רבי מני אמר ד אינו קורע רבי חנינא אמר קורע אמר ליה רבי מני לר' חנינא בשלמא לדידי דאמינא אינו קורע היינו דלא איכא אבילות שבעה אלא לדידך דאמרת קורע קריעה בלא שבעה מי איכא ולא והתניא איסי אבוה דרבי זירא ואמרי לה אחוה דרבי זירא קמיה דר' זירא ° ה מי שאין לו חלוק לקרוע ונזדמן לו בתוך שבעה קורע לאחר שבעה אינו קורע עני ר' זירא בתריה במה דברים אמורים בחמשה מתי מצוה ו אבל על אביו ועל אמו קורע והולך כי תניא ההיא לכבוד אביו ואמו ת"ר ז כל האמור בפרשת כהנים שכהן מיטמא להן אבל מתאבל עליהן ואלו הן אשתו אביו ואמו אחיו ואחותו בנו ובתו א] הוספו עליהן אחיו ואחותו הבתולה מאמו ואחותו נשואה בין מאביו בין מאמו (ג) וכשם שמתאבל עליהם כך מתאבל על שניים שלהם דברי ר"ע רבי שמעון בן אלעזר אומר אינו מתאבל אלא על בן בנו ועל אבי אביו וחכ"א ח כל שמתאבל עליו מתאבל עמו חכמים היינו תנא קמא איכא בינייהו עמו ט בבית (ד) כי הא דאמר ליה רב לחייא בריה וכן א"ל רב הונא לרבה בריה באפה נהוג אבילותא בלא אפה לא תינהוג אבילותא מר עוקבא שכיב ליה בר חמוה סבר למיתב עליה שבעה ושלשים על רב הונא לגביה אשכחיה אמר ליה צודנייתא בעית למיכל לא אמרו לכבוד אשתו י אלא חמיו וחמותו דתניא (ה) מי שמת חמיו או חמותו כ אינו רשאי לכוף את אשתו להיות כוחלת ולהיות פוקסת אלא כופה מטתו ונוהג עמה אבילות וכן היא שמת חמיה או חמותה אינה רשאה להיות כוחלת ולהיות פוקסת אלא כופה מטתה ונוהגת עמו אבילות ותניא אידך (ו) אף על פי שאמרו אינו רשאי לכוף את אשתו להיות כוחלת ולהיות פוקסת באמת אמרו מוזגת לו את הכוס ומצעת לו מטה ומרחצת לו פניו ידיו ורגליו קשיין אהדדי אלא לאו שמע מינה כאן בחמיו וחמותו כאן בשאר קרובים שמע מינה תניא נמי הכי לא אמרו לכבוד אשתו אלא חמיו וחמותו בלבד אמימר שכיב ליה בר בריה קרע עילויה אתא בריה קרע באפיה אידכר דמיושב קרע קם קרע מעומד אמר ליה רב אשי לאמימר קריעה ל דמעומד (ז) מנלן דכתיב א) ויקם איוב ויקרע את מעילו

אלא

רש"י

א"ל אימא קיימת. בלשון שאלה הוא כלומר (א) שאתה שואל על אבי שאל על אמי שאף היא אחותך: א"ל. ר' חייא ואמך אחותי קיימת היא: א"ל. רב אבא קיים עדיין לא השגיח עליו וממילא הבין ויש אומרים בניחותא היה רב משיבו על מי שאינו שואל כדי שיבין מן הכלל וקשה בעיני לומר שרב יוציא דבר שקר מפיו: חלוץ מנעלי. להתאבל על אחי ואחותי: והולך כלי אחרי לבית המרחץ. ללמד הלכה (ב) נתכוין שאין שמועה רחוקה לאחר שלשים נוהגת אלא יום אחד ומקצת היום ככולו: למוצאי הרגל נעשית רחוקה. דהוי שלשים יום: אינה נוהגת אלא יום אחד. אע"פ דכי שמע עדיין היתה קרובה עולה הרגל להשלים שלשים דהוי שמועה רחוקה: אינו קורע. עכשיו דנוהג יום אחד לשמועה רחוקה: היינו דליכא אבילות שבעה. כלומר משום דליכא שבעה אינו קורע: קורע והולך. אחר שבעה אע"ג דליכא שבעה: אבל מתאבל עליהן. על אותן קרובים: אחיו מאמו. שלא מאביו דקרא משמע מאביו שלא מאמו: אחותו נשואה בין מאביו בין מאמו. דבקרא לא אשכחן אלא אבתולה: על שניים שלהן. אבי אביו ועל בן בנו ועל בן בתו ועל בן אחותו: כל שמתאבל עליו מתאבל עמו. כלומר מתאבל עם אביו כשהוא מתאבל על אב שלו נמצא זה מתאבל על אבי אביו וכן כל שמתאבל עליו כגון שמתאבל על בנו מתאבל עמו כלומר מתאבל עם בנו כשהוא מתאבל (ג) פי' על בן שלו ונמצא זה מתאבל על בן בנו: היינו תנא קמא. של רבי שמעון: עמו בבית. דתנא קמא לא בעי שיהא אביו או (בן) בנו עמו בבית ויושב עמו וחכמים בעו עמו בבית: כי האי. ענין דא"ל רב לר' חייא וכו': באפה. דאיתתך כשהיא אבילה דהאי נמי כל שמתאבל עליו כגון אשתו מתאבל עמו בפניו: צידונייתא. סעודות דאבל: קשיין אהדדי. דהכא קתני מצעת לו מטתו והכא קתני כופה מטתו: בשאר קרובי אשתו. מצעת לו מטתו: אתא בריה. הדר אמימר קרע באפיה דבריה: קם קרע. פעם שלישית: אודייני

השניים כולן אלא על אבי אביו ועל בן בנו בלבד. כל שהוא מתאבל עליו. אם הוא מת כגון אביו ואחיו אם מת לאביו מת או לאחיו מת מתאבל עמהן וכגון (דאתו) [דאתי האי מת] מקורבא דידיה. [בבית]. לרבנן בתראי אין אבילות נוהג אלא בשעה שהוא נכנס לבית [אחיו] האבל וכשיוצא משם אין אבילות מוטל עליו פר"ח. באפה. בפני אשתך דהיינו נמי כל שמתאבל עליו ומתאבל בבית בפניו. בר חמוה. אחי אשתו לא חשיב שני. למיתב עליה. משום אשתו שרצה להתאבל עמה. צודנייתא בעית למיכל. אתה רוצה לאכול מטעמים ולכך אתה נוהג אבילות לעשות לו כדרך שאר אבלים. לא אמרו לכבוד אשתו אלא חמיו וחמותו. בלבד. מוזגת לו את הכוס ומצעת לו את המטה. שאע"פ שאין נדה עושה מלאכות אילו לבעלה משום גזירת תשמיש גבי ימי אבלה לא גזור רבנן. קשיין אהדדי. דקתני לעיל נוהג עמה אבילות והכא קתני רוחץ פניו ידיו ורגליו ותרויהו צריכי הני מתנייתא הא דתניא מי שמת חמיו או חמותו וכו' אשמעינן דנוהג עמה אבילות משום חמיו וחמותו ומאידך שמעינן דבשאר קרובים לא דאי מההיא הוה אמינא הוא הדין לשאר קרובים. אתא בריה. הדר אמימר קרע באפיה דבריה. קם קרע. פעם שלישית. ויקם יואב ויקרע וגו'. על עסקי בניו ובנותיו שמתו.

תוספות

עולה לו. פירוש הרגל עולה לו למנין שאינו נוהג אלא יום אחד: **קורע** או אינו קורע. דוקא כענין זה מיבעי ליה לפי שהיה חייב לקרוע בשעת שמועה אבל שמע שמועה רחוקה בחול אינו קורע כלל ואפי' על אביו ואמו וכן קאמר נמי בסמוך כי תניא ההיא בכבוד אביו ואמו והכי משמע לעיל דלא מלינו לר' חייא שקרע אע"פ שהיה אביו ואמו לגירסת ר"ח וא"ת אי מהא משמע דאינו קורע על אביו ואמו אמאי לא קאמר ש"מ דאינו קורע יש לומר דאינו מביא ש"מ כי אם ממה שראינו שעשה אבל ממה שלא ראינו אינו מביא ראיה מכל מקום מדלא קבעי הש"ס כלל אם רבי חייא קרע משמע א"צ לקרוע ובתשובת רבינו זקיני פי' דאינו קורע על שמועה רחוקה אפי' על אביו ואמו והרי"ן וגם בתוס' הרב מסופק והא דאמר בסמוך מי שאין לו חלוק וכו' איירי כגון שהיה שאול מחבירו או נתמלא קרעים ונראה לי שיש לסמוך יותר על ה"ג מרב נמח גאון דאין קורעים לאחר ל' יום אלא על אביו ואמו בלבד וברכת אבלים נחלקו בה"ג אם שמע בשבת אם חייב לברך ברכת אבלים דיש מפרשים דנקרא דברים שבצינעא וי"א כיון דמברכין בג' או בעשרה לאו דברים שבצינעא הוא:

ואחותו נשואה בין מאביו בין מאמו. לא מיבעי מאביו אלא אפי' מאמו נמי:

על שניים שלהם. פי' הנולדים מהן אבל באחיהם ובנשותיהם היה מסופק בתוספות הרב בשם רבו ולא ידענא מאי שנא:

על אבי אביו ועל בן בנו. פירוש בתוספות הרב בשם רבו דהוא הדין אבי אמו ובת בתו:

באפה נהוג אבילות. פירוש בתוספות בכל דיני אבלות נעילת הסנדל ורחיצה וסיכה וכולן כל זמן שהוא בפניה ובפ"ק דכתובות (דף ד:) קאמר עמו בבית ושמא באפה דוקא או שמא בכל הבית:

ומרחצת לו פניו ידיו ורגליו. בחמין קאמר דאילו בצונן היא נמי מותרת: **אלא** בחמיו וחמותו. והוא הדין היא נוהגת עמו בחמיה וחמותה והא דקתני לעיל כל שמתאבל עליו מתאבל עמו בכל שאר קרובים קאמר אבל אשתו יש חילוק בין חמיו וחמותו לשאר קרובים:

אתא בריה קרע באפיה. להיות נוהג עמו אבילות ותימה כיון דקרע כבר וכי צריך לקרוע כלל לפני הקרובים ושמא לאשמועינן דבאפיה נוהג אבילות והר"א פירש אתא בריה קרע באפיה לפי שאמימר קרע מיושב ואתא בנו להזכירו שהוא טעה לקרוע מיושב והקריעה זה עשה בנו של אמימר ועל ידי כך נזכר אמימר וקרע פעם שניה מעומד:

אלא

עין משפט נר מצוה

קיא א מיי' פ"ז מהל' אבל הלכה א סמג עשין דרבנן ב טוש"ע י"ד סימן תב סעיף א:

קיב ב ג מיי' שם הלכה ג וסמג שם טוש"ע י"ד שם סעיף ה:

קיג ד מיי' שם הל' א טוש"ע שם סעי' ד:

קיד ה ו מיי' פ"ח שם הלכה ו טוש"ע י"ד סימן שמ סעיף יח:

קטו ז מיי' שם פ"ב הלכה א סמג שם טוש"ע י"ד סימן שעד סעיף ד:

קטז ח ט י מיי' שם הלכה ד ה טוש"ע שם סעיף ו:

קיז כ מיי' שם הל' ה טוש"ע שם וסימן שפא סעיף ו:

קיח ל מיי' שם פ"ח הלכה א סמג שם טוש"ע י"ד סימן שמ סעיף א:

רבינו חננאל

אחד. ועוד ר' חייא נהג על אביו ועל אמו בשמועה רחוקה יום אחד ולמדנו ממנו ג' דברים. למדנו כי האבל אסור בנעילת הסנדל. וכי שמועה רחוקה אינה נוהגת אלא יום אחד. וכי מקצת היום ככולו תני ר' אדא קמיה דר' יוחנן שמע שמועה קרובה בשבת ולמו"ש נעשה רחוקה עולה לו ואינה נוהגת אלא יום אחד. וכן א"ר יוסי בר אבין שמע שמועה קרובה ברגל ולמוצאי הרגל נעשית רחוקה אינה נוהגת אלא יום אחד כללו של דבר כל יום שמועה שאינו נוהג בו אבלות כאילו עדיין לא שמע. השומע שמועה רחוקה ברגל קורע או אינו קורע ר' מני אמר אינו קורע ר' חנינא אמר קורע ר' מני אמר אינו קורע דכל היכא דליכא עליה אבלות שבעה אינו קורע איני והא תני איסי אבוה דר' זירא מי שאין לו (אלא חלוק אחד) [חלוק לקרוע] ונזדמן לו חלוק בתוך שבעה קורע לאחר שבעה אינו קורע. הנה קורע בתוך שבעה ואע"פ שאינו נוהג אחר הקריעה שבעה. וכי תימא משום דהיא בתוך שבעה ועוד הא תני ר' זירא בתריה בד"א בה' מתי מצוה פי' חמשה מכלל השבעה שהוא מצוה להתאבל עליהם. אבל על אביו ועל אמו קורע והולך. הנה שאין שם אבלות קורע ופרקינן כי תניא היא דר' זירא לכבוד אביו ואמו: ת"ר כל האמור בפרשת כהנים כהן מיטמא להם אבל מתאבל עליהם. ואלו הן אביו ואמו בנו ובתו אחיו ואחותו ואשתו הוספו עליהן אחיו ואחותו בתולה מאמו ואחותו נשואה מאביו וכשם שמתאבל עליהן כך מתאבל על שניים שלהם דברי ר"ע ר"ש בן אלעזר אומר אינו מתאבל אלא על [אבי] אביו ועל בן בנו. וחכמים אומרים כל שמתאבל עליו מתאבל עליהן. וקיי"ל כחכמים.

ואוקימנא עמו בבית כגון ראובן שמת לו בן נוהג יעקב אביו עמו בבית בלבד. וכי הא דאמר ליה רב לחייא בריה. ורב הונא אמר לרבה בריה חמיך וחמותך שמתו ואשתך מתאבלת עליהן באפה כלומר בבית עמה נהוג אבלות שלא בפניה לא תנהוג כלל מפני כבוד אשתו א"ל רב הונא למר עוקבא לא אמרו לכבוד אשתו אלא חמיו וחמותו בלבד ותניא כוותיה וכדתניא מי שמת חמיו או חמותו כופה מטתו ונוהג אבלות עמה וכן אם מת חמיה או חמותה אינה רשאה להיות כוחלת ופוקסת אלא כופה מטתה

מסורת הש"ס

א) [לעיל טו:], ב) [לעיל טו: פסחים ד. וש"נ], ג) [שמחות פ"ד], ד) כתובות ד., ה) ג"ז שם, ו) ג"ז שם, ז) [עי' תוספות סנהדרין ס. ד"ה אלא וכו' מה שהניחו סוגי' דהכא בתימה].

הגהות הב"ח

(א) רש"י ד"ה א"ל אימא כו' כלומר עד שאתה שואל: (ב) ד"ה והולך כו' ללמד הלכה לתלמידים נתכוין: (ג) ד"ה כל שמתאבל וכו' כשהוא מתאבל על בן שלו ותיבת פי' נמחק:

הגהות מהר"ב רנשבורג

א] גמ' הוספו עליהן אחיו אחותו הבתולה מאמו ואחותו נשואה כו'. נ"ב עיין ריטב"א:

גליון הש"ס

גמ' והולך אחרי כלי. עיין לקמן דף כד ע"ב תוספות ד"ה אלא קרוביו: שם מי שאין לו חלוק. עיין לקמן דף כד ע"א תוספות ד"ה וכל קרע ובתוספות ד"ה כי תניא:

תורה אור השלם

א) וַיָּקָם אִיּוֹב וַיִּקְרַע אֶת מְעִלוֹ וַיָּגָז אֶת רֹאשׁוֹ וַיִּפֹּל אַרְצָה וַיִּשְׁתָּחוּ: [איוב א, כ]

רש"י כת"י

מקצת היום ככולו. אלמא קסבר ר' חייא אינה נוהגת אלא יום אחד. שמועה קרובה ברגל. (ולאחר) שעדיין לא עברו שלשים יום. עולה לו. רגל כאלו לא נשמע לו עד סוף הרגל. ולמוצאי שבת נעשית רחוקה. כגון שהיה יום שבת יום שלשים. קורע או אינו קורע השומע שמועה רחוקה. אינו קורע. אלא בחלוק. קורע והולך. אפילו לאחר שבעה אלמא קריעה אע"ג דליכא שבעה דהא חלפי להו. לכבוד אביו ואמו. ולאו משום חיוב קריעה. כל האמור בפרשת כהנים. בכלל אמור אל הכהנים. שכהן. מצוה ליטמא להן לפי שהן קרובין כל אדם מתאבל עליהן. הוספו עליהן. לענין אבל. אחיו מאמו ואחותו [ה]בתולה מאמו ואחותו נשואה בין מאביו בין מאמו. דאין כהן מיטמא לאחיו ולאחותו שלא מאביו דנפקא לן בתורת כהנים מקרא ולענין אבל הוסיפום. שניים. בן בנו בן אחיו [אבי אביו ו]אבי אמו ו]אחי אביו לא הוה שני. אינו מתאבל. על

RENDS it then; לְאַחַר שִׁבְעָה אֵינוֹ קוֹרֵעַ – but if it is already **AFTER THE SEVEN** days of *shivah,* **HE DOES NOT REND** it. עָנֵי רַבִּי זֵירָא בַּתְרֵיהּ – Hearing this Baraisa, **R' Zeira responded:** בַּמֶּה דְּבָרִים אֲמוּרִים – **When does this** ruling **apply?** בַּחֲמִשָּׁה מֵתֵי מִצְוָה – **In** regard to **the** other **five** types of **deceased** relations for whom one mourns, viz. a brother, sister, son, daughter or wife. אֲבָל עַל אָבִיו וְעַל אִמּוֹ קוֹרֵעַ וְהוֹלֵךְ – **But for one's father or mother one rends** one's garments **even after**[15] *shivah* has passed. It emerges from R' Zeira's statement that it is possible to observe the requirement to rend one's clothing even after the observance of *shivah* is over; apparently, then, the two observances are not linked![16] – ? –

The Gemara answers on behalf of R' Mani:

כִּי תַנְיָא הַהִיא לִכְבוֹד אָבִיו וְאִמּוֹ – **That** ruling of R' Zeira, that one rends one's clothing for a parent even after *shivah,* **was taught only out of respect for his father and mother,** and not as a true fulfillment of the rending obligation.[17]

The Gemara cites a Baraisa which delineates for which relatives one is required to mourn, upon their death:

תָּנוּ רַבָּנָן – **The Rabbis taught in a Baraisa:** כָּל הָאָמוּר בְּפָרָשַׁת כֹּהֲנִים שֶׁכֹּהֵן מִיטַּמֵּא לָהֶן – **ALL** those relatives **ABOUT WHOM IT IS STATED – IN THE PASSAGE [REGARDING]** the injunction against **KOHANIM** contracting *tumah* from a corpse – **THAT A KOHEN MUST CONTAMINATE HIMSELF FOR THEM,** אָבֵל מִתְאַבֵּל עֲלֵיהֶן – **A MOURNER MOURNS FOR THEM,** as well.[18] וְאֵלּוּ הֵן אִשְׁתּוֹ אָבִיו וְאִמּוֹ אָחִיו וַאֲחוֹתוֹ בְּנוֹ וּבִתּוֹ – **AND THESE ARE THEY: HIS WIFE,**[19] **HIS FATHER, HIS MOTHER, HIS** paternal **BROTHER, HIS** paternal virgin **SISTER,**[20] **HIS SON AND HIS DAUGHTER.**[21] הוֹסִיפוּ עֲלֵיהֶן אָחִיו וַאֲחוֹתוֹ הַבְּתוּלָה מֵאִמּוֹ – **THEY** [the Rabbis] **ADDED TO THEM** the following relatives, for whom mourning is observed even though a Kohen would not contaminate himself for them: **HIS MATERNAL BROTHER AND MATERNAL VIRGIN SISTER,** וַאֲחוֹתוֹ נְשׂוּאָה בֵּין מֵאָבִיו בֵּין מֵאִמּוֹ – **AND HIS MARRIED SISTER, EITHER PATERNAL OR MATERNAL.**[22]

More additions:

וּכְשֵׁם שֶׁמִּתְאַבֵּל עֲלֵיהֶם כָּךְ מִתְאַבֵּל עַל שְׁנִיִּים שֶׁלָּהֶם – **AND JUST AS HE MOURNS FOR THESE** immediate relatives, **SO DOES HE MOURN FOR THEIR SECONDARY** relations;[23] דִּבְרֵי רַבִּי עֲקִיבָא – **THESE ARE THE WORDS OF R' AKIVA.** רַבִּי שִׁמְעוֹן בֶּן אֶלְעָזָר אוֹמֵר – **R' SHIMON THE SON OF ELAZAR SAYS:** אֵינוֹ מִתְאַבֵּל אֶלָּא עַל בֶּן בְּנוֹ וְעַל אֲבִי אָבִיו – **HE DOES NOT MOURN** for any secondary relative **EXCEPT FOR HIS SON'S SON AND HIS FATHER'S FATHER.**[24] וַחֲכָמִים אוֹמְרִים – **BUT THE SAGES SAY:** כָּל שֶׁמִּתְאַבֵּל עָלָיו מִתְאַבֵּל עִמּוֹ – **HE MOURNS ALONG WITH ANY** relative **FOR WHOM HE WOULD** himself **MOURN.**[25]

NOTES

15. Literally: one rends and proceeds.

16. According to R' Zeira, only the requirement to rend one's clothing for a nonparent expires after *shivah;* but the requirement to rend one's clothing for a parent does not expire after *shivah.* The fact that one rends one's clothing for a parent even after *shivah* demonstrates that the rending obligation is independent of *shivah* observance. [Nor is this contradicted by the fact that one does not rend one's clothing for a non-parent after *shivah;* in such a case one does not rend one's clothing because the rending obligation for a non-parent expires after seven days, not because the rending obligation is linked to the observance of *shivah.*]

Consequently, in the case of a delayed report one ought to rend one's clothing even though full-fledged *shivah* is not observed; furthermore, this obligation should apply even to a non-parent since, in this case, the rending obligation first took effect upon receipt of the report and therefore did not have time to expire (see *Ramban;* cf. *Ritva*).

17. In fact, the obligation to rend one's clothing is linked to the observance of *shivah.* As for R' Zeira's ruling that one rends one clothing for a parent even after *shivah,* it has nothing to do with the fundamental obligation to rend one's clothing upon the death of a relative; rather, it is a mere token of respect for a deceased parent. One would, of course, do the same upon receiving a distant report of a parent's death; but this has no bearing on the obligation to rend one's clothing for a non-parent (see *Rashi ms.; Ramban;* cf. *Ritva*).

The halachah follows the view of R' Mani. Hence, in the case of the death of a relative other than a parent, if one did not rend one's clothing during *shivah* one does not do so after *shivah;* nor would one rend one's clothing on receipt of a distant report of their death. If the deceased were one's parent, however, one would rend one's clothing in either case, as a token of respect (*Shulchan Aruch, Yoreh Deah* 340:18; ibid. 402:4).

18. Although the Torah generally forbids a Kohen to allow himself to become *tamei* through contact with a corpse, in the case of the death of certain immediate relatives the Torah, quite the contrary, demands that a Kohen attend them and thereby become *tamei.* This mitzvah is contained in the following passage: *Hashem said to Moses: Say to the Kohanim, the sons of Aharon, and tell them: Each of you shall not contaminate himself to a [dead] person among his people; except for the relative who is closest to him, to his mother and to his father, to his son, to his daughter, and to his brother, and to his virgin sister who is close to him, who has not been wed to a man, to her he shall contaminate himself* (*Leviticus* 21:1-3). The Baraisa teaches that the set of immediate relatives for whom one observes mourning is identical to the set of relatives for whom a Kohen would contaminate himself, with certain additions which the Baraisa will enumerate.

[It should be noted that according to *Rambam* (*Sefer HaMitzvos, Mitzvos Asei* §37) the Torah's insistence that a Kohen become *tamei* upon the death of an immediate relative is an aspect of the Biblical mitzvah of mourning; indeed, *Rambam* states that this very passage serves as the Biblical source for the mitzvah of mourning. However, elsewhere *Rambam* invokes a different source for the mitzvah of mourning (see *Hil. Aveil* 1:1). Furthermore, not all Rishonim concede that there is a Biblical mitzvah of mourning at all; see above, 20a note 17.]

19. This is what the verse means by *the relative who is closest to him* (see *Yevamos* 22b; but see *Rambam, Hil. Aveil* 2:7 and 3:1; *Kesef Mishneh* and *Lechem Mishneh* ibid. 2:1).

20. When the verse speaks of *"his brother"* and *"his virgin sister"* it is understood to mean his paternal brother and sister (*Rashi*).

21. In short, a Kohen contaminates himself for a parent, a child, and any paternal sibling (i.e. a sibling with whom he shares a father) with the exception of a married sister.

22. I.e. the Rabbis extended the set of relatives for whom one mourns to include maternal siblings and married sisters (*Rashi*; *Ramban*; cf. *Or Zarua* §428).

[This extension is, however, only Rabbinic; on a Biblical level the obligation of mourning – assuming that there is a Biblical obligation of mourning at all; see above, 20a note 17 – extends only to those relatives for whom a Kohen would contaminate himself. Thus, the observance of mourning for a maternal sibling or for a married sister is merely a Rabbinic requirement (*Ramban, Toras HaAdam,* p. 213 in the Chavel ed., reproduced in *Chidushei HaRamban* fol. 32b). *Rambam* (ibid. 2:2), however, draws a distinction: In his view, the obligation to mourn for a maternal sibling is Rabbinic, but the obligation to mourn for a married, paternal sister is Biblical; see *Ramban,* ibid.; *Kesef Mishneh* and *Lechem Mishneh* to *Hil. Aveil* loc. cit.]

23. That is, just as he mourns for these immediate relatives, so too is he required to mourn for secondary relatives, which are defined as the immediate relatives of his immediate relatives. Thus, for example, he is required to mourn for his father's father, or for his son's son (*Rashi*).

[It would seem from *Rashi,* and it is explicit in *Rashi ms.,* that secondary relatives are defined as parents or children of his immediate relatives and not their siblings, e.g. his father's brother. Other Rishonim, however, disagree and maintain that *all* immediate relatives of his immediate relatives are included in this ruling. Even according to these Rishonim, there are those who contend that this rule is limited to a case where he at least shares some kinship with the secondary relative. Thus, he mourns for his father's father, who is his own grandfather, and for his son's son, who is his own grandson. He would not, however, mourn for paternal brother's maternal brother, with whom he does not share any kinship at all (*Ramban,* citing certain French scholars; see below, note 29, for other limitations).

24. Or, likewise, his mother's father and his daughter's daughter (*Tosafos*).

25. That is, if an immediate relative, for whom he would himself mourn were they to die, sustains the loss of a relative and is mourning, he

אמר ליה אימא קיימת אמר ליה אימא קיימת א"ל אבא קיים אמר ליה לשמעיה חלוץ לי מנעלי ° והולך אחרי כלי לבית המרחץ שמע מינה תלת שמע מינה [א] אבל אסור בנעילת הסנדל ושמע מינה שמועה רחוקה אינה נוהגת אלא יום אחד ושמע מינה [ב][א] מקצת היום ככולו רבי חייא לחוד רבי אחייה לחוד אמר רבי יוסי בר אבין [ב] שמע שמועה קרובה ברגל ולמוצאי הרגל נעשית רחוקה עולה לו ואינו נוהג אלא יום אחד תני רבי אדא דמן קסרי קמיה דר' יוחנן [ג] שמע שמועה קרובה בשבת ולמוצאי שבת נעשית רחוקה אינו נוהג אלא יום אחד קורע או אינו קורע רבי מני אמר [ד] אינו קורע רבי חנינא אמר קורע אמר ליה רבי מני לר' חנינא בשלמא לדידי דאמינא אינו קורע היינו דלא איכא אבילות שבעה אלא לדידך דאמרת קורע קריעה בלא שבעה מי איכא ולא והתניא איסי אבוה דרבי זירא ואמרי לה אחוה דרבי זירא קמיה דר' זירא ° [ה] מי שאין לו חלוק לקרוע ונזדמן לו בתוך שבעה קורע לאחר שבעה אינו קורע עני ר' זירא בתריה במה דברים אמורים בחמשה מתי מצוה [ו] אבל על אביו ועל אמו קורע והולך כי תניא ההיא לכבוד אביו ואמו ת"ר [ז] כל האמור בפרשת כהנים שכהן מיטמא להן אבל מתאבל עליהן ואלו הן אשתו אביו ואמו אחיו ואחותו בנו ובתו [א] הוסיפו עליהן אחיו ואחותו הבתולה מאמו ואחותו נשואה בין מאביו בין מאמו [ג] וכשם שמתאבל עליהם כך מתאבל על שניים שלהם דברי ר"ע רבי שמעון בן אלעזר אומר אינו מתאבל אלא על בן בנו ועל אבי אביו וחכ"א [ח] כל שמתאבל עליו מתאבל עמו חכמים היינו תנא קמא איכא בינייהו עמו [ט] בבית [ד] כי הא דאמר ליה רב לחייא בריה וכן א"ל רב הונא לרבה בריה באפה נהוג אבילותא בלא אפה לא תינהוג אבילותא מר עוקבא שכיב ליה בר חמוה סבר למיתב עליה שבעה ושלשים על רב הונא לגביה אשכחיה אמר ליה צודנייתא בעית למיכל לא אמרו לכבוד אשתו [י] אלא חמיו וחמותו דתניא [ה] מי שמת חמיו או חמותו [כ] אינו רשאי לכוף את אשתו להיות כוחלת ולהיות פוקסת אלא כופה מטתו ונוהג עמה אבילות וכן היא שמת חמיה או חמותה אינה רשאה להיות כוחלת ולהיות פוקסת אלא כופה מטתה ונוהגת עמו אבילות ותניא אידך [ו] אף על פי שאמרו אינו רשאי לכוף את אשתו להיות כוחלת ולהיות פוקסת באמת אמרו מוזגת לו את הכוס ומצעת לו מטה ומרחצת לו פניו ידיו ורגליו קשיין אהדדי אלא לאו שמע מינה כאן בחמיו וחמותו כאן בשאר קרובים שמע מינה תניא נמי הכי לא אמרו לכבוד אשתו אלא חמיו וחמותו בלבד אמימר שכיב ליה בר בריה קרע עילויה אתא בריה קרע באפיה אידכר דמיושב קרע קם קרע מעומד אמר ליה רב אשי לאמימר קריעה [ל] דמעומד [ז] מנלן דכתיב [א] ויקם איוב ויקרע את מעילו אלא

א"ל אימא קיימת. בלשון שאילה הוא כלומר (א) שאתה שואל על אבי שאל על אמי שאף היא אחותך: **א"ל.** ר' חייא ואמך אחותי קיימת היא: **א"ל.** רב אבא קיים עדיין לא השגיח עליו וממילא הבין ויש אומרים בניחותא היה רב משיבו על מי שאינו שואל כדי שיבין מן הכלל וקשה בעיני לומר שרב יוציא דבר שקר מפיו: **חלוץ מנעלי.** להתאבל על אחי ואחותי: **והולך כלי אחרי לבית המרחץ.** ללמד הלכה (ב) נתכוין שאין שמועה רחוקה לאחר שלשים נוהגת אלא יום אחד ומקצת היום ככולו: **למוצאי הרגל נעשית רחוקה.** דהוי שלשים יום: **אינה נוהגת אלא יום אחד.** אע"פ דכי שמע עדיין היתה קרובה עולה הרגל להשלים שלשים דהוי שמועה רחוקה: **אינו קורע.** עכשיו דנוהג יום אחד לשמועה רחוקה: **היינו דליכא אבילות שבעה.** כלומר משום דליכא שבעה אינו קורע: **קורע והולך.** אחר שבעה אע"ג דליכא שבעה: **אבל מתאבל עליהן.** על אותן קרובים: **אחיו מאמו.** שלא מאביו דקרא משמע מאביו שלא מאמו: **אחותו נשואה בין מאביו בין מאמו.** דבקרא לא אשכחן אלא אבתולה: **על שניים שלהן.** אבי אביו ועל בן בנו ועל בן בתו ועל בן אחותו: **כל שמתאבל עליו מתאבל עמו.** כלומר מתאבל עם אביו כשהוא מתאבל על אב שלו נמצא זה מתאבל על אבי אביו וכן כל שמתאבל עליו כגון שמתאבל על בנו מתאבל עמו כלומר מתאבל עם בנו כשהוא מתאבל (ג) פי' על בן שלו ונמצא זה מתאבל על בן בנו: **היינו תנא קמא.** של רבי שמעון: **עמו בבית.** דתנא קמא לא בעי שיהא אביו או (בן) בנו עמו בבית ויושב עמו וחכמים בעו עמו בבית: **כי האי.** ענין דא"ל רב לר' חייא וכו': **באפה.** דאיתתך כשהיא אבילה דהאי נמי כל שמתאבל עליו כגון אשתו מתאבל עמו בפניו: **צידונייתא.** סעודות דאבל: **קשיין אהדדי.** דהכא קתני מצעת לו מטתו והכא קתני כופה מטתו: **בשאר קרובי אשתו.** מצעת לו מטתו: **אתא בריה.** הדר אמימר קרע באפיה דבריה: **קם קרע.** פעם שלישית: אודייני

עולה לו. פירוש הרגל עולה לו למנין שאינו נוהג אלא יום אחד: **קורע** או אינו קורע. דוקא כענין זה מיבעי ליה לפי שהיה חייב לקרוע בשעת שמועה אבל שמע שמועה רחוקה בחול אינו קורע כלל ואפי' על אביו ואמו וכן קאמר נמי בסמוך כי תניא ההיא בכבוד אביו ואמו והכי משמע לעיל דלא מלינו לר' חייא שקרע אע"פ שהיה אביו ואמו לגירסת ר"ח וא"ת אי מהא משמע דאינו קורע על אביו ואמו אמאי לא קאמר ש"מ דאינו קורע יש לומר דאינו מביא ש"מ כי אם ממה שראינו שעשה אבל ממה שלא ראינו אינו מביא ראיה מכל מקום מדלא קבעי הש"ס כלל אם רבי חייא קרע משמע א"צ לקרוע ובתשובת רבינו זקיני פי' דאינו קורע על שמועה רחוקה אפי' על אביו ואמו והרי"ן וגם בתוס' הרב מסופק והא דאמר בסמוך מי שאין לו חלוק וכו' מיירי כגון שהיה שאול מחבירו או נתמלא קרעים ונראה לי שיש לסמוך יותר על ה"ג מרב אחא גאון דאין קורעים לאחר ל' יום אלא על אביו ואמו בלבד וברכת אבלים נחלקו בה"ג אם שמע בשבת אם חייב לברך ברכת אבלים דיש מפרשים דנקרא דברים שבצינעא וי"א כיון דמברכין בג' או בעשרה לאו דברים שבצינעא הוא:

ואחותו נשואה בין מאביו בין מאמו. לא מיבעי מאביו אלא אפי' מאמו נמי:

על שניים שלהם. פי' הנולדים מהן אבל באחיהם ובנשותיהם היה מסופק בתוספות הרב בשם רבו ולא ידענא מאי שנא:

על אבי אביו ועל בן בנו. פירוש בתוספות הרב בשם רבו דהוא הדין אבי אמו ובת בתו:

באפה נהוג אבילות. פירוש בתוספות בכל דיני אבלות נעילת הסנדל ורחיצה וסיכה וכולן כל זמן שהוא בפניה ובפ"ק דכתובות (דף ד:) קאמר עמו בבית ושמא באפה דוקא או שמא בכל הבית:

ומרחצת לו פניו ידיו ורגליו. בחמין קאמר דאילו בצונן היא נמי מותרת: **אלא** בחמיו וחמותו. והוא הדין היא נוהגת עמו בחמיה וחמותה והא דקתני לעיל כל שמתאבל עליו מתאבל עמו בכל שאר קרובים קאמר אבל אשתו יש חילוק בין חמיו וחמותו לשאר קרובים:

אתא בריה קרע באפיה. להיות נוהג עמו אבילות ותימה כיון דקרע כבר וכי צריך לקרוע כלל לפני הקרובים ושמא לאשמועינן דבאפיה נוהג אבילות והר"א פירש אתא בריה קרע באפיה לפי שאמימר קרע מיושב ואתא בנו להזכירו שהוא טעה לקרוע מיושב והקריעה זה עשה בנו של אמימר ועל ידי כך נזכר אמימר וקרע פעם שניה מעומד: אלא

עין משפט נר מצוה

קיא א מיי' פ"ז מהל' אבל הלכה א סמג עשין דרבנן ב טוש"ע י"ד סימן תב סעיף א:

קיב ב ג מיי' שם הלכה ג וסמג שם טוש"ע י"ד שם סעיף ה:

קיג ד מיי' שם הל' א טוש"ע שם סעי' ד:

קיד ה ו מיי' פ"ח שם הלכה ו טוש"ע י"ד סימן שמ סעיף יח:

קטו ז מיי' שם פ"ב הלכה א סמג שם טוש"ע י"ד סימן שעד סעיף ד:

קטז ח ט י מיי' שם הלכה ד ה טוש"ע שם סעיף ו:

קיז כ מיי' שם הל' ה טוש"ע שם וסימן שפא סעיף ו:

קיח ל מיי' שם פ"ח הלכה א סמג שם טוש"ע י"ד סימן שמ סעיף א:

רבינו חננאל

אחד. ועוד ר' חייא נהג על אביו ועל אמו בשמועה רחוקה יום אחד ולמדנו ממנו ג' דברים. למדנו כי האבל אסור בנעילת הסנדל. וכי שמועה רחוקה אינה נוהגת אלא יום אחד. וכי מקצת היום ככולו תני ר' אדא קמיה דר' יוחנן שמע שמועה קרובה בשבת ולמו"ש נעשה רחוקה עולה לו ואינה נוהגת אלא יום אחד. וכן א"ר יוסי בר אבין שמע שמועה קרובה ברגל ולמוצאי הרגל נעשית רחוקה אינה נוהגת אלא יום אחד כללו של דבר כל יום שמועה שאינו נוהג בו אבלות כאילו עדיין לא שמע. השומע שמועה רחוקה ברגל קורע או אינו קורע ר' מני אמר אינו קורע ר' חנינא אמר קורע ר' מני אמר אינו קורע דכל היכא דליכא עליה אבלות שבעה אינו קורע איני והא תני איסי אבוה דר' זירא מי שאין לו (אלא חלוק אחד) [חלוק לקרוע] ונזדמן לו חלוק בתוך שבעה קורע לאחר שבעה אינו קורע. הנה קורע בתוך שבעה ואע"פ שאינו נוהג אחר הקריעה שבעה. וכי תימא משום דהיא בתוך שבעה ועוד הא תני ר' זירא בתריה בד"א בה' מתי מצוה פי' חמשה מכלל השבעה שהוא מצוה להתאבל עליהם. אבל על אביו ועל אמו קורע והולך. הנה שאין שם אבלות קורע ופרקינן כי תניא היא דר' זירא לכבוד אביו ואמו: ת"ר כל האמור בפרשת כהנים כהן מיטמא להם אבל מתאבל עליהם. ואלו הן אביו ואמו בנו ובתו אחיו ואחותו ואשתו הוסיפו עליהן אחיו ואחותו בתולה מאמו ואחותו נשואה מאביו וכשם שמתאבל עליהן כך מתאבל על שניים שלהם דברי ר"ע ר"ש בן אלעזר אומר אינו מתאבל אלא על [אבי] אביו ועל בן בנו. וחכמים אומרים כל שמתאבל עליו מתאבל עליהן. וקיי"ל כחכמים. ואוקימנא עמו בבית כגון ראובן שמת לו בן נוהג יעקב אביו עמו בבית בלבד. וכי הא דאמר ליה רב לחייא בריה. ורב הונא אמר לרבה בריה חמיך וחמותך שמתו ואשתך מתאבלת עליהן באפה כלומר בבית עמה נהוג אבלות שלא בפניה לא תנהוג כלל מפני כבוד אשתו א"ל רב הונא למר עוקבא לא אמרו לכבוד אשתו אלא חמיו וחמותו בלבד ותניא כוותיה וכדתניא מי שמת חמיו או חמותו כופה מטתו ונוהג אבלות עמה וכן אם מת חמיה או חמותה אינה רשאה להיות כוחלת ופוקסת אלא כופה מטתה

מסורת הש"ס

א) [לעיל טו:], ב) [לעיל טז: פסחים ד. וש"נ], ג) [שמחות פ"ד], ד) כתובות ד:, ה) ג"ז שם, ו) ג"ז שם, ז) [עי' תוספות סנהדרין ס. ד"ה אתיא וכו' מה שהניחו סוגי' דהכא בתימה].

הגהות הב"ח

(א) רש"י ד"ה א"ל אימא כו' כלומר עד שאתה שואל: (ב) ד"ה והולך כו' ללמד הלכה לתלמידים נתכוין: (ג) ד"ה כל שמתאבל וכו' כשהוא מתאבל על בן שלו ותיבת פי' נמחק:

הגהות מהר"ב רנשבורג

א] גמ' הוסיפו עליהן אחיו אחותו הבתולה מאמו ואחותו נשואה כו'. נ"ב עיין ריטב"א:

גליון הש"ס

גמ' והולך אחרי כלי. עיין לקמן דף כד ע"ב תוספות ד"ה אלא קרוביו: שם מי שאין לו חלוק. עיין לקמן דף כד ע"א תוספות ד"ה וכל קרע ובתוספות ד"ה כי תניא:

תורה אור השלם

א) וַיָּקָם אִיּוֹב וַיִּקְרַע אֶת מְעִלוֹ וַיָּגָז אֶת רֹאשׁוֹ וַיִּפֹּל אַרְצָה וַיִּשְׁתָּחוּ: [איוב א, כ]

רש"י כת"י

מקצת היום ככולו. אלמא קסבר ר' חייא אינה נוהגת אלא יום אחד. **שמועה קרובה ברגל.** (ולאחר) שעדיין לא עברו שלשים יום. **עולה לו.** רגל כאלו לא נשמע לו עד סוף הרגל. **ולמוצאי שבת נעשית רחוקה.** כגון שהיה יום שבת יום שלשים. **קורע או אינו קורע** השומע שמועה רחוקה. **אינו קורע.** אלא בחלוק. **קורע והולך.** אפילו לאחר שבעה אלמא קריעה אע"ג דליכא שבעה דהא מלפי להו. **לכבוד אביו ואמו.** ולאו משום חיוב קריעה. **כל האמור בפרשת כהנים.** בסדר אמור אל הכהנים. **שכהן.** מצוה ליטמא להן לפי שהן קרובין כל אדם מתאבל עליהן. **הוסיפו עליהן.** לענין אבל. **אחיו מאמו ואחותו [ה]בתולה מאמו ואחותו נשואה בין מאביו בין מאמו.** דאין כהן מיטמא לאחיו ולאחותו שלא מאביו בדנפקא לן בתורת כהנים מקרא ולענין אבל הוסיפום. **שניים.** בן בנו בן אחיו [אבי אביו ו]אבי אמו ו]אחי אביו לא הוה שני. **אינו מתאבל.** על השניים כולן אלא על אבי אביו ועל בן בנו בלבד. **כל שהוא מתאבל עליו.** אם הוא מת כגון אביו ואחיו אם מת לאביו מת או לאחיו מת מתאבל עמהן וכגון (דאתו) [דאתי האי מת] מקורבא דידיה. [**בבית**]. לרבנן בתראי אין אבילות נוהג אלא בשעה שהוא נכנס לבית [אחיו] האבל וכשיוצא משם אין אבילות מוטל עליו פר"ח. **באפה.** בפני אשתך דהיינו נמי כל שמתאבל עליו ומתאבל בבית בפניו. **בר חמוה.** אחי אשתו לא חשיב שני. **למיתב עליה.** משום אשתו שרצה להתאבל עמה. **צודנייתא בעית למיכל.** אתה רוצה לאכול מטעמים ולכך אתה נוהג אבילות לעשות לו כדרך שאר אבלים. **לא אמרו לכבוד אשתו אלא חמיו וחמותו.** בלבד. **מוזגת לו את הכוס ומצעת לו את המטה.** שאע"פ שאין נדה עושה מלאכות אלו לבעלה משום גזירת תשמיש גבי ימי אבלה לא גזור רבנן. **קשיין אהדדי.** דקתני לעיל נוהג עמה אבילות והכא קתני רוחץ פניו ידיו ורגליו ותרויהו לרבי הני מתנייתא הא דתניא מי שמת חמיו או חמותו וכו' אשמעינן דנוהג עמה אבילות משום חמיו וחמותו ומהידך שמעינן דבשאר קרובים לא דאי מההיא הוה אמינא הוא הדין לשאר קרובים. **אתא בריה.** הדר אמימר קרע באפיה דבריה. **קם קרע.** פעם שלישית. **ויקם יואב ויקרע וגו'.** על עסקי בניו ובנותיו שמתו.

The Gemara asks:

חֲכָמִים הַיְינוּ תַּנָּא קַמָּא – The view of **the Sages is** apparently **the same as** that of **the Tanna Kamma,** i.e. of R' Akiva! Why are they presented in the Baraisa as two different views?

The Gemara answers:

אִיכָּא בֵּינַיְיהוּ עִמּוֹ בַּבַּיִת – The difference **between them** is whether or not mourning for a secondary relative is limited to when he is **with him** [his immediate relative] **at home.**[26] כִּי הָא דְּאָמַר לֵיהּ רַב לְחִיָּיא בְּרֵיהּ – **As Rav said to Chiya, his son,** וְכֵן אָמַר לֵיהּ רַב הוּנָא לְרַבָּה בְּרֵיהּ – **and so Rav Huna said to Rabbah, his son:** בְּאַפָּהּ נְהוֹג אֲבֵילוּתָא – You must **observe mourning in her** [your wife's] **presence,** if she is observing mourning for a relative, בְּלֹא אַפָּהּ לֹא תִּינְהוֹג אֲבֵילוּתָא – but you **do not** need to **observe mourning when not in her presence.**

The Gemara cites a related episode:

מַר עוּקְבָא שָׁכִיב לֵיהּ בַּר חֲמוּהָ – **The son of Mar Ukva's father-in-law,** i.e. Mar Ukva's brother-in-law, **died.** סְבַר לְמֵיתַב עֲלֵיהּ שִׁבְעָה וּשְׁלֹשִׁים – **He thought to sit** in mourning **for him for seven** days of *shivah* **and thirty** days of *sheloshim.*[27] עַל רַב הוּנָא לְגַבֵּיהּ אַשְׁכְּחֵיהּ – **Rav Huna went in to** visit **him and he found him** observing mourning. אָמַר לֵיהּ צוּדְנָיְתָא בָּעֵית לְמֵיכַל – Whereupon **[Rav Huna] said to him:** Is it because **you want to eat a mourner's meal?**[28] לֹא אָמְרוּ לִכְבוֹד אִשְׁתּוֹ אֶלָּא חָמִיו וַחֲמוֹתוֹ – **They did not say** that one mourns for one's wife's relatives **out of respect for one's wife, except** where the deceased was **his father-in-law or his mother-in-law.**[29]

Rav Huna marshals proof for this distinction; he begins by noting a seeming contradiction between two Baraisos:

דְּתַנְיָא – **For it was taught in a Baraisa:** מִי שֶׁמֵּת חָמִיו אוֹ חֲמוֹתוֹ אֵינוֹ רַשַּׁאי – **IF ONE'S FATHER-IN-LAW OR MOTHER-IN-LAW DIED,** לָכוּף אֶת אִשְׁתּוֹ לִהְיוֹת כּוֹחֶלֶת וְלִהְיוֹת פּוֹקֶסֶת – **HE MAY NOT FORCE HIS WIFE,** who is in mourning, **TO APPLY EYE SHADOW OR ROUGE.**[30] אֶלָּא כּוֹפֶה מִטָּתוֹ וְנוֹהֵג עִמָּהּ אֲבֵילוּת – **RATHER, HE SHOULD OVERTURN HIS OWN BED AND OBSERVE MOURNING ALONG WITH HER,** וְכֵן הִיא שֶׁמֵּת חָמִיהָ אוֹ חֲמוֹתָהּ – **AND, LIKEWISE, IF HER FATHER-IN-LAW OR MOTHER-IN-LAW DIED,** אֵינָהּ רַשָּׁאָה לִהְיוֹת כּוֹחֶלֶת וְלִהְיוֹת פּוֹקֶסֶת – **SHE MAY NOT APPLY EYE SHADOW OR ROUGE;** אֶלָּא כּוֹפָה מִטָּתָהּ וְנוֹהֶגֶת עִמּוֹ אֲבֵילוּת – **RATHER SHE SHOULD OVERTURN HER BED AND OBSERVE MOURNING ALONG WITH [HER HUSBAND].** This Baraisa indicates that a husband and wife must mourn for their spouse's parents. וְתַנְיָא אִידָךְ – **But it was taught in another Baraisa:** אַף עַל פִּי שֶׁאָמְרוּ אֵינוֹ רַשַּׁאי לָכוּף אֶת אִשְׁתּוֹ לִהְיוֹת כּוֹחֶלֶת וְלִהְיוֹת פּוֹקֶסֶת – **ALTHOUGH [THE SAGES] SAID THAT ONE MAY NOT FORCE HIS WIFE,** who is in mourning, **TO APPLY EYE SHADOW OR ROUGE** to make herself attractive for him, since this would violate the restrictions of her mourning, בֶּאֱמֶת אָמְרוּ מוֹזֶגֶת לוֹ אֶת הַכּוֹס וּמַצַּעַת לוֹ מִטָּה וּמַרְחֶצֶת לוֹ פָּנָיו יָדָיו וְרַגְלָיו – yet **IN TRUTH THEY SAID**[31] **THAT SHE MAY POUR**[32] **HIS CUP FOR HIM, MAKE HIS BED AND WASH HIS FACE, HANDS AND FEET.**[33] קַשְׁיָין אַהֲדָדֵי – These two Baraisos apparently **contradict each other!**[34] – ? –

Rav Chisda resolves the contradiction and concludes his proof:

אֶלָּא לָאו שְׁמַע מִינָּהּ – **Rather, derive from this** כָּאן בְּחָמִיו וַחֲמוֹתוֹ – that **here** the first Baraisa speaks of **his father-in-law and mother-in-law,** for whom he must observe mourning, כָּאן בִּשְׁאָר קְרוֹבִים – whereas **here** in the second Baraisa it is dealing with a case where the wife is in mourning **for other relatives,** in which case the husband does not observe mourning.

The Gemara concludes:

שְׁמַע מִינָּהּ – Indeed, you may **derive from this** that this

---

NOTES

mourns along with him.

The Gemara will immediately note that this would seem to be the same as R' Akiva's rule that one mourns for the immediate relatives of one's immediate relatives.

26. According to R' Akiva, he is obliged to mourn for a secondary relative even if his immediate relative is not present. But according to the Sages, mourning for a secondary relative is undertaken only out of respect for his immediate relative and need be observed only in his presence. Thus, for example, he is required to mourn for his father's father only in the presence of his father (see *Rosh* §35).

[*Tosafos* ponder whether "presence" here means being actually in the same room as the mourner, or simply being in the same house; see also *Ritva* ד״ה סבר; see also *Kesubos* 4b.]

[The halachah follows the view of the Sages, that one mourns for a secondary relative only out of respect for his immediate relative, and only in his presence (ibid.; *Shulchan Aruch, Yoreh Deah* 374:6). Moreover, if his immediate relative is willing to forgo the respect due him, one need not mourn even in his presence. For this reason the practice of mourning for secondary relatives has fallen altogether into disuse, since it is assumed that the immediate relative is willing to forgo this show of respect (*Rosh* ibid.; *Rama, Yoreh Deah* ibid.); but see below, note 29.]

27. Since the deceased was his wife's brother he considered him a secondary relative, for whom he should mourn out of respect for his wife, in keeping with the ruling of the Sages in the Baraisa.

28. I.e. are you observing mourning so unnecessarily because you wish to be fed a mourner's meal (*Rashi*)? [On the first day of *shivah* a mourner does not prepare his own food but is fed by his neighbors; see below, 27a.]

29. According to Rav Huna, unlike other secondary relations, the requirement to mourn for one's wife's relations is limited to her parents. One does not observe mourning for one's wife's other relations, such as her brother (*Tosafos*).

Rishonim debate whether the same limitation applies to the converse case, when a wife mourns for her husband's relations; according to some Rishonim, just as a husband mourns only for his wife's parents, but not for her other relatives, so too a wife mourns only for her husband's parents, but not for his other relatives (*Tosafos; Rambam, Hil. Aveil* 2:5). Other Rishonim maintain that a wife mourns for all her husband's immediate relatives (*Ramban;* see also *Beur HaGra, Yoreh Deah* 374:7).

Rambam (ibid.) extrapolates from here a general principle that one does not mourn for any secondary relations through marriage except for a father-in-law or a mother-in-law. Thus, for example, one would not mourn for a son-in-law or a daughter-in-law.

In any event, the practice of mourning for secondary relations has altogether fallen into disuse, as noted earlier (note 26). Nonetheless *Rama* (*Yoreh Deah* 374:6) records that it is customary that anyone who was related to the deceased closely enough that he would have been disqualified to testify on his behalf in court (see *Choshen Mishpat* §33 for the degrees of relation that this includes) should observe a semblance of mourning, by refraining from washing with hot water and from participating in a festive meal until the conclusion of the first Sabbath after their death.

30. [See *Rashi* to *Kesubos* 4b and to *Shabbos* 64b; cf. *Rashi* to *Shabbos* 94b and above, 9b (see there, note 21); *Tosafos* to *Kesubos* 4b ד״ה פוקסת.]

Applying cosmetics is forbidden during *shivah;* it falls under the heading of the prohibition to bathe during *shivah* (*Shulchan Aruch, Yoreh Deah* 381:6).

31. This expression introduces a ruling which is held unanimously, without dissent (*Rashi* to *Succah* 38a).

32. [Literally: mix; in Talmudic times raw wine was prepared for consumption by adding water to it when it was poured into the cup. Hence, the pouring of the cup is referred to as "mixing" it.]

33. [These attentions do not violate the restrictions of mourning]; nor need we be concerned that these activities might lead to marital relations, which are forbidden to a mourner during *shivah* (*Rashi ms.,* from *Kesubos* 4b).

34. Since the first Baraisa states that a husband must also observe *shivah* for his wife's parents, yet the second Baraisa speaks of a wife who is observing *shivah* making her husband's bed and washing his face, hands and feet (presumably with warm water), which implies that her husband is not himself observing *shivah* and, therefore, may bathe with warm water and need not overturn his bed (see *Rashi; Rashi ms.; Rosh*).

אמר ליה אימא קיימת אמר ליה אימא קיימת א"ל אבא קיים אמר ליה לשמעיה חלוץ לי מנעלי ° והולך אחרי כלי לבית המרחץ שמע מינה תלת שמע מינה א) אבל אסור בנעילת הסנדל ושמע מינה שמועה רחוקה אינה נוהגת אלא יום אחד ושמע מינה ג) א מקצת היום ככולו רבי חייא לחוד רבי אחייה לחוד אמר רבי יוסי בר אבין ב שמע שמועה קרובה ברגל ולמוצאי הרגל נעשית רחוקה עולה לו ואינו נוהג אלא יום אחד תני רבי אדא דמן קסרי קמיה דר' יוחנן ג שמע שמועה קרובה בשבת ולמוצאי שבת נעשית רחוקה אינו נוהג אלא יום אחד קורע או אינו קורע רבי מני אמר ד אינו קורע רבי חנינא אמר קורע אמר ליה רבי מני לר' חנינא בשלמא לדידי דאמינא אינו קורע היינו דלא איכא אבילות שבעה אלא לדידך דאמרת קורע קריעה בלא שבעה מי איכא ולא והתניא איסי אבוה דרבי זירא ואמרי לה אחוה דרבי זירא קמיה דר' זירא ° ה מי שאין לו חלוק לקרוע ונזדמן לו בתוך שבעה קורע לאחר שבעה אינו קורע עני ר' זירא בתריה במה דברים אמורים בחמשה מתי מצוה ו אבל על אביו ועל אמו קורע והולך כי תניא ההיא לכבוד אביו ואמו ת"ר ז כל האמור בפרשת כהנים שכהן מיטמא להן אבל מתאבל עליהן ואלו הן אשתו אביו ואמו אחיו ואחותו בנו ובתו א] הוסיפו עליהן אחיו ואחותו הבתולה מאמו ואחותו נשואה בין מאביו בין מאמו ג) וכשם שמתאבל עליהם כך מתאבל על שניים שלהם דברי ר"ע רבי שמעון בן אלעזר אומר אינו מתאבל אלא על בן בנו ועל אבי אביו וחכ"א ח כל שמתאבל עליו מתאבל עמו חכמים היינו תנא קמא איכא בינייהו עמו ט בבית ד) כי הא דאמר ליה רב לחייא בריה וכן א"ל רב הונא לרבה בריה באפה נהוג אבילותא בלא אפה לא תינהוג אבילותא מר עוקבא שכיב ליה בר חמוה סבר למיתב עליה שבעה ושלשים על רב הונא לגביה אשכחיה אמר ליה צודנייתא בעית למיכל לא אמרו לכבוד אשתו י אלא חמיו וחמותו דתניא ה) מי שמת חמיו או חמותו כ אינו רשאי לכוף את אשתו להיות כוחלת ולהיות פוקסת אלא כופה מטתו ונוהג עמה אבילות וכן היא שמת חמיה או חמותה אינה רשאה להיות כוחלת ולהיות פוקסת אלא כופה מטתה ונוהגת עמו אבילות ותניא אידך ו) אף על פי שאמרו אינו רשאי לכוף את אשתו להיות כוחלת ולהיות פוקסת באמת אמרו מוזגת לו את הכוס ומצעת לו מטה ומרחצת לו פניו ידיו ורגליו קשיין אהדדי אלא לאו שמע מינה כאן בחמיו וחמותו כאן בשאר קרובים שמע מינה תניא נמי הכי לא אמרו לכבוד אשתו אלא חמיו וחמותו בלבד אמימר שכיב ליה בר בריה קרע עילויה אתא בריה קרע באפיה אידכר דמיושב קרע קם קרע מעומד אמר ליה רב אשי לאמימר קריעה ל דמעומד ז) מנלן דכתיב א) ויקם איוב ויקרע את מעילו
אלא

רש"י

א"ל אימא קיימת. בלשון שאילה הוא כלומר (א) שאתה שואל על אבי שאל על אמי שאף היא אחותך: א"ל. ר' חייא ואמך אחותי קיימת היא: א"ל. רב אבא קיים עדיין לא השכיל עליו וממילא הבין ויש אומרים בניחותא היה רב משיבו על מי שאינו שואל כדי שיבין מן הכלל וקשה בעיני לומר שרב יוציא דבר שקר מפיו: חלוץ מנעלי. להתאבל על אחי ואחותי: והולך כלי אחרי לבית המרחץ. ללמד הלכה (ב) נתכוין שאין שמועה רחוקה לאחר שלשים נוהגת אלא יום אחד ומקצת היום ככולו: למוצאי הרגל נעשית רחוקה. דהוי שלשים יום: אינה נוהגת אלא יום אחד. אע"פ דכי שמע עדיין היתה קרובה עולה הרגל להשלים שלשים דהוי שמועה רחוקה: אינו קורע. עכשיו דנוהג יום אחד לשמועה רחוקה: היינו דליכא אבילות שבעה. כלומר משום דליכא שבעה אינו קורע: קורע והולך. אחר שבעה אע"ג דליכא שבעה: אבל מתאבל עליהן. על אותן קרובים: אחיו מאמו. שלא מאביו דקרא משמע מאביו שלא מאמו: אחותו נשואה בין מאביו בין מאמו. דבקרא לא אשכחן אלא אבתולה: על שניים שלהן. אבי אביו ועל בן בנו ועל בן בתו ועל בן אחותו: כל שמתאבל עליו מתאבל עמו. כלומר מתאבל עם אביו כשהוא מתאבל על אב שלו נמצא זה מתאבל על אבי אביו וכן כל שמתאבל עליו כגון שמתאבל על בנו מתאבל עמו כלומר מתאבל עם בנו כשהוא מתאבל (ג) פי' על בן שלו ונמצא זה מתאבל על בן בנו: היינו תנא קמא. של רבי שמעון: עמו בבית. דתנא קמא לא בעי שיהא אביו או (בן) בנו עמו בבית ויושב עמו וחכמים בעו עמו בבית: כי האי. ענין דא"ל רב לר' חייא וכו': באפה. דאיתתך כשהיא אבילה דהאי נמי כל שמתאבל עליו כגון אשתו מתאבל עמו בפניו: צידונייתא. סעודות דאבל: קשיין אהדדי. דהכא קתני מלעת לו מטתו והכא קתני כופה מטתו: בשאר קרובי אשתו. מלעת לו מטתו: אתא בריה. הדר אמימר קרע באפיה דבריה: קם קרע. פעם שלישית:
אודייני

תוספות

עולה לו. פירוש הרגל עולה לו למנין שאינו נוהג אלא יום אחד: קורע או אינו קורע. דוקא כענין זה מיבעי ליה לפי שהיה חייב לקרוע בשעת שמועה אבל שמע שמועה רחוקה בחול אינו קורע כלל ואפי' על אביו ואמו וכן קאמר נמי בסמוך כי תניא ההיא בכבוד אביו ואמו והכי משמע לעיל דלא מלינו לר' חייא שקרע אע"פ שהיה אביו ואמו לגירסת ר"ח וא"ת אי מהא משמע דאינו קורע על אביו ואמו אמאי לא קאמר ש"מ דאינו קורע יש לומר דאינו מביא ש"מ כי אם ממה שראינו שעשה אבל ממה שלא ראינו אינו מביא ראיה מכל מקום מדלא קבעי הש"ס כלל אם רבי חייא קרע משמע א"צ לקרוע ובתשובת רבינו זקיני פי' דאינו קורע על שמועה רחוקה אפי' על אביו ואמו והרי"ן וגם בתוס' הרב מסופק והא דאמר בסמוך מי שאין לו חלוק וכו' מיירי כגון שהיה שאול מחבירו או נתמלא קרעים ונראה לי שיש לסמוך יותר על ה"ג מרב נמח גאון דאין קורעים לאחר ל' יום אלא על אביו ואמו בלבד וברכת אבלים נחלקו בה"ג אם שמע בשבת אם חייב לברך ברכת אבלים דיש מפרשים דנקרא דברים שבצינעא וי"א כיון דמברכין בג' או בעשרה לאו דברים שבצינעא הוא:

ואחותו נשואה בין מאביו בין מאמו. לא מיבעי מאביו אלא אפי' מאמו נמי:

על שניים שלהם. פי' הנולדים מהן אבל באחיהם ובנשותיהם היה מסופק בתוספות הרב בשם רבו ולא ידענא מאי שנא:

על אבי אביו ועל בן בנו. פירוש בתוספות הרב בשם רבו דהוא הדין אבי אמו ובת בתו:

באפה נהוג אבילות. פירוש בתוספות בכל דיני אבלות נעילת הסנדל ורחילה וסיכה וכולן כל זמן שהוא בפניה ובפ"ק דכתובות (דף ד:) קאמר עמו בבית ושמא באפה דוקא או שמא בכל הבית:

ומרחצת לו פניו ידיו ורגליו. בחמין קאמר דאילו בצונן היא נמי מותרת:

אלא בחמיו וחמותו. והוא הדין היא נוהגת עמו בחמיה וחמותה והא דקתני לעיל כל שמתאבל עליו מתאבל עמו בכל שאר קרובים קאמר אבל אשתו יש חילוק בין חמיו וחמותו לשאר קרובים:

אתא בריה קרע באפיה. להיות נוהג עמו אבילות ותימה כיון דקרע כבר וכי צריך לקרוע כלל לפני הקרובים ושמא לאשמועינן דבאפיה נוהג אבילות והר"א פירש אתא בריה קרע באפיה לפי שאמימר קרע מיושב ואתא בנו להזכירו שהוא טעה לקרוע מיושב והקריעה זה עשה בנו של אמימר ועל ידי כך נזכר אמימר וקרע פעם שניה מעומד:
אלא

עין משפט נר מצוה

קיא א מיי' פ"ז מהל' אבל הלכה א סמג עשין דרבנן ב טוש"ע י"ד סימן תב סעיף א:
קיב ב ג מיי' שם הלכה ג וסמג שם טוש"ע י"ד שם סעיף ה:
קיג ד מיי' שם הל' א טוש"ע שם סעי' ד:
קיד ה ו מיי' פ"ח שם הלכה ו טוש"ע י"ד סימן שמ סעיף יח:
קטו ז מיי' שם פ"ב הלכה א סמג שם טוש"ע י"ד סימן שעד סעיף ד:
קטז ח ט י מיי' שם הלכה ד ה טוש"ע שם סעיף ו:
קיז כ מיי' שם הל' ה טוש"ע שם וסימן שפא סעיף ו:
קיח ל מיי' שם פ"ח הלכה א סמג שם טוש"ע י"ד סימן שמ סעיף א:

רבינו חננאל

אחד. ועוד ר' חייא נהג על אביו ועל אמו בשמועה רחוקה יום אחד ולמדנו ממנו ג' דברים. למדנו כי האבל אסור בנעילת הסנדל. וכי שמועה רחוקה אינה נוהגת אלא יום אחד. וכי מקצת היום ככולו תני ר' אדא קמיה דר' יוחנן שמע שמועה קרובה בשבת ולמו"ש נעשה רחוקה עולה לו ואינה נוהגת אלא יום אחד. וכן א"ר יוסי בר אבין שמע שמועה קרובה ברגל ולמוצאי הרגל נעשית רחוקה אינה נוהגת אלא יום אחד כללו של דבר כל יום שמועה שאינו נוהג בו אבלות כאילו עדיין לא שמע. השומע שמועה רחוקה ברגל קורע או אינו קורע ר' מני אמר אינו קורע ר' חנינא אמר קורע ר' מני אמר אינו קורע דכל היכא דליכא עליה אבלות שבעה אינו קורע איני והא תני איסי אבוה דר' זירא מי שאין לו (אלא חלוק אחד) [חלוק לקרוע] ונזדמן לו חלוק בתוך שבעה קורע לאחר שבעה אינו קורע. הנה קורע בתוך שבעה ואע"פ שאינו נוהג אחר הקריעה שבעה. וכי תימא משום דהיא בתוך שבעה ועוד הא תני ר' זירא בתריה בד"א בה' מתי מצוה פי' חמשה מכלל השבעה שהוא מצוה להתאבל עליהם. אבל על אביו ועל אמו קורע והולך. הנה שאין שם אבלות קורע ופרקינן כי תניא היא דר' זירא לכבוד אביו ואמו: ת"ר כל האמור בפרשת כהנים כהן מיטמא להם אבל מתאבל עליהם. ואלו הן אביו ואמו בנו ובתו אחיו ואחותו ואשתו הוסיפו עליהן אחיו ואחותו בתולה מאמו ואחותו נשואה מאביו וכשם שמתאבל עליהן כך מתאבל על שניים שלהם דברי ר"ע ר"ש בן אלעזר אומר אינו מתאבל אלא על [אבי] אביו ועל בן בנו. וחכמים אומרים כל שמתאבל עליו מתאבל עליהן. וקיי"ל כחכמים. ואוקימנא עמו בבית כגון ראובן שמת לו בן נוהג יעקב אביו עמו בבית בלבד. וכי הא דאמר ליה רב לחייא בריה. ורב הונא אמר לרבה בריה חמיך וחמותך שמתו ואשתך מתאבלת עליהן באפה כלומר בבית עמה נהוג אבלות שלא בפניה לא תנהוג כלל מפני כבוד אשתו א"ל רב הונא למר עוקבא לא אמרו לכבוד אשתו אלא חמיו וחמותו בלבד ותניא כוותיה וכדתניא מי שמת חמיו או חמותו כופה מטתו ונוהג אבלות עמה וכן אם מת חמיה או חמותה אינה רשאה להיות כוחלת ופוקסת אלא כופה מטתה

מסורת הש"ס

א) [לעיל טו:], ב) [לעיל טז: פסחים ז. וש"נ], ג) [שמחות פ"ד], ד) כתובות ד:, ה) ג"ז שם, ו) ג"ז שם, ז) [עי' תוספות סנהדרין ס. ד"ה אחת וכו' מה שהניחו סוגי' דהכא בתימה].

הגהות הב"ח

(א) רש"י ד"ה א"ל אימא כו' כלומר עד שאתה שואל: (ב) ד"ה והולך כו' ללמד הלכה לתלמידים נתכוין: (ג) ד"ה כל שמתאבל וכו' כשהוא מתאבל על בן שלו ותיבת פי' נמחק:

הגהות מהר"ב רנשבורג

אן גמ' הוסיפו עליהן אחיו אחותו הבתולה מאמו ואחותו נשואה כו'. נ"ב עיין ריטב"א:

גליון הש"ס

גמ' והולך אחרי כלי. עיין לקמן דף כד ע"ב תוספות ד"ה אלא קרועיו: שם מי שאין לו חלוק. עיין לקמן דף כד ע"א תוספות ד"ה וכל קרע ובתוספות ד"ה כי תניא:

תורה אור השלם

א) וַיָּקָם אִיּוֹב וַיִּקְרַע אֶת מְעִלוֹ וַיָּגָז אֶת רֹאשׁוֹ וַיִּפֹּל אַרְצָה וַיִּשְׁתָּחוּ: [איוב א, כ]

רש"י כת"י

מקצת היום ככולו. אלמא קסבר ר' חייא אינה נוהגת אלא יום אחד. שמועה קרובה ברגל. (ולאחר) שעדיין לא עברו שלשים יום. עולה לו. רגל כאילו לא נשמע לו עד סוף הרגל. ולמוצאי שבת נעשית רחוקה. כגון שהיה יום שבת יום שלשים. קורע או אינו קורע השומע שמועה רחוקה. אינו קורע. אלא בחלוק. קורע והולך. אפילו לאחר שבעה אלמא קריעה אע"ג דליכא שבעה דהא חלפי להו. לכבוד אביו ואמו. ולאו משום חיוב קריעה. כל האמור בפרשת כהנים. בסדר אמור אל הכהנים. שכהן. מלוה ליטמא להן לפי שהן קרובין כל אדם מתאבל עליהן. הוסיפו עליהן. לענין אבל. אחיו מאמו ואחותו [ה]בתולה מאמו ואחותו נשואה בין מאביו בין מאמו. דאין כהן מיטמא לאחיו ולאחותו שלא מאביו בדנפקא לן בתורת כהנים מקרא ולענין אבל הוסיפום. שניים. בן בנו בן אחיו [אבי אביו ו]אבי אמו ו]אחי אביו לא הוה שני. אינו מתאבל. על השניים כולן אלא על אבי אביו ועל בן בנו בלבד. כל שהוא מתאבל עליו. אם הוא מת כגון אביו ואחיו אם מת לאביו מת או לאחיו מת מתאבל עמהן וכגון (דאתו) [דאתי האי מת] מקורבא דידיה. [בבית]. לרבנן בתראי אין אבילות נוהג אלא בשעה שהוא נכנס לבית [אחיו] האבל וכשיולא משם אין אבילות מוטל עליו פר"ח. באפה. בפני אשתך דהיינו נמי כל שמתאבל עליו ומתאבל בבית בפניו. בר חמוה. אחי אשתו לא חשיב שני. למיתב עליה. משום אשתו שרלה להתאבל עמה. צודנייתא בעית למיכל. אתה רולה לאכול מטעמים ולכך אתה נוהג אבילות לעשות לו כדרך שאר אבלים. לא אמרו לכבוד אשתו אלא חמיו וחמותו. בלבד. מוזגת לו את הכוס ומצעת לו את המטה. שאע"פ שאין נדה עושה מלאכות אילו לבעלה משום גזירת תשמיש גבי ימי אבלה לא גזור רבנן. קשיין אהדדי. דקתני לעיל נוהג עמה אבילות והכא קתני רוחץ פניו ידיו ורגליו ותרויהו לריכי הני מתנייתא הא דתניא מי שמת חמיו או חמותו וכו' אשמעינן דנוהג עמה אבילות משום חמיו וחמותו ומאידך שמעינן דבשאר קרובים לא דאי מההיא הוה אמינא הוא הדין לשאר קרובים. אתא בריה. הדר אמימר קרע באפיה דבריה. קם קרע. פעם שלישית. ויקם יואב ויקרע וגו'. על עסקי בניו ובנותיו שמתו.

distinction is valid.

The Gemara cites a Baraisa which makes this distinction explicit:

תַּנְיָא נַמִּי הָכִי – **This** distinction **was also taught in the** following **Baraisa:** לֹא אָמְרוּ לִכְבוֹד אִשְׁתּוֹ אֶלָּא חָמִיו וַחֲמוֹתוֹ בִּלְבָד – [THE SAGES] DID NOT SAY that he should mourn for his wife's relatives OUT OF RESPECT FOR HIS WIFE EXCEPT where the deceased was HIS FATHER-IN-LAW OR MOTHER-IN-LAW.

The Gemara recounts a related episode:

אֲמֵימַר שָׁכִיב לֵיהּ בַּר בְּרֵיהּ – **The son of Ameimar's son died.** קָרַע עִילָּוֵיהּ – [Ameimar] **tore** his garment **over him.**[35] אֲתָא בְּרֵיהּ קָרַע בְּאַפֵּיהּ – **His son,** the deceased's father, then **arrived and** so [Ameimar] **tore** his garment again **in his presence.**[36] אִידְּכַר דִּמְיוּשָּׁב קָרַע – **He** then **remembered that he had torn** the garment **while sitting,** קָם קָרַע מְעוּמָּד – and so **he stood** and **tore** his garment a third time, **while standing.**

Apparently Ameimar maintains that one must rend one's garment while standing. Rav Ashi questions this:

אָמַר לֵיהּ רַב אַשִׁי לַאֲמֵימַר – **Rav Ashi said to Ameimar:** קְרִיעָה דִּמְעוּמָּד מְנָלָן – **From where do we derive that the rending** of a garment **must be** performed **while standing?** דִּכְתִיב ,,וַיָּקָם אִיּוֹב וַיִּקְרַע אֶת־מְעִלוֹ'' – Ameimar answered:[37] **For it is written:** ***And Job arose and tore his coat.***[38]

NOTES

35. Just as one is required to mourn for a secondary relative, so too one rends one's garment upon the death of a secondary relative (*Rambam, Hil. Aveil* 2:4; *Ramban; Shulchan Aruch, Yoreh Deah* 340:4).

36. Just as the requirement to mourn for a secondary relation applies only in the presence of the immediate relative who forms the link with the deceased, so too the obligation to tear one's garment for a secondary relation applies only in the presence of that immediate relative (*Rambam, Ramban* and *Shulchan Aruch,* ibid.). Thus, Ameimar did not fulfill his obligation the first time he tore his clothing, since he did not do so in his son's presence; consequently, when his son arrived he tore his garment again (*Ramban,* ibid.; cf. *Tosafos*).

37. See *Rabbeinu Chananel.*

38. *Job* 1:20. The verse describes Job's reaction when he was told of the death of his children.

Rav Ashi questions this derivation:

אֶלָּא מֵעַתָּה – **But if so,** that the expression "stood and . . ." means literally that he stood up to do so, then what of the following verse: "וְעָמַד וְאָמַר לֹא חָפַצְתִּי לְקַחְתָּהּ" הָכִי נַמִּי – ***and he will arise and say, I do not wish to take her;***[1] should we infer **here too** that *chalitzah* must be performed while standing? וְהָא תַנְיָא – **But it was taught** otherwise **in the** following **Baraisa:** בֵּין יוֹשֵׁב בֵּין עוֹמֵד בֵּין מוּטֶּה – And one who received *chalitzah* . . . that was performed **EITHER** while the man was **SITTING, OR STANDING, OR LEANING** . . . her *chalitzah* is valid. Apparently, then, the expression *and he will arise and say* is a mere figure of speech,[2] and does not imply that he must actually rise; likewise, the phrase *And Job arose and tore his clothing* need not be taken literally, and cannot serve as a source to require that one stand when rending one's garment. — ? —

Ameimar defends his derivation:

אָמַר לֵיהּ – **He said to him:** הָתָם לֹא כְּתִיב וַיַּעֲמֹד וַיֹּאמַר – **There,** regarding *chalitzah,* **it is not written:** ***he should arise and he should say;*** הָכָא כְּתִיב "וַיָּקָם. . .וַיִּקְרַע" – whereas **here,** in the verse in Job, **it is written:** ***And [Job] arose and tore . . .***[3]

The Gemara cites another Amora who adduces the same source for this law:

אָמַר רָמִי בַּר חָמָא – **Rami bar Chama said:** מִנַּיִן לִקְרִיעָה שֶׁהִיא מְעוּמָּד – **From where do we derive that the rending** of a garment **must be** performed **while standing?** שֶׁנֶּאֱמַר "וַיָּקָם אִיּוֹב וַיִּקְרַע" – **For it is written:** ***And Job arose and tore*** *his coat.*

The Gemara challenges this derivation:

דִּלְמָא מִילְתָא יְתֵירְתָא הוּא דַּעֲבַד – **Perhaps [Job] did something extra** in standing as he tore his coat, but the law does not require it? דְּאִי לֹא תֵימָא הָכִי – **For if you do not say this,** "וַיָּגָז אֶת־רֹאשׁוֹ" הָכִי נַמִּי – then when the verse goes on to say: ***and he tore [the hair of] his head,***[4] would you maintain **here too** that this is what the law requires? Of course not! Clearly, then, Job's demonstrations of mourning went beyond what the law requires and cannot be adduced as a source for what is legally required of a mourner. — ? —

The Gemara concedes this point and offers a different source for the law that a mourner must stand when rending his clothing: אֶלָּא מֵהָכָא "וַיָּקָם הַמֶּלֶךְ וַיִּקְרַע אֶת־בְּגָדָיו" – **Rather,** we can derive it **from here:** ***And the king arose and tore his clothing.***[5]

The Gemara questions this source:

וְדִלְמָא מִילְתָא יְתֵירְתָא עָבֵיד – **But perhaps [King David] did something extra** by standing, but the law does not require it? דְּאִי לֹא תֵימָא הָכִי – **For if you do not say this,** then consider that the verse goes on to say: "וַיִּשְׁכַּב אַרְצָה" הָכִי נַמִּי – ***and he lay on the ground;***[6] would you maintain **here too** that this is what the law requires? Certainly not; for while a mourner sleeps on an overturned bed, he is not required to sleep on the ground! וְהָתַנְיָא – Nor is it tenable to suggest that King David did not overturn his bed, and slept on the ground in order to fulfill that obligation;[7] **for it was taught in a Baraisa:** (ישב) [יָשַׁן] עַל גַּבֵּי מִטָּה עַל גַּבֵּי כִּסֵּא עַל גַּבֵּי אוּדְיָינֵי גְּדוֹלָה [מְכוּלָּן] עַל גַּבֵּי קַרְקַע (מכולן) לֹא יָצָא יְדֵי חוֹבָתוֹ – **IF HE** did not overturn his bed, but instead **SLEPT**[8] **ON AN** upright **BED** without a mattress,[9] or **ON A CHAIR,** or **ON A** large **MORTAR,**[10] **OR, MOST** uncomfortable **OF ALL, ON THE GROUND,**[11] **HE HAS NOT FULFILLED HIS OBLIGATION.** וְאָמַר רַבִּי יוֹחָנָן – **And R' Yochanan said:** שֶׁלֹּא קִיֵּים כְּפִיַּית הַמִּטָּה – This means **that he has not fulfilled** the obligation **of overturning the beds;** for none of these sleeping postures, uncomfortable as they are, can substitute for the requirement to overturn one's bed. Clearly, then, regardless of where he slept, King David must have overturned his bed; once having done so, there was no need for him to sleep on the floor. Rather, this must have been something extra that he chose to do, which goes beyond the requirements of the law.[12] And if King David's observance of mourning went beyond what the law requires in this matter, then perhaps his standing in order to tear his garments also goes beyond what the law requires! — ? —

The Gemara answers:

אָמַר לֵיהּ – **He said to him:**[13] כְּעֵין אַרְצָה – The verse does not mean that King David actually slept on the floor; rather, he slept **as if on the floor,** i.e. on an overturned bed. Consequently, there is no indication that King David's observance of mourning went beyond what the law requires, and we are fully justified in citing his actions as the source for the fact that a mourner must stand when rending his garments.

NOTES

1. *Deuteronomy* 25:8. This passage describes the process of *chalitzah* (see above, 18b note 15).

2. [See *Tosafos* and *Hagahos R' Yaakov Emden;* see also next note.]

3. The expression *and he will arise and say* is a mere figure of speech [of a type that signals an ongoing or recurring action]. Had the Torah actually meant to require that the *yavam* stand up when performing *chalitzah* it would have used the more prescriptive form: וַיַּעֲמֹד וַיֹּאמַר, *and he should arise and he should say.* However, when the verse says about Job that he arose and tore his garments, [it is describing a single event, not a recurring one,] the expression must be taken at face value as indicating that Job was actually sitting and then arose; thus, it indicates that one stands to rend one's garments (*Ritva*). [*Ritva* notes that it is preferable, however, that the *yavam* stand during *chalitzah* (see *Shulchan Aruch Even HaEzer* 169, *Seder Chalitzah* 46, *Beur HaGra* and *Pischei Teshuvah* there).]

4. *Job* 1:20.

5. *II Samuel* 13:31. The verse describes King David's reaction when first informed that his rebellious son Absalom had killed all of his other children. (The report proved to be false; Absalom killed only one of the king's children, Amnon.)

6. Ibid.

7. [Our explanation of the Gemara's question follows *Tosafos* and *Ramban, Toras HaAdam;* see *Ramban,* loc. cit., for another explanation, as well.]

8. [This follows the reading of *Rashi ms., Rif* (folio 17a), *Rosh* (§78) and *Ramban,* ibid., all of whom read יָשַׁן, rather than יָשַׁב. This is also the version of the Baraisa cited in the Gemara below, 27a, and in most manuscripts of the *Talmud* here; see *Dikdukei Soferim.*]

9. *Rashi ms.;* see also *Ramban,* ibid.

10. The translation follows *Rashi;* cf. *Rashi ms., Ramban* (ibid.) and *Rosh* (ibid.).

11. The emendation follows *Mesoras HaShas,* based on the reading of *Rif* and *Rosh* (ibid.); see also *Gra's* emendation on 27a.

12. See *Tosafos; Ramban* (ibid.).

[The Gemara, as we have explained it, implies that although it is not necessary for a mourner to sleep on the floor, he may do so if he chooses, as did King David. This is, indeed, the view of *Ramban* and *Rosh* (loc. cit.). *Rambam* (*Hil. Aveil* 5:18), however, rules that the mourner must sleep on his overturned bed, and may not sleep on the floor. For discussion of how *Rambam* would interpret our Gemara, see *Rambam* loc. cit. and *Lechem Mishneh* to *Hil. Aveil* 4:9.]

[As noted earlier (15a note 60), the practice of a mourner overturning his bed has fallen into disuse. Consequently, many authorities rule that it is mandatory for contemporary mourners to sleep on the floor, rather than sleep on an ordinary, upright bed; see *Taz* and *Shach* to *Yoreh Deah* 387:1; see also *She'eilas Yavetz* 1:91. Common practice, however, is to be lenient and not require this; see *Pischei Teshuvah* ad loc.; see also *Pnei Baruch* 17:4.]

13. [Following the text of the Gemara as we have it, it is not clear who is talking to whom here; cf. the version of the Gemara quoted by *Rabbeinu Chananel.*]

אלא מעתה א) ועמד ואמר לא חפצתי לקחתה ה"נ והא תניא א) א בין יושב בין עומד בין מוטה א"ל התם לא כתיב ויעמד ויאמר הכא כתיב ויקם ויקרע אמר רמי בר חמא מנין לקריעה שהיא מעומד שנאמר ב) ויקם איוב ויקרע דלמא מילתא יתירתא הוא דעבד דאי לא תימא הכי ב) ויגז את ראשו ה"נ אלא מהכא ג) ויקם המלך ויקרע את בגדיו ° ודלמא מילתא יתירתא עביד דאי לא תימא הכי ג) וישכב ארצה ה"נ והתניא ג) ב ישב על גבי מטה על גבי כסא על גבי ג) אודייני (ד) גדולה ע"ג קרקע מכולן) לא יצא ידי חובתו וא"ר יוחנן שלא קיים כפיית המטה א"ל כעין ארצה ת"ר (ה) ואלו) דברים שאבל ג אסור בהן ו) אסור במלאכה ז) וברחיצה ובסיכה ובתשמיש המטה ובנעילת הסנדל ד ואסור לקרות בתורה ובנביאים ובכתובים ולשנות במשנה במדרש ובהלכות ובהש"ס ובאגדות ה ואם היו רבים צריכין לו אינו נמנע ומעשה ומת בנו של ר' יוסי בציפורי ונכנס לבית המדרש ודרש כל היום כולו רבה בר בר חנה איתרעא ביה מילתא סבר דלא למיפק לפירקא א"ל ר' חנינא אם היו רבים צריכין לו אינו נמנע סבר לאוקמי אמורא עליה א"ל רב ו תניא ובלבד שלא יעמיד תורגמן ואלא היכי עביד כי הא דתניא מעשה ומת בנו של ר' יהודה בר אילעאי ונכנס לבית המדרש ונכנס ר' חנניה בן עקביא וישב בצדו ז ולחש הוא לר' חנניה בן עקביא ור' חנניה בן עקביא לתורגמן ותורגמן השמיע לרבים ת"ר אבל ג' ימים הראשונים אסור להניח תפילין ח) משלישי ואילך ושלישי בכלל מותר להניח תפילין ואם באו פנים חדשות אינו חולץ דברי ר"א ר' יהושע אומר אבל ב' ימים הראשונים אסור להניח תפילין ט) משני ושני בכלל מותר להניח תפילין ואם באו פנים חדשות חולץ אמר רב מתנה מאי טעמא דר"א דכתיב ד) ויתמו ימי בכי אבל משה אמר רב עינא מ"ט דר' יהושע דכתיב ה) ואחריתה כיום מר ורבי יהושע נמי הא כתיב ויתמו ימי וגו' אמר לך שאני משה דתקיף אבליה ור"א נמי הא כתיב ואחריתה כיום מר עיקר מרירא חד יומא הוא אמר עולא הלכה כר"א בחליצה והלכה כר' יהושע ח בהנחה איבעיא להו בשני לעולא חולץ או אינו חולץ ת"ש אמר עולא חולץ ומניח אפי' מאה פעמים תניא נמי הכי יהודה בן תימא אומר חולץ ומניח אפי' מאה פעמים רבא אמר כיון שהניח שוב אינו חולץ והא רבא הוא דאמר י) הלכה כתנא דידן דאמר שלשה

מצוה

רש"י

אודייני. מכתשת גדולה: מכולם. אמרו אפי' ישן ע"ג קרקע לא יצא עד שיכפה מטתו וישב עליה: כעין ארצה. כלומר שכפה מטתו וישב עליה ולעולם קריעה מעומד: ואסור לקרות. כדאמרינן לעיל (דף טו.) מדאמר רחמנא ליחזקאל האנק דום והא דאמר (סוכה דף כה.) אבל חייב בכל המצות האמורות בתורה חוץ מן התפילין התם שאר מצות בעלמא אבל הני אית בהו שמחה: רבים צריכים ליה. לדרשה: סבר לאוקמי אמורא עליה. תורגמן: ושלישי בכלל. מותר להניח תפילין דעיקר אבילות אינו אלא ב' ימים: ואם באו פנים חדשות. ביום ג' אפ"ה אינו חולץ תפילין אע"ג דאיכא למיחש דלמא אמרי [בשני] ימים הראשונים נמי הניח תפילין: רבי יהושע אומר וכו'. דעיקר אבילות אינו אלא יום אחד: ואם באו פנים חדשות. ביום שני חולץ תפילין: מ"ט דר"א. דסבר עיקר אבילות שני ימים: דכתיב ויתמו ימי. דמשמע ב' ימים: עיקר מרירא יום אחד. אבל אבילות ב' ימים: הלכה כר"א בחליצה. שאם באו פנים חדשות בג' אינו חולץ והלכה כרבי יהושע בהנחה דבשני מותר להניח תפילין: בשני לעולא חולץ. בשלישי קאמר הלכה כר"א דאמר אינו חולץ אבל בשני לא ידענא אי חולץ אי לא: חולץ ומניח. בשני אפי' מאה פעמים ביום וכי באו פנים חדשות חולץ וכי ליכא פנים חדשות מניח: רבא אמר כיון שמניח. בשני שוב אינו חולץ לפנים חדשות: והאמר רבא. לעיל (דף כ.) בכפיית המטה הלכה כתנא דידן דאמר ג' ימים עיקר אבילות ה"נ נבעי ג' ימים (א) להניח תפילין:

תוספות

אלא מעתה ועמד ואמר ה"נ. משמע ועמד ואמר היינו אפי' מיושב והא דאמרינן פרק מצות חליצה (יבמות דף קו.) בתי עמודי לכתחילה שמא צריך עמידה מדרבנן מיהו קשה דועמדו שני האנשים (דברים יט) דבעינן עומד וי"ל דועמד ואמר ודאי משמע אפי' מיושב כמו ועמדו וקדשו (לעיל דף יח:) אבל ועמד לחוד לא משמע הכי ק):

דאי לא תימא הכי וישכב ארצה וכו'. אע"ג דושכב ארצה כתיב נמי אבל הילד דבת שבע אע"ג דלא גבי מת כתיב אלא על בנו ושמא הואיל והנביא אמר לו מות ימות הרי הוא כמת ואע"פ שהתפלל עליו שיחיה וכענין זה אמר בירושלמי הקב"ה שהיה יודע שעתיד להיות מבול היה מתאבל על עולמו קודם המבול ובתוס' הרב הקשה כי הסוגיא משונה בתחילה אומר מלתא יתירתא עבד דאי לא תימא הכי והדר מקשה דלא יצא ידי חובתו ונ"ל דהכי פי' מלתא יתירתא וה"נ כפה מטתו ושכב ע"ג קרקע וא"כ עבד מלתא יתירתא דליכא למימר ושכב היינו כפיית המטה דהא לא יצא ידי חובתו מכפיית המטה א"ל כעין וליכא שום יתור וניחא ליה לשנויי הכי מלומר שהיה מלתא יתירתא ולהוכיח קריעה מכפיית המטה:

אלו דברים שאבל אסור בהן. הכא לא חשיב דברים שמצווה עליהן כגון כפיית המטה ועטיפת הראש דלא חשיב אלא מילי דאסור בהן תפילין ושאילת שלום לא חשיב דאין זה כל ימי האבל כדאמר לקמן תכבוסת לא חשיב דהויא בכלל רחילה אע"ג דלעיל (דף טו.) מייתי תרי קראי לרחילה ולתכבוסת אבל הני דלא נוהגים כל השבוע לא לאפוקי מפי' הר"א שפירש שרבינו שמואל היה מתיר לאבל לעשות מלאכה אחר ג' ימים ומה שאין נוהגין עתה לעשות עטיפת הראש וכפיית המטה סמכינן אהא דאמרינן בירושלמי אכסנאי אינו חייב בכפיית המטה דלא לימרון חרש הוא פי' מכשף וכמו כן אנו בין הנכרים ויש בינינו עבדים ושפחות ועוד יש ליתן טעם בכפיית המטה לפי שמטות שלנו כך יכולין לשכב בנחת מצד זה כמו מצד זה ואין ניכרת הכפייה דיש להן ד' קונדיסים מלמעלה כעין רגלים וכדאמרינן לקמן דרגש אין צריך לכפותו ועוד יש ליתן טעם בעטיפת הראש שלא היה מביא כי אם לידי שחוק ° ענין עטיפת ישמעאלים:

ואסור לקרות בתורה. בתשובת רבינו יצחק זקני כתב כי רבינו יעקב היה אוסר בימי אבלו באיוב ובקינות ובדברים הרעים שבירמיה מדלא תני ליה בשמעתין כמו ט' באב שילהי תענית (דף ל.) ובימי זקנותו חזר והתיר ובירושלמי אמר אבל שונה במקום שאינו רגיל משמע ששונה כמו בט' באב שאומר בפרק בתרא דתענית (שם) אבל קורא במקום שאינו רגיל וה"ק התם כל מצות הנוהגות באבל נוהגות בט' באב ואסור לקרות בתורה כו' אבל קורא במקום שאינו רגיל וקורא באיוב וקינות וכו' משמע לאותה דאבל וט' באב שוין כדקאמר בירושלמי ומיהו אבל שונה במקום שאינו רגיל משמע דהא דוקא שרי ולא באיוב ובקינות ובירמיה ומה שהביא רבי יצחק ראיה לאסור מדקאמר לעיל (ד' טו.) אסור בדברי תורה שנאמר האנק דום ומשמע הכל אין נ"ל ראייה דלא קאמר אלא מדבר המשמחו כדאמר בתענית (ד' ל.) משום שנאמר פקודי ה' ישרים משמחי לב תדע דכולהו לאו דוקא דהא קאמר אסור בתפילין שנאמר פארך חבוש עליך ואינו אסור כל ימי אבלו:

משלישי ואילך. ושלישי חשבינן [מקצתו] ככולו ומדרבנן דהא לא מייתי קרא אלא לשני ימים דכתיב ויתמו ימי בכי אבל משה הר"א והאי ויתמו בתפילין וכן ואחריתה כיום מר טפי מכל שאר מילי דכל שעה שהוא מר נפש מתעולל בעפר ואין זה פאר כדפירש בקונטרס בכתובות (ד' ו:) ריב"א ובט' באב היה אומר ר' יצחק זקני דשרי כמו בשלישי דשרי:

חולץ ומניח אפילו מאה פעמים. פי' חולץ בפנים חדשות ומניח כשילכו וכן כל שעה שילכו מאה פעמים ביום וטעמיה משום בין לר"א בין לרבי יהושע בפנים חדשות אסור לר"א להניח אסור ולרבי יהושע אפי' חולץ:

מכאן

עין משפט נר מצוה

קיט א מיי' פ"ד מהל' יבום וחליצה הל' ו סמג עשין נג טוש"ע אה"ע סי' קסט סעי' סד:

קכ ב מיי' פ"ה שם הלכה יח:

קכא ג מיי' שם הל' א סמג עשין דרבנן ג טוש"ע י"ד סימן שפ סעיף א:

קכב ד ה ו ז מיי' שם הלכה טו סמג שם טוש"ע שם וסימן שפד סעיף א:

קכג ח מיי' שם פ"ד הלכה ט טוש"ע שם סימן שפח סעיף א:

תורה אור השלם

א) וְקָרְאוּ לוֹ זִקְנֵי עִירוֹ וְדִבְּרוּ אֵלָיו וְעָמַד וְאָמַר לֹא חָפַצְתִּי לְקַחְתָּהּ: [דברים כה, ח]

ב) וַיָּקָם אִיּוֹב וַיִּקְרַע אֶת מְעִלוֹ וַיָּגָז אֶת רֹאשׁוֹ וַיִּפֹּל אַרְצָה וַיִּשְׁתָּחוּ: [איוב א, כ]

ג) וַיָּקָם הַמֶּלֶךְ וַיִּקְרַע אֶת בְּגָדָיו וַיִּשְׁכַּב אָרְצָה וְכָל עֲבָדָיו נִצָּבִים קְרֻעֵי בְגָדִים: [שמואל ב' יג, לא]

ד) וַיִּבְכּוּ בְנֵי יִשְׂרָאֵל אֶת מֹשֶׁה בְּעַרְבֹת מוֹאָב שְׁלֹשִׁים יוֹם וַיִּתְּמוּ יְמֵי בְכִי אֵבֶל מֹשֶׁה: [דברים לד, ח]

ה) וְהָפַכְתִּי חַגֵּיכֶם לְאֵבֶל וְכָל שִׁירֵיכֶם לְקִינָה וְהַעֲלֵיתִי עַל כָּל מָתְנַיִם שָׂק וְעַל כָּל רֹאשׁ קָרְחָה וְשַׂמְתִּיהָ כְּאֵבֶל יָחִיד וְאַחֲרִיתָהּ כְּיוֹם מָר: [עמוס ח, י]

רבינו חננאל

מטתה ונוהגת עמו אבלות. אמימר שכיב ליה בר ברא קרע עליה א) א"ל קרעתי מעומד קם קרע מעומד א"ל רב אשי ומנ"ל דבעינן קריעה מעומד א"ל דכתיב ויקם איוב ויקרע אי הכי בענין חליצה דכתיב ועמד ואמר לא חפצתי הכי נמי דמעומד. והתניא בין עומד בין יושב בין מוטה חליצתה כשרה אלא מהכא ויקם המלך ויקרע את בגדיו ודלמא קריעה מעומד מלתא יתירתא הוא דעבד כמה דעבד בשכיבתו ארצה דלא הוה צריך דתניא ישן על גבי מטה על גבי כסא ע"ג אודייני גדולה מכולן אפילו על גבי קרקע לא יצא וא"ר יוחנן שלא (יצא) קיים כפיית המטה א"ל מאי וישכב ארצה לאו ארצה ממש הוא אלא כעין ארצה כדמפרש בירוש' ר' יוחנן אמר וישבו אתו לארץ אינו כתוב על הארץ אלא לארץ בדבר הסמוך לארץ מיכן שהיו ישינין על מטות כפויות וכיון שישן על מטה כפויה ניעור בלילה ונזכר שהוא אבל: אלו דברים שאבל אסור בהן במלאכה ברחיצה וסיכה ובנעילת הסנדל ובתשמיש המטה ואסור לקרות בתורה בנביאים ובכתובים ולשנות במשנה ובמדרש ובתלמוד בהלכות ובאגדות ואם היו רבים צריכין לו אינו נמנע. ומעשה ומת בנו של ר' יוסי בצפורי ובתו של ר' בבית שערים ויצאו ודרשו כל היום ואסיקנא ובלבד שלא יעמיד המתורגמן אלא יושב לו אחר בצידו של אבל ולוחש לו והוא משמיע לתורגמן והתורגמן משמיע לרבים. גרסינן בפרק יש בכור לנחלה מת הבן ביום שלשים כיום שלפניו פי' כיום ל"א וחייב לתת ה' סלעים לכהן. ר' עקיבא אומר אם נתן לא יטול ואם לא נתן לא יתן. אמר רב אשי הכל מודים לענין אבלות דיום שלשים כיום שלפניו דמי וחשוב כיום שלפניו ובשלשים ואחד שמע והנה ב) היא שמועה רחוקה ואינו נוהג אלא יום אחד [illegible] הלכה כדברי המיקל באבל: ת"ר אבל שלשה ימים הראשונים אסור להניח תפלין משלישי [illegible] ואם באו פנים חדשות אינו חולץ דברי רבי אליעזר ורבי יהושע אומר משני ושני בכלל מ[illegible] חדשות חולץ. אמר עולא הלכתא כרבי אליעזר בחליצה שאם באו פנים חדשות משלישי [illegible] ג) והלכתא כרבא דאמר כיון שהניח אינו חולץ כר' יהושע בהנחה שמיום שני מניח מ"ט דר' אלעזר דכתיב

מסורת הש"ס

א) יבמות קג., ב) לקמן כז. ע"ש, ג) [עי' תוס' ב"ב קמד. ד"ה אודייני], ד) [גירסת הרי"ף (דף רלה:) גדולה מכולן אמרו אפילו על גבי קרקע לא יצא כו'], ה) [צ"ל אלו], ו) [מס' שמחות פ"ו], ז) [שמחות פ"ו], ח) [עי' בהר"ן דסוכה (דף רמב.) ד"ה אבל חייב וכו' ותבין למה נקט בהך לישנא], ט) [עי' בהר"ן שם], י) לעיל כ., כ) [וע"ע תוס' יבמות קג. ד"ה בין ותוס' שבועות ל. ד"ה מלוה ותוספות זבחים טו. ד"ה מיושב].

הגהות הב"ח

(א) רש"י ד"ה והאמר רבא כו' נבעי ג' ימים שלא להניח תפילין:

גליון הש"ס

גמ' ודלמא מילתא יתירתא. עיין לקמן דף כו ע"א תד"ה משכם: תוס' ד"ה אלו דברים וכו' ענין עטיפת ישמעאלים. עי' לקמן דף כד ע"א תוס' ד"ה ושמואל לטעמיה:

רש"י כת"י

התם לא כתוב ויעמד ויאמר. אלא דברה תורה כלשון בני אדם ועמד ואמר וליכא למשמע ולא מידי. ויקם המלך ויקרע את בגדיו. הכא כתוב ויקם ויקרע דאיכא למילף מדכתוב ויקם שהיה יושב ועמד. מילתא יתירתא הוא דעבד. ולאו משום דמיחייב אבל בהכי. ויגז הכי נמי. בתמיה לא אשכחן הני מלוותא דאבילות לעיל דאבל חייב בגיזוז הראש. ויקם דוד ויקרע. על אודות בנו. וישכב ארצה. כמו' בדוד. ישן על גבי המטה. בלא כר ובלא כסת. אודייני. כסוי של כור. כעין ארצה. הוא דעבד דהיינו כפיית המטה ולאו מלתא יתירתא. ואסור לקרות וכו'. כדאמרינן לעיל מדקאמ' ליה רחמנא ליחזקאל האנק דום והא דאמרי' לעיל אבל חייב בכל מצות האמורות בתורה חוץ מן התפלין שנאמר בהן פאר התם כגון קיום שאר מצות בעלמא אבל בהכי אית ליה שמחה כשהוא לומד [תורה] ומשום הכי אסור לקרות. במשנה. משניות. מדרש. פסוקים הנדרשים לאיסור והיתר וטומאה וטהרה כגון ספרא וספרי. תלמוד. מחלוקת של אמוראים. הלכות. ברייתות. אגדות. טעמי המקראות כגון בראשית רבה. רבים צריכין לו. כגון שהיה נשיא דורש ברבים. סבר לאוקמי אמורא. להעמיד לפניו תורגמן. מקצת משלישי ואילך. מקצת שלישי בכלל ולא כולו דהא ג' ימים אסור (מותר) להניח. אינו חולץ. אינו צריך לחלוץ תפלין משהניחם בשלישי אע"ג דבאו פנים חדשות שאינם יודעים שכבר עברו ג' ימים הראשונים. משני. ואילך וקצת שני בכלל. ויתמו ימי בכי אבל משה. אין ימי פחות משנים ויתמו דשלימים ותמימין בעינן. ביום מר. יום אבילות אלמא יום אחד הוא דהוי. הלכה כר' אליעזר בחליצה. דמשהניח אין צריך לחלוץ. וכר' יהושע בהנחה. דמשני ושני בכלל מותר להניח. בשני לעולא. דאמ' הלכה כר' יהושע דבשני מותר להניח אם הניח תפלין בשני ובאו שם פנים חדשות הלכה כר' אליעזר בחליצה דאינו צריך לחלוץ דילמא משלישי ואילך קאמ' כר' אליעזר אבל משני אע"ג דלמא הכי קאמ' הלכ' כר' אליעזר דמשהניח אינו צריך לחלוץ דאפילו משהניחן בשני אינו חולץ מפני פנים חדשות. ומניח. ובשני הוא דקא' דבשלישי ודאי הוא דאינו צריך לחלוץ דהא בשני חולץ. מפני פנים חדשות. ומניח. (והאמ' רבה) [והא רבא הוא דאמר]. לעיל הלכה כתנא דידן דאמ' שלשה ימים הוו עיקר אבילות והכא קתני (דבשלישי) [דבשני] עצמו מותר להניח.

חשק שלמה על ר"ח א) אולי צ"ל אמר לא קרעתי מעומד קם וכו'. ב) דברי רבינו בכאן הובא בר"ף כאן בשם איכא מ"ד ועי' היטב מש"כ על דברי רבינו בזה. ג) נראה דצ"ל משלישי ואילך אינו חולץ וכר"י בהנחה שמיום שני מניח והלכתא כרבא דאמר כיון שהניח שוב אינו חולץ.

The Gemara cites a Baraisa which enumerates the restrictions that apply to a mourner during *shivah:*

תָּנוּ רַבָּנָן – **The Rabbis taught** in a Baraisa: (ו)אֵלוּ דְּבָרִים שֶׁאָבֵל אָסוּר בָּהֶן – THESE ARE THE THINGS FORBIDDEN TO A MOURNER:[14] אָסוּר בִּמְלָאכָה וּבִרְחִיצָה וּבְסִיכָה וּבְתַשְׁמִישׁ הַמִּטָּה וּבִנְעִילַת הַסַּנְדָּל – HE IS FORBIDDEN TO DO WORK, TO BATHE,[15] TO ANOINT himself with oil, TO ENGAGE IN MARITAL RELATIONS, AND TO WEAR SHOES. וְאָסוּר לִקְרוֹת בַּתּוֹרָה וּבַנְּבִיאִים וּבַכְּתוּבִים – AND HE IS FORBIDDEN TO STUDY THE TORAH, THE PROPHETS OR THE WRITINGS, וְלִשְׁנוֹת בְּמִשְׁנָה בְּמִדְרָשׁ וּבַהֲלָכוֹת וּבְהַשַּׁ"ס וּבָאֲגָדוֹת – OR TO STUDY MISHNAH, MIDRASH,[16] HALACHOS,[17] TALMUD,[18] AND AGGADAH.[19] וְאִם הָיוּ רַבִּים צְרִיכִין לוֹ אֵינוֹ נִמְנָע – BUT IF THE PUBLIC NEEDS HIM to lecture to them HE SHOULD NOT REFRAIN from doing so. וּמַעֲשֶׂה וּמֵת בְּנוֹ שֶׁל רַבִּי יוֹסֵי בְּצִיפּוֹרִי – AND IT HAPPENED THAT THE SON OF R' YOSE DIED IN TZIPPORI, וְנִכְנַס לְבֵית הַמִּדְרָשׁ וְדָרַשׁ כָּל הַיּוֹם כּוּלּוֹ – AND HE ENTERED THE HOUSE OF STUDY AND LECTURED FOR THE ENTIRE DAY.

The Gemara cites another, similar episode:

רַבָּה בַּר בַּר חָנָה אִיתְרְעָא בֵּיהּ מִילְּתָא – **An** unfortunate **thing occurred to Rabbah bar bar Chanah** (i.e. his relative died and he became a mourner). סָבַר דְּלָא לְמֵיפַּק לְפִירְקָא – **He thought that,** being a mourner, **he would not go to** deliver **the** regular **public lecture.** אָמַר לֵיהּ רַבִּי חֲנִינָא – Upon which **R' Chanina said to him:** אִם הָיוּ רַבִּים צְרִיכִין לוֹ אֵינוֹ נִמְנָע – **If the public needs him** to lecture to them **he should not refrain** from doing so. סָבַר לְאוֹקְמֵי אָמוֹרָא עֲלֵיהּ – Rabbah bar bar Chanah therefore went to deliver the lecture, and **he thought to set up a speaker at his side.**[20] אָמַר לֵיהּ רַב – Upon which **Rav said to him:** תַּנְיָא – **It was taught in a Baraisa:** וּבִלְבַד שֶׁלֹּא יַעֲמִיד תּוּרְגְּמָן – He may lecture AS LONG AS HE DOES NOT SET UP A SPEAKER.[21]

The Gemara explains how he should proceed:

וְאֶלָּא הֵיכִי עָבִיד – **What, then, should he do?**[22] כִּי הָא דְּתַנְיָא – He should act **in accordance with that which was taught in** the following **Baraisa:** מַעֲשֶׂה וּמֵת בְּנוֹ שֶׁל רַבִּי יְהוּדָה בַּר אִילְעַאי – IT HAPPENED THAT THE SON OF R' YEHUDAH BAR IL'AI DIED, וְנִכְנַס לְבֵית הַמִּדְרָשׁ – AND, despite being a mourner, HE ENTERED THE STUDY HALL to deliver his regular lecture, וְנִכְנַס רַבִּי חֲנַנְיָה בֶּן עֲקַבְיָא וְיָשַׁב בְּצִדּוֹ – AND R' CHANANYAH THE SON OF AKAVYA ENTERED AND SAT BESIDE HIM. וְלָחַשׁ הוּא לְרַבִּי חֲנַנְיָה בֶּן עֲקַבְיָא – AND HE [R' Yehudah bar Il'ai] WHISPERED the lecture TO R' CHANANYAH THE SON OF AKAVYA, וְרַבִּי חֲנַנְיָה בֶּן עֲקַבְיָא לְתוּרְגְּמָן – AND R' CHANANYAH THE SON OF AKAVYA, in turn, whispered the lecture TO THE SPEAKER, וְתוּרְגְּמָן הִשְׁמִיעַ לָרַבִּים – AND THE SPEAKER DELIVERED IT aloud TO THE PUBLIC.[22a]

The Gemara takes up the issue of the prohibition of a mourner's wearing tefillin:[23]

תָּנוּ רַבָּנָן – **The Rabbis taught** in a Baraisa: אָבֵל שְׁלֹשָׁה יָמִים הָרִאשׁוֹנִים אָסוּר לְהָנִיחַ תְּפִילִּין – A MOURNER IS FORBIDDEN TO DON TEFILLIN FOR THE FIRST THREE DAYS of *shivah.* מִשְּׁלִישִׁי וְאֵילָךְ וּשְׁלִישִׁי בִּכְלָל מוּתָּר לְהָנִיחַ תְּפִילִּין – But starting FROM THE THIRD day, AND INCLUDING THE THIRD day itself, HE MAY DON TEFILLIN.[24] וְאִם בָּאוּ פָּנִים חֲדָשׁוֹת אֵינוֹ חוֹלֵץ – AND, furthermore, even IF NEW FACES ARRIVED on the third day,[25] HE SHOULD NOT REMOVE his tefillin.[26] דִּבְרֵי רַבִּי אֱלִיעֶזֶר – These are THE WORDS OF R' ELIEZER. רַבִּי יְהוֹשֻׁעַ אוֹמֵר – R' YEHOSHUA SAYS: אָבֵל שְׁנֵי יָמִים הָרִאשׁוֹנִים אָסוּר לְהָנִיחַ תְּפִילִּין – A MOURNER IS FORBIDDEN TO DON TEFILLIN FOR THE FIRST TWO DAYS of *shivah.* מִשֵּׁנִי וְשֵׁנִי בִּכְלָל מוּתָּר לְהָנִיחַ תְּפִילִּין – FROM THE SECOND day on, AND INCLUDING THE SECOND day itself, HE MAY DON TEFILLIN.[27] וְאִם בָּאוּ פָּנִים חֲדָשׁוֹת חוֹלֵץ – BUT IF NEW FACES ARRIVED on the second day HE SHOULD REMOVE THEM.[28]

The Gemara explains the basis for these views:

מַאי טַעְמָא דְּרַבִּי אֱלִיעֶזֶר – **What is R' Eliezer's reasoning?** אָמַר רַב מַתְנָה – **Rav Masnah said:** דִּכְתִיב ,,וַיִּתְּמוּ יְמֵי בְכִי אֵבֶל מֹשֶׁה" – **Since it is written:**[29] ***and the days of tearful mourning for***

NOTES

14. The sources for the restrictions that the Baraisa proceeds to enumerate were elaborated above, 15a ff.

[The Baraisa's list is not exhaustive; see *Tosafos* for a discussion of why the Baraisa omitted certain restrictions.]

15. I.e. either to bathe his entire body in cold water, or his face, hands and feet in warm water (see *Yoreh Deah* 381:1; *Pischei Teshuvah* ad loc.).

16. I.e. the corpus of halachic Midrash, such as *Sifra* and *Sifrei,* in which the laws of the Torah are derived from the Biblical text (*Rashi ms.*).

17. I.e. Baraisos (*Rashi ms.*).

18. I.e. the type of analysis of the corpus of Mishnayos and Baraisos that is engaged in by the Gemara (see *Rashi ms.*).

19. The homiletic teachings of the Sages.

Although, in general, a mourner is required to observe all mitzvos, the mitzvah of studying Torah is an exception, since it causes joy (*Rashi;* see *Taanis* 30a).

[Nevertheless, a mourner may study the laws of mourning, as well as the Biblical books of *Job* and *Lamentations,* whose subject matter is sorrowful, as well as the more melancholy sections of *Jeremiah* (see *Tosafos; Shulchan Aruch, Yoreh Deah* 384:4).]

20. In Talmudic times a scholar would give a public lecture with the assistance of a "speaker" who would loudly proclaim the scholar's words to the assembled audience (see *Rashi* to *Chullin* 15a ד"ה לאמורא).

21. In order to demonstrate his status as a mourner, he should deviate from the normal procedure by delivering the lecture without a "speaker" (*Talmid R' Yechiel MiParis*).

22. If he is prohibited from lecturing by employing a speaker, then surely he is prohibited to lecture on his own (*Darkei Moshe Yoreh Deah* 384:1). The Gemara therefore asks in what manner is he permitted to lecture?

22a. Hence, the only manner in which a mourner may lecture publicly is by employing a speaker along with a middleman. It was indeed in this fashion that R' Yose (mentioned in the Baraisa above) lectured while in mourning for his son (*Mordechai* §888).

23. The source for this prohibition was given above, 15a.

24. By refraining from wearing tefillin for even a few moments of the third day he completes the obligation to refrain from wearing tefillin for three days, in keeping with the principle that part of a day is like the whole day (see above, 16b; 17b; 19b; 20b). Thus, it is sufficient for him to refrain from wearing tefillin for a few moments after sunrise, after which he may wear tefillin for the remainder of the third day (see *Rashi ms.; Tosafos; Raavad,* cited by *Ramban*; *Rosh* §37).

Other Rishonim maintain that, according to this Tanna, the prohibition of wearing tefillin applies for only two days altogether; consequently, he may don tefillin even before sunrise of the third day (see *Rashi*). As for how these Rishonim will explain the language of the Baraisa, which began by stating that a mourner may not wear tefillin for three days, see *Ramban; Bach, Yoreh Deah* 388.

[Note that in Talmudic times tefillin were normally worn for the entire day.]

25. I.e. new arrivals, who had not visited him during the first two days of *shivah.*

26. He need not be apprehensive that the new arrivals, who do not know that he has already observed *shivah* for several days, will think that he is wearing tefillin during the first two days of *shivah* (*Rashi ms.;* cf. *Rashi*).

27. By refraining from wearing tefillin for even a few moments of the second day he completes the obligation to refrain from wearing tefillin for two days, in keeping with the principle that part of a day is like the whole day (see *Rashi ms.; Tosafos; Rosh* §37; *Shulchan Aruch, Yoreh Deah* 388:1).

Other Rishonim maintain that, according to R' Yehoshua, the prohibition of wearing tefillin applies for only one day; consequently he may don tefillin even before sunrise on the second day (see *Rashi; Raavad,* cited by *Ramban;* for yet another approach, see *Ritva*).

28. Although he is permitted to don tefillin, he should remove them in the presence of new arrivals, who may think that it is the first day of *shivah* (see *Rashi ms.*).

29. *Deuteronomy* 34:8.

אלא מעתה א) ועמד ואמר לא חפצתי לקחתה ה"נ והא תניא ה) א בין יושב בין עומד בין מוטה א"ל התם לא כתיב ויעמד ויאמר הכא כתיב ויקם ויקרע אמר רמי בר חמא מנין לקריעה שהיא מעומד שנאמר ב) ויקם איוב ויקרע דלמא מילתא יתירתא הוא דעבד דאי לא תימא הכי ב) ויגז את ראשו ה"נ אלא מהכא ג) ויקם המלך ויקרע את בגדיו ° ודלמא מילתא יתירתא עביד דאי לא תימא הכי ג) וישכב ארצה ה"נ והתניא ג) ב ישב על גבי מטה על גבי כסא על גבי ג) אודייני (ד) גדולה ע"ג קרקע מכולן) לא יצא ידי חובתו וא"ר יוחנן שלא קיים כפיית המטה א"ל כעין ארצה ת"ר (ה) ואלו) דברים שאבל ג אסור בהן ו) אסור במלאכה ז) וברחיצה ובסיכה ובתשמיש המטה ובנעילת הסנדל ד ואסור לקרות בתורה ובנביאים ובכתובים ולשנות במשנה במדרש ובהלכות ובהש"ס ובאגדות ה ואם היו רבים צריכין לו אינו נמנע ומעשה ומת בנו של ר' יוסי בציפורי ונכנס לבית המדרש ודרש כל היום כולו רבה בר בר חנה איתרעא ביה מילתא סבר דלא למיפק לפירקא א"ל ר' חנינא אם היו רבים צריכין לו אינו נמנע סבר לאוקמי אמורא עליה א"ל רב ו תניא ובלבד שלא יעמיד תורגמן ואלא היכי עביד כי הא דתניא מעשה ומת בנו של ר' יהודה בר אילעאי ונכנס לבית המדרש ונכנס ר' חנניה בן עקביא וישב בצדו ז ולחש הוא לר' חנניה בן עקביא ור' חנניה בן עקביא לתורגמן ותורגמן השמיע לרבים ת"ר אבל ג' ימים הראשונים אסור להניח תפילין ח) משלישי ואילך ושלישי בכלל מותר להניח תפילין ואם באו פנים חדשות אינו חולץ דברי ר"א ר' יהושע אומר אבל ב' ימים הראשונים אסור להניח תפילין ט) משני ושני בכלל מותר להניח תפילין ואם באו פנים חדשות חולץ אמר רב מתנה מאי טעמא דר"א דכתיב ד) ויתמו ימי בכי אבל משה אמר רב עינא מ"ט דר' יהושע דכתיב ה) ואחריתה כיום מר ורבי יהושע נמי הא כתיב ויתמו ימי וגו' אמר לך שאני משה דתקיף אבליה ור"א נמי הא כתיב ואחריתה כיום מר עיקר מרירא חד יומא הוא אמר עולא הלכה כר"א בחליצה והלכה כר' יהושע ח בהנחה איבעיא להו בשני לעולא חולץ או אינו חולץ ת"ש אמר עולא חולץ ומניח אפי' מאה פעמים תניא נמי הכי יהודה בן תימא אומר חולץ ומניח אפי' מאה פעמים רבא אמר כיון שהניח שוב אינו חולץ והא רבא הוא דאמר י) הלכה כתנא דידן דאמר שלשה

מצוה

אודייני. מכתשת גדולה: מכולם. אמרו אפי' ישן ע"ג קרקע לא יצא עד שיכפה מטתו וישב עליה: כעין ארצה. כלומר שכפה מטתו וישב עליה ולעולם קריעה מעומד: ואסור לקרות. כדאמרינן לעיל (דף טו.) מדאמר רחמנא ליחזקאל האנק דום והא דאמר (סוכה דף כה.) אבל חייב בכל המצות האמורות בתורה חוץ מן התפילין התם שאר מצות בעלמא אבל הני אית בהו שמחה: רבים צריכים ליה. לדרשה: סבר לאוקמי אמורא עליה. תורגמן: ושלישי בכלל. מותר להניח תפילין דעיקר אבילות אינו אלא ב' ימים: ואם באו פנים חדשות. ביום ג' אפ"ה אינו חולץ תפילין אע"ג דאיכא למיחש דלמא אמרי [בשני] ימים הראשונים נמי הניח תפילין: רבי יהושע אומר וכו'. דעיקר אבילות אינו אלא יום אחד: ואם באו פנים חדשות. ביום שני חולץ תפילין: מ"ט דר"א. דסבר עיקר אבילות שני ימים: דכתיב ויתמו ימי. דמשמע ב' ימים: עיקר מרירא יום אחד. אבל אבילות ב' ימים: הלכה כר"א בחליצה. שאם באו פנים חדשות בג' אינו חולץ והלכה כרבי יהושע בהנחה דבשני מותר להניח תפילין: בשני לעולא חולץ. בשלישי קאמר הלכה כר"א דאמר אינו חולץ אבל בשני לא ידענא אי חולץ אי לא: חולץ ומניח. בשני אפי' מאה פעמים ביום וכי באו פנים חדשות חולץ וכי ליכא פנים חדשות מניח: רבא אמר כיון שמניח. בשני שוב אינו חולץ לפנים חדשות: והאמר רבא. לעיל (דף כ.) בכפיית המטה הלכה כתנא דידן דאמר ג' ימים עיקר אבילות ה"נ נבעי ג' ימים (א) להניח תפילין:

אלא מעתה ועמד ואמר ה"נ. משמע ועמד ואמר היינו אפי' מיושב והא דאמרינן פרק מצות חליצה (יבמות דף קו.) בתי עמודי לכתחילה שמא צריך עמידה מדרבנן מיהו קשה דועמדו שני האנשים (דברים יט) דבעינן עומד וי"ל דועמד ואמר ודאי משמע אפי' מיושב כמו ועמדו וקדשו (לעיל דף יח:) אבל ועמד לחוד לא משמע הכי ב): **דאי** לא תימא הכי וישכב ארצה וכו'. אע"ג דושכב ארצה כתיב נמי אבל הילד דבת שבע אע"ג דלא גבי מת כתיב אלא על בנו ושמא הואיל והנביא אמר לו מות ימות הרי הוא כמת ואע"פ שהתפלל עליו שיחיה וכענין זה אמר בירושלמי הקב"ה שהיה יודע שעתיד להיות מבול היה מתאבל על עולמו קודם המבול ובתוס' הרב הקשה כי הסוגיא משונה בתחילה אומר מלתא יתירתא עבד דאי לא תימא הכי והדר מקשה דלא יצא ידי חובתו וצ"ל דהכי פי' מלתא יתירתא וה"נ כפה מטתו ושכב ע"ג קרקע וא"כ עבד מלתא יתירתא דליכא למימר ושכב היינו כפיית המטה דהא לא יצא ידי חובתו מכפיית המטה א"ל כעין וליכא שום יתור וניחא ליה לשנויי הכי מלומר שהיה מלתא יתירתא ולהוכיח קריעה מכפיית המטה:

אלו דברים שאבל אסור בהן. הכא לא חשיב דברים שמצווה עליהן כגון כפיית המטה ועטיפת הראש דלא חשיב אלא מילי דאסור בהן תפילין ושאילת שלום לא חשיב דאין זה כל ימי האבל כדאמר לקמן תכבוסת לא חשיב דהויא בכלל רחילה אע"ג דלעיל (דף טו.) מייתי תרי קראי לרחיצה ולתכבוסת אבל הני דלא נוהגים כל השבוע לא לאפוקי מפי' הר"א שפירש שרבינו שמואל היה מתיר לאבל לעשות מלאכה אחר ג' ימים ומה שאין נוהגין עתה לעשות עטיפת הראש וכפיית המטה סמכינן אהא דאמרינן בירושלמי אכסנאי אינו חייב בכפיית המטה דלא לימרון חרש הוא פי' מכשף וכמו כן אנו בין הנכרים ויש בינינו עבדים ושפחות ועוד יש ליתן טעם בכפיית המטה לפי שמטות שלנו כך יכולין לשכב בנחת מצד זה כמו מצד זה ואין ניכרת הכפייה דיש להן ד' קונדיסים מלמעלה כעין רגלים וכדאמרינן לקמן דרגש אין צריך לכפותו ועוד יש ליתן טעם בעטיפת הראש שלא היה מביא כי אם לידי שחוק ° ענין עטיפת ישמעאלים:

ואסור לקרות בתורה. בתשובת רבינו יצחק זקני כתב כי רבינו יעקב היה אוסר בימי אבלו באיוב ובקינות ובדברים הרעים שבירמיה מדלא תני ליה בשמעתין כמו ט' באב שילהי תענית (דף ל.) ובימי זקנותו חזר והתיר ובירושלמי אמר אבל שונה במקום שאינו רגיל משמע ששונה כמו בט' באב שאומר בפרק בתרא דתענית (שם) אבל קורא במקום שאינו רגיל וה"ק התם כל מצות הנוהגות באבל נוהגות בט' באב ואסור לקרות בתורה כו' אבל קורא במקום שאינו רגיל וקורא באיוב וקינות וכו' משמע לאתורה דאבל וט' באב שוין כדקאמר בירושלמי ומיהו אבל שונה במקום שאינו רגיל משמע דהא דוקא שרי ולא באיוב ובקינות ובירמיה ומה שהביא רבי יצחק ראיה לאסור מדקאמר לעיל (ד' טו.) אסור בדברי תורה שנאמר האנק דום ומשמע הכל אין נ"ל ראייה דלא קאמר אלא מדבר המשמחו כדאמר בתענית (ד' ל.) משום שנאמר פקודי ה' ישרים משמחי לב תדע דכולהו לאו דוקא דהא קאמר אסור בתפילין שנאמר פארך חבוש עליך ואינו אסור כל ימי אבלו:

משלישי ואילך. ושלישי חשבינן [מקצתו] ככולו ומדרבנן דהא לא מייתי קרא אלא לשני ימים דכתיב ויתמו ימי בכי אבל משה הר"א והאי ויתמו בתפילין וכן ואחריתה כיום מר טפי מכל שאר מילי דכל שעה שהוא מר נפש מתעולל בעפר ואין זה פאר כדפירש בקונטרס בכתובות (ד' ו:) ריב"א ובט' באב היה אומר ר' יצחק זקני דשרי כמו בשלישי דשרי:

חולץ ומניח אפילו מאה פעמים. פי' חולץ בפנים חדשות ומניח כשילכו וכן כל שעה שילכו מאה פעמים ביום וטעמיה משום בין לר"א בין לרבי יהושע בפנים חדשות אסור לר"א להניח אסור ולרבי יהושע אפי' חולץ:

מסורת הש"ס

א) יבמות קג., ב) לקמן כז. ע"ש, ג) [עי' תוס' ב"ב קמד. ד"ה אודייני], ד) [גירסת הרי"ף (דף רלה:) גדולה מכולן אמרו אפילו על גבי קרקע לא יצא כו'], ה) [נ"א אלו], ו) [מס' שמחות פ"ו], ז) [שמחות פ"ז], ח) [עי' בהר"ן דסוכה (דף רמב.) ד"ה אבל חייב וכו' ותבין למה נקט בהך לישנא], ט) [עי' בהר"ן שם], י) לעיל כ., כ) [וע"ע תוס' יבמות קג. ד"ה בין ותוס' שבועות ל. ד"ה מצוה ותוספות זבחים טז. ד"ה מיושב].

עין משפט נר מצוה

קיט א מיי' פ"ד מהל' יבום וחליצה הל' ו סמג עשין נג טוש"ע אה"ע סי' קסט סעי' סד:

קכ ב מיי' פ"ה שם הלכה יח:

קכא ג מיי' שם הל' א סמג עשין דרבנן ג טוש"ע י"ד סימן שפ סעיף א:

קכב ד ה ו ז מיי' שם הלכה טז סמג שם טוש"ע שם וסימן שפד סעיף א:

קכג ח מיי' שם פ"ד הלכה ט טוש"ע שם סימן שפח סעיף א:

תורה אור השלם

א) וְקָרְאוּ לוֹ זִקְנֵי עִירוֹ וְדִבְּרוּ אֵלָיו וְעָמַד וְאָמַר לֹא חָפַצְתִּי לְקַחְתָּהּ: [דברים כה, ח]

ב) וַיָּקָם אִיּוֹב וַיִּקְרַע אֶת מְעִלוֹ וַיָּגָז אֶת רֹאשׁוֹ וַיִּפֹּל אַרְצָה וַיִּשְׁתָּחוּ: [איוב א, כ]

ג) וַיָּקָם הַמֶּלֶךְ וַיִּקְרַע אֶת בְּגָדָיו וַיִּשְׁכַּב אָרְצָה וְכָל עֲבָדָיו נִצָּבִים קְרֻעֵי בְגָדִים: [שמואל ב' יג, לא]

ד) וַיִּבְכּוּ בְנֵי יִשְׂרָאֵל אֶת מֹשֶׁה בְּעַרְבֹת מוֹאָב שְׁלֹשִׁים יוֹם וַיִּתְּמוּ יְמֵי בְכִי אֵבֶל מֹשֶׁה: [דברים לד, ח]

ה) וְהָפַכְתִּי חַגֵּיכֶם לְאֵבֶל וְכָל שִׁירֵיכֶם לְקִינָה וְהַעֲלֵיתִי עַל כָּל מָתְנַיִם שָׂק וְעַל כָּל רֹאשׁ קָרְחָה וְשַׂמְתִּיהָ כְּאֵבֶל יָחִיד וְאַחֲרִיתָהּ כְּיוֹם מָר: [עמוס ח, י]

הגהות הב"ח

(א) רש"י ד"ה והאמר רבא כו' נבעי ג' ימים שלא להניח תפילין:

גליון הש"ס

גמ' ודלמא מילתא יתירתא. עיין לקמן דף כו ע"א תד"ה משכם: תוס' ד"ה אלו דברים וכו' ענין עטיפת ישמעאלים. עי' לקמן דף כד ע"א תוס' ד"ה ושמואל לטעמיה:

רש"י כת"י

התם לא כתוב ויעמד ויאמר. אלא דברה תורה כלשון בני אדם ועמד ואמר וליכא למשמע ולא מידי. ויקם המלך ויקרע את בגדיו. הכא כתוב ויקם ויקרע דאיכא למילף מדכתוב ויקם שהיה יושב ועמד. מילתא יתירתא הוא דעבד. ולאו משום דמיחייב אבל בהכי. ויגז הכי נמי. בתמיה לא אשכחן הני מצותא דאבילות דלעיל דאבל חייב בגיזוי הראש. ויקם דוד ויקרע. על אודות בנו. וישכב ארצה. כמו' בדוד. ישן על גבי המטה. בלא כר ובלא כסת. אודייני. כסוי של כור. כעין ארצה. הוא דעבד דהיינו כפיית המטה ולאו מלתא יתירתא. ואסור לקרות וכו'. כדאמרינן לעיל מדקאמ' ליה רחמנא ליחזקאל האנק דום והא דאמרי' לעיל אבל חייב בכל מצות האמורות בתורה חוץ מן התפלין שנאמר בהן פאר התם כגון קיום שאר מצות בעלמא אבל בהכי אית ליה שמחה כשהוא לומד [תורה] ומשום הכי אסור לקרות. במשנה. משניות. מדרש. פסוקים הנדרשים לאיסור והיתר וטומאה וטהרה כגון ספקא וספרי. תלמוד. מחלוקת של אמוראים. הלכות. ברייתות. אגדות. טעמי המקראות כגון בראשית רבה. רבים צריכין לו. כגון שהיה נשיא דורש ברבים. סבר לאוקומי אמורא. להעמיד לפניו תורגמן. מקצת משלישי ואילך. מקצת שלישי בכלל ולא כולו דהא ג' ימים אסור (מותר) להניח. אינו חולץ. אינו צריך לחלוץ תפלין משהניחם בשלישי אע"ג דבאו פנים חדשות שאינם יודעים שכבר עברו ג' ימים הראשונים. משני. ואילך וקצת שני בכלל. ויתמו ימי בכי אבל משה. אין ימי פחות משנים ויתמו דשלימים ותמימין בעינן. ביום מר. יום אבילות אלמא יום אחד הוא דסוי. הלכה כר' אליעזר בחליצה. דמשהניח אין צריך לחלוץ. וכר' יהושע בהנחה. דמשני ושני בכלל מותר להניח. בשני לעולא. דאמ' הלכה כר' יהושע דבשני מותר להניח אם הניח תפלין בשני ובאו שם פנים חדשות חולץ דהאי דאמ' הלכה כר' אליעזר בחליצה דאינו צריך לחלוץ דילמא משלישי ואילך קאמ' כר' אליעזר אבל משני אע"ג דמניח חולץ ולחומרא או דילמא הכי קאמ' הלכ' כר' אליעזר דמשהניח אינו צריך לחלוץ דאפילו משהניחן בשני אינו חולץ מפני פנים חדשות ולקולא. ובשני חולץ. מפני פנים חדשות. ומניח. ובשני הוא דקא' דבשלישי ודאי הוא דאינו צריך לחלוץ דהא בשלישי איירי ר' אליעזר. (והאמ' רבה) [והא רבא הוא דאמר]. לעיל הלכה כתנא דידן דאמ' שלשה ימים הוו עיקר אבילות והכא קתני (דבשלישי) [דבשני] עצמו מותר להניח.

רבינו חננאל

מטתה ונוהגת עמו אבלות. אמימר שכיב ליה בר ברא קרע עליה א) א"ל קרעתי מעומד קם קרע מעומד א"ל רב אשי ומנ"ל דבעינן קריעה מעומד א"ל דכתיב ויקם איוב ויקרע אי הכי בענין חליצה דכתיב ועמד ואמר לא חפצתי הכי נמי דמעומד. והתניא בין עומד בין יושב בין מוטה חליצתה כשרה אלא מהכא ויקם המלך ויקרע את בגדיו ודלמא קריעה מעומד מלתא יתירתא הוא דעבד כמה דעבד בשכיבתו ארצה דלא הוה צריך דתניא ישן על גבי מטה על גבי כסא ע"ג אודייני גדולה מכולן אפילו על גבי קרקע לא יצא וא"ר יוחנן שלא (יצא) קיים כפיית המטה א"ל מאי וישכב ארצה לאו ארצה ממש הוא אלא כעין ארצה כדמפרש בירוש' ר' יוחנן אמר וישבו אתו לארץ אינו כתוב על הארץ אלא לארץ בדבר הסמוך לארץ מיכן שהיו ישינין על מטות כפויות וכיון שישן על מטה כפויה ניעור בלילה ונזכר שהוא אבל: אלו דברים שאבל אסור בהן במלאכה ברחיצה וסיכה ובנעילת הסנדל ובתשמיש המטה ואסור לקרות בתורה בנביאים ובכתובים ולשנות במשנה ובמדרש ובתלמוד בהלכות ובאגדות ואם היו רבים צריכין לו אינו נמנע. ומעשה ומת בנו של ר' יוסי בצפורי ובתו של ר' בבית שערים ויצאו ודרשו כל היום ואסיקנא ובלבד שלא יעמיד המתורגמן אלא יושב לו אחר בצידו של אבל ולוחש לו והוא משמיע לתורגמן והתורגמן משמיע לרבים. גרסינן בפרק יש בכור לנחלה מת הבן ביום שלשים כיום שלפניו פי' כיום ל"א וחייב לתת ה' סלעים לכהן. ר' עקיבא אומר אם נתן לא יטול ואם לא נתן לא יתן. אמר רב אשי הכל מודים לענין אבלות דיום שלשים כיום שלפניו דמי וחשוב כיום שלפניו ובשלשים ואחד שמע והנה ב) היא שמועה רחוקה ואינו נוהג אלא יום אחד בלבד כשמואל דאמר הלכה כדברי המיקל באבל: ת"ר אבל שלשה ימים הראשונים אסור להניח תפילין משלישי ושלישי בכלל מניח ואם באו פנים חדשות אינו חולץ דברי רבי אליעזר ורבי יהושע אומר משני ושני בכלל מניח ואם באו פנים חדשות חולץ. אמר עולא הלכתא כרבי אליעזר בחליצה שאם באו פנים חדשות משלישי ואילך אינו חולץ ג) והלכתא כרבא דאמר כיון שהניח אינו חולץ כר' יהושע בהנחה שמיום שני מניח מ"ט דר' אלעזר דכתיב

מכאן

חשק שלמה על ר"ח א) אולי צ"ל אמר לא קרעתי מעומד קם וכו'. ב) דברי רבינו בכאן הובא בר"ף כאן בשם איכא מ"ד ועי' היטב מש"כ על דברי רבינו בזה. ג) נראה דל"ל משלישי ואילך אינו חולץ וכר"י בהנחה שמיום שני מניח והלכתא כרבא דאמר כיון שהניח שוב אינו חולץ.

Moses were completed.[30] אָמַר רַב עֵינָא – **Rav Aina said:** מַאי טַעְמָא דְּרַבִּי יְהוֹשֻׁעַ – **What is R' Yehoshua's reasoning?** דִּכְתִיב ,,וְאַחֲרִיתָהּ כְּיוֹם מָר" – **Since it is written:**[31] *And I will make [the land] as if in mourning for an only [son], **and its end like a bitter day,*** which implies that the most bitter mourning lasts for one day.[32]

The Gemara considers how each of these Tannaim will account for the verse that his colleague adduced as proof:

וְרַבִּי יְהוֹשֻׁעַ נַמִּי הָא כְּתִיב ,,וַיִּתְּמוּ יְמֵי וגו' " – **But R' Yehoshua, too,** must account for the fact **that it is written:** ***and the days** of tearful mourning for Moses **were completed*** **etc.**; how will he explain that verse? אָמַר לָךְ – **He would say to you:** שָׁאנִי מֹשֶׁה דִּתְקִיף אֶבְלֵיהּ – The mourning for **Moses is different, for the mourning** for him **was** especially **intense;** but ordinarily the most intense period of mourning lasts for only one day. וְרַבִּי אֱלִיעֶזֶר נַמִּי הָא כְּתִיב ,,וְאַחֲרִיתָהּ כְּיוֹם מָר" – **But R' Eliezer, too,** must account for the fact **that it is written: . . . *and its end like a bitter day;*** how will he explain that verse? עִיקַּר מְרִירָא חַד יוֹמָא הוּא – He would say that **the main bitterness is for one day.**[33]

The Gemara cites a ruling regarding this issue:

אָמַר עוּלָּא – **Ulla said:** הֲלָכָה כְּרַבִּי אֱלִיעֶזֶר בַּחֲלִיצָה – **The halachah follows R' Eliezer in** regard to **removing** tefillin,[34] וַהֲלָכָה כְּרַבִּי יְהוֹשֻׁעַ בַּהֲנָחָה – **while the halachah follows R' Yehoshua in** regard to **donning** tefillin in the first place.[35]

The Gemara questions the precise meaning of Ulla's ruling:

אִיבַּעְיָא לְהוּ – **They inquired:** בְּשֵׁנִי לְעוּלָּא חוֹלֵץ אוֹ אֵינוֹ חוֹלֵץ – **According to Ulla, on the second day** of *shivah* **does he remove** his tefillin for new arrivals **or does he not remove** them?[36]

The Gemara resolves the issue:

תָּא שְׁמַע – **Come and hear** the answer, given by Ulla himself: אָמַר עוּלָּא – **Ulla said:** חוֹלֵץ וּמֵנִיחַ אֲפִילוּ מֵאָה פְּעָמִים – **He must remove and** then **don** his tefillin again and again, **even one hundred times.**[37]

Support for Ulla is brought from a Baraisa:

תַּנְיָא נַמִּי הָכִי – **This was also taught in a Baraisa:** יְהוּדָה בֶּן תֵּימָא אוֹמֵר – YEHUDAH THE SON OF TAIMA SAYS: חוֹלֵץ וּמֵנִיחַ אֲפִילוּ מֵאָה פְּעָמִים – HE MUST REMOVE AND then DON his tefillin again and again, EVEN ONE HUNDRED TIMES.[38]

The Gemara cites an opposing view:

רָבָא אָמַר – **Rava said:** כֵּיוָן שֶׁהֵנִיחַ שׁוּב אֵינוֹ חוֹלֵץ – **Once he dons** tefillin on the second day of *shivah*[39] **he does not remove them** even if new arrivals appear on the scene.

The Gemara questions Rava's ruling:

וְהָא רָבָא הוּא דְּאָמַר – **But it was Rava who said:** הֲלָכָה כְּתַנָּא דִּידָן דְּאָמַר שְׁלֹשָׁה – **The halachah is like our Tanna,** i.e. the Tanna of our Mishnah, **who says** that **three** days of *shivah* are required to be observed before the festival in order for the festival to cancel *shivah,*[40] for the most intense period of *shivah* lasts for three days. Consequently, the prohibition of wearing tefillin should extend into the third day, as well! – ? –

NOTES

30. "Days" implies a period of two days. Thus, the verse indicates that the primary period of mourning is the first two days (*Rashi*).

Those Rishonim who understand R' Eliezer's view to be that the prohibition of wearing tefillin extends into the first few moments of the third day (see note 24) take the verse to mean that there were two complete days of tearful mourning for Moses, as well as an incomplete third day (see *Rashi ms.; Ramban*).

31. *Amos* 8:10. In this passage the prophet describes the punishment of those who persecute the poor.

32. Those Rishonim who understand R' Yehoshua's view to be that the prohibition of wearing tefillin extends into the first few moments of the second day (see note 27) take the verse to mean that the most bitter part of mourning is "like" one day, i.e. it lasts for somewhat more than one day (*Ramban;* see also *Ritva*).

33. And R' Eliezer maintains that although the feeling of bitterness is most intense on the first day, the essence of mourning is for the first two days (see *Rashi*).

34. I.e. that once he begins to don tefillin he need not remove them even in the presence of new arrivals (*Rashi ms.*).

35. I.e. that he may begin to wear tefillin on the second day of *shivah.*

36. R' Eliezer ruled that one need not remove one's tefillin for a new arrival from the third day of *shivah.* Therefore, when Ulla stated that the halachah follows R' Eliezer in regard to removing tefillin, one might take this literally to mean that the halachah is just as R' Eliezer said, that one does not remove one's tefillin for a new arrival from the third day of *shivah;* this would imply that one does have to remove one's tefillin for a new arrival on the second day of *shivah.* On the other hand, since R' Eliezer himself does not allow a mourner to even begin wearing tefillin until the third day, it follows that according to R' Eliezer one never removes one's tefillin merely because of the presence of a new arrival; rather, as soon as one begins wearing tefillin (on the third day) one keeps them on, even if new people arrive on the scene. Hence, perhaps this is the principle Ulla means to adopt as well: Once one begins to wear tefillin one does not remove them for a new arrival. And since, according to Ulla, one begins wearing tefillin on the second day, one would not remove them because of a new arrival even on the second day (see *Rashi ms.*).

37. Each time a new arrival appears on the scene he must remove his tefillin and then, after the new arrival departs, he puts them back on again.

Now this ruling obviously could not apply from the third day forward, since Ulla already ruled that the halachah follows R' Eliezer, that on the third day one does not remove one's tefillin for a new arrival. Rather, this ruling must refer to the second day of *shivah* and thus it resolves our question; according to Ulla, on the second day one must, indeed, remove one's tefillin if new arrivals appear. Only from the third day may one wear tefillin in the presence of a new arrival (*Rashi ms.*).

38. The Baraisa, which the Gemara quotes in part, apparently spoke explicitly of the second day of *shivah* and thus supports Ulla's distinction, that on the second day one must remove one's tefillin in front of new arrivals, but from the third day and forward one need not do so (see *Ritva*).

39. *Rashi.*

40. See above, 19a note 13.

אלא מעתה א) ועמד ואמר לא חפצתי לקחתה ה"נ והא תניא א) א בין יושב בין עומד בין מוטה א"ל התם לא כתיב ויעמד ויאמר הכא כתיב ויקם ויקרע אמר רמי בר חמא מנין לקריעה שהיא מעומד שנאמר ב) ויקם איוב ויקרע דלמא מילתא יתירתא הוא דעבד דאי לא תימא הכי ב) ויגז את ראשו ה"נ אלא מהכא ג) ויקם המלך ויקרע את בגדיו ° ודלמא מילתא יתירתא עביד דאי לא תימא הכי ג) וישכב ארצה ה"נ והתניא ג) ב ישב על גבי מטה על גבי כסא על גבי ג) אודייני (ד) גדולה ע"ג קרקע מכולן) לא יצא ידי חובתו וא"ר יוחנן שלא קיים כפיית המטה א"ל כעין ארצה ת"ר (ה) ואלו) דברים שאבל ג אסור בהן ו) אסור במלאכה ז) וברחיצה ובסיכה ובתשמיש המטה ובנעילת הסנדל ד ואסור לקרות בתורה ובנביאים ובכתובים ולשנות במשנה במדרש ובהלכות ובהש"ס ובאגדות ה ואם היו רבים צריכין לו אינו נמנע ומעשה ומת בנו של ר' יוסי בציפורי ונכנס לבית המדרש ודרש כל היום כולו רבה בר בר חנה איתרעא ביה מילתא סבר דלא למיפק לפירקא א"ל ר' חנינא אם היו רבים צריכין לו אינו נמנע סבר לאוקמי אמורא עליה א"ל רב ו תניא ובלבד שלא יעמיד תורגמן ואלא היכי עביד כי הא דתניא מעשה ומת בנו של ר' יהודה בר אילעאי ונכנס לבית המדרש ונכנס ר' חנניה בן עקביא וישב בצדו ז ולחש הוא לר' חנניה בן עקביא ור' חנניה בן עקביא לתורגמן ותורגמן השמיע לרבים ת"ר אבל ג' ימים הראשונים אסור להניח תפילין ח) משלישי ואילך ושלישי בכלל מותר להניח תפילין ואם באו פנים חדשות אינו חולץ דברי ר"א ר' יהושע אומר אבל ב' ימים הראשונים אסור להניח תפילין ט) משני ושני בכלל מותר להניח תפילין ואם באו פנים חדשות חולץ אמר רב מתנה מאי טעמא דר"א דכתיב ד) ויתמו ימי בכי אבל משה אמר רב עינא מ"ט דר' יהושע דכתיב ה) ואחריתה כיום מר ורבי יהושע נמי הא כתיב ויתמו ימי וגו' אמר לך שאני משה דתקיף אבליה ור"א נמי הא כתיב ואחריתה כיום מר עיקר מרירא חד יומא הוא אמר עולא הלכה כר"א בחליצה והלכה כר' יהושע ח בהנחה איבעיא להו בשני לעולא חולץ או אינו חולץ ת"ש אמר עולא חולץ ומניח אפי' מאה פעמים תניא נמי הכי יהודה בן תימא אומר חולץ ומניח אפי' מאה פעמים רבא אמר כיון שהניח שוב אינו חולץ והא רבא הוא דאמר י) הלכה כתנא דידן דאמר שלשה

מצוה

רש"י

אודייני. מכתשת גדולה: מכולם. אמרו אפי' ישן ע"ג קרקע לא יצא עד שיכפה מטתו וישב עליה: כעין ארצה. כלומר שכפה מטתו וישב עליה ולעולם קריעה מעומד: ואסור לקרות. כדאמרינן לעיל (דף טו.) מדאמר רחמנא ליחזקאל האנק דום והא דאמר (סוכה דף כה.) אבל חייב בכל המצות האמורות בתורה חוץ מן התפילין התם שאר מצות בעלמא אבל הני אית בהו שמחה: רבים צריכים ליה. לדרשה: סבר לאוקמי אמורא עליה. תורגמן: ושלישי בכלל. מותר להניח תפילין דעיקר אבילות אינו אלא ב' ימים: ואם באו פנים חדשות. ביום ג' אפ"ה אינו חולץ תפילין אע"ג דאיכא למיחש דלמא אמרי [בשני] ימים הראשונים נמי הניח תפילין: רבי יהושע אומר וכו'. דעיקר אבילות אינו אלא יום אחד: ואם באו פנים חדשות. ביום שני חולץ תפילין: מ"ט דר"א. דסבר עיקר אבילות שני ימים: דכתיב ויתמו ימי. דמשמע ב' ימים: עיקר מרירא יום אחד. אבל אבילות ב' ימים: הלכה כר"א בחליצה. שאם באו פנים חדשות בג' אינו חולץ והלכה כרבי יהושע בהנחה דבשני מותר להניח תפילין: בשני לעולא חולץ. בשלישי קאמר הלכה כר"א דאמר אינו חולץ אבל בשני לא ידענא אי חולץ אי לא: חולץ ומניח. בשני אפי' מאה פעמים ביום וכי באו פנים חדשות חולץ וכי ליכא פנים חדשות מניח: רבא אמר כיון שמניח. בשני שוב אינו חולץ לפנים חדשות: והאמר רבא. לעיל (דף כ.) בכפיית המטה הלכה כתנא דידן דאמר ג' ימים עיקר אבילות ה"נ נבעי ג' ימים (א) להניח תפילין:

מלוה

תוספות

אלא מעתה ועמד ואמר ה"נ. משמע ועמד ואמר היינו אפי' מיושב והא דאמרינן פרק מצות חליצה (יבמות דף קו.) בתי עמודי לכתחילה שמא צריך עמידה מדרבנן מיהו קשה דועמדו שני האנשים (דברים יט) דבעינן עומד וי"ל דועמד ואמר ודאי משמע אפי' מיושב כמו ועמדו וקדשו (לעיל דף יח:) אבל ועמד לחוד לא משמע הכי ס): דאי לא תימא הכי וישכב ארצה וכו'. אע"ג דושכב ארצה כתיב נמי אבל הילד דבת שבע אע"ג דלא גבי מת כתיב אלא על בנו ושמא הואיל והנביא אמר לו מות ימות הרי הוא כמת ואע"פ שהתפלל עליו שיחיה וכענין זה אמר בירושלמי הקב"ה שהיה יודע שעתיד להיות מבול היה מתאבל על עולמו קודם המבול ובתוס' הרב הקשה כי הסוגיא משונה בתחילה אומר מלתא יתירתא עבד דאי לא תימא הכי והדר מקשה דלא יצא ידי חובתו ונ"ל דהכי פי' מלתא יתירתא וה"נ כפה מטתו ושכב ע"ג קרקע וא"כ עבד מלתא יתירתא דליכא למימר ושכב היינו כפיית המטה דהא לא יצא ידי חובתו מכפיית המטה א"ל כעין וליכא שום יתור וניחא ליה לשנויי הכי מלומר שהיה מלתא יתירתא ולהוכיח קריעה מכפיית המטה:

אלו דברים שאבל אסור בהן. הכא לא חשיב דברים שמצווה עליהן כגון כפיית המטה ועטיפת הראש דלא חשיב אלא מילי דאסור בהן תפילין ושאילת שלום לא חשיב דאין זה כל ימי האבל כדאמר לקמן תכבוסת לא חשיב דהויא בכלל רחילה אע"ג דלעיל (דף טו.) מייתי תרי קראי לרחילה ולתכבוסת אבל הני דלא נוהגים כל השבוע לא לאפוקי מפי' הר"א שפירש שרבינו שמואל היה מתיר לאבל לעשות מלאכה אחר ג' ימים ומה שאין נוהגין עתה לעשות עטיפת הראש וכפיית המטה סמכינן אהא דאמרינן בירושלמי אכסנאי אינו חייב בכפיית המטה דלא לימרון חרש הוא פי' מכשף וכמו כן אנו בין הנכרים ויש בינינו עבדים ושפחות ועוד יש ליתן טעם בכפיית המטה לפי שמטות שלנו כך יכולין לשכב בנחת מצד זה כמו מצד זה ואין ניכרת הכפייה דיש להן ד' קונדיסים מלמעלה כעין רגלים וכדאמרינן לקמן דרגש אין צריך לכפותו ועוד יש ליתן טעם בעטיפת הראש שלא היה מביא כי אם לידי שחוק ° ענין עטיפת ישמעאלים:

ואסור לקרות בתורה. בתשובת רבינו יצחק זקני כתב כי רבינו יעקב היה אוסר בימי אבלו באיוב ובקינות ובדברים הרעים שבירמיה מדלא תני ליה בשמעתין כמו ט' באב שילהי תענית (דף ל.) ובימי זקנותו חזר והתיר ובירושלמי אמר אבל שונה במקום שאינו רגיל משמע ששונה כמו בט' באב שאומר בפרק בתרא דתענית (שם) אבל קורא במקום שאינו רגיל וה"ק התם כל מצות הנוהגות באבל נוהגות בט' באב ואסור לקרות בתורה כו' אבל קורא במקום שאינו רגיל וקורא באיוב וקינות וכו' משמע לכאורה דאבל וט' באב שוין כדקאמר בירושלמי ומיהו אבל שונה במקום שאינו רגיל משמע דהא דוקא שרי ולא באיוב ובקינות ובירמיה ומה שהביא רבי יצחק ראיה לאסור מדקאמר לעיל (ד' טו.) אסור בדברי תורה שנאמר האנק דום ומשמע הכל אין נ"ל ראייה דלא קאמר אלא מדבר המשמחו כדאמר בתענית (ד' ל.) משום שנאמר פקודי ה' ישרים משמחי לב תדע דכולהו לאו דוקא דהא קאמר אסור בתפילין שנאמר פארך חבוש עליך ואינו אסור כל ימי אבלו:

משלישי ואילך. ושלישי חשבינן [מקצתו] ככולו ומדרבנן דהא לא מייתי קרא אלא לשני ימים דכתיב ויתמו ימי בכי אבל משה הר"א והאי ויתמו בתפילין וכן ואחריתה כיום מר טפי מכל שאר מילי דכל שעה שהוא מר נפש מתעולל בעפר ואין זה פאר כדפירש בקונטרס בכתובות (ד' ו:) ריב"א ובט' באב היה אומר ר' יצחק זקני דשרי כמו בשלישי דשרי:

חולץ ומניח אפילו מאה פעמים. פי' חולץ בפנים חדשות ומניח כשילכו וכן כל שעה שילכו מאה פעמים ביום וטעמיה משום בין לר"א בין לרבי יהושע בפנים חדשות אסור לר"א להניח אסור ולרבי יהושע אפי' חולץ:

רש"י (המשך)

התם לא כתוב ויעמד ויאמר. אלא דברה תורה כלשון בני אדם ועמד ואמר וליכא למשמע ולא מידי. ויקם המלך ויקרע את בגדיו. הכא כתוב ויקם ויקרע דאיכא למילף מדכתוב ויקם שהיה יושב ועמד. מילתא יתירתא הוא דעבד. ולאו משום דמיחייב אבל בהכי. ויגז הכי נמי. בתמיה לא אשכחן הני מצותא דאבילות דלעיל דאבל חייב בגיזוי הראש. ויקם דוד ויקרע. על אודות בנו. וישכב ארצה. כמו' בדוד. ישן על גבי המטה. בלא כר ובלא כסת. אודייני. כסוי של כור. כעין ארצה. הוא דעבד דהיינו כפיית המטה ולאו מלתא יתירתא. ואסור לקרות וכו'. כדאמרינן לעיל מדקאמ' ליה רחמנא ליחזקאל האנק דום והא דאמרי' לעיל אבל חייב בכל מצות האמורות בתורה חוץ מן התפלין שנאמר בהן פאר התם כגון קיום שאר מצות בעלמא אבל בהכי אית ליה שמחה כשהוא לומד [תורה] ומשום הכי אסור לקרות. במשנה. משניות. מדרש. פסוקים הנדרשים לאיסור והיתר וטומאה וטהרה כגון ספרא וספרי. תלמוד. מחלוקת של אמוראים. הלכות. ברייתות. אגדות. טעמי המקראות כגון בראשית רבה. רבים צריכין לו. כגון שהיה נשיא דורש ברבים. סבר לאוקומי אמורא. להעמיד לפניו תורגמן. מקצת משלישי ואילך. מקצת שלישי בכלל ולא כולו דהא ג' ימים אסור (מותר) להניח. אינו חולץ. אינו צריך לחלוץ תפלין משהניחם בשלישי אע"ג דבאו פנים חדשות שאינם יודעים שכבר עברו ג' ימים הראשונים. משני. ואילך וקצת שני בכלל. ויתמו ימי בכי אבל משה. אין ימי פחות משנים ויתמו דשלימים ותמימין בעינן. ביום מר. יום אבילות אלמא יום אחד הוא דהוי. הלכה כר' אליעזר בחליצה. דמשהניח אין צריך לחלוץ. וכר' יהושע בהנחה. דמשני ושני בכלל מותר להניח. בשני לעולא. דאמ' הלכה כר' יהושע דבשני מותר להניח אם הניח תפלין בשני ובאו שם פנים חדשות חולץ דהאי דאמ' הלכה כר' אליעזר בחליצה דאינו צריך לחלוץ דילמא משלישי ואילך קאמ' כר' אליעזר אבל משני אע"ג דמניח חולץ ולחומרא או דילמא הכי קאמ' הלכ' כר' אליעזר דמשהניח אינו צריך לחלוץ דאפילו משהניחן בשני אינו חולץ מפני פנים חדשות ולקולא. ובשני חוליץ. מפני פנים חדשות. ומניח. ובשני הוא דקא' דבשלישי ודאי הוא דאינו צריך לחלוץ דהא בשלישי איירי ר' אליעזר. (והאמ' רבה) [והא רבא הוא דאמר]. לעיל הלכה כתנא דידן דאמ' שלשה ימים הוו עיקר אבילות והכא קתני (דבשלישי) [דבשני] עצמו מותר להניח.

מסורת הש"ס

א) יבמות קג., ב) לקמן כז. ע"ש, ג) [ער' תוס' ב"ב קמד. ד"ה אודיינין], ד) [גירסת הרי"ף גדולה מכולן אמרו אפילו על גבי קרקע לא יצא כו'], ה) [צ"ל אלו], ו) [מס' שמחות פ"ו], ז) [שמחות פ"ו], ח) [עי' בהר"ן דסוכה (דף כה.) ד"ה אבל חייב וכו' ותבין למה נקט כהך לישנא], ט) [עי' בהר"ן שם], י) לעיל כ., כ) [וע"ע תוס' יבמות קג. ד"ה בין ותוס' שבועות ל. ד"ה מלוה ותוספות זבחים טז. ד"ה מיושב].

הגהות הב"ח

(א) רש"י ד"ה והאמר רבא כו' נבעי ג' ימים שלא להניח תפילין:

גליון הש"ס

גמ' ודלמא מילתא יתירתא. עיין לקמן דף כו ע"א תד"ה שכם: תוס' ד"ה אלו דברים וכו' ענין עטיפת ישמעאלים. עי' לקמן דף כד ע"א תוס' ד"ה ושמואל לטעמיה:

עין משפט נר מצוה

קיט א מיי' פ"ד מהל' יבום וחליצה הל' ו סמג עשין נג טוש"ע אה"ע סי' קסט סעי' כד:

קכ ב מיי' פ"ה שם הלכה יח:

קכא ג מיי' שם הל' א סמג עשין דרבנן ג טוש"ע י"ד סימן שפ סעיף א:

קכב ד ה ו ז מיי' שם הלכה עו סמג שם טוש"ע שם וסימן שפד סעיף א:

קכג ח מיי' שם פ"ד הלכה ט טוש"ע שם סימן שפח סעיף א:

תורה אור השלם

א) וְקָרְאוּ לוֹ זִקְנֵי עִירוֹ וְדִבְּרוּ אֵלָיו וְעָמַד וְאָמַר לֹא חָפַצְתִּי לְקַחְתָּהּ: [דברים כה, ח]

ב) וַיָּקָם אִיּוֹב וַיִּקְרַע אֶת מְעִלוֹ וַיָּגָז אֶת רֹאשׁוֹ וַיִּפֹּל אַרְצָה וַיִּשְׁתָּחוּ: [איוב א, כ]

ג) וַיָּקָם הַמֶּלֶךְ וַיִּקְרַע אֶת בְּגָדָיו וַיִּשְׁכַּב אָרְצָה וְכָל עֲבָדָיו נִצָּבִים קְרֻעֵי בְגָדִים: [שמואל ב' יג, לא]

ד) וַיִּבְכּוּ בְנֵי יִשְׂרָאֵל אֶת מֹשֶׁה בְּעַרְבֹת מוֹאָב שְׁלֹשִׁים יוֹם וַיִּתְּמוּ יְמֵי בְכִי אֵבֶל מֹשֶׁה: [דברים לד, ח]

ה) וְהָפַכְתִּי חַגֵּיכֶם לְאֵבֶל וְכָל שִׁירֵיכֶם לְקִינָה וְהַעֲלֵיתִי עַל כָּל מָתְנַיִם שָׂק וְעַל כָּל רֹאשׁ קָרְחָה וְשַׂמְתִּיהָ כְּאֵבֶל יָחִיד וְאַחֲרִיתָהּ כְּיוֹם מָר: [עמוס ח, י]

רבינו חננאל

מטתה ונוהגת עמו אבלות. אמימר שכיב ליה בר ברא קרע עליה א) א"ל קרעתי מעומד קם קרע מעומד א"ל רב אשי ומנ"ל דבעינן קריעה מעומד א"ל דכתיב ויקם איוב ויקרע אי הכי בענין חליצה דכתיב ועמד ואמר לא חפצתי הכי נמי דמעומד. והתניא בין עומד בין יושב בין מוטה חליצתה כשרה אלא מהכא ויקם המלך ויקרע את בגדיו ודלמא קריעה מעומד מלתא יתירתא הוא דעבד כמה דעבד בשכיבתו ארצה דלא הוה צריך דתניא ישן על גבי מטה על גבי כסא ע"ג אודייני גדולה מכולן אפילו על גבי קרקע לא יצא וא"ר יוחנן שלא (יצא) קיים כפיית המטה א"ל מאי וישכב ארצה לאו ארצה ממש הוא אלא כעין ארצה כדמפרש בירוש' ר' יוחנן אמר וישבו אתו לארץ אינו כתוב על הארץ אלא לארץ בדבר הסמוך לארץ מיכן שהיו ישינין על מטות כפויות וכיון שישן על מטה כפויה ניעור בלילה ונזכר שהוא אבל: אלו דברים שאבל אסור בהן במלאכה ברחיצה וסיכה ובנעילת הסנדל ובתשמיש המטה ואסור לקרות בתורה בנביאים ובכתובים ולשנות במשנה ובמדרש ובתלמוד בהלכות ובאגדות ואם היו רבים צריכין לו אינו נמנע. ומעשה ומת בנו של ר' יוסי בצפורי ובתו של ר' בבית שערים ויצאו ודרשו כל היום ואסיקנא ובלבד שלא יעמיד המתורגמן אלא יושב לו אחר בצידו של אבל ולוחש לו והוא משמיע לתורגמן והתורגמן משמיע לרבים. גרסינן בפרק יש בכור לנחלה מת הבן ביום שלשים כיום שלפניו פי' כיום ל"א וחייב לתת ה' סלעים לכהן. ר' עקיבא אומר אם נתן לא יטול ואם לא נתן לא יתן. אמר רב אשי הכל מודים לענין אבלות דיום שלשים כיום שלפניו דמי וחשוב כיום שלפניו ובשלשים ואחד שמע והנה ב) היא שמועה רחוקה ואינו נוהג אלא יום אחד בלבד כשמואל דאמר הלכה כדברי המיקל באבל: ת"ר אבל שלשה ימים הראשונים אסור להניח תפילין משלישי ושלישי בכלל מניח ואם באו פנים חדשות אינו חולץ דברי רבי אליעזר ורבי יהושע אומר משני ושני בכלל מניח ואם באו פנים חדשות חולץ. אמר עולא הלכתא כרבי אליעזר בחליצה שאם באו פנים חדשות משלישי ואילך אינו חולץ ג) והלכתא כרבא דאמר כיון שהניח אינו חולץ כר' יהושע בהנחה שמיום שני מניח מ"ט דר' אלעזר דכתיב

מכאן

חשק שלמה על ר"ח א) אולי צ"ל אמר לא קרעתי מעומד קם וכו'. ב) דברי רבינו בכאן הובא ברי"ף כאן בשם איכא מ"ד ועי' היטב מש"כ על דברי רבינו בזה. ג) נראה דל"ל משלישי ואילך אינו חולץ וכר"י בהנחה שמיום שני מניח והלכתא כרבא דאמר כיון שהניח שוב אינו חולץ.

עין משפט נר מצוה

קכד א מיי' פ"ה מהל' אבל הלכה ח סמג עשין דרבנן ב טוש"ע י"ד סימן שפ סעיף ב:
קכה ב מיי' שם פ"ז הלכה ה טוש"ע שם סימן שמג סעיף א:
קכו ג מיי' שם פ"ה הלכה כ טוש"ע שם סימן שפה סעיף א:
קכז ד טוש"ע שם בהג"ה:
קכח ה ו טוש"ע שם סעיף ב:
קכט ז ח ט י מיי' שם הלכה כ וטוש"ע שם סעיף א:
קל כ מיי' שם טוש"ע שם סעיף ב:
קלא ל טוש"ע שם:
קלב מ נ מיי' שם פ"ז הלכה ד סמג עשין דרבנן ב טוש"ע שם סימן שעה סעיף ח:

רבינו חננאל

ויתמו ימי בכי אבל משה מיעוט ימי אבל שנים ור' יהושע אמר ואחריתה כיום מר יומא קמא בלבד: ת"ר אבל שלשה ימים הראשונים אסור בעשיית מלאכה ואפילו עני המתפרנס מן הצדקה מיכן ואילך עושה בצנעא בתוך ביתו ואשה טווה בפלך בתוך ביתה: ירושלמי תבא מאירה לשכיניו שהצריכוהו לאבל לעשות ולאכול: ת"ר ג' ימים הראשונים אסור לילך לבית האבל מיכן ואילך הולך כדרכו ואינו יושב במקום המנחמין אלא במקום המתנחמין. ג' ימים הראשונים אסור בשאילת שלום. והא כשמתו בני ר"ע באו כל ישראל והספידום הספד גדול ובשעת פטירתן עמד ר' עקיבא על ספסל גדול ואמר אחינו בית ישראל שמעו אפילו בנים חתנים קבר מנוחם הוא בשביל כבוד שעשיתם וכמה עקיבא בשוק אלא כך אמרתם תורת אלהיו בקרבו לא תמעד אשוריו וכ"ש ששכרכם כפול לכו לבתיכם לשלום. ופרקינן כבוד רבים שאני. ומקשינן מיכן ואילך שואל ומשיב כדרכו והתניא המוצא חבירו אבל בתוך שלשים יום מדבר עמו תנחומין ואינו שואל בשלומו לאחר שלשים יום שואל בשלומו ואינו מדבר עמו תנחומין מתה אשתו ונשא אשה אחרת כו' הנה אין שואלין אפילו לאחר ז' בשלומו ופריק רב אידי בר אבין אחרים אין שואלין בשלומו שהוא אינו שרוי בשלום אבל

תוספות

מכאן ואילך עושה בצינעא בתוך ביתו. פי' בתוספת הרב במתפרנס מן הצדקה קאי והכי משמע לעיל דקאמר לעיל (ד' יט:) הקובר מתו ג' ימים קודם הרגל מונה ה' ימים אחר הרגל ומלאכתו נעשית ע"י אחרים משמע דהאבל אסור כל ז' והתם נמי לא שריגן לעצמו שיהא עושה מלאכה וה"נ תניא במסכת שמחות (פ"ה) אבל כל ז' ימים אסור בעשיית מלאכה הוא ובניו ובנותיו ועבדיו ושפחותיו ובהמתו כשם שהוא אסור לעשות לו כך אחרים אסורים לעשות לו פי' חוץ מזיתיו הפוכים ומלאכת האבד מיום ג' ואילך עושה מלאכה דוקא במי שמתפרנס מן הצדקה ובצינעא אבל אמרו חכמים תבא מארה לשכיניו כו' בר קפרא אומר אף בשלישי לא יעשה כך הביא בתוס' הרב ולכאורה נראה דכיון דילפינן (לעיל דף כ.) מוהפכתי חגיכם לאבל מה חג ז' לענין מלאכה איירי וגם הר"א מסופק דלמא אעני דוקא קאי אבל בשם רבינו שמואל אמר בכל אבלים קאי מדלא קתני מכאן ואילך עושה עני בצינעא ולא כדפרישית:

מכאן ואילך הולך. פי' בתוספת הרב ועל זה סומכים שבאים בההכ"נ בט' באב ואיני יודע אם הוא מנהג טוב ומדבריו מלינו למדין שחושב ט' באב כמו לאחר שלשה ונפקא מינה לענין תפילין כדפי' לעיל:

מדבר עמו תנחומין ואינו שואל. וקשיא למ"ד מכאן ואילך שואל ומשיב: **מתה** אשתו ונשא אשה אחרת. משמע בתוך ל' יום דאי לאחר ל' יום היכי קאמר אינו רשאי ליכנס לביתו לדבר עמו תנחומין הא בשאר מתים נמי אמרו אינו מדבר עמו תנחומין וצריך לאוקמי באין לו בנים לפי' ר"ת שמתיר לישא אשה אחר שבעה א"נ בהניחה לו בנים קטנים שמותר לישא מיד ולבעול אחר ל' יום לפירוש רבינו יצחק והאריך בתוספות פרק קמא דכתובות (דף ד. ושם בד"ה אבל איפכא) ובליקוטין כתוב בתשובה:

מקום קרוב. פירשו בהלכות גדולות דהיינו י' פרסאות:

אפילו בא ביום שביעי ממקום קרוב. וא"ת והא מקצת היום ככולו וי"ל אן כגון שלא עמדו עדיין מנחמין אצלן ויש נמי בפ"ק דכתובות (דף ח:) ברכת אבלים בעשרה כל ז' ומסתמא היינו ביום א"נ י"ל מקצת היום ככולו לא הוי בלילה לענין שום דבר כדאמרינן במגילה בפ"ב (דף כ.) דשימור לילה לאו שימור הוא לענין שבעה נקיים:

הלך

גמרא

מצוה שאני ת"ר [א]אבל ג' ימים הראשונים אסור במלאכה ואפילו עני המתפרנס מן הצדקה מכאן ואילך עושה בצינעא בתוך ביתו והאשה טווה בפלך בתוך ביתה [ב]ת"ר אבל ג' ימים הראשונים אינו הולך לבית האבל מכאן ואילך הולך ואינו יושב במקום המנחמין אלא במקום המתנחמין [ג]תנו רבנן אבל ג' ימים הראשונים אסור בשאילת שלום משלשה ועד שבעה משיב ואינו שואל מכאן ואילך שואל ומשיב כדרכו שלשה ימים הראשונים אסור בשאילת שלום והתניא (א)מעשה ומתו בניו של ר"ע נכנסו כל ישראל והספידום הספד גדול בשעת פטירתן עמד ר"ע על ספסל גדול ואמר אחינו בית ישראל שמעו אפי' שני בנים חתנים מנוחם הוא בשביל כבוד שעשיתם ואם בשביל עקיבא באתם הרי כמה עקיבא בשוק אלא כך אמרתם (א)תורת אלהיו בלבו וכ"ש ששכרכם כפול לכו לבתיכם לשלום [ד]כבוד רבים שאני מג' ועד ז' משיב ואינו שואל מכאן ואילך שואל ומשיב כדרכו ורמינהו (ב)[ה]המוצא את חבירו אבל בתוך ל' יום מדבר עמו תנחומין ואינו שואל בשלומו לאחר ל' יום שואל בשלומו ואינו מדבר עמו תנחומין [ו]מתה אשתו ונשא אשה אחרת אינו רשאי ליכנס לביתו לדבר עמו תנחומין מצאו בשוק אומר לו בשפה רפה ובכובד ראש אמר רב אידי בר אבין [ז]הוא שואל בשלום אחרים שאחרים שרויין בשלום אחרים אין שואלין בשלומו שהוא אינו שרוי בשלום והא מדקתני משיב מכלל דשיילינן ליה [ח]דלא ידעי אי הכי התם נמי התם [ט]מודע להו ולא מהדר להו [י]הכא לא צריך לאודועינהו ורמינהו (ג)המוצא את חברו אבל בתוך י"ב חדש מדבר עמו תנחומין ואינו שואל בשלומו לאחר י"ב חדש שואל בשלומו ואינו מדבר עמו תנחומין אבל מדבר עמו מן הצד א"ר מאיר המוצא את חברו אבל לאחר י"ב חדש ומדבר עמו תנחומין למה הוא דומה לאדם שנשברה רגלו וחיתה מצאו רופא ואמר לו כלך אצלי שאני שוברה וארפאנה כדי שתדע שסממנין שלי יפין לא קשיא [כ]הא באביו ואמו הא בשאר קרובים התם נמי ידבר עמו תנחומין מן הצד אין ה"נ ומאי אינו מדבר עמו תנחומין כדרכו [ל]אבל מדבר עמו מן הצד (ד)ת"ר אבל ג' ימים הראשונים בא ממקום קרוב מונה עמהן בא ממקום רחוק מונה לעצמו מכאן ואילך אפי' בא ממקום קרוב מונה לעצמו ר"ש אומר [מ]אפי' בא ביום השביעי ממקום קרוב מונה עמהן אמר מר ג' ימים הראשונים בא ממקום קרוב מונה עמהן א"ר חייא בר אבא א"ר יוחנן [נ]והוא שיש גדול הבית בבית איבעיא להו

הלך

רש"י

מצוה שאני. כלומר הואיל ומלוה להניח תפילין מלי להניח לאלתר בשני: **אשה.** אבילה טווה בפלך: **אלא במקום המתנחמין.** סמוך לאבלים: **אפי' ב' בנים חתנים.** קברתי מנוחם אני מרוב כבוד שעשיתם לי: **ואם בשביל עקיבא באתם הרי כמה עקיבא בשוק.** שלא הלכתם לנחמן: **כ"ש ששכרכם כפול.** שלכבוד התורה באתם: **לכו לבתיכם לשלום.** הרי שאל בשלומן: **ורמינהו.** דבתוך ל' יום אינו שואל: **ונשא אשה.** בתוך שלשים יום כגון שאין לו בנים כדלקמן: **אינו רשאי ליכנס לביתו.** לנחמו משום חלישת דעת דאשה אחרונה קתני מיהא בתוך ל' יום אינו שואל בשלומו כ"ש שהאבל עצמו אינו שואל בשלומו של זה ולעיל קתני משבעה ואילך משיב ושואל כדרכו: **אמר רב אידי הוא שואל בשלום אחרים.** כלומר תריץ הא דתני מכאן ואילך שואל כדרכו בתוך שלשים יום דהוא שואל בשלום אחרים שהן שרויין בשלום והא דקתני בתוך ל' יום אינו שואל בשלומו אין אחרים שואלין בשלומו: **מכלל דשיילי.** בתוך ל' יום וקשיא למאן דתני בתוך ל' יום אינו שואל: **דלא ידעי.** כלומר הא דתני דמשיב להני דשאלי ליה ולא ידעי דאבל הוא אבל מאן דידע דאבל הוא לא שאיל ליה בתוך ל' יום: **אי הכי.** דאוקמת לה בלא ידעי אפי' ג' ימים נמי משיב (למאן דשאיל ליה (א) ואמר דאבל הוא) למאן דלא ידע ושאיל ליה בתוך ג' ימים: **התם מודע להו.** הא דקתני כל ג' ימים אסור בשאילת שלום אבל מודע להו דאבל הוא ולא מהדר להו: **הכא.** לאחר ג' לא צריך לאודועינהו למאן דלא ידעי דאבל הוא אלא משיב: **ורמינהו בתוך י"ב חדש אינו שואל בשלומו.** וקשה להך דתני לאחר שלשים יום שואל בשלומו: **מן הצד.** שאומר לו תתנחם ואינו מזכיר שם המת: **הא באבל על אביו ועל אמו.** אינו שואל בשלומו עד י"ב חדש: **הא בשאר קרובים.** שואל בשלומו לאחר ל' יום: **התם נמי.** שלשים דמוקמת ליה בשאר קרובים: **ידבר עמו תנחומין מן הצד.** לאחר ל' כי היכי דבאביו ואמו מדבר עמו תנחומין מן הצד לאחר י"ב חדש ואמאי קתני לאחר ל' אינו מדבר עמו תנחומים כלל: **ה"נ.** ומאי לאחר ל' אינו מדבר עמו תנחומים כדרכו: **מונה עמהן.** עם האבלים שבאותו מקום הואיל דבמקום קרוב הוה ויכול לבא בתחלת האבילות חשבינן ליה כמו דאתא דאינו מונה אלא ה' ימים עם שאר אבלים: **מונה לעצמו.** שבעה שלימין: **שיש גדול הבית בבית.** שבא ומלא גדול הבית בבית מונה עמהן עם אבילי הבית וזה שבא הוא הלעיר ממנו אבל אם היה גדול בדרך ובא בתוך שלשה ימים אפי' ממקום קרוב מונה לעצמו דלא חשיב אבילות דלעיר לאצטרופי גדול בהדיה:

הלך

מסורת הש"ס

א) עיין שמחות פ"ח, ב) [שמחות פי"ד], ג) [שמחות פי"ד], ד) חולין ג ע"א.

הגהות הב"ח

(א) רש"י ד"ה אי הכי כו' נמי משיב למאן דשאיל ליה הס"ד ואח"כ מה"ד התם מודע להו. הא דקתני כל שלשה אסור בשאלת שלום ולמאן דלא ידע ושאיל ליה בתוך שלשה ימים מודע להו דאבל הוא ולא מהדר להו כצ"ל:

הגהות מהר"ב רנשבורג

אן תוס' ד"ה אפי' וכו' וי"ל כגון וכו'. נמחק תיבת כגון וה"ג כיון כצ"ל לענ"ד ור"ל כיון דלקמן דף כב ע"א מוקמינן לדר"ש והוא שבא ומלא מנחמין אצלו א"כ לא הוי מקצת היום ככולו כל זמן שהמנחמין אצלו ודוק:

תורה אור השלם

א) תּוֹרַת אֱלֹהָיו בְּלִבּוֹ לֹא תִמְעַד אֲשֻׁרָיו: [תהלים לז, לא]

רש"י כת"י

מצוה שאני. כגון תפלין. **ואשה.** שמת לה מת. **טווה בפלך.** בתוך ביתה מג' ימים ואילך. **אבל ג' ימים הראשונים אינו הולך לבית האבל.** אבל אחר. **מכאן ואילך הולך.** ומנחמו. **ואין יושב אלא במקום המתנחמין.** [אבלים]. **אסור בשאילת שלום.** בין לשאול בין להשיב. **מעשה ומתו בניו של ר' עקיבא וכו'.** אפילו שני נשואים קברתי כבר מנוחם אני מרוב כבוד שעשיתם וכל שכן שלא קברתי אלא אחד שאינו חתן. **ואם בשביל עקיבא.** הרי כמה בשוק שלא הייתם הולכים לנחמו. **אלא.** אם כך אמרתם וכו'. **וכל [שכן].** שלכבוד תורה באתם. **לכו לביתכם לשלום.** אלמא מותר בשאילת שלום (בתוך שלשים יום אם לא דבר אתו תנחומין). **ונשא אשה אחרת.** בתוך שלשים יום כגון שאין לו בנים כדלקמן דמותר לישא אשה תכף לקבורת אשתו אחר שאין לו בנים (אחר). **אינו רשאי ליכנס לביתו.** לנחמו משום חלישות הדעת דאשה אחרונה קתני מיהא בתוך ל' אינו שואל בשלומו וכל שכן שהאבל עצמו אינו שואל בשלום זה ולעיל קתני משבעה ואילך משי' ושואל כדרכו. **אמ' (ליה) [רב אידי בר אבין].** לעולם אבל משבעה ואילך שואל בשלום אחרים כדרכו שהרי אחרים שרויים בשלום אבל אחרים אין שואלין בשלומו כדקתני בברייתא. **והא מדקתני.** לעיל אפילו משבעה ראשונים משיב מכלל דשואלין בשלומו. **אי הכי.** רישא נמי ג' ימים הראשונים אם לא ידעו ושאלו בשלומו ליהדר להו. מודע להו. שהוא אבל. **ורמינהי.** להך מתני' דקתני המוליא חבירו אבל וכו' בתוך שנים עשר חדש אין שואל בשלומו ולעיל קתני דלאחר שלשים מיד שואלין. **מן הצד** תנחומין שאומ' לו תתנחם ואינו מזכיר לו שם המת. **למה הוא דומה.** שאני שוברך ולאצערך עוד. **התם נמי.** בשאר קרובים מדבר מן הצד לאחר שנים עשר חדש בתוך שבעה דומיא דלאחר שנים עשר חדש באב ואם. **ממקום קרוב.** מהלך יום אחד. **והוא שיש גדול.** האחין בבית וזה הבא לעיר ממנו אבל אם היה גדול בדרך ובא בתוך שלשה אפילו ממקום קרוב מונה הוא לעצמו דלא חשיב אבילות דלעיר לגרופי גדול בהדיה כי ליתיה.

מִצְוָה שָׁאנֵי – **A mitzvah,** such as donning tefillin, **is different.**[1]

The Gemara cites several Baraisos which deal with the particular severity of the first three days of *shivah:*[2]

תָּנוּ רַבָּנָן – **The Rabbis taught in a Baraisa:** אָבֵל שְׁלֹשָׁה יָמִים הָרִאשׁוֹנִים אָסוּר בִּמְלָאכָה – A MOURNER during THE FIRST THREE DAYS of *shivah* IS FORBIDDEN TO PERFORM WORK,[3] וַאֲפִילּוּ עָנִי הַמִּתְפַּרְנֵס מִן הַצְּדָקָה – EVEN IF HE IS A PAUPER WHO LIVES ON CHARITY. מִכָּאן וְאֵילָךְ עוֹשֶׂה בְּצִינְעָא בְּתוֹךְ בֵּיתוֹ – FROM THEN ON HE MAY WORK DISCREETLY IN HIS HOME.[4] וְהָאִשָּׁה טוֹוָה בְּפֶלֶךְ בְּתוֹךְ בֵּיתָהּ – AND A WOMAN, after the third day of *shivah,*[5] SPINS WITH HER SPINDLE WITHIN the confines of HER HOME.[6]

תָּנוּ רַבָּנָן – **The Rabbis taught in a Baraisa:** אָבֵל שְׁלֹשָׁה יָמִים הָרִאשׁוֹנִים אֵינוֹ הוֹלֵךְ לְבֵית הָאֵבֶל – A MOURNER during THE FIRST THREE DAYS of his own *shivah* MAY NOT GO TO another HOUSE OF MOURNING to pay him a condolence call. מִכָּאן וְאֵילָךְ הוֹלֵךְ – FROM THEN ON HE MAY GO, וְאֵינוֹ יוֹשֵׁב בִּמְקוֹם הַמְנַחֲמִין אֶלָּא בִּמְקוֹם הַמִּתְנַחֲמִין – BUT HE SHOULD NOT SIT TOGETHER WITH THE CONSOLERS BUT RATHER TOGETHER WITH THOSE BEING CONSOLED, i.e. he should sit together with the mourners rather than together with those paying them condolences.

תָּנוּ רַבָּנָן – **The Rabbis taught in a Baraisa:** אָבֵל שְׁלֹשָׁה יָמִים הָרִאשׁוֹנִים אָסוּר בִּשְׁאֵילַת שָׁלוֹם – A MOURNER during THE FIRST THREE DAYS of *shivah* IS FORBIDDEN TO GREET others.[7] מִשְּׁלֹשָׁה וְעַד שִׁבְעָה מֵשִׁיב וְאֵינוֹ שׁוֹאֵל – FROM THE THIRD day UNTIL THE SEVENTH day HE MAY RESPOND in kind if a greeting is offered to him, BUT MAY NOT be the first to GREET someone else. מִכָּאן וְאֵילָךְ שׁוֹאֵל וּמֵשִׁיב כְּדַרְכּוֹ – FROM THEN ON HE MAY GREET others AND, when greeted, MAY RESPOND in kind, IN HIS NORMAL FASHION.[8]

The Gemara proceeds to analyze this last Baraisa. The Baraisa first stated:

שְׁלֹשָׁה יָמִים הָרִאשׁוֹנִים אָסוּר בִּשְׁאֵילַת שָׁלוֹם – [A MOURNER] during THE FIRST THREE DAYS of *shivah* IS FORBIDDEN TO GREET others.

The Gemara asks:

וְהָתַנְיָא – **But it was taught** otherwise **in the** following **Baraisa:** מַעֲשֶׂה וּמֵתוּ בָּנָיו שֶׁל רַבִּי עֲקִיבָא – IT HAPPENED THAT THE SONS OF R' AKIVA DIED,[9] נִכְנְסוּ כָּל יִשְׂרָאֵל וְהִסְפִּידוּם הֶסְפֵּד גָּדוֹל – and ALL ISRAEL ENTERED AND EULOGIZED THEM GREATLY. בִּשְׁעַת פְּטִירָתָן עָמַד רַבִּי עֲקִיבָא עַל סַפְסָל גָּדוֹל וְאָמַר – AS THEY TOOK LEAVE of him R' AKIVA STOOD ON A LARGE BENCH AND SAID: אַחֵינוּ בֵּית יִשְׂרָאֵל שִׁמְעוּ – OUR BRETHREN, THE HOUSE OF ISRAEL, LISTEN to me: אֲפִילּוּ שְׁנֵי בָנִים חֲתָנִים מְנוּחָם הוּא בִּשְׁבִיל כָּבוֹד שֶׁעֲשִׂיתֶם – EVEN had I buried TWO MARRIED SONS, I[10] WOULD HAVE BEEN CONSOLED BY THE GREAT HONOR THAT YOU HAVE DONE for me.[11] וְאִם בִּשְׁבִיל עֲקִיבָא בָּאתֶם – FOR IF YOU CAME to honor the man AKIVA, הֲרֵי כַּמָּה עֲקִיבָא בַּשּׁוּק – why, THERE ARE MANY other AKIVAS IN THE MARKETPLACE whom you do not honor in this manner. אֶלָּא כָּךְ אֲמַרְתֶּם ,,תּוֹרַת אֱלֹהָיו בְּלִבּוֹ'' – RATHER, you obviously came because YOU SAID: *THE LAW OF HIS GOD IS IN HIS HEART,*[12] and you wished to give honor to the Torah. וְכָל שֶׁכֵּן שֶׁשְּׂכַרְכֶם כָּפוּל – ALL THE MORE then IS YOUR REWARD DOUBLED.[13] לְכוּ לְבָתֵּיכֶם לְשָׁלוֹם – GO TO YOUR HOMES IN PEACE. In this episode we find R' Akiva offering the people a parting greeting (*go to your homes in peace*), even though he was first beginning *shivah!* – ? –

The Gemara answers:

כְּבוֹד רַבִּים שָׁאנֵי – Showing **respect to the public is different,** and is permitted even during the first three days of the *shivah.*

The Baraisa next stated:

מִשְּׁלֹשָׁה וְעַד שִׁבְעָה מֵשִׁיב וְאֵינוֹ שׁוֹאֵל – FROM THE THIRD day UNTIL THE SEVENTH day HE MAY RESPOND in kind if a greeting is offered to him, BUT MAY NOT be the first to GREET someone else; מִכָּאן וְאֵילָךְ שׁוֹאֵל וּמֵשִׁיב כְּדַרְכּוֹ – FROM THEN ON HE MAY GREET others AND, when greeted, MAY RESPOND in kind, IN HIS NORMAL FASHION.

It emerges that once *shivah* is passed the mourner may both initiate greetings and respond in kind when greeted. The Gemara proceeds to question this:

וּרְמִינְהוּ – **They contrasted this with** the following **[Baraisa]:** הַמּוֹצֵא אֶת חֲבֵירוֹ אָבֵל – ONE WHO MEETS HIS FRIEND WHO IS IN MOURNING, בְּתוֹךְ שְׁלֹשִׁים יוֹם – DURING THE THIRTY DAYS of *sheloshim* מְדַבֵּר עִמּוֹ תַּנְחוּמִין – OFFERS HIM CONDOLENCES וְאֵינוֹ שׁוֹאֵל בִּשְׁלוֹמוֹ – BUT DOES NOT GREET HIM. לְאַחַר שְׁלֹשִׁים יוֹם – AFTER THE THIRTY DAYS of *sheloshim* שׁוֹאֵל בִּשְׁלוֹמוֹ וְאֵינוֹ מְדַבֵּר עִמּוֹ תַּנְחוּמִין – HE GREETS HIM AND DOES NOT OFFER HIM CONDOLENCES. מֵתָה אִשְׁתּוֹ וְנָשָׂא אִשָּׁה אַחֶרֶת – IF HIS [FRIEND'S] WIFE DIED AND HE MARRIED ANOTHER woman during

NOTES

1. Since donning tefillin is a mitzvah, we allow him to do so as early as the second day [even though there is intense mourning for the first three days].

2. The reason that the first three days are treated more severely than the remainder of *shivah* is that the soul of the deceased continues to hover over the dead body for the first three days, thinking to return to it; after three days, when the body's features have begun to change, it finally departs (*Yerushalmi,* cited by *Ramban* and *Rosh;* see *Teshuvos Chasam Sofer, Yoreh Deah* 346:5 for a practical ramification of this explanation).

3. See above, 15b, for the source of this prohibition.

4. I.e. after the third day a pauper is allowed to work discreetly at home in order to provide for his needs; an ordinary person, however, may not work until *shivah* is over (*Tosafos; Ramban; Rosh; Shulchan Aruch, Yoreh Deah* 380:2; cf. *Rashbam,* cited by *Tosafos*).

5. See *Rashi ms.*

6. I.e. an impoverished woman may take up her spindle after the third day of *shivah* in order to provide for herself. Spindle work is considered especially casual and discreet and is more appropriate, during *shivah,* than more strenuous occupations. If she cannot provide for herself in this manner, however, she may do other types of work during the latter part of *shivah,* as long as they are discreet and confined to her home (*Ramban*).

[Regarding whether we would apply here the principle that "part of a day is like the whole day," and allow a pauper to begin work on the third day itself, see *Rama, Yoreh Deah* 393:1; *Chochmas Adam, Matzeves Moshe* §4, cited by *Hagahos R' Akiva Eiger* to *Yoreh Deah,* ibid.; see also *Pnei Baruch* 13:2.]

7. [Literally: to inquire after their peace (*shalom*).] I.e. he may not initiate a greeting, nor may he respond in kind if greeted (see *Nemukei Yosef*).

[Regarding which types of greetings are embraced by this prohibition, see *Rama, Yoreh Deah* 385:1; *Shach* ad loc.; *Be'er Heitev* ad loc.; *Magen Avraham* 554:21; *Leket Yosher* p. 110; *Pnei Baruch* 16:10. Regarding nodding one's head in greeting, see *Ritva* below, 27b; *Pnei Baruch,* loc. cit.]

8. See *Rashash.*

9. *Rashi ms.* seems. to have read here: *the son of R' Akiva* (in the singular), rather than *the sons of R' Akiva* (in the plural). This reading is also corroborated by the version of this story found in Tractate *Semachos* Ch. 8.

10. [Literally: he.]

11. How much more so since, in fact, I buried only one unmarried son (*Rashi ms.;* see note 9).

12. *Psalms* 37:31.

13. The version of this episode found in Tractate *Semachos* seems to suggest that R' Akiva took comfort from the fact that his son – by his death – was the cause of such a display of honor for the Torah, which testifies to his son's great righteousness; for God vouchsafes it to meritorious people to be the vehicle by which merit and good come into the world.

מצוה שאני ת"ר א אבל ג' ימים הראשונים אסור במלאכה ואפילו עני המתפרנס מן הצדקה מכאן ואילך עושה בצינעא בתוך ביתו והאשה טווה בפלך בתוך ביתה ב ת"ר אבל ג' ימים הראשונים אינו הולך לבית האבל מכאן ואילך הולך ואינו יושב במקום המנחמין אלא במקום המתנחמין ג תנו רבנן אבל ג' ימים הראשונים אסור בשאילת שלום משלשה ועד שבעה משיב ואינו שואל מכאן ואילך שואל ומשיב כדרכו שלשה ימים הראשונים אסור בשאילת שלום והתניא א) מעשה ומתו בניו של ר"ע נכנסו כל ישראל והספידום הספד גדול בשעת פטירתן עמד ר"ע על ספסל גדול ואמר אחינו בית ישראל שמעו אפי' שני בנים חתנים מנוחם הוא בשביל כבוד שעשיתם ואם בשביל עקיבא באתם הרי כמה עקיבא בשוק אלא כך אמרתם א) תורת אלהיו בלבו וכ"ש ששכרכם כפול לכו לבתיכם לשלום ד כבוד רבים שאני מג' ועד ז' משיב ואינו שואל מכאן ואילך שואל ומשיב כדרכו ורמינהו ה המוצא את חבירו אבל בתוך ל' יום מדבר עמו תנחומין ואינו שואל בשלומו לאחר ל' יום שואל בשלומו ואינו מדבר עמו תנחומין ו מתה אשתו ונשא אשה אחרת אינו רשאי ליכנס לביתו לדבר עמו תנחומין מצאו בשוק אומר לו בשפה רפה ובכובד ראש אמר רב אידי בר אבין ז הוא שואל בשלום אחרים שאחרים שרויין בשלום אחרים אין שואלין בשלומו שהוא אינו שרוי בשלום והא מדקתני משיב מכלל דשיילינן ליה ח דלא ידעי אי הכי התם נמי ט מודע להו ולא מהדר להו י הכא לא צריך לאודועינהו ורמינהו כ המוצא את חברו אבל בתוך י"ב חדש מדבר עמו תנחומין ואינו שואל בשלומו לאחר י"ב חדש שואל בשלומו ואינו מדבר עמו תנחומין אבל מדבר עמו מן הצד א"ר מאיר המוצא את חברו אבל לאחר י"ב חדש ומדבר עמו תנחומין למה הוא דומה לאדם שנשברה רגלו וחיתה מצאו רופא ואמר לו כלך אצלי שאני שוברה וארפאנה כדי שתדע שסממנין שלי יפין לא קשיא ל הא באביו ואמו הא בשאר קרובים התם נמי ידבר עמו תנחומין מן הצד אין ה"נ ומאי אינו מדבר עמו תנחומין כדרכו מ אבל מדבר עמו מן הצד נ ת"ר אבל ג' ימים הראשונים בא ממקום קרוב מונה עמהן בא ממקום רחוק מונה לעצמו מכאן ואילך אפי' בא ממקום קרוב מונה לעצמו ר"ש אומר ד) אפי' בא ביום השביעי ממקום קרוב מונה עמהן אמר מר ג' ימים הראשונים בא ממקום קרוב מונה עמהן א"ר חייא בר אבא א"ר יוחנן והוא שיש גדול הבית בבית איבעיא להו

הלך

רש"י

מצוה שאני. כלומר הואיל ומצוה להניח תפילין מאי להניח לאלתר בשני: אשה. אבילה טווה בפלך: אלא במקום המתנחמין. סמוך לאבלים: אפי' ב' בנים חתנים. קברתי מנוחם אני מרוב כבוד שעשיתם לי: ואם בשביל עקיבא באתם הרי כמה עקיבא בשוק. שלא הלכתם לנחמן: כ"ש ששכרכם כפול. שלכבוד התורה באתם: לכו לבתיכם לשלום. הרי שאל בשלומן: ורמינהו. דבתוך ל' יום אינו שואל: ונשא אשה. בתוך שלשים יום כגון שאין לו בנים כדלקמן: אינו רשאי ליכנס לביתו. לנחמו משום חלישת דעת דאשה אחרונה קתני מיהת בתוך ל' יום אינו שואל בשלומו כ"ש שהאבל עצמו אינו שואל בשלומו של זה ולעיל קתני משבעה ואילך משיב ושואל כדרכו: אמר רב אידי הוא שואל בשלום אחרים. כלומר תריץ הא דתני מכאן ואילך שואל כדרכו בתוך שלשים יום דהוא שואל בשלום אחרים שהן שרויין בשלום והא דקתני בתוך ל' יום אינו שואל בשלומו אין אחרים שואלין בשלומו: מכלל דשיילי. בתוך ל' יום וקשיא למאן דתני בתוך ל' יום אינו שואל: דלא ידעי. כלומר הא דתני דמשיב להני דשאלי ליה ולא ידעי דאבל הוא אבל מאן דידע דאבל הוא לא שאיל ליה בתוך ל' יום: אי הכי. דאוקמת לה בלא ידעי אפי' ג' ימים נמי משיב (למאן דשאיל ליה (א) ואמר דאבל הוא) למאן דלא ידע ושאיל ליה בתוך ג' ימים: התם מודע להו. הא דקתני כל ג' ימים אסור בשאילת שלום אבל מודע להו דאבל הוא ולא מהדר להו: הכא. לאחר ג' לא צריך לאודועינהו למאן דלא ידעי דאבל הוא אלא משיב: ורמינהו בתוך י"ב חדש אינו שואל בשלומו. וקשה להך דתני לאחר שלשים יום שואל בשלומו: מן הצד. שאומר לו תתנחם ואינו מזכיר שם המת: הא באבל על אביו ועל אמו. אינו שואל בשלומו עד י"ב חדש: הא בשאר קרובים. שואל בשלומו לאחר ל' יום: התם נמי. שלשים דמוקמת ליה בשאר קרובים: ידבר עמו תנחומין מן הצד. לאחר ל' כי היכי דבאביו ואמו מדבר עמו תנחומין מן הצד לאחר י"ב חדש ואמאי קתני לאחר ל' אינו מדבר עמו תנחומים כלל: ה"נ. ומאי לאחר ל' אינו מדבר עמו תנחומים כדרכו: מונה עמהן. עם האבלים שבאותו מקום הואיל דבמקום קרוב הוה ויכול לבא בתחלת האבילות חשבינן ליה כמו דאתא דאינו מונה אלא ה' ימים עם שאר אבלים: מונה לעצמו. שבעה שלימין: שיש גדול הבית בבית. שבא ומלא גדול הבית בבית מונה עמהן עם אבילי הבית וזה שבא הוא הצעיר ממנו אבל אם היה גדול בדרך ובא בתוך שלשה ימים אפי' ממקום קרוב מונה לעצמו דלא חשיב אבילות דצעיר לאצטרופי גדול בהדיה:

הלך

תוספות

מכאן ואילך עושה בצינעא בתוך ביתו. פי' בתוספת הרב במתפרנס מן הצדקה קאי והכי משמע לעיל דקאמר לעיל (ד' יט:) הקובר מתו ג' ימים קודם הרגל מונה ה' ימים אחר הרגל ומלאכתו נעשית ע"י אחרים משמע דהאבל אסור כל ז' והתם נמי לא שרינן לעצמו שיהא עושה מלאכה וה"נ תניא במסכת שמחות (פ"ה) אבל כל ז' ימים אסור בעשיית מלאכה הוא ובניו ובנותיו ועבדיו ושפחותיו ובהמתו כשם שהוא אסור לעשות לו כך אחרים אסורים לעשות לו פי' חוץ מזיתיו הפוכים ומלאכת האבד מיום ג' ואילך עושה מלאכה דוקא במי שמתפרנס מן הצדקה ובצינעא אבל אמרו חכמים תבא מארה לשכיניו כו' בר קפרא אומר אף בשלישי לא יעשה כך הביא בתוס' הרב ולכאורה נראה דכיון דילפינן (לעיל דף כ.) מוהפכתי חגיכם לאבל מה חג ז' לענין מלאכה איירי וגם הר"א מסופק דלמא אעני דוקא קאי אבל בשם רבינו שמואל אמר בכל אבלים קאי מדלא קתני מכאן ואילך עושה עני בצינעא ולא כדפרישית:

מכאן ואילך הולך. פי' בתוספת הרב ועל זה סומכים שבאים בבהכ"נ בט' באב ואיני יודע אם הוא מנהג טוב ומדבריו מלינו למדין שחושב ט' באב כמו לאחר שלשה ונפקא מינה לענין תפילין כדפי' לעיל:

מדבר עמו תנחומין ואינו שואל. וקשיא למ"ד מכאן ואילך שואל ומשיב:

מתה אשתו ונשא אשה אחרת. משמע בתוך ל' יום דאי לאחר ל' יום היכי קאמר אינו רשאי ליכנס לביתו לדבר עמו תנחומין הא בשאר מתים נמי אמרו אינו מדבר עמו תנחומין וצריך לאוקמי באין לו בנים לפי' ר"ת שמתיר לישא אשה אחר שבעה א"נ בהניחה לו בנים קטנים שמותר לישא מיד ולבעול אחר ל' יום לפירוש רבינו יצחק והאריך בתוספות פרק קמא דכתובות (דף ד. ושם בד"ה אבל איפכא) ובליקוטין כתוב בתשובה:

מקום קרוב. פירשו בהלכות גדולות דהיינו י' פרסאות:

אפילו בא ביום שביעי ממקום קרוב. וא"ת והא מקצת היום ככולו וי"ל א] כגון שלא עמדו עדיין מנחמין מאצלן ויש נמי בפ"ק דכתובות (דף ח:) ברכת אבלים בעשרה כל ז' ומסתמא היינו ביום א"נ י"ל מקצת היום ככולו לא הוי בלילה לענין שום דבר כדאמרינן במגילה בפ"ב (דף כ.) דשימור לילה לאו שימור הוא לענין שבעה נקיים:

הלך

עין משפט נר מצוה

קכד א מיי' פ"ה מהל' אבל הלכה ח סמג עשין דרבנן ב טוש"ע י"ד סימן שפ סעיף ב:
קכה ב מיי' שם פ"ז הלכה ה טוש"ע שם סימן שצג סעיף א:
קכו ג מיי' שם פ"ה הלכה כ טוש"ע שם סימן שפה סעיף א:
קכז ד טוש"ע שם בהג"ה:
קכח ה ו טוש"ע שם סעיף ב:
קכט ז ח ט י מיי' שם הלכה כ וטוש"ע שם סעיף א:
קל כ מיי' שם טוש"ע שם סעיף ב:
קלא ל טוש"ע שם:
קלב מ נ מיי' שם פ"ז הלכה ד סמג עשין דרבנן ב טוש"ע שם סימן שעה סעיף ח:

רבינו חננאל

ויתמו ימי בכי אבל משה מיעוט ימי אבל שנים ור' יהושע אמר ואחריתה כיום מר יומא קמא בלבד: ת"ר אבל שלשה ימים הראשונים אסור בעשיית מלאכה ואפילו עני המתפרנס מן הצדקה מיכן ואילך עושה בצנעא בתוך ביתו ואשה טווה בפלך בתוך ביתה: ירושלמי תבא מאירה לשכיניו שהצריכוהו לאבל לעשות ולאכול: ת"ר ג' ימים הראשונים אסור לילך לבית האבל מיכן ואילך הולך כדרכו ואינו יושב במקום המנחמין אלא במקום המתנחמין. ג' ימים הראשונים אסור בשאילת שלום. והא כשמתו בני ר"ע באו כל ישראל והספידום הספד גדול ובשעת פטירתן עמד ר' עקיבא על ספסל גדול ואמר אחינו בית ישראל שמעו אפילו בנים חתנים קבר מנוחם הוא בשביל כבוד שעשיתם וכמה עקיבא בשוק אלא כך אמרתם תורת אלהיו בקרבו לא תמעד אשוריו וכ"ש ששכרכם כפול לכו לבתיכם לשלום. ופרקינן כבוד רבים שאני. ומקשינן מיכן ואילך שואל ומשיב כדרכו והתניא המוצא חבירו אבל בתוך שלשים יום מדבר עמו תנחומין ואינו שואל בשלומו לאחר שלשים יום שואל בשלומו ואינו מדבר עמו תנחומין מתה אשתו ונשא אשה אחרת כו' הנה אין שואלין אפילו לאחר ז' בשלומו ופריק רב אידי בר אבין אחרים אין שואלין בשלומו שהוא אינו שרוי בשלום אבל

מסורת הש"ס

א) עיין שמחות פ"ח, ב) [שמחות פי"ד], ג) [שמחות פי"ד], ד) חולין נ ע"א.

הגהות הב"ח

(א) רש"י ד"ה אי הכי כו' נמי משיב למאן דשאיל ליה הס"ד ואח"כ מה"ד התם מודע להו. הא דקתני כל שלשה אסור בשאלת שלום ולמאן דלא ידע ושאיל ליה בתוך שלשה ימים מודע להו דאבל הוא ולא מהדר להו כצ"ל:

הגהות מהר"ב רנשבורג

א] תוס' ד"ה אפי' וכו' וי"ל כגון וכו'. נמחק תיבת כגון ונ"ב כיון כצ"ל לענ"ד ור"ל כיון דלקמן דף כב ע"א מוקמינן לדר"ש והוא שבא ומצא מנחמין אצלו א"כ לא הוי מקצת היום ככולו כל זמן שהמנחמין אצלו ודוק:

תורה אור השלם

א) תּוֹרַת אֱלֹהָיו בְּלִבּוֹ לֹא תִמְעַד אֲשֻׁרָיו: [תהלים לז, לא]

רש"י כת"י

מצוה שאני. כגון תפלין. ואשה. שמת לה מת. טווה בפלך. בתוך ביתה מג' ימים ואילך. אבל ג' ימים הראשונים אינו הולך לבית האבל. אבל אחר. מכאן ואילך הולך. ומנחמו. ואין יושב אלא במקום המתנחמין. [אבלים]. אסור בשאילת שלום. בין לשאול בין להשיב. מעשה ומתו בניו של ר' עקיבא וכו'. אפילו שני נשואים קברתי כבר מנוחם אני מרוב כבוד שעשיתם וכל שכן שלא קברתי אלא אחד שאינו חתן. ואם בשביל עקיבא. הרי כמה בשוק שלא הייתם הולכים לנחמו. אלא. אם כך אמרתם וכו'. וכל [שכן]. שלכבוד תורה באתם. לכו לביתכם לשלום. אלמא מותר בשאילת שלום (בתוך שלשים יום אם לא דבר אתו תנחומין). ונשא אשה אחרת. בתוך שלשים יום כגון שאין לו בנים כדלקמן דמותר לישא אשה תכף לקבורת אשתו אחר שאין לו בנים (אחר). אינו רשאי ליכנס לביתו. לנחמו משום חלישות הדעת דאשה אחרונה קתני מיהא בתוך ל' אינו שואל בשלומו וכל שכן שהאבל עצמו אינו שואל בשלום זה ולעיל קתני משבעה ואילך משי' ושואל כדרכו. אמ' (ליה) [רב אידי בר אבין]. לעולם אבל משבעה ואילך שואל בשלום אחרים כדרכו

sheloshim,[14] אֵינוֹ רַשַּׁאי לִיכָּנֵס לְבֵיתוֹ לְדַבֵּר עִמּוֹ תַּנְחוּמִין – HE MAY NOT ENTER HIS HOME TO OFFER HIM CONDOLENCES;[15] מְצָאוֹ בַּשּׁוּק – but IF HE MEETS HIM IN THE MARKETPLACE, אוֹמֵר לוֹ בְּשָׂפָה רָפָה וּבְכוֹבֶד רֹאשׁ – HE OFFERS HIM CONDOLENCES QUIETLY AND SERIOUSLY. This Baraisa states that even after *shivah* one does not greet a mourner; all the more so, one would think, that the mourner should not offer greetings to others. This would seem to contradict the earlier Baraisa, which stated that once *shivah* passes a mourner may both initiate greetings to others and may respond in kind when greeted! – ? –

The Gemara answers:

אָמַר רַב אִידִי בַּר אָבִין – Rav Idi bar Avin said: הוּא שׁוֹאֵל בִּשְׁלוֹם אֲחֵרִים שֶׁאֲחֵרִים שְׁרוּיִין בְּשָׁלוֹם – Once *shivah* has passed **he may greet others** (literally: he may inquire after their peace) **since those others are at peace,** i.e. they are not in mourning. אֲחֵרִים אֵין שׁוֹאֲלִין בִּשְׁלוֹמוֹ שֶׁהוּא אֵינוֹ שָׁרוּי בְּשָׁלוֹם – But **others may not greet him** (literally: they may not inquire after his peace) until after *sheloshim,* **since** until then **he is not at peace.**

The Gemara questions the adequacy of this solution:

וְהָא מִדְּקָתָנֵי מֵשִׁיב – **But since** the first Barisa **stated that** after the first three days of *shivah* **he may return** a greeting if offered one by others, מִכְּלַל דְּשַׁיְילִינַן לֵיהּ – **it implies that they may greet him;** this certainly would contradict the second Baraisa which states that others should not greet him until after *sheloshim!* – ? –

The Gemara answers:

דְּלָא יָדְעֵי – In fact, one should not greet a mourner until after *sheloshim.* As for the first Baraisa, which allows him to respond to a greeting if one is offered to him, it refers to a case where **they did not know** that he was a mourner and unwittingly greeted him; in such a case he may respond in kind, as long as the first three days of *shivah* have passed.[16]

The Gemara questions this:

אִי הָכִי הָתָם נַמִּי – But **if so,** that the Baraisa speaks of a case where he was greeted out of ignorance of his condition, and allows him to respond in kind, **then** even **there,** in a case where he was greeted during the first three days of *shivah,* the same should **also** be true; why, then, does the Baraisa rule that he may respond in kind only after the first three days of *shivah?*

The Gemara answers:

הָתָם מוֹדַע לְהוּ וְלָא מְהַדַּר לְהוּ – **There,** during the first three days of *shivah,* the proper response to people who greet him out of ignorance of his condition is that **he** should **inform them** that he is in mourning, **but should not return** their greeting; הָכָא לָא צָרִיךְ לְאוֹדוּעִינְהוּ – whereas **here,** after the first three days of *shivah,* **he need not inform them** that he is in mourning, but can simply greet them in return.

The last Baraisa that the Gemara quoted stated that once *sheloshim* has passed one can greet a mourner in the ordinary way, and should not offer him condolences. The Gemara now questions this:

וּרְמִינְהוּ – **They contrasted this with** the following **[Baraisa]:** הַמּוֹצֵא אֶת חֲבֵירוֹ אָבֵל – ONE WHO MEETS HIS FRIEND WHO IS IN MOURNING, בְּתוֹךְ שְׁנֵים עָשָׂר חֹדֶשׁ – DURING THE TWELVE MONTHS following the death of his relative, מְדַבֵּר עִמּוֹ תַּנְחוּמִין וְאֵינוֹ שׁוֹאֵל בִּשְׁלוֹמוֹ – OFFERS HIM CONDOLENCES BUT DOES NOT GREET HIM. לְאַחַר שְׁנֵים עָשָׂר חֹדֶשׁ – AFTER TWELVE MONTHS, שׁוֹאֵל בִּשְׁלוֹמוֹ וְאֵינוֹ מְדַבֵּר עִמּוֹ תַּנְחוּמִין – HE GREETS HIM BUT DOES NOT OFFER HIM CONDOLENCES. אֲבָל מְדַבֵּר עִמּוֹ מִן הַצַּד – BUT HE MAY SPEAK consolingly TO HIM about his loss INDIRECTLY, wishing him that he be comforted without making explicit mention of the deceased. אָמַר רַבִּי מֵאִיר – R' MEIR SAID: הַמּוֹצֵא אֶת חֲבֵרוֹ אָבֵל לְאַחַר שְׁנֵים עָשָׂר חֹדֶשׁ וּמְדַבֵּר עִמּוֹ תַּנְחוּמִין – ONE WHO MEETS HIS FRIEND WHO IS IN MOURNING AFTER TWELVE MONTHS have passed from the death of his relative AND OFFERS HIM CONDOLENCES, לְמָה הוּא דּוֹמֶה – TO WHAT CAN HE BE COMPARED? לְאָדָם שֶׁנִּשְׁבְּרָה רַגְלוֹ וְחָיְתָה – TO A PERSON WHOSE FOOT BROKE AND then HEALED; מְצָאוֹ רוֹפֵא וְאָמַר לוֹ – A DOCTOR then MET HIM AND SAID TO HIM: כְּלָךְ אֶצְלִי שֶׁאֲנִי שׁוֹבְרָהּ וְאֶרְפָּאֶנָּה כְּדֵי שֶׁתֵּדַע שֶׁסַּמְמָנִין שֶׁלִּי יָפִין – COME TO ME for treatment; FOR I CAN BREAK IT again AND CURE IT, SO YOU SHOULD KNOW HOW FINE MY REMEDIES ARE.[17] In any event, this Baraisa states that even after *sheloshim* one continues to offer the mourner condolences, rather than greetings, until twelve months have passed; this would seem to contradict the earlier Baraisa, which stated that once *sheloshim* has passed one offers the former mourner ordinary greetings, and not condolences. – ? –

The Gemara answers:

לָא קַשְׁיָא – **There is no difficulty.** הָא בְּאָבִיו וְאִמּוֹ – **This** last Baraisa speaks of someone who suffered the loss of **his father or mother;** הָא בִּשְׁאָר קְרוֹבִים – whereas **that** earlier Baraisa spoke of someone who suffered the loss of **other relatives.** In the former case the mourning period is longer and the bereaved child should not be greeted until a full year after death; in the latter case mourning comes to a complete end after *sheloshim* whereupon the mourner should be greeted in the ordinary way, rather than offered condolences.

The Gemara asks:

הָתָם נַמִּי יְדַבֵּר עִמּוֹ תַּנְחוּמִין מִן הַצַּד – But **there, too,** in the case of a mourner suffering the loss of other relatives, **let [his friend]** at least **console him indirectly,** even after *sheloshim* has passed, just as he does for someone who lost a parent after twelve months have passed! Why does the earlier Baraisa categorically state that he should not console him after *sheloshim?*

The Gemara answers:

אִין הָכִי נַמִּי – **Yes, indeed,** that is quite proper; וּמַאי אֵינוֹ מְדַבֵּר עִמּוֹ תַּנְחוּמִין – **and what** does the Baraisa mean when it says that **he does not offer him condolences** after *sheloshim?* כְּדַרְכּוֹ – Only that he should not console him **in his usual manner,** making explicit mention of the deceased. אֲבָל מְדַבֵּר עִמּוֹ מִן הַצַּד – **But he should** indeed **speak to him** words of consolation **indirectly,** without mentioning the deceased, and comfort him in that way.[18]

NOTES

14. As we will learn later, there are circumstances when a man may remarry within *sheloshim,* as, for example, when he has no children [and, thus, has not yet fulfilled the mitzvah of procreation] (*Rashi,* from the Gemara below, 23a).

15. Since the new wife may be offended (*Rashi*).

16. [Regarding whether the same would be true if they knew he was in mourning but were ignorant of the injunction against greeting a mourner, see *Pnei Baruch* 16:10.]

17. [Obviously such "treatment" is of no value to the patient, who has already recovered; similarly, after a year has passed the mourner has recovered from the loss and someone who offers him condolences is needlessly reopening an old wound.]

See *Meiri* who writes that R' Meir agrees with the Tanna Kamma that consoling indirectly, without mentioning the deceased, is appropriate even after twelve months.

18. To summarize:

During the first three days of *shivah* a mourner should not greet others nor should he respond in kind if they unwittingly greet him. Rather, he should inform them that he is in mourning and cannot greet them.

After the first three days, until the end of *shivah,* he should not

עין משפט
נר מצוה

קכד א מיי' פ"ה מהל' אבל הלכה ח סמג עשין דרבנן ב טוש"ע י"ד סימן שפ סעיף ב:
קכה ב מיי' שם פ"ז הלכה ה טוש"ע שם סימן שלג סעיף א:
קכו ג מיי' שם פ"ה הלכה כ טוש"ע שם סימן שפה סעיף א:
קכז ד טוש"ע שם בהג"ה:
קכח ה ו טוש"ע שם סעיף ב:
קכט ז ח ט י מיי' שם הלכה כ וטוש"ע שם סעיף א:
קל כ מיי' שם טוש"ע שם סעיף ב:
קלא ל טוש"ע שם:
קלב מ נ מיי' שם פ"ז הלכה ד סמג עשין דרבנן ב טוש"ע שם סימן שעה סעיף ח:

רבינו חננאל

ויתמו ימי בכי אבל משה מיעוט ימי אבל שנים ור' יהושע אמר ואחריתה כיום מר יומא קמא בלבד: ת"ר אבל שלשה ימים הראשונים אסור בעשיית מלאכה ואפילו עני המתפרנס מן הצדקה מיכן ואילך עושה בצנעא בתוך ביתו ואשה טווה בפלך בתוך ביתה: ירושלמי תבא מאירה לשכיניו שהצריכוהו לאבל לעשות ולאכול: ת"ר ג' ימים הראשונים אסור לילך לבית האבל מיכן ואילך הולך כדרכו ואינו יושב במקום המנחמין אלא במקום המתנחמין. ג' ימים הראשונים אסור בשאילת שלום. והא כשמתו בני ר"ע באו כל ישראל והספידום הספד גדול ובשעת פטירתן עמד ר' עקיבא על ספסל גדול ואמר אחינו בית ישראל שמעו אפילו בנים חתנים קבר מנוחם הוא בשביל כבוד שעשיתם וכמה עקיבא בשוק אלא כך אמרתם תורת אלהיו בקרבו לא תמעד אשוריו וכ"ש ששכרכם כפול לכו לבתיכם לשלום. ופרקינן כבוד רבים שאני. ומקשינן מיכן ואילך שואל ומשיב כדרכו והתניא המוצא חבירו אבל בתוך שלשים יום מדבר עמו תנחומין ואינו שואל בשלומו לאחר שלשים יום שואל בשלומו ואינו מדבר עמו תנחומין מתה אשתו ונשא אשה אחרת כו' הנה אין שואלין אפילו לאחר ז' בשלומו ופריק רב אידי בר אבין אחרים אין שואלין בשלומו שהוא אינו שרוי בשלום אבל

מכאן ואילך עושה בצינעא בתוך ביתו. פי' בתוספת הרב במתפרנס מן הצדקה קאי והכי משמע לעיל דקאמר לעיל (ד' יט:) הקובר מתו ג' ימים קודם הרגל מונה ה' ימים אחר הרגל ומלאכתו נעשית ע"י אחרים משמע דהאבל אסור כל ז' והתם נמי לא שריין לעצמו שיהא עושה מלאכה וה"נ תניא במסכת שמחות (פ"ה) אבל כל ז' ימים אסור בעשיית מלאכה הוא ובניו ובנותיו ועבדיו ושפחותיו ובהמתו כשם שהוא אסור לעשות לו כך אחרים אסורים לעשות לו פי' חוץ מזיתיו הפוכים ומלאכת האבד מיום ג' ואילך עושה מלאכה דוקא במי שמתפרנס מן הצדקה ובצינעא אבל אמרו חכמים תבא מארה לשכיניו כו' בר קפרא אומר אף בשלישי לא יעשה כך הביא בתוס' הרב ולכאורה נראה דכיון דילפינן (לעיל דף כ.) מוהפכתי חגיכם לאבל מה חג ז' לענין מלאכה איירי וגם הר"א מסופק דלמא אעני דוקא קאי אבל בשם רבינו שמואל אמר בכל אבלים קאי מדלא קתני מכאן ואילך עושה עני בצינעא ולא כדפרישית:

מכאן ואילך הולך. פי' בתוספת הרב ועל זה סומכים שבאים בבהכ"נ בט' באב ואיני יודע אם הוא מנהג טוב ומדבריו מלינו למדין שחושב ט' באב כמו לאחר שלשה ונפקא מינה לענין תפילין כדפי' לעיל:

מדבר עמו תנחומין ואינו שואל. וקשיא למ"ד מכאן ואילך שואל ומשיב: מתה אשתו ונשא אשה אחרת. משמע בתוך ל' יום דאי לאחר ל' יום היכי קאמר אינו רשאי ליכנס לביתו לדבר עמו תנחומין הא בשאר מתים נמי אמרו אינו מדבר עמו תנחומין וצריך לאוקמי באין לו בנים לפי' ר"ת שמתיר לישא אשה אחר שבעה א"נ בהניחה לו בנים קטנים שמותר לישא מיד ולבעול אחר ל' יום לפירוש רבינו יצחק והאריך בתוספות פרק קמא דכתובות (דף ד. ושם בד"ה אבל איפכא) ובליקוטין כתוב בתשובה:

מקום קרוב. פירשו בהלכות גדולות דהיינו י' פרסאות:

אפילו בא ביום שביעי ממקום קרוב. וא"ת והא מקצת היום ככולו וי"ל [א] כגון שלא עמדו עדיין מנחמין מאצלו ויש נמי בפ"ק דכתובות (דף ח:) ברכת אבלים בעשרה כל ז' ומסתמא היינו ביום א"נ י"ל מקצת היום ככולו לא הוי בלילה לענין שום דבר כדאמרינן במגילה בפ"ב (דף כ.) דשימור לילה לאו שימור הוא לענין שבעה נקיים:

מצוה שאני ת"ר [א] אבל ג' ימים הראשונים אסור במלאכה ואפילו עני המתפרנס מן הצדקה מכאן ואילך עושה בצינעא בתוך ביתו והאשה טווה בפלך בתוך ביתה [ב] ת"ר אבל ג' ימים הראשונים אינו הולך לבית האבל מכאן ואילך הולך ואינו יושב במקום המנחמין אלא במקום המתנחמין [ג] תנו רבנן אבל ג' ימים הראשונים אסור בשאילת שלום משלשה ועד שבעה משיב ואינו שואל מכאן ואילך שואל ומשיב כדרכו שלשה ימים הראשונים אסור בשאילת שלום והתניא [א] מעשה ומתו בניו של ר"ע נכנסו כל ישראל והספידום הספד גדול בשעת פטירתן עמד ר"ע על ספסל גדול ואמר אחינו בית ישראל שמעו אפי' שני בנים חתנים מנוחם הוא בשביל כבוד שעשיתם ואם בשביל עקיבא באתם הרי כמה עקיבא בשוק אלא כך אמרתם [א] תורת אלהיו בלבו וכ"ש ששכרכם כפול לכו לבתיכם לשלום [ד] כבוד רבים שאני מג' ועד ז' משיב ואינו שואל מכאן ואילך שואל ומשיב כדרכו ורמינהו [ה] המוצא את חבירו אבל בתוך ל' יום מדבר עמו תנחומין ואינו שואל בשלומו לאחר ל' יום שואל בשלומו ואינו מדבר עמו תנחומין [ו] מתה אשתו ונשא אשה אחרת אינו רשאי ליכנס לביתו לדבר עמו תנחומין מצאו בשוק אומר לו בשפה רפה ובכובד ראש אמר רב אידי בר אבין [ז] הוא שואל בשלום אחרים שאחרים שרויין בשלום אחרים אין שואלין בשלומו שהוא אינו שרוי בשלום והא מדקתני משיב מכלל דשיילין ליה [ח] דלא ידעי אי הכי התם נמי [ט] מודע להו ולא מהדר להו [י] הכא לא צריך לאודועינהו ורמינהו [ג] המוצא את חברו אבל בתוך י"ב חדש מדבר עמו תנחומין ואינו שואל בשלומו לאחר י"ב חדש שואל בשלומו ואינו מדבר עמו תנחומין אבל מדבר עמו מן הצד א"ר מאיר המוצא את חברו אבל לאחר י"ב חדש ומדבר עמו תנחומין למה הוא דומה לאדם שנשברה רגלו וחיתה מצאו רופא ואמר לו כלך אצלי שאני שוברה וארפאנה כדי שתדע שסממנין שלי יפין לא קשיא [כ] הא באביו ואמו הא בשאר קרובים התם נמי ידבר עמו תנחומין מן הצד אין ה"נ ומאי אינו מדבר עמו תנחומין כדרכו [ל] אבל מדבר עמו מן הצד [ד] ת"ר אבל ג' ימים הראשונים בא ממקום קרוב מונה עמהן בא ממקום רחוק מונה לעצמו מכאן ואילך אפי' בא ממקום קרוב מונה לעצמו ר"ש אומר [מ] אפי' בא ביום השביעי ממקום קרוב מונה עמהן אמר מר ג' ימים הראשונים בא ממקום קרוב מונה עמהן א"ר חייא בר אבא א"ר יוחנן [נ] והוא שיש גדול הבית בבית איבעיא להו

הלך

מצוה שאני. כלומר הואיל ומצוה להניח תפילין מאי להניח לאלתר בשני: אשה. אבילה טווה בפלך: אלא במקום המתנחמין. סמוך לאבלים: אפי' ב' בנים חתנים. קברתי מנוחם אני מרוב כבוד שעשיתם לי: ואם בשביל עקיבא באתם הרי כמה עקיבא בשוק. שלא הלכתם לנחמן: כ"ש ששכרכם כפול. שלכבוד התורה באתם: לכו לבתיכם לשלום. הרי שאל בשלומן: ורמינהו. דבתוך ל' יום אינו שואל: ונשא אשה. בתוך שלשים יום כגון שאין לו בנים כדלקמן: אינו רשאי ליכנס לביתו. לנחמו משום חלישת דעת דאשה אחרונה קתני מיהת בתוך ל' יום אינו שואל בשלומו כ"ש שהאבל עצמו אינו שואל בשלומו של זה ולעיל קתני משבעה ואילך משיב ושואל כדרכו: אמר רב אידי הוא שואל בשלום אחרים. כלומר תריץ הא דתני מכאן ואילך שואל כדרכו בתוך שלשים יום דהוא שואל בשלום אחרים שהן שרויין בשלום והא דקתני בתוך ל' יום אינו שואל בשלומו אין אחרים שואלין בשלומו: מכלל דשיילי. בתוך ל' יום וקשיא למאן דתני בתוך ל' יום אינו שואל: דלא ידעי. כלומר הא דתני דמשיב להני דשאלי ליה ולא ידעי דאבל הוא אבל מאן דידע דאבל הוא לא שאיל ליה בתוך ל' יום: אי הכי. דאוקמת לה בלא ידעי אפי' ג' ימים נמי משיב (למאן דשאיל ליה (א) ואמר דאבל הוא) למאן דלא ידע ושאיל ליה בתוך ג' ימים: התם מודע להו. הא דקתני כל ג' ימים אסור בשאילת שלום אבל מודע להו דאבל הוא ולא מהדר להו: הכא. לאחר ג' לא צריך לאודועינהו למאן דלא ידעי דאבל הוא אלא משיב: ורמינהו בתוך י"ב חדש אינו שואל בשלומו. וקשה להך דתני לאחר שלשים יום שואל בשלומו: מן הצד. שאומר לו תתנחם ואינו מזכיר שם המת: הא באבל על אביו ועל אמו. אינו שואל בשלומו עד י"ב חדש: הא בשאר קרובים. שואל בשלומו לאחר ל' יום: התם נמי. שלשים דמוקמת ליה בשאר קרובים: ידבר עמו תנחומין מן הצד. לאחר ל' כי היכי דבאביו ואמו מדבר עמו תנחומין מן הצד לאחר י"ב חדש ואמאי קתני לאחר ל' אינו מדבר עמו תנחומים כלל: ה"נ. ומאי לאחר ל' אינו מדבר עמו תנחומים כדרכו: מונה עמהן. עם האבלים שבאותו מקום הואיל דבמקום קרוב הוה ויכול לבא בתחלת האבילות חשבינן ליה כמו דאתא דאינו מונה אלא ה' ימים עם שאר אבלים: מונה לעצמו. שבעה שלימין: שיש גדול הבית בבית. שבא ומצא גדול הבית בבית מונה עמהן עם אבילי הבית וזה שבא הוא הצעיר ממנו אבל אם היה גדול בדרך ובא בתוך שלשה ימים אפי' ממקום קרוב מונה לעצמו דלא חשיב אבילות דצעיר לאצטרופי גדול בהדיה:

הלך

שהרי אחרים שרויים בשלום אבל אחרים אין שואלין בשלומו כדקתני בברייתא. והא מדקתני. לעיל אפילו משבעה ראשונים משיב מכלל דשואלין בשלומו. אי הכי. רישא נמי ג' ימים הראשונים אם לא ידעו ושאלו בשלומו ליהדר להו. מודע להו. שהוא אבל. ורמינהי. להנך מתניתא דקתני המוצא חבירו אבל וכו' בתוך שנים עשר חדש אין שואל בשלומו ולעיל קתני דלאחר שלשים מיד שואלין. מן הצד תנחומין שאומ' לו תתנחם ואינו מזכיר לו שם המת. למה הוא דומה. שאני שוברך ואצערך עוד. התם נמי. בשאר קרובים מדבר מן הצד לאחר שבעה דומיא דלאחר שנים עשר חדש באב ואם. ממקום קרוב. מהלך יום אחד. והוא שיש גדול. האחין בבית וזה הבא צעיר ממנו אבל אם היה גדול בדרך ובא בתוך שלשה אפילו ממקום קרוב מונה הוא לעצמו דלא חשיב אבילות דצעיר לצרופי גדול בהדיה כי ליתיה.

מסורת הש"ס

א) עיין שמחות פ"ח, ב) [שמחות פי"ד], ג) [שמחות פי"ד], ד) חולין כ ע"א.

הגהות הב"ח

(א) רש"י ד"ה אי הכי כו' נמי משיב למאן דשאיל ליה הס"ד ואח"כ מה"ד התם מודע להו. הא דקתני כל שלשה אסור בשאלת שלום ולמאן דלא ידע ושאיל ליה בתוך שלשה ימים מודע להו דאבל הוא ולא מהדר להו כצ"ל:

הגהות מהר"ב רנשבורג

א] תוס' ד"ה אפי' וכו' וי"ל כגון וכו'. נמחק תיבת כגון ונ"ב כיון כצ"ל לענ"ד ור"ל כיון דלקמן דף כב ע"א מוקמינן לדר"ש והוא שבא ומצא מנחמין אצלו א"כ לא הוי מקצת היום ככולו כל זמן שהמנחמין אצלו ודוק:

תורה אור השלם

א) תּוֹרַת אֱלֹהָיו בְּלִבּוֹ לֹא תִמְעַד אֲשֻׁרָיו: [תהלים לז, לא]

רש"י כת"י

מצוה שאני. כגון תפלין. ואשה. שמת לה מת. טווה בפלך. בתוך ביתה מג' ימים ואילך. אבל ג' ימים הראשונים אינו הולך לבית האבל. אבל אחר. מכאן ואילך הולך. ומנחמו. ואין יושב אלא במקום המתנחמין. [אבלים]. אסור בשאילת שלום. בין לשאול בין להשיב. מעשה ומתו בניו של ר' עקיבא וכו'. אפילו שני נשואים קברתי ככר מנוחם אני מרוב כבוד שעשיתם וכל שכן שלא קברתי אלא אחד שאינו חתן. ואם בשביל עקיבא. הרי כמה בשוק שלא הייתם הולכים לנחמו. אלא. אם כך אמרתם וכו'. וכל [שכן]. שלכבוד תורה באתם. לכו לביתכם לשלום. אלמא מותר בשאילת שלום (בתוך שלשים יום אם לא דבר אתו תנחומין). ונשא אשה אחרת. בתוך שלשים יום כגון שאין לו בנים כדלקמן דמותר לישא אשה תכף לקבורת אשתו אחר שאין לו בנים (אחר). אינו רשאי ליכנס לביתו. לנחמו משום חלישות הדעת דאשה אחרונה קתני מיהא בתוך ל' אינו שואל בשלומו וכל שכן שהאבל עצמו אינו שואל בשלום זה ולעיל קתני משבעה ואילך משי' ושואל כדרכו. אמ' (ליה) [רב אידי בר אבין]. לעולם אבל משבעה ואילך שואל בשלום אחרים כדרכו

The Gemara continues is discussion concerning the severity of the first three days of *shivah*:

תָּנוּ רַבָּנָן – **The Rabbis taught** in a Baraisa: אָבֵל שְׁלֹשָׁה יָמִים הָרִאשׁוֹנִים – Regarding A MOURNER, i.e. an immediate relative of the deceased, who was unaware of the death[19] and arrived at the scene[20] after the other relatives had already begun observing *shivah*:[21] If he arrived within THE FIRST THREE DAYS of *shivah*, בָּא מִמָּקוֹם קָרוֹב מוֹנֶה עִמָּהֶן – then if HE COMES FROM A NEARBY PLACE HE COUNTS *shivah* together WITH THEM,[22] בָּא מִמָּקוֹם רָחוֹק מוֹנֶה לְעַצְמוֹ – but if HE COMES FROM A DISTANT PLACE[23] then HE COUNTS *shivah* ON HIS OWN. מִכָּאן וְאֵילָךְ אֲפִילוּ בָּא מִמָּקוֹם קָרוֹב מוֹנֶה לְעַצְמוֹ – FROM THEN ON, i.e. if he arrived after the first three days of *shivah*, then EVEN IF HE COMES FROM A NEARBY PLACE HE COUNTS *shivah* ON HIS OWN.[24] רַבִּי שִׁמְעוֹן אוֹמֵר – R' SHIMON SAYS: אֲפִילוּ בָּא בַּיּוֹם הַשְּׁבִיעִי מִמָּקוֹם קָרוֹב מוֹנֶה עִמָּהֶן – EVEN IF HE COMES ON THE SEVENTH and last day of *shivah*, so long as he came FROM A NEARBY PLACE HE COUNTS *shivah* WITH THEM.[25]

The Gemara qualifies the ruling of the Baraisa:

אָמַר מַר שְׁלֹשָׁה יָמִים הָרִאשׁוֹנִים בָּא מִמָּקוֹם קָרוֹב מוֹנֶה עִמָּהֶן – **The master had said:** If he arrived within THE FIRST THREE DAYS of *shivah*, then if HE COMES FROM A NEARBY PLACE HE COUNTS *shivah* together WITH THEM. אָמַר רַבִּי חִיָּיא בַּר אַבָּא אָמַר רַבִּי יוֹחָנָן – **R' Chiya bar Abba said in the name of R' Yochanan:** וְהוּא שֶׁיֵּשׁ גָּדוֹל הַבַּיִת בַּבַּיִת – **This** is true only **if the senior member of the household**[26] **was at home** where *shivah* was observed; in such a case a more junior mourner, upon his arrival, can merge his count of *shivah* together with that of his elder. But if the senior mourner was not present, then the new arrival must count *shivah* on his own, regardless of whence and when he arrived.

It follows that if it was the senior mourner who arrived after *shivah* had begun, he cannot count *shivah* with the more junior mourner, but must begin to count *shivah* on his own. This leads to the following question:[27]

אִיבַּעְיָא לְהוּ – **They inquired:**

NOTES

initiate a greeting to others, but he may respond in kind if they unwittingly greet him.

After *shivah* he may greet others. Other people, however, should not greet him until after *sheloshim;* rather, they should offer him words of condolence. In the case of someone who lost a parent this applies until twelve months have passed from the death.

After *sheloshim* (or, in the case of the loss of a parent: after twelve months) other people should greet him in the ordinary way; they should no longer offer him explicit condolences on his loss, although they may console him indirectly if they refrain from mentioning the deceased.

19. See *Rosh; Ritva; Shulchan Aruch, Yoreh Deah* 375:8.

20. I.e. he arrived either at the scene of death or at the place of burial (*Hagahos Asheri,* cited by *Shulchan Aruch,* ibid.).

21. [And the question now arises whether he must observe a full seven days of *shivah* starting from the moment he arrived on the scene and was told of the death (just as anyone who receives a current report of a death in the family must observe seven days of *shivah* beginning from the moment he received the report – see above, 20a), or whether he may merge his counting of *shivah* together with that of the other family members who are already in the middle of *shivah,* and thus finish *shivah* together with them even though, as a result, he will have himself observed fewer than seven days of *shivah.*]

22. That is, if on the day when burial took place, when the rest of the family began to observe *shivah,* he was within a day's travel from there, so that he might have arrived in time to begin *shivah* together with the rest of the family, then he can count *shivah* together with them even though he did not actually arrive and begin observing *shivah* until a day or two later (see *Rashi; Rashi ms.; Rif;* cf. *Raavad,* cited by *Rosh*).

[A day's travel is defined as a distance of 10 *parsah* (which is equal to forty *mil;* one *mil* is two thousand *amah*) (*Tosafos; Rosh; Rambam, Hil. Aveil* 7:4; *Shulchan Aruch,* ibid.; see also *Pesachim* 93b-94a; *Rambam Hil. Korban Pesach* 5:9).]

23. More than a day's travel away.

24. He can count *shivah* together with the other family members – and thus cut short his own observance of *shivah* – only if two conditions are met: He was within a day's travel at the beginning of *shivah,* and he arrived within the first three days of *shivah.*

25. According to R' Shimon, so long as he arrived from a nearby place it is not necessary for him to arrive within the first three days of *shivah.* Even if he arrived on the very last day of *shivah,* as long as the mourners have not yet gotten up from *shivah* (i.e. as long as they are still receiving condolence calls) he can join them for the last few moments of *shivah* and end his count of *shivah* together with them (see *Tosafos; Shulchan Aruch,* ibid.).

26. I.e. the eldest brother (see *Rashi* and *Rashi ms.*). Alternatively, the eldest of the relatives observing *shivah* (*Ritva;* perhaps this is *Rashi's* intent as well).

Others define the senior member of the household as the one on whom the other family members rely and whose instructions they follow, regardless of whether he is older or younger than them (*Rosh; Shulchan Aruch Yoreh Deah* 375:2; see also *Chidushei R' Akiva Eiger* to *Shulchan Aruch* 375:8).

27. [See *Ramban;* see also *Rashi ms.,* and 22a note 2.]

הָלַךְ גָּדוֹל הַבַּיִת לְבֵית הַקְּבָרוֹת – If **the senior** member **of the household went to the cemetery** to bury the deceased, leaving the other mourners behind, so that his observance of *shivah* began after theirs,[1] מַהוּ – **what is [the law]?** May he count the days of *shivah* with the other mourners upon his return – and thereby cut his own observance of *shivah* short – or must he count seven days of *shivah* on his own?[2]

The Gemara resolves the question:

תָּא שְׁמַע – **Come, learn** a resolution from the following: דְּאָמַר רַבִּי חִיָּיא בַּר אַבָּא אָמַר רַבִּי יוֹחָנָן – **For R' Chiya bar Abba said in the name of R' Yochanan:** אֲפִילּוּ הָלַךְ גָּדוֹל הַבַּיִת לְבֵית הַקְּבָרוֹת מוֹנֶה עִמָּהֶן – **Even if the senior** member **of the household went to the cemetery he counts** *shivah* **with them.**[3]

The Gemara questions R' Yochanan's ruling:

מוֹנֶה עִמָּהֶן – **He counts** *shivah* **with them?!** וְהָתַנְיָא מוֹנֶה לְעַצְמוֹ – **But it was taught** otherwise **in a Baraisa,** which states that if the senior mourner accompanied the deceased to the cemetery HE COUNTS ON HIS OWN!

The Gemara resolves the contradiction:

לָא קַשְׁיָא – **There is no difficulty:** הָא דְּאָתָא בְּגוֹ תְּלָתָא – **This** ruling of R' Yochanan, that upon his return the senior mourner may count *shivah* with the other mourners, refers to a case **where he came** back to rejoin them **within** the first **three days** of *shivah;* וְהָא דְּלָא אָתָא בְּגוֹ תְּלָתָא – whereas **this** Baraisa, which states that he counts *shivah* on his own, refers to a case **where he did not come** back and rejoin them **within** the first **three days** of *shivah.*[4]

Support for this distinction is offered:

כִּי הָא דְּאָמַר לְהוּ רַב לִבְנֵי הַצְלְפוֹנִי – **As Rav told the people of Hatzleponi:**[5] דְּאָתוּ בְּגוֹ תְּלָתָא לִימְנוּ בַּהֲדַיְיכוּ – **Those** mourners **who arrive within** the first **three** days of *shivah*[6] **should count** *shivah* **with you;** דְּלָא אָתוּ בְּגוֹ תְּלָתָא לִימְנוּ לְנַפְשַׁיְהוּ – whereas **those** mourners **who do not arrive within** the first **three** days of *shivah* **must count on their own.**

The Gemara cites a ruling regarding the commencement of *shivah*:

אָמַר לְהוּ רָבָא לִבְנֵי מְחוֹזָא – **Rava told the people of Mechoza:** אַתּוּן דְּלָא אָזְלִיתוּ בָּתַר עַרְסָא – Those of **you who do not follow the coffin** to its place of burial,[7] מִכִּי מְהַדְרִיתוּ אַפַּיְיכוּ מִבָּבָא דְּאַבּוּלָּא אַתְחִילוּ מְנוּ – **when you turn your faces away from the gates of the entrance** of the city[8] to return home, **begin to count** *shivah.*[9]

The Baraisa cited above stated:

רַבִּי שִׁמְעוֹן אוֹמֵר אֲפִילּוּ בָּא בְּיוֹם הַשְּׁבִיעִי מִמָּקוֹם קָרוֹב מוֹנֶה עִמָּהֶן – R' SHIMON SAYS: EVEN IF HE COMES ON THE SEVENTH and last DAY of *shivah,* as long as he came FROM A NEARBY PLACE, HE COUNTS *shivah* WITH THEM.[10]

NOTES

1. As we will learn later in our Gemara, *shivah* ordinarily begins at the time of burial. However, if burial is to take place in a different city, then those mourners who are not going to accompany the body there begin *shivah* as soon as they turn back from accompanying the body out of the city. In the case at hand, the other mourners began to observe *shivah* as soon as the body was taken out of the city, while the senior mourner accompanied the body to its ultimate destination and began *shivah* after the burial, a day or several days after the other mourners. Subsequently he rejoined the other mourners.

2. Must he observe a full seven days of *shivah* beginning from the burial, or can he end *shivah* together with the other mourners, even though they began to observe *shivah* before him?

Although, as we have seen, only a junior mourner who arrives late can count with the senior mourner, but not vice versa, in the case at hand, since the senior mourner was delayed in beginning to observe *shivah* only because he was attending to the burial of the deceased, and not because of any other, extraneous reason, perhaps we may consider it as if he were together with the other mourners all along and so we may allow him to count *shivah* together with them (*Rashi ms.;* for a similar approach, see *Ramban*).

Tosafos, Rosh (§38) and *Ritva* understand the Gemara's inquiry as connected to the law taught above (21b) that a family member who arrives from a nearby place during the first three days of *shivah* counts *shivah* with the family only if the senior member of the household was at home. In their view, the Gemara is now inquiring if this law would apply even where the senior member was *not* at home, if he is absent because he went to the cemetery to bury the deceased. This appears to be the understanding of *Rashi* as well (see ד״ה הלך גדול and ד״ה מהו). For other approaches to this passage, see *Tosafos; Rosh;* see also *Shach, Yoreh Deah* 375:12-13, at great length.

3. I.e. with the other mourners.

4. This distinction parallels that which the Tanna Kamma drew earlier in the Baraisa, regarding a junior mourner who came from a nearby place and began *shivah* late because he was unaware of the death. Both in that case, and in our case of a senior mourner who began *shivah* late because he was involved with the burial, the law is the same: He may join with the other mourners – and thereby cut his observance of *shivah* short – only if he arrived within the first three days of *shivah* (*Ramban*).

[According to the approach of *Tosafos* (see previous note), the Gemara is answering the inquiry, and stating that if the senior member returns from the burial within three days, the family member may count *shivah* with the family, for when the senior member returns within this time, his *shivah* is deemed equivalent to that of the family. If he does *not* return within three days, then the family member *cannot* count with the family (for the *shivah* of the senior member of the family is also not equivalent to that of the family in this case).]

It follows that according to R' Shimon, who took issue with the Tanna Kamma and allowed a junior mourner who began *shivah* late to count with the other mourners even if he arrived on the seventh and last day of *shivah,* the same would be true of a senior mourner who accompanied the body to the cemetery; even if he rejoined the other mourners on the very last day of *shivah* he can count *shivah* with them (*Ramban; Shach Yoreh Deah* 375:12; for other views, see *Tosafos; Tosafos HaRosh; Rosh*).

5. This was the name of a locality; alternatively, it was the name of a family (*Rashi ms.*).

6. Whether junior mourners who came late because they were unaware of the death, or the senior mourner who came late because he accompanied the body to the cemetery (*Ramban*).

7. The practice was to take the bodies from Babylonia to the land of Israel for burial; not all of the mourners could accompany the body on this journey (*Rashi; Rashi ms.*).

8. The gates that enclose the outer perimeter of the city and its environs (*Rashi*).

9. Ordinarily, *shivah* begins with סְתִימַת הַגּוֹלֵל, which *Rashi* (to *Kesubos* 4b, *Sanhedrin* 47b and elsewhere) takes to be the moment when the top of the casket is closed over the corpse (for other views see *Tosafos* ad loc.). [Where the body was buried without a casket, or where they planned to remove the body from the casket before burial, *shivah* begins with the closing of the grave – see *Ramban, Toras HaAdam,* p. 146 in the Chavel ed.] Our Gemara teaches that where the body is being taken to be buried in a different city [without having been permanently sealed in a casket], those mourners who do not accompany the body begin *shivah* as soon as they take their leave of the body; in this case, as soon as they turn back from accompanying the body to the gates of the city (*Rashi*).

[Regarding when *shivah* begins in a case where the body was buried nearby, but some (or all) of the mourners did not follow the body to the cemetery, see *Rosh; Nimukei Yosef; Ritva; Shach, Yoreh Deah* 375:1. Regarding when *shivah* begins in a case where someone was notified by telegraph (or telephone) of the death of a relative in a different city prior to the burial, and he does not plan to attend, see *Teshuvos Meishiv Davar* 2:72; *Sdei Chemed,* vol. 8 p. 3456.]

10. I.e. he observes only their remaining hours of mourning on this seventh and last day of *shivah,* as explained above on 21b in note 25.

הלך גדול הבית לבית הקברות מהו תא שמע דאמר רבי חייא בר אבא אמר רבי יוחנן אפילו הלך גדול הבית לבית הקברות [א]מונה עמהן מונה עמהן והתניא מונה לעצמו לא קשיא הא [ב]דאתא בגו תלתא והא דלא אתא בגו תלתא כי הא דאמר להו רב לבני הצלפוני דאתו בגו תלתא לימנו בהדייכו דלא אתו בגו תלתא לימנו לנפשיהו אמר להו רבא לבני מחוזא אתון דלא אזליתו בתר ערסא [ג]מכי מהדריתו אפייכו מבבא דאבולא אתחילו מנו: ר"ש אומר אפילו בא ביום השביעי ממקום קרוב מונה עמהן: א"ר חייא בר גמדא א"ר יוסי בן שאול אמר רבי [ד]והוא שבא ומצא מנחמין אצלו [ה]בעי רב ענן ננערו לעמוד ולא עמדו מהו תיקו [א] גמירי חבריה דר' אבא בר חייא מר' אבא ומנו ר' זירא ואמרי לה חבריה דר' זירא מרבי זירא ומנו ר' אבא בריה דר' חייא בר אבא א"ר יוחנן [ג]הלכה כרבי שמעון בן גמליאל בטריפות והלכה כרבי שמעון באבל הא דאמרן כרשב"ג בטריפות דתנן בני מעים שניקבו וליחה סותמתן כשרה דברי רשב"ג מאי ליחה אמר רב כהנא שירקא דמעיא דנפיק אגב דוחקא [ג]אמר מאן דהוא [ד]איזכי ואסיק ואגמרא לשמעתא מפומיה דמריה כי סליק אשכחיה לר' אבא בריה דרבי חייא בר אבא א"ל אמר מר הלכה כרשב"ג בטריפות א"ל אנא אין הלכה אמרי כר"ש באבל מאי א"ל פלוגתא נינהו דאיתמר רב חסדא אמר הלכה וכן א"ר יוחנן הלכה ר"נ אמר אין הלכה [י]ואין הלכה כרשב"ג בטריפות והלכה כר"ש באבל [ה]דאמר שמואל הלכה כדברי המיקל באבל [ו]על כל המתים כולן [ז]מדחה מטתו הרי זה משובח על אביו ועל אמו הרי זה מגונה היה ערב שבת או ערב יום טוב (א) הרי זה משובח שאינו עושה אלא לכבוד אביו ואמו [ח]על כל המתים כולן [ט]רצה ממעט בעסקו רצה אינו

רש"י

הלך גדול הבית לבית הקברות. אחר מטתו לקוברו ושהה שם ג' ימים: מהו. מי חשבינן ליה כמאן דהוי בביתיה הואיל ולצורך המת הלך אתו: מונה עמהן. לאבילות שלהם התחילה משחזרו פניהם מן המת ואבילות של גדול (ב) עד שיסתום הגולל: לבני הצלפוני. מקום: דלא אזליתו בתר ערסא. דמאן דאזיל בתר ערסא לא חיילא עליה אבילות עד שנסתם הגולל כשמוליכין המטה מבבל לא"י לקבור ואין כל הקרובים כולם יכולין לעלות עד א"י ומלוין המת פרסה או מיל וחוזרים: מכי אהדריתו אפייכו מבבא דאבולא. משער החילון של העיר ומגרשיה דלאתיתו לביתא: אתחילו מנו. ימי אבילות אע"ג דלא נקבר המת עד ימים רבים ואע"ג דאבילות אינו חל עד שיסתום הגולל לדידכו דלא מחזי חזרתכם כנסתם הגולל: ה"ג והוא שלא עמדו מנחמין מאצלו. שבא בשביעי שחרית עד שלא עמדו מנחמין אלא זה שבבית: ננערו לעמוד. מנענעים ורוצים לעמוד: אמר מאן דהוא. אדם אחד מאן דהוה: מפומיה דמריה. מר' אבא בריה דרבי חייא או רבי זירא: אין הלכה אמרי. כלומר אין הלכה כרבי שמעון: מדחה מטתו. ממהר להוליאו: ממעט בעסקו. כגון סחורה:

רצה

תוספות

הלך גדול הבית לבית הקברות מהו. פי' מי מונה לעצמו או לא דשמא כיון שהוא טרוד בעניני מת וכששמעו הם שמע גם הוא ימנה עמהן או שמא מונה לעצמו ולא ידענא מאי הוי דינא בגדול הבית שבא ממקום קרוב אי מונה עמהן הואיל והוא עיקר ויש ליתן טעם לומר שהוא מונה לבדו הואיל ואינו יודע האבילות או טעם להיפך דהואיל משום המת הלך ימנה עמהם:

דאתא בגו תלתא יומין. כשאתא גדול הבית בתוך ג' ימים מונה הוא עמהן וכדאמרינן לעיל ג' ימים הראשונים מונה עמהם וקשיא לי דהא קיי"ל כר"ש דאפי' ביום ז' מונה עמהן כדאמרינן לקמן וא"כ מה לי תוך ג' מה לי לאחר ג' ונראה מתוך ה"ג דאפי' לר"ש (בר יוסי) הוי חילוק דתוך ג' ואחר ג' מקום רחוק שפי' הא דאתא בגו תלתא יומי מונה עמהן אפי' בא ממקום רחוק אתא לבתר תלתא יומי ממקום קרוב אפי' תוך ז' מונה עמהן ובסמוך פירש אפי' לר"ש אתיא הך מילתא ועוד יש לפרש דה"פ הלך גדול הבית לבית הקברות מהו דמיבעיא ליה אם אותו שבא מונה עם הנשארים וכן פי' ר' יצחק ז"ל והוא כשיש גדול הבית בבית אז מונה עמהן הבא אצלם ממקום קרוב ומצאם אבלים שאע"פ שאבלותם חל מקודם לשלו ומצאם יום או יומים יסיים עמהן ז) לרבנן כשבא גדול הבית תוך ג' ימים שפירש גדול הבית ג' ימים ולר"ש אפי' ביום השביעי ודוקא כשיש גדול הבית בבית כי אז בטל אצלם והכי פי' איבעיא להו הלך גדול הבית לבית הקברות פי' הלך ללות מת עד עיר אחרת וקברו שם מהו שיהא מונה עמהן אותו שבא אצל אבלים שבעיר שמת בה מונה עמהן אע"פ שאין גדול הבית עמהן שם [או לא] דהא דבעינן גדול הבית בבית למעוטי האי נמי קאתי אע"ג דידע בהאי אבילות ושייך בה או דלמא לא אתא למעוטי אלא היכא דליתא גדול הבית בדוכתא אחריתי דלא ידע בהאי אבילות כלל אבל הלך לבית הקברות כיון דידע בהאי אבילות חשיב אבילות דידהו עיקר ובטל האורח גבייהו א"ל מונה עמהן והתניא מונה לעצמו לא קשיא הא דאתא גדול הבית בגו תלתא יומי מבית הקברות דאז הוא מונה עמהן וגם האורח מונה עמהן אם בא בתוך שלשה לרבנן או בתוך שבעה לרבי שמעון הא דלא אתא גדול הבית בגו תלתא יומי דלא חשיב אבילות דידהו עיקר דלימני הא דאתא מעלמא בהדייהו מאחר שאין גדול הבית מונה עמהן ולא מיבעיא לרבנן שאין גדול הבית מונה עמהן כי לא אתא בגו תלתא אלא אפי' לר"ש דאמר אפי' ביום ז' מונה עמהן ה"מ אחר דלא הוה ידע ביה בתחילה ובטל לגבייהו כיון דגדול הבית נמי מני בהדייהו והם תחילת האבילות ועיקרו יותר ממנו שלא ידע בתחילת האבילות אבל החוזר מבית הקברות שהיה בתחילת האבילות אינו מונה עמהן היכא דלא אתא בגו תלתא יומי בין אם יש גדול הבית בין אם אין גדול הבית כי הא דא"ל רב לבני הצלפוני דאתי בגו תלתא החוזר מבית הקברות בגו תלתא לימנו בהדייכו דלא אתו בגו תלתא יומי מימני לנפשיה עכ"ל ז"ל הירושלמי הרי שבא ומצא אבל בתוך ביתו בשני ובשלישי משלים עמהן ברביעי מונה לעצמו ר"ש אומר אפי' בז' משלים עמהם ריב"ל אומר הלכה כר"ש כשיש גדול המשפחה בבית אבל כשאין גדול המשפחה מונה לעצמו ולפי הירושלמי היה נ"ל דאינו פוסק כר"ש אלא כשיש גדול המשפחה בבית אבל אם אין גדול המשפחה הלכה כרבנן דבתוך ג' ימים מונה עמהם לאחר ג' מונה לעצמו ולפ"ז אתי שפיר אפי' אליבא דהלכתא דאתי בגו תלתא לימנו ח) בהדייכו בגדול הבית בבית דכמו שאין גדול הבית הלכתא כרבנן כמו כן בגדול הבית עצמו והוי דינא כרבנן:

מהדריתו אפייכו אתחילו מנו. אבל אותם ההולכים עם המת משיסתם הגולל בין גדול הבית בבית בין הולך לבית הקברות וכן המנהג ובירושלמי אינו כן דהכי תנן מת שהוליכו אותו ממקום למקום כגון אלו דקברין במקום אחר אית תניא תני אלו שכאן מונין משיצא המת ואלו שעם מונין משנסתם הגולל ואית תני הני והני משנסתם הגולל ורב סימון בשם ריב"ל הכל הולך אחר גדול המשפחה ר' יעקב בשם ר' יוסי לחומרין מהו לחומרין שאם היה גדול המשפחה כאן ט) אלו שכאן מונין משיצא המת ואלו שעם מונין משנסתם הגולל וגדול המשפחה שם אלו ואלו מונין משיסתם הגולל וקשיא מהו לחומרא הא זימנין אזלינן לקולא בתר גדול הבית כגון שגדול המשפחה כאן שכולם מונין משיצא המת מן הבית דהוה קולא לכן נראה לפרש שאם גדול המשפחה כאן מונין מיד ומתחילין להתאבל עמו לכבודו מיד כששמעו אפי' שלא בפניו אבל עיקר אבילות יתחילו למנות משיסתום הגולל וכן איתא בהדיא בר"ג זוגה דמכת י) אחתיה סליק אחיה עמה אמר ליה רבי מנא כיון שיש גדול הבית מסלקת גבי אחוך שלוף סנדלא ובתוספות הרב פירש שהש"ס אינו מחלק כך:

מעשה

מסורת הש"ס

א) חולין נ. ע"ש, ב) [שם], ג) [ביצה כז.], ד) חולין נ. [נדה מח.], ה) [לעיל יח. וש"נ] עירובין מו. לקמן כו:, ו) שמחות פ"ט, ז) בחילופי גרסאות מוחק מן תיבת לרבנן עד ביום השביעי וגורס לעיל מינה עם הנשארים לרבנן כשבא גדול הבית תוך ג' ימים ולר"ש אפילו ביום ז' וכן פי' ר"י וכו', ח) בהדייכו כמו בגדול הבית בבית דכשאין גדול הבית כו' עצמו הוי דינא כרבנן כצ"ל, ט) [עי' נוסחת הירושלמי שהביא הרא"ש בסימן לט], י) [פי' מתה אחותו].

הגהות הב"ח

(א) גמ' היה ע"ש או עיו"ט או שהיו גשמים מזלפין על מטתו ה"ז משובח: (ב) רש"י ד"ה מונה כו' ואבילות של גדול לא התחיל עד שיסתום הגולל:

גליון הש"ס

גמ' רצה ממעט בעסקו. עיין לקמן דף כז ע"א תוספות ד"ה אם יכול:

רש"י כת"י

הלך גדול הבית. אחר מטתו של אביו לבית הקברות לקברו ושהא שם ובא בתוך שלשה ימים מונה עמהם עם אותן שנשארו בבית האבילות שלהן שהתחילה משחזרו פניהם מן המת ואבילותו של גדול שהולך אחר המטה אינה מתחלת כל זמן שרואהו עד שיסתום הגולל כדלקמן מי אמרינן כיון דבאביו נתעסק ולא הלך בדרך אחר מונה עמהן או דילמא כאילו בא ממקום אחר דמי ואינו מונה עמהן. (ירושלמי מצאתי מבחוץ. ר' יהושע בן לוי זמין לחד בר נש ג' זמנין ולא אשגח ביה אמ' אילולי דלא חרמית בר נש מן יומי הוינא מחרים ליה שעל כ"ד דברים מנדין ולכבוד הרב אחד מהן דכתוב אשר לא יצא וגו' וכתוב ויבדל מקהל הגולה אמ' ר' יצחק אית סגי מנהון מנדין. ירושלמי הדא אמרה המבזה זקן אפילו לאחר מיתה צריך נדוי הדא אמתא חזת לחד סופר מחי ינוקא יתר מצרכי אמ' יהא ההוא גברא מוחרם שאלו לרב אחא ואמ' צריך למיחש על גרמיה דאמ' העושה דבר שלא כשורה צריך נדוי) ל"א הלך גדול הבית לבית הקברות שמת. אפילו הלך גדול הבית לבית הקברות. אזלינן בתר גדול שבנותרים. אמ' מר. לעיל מונה לעצמו והא תניא אם בא ממקום מונה עמהן. הצלפוני מקום ל"א שם משפחה. [דלא אזליתו] בתר ערסא. כשמוליכין המטה לארץ ישראל לקבור ואין כל הקרובין יכולין לילך לארץ ישראל ומלוין את המטה פרסה או מיל וחוזרין מכי מהדריתו אפייכו מבבא דאבולא. משער החילון עיר ומגרשיה דלאתיתו לביתא. אתחילו. ומנו ז' ימי אבילות ואע"ג דלאבילות אינה חלה עד שיסתום הגולל לדידכו דלא הדריתו חזותו לא כנסתם הגולל דמי. ה"ג והוא שלא עמדו מנחמין מאצלו. (בשביעית) [בשביעי] בשחרית עד שלא עמדו מנחמין מאצל זה שבבית. ננערו. מנענעין ורוצין לעמוד. מאן דהו. תלמיד אחד מי שהוא. מדחה מיטתו. ממהר לקבור את מתו ואינו משהה אותו.

עין משפט נר מצוה

קלג א ב טוש"ע י"ד סימן שעה סעיף ח בהג"ה:

קלד ג מיי' פ"א מהל' אבל הל' ה טוש"ע שם סעיף ב:

קלה ד ה מיי' שם פ"ז הלכה ד טוש"ע שם סעיף ח:

קלו ו מיי' פ"ו מהל' שחיטה הלכה יד סמג עשין סג טוש"ע י"ד סימן מו סעיף א:

קלז ז מיי' פ"ד מהל' אבל הלכה ז סמג עשין דרבנן ג טוש"ע שם סימן שנז סעיף ב:

קלח ח מיי' שם פ"ו הלכה ט טוש"ע שם סימן שפ סעיף כד:

רבינו חננאל

הוא שואל בשלום אחיו שהן שרויין בשלום: ת"ר אבל ג' ימים הראשונים בא ממקום קרוב מונה עמהן. ואמר ר' חייא בר אבא אמר ר' יוחנן והוא שיש גדול הבית ואפילו הלך גדול הבית לבית הקברות ובא בתוך ג' מונה עמהן. בא לאחר ג' ומצא שהלך גדול הבית לפני הקברות מונה לעצמו כדאמר להו רב לבני הצלבוני דאתו בגו תלתא לימנן בהדייכו דאתו לבתר תלתא לימני לנפשיה. בא ממקום רחוק בתוך ג' מונה לעצמו מיכן ואילך אפילו בא ממקום קרוב מונה לעצמו ר' שמעון אומר אפילו בא ביום ז' ממקום קרוב מונה עמהם ואוקמה ר' יוסי בן שאול והוא שבא ומצא מנחמין אצל אבלים כלומר עדיין לא נסתלקו מן האבלות כדאמרינן מקצת היום ככולו. ואיבעיא להו ננערו האבלים לעמוד ובא ממקום קרוב ומצאן שעדיין לא עמדו מהו ועמדה בתיקו. אמר משמיה דר' יוחנן הלכה כר' שמעון באבל הא דאמרן דאמר שמואל הלכה כדברי המיקל. הא דאמרינן בגררה בהדין אתרא הלכתא כרשב"ג בטריפות כבר פירשנוה בשחיטת חולין ופשוטה היא. אמר להו רבא לבני מחוזא אתון דלא אזליתו בתר ערסא מכי הדריתו אפייכו מבבא דאבולא אתחילו למימני: ירושלמי הרי שבא ומצא בתוך ביתו בשני ובשלישי מונה עמהן ברביעי מונה לעצמו ר"ש אומר אפילו א) בששי משלים עמהן אריב"ל הלכה כר' שמעון בשאין גדול משפחה אבל אם הוא גדול משפחה מונה לעצמו. כר' מנא שהורה לר' יעקב ארמניא מכיון שאתה גדול מנה לעצמך: על כל המתים המדחה מטתו משובח על אביו ועל אמו מגונה. אלא אם היה ע"ש או עיו"ט או שהיו גשמים מזלפין על מטתו ועושה לכבוד אביו הרי גם זה משובח על כל המתים אם רצה שלא למעט בעסקו

אלא אם רצה לישא וליתן בסחורתו כל היום הרשות בידו. אבל על אביו ועל אמו חייב למעט פי' בשאר מתים אינו

חשק שלמה על ר"ח א) בירושלמי הגי' אפילו ברביעי משלים עמהן והדבר פשוט דצ"ל בששי וכ"ה בתוס' כאן ד"ה דאתא בשם הירושלמי וכן צ"ל בדברי רבינו.

This ruling is qualified:

אָמַר רַבִּי חִיָּיא בַּר גַּמְדָּא אָמַר רַבִּי יוֹסֵי בֶּן שָׁאוּל אָמַר רַבִּי – R' Chiya bar Gamda said in the name of R' Yose ben Shaul who said in the name of Rebbi: וְהוּא שֶׁבָּא וּמָצָא מְנַחֲמִין אֶצְלוֹ – **This** leniency for the latecomer to conclude the mourning period together with his family applies **only if he arrived and found consolers** still there **with him.**[11]

An inquiry regarding this matter:

בָּעֵי רַב עָנָן – **Rav Anan inquired:** נִנְעֲרוּ לַעֲמוֹד וְלֹא עָמְדוּ מַהוּ – **If they** [the consolers] **began to stir** in readiness **to rise** and leave the mourner, **but had not yet** actually **risen, what is [the law]?** Is it considered as if they have already risen, in which case the latecomer has come too late to count as part of the original group of mourners, or not?

The Gemara replies:

תֵּיקוּ – **Let it stand** unresolved.[12]

The Gemara discusses whether the halachah follows R' Shimon's view (that the latecomer counts with his family even if he arrives on the seventh day):

גְּמִירֵי חַבְרֵיהּ דְּרַבִּי אַבָּא בַּר חִיָּיא מֵרַבִּי אַבָּא – **The friend of R' Abba bar Chiya learned a tradition from R' Abba.** וּמַנּוּ רַבִּי זֵירָא – **And who is this** friend? It is **R' Zeira.** וְאָמְרֵי לָהּ – **And** some report it as follows: חַבְרֵיהּ דְּרַבִּי זֵירָא מֵרַבִּי זֵירָא – **The friend of R' Zeira** learned a tradition **from R' Zeira.** וּמַנּוּ רַבִּי אַבָּא בְּרֵיהּ דְּרַבִּי חִיָּיא בַּר אַבָּא – **And who is this** friend? It is **R' Abba the son of R' Chiya bar Abba.** At any rate, the tradition was the following: אָמַר רַבִּי יוֹחָנָן – **R' Yochanan said:** הֲלָכָה כְּרַבִּי שִׁמְעוֹן בֶּן גַּמְלִיאֵל בִּטְרֵיפוֹת – **The halachah is in accordance with Rabban Shimon ben Gamliel in the case of** a specific law concerning *tereifos,*[13] וַהֲלָכָה כְּרַבִּי שִׁמְעוֹן בְּאֵבֶל – **and the halachah is in accordance with R' Shimon in the case of** a specific law concerning **mourning.**

The Gemara explains R' Yochanan's statement:

כְּרַבִּי שִׁמְעוֹן בְּאֵבֶל הָא דַּאֲמָרַן – The statement that "the halachah is **in accordance with R' Shimon in the case of mourning"** refers to **that** ruling of R' Shimon **which we have** just **discussed,** namely: that a nearby mourner who arrives at the house of mourning even on the seventh day counts with them. כְּרַבָּן שִׁמְעוֹן בֶּן גַּמְלִיאֵל בִּטְרֵיפוֹת דִּתְנַן – And the statement that "the halachah is **in accordance with Rabban Shimon ben Gamliel in the case of** *tereifos"* refers to that **which we learned in a** *Tosefta:*[14] בְּנֵי מֵעַיִם שֶׁנִּיקְבוּ וְלֵיחָה סוֹתַמְתָּן כְּשֵׁרָה – IF an animal's INTESTINES WERE PUNCTURED BUT MUCUS SEALS THEM, [THE ANIMAL] IS FIT for consumption. דִּבְרֵי רַבָּן שִׁמְעוֹן בֶּן גַּמְלִיאֵל – These are THE WORDS OF RABBAN SHIMON BEN GAMLIEL.[15] Having cited this *Tosefta,* the Gemara explains it: מַאי לֵיחָה – **What is the "mucus"** referred to in this *Tosefta?* אָמַר רַב כַּהֲנָא – **Rav Kahana said:** שִׁירְקָא דְּמֵעַיָא דְּנָפִיק אַגַּב דּוּחְקָא – **It is the intestines' sticky liquid that comes out only through pressure.**[16]

The Gemara elaborates on the above rulings:

אָמַר מַאן דְּהוּא – **Someone** whose name is unknown[17] **said** upon hearing these teachings of R' Yochanan: אֵיזְכֵּי וְאֶסֵּיק וְאֶגְמְרָא לִשְׁמַעְתָּא מִפּוּמֵיהּ דְּמָרֵיהּ – **"O that I would merit to go up** to Eretz Yisrael **and learn this teaching from the mouth of its master!"**[18] כִּי סָלֵיק – **When he went up** to Eretz Yisrael, אַשְׁכְּחֵיהּ לְרַבִּי אַבָּא בְּרֵיהּ דְּרַבִּי חִיָּיא בַּר אַבָּא – **he found R' Abba the son of R' Chiya bar Abba.** אָמַר לֵיהּ – **[The disciple] asked him:** אָמַר מָר הֲלָכָה כְּרַבָּן שִׁמְעוֹן בֶּן גַּמְלִיאֵל בִּטְרֵיפוֹת – **Did the master** [i.e. you] **say** in the name of R' Yochanan **that the halachah is in accordance with Rabban Shimon ben Gamliel in the case of** *tereifos?*[19] אָמַר לֵיהּ – **[R' Abba] answered him:** אֲנָא אֵין הֲלָכָה אָמְרִי – **Quite the contrary, I said** that **the halachah is** ***not*** in accordance with Rabban Shimon ben Gamliel in this matter. כְּרַבִּי שִׁמְעוֹן בְּאֵבֶל מַאי – The disciple then asked R' Abba: And with regard to "the halachah is **in accordance with R' Shimon in the case of mourning," what** is the correct version? Was it taught that the halachah follows R' Shimon, or that it does *not* follow him? אָמַר לֵיהּ פְּלוּגְתָּא נִינְהוּ – **[R' Abba] answered him: They** [these laws] **are in dispute.** דְּאִיתְּמַר – **For it was stated:** רַב חִסְדָּא אָמַר הֲלָכָה – **Rav Chisda says: The halachah is** in accordance with R' Shimon in this matter. וְכֵן אָמַר רַבִּי יוֹחָנָן הֲלָכָה – **And so too did R' Yochanan say: The halachah is** in accordance with R' Shimon. רַב נַחְמָן אָמַר אֵין הֲלָכָה – But **Rav Nachman says: The halachah is not** in accordance with R' Shimon in this matter.

NOTES

11. That is, he arrived on the morning of the seventh day before the consolers have risen to leave the mourner who is already in the house (*Rashi,* in accordance with a variant reading of the Gemara text). Although the mourner in the house has already observed part of the seventh day of mourning [which is sufficient, as taught above 19b], his mourning is not terminated until the consolers rise to leave. Hence, if the latecomer arrives before the consolers have risen, he can still count his days of mourning with the mourners in the house.

[In the expression "consolers [still there] with him," "him" is perhaps a reference to the head of the household (see *R' Shlomo ben HaYasom* and *Yoreh Deah* 375:8). For R' Yochanan explained above that the Baraisa's permit for the latecomer to count with his family applies only if the head of the household was there. Thus, the present qualification that consolers must still be present is also expressed in terms of their "being with him" – i.e. with the head of the household, whose presence is essential for the permit. Alternatively, *Ritva's* reading here (see his comments to 21b ד״ה ת״ר) is וְהוּא שֶׁבָּא וּמָצָא מְנַחֲמִין אֶצְלָם, *only if he arrived and found consolers there "with them"* – i.e. with the rest of the latecomer's family.]

12. And since the Gemara does not resolve the matter, the lenient position [in this Rabbinic matter] is adopted (*Yoreh Deah* 375:8; *Beur HaGra* there §19; *Kesef Mishneh* to *Rambam, Hil. Aveil* 7:4; see above, 18a note 1).

13. *Tereifos* are the fatal defects that render a kosher animal unfit for consumption even if it is properly slaughtered.

14. [Generally, תְּנַן refers to a Mishnah. Here, however, the Gemara is referring to a *Tosefta* (*Chullin* 3:3) quoted on *Chullin* 50a. (See *Tosafos* to *Kiddushin* 40a ד״ה אין מקיפין, to *Chullin* 87b ד״ה תנן and *Rashba* to *Chullin* 14a ד״ה דתנן הלוקח.)]

15. Ordinarily, an animal with punctured intestines is a *tereifah.* R' Shimon ben Gamliel, however, considers the mucus that seals the puncture to be an adequate seal. And R' Yochanan teaches that the halachah follows this ruling of R' Shimon ben Gamliel.

16. *Rashi* to *Chullin* 50a (cf. *Talmid R' Yechiel MiParis*). This mucus has the consistency of thick fat (*R' Shlomo ben HaYasom*).

17. Literally: whoever it was.

18. I.e. from R' Abba the son of R' Chiya, or from R' Zeira [depending on the two versions recorded above] (*Rashi,* as his comments appear in our texts; see, however, *Dikdukei Soferim* §2), who reported these teachings in R' Yochanan's name. The disciple prayed for the privilege of hearing the ruling directly from the one who originally expounded it.

19. As was expounded in your name. [See *Menachem Meishiv Nefesh* regarding which of the two versions above the report of this incident follows.]

[The foregoing follows our readings in the Gemara and *Rashi* here. See, however, *Dikdukei Soferim* §1 and §2 at length regarding the correctness of these readings and their attendant difficulties. He seeks to establish the correct text in the Gemara (based on the parallel *sugya* in *Chullin* 50a) as follows: The friend of R' Abba (i.e. R' Zeira) learned from R' Abba – others say it was the friend of R' Zeira (i.e. R' Abba) who learned from R' Zeira – thus did R' Abba the son of R' Chiya bar Abba say in the name of R' Yochanan ... (According to either version, then, the disciple went to inquire of R' Abba the son of R' Chiya bar Abba, who was the source of these rulings attributed to R' Yochanan.)]

הלך גדול הבית לבית הקברות מהו תא שמע דאמר רבי חייא בר אבא אמר רבי יוחנן אפילו הלך גדול הבית לבית הקברות [א]מונה עמהן מונה והתניא מונה לעצמו לא קשיא הא [ב]דאתא בגו תלתא והא דלא אתא בגו תלתא כי הא דאמר להו רב לבני הצלפוני דאתו בגו תלתא לימנו בהדייכו דלא אתו בגו תלתא לימנו לנפשיהו אמר להו רבא לבני מחוזא אתון דלא אזליתו בתר ערסא [ג]מכי מהדריתו אפייכו מבבא דאבולא אתחילו מנו: ר"ש אומר אפילו בא ביום השביעי ממקום קרוב מונה עמהן: א"ר חייא בר גמדא א"ר יוסי בן שאול אמר רבי [ד]והוא שבא ומצא מנחמין אצלו [ה]בעי רב ענן נגערו לעמוד ולא עמדו מהו תיקו (א) גמירי חבריה דר' אבא בר חייא מר' אבא ומנו ר' זירא ואמרי לה חבריה דר' זירא מרבי זירא ומנו ר' אבא בריה דר' חייא בר אבא א"ר יוחנן [ו]הלכה כרבי שמעון בן גמליאל בטריפות והלכה כרבי שמעון באבל הא דאמרן כרשב"ג בטריפות דתנן בני מעים שניקבו וליחה סותמתן כשרה דברי רשב"ג מאי ליחה אמר רב כהנא שירקא דמעיא דנפיק אגב דוחקא [ג]אמר מאן דהוא [ד]איזכי ואסיק ואגמרא לשמעתא מפומיה דמריה כי סליק אשכחיה לר' אבא בריה דרבי חייא בר אבא א"ל אמר מר הלכה כרשב"ג בטריפות א"ל אנא אין הלכה אמרי כר"ש באבל מאי א"ל פלוגתא נינהו דאיתמר רב חסדא אמר הלכה וכן א"ר יוחנן הלכה ר"נ אמר אין הלכה [י]ואין הלכה כרשב"ג בטריפות והלכה כר"ש באבל [ה]דאמר שמואל הלכה כדברי המיקל באבל [ו]על כל המתים כולן [ז]מדחה מטתו הרי זה משובח על אביו ועל אמו הרי זה מגונה היה ערב שבת או ערב יום טוב (א) הרי זה משובח שאינו עושה אלא לכבוד אביו ואמו [ח]על כל המתים כולן [ט]רצה ממעט בעסקו רצה אינו

רש"י

הלך גדול הבית לבית הקברות. אחר מטתו לקוברו ושהה שם ג' ימים: מהו. מי חשבינן ליה כמאן דהוי בביתיה הואיל ולצורך המת הלך אתו: מונה עמהן. דאבילות שלהם התחילה משחזרו פניהם מן המת ואבילות של גדול (ג) עד שיסתום הגולל: לבני הצלפוני. מקום: דלא אזליתו בתר ערסא. דמאן דאזיל בתר ערסא לא חיילא עליה אבילות עד שנסתם הגולל כשמוליכין המטה מבבל לא"י לקבור ואין כל הקרובים כולם יכולין לעלות עד א"י ומלוין המת פרסה או מיל וחוזרים: מכי אהדריתו אפייכו מבבא דאבולא. משער החילון של העיר ומגרשיה דאתיתו לביתא: אתחילו מנו. ימי אבילות אע"ג דלא נקבר המת עד ימים רבים ואע"ג דאבילות אינו חל עד שיסתום הגולל לדידכו דלא מחזי חזרתכם כנסתם הגולל: ה"ג והוא שלא עמדו מנחמין מאצלו. שבא בשביעי שחרית עד שלא עמדו מנחמין אצל זה שבבית: נגערו לעמוד. מנענעים ורוצים לעמוד: אמר מאן דהוא. אדם אחד מאן דהוה: מפומיה דמריה. מר' אבא בריה דרבי חייא או רבי זירא: אין הלכה אמרי. כלומר אין הלכה כרבי שמעון: מדחה מטתו. ממהר להוציאו: ממעט בעסקו. כגון סחורה: רצה

תוספות

הלך גדול הבית לבית הקברות מהו. פי' מי מונה לעצמו או לא דשמא כיון שהוא טרוד בעניני מת וכששמעו הם שמע גם הוא ימנה עמהן או שמא מונה לעצמו ולא ידענא מאי הוי דינא בגדול הבית שבא ממקום קרוב אי מונה עמהן הואיל והוא עיקר ויש ליתן טעם לומר שהוא מונה לבדו הואיל ואינו יודע האבילות או טעם להיפך דהואיל משום המת הלך ימנה עמהם:

דאתא בגו תלתא יומין. כשאתא גדול הבית בתוך ג' ימים מונה הוא עמהן וכדאמרינן לעיל ג' ימים הראשונים מונה עמהם וקשיא לי דהא קיי"ל כר"ש דאפי' ביום ז' מונה עמהן כדאמרינן לקמן וא"כ מה לי תוך ג' מה לי לאחר ג' ונראה מתוך ה"ג דאפי' לר"ש (בר יוסי) הוי חילוק דתוך ג' ואחר ג' מקום רחוק שפי' הא דאתא בגו תלתא יומי מונה עמהן אפי' בא ממקום רחוק אתא לבתר תלתא יומי ממקום קרוב אפי' תוך ז' מונה עמהן ובסמוך פירש אפי' לר"ש אתיא הך מילתא ועוד יש לפרש דה"פ הלך גדול הבית לבית הקברות מהו דמיבעיא ליה אם אותו שבא מונה עם הנשארים וכן פי' ר' יצחק ז"ל והוא כשיש גדול הבית בבית אז מונה עמהן הבא אלמא ממקום קרוב ומצאם אבלים שאע"פ שאבלותם חל מקודם לשלו ומצאם יום או יומים יסיים עמהן [י]לרבנן כשבא גדול הבית תוך ג' ימים שפירש גדול הבית ג' ימים ולר"ש אפי' ביום השביעי ודוקא כשיש גדול הבית בבית כי אז בטל אצלם והכי פי' איבעיא להו הלך גדול הבית לבית הקברות פי' הלך ללות מת עד עיר אחרת וקברו שם מהו שיהא מונה עמהן אותו שבא אצל אבלים שבעיר שמת בה מונה עמהן אע"פ שאין גדול הבית עמהן שם [או לא] דהא דבעינן גדול הבית בבית למעוטי האי נמי קאתי אע"ג דידע בהאי אבילות ושייך בה או דלמא לא אתא למעוטי אלא היכא דליתא גדול הבית בדוכתא אחריתי דלא ידע בהאי אבילות כלל אבל הלך לבית הקברות כיון דידע בהאי אבילות חשיב אבילות דידהו עיקר ובטל האורח גבייהו א"ל מונה עמהן והתניא מונה לעצמו לא קשיא הא דאתא גדול הבית בגו תלתא יומי מבית הקברות דאז הוא מונה עמהן וגם האורח מונה עמהן אם בא בתוך שלשה לרבנן או בתוך שבעה לרבי שמעון הא דלא אתא גדול הבית בגו תלתא יומי דלא חשיב אבילות דידהו עיקר דלימני הא דאתא מעלמא בהדייהו מאחר שאין גדול הבית מונה עמהן ולא מיבעיא לרבנן שאין גדול הבית מונה עמהן כי לא אתא בגו תלתא אלא אפי' לר"ש דאמר אפי' ביום ז' מונה עמהן ה"מ אחר דלא הוה ידע ביה בתחלה ובטל לגבייהו כיון דגדול הבית נמי מני בהדייהו והם תחלת האבילות ועיקרו יותר ממנו שלא ידע בתחלת האבילות אבל החוזר מבית הקברות שהיה בתחלת האבילות אינו מונה עמהן היכא דלא אתא בגו תלתא יומי בין אם יש גדול הבית בין אם אין גדול הבית כי הא דא"ל רב לבני הצלפוני דאתי בגו תלתא החוזר מבית הקברות בגו תלתא לימנו בהדייכו דלא אתו בגו תלתא יומי מימני לנפשיה עכ"ל ז"ל הירושלמי הרי שבא ומצא אבל בתוך ביתו בשני ובשלישי משלים עמהן ברביעי מונה לעצמו ר"ש אומר אפי' בז' משלים עמהם ריב"ל אומר הלכה כר"ש כשיש גדול המשפחה בבית אבל כשאין גדול המשפחה מונה לעצמו ולפי הירושלמי היה נ"ל דאינו פוסק כר"ש אלא כשיש גדול המשפחה בבית אבל אם אין גדול המשפחה הלכה כרבנן דבתוך ג' ימים מונה עמהם לאחר ג' מונה לעצמו ולפ"ז אתי שפיר אפי' אליבא דהלכתא דאתי בגו תלתא לימנו [ט]בהדייכו בגדול הבית בבית דכמו שאין גדול הבית הלכתא כרבנן כמו כן בגדול הבית עלמו והוי דינא כרבנן:

מהדריתו אפייכו אתחילו מנו. אבל אותם ההולכים עם המת מיסתם הגולל בין גדול הבית בבית בין הולך לבית הקברות וכן המנהג ובירושלמי אינו כן דהכי תנן מת שהוליכו אותו ממקום למקום כגון אלו דקברין במקום אחר אית תניא תני אלו שכאן מונין משילא המת ואלו שבשם מונין משנסתם הגולל ואית תני הני והני משנסתם הגולל ורב סימון בשם ריב"ל הכל הולך אחר גדול המשפחה ר' יעקב בשם ר' יוסי לחומרין מהו לחומרין שאם היה גדול המשפחה כאן [ט]אלו שכאן מונין משילא המת ואלו שבשם מונין משנסתם הגולל וגדול המשפחה שם אלו ואלו מונין מיסתם הגולל וקשיא מהו לחומרא הא זימנין אזלינן לקולא בתר גדול הבית כגון שגדול המשפחה כאן שכולם מונין משילא המת מן הבית דהוה קולא לכן נראה לפרש שאם גדול המשפחה כאן מונין מיד ומתחילין להתאבל עמו לכבודו מיד כשישמעו אפי' שלא בפניו אבל עיקר אבילות יתחילו למנות מסיסתום הגולל וכן איתא בהדיא ר"ג זוגה דמכת [י]אחתיה סליק אחיה עמה אמר ליה רבי מנא כיון שיש גדול הבית מסלקת גבי אחוך שלוף סנדלא ובתוספות הרב פירש שהש"ס אינו מחלק כך:

מעשה

עין משפט נר מצוה

קלג א ב טוש"ע י"ד סימן שעה סעיף ח בהגה"ה:
קלד ג מיי' פ"א מהל' אבל הל' ה טוש"ע שם סעיף ג:
קלה ד ה מיי' פ"ז הלכה ד טוש"ע שם סעיף ט:
קלו ו מיי' פ"ו מהל' שחיטה הלכה יד סמג עשין סג טוש"ע י"ד סימן נו סעיף א:
קלז ז מיי' פ"ז מהל' אבל הלכה ז סמג עשין דרבנן ג טוש"ע שם סימן שמ סעיף א:
קלח ח מיי' שם פ"ו הלכה ט טוש"ע שם סימן שפ סעיף כד:

רבינו חננאל

הוא שואל בשלום אחיו שהן שרויין בשלום: ת"ר אבל ג' ימים הראשונים בא ממקום קרוב מונה עמהן. ואמר ר' חייא בר אבא אמר ר' יוחנן והוא שיש גדול הבית ואפילו הלך גדול הבית לבית הקברות ובא בתוך ג' מונה עמהן. בא לאחר ג' ומצא שהלך גדול הבית לפני הקברות מונה לעצמו כדאמר להו רב לבני הצלבוני דאתו בגו תלתא לימנן בהדייכו דאתו לבתר תלתא לימני לנפשיה. בא ממקום רחוק בתוך ג' מונה לעצמו מיכן ואילך אפילו בא ממקום קרוב מונה לעצמו ר' שמעון אומר אפילו בא ביום ז' ממקום קרוב מונה עמהם ואוקמה ר' יוסי בן שאול והוא שבא ומצא מנחמין אצל אבלים כלומר עדיין לא נסתלקו מן האבלות כדאמרינן מקצת היום ככולו. ואיבעיא להו נגערו האבלים לעמוד ובא ממקום קרוב ומצאן שעדיין לא עמדו מהו ועמדה בתיקו. אמר משמיה דר' יוחנן הלכה כר' שמעון באבל הא דאמרן דאמר שמואל הלכה כדברי המיקל. הא דאמרינן בגררה בהדין אתרא הלכתא כרשב"ג בטריפות כבר פירשנוה בשחיטת חולין ופשוטה היא. אמר להו רבא לבני מחוזא אתון דלא אזליתו בתר ערסא מכי הדריתו אפיכו מבבא דאבולא אתחילו למימני: ירושלמי הרי שבא ומצא בתוך ביתו בשני ובשלישי מונה עמהן ברביעי מונה לעצמו ר"ש אומר אפילו א) בששי משלים עמהן אריב"ל הלכה כר' שמעון בשאין גדול משפחה אבל אם הוא גדול משפחה מונה לעצמו. כר' מנא שהורה לר' יעקב ארמניא מכיון שאתה גדול מנה לעצמך: על כל המתים המדחה מטתו משובח על אביו ועל אמו מגונה. אלא אם היה ע"ש או עיו"ט או שהיו גשמים מזלפין על מטתו ועושה לכבוד אביו הרי זה משובח על כל המתים אם רצה שלא למעט בעסקו אלא אם רצה לישא וליתן בסחורתו כל היום הרשות בידו. אבל על אביו ועל אמו חייב למעט פי' בשאר מתים אינו

מסורת הש"ס

א) חולין נ. ע"ש, ב) [שם], ג) [ביצה כח.], ד) חולין נ. [נדה מח.], ה) [לעיל יח. וש"נ] עירובין מו. לקמן כו:, ו) שמחות פ"ט, ז) בחילופי גרסאות מוחק מן תיבת לרבנן עד ביום השביעי וגורס לעיל מינה עם הנשארים לרבנן כשבא גדול הבית תוך ג' ימים ולר"ש אפילו ביום ז' וכן פי' ר"י וכו', ח) בהדייכו כמו בגדול הבית בבית דכשאין גדול הבית כו' עלמו הוי דינא כרבנן כצ"ל, ט) [עי' נוסחת הירושלמי שהביא הרא"ש בסימן לט], י) [פי' מתה אחותו].

הגהות הב"ח

(א) גמ' היה ע"ש או עיו"ט או שהיו גשמים מזלפין על מטתו ה"ז משובח: (ב) רש"י ד"ה מונה כו' ואבילות של גדול לא התחיל עד שיסתום הגולל:

גליון הש"ס

גמ' רצה ממעט בעסקו. עיין לקמן דף כז ע"א תוספות ד"ה אם יכול:

רש"י כת"י

הלך גדול הבית. אחר מטתו של אביו לבית הקברות לקברו ושהא שם וכא בתוך שלשה ימים מונה עמהם עם אותן שנשארו בבית האבילות שלהן שהתחילה משחזרו פניהם מן המת ואבילות של גדול שהולך אחר המטה אינה מתחלת כל זמן שהולכים עד שיסתום הגולל. אפילו הלך גדול הבית לבית הקברות. מונה עמהן. הצלפוני. מקום ל"ש שם משפחה. [דלא אזליתו] בתר ערסא. כשמוליכין המטה לארץ ישראל לקבור ואין כל הקרובין יכולין לילך לארץ ישראל ומלוין את המטה פרסה או מיל וחוזרין מכי חזריתו אפייכו. מאבבא דאבולא. משער החילון עיר ומגרשיה דאתיתו לביתא. אתחילו. ומנו ז' ימי אבילות אע"ג דלא נקבר המת עד ימים מרובין ואבילות אינה חלה עד שיסתום הגולל לדידכו דלא הדריתו חזיתו לה כנסתם הגולל דמי. ה"ג והוא שלא עמדו מנחמין מאצלו. (כשנעשו) [כשביעין] בשחרית עד שלא עמדו מנחמין מאצל זה שבבית. נגערו. מנענעין ורוצין לעמוד. מאן דהו. תלמיד אחד מן הישיבה. מדחה מיטתו. ממהר להוציא ואינו משהה אותו.

חשק שלמה על ר"ח

א) בירושלמי סגי' אפילו ברביעי משלים עמהן והדבר פשוט דצ"ל בשביעי וכ"ה בתוס' כאן ד"ה דאתא בשם הירושלמי וכן צ"ל בדברי רבינו.

The Gemara issues its ruling in this matter:[20]

וְאֵין הֲלָכָה כְּרַבָּן שִׁמְעוֹן בֶּן גַּמְלִיאֵל בִּטְרֵיפוֹת – And the halachah is not in accordance with Rabban Shimon ben Gamliel in the case of *tereifos*. וַהֲלָכָה כְּרַבִּי שִׁמְעוֹן בְּאֵבֶל – But the halachah is in accordance with R' Shimon in the case of laws of mourning; דְּאָמַר שְׁמוּאֵל – for Shmuel said: הֲלָכָה כְּדִבְרֵי הַמֵּיקֵל בְּאֵבֶל – The halachah is in accordance with the lenient opinion with regard to a dispute **in** the laws of **mourning.**

The Gemara cites a Baraisa that deals with various distinctions between burying and mourning one's parent and burying and mourning other close relatives:

עַל כָּל הַמֵּתִים כּוּלָּן – The Rabbis taught in a Baraisa:[21] When mourning FOR ALL DECEASED relatives (other than one's father or mother), מְדַחֶה מִטָּתוֹ הֲרֵי זֶה מְשׁוּבָּח – IF ONE EXPEDITES taking out THE BIER to the burial site,[22] HE IS PRAISEWORTHY.[23] עַל אָבִיו וְעַל אִמּוֹ הֲרֵי זֶה מְגוּנֶּה – But when mourning FOR ONE'S FATHER OR MOTHER, if one expedites the burial HE IS CONDEMNED.[24] הָיָה עֶרֶב שַׁבָּת אוֹ עֶרֶב יוֹם טוֹב הֲרֵי זֶה מְשׁוּבָּח – However, IF IT WAS FRIDAY OR EREV YOM TOV[25] and he expedited the burial of his father or mother, HE IS PRAISEWORTHY, שֶׁאֵינוֹ עוֹשֶׂה אֶלָּא לִכְבוֹד אָבִיו וְאִמּוֹ – FOR it is apparent that HE IS DOING SO ONLY FOR THE HONOR OF HIS FATHER OR MOTHER.[26] עַל כָּל הַמֵּתִים כּוּלָּן – When mourning FOR ALL DECEASED relatives other than one's father or mother, רָצָה מְמַעֵט בְּעִסְקוֹ – IF HE WISHES HE RESTRICTS HIS BUSINESS ACTIVITY,[27] רָצָה אֵינוֹ – AND IF HE WISHES HE DOES NOT

NOTES

20. See *Rashi* to *Chullin* 50a ד״ה ואין.

21. Some texts have here: תָּנוּ רַבָּנָן, *The Rabbis taught [in a Baraisa]* (see *Dikdukei Soferim* §10, *Rif* and *Rosh* §41). This Baraisa appears in *Semachos* 9:1.

22. *Rashi.* I.e. he buries them quickly (*Rashi ms.; Ran; Nimukei Yosef* folio 13b).

23. Since it is not usual to mourn for and eulogize them so much, it is preferable to bury them quickly, and this is more of an honor to them than to have their bodies wait for burial without eulogies taking place during the waiting period (*Nimukei Yosef;* see also *Ran*). Alternatively, it is praiseworthy to bury the deceased quickly, since this demonstrates that the mourner accepts with love the Divine decree [of his loved one's death] (*Talmid R' Yechiel MiParis; Rabbeinu Yerucham,* cited by *Beis Yosef, Yoreh Deah* 357).

24. Since one is obligated to eulogize and mourn for them profusely (see *Ran* and *Nimukei Yosef*). Therefore, one should delay the burial and eulogize and mourn for them while they await burial.

[*R' Shlomo ben HaYasom* notes that in fulfillment of this directive, it was the practice in former times of the Jewish community in Rome that when burying one's father or mother, the bier would not be carried uninterruptedly to the cemetery. Rather, the pallbearers would stop many times along the way, and at each stop some additional eulogizing and mourning would take place.]

25. Other texts add: or it was raining heavily on the bier (see *Hagahos HaBach;* see also *Rabbeinu Chananel, Rif* and *Rosh*).

26. So that the burial not be delayed until after the Sabbath or Yom Tov, which is too lengthy a time for the body to remain without burial (*Nimukei Yosef*).

[Similarly, it is not fitting that the bier be drenched in the rain (see preceding note). Hence, expeditious burial under such circumstances is considered an honor for the deceased. *Talmid R' Yechiel MiParis* points out, however, that the Gemara in *Sanhedrin* (47a) states that it is a good sign if it rains heavily on the bier, since the deceased thereby achieves atonement.]

27. Such as commerce (*Rashi;* see 22b note 1). [In *Semachos* 9:1, where a parallel Baraisa is found, the expression עִסְקוֹ is used in the sense of *dwelling on the praise of the deceased [in the eulogy].* Here, however, it is *not* used in that sense, but rather in the sense of the *mourner's business activity,* as *Rashi* has explained here (see *Nachalas Yaakov* ad loc.).

הלך גדול הבית לבית הקברות מהו תא שמע דאמר רבי חייא בר אבא אמר רבי יוחנן אפילו הלך גדול הבית לבית הקברות [א]מונה עמהן מונה עמהן והתניא מונה לעצמו לא קשיא הא [ב]דאתא בגו תלתא והא דלא אתא בגו תלתא כי הא דאמר להו רב לבני הצלפוני דאתו בגו תלתא לימנו בהדייכו דלא אתו בגו תלתא לימנו לנפשיהו אמר להו רבא לבני מחוזא אתון דלא אזליתו בתר ערסא [ג]מכי מהדריתו אפייכו מבבא דאבולא אתחילו מנו: ר"ש אומר אפילו בא ביום השביעי ממקום קרוב מונה עמהן: א"ר חייא בר גמדא א"ר יוסי בן שאול אמר רבי [ד]והוא שבא ומצא מנחמין אצלו [ה]בעי רב ענן נגערו לעמוד ולא עמדו מהו תיקו [ו]גמירי חבריה דר' אבא בר חייא מר' אבא ומנו ר' זירא ואמרי לה חבריה דר' זירא מרבי זירא ומנו ר' אבא בריה דר' חייא בר אבא א"ר יוחנן [ג]הלכה כרבי שמעון בן גמליאל בטריפות והלכה כרבי שמעון באבל הא דאמרן כרשב"ג בטריפות דתנן בני מעים שניקבו וליחה סותמתן כשרה דברי רשב"ג מאי ליחה אמר רב כהנא שירקא דמעיא דנפיק אגב דוחקא [ג]אמר מאן דהוא [ד]איזכי ואסיק ואגמרא לשמעתא מפומיה דמריה כי סליק אשכחיה לר' אבא בריה דרבי חייא בר אבא א"ל אמר מר הלכה כרשב"ג בטריפות א"ל אנא אין הלכה אמרי כר"ש באבל מאי א"ל פלוגתא נינהו דאיתמר רב חסדא אמר הלכה וכן א"ר יוחנן הלכה ר"נ אמר אין הלכה [י]ואין הלכה כרשב"ג בטריפות והלכה כר"ש באבל [ה]דאמר שמואל הלכה כדברי המיקל באבל [י]על כל המתים כולן [ז]מדחה מטתו הרי זה משובח על אביו ועל אמו הרי זה מגונה היה ערב שבת או ערב יום טוב (א) הרי זה משובח שאינו עושה אלא לכבוד אביו ואמו [ח]על כל המתים כולן [ט]רצה ממעט בעסקו רצה אינו

רש"י

הלך גדול הבית לבית הקברות. אחר מטתו לקוברו ושהה שם ג' ימים: מהו. מי חשבינן ליה כמאן דהוי בביתיה הואיל ולצורך המת הלך אתו: מונה עמהן. דאבילות שלהם התחילה משחזרו פניהם מן המת ואבילות של גדול (ב) עד סיתום הגולל: לבני הצלפוני. מקום: דלא אזליתו בתר ערסא. דמאן דאזיל בתר ערסא לא חיילא עליה אבילות עד שנסתם הגולל כשמוליכין המטה מבבל לא"י לקבור ואין כל הקרובים כולם יכולין לעלות עד א"י ומלוין המת פרסה או מיל וחוזרים: מכי אהדריתו אפייכו מבבא דאבולא. משער החילון של העיר ומגרשיה דאתיתו לביתא: אתחילו מנו. ימי אבילות אע"ג דלא נקבר המת עד ימים רבים ואע"ג דאבילות אינו חל עד סיתום הגולל לדידכו דלא מחזי חזרתכם כנסתם הגולל: ה"ג והוא שלא עמדו מנחמין מאצלו. שבא בשביעי שחרית עד שלא עמדו מנחמין אצל זה שבבית: ננערו לעמוד. מנענעים ורוצים לעמוד: אמר מאן דהוא. אדם אחד מאן דהוה: מפומיה דמריה. מר' אבא בריה דרבי חייא או רבי זירא: אין הלכה אמרי. כלומר אין הלכה כרבי שמעון: מדחה מטתו. ממהר להוציאו: ממעט בעסקו. כגון סחורה: רצה

תוספות

הלך גדול הבית לבית הקברות מהו. פי' מי מונה לעצמו או לא דשמא כיון שהוא טרוד בעניני מת וכששמעו הם שמע גם הוא ימנה עמהן או שמא מונה לעצמו ולא ידענא מאי הוי דינא בגדול הבית שבא ממקום קרוב אי מונה עמהן הואיל והוא עיקר ויש ליתן טעם לומר שהוא מונה לבדו הואיל ואינו יודע האבילות או טעם להיפך דהואיל משום המת הלך ימנה עמהם:

דאתא בגו תלתא יומין. כשאתא גדול הבית בתוך ג' ימים מונה הוא עמהן וכדאמרינן לעיל ג' ימים הראשונים מונה עמהם וקשיא לי דהא קיי"ל כר"ש דאפי' ביום ז' מונה עמהן כדאמרינן לקמן וא"כ מה לי תוך ג' מה לי לאחר ג' ונראה מתוך ה"ג דאפי' לר"ש (בר יוסי) הוי חילוק דתוך ג' ואחר ג' מקום רחוק שפי' הא דאתא בגו תלתא יומי מונה עמהן אפי' בא ממקום רחוק אתא לבתר תלתא יומי ממקום קרוב אפי' תוך ז' מונה עמהן ובסמוך פירש אפי' לר"ש אתיא הך מילתא ועוד יש לפרש דה"פ הלך גדול הבית לבית הקברות מהו דמיבעיא ליה אם אותו שבא מונה עם הנשארים וכך פי' ר' יצחק ז"ל והוא כשיש גדול הבית בבית אז מונה עמהן הבא אלא ממקום קרוב ומלאם אבלים שאע"פ שאבלותם חל מקודם לשלו ומלאם יום או יומים יסיים עמהן [י]לרבנן כשבא גדול הבית תוך ג' ימים שפירש גדול הבית ג' ימים ולר"ש אפי' ביום השביעי ודוקא כשיש גדול הבית בבית כי אז בטל אצלם והכי פי' איבעיא להו הלך גדול הבית לבית הקברות פי' הלך ללות מת עד עיר אחרת וקברו שם מהו שיהא מונה עמהן אותו שבא אצל אבלים שבעיר שמת בה מונה עמהן אע"פ שאין גדול הבית עמהן שם [או לא] דהא דבעינן גדול הבית בבית למעוטי האי נמי קאתי אע"ג דידע בהאי אבילות ושייך בה או דלמא לא אתא למעוטי אלא היכא דאיתא גדול הבית בדוכתא אחריתי דלא ידע בהאי אבילות כלל אבל הלך לבית הקברות כיון דידע בהאי אבילות חשיב אבילות דידהו עיקר ובטל האורח גבייהו א"ל מונה עמהן והתניא מונה לעצמו לא קשיא הא דאתא גדול הבית בגו תלתא יומי מבית הקברות דאז הוא מונה עמהן וגם האורח מונה עמהן אם בא בתוך שלשה לרבנן או בתוך שבעה לרבי שמעון הא דלא אתא גדול הבית בגו תלתא יומי דלא חשיב אבילות דידהו עיקר דלימני הא דאתא מעלמא בהדייהו מאחר שאין גדול הבית מונה עמהן ולא מיבעיא לרבנן שאין גדול הבית מונה עמהן כי לא אתא בגו תלתא אלא אפי' לר"ש דאמר אפי' ביום ז' מונה עמהן ה"מ אחר דלא הוה ידע ביה בתחילה ובטל לגבייהו כיון דגדול הבית נמי מני בהדייהו והם תחילת האבילות ועיקרו יותר ממנו שלא ידע בתחילת האבילות אבל החוזר מבית הקברות שהיה בתחילת האבילות אינו מונה עמהן היכא דלא אתא בגו תלתא יומי בין אם יש גדול הבית בין אם אין גדול הבית כי הא דא"ל רב לבני הצלפוני דאתי בגו תלתא החוזר מבית הקברות בגו תלתא לימנו בהדייכו דלא אתו בגו תלתא יומי מימני לנפשיה עכ"ל ז"ל הירושלמי הרי שבא ומצא אבל בתוך ביתו בשני ובשלישי משלים עמהן ברביעי מונה לעצמו ר"ש אומר אפי' בו' משלים עמהם ריב"ל אומר הלכה כר"ש כשיש גדול המשפחה בבית אבל כשאין גדול המשפחה מונה לעצמו ולפי הירושלמי היה נ"ל דאינו פוסק כר"ש אלא כשיש גדול המשפחה בבית אבל אם אין גדול המשפחה הלכה כרבנן דבתוך ג' ימים מונה עמהם לאחר ג' מונה לעצמו ולפ"ז אתי שפיר אפי' אליבא דהלכתא דאתי בגו תלתא לימנו [ח]בהדייכו בגדול הבית בבית דכמו שאין גדול הבית הלכתא כרבנן כמו כן בגדול הבית עצמו והוי דינא כרבנן:

מהדריתו אפייכו אתחילו מנו. אבל אותם ההולכים עם המת משיסתם הגולל בין גדול הבית בבית בין הולך לבית הקברות וכן המנהג ובירושלמי אינו כן דהכי תנן מת שהוליכו אותו ממקום למקום כגון אלו דקברין במקום אחר אית תניא תני אלו שכאן מונין משילא המת ואלו ששם מונין משנסתם הגולל ואית תני הני והני משנסתם הגולל ורב סימון בשם ריב"ל הכל הולך אחר גדול המשפחה ר' יעקב בשם ר' יוסי לחומרין מהו לחומרין שאם היה גדול המשפחה כאן [ט]אלו שכאן מונין משילא המת ואלו ששם מונין משנסתם הגולל וגדול המשפחה שם אלו ואלו מונין משיסתם הגולל וקשיא מהו לחומרא הא זימנין אזלינן לקולא בתר גדול הבית כגון שגדול המשפחה כאן שכולם מונין משילא המת מן הבית דהוה קולא לכן נראה לפרש שאם גדול המשפחה כאן מונין מיד ומתחילין להתאבל עמו לכבודו מיד כשישמעו אפי' שלא בפניו אבל עיקר אבילות יתחילו למנות משיסתום הגולל וכן איתא בהדיא ר"ג זוגה דמכת [י]אחתיה סליק אחיה עמה אמר ליה רבי מנא כיון שיש גדול הבית מסלקת גבי אחוך שלוף סנדלא ובתוספות הרב פירש שהש"ס אינו מחלק כך:

מעשה

עין משפט
נר מצוה

קלג א ב טוש"ע י"ד סימן שעה סעיף ח בהג"ה:
קלד ג מיי' פ"א מהל' אבל הל' ה טוש"ע שם סעיף ג:
קלה ד ה מיי' שם פ"ז הלכה ד טוש"ע שם סעיף ח:
קלו ו מיי' פ"ו מהל' שחיטה הלכה יד סמג עשין סג טוש"ע י"ד סימן מו סעיף א:
קלז ז מיי' פ"ד מהל' אבל הלכה ז סמג עשין דרבנן ג טוש"ע שם סימן שנז סעיף ב:
קלח ח מיי' שם פ"ו הלכה ט טוש"ע שם סימן שפ סעיף כד:

רבינו חננאל

הוא שואל בשלום אחיו שהן שרויין בשלום: ת"ר אבל ג' ימים הראשונים בא ממקום קרוב מונה עמהן. ואמר ר' חייא בר אבא אמר ר' יוחנן והוא שיש גדול הבית ואפילו הלך גדול הבית לבית הקברות ובא בתוך ג' מונה עמהן. בא לאחר ג' ומצא שהלך גדול הבית לפני הקברות מונה לעצמו כדאמר להו רב לבני הצלבוני דאתו בגו תלתא לימנן בהדייכו דאתו לבתר תלתא לימני לנפשיה. בא ממקום רחוק בתוך ג' מונה לעצמו מיכן ואילך אפילו בא ממקום קרוב מונה לעצמו ר' שמעון אומר אפילו בא ביום ז' ממקום קרוב מונה עמהם ואוקמה ר' יוסי בן שאול והוא שבא ומצא מנחמין אצל אבלים כלומר עדיין לא נסתלקו מן האבלות כדאמרינן מקצת היום ככולו. ואיבעיא להו ננערו האבלים לעמוד ובא ממקום קרוב ומצאן שעדיין לא עמדו מהו ועמדה בתיקו. אמר משמיה דר' יוחנן הלכה כר' שמעון באבל הא דאמרן דאמר שמואל הלכה כדברי המיקל. הא דאמרינן בגררה בהדין אתרא הלכתא כרשב"ג בטריפות כבר פירשנוה בשחיטת חולין ופשוטה היא. אמר להו רבא לבני מחוזא אתון דלא אזליתו בתר ערסא מכי הדריתו אפייכו מבבא דאבולא אתחילו למימני: ירושלמי הרי שבא ומצא בתוך ביתו בשני ובשלישי מונה עמהן ברביעי מונה לעצמו ר"ש אומר אפילו א) בששי משלים עמהן אריב"ל הלכה כר' שמעון בשאין גדול משפחה אבל אם הוא גדול משפחה מונה לעצמו. כר' מנא שהורה לר' יעקב ארמניא מכיון שאתה גדול מנה לעצמך: על כל המתים המדחה מטתו משובח על אביו ועל אמו מגונה. אלא אם היה ע"ש או עיו"ט או שהיו גשמים מזלפין על מטתו ועושה לכבוד אביו הרי גם זה משובח על כל המתים אם רצה שלא למעט בעסקו אלא אם רצה לישא וליתן בסחורתו כל היום הרשות בידו. אבל על אביו ועל אמו חייב למעט פי' בשאר מתים אינו

חשק שלמה על ר"ח א) בירושלמי הגי' אפילו ברביעי משלים עמהן והדבר פשוט דצ"ל בשביעי וכ"ה בתוס' כאן ד"ה דאתא בשם הירושלמי וכן צ"ל בדברי רבינו.

מסורת הש"ס

א) חולין נ. ע"ש, ב) [שם], ג) [ביצה מ.], ד) חולין נ. [נדה מח.], ה) [לעיל יח. וש"נ] עירובין מו. לקמן כו:, ו) שמחות פ"ט, ז) בחילופי גרסאות מוחק מן תיבת לרבנן עד ביום השביעי וגורס לעיל מינה עם הנשארים לרבנן כשבא גדול הבית תוך ג' ימים ולר"ש אפילו ביום ז' וכן פי' ר"י וכו', ח) בהדייכו כמו בגדול הבית בבית דכשאין גדול הבית כו' עצמו הוי דינא כרבנן כצ"ל, ט) [עי' נוסחת הירושלמי שהביא הרא"ש בסימן לט], י) [פי' מתה אחותו].

הגהות הב"ח

(א) גמ' היה ע"ש או עיו"ט או שהיו גשמים מזלפין על מטתו ה"ז משובח: (ב) רש"י ד"ה מונה כו' ואבילות של גדול לא התחיל עד שיסתום הגולל:

גליון הש"ס

גמ' רצה ממעט בעסקו. עיין לקמן דף כז ע"א תוספות ד"ה אם יכול:

רש"י כת"י

הלך גדול הבית. אחר מטתו של אביו לבית הקברות לקברו ושהא שם ובא בתוך שלשה ימים מונה עמהם עם אותן שנשארו בבית האבילות שלהן שהתחילה משחזרו פניהם מן המת ואבילותו של גדול שהולך אחר המטה אינה מתחלת כל זמן שרואהו עד שיסתום הגולל כדלקמן מי אמרינן כיון דבאביו נתעסק ולא הלך בדרך אחר מונה עמהן או דילמא כאילו בא ממקום אחר דמי ואינו מונה עמהן. (ירושלמי מלאתי מבחוץ. ר' יהושע בן לוי זמין לחד בר נש ג' זמנין ולא אשגח ביה אמ' אילולי דלא חרמית בר נש מן יומי הוינא מחרים ליה שעל כ"ד דברים מנדין ולכבוד הרב אחד מהן דכתוב אשר לא יצא וגו' וכתוב ויבדל מקהל הגולה אמ' ר' יצחק אית סגי מנהון מנדין. ירושלמי הדא אמרה המבזה זקן אפילו לאחר מיתה צריך נדוי ההיא אמתא חזת לחד סופר מחי יינוקא יתר מצרכי אמ' יהא ההוא גברא מוחרם שאלו לרב אחא ואמ' צריך למיחש על גרמיה דאמ' העושה דבר שלא כשורה צריך נדוי) ל"א הלך גדול הבית לבית הקברות שמת. אפילו הלך גדול הבית לבית הקברות. אזלינן בתר גדול שבנותרים. אמ' מר. לעיל מונה לעצמו והא תניא אם בא ממקום מונה עמהן. הצלפוני מקום ל"א שם משפחה. [דלא אזליתו] בתר ערסא. כשמוליכין המטה לארץ ישראל לקבור ואין כל הקרובין יכולין לילך לארץ ישראל ומלוין את המטה פרסה או מיל וחוזרין מכי חזריתו אפייכו. מאבבא דאבולא. משער החילון עיר ומגרשיה דאתיתו לביתא. אתחילו. ומנו ז' ימי אבילות אע"ג דלא נקבר המת עד ימים מרובין ואע"ג דאבילותא אינה חלה עד סיתום הגולל לדידכו דלא הדריתו חזיתו לה כנסתם הגולל דמי. ה"ג והוא שלא עמדו מנחמין מאצלו. (בשבועות) [בשביעי] בשחרית עד שלא עמדו מנחמין מאצל זה שבבית. נבערו. מנוענעין ורוצין לעמוד. מאן דהו. תלמיד אחד מי שהוא. מדחה מיטתו. ממהר לקבור את מתו ואינו משהה אותו.

ממעט על אביו ועל אמו ממעט [א]על כל המתים כולן רצה חולץ רצה אינו חולץ על אביו ועל אמו חולץ ומעשה בגדול הדור אחד שמת אביו וביקש לחלוץ וביקש גדול הדור אחר שעמו לחלוץ ונמנע ולא חלץ אמר אביי גדול הדור רבי גדול הדור שעמו ר' יעקב בר אחא ואיכא דאמרי גדול הדור ר' יעקב בר אחא גדול הדור שעמו רבי בשלמא למ"ד גדול הדור שעמו רבי היינו דנמנע ולא חלץ אלא למ"ד רבי יעקב בר אחא אמאי נמנע ולא חלץ רשב"ג נשיא הוה [ב]וכולי עלמא מיחייבי למיחלץ קשיא [א] [ג]על כל המתים כולן מסתפר לאחר ל' יום על אביו ועל אמו עד שיגערו בו חבריו [ד]על כל המתים כולן נכנס לבית השמחה לאחר ל' יום על אביו ועל אמו לאחר י"ב חדש אמר רבה בר בר חנה ולשמחת מריעות מיתיבי ולשמחה ולמריעות ל' יום קשיא אמימר מתני הכי אמר רבה בר בר חנה [ה]ולשמחת מריעות מותר ליכנס לאלתר והא תניא לשמחה שלשים ולמריעות שלשים ל"ק [ו]הא באריסותא הא בפורענותא [ז]על כל המתים כולן קורע טפח על אביו ועל אמו עד שיגלה את לבו א"ר אבהו מאי קרא [א] ויחזק דוד בבגדיו ויקרעם ואין אחיזה פחות מטפח [ח]על כל המתים כולן אפילו לבוש עשרה חלוקין אינו קורע אלא עליון על אביו ועל אמו קורע את כולן [ט]ואפיקרסותו אינה מעכבת אחד האיש ואחד אשה ר"ש בן אלעזר אומר [י]האשה קורעת את התחתון ומחזירתו לאחוריה וחוזרת וקורעת את העליון [ג] [כ]על כל המתים כולן רצה מבדיל קמי שפה שלו רצה אינו מבדיל על אביו ועל אמו מבדיל רבי יהודה אומר [ל]כל קריעה שאינו מבדיל קמי שפה שלו אינו אלא קרע של תיפלות אמר רבי אבהו מ"ט דר' יהודה דכתיב [ב] ויחזק בבגדיו ויקרעם לשנים קרעים [ג] ממשמע שנאמר ויקרעם איני יודע שהן לשנים אלא שנראין קרועים כשנים [מ]על כל המתים כולן שולל לאחר שבעה ומאחה לאחר שלשים על אביו ועל אמו שולל לאחר ל' ואינו מאחה לעולם [ד] [נ]והאשה שוללתו לאלתר מפני כבודה כי אתא רבין א"ר יוחנן [ס]על כל המתים רצה קורע ביד רצה קורע בכלי על אביו ועל אמו ביד וא"ר חייא בר אבא א"ר יוחנן [ע]על כל המתים כולן מבפנים על אביו ועל אמו קורע מבחוץ אמר רב חסדא [פ]וכן לנשיא מיתיבי לא הושוו לאביו ולאמו אלא לאיחוי בלבד מאי לאו אפילו לנשיא לא לבר מנשיא נשיאה שכיב א"ל רב חסדא ([ה]לרב חנן בר רבא) כפי אסיתא וקום עלה ואחוי קריעה לעלמא [צ]על חכם חולץ מימין על אב ב"ד משמאל על נשיא מכאן ומכאן ת"ר [ק]חכם שמת בית מדרשו בטל [ר]אב ב"ד שמת כל בתי מדרשות שבעירו בטילין ונכנסין לביהכ"נ ומשנין את מקומן היושבין בצפון יושבין בדרום היושבין בדרום יושבין בצפון [ש]נשיא שמת בתי מדרשות כולן בטילין ובני הכנסת נכנסין לבית הכנסת

רצה חולץ. כתיפו: ונמנע. האבל ולא חלץ משום כבוד גדול הדור שעמו שבקש לחלוץ גם הוא: אלא למ"ד גדול הדור שעמו ר' יעקב. ורבי הוה אבל: עד שיגערו בו חבריו. שכבר גידל פרע יותר מדאי: אמר רבה. הא דתניא נכנס לבית המשתה לאחר ל' יום: לשמחת מריעות. סעודה שעושין ריעים ואהובים זה עם זה ולא הוי שמחה כל כך אבל סעודה דשמחה כגון דנישואין לא: הא באריסותא הא בפורענותא. אריסא היינו שמתחיל אחד מהן לעשות סעודה ומלוה לכולם כדי שיעשו גם הם נמי כך לאותה סעודה אינו נכנס עד לאחר שלשים יום אבל בפורענותא שמשלם להם סעודות שנעשו לו יכנס לאלתר שאי אפשר לו שלא לשלם: ואפיקרסותו. שעל ראשו אינה מעכבת כלומר אינו צריך לקורעה: אחד איש ואחד אשה. חייבין לקרוע: האשה. שמת אביה או אמה קורעת חלוק התחתון משום צניעות: ומחזרת. הקרע לאחוריה: וחוזרת וקורעת העליון. והתחתון מכסה לבה: רצה מבדיל קמי שפה. שאינו בשפה שלפני הצואר אלא קמי שפה שלפני השפה שלפני הצואר שאינה קרועה וקורע תחתיה כדי שיהיה נראה הקרע: רצה אינו מבדיל. אלא קורע של בית הצואר אע"ג דאינו נראה הקרע דהכל בית הצואר הוא: על אביו ועל אמו מבדיל. קמי שפה כדי שיהא נראה הקרע: קרע של תיפלה. כלומר לא יצא ידי קריעה לפי דנראה דבית צואר הוא הכל: ויקרעם לשנים. אין קורעין אלא שנראה כשנים מבדיל קמי שפה ונראה בית הצואר קרע אחר: שולל. באשטיר"י: מאחה. קנט"ר תופר כדרכו: קורע בכלי. סכין כדי שלא יפסיד הבגד: קורע מבפנים. תחת המקטורן שלו שאינו קורע מחוץ לעיני הכל: וכן לנשיא. קורע מבחוץ: לא הושוו. רבו ואב ב"ד ונשיא וכל הנך דתני במתניתא לאביו ולאמו: אלא לאיחוי. שאין מתאחים לעולם אבל לא הושוו לאביו ולאמו לקרוע מבחוץ להאי לא הושוו דעל אביו קורע מבחוץ ועל כולן אינו קורע מבחוץ: כפי אסיתא. הפוך המכתשת ועמוד עליה וקרע כדי שיראוך כל העם כשתקרע: חכם. ממונה על העיר שמבקשים ממנו הוראה: חולץ. כתף מימין: בית מדרשו בטלין. אותן שרגילין ללמוד תורה מפיו:

וקורין

מעשה בגדול הדור. אין זה מעשה לסתור דהא דנמנע ולא חלץ זהו מפני גדול [י] הדור שעמו ובמס' שמחות (פ"ט) קתני עלה ואין ראוי לחלק כבוד לו והאחרים הראויין לחלוץ אף על אביו ועל אמו ואם אינן ראויין אינו חולץ כדי שלא יחלצו אחרים ומעשה בר' יעקב כו':

עד שיגערו בו חביריו. נראה דרגל אינו מבטל דבר זה מדאמרינן בירושלמי רבי שמואל בר אבדימי דמנה תלתין יומין קמי מועדא שאיל לרבי מנא א"ל כל דבר שהוא תלוי בז' ול' הרגל מפסיק ברם הכא עד שישלח פרע ויגערו בו חביריו ויאמרו לו לא מעמנו ובשמחה נמי אשכחנא הכא י"ב חדש ואין רגל מבטל ויש ספרים שכתוב בהן או יגערו בו חביריו בירושלמי ונראה שהוא טעות סופרים כי אם כמו שכתבתי עד שישלח פרע ויגערו בו:

ולשמחת מריעות. פירש בקונטרס סעודות שעושים ריעים ואהובים זה לזה וכ"נ דדוקא לשמחת מריעות מותר לאחר ל' יום אבל שמחת חתן אסור אפילו לאחר ל' יום. והא תניא לשמחה ל' ולמריעות ל' וה"נ פריך בריש פ"ק דבבא מציעא (דף ג.) והא זה וזה קתני וכן בפ"ק דסנהדרין (דף ח.) גבי זימון בג' וברכת המזון בג' וטובא איכא ויש מקומות שאינו שואל כגון בפ"ק דנדרים (דף ד:) [ז] גבי אסור אסור ובפרק גיד הנשה (חולין דף לח. ושם) גבי אסורות אסורות ובפרק בית כור (ב"ב דף קד.) גבי בית כור אני מוכר לך כבית כור וי"מ ולשמחת מריעות מותר ליכנס לאלתר ואגן בסעודת חתן איירינן הא דאמרינן בירושלמי ובמסכת שמחות (פ"ט) אם היה סעודה של מצוה מותר לא ידענא מהו קורא סעודת מצוה להתיר בהבל אם דוקא סעודת קידוש ר"ח פירש הר"א בשם רבינו שמשון דלסעודת ברית מילה מותר ליכנס דלא חשיבא שמחה כדאמרינן בפ"ק דכתובות (דף ח.) דלא מברכינן בה שהשמחה במעונו משום דטרידי וליכא שמחה ולהר"א לא היה פשוט דגרע משמחת מריעות וגם פירש דאסור לאכול אפי' עם המשמשין ואין לחלק בין סעודת המשמשין לסעודה עצמה ופסק דכניסה בלא אכילה שרי דאין שמחה בלא אכילה ושתיה ובתוספות הרב פוסק כלישנא דאמימר דמיקל טפי:

אחד האיש ואחד האשה. ובתוס' הרב פוסק כר"ש בן אלעזר דהלכה כדברי המיקל ולא ידענא מאי קאמר דלקמן (דף כו:) אמרינן אבילות לחוד וקריעה לחוד:

רבי

קלט א מיי' פ"ח מהל' אבל הלכה ג סמג עשין דרבנן ב טוש"ע י"ד סימן שמ סעיף טו:

קמ ב מיי' שם פ"ט הלכה טו סמג שם טוש"ע שם סעיף יז:

קמא ג מיי' שם פ"ו הלכה ג סמג שם טוש"ע שם סימן שצ סעיף יז:

קמב ד ה ו מיי' שם הלכה ו ז סמג שם טוש"ע שם סימן שצא סעיף ב:

קמג ז ח ט מיי' שם פ"ח הלכה ב ג סמג שם טוש"ע שם סי' שמ סעיף ט י:

קמד י טוש"ע שם סעיף יא:

קמה כ מיי' שם טוש"ע שם סעיף יג:

קמו ל טוש"ע שם בהג"ה:

קמז מ נ מיי' פ"ט שם הלכה א טוש"ע שם סעיף טו:

קמח ס מיי' שם פ"ח הלכה ב ג טוש"ע שם סעיף יד:

קמט ע מיי' שם טוש"ע שם סעיף יג:

קנ פ צ מיי' שם פ"ט הלכה ב יד טו טוש"ע שם סעיף יז:

קנא ק ר ש מיי' שם טוש"ע שם סי' שמד סעיף יח:

רבינו חננאל

ממעט על אביו ועל אמו ממעט בעסקו. ואפילו שהוא על ידי אחרים: ירושל' מרבה בעסקי אביו ואמו משמע בתכריכין והספדו. על כל המתים רצה חולץ פי' חליצת כתף. מוציא ידו מתחת הקרע ונמצאת כתיפו חלוצה מן החלוק. רצה אינו חולץ. על אביו ועל אמו חולץ. ומעשה בגדול הדור שמת אביו ובא לחלוץ. ובקש גדול הדור (עצמו) [שעמו] לחלוץ ולא חלץ. ואסיקנא גדול הדור (שמת) הוא ר' יעקב בר אחא ובקש רבינו הקדוש הוא גדול הדור שעמו לחלוץ עמו מפני כבודו. ונמנע ר' יעקב ולא חלץ. אבל במיתת רשב"ג אבי רבינו הקדוש כ"ע חייבין לחלוץ דנשיא הוא. קיי"ל היכא דחל יום שמיני של אביו ושל אמו להיות בשבת ערב הרגל מגלח ואפילו ביום ששי בע"ש. דלענין כבוד יו"ט ל"ש אב ואם ול"ש שאר קרובים. הלכה כאבא שאול בזה ובזה. על כל המתים מותר להסתפר לאחר שלשים. על אביו ועל אמו מגדל שער עד שיגערו בו חביריו. על כל המתים נכנס לבית המשתה לאחר שלשים יום. ואוקמה אמימר במשתה שמחת מריעות בפורענותא נכנס לאלתר. אבל באריסותא. כלומר הוא אינו פורע אלא מתחיל הוא אחר שלשים יום. אבל על אביו ועל אמו אינו נכנס עד י"ב חדש על כל המתים קורע טפח שנאמר ויחזק בבגדיו ויקרעם לשנים. ואין אחיזה פחותה מטפח. אבל על אביו ועל אמו קורע עד שמגלה את לבו. ואפילו לבוש מאה חלוקים קורע את כולן ומבדיל קמי שפה דבעינן קרע הנראה לשנים קרעים כדכתיב ויקרעם לשנים קרעים ואפיקרסותו אינה מעכבת והאשה על אביה ועל אמה קורעת חלוקה התחתון ומחזרת הקרע לאחוריה וחוזרת וקורעת את העליון. ואינו קורע על אביו ועל אמו בכלי כגון סכין וכיוצא בו אלא בידו קורע ואינו קורע אלא מבחוץ ואינו מאחה הקרע לעולם: ירושלמי זהו איחוי העשוי כאריג אבל על שאר מתים אינו קורע אלא העליון. ואם אינו רוצה להבדיל קמי שפה אינו מבדיל ושולל לאחר שבעה ומאחה לאחר שלשים. והאשה קורעת ושוללתו לאלתר מפני כבודה. ואם רוצה לקרוע בכלי קורע. על אביו ועל אמו קורע מבחוץ. אמר רב חסדא וכן לנשיא. נשיאה שכיב א"ל רב חסדא לרב חנן כפי אסיתא וקום עליה ואחוי קריעה לעלמא. על חכם חולץ מימין על אב ב"ד משמאל. על נשיא מיכן ומיכן. פירוש חליצת כתף. ת"ר חכם שמת מדרשו בטל. אב ב"ד שמת כל מדרשות שבעירו בטילין. ובני הכנסת נכנסין ומשנין את מקומן. היושבין בצפון יושבין בדרום. בדרום יושבין בצפון. נשיא שמת כל בתי מדרשות בטילין ונכנסין לכנסת

מסורת הש"ס

א) שמחות פ"ט, ב) הוריות יג:, ג) [לקמן כו. ע"ש סנהדרין ס. ע"ש ול"ע], ד) [לקמן כו:], ה) [גי' הערוך בערך אסיתא לרב נחמן בר אמי], ו) עי' מהרש"א ולפי הנראה יש כאן ערבובי דברים וכצ"ל הדור שעמו ואין ראוי לחלק כבוד לו כדי שלא יחלצו אחרים ובמס' שמחות קתני עלה ואם אין ראוי לחלוץ אף על אביו ואמו לא יחלוץ ומעשה כו' כצ"ל והבוחר יבחר. העתק מחילופי גרסאות, ז) [שם בנדרים פריך הש"ס אסור אסור ל"ל וכ"כ תוספות בכורות לא: ד"ה א"כ וכו' דבנדרים פריך כן ולכך צריכים אנו לומר דהכא בדברי תוס' נפל טעות ומ"ש כגון בפ"ק דנדרים גבי אסור אסור שייך לעיל קודם וטובא איכא וכו' ודע עוד דגם במ"ש תוספות הכא ובפ' בית כור וכו' צריך תיקון בזה כי בב"ב קד. שואל הש"ס ע"ש וכן איתא בתוספות בכורות הנ"ל וע"ש].

תורה אור השלם

א) וַיַּחֲזֵק דָּוִד בִּבְגָדָיו וַיִּקְרָעֵם וְגַם כָּל הָאֲנָשִׁים אֲשֶׁר אִתּוֹ: [שמואל ב' א, יא]

ב) וֶאֱלִישָׁע רֹאֶה וְהוּא מְצַעֵק אָבִי אָבִי רֶכֶב יִשְׂרָאֵל וּפָרָשָׁיו וְלֹא רָאָהוּ עוֹד וַיַּחֲזֵק בִּבְגָדָיו וַיִּקְרָעֵם לִשְׁנַיִם קְרָעִים: [מלכים ב' ב, יב]

רש"י כת"י

ממעט. בעסקיו אע"פ שמותרין לו. ירצה חולץ. מקרע חלוקו מלמעלה עד שנראה כתיפו כמו חלוי כתף. בקש גדול הדור שעמו לחלוץ. מפני כבודו של אבל. ונמנע. האבל. ולא חלץ. שלא רצה שיהא חולץ אותו גדול הדור. היינו דנמנע. ר' יעקב לא חלץ מפני כבודו של ר' שלא רצה שיחלוץ ר'. אלא למאן דאמר. גדול הדור שהיה עמו היינו ר' יעקב. אמאי נמנע. ר' ולא חלץ מאי איכפת ליה אי חליץ ר' יעקב דהא רבן שמעון אבוה דר' נשיא הוה ונשיא שמת הכל חולצין עליו. מסתפר. מגלח. לבית השמחה. כגון סעודת חתן. ולשמחת מריעות. שמתקנין סעודת שמחה זה עם זה היום וזה מחר וכורתין ברית ביניהם משום אהבה וריעות. והתניא לשמחה ולמריעות. וקס"ד לשמחה היינו שמחת נשואין. אריסותא. הלואה כלומר עכשיו מתחיל הריעות והוא מתחילו תחלה שלשים יום. בפורענותא. שכבר סעד הוא עמהן משלהן כמה פעמים ועכשיו הגיע זמן לפרוע פורע לאלתר מפני שמחוייב להם כבר. ויחזק. ויאחז. ואפרקסותו. סודר שעל הראש שתלוי לו על כתיפו. אינה מעכבת. אינה צריכה לקרוע. לישנא אחרינא נופל אותו אפרקסותו על החזה ומכסה קריעת החלוק ואף על פי כן אין זה עיכוב (ברש"י ברי"ף - חיוב) קריעה. אחד האיש ואחד אשה. צריך לקרוע על אביו ועל אמו לקרוע כל החלוקין שעליו. האשה. שמת אביה ואמה. קורעת. חלוק התחתונ' משום צניעות ומחזרת קרע לאחריה וחוזרת וקורעת העליון והתחתון מכסה כנגד לבה. רצה מבדיל קמיה שפה שלו. כלומר מתחיל קריעה מחלל בית הצואר כמו שפה לפיו. רצה אינו מבדיל. אלא מתחיל ונוקב למטה מבית הצואר כנגד כריסו וקורע והשפה של חלוק לבית הצואר אינו קורעו. קרע של תפלה. כלומר לא יצא ידי קריעה. ויחזק בבגדיו. באלישע כתוב שקרע על אליהו דאזיל מיניה. מלמד שנראין כשנים. הכא לא גרסינן לעולם דהא קתני ולא מתאחין. שולל. בשטיי"ר. מאחה. תופר כדרכו והנך על כל המתים דקתני כגון בנו ובתו ואחיו ואחותו ואשתו. מפני כבודה. שלא תעמוד פרועה. אם רצה בכלי. בסכין. מבפנים. בחדר שאין צריך לקרוע בפני העם. לא הושוו. רבו ונשיא ואב בית דין וכל הנך דקתני במתני' שהן קורעין ולא מתאחין לא הושוו לאביו ולאמו. אלא לאיחוי בלבד. שאין מתאחין (קורעין) [הקריעה] שקורעין עליהן אבל להא מילתא שיהו קורעין בפני העם לא הושוו. כפי אסיתא. הפוך המכתשת ועמוד עליה וקרע כדי שיראוך כולם כשתקרע. על חכם. חולץ כתף של ימין קריעה משמאל הוה מתחזיא בהנהו טפי מימין. חכם. ממונה שבעיר שמבקשין ממנו הוראה ואב ב"ד עדיף מיניה. בית מדרשו. אותן שהיו רגילין ללמוד תורה מפיו.

מְמַעֵט – **RESTRICT** his business activity.[1] עַל אָבִיו וְעַל אִמּוֹ מְמַעֵט – But when mourning **FOR HIS FATHER OR MOTHER, HE MUST RESTRICT** his business activity. עַל כָּל הַמֵּתִים כּוּלָּן – When mourning **FOR ALL DECEASED** relatives other than one's father or mother, רָצָה חוֹלֵץ רָצָה אֵינוֹ חוֹלֵץ – **IF HE WISHES HE BARES** the shoulder,[2] **AND IF HE WISHES HE DOES NOT BARE** the shoulder. עַל אָבִיו וְעַל אִמּוֹ חוֹלֵץ – But when mourning **FOR ONE'S FATHER OR MOTHER, HE MUST BARE** the shoulder.[3] וּמַעֲשֶׂה בִּגְדוֹל הַדּוֹר אֶחָד – **AND IT HAPPENED ONCE WITH A CERTAIN GREAT ONE OF THE GENERATION** שֶׁמֵּת אָבִיו וּבִיקֵּשׁ לַחֲלוֹץ – **THAT HIS FATHER DIED AND HE WISHED TO BARE** the shoulder in mourning, וּבִיקֵּשׁ גָּדוֹל הַדּוֹר אַחֵר שֶׁעִמּוֹ לַחֲלוֹץ – **AND ANOTHER GREAT ONE OF THE GENERATION WHO WAS WITH HIM** therefore **WISHED TO BARE** the shoulder as well in sympathy, וְנִמְנַע וְלֹא חָלַץ – **WHEREUPON [THE FIRST ONE] REFRAINED AND DID NOT BARE** the shoulder as he had originally intended, so as not to cause dishonor to his companion, who would have followed suit.[4]

The Gemara interrupts its citation of the Baraisa to elaborate on the part just quoted:

אָמַר אַבַּיֵי גְּדוֹל הַדּוֹר רַבִּי – **Abaye said: "The** certain **great one of the generation,"** who lost his father and wished to bare the shoulder, was **Rebbi,** גְּדוֹל הַדּוֹר שֶׁעִמּוֹ רַבִּי יַעֲקֹב בַּר אַחָא – and **"the** other **great one of the generation who was with him,"** who had intended to bare the shoulder in sympathy with his colleague, was **R' Yaakov bar Acha.** וְאִיכָּא דְּאָמְרֵי גְּדוֹל הַדּוֹר רַבִּי יַעֲקֹב בַּר אַחָא – **And there are those who say** the reverse: **"The** certain **great one of the generation,"** who lost his father and wished to bare the shoulder, was **R' Yaakov bar Acha,** גְּדוֹל הַדּוֹר שֶׁעִמּוֹ רַבִּי – and **"the** other **great one of the generation who was with him,"** who had intended to bare the shoulder in sympathy, was **Rebbi.**

The Gemara considers a difficulty with the first view:

בִּשְׁלָמָא לְמַאן דְּאָמַר גְּדוֹל הַדּוֹר שֶׁעִמּוֹ רַבִּי – **It is well according to the one who says that "the** other **great one of the generation who was with him"** was **Rebbi** הַיְינוּ דְּנִמְנַע וְלֹא חָלַץ – **that which [the first one] refrained and did not bare** the shoulder.[5] אֶלָּא לְמַאן דְּאָמַר רַבִּי יַעֲקֹב בַּר אַחָא – **But according to the one who says** that the second great man was **R' Yaakov bar Acha** and it was Rebbi who had lost his father, אַמַּאי נִמְנַע וְלֹא חָלַץ – **why did [Rebbi] "refrain and not bare** the shoulder" in order to spare his colleague from doing the same? רַבָּן שִׁמְעוֹן בֶּן גַּמְלִיאֵל נָשִׂיא הֲוָה – Why, **Rabban Shimon ben Gamliel,** Rebbi's father, **was the *Nasi*,** וְכוּלֵּי עָלְמָא מִיחַיְּיבֵי לְמֵיחְלַץ – **and everyone is obligated to bare** the shoulder to mourn the passing of the *Nasi*![6] – ? –

The Gemara concedes:

קַשְׁיָא – **This is** indeed **difficult** according to that view.

The citation of the Baraisa resumes:

עַל כָּל הַמֵּתִים כּוּלָּן מִסְתַּפֵּר לְאַחַר שְׁלֹשִׁים יוֹם – When mourning **FOR ALL DECEASED** relatives other than one's father or mother, **ONE MAY CUT HIS HAIR AFTER THIRTY DAYS.** עַל אָבִיו וְעַל אִמּוֹ עַד שֶׁיִּגְעֲרוּ בוֹ חֲבֵרָיו – But when mourning **FOR ONE'S FATHER OR MOTHER,** he may not cut his hair **UNTIL HIS FRIENDS REPROACH HIM** for growing his hair so long.[7] עַל כָּל הַמֵּתִים כּוּלָּן נִכְנָס לְבֵית הַשִּׂמְחָה לְאַחַר שְׁלֹשִׁים יוֹם – When mourning **FOR ALL DECEASED** relatives other than one's father or mother, **ONE MAY ENTER A HOUSE OF CELEBRATION AFTER THIRTY DAYS.** עַל אָבִיו וְעַל אִמּוֹ לְאַחַר שְׁנֵים עָשָׂר חֹדֶשׁ – But when mourning **FOR ONE'S FATHER OR MOTHER,** he may not enter a house of celebration **UNTIL AFTER TWELVE MONTHS** have passed.[8]

The Gemara again interrupts its citation of the Baraisa to elaborate:

אָמַר רַבָּה בַּר בַּר חָנָה: וּלְשִׂמְחַת מְרֵיעוּת – **Rabbah bar bar Chanah said:** – **And** that which the Baraisa permits a mourner for someone other than his parent to enter a house of celebration after thirty days refers specifically **to a celebration of friendship.**[9] But he may *not* attend a truly joyous event, such as a wedding, even after thirty days.[10]

The Gemara challenges Rabbah bar bar Chanah:

מֵיתִיבֵי – **They challenged** him from the following Baraisa, which states: וּלְשִׂמְחָה וְלִמְרֵיעוּת שְׁלֹשִׁים יוֹם – **AND TO** attend **A CELEBRATION OR TO** attend a celebration of **FRIENDSHIP,** a mourner must wait **THIRTY DAYS.** Since the Baraisa speaks of both "celebration" and "friendship celebration," it is obvious that by

NOTES

1. We learned above (15b, 21a) that a mourner is forbidden to do work during *shivah.* How is this to be reconciled with our Baraisa, which states that a mourner (except in the case of one's father or mother) may engage in business? *Rashi's* view (as explained by *Tosafos* to 27a ד״ה אם יכול) is that this Baraisa is speaking of working to forestall a loss [דָּבָר הָאָבֵד]. Such work is permitted to a mourner during *shivah* unless he is mourning his father or mother (see, though, *Aruch HaShulchan* 380:33). Other Rishonim explain that it is only *physical* work that is forbidden during *shivah,* but commercial dealings are permitted (*Nimukei Yosef,* end of folio 13b; see, however, *Yoreh Deah* 380:3). Other Rishonim explain that our Baraisa refers to the period *after* the week of *shivah* (*Ritva;* see also *Kesef Mishneh* to *Hil. Avel* 6:9).

2. *Rashi* [cf. the alternative explanations cited in *Talmid R' Yechiel MiParis, Rosh* §42 and *Ramban*]. I.e. after rending his garment, the mourner slides his hand through the rent portion exposing his shoulder (*Rabbeinu Chananel*) and his arm (*Rambam, Hil. Aveil* 8:3). *Talmid R' Yechiel MiParis* explains that he rents his clothes until his shoulder is bared. [See next note.] He keeps his shoulder bared while following the bier, until the deceased is buried (*Rambam* ibid.).

3. Some explain this to mean that he bares *both* shoulders (as one does in the case of the *Nasi* – see Gemara below). Others, however, explain that he bares only one shoulder in the case of a parent (see *Ritva*).

[*Ri* is at a loss to explain why the mourner's practice of baring the shoulder has fallen into disuse. Some explain that it is because nowadays most Jews live among non-Jews, who would ridicule this practice. And such ridicule would constitute a dishonor to the deceased (*Ritva;* see also *Talmid R' Yechiel MiParis* below ד״ה אמאי נמנע and next note).]

4. [*Rabbeinu Yechiel* deduces from this incident that the practice of baring the shoulder can be neglected where it would result in someone's dishonor (*Talmid R' Yechiel MiParis*).]

5. That is, R' Yaakov bar Acha refrained from baring the shoulder in mourning for his father, since he did not wish for Rebbi to demean his honor by doing the same in sympathy.

6. [As stated in the Baraisa at the end of this *amud.*] If Rebbi was the one who had lost his father, then the deceased was none other than the *Nasi,* Rabban Shimon ben Gamliel, whom everyone is required to mourn as if his own father had passed away. Why, then, would Rebbi have sought to spare R' Yaakov bar Acha from doing what R' Acha bar Yaakov was in fact *obligated* to do? (*Rashi ms.*).

7. See *Rama, Yoreh Deah* 390:4 and *Hagahos R' Akiva Eiger* there.

8. Some explain that when we speak of the mourner being forbidden to "enter a house of celebration," the meaning is that the mourner may not even *enter* the house of celebration while the celebration is taking place. Others, however, explain that the mourner is merely forbidden to *eat* there, for there is no "rejoicing" without eating and drinking. But he *is* permitted to enter as an observer (see *Ramban* and *Ritva*).

9. I.e. a banquet that good friends make for one another (see below, note 13), which – though enjoyable – is not a truly "joyous occasion" (see *Rashi*).

10. *Rashi; Tosafos.* [Other Rishonim, however, explain that the reverse is meant: It is only a friendship celebration that is forbidden, but a true mitzvah celebration, such as a wedding, may be attended immediately, because of the mitzvah involved (see *Ritva*). See yet another interpretation in *Tosafos.*]

ממעט על אביו ועל אמו ממעט [א]על כל המתים כולן רצה חולץ רצה אינו חולץ על אביו ועל אמו חולץ ומעשה בגדול הדור אחד שמת אביו וביקש לחלוץ וביקש גדול הדור אחר שעמו לחלוץ ונמנע ולא חלץ אמר אביי גדול הדור רבי גדול הדור שעמו ר' יעקב בר אחא ואיכא דאמרי גדול הדור ר' יעקב בר אחא גדול הדור שעמו רבי בשלמא למ"ד גדול הדור שעמו רבי היינו דנמנע ולא חלץ אלא למ"ד רבי יעקב בר אחא אמאי נמנע ולא חלץ רשב"ג נשיא הוה [ב]וכולי עלמא מיחייבי למיחלץ קשיא (א) [ג]על כל המתים כולן מסתפר לאחר ל' יום על אביו ועל אמו עד שיגערו בו חבריו [ד]על כל המתים כולן נכנס לבית השמחה לאחר ל' יום על אביו ועל אמו לאחר י"ב חדש אמר רבה בר בר חנה ולשמחת מריעות מיתיבי ולשמחה ולמריעות ל' יום קשיא אמימר מתני הכי אמר רבה בר בר חנה [ה]ולשמחת מריעות מותר ליכנס לאלתר והא תניא לשמחה שלשים ולמריעות שלשים ל"ק [ו]הא באריסותא הא בפורענותא [ז]על כל המתים כולן קורע טפח על אביו ועל אמו עד שיגלה את לבו א"ר אבהו מאי קרא (א) ויחזק דוד בבגדיו ויקרעם ואין אחיזה פחות מטפח [ח]על כל המתים כולן אפילו לבוש עשרה חלוקין אינו קורע אלא עליון על אביו ועל אמו קורע את כולן [ט]ואפיקרסותו אינה מעכבת אחד האיש ואחד אשה ר"ש בן אלעזר אומר [י]האשה קורעת את התחתון ומחזירתו לאחוריה וחוזרת וקורעת את העליון (ב) [כ]על כל המתים כולן רצה מבדיל קמי שפה שלו רצה אינו מבדיל על אביו ועל אמו מבדיל רבי יהודה אומר [ל]כל קריעה שאינו מבדיל קמי שפה שלו אינו אלא קרע של תיפלות אמר רבי אבהו מ"ט דר' יהודה דכתיב (ב) ויחזק בבגדיו ויקרעם לשנים קרעים (ג) ממשמע שנאמר ויקרעם איני יודע שהן לשנים אלא שנראין קרועים כשנים [מ]על כל המתים כולן שולל לאחר שבעה ומאחה לאחר שלשים על אביו ועל אמו שולל לאחר ל' ואינו מאחה לעולם (ד) [נ]והאשה שוללתו לאלתר מפני כבודה כי אתא רבין א"ר יוחנן [ס]על כל המתים רצה קורע ביד רצה קורע בכלי על אביו ועל אמו ביד וא"ר חייא בר אבא א"ר יוחנן [ע]על כל המתים כולן מבפנים על אביו ועל אמו קורע מבחוץ אמר רב חסדא [פ]וכן לנשיא מיתיבי לא הושוו לאביו ולאמו אלא לאיחוי בלבד מאי לאו אפילו לנשיא לא לבר מנשיא נשיאה שכיב א"ל רב חסדא (ה) לרב חנן בר רבא) כפי אסיתא וקום עלה ואחוי קריעה לעלמא [צ]על חכם חולץ מימין על אב ב"ד משמאל על נשיא מכאן ומכאן ת"ר [ק]חכם שמת בית מדרשו בטל [ר]אב ב"ד שמת כל בתי מדרשות שבעירו בטילין ונכנסין לביהכ"נ ומשנין את מקומן היושבין בצפון יושבין בדרום היושבין בדרום יושבין בצפון [ש]נשיא שמת בתי מדרשות כולן בטילין ובני הכנסת נכנסין לבית הכנסת

רש"י

רצה חולץ. כתיפו: ונמנע. האבל ולא חלץ משום כבוד גדול הדור שעמו שבקש לחלוץ גם הוא: אלא למ"ד גדול הדור שעמו ר' יעקב. ורבי הוה אבל: עד שיגערו בו חבריו. שכבר גידל פרע יותר מדאי: אמר רבה. הא דתניא נכנס לבית המשתה לאחר ל' יום: לשמחת מריעות. סעודה שעושין ריעים ואהובים זה עם זה ולא הוי שמחה כל כך אבל סעודה דשמחה כגון דנישואין לא: הא באריסותא הא בפורענותא. אריסא היינו שמתחיל אחד מהן לעשות סעודה ומלוה לכולם כדי שיעשו גם הם נמי כך לאותה סעודה אינו נכנס עד לאחר שלשים יום אבל בפורענותא שמשלם להם סעודות שנעשו לו יכנס לאלתר שאי אפשר לו שלא לשלם: ואפיקרסותו. שעל ראשו אינה מעכבת כלומר אינו צריך לקורעה: אחד איש ואחד אשה. חייבין לקרוע: האשה. שמת אביה או אמה קורעת חלוק התחתון משום צניעות: ומחזרת. הקרע לאחוריה: וחוזרת וקורעת העליון. והתחתון מכסה לבה: רצה מבדיל קמי שפה. שאינו בשפה שלפני הצואר אלא קמי שפה שלפני השפה שלפני הצואר שאינה קרועה וקורע תחתיה כדי שיהיה נראה הקרע: רצה אינו מבדיל. אלא קורע של בית הצואר אע"ג דאינו נראה הקרע דהכל בית הצואר הוא: על אביו ועל אמו מבדיל. קמי שפה כדי שיהא נראה הקרע: קרע של תיפלה. כלומר לא יצא ידי קריעה לפי דנראה דבית צואר הוא הכל: ויקרעם לשנים. אין קורעין אלא שנראה כשנים מבדיל קמי שפה ונראה בית הצואר קרע אחר: שולל. באשטיר"י: מאחה. קנט"ר תופר כדרכו: קורע בכלי. סכין כדי שלא יפסיד הבגד: קורע מבפנים. תחת המקטורן שלו שאינו קורע מחוץ לעיני הכל: וכן לנשיא. קורע מבחוץ: לא הושוו. רבו ואב ב"ד ונשיא וכל הנך דתני במתניתא לאביו ולאמו: אלא לאיחוי. שאין מתאחים לעולם אבל לא הושוו לאביו ולאמו לקרוע מבחוץ להאי לא הושוו דעל אביו קורע מבחוץ ועל כולן אינו קורע מבחוץ: כפי אסיתא. הפוך המכתשת ועמוד עליה וקרע כדי שיראוך כל העם כשתקרע: חכם. ממונה על העיר שמבקשים ממנו הוראה: חולץ. כתף מימין: בית מדרשו בטלין. אותן שרגילין ללמוד תורה מפיו:

וקורין

תוספות

מעשה בגדול הדור. אין זה מעשה לסתור דהא דנמנע ולא חלץ זהו מפני גדול [ו]הדור שעמו ובמס' שמחות (פ"ט) קתני עלה ואין ראוי לחלק כבוד לו והאחרים הראויין לחלוץ אף על אביו ועל אמו ואם אין ראויין אינו חולץ כדי שלא יחללו אחרים ומעשה בר' יעקב כו':

עד שיגערו בו חביריו. נראה דרגל אינו מבטל דבר זה מדאמרינן בירושלמי רבי שמואל בר אבדימי דמנה תלתין יומין קמי מועדא שאיל לרבי מנא א"ל כל דבר שהוא תלוי בז' ול' הרגל מפסיק ברם הכא עד שישלח פרע ויגערו בו חביריו ויאמרו לו לא מעמנו ובשמחה נמי אשכחנא הכא י"ב חדש ואין רגל מבטל ויש ספרים שכתוב בהן או יגערו בו חביריו בירושלמי ונראה שהוא טעות סופרים כי אם כמו שכתבתי עד שישלח פרע ויגערו בו:

ולשמחת מריעות. פירש בקונטרס סעודות שעושים ריעים ואהובים זה לזה וכ"נ דדוקא לשמחת מריעות מותר לאחר ל' יום אבל שמחת חתן אסור אפילו לאחר ל' יום. והא תניא לשמחה ל' ולמריעות ל' וה"נ פריך בריש פ"ק דבבא מציעא (דף ג.) והא זה וזה קתני וכן בפ"ק דסנהדרין (דף ח.) גבי זימון בג' וברכת המזון בג' וטובא איכא ויש מקומות שאינו שואל כגון בפ"ק דנדרים (דף ד:) [ז]גבי אסור אסור ובפרק גיד הנשה (חולין דף לח. ושם) גבי אסורות אסורות ובפרק בית כור (ב"ב דף קד.) גבי בית כור אני מוכר לך כבית כור וי"מ ולשמחת מריעות מותר ליכנס לאלתר ואכן בסעודת חתן איירינן הא דאמרינן בירושלמי ובמסכת שמחות (פ"ט) אם היה סעודה של מלוה מותר לא ידענא מהו קורא סעודת מלוה להתיר באבל אם דוקא סעודת קידוש ר"ח פירש הר"א בשם רבינו שמשון דלסעודת ברית מילה מותר ליכנס דלא חשיבא שמחה כדאמרינן בפ"ק דכתובות (דף ח.) דלא מברכינן בה שהשמחה במעונו משום דטרידי וליכא שמחה והר"א לא היה פשוט דגרע משמחת מריעות וגם פירש דאסור לאכול אפי' עם המשמשין ואין לחלק בין סעודת המשמשין לסעודה עצמה ופסק דכניסה בלא אכילה שרי דאין שמחה בלא אכילה ושתיה ובתוספות הרב פוסק כלישנא דאמימר דמיקל טפי:

אחד האיש ואחד האשה. ובתוס' הרב פוסק כר"ש בן אלעזר דהלכה כדברי המיקל ולא ידענא מאי קאמר דלקמן (דף כו:) אמרינן אבילות לחוד וקריעה לחוד:

רבי

עין משפט נר מצוה

קלט א מיי' פ"ח מהל' אבל הלכה ג סמג עשין דרבנן ב טוש"ע י"ד סימן שמ סעיף טז:
קמ ב מיי' שם פ"ט הלכה טו סמג שם טוש"ע שם סעיף יז:
קמא ג מיי' שם פ"ו הלכה ג סמג שם טוש"ע שם סימן של סעיף יז:
קמב ד ה ו מיי' שם הלכה ו ז סמג שם טוש"ע שם סימן שלא סעיף ב:
קמג ז ח ט מיי' שם פ"ח הלכה ב ג סמג שם טוש"ע שם סי' שמ סעיף ט י:
קמד י טוש"ע שם סעיף יא:
קמה כ מיי' שם טוש"ע שם סעיף יב:
קמו ל טוש"ע שם בהג"ה:
קמז מ נ מיי' פ"ט שם הלכה א טוש"ע שם סעיף טו:
קמח ס מיי' שם פ"ח הלכה ב ג טוש"ע שם סעיף יד:
קמט ע מיי' שם טוש"ע שם סעיף יג:
קנ פ צ מיי' שם פ"ט הלכה ב יד טו טוש"ע שם סעיף יז:
קנא ק ר ש מיי' שם טוש"ע שם סי' שדמ סעיף יח:

רבינו חננאל

ממעט על אביו ועל אמו ממעט בעסקו. ואפילו שהוא על ידי אחרים: ירושל' מרבה בעסקי אביו ואמו משמע בתכריכין והספדו. על כל המתים רצה חולץ פי' חליצת כתף. מוציא ידו מתחת הקרע ונמצאת כתיפו חלוצה מן החלוק. רצה אינו חולץ. על אביו ועל אמו חולץ. ומעשה בגדול הדור שמת אביו ובא לחלוץ. ובקש גדול הדור (עצמו) [שעמו] לחלוץ ולא חלץ. ואסיקנא גדול הדור (שמת) הוא ר' יעקב בר אחא ובקש רבינו הקדוש הוא גדול הדור שעמו לחלוץ עמו מפני כבודו. ונמנע ר' יעקב ולא חלץ. אבל במיתת רשב"ג אבי רבינו הקדוש כ"ע חייבין לחלוץ דנשיא הוא. קיי"ל היכא דחל יום שמיני של אביו ושל אמו להיות בשבת ערב הרגל מגלח ואפילו ביום ששי בע"ש. דלענין כבוד יו"ט ל"ש אב ואם ול"ש שאר קרוביה. הלכה כאבא שאול בזה ובזה. על כל המתים מותר להסתפר לאחר שלשים. על אביו ועל אמו מגדל שער עד שיגערו בו חביריו. על כל המתים נכנס לבית המשתה לאחר שלשים יום. ואוקמה אמימר במשתה שמחת מריעות בפורענותא נכנס לאלתר. אבל באריסותא. כלומר הוא אינו פורע אלא מתחיל הוא אחר שלשים יום. אבל על אביו ועל אמו אינו נכנס עד י"ב חדש על כל המתים קורע טפח שנאמר ויחזק בבגדיו ויקרעם לשנים. ואין אחיזה פחותה מטפח. אבל על אביו ועל אמו קורע עד שמגלה את לבו. ואפילו לבוש מאה חלוקים קורע את כולן ומבדיל קמי שפה דבעינן קרע הנראה לשנים קרעים כדכתיב ויקרעם לשנים קרעים ואפיקרסותו אינה מעכבת והאשה על אביה ועל אמה קורעת חלוקה התחתון ומחזרת הקרע לאחוריה וחוזרת וקורעת את העליון. ואינו קורע על אביו ועל אמו בכלי כגון סכין וכיוצא בו אלא בידו קורע ואינו קורע אלא מבחוץ ואינו מאחה הקרע לעולם: ירושלמי זהו איחוי העשוי כאריג אבל על שאר מתים אינו קורע אלא העליון. ואם אינו רוצה להבדיל קמי שפה אינו מבדיל ושולל לאחר שבעה ומאחה לאחר שלשים. והאשה קורעת ושוללתו לאלתר מפני כבודה. ואם רוצה לקרוע בכלי קורע. על אביו ועל אמו קורע מבחוץ. אמר רב חסדא וכן לנשיא. נשיאה שכיב א"ל רב חסדא לרב חנן כפי אסיתא וקום עליה ואחוי קריעה לעלמא. על חכם חולץ מימין על אב ב"ד משמאל. על נשיא מיכן ומיכן. פירוש חליצת כתף. ת"ר חכם שמת מדרשו בטל. אב ב"ד שמת כל מדרשות שבעירו בטילין. ובני הכנסת נכנסין ומשנין את מקומן. היושבין בצפון יושבין בדרום. בדרום יושבין בצפון. נשיא שמת כל בתי מדרשות בטילין ונכנסין לכנסת

מסורת הש"ס

א) שמחות פ"ט, ב) הוריות יב:, ג) [לקמן כו. ע"ש סנהדרין ס. ע"ש וכ"ע], ד) [לקמן כו:], ה) [גי' הערוך בערך אסיתא לרב נחמן בר אמי], ו) עי' מהרש"א ולפי הנראה יש כאן ערבובי דברים וכצ"ל הדור שעמו ואין ראוי לחלק כבוד לו כדי שלא יחללו אחרים ובמס' שמחות קתני עלה ואם אין ראוי לחלוץ אף על אביו ואמו לא יחלוץ ומעשה כו' כצ"ל והדובור יבחר. העתק מחילופי גרסאות, ז) [שם בנדרים פריך הש"ס אסור אסור ל"ל וכ"כ תוספות בכורות לא: ד"ה א"כ וכו' דבנדרים פריך כן ולכך צריכים אנו לומר דהכא בדברי תוס' נפל טעות ומ"ש כגון בפ"ק דנדרים גבי אסור אסור שייך לעיל קודם וטובא איכא וכו' ודע עוד דגם במ"ש תוספות הכא ובפ' בית כור וכו' צריך תיקון בזה כי בב"ב קד. שואל הש"ס ע"ש וכך איתא בתוספות בכורות הנ"ל וע"ש].

תורה אור השלם

א) וַיַּחֲזֵק דָּוִד בִּבְגָדָיו וַיִּקְרָעֵם וְגַם כָּל הָאֲנָשִׁים אֲשֶׁר אִתּוֹ: [שמואל ב' א, יא]

ב) וֶאֱלִישָׁע רֹאֶה וְהוּא מְצַעֵק אָבִי אָבִי רֶכֶב יִשְׂרָאֵל וּפָרָשָׁיו וְלֹא רָאָהוּ עוֹד וַיַּחֲזֵק בִּבְגָדָיו וַיִּקְרָעֵם לִשְׁנַיִם קְרָעִים: [מלכים ב' ב, יב]

רש"י כת"י

ממעט. בעסקיו אע"פ שמותרין לו. ירצה חולץ. מקרע חלוקו מלמעלה עד שנראה כתיפו כמו חלוצי כתף. בקש גדול הדור שעמו לחלוץ. מפני כבודו של אבל. ונמנע. האבל. ולא חלץ. שלא רצה שיהא חולץ אותו גדול הדור. היינו דנמנע. ר' יעקב לא חלץ מפני כבודו של ר' שלא רצה שיחלוץ ר'. אלא למאן דאמר. גדול הדור שהיה עמו היינו ר' יעקב. אמאי נמנע. ר' ולא חלץ מאי איכפת ליה אי חליץ ר' יעקב דהא רבן שמעון אבוה דר' נשיא הוה ונשיא שמת הכל חולצין עליו. מסתפר. מגלח. לבית השמחה. כגון סעודת חתן. ולשמחת מריעות. שמתקנין סעודת שמחה זה עם זה היום וזה מחר וכורתין ברית ביניהם משום אהבה וריעות. והתניא לשמחה ולמריעות. וקס"ד לשמחה היינו שמחת נשואין. אריסותא. הלואה כלומר עכשיו מתחיל הריעות והוא מתחילו תחלה שלשים יום. בפורענותא. שכבר סעד הוא עמהן משלהן כמה פעמים ועכשיו הגיע זמן לפרוע פורע לאלתר מפני שמחוייב להם כבר. ויחזק. ויאחז. ואפרקסותו. סודר שעל הראש שתלוי לו על כתיפו. אינה מעכבת. אינה צריכה לקרוע. לישנא אחרינא נופל אותו אפרקסותו על החזה ומכסה קריעת החלוק ואף על פי כן אין זה עיכוב (ברש"י ברי"ף - חיוב) קריעה. אחד האיש ואחד אשה. צריך לקרוע על אביו ועל אמו לקרוע כל החלוקין שעליו. האשה. שמת אביה ואמה. קורעת. חלוק התחתונ' משום צניעות ומחזרת קרע לאחריה וחוזרת וקורעת העליון והתחתון מכסה כנגד לבה. רצה מבדיל קמיה שפה שלו. כלומר מתחיל קריעה מחלל בית הצואר כמו שפה לפיו. רצה אינו מבדיל. אלא מתחיל ונוקב למטה מבית הצואר כנגד כריסו וקורע והשפה של חלוק לבית הצואר אינו קורעו. קרע של תפלה. כלומר לא יצא ידי קריעה. ויחזק בבגדיו. באלישע כתוב שקרע על אליהו דאזיל מיניה. מלמד שנראין בשנים. הכא לא גרסינן לעולם דהא קתני ולא מתאחין. שולל. בשטיי"ר. מאחה. תופר כדרכו והנך על כל המתים דקתני כגון בנו ובתו ואחיו ואחותו ואשתו. מפני כבודה. שלא תעמוד פרועה. אם רצה בכלי. בסכין. מבפנים. בחדר שאין צריך לקרוע בפני העם. לא הושוו. רבו ונשיא ואב בית דין וכל הנך דקתני במתני' שהן קורעין ולא מתאחין לא הושוו לאביו ולאמו. אלא לאיחוי בלבד. שאין מתאחין (קורעין) [הקריעה] שקורעין עליהן אבל להא מילתא שיהו קורעין בפני העם לא הושוו. כפי אסיתא. הפוך המכתשת ועמוד עליה וקרע כדי שיראוך כולם כשתקרע. על חכם. חולץ כתף של ימין קריעה משמאל הוה מתחזיא בהנהו טפי מימין. חכם. ממונה שבעיר שמבקשין ממנו הוראה ואב ב"ד עדיף מיניה. בית מדרשו. אותן שהיו רגילין ללמוד תורה מפיו.

"celebration" it means a truly joyous event, which the Baraisa permits after thirty days![11] – ? –

The Gemara concedes:

קַשְׁיָא – This is indeed **difficult** according to Rabbah bar bar Chanah.

The Gemara presents an alternative version of Rabbah bar bar Chanah's qualification:

אֲמֵימַר מַתְנֵי הָכִי – **Ameimar teaches** Rabbah bar bar Chanah's qualification **as follows:** אָמַר רַבָּה בַּר בַּר חָנָה וּלְשִׂמְחַת מְרֵיעוּת מוּתָּר לִיכָּנֵס לְאַלְתַּר – **Rabbah bar bar Chanah said: But to a celebration of friendship, he may enter immediately.**[12]

The Gemara challenges this version of Rabbah bar bar Chanah as well:

וְהָא תַּנְיָא – **But it was taught in a Baraisa:** לְשִׂמְחָה שְׁלֹשִׁים וְלִמְרֵיעוּת שְׁלֹשִׁים – And TO attend A CELEBRATION, the mourner must wait THIRTY days, AND TO attend a celebration of FRIENDSHIP, he must wait THIRTY days. Thus, we see that a mourner may *not* attend even a celebration of friendship until thirty days have passed. – ? –

The Gemara answers:

לָא קַשְׁיָא – **It is not difficult.** הָא בַּאֲרִיסוּתָא – **This** Baraisa, which forbids the mourner to attend a friendship celebration until thirty days have passed, **refers to the initial banquet,** הָא בְּפוּרְעָנוּתָא – whereas **this** statement of Rabbah bar bar Chanah, which permits the mourner to attend immediately, **refers to the reciprocal banquet.**[13]

The citation of the Baraisa resumes:

עַל כָּל הַמֵּתִים כּוּלָּן קוֹרֵעַ טֶפַח – When mourning FOR ALL DECEASED relatives other than one's father or mother, ONE RENDS his garment for the length of A *TEFACH.* עַל אָבִיו וְעַל אִמּוֹ עַד שֶׁיְּגַלֶּה אֶת לִבּוֹ – But when mourning FOR ONE'S FATHER OR MOTHER, one rends his garment UNTIL HE EXPOSES HIS HEART.[14]

The Gemara again interrupts the Baraisa to explain:

אָמַר רַבִּי אַבָּהוּ מַאי קְרָא – **R' Abahu said: What is the verse** that indicates that the minimum rent in a garment is a *tefach?* "וַיַּחֲזֵק דָּוִד בִּבְגָדָיו וַיִּקְרָעֵם" – The verse states: ***and David took hold of his garments and rent them.***[15] וְאֵין אֲחִיזָה פָּחוֹת מִטֶּפַח – **And "taking hold" is not** used to describe a grasping of **less than a *tefach.***

The citation of the Baraisa resumes:

עַל כָּל הַמֵּתִים כּוּלָּן – When mourning FOR ALL DECEASED relatives other than one's father or mother, אֲפִילּוּ לָבוּשׁ עֲשָׂרָה חֲלוּקִין אֵינוֹ קוֹרֵעַ אֶלָּא עֶלְיוֹן – EVEN IF ONE IS WEARING TEN SHIRTS, HE RENDS ONLY THE OUTER ONE.[16] עַל אָבִיו וְעַל אִמּוֹ קוֹרֵעַ אֶת כּוּלָּן – But when mourning FOR ONE'S FATHER OR MOTHER, ONE RENDS ALL OF THEM, וְאַפִּיקַרְסוּתוֹ אֵינָהּ מְעַכֶּבֶת – BUT rending HIS KERCHIEF IS NOT NECESSARY.[17] אֶחָד הָאִישׁ וְאֶחָד אִשָּׁה – BOTH A MAN AND A WOMAN are obligated to rend their garments in mourning their relatives.[18] רַבִּי שִׁמְעוֹן בֶּן אֶלְעָזָר אוֹמֵר – R' SHIMON BEN ELAZAR SAYS: הָאִשָּׁה קוֹרַעַת אֶת הַתַּחְתּוֹן וּמַחֲזִירַתּוֹ לַאֲחוֹרֶיהָ – A WOMAN first RENDS THE INNER [GARMENT] AND TURNS IT TO HER BACK, וְחוֹזֶרֶת וְקוֹרַעַת אֶת הָעֶלְיוֹן – AND THEN SHE RENDS THE OUTER ONE.[19]

עַל כָּל הַמֵּתִים כּוּלָּן – When rending the garment in mourning FOR ALL DECEASED relatives other than one's father or mother, רָצָה מַבְדִּיל קַמֵּי שָׁפָה שֶׁלּוֹ – IF ONE WISHES, HE MAY SEPARATE the garment BEYOND THE BORDER of the neck slit, רָצָה אֵינוֹ מַבְדִּיל – AND IF HE WISHES HE NEED NOT SEPARATE the garment beyond the border of the neck slit, but may instead simply begin tearing the border of the neck slit itself.[20] עַל אָבִיו וְעַל אִמּוֹ מַבְדִּיל – But

NOTES

11. [See, however, the emendation of the text proposed by *Rashash.*]

12. I.e. when the Baraisa forbids the mourner to enter "a house of celebration," it does *not* mean to forbid him to attend a celebration of friendship, in which the mourner is in fact permitted to participate immediately.

13. These friendship celebrations were gatherings that were hosted by each of the friends on a rotating basis. The mourner may not participate in an initial friendship banquet until thirty days have passed. But if he attended one of these banquets before his relative died, and his turn to reciprocate falls within thirty days of his relative's death, he may host the reciprocal banquet, since he must keep his reciprocal obligation (see *Rashi;* see also *Rashash*).

[Many Rishonim (*Rashi ms., Rif,* et al.) have the word אֲרִישׁוּתָא (rather than אֲרִיסוּתָא, as in our texts) for the initial banquet. רָשׁוּתָא is the Aramaic term for *the claim of an outstanding loan* (see, for example, *Targum Onkelos* on *Deuteronomy* 24:10-11). Thus, the initial banquet, which obligates all the participants to repay, is called אֲרִישׁוּתָא (see *Ritva* and *Nimukei Yosef,* and *Rashash*).]

14. [For a parent, the length of a *tefach* is insufficient if the rent does not reach the place of the heart.]

15. *II Samuel* 1:11. [David rent his garments upon learning that King Saul, Yehonasan and many of the Jewish people had fallen in battle.]

16. The language of the Baraisa suggests that he *may* not rend more than the outer one. For rending more than is required constitutes a forbidden act of senseless destruction (*Ran*).

17. Translation follows *Rashi* [literally: it does not hold back]. He need not rend the kerchief even though it drapes on his shoulder [and thus might be construed as a covering for his body, which would require rending] (*Rashi ms.*). Alternatively, אֵינוֹ מְעַכֵּב means quite literally *it does not hold back.* That is, although the kerchief sometimes drapes over the rent in the garment, hiding it from view, this does not "hold back" or compromise the mourner's fulfillment of the rending obligation [which in general requires that the rent be exposed] (*Rashi ms.* second explanation; *Ritva* citing *Rashi*).

[Some render אַפִּיקַרְסוּתוֹ as a type of overcoat (see *Ritva;* see also *Meiri*). Others, however, render it *his undershirt,* i.e. the shirt that is pressed against the skin (*Rambam, Hil. Aveil* 8:3). Since it is intended to absorb perspiration rather than as an actual garment, it is not a "garment" that it should require rending (*Ramban*). See *Yoreh Deah* 340:10.]

18. *Rashi.* Alternatively, the Baraisa means that when mourning for a parent, both men and women must rend all the shirts that they are wearing (*Rashi ms.*).

19. For the sake of modesty, a woman mourning her father or mother first rends her inner garment, so that her skin remains covered by her outer garment. She then turns the rent to the back, so that when she rends the outer garment, her skin remains covered by the back of the inner garment that has been turned to the front. [According to *Rambam,* who explains that the undershirt need not be rent in any case, we must apparently say that women did not generally wear such undershirts (*Ritva*). Alternatively, it is a breach of modesty for a woman to expose her undershirt (*Shach, Yoreh Deah* 340:22, citing *Bach*).]

Apparently, R' Shimon ben Elazar comes to dispute the Tanna Kamma, who does *not* allow a woman to perform the rending obligation differently (see *Tosafos* ד״ה אחד האיש; *Ritva*).

20. A rent that begins in the neck slit [which is usually finished with a border, so that it does not tear easily] is a less obvious sign of mourning, as it can be viewed as an extension of the neck slit itself. Nevertheless, rending the neck slit [the length of a *tefach*] is sufficient for deceased relatives other than one's father or mother. But for one's parent, one must begin the tear beyond the neck slit, so that it is obvious that the garment is being rent (see *Rashi;* see also *Bach, Yoreh Deah* 340 ד״ה על כל המתים רצה מניח). [*Rashi* seems to render קַמֵּי שָׁפָה as *beyond the border.* That is, the neck slit is called the שָׂפָה, *border* (since it is usually reinforced with a border), and the area beyond the neck slit is קַמֵּי שָׂפָה, *[the area] beyond the border.* (*Rashi's* explanation, however, does not seem to fit with the usage of these terms in *Horayos* 12b (see *Hagahos R' Yitzchak Isaac Chaver*).

[*Rashi ms.* and *Rashi* to *Horayos* 12b, however, render קַמֵּי שָׂפָה as simply *the border* that reinforces the neck opening (see *Talmid R' Yechiel MiParis;* see also *R' Shlomo ben HaYasom* here; cf. *Tos. HaRosh* to *Horayos* ad loc.). Accordingly, the Baraisa is stating that for

עין משפט
נר מצוה

קלט א מיי' פ"ח מהל' אבל הלכה ג סמג עשין דרבנן ב טוש"ע י"ד סימן שמ סעיף טו:
קמ ב מיי' שם פ"ט הלכה טו סמג שם טוש"ע שם סעיף יז:
קמא ג מיי' שם פ"ו הלכה ג סמג שם טוש"ע שם סימן שצ סעיף יז:
קמב ד ה ו מיי' שם הלכה ו ז סמג שם טוש"ע שם סימן שצא סעיף ב:
קמג ז ח ט מיי' שם פ"ח הלכה ב ג סמג שם טוש"ע שם סי' שמ סעיף ט י:
קמד י טוש"ע שם סעיף יא:
קמה כ מיי' שם טוש"ע שם סעיף יב:
קמו ל טוש"ע שם בהג"ה:
קמז מ נ מיי' פ"ט שם הלכה א טוש"ע שם סעיף טו:
קמח ס מיי' שם פ"ח הלכה ב ג טוש"ע שם סעיף יד:
קמט ע מיי' שם טוש"ע שם סעיף יג:
קנ פ צ מיי' שם פ"ט הלכה ב יד טו טוש"ע שם סעיף יז:
קנא ק ר ש מיי' שם טוש"ע שם סי' שמ סעיף יח:

ממעט על אביו ועל אמו ממעט א על כל המתים כולן רצה חולץ רצה אינו חולץ על אביו ועל אמו חולץ ומעשה בגדול הדור אחד שמת אביו וביקש לחלוץ וביקש גדול הדור אחר שעמו לחלוץ ונמנע ולא חלץ אמר אביי גדול הדור רבי גדול הדור שעמו ר' יעקב בר אחא ואיכא דאמרי גדול הדור ר' יעקב בר אחא גדול הדור שעמו רבי בשלמא למ"ד גדול הדור שעמו רבי היינו דנמנע ולא חלץ אלא למ"ד רבי יעקב בר אחא אמאי נמנע ולא חלץ רשב"ג נשיא הוה ב וכולי עלמא מיחייבי למיחלץ. קשיא א) ג על כל המתים כולן מסתפר לאחר ל' יום על אביו ועל אמו עד שיגערו בו חבריו ד על כל המתים כולן נכנס לבית השמחה לאחר ל' יום על אביו ועל אמו לאחר י"ב חדש אמר רבה בר בר חנה ולשמחת מריעות מיתיבי ולשמחה ולמריעות ל' יום קשיא אמימר מתני הכי אמר רבה בר בר חנה ה ולשמחת מריעות מותר ליכנס לאלתר והא תניא לשמחה שלשים ולמריעות שלשים ל"ק ו הא באריסותא הא בפורענותא ז על כל המתים כולן קורע טפח על אביו ועל אמו עד שיגלה את לבו א"ר אבהו מאי קרא א) ויחזק דוד בבגדיו ויקרעם ואין אחיזה פחות מטפח ח על כל המתים כולן אפילו לבוש עשרה חלוקין אינו קורע אלא עליון על אביו ועל אמו קורע את כולן ט ואפיקרסותו אינה מעכבת אחד האיש ואחד אשה ר"ש בן אלעזר אומר י האשה קורעת את התחתון ומחזירתו לאחוריה וחוזרת וקורעת את העליון ב) כ על כל המתים כולן רצה מבדיל קמי שפה שלו רצה אינו מבדיל על אביו ועל אמו מבדיל רבי יהודה אומר ל כל קריעה שאינו מבדיל קמי שפה שלו אינו אלא קרע של תיפלות אמר רבי אבהו מ"ט דר' יהודה דכתיב ב) ויחזק בבגדיו ויקרעם לשנים קרעים ג) ממשמע שנאמר ויקרעם איני יודע שהן לשנים אלא שנראין קרועים כשנים מ על כל המתים כולן שולל לאחר שבעה ומאחה לאחר שלשים על אביו ועל אמו שולל לאחר ל' ואינו מאחה לעולם ד) נ והאשה שוללתו לאלתר מפני כבודה כי אתא רבין א"ר יוחנן ס על כל המתים רצה קורע ביד רצה קורע בכלי על אביו ועל אמו ביד וא"ר חייא בר אבא א"ר יוחנן ע על כל המתים כולן מבפנים על אביו ועל אמו קורע מבחוץ אמר רב חסדא פ וכן לנשיא מיתיבי לא הושוו לאביו ולאמו אלא לאיחוי בלבד מאי לאו אפילו לנשיא לא לבר מנשיא נשיאה שכיב א"ל רב חסדא (ה) לרב חנן בר רבא) כפי אסיתא וקום עלה ואחוי קריעה לעלמא צ על חכם חולץ מימין על אב ב"ד משמאל על נשיא מכאן ומכאן ת"ר ק חכם שמת בית מדרשו בטל ר אב ב"ד שמת כל בתי מדרשות שבעירו בטילין ונכנסין לביהכ"נ ומשנין את מקומן היושבין בצפון יושבין בדרום היושבין בדרום יושבין בצפון ש נשיא שמת בתי מדרשות כולן בטילין ובני הכנסת נכנסין לבית הכנסת

תוספות

מעשה בגדול הדור. אין זה מעשה לסתור דהא דנמנע ולא חלץ זהו מפני גדול (ו) הדור שעמו ובמס' שמחות (פ"ט) קתני עלה ואין ראוי לחלק כבוד לו והאחרים הראויין לחלוץ אף על אביו ועל אמו ואם אין ראויין אינו חולץ כדי שלא יחללו אחרים ומעשה בר' יעקב כו':

עד שיגערו בו חביריו. נראה דרגל אינו מבטל דבר זה מדאמרינן בירושלמי רבי שמואל בר אבדימי דמנה תלתין יומין קמי מועדא שאיל לרבי מנא א"ל כל דבר שהוא תלוי בז' ול' הרגל מפסיק ברם הכא עד שישלח פרע ויגערו בו חביריו ויאמרו לו לא מעמנו ובשמחה נמי אשכחנא הכא י"ב חדש ואין רגל מבטל ויש ספרים שכתוב בהן או יגערו בו חביריו בירושלמי ונראה שהוא טעות סופרים כי אם כמו שכתבתי עד שישלח פרע ויגערו בו:

ולשמחת מריעות. פירש בקונטרס סעודות שעושים ריעים ואהובים זה לזה וכ"נ דדוקא לשמחת מריעות מותר לאחר ל' יום אבל שמחת חתן אסור אפילו לאחר ל' יום. והא תניא לשמחה ל' ולמריעות ל' וה"נ פריך בריש פ"ק דבבא מציעא (דף ג.) והא זה וזה קתני וכן בפ"ק דסנהדרין (דף ח.) גבי זימון בג' וברכת המזון בג' וטובא איכא ויש מקומות שאינו שואל כגון בפ"ק דנדרים (דף ז:) ז) גבי אסור אסור ובפרק גיד הנשה (חולין דף לח. ושם) גבי אסורות אסורות ובפרק בית כור (ב"ב דף קד.) גבי בית כור אני מוכר לך כבית כור וי"מ ולשמחת מריעות מותר ליכנס לאלתר ואכן בסעודת חתן איירינן הא דאמרינן בירושלמי ובמסכת שמחות (פ"ט) אם היה סעודה של מצוה מותר לא ידענא מהו קורא סעודת מצוה להתיר באבל אם דוקא סעודת קידוש ר"ח פירש הר"א בשם רבינו שמשון דלסעודת ברית מילה מותר ליכנס דלא חשיבא שמחה כדאמרינן בפ"ק דכתובות (דף ח.) דלא מברכינן בה שהשמחה במעונו משום דטרידי וליכא שמחה והר"א לא היה פשוט דגרע משמחת מריעות וגם פירש דאסור לאכול אפי' עם המשמשין ואין לחלק בין סעודת המשמשין לסעודה עצמה ופסק דכניסה בלא אכילה שרי דאין שמחה בלא אכילה ושתיה ובתוספות הרב פוסק כלישנא דאמימר דמיקל טפי:

אחד האיש ואחד האשה. ובתוס' הרב פוסק כר"ש בן אלעזר דהלכה כדברי המיקל ולא ידענא מאי קאמר דלקמן (דף כו:) אמרינן אבילות לחוד וקריעה לחוד:

רבי

רש"י

רצה חולץ. כתיפו: ונמנע. האבל ולא חלץ משום כבוד גדול הדור שעמו שבקש לחלוץ גם הוא: אלא למ"ד גדול הדור שעמו ר' יעקב. ורבי הוה אבל: עד שיגערו בו חבריו. שכבר גידל פרע יותר מדאי: אמר רבה. הא דתניא נכנס לבית המשתה לאחר ל' יום: לשמחת מריעות. סעודה שעושין ריעים ואהובים זה עם זה ולא הוי שמחה כל כך אבל סעודה דשמחה כגון דנישואין לא: הא באריסותא הא בפורענותא. אריסא היינו שמתחיל אחד מהן לעשות סעודה ומלוה לכולם כדי שיעשו גם הם נמי כך לאותה סעודה אינו נכנס עד לאחר שלשים יום אבל בפורענותא שמשלם להם סעודות שנעשו לו יכנס לאלתר שאי אפשר לו שלא לשלם: ואפיקרסותו. שעל ראשו אינה מעכבת כלומר אינו צריך לקורעה: אחד איש ואחד אשה. חייבין לקרוע: האשה. שמת אביה או אמה קורעת חלוק התחתון משום צניעות: ומחזרת. הקרע לאחוריה: וחוזרת וקורעת העליון. והתחתון מכסה לבה: רצה מבדיל קמי שפה. שאינו בשפה שלפני הצואר אלא קמי שפה שלפני השפה שלפני הצואר שאינה קרועה וקורע תחתיה כדי שיהיה נראה הקרע: רצה אינו מבדיל. אלא קורע של בית הצואר אע"ג דאינו נראה הקרע דהכל בית הצואר הוא: על אביו ועל אמו מבדיל. קמי שפה כדי שיהא נראה הקרע: קרע של תיפלה. כלומר לא יצא ידי קריעה לפי דנראה דבית צואר הוא הכל: ויקרעם לשנים. אין קורעין אלא שנראה כשנים מבדיל קמי שפה ונראה בית הצואר קרע אחר: שולל. באשטיר"י: מאחה. קנט"ר תופר כדרכו: קורע בכלי. סכין כדי שלא יפסיד הבגד: קורע מבפנים. תחת המקטורן שלו שאינו קורע מחוץ לעיני הכל: וכן לנשיא. קורע מבחוץ: לא הושוו. רבו ואב ב"ד ונשיא וכל הנך דתני במתניתא לאביו ולאמו: אלא לאיחוי. שאין מתאחים לעולם אבל לא הושוו לאביו ולאמו לקרוע מבחוץ להאי לא הושוו דעל אביו קורע מבחוץ ועל כולן אינו קורע מבחוץ: כפי אסיתא. הפוך המכתשת ועמוד עליה וקרע כדי שיראוך כל העם כשתקרע: חכם. ממונה על העיר שמבקשים ממנו הוראה: חולץ. כתף מימין: בית מדרשו בטלין. אותן שרגילין ללמוד תורה מפיו:

וקורין

מסורת הש"ס

א) שמחות פ"ט, ב) הוריות יב:, ג) [לקמן כו. ע"ש סנהדרין ס. ע"ש וצ"ע], ד) [לקמן כו:], ה) [גי' הערוך בערך אסיתא לרב נחמן בר אמי], ו) עי' מהרש"א ולפי הנראה יש כאן ערבובי דברים וכצ"ל הדור שעמו ואין ראוי לחלק כבוד לו כדי שלא יחללו אחרים ובמס' שמחות קתני עלה ואם אין ראוי לחלוץ אף על אביו ואמו לא יחלוץ ומעשה כו' כצ"ל והבוחר יבחר. העתק מחילופי גרסאות, ז) [שם בנדרים פריך הש"ס אסור אסור ל"ל וכ"כ תוספות בכורות לה: ד"ה א"כ וכו' דבנדרים פריך כן ולכך צריכים אנו לומר דהכא בדברי תוס' נפל טעות ומ"ש כגון בפ"ק דנדרים גבי אסור אסור שייך לעיל קודם וטובא איכא וכו' ודע עוד דגם במ"ש תוספות הכא ובפ' בית כור וכו' צריך תיקון בזה כי בב"ב קד. שואל הש"ס ע"ש וכן איתא בתוספות בכורות הנ"ל וע"ש].

תורה אור השלם

א) וַיַּחֲזֵק דָּוִד בִּבְגָדָיו וַיִּקְרָעֵם וְגַם כָּל הָאֲנָשִׁים אֲשֶׁר אִתּוֹ: [שמואל ב' א, יא]

ב) וֶאֱלִישָׁע רֹאֶה וְהוּא מְצַעֵק אָבִי אָבִי רֶכֶב יִשְׂרָאֵל וּפָרָשָׁיו וְלֹא רָאָהוּ עוֹד וַיַּחֲזֵק בִּבְגָדָיו וַיִּקְרָעֵם לִשְׁנַיִם קְרָעִים: [מלכים ב' ב, יב]

רש"י כת"י

ממעט. בעסקיו אע"פ שמותרין לו. ירצה חולץ. מקרע חלוקו מלמעלה עד שנראה כתיפו כמו חלוצי כתף. בקש גדול הדור שעמו לחלוץ. מפני כבודו של אבל. ונמנע. האבל. ולא חלץ. שלא רצה שיהא חולץ אותו גדול הדור. היינו דנמנע. ר' יעקב לא חלץ מפני כבודו של ר' שלא רצה שיחלוץ ר'. אלא למאן דאמר. גדול הדור שהיה עמו היינו ר' יעקב. אמאי נמנע. ר' ולא חלץ מאי איכפת ליה אי חליץ ר' יעקב דהא רבן שמעון אבוה דר' נשיא הוה ונשיא שמת הכל חולצין עליו. מסתפר. מגלח. לבית השמחה. כגון סעודת חתן. ולשמחת מריעות. שמתקנין סעודת שמחה זה עם זה היום וזה מחר וכורתין ברית ביניהם משום אהבה וריעות. והתניא לשמחה ולמריעות. וקס"ד לשמחה היינו שמחת נשואין. אריסותא. הלואה כלומר עכשיו מתחיל הריעות והוא מתחילו תחלה שלשים יום. בפורענותא. שכבר סעד הוא עמהן משלהן כמה פעמים ועכשיו הגיע זמן לפרוע פורע לאלתר מפני שמחוייב להם כבר. ויחזק. ואחז. ואפרקסותו. סודר שעל הראש שתלוי לו על כתיפו. אינה מעכבת. אינה צריכה לקרוע. לישנא אחרינא נופל אותו אפרקסותו על החזה ומכסה קריעת החלוק ואף על פי כן אין זה עיכוב קריעה. (ברש"י ברי"ף - חיוב) אחד האיש ואחד אשה. צריך לקרוע על אביו ועל אמו לקרוע כל החלוקין שעליו. האשה. שמת אביה ואמה. קורעת. חלוק התחתונ' משום צניעות ומחזרת קרע לאחריה וחוזרת וקורעת העליון והתחתון מכסה כנגד לבה. רצה מבדיל קמיה שפה שלו. כלומר מתחיל קריעה מחלל בית הצואר כמו שפה לפיו. רצה אינו מבדיל. אלא מתחיל ונוקב למטה מבית הצואר כנגד כריסו וקורע והשפה של חלוק לבית הצואר אינו קורעו. קרע של תפלה. כלומר לא יצא ידי קריעה. ויחזק בבגדיו. באלישע כתוב שקרע על אליהו דאזיל מיניה. מלמד שנראין כשנים. הכא לא גרסינן לעולם דהא קתני ולא מתאחין. שולל. בשטיי"ר. מאחה. תופר כדרכו והנך על כל המתים דקתני כגון בנו ובתו ואחיו ואחותו ואשתו. מפני כבודה. שלא תעמוד פרועה. אם רצה בכלי. בסכין. מבפנים. בחדר שאין צריך לקרוע בפני העם. לא הושוו. רבו ונשיא ואב בית דין וכל הנך דקתני במתני' שהן קורעין ולא מתאחין לא הושוו לאביו ולאמו. אלא לאיחוי בלבד. שאין מתאחין (קורעין) [הקריעה] שקורעין עליהן אבל להא מילתא שיהו קורעין בפני העם לא הושוו. כפי אסיתא. הפוך המכתשת ועמוד עליה וקרע כדי שיראוך כולם כשתקרע. על חכם. חולץ כתף של ימין קריעה משמאל הוה מתחזיא בהנהו טפי מימין. חכם. ממונה שבעיר שמבקשין ממנו הוראה ואב ב"ד עדיף מיניה. בית מדרשו. אותן שהיו רגילין ללמוד תורה מפיו.

רבינו חננאל

ממעט על אביו ועל אמו ממעט בעסקו. ואפילו שהוא על ידי אחרים: ירושל' מרבה בעסקי אביו ואמו משמע בתכריכין והספדו. על כל המתים רצה חולץ פי' חליצת כתף. מוציא ידו מתחת הקרע ונמצאת כתיפו חלוצה מן החלוק. רצה אינו חולץ. על אביו ועל אמו חולץ. ומעשה בגדול הדור שמת אביו ובא לחלוץ. ובקש גדול הדור (עצמו) [שעמו] לחלוץ ולא חלץ. ואסיקנא גדול הדור (שמת) הוא ר' יעקב בר אחא ובקש רבינו הקדוש הוא גדול הדור שעמו לחלוץ עמו מפני כבודו. ונמנע ר' יעקב ולא חלץ. אבל במיתת רשב"ג אבי רבינו הקדוש כ"ע חייבין לחלוץ דנשיא הוא. קיי"ל היכא דחל יום שמיני של אביו ושל אמו להיות בשבת ערב הרגל מגלח ואפילו ביום ששי בע"ש. דלענין כבוד יו"ט ל"ש אב ואם ול"ש שאר קרובים. הלכה כאבא שאול בזה ובזה. על כל המתים מותר להסתפר לאחר שלשים. על אביו ועל אמו מגדל שער עד שיגערו בו חביריו. על כל המתים נכנס לבית המשתה לאחר שלשים יום. ואוקמה אמימר במשתה שמחת מריעות בפורענותא נכנס לאלתר. אבל באריסותא. כלומר הוא אינו פורע אלא מתחיל הוא אחר שלשים יום. אבל על אביו ועל אמו אינו נכנס עד י"ב חדש על כל המתים קורע טפח שנאמר ויחזק בבגדיו ויקרעם לשנים. ואין אחיזה פחותה מטפח. אבל על אביו ועל אמו קורע עד שמגלה את לבו. ואפילו לבוש מאה חלוקים קורע את כולן ומבדיל קמי שפה דבעינן קרע הנראה לשנים קרעים כדכתיב ויקרעם לשנים ואפיקרסותו אינה מעכבת והאשה על אביה ועל אמה קורעת חלוקה התחתון ומחזרת הקרע לאחוריה וחוזרת וקורעת את העליון. ואינו קורע על אביו ועל אמו בכלי כגון סכין וכיוצא בו אלא בידו קורע ואינו קורע אלא מבחוץ ואינו מאחה הקרע לעולם: ירושלמי זהו איחוי העשוי כאריג אבל על שאר מתים אינו קורע אלא העליון. ואם אינו רוצה להבדיל קמי שפה אינו מבדיל ושולל לאחר שבעה ומאחה לאחר שלשים. והאשה קורעת ושוללתו לאלתר מפני כבודה. ואם רוצה לקרוע בכלי קורע. על אביו ועל אמו קורע מבחוץ. אמר רב חסדא וכן לנשיא. נשיאה שכיב א"ל רב חסדא לרב חנן כפי אסיתא וקום עליה ואחוי קריעה לעלמא. על חכם חולץ מימין על אב ב"ד משמאל. על נשיא מיכן ומיכן. פירוש חליצת כתף. ת"ר חכם שמת מדרשו בטל. אב ב"ד שמת כל מדרשות שבעירו בטילין. ובני הכנסת נכנסין ומשנין את מקומן. היושבין בצפון יושבין בדרום. נשיא שמת כל בתי מדרשות בטילין ונכנסין לכנסת

when rending the garment in mourning **FOR ONE'S FATHER OR MOTHER, HE MUST SEPARATE** the garment beyond the border of the neck slit. רַבִּי יְהוּדָה אוֹמֵר – **R' YEHUDAH,** however, **SAYS:** כָּל קְרִיעָה שֶׁאֵינוֹ מַבְדִּיל קַמֵּי שָׂפָה שֶׁלּוֹ – **ANY RENDING IN WHICH ONE DOES NOT SEPARATE** the garment **BEYOND THE BORDER** of the neck slit אֵינוֹ אֶלָּא קֶרַע שֶׁל תִּיפְלוּת – **IS NO MORE THAN A RENDING OF USELESSNESS.**[21]

The Gemara again interrupts the Baraisa to explain:

אָמַר רַבִּי אַבָּהוּ – **R' Abahu said:** מַאי טַעְמָא דְּרַבִּי יְהוּדָה – **What is R' Yehudah's reason** for ruling as he does? דִּכְתִיב ,,וַיַּחֲזֵק בִּבְגָדָיו וַיִּקְרָעֵם לִשְׁנַיִם קְרָעִים'' – **For it is written:** ***and he took hold of his garments and he rent them into two torn pieces.***[22] Now, why did the verse have to state that he rent the garment "into two pieces"? מִמַּשְׁמַע שֶׁנֶּאֱמַר ,,וַיִּקְרָעֵם'' אֵינִי יוֹדֵעַ שֶׁהֵן לִשְׁנַיִם – **From the implication of that which is stated** ***and he rent them,*** **do I not know that they were** torn **into two** torn pieces? Every tear results in "two torn pieces," one on either side of the tear! אֶלָּא שֶׁנִּרְאִין קְרוּעִים כִּשְׁנַיִם – **Rather,** the verse means **that they appeared rent into two** distinct rents – i.e. the rent made in mourning, as well as the separate "rent" of the neck slit.[23]

The citation of the Baraisa resumes:

עַל כָּל הַמֵּתִים כּוּלָּן – After rending the garment in mourning **FOR ALL DECEASED** relatives other than one's father or mother, שׁוֹלֵל לְאַחַר שִׁבְעָה וּמְאַחֶה לְאַחַר שְׁלֹשִׁים – **ONE MAY BASTE**[24] the rent **AFTER** the **SEVEN** days of *shivah* **AND SEW** it properly **AFTER** the **THIRTY** days of *sheloshim.* עַל אָבִיו וְעַל אִמּוֹ – But after rending the garment in mourning **FOR ONE'S FATHER OR MOTHER,** שׁוֹלֵל לְאַחַר שְׁלֹשִׁים וְאֵינוֹ מְאַחֶה לְעוֹלָם – **ONE MAY BASTE** the rent only **AFTER** the **THIRTY** days of *sheloshim,* **AND HE MAY NOT SEW** it properly **EVER.** וְהָאִשָּׁה שׁוֹלַלְתּוֹ לְאַלְתַּר מִפְּנֵי כְבוֹדָהּ – **BUT A WOMAN** mourner **MAY BASTE IT IMMEDIATELY,**[25] **ON ACCOUNT OF** concerns for **HER HONOR.**[26]

The Gemara now cites several other distinctions stated by R' Yochanan:

כִּי אֲתָא רָבִין אָמַר רַבִּי יוֹחָנָן – **When Ravin came** to Babylonia from Eretz Yisrael, **he reported in the name of R' Yochanan:** עַל כָּל הַמֵּתִים רָצָה קוֹרֵעַ בַּיָּד רָצָה קוֹרֵעַ בִּכְלִי – When mourning **for all deceased** relatives other than one's father or mother, **if one wishes he may rend** his garment **by hand,** or **if he wishes he may rend** it **with an instrument.**[27] עַל אָבִיו וְעַל אִמּוֹ בַּיָּד – But when mourning **for one's father or mother,** one must rend the garment **by hand.**[28]

וְאָמַר רַבִּי חִיָּיא בַּר אַבָּא אָמַר רַבִּי יוֹחָנָן – **And R' Chiya bar Abba said in the name of R' Yochanan:** עַל כָּל הַמֵּתִים כּוּלָּן מִבִּפְנִים – When mourning **for all deceased** relatives other than one's father or mother, one rends his garments **on the inside.**[29] עַל אָבִיו וְעַל אִמּוֹ קוֹרֵעַ מִבַּחוּץ – But when mourning **for one's father or mother, one must rend** his garments **on the outside.**[30]

This ruling is extended:

אָמַר רַב חִסְדָּא – **Rav Chisda said:** וְכֵן לְנָשִׂיא – **And the same** applies **to a** ***Nasi*** who dies; everyone must rend his garments on the outside in mourning for the *Nasi.*[31]

The Gemara asks:

מֵיתִיבֵי – **They challenged** Rav Chisda's ruling from the following Baraisa: לֹא הוּשְׁווּ לְאָבִיו וּלְאִמּוֹ אֶלָּא לְאִיחוּי בִּלְבַד – **THEY**[32] **ARE NOT EQUATED WITH ONE'S FATHER AND MOTHER EXCEPT WITH REGARD TO SEWING** the rent properly.[33] But they are *not* equated with one's father or mother with regard to making the rent on the outside. מַאי לָאו אֲפִילּוּ לְנָשִׂיא – **Is it not** that this refers **even to the** ***Nasi*****?**

The Gemara answers:

לֹא לְבַר מִנָּשִׂיא – **No,** it refers to all those mentioned in the Baraisa **except for the** ***Nasi,*** for whom the rent *is* indeed made on the outside, as for one's father or mother.

The Gemara relates an incident in which Rav Chisda implemented his ruling:

נְשִׂיאָה שְׁכִיב – It once happened that **the** ***Nasi*** **died,** אָמַר לֵיהּ רַב חִסְדָּא לְרַב חָנָן בַּר רָבָא – whereupon **Rav Chisda said to Rav**

NOTES

deceased relatives other than one's parent, the mourner need not begin the tear from the edge of the collar, but may rather poke a hole in the garment below the collar and rip down from there (even though the garment will not appear to be rent in two – see below, note 23). For one's parent, however, one must begin the tear at the edge of the collar. See *Bach, Yoreh Deah* loc. cit., and *Shulchan Aruch* there §12.]

21. R' Yehudah holds that even for relatives other than one's parent, the mourner does not fulfill his rending obligation if he merely tears the neck slit further. For in that case the rent appears to be no more than an extension of the neck slit (see *Rashi*). Rather, in the case of *all* deceased relatives the mourner fulfills the rending obligation only if he separates the garment beyond the border of the neck slit. [According to *Rashi ms.* (see preceding note), the meaning is that the rent must always begin at the edge of the collar.]

22. *II Kings* 2:12. The verse describes how Elisha the Prophet rent his garments upon seeing his teacher, Elijah the Prophet, being borne aloft heavenward. [A disciple is obligated to rend his garments in mourning over the passing of his teacher – see Gemara below.]

23. *Rashi.* [In many texts, the reading is אֶלָּא שֶׁנִּרְאִין כִּשְׁנַיִם, *Rather, [the verse means] that they appeared to be two* (see *Dikdukei Soferim*).]

[According to the explanation of *Rashi ms.* (see note 20), the meaning here is that the garment must look as if it is torn into two pieces – i.e. the rent must begin at the edge of the collar. But if the rent would be made in the middle of the garment, the garment would not appear like two, since the two parts would remain attached both above and below the rent (see *Talmid R' Yechiel MiParis*).]

24. [That is, to make a temporary repair with long, loose stitches.]

Wherever it is forbidden to baste the rent, it is forbidden even to merely pin the edges together (*Rama, Yoreh Deah* 340:15).

25. I.e. after the burial, even during *shivah* (*Ritva;* see also *Rashi* below, 26b ד״ה אשה שוללתו).

26. It is dishonorable for a woman to remain wearing a rent garment that has not been basted (see *Rashi ms.*).

[*Ritva* explains that the dishonor lies in the woman's being exposed. Hence, he explains that this Baraisa does not follow the view of R' Shimon ben Elazar in the Baraisa above, who rules that a woman first rends her inner garment, turns it around, and only then rends her outer garment, so that at no time is she exposed. Rather, this Baraisa follows the view of the Tanna Kamma there (see above, note 19). *R' Yehonasan MiLunel* (and *Nimukei Yosef*) folio 14a, however, explains that it is unseemly for a woman to wear a torn garment even if her skin is *not* exposed.]

27. I.e. with a knife, so that he does not ruin the garment (*Rashi*). [A tear made with a knife is less ragged and easier to repair.]

28. [If the edge of the garment is too strong to be torn by hand, one may make a slight cut with an instrument and then rend it further by hand (*Meiri;* see also *Aruch HaShulchan* 340:12).]

29. I.e. he sticks his hand under his cloak and rends his garments, so that his rending is not done in public view (*Rashi*). Alternatively, the meaning is that he may rend his garments "inside" the privacy of a room, and need not rend them in public (*Rashi ms.*).

30. I.e. without hiding the rending with a cloak; alternatively: in full public view (see preceding note).

31. In the case of the *Nasi,* one must rend his garments on the outside in order to increase the anguish of those present (see *Talmid R' Yechiel MiParis*).

32. The reference is to the Baraisa on 26a, which lists among the rents that may never be properly sewn: a rent made upon the death of one's father or mother, one's Torah teacher, the *Nasi* or the head of a *Beis Din* . . . (See *Rashi; Talmid R' Yechiel MiParis*).

33. This Baraisa teaches that the Baraisa there equates these others with one's father or mother only with regard to the prohibition against ever sewing the rent, but not with regard to other laws (ibid.).

ממעט על אביו ועל אמו ממעט [א]על כל המתים כולן רצה חולץ רצה אינו חולץ על אביו ועל אמו חולץ ומעשה בגדול הדור אחד שמת אביו וביקש לחלוץ וביקש גדול הדור אחר שעמו לחלוץ ונמנע ולא חלץ אמר אביי גדול הדור רבי גדול הדור שעמו ר' יעקב בר אחא ואיכא דאמרי גדול הדור ר' יעקב בר אחא גדול הדור שעמו רבי בשלמא למ"ד גדול הדור שעמו רבי היינו דנמנע ולא חלץ אלא למ"ד רבי יעקב בר אחא אמאי נמנע ולא חלץ רשב"ג נשיא הוה [ב]וכולי עלמא מיחייבי למיחלץ קשיא [א][ג]על כל המתים כולן מסתפר לאחר ל' יום על אביו ועל אמו עד שיגערו בו חבריו [ד]על כל המתים כולן נכנס לבית השמחה לאחר ל' יום על אביו ועל אמו לאחר י"ב חדש אמר רבה בר בר חנה ולשמחת מריעות מיתיבי לשמחה ולמריעות ל' יום קשיא אמימר מתני הכי אמר רבה בר בר חנה [ה]ולשמחת מריעות מותר ליכנס לאלתר והא תניא לשמחה שלשים ולמריעות שלשים ל"ק [ו]הא באריסותא הא בפורענותא [ז]על כל המתים כולן קורע טפח על אביו ועל אמו עד שיגלה את לבו א"ר אבהו מאי קרא [א]ויחזק דוד בבגדיו ויקרעם ואין אחיזה פחות מטפח [ח]על כל המתים כולן אפילו לבוש עשרה חלוקין אינו קורע אלא עליון על אביו ועל אמו קורע את כולן [ט]ואפיקרסותו אינה מעכבת אחד האיש ואחד אשה ר"ש בן אלעזר אומר [י]האשה קורעת את התחתון ומחזירתו לאחוריה וחוזרת וקורעת את העליון [ב][כ]על כל המתים כולן רצה מבדיל קמי שפה שלו רצה אינו מבדיל על אביו ועל אמו מבדיל רבי יהודה אומר [ל]כל קריעה שאינו מבדיל קמי שפה שלו אינו אלא קרע של תיפלות אמר רבי אבהו מ"ט דר' יהודה דכתיב [ב]ויחזק בבגדיו ויקרעם לשנים קרעים [ג]ממשמע שנאמר ויקרעם איני יודע שהן לשנים אלא שנראין קרועים כשנים [מ]על כל המתים כולן שולל לאחר שבעה ומאחה לאחר שלשים על אביו ועל אמו שולל לאחר ל' ואינו מאחה לעולם [ד][נ]והאשה שוללתו לאלתר מפני כבודה כי אתא רבין א"ר יוחנן [ס]על כל המתים רצה קורע ביד רצה קורע בכלי על אביו ועל אמו ביד וא"ר חייא בר אבא א"ר יוחנן [ע]על כל המתים כולן מבפנים על אביו ועל אמו קורע מבחוץ אמר רב חסדא [פ]וכן לנשיא מיתיבי לא הושוו לאביו ולאמו אלא לאיחוי בלבד מאי לאו אפילו לנשיא לא לבר מנשיא נשיאה שכיב א"ל רב חסדא ([ה]לרב חנן בר רבא) כפי אסיתא וקום עלה ואחוי קריעה לעלמא [צ]על חכם חולץ מימין על אב ב"ד משמאל על נשיא מכאן ומכאן ת"ר [ק]חכם שמת בית מדרשו בטל [ר]אב ב"ד שמת כל בתי מדרשות שבעירו בטלין ונכנסין לביהכ"נ ומשנין את מקומן היושבין בצפון יושבין בדרום היושבין בדרום יושבין בצפון [ש]נשיא שמת כל בתי מדרשות כולן בטילין ובני הכנסת נכנסין לבית הכנסת

רש"י

רצה חולץ. כתיפו: ונמנע. האבל ולא חלץ משום כבוד גדול הדור שעמו שבקש לחלוץ גם הוא: אלא למ"ד גדול הדור שעמו ר' יעקב. ורבי הוה אבל: עד שיגערו בו חבריו. שכבר גידל פרע יותר מדאי: אמר רבה. הא דתניא נכנס לבית המשתה לאחר ל' יום: לשמחת מריעות. סעודה שעושין ריעים ואהובים זה עם זה ולא הוי שמחה כל כך אבל סעודה דשמחה כגון דנישואין לא: הא באריסותא הא בפורענותא. אריסא היינו שמתחיל אחד מהן לעשות סעודה ומלוה לכולם כדי שיעשו גם הם נמי כך לאותה סעודה אינו נכנס עד לאחר שלשים יום אבל בפורענותא שמשלם להם סעודות שנעשו לו יכנס לאלתר שאי אפשר לו שלא לשלם: ואפיקרסותו. שעל ראשו אינה מעכבת כלומר אינו צריך לקורעה: אחד איש ואחד אשה. חייבין לקרוע: האשה. שמת אביה או אמה קורעת חלוק התחתון משום צניעות: ומחזרת. הקרע לאחוריה: וחוזרת וקורעת העליון. והתחתון מכסה לבה: רצה מבדיל קמי שפה. שאינו בשפה שלפני הצואר אלא קמי שפה שלפני השפה שלפני הצואר שאינה קרועה וקורע תחתיה כדי שיהיה נראה הקרע: רצה אינו מבדיל. אלא קורע של בית הצואר אע"ג דאינו נראה הקרע דהכל בית הצואר הוא: על אביו ועל אמו מבדיל. קמי שפה כדי שיהא נראה הקרע: קרע של תיפלה. כלומר לא יצא ידי קריעה לפי דנראה דבית צואר הוא הכל: ויקרעם לשנים. אין קורעין אלא שנראה כשנים מבדיל קמי שפה ונראה בית הצואר קרע אחר: שולל. באשטיר"י: מאחה. קנט"ר תופר כדרכו: קורע בכלי. סכין כדי שלא יפסיד הבגד: קורע מבפנים. תחת המקטורן שלו שאינו קורע מחוץ לעיני הכל: וכן לנשיא. קורע מבחוץ: לא הושוו. רבו ואב ב"ד ונשיא וכל הנך דתני במתניתא לאביו ולאמו: אלא לאיחוי. שאין מתאחים לעולם אבל לא הושוו לאביו ולאמו לקרוע מבחוץ להאי לא הושוו דעל אביו קורע מבחוץ ועל כולן אינו קורע מבחוץ: כפי אסיתא. הפוך המכתשת ועמוד עליה וקרע כדי שיראוך כל העם כשתקרע: חכם. ממונה על העיר שמבקשים ממנו הוראה: חולץ. כתף מימין: בית מדרשו בטלין. אותן שרגילין ללמוד תורה מפיו:

וקורין

תוספות

מעשה בגדול הדור. אין זה מעשה לסתור דהא דנמנע ולא חלץ זהו מפני גדול [ו]הדור שעמו ובמס' שמחות (פ"ט) קתני עלה ואין ראוי לחלק כבוד לו והאחרים הראויין לחלוץ אף על אביו ועל אמו ואם אינן ראויין אינו חולץ כדי שלא יחלצו אחרים ומעשה בר' יעקב כו':

עד שיגערו בו חביריו. נראה דרגל אינו מבטל דבר זה מדאמרינן בירושלמי רבי שמואל בר אבדימי דמנה תלתין יומין קמי מועדא שאיל לרבי מנא א"ל כל דבר שהוא תלוי בז' ול' הרגל מפסיק ברם הכא עד שישלח פרע ויגערו בו חביריו ויאמרו לו לא מעמנו ובשמחה נמי אשכחנא הכא י"ב חדש ואין רגל מבטל ויש ספרים שכתוב בהן או יגערו בו חביריו בירושלמי ונראה שהוא טעות סופרים כי אם כמו שכתבתי עד שישלח פרע ויגערו בו:

ולשמחת מריעות. פירש בקונטרס סעודות שעושים ריעים ואהובים זה לזה וכ"נ דדוקא לשמחת מריעות מותר לאחר ל' יום אבל שמחת חתן אסור אפילו לאחר ל' יום. והא תניא לשמחה ל' ולמריעות ל' וה"נ פריך בריש פ"ק דבבא מציעא (דף ג.) והא זה וזה קתני וכן בפ"ק דסנהדרין (דף ח.) גבי זימון בג' וברכת המזון בג' וטובא איכא ויש מקומות שאינו שואל כגון בפ"ק דנדרים (דף ד:) [ז]גבי אסור אסור ובפרק גיד הנשה (חולין דף צח. ושם) גבי אסורות אסורות ובפרק בית כור (ב"ב דף קד.) גבי בית כור אני מוכר לך כבית כור וי"מ ולשמחת מריעות מותר ליכנס לאלתר ואנן בסעודת חתן איירינן הא דאמרינן בירושלמי ובמסכת שמחות (פ"ט) אם היה סעודה של מצוה מותר לא ידענא מהו קורא סעודת מצוה להתיר באבל אם דוקא סעודת קידוש ר"ח פירש הר"א בשם רבינו שמשון דלסעודת ברית מילה מותר ליכנס דלא חשיבא שמחה כדאמרינן בפ"ק דכתובות (דף ח.) דלא מברכין בה שהשמחה במעונו משום דטרידי וליכא שמחה ולהר"א לא היה פשוט דגרע משמחת מריעות וגם פירש דאסור לאכול אפי' עם המשמשין ואין לחלק בין סעודת המשמשין לסעודה עצמה ופסק דכניסה בלא אכילה שרי דאין שמחה בלא אכילה ושתיה ובתוספות הרב פוסק כלישנא דאמימר דמיקל טפי:

אחד האיש ואחד האשה. ובתוס' הרב פוסק כר"ש בן אלעזר דהלכה כדברי המיקל ולא ידענא מאי קאמר דלקמן (דף כו:) אמרינן אבילות לחוד וקריעה לחוד:

רבי

רבינו חננאל

ממעט על אביו ועל אמו ממעט בעסקו. ואפילו שהוא על ידי אחרים: ירושל' מרבה בעסקי אביו ואמו משמע בתכריכין והספדו. על כל המתים רצה חולץ פי' חליצת כתף. מוציא ידו מתחת הקרע ונמצאת כתיפו חלוצה מן החלוק. רצה אינו חולץ. על אביו ועל אמו חולץ. ומעשה בגדול הדור שמת אביו ובא לחלוץ. ובקש גדול הדור (עצמו) [שעמו] לחלוץ ולא חלץ. ואסיקנא גדול הדור (שמת) הוא ר' יעקב בר אחא ובקש רבינו הקדוש הוא גדול הדור שעמו לחלוץ עמו מפני כבודו. ונמנע ר' יעקב ולא חלץ. אבל במיתת רשב"ג אבי רבינו הקדוש כ"ע חייבין לחלוץ דנשיא הוא. קיי"ל היכא דחל יום שמיני של אביו ושל אמו להיות בשבת ערב הרגל מגלח ואפילו ביום ששי בע"ש. דלענין כבוד יו"ט ל"ש אב ואם ול"ש שאר קרוביה. הלכה כאבא שאול בזה ובזה. על כל המתים מותר להסתפר לאחר שלשים. על אביו ועל אמו מגדל שער עד שיגערו בו חביריו. על כל המתים נכנס לבית המשתה לאחר שלשים יום. ואוקמה אמימר במשתה שמחת מריעות בפורענותא נכנס לאלתר. אבל באריסותא. כלומר הוא אינו פורע אלא מתחיל הוא אחר שלשים יום. אבל על אביו ועל אמו אינו נכנס עד י"ב חדש על כל המתים קורע טפח שנאמר ויחזק בבגדיו ויקרעם לשנים. ואין אחיזה פחותה מטפח. אבל על אביו ועל אמו קורע עד שמגלה את לבו. ואפילו לבוש מאה חלוקים קורע את כולן ומבדיל קמי שפה דבעינן קרע הנראה לשנים קרעים כדכתיב ויקרעם לשנים קרעים ואפיקרסותו אינה מעכבת והאשה על אביה ועל אמה קורעת חלוקה התחתון ומחזרת הקרע לאחוריה וחוזרת וקורעת את העליון. ואינו קורע על אביו ועל אמו בכלי כגון סכין וכיוצא בו אלא בידו קורע ואינו קורע אלא מבחוץ ואינו מאחה הקרע לעולם: ירושלמי זהו איחוי העשוי כאריג אבל על שאר מתים אינו קורע אלא העליון. ואם אינו רוצה להבדיל קמי שפה אינו מבדיל ושולל לאחר שבעה ומאחה לאחר שלשים. והאשה קורעת ושוללתו לאלתר מפני כבודה. ואם רוצה לקרוע בכלי קורע. על אביו ועל אמו קורע מבחוץ. אמר רב חסדא וכן לנשיא. נשיאה שכיב א"ל רב חסדא לרב חנן כפי אסיתא וקום עליה ואחוי קריעה לעלמא. על חכם חולץ מימין על אב ב"ד משמאל. על נשיא מיכן ומיכן. פירוש חליצת כתף. ת"ר חכם שמת מדרשו בטל. אב ב"ד שמת כל מדרשות שבעירו בטילין. ובני הכנסת נכנסין ומשנין את מקומן. היושבין בצפון יושבין בדרום. בדרום יושבין בצפון. נשיא שמת כל בתי מדרשות בטילין ונכנסין לכנסת

עין משפט נר מצוה

קלט א מיי' פ"ח מהל' אבל הלכה ג סמג עשין דרבנן ב טוש"ע י"ד סימן שמ סעיף טז:
קמ ב מיי' שם פ"ט הלכה טו סמג שם טוש"ע שם סעיף יז:
קמא ג מיי' שם פ"ו הלכה ג סמג שם טוש"ע שם סימן שצ סעיף יז:
קמב ד ה ו מיי' שם הלכה ו ז סמג שם טוש"ע שם סימן שצא סעיף ב:
קמג ז ח ט מיי' שם פ"ח הלכה ב ג סמג שם טוש"ע שם סי' שמ סעיף ט י:
קמד י טוש"ע שם סעיף יא:
קמה כ מיי' שם טוש"ע שם סעיף יב:
קמו ל טוש"ע שם בהג"ה:
קמז מ נ מיי' פ"ט שם הלכה א טוש"ע שם סעיף טו:
קמח ס מיי' שם פ"ח הלכה ב ג טוש"ע שם סעיף יד:
קמט ע מיי' שם טוש"ע שם סעיף יג:
קנ פ צ מיי' שם פ"ט הלכה ב יד טו טוש"ע שם סעיף יז:
קנא ק ר ש מיי' שם טוש"ע שם סי' שמד סעיף יח:

מסורת הש"ס

א) שמחות פ"ט, ב) הוריות יב:, ג) [לקמן כו. ע"ש סנהדרין ס. ע"ש וש"נ], ד) [לקמן כו:], ה) [גי' הערוך בערך אסיתא לרב נחמן בר אמי], ו) עי' מהרש"א ולפי הנראה יש כאן ערבובי דברים וכצ"ל הדור שעמו ואין ראוי לחלק כבוד לו כדי שלא יחלצו אחרים ובמס' שמחות קתני עלה ואם אין ראוי לחלוץ אף על אביו ואמו לא יחלוץ ומעשה כו' כצ"ל והבוחר יבחר. העתקתי מחילופי גרסאות, ז) [שם בנדרים פריך הש"ס אסור אסור ל"ל וכ"כ תוספות בכורות לא: ד"ה א"כ וכו' דבנדרים פריך כן ולכך צריכים אנו לומר דהכא בדברי תוס' נפל טעות ומ"ש כגון בפ"ק דנדרים גבי אסור אסור שייך לעיל קודם וטובא איכא וכו' ודע עוד דגם במ"ש תוספות הכא ובפ' בית כור וכו' צריך תיקון דזה כי בב"ב קד. שואל הש"ס ע"ש וכן איתא בתוספות בכורות הנ"ל וע"ש].

תורה אור השלם

א) וַיַּחֲזֵק דָּוִד בִּבְגָדָיו וַיִּקְרָעֵם וְגַם כָּל הָאֲנָשִׁים אֲשֶׁר אִתּוֹ: [שמואל ב' א, יא]

ב) וֶאֱלִישָׁע רֹאֶה וְהוּא מְצַעֵק אָבִי אָבִי רֶכֶב יִשְׂרָאֵל וּפָרָשָׁיו וְלֹא רָאָהוּ עוֹד וַיַּחֲזֵק בִּבְגָדָיו וַיִּקְרָעֵם לִשְׁנַיִם קְרָעִים: [מלכים ב' ב, יב]

רש"י כת"י

ממעט. בעסקיו אע"פ שמותרין לו. ירצה חולץ. מקרע חלוקו מלמעלה עד שנראה כתיפו כמו חלוי של כתף. בקש גדול הדור שעמו לחלוץ. מפני כבודו של אבל. ונמנע. האבל. ולא חלץ. שלא רצה שיהא חולץ אותו גדול הדור. היינו דנמנע. ר' יעקב לא חלץ מפני כבודו של ר' שלא רצה שיחלוץ ר'. אלא למאן דאמר. גדול הדור שהיה עמו היינו ר' יעקב. אמאי נמנע. ר' ולא חלץ מאי איכפת ליה אי חליץ ר' יעקב דהא רבן שמעון אבוה דר' נשיא הוה ונשיא שמת הכל חולצין עליו. מסתפר. מגלח. לבית השמחה. כגון סעודת חתן. ולשמחת מריעות. שמתקנין סעודת שמחה זה עם זה היום וזה מחר וכורתין ברית ביניהם משום אהבה וריעות. והתניא לשמחה ולמריעות. וקס"ד לשמחה היינו שמחת נשואין. אריסותא. הלואה כלומר עכשיו מתחיל הריעות והוא מתחילו תחלה שלשים יום. בפורענותא. שכבר סעד הוא עמהן משלהן כמה פעמים ועכשיו הגיע זמן לפרוע פורע לאלתר מפני שמחוייב להם כבר. ויחזק. ויאחז. ואפרקסותו. סודר שעל הראש שתלוי לו על כתיפו. אינה מעכבת. אינה צריכה לקרוע. לישנא אחרינא נופל אותו אפרקסותו על החזה ומכסה קריעת החלוק ואף על פי כן אין זה עיכוב (ברש"י ברי"ף - חיוב) קריעה. אחד האיש ואחד אשה. צריך לקרוע על אביו ועל אמו לקרוע כל החלוקין שעליו. האשה. שמת אביה ואמה. קורעת. חלוק התחתונ' משום צניעות ומחזרת קרע לאחריה וחוזרת וקורעת העליון והתחתון מכסה כנגד לבה. רצה מבדיל קמיה שפה שלו. כלומר מתחיל קריעה מחלל בית הצואר כמו שפה לפיו. רצה אינו מבדיל. אלא מתחיל ונוקב למטה מבית הצואר כנגד כריסו וקורע והשפה של חלוק לבית הצואר אינו קורעו. קרע של תפלה. כלומר לא יצא ידי קריעה. ויחזק בבגדיו. באלישע כתוב שקרע על אליהו דאזיל מיניה. מלמד שנראין כשנים. הכא לא גרסינן לעולם דהא קתני ולא מתאחין. שולל. בשטיי"ר. מאחה. תופר כדרכו והנך על כל המתים דקתני כגון בנו ובתו ואחיו ואחותו ואשתו. מפני כבודה. שלא תעמוד פרועה. אם רצה בכלי. בסכין. מבפנים. בחדר שאין צריך לקרוע בפני העם. לא הושוו. רבו ונשיא ואב בית דין וכל הנך דקתני במתני' שהן קורעין ולא מתאחין לא הושוו לאביו ולאמו. אלא לאיחוי בלבד. שאין מתאחין (קורעין) [הקריעה] שקורעין עליהן אבל להא מילתא שיהו קורעין בפני העם לא הושוו. כפי אסיתא. הפוך המכתשת ועמוד עליה וקרע כדי שיראוך כולם כשתקרע. על חכם. חולץ כתף של ימין קריעה משמאל הוה מתחזיא בהנהו טפי מימין. חכם. ממונה שבעיר שמבקשין ממנו הוראה ואב ב"ד עדיף מיניה. בית מדרשו. אותן שהיו רגילין ללמוד תורה מפיו.

Chanan bar Rava: כְּפֵי אֲסִיתָא וְקוּם עֲלָהּ – **Turn over the mortar and stand on top of it** וְאַחֲוֵי קְרִיעָה לְעָלְמָא – **and show** your act of **rending to the public.**[34]

Some further rulings:

עַל חָכָם חוֹלֵץ מִיָּמִין – When mourning **for a sage,**[35] **one bares** the shoulder **on the right,** i.e. the right shoulder. עַל אַב בֵּית דִּין מִשְּׂמֹאל – When mourning **for the head of a** ***Beis Din,***[36] one bares the shoulder **on the left.**[37] עַל נָשִׂיא מִכָּאן וּמִכָּאן – **For a** ***Nasi,*** one bares the shoulder both **here and there,** i.e. both right and left.[38]

The Gemara cites another Baraisa:

תָּנוּ רַבָּנָן – **The Rabbis taught** in a Baraisa: חָכָם שֶׁמֵּת בֵּית מִדְרָשׁוֹ בָּטֵל – IF A SAGE DIES, HIS HOUSE OF STUDY CEASES its sessions.[39] אַב בֵּית דִּין שֶׁמֵּת כָּל בָּתֵּי מִדְרָשׁוֹת שֶׁבְּעִירוֹ בְּטֵילִין – IF THE HEAD OF A *BEIS DIN*[40] DIES, ALL THE HOUSES OF STUDY IN HIS CITY CEASE their sessions.[41] וְנִכְנָסִין לְבֵית הַכְּנֶסֶת וּמְשַׁנִּין אֶת מְקוֹמָן – AND THEY[42] ENTER THE SYNAGOGUE to pray morning and evening,[43] BUT CHANGE THEIR regular PLACES. הַיּוֹשְׁבִין בַּצָּפוֹן יוֹשְׁבִין בַּדָּרוֹם – THOSE WHO usually SIT IN THE NORTH now SIT IN THE SOUTH, הַיּוֹשְׁבִין בַּדָּרוֹם יוֹשְׁבִין בַּצָּפוֹן – and THOSE WHO SIT IN THE SOUTH now SIT IN THE NORTH.[44]

נָשִׂיא שֶׁמֵּת בָּתֵּי מִדְרָשׁוֹת כּוּלָּן בְּטֵילִין – IF THE *NASI* DIES, ALL HOUSES OF STUDY everywhere[45] CEASE their sessions, וּבְנֵי הַכְּנֶסֶת נִכְנָסִין לְבֵית הַכְּנֶסֶת – AND THE PEOPLE OF THE SYNAGOGUE[46] ENTER THE SYNAGOGUE,

NOTES

34. So that they should see you rending your garment (*Rashi*) and be prompted to do the same (*Talmid R' Yechiel MiParis*).

35. I.e. one who was designated in the town to issue halachic rulings (*Rashi* and *Rashi ms.*). [The townspeople are obligated to mourn his passing. See below, 25a.]

36. See below, note 40.

37. This is a greater sign of mourning. For the cloaks that people wore generally covered the left side more than the right; hence, baring the left shoulder was more pronounced than baring the right (*Talmid R' Yechiel MiParis;* see also *Ritva,* with note 834 in Mossad HaRav Kook edition; cf. *Hagahos Yavetz*).

38. [As mentioned above (see note 3), some explain that one bares only one shoulder for a parent, and that a parent is thus *less* stringent than the *Nasi* in this regard.]

39. "His house of study" refers to those who would study under him regularly (*Rashi*). Throughout the *shivah,* these disciples cancel the regular sessions in his house of study in order to eulogize him (*Ramban; Rosh* §45; cf. *Talmid R' Yechiel MiParis,* who explains that the reference is specifically to the day of the sage's death). And even after the eulogies, these disciples do not study together in the house of study, but rather pair off to study in groups of two in their homes (*Rosh* §45 citing *Raavad; Yoreh Deah* 344:18).

They do not gather to study in the deceased's house of study, so that they not neglect to eulogize him [because they have not made any significant change in their study routine] (*Ramban*).

40. Every town had an *Av Beis Din,* who had jurisdiction over the entire town (see *Bach, Yoreh Deah* 344).

41. For they all learn Torah from the *Av Beis Din* (*Bach* ibid.).

42. I.e. those of the townspeople who generally pray in the synagogue (see below, note 46). [*Ramban* has the reading here (as we have in the next part of the Baraisa): וּבְנֵי הַכְּנֶסֶת נִכְנָסִין לְבֵית הַכְּנֶסֶת, *and "the people of the synagogue" enter the synagogue . . .*]

43. Ibid.

44. [That is, although in this case the townspeople do enter the synagogue to pray (unlike the case of the *Nasi,* mentioned next), they must change their usual places.]

45. *Rosh* §45; *Aruch HaShulchan* 344:10; see also *Ramban* and *Yoreh Deah* 344:18; see, however, *Meiri, Nimukei Yosef* folio 14a, and *Raavad,* cited in *Beis Yosef [Bedek HaBayis], Yoreh Deah* 344.

46. I.e. those who generally pray in the synagogue (*Ramban, Toras HaAdam* ibid.). The reference is to the synagogue of the city in which the *Nasi* died [and in which his surviving relatives will observe *shivah*] (see *Raavad* loc. cit., and *Aruch HaShulchan, Yoreh Deah* 344:11; see also *Talmid R' Yechiel MiParis*).

וְקוֹרִין שִׁבְעָה וְיוֹצְאִין – AND they have SEVEN PEOPLE READ from the Torah on the Sabbath,[1] AND THEY then LEAVE the synagogue.[2] רַבִּי יְהוֹשֻׁעַ בֶּן קָרְחָה אוֹמֵר – R' YEHOSHUA BEN KORCHAH SAYS: לֹא שֶׁיֵּלְכוּ וִיטַיְּילוּ בַּשּׁוּק אֶלָּא יוֹשְׁבִין וְדוֹמִין – NOT THAT THEY SHOULD GO AND STROLL IN THE STREET,[3] RATHER THEY SHOULD SIT at home AND BE SILENT.[4] וְאֵין אוֹמְרִים שְׁמוּעָה וְאַגָּדָה בְּבֵית הָאֵבֶל – AND[5] THEY DO NOT SAY discourses of TALMUD OR AGGADAH IN A HOUSE OF MOURNING.[6] אָמְרוּ עָלָיו עַל רַבִּי חֲנַנְיָה בֶּן גַּמְלִיאֵל – However, THEY SAID ABOUT R' CHANANYAH BEN GAMLIEL שֶׁהָיָה אוֹמֵר שְׁמוּעָה וְאַגָּדָה בְּבֵית הָאֵבֶל – THAT HE USED TO SAY discourses of HALACHAH AND AGGADAH IN A HOUSE OF MOURNING.[7]

The Gemara quotes another Baraisa, which discusses the early weeks of mourning:

תָּנוּ רַבָּנָן – **The Rabbis taught** in a Baraisa: אָבֵל שַׁבָּת רִאשׁוֹנָה אֵינוֹ יוֹצֵא מִפֶּתַח בֵּיתוֹ – A MOURNER DOES NOT GO OUT OF THE DOOR OF HIS HOUSE for THE FIRST WEEK of mourning.[8] שְׁנִיָּה יוֹצֵא וְאֵינוֹ יוֹשֵׁב בִּמְקוֹמוֹ – THE SECOND week, HE MAY GO OUT of his house, BUT HE DOES NOT SIT IN HIS regular PLACE in the synagogue.[9] שְׁלִישִׁית יוֹשֵׁב בִּמְקוֹמוֹ וְאֵינוֹ מְדַבֵּר – THE THIRD WEEK, HE MAY SIT IN HIS regular PLACE in the synagogue, BUT HE DOES NOT SPEAK.[10] רְבִיעִית הֲרֵי הוּא כְּכָל אָדָם – THE FOURTH week, HE IS LIKE ANY OTHER PERSON.[11] רַבִּי יְהוּדָה אוֹמֵר – R' YEHUDAH SAYS: לֹא הוּצְרְכוּ לוֹמַר שַׁבָּת רִאשׁוֹנָה לֹא יֵצֵא מִפֶּתַח בֵּיתוֹ – THERE WOULD BE NO NEED for the sages TO SAY THAT THE MOURNER DOES NOT LEAVE his home DURING THE FIRST week, שֶׁהֲרֵי הַכֹּל נִכְנָסִין לְבֵיתוֹ לְנַחֲמוֹ – SINCE EVERYONE IS then ENTERING HIS HOUSE TO CONSOLE HIM![12] אֶלָּא שְׁנִיָּה אֵינוֹ יוֹצֵא מִפֶּתַח בֵּיתוֹ – RATHER, what they said was that THE SECOND week HE DOES NOT GO OUT OF THE DOOR OF HIS HOUSE; שְׁלִישִׁית יוֹצֵא וְאֵינוֹ יוֹשֵׁב בִּמְקוֹמוֹ – THE THIRD week, HE MAY GO OUT of his house, BUT HE DOES NOT SIT IN HIS regular PLACE in the synagogue; רְבִיעִית יוֹשֵׁב בִּמְקוֹמוֹ וְאֵינוֹ מְדַבֵּר – THE FOURTH week, HE MAY SIT IN HIS regular PLACE in the synagogue, BUT HE DOES NOT SPEAK; חֲמִישִׁית הֲרֵי הוּא כְּכָל אָדָם – and THE FIFTH week, HE IS LIKE ANY OTHER PERSON.[13]

Another Baraisa:

תָּנוּ רַבָּנָן – **The Rabbis taught** in a Baraisa: כָּל שְׁלֹשִׁים יוֹם לְנִישׂוּאִין – A mourner is subject ALL THIRTY DAYS of *sheloshim* TO the MARRIAGE restrictions, i.e. he may not marry for thirty days.[14] מֵתָה אִשְׁתּוֹ – And IF it is HIS WIFE who has DIED, אָסוּר לִישָּׂא אִשָּׁה אַחֶרֶת עַד שֶׁיַּעַבְרוּ עָלָיו שְׁלֹשָׁה רְגָלִים – HE IS FORBIDDEN TO MARRY ANOTHER wife UNTIL THREE FESTIVALS HAVE

NOTES

1. *Rashi ms.* [It is on the Sabbath that seven people are called to read from the Torah. On Mondays and Thursdays, however, only three people are called.]

2. I.e. [throughout the week of *shivah*] they do not pray together in the synagogue as usual; rather, each person prays at home. They gather at the synagogue only for the Torah reading (*Rashi; Rashi ms.;* see also *Ritva*). [Prayer with a *minyan* is canceled in honor of the deceased *Nasi.* The *minyan* gathers only for the reading of the Torah, which would be canceled entirely in the absence of a *minyan* (*Matzeves Moshe*).]

Alternatively, they gather to pray with a *minyan* at the home of the mourner [i.e. the *Nasi's* relatives; see 22b note 46] (*Ramban; Ritva; Rosh* §45).

[Some explain the Baraisa to mean that *only* on the Sabbath do they gather in the synagogue to read the Torah (*Ramban*), so that the synagogue not cease to function altogether (*Ritva*). But during the week they do not gather at the synagogue even for the Torah readings usually conducted on Monday and Thursday. Others, however, explain that the Baraisa means for the people to gather at the synagogue for all Torah readings – even that of Monday and Thursday (*Rosh* ibid.; see there for why the Baraisa specifies the Sabbath, and see also *Lechem Mishneh, Hil. Aveil* 9:15).]

3. [From *Rambam* (*Hil. Aveil* 9:15), it would seem that the reference is to those who are idled from the study hall. From *Ramban* and *Talmid R' Yechiel MiParis,* however, it appears that the reference is to those who leave the synagogue after the Torah reading.]

4. In *Rif* the reading is: אֶלָּא יוֹשְׁבִין וְדָווִין, *rather, they sit and brood,* and mourn the death of the *Nasi* (*Talmid R' Yechiel MiParis*) and the concomitant cessation of services in the synagogue (*Nimukei Yosef* folio 14a).

5. The Baraisa is now presenting a law that pertains to a house of mourning in general (*Meiri; Rambam, Hil. Aveil* 13:9; *Yoreh Deah* 378:7; cf. alternative explanation in *Ramban* and *Ritva,* based on a variant reading in the Baraisa).

6. Rather, they sit and brood (*Rambam* ibid.; see also *Yoreh Deah* ibid.).

Meiri explains that the reference is even to discourses on the topic of mourning. They may discuss these matters informally, but not in the formal style of study. *Ritva,* however, maintains that the Baraisa refers to areas of study *other* than those related to mourning; but mourning-related matters are permitted even in the style of halachic and aggadic discourses. [See above, 15a, regarding Torah study for a mourner.]

[*Ramban* and *Ritva* explain (based on *Eivel Rabbasi*) that the Baraisa refers even to the Sabbath. And the Tanna Kamma of this Baraisa follows the view that mourning practices do apply on the Sabbath (see end of this *amud* and 23b).]

7. [According to *Ramban* and *Ritva,* based on *Eivel Rabbasi* (see preceding note), R' Chananyah ben Gamliel permits Torah study in the mourner's house *on the Sabbath,* because he was a Judean, and the Judeans are of the opinion that the mourning practices do *not* apply on the Sabbath (see 23b note 2).]

8. [Our translation of שַׁבָּת here as *week* follows *Rashi ms.*; see also *Yoreh Deah* 393:2.] He may not leave his house even to attend the synagogue (see *Ritva*).

Some explain (according to this interpretation of שַׁבָּת as *week*) that it is only during the week that he may not attend the synagogue. But he *is* permitted to do so on the Sabbath, because "there is no observance of mourning on the Sabbath" [see end of this *amud* and 23b] (*Ritva;* see *Rosh* §46 and *Yoreh Deah* 393:3). [Other Rishonim, however, interpret שַׁבָּת in this Baraisa to mean *the Sabbath;* see *Ritva,* who elaborates.]

9. [*Rashi ms.*] Or in the house of study or in any other gathering place (see *Talmid R' Yechiel MiParis*).

10. Rather, he sits quietly, and does not talk as much as he usually does (*Rashi ms.*).

11. [With regard to sitting in his place and speaking without restriction.]

The fourth week begins after the third Sabbath, even if it is not yet three full weeks since he began mourning (*Yoreh Deah* 393:2).

12. Obviously, then, he may not leave his home (*Rashi* and *Rashi ms.*).

[The Tanna Kamma was reporting a tradition from earlier sages regarding the mourner's conduct during the first four weeks. R' Yehudah argues that the Tanna Kamma's understanding of that tradition cannot be correct, as the sages would not have had to state that the mourner may not leave his house during the first week (see next note).]

13. Each stage mentioned by the Tanna Kamma is delayed by R' Yehudah one week.

[R' Yehudah agrees that the Tanna Kamma's report is accurate; he simply contests the Tanna Kamma's *understanding* of that report. Whereas the Tanna Kamma understands "first . . . second . . . etc." as being counted from when the mourning begins, R' Yehudah insists that they are being counted from when the *shivah* ends, since there was no need for the sages to say anything about the week of *shivah* itself (see *Yerushalmi,* end of 14a with *Korban HaEidah*).]

14. נִשּׂוּאִין, *nisuin,* is the second stage of marriage (effected by חוּפָּה, *chuppah*), in which husband and wife live together under one roof [whether or not the marriage is actually consummated].

[Whether a mourner during *sheloshim* may enter into אֵירוּסִין, *erusin* (the first stage of marriage, commonly translated as *betrothal*), is debated by the authorities – see *Ritva,* and *Rosh* §48.]

[After *sheloshim,* however, the mourner may marry, even if he is mourning his father or mother (*Yoreh Deah* 392:1; see *Mordechai* §891).]

וקורין שבעה ויוצאין רבי יהושע בן קרחה אומר לא שילכו ויטיילו בשוק אלא יושבין ודומין א ואין אומרים שמועה ואגדה בבית האבל אמרו עליו על ר' חנניה בן גמליאל שהיה אומר שמועה ואגדה בבית האבל (א) ת"ר ב אבל שבת ראשונה אינו יוצא מפתח ביתו שניה יוצא ואינו יושב במקומו (א) שלישית יושב במקומו ואינו מדבר רביעית הרי הוא ככל אדם רבי יהודה אומר לא הוצרכו לומר שבת ראשונה לא יצא מפתח ביתו שהרי הכל נכנסין לביתו לנחמו אלא שניה אינו יוצא מפתח ביתו שלישית יוצא ואינו יושב במקומו (ב) רביעית יושב במקומו ואינו מדבר חמישית הרי הוא ככל אדם (ב) ת"ר ג כל שלשים יום לנישואין מתה אשתו אסור לישא אשה אחרת עד שיעברו עליו שלשה רגלים רבי יהודה אומר רגל ראשון ושני אסור שלישי מותר ד ואם אין לו בנים מותר לישא לאלתר משום ביטול פריה ורביה ה הניחה לו בנים קטנים מותר לישא לאלתר מפני פרנסתן (ג) מעשה שמתה אשתו של יוסף הכהן ואמר לאחותה בבית הקברות לכי ופרנסי את בני אחותך ואעפ"כ לא בא עליה אלא לזמן מרובה מאי לזמן מרובה אמר רב פפא ו לאחר שלשים יום (ד) ת"ר כל שלשים יום לגיהוץ אחד כלים חדשים ואחד כלים ישנים יוצאין (ג) מתוך המכבש רבי אומר לא אסרו אלא כלים חדשים בלבד רבי אלעזר בר' שמעון אומר ז לא אסרו אלא כלים חדשים לבנים בלבד אביי נפיק בגרדא דסרבלא כרבי רבא נפיק בחימוצתא רומיתא סומקתא חדתי כרבי אלעזר בר' שמעון: מפני שאמרו שבת עולה ואינה מפסקת: בני יהודה ובני גלילא הני אמרי יש

וקורין שבעה. בספר תורה דאין מתפללין יחד בבית הכנסת אלא כל אחד ואחד מתפלל בביתו: לא הוצרכו לומר שבת ראשונה. שודאי לא יצא מפתח ביתו: כל שלשים יום לנישואין. עד שלשים יום לאחר אבלו אינו יכול לישא אשה: ואחד כלים ישנים יוצאין מתוך המכבש. פירוש שהן כחדשים: בגרדא דסרבלא. מלבוש לבן מגוהץ ישן: כרבי. דאמר לא אסרו לבן אלא חדש: בחימוצתא. חלוק: רומיתא. שבא מרומי: כרבי אלעזר. דאמר לא אסרו אלא לבנים וזו אדומה היתה:

רבי יהודה אומר לא הוצרכו. בירושלמי פוסק הלכה כדברי המוסיף בימים (שבעה) וראיתי כשהייתי קטן רבינו יצחק זקני שלא היה יושב במקומו עד שבוע רביעי ולא ידעתי טעמו שאם היה סובר כר' יהודה א"כ יסבור כמותו בשניה שאינו יוצא מפתח ביתו מיהו י"ל בהא אשכחנא טובא לעיל דאבילות שבעה וקי"ל הכי ושמא טעמו כרבנן ומשום דצריך לישב במקומו ואינו מדבר וטוב יותר שישב חוץ למקומו דשמא אין אסור לדבר כי אם במקומו: עד שיעברו שלשה רגלים. עד שיהיה שלשה רגלים בלא שמחה ולא ישכח אהבת אשתו אי נמי כדי שישא אשה אחרת ולא יהא זכור מן הראשונה [שלא] יהא ב' דעות במטה ועוד פן יזכירנה אהבת אשתו לקנטרה ודומיא דהכא אמרי' לעיל (ד' כא:) מתה אשתו ונשא אשה אחרת אינו רשאי ליכנס לביתו כו' פירש ה"ר יונה דאין שייך לפסוק כרבי יהודה דאמר שני רגלים משום דקי"ל לעיל (ד' כב.) כדברי המיקל באבל דהא מילתא דפליגי בה הכא אין זו באבל דימי אבלו כלו להן: ואמר לאחותה בבית הקברות. לאו דוקא שהאבל כל שבעה אסור וריב"א מפרש דזו היא האשה שאומר בזבחים פ' טבול יום (ד' ק.) שמתה בערב הפסח ואמרי' לעיל אפי' יום אחד אפילו שעה אחת בטלה ממנו גזרת שבעה ומיהו משמע שסובר כאותו הפירוש שפי' למעלה בשם ה"ר יונה שאסור ברחילה עד הערב זהו מבעוד יום ודין הניחה לו בנים קטנים מיד ° מותר לישא ולבעול וכן אין לו בנים פירשתי בתוספות יבמות (ד' מג: ושם ה) וכן בכתובות פ"ק (ד' ד. ו) ובתשובות ומה שאמר במס' שמחות (פ"ז) בהאי מילתא דנסיב לאלתר ולא בא עליה עד זמן מרובה והאי דאמרינן אין לו מי שישמשנו מותר ואין צריך להמתין שלשה רגלים כתבתי במקום אחר:

כל שלשים יום לגיהוץ. דוקא גיהוץ אסור אבל בלא גיהוץ כגון כיבוס מותר דאמרינן לקמן (ד' כז:) אל תבכו למת הא כיצד שלשים יום לגיהוץ ולתספורת ובמסכת שמחות (פ"ז) שלשים יום לגיהוץ כיצד כו' ובירושלמי גזרת שלשים גיהוץ ותספורת אבל כיבוס משמע דשרי מדאמרינן פ' החולץ (יבמות מג:) גבי אלמנה מפני האיבול וקאמר באיבול שלה שלשים יום ופריך קל וחומר מה במקום שאסור לכבס מותר לארס במקום שמותר לכבס אינו דין שמותר לארס והדתניא במסכת שמחות (פ"ז) שמונה ימים קודם הרגל אם רצה לכבס ולספר הרשות בידו לא ספר לא כיבס ערב הרגל אסור לספר ולכבס עד שישלימו שלשים יום משמע דכיבוס נמי אסור נראה ההוא כיבוס היינו גיהוץ ומאחר דכיבוס שרי גיהוץ נמי שרי לדידן כדאמרי' פ"ק דכתובות (ד' י:) ופ"ד דתענית (ד' כט:) דגיהוץ שלנו ככיבוס שלהן והקשה ה"ר שמואל מוורדו"ש דהא בשמעתין באביי נפיק כו' והא בבבל הוו קיימי דגיהוץ דאינהו אינו אלא כיבוס ומ"מ אסרי ותירץ רבינו יצחק דפעמים שהיו מביאים מא"י כלים מגוהצין או שמא פעמים שמביאין אומנין יודעין לגהץ כבארץ ישראל והא דתניא בתוספתא (פ"ב) כל אלו שאמרו מותר לספר במועד מותר לספר בתוך שלשים יום אבל כל אלו שאמרו מותר לכבס במועד אסור בתוך שלשים יום של אבל צריך לומר דכיבוס נמי היינו גיהוץ ומורי ריב"א ז"ל היה אוסר לכבס בתוך שלשים יום ואין נראה לו לדחות כל אלו והא דקאמר בפרק החולץ (יבמות ד' מג. ושם) מקום שמותר לכבס היינו בהני דהתירו לגלח ולכבס בריש פירקין (ד' יג:) בא ממדינת הים ויוצא מבית האסורין ומה שאסור שם בתשעה באב לכבס היינו דוקא טעמא שיכול להמתין אחר תשעה באב הואיל ואיסורו אינו מושך כל כך וגרסינן שפיר במקום שמותר לספר כדפרישית וא"צ למוחקו וא"צ ליישבו באשה או בגילוח כל הראש כדברי המפרשים שרוצים ליישב גירסת הספרים והארכתי בתוספות יבמות (ג"ז שם) וגרסינן לקמן (ד' כז:) אל תבכו כו' הא כיצד שלשים יום לתכבוסת ולתספורת והא דאמר לעיל (ד' טו.) אבל אסור בתכבוסת משמע לאחר שבעה שרי התם במים איירי ולא בנתר וחול וזה יוכל להיות מותר לאחר שבעה בתוספות הרב כך פירש לאסור ובשם רבו פירש היתר ולפי מה שפירש דכיבוס אסור כמו גיהוץ ניחא קושיית ה"ר שמואל מוורדו"ש מיהו מורי לא היה מפרש ממש לאסור כל כיבוס אלא היה מפרש דהאי ברייתא דאסרה כיבוס היינו בא"י דכיבוס שלהן כגיהוץ שלנו והיא דקתני גיהוץ ולא כיבוס היינו בבבל מיהו לפי זה לא היה אסור לדידן כי אם גיהוץ אכן היה ר"י מפרש בלא ראייה כמו שפירש רבינו יצחק הזקן דבבבל היו פעמים אומנים מא"י יודעין לגהץ וכלי פשתן אין בהן משום גיהוץ וחולק על הש"ס ירושלמי דקתני התם כל שלשים יום לגיהוץ אסור ללבוש כלי נמר מגוהצין חדשים וכלי פשתן מגוהצים לבנים פירש בתוספות הרב דהא דאסרי גיהוץ דוקא ללבוש אבל לגהץ מותר והא דקתני כל שלשים יום לגיהוץ היינו אסור ללבוש כלים מגוהצין כו' עד מותר להוליך כלים לגיהוץ בתוך שלשים ואיני יודע אם היה אומר הרב היתר בכיבוס תוך שבעה ומחלק נמי בין לכבס או ללבוש מיהו רבינו יצחק זקני מפרש בתשובתו דאפי' לכבס ולהניח אסור מדאסרינן בפרק בתרא דתענית (ד' כט.) לכבס ולהניח ועוד פירש בתשובתו דכיבוס שלנו מותר בט' באב כדאמרינן דגיהוץ שלנו ככיבוס שלהן משמע דכיבוס שלנו אינו ככיבוס שלהם והכי איתא בהדיא בפ"ק דכתובות (ד' י:) מיהו לענין ימי אבילות אסור בכיבוס שלנו אפי' בתשעה באב מחמירין העולם בכיבוס שלנו מתוך המנהג כמו שהחמירו לענין אבילות דבשר מליח דשרי בהלכה ורגילין לנהוג בו איסור ומיהו איני מבין מנין לו להקל בתשעה באב יותר מימי אבלו דאדרבה בפרק בתרא דתענית (שם) נראה לי שמחמיר יותר לענין גיהוץ כלי פשתן בימי אבלו מבמועד ובמטפחות ידים השיב רבינו שאף על פי שהתירו במועד אסורין בימי אבלו כדאמרינן לעיל (דף יז:) כל שאמרו מותר לגלח במועד כו' והתניא אסורים ומוקי לה בתכפוהו אבליו: רבא נפיק כו'. ופי' בתוספות דאביי ורבא הלכה כרבא וא"כ מותר ללבוש כלים מגוהצין לבועין אפילו חדשים או ישנים אפילו לבנים וכן פסק ר"ח:

מסורת הש"ס

א) [שמחות פ"י ע"ש], ב) [שמחות פ"ז], ג) [שם וע"ש], ד) [שם וע"ש], ה) [בד"ה שאני], ו) [בד"ה אבל].

הגהות הב"ח

(א) גמ' שניה יוצא ואינו יושב במקומו ואינו מדבר שלישית יושב במקומו: (ב) שם ואינו יושב במקומו ואינו מדבר רביעית יושב כו': (ג) שם ואחד כלים ישנים יוצאין מתחת המכבש רבי אומר:

גליון הש"ס

גמ' שבת ראשונה אינו יוצא. עיין לקמן דף כז ע"א תוס' ד"ה אם יכול: שם בגרדא דסרבלא כרבי. עיין לקמן דף כד ע"ב תוס' ד"ה ברכת אבילים: תוס' ד"ה ואמר לאחותה וכו' מותר לישא ולבעול. נ"ל שתיבת ולבעול ט"ס הוא:

רש"י כת"י

וקורין שבעה. אנשים בתורה אם שבת הוא. ויוצאין. ואין מתפללין בעשרה אלא כל אחד לעצמו. שמועה. סוגיא. שבת ראשונה. שבעת ימי שבת. ואינו יושב במקומו. בבית הכנסת. ואינו מדבר. אלא יושב ודומם ואינו מרבה בדברים כמנהגו. לא הוצרכו לומר שבת ראשונה. שלא יצא מפתח ביתו שהרי הכל נכנסין בביתו לנחמו ואין צריך לומר שאינו יוצא. לנישואין. אם מת בנו או אחיו אסור לישא אשה. מתה אשתו אסור לישא. עוד אחרת עד ג' רגלים שמראה אילו אינו חושש במית' אשתו. מפני פרנסתן. מפני תקון הנערים דאשה מרביא (ברש"י ברי"ף - ממציאה) להו לבנים. לכי ופרנסי. שאני נושא אותך. תנו רבנן כל שלשים יום לגיהוץ. ליסקיי"ר בלע"ז. מדרבנן הוא שגנאי הוא ללבוש בגדים מגוהצין ותספורת כל שלשים יום ילפינן לעיל מדאוריתא פרע פרע מנזיר. ועכשיו אין לנו גזירת שלשים אלא לתספורת אבל חליפת בגדים ורחילת חמין מחליף והולך משעבר אבילותו ואפי' לגיהוץ שלנו מותר לאחר שבעה דאמ' מר גיהוץ שלנו ככיבוס שלהם במסכת תענית. יוצאין. שדרכן שטוחין אותן תחת מכבש ליפותן פרימש"א בלע"ז. כלים חדשים בלבד. אבל ישנים אפילו יוצאין מתחת ידי מכבש. חדשים לבנים. והוא שיוצאין מתחת ידי מכבש. אביי נפיק. בתוך שלשים יום בימי אבלו. בגרדא דסרבלא. בסרבל ישן שתקנוהו כעין חדש על ידי הגרירה דפולי"ר. כר'. דאמ' לא אסרו תוך שלשים אלא כלים חדשים והאי לאו חדש הוא. (הומניתא) [חימוצתא]. חלוק [שרו"ק] בלשון אשכנז. רומיתא. שבא מרומי מגוהצים. כר' [אלעזר בר'] שמעון. דאמ' לא אסרו אלא חדשים לבנים וזו אדומה. יהודה. וגליל ארצות הן.

עין משפט נר מצוה

קנב א מיי' פי"ג מהל' אבל הל' ט טוש"ע י"ד סי' שעט סעיף ז:
קנג ב מיי' שם פ"ז הלכה ה סמג עשין ב טוש"ע שם סי' שלג סעיף ב:
קנד ג ד ה ו מיי' שם פ"ו הל' ה טוש"ע שם סי' שלב סעיף א ב:
קנה ז מיי' שם פ"ה הל' ג ופ"ו שם הלכה ד סמג עשין דרבנן ב טוש"ע שם סי' שפט סעיף ה:

רבינו חננאל

וקורין שבעה ויוצאין ודוין א) ולא יטיילו בשוק ואין אומרים שמועה והגדה בבית האבל. אמרו על ר' חנינא בן גמליאל שהיה אומר שמועה והגדה בבית האבל: ת"ר אבל שבת ראשונה אינו יוצא מפתח ביתו. שניה יוצא ואינו יושב במקומו. שלישית יושב ואינו מדבר. רביעית שוה לכל אדם. ר' יהודה אומר לא הצריכו לומר שבת ראשונה שהכל נכנסין אצלו לנחמו אלא שניה אינו יוצא מביתו. שלישית יוצא ואינו יושב במקומו. רביעית יושב ואינו מדבר. חמישית שוה לכל אדם. ב) והיכן דרגילין אבלים לצלויי כנסת קדמי ואתו ויתבי במקום אבלים מצלו. ואיכא נמי בבבל דעבדי הכי: ת"ר כל שלשים אסור לישא. מתה אשתו אסור לישא אחרת עד שיעברו עליו שלש רגלים. ר' יהודה אומר רגל ראשון ושני אסור שלישי מותר ואם אין לו בנים מותר לישא לאלתר משום ביטול פריה ורביה. הניחה לו בנים קטנים מותר לישא אשה לאלתר מפני פרנסתן. ומעשה שמתה אשתו של יוסף הכהן ואמר לאחותה ועדיין הן בבית הקברות לכי ופרנסי בני אחותך ואעפ"כ לא בא עליה אלא לאחר שלשים וכן עשה ר' טרפון ומפורש בתלמוד א"י: ת"ר כל שלשים יום לגיהוץ אחד כלים חדשים ואחד כלים ישנים יוצאין מתחת מכבש רבי אומר לא אסרו אלא כלים חדשים בלבד אביי נפק בגרדא דסרבלא כו'. רבא נפק ג) בהמיצתא רומניתא סומקתא חדתי כר' [אלעזר בר'] שמעון וקיי"ל כרבא ואליבא דר' אלעזר בר' שמעון: ירושלמי ב' אחין. ב' שותפין. ב' טבחין ב' חנוונין שאירע לאחד מהן דבר הרי אלו נועלין חנותן ופועלים עושין בצינעא במקום אחר: מתני' מפני שאמרו שבת עולה ואינה מפסקת בני יהודה ובני גלילא דהני אמרי יש אבלות

חשק שלמה על ר"ח

א) כ"ה גרסת הרי"ף ויושבין ודוין כו'. ב) וכן הביא הרמב"ן ז"ל בס' תה"א בשער האבלות בשם רב האי גאון ז"ל ועי' ברא"ש כאן. ג) כ"ה גי' הערוך בערך המיצתא וע"ע בערך חמצתא והרי"ף ז"ל גרס בהימייניתא רומייתא.

PASSED.[15] רַבִּי יְהוּדָה אוֹמֵר – R' YEHUDAH SAYS: רֶגֶל רִאשׁוֹן וְשֵׁנִי אָסוּר – Before THE FIRST AND SECOND FESTIVALS have passed, HE IS FORBIDDEN to remarry. שְׁלִישִׁי מוּתָּר – But before THE THIRD festival, HE IS PERMITTED to remarry.[16] וְאִם אֵין לוֹ בָּנִים מוּתָּר לִישָּׂא לְאַלְתַּר – AND IF HE DOES NOT HAVE CHILDREN,[17] HE IS PERMITTED TO MARRY IMMEDIATELY, מִשּׁוּם בִּיטּוּל פְּרִיָּה וּרְבִיָּה – ON ACCOUNT OF THE CESSATION from the obligation OF BEING FRUITFUL AND MULTIPLYING that would result from waiting to remarry.[18] הִנִּיחָה לוֹ בָּנִים קְטַנִּים – And similarly, IF SHE LEFT HIM WITH SMALL CHILDREN, who require a mother's care, מוּתָּר לִישָּׂא לְאַלְתַּר מִפְּנֵי פַּרְנָסָתָן – HE IS PERMITTED TO MARRY IMMEDIATELY BECAUSE OF THEIR CARE.[19] מַעֲשֶׂה שֶׁמֵּתָה אִשְׁתּוֹ שֶׁל יוֹסֵף הַכֹּהֵן – And IT ONCE HAPPENED THAT THE WIFE OF YOSEF THE KOHEN DIED, וְאָמַר לַאֲחוֹתָהּ בְּבֵית הַקְּבָרוֹת – AND HE SAID TO HER unmarried SISTER IN THE CEMETERY, לְכִי וּפַרְנְסִי אֶת בְּנֵי אֲחוֹתֵךְ – "GO AND CARE FOR YOUR SISTER'S CHILDREN."[20] וְאַף עַל פִּי כֵן לֹא בָּא עָלֶיהָ אֶלָּא לִזְמַן מְרוּבֶּה – NEVERTHELESS, HE DID NOT HAVE RELATIONS WITH HER UNTIL A LONG TIME afterwards.

The Gemara explains:

מַאי לִזְמַן מְרוּבֶּה – **What is** meant in the Baraisa by **"a long time"?** אָמַר רַב פַּפָּא – **Rav Pappa said:** לְאַחַר שְׁלֹשִׁים יוֹם – Until **after thirty days.**

The Gemara now cites a Baraisa concerning the mourner's wearing of freshly pressed clothing during *sheloshim:*

תָּנוּ רַבָּנָן – **The Rabbis taught** in a Baraisa: כָּל שְׁלֹשִׁים יוֹם לְגִיהוּץ – A mourner is subject ALL THIRTY DAYS of *sheloshim* TO the PRESSING restriction, i.e. he may not wear freshly pressed clothing for thirty days.[21] אֶחָד כֵּלִים חֲדָשִׁים וְאֶחָד כֵּלִים יְשָׁנִים יוֹצְאִין מִתּוֹךְ הַמַּכְבֵּשׁ – It does not matter WHETHER they are NEW CLOTHES OR OLD CLOTHES COMING OUT OF THE PRESS.[22] רַבִּי אוֹמֵר – REBBI is more lenient and SAYS: לֹא אָסְרוּ אֶלָּא כֵּלִים חֲדָשִׁים בִּלְבַד – [THE SAGES] FORBADE ONLY NEW CLOTHING. רַבִּי אֶלְעָזָר בְּרַבִּי שִׁמְעוֹן אוֹמֵר – R' ELAZAR THE SON OF R' SHIMON is even more lenient and SAYS: לֹא אָסְרוּ אֶלָּא כֵּלִים חֲדָשִׁים לְבָנִים בִּלְבַד – [THE SAGES] FORBADE ONLY NEW WHITE CLOTHING.[23]

The Gemara records the practices of Amoraim in this matter:

אַבַּיֵי נָפִיק בְּגַרְדָּא דְסַרְבָּלָא – **Abaye went out** into the street during *sheloshim* dressed **in a teaseled coat,**[24] כְּרַבִּי – **in accordance with** the ruling of **Rebbi.**[25] רָבָא נָפִיק בְּחִימוּצְתָא רוֹמִיתָא סוּמַקְתָּא חֲדְתִּי – **Rava went out** into the street during *sheloshim* **in a Roman tunic** that was **red** and **new,** כְּרַבִּי אֶלְעָזָר בְּרַבִּי שִׁמְעוֹן – **in accordance with** the ruling of **R' Elazar the son of R' Shimon.**[26]

The Mishnah stated:

מִפְּנֵי שֶׁאָמְרוּ שַׁבָּת עוֹלָה וְאֵינָהּ מַפְסֶקֶת – BECAUSE THEY SAID: THE SABBATH IS INCLUDED in the days of mourning, AND DOES NOT CUT them SHORT.

The Gemara now cites a dispute that is rooted in different understandings of this part of the Mishnah:

בְּנֵי יְהוּדָה וּבְנֵי גְלִילָא – There is a dispute between **the Judeans and the Galileans.** הָנֵי אָמְרֵי – **These say:**

NOTES

15. It is not that mourning one's wife is more stringent than mourning for other relatives (*Ritva*). Rather, if one were to marry before three festivals have passed, it would appear that he is not pained by the death of his first wife (*Rashi ms.*). Alternatively, the Rabbis wanted the widower to remain three festivals without joy, so that he not forget the love of his first wife. Alternatively, this extended period is necessary so that his memory of his first wife recede, and he will thus not think about her during conjugal relations with his new wife (*Tosafos*). The passage of three festivals, with their attendant joy, helps one to forget his first wife sufficiently for him to remarry (see *Talmid R' Yechiel MiParis* and *Rosh* §48). The Rishonim debate whether Rosh Hashanah and Yom Kippur count as "festivals" with regard to this law (see ibid., *Ramban* and *Ritva*). *Shulchan Aruch* (*Yoreh Deah* 392:2) rules that they do not count (see, however, *Be'er Heitev* ad loc. §4).

[A woman whose husband has died, however, may remarry even before three festivals have passed (*Yerushalmi, Yevamos* 4:11 [28b], cited by *Rif* folio 14b). See *Shach, Yoreh Deah* 392:2, who cites *Mordechai's* reason for this distinction; see also *Ri MiLunel* folio 14b.]

16. This would seem to be the meaning of R' Yehudah's ruling. See, however, *Teshuvos Chasam Sofer, Yoreh Deah* §349.

17. I.e. he does not have at least one son and one daughter, and thus has not yet fulfilled the mitzvah to "be fruitful and multiply" (*Rif* folio 14b).

18. Certainly, this cannot mean that the mourner is permitted to be so insensitive as to remarry literally "immediately" (*Rabbeinu Tam,* cited by *Ritva* et al.). Some maintain that "immediately" in this context means right after *shivah,* whereas others explain that it means right after *sheloshim* (see *Ramban, Rosh* §48 and *Ritva*). *Shulchan Aruch* (*Yoreh Deah* 392:2) rules that the mourner who does not have children may perform *erusin* immediately, and may perform *nisuin* and consummate the marriage after *shivah.*

19. A woman is better suited to raise small children and to be cognizant of their needs, because she is constantly at home (*Talmid R' Yechiel MiParis*).

Yoreh Deah (ibid.) rules that he may perform *erusin* immediately and *nisuin* after *shivah,* but he may not consummate the marriage until after *sheloshim* [see the episode cited next in the Baraisa].

20. For I am marrying you (*Rashi ms.*). Some explain that he performed *nisuin* that very day, whereas others explain that he waited until after *shivah* (see *Tosafos* here and to *Yevamos* 43b; *Rosh* §48).

21. Above (15a), the Gemara discussed the prohibition of תִּכְבּוֹסֶת, *laundering,* during *shivah.* Here, the Baraisa discusses the prohibition of גִּיהוּץ, *pressing,* during *sheloshim* (see *Tosafos* here ד״ה כל שלשים יום לגיהוץ and *Ramban* to 17b).

Our definition of גִּיהוּץ as *pressing* follows *Rashi ms.* and *Rashi* to *Kesubos* 10b ד״ה גיהוץ (as rendered by *Targum HaLaaz*). The laundered clothing were placed on a perfectly smooth table and then rubbed with a glass stone until they develop a sheen (*Talmid R' Yechiel MiParis*). [Others explain that גִּיהוּץ is a special laundering process, using hot water with special detergents and carbonate of soda (*Ri MiLunel* and *Nimukei Yosef* folio 14b, and *Meiri*).]

22. After the clothes are pressed (as described in the preceding note), they are folded and clamped in a special press, which gives them a particularly nice look (*Talmid R' Yechiel MiParis;* see also *Rosh* §53). Old clothes that [undergo *gihutz* and] come out of the press are like new clothes (*Rashi*).

Some explain that "coming out of the press" refers specifically to old clothes. Only old clothes require placement in a press after *gihutz* to give them the status of "freshly pressed clothing." But new clothes that have been processed with *gihutz* are classified as "freshly pressed clothing" even if they are not placed in a press after *gihutz* (*Ritva*). Others, however, require placement in a press even for new clothes (*Raavad,* cited in *Ritva* and in *Rosh* §53; see also *Rashi ms.* below ד״ה חדשים לבנים).

23. But colored clothes are permitted even if they are new, and even white clothes are permitted if they are old (*Talmid R' Yechiel MiParis; Tosafos* below ד״ה רבא נפיק).

24. [Translation based on *Rashi* to *Bava Metzia* 112a and *Rashi ms.* here.] The coat [סַרְבָּלָא] was teaseled (i.e. its nap [hairy surface] was raised) through combing, and it was thus restored to look like new (*Rashi ms.*), and was thus an old white garment that had undergone *gihutz* (*Rashi*).

25. Who rules that only new clothes are forbidden during *sheloshim* (*Rashi*). [Certainly, Abaye's practice conformed with the ruling of R' Elazar the son of R' Shimon as well (who is even more lenient than Rebbi in this matter). The Gemara means, however, that Abaye's practice conformed *even* with the view of Rebbi. See, however, *Rashash.*]

26. Who forbids only new, white clothes. [Rava's practice would have been forbidden according to Rebbi, however, since Rebbi forbids all new clothes regardless of their color.]

וקורין שבעה ויוצאין רבי יהושע בן קרחה אומר לא שילכו ויטיילו בשוק אלא יושבין ודומין [א]ואין אומרים שמועה ואגדה בבית האבל אמרו עליו על ר' חנניה בן גמליאל שהיה אומר שמועה ואגדה בבית האבל [א] ת"ר ° [ב]אבל שבת ראשונה אינו יוצא מפתח ביתו שניה יוצא ואינו יושב במקומו (א) שלישית יושב במקומו ואינו מדבר רביעית הרי הוא ככל אדם רבי יהודה אומר לא הוצרכו לומר שבת ראשונה לא יצא מפתח ביתו שהרי הכל נכנסין לביתו לנחמו אלא שניה אינו יוצא מפתח ביתו שלישית יוצא ואינו יושב במקומו (ב) רביעית יושב במקומו ואינו מדבר חמישית הרי הוא ככל אדם [ב] ת"ר [ג]כל שלשים יום לנישואין מתה אשתו אסור לישא אשה אחרת עד שיעברו עליו שלשה רגלים רבי יהודה אומר רגל ראשון ושני אסור שלישי מותר [ד]ואם אין לו בנים מותר לישא לאלתר משום ביטול פריה ורביה [ה]הניחה לו בנים קטנים מותר לישא לאלתר מפני פרנסתן [ג] מעשה שמתה אשתו של יוסף הכהן ואמר לאחותה בבית הקברות לכי ופרנסי את בני אחותך ואעפ"כ לא בא עליה אלא לזמן מרובה מאי לזמן מרובה אמר רב פפא [ו]לאחר שלשים יום [ד] ת"ר כל שלשים יום לגיהוץ אחד כלים חדשים ואחד כלים ישנים יוצאין (ג) מתוך המכבש רבי אומר לא אסרו אלא כלים חדשים בלבד רבי אלעזר בר' שמעון אומר [ז]לא אסרו אלא כלים חדשים לבנים בלבד אביי נפיק ° בגרדא דסרבלא כרבי רבא נפיק בחימוצתא רומיתא סומקתא חדתי כרבי אלעזר בר' שמעון: מפני שאמרו שבת עולה ואינה מפסקת: בני יהודה ובני גלילא הני אמרי יש

רש"י

וקורין שבעה. בספר תורה דאין מתפללין יחד בבית הכנסת אלא כל אחד ואחד מתפלל בביתו: לא הוצרכו לומר שבת ראשונה. שודאי לא יצא מפתח ביתו: כל שלשים יום לנישואין. עד שלשים יום לאחר אבלו אינו יכול לישא אשה: ואחד כלים ישנים יוצאין מתוך המכבש. פירוש שהן כחדשים: בגרדא דסרבלא. מלבוש לבן מגוהץ ישן: כרבי. דאמר לא אסרו לבן אלא חדש: בחימוצתא. חלוק: רומיתא. שבא מרומי: כרבי אלעזר. דאמר לא אסרו אלא לבנים וזו אדומה היתה:

תוספות

רבי יהודה אומר לא הוצרכו. בירושלמי פוסק הלכה כדברי המוסיף בימים (שבעה) וראיתי כשהייתי קטן רבינו יצחק זקני שלא היה יושב במקומו עד שבוע רביעי ולא ידעתי טעמו שאם היה סובר כר' יהודה א"כ יסבור כמותו בשניה שאינו יוצא מפתח ביתו מיהו י"ל בהא אשכחנא טובא לעיל דאבילות שבעה וקי"ל הכי ושמא טעמו כרבנן ומשום דצריך לישב במקומו ואינו מדבר וטוב יותר שישב חוץ למקומו דשמא אין אסור לדבר כי אם במקומו: **עד** שיעברו שלשה רגלים. עד שיהיה שלשה רגלים בלא שמחה ולא ישכח אהבת אשתו אי נמי כדי שישא אשה אחרת ולא יהא זכור מן הראשונה [שלא] יהא ב' דעות במטה ועוד פן יזכירנה אהבת אשתו לקנטרה ודומיא דהכא אמרי' לעיל (ד' כא:) מתה אשתו ונשא אשה אחרת אינו רשאי ליכנס לביתו כו' פירש ה"ר יונה דאין שייך לפסוק כרבי יהודה דאמר שני רגלים משום דקי"ל לעיל (ד' כב.) כדברי המיקל באבל דהא מילתא דפליגי בה הכא אין זו באבל דימי אבלו כלו להן:

ואמר לאחותה בבית הקברות. לאו דוקא שהאבל כל שבעה אסור וריב"א מפרש דזו היא האשה שאומר בזבחים פ' טבול יום (ד' ק.) שמתה בערב הפסח ואמרי' לעיל אפי' יום אחד אפילו שעה אחת בטלה ממנו גזרת שבעה ומיהו משמע שסובר כאותו הפירוש שפי' למעלה בשם ה"ר יונה שאסור ברחילה עד הערב וזהו מבעוד יום ודין הניחה לו בנים קטנים מיד ° מותר לישא ולבעול וכן אין לו בנים פירשתי בתוספות יבמות (ד' מג: ושם [ה]) וכן בכתובות פ"ק (ד' ד. [ו]) ובתשובות ומה שאמר במס' שמחות (פ"ז) בהאי מילתא דנסיב לאלתר ולא בא עליה עד זמן מרובה והאי דאמרינן אין לו מי שישמשנו מותר ואין צריך להמתין שלשה רגלים כתבתי במקום אחר:

כל שלשים יום לגיהוץ. דוקא גיהוץ אסור אבל בלא גיהוץ כגון כיבוס מותר דאמרינן לקמן (ד' כו:) אל תבכו למת הא כיצד שלשים יום לגיהוץ ולתספורת ובמסכת שמחות (פ"ז) שלשים יום לגיהוץ כיצד כו' ובירושלמי גזרת שלשים גיהוץ ותספורת אבל כיבוס משמע דשרי מדאמרינן פ' החולץ (יבמות מג:) גבי אלמנה מפני האיבול וקאמר באיבול שלה שלשים יום ופריך קל וחומר מה במקום שאסור לכבס מותר לארס במקום שמותר לכבס אינו דין שמותר לארס והדתניא במסכת שמחות (פ"ז) שמונה ימים קודם הרגל אם רצה לכבס ולספר הרשות בידו לא ספר לא כיבס ערב הרגל אסור לספר ולכבס עד שישלימו שלשים יום משמע דכיבוס נמי אסור נראה ההוא כיבוס היינו גיהוץ ומאחר דכיבוס שרי גיהוץ נמי שרי לדידן כדאמרי' פ"ק דכתובות (ד' י:) ופ"ד דתענית (ד' כט:) דגיהוץ שלנו ככיבוס שלהן והקשה ה"ר שמואל מוורדו"ש דהא בשמעתין באביי נפיק כו' והא בבבל הוו קיימי דגיהוץ דאינהו אינו אלא כיבוס ומ"מ אסרי ותירץ רבינו יצחק דפעמים שהיו מביאים מא"י כלים מגוהצין או שמא פעמים שמביאין אומנין יודעין לגהץ כבארץ ישראל והא דתניא בתוספתא (פ"ב) כל אלו שאמרו מותר לספר במועד מותר לספר בתוך שלשים יום אבל כל אלו שאמרו מותר לכבס במועד אסור בתוך שלשים יום של אבל צריך לומר דכיבוס נמי היינו גיהוץ ומורי ריב"א זצ"ל היה אוסר לכבס בתוך שלשים יום ואין נראה לו לדחות כל אלו והא דקאמר בפרק החולץ (יבמות ד' מג. ושם) מקום שמותר לכבס היינו בהני דהתירו לגלח ולכבס בריש פירקין (ד' יג:) בא ממדינת הים ויוצא מבית האסורין ומה שאסור שם בתשעה באב לכבס היינו דוקא טעמא שיכול להמתין אחר תשעה באב הואיל ואיסורו אינו מושך כל כך וגרסינן שפיר במקום שמותר לספר כדפרישית וא"צ למוחקו וא"צ ליישבו באשה או בגילוח כל הראש כדברי המפרשים שרוצים ליישב גירסת הספרים והארכתי בתוספות יבמות (ג"ז שם) וגרסינן לקמן (ד' כו:) אל תבכו כו' הא כיצד שלשים יום לתכבוסת ולתספורת והא דאמר לעיל (ד' טו.) אבל אסור בתכבוסת משמע לאחר שבעה שרי התם במים איירי ולא בנתר וחול וזה יוכל להיות מותר לאחר שבעה בתוספות הרב כך פירש לאסור ובשם רבו פירש היתר ולפי מה שפירש דכיבוס אסור כמו גיהוץ ניחא קושיית ה"ר שמואל מוורדו"ש מיהו מורי לא היה מפרש ממש לאסור כל כיבוס אלא היה מפרש דהאי ברייתא דאסרה כיבוס היינו בא"י דכיבוס שלהן כגיהוץ שלנו והויא דקתני גיהוץ ולא כיבוס היינו בבבל מיהו לפי זה לא היה אסור לדידן כי אם גיהוץ אכן היה ר"י מפרש בלא ראייה כמו שפירש רבינו יצחק הזקן דבבבל היו פעמים אומנים מא"י יודעין לגהץ וכלי פשתן אין בהן משום גיהוץ וחולק על הש"ס ירושלמי דקתני התם כל שלשים יום לגיהוץ אסור ללבוש כלי צמר מגוהצין חדשים וכלי פשתן מגוהצים לבנים פירש בתוספות הרב דהא דאסרי גיהוץ דוקא ללבוש אבל לגהץ מותר והא דקתני כל שלשים יום לגיהוץ היינו אסור ללבוש כלים מגוהצין כו' עד מותר להוליך כלים לגיהוץ בתוך שלשים ואיני יודע אם היה אומר הרב היתר בכיבוס תוך שבעה ומחלק נמי בין לכבס או ללבוש מיהו רבינו יצחק זקני מפרש בתשובתו דאפי' לכבס ולהניח אסור מדאסרינן בפרק בתרא דתענית (ד' כט.) לכבס ולהניח ועוד פירש בתשובתו דכיבוס שלנו מותר בט' באב כדאמרינן דגיהוץ שלנו ככיבוס שלהן משמע דכיבוס שלנו אינו ככיבוס שלהם והכי איתא בהדיא בפ"ק דכתובות (ד' י:) מיהו לענין ימי אבילות אסור בכיבוס שלנו אפי' בתשעה באב מחמירין העולם בכיבוס שלנו מתוך המנהג כמו שהחמירו לענין אבילות דבשר מליח דשרי בהלכה ורגילין לנהוג בו איסור ומיהו איני מבין מנין לו להקל בתשעה באב יותר מימי אבלו דאדרבה בפרק בתרא דתענית (שם) נראה לי שמחמיר יותר לענין גיהוץ כלי פשתן בימי אבלו מבמועד ובמטפחות ידים השיב רבינו שאף על פי שהתירו במועד אסורין בימי אבלו כדאמרינן לעיל (דף יח:) כל שאמרו מותר לגלח במועד כו' והתניא אסורים ומוקי לה בתכפוהו אבליו: **רבא** נפיק כו'. ופי' בתוספות דאביי ורבא הלכה כרבא וא"כ מותר ללבוש כלים מגוהצין צבועין אפילו חדשים או ישנים אפילו לבנים וכן פסק ר"ח:

מסורת הש"ס

א) [שמחות פ"י ע"ש], ב) [שמחות פ"ז], ג) [שם וע"ש], ד) [שם וע"ש], ה) [בד"ה שאני], ו) [בד"ה אבל].

הגהות הב"ח

(א) גמ' שניה יוצא ואינו יושב במקומו ואינו מדבר שלישית יושב במקומו: (ב) שם ואינו יושב במקומו ואינו מדבר רביעית יושב כו': (ג) שם ואחד כלים ישנים יוצאין מתחת המכבש רבי אומר:

גליון הש"ס

גמ' שבת ראשונה אינו יוצא. עיין לקמן דף כז ע"א תוס' ד"ה אם יכול: שם בגרדא דסרבלא כרבי. עיין לקמן דף כד ע"ב תוס' ד"ה כרכת אבילים: תוס' ד"ה ואמר לאחותה וכו' מותר לישא ולבעול. נ"ל שמיבת ולבעול ט"ס הוא:

רש"י כת"י

וקורין שבעה. אנשים בתורה אם שבת הוא. ויוצאין. ואין מתפללין בעשרה אלא כל אחד לעצמו. שמועה. סוגיא. שבת ראשונה. שבעת ימי שבת. ואינו יושב במקומו. בבית הכנסת. ואינו מדבר. אלא יושב ודומם ואינו מרבה בדברים כמנהגו. לא הוצרכו לומר שבת ראשונה. שלא יצא מפתח ביתו שהרי הכל נכנסין בביתו לנחמו ואין צריך לומר שאינו יוצא. לנישואין. אם מת בנו או אחיו אסור לישא אשה. מתה אשתו אסור לישא. עוד אחרת עד ג' רגלים שמראה אילו אינו חושש במית' אשתו. מפני פרנסתן. מפני תקון הנערים דאשה מרגיא (ברש"י ברי"ף - ממציאה) להו לבנים. לכי ופרנסי. שאני נושא אותך. תנו רבנן כל שלשים יום לגיהוץ. ליסקיי"ר בלע"ז. מדרבנן הוא שגנאי הוא ללבוש בגדים מגוהצין ותספורת כל שלשים יום ילפינן לעיל מדאורייתא פרע פרע מנזיר. ועכשיו אין לנו גזירת שלשים אלא לתספורת אבל חליפת בגדים ורחיצת חמין מחליף והולך משעבר אבילותו ואפי' לגיהוץ שלנו מותר לאחר שבעה דאמ' מר גיהוץ שלנו ככיבוס שלהם במסכת תענית. יוצאין. שדרכן שנותנין אותן תחת מכבש ליפותן פרימש"א בלע"ז. כלים חדשים בלבד. אבל ישנים אפילו יוצאין מתחת ידי מכבש. חדשים לבנים. והוא שיוצאין מתחת ידי מכבש. אביי נפיק. בתוך שלשים יום בימי אבלו. בגרדא דסרבלא. בסרבל ישן שתקנוהו כעין חדש על ידי הגרירא דפוליי"ר. כר'. דאמ' לא אסרו תוך שלשים אלא כלים חדשים והאי לאו חדש הוא. (הומניתא) [חימוצתא]. חלוק [שרו"ק] בלשון אשכנז. רומיתא. שבא מרומי מגוהצים. כר' [אלעזר בר'] שמעון. דאמ' לא אסרו אלא חדשים לבנים וזו אדומה. יהודה. וגליל ארצות הן.

עין משפט נר מצוה

קנב א מיי' פי"ג מהל' אבל הל' ט טוש"ע י"ד סי' שעה סעיף ז:
קנג ב מיי' שם פ"ז הלכה ה סמג עשין ב טוש"ע שם סי' שצג סעיף ב:
קנד ג ד ה ו מיי' שם פ"ו הל' ה טוש"ע שם סי' שצב סעיף א ב:
קנה ז מיי' שם פ"ה הל' ג ופ"ו שם הלכה ד סמג עשין דרבנן ב טוש"ע שם סי' שפט סעיף ה:

רבינו חננאל

וקורין שבעה ויוצאין ודוין א) ולא יטיילו בשוק ואין אומרים שמועה והגדה בבית האבל. אמרו על ר' חנינא בן גמליאל שהיה אומר שמועה והגדה בבית האבל: ת"ר אבל שבת ראשונה אינו יוצא מפתח ביתו. שניה יוצא ואינו יושב במקומו. שלישית יושב ואינו מדבר. רביעית שוה לכל אדם. ר' יהודה אומר לא הצריכו לומר שבת ראשונה שהכל נכנסין אצלו לנחמו אלא שניה אינו יוצא מביתו. שלישית יוצא ואינו יושב במקומו. רביעית יושב ואינו מדבר. חמישית שוה לכל אדם. ב) והיכן דרגילין אבלים לצלויי כנסת קדמי ואתו ויתבי במקום אבלים מצלו. ואיכא נמי בבבל דעבדי הכי: ת"ר כל שלשים אסור לישא. מתה אשתו אסור לישא אחרת עד שיעברו עליו שלש רגלים. ר' יהודה אומר רגל ראשון ושני אסור שלישי מותר ואם אין לו בנים מותר לישא לאלתר משום ביטול פריה ורביה. הניחה לו בנים קטנים מותר לישא אשה לאלתר מפני פרנסתן. ומעשה שמתה אשתו של יוסף הכהן ואמר לאחותה ועדיין הן בבית הקברות לכי ופרנסי בני אחותך ואעפ"כ לא בא עליה אלא לאחר שלשים וכן עשה ר' טרפון ומפורש בתלמוד א"י: ת"ר כל שלשים יום לגיהוץ אחד כלים חדשים ואחד כלים ישנים יוצאין מתחת מכבש רבי אומר לא אסרו אלא כלים חדשים בלבד אביי נפק בגרדא דסרבלא כר'. רבא נפק ג) בהמיצתא רומניתא סומקתא חדתי כר' [אלעזר בר'] שמעון וקיי"ל כרבא ואליבא דר' אלעזר בר' שמעון: ירושלמי ב' אחין. ב' שותפין. ב' טבחין ב' חנונין שאירע לאחד מהן דבר הרי אלו נועלין חנותן ופועלים עושין בצינעא במקום אחר: מתני' מפני שאמרו שבת עולה ואינה מפסקת בני יהודה ובני גלילא דהני אמרי יש אבלות

חשק שלמה על ר"ח

א) כ"ה גרסת הרי"ף ויושבין ודוין כו'. ב) וכן הביא הרמב"ן ז"ל בס' תה"א בשער האבלות בשם רב האי גאון ז"ל ועי' ברא"ש כאן. ג) כ"ה גי' הערוך בערך המילא וע"ע בערך חמלא והרי"ף ז"ל גרס בהימיינותא רומייתא.

יש אבילות בשבת והני אמרי אין אבילות בשבת מאן דאמר יש אבילות בשבת דקתני עולה מאן דאמר אין אבילות בשבת דקתני אינה מפסקת אי סלקא דעתך יש אבילות בשבת השתא אבילות נהגא אפסוקי מיבעיא ואלא הא קתני עולה איידי דקבעי למיתנא סיפא אינן עולים תנא רישא עולה ולמאן דאמר יש אבילות בשבת הא קתני אינה מפסקת משום דקבעי למיתנא סיפא מפסיקין תנא רישא אינה מפסקת לימא כתנאי [א] א מי שמתו מוטל לפניו אוכל בבית אחר אין לו בית אחר אוכל בבית חברו אין לו בית חברו עושה לו מחיצה עשרה טפחים אין לו דבר לעשות מחיצה מחזיר פניו ואוכל ואינו מיסב ואוכל ואינו אוכל בשר ואינו שותה יין ואין מברך ואין מזמן ואין מברכין עליו ואין מזמנין עליו ופטור מקריאת שמע ומן התפלה ומן התפילין ומכל מצות האמורות בתורה ובשבת מיסב ואוכל ואוכל בשר ושותה יין ומברך ומזמן ומברכין ומזמנין עליו ° וחייב בקריאת שמע ובתפלה ובתפילין ובכל מצות האמורות בתורה [ב] רבן גמליאל אומר מתוך שנתחייב באלו נתחייב בכולן ואמר ר' יוחנן ב תשמיש המטה איכא בינייהו מאי לאו בהא קא מיפלגי דמר סבר יש אבילות בשבת ומר סבר אין אבילות בשבת ממאי דלמא עד כאן לא קאמר תנא קמא התם אלא משום דמתו מוטל לפניו אבל הכא דאין מתו מוטל לפניו לא וע"כ לא קאמר ר"ג התם דאכתי לא חל אבילות עליה אבל הכא דחל אבילות עליה הכי נמי

בעא

אפסוקי מבעיא. כלומר מי לריכא למימר דאינה מפסקת: אין מברך. להוליא אחרים ידי חובתן: מתוך שנתחייב באלו. קריאת שמע כו' נתחייב בכולן: תשמיש המטה איכא בינייהו. הא דאמר נתחייב בכולן סבר מותר בתשמיש המטה ותנא קמא סבר אסור בתשמיש המטה: מר. דאסר בתשמיש סבר יש אבילות בשבת: ומר. דשרי סבר כשמואל דאמר אין אבילות בשבת: עדיין לא חלה אבילות עליה. דלא נקבר: אבל

יש אבילות בשבת. בדברים שבלנעא מיירי כדפירש בקונט' ובסמוך נמי לימא כתנאי מייתי פלוגתא דרשב"ג ורבנן דהוי דברים שבלנעא והכי משמע קצת בירושל' דלעיל אמתניתין דהשבת עולה פליגי רבי יוחנן וריב"ל אם אסור בשבת בתשמיש המטה משמע דפליגי כעין פלוגתא דהכא ואליבא דרבי יוחנן יש שאומרים שם מותר ואותו חולק על הש"ס שלנו דא"ר יוחנן בפ"ק דכתובות (דף ד. ושם) אע"פ שאמרו אין אבילות בשבת אבל דברים שבלנעא נוהג וקצת קשה לי תימה בשמעתין אביי אשכחיה לרב יוסף דפרים סודרא ארישיה אמר ליה לא סבר לה מר אין אבילות בשבת אמר ליה הכי אמר ר' יוחנן דברים שבלנעא נוהג שמא היה סבור דפרים סודרא ארישיה הוה דברים שבפרהסיא וכמאן דאמר פריעת הראש חובה ולא היה מחלק בין בביתו בין חוץ לביתו והוא השיב לו בביתו חשיב לנעא: מאן דאמר יש אבילות בשבת מדקתני עולה. פירש הר"א ז"ל מדקתני ולא פירש ואין בה אבילות אלמא אבילות נוהג בה דאם לא כן היה לו לפרש הכי בהדיא אע"ג דעולה לא נהג בה אבילות דכיון דעולה משמע דנוהג בה אבילות ומשני איידי דקתני סיפא אין עולין סתם תנא ברישא עולה סתם ולא נהירא ופירש ר' שמעון זצ"ל מרבו מאן דאמר יש אבילות דקתני עולה משמע דעולה לכל מנין שבעה ולאבילות שינהג בשבת מה שנהג אתמול ומתוך כך תעלה שבת לחשבונו כשם שע"ש עולה לחשבונו מ"ד אין אבילות בשבת דקתני אינה מפסקת אע"ג דחשיבא כולי האי לבטל אבילות בגוה מ"מ אינו מפסיק דאל"כ פשיטא וקפריך ואלא הא דקתני עולה דמשמע דנוהג אבילות כשאר ימים ומשני איידי דקתני גבי י"ט אין עולין לגמרי לא למנין ולא לאבילות משום שמחה דכתיב בהן כדפרישית תנא רישא נמי עולה באותו לשון עצמו דתנא בי"ט תנא בשבת דלא להפליג בלשון המשנה ומיהו עולה דשבת [ג] אינו למנין דלאבילות לא סלקא אלא אי נהגא אבילות בגויה וא"כ לפי פירוש זה ואלא הא דקתני עולה ומשני לעולם לא נהגא ואיידי דתנא כו' וא"כ המשנה אין שטת הש"ס לומר איידי דתנא הא תנא נמי הא אלא במילתא דאמת אלא דלא לריכי אבל דברים נראים שקר אין לו לשנות ועוד יש להקשות לפי מה שמפרש אי הכי ליתני שבת אינו עולה והוי דומיא דסיפא יותר עד כאן לשון הר"א ובתו' הרב מקשה דמשמע אפילו למאן דאמר דלא נהגא עולה למנין שבעה וא"כ ברגל נמי אע"ג דלא נהגא יהא עולה ולעיל אמרי' לענין שבעה לא קמבעיא ליה דלא נהגא מלות שבעה ברגל ומתרץ אע"ג דשבת עולה רגל אינו עולה הואיל ואין אבילות כלל משום דכתיב בהן שמחה שבת מיהא לא כתיב שמחה אפילו אינה נוהגת עולה בירושלמי מפרש טעמא דשבת דאין אבילות נוהג בו משום דכתיב (משלי י) ברכת ה' היא תעשיר ולא יוסיף עצב עמה ושבת כתיב ביה ברכה [ד]: ואינו אוכל בשר ואינו שותה יין. נראה דכי היכי דשרי בפרק בתרא דתענית (דף ל.) גבי ערב תשעה באב בשר כל זמן שאינו כשלמים ויין מגתו הכי נמי שרי באונן מיהו אין רגילין לנהוג בהן היתר לא בכאן ולא בתשעה באב תימה משמע דאונן חמור מאבל דלא מלינו אבל שיהא בו איסור בבשר וביין ולענין קדשים אשכחן דאבל אוכל בקדשים ואונן אסור ובשאר דברים החמירו באבילות בכפיית המטה ונעילת הסנדל ועטיפת הראש וטובא איכא ובאונן שרי וי"ל דדברים שהן משום אבל מותר גבי אונן ובאבילות אסורין משום אבילות אלא משום שיש לו להיות טרוד בקבורת מתו ולא ימשך אחר דברים אחרים כגון אכילת בשר ושתיית יין אסירי באונן דוקא ותשמיש המטה דמשמע בסמוך דאסור באונן בהא נמי שמא ימשך או שמא שמחה יתירתא ותוספה כך מלאתי ובתגלחת ובתכבוסת לא ידעינן אי שרי באונן ואין ללמוד איסור לגלח מדתני' במס' שמחות [ה] היה מגלח ואמרו לו מת אחד מקרוביו הרי זה יגמור משמע הא לא התחיל אסור דלמא בשמועה איירי ולאחר שנקבר ובשם ריב"א כתבתי דתגלחת אסור דנפקא לן מראשיכם אל תפרעו (ויקרא י) הא כולי עלמא אסירי ואינהו אוננים הוו ובתשמיש המטה דאסרינן בסמוך ורלו להתיר באנינות כדאמרינן פ"ק דכתובות (דף ד. ושם) ובאבילות אסרו דקאמרינן התם מכניסין את המת לחדר ובועל בעילת מלוה ופורש והא דקאמרינן התם אבילות דהכא קילא ואתי לזלזולי בה ומקשה מאי קולא אילימא דקתני בועל בעילת מלוה משום דלא חיילא אבילות עליה אינו רוצה לומר שאין קולא בדבר אלא הכי קאמר אין קולא באבילות כי אם באנינות ולא אתי לזלזולי באבילות:

ואין מברכין עליו. פירש בקונטרס בברכות פרק מי שמתו (דף יח. ושם) ברכת המוליא ואין מזמנין ברכת המזון ותימה גבי המוליא מה שייך לומר אין מברכין עליו בשלמא גבי ברכת המזון שייך לירוף אלא גבי המוליא מאי שייך לירוף ויש לפרש דבגמרא קאמרינן דאין מברכין עליו אלא מלוה לחלק דהוו כשנים שאכלו שמלוה ליחלק ואין זה האונן מלטרף עמהן ואין מזמנין עליהן עמהן לומר נברך שאכלנו משלו ואי לא הוה תני אלא חדא הוה אמינא לענין נברך שאכלנו משלו דאין מלטרף אבל מלטרף להיות להם דין שלשה לברך אחד מהן בעבור חברו להכי תני תרתי וריב"א מפרש דאין מברכין ומזמנין חדא לומר נברך שאכלנו משלו וחדא לברך בשם כמו שמזכירין שם בעשרה פירש בקונטרס בפרק מי שמתו (ג"ז שם) ואינו מברך אין לריך לברך ברכת המזון משמע מפירושו דאין אסור לברך ובשמעתין נמי פירש כענין זה ומיהו מדקאמר בריש פרק מי שמתו התם למאן דאמר [ו] [תוך] ארבע אמות הוא דאסור פירש רבינו ילחק בברכות דאיכא איסור לברך וגם בתוספות הרב פירש דאסור לברך ותימה לרבי ילחק דהשתא נהגו לברך ולזמן והיה אומר דלא איירי הכא רק כשהוא עוסק בלרכי המת שאין לו להתבטל מן המלוה אבל בשעה שאינו עוסק שרי אי נמי בשעה שאחרים עוסקים והוא אינו עושה כלום ומיהו בירושל' אינו משמע כן והכי איתא התם [ז] אינו אוכל כל לורכו ואינו שותה כל לורכו כו' ואינו מברך ואם בירך אין עונין אחריו אמן ואם ברכו אחרים אינו עונה אחריהם אמן ואם משום ביטול מלות עסק במתו מה ביטול יש בעניית אמן מיהו נראה לי משום שמיעת הברכה שלא תהיה אמן יתומה ועוד דאמרינן לקמן הן עומדין ומתפללין והוא יושב ומלדיק עליו את הדין ומשמע שאינו עוסק בו כלל אלא יושב ודומם ונראה דאסור לברך ושוב מלאתי בירושל' דריש פרק מי שמתו תני אם רלה להחמיר על עצמו אין שומעין לו למה מפני כבודו של מת או משום שאין לו מי שישא משאוי ופריך והא תניא פטור מנטילת לולב וקא סלקא דעתיה דמיירי ביום טוב ובו אינו טרוד לישא במשאוי ומשני תפתר בחול פירוש בחולו של מועד ופריך והתניא פטור מתקיעת שופר אית לך למימר בחול ולא ביום טוב אמר ר' חנינא מכיון שהיו זקוקים להביא לו ארון ותכריכין דתנינן תמן מחשיכין על התחום לפקח על עסקי כלה ועל עסקי המת להביא ארון ותכריכין נמי כמו שהוא נושא משאוי דמי [ח] משמע דפליגי בשבת וביום טוב דאינו מברך במאי דאמרינן מיהו הא קשיא לן דאמרינן בסיפא בשבת מברך ומזמן ולריך עיון:

בעא

עין משפט נר מצוה

קנו א מיי' פ"ד מהל' אבל הל"ז סמג עשין מד"ס ב טוש"ע י"ד סי' שמא סעיף א וטוש"ע א"ח סי' קלט סעיף ה:

קנז ב מיי' פ"י שם הלכה א סמג עשין ב טוש"ע י"ד סי' ת סעיף א:

רבינו חננאל

אבלות בשבת מדקתני במתני' ושבת עולה: והני אמרי אין אבלות בשבת מדקתני אינה מפסקת דאי ס"ד יש אבלות בשבת [השתא אבלות] נהיג אפסוקי דלא מפסקא מיבעיא כו'. לימא כתנאי מי שמתו מוטל לפניו אוכל בבית אחר וכו'. עד ובשבת מיסב ואוכל בשר ושותה יין ומברך ומזמן ומברכין עליו ומזמנין עליו וחייב בתפלה ובק"ש ובתפילין ובכל מצות האמורות בתורה. ר"ג אומר מתוך שנתחייב באלו כך נתחייב בכולן א"ר יוחנן תשמיש המטה איכא בינייהו. מאי לאו בהא קא מיפלגי ת"ק סבר יש אבלות בשבת ור"ג סבר אין אבלות בשבת אפילו תשמיש המטה שרי ודחינן ממאי דלמא עד כאן לא קאמר ת"ק הכא דאסור בתשמיש המטה אלא משום דמתו מוטל לפניו כו':

מסורת הש"ס

א) ברכות יז: שמחות פ"י, ב) [במס' שמחות אי' כדהכא אבל בברכו' יח. איתא ר"ש בן גמליאל], ג) אינו אלא למנין דאבילות ולא נהגא אבילות כצ"ל, ד) [ויברך אלהים את יום השביעי כ"ה במ"ר ויחי פ"ק], ה) פ"ה ה"ח, ו) רש"א, ז) שמחות פ"ו, ח) משמע דפליג בשבת כצ"ל.

גליון הש"ס

גמ' וחייב בק"ש ובתפלה ובתפילין ובכל מצות. בברכות בברייתא זו איתא וחייב בכל מלות האמורות בתורה וברי"ף שם חייב בק"ש ותפלה ובכל מלות האמורות בתורה:

רש"י כת"י

[יש אבילות בשבת]. שאבילות קלת נוהגות בשבת דקתני במתניתין שבת עולה מן המנין ואי לא נהגו אבילות אמאי עולה מן המנין אלא ודאי אבילות בשבת והאי דאילטריך למיתני עולה דקתני מפני שהשבת עולה כלומר מפני שאבילות נוהגות בשבת. אפסוקי מבעיא. דלא מפסקין. איידי דקא בעי למיתנא סיפא. הרגלים מפסיקין ואין עולין כגון עלרת דחד יומא תנא נמי גבי שבת עולה ולאו דיש אבילות בשבת כלל אלא אגב דהכא תנא ליה איידי דקתני מפסיקין ואין מפסיקין לצורך תנא נמי עולין ואין עולין שלא לצורך. מי שמתו מוטל לפניו. אין לו דין אבל עד שיסתום הגולל. כשהוא סועד אוכל בבית אחר. ואינו מיסב. כשהוא אוכל דהיינו דרך גדולה. ואינו מברך. שום ברכה דפטור הוא ממלות כל זמן שמתו מוטל לפניו. ואין מברכין. ברכת המוליא להוליאו ידי חובתו. ובשבת מיסב. כשהוא אוכל. ואוכל בשר וחייב בכל מצות וכו'. תפלין לא גרסינן דאין תפלין בשבת דכתוב כי אות היא מי שלריכן אות יצאו תפלין שאין לריכין אות שהן עלמן אות דכתוב והיה לך לאות על ידכם וגו'. לרבן גמליאל מיחייב במלות עונג בשבת דאין אבילו' בשבת. עד כאן לא קאמר תנא קמא. דיש אבילות אלא גבי מתו מוטל לפניו דנפיש לעריה אבל גבי אבל מודה דאין אבילות בשבת. אבל. היכא דחל אבילות אימא כיון דקא (סבר) חיילא אבילות עליה מעיקרא דאפי' בשב' נמי יש אבילות.

יֵשׁ אֲבֵילוּת בְּשַׁבָּת – There is observance of **mourning on the Sabbath.**[1] **וְהָנֵי אָמְרֵי – Whereas these say: אֵין אֲבֵילוּת בְּשַׁבָּת – There is no** observance of **mourning on the Sabbath.**[2]

The Gemara shows that this dispute between the Judeans and the Galileans is rooted in their different interpretations of our Mishnah:

מַאן דְּאָמַר יֵשׁ אֲבֵילוּת בְּשַׁבָּת – The one who says that **there is** observance of **mourning on the Sabbath דְּקָתָנֵי עוֹלָה –** derives it from **that** which **the Mishnah states: [THE SABBATH] IS INCLUDED** in the days of mourning . . .[3] **מַאן דְּאָמַר אֵין אֲבֵילוּת בְּשַׁבָּת –** And **the one who says there is no** observance of **mourning on the Sabbath דְּקָתָנֵי אֵינָהּ מַפְסֶקֶת –** derives it from **that** which **the Mishnah states** further: and **IT DOES NOT CUT SHORT** the days of mourning. **אִי סַלְקָא דַעְתָּךְ יֵשׁ אֲבֵילוּת בְּשַׁבָּת –** And **if it would enter your mind** to think that **there is** the observance of **mourning on the Sabbath,** then why would the Mishnah have to make that statement? **הַשְׁתָּא אֲבֵילוּת נַהֲגָא אַפְסוּקֵי מִיבַּעְיָא – Now that** the observance of **mourning applies** on the Sabbath, **is it necessary** for the Mishnah to say anything about **cutting short?**[4] Certainly not! From the fact that the Mishnah *does* find it necessary to state that the Sabbath does not cut short the mourning period, we see that there is *no* observance of mourning on the Sabbath.

The Gemara asks how the second view (that there is *no* observance of mourning on the Sabbath) will respond to the proof brought by the first view:

וְאֶלָּא הָא קָתָנֵי עוֹלָה – But what does this latter view do with **that which the Mishnah states** that **[THE SABBATH] IS INCLUDED** in the days of mourning? Does this not indicate that there *is* the observance of mourning on the Sabbath?[5]

The Gemara answers:

אַיְּידֵי דְּקָבָעֵי לְמִיתְנָא סֵיפָא אֵינָן עוֹלִים – Since [the Tanna] wants to state in the latter part of the Mishnah that **[THE FESTIVALS] ARE NOT INCLUDED** in the days of mourning,[6] **תָּנָא רֵישָׁא עוֹלָה –** for the sake of parallel formulation **he states** also **in the earlier part** of the Mishnah that **[THE SABBATH] IS INCLUDED** in the days of mourning.[7]

The Gemara now asks how the first view (that there *is* observance of mourning on the Sabbath) will respond to the proof brought by the second view:

וּלְמַאן דְּאָמַר יֵשׁ אֲבֵילוּת בְּשַׁבָּת – And according to the one who says that **there is** observance of **mourning on the Sabbath – הָא קָתָנֵי אֵינָהּ מַפְסֶקֶת – why, the Mishnah states** that **[THE SABBATH] DOES NOT CUT SHORT** the mourning period! Does this not indicate that there is *no* observance of mourning on the Sabbath?[8]

The Gemara answers:

מִשּׁוּם דְּקָבָעֵי לְמִיתְנָא סֵיפָא מַפְסִיקִין – Because [the Tanna] wants to state in the later part of the Mishnah that **[THE FESTIVALS] CUT SHORT** the mourning period, **תָּנָא רֵישָׁא אֵינָהּ מַפְסֶקֶת –** for the sake of parallel formulation **he states** also **in the earlier part** of the Mishnah that **[THE SABBATH] DOES NOT CUT SHORT** the mourning period, although it was really unnecessary for him to state this, as no one would have thought otherwise.

The Gemara considers whether the question of mourning observances on the Sabbath is actually a Tannaic dispute:

לֵימָא כְּתַנָּאֵי – Shall we say that this debate about mourning on the Sabbath is in essence the same **as** the following dispute of **Tannaim?** For we learned in a Baraisa: **מִי שֶׁמֵּתוֹ מוּטָל לְפָנָיו – ONE WHOSE DECEASED** relative **LIES BEFORE HIM** requiring burial[9] **אוֹכֵל בְּבַיִת אַחֵר – SHOULD EAT IN ANOTHER HOUSE.**[10] **אֵין לוֹ בַּיִת אַחֵר – IF HE DOES NOT HAVE ANOTHER HOUSE** of his own, **אוֹכֵל בְּבֵית חֲבֵרוֹ – HE SHOULD EAT IN HIS FRIEND'S HOUSE. אֵין לוֹ בֵּית חֲבֵרוֹ – IF HE DOES NOT HAVE A FRIEND'S HOUSE** available, **עוֹשֶׂה לוֹ מְחִיצָה עֲשָׂרָה טְפָחִים – HE SHOULD MAKE FOR HIM A PARTITION, TEN *TEFACHIM* HIGH,** to separate himself from the deceased, and then eat. **אֵין לוֹ דָּבָר לַעֲשׂוֹת מְחִיצָה –** And **IF HE HAS NOTHING** with which **TO MAKE A PARTITION, מַחֲזִיר פָּנָיו וְאוֹכֵל – HE SHOULD,** at least, **TURN HIS FACE AWAY** from the deceased **AND** only then **EAT.**[11] **וְאֵינוֹ מֵיסֵב וְאוֹכֵל – AND HE MAY NOT EAT WHILE RECLINING,**[12] **וְאֵינוֹ אוֹכֵל בָּשָׂר וְאֵינוֹ שׁוֹתֶה יַיִן – AND HE**

NOTES

1. That is, the laws of mourning apply on the Sabbath with regard to private expressions of mourning (such as refraining from marital relations or from washing with warm water; see Gemara, 24a). Public displays of mourning, however, are forbidden on the Sabbath even according to this view (*Rashi ms.; Tosafos,* citing *Rashi;* cf. *Ramban* [also cited in *Ritva;* see there], who explains that all the mourning practices apply on the Sabbath according to this view; see also *Keren Orah*).

2. I.e. there is no observance of mourning whatsoever on the Sabbath, even with regard to private expressions (see preceding note).

[It is the Judeans who hold that there is no observance of mourning on the Sabbath, and the Galileans who hold that there is (see 23a note 7).]

3. The expression עוֹלָה, *is included [in the days of mourning],* suggests that certain mourning practices apply. Had the Mishnah meant only that the Sabbath day counts towards the seven-day period, but mourning practices do not apply, then he should have used the expression מִן הַמִּנְיָן, *counts toward ...* (*Ri,* cited by *Ritva; Rabbeinu Tam,* cited by *Tos. HaRosh;* see also *Tosafos,* first explanation; cf. *Rashi ms.*).

4. I.e. that the Sabbath does *not* cut short the mourning period (*Rashi*). Why would anyone think that a day on which mourning applies cuts short the mourning period?

5. As the other view derives from this statement (see above, note 1).

6. [In this clause of the Mishnah, the expression "not included" is the preferred choice of words, since it more clearly indicates that no expressions of mourning whatsoever apply on the festivals.]

[There are Rishonim who hold that private expressions of mourning *do* apply on the festivals (see above, 19b note 26), and they must necessarily hold that the dispute here with regard to the Sabbath concerns even public expressions of mourning. The present answer of the Gemara, however, is difficult to explain according to their view. See *Ritva* at length.]

7. Even though the Sabbath "counts towards" would have been the preferable formulation if the Tanna had spoken only about the Sabbath itself and not the festivals.

8. As the other view derives from this statement (see note 4). For if mourning *did* apply on the Sabbath, how could anyone think the Sabbath cuts short the mourning period that the Mishnah should have to teach us otherwise?

9. I.e. someone who has lost an immediate relative, viz. a father, mother, son, daughter, brother, sister, or spouse, whose burial is now incumbent upon him. A person in this state is termed an אוֹנֵן, *onein* (see *Deuteronomy* 26:14).

10. [I.e. in another room.] Eating in the presence of one's deceased relative is tantamount to "mocking a pauper" (see *Proverbs* 17:5; see *Berachos* 18a), for it is a mockery of the dead for the *onein* to attend to his own physical needs in the corpse's presence, rather than attending to the burial (*Rashi* to *Berachos* 17b, as amplified by *Taz, Yoreh Deah* 341:1).

[Others maintain that even non-relatives are forbidden to eat in the presence of the corpse – see *Pischei Teshuvah, Yoreh Deah* 341:2.]

11. By turning away he demonstrates that his behavior is dictated by necessity rather than choice (*Aruch HaShulchan, Yoreh Deah* 341:8).

12. Like those who recline in an aristocratic manner – on one's left side and on a couch (*Rashi* to *Berachos* loc. cit.; *Rashi ms.*). Someone eating in this formal way is likely to forget about the deceased's needs (see *Rabbeinu Yonah; Teshuvos HaRashba* 3:300).

יש אבילות בשבת והני אמרי אין אבילות בשבת מאן דאמר יש אבילות בשבת דקתני עולה מאן דאמר אין אבילות בשבת דקתני אינה מפסקת אי סלקא דעתך יש אבילות בשבת השתא אבילות נהגא אפסוקי מיבעיא ואלא הא קתני עולה איידי דקבעי למיתנא סיפא אינן עולים תנא רישא עולה ולמאן דאמר יש אבילות בשבת הא קתני אינה מפסקת משום דקבעי למיתנא סיפא מפסיקין תנא רישא אינה מפסקת לימא כתנאי [א] א מי שמתו מוטל לפניו אוכל בבית אחר אין לו בית אחר אוכל בבית חברו אין לו בית חברו עושה לו מחיצה עשרה טפחים אין לו דבר לעשות מחיצה מחזיר פניו ואוכל ואינו מיסב ואוכל ואינו אוכל בשר ואינו שותה יין ואין מברך ואין מזמן ואין מברכין עליו ואין מזמנין עליו ופטור מקריאת שמע ומן התפלה ומן התפילין ומכל מצות האמורות בתורה ובשבת מיסב ואוכל ואוכל בשר ושותה יין ומברך ומזמן ומברכין ומזמנין עליו ° וחייב בקריאת שמע ובתפלה ובתפילין ובכל מצות האמורות בתורה [ג] רבן גמליאל אומר מתוך שנתחייב באלו נתחייב בכולן ואמר ר' יוחנן ב תשמיש המטה איכא בינייהו מאי לאו בהא קא מיפלגי דמר סבר יש אבילות בשבת ומר סבר אין אבילות בשבת ממאי דלמא עד כאן לא קאמר תנא קמא התם אלא משום דמתו מוטל לפניו אבל הכא דאין מתו מוטל לפניו לא וע"כ לא קאמר ר"ג התם דאכתי לא חל אבילות עליה אבל הכא דחל אבילות עליה הכי נמי

בעא

רש"י

אפסוקי מבעיא. כלומר מי לריכא למימר דאינה מפסקת: אין מברך. להוליא אחרים ידי חובתן: מתוך שנתחייב באלו. קריאת שמע כו' נתחייב בכולן: תשמיש המטה איכא בינייהו. הא דאמר נתחייב בכולן סבר מותר בתשמיש המטה ותנא קמא סבר אסור בתשמיש המטה: מר. דאסר בתשמיש סבר יש אבילות בשבת: ומר. דשרי סבר כשמואל דאמר אין אבילות בשבת: עדיין לא חלה אבילות עליה. דלא נקבר:

אבל

תוספות

יש אבילות בשבת. בדברים שבצנעא איירי כדפירש בקונט' ובסמוך נמי לימא כתנאי מייתי פלוגתא דרשב"ג ורבנן דהוי דברים שבצנעא והכי משמע קצת בירושל' דלעיל אמתניתין דהשבת עולה פליגי רבי יוחנן וריב"ל אם אסור בשבת בתשמיש המטה משמע דפליגי כעין פלוגתא דהכא ואליבא דרבי יוחנן יש שאומרים שם מותר ואותו חולק על הש"ס שלנו דא"ר יוחנן בפ"ק דכתובות (דף ד. ושם) אע"פ שאמרו אין אבילות בשבת אבל דברים שבצנעא נוהג וקצת קשה לי תימה בשמעתין אביי אשכחיה לרב יוסף דפרים סודרא ארישיה אמר ליה לא סבר לה מר אין אבילות בשבת אמר ליה הכי אמר ר' יוחנן דברים שבצנעא נוהג שמא היה סבור דפרים סודרא ארישיה הוה דברים שבפרהסיא וכמאן דאמר פריעת הראש חובה ולא היה מחלק בין בביתו בין חוץ לביתו והוא הסיב לו בביתו חשיב לצנעא:

מאן דאמר יש אבילות בשבת מדקתני עולה. פירש הר"א ז"ל מדקתני ולא פירש ואין בה אבילות אלמא אבילות נוהג בה דאם לא כן היה לו לפרש הכי בהדיא אע"ג דעולה לא נהג בה אבילות דכיון דעולה משמע דנוהג בה אבילות ומשני איידי דקתני סיפא אין עולין סתם תנא ברישא עולה סתם ולא נהירא ופירש ר' שמעון זצ"ל מרבו מאן דאמר יש אבילות דקתני עולה משמע דעולה לכל מנין שבעה ולאבילות שינהג בשבת מה שנהג אתמול ומתוך כך תעלה שבת לחשבונו כשם שע"ש עולה לחשבונו מ"ד אין אבילות בשבת דקתני אינה מפסקת אע"ג דחשיבא כולי האי לבטל אבילות בגוה מ"מ אינו מפסיק דאל"כ פשיטא וקפריך ואלא הא דקתני עולה דמשמע דנוהג אבילות כשאר ימים ומשני איידי דקתני גבי י"ט אין עולין לגמרי לא למנין ולא לאבילות משום שמחה דכתיב בהן כדפרישית תנא רישא נמי עולה באותו לשון עצמו דתנא בי"ט תנא בשבת דלא להפליג בלשון המשנה ומיהו עולה דשבת [ג] אינו למנין דלאבילות לא סלקא אלא אי נהגא אבילות בגויה וא"כ לפי פירוש זה ואלא הא דקתני עולה ומשני לעולם לא נהגא ואיידי דתנא כו' וא"כ המשנה אין שטת הש"ס לומר איידי דתנא הא תנא נמי הא אלא במילתא דאמת אלא דלא צריכי אבל דברים נראים שקר אין לו לשנות ועוד יש להקשות לפי מה שמפרש אי הכי ליתני שבת אינו עולה והוי דומיא דסיפא יותר עד כאן לשון הר"א ובתו' הרב מקשה דמשמע אפילו למאן דאמר דלא נהגא עולה למנין שבעה וא"כ ברגל נמי אע"ג דלא נהגא יהא עולה ולעיל אמרי' לענין שבעה לא קמבעיא ליה דלא נהגא מצות שבעה ברגל ומתרץ אע"ג דשבת עולה רגל אינו עולה הואיל ואין אבילות כלל משום דכתיב בהן שמחה שבת מיהא לא כתיב שמחה אפילו אינה נוהגת עולה בירושלמי מפרש טעמא דשבת דאין אבילות נוהג בו משום דכתיב (משלי י) ברכת ה' היא תעשיר ולא יוסיף עצב עמה ושבת כתיב ביה ברכה [ד]:

ואינו אוכל בשר ואינו שותה יין. נראה דכי היכי דשרי בפרק בתרא דתענית (דף ל.) גבי ערב תשעה באב בשר כל זמן שאינו כשלמים ויין מגתו הכי נמי שרי באונן מיהו אין רגילין לנהוג בהן היתר לא בכאן ולא בתשעה באב תימה משמע דאונן חמור מאבל דלא מצינו אבל שיהא בו איסור בבשר וביין ולענין קדשים אשכחן דאבל אוכל בקדשים ואונן אסור ובשאר דברים החמירו באבילות בכפיית המטה ונעילת הסנדל ועטיפת הראש וטובא איכא ובאונן שרי וי"ל דדברים שהן משום אבל מותר גבי אונן ובאבילות אסורין אבל דברים שאינם אסורין משום אבילות אלא משום שיש לו להיות טרוד בקבורת מתו ולא ימשך אחר דברים אחרים כגון אכילת בשר ושתיית יין אסירי באונן דוקא ותשמיש המטה דמשמע בסמוך דאסור באונן בהא נמי שמא ימשך או שמא שמחה יתירתא ואולפה כך מלאתי ובתגלחת ובתכבוסת לא ידעינן אי שרי באונן ואין ללמוד איסור לגלח מדתני' במס' שמחות [ה] היה מגלח ואמרו לו מת אחד מקרוביו הרי זה יגמור משמע הא לא התחיל אסור דלמא בשמועה איירי ולאחר שנקבר ובשם ריב"א כתבתי דתגלחת אסור דנפקא לן מראשיכם אל תפרעו (ויקרא י) הא כולי עלמא אסירי ואינהו אוננים הוו ובתשמיש המטה דאסרינן בסמוך ורצו להתיר באנינות כדאמרינן פ"ק דכתובות (דף ד. ושם) ובאבילות אסרו דקאמרינן התם מכניסין את המת לחדר ובועל בעילת מצוה ופורש והא דקאמרינן התם אבילות דהכא קילא ואתי לזלזולי בה ומקשה מאי קולא אילימא דקתני בועל בעילת מצוה משום דלא חיילא אבילות עליה אינו רוצה לומר שאין קולא בדבר אלא הכי קאמר אין קולא באבילות כי אם באנינות ולא אתי לזלזולי באבילות:

ואין מברכין עליו. פירש בקונטרס בברכות פרק מי שמתו (דף יח. ושם) ברכת המוציא ואין מזמנין ברכת המזון ותימה גבי המוציא מה שייך לומר אין מברכין עליו בשלמא גבי ברכת המזון שייך לירוף אלא גבי המוציא מאי שייך לירוף ויש לפרש דבגמרא קאמרינן דאין מברכין עליו אלא מצוה לחלק דהוו כשנים שאכלו שמצוה ליחלק ואין זה האונן מצטרף עמהן ואין מזמנין עליהן עמהן לומר נברך שאכלנו משלו ואי לא הוה תני אלא חדא הוה אמינא לענין נברך שאכלנו משלו דאין מצטרף אבל מצטרף להיות להם דין שלשה לברך אחד מהן בעבור חברו להכי תני תרתי וריב"א מפרש דאין מברכין ומזמנין חדא לומר נברך שאכלנו משלו וחדא לברך בשם כמו שמזכירין שם בעשרה פירש בקונטרס בפרק מי שמתו (ג"ז שם) ואינו מברך אין לריך לברך ברכת המזון משמע מפירושו דאין אסור לברך ובשמעתין נמי פירש כענין זה ומיהו מדקאמר בריש פרק מי שמתו התם למאן דאמר [ו] [תוך] ארבע אמות הוא דאסור פירש רבינו ילחק בברכות דאיכא איסור לברך וגם בתוספות הרב פירש דאסור לברך ותימה לרבי ילחק דהשתא נהגו לברך ולזמן והיה אומר דלא איירי הכא רק כשהוא עוסק בלרכי המת שאין לו להתבטל מן המלוה אבל בשעה שאינו עוסק שרי אי נמי בשעה שאחרים עוסקים והוא אינו עושה כלום ומיהו בירושל' אינו משמע כן והכי איתא התם [ז] אינו אוכל כל לורכו ואינו שותה כל לורכו כו' ואינו מברך ואם בירך אין עונין אחריו אמן ואם ברכו אחרים אינו עונה אחריהם אמן ואם משום ביטול מלות עסק במתו מה ביטול יש בעניית אמן מיהו נראה לי משום שמיעת הברכה שלא תהיה אמן יתומה ועוד דאמרינן לקמן הן עומדין ומתפללין והוא יושב ומלדיק עליו את הדין ומשמע שאינו עוסק בו כלל אלא יושב ודומם ונראה דאסור לברך ושוב מלאתי בירושל' דריש פרק מי שמתו תני אם רלה להחמיר על עצמו אין שומעין לו למה מפני כבודו של מת או משום שאין לו מי שישא משאוי ופריך והא תניא פטור מנטילת לולב וקא סלקא דעתיה דמיירי ביום טוב וכו אינו טרוד לישא במשאוי ומשני תפתר בחול פירוש בחולו של מועד ופריך והתניא פטור מתקיעת שופר אית לך למימר בחול ולא ביום טוב אמר ר' חנינא מכיון שהיו זקוקים להביא לו ארון ותכריכין דתנינן תמן מחשיכין על התחום לפקח על עסקי כלה ועל עסקי המת להביא ארון ותכריכין נמי כמו שהוא נושא משאוי דמי [ח] משמע דפליגי בשבת וביום טוב דאינו מברך במאי דאמרינן מיהו הא קשיא לן דאמרינן בסיפא בשבת מברך ומזמן ולריך עיון:

בעא

עין משפט נר מצוה

קנו א מיי' פ"ד מהל' אבל הל"ז סמג עשין מד"ם ב טוש"ע י"ד סי' שמא סעיף א וטוש"ע א"ח סי' קלט סעיף ה:

קנז ב מיי' פ"י שם הלכה א סמג עשין ב טוש"ע י"ד סי' ת סעיף א:

רבינו חננאל

אבלות בשבת מדקתני במתני' ושבת עולה: והני אמרי אין אבלות בשבת מדקתני אינה מפסקת דאי ס"ד יש אבלות בשבת [השתא אבלות] נהיג אפסוקי דלא מפסקא מיבעיא כו'. לימא כתנאי מי שמתו מוטל לפניו אוכל בבית אחר וכו'. עד ובשבת מיסב ואוכל בשר ושותה יין ומברך ומזמן ומברכין עליו ומזמנין עליו וחייב בתפלה ובק"ש ובתפילין ובכל מצות האמורות בתורה. ר"ג אומר מתוך שנתחייב באלו כך נתחייב בכולן א"ר יוחנן תשמיש המטה איכא בינייהו. מאי לאו בהא קא מיפלגי ת"ק סבר יש אבלות בשבת ור"ג סבר אין אבלות בשבת אפילו תשמיש המטה שרי ודחינן ממאי דלמא עד כאן לא קאמר ת"ק הכא דאסור בתשמיש המטה אלא משום דמתו מוטל לפניו כו':

מסורת הש"ס

א) ברכות יז: שמחות פ"י, ב) [במס' שמחות אי' כדהכא אבל בברכו' יח. איתא ר"ש בן גמליאל], ג) אינו אלא למנין דאבילות ולא נהגא אבילות כצ"ל, ד) [ויברך אלהים את יום השביעי כ"ה במ"ר ויחי פ"ק], ה) פ"ה ה"ח, ו) רש"א, ז) שמחות פ"ו, ח) משמע דפליג בשבת כצ"ל.

גליון הש"ס

גמ' וחייב בק"ש ובתפלה ובתפילין ובכל מצות. בברכות בברייתא זו איתא וחייב בכל מלות האמורות בתורה ובר"ף שם חייב בק"ש ותפלה ובכל מלות האמורות בתורה:

רש"י כת"י

[יש אבילות בשבת]. שאבילות קלת נוהגות בשבת דקתני במתניתין שבת עולה מן המנין ואי לא נהגו אבילות אמאי עולה מן המנין אלא ודאי אבילות בשבת והאי דאילטריך למיתני עולה דקתני מפני שהשבת עולה כלומר מפני שאבילות נוהגות בשבת. אפסוקי מבעיא. דלא מפסקין. אידי דקא בעי למיתנא סיפא. הרגלים מפסיקין ואין עולין כגון עלרת דחד יומא תנא נמי גבי שבת עולה ולאו דיש אבילות בשבת כלל אלא אגב דהכא תנא ליה איידי דקתני מפסיקין ואין מפסיקין לגורך תנא נמי עולין ואין עולין שלא לגורך. מי שמתו מוטל לפניו. אין לו דין אבל עד שיסתום הגולל. כשהוא סועד אוכל בבית אחר. ואינו מיסב. כשהוא אוכל דהיינו דרך גדולה. ואינו מברך. שום ברכה דפטור הוא ממלות כל זמן שמתו מוטל לפניו. ואין מברכין. ברכת המוליא להוליאו ידי חובתו. ובשבת מיסב. כשהוא אוכל. ואוכל בשר וחייב בכל מצות וכו'. תפלין לא גרסינן דאין תפלין בשבת דכתוב כי אות היא מי שלריכין אות יצאו תפלין שאין לריכין אות שהן עצמן אות דכתוב והיה לך לאות על ידכה וגו'. לרבן גמליאל מיחייב במלות עונג בשבת דאין אבילו' בשבת. עד כאן לא קאמר תנא קמא. דיש אבילות אלא גבי מתו מוטל לפניו דנפיש לעריה אבל גבי אבל מודה דאין אבילות בשבת. אבל. היכא דחל אבילות אימא כיון דקא (סבר) חיילא אבילות עליה מעיקרא דאפי' בשב' נמי יש אבילות.

MAY NOT EAT MEAT AND HE MAY NOT DRINK WINE.[13] וְאֵין מְבָרֵךְ – AND HE DOES NOT RECITE A BLESSING[14] וְאֵין מְזַמֵּן – AND HE DOES NOT RECITE THE AFTER-MEAL BLESSINGS,[15] וְאֵין מְבָרְכִין עָלָיו – AND OTHERS DO NOT RECITE FOR HIM THE BLESSING before eating,[16] וְאֵין מְזַמְּנִין עָלָיו – AND since he is not obligated to recite the after-meal blessings, HE CANNOT BE INCLUDED IN A *ZIMUN*.[17] וּפָטוּר מִקְּרִיאַת שְׁמַע וּמִן הַתְּפִלָּה – AND HE IS EXEMPT FROM THE RECITAL OF *SHEMA* AND FROM PRAYER וּמִן הַתְּפִילִּין – AND FROM donning TEFILLIN,[18] וּמִכָּל מִצְוֹת הָאֲמוּרוֹת בַּתּוֹרָה – AND FROM performing ALL THE other COMMANDMENTS STATED IN THE TORAH.[19] The foregoing is the law on a weekday, when he is preoccupied with the mitzvah of burial. וּבְשַׁבָּת – BUT ON THE SABBATH, when burial cannot take place anyway, מֵיסֵב וְאוֹכֵל – HE MAY RECLINE WHILE EATING,[20] וְאוֹכֵל בָּשָׂר וְשׁוֹתֶה יַיִן – AND HE MAY EAT MEAT AND DRINK WINE, וּמְבָרֵךְ וּמְזַמֵּן – AND HE MUST RECITE THE BLESSING BEFORE EATING AND THE AFTER-MEAL BLESSINGS. וּמְבָרְכִין וּמְזַמְּנִין עָלָיו – AND OTHERS MAY RECITE THE BLESSING for him, AND HE CAN BE INCLUDED IN A *ZIMUN*. וְחַיָּיב בִּקְרִיאַת שְׁמַע וּבִתְפִלָּה – AND HE IS OBLIGATED IN THE RECITAL OF *SHEMA*, AND IN the mitzvah of PRAYER וּבִתְפִילִּין – AND IN the mitzvah of TEFILLIN,[21] וּבְכָל מִצְוֹת הָאֲמוּרוֹת בַּתּוֹרָה – AND IN ALL THE other COMMANDMENTS STATED IN THE TORAH. רַבָּן גַּמְלִיאֵל אוֹמֵר – RABBAN GAMLIEL SAYS: מִתּוֹךְ שֶׁנִּתְחַיֵּיב בְּאֵלּוּ נִתְחַיֵּיב בְּכוּלָּן – SINCE HE IS OBLIGATED IN THESE mitzvos (just enumerated) on the Sabbath, HE IS OBLIGATED IN ALL OF THEM on the Sabbath.[22] וְאָמַר רַבִּי יוֹחָנָן – **And R' Yochanan said** in explanation of the difference between the Tanna Kamma and Rabban Gamliel: תַּשְׁמִישׁ הַמִּטָּה אִיכָּא בֵּינַיְיהוּ – Whether the mourner must fulfill on the Sabbath his obligation towards his wife of **marital relations is the difference between them.**[23] The Tanna Kamma maintains that although the *onein* is obligated in all other commandments on the Sabbath, he is exempt from his obligation of marital relations because they are forbidden to him, whereas Rabban Gamliel is of the opinion that he is obligated in this mitzvah as well, because marital relations are permitted to him on the Sabbath.[24] Now, what is at the root of this dispute? מַאי לָאו בְּהָא קָא מִיפַּלְגֵי – **Is it not that** in essence **they argue about the following?** דְּמַר סָבַר יֵשׁ אֲבֵילוּת בְּשַׁבָּת – Namely: **that this master** [the Tanna Kamma, who exempts the mourner from marital relations even on the Sabbath] **holds** that **there is** observance of **mourning on the Sabbath,**[25] וּמַר סָבַר אֵין אֲבֵילוּת בְּשַׁבָּת – **whereas this master** [Rabban Gamliel, who obligates the mourner on the Sabbath in the mitzvah of marital relations] **holds** that **there is no** observance of **mourning on the Sabbath.**[26]

The Gemara rejects this assertion:

מִמַּאי – **On the basis of what** do you make this assertion? דִּלְמָא עַד כָּאן לֹא קָאָמַר תַּנָּא קַמָּא הָתָם – **Perhaps, thus far the Tanna Kamma has not said there,** in the Baraisa, anything other than that marital relations are forbidden to the surviving relative on the Sabbath, אֶלָּא מִשּׁוּם דְּמֵתוֹ מוּטָל לְפָנָיו – **because his deceased** relative **lies before him** unburied.[27] אֲבָל הָכָא דְּאֵין מֵתוֹ מוּטָל לְפָנָיו לֹא – **But here,** in our case, **where his deceased** relative **is not lying before him** unburied, rather the deceased has been buried and the mourner is in the midst of *shivah,* the Tanna Kamma would rule that he is **not** forbidden on the Sabbath from marital relations.[28] Thus, there is no indication as to what the Tanna Kamma holds with regard to an *aveil's* observance of mourning on the Sabbath. וְעַד כָּאן לֹא קָאָמַר רַבָּן גַּמְלִיאֵל הָתָם – **And** on the other hand, it is possible that Rabban Gamliel's ruling has no bearing on our dispute either. For **thus far, Rabban Gamliel has not said there,** in the Baraisa, anything other than that the surviving relative is permitted on the Sabbath in marital relations, דְּאַכַּתִּי לֹא חָל אֲבֵילוּת עֲלֵיהּ – **since** the **mourning** obligation **has not yet taken effect on him.**[29] אֲבָל הָכָא דְּחָל אֲבֵילוּת עֲלֵיהּ – **But here,** in our case, **where** the **mourning** obligation **has** already **taken effect on him,** with the burial of the deceased, הָכִי נַמִּי – **so too** would

NOTES

13. Lest he become engrossed in his eating and neglect the needs of the deceased (ibid.).

14. Before eating (*Rashi* to *Berachos* ibid.). Alternatively, he does not recite any blessing he would ordinarily be obligated to recite (*Rashi ms.*). Alternatively, this means that he may not [even] recite a blessing for others so that they should thereby fulfill their obligation to recite the blessing (*Rashi*).

The reason for this ruling, as well as the ones that follow, is that the *onein* (prior to the burial) is exempt from all mitzvos (see below, note 19).

15. I.e. *Bircas HaMazon,* recited after meals (*Rashi* to *Berachos* ad loc.).

16. *Rashi ms.; Rashi* to *Berachos* 18a.

17. The *zimun* is the special blessing recited when three men recite *Bircas HaMazon* together.

18. Besides being exempt from tefillin because of his general exemption from mitzvos, he is also subject to a special exemption from tefillin, as derived in *Berachos* 11a. [This special exemption serves to exempt him from tefillin on the first day of his mourning even after the deceased has been buried – see Schottenstein Edition of *Berachos,* 17b3 note 3.]

19. Not only is he exempt from *Shema* and Prayer, which require concentration [that he is not able to muster], but he is exempt from all other positive mitzvos as well. He is not, of course, allowed to transgress any prohibitions (see *Rashba; Rabbeinu Yonah;* see also *Teshuvos Maharshal* §70; *Teshuvos Noda BiYehudah, Orach Chaim Kamma* §27; *Beur Halachah* to *Orach Chaim* 71:1).

Even during moments when the *onein* is not actively engaged in making burial arrangements, this broad exemption applies to him. The reason for this is that respect for the dead demands that he, as the person responsible for the burial, give the preparations for the funeral and burial his full and undivided attention; he is, therefore, exempt from turning his attention to any other mitzvah, based on the principle that *one who is occupied with a mitzvah is exempt from [any other] mitzvah* [see *Berachos* 11a] (*Yerushalmi, Berachos* 3:1, first view, as explained by *Ritva* to *Berachos* ibid.; see also *Taz, Yoreh Deah* 341:5 with *Nekudas HaKesef; Pri Megadim, Orach Chaim, Mishbetzos Zahav* 71:5; see another view in *Yerushalmi* there).

20. [Nevertheless, as on a weekday, he may still not eat in the presence of the corpse (*Shach, Yoreh Deah* 341:3; see *Pischei Teshuvah* there §2, but see *Aruch HaShulchan* there §7).]

21. This should be deleted, as [the halachah is that] the mitzvah of tefillin does not apply on the Sabbath altogether (*Rashi ms.;* see *Shabbos* 61a, *Eruvin* 95b).

22. [R' Yochanan will now explain what Rabban Gamliel means.]

23. See *Rashi* to *Berachos* 18a; cf. *Rashi ms.* here.

[Certainly, on weekdays the *onein* is exempt from his conjugal obligations towards his wife, just as he is exempt from all other positive commandments. See also note 30 below.]

24. *Rashi.*

25. I.e. the private expressions of mourning do apply on the Sabbath. Accordingly, marital relations are forbidden, and he is thus exempt from this mitzvah.

26. I.e. even with regard to private expressions of mourning. Hence, marital relations are permitted to a mourner on the Sabbath, and he therefore must fulfill his obligations in this regard.

Apparently, then, the dispute between the Judeans and Galileans is essentially the dispute between the Tanna Kamma and Rabban Gamliel.

27. Since at this point, his grief is exceedingly great (*Rashi ms.*).

28. For his grief is not as great as that of an *onein.*

29. Since the deceased has not yet been buried (*Rashi;* see next note).

יש אבילות בשבת והני אמרי אין אבילות בשבת מאן דאמר יש אבילות בשבת דקתני עולה מאן דאמר אין אבילות בשבת דקתני אינה מפסקת אי סלקא דעתך יש אבילות בשבת השתא אבילות נהגא אפסוקי מיבעיא ואלא הא קתני עולה איידי דקבעי למיתנא סיפא אינן עולים תנא רישא עולה ולמאן דאמר יש אבילות בשבת הא קתני אינה מפסקת משום דקבעי למיתנא סיפא מפסיקין תנא רישא אינה מפסקת לימא כתנאי א) א מי שמתו מוטל לפניו אוכל בבית אחר אין לו בית אחר אוכל בבית חברו אין לו בית חברו עושה לו מחיצה עשרה טפחים אין לו דבר לעשות מחיצה מחזיר פניו ואוכל ואינו מיסב ואוכל ואינו אוכל בשר ואינו שותה יין ואין מברך ואין מזמן ואין מברכין עליו ואין מזמנין עליו ופטור מקריאת שמע ומן התפלה ומן התפילין ומכל מצות האמורות בתורה ובשבת מיסב ואוכל ואוכל בשר ושותה יין ומברך ומזמן ומברכין ומזמנין עליו ° וחייב בקריאת שמע ובתפלה ובתפילין ובכל מצות האמורות בתורה ב) רבן גמליאל אומר מתוך שנתחייב באלו נתחייב בכולן ואמר ר' יוחנן ב תשמיש המטה איכא בינייהו מאי לאו בהא קא מיפלגי דמר סבר יש אבילות בשבת ומר סבר אין אבילות בשבת ממאי דלמא עד כאן לא קאמר תנא קמא התם אלא משום דמתו מוטל לפניו אבל הכא דאין מתו מוטל לפניו לא וע"כ לא קאמר ר"ג התם דאכתי לא חל אבילות עליה אבל הכא דחל אבילות עליה הכי נמי

בעא

אפסוקי מבעיא. כלומר מי צריכא למימר דאינה מפסקת: אין מברך. להוציא אחרים ידי חובתן: מתוך שנתחייב באלו. קריאת שמע כו' נתחייב בכולן: תשמיש המטה איכא בינייהו. הא דאמר נתחייב בכולן סבר מותר בתשמיש המטה ותנא קמא סבר אסור בתשמיש המטה: מר. דאסר בתשמיש סבר יש אבילות בשבת: ומר. דשרי סבר כשמואל דאמר אין אבילות בשבת: עדיין לא חלה אבילות עליה. דלא נקבר:

אבל

יש אבילות בשבת. בדברים שבצנעא מיירי כדפירש בקונט' ובסמוך נמי לימא כתנאי מייתי פלוגתא דרשב"ג ורבנן דהוי דברים שבצנעא והכי משמע קצת בירושל' דלעיל אמתניתין דהשבת עולה פליגי רבי יוחנן וריב"ל אם אסור בשבת בתשמיש המטה משמע דפליגי כעין פלוגתא דהכא ואליבא דרבי יוחנן יש שאומרים שם מותר ואותו חולק על הש"ס שלנו דא"ר יוחנן בפ"ק דכתובות (דף ד. ושם) אע"פ שאמרו אין אבילות בשבת אבל דברים שבצנעא נוהג וקצת קשה לי תימה בשמעתין אביי אשכחיה לרב יוסף דפריס סודרא ארישיה אמר ליה לא סבר לה מר אין אבילות בשבת אמר ליה הכי אמר ר' יוחנן דברים שבצנעא נוהג שמא היה סבור דפריס סודרא ארישיה הוה דברים שבפרהסיא וכמאן דאמר פריעת הראש חובה ולא היה מחלק בין בביתו בין חוץ לביתו והוא השיב לו בביתו חשיב צנעא: **מאן** דאמר יש אבילות בשבת מדקתני עולה. פירש הר"א ז"ל מדקתני ולא פירש ואין בה אבילות אלמא אבילות נוהג בה דאם לא כן היה לו לפרש הכי בהדיא אע"ג דעולה לא נהג בה אבילות דכיון דעולה משמע דנוהג בה אבילות ומשני איידי דקתני סיפא אין עולין סתם תנא ברישא עולה סתם ולא נהירא ופירש ר' שמעון זצ"ל מרבו מאן דאמר יש אבילות דקתני עולה משמע דעולה לכל מנין שבעה ולאבילות שינהג בשבת מה שנהג אתמול ומתוך כך תעלה שבת לחשבונו כשם שע"ש עולה לחשבונו מ"ד אין אבילות בשבת דקתני אינה מפסקת אע"ג דחשיבא כולי האי לבטל אבילות בגוה מ"מ אינו מפסיק דאל"כ פשיטא וקפריך ואלא הא דקתני עולה דמשמע דנוהג אבילות כשאר ימים ומשני איידי דקתני גבי י"ט אין עולין לגמרי לא למנין ולא לאבילות משום שמחה דכתיב בהן כדפרישית תנא רישא נמי עולה באותו לשון עצמו דתנא בי"ט תנא בשבת דלא להפליג בלשון המשנה ומיהו עולה דשבת ג) אינו למנין דלאבילות לא סלקא אלא אי נהגא אבילות בגויה וא"כ לפי פירוש זה ואלא הא דקתני עולה ומשני לעולם לא נהגא ואיידי דתנא כו' וא"כ המשנה אין שטת הש"ס לומר איידי דתנא הא תנא נמי הא אלא במילתא דאמת אלא דלא צריכי אבל דברים נראים שקר אין לו לשנות ועוד יש להקשות לפי מה שמפרש אי הכי ליתני שבת אינו עולה והוי דומיא דסיפא יותר עד כאן לשון הר"א ובתו' הרב מקשה דמשמע אפילו למאן דאמר דלא נהגא עולה למנין שבעה וא"כ ברגל נמי אע"ג דלא נהגא יהא עולה ולעיל אמרי' לענין שבעה לא קמבעיא ליה דלא נהגא מצות שבעה ברגל ומתרץ אע"ג דשבת עולה רגל אינו עולה הואיל ואין אבילות כלל משום דכתיב בהן שמחה שבת מיהא לא כתיב שמחה אפילו אינה נוהגת עולה בירושלמי מפרש טעמא דשבת דאין אבילות נוהג בו משום דכתיב (משלי י) ברכת ה' היא תעשיר ולא יוסיף עצב עמה ושבת כתיב ביה ברכה ד): **ואינו** אוכל בשר ואינו שותה יין. נראה דכי היכי דשרי בפרק בתרא דתענית (דף ל.) גבי ערב תשעה באב בשר כל זמן שאינו כשלמים ויין מגתו הכי נמי שרי באונן מיהו אין רגילין לנהוג בהן היתר לא בכאן ולא בתשעה באב תימה משמע דאונן חמור מאבל דלא מצינו אבל שיהא בו איסור בבשר וביין ולענין קדשים אשכחן דאבל אוכל בקדשים ואונן אסור ובשאר דברים החמירו באבילות בכפיית המטה ונעילת הסנדל ועטיפת הראש וטובא איכא ובאונן שרי וי"ל דדברים שהן משום אבל מותר גבי אונן ובאבילות אסורין אבל דברים שאינם אסורין משום אבילות אלא משום שיש לו להיות טרוד בקבורת מתו ולא ימשך אחר דברים אחרים כגון אכילת בשר ושתיית יין אסירי באונן דוקא ותשמיש המטה דמשמע בסמוך דאסור באונן בהא נמי שמא ימשך או שמא שמחה יתירתא ותוספה כך מצאתי ובתגלחת ובתכבוסת לא ידעינן אי שרי באונן ואין ללמוד איסור לגלח מדתני' במס' שמחות ה) היה מגלח ואמרו לו מת אחד מקרוביו הרי זה יגמור משמע הא לא התחיל אסור דלמא בשמועה איירי ולאחר שנקבר ובשם ריב"א כתבתי דתגלחת אסור דנפקא לן מראשיכם אל תפרעו (ויקרא י) הא כולי עלמא אסירי ואינהו אוננים הוו ובתשמיש המטה דאסרינן בסמוך ורצו להתיר באנינות כדאמרינן פ"ק דכתובות (דף ד. ושם) ובאבילות אסרו דקאמרינן התם מכניסין את המת לחדר ובועל בעילת מצוה ופורש והא דקאמרינן התם אבילות דהכא קילא ואתי לזלזולי בה ומקשה מאי קולא אילימא דקתני בועל בעילת מצוה משום דלא חיילא אבילות עליה אינו רוצה לומר שאין קולא בדבר אלא הכי קאמר אין קולא באבילות כי אם באנינות ולא אתי לזלזולי באבילות:

ואין מברכין עליו. פירש בקונטרס בברכות פרק מי שמתו (דף יח. ושם) ברכת המוציא ואין מזמנין ברכת המזון ותימה גבי המוציא מה שייך לומר אין מברכין עליו בשלמא גבי ברכת המזון שייך זירוף אלא גבי המוציא מאי שייך זירוף ויש לפרש דבגמרא קאמרינן דאין מברכין עליו אלא מצוה לחלק דהוו כשנים שאכלו שמצוה ליחלק ואין זה האונן מצטרף עמהן ואין מזמנין עליהן עמהן לומר נברך שאכלנו משלו ואי לא הוה תני אלא חדא הוה אמינא לענין נברך שאכלנו משלו דאין מצטרף אבל מצטרף להיות להם דין שלשה לברך אחד מהן בעבור חברו להכי תני תרתי וריב"א מפרש דאין מברכין ומזמנין חדא לומר נברך שאכלנו משלו וחדא לברך בשם כמו שמזכירין שם בעשרה פירש בקונטרס בפרק מי שמתו (ג"ז שם) ואינו מברך אין צריך לברך ברכת המזון משמע מפירושו דאין אסור לברך ובשמעתין נמי פירש כענין זה ומיהו מדקאמר בריש פרק מי שמתו התם למאן דאמר ו) [תוך] ארבע אמות הוא דאסור פירש רבינו יצחק בברכות דאיכא איסור לברך וגם בתוספות הרב פירש דאסור לברך ותימה לרבי יצחק דהשתא נהגו לברך ולזמן והיה אומר דלא איירי הכא רק כשהוא עוסק בצרכי המת שאין לו להתבטל מן המצוה אבל בשעה שאינו עוסק שרי אי נמי בשעה שאחרים עוסקים והוא אינו עושה כלום ומיהו בירושל' אינו משמע כן והכי איתא התם ז) אינו אוכל כל צורכו ואינו שותה כל צורכו כו' ואינו מברך ואם בירך אין עונין אחריו אמן ואם ברכו אחרים אינו עונה אחריהם אמן ואם משום ביטול מצות עסק במתו מה ביטול יש בעניית אמן מיהו נראה לי משום שמיעת הברכה שלא תהיה אמן יתומה ועוד דאמרינן לקמן הן עומדין ומתפללין והוא יושב ומצדיק עליו את הדין ומשמע שאינו עוסק בו כלל אלא יושב ודומם ונראה דאסור לברך ושוב מצאתי בירושל' דריש פרק מי שמתו תני אם רצה להחמיר על עצמו אין שומעין לו למה מפני כבודו של מת או משום שאין לו מי שישא משאוי ופריך והא תניא פטור מנטילת לולב וקא סלקא דעתיה דמיירי ביום טוב ובו אינו טרוד לישא במשאוי ומשני תפתר בחול פירוש בחולו של מועד ופריך והתניא פטור מתקיעת שופר אית לך למימר בחול ולא ביום טוב אמר ר' חנינא מכיון שהיו זקוקים להביא לו ארון ותכריכין דתנינן תמן מחשיכין על התחום לפקח על עסקי כלה ועל עסקי המת להביא ארון ותכריכין נמי כמו שהוא נושא משאוי דמי ח) משמע דפליגי בשבת וביום טוב דאינו מברך במאי דאמרינן מיהו הא קשיא לן דאמרינן בסיפא בשבת מברך ומזמן וצריך עיון:

בעא

עין משפט נר מצוה

קנו א מיי' פ"ד מהל' אבל הל"ז סמג עשין מד"ס ב טוש"ע י"ד סי' שמא סעיף א וטוש"ע א"ח סי' קלט סעיף ה:

קנז ב מיי' פ"י שם הלכה א סמג עשין ב טוש"ע י"ד סי' ת סעיף א:

רבינו חננאל

אבלות בשבת מדקתני במתני' ושבת עולה: והני אמרי אין אבלות בשבת מדקתני אינה מפסקת דאי ס"ד יש אבלות בשבת [השתא אבלות] נהיג אפסוקי דלא מפסקא מיבעיא כו'. לימא כתנאי מי שמתו מוטל לפניו אוכל בבית אחר וכו'. עד ובשבת מיסב ואוכל בשר ושותה יין ומברך ומזמן ומברכין עליו ומזמנין עליו וחייב בתפלה ובק"ש ובתפלין ובכל מצות האמורות בתורה. ר"ג אומר מתוך שנתחייב באלו כך נתחייב בכולן א"ר יוחנן תשמיש המטה איכא בינייהו. מאי לאו בהא קא מיפלגי ת"ק סבר יש אבלות בשבת ור"ג סבר אין אבלות בשבת אפילו תשמיש המטה שרי ודחינן ממאי דלמא עד כאן לא קאמר ת"ק הכא דאסור בתשמיש המטה אלא משום דמתו מוטל לפניו כו':

מסורת הש"ס

א) ברכות יז: שמחות פ"י, ב) [במס' שמחות אי' כדהכא אבל בברכו' יח. איתא ר"ש בן גמליאל], ג) אינו אלא למנין דאבילות ולא נהגא אבילות כצ"ל, ד) [ויברך אלהים את יום השביעי כ"ה במ"ר ויחי פ"ק], ה) פ"ה ה"ח, ו) רש"א, ז) שמחות פ"ו, ח) משמע דפליג בשבת כצ"ל.

גליון הש"ס

גמ' וחייב בק"ש ובתפלה ובתפילין ובכל מצות. בברכות בברייתא זו איתא וחייב בכל מצות האמורות בתורה ובדי"ף שם חייב בק"ש ותפלה ובכל מצות האמורות בתורה:

רש"י כת"י

[יש אבילות בשבת]. שאבילות קצת נוהגות בשבת דקתני במתניתין שבת עולה מן המנין ואי לא נהגו אבילות אמאי עולה מן המנין אלא ודאי אבילות בשבת והאי דאיצטריך למיתני עולה דקתני מפני שהשבת עולה כלומר מפני שאבילות נוהגות בשבת. **אפסוקי מבעיא**. דלא מפסקין. **אידי דקא בעי למיתנא סיפא**. הרגלים מפסיקין ואין עולין כגון עצרת דחד יומא תנא נמי גבי שבת עולה ולאו דיש אבילות בשבת כלל אלא אגב דהכא תנא ליה איידי דקתני מפסיקין ואין מפסיקין לצורך תנא נמי עולין ואין עולין שלא לצורך. **מי שמתו מוטל לפניו**. אין לו דין אבל עד שיסתום הגולל. כשהוא סועד אוכל בבית אחר. **ואינו מיסב**. כשהוא אוכל דהיינו דרך גדולה. **ואינו מברך**. שום ברכה דפטור הוא ממצות כל זמן שמתו מוטל לפניו. **ואין מברכין**. ברכת המוציא להוציאו ידי חובתו. **ובשבת מיסב**. כשהוא אוכל. **ואוכל בשר וחייב בכל מצות וכו'**. תפלין לא גרסינן דאין תפלין בשבת דכתוב כי אות היא מי שצריכן אות יצאו תפלין שאין צריכין אות שהן עצמן אות דכתוב והיה לך לאות על ידכה וגו'. לרבן גמליאל מיחייב במצות עונג בשבת דאין אבילו' בשבת. **עד כאן לא קאמר תנא קמא**. דיש אבילות אלא גבי מתו מוטל לפניו דנפיש צעריה אבל גבי אבל מודה דאין אבילות בשבת. **אבל**. היכא דחל אבילות אימא כיון דקא (סבר) חיילא אבילות עליה מעיקרא דאפי' בשב' נמי יש אבילות.

Rabban Gamliel rule that marital relations are forbidden to him even on the Sabbath. Thus, there is no indication as to what Rabban Gamliel holds with regard to an *aveil's* observance of mourning on the Sabbath.[30]

NOTES

30. With regard to the practical halachah, there is a dispute among the Rishonim whether the *aveilus* restrictions (such as those against bathing, shaving, marital relations) apply to an *onein.* There are basically three views in this matter:

(a) The *aveilus* restrictions begin only with the burial of the deceased, with the commencement of *shivah.* An *onein,* therefore, is not bound by any of the restrictions of mourning and is permitted to engage in marital relations (*R' Yitzchak ibn Gei'as,* cited by *Tur, Yoreh Deah* 341; *Rambam, Hil. Aveil* 1:2 as understood by *Bach* to *Yoreh Deah* ibid.).

(b) Generally speaking, the *aveilus* restrictions apply immediately with the demise of the deceased, with the exception of certain practices that would tend to interfere with the *onein's* attending to the burial arrangements (*Ramban, Toras HaAdam,* cited in *Tur* ibid.).

(c) The *aveilus* restrictions indeed begin only with burial, with the exception of the restriction against marital relations. Such relations are forbidden to an *onein* because they would not be in keeping with the somberness of this period and, furthermore, might distract him from attending to the burial arrangements (see *Tosafos* ד״ה ואינו).

See *Yoreh Deah* 341 for further details and discussion.

The Gemara presents an Amoraic opinion regarding this matter of the observance of mourning on the Sabbath:

בְּעָא מִינֵּיהּ רַבִּי יוֹחָנָן מִשְּׁמוּאֵל – **R' Yochanan inquired of Shmuel:**[1] יֵשׁ אֲבֵילוּת בְּשַׁבָּת אוֹ אֵין אֲבֵילוּת בְּשַׁבָּת – **Is there** observance of **mourning on the Sabbath, or is there no** observance of **mourning on the Sabbath?**[2] אָמַר לֵיהּ – **[Shmuel] answered him:** אֵין אֲבֵילוּת בְּשַׁבָּת – **There is no** observance of **mourning on the Sabbath.**

The Gemara quotes a statement attributed to Shmuel:

יָתְבֵי רַבָּנָן קַמֵּיהּ דְּרַב פָּפָּא וְקָאָמְרֵי מִשְּׁמֵיהּ דִּשְׁמוּאֵל – **The Rabbinical students were sitting in front of Rav Pappa and saying in Shmuel's name:** אָבֵל שֶׁשִּׁימֵּשׁ מִטָּתוֹ בִּימֵי אֶבְלוֹ חַיָּיב מִיתָה – **A mourner who has marital relations during his** seven **days of mourning is liable to death.**[3] אָמַר לְהוּ רַב פָּפָּא – **Rav Pappa said to them,** correcting them on two counts: אָסוּר אִתְּמַר – **"It is forbidden" is what was said** with regard to marital relations during *shivah,* not that it is punishable by death.[4] וּמִשְּׁמֵיהּ דְּרַבִּי יוֹחָנָן אִתְּמַר – **And** furthermore **it was said in the name of R' Yochanan,** not in the name of Shmuel, as you have erroneously reported it.[5] וְאִי שְׁמִיעָא לְכוּ מִשְּׁמֵיהּ דִּשְׁמוּאֵל הָכִי שְׁמִיעַ לְכוּ – **And if you did hear** something similar **in the name of Shmuel, this is what you heard:** אָמַר רַב תַּחְלִיפָא בַּר אֲבִימִי אָמַר שְׁמוּאֵל – **Rav Tachlifa bar Avimi said in the name of Shmuel:** אָבֵל שֶׁלֹּא פָּרַע וְשֶׁלֹּא פֵּירַם חַיָּיב מִיתָה – **A mourner who did not let his hair grow long or did not rend his clothing is liable to death,** שֶׁנֶּאֱמַר ,,רָאשֵׁיכֶם אַל־תִּפְרָעוּ וּבִגְדֵיכֶם לֹא־תִפְרֹמוּ וְלֹא תָמֻתוּ וגו׳ '' – **as it is stated:** ***Do not let [the hair of] your heads grow long and do not rend your garments, and you will not die* etc.,**[6] הָא אַחֵר שֶׁלֹּא פָּרַע וְשֶׁלֹּא פֵּירַם חַיָּיב מִיתָה – **implying** that **another** mourner **who did not let his hair grow long or who did not** rend **his clothes *is* liable to death.**[7]

The Gemara quotes a relevant Baraisa:

אָמַר רַפְרָם בַּר פָּפָּא – **Rafram bar Pappa said:** תָּנָא בְּאֵבֶל רַבָּתִי – **It was taught in *Eivel Rabbasi:***[8] אָבֵל אָסוּר לְשַׁמֵּשׁ מִטָּתוֹ בִּימֵי אֶבְלוֹ – **A MOURNER IS FORBIDDEN TO ENGAGE IN MARITAL RELATIONS DURING HIS** seven **DAYS OF MOURNING.**[9] וּמַעֲשֶׂה בְּאֶחָד שֶׁשִּׁימֵּשׁ מִטָּתוֹ בִּימֵי אֶבְלוֹ – **AND THERE WAS AN INCIDENT INVOLVING AN INDIVIDUAL WHO ENGAGED IN MARITAL RELATIONS DURING HIS DAYS OF MOURNING,** וְשָׁמְטוּ חֲזִירִים אֶת גְּוִיָּיתוֹ – **AND SWINE SNATCHED HIS CORPSE.**[10]

The Gemara cites rulings regarding a mourner's conduct on the Sabbath:

אָמַר שְׁמוּאֵל – **Shmuel said:** פְּחַ״ז חוֹבָה – The practices referred to by the acronym ***PeChaZ***[11] **are required** on the Sabbath, נְתַ״ר רְשׁוּת – whereas those referred to by the acronym ***NeTaR***[12] **are optional.**

The Gemara explains, beginning with *PeChaZ:*

פְּרִיעַת הָרֹאשׁ – **Uncovering the head,** i.e. removing the mourner's head wrapping,[13] חֲזָרַת קֶרַע לַאֲחוֹרָיו – **turning the rent** on the garment **to the back**[14] וְזְקִיפַת הַמִּטָּה – and **righting the bed**[15] חוֹבָה – **are required.**[16]

NOTES

1. *Hagahos Yavetz* explains that he inquired of Shmuel in writing [see *Chullin* 95b], for R' Yochanan [who was in Eretz Yisrael] never met Shmuel [who was in Babylonia] personally (see, though, *Rambam, Introduction to Mishneh Torah* with *Raavad* and *Kesef Mishneh*). [Other texts have "Mar Yochni inquired of Shmuel," but it is evident from *Tosafos* ד״ה בעא מיניה that they indeed had the reading here: R' Yochanan.]

2. See 23b notes 1 and 2.

3. At the hand of Heaven (*Rashi ms.;* see below, note 7).

Rashash raises two difficulties: Firstly, why is this teaching introduced here in the midst of a discussion regarding the observance of mourning *on the Sabbath*? Secondly, why the redundancy "a *mourner* . . . during his days of *mourning*"? *Rashash* (see also *Poras Yosef*) therefore suggests that the reference here is indeed to a mourner who has marital relations *on the Sabbath.* And this is what is meant by "during his days of mourning" — i.e. during the *entire* period of mourning, including the Sabbath. Accordingly, the students reported in the name of Shmuel that a mourner who has marital relations on the Sabbath is liable to death. [See also *Keren Orah.*]

4. See, however, note 7 below.

5. For Shmuel's opinion is that marital relations are permitted to a mourner on the Sabbath, as he rules (at the top of the *amud*) that "there is no observance of mourning on the Sabbath" (*Rashash,* in line with his explanation cited in note 3).

[*R' Akiva Eiger* (in *Gilyon HaShas* here) is puzzled by why Rav Pappa must attribute to R' Yochanan a ruling that is stated explicitly in the Baraisa above (21a): "These are the things in which a mourner is prohibited: Work, washing, anointing *and marital relations.*" *Rashash* notes that his explanation of our Gemara removes the question entirely: The Baraisa above is referring to what a mourner may not do during the week, whereas our Gemara is referring to what is forbidden to him even on the Sabbath. See also *Sfas Emes.*]

6. *Leviticus* 10:6. This verse commands Aaron and his remaining sons, Elazar and Ithamar, not to practice the usual expressions of mourning upon the death of Nadav and Avihu [so as not to dampen the joy of the Tabernacle's inauguration (*Rashi* ad loc.)].

7. Actually, many Rishonim maintain that the mourner's obligations to let his hair grow and to rend his garment are Rabbinic; they explain that the Gemara's proof from the verse is intended as a mere attachment of the Rabbinic precept to Scripture [אַסְמַכְתָּא]. [And the simple meaning of the verse is that they should not die as a result of keeping these mourning practices during the Tabernacle's inauguration (see *Rashi* ad loc.; see, though, *Talmid R' Yechiel MiParis*).] And the "death penalty" is mentioned (here, as well as above, with regard to marital relations) because anyone who deliberately violates a Rabbinic precept is deserving of death by the hand of Heaven (see *Ritva;* see also *Rosh* above, §3).

[*Poras Yosef* notes that what the students reported in the name of Shmuel is not entirely without basis. For *Yerushalmi* here (end of folio 15b) records an incident in which a disciple of Shmuel became a mourner and engaged in marital relations on the Sabbath, whereupon Shmuel became indignant and the disciple died. And Shmuel remarked that it had been stated only that the basic halachah permits marital relations to the mourner on the Sabbath, but it is certainly inappropriate to do so in practice.]

8. This is the Minor Tractate that the Rishonim call euphemistically *Maseches Semachos* [Tractate Celebrations] (see *Rashi;* see also *Rashi* to *Kesubos* 28a ד״ה באבל רבתי). It is a compilation of laws and customs pertaining to death, burial and mourning. (See the comment of *R' Shlomo ben HaYasom* to the Gemara below, end of 26b.)

[The passage cited now by the Gemara does not appear in our versions of *Maseches Semachos.*]

9. According to *Rashash* (cited in note 3), the reference is to a mourner *on the Sabbath.*

10. Denying him a proper burial (see *Rashi,* first explanation). Alternatively, גְּוִיָּיתוֹ here means "his male organ," which was bitten off by swine (*Rashi,* second explanation).

11. The Gemara will explain that this stands for: ***Peri'as harosh*** (uncovering the head), ***Chazaras kera*** (turning the rent) and ***Zekifas hamitah*** (righting the bed). [That is, on the Sabbath the mourner is required to implement these *reversals* of usual mourning practice.]

12. The Gemara will explain that this stands for: ***Ne'ilas** hasandal* (wearing shoes), ***Tashmish** hamitah* (marital relations) and ***Rechitzas*** . . . (the washing of . . .).

13. As taught above (15a), a mourner is ordinarily obligated to wrap his head as a sign of mourning.

[Here פְּרִיעַת הָרֹאשׁ means *uncovering the head,* and not "letting the hair grow" as it sometimes means (see *Rashi ms.*).]

14. A mourner is ordinarily obligated to rend his garment and leave the rent showing in the front (see Baraisa cited in Gemara below).

15. As taught above (end of 15a), a mourner is ordinarily obligated to overturn his bed.

16. I.e. on the Sabbath, the mourner is obligated to *cease* the mourning practices of wrapping the head, displaying the rent in his garment and

בעא מיניה ר' יוחנן משמואל יש אבילות בשבת או אין אבילות בשבת אמר ליה אין אבילות בשבת יתבי רבנן קמיה דרב פפא וקאמרי משמיה דשמואל אבל ששימש מטתו בימי אבלו חייב מיתה א"ל רב פפא אסור אתמר ומשמיה דר' יוחנן אתמר ואי שמיעא לכו משמיה דשמואל הכי שמיע לכו אמר רב תחליפא בר אבימי אמר שמואל [א] אבל שלא פרע ושלא פירם חייב מיתה שנאמר (א) ראשיכם אל תפרעו ובגדיכם לא תפרומו ולא תמותו וגו' הא אחר שלא פרע ושלא פירם חייב מיתה אמר רפרם בר פפא תנא באבל רבתי אבל אסור לשמש מטתו בימי אבלו ומעשה באחד ששימש מטתו בימי אבלו ושמטו חזירים את גוייתו אמר שמואל [ב] פח"ז חובה נת"ר רשות פריעת הראש חזרת קרע לאחוריו זקיפת המטה חובה נעילת הסנדל תשמיש המטה רחיצת ידים ורגלים בחמין ערבית רשות ורב אמר [ג] אף פריעת הראש רשות ושמואל מאי שנא נעילת הסנדל דרשות דלאו כולי עלמא עבידי דסיימי מסאנייהו פריעת הראש נמי לאו כולי עלמא עבידי דמגלו רישייהו שמואל לטעמיה דאמר שמואל [ד] כל קרע שאינו בשעת חימום אינו קרע [ה] וכל עטיפה שאינה כעטיפת ישמעאלים אינה עטיפה מחוי ר"נ [ו] עד גובי דדיקנא א"ר יעקב א"ר יוחנן לא שנו אלא שאין לו מנעלים ברגליו אבל יש לו מנעלים ברגליו מנעליו מוכיחין עליו כל קרע שאינו בשעת חימום אינו קרע והא אמרו ליה לשמואל נח נפשיה דרב קרע עליה תריסר מני אמר אזל גברא דהוה מסתפינא מיניה א"ל לרבי יוחנן נח נפשיה דר' חנינא [א] קרע עליה תליסר אצטלי מלתא אמר אזל גברא דהוה מסתפינא מיניה שאני רבנן דכיון דכל שעתא מדכרי שמעתייהו כשעת חימום דמי א"ל רבין בר אדא לרבא אמר תלמידך רב עמרם תניא אבל כל שבעה קורעו לפניו ואם בא להחליף מחליף וקורע [ז] בשבת קורעו לאחוריו ואם בא להחליף מחליף ואינו קורע כי תניא ההיא בכבוד אביו ואמו אותן קרעין מתאחין או אין מתאחין פליגי בה אבוה דרב אושעיא ובר קפרא [ח] חד אמר אין מתאחין וחד אמר מתאחין תסתיים דאבוה דרב אושעיא דאמר רב אושעיא אין מתאחין ממאן שמיע ליה לאו מאבוה לא מבר קפרא רביה שמיע ליה אמר רבא אבל מטייל באונקלי בתוך ביתו אביי אשכחיה לרב יוסף דפרים ליה סודרא ארישיה ואזיל ואתי בביתיה א"ל לאו סבר לה מר אין אבילות בשבת א"ל הכי א"ר יוחנן [ג] דברים שבצינעא נוהג: ר"א אומר משחרב בית המקדש עצרת כשבת וכו': אמר רב גידל בר מנשיא אמר שמואל הלכה כר"ג ואיכא דמתני להא דרב גידל בר מנשיא אהא [ט] כל ל' יום [ג] תינוק יוצא בחיק ונקבר באשה אחת ושני אנשים אבל לא באיש אחד ושתי נשים

רש"י

אבל רבתי. מסכת שמחות: גוייתו. כל גופו ואיכא דאמרי אבר שלו: פריעת הראש. שמגלה האבל ראשו בשבת ואינו מתעטף וחזרת קרע לאחוריו וזקיפת המטה חובה בשבת: נעילת הסנדל. דלאו כולי עלמא סיימי מסאנייהו בשבת ולא מוכח דאבל הוא: לא כולי עלמא מגלי רישייהו. בשבת ואע"פ שמתעטף לא מיחזי כאבל: בשעת חימום. בשעת התחלת הצער בשעת מיתה: וכל עטיפה שאינה כעטיפת ישמעאלים. הלכך כיון דכל ימי שבוע שהוא אבל מתעטף כישמעאל אם אינו נוטלה בשבת נראה כנוהג אבילות דכ"ע לא נהיגי בעטיפה זו אלא אבלים בלבד: מחוי ר"נ. עטיפת ישמעאלים: גובי דיקנא. גומות שבלחי למטה מפיו: לא שנו. פריעת הראש בשבת דצריך לגלות חוטמו ושפמו וזקנו שהיה מכוסה בימי אבלו להודיע כי אין אבילות בשבת: אלא שאין מנעלים ברגליו אבל יש מנעלים ברגליו מנעליו מוכיחים עליו. דאינו אבל אבל לגלות ראשו אינו צריך ואם בא להתעטף בצינעא אפי' כעטיפת הישמעאלים אין בכך כלום: דמסתפינא מיניה. בקושיות: מחליף וקורע. אע"פ שאינו שעת חימום: כבוד אביו. שנו אבל לכולי עלמא אין קורע אלא בשעת חימום: ממאן שמיעא. לרב אושעיא הא דאמר אין מתאחין שמע מינה האי דאמר אין מתאחין אבוה דרב אושעיא: אונקלי. שייפי"ש חלוק שקורעו: בתוך ביתו. שבצינעא מותר לנהוג אבילות בשבת: דפרים סודריה ארישיה. בשבת משום עטיפה דנהיג אבילות: כל ל' יום יוצא בחיק. בן ל' יום מוציאו בחיק לבית הקברות ולא בארון: אבל לא באיש אחד. שאין מתייחדין עם האשה:

דלוסקמא

תוספות

בעא מיניה ר' יוחנן משמואל. מיהו ר' יוחנן לא קיבל משמואל דאיהו סבירא ליה דברים שבצינעא נוהג כדפרישית לעיל: הא אחר שלא פרע כו'. אע"ג דפשטי' דקרא הא אחר פורע ופורם ואם הם יעשו ימותו נראה דאסמכתא בעלמא הוא דהא לא מייתי להו סוף פרק הנשרפין (סנהדרין דף פג.) גבי אלו שבמיתה: ושמואל לטעמיה. פי' בתוספ' הרב דרב סבר דעטיפת הראש שאינה כעטיפת ישמעאלים הויא עטיפה ומסתמא רב ושמואל הלכה כרב יש מפרשין דרחיצת ידים דקאמר הכא רשות היינו כמ"ד פרק במה מדליקין (שבת דף כה:) דבלא אבילות הוא רשות אבל לר"נ בר יצחק דאמר התם ואני אומר מצוה באבל נמי הוי מצוה ולא רשות ונראה דלא צריך למימר הכי אלא הכי פירושו הכא דמשום אבילות אינו חובה להראות אבילות בשבת: לא שנו שאין לו מנעלים ברגליו. תימה דכי היכי דמנעליו מוכיחין עליו אמאי לא אמרי' אחד מהני מוכיחין ונמצא דאינו חובה כי אם האחד ושמא במנעלים יש הוכחה יותר: וכל קרע שאינו בשעת חימום אינו קרע. נראה דהא דאמר לעיל (דף כ:) מי שנזדמן לו חלוק בתוך ז' אע"פ שאינו שעת חימום שמא דוקא כגון שקרע כבר והכא מיירי בשלא קרע עדיין א"נ כגון שאין לו חלוק בשעה ראשונה חייב לקרוע כשיהיה לו אפי' שלא בשעת חימום ולי נראה דבכל שעה שיוכל להתחמם על מתו אפי' לזמן מרובה אחר מיתתו קרוי שפיר בשעת חימום כמו שאמרו ברבנן משום דמדכרי שמעתייהו הוא הדין נמי בכל מת שיוכל להתחמם עליו והא דפריך בסמוך ולא משני הכי משום דבלאו הכי משני שפיר: כי תניא ההיא בכבוד אביו ואמו. ומכאן קשה לי על מה שפי' למעלה (דף כ:) [ד] דגרסי' רבי חנינא מי שאין לו אלא חלוק אחד דמיירי בכה"ג דמחליף וקורע דהא גבי אביו ואמו אמר הכא מחליף וקורע כל שבעה ולעיל (שם) אמרי' על אביו ואמו קורע לעולם וצ"ע: הכי א"ר יוחנן דברים שבצינעא נוהג. פסק בהלכות גדולות כר' יוחנן לאפוקי מרב ושמואל דאמרי לעיל תשמיש המטה רשות ודברים שבצינעא הוא ובפ"ק דכתובות (דף ד.) נמי קאמר עלה מסייע ליה לר' יוחנן דאביי ורבא סברי כוותיה ואע"ג דקיימא לן (לעיל דף יח. כג.) הלכה כדברי המיקל ה"מ במחלוקת של תנאים אבל במילתא דאמוראי לא אמרן מספקא לי כי היכי דשרי בתוך ביתו הני דברים דקריעה אי הוה אסור נעילת הסנדל בצנעא וכל שאר דברים: [ה] עצרת כשבת. וכ"ש ר"ה ויוה"כ ר"ג אומר ר"ה ויוה"כ כרגלים וכ"ש עצרת לאחר חורבן ולישנא לא אתי שפיר דהוה ליה למתני ר"ג אומר אף ר"ה ויוה"כ כו': [ו] וחכמים אומרים לא כדברי זה כו'. ולא שייך למימר היינו תנא קמא דנימא כולהו אתו לפרש מילתא דתנא קמא כי ההיא דלא ירדה לו נשים בפרק ב' דסנהדרין (דף כא.) וההיא (דהמקדש [ז]): הלכה כר"ג. תימה כיון דאמר שמואל (לעיל דף יח. כג.) הלכה כדברי המיקל באבל אמאי איצטריך למיפסק הלכה כר"ג וי"ל דחומרא נמי היא דאם קברו סמוך לחשיכה ולא היה לו שעה אחת לנהוג בו אבילות או קברוהו נכרים ביום טוב או שמע שמועה קרובה ביום טוב אם הם כרגלים אינם עולים למנין שבעה ואם הם כשבת עולים:

אבל

מסורת הש"ס

א) [עי' תוס' ב"ק לא: ד"ה עובר], ב) [כתובות ד.], ג) קידושין פ: שמחות פ"ג, ד) אבל הגי' שם מי שאין לו חלוק לקרוע כו' ואולי גיר' אחרת היתה לפניהם ועיין במהרש"א, ה) [שייך במשנה דלעיל יט.], ו) [ג"ז שייך למשנ' דלעיל יט.], ז) [צ"ל דהמוכר מקדש (ד' פג.) וע"ע תוספות פסחים פג. ד"ה ר' שמעון אומר ודף קטז: ד"ה וחותם ותוס' עירובין מח. ד"ה ר' יהודה].

גליון הש"ס

גמ' אסור אתמר ומשמיה דר"י אתמר. לא ידעתי מה חידש בזה הא איתא בברייתא לעיל דף כא ע"א ואלו דברים שאבל אסור בהם וכו' ובתשמיש:

תורה אור השלם

א) וַיֹּאמֶר מֹשֶׁה אֶל אַהֲרֹן וּלְאֶלְעָזָר וּלְאִיתָמָר בָּנָיו רָאשֵׁיכֶם אַל תִּפְרָעוּ וּבִגְדֵיכֶם לֹא תִפְרֹמוּ וְלֹא תָמֻתוּ וְעַל כָּל הָעֵדָה יִקְצֹף וַאֲחֵיכֶם כָּל בֵּית יִשְׂרָאֵל יִבְכּוּ אֶת הַשְּׂרֵפָה אֲשֶׁר שָׂרַף יְיָ: [ויקרא י, ו]

רש"י כת"י

חייב מיתה. בידי שמים. ראשיכם אל תפרעו ובגדיכם לא תפרומו ולא תמותו. הכי משמע אע"פ שבגדיכם לא תפרומו לא תמותו דאין תורת אבילות עליכם מכלל שאם לא פרעו חייבין מיתה. באבל רבתי. במסכת אבל רבא ברייתא היא והיינו מסכת שמחות. גויתו. גיד. פריעת הראש. לאו גידול שער הוא אלא גילוי הראש שמסיר עטיפת האבילות מעליו בשבת. להחזיר קרע לאחוריו. של בית הצואר שלהן היה מתוקן כדי להפוך חלוקו מה שלפנים לאחור. ולזקוף מטה. שכפה מחמת אבילות וחייב לזקפה בשבת כתיקנה. בחמין. כגון שהוחמו ערב שבת אבל [אם הוחמו בשבת] לכולי עלמא אסור. לאו כולי עלמא וכו'. ואינו נראה כנוהג אבילות בשבת. בשעת חימום. סמוך לפטירת המת. כעטיפת ישמעאלים וכו'. הילכך כיון דכל השבו' שהוא אבל מתעטף כישמעאל אם אינו נוטלה בשבת נראה נוהג אבילותו כיון דכולי עלמא לא נהיגי בעטיפה זו אלא אבלים בלבד. מחוי רב נחמן. עטיפת ישמעאל. עד גובי דדיקנא. גומות שבלחי למטה מפיו. לא שנו. דכל הני חייב ליטול בשבת. (כנדי) [מני]. כלים שמניחן בהם חליפות בגדים דכל שעה שהיה לובש קורע אפילו שלא בשעת חימום ולובש לאו שעת חימום הוא. דמיסתפינא מיניה. דהוו מקשי לי. איצטלי דמילתא סרבלין של מעיל כשעת חימום דמי ומשום הכי חשיבי קריעה ומילתא יתירתא הוא דעביד ולאו דלהוי חייב כולי האי. כל שבעה קורעין לפני אם בא להחליף. וללבוש חלוק אחר כגון מעיל (ולכן אינו יכול להחליף). מחליף וקורע. אע"ג דלאו שעת חימום. בכבוד אביו ואמו. ולא משום חיוב קריעה [אבל בשאר מתים אינו רשאי לקרוע וגם אינו רשאי להפסיק אבילותו ולכן אינו יכול להחליף] [ע"פ המכתם]. אותן קרעים. שבבגדים שניים שהוא מחליף. אבל מטייל בשבת באונקלי. חלוק שקרעו. בתוך ביתו. שבצנעה מותר לנהוג אבילות. דקא פרים סודרא. אבל היה ולא גלה ראשו לכבוד שבת אלא עומד בעטיפת אבילותו. דברים שבצנעה נוהג. בביתו שאין אחר רואהו. קטן שמת. בתוך שלשים. יוצא. לקברו. בחיק. כלומר שאין צריך מטה. ונקבר. בשלשה בני אדם אפילו שני אנשים ואשה אחת ואינו צריך עשרה לקברו. אבל לא באיש אחד ושתי נשים. דכיון דליכא אלא נער פורתא אתו לידי עבירה והכי אמרינן בעלמא (קידושין פ:) אשה אחת מתייחד' עם שני אנשים אבל לא איש אחד עם שתי נשים.

עין משפט נר מצוה

קנח א מיי' פ"ה מהל' אבל הל' א סמג עשין מד"ס ב:
קנט ב ג מיי' פ"י שם הל' א סמג שם טוש"ע י"ד סי' ת סעי' א:
קס ד מיי' פ"ח שם הל' ג סמג שם טור י"ד סי' שמ:
קסא ה ו מיי' פ"ה שם הל' יט טוש"ע י"ד סי' שפו:
קסב ז מיי' פ"י שם הל' א טוש"ע י"ד סי' ת סעי' א:
קסג ח מיי' שם פ"ט הל' א טוש"ע י"ד סי' שמ סעי' יד:
קסד ט מיי' שם פי"ב הל' י סמג שם טוש"ע י"ד סי' שנג סעי' ד:

רבינו חננאל

בעא מיני' ר' יוחנן משמואל יש אבילות בשבת אי לא. א"ל אין אבילות בשבת. אמרי רבנן משמיה דשמואל אבל ששימש מטתו חייב מיתה. א"ל רב פפא אסור אתמר ומשמיה דר' יוחנן אתמר אמר רב תחליפא אמר שמואל אבל שלא פרע ראשו ולא פירם בגדיו חייב מיתה שנאמר ראשיכם אל תפרעו ובגדיכם לא תפרומו ולא תמותו מכלל שאחר שלא פירע ושלא פירם חייב מיתה. אמר רפרם תנא באבל רבתי אבל אסור לשמש מטתו ומעשה באחד ששימש מטתו בימי אבלו ושמטו חזירים את גויתו. אמרו משמיה דשמואל פח"ז חובה. פריעת הראש. חזרת קרע לאחוריו. זקיפת המטה לעשותן בשבת [חובה] להודיע שאינו נוהג אבל בשבת. אבל נ'ת'ר'. נעילת סנדל. תשמיש המטה. רחיצת ידים ורגלים בחמין רשות. ורב אמר אף פריעת הראש בשבת רשות. מקשינן לשמואל מ"ש נעילת הסנדל דאמר רשות דלאו כ"ע מסגי במסני. פריעת הראש נמי לאו כ"ע עבידי דמגלי רישייהו. ופרקינן שמואל לטעמיה דאמר כל קרע שאינו בשעת חימום אינו קרע. וכל עטיפה שאינה כעטיפת ישמעאלים אינה עטיפה. פי' עטיפת ישמעאלים דאמר שמואל מכסה שפמו וזקנו וחוטמו במצנפתו או בטליתו. והוא אלמתה בלשון ערב. ובשבת צריך לגלות חוטמו ושפמו וזקנו שהיה מכסה בימי אבלו כי אין אבל בשבת אבל לגלות ראשו אין צריך. ועוד כמה מכסי מחוי רב נחמן עד גובי דדיקנא. א"ר יוחנן לא שנו אלא שאין מנעלין ברגליו אבל יש מנעלין ברגליו מנעליו מוכיחין עליו. וקיי"ל כרב דאמר פריעת הראש נמי בשבת רשות. ואם בא להתעטף בצנעא כעטיפת ישמעאלים אין בכך כלום א) ולא בעי עטיפה כולי האי. דהא רב יוסף דהוא בתרא עבד כרב. אמר רבא אבל מטייל באונקלי בתוך ביתו. ואונקלי היא מצנפת כגון מצנפת של כה"ג כדגרסינן בסוף מנחות. מעשה בחוני ושמעי בני שמעון הצדיק הלבישו באונקלי וחגרו בצלצול. אביי אשכחיה [לרב יוסף] דפריס סודרא ארישיה כעטיפת ישמעאלים וקאזיל ואתי בביתיה. א"ל לא סבר לה מר אין אבילות בשבת א"ל דברים שבצנעא נוהג. ומקשינן תוב לשמואל וכל קרע שאינו בשעת חימום אינו קרע. והא אמרו ליה לשמואל נח נפשיה דרב וקרע עליה תליסר כברי מאניה. ור' יוחנן קרע על ר' חנינא י"ג אצטלי דמלתא. א"ל אזל ליה גברא דהוה מסתפינא. הנה קרעו בשעת שמועה שלא בשעת חימום. ופרקינן שאני רבנן דכיון דכל שעתא מדכרי שמועתיה שעת שמועה כשעת חימום דמי. רבא אמר מהכא דתניא אבל כל שבעה קורעו לפניו ואם בא להחליף חלוקו מחליף וקורע החלוק שלובש הנה קריעתה שלא בשעת חימום. ופרקינן כי תניא ההיא שקורע כל חלוק שלובש אפילו כל שבעה בכבוד אביו ואמו: (ירושלמי הרי שהיה מחליף בגדיו) תשלום הברייתא ובשבת קורעו לאחוריו כדאמרן חזרת [קרע לאחוריו בשבת חובה] ואם בא בשבת להחליף חלוקו מחליף ואינו קורע. הרי שהיה מחליף בגדיו [כל] שבעה חייב לקרוע כולן. אותן קרעין מתאחין או אינן מתאחין. אסיקנא חלוקת אבוה דר' אושעיא ובר קפרא: ירושלמי אבל שבא מן הדרך והיה רגליו קיהות מותר לרחוץ שאין רחיצת צונן רחיצה. תני אבל ומנודה שהיו מהלכין בדרך מותרין בנעילת הסנדל. ולכשיבואו לעיר יחלוצו וכן בט' באב. וכן בתענית צבור. תני מקום שנהגו לשאול בשלום אבלים בשבת שואלין. ר' אושעיא חמא אבלין בשבת ואמר להו שלום עליכם כמנהג מקומנו. ר' יוסי בן חלפתא הוה משתבח בר"מ קומי ציפוראי. אדם גדול קדוש צנוע הוא. חד (יומא) זמן חמון ליה שאיל בשלום אבילא בשבת. ותו אמרו ליה ר' אהן הוא דאת משני שבחיה אמר להן [מה עביד] א"ל שאיל בשלום אביליא בשבתא. אמר לון בעין אתון מידע חייליה. אתא להודעאן דאין אבלות בשבת דכתיב ברכת ה' היא תעשיר. זו ברכת שבת. ולא יוסיף עצב עמה. זו אבלות כמו דאמר נעצב המלך אל בנו. תני ארוסתו לא מתאבל ולא אונן עליה. רב מתה אחותו פקיד לחייא בריה כד תיסליק לגביי של נעליך מעל רגליך. ר' יונה סליק לגביה ר' גורין בשבת בגו ד' ימי אבלו. נפיק לגביה לביש סנדלי. א"ל אנת דכר דילפון עובדא מינך דבשבת [מותר] בנעילת הסנדל לא ילפון עובדא מבר נש זעיר. ואין דובר עליו דבר. אפילו דבר תורה א"ר יוחנן שלא היו יודעין במה לפתוח אם ביסורין שבגופו אם בחסרון ממונו אם בנפש בניו ובנותיו: מתני' משחרב בית המקדש ר' אלעזר אומר עצרת כשבת. ר"ג אומר ר"ה ויוה"כ כרגלים דייקינן מינה וכ"ש עצרת שהיא כרגלים. אמר גידל בן מנשי אמר שמואל הלכה

חשק שלמה על ר"ח א) נראה דר"ל דלרב גם כהול א"צ להתעטף כעטיפת ישמעאלים ועי' בתוס' ד"ה ושמואל.

The Gemara now explains *NeTaR:*

נְעִילַת הַסַּנְדָּל – **Wearing** leather **shoes,** **תַּשְׁמִישׁ הַמִּטָּה** – **marital relations** **רְחִיצַת יָדַיִם וְרַגְלַיִם בְּחַמִּין עַרְבִית** – and **washing** one's **hands and feet with hot water in the evening**[17] **רְשׁוּת** – **are optional.**[18] **וְרַב אָמַר** – **And Rav says:** **אַף פְּרִיעַת הָרֹאשׁ רְשׁוּת** – **Uncovering the head** on the Sabbath **is also optional** rather than required.[19]

The Gemara questions Shmuel's position:

וּשְׁמוּאֵל – **But** according to **Shmuel,** **מַאי שְׁנָא נְעִילַת הַסַּנְדָּל דִּרְשׁוּת** – **why is wearing shoes different** (from uncovering the head) in **that it is optional,** **דְּלַאו כּוּלֵּי עָלְמָא עֲבִידֵי דְסַיְימֵי מְסָאנַיְיהוּ** – **because not all people are used to wearing their shoes** on the Sabbath?[20] **פְּרִיעַת הָרֹאשׁ נַמִּי** – With regard to **uncovering the head as well,** **לַאו כּוּלֵּי עָלְמָא עֲבִידֵי דִמְגַלּוּ רֵישַׁיְיהוּ** – **not all people are accustomed to uncover their heads** on the Sabbath! Thus, leaving the head wrapped on the Sabbath would not constitute a conspicuous display of mourning. Why, then, does Shmuel rule that the mourner *must* uncover his head on the Sabbath?

The Gemara answers:

שְׁמוּאֵל לְטַעְמֵיהּ – **Shmuel is consistent with his reasoning** stated elsewhere. **דְּאָמַר שְׁמוּאֵל** – **For Shmuel said** elsewhere: **כָּל קֶרַע שֶׁאֵינוֹ בִּשְׁעַת חִימּוּם אֵינוֹ קֶרַע** – **Any rent** in a garment **that is not** made **at the time of intense grief**[21] **is not a** proper **rent,**[22] **וְכָל עֲטִיפָה שֶׁאֵינָהּ כַּעֲטִיפַת יִשְׁמְעֵאלִים אֵינָהּ עֲטִיפָה** – **and any wrapping** of the head **that is not like the wrapping of the Ishmaelites is not** deemed **a** proper **wrapping** of the head.[23]

The Gemara describes the "wrapping of the Ishmaelites":

מַחֲוֵי רַב נַחְמָן עַד גּוּבֵּי דְּדִיקְנָא – **Rav Nachman demonstrated** the Ishmaelite style of wrapping the head by wrapping himself in his cloak up **to the hollows of his cheeks.**[24] Since this particular style of head covering is in our countries generally used only by mourners, failing to remove it on the Sabbath would constitute a conspicuous form of mourning.[25]

The Gemara qualifies Shmuel's requirement that the mourner uncover his head on the Sabbath:[26]

אָמַר רַבִּי יַעֲקֹב אָמַר רַבִּי יוֹחָנָן – **R' Yaakov said in the name of R' Yochanan:** **לֹא שָׁנוּ אֶלָּא שֶׁאֵין לוֹ מִנְעָלִים בְּרַגְלָיו** – **They taught** this requirement **only** for a case **where he does not have shoes on his feet.**[27] **אֲבָל יֵשׁ לוֹ מִנְעָלִים בְּרַגְלָיו מִנְעָלָיו מוֹכִיחִין עָלָיו** – **But if he has shoes on his feet,** then **his shoes demonstrate about him** that he is not observing mourning on the Sabbath, and he is therefore not required to uncover his head.[28]

NOTES

overturning his bed. For these are considered *public* displays of mourning [i.e. conspicuous displays seen by other people], which are forbidden on the Sabbath (*Ritva*).

[*Ritva* considers why overturning the bed would be considered a "public" display of mourning. He suggests that the beds were commonly kept in the open, visible to those who happen to be in the house. Alternatively, he explains that beds are indeed kept in a semiprivate area. The definition of "public display of mourning," however, is any practice that is *unmistakably* a sign of mourning, provided that it is at least somewhat visible to others. Since keeping the bed overturned is unmistakably a sign of mourning, and one that is somewhat visible to others, it is considered a "public" display, which is forbidden on the Sabbath.]

17. With hot water that was heated prior to the Sabbath (*Rashi ms.*). [It is permitted for one to wash his face, hands and feet on the Sabbath with water that was heated before the Sabbath (*Shabbos* 40a; *Orach Chaim* 326:1).]

18. Though abstaining from wearing leather shoes, from marital relations and from washing with hot water are among the mourner's obligatory practices during the week, he is not *required* to cease his abstention on the Sabbath. For these are "private" mourning practices, i.e. it is not obvious that he is abstaining on account of his mourning, since there are many people who do not wear shoes, engage in marital relations or wash with hot water on the Sabbath (see *Ritva,* and note 16 above). Thus, continuing to abstain from these activities does not constitute a violation of the Sabbath spirit.

19. For there are many people who leave their heads covered on the Sabbath (see Gemara below). Thus, this too is an inconspicuous mourning practice, since it is not obvious that he is leaving his head covered on account of his mourning.

[At any rate, both Rav and Shmuel agree that on the Sabbath the mourner must avoid conspicuous displays of mourning, and that he is permitted – *but not required to* – keep those mourning practices that are inconspicuous.]

20. I.e. not everyone wears his shoes in the house. Rather, many people remove them because they are more comfortable without them, or because of pain in their feet (*Talmid R' Yechiel MiParis*). Thus, the mourner's abstaining from wearing shoes is not a conspicuous display of mourning, and that is why he is permitted to abstain from wearing shoes on the Sabbath.

21. I.e. soon after the passing of the deceased (*Rashi ms.*). That is, on the day of the relative's death or of being informed about it (*Meiri;* see references cited at end of note 31).

22. It thus constitutes a violation of the prohibition against needless destruction [בַּל תַּשְׁחִית], and he is permitted to repair the rent [which he is not allowed to do in the case of an obligatory rent – see above, 22b] (*Tos. HaRosh* and *Meiri;* see also *Ritva*). The reference here is to a mourner who has already fulfilled his obligation to rend his garment. Any subsequent, additional rending is not a proper rending and constitutes needless destruction. But if a mourner did not fulfill his obligation to rend his garment "at the time of intense grief," then he must fulfill it later, even though the time of intense grief has passed (*Tosafos* [first explanation], *Tos. HaRosh, Meiri, Ritva,* based on Gemara above, 20b).

[This ruling of Shmuel is not really relevant here, and is included only because of its companion ruling (cited next), which is relevant.]

23. With which the mourner fulfills his obligation to "wrap the head" (see above, note 13). In Shmuel's view, that obligation is fulfilled only when the mourner wraps his head in the manner of the Ishmaelites.

24. [Literally: the depressions of the beard.] This is below the level of the mouth (*Rashi*). Alternatively, the meaning is that he covered his mustache, beard and [the tip of his] nose with his cloak (*Rabbeinu Chananel; Aruch* [ע' גב ']; *Ritva*). [From the explanation of these latter Rishonim, at any rate, it appears that Rav Nachman described how *high* the wrapping of the cloak reached. That is, the head is covered with the cloak, and the side of the cloak is then wrapped across the bottom of the face, leaving the eyes exposed. See *R' Shlomo ben HaYasom; Yoreh Deah* 386:1 and *Ramban* in *Toras HaAdam,* cited in *Tur* there; *Aruch HaShulchan, Orach Chaim* 8:8; see, however, *Mishnah Berurah* 8:4.]

25. Rav, on the other hand, holds that the mourner's obligation to "wrap the head" is fulfilled even with the more commonplace style of hair covering (though he agrees that it is *preferable* for the mourner to employ the Ishmaelite method). Hence, he rules that the mourner *may* leave his head covered on the Sabbath – that is, covered in the more commonplace style, which is not exclusive to mourners and thus not a conspicuous mourning practice (*Ritva*). [Shmuel, however, holds that it would be pointless for the mourner to leave his head covered in the commonplace style, since this would not constitute a fulfillment of the wrapping obligation in any event (ibid.).]

26. See below, note 28.

27. [As stated above, both Rav and Shmuel agree that a mourner *may* abstain from wearing shoes on the Sabbath.]

28. For the suggestion of mourning created by his wrapping the head is offset by his wearing of shoes. Therefore, he may, in private, wrap his head in Ishmaelite fashion, if he so desires (*Rashi;* see *Maharsha*).

Some Rishonim maintain that the Gemara refers specifically to the wrapping of the head; only *that* mourning practice is offset by the mourner's wearing of shoes (see *Rashi, Rif, Ritva*). This is because the wrapping of the head bears a different interpretation as well. For it is possible that the person has pains in his head and mouth, and that is why he keeps those areas covered in Ishmaelite fashion. But the wearing of shoes would not offset leaving the rent showing in the front, since displaying the rent cannot be anything other than a sign of mourning

מסורת הש"ס

א) [עי' תוס' ב"ק לא: ד"ה עובר], ב) [כתובות ד.], ג) קידושין פ"א, ד) אבל הגה' ממחות פ"ג, ה) [שייך במשנה דלעיל יט.], ו) [ג"ז שייך למשנ' דלעיל יט.], ז) [ל"ל דהמוצא מקדש (ר' פג.) וע"ע תוספות פסחים פג. ד"ה ר' שמעון אומר ודף קטו: ד"ה וחותם ותוס' עירובין מח. ד"ה ר' יהודה].

גליון הש"ס

גמ' אסור אתמר ומשמיה דר"י אתמר. לא ידעתי מה חידש בזה הא איתא בברייתא לעיל דף כא ע"א ואלו דברים שאבל אסור בהם וכו' ובתשמיש:

תורה אור השלם

א) וַיֹּאמֶר מֹשֶׁה אֶל אַהֲרֹן וּלְאֶלְעָזָר וּלְאִיתָמָר בָּנָיו רָאשֵׁיכֶם אַל תִּפְרָעוּ וּבִגְדֵיכֶם לֹא תִפְרֹמוּ וְלֹא תָמֻתוּ וְעַל כָּל הָעֵדָה יִקְצֹף וַאֲחֵיכֶם כָּל בֵּית יִשְׂרָאֵל יִבְכּוּ אֶת הַשְּׂרֵפָה אֲשֶׁר שָׂרַף יְיָ: [ויקרא י, ו]

רש"י כת"י

חייב מיתה. בידי שמים. ראשיכם לא תפרעו ובגדיכם לא תפרומו ולא תמותו. שבגדיכם לא תפרומו לאותו מיתה דאין נוהג אבילות עליהם מכלל שאם לא פרעו חייבין מיתה. באבל רבתי. במסכת אבל רבה ברייתא היא ויהיו מסכת שמחות. גויתו. גוף. פריעת הראש. לאו גילוי שער הוא אלא גילוי הראש שמסיר עטיפה שהעטיפה עליו בשבת. להחזיר קרע לאחוריו. של קרע הבגד שלפניו היה מתוקן כדי שיהפך חלוקו מה שלפניו לאחור. ולזקוף מטה. שכפה משום אבילות וחייב לזקפה בשבת כתיקנה. בחמין. כגון שנוהג ערב שבת אבל [אם הוזמנו בשבת] לכולי עלמא אסור. לאו כולי עלמא וכו'. ואינו נראה כנוהג אבילות בשבת. בשעת חימום. סמוך למיתה. כעטיפת ישמעאלים וכו'. הילכך כיון דכל שבעה שהוא אבל מתעטף כישמעאל אם אינו נוטלה בשבת נראה כנוהג אבילותו כיון דכולי עלמא לא נהיגי בעטיפה זו אלא אבלים בלבד. מחוי רב נחמן. עטיפת ישמעאל. עד גובי דדיקנא. גומות שבלחי למטה מפיו. לא שנו. דכל הני פריעה ליטול כלום [בנדרו] [פרק] כלים שמניחן בהם תליפות בגדים לכל שעה שלא בשעת חימום:

בעא מיניה ר' יוחנן משמואל יש אבילות בשבת או אין אבילות בשבת אמר ליה אין אבילות בשבת יתבי רבנן קמיה דרב פפא וקאמרי משמיה דשמואל אבל ששימש מטתו בימי אבלו חייב מיתה א"ל רב פפא אסור אתמר ומשמיה דר' יוחנן אתמר ואי שמיעא לכו משמיה דשמואל הכי שמיע לכו אמר רב תחליפא בר אבימי אמר שמואל א אבל שלא פרע ושלא פירם חייב מיתה שנאמר א) ראשיכם אל תפרעו ובגדיכם לא תפרומו ולא תמותו וגו' הא אחר שלא פרע ושלא פירם חייב מיתה אמר רפרם בר פפא תנא באבל רבתי אבל אסור לשמש מטתו בימי אבלו ומעשה באחד ששימש מטתו בימי אבלו ושמטו חזירים את גוייתו אמר שמואל ב פח"ז חובה נת"ר רשות פריעת הראש חזרת קרע לאחוריו זקיפת המטה חובה נעילת הסנדל תשמיש המטה רחיצת ידים ורגלים בחמין ערבית רשות ורב אמר ג אף פריעת הראש רשות ושמואל מאי שנא נעילת הסנדל דרשות דלאו כולי עלמא עבידי דסיימי מסאנייהו פריעת הראש נמי לאו כולי עלמא עבידי דמגלו רישייהו שמואל לטעמיה דאמר שמואל ד כל קרע שאינו בשעת חימום אינו קרע ה וכל עטיפה שאינה כעטיפת ישמעאלים אינה עטיפה מחוי ר"נ ו עד גובי דדיקנא א"ר יעקב א"ר יוחנן לא שנו אלא שאין לו מנעלים ברגליו אבל יש לו מנעלים ברגליו מנעליו מוכיחין עליו כל קרע שאינו בשעת חימום אינו קרע והא אמרו ליה לשמואל נח נפשיה דרב קרע עליה תריסר מני אמר אזל גברא דהוה מסתפינא מיניה א"ל לרבי יוחנן נח נפשיה דר' חנינא ז קרע עליה תליסר אצטלי מלתא אמר אזל גברא דהוה מסתפינא מיניה שאני רבנן דכיון דכל שעתא מדכרי שמעתיהו כשעת חימום דמי א"ל רבין בר אדא לרבא אמר תלמידך רב עמרם תניא אבל כל שבעה קורעו לפניו ואם בא להחליף מחליף וקורע ח בשבת קורעו לאחוריו ואם בא להחליף מחליף ואינו קורע כי תניא ההיא בכבוד אביו ואמו אותן קרעין מתאחין או אין מתאחין פליגי בה אבוה דרב אושעיא ובר קפרא ט חד אמר אין מתאחין וחד אמר מתאחין תסתיים דאבוה דרב אושעיא דאמר רב אושעיא אין מתאחין ממאן שמיע ליה לאו מאבוה לא מבר קפרא רביה שמיע ליה אמר רבא אבל מטייל באונקלי בתוך ביתו אביי אשכחיה לרב יוסף דפרים ליה סודרא ארישיה ואזיל ואתי בביתיה א"ל לאו סבר לה מר אין אבילות בשבת א"ל הכי א"ר יוחנן ג) דברים שבצינעא נוהג: ר"א אומר משחרב בית המקדש עצרת כשבת וכו': אמר רב גידל בר מנשיא אמר שמואל הלכה כר"ג ואיכא דמתני להא דרב גידל בר מנשיא אהא ה כל ל' יום ו) תינוק יוצא בחיק ונקבר באשה אחת ושני אנשים אבל לא באיש אחד ושתי נשים

רש"י

אבל רבתי. מסכת שמחות: גוייתו. כל גופו ואיכא דאמרי אבר שלו: פריעת הראש. שמגלה האבל ראשו בשבת ואינו מתעטף וחזרת קרע לאחוריו וזקיפת המטה חובה בשבת: נעילת הסנדל. דלאו כולי עלמא סיימי מסאנייהו בשבת ולא מוכח דאבל הוא: לא כולי עלמא מגלו רישייהו. בשבת ואע"פ שמתעטף לא מיחזי כאבל: בשעת חימום. בשעת התחלת הצער בשעת מיתה: וכל עטיפה שאינה כעטיפת ישמעאלים. הלכך כיון דכל ימי שבוע שהוא אבל מתעטף כישמעאל אם אינו נוטלה בשבת נראה כנוהג אבילות דכ"ע לא נהיגי בעטיפה זו אלא אבלים בלבד: מחוי ר"נ. עטיפת ישמעאלים: גובי דיקנא. גומות שבלחי למטה מפיו: לא שנו. פריעת הראש בשבת דצריך לגלות חוטמו ושפמו וזקנו שהיה מכוסה בימי אבלו להודיע כי אין אבילות בשבת: אלא שאין מנעלים ברגליו אבל יש מנעלים ברגליו מנעליו מוכיחים עליו. דאינו אבל לגלות ראשו אינו צריך ואם בא להתעטף בצינעא אפי' כעטיפת הישמעאלים אין בכך כלום: דמסתפינא מיניה. בקושיות: מחליף וקורע. אע"פ שאינו שעת חימום: כבוד אביו. שנו אבל לכולי עלמא אין קורע אלא בשעת חימום: ממאן שמיעא. לרב אושעיא הא דאמר אין מתאחין שמע מינה הוא דאמר אין מתאחין אבוה דרב אושעיא: אונקלי. סייפיג"ש חלוק שקורעו: בתוך ביתו. שבצינעא מותר לנהוג אבילות בשבת: דפרים סודריה ארישיה. בשבת משום עטיפה דנהיג אבילות: כל ל' יום יוצא בחיק. בן ל' יום מוליכו בחיק לבית הקברות ולא בארון: אבל לא באיש אחד. שאין מתייחדין עם האשה: לדוכתא

תוספות

בעא מיניה ר' יוחנן משמואל. מיהו ר' יוחנן לא קיבל משמואל דלדידיה סבירא ליה דברים שבצינעא נוהג כדפרישית לעיל:

הא אחר שלא פרע כו'. אע"ג דפשטי' דקרא הא אחר פורע ופורם אם יעשו ימותו נראה דאסמכתא בעלמא הוא דהא לא מייתי להו סוף פרק הנשרפין (סנהדרין דף פג.) גבי אלו שבמיתה:

ושמואל לטעמיה. פי' בתוספ' הרב דרב סבר דעטיפת הראש שאינה כעטיפת ישמעאלים הויא עטיפה ומסתמא רב ושמואל הלכה כרב יש מפרשין דרחיצת ידים דקאמר הכא רשות היינו כמ"ד פרק במה מדליקין (שבת דף כה:) דבלא אבילות הוא רשות אבל לר"נ בר יצחק דאמר התם ואני אומר מצוה באבל נמי הוי מצוה ולא רשות ונראה דלא צריך למימר הכי אלא הכי פירושו הכא דמשום אבילות אינו חובה להראות אבילות בשבת:

לא שנו שאין לו מנעלים ברגליו. תימה דכי היכי דמנעליו מוכיחין עליו אמאי לא אמרי' אחד מהני מוכיחין ונמלא דאינו חובה כי אם האחד ושמא במנעלים יש הוכחה יותר:

וכל קרע שאינו בשעת חימום אינו קרע. נראה דהא דאמר לעיל (דף כ:) מי שנזדמן לו חלוק בתוך ז' אע"פ שאינו שעת חימום שמא דוקא כגון שקרע כבר והכא מיירי בשלא קרע עדיין א"נ כגון שאין לו חלוק בשעה ראשונה חייב לקרוע כשיהיה לו אפי' שלא בשעת חימום ולי נראה דבכל שעה שיוכל להתחמם על מתו אפי' לזמן מרובה אחר מיתתו קרוי שפיר בשעת חימום כמו שאמרו ברבנן משום דמדכרי שמעתייהו הוא הדין נמי בכל מת שיוכל להתחמם עליו והא דפריך בסמוך ולא משני הכי משום דבלאו הכי משני שפיר:

כי תניא ההיא בכבוד אביו ואמו. ומכאן קשה לי על מה שפי' למעלה (דף כ:) ז) דגרסי' רבי חנינא מי שאין לו אלא חלוק אחד דמיירי בכה"ג דמחליף וקורע דהא גבי אביו ואמו קאמר הכא מחליף וקורע כל שבעה ולעיל (שם) אמרי' על אביו ואמו קורע לעולם וכו' ע:

הכי א"ר יוחנן דברים שבצינעא נוהג. פסק בהלכות גדולות כר' יוחנן לאפוקי מרב ושמואל דאמרי לעיל תשמיש המטה רשות ודברים שבצינעא הוא ופ"ק דכתובות (דף ז.) נמי קאמר עלה מסייע ליה לר' יוחנן לאביי ורבא סברי כוותיה ואע"ג דקיימא לן (לעיל דף יח. כג.) הלכה כדברי המיקל ה"מ במחלוקת של תנאים אבל במילתא דאמוראי לא אמרן מספקא לי כי היכי דשרי בתוך ביתו הני דברים דקריעה אי הוה אסור נעילת הסנדל בצנעא וכל שאר דברים:

עצרת כשבת. וכ"ש ר"ה ויוה"כ ור"ג אומר ר"ה ויוה"כ כרגלים וכ"ש עצרת לאחר חורבן ולישנא לא אתי שפיר דהוה ליה למתני ר"ג אומר אף ר"ה ויוה"כ כו':

וחכמים אומרים לא כדברי זה כו'. ולא שייך למימר היינו תנא קמא דקמא סבר ולא אתי שפיר דהוה ליה למימר מילתא דלתנא קמא כי הכא לו נשים בפרק ב' דסנהדרין (דף כ.) והתם (המקדש) כר"ג:

הלכה כר"ג. תימה כיון דאמר שמואל (לעיל דף יח. כג.) הלכה כדברי המיקל באבל אמאי איצטריך למיפסק הלכה כר"ג וי"ל דמותרת נמי היא דאם קברו סמוך לחגיגה ולא היה לו שעה אחת לנהוג בו אבילות או קברוהו נכרים ביום טוב או שמע שמועה קרובה ברגלים ואם הם כרגלים אינם עולים למנין שבעה ואם הם כשבת עולים:

עין משפט נר מצוה

קנח א מיי' פ"ה מהל' אבל הל' א סמג עשין מד"ס ב:

קנט ב ג מיי' פ"ה שם הל' א סמג שם טוש"ע י"ד סי' ת סעי' א:

קס ד מיי' פ"ח שם הל' ג סמג שם טור י"ד סי' שמ:

קסא ה ו מיי' פ"ה שם הל' יט טוש"ע י"ד סי' שפו:

קסב ז מיי' פ"ה שם הל' א טוש"ע י"ד סי' שפ סעי' א:

קסג ח מיי' שם פ"ו הל' א טוש"ע י"ד סי' שפ סעי' יד:

קסד ט מיי' שם פי"ג הל' י סמג שם טוש"ע י"ד סי' שנג סעי' ד:

רבינו חננאל

בעא מיני' ר' יוחנן משמואל יש אבילות בשבת אי לא. א"ל אין אבילות בשבת. אמרי רבנן משמיה דשמואל אבל ששימש מטתו חייב מיתה. א"ל רב פפא אסור אתמר ומשמיה דר' יוחנן אתמר אמר רב תחליפא אמר שמואל אבל שלא פרע ראשו ולא פירם בגדיו חייב מיתה שנאמר ראשיכם אל תפרעו ובגדיכם לא תפרמו ולא תמותו מכלל שאחר שלא פירע ושלא פירם חייב מיתה. אמר רפרם תנא באבל רבתי אבל אסור לשמש מטתו ומעשה באחד ששימש מטתו בימי אבלו ושמטו חזירים את גויתו. אמר משמיה דשמואל פח"ז חובה. פריעת הראש. חזרת קרע לאחוריו. זקיפת המטה. [חובה] להודיע שאינו נוהג אבל בשבת. אבל נת"ר. נעילת סנדל. תשמיש המטה. רחיצת ידים ורגלים בחמין רשות. ורב אמר אף פריעת הראש בשבת רשות. ומקשינן לשמואל מ"ש נעילת הסנדל דאמר רשות דלאו כ"ע מסגי במסני. פריעת הראש נמי לאו כ"ע עבידי דמגלי רישייהו. ופרקינן שמואל לטעמיה דאמר כל קרע שאינו בשעת חימום אינו קרע. וכל עטיפה שאינה כעטיפת ישמעאלים אינה עטיפה. פי' עטיפת ישמעאלים דאמר שמואל מכסה שפמו וזקנו וחוטמו במצנפתו בטליתו. והוא אלמנה בלשון ערב. ובשבת צריך לגלות חוטמו ושפמו וזקנו שהיה מכסה בימי אבלו כי אין אבל בשבת אבל לגלות ראשו אין צריך. ועוד כמה מכסי מחוי רב נחמן עד גובי דדיקנא. א"ר יוחנן לא שנו אלא שאין לו מנעלים ברגליו אבל יש מנעלים ברגליו מנעליו מוכיחין עליו. וקיי"ל כרב דאמר פריעת הראש נמי בשבת רשות. והא בא להתעטף בצנעא כעטיפת ישמעאלים אין בכך כלום א) ולא בעי עטיפה כולי האי. דהא רב יוסף דהוא בתרא עבד כרב. אמר רבא אבל מטייל באונקלי בתוך ביתו. ואונקלי היא מצנפת

The Gemara now addresses the other statement of Shmuel, which had been mentioned above incidentally:

כָּל קֶרַע שֶׁאֵינוֹ בִּשְׁעַת חִימּוּם אֵינוֹ קֶרַע – Shmuel said: **Any rent** in a garment **that is not** made **at the time of intense grief is not a** proper **rent.** וְהָא אָמְרוּ לֵיהּ לִשְׁמוּאֵל נָח נַפְשֵׁיהּ דְּרַב – **But** is this indeed his view? **Why,** when **they told Shmuel** that **Rav passed away,** קְרַע עֲלֵיהּ תְּרֵיסַר מָנֵי – **he rent** in mourning **over him twelve**[29] **garments,** אָמַר אָזַל גַּבְרָא דַּהֲוָה מִסְתְּפֵינָא מִינֵּיהּ – and **he said: Away has gone the man of whom I was afraid!**[30] אָמְרוּ לֵיהּ לְרַבִּי יוֹחָנָן נָח נַפְשֵׁיהּ דְּרַבִּי חֲנִינָא – And similarly, when **they told R' Yochanan** that **R' Chanina passed away,** קְרַע עֲלֵיהּ תְּלֵיסַר אִצְטְלֵי מֵלְתָא – **he rent** in mourning **over him thirteen robes of fine silk,** אָמַר אָזַל גַּבְרָא דַּהֲוָה מִסְתְּפֵינָא מִינֵּיהּ – and **he said: Away has gone the man of whom I was afraid!** Thus, we see that Shmuel himself rent his garments in mourning other than at the time of intense grief![31] – ? –

The Gemara answers:

שָׁאנֵי רַבָּנָן – Rending over the death of **the Rabbis is different,** דְּכֵיוָן דְּכָל שַׁעְתָּא מִדְּכְרֵי שְׁמַעְתַּיְיהוּ – **for since their teachings are constantly mentioned,** כְּשְׁעַת חִימּוּם דָּמֵי – it is always **like the time of intense grief.**[32]

The Gemara challenges Shmuel's ruling from a Baraisa:

אָמַר לֵיהּ רָבִין בַּר אַדָּא לְרָבָא – **Ravin bar Adda said to Rava:** אָמַר תַּלְמִידָךְ רַב עַמְרָם – **Your student Rav Amram said** תַּנְיָא – that **it was taught in a Baraisa:**[33] אָבֵל כָּל שִׁבְעָה קוֹרְעוֹ לְפָנָיו – A MOURNER – ALL SEVEN DAYS of *shivah,* HIS RENT (i.e. the rent in his garment) IS to show IN THE FRONT. וְאִם בָּא לְהַחֲלִיף מַחֲלִיף וְקוֹרֵעַ – AND IF HE WISHES TO CHANGE his garment, HE MAY CHANGE AND REND the new garment. בְּשַׁבָּת קוֹרְעוֹ לַאֲחוֹרָיו – ON THE SABBATH, however, HIS RENT IS to be turned TO THE BACK. וְאִם בָּא לְהַחֲלִיף מַחֲלִיף וְאֵינוֹ קוֹרֵעַ – AND IF HE WISHES TO CHANGE his garment, HE CHANGES AND DOES NOT REND the new garment. This Baraisa, which states that the mourner who dons a different garment during *shivah* must rend it, contradicts Shmuel, who said that rending is done only at the time of intense grief! – ? –

The Gemara answers:

כִּי תַּנְיָא הַהִיא בִּכְבוֹד אָבִיו וְאִמּוֹ – **With regard to what was that Baraisa taught?** Only **with regard to the honor of one's father or mother.**[34] Indeed, the basic "rending" requirement applies only at the time of intense grief, as Shmuel says. In the case of one who mourns his father or mother, there is a special provision to honor the deceased parent by rending one's change of garments throughout the week of *shivah.*[35] Shmuel, however, was speaking only of the basic rending requirement, which applies in the case of *all* deceased relatives.

The Gemara considers the law with regard to the rents that a mourner for his father or mother makes in the garments into which he changes during the week of *shivah:*

אוֹתָן קְרָעִין – **Those rents** – מִתְאַחִין אוֹ אֵין מִתְאַחִין – **may they be sewn up or may they not be sewn up?**[36] פְּלִיגֵי בָּהּ אֲבוּהּ דְּרַב אוֹשַׁעְיָא וּבַר קַפָּרָא – **The father of Rav Oshaya and Bar Kappara argue about this** matter. חַד אָמַר אֵין מִתְאַחִין – **One says** that **[these rents] may not be sewn up,** וְחַד אָמַר מִתְאַחִין – **and** the other **one says** that **they may be sewn up.**

The Gemara seeks to identify who said what:

תִּסְתַּיֵּים דַּאֲבוּהּ דְּרַב אוֹשַׁעְיָא דְּאָמַר אֵין מִתְאַחִין – **Conclude that the father of Rav Oshaya** is the one **who says** that **they may not be sewn up.** דְּאָמַר רַב אוֹשַׁעְיָא אֵין מִתְאַחִין – **For Rav Oshaya** is on record as having **said** that **they may not be sewn up.** מִמַּאן שְׁמִיעַ לֵיהּ – Now, **from whom did he receive this** ruling? לָאו מֵאֲבוּהּ – **Was it not from his father?** Thus, his father is the one who says that they may not be sewn up.

The Gemara rejects this proof:

לֹא – **No.** מִבַּר קַפָּרָא רַבֵּיהּ שְׁמִיעַ לֵיהּ – It is possible that **he received this ruling from Bar Kappara, his teacher.** Thus, we have no proof as to which master held which opinion.

The Gemara continues its discussion of a mourner's conduct on the Sabbath:

אָמַר רָבָא – **Rava said:** אָבֵל מְטַיֵּיל בְּאוּנְקְלֵי בְּתוֹךְ בֵּיתוֹ – On the Sabbath,[37] **a mourner goes about in** the privacy of **his home** dressed **in** his rent **shirt.**[38] Similarly, אַבָּיֵי אַשְׁכְּחֵיהּ לְרַב יוֹסֵף – **Abaye found Rav Yosef,** one Sabbath when the latter was a mourner, דִּפְרִיס לֵיהּ סוּדָרָא אַרֵישֵׁיהּ – **with a kerchief spread over his head**[39] וְאָזִיל וְאָתֵי בְּבֵיתֵיהּ – **while going about in his home.** אָמַר לֵיהּ – **[Abaye] said to him:** לָאו סָבַר לָהּ מָר אֵין

NOTES

(*Ritva*). Similarly, the wearing of shoes would not offset leaving the bed overturned (*Nimukei Yosef*). Other Rishonim, however, explain that the Gemara refers to all the "*PeCHaZ*" practices mentioned above; the wearing of shoes serves to permit even the display of the rent in the front and leaving the bed overturned (see *Rashi ms.; Ri HaZaken,* cited by *Ritva*). [*Tosafos* ד״ה לא שנו propose that it is specifically the wearing of shoes, which is perhaps a greater sign of not mourning, that serves to offset other mourning practices. But uncovering the head or righting the bed would *not* serve to offset other mourning practices.]

29. Others have the reading: תְּלֵיסַר, *thirteen* (see *Mesoras HaShas;* see *Hagahos Maharsham*).

30. On account of his penetrating questions (*Rashi*).

[I was awestruck and tongue-tied before him, because of his extraordinary analytical ability and the wealth of traditions he had received from Rebbi and R' Chiya (*R' Shlomo ben HaYasom*). Because of my fear of him, I was very careful in my deliberations and was not wont to rule leniently. Now that he is gone, of whom shall I be afraid? I fear that I will make mistakes in my rulings and cause the public to sin – something from which his presence used to protect me (*Raavad,* cited in *Tos. HaRosh*).]

31. For he rent twelve different garments, which he presumably had donned on different days. Thus, the rending of the later garments was not done at the time of death [or hearing of it] but several days later (see *Ritva,* based on a different reading in the Gemara from which this point emerges more forcefully; see also *Rashi ms.*). [Cf. *Rabbeinu Chananel,* but see *Rambam, Hil. Aveil* 7:2 and *Yoreh Deah* 402:1 with *Beur HaGra* §2.]

32. See *Tosafos* ד״ה וכל קרע. *Meiri* states that the feelings of loss are especially keen when an uncertainty of law arises [which the departed Rabbi would have been able to resolve had he been alive].

33. [Other texts read: אָמְרוּ תַּלְמִידָךְ אָמַר רַב עַמְרָם, *your students said [that] Rav Amram said . . .* (see *Dikdukei Soferim;* see also *Yoma* 50a, *Menachos* 7b and *Zevachim* 93b). This seems to be the correct reading, as Rav Amram was not Rava's student, but considerably older (see *Dikdukei Soferim* §2).]

34. [In the case of other relatives, however, he may change his clothes without making a new rent (*Rambam, Hil. Aveil* 8:3; *Yoreh Deah* 340:14.]

35. See *Rashi ms.* and *Ritva.*

Some Rishonim explain that this provision is simply a *permit* to rend the changed garment in honor of one's parent, but there is no *obligation* to do so (*Ri,* cited in *Ritva*). Others, however, maintain that in honor of one's parent, one is *obligated* to rend the changed garments throughout the *shivah* (cited in *Ritva; Rambam, Hil. Aveil* 8:3).

36. The rents one makes in his garment to fulfill his rending obligation upon the death of his father or mother may never be sewn up (above, 23b; below, 26a). Here, the Gemara considers whether the same applies to the additional rents he makes "in honor of his father or mother" during the duration of *shivah* (see *Ritva*).

37. *Rashi ms.*

38. [See *Rashi* and *Ritva;* cf. *Rabbeinu Chananel.*] For Rava holds that a mourner is allowed to observe mourning practices in private on the Sabbath (*Rashi;* see note 40).

39. In fulfillment of the mourner's practice of wrapping his head (*Rashi*).

בעא מיניה ר' יוחנן משמואל יש אבילות בשבת או אין אבילות בשבת אמר ליה אין אבילות בשבת יתבי רבנן קמיה דרב פפא וקאמרי משמיה דשמואל אבל ששימש מטתו בימי אבלו חייב מיתה א"ל רב פפא אסור אתמר ומשמיה דר' יוחנן אתמר ואי שמיעא לכו משמיה דשמואל הכי שמיע לכו אמר רב תחליפא בר אבימי אמר שמואל [א] אבל שלא פרע ושלא פירם חייב מיתה שנאמר (א) ראשיכם אל תפרעו ובגדיכם לא תפרומו ולא תמותו וגו' הא אחר שלא פרע ושלא פירם חייב מיתה אמר רפרם בר פפא תנא באבל רבתי אבל אסור לשמש מטתו בימי אבלו ומעשה באחד ששימש מטתו בימי אבלו ושמטו חזירים את גוייתו אמר שמואל [ב] פח"ז חובה נת"ר רשות פריעת הראש חזרת קרע לאחוריו זקיפת המטה חובה נעילת הסנדל תשמיש המטה רחיצת ידים ורגלים בחמין ערבית רשות ורב אמר [ג] אף פריעת הראש רשות ושמואל מאי שנא נעילת הסנדל דרשות דלאו כולי עלמא עבידי דסיימי מסאנייהו פריעת הראש נמי לאו כולי עלמא עבידי דמגלו רישייהו שמואל לטעמיה דאמר שמואל [ד] כל קרע שאינו בשעת חימום אינו קרע [ה] וכל עטיפה שאינה כעטיפת ישמעאלים אינה עטיפה מחוי ר"נ [ו] עד גובי דדיקנא א"ר יעקב א"ר יוחנן לא שנו אלא שאין לו מנעלים ברגליו אבל יש לו מנעלים ברגליו מנעליו מוכיחין עליו כל קרע שאינו בשעת חימום אינו קרע והא אמרו ליה לשמואל נח נפשיה דרב קרע עליה תריסר מני אמר אזל גברא דהוה מסתפינא מיניה א"ל לרבי יוחנן נח נפשיה דר' חנינא (א) קרע עליה תליסר אצטלי מלתא אמר אזל גברא דהוה מסתפינא מיניה שאני רבנן דכיון דכל שעתא מדכרי שמעתייהו כשעת חימום דמי א"ל רבין בר אדא לרבא אמר תלמידך רב עמרם תניא אבל כל שבעה קורעו לפניו ואם בא להחליף מחליף וקורע [ז] בשבת קורעו לאחוריו ואם בא להחליף מחליף ואינו קורע כי תניא ההיא בכבוד אביו ואמו אותן קרעין מתאחין או אין מתאחין פליגי בה אבוה דרב אושעיא ובר קפרא [ח] חד אמר אין מתאחין וחד אמר מתאחין תסתיים דאבוה דרב אושעיא דאמר אין מתאחין דאמר רב אושעיא אין מתאחין ממאן שמיע ליה לאו מאבוה לא מבר קפרא רביה שמיע ליה אמר רבא אבל מטייל באונקלי בתוך ביתו אביי אשכחיה לרב יוסף דפרים ליה סודרא ארישיה ואזיל ואתי בביתיה א"ל לאו סבר לה מר אין אבילות בשבת א"ל הכי א"ר יוחנן (ט) דברים שבצינעא נוהג: ר"א אומר משחרב בית המקדש עצרת כשבת וכו': אמר רב גידל בר מנשיא אמר שמואל הלכה כר"ג ואיכא דמתני להא דרב גידל בר מנשיא אהא [ט] כל ל' יום (י) תינוק יוצא בחיק ונקבר באשה אחת ושני אנשים אבל לא באיש אחד ושתי נשים

רש"י

אבל רבתי. מסכת שמחות: גוייתו. כל גופו ואיכא דאמרי אבר שלו: פריעת הראש. שמגלה האבל ראשו בשבת ואינו מתעטף וחזרת קרע לאחוריו וזקיפת המטה חובה בשבת: נעילת הסנדל. דלאו כולי עלמא סיימי מסאנייהו בשבת ולא מוכח דאבל הוא: לא כולי עלמא מגלי רישייהו. בשבת ואע"פ שמתעטף לא מיחזי כאבל: בשעת חימום. בשעת התחלת הצער בשעת מיתה: וכל עטיפה שאינה כעטיפת ישמעאלים. הלכך כיון דכל ימי שבוע שהוא אבל מתעטף כישמעאל אם אינו נוטלה בשבת נראה כנוהג אבילות דכ"ע לא נהיגי בעטיפה זו אלא אבלים בלבד: מחוי ר"נ. עטיפת ישמעאלים: גובי דיקנא. גומות שבלחי למטה מפיו: לא שנו. פריעת הראש בשבת דצריך לגלות חוטמו ושפמו וזקנו שהיה מכוסה בימי אבלו להודיע כי אין אבילות בשבת: אלא שאין מנעלים ברגליו אבל יש מנעלים ברגליו מנעליו מוכיחים עליו. דאינו אבל אבל לגלות ראשו אינו צריך ואם בא להתעטף בצינעא אפי' כעטיפת הישמעאלים אין בכך כלום: דמסתפינא מיניה. בקושיות: מחליף וקורע. אע"פ שאינו שעת חימום: כבוד אביו. שנו אבל לכולי עלמא אין קורע אלא בשעת חימום: ממאן שמיעא. לרב אושעיא הא דאמר אין מתאחין שמע מינה הא דאמר אין מתאחין אבוה דרב אושעיא: אונקלי. שייפינ"ש חלוק שקורעו: בתוך ביתו. שבצינעא מותר לנהוג אבילות בשבת: דפרים סודריה ארישיה. בשבת משום עטיפה דנהיג אבילות: כל ל' יום יוצא בחיק. בן ל' יום מוציאו בחיק לבית הקברות ולא בארון: אבל לא באיש אחד. שאין מתייחדין עם האשה:

דלוסקמא

תוספות

בעא מיניה ר' יוחנן משמואל. מיהו ר' יוחנן לא קיבל משמואל דאיהו סבירא ליה דברים שבצינעא נוהג כדפרישית לעיל: הא אחר שלא פרע כו'. אע"ג דפשטי' דקרא הא אחר פורע ופורס ואם הם יעשו ימותו נראה דאסמכתא בעלמא הוא דהא לא מייתי להו סוף פרק הנשרפין (סנהדרין דף פג.) גבי אלו שבמיתה: ושמואל לטעמיה. פי' בתוספ' הרב דרב סבר דעטיפת הראש שאינה כעטיפת ישמעאלים הויא עטיפה ומסתמא רב ושמואל הלכה כרב יש מפרשין דרחיצת ידים דקאמר הכא רשות היינו כמ"ד פרק במה מדליקין (שבת דף כה:) דבלא אבילות הוא רשות אבל לר"נ בר יצחק דאמר התם ואני אומר מצוה באבל נמי הוי מצוה ולא רשות ונראה דלא צריך למימר הכי אלא הכי פירושו הכא דמשום אבילות אינו חובה להראות אבילות בשבת: לא שנו שאין לו מנעלים ברגליו. תימה דכי היכי דמנעליו מוכיחין עליו אמאי לא אמרי' אחד מהני מוכיחין ונמצא דאינו חובה כי אם האחד ושמא במנעלים יש הוכחה יותר: וכל קרע שאינו בשעת חימום אינו קרע. נראה דהא דאמר לעיל (דף כ:) מי שנזדמן לו חלוק בתוך ז' אע"פ שאינו שעת חימום שמא דוקא כגון שקרע כבר והכא איירי בשלא קרע עדיין א"נ כגון שאין לו חלוק בשעה ראשונה חייב לקרוע כשיהיה לו אפי' שלא בשעת חימום ולי נראה דבכל שעה שיוכל להתחמם על מתו אפי' לזמן מרובה אחר מיתתו קרוי שפיר בשעת חימום כמו שאמרו ברבנן משום דמדכרי שמעתייהו הוא הדין נמי בכל מת שיוכל להתחמם עליו והא דפריך בסמוך ולא משני הכי משום דבלאו הכי משני שפיר: כי תניא ההיא בכבוד אביו ואמו. ומכאן קשה לי על מה שפי' למעלה (דף כ:) (ז) דגרסי' רבי חנינא מי שאין לו אלא חלוק אחד דמיירי בכה"ג דמחליף וקורע דהא גבי אביו ואמו אמר הכא מחליף וקורע כל שבעה ולעיל (שם) אמרי' על אביו ואמו קורע לעולם וצ"ע: הכי א"ר יוחנן דברים שבצינעא נוהג. פסק בהלכות גדולות כר' יוחנן לאפוקי מרב ושמואל דאמרי לעיל תשמיש המטה רשות ודברים שבצינעא הוא ובפ"ק דכתובות (דף ד.) נמי קאמר עלה מסייע ליה לר' יוחנן דאביי ורבא סברי כוותיה ואע"ג דקיימא לן (לעיל דף יט. כג.) הלכה כדברי המיקל ה"מ במחלוקת של תנאים אבל במילתא דאמוראי לא אמרן מספקא לי כי היכי דשרי בתוך ביתו הני דברים דקריעה אי הוה אסור נעילת הסנדל בצנעא וכל שאר דברים: (ט) עצרת כשבת. וכ"ש ר"ה ויוה"כ ר"ג אומר ר"ה ויוה"כ כרגלים וכ"ש עצרת לאחר חורבן ולישנא לא אתי שפיר דהוה ליה למתני ר"ג אומר אף ר"ה ויוה"כ כו': (י) וחכמים אומרים לא כדברי זה כו'. ולא שייך למימר היינו תנא קמא דנימא קמא קמא דתנא קמא כולהו אתו לפרש מילתא דתנא קמא כי ההיא דלא ירבה לו נשים בפרק ב' דסנהדרין (דף כא.) והיא (דהמקדש[י]): הלכה כר"ג. תימה כיון דאמר שמואל (לעיל דף יט. כג.) הלכה כדברי המיקל באבל אמאי איצטריך למיפסק הלכה כר"ג וי"ל דחומרא נמי היא דאם קברו סמוך לחשיכה ולא היה לו שעה אחת לנהוג בו אבילות או קברוהו נכרים ביום טוב או שמע שמועה קרובה ביום טוב אם הם כרגלים אינם עולים למנין שבעה ואם הם כשבת עולים:

אבל

בשעת חימום. אפילו שלא בשעת חימום דכל שעה שחוזר ולובש לאו שעת חימום הוא. דמיסתפינא מיניה. דהוה מקשי ליה. אצטלי דמילתא סרבלין של מעיל כשעת חימום דמי ומשום הכי חשיבי קריעה ומילתא יתירתא הוא. כל שבעה קורעין לפני אם בא להחליף. וללבוש חלוק אחר כגון מעיל (ולכן אינו יכול להחליף). מחליף וקורע. אע"ג דלאו שעת חימום. בכבוד אביו ואמו. ולא משום חיוב קריעה [אבל בשאר מתים אינו מחליף משום אבילותו ולכן אינו יכול להחליף] [ע"פ המכתם]. אותן קרעים. שבבגדים שנייס שהוא חלוק שקרעו. בתוך ביתו. שבצנעה מותר לנהוג אבילות. דקא פרים סודרא. עומד בעטיפת אבילותו. דברים שבצנעה נוהג. בביתו שאין אחר רואהו. קטן שמת. בחיק. כלומר שאין צריך מטה. ונקבר. בשלשה בני אדם אפילו שני אנשים ואשה אחת אבל לא באיש אחד ושתי נשים. דכיון דליכא אלא נער פורתא אתו לידי עבירה והכי אמרינן בעלמא (קידושין פ:) אשה אחת מתייחד' עם שני אנשים אבל לא איש אחד עם שתי נשים.

רבינו חננאל

בעא מיני' ר' יוחנן משמואל יש אבילות בשבת או לא. א"ל אין אבילות בשבת. אמרי רבנן משמיה דשמואל אבל ששימש מטתו חייב מיתה. א"ל רב פפא אסור אתמר ומשמיה דר' יוחנן אתמר. אמר רב תחליפא אמר שמואל אבל שלא פרע ראשו ולא פירם בגדיו חייב מיתה שנאמר ראשיכם אל תפרעו ובגדיכם לא תפרומו ולא תמותו מכלל שאחר שלא פרע ושלא פירם חייב מיתה. אמר רפרם תנא באבל רבתי אבל אסור לשמש מטתו ומעשה באחד ששימש מטתו בימי אבלו ושמטו חזירים את גויתו. אמר שמואל פח"ז חובה. פריעת הראש. חזרת קרע לאחוריו. זקיפת המטה לעשותן בשבת [חובה] להודיע שאינו נוהג אבל בשבת. אבל נת"ר. נעילת סנדל. תשמיש המטה. רחיצת ידים ורגלים בחמין רשות. ורב אמר אף פריעת הראש רשות. מקשינן לשמואל מ"ש נעילת הסנדל דאמר רשות דלאו כ"ע מסגי במסני. פריעת הראש נמי לאו כ"ע עבידי דמגלי רישייהו. ופרקינן שמואל לטעמיה דאמר כל קרע שאינו בשעת חימום אינו קרע. וכל עטיפה שאינה כעטיפת ישמעאלים אינה עטיפה. פי' עטיפת ישמעאלים דאמר שמואל מכסה שפמו וזקנו וחוטמו במצנפתו או בטליתו. והוא אלמהה בלשון ערב. ובשבת צריך לגלות חוטמו ושפמו וזקנו שהיה מכסה להודיע כי אין אבל בשבת אבל לגלות ראשו אין צריך. ועוד כמה מכסי מחוי רב נחמן עד גובי דדיקנא. א"ר יוחנן לא שנו אלא שאין מנעלין ברגליו אבל יש לו מנעלים ברגליו מנעליו מוכיחין עליו. וקיי"ל כרב דאמר פריעת הראש נמי רשות. ואם בא להתעטף בצנעא כעטיפת ישמעאלים אין בכך כלום (א) ולא בעי עטיפה כולי האי. דהא רב יוסף דהוא בתרא עבד כרב. אבל מטייל באונקלי בתוך ביתו. ואונקלי היא מצנפת כגון מצנפת של כה"ג כדגרסינן בסוף מנחות. מעשה בחוני ושמעי בני שמעון הצדיק הלבישו באונקלי וחגרו בצלצול. אביי אשכחיה [לרב יוסף] דפריס סודרא ארישיה כעטיפת ישמעאלים וקאזיל ואתי בביתיה. א"ל לא סבר לה מר אין אבילות בשבת א"ל דברים שבצנעא נוהג. ומקשינן תוב לשמואל וכל קרע שאינו בשעת חימום אינו קרע. והא אמרו ליה לשמואל נח נפשיה דרב וקרע עליה תליסר כברי מאניה. ור' יוחנן קרע על ר' חנינא י"ג אצטלי דמלתא. א"ל אזל גברא דהוה מסתפינא. הנה קרעו בשעת שמועה שלא בשעת חימום. ופרקינן שאני רבנן דכיון דכל שעתא מדכרי שמעתיה שעת שמועתן כשעת חימום דמי. רבא אמר מהכא דתניא אבל כל שבעה קורעו לפניו ואם בא להחליף חלוקו מחליף וקורע הנה קריעתה שלא בשעת חימום. ופרקינן כי תניא ההיא שקורע כל חלוק שלובש אפילו כל שבעה בכבוד אביו ואמו: (ירושלמי הרי שהיה מחליף בגדיו) תשלום הברייתא ובשבת קורעו לאחוריו כדאמרן חזרת [קרע לאחוריו בשבת חובה] ואם בא בשבת להחליף חלוקו מחליף ואינו קורע. הרי שהיה מחליף בגדיו [כל] שבעה חייב לקרוע כולן. אותן קרעין מתאחין או אינן מתאחין. אסיקנא חלוקת אבוה דר' אושעיא ובר קפרא: ירושלמי אבל שבא מן הדרך והיה רגליו קיהות מותר לרחוץ שאין רחיצת צונן רחיצה. תני אבל ומנודה שהיו מהלכין בדרך מותרין בנעילת הסנדל. ולכשיבואו לעיר יחלוצו וכן בט' באב. וכן בתעניות צבור. תני מקום שנהגו לשאול בשלום אבלים בשבת שואלין. ר' אושעיא חמא אבלין בשבת ואמר להו שלום עליכם כמנהג מקומנו. ר' יוסי בן חלפתא הוה משתבח בר"מ קומי ציפוראי. אדם גדול קדוש צנוע הוא. חד זמן (יומא) חמון ליה שאיל בשלום אבילא בשבת. ותו אמרו ליה ר' אהן הוא דאת משני שבחיה אמר להן [מה עביד] א"ל שאיל בשלום אבילייא בשבתא. אמר לון בעין אתון מידע חייליה. אתא להודעאן דאין אבלות בשבת דכתיב ברכת ה' היא תעשיר. זו ברכה ולא יוסיף עצב עמה. זו אבלות כמו דאמר נעצב המלך אל בנו. תני ארוסתו לא מתאבל ולא אונן עליה. תני כל שמתאבלין עליו מתאבלין עמו. רב מתה אחותו פקיד לחייא בריה כד תיסליק לגביי של נעליך מעל רגליך. ר' יונה סליק לגביה ר' גורין בשבת בגו ד' ימי אבלו. נפיק לגביה לביש סנדלי. א"ל אנת דכר דילפון עובדא מינך דבשבת [מותר] בנעילת הסנדל לא ילפון עובדא מבר נש זעיר. ואין דובר עליו דבר. אפילו דבר תורה א"ר יוחנן שלא היו יודעין במה לפתוח אם ביסורין שבגופו או בחסרון ממונו אם בנפש בניו ובנותיו: מתני' משחרב בית המקדש ר' אלעזר אומר עצרת כשבת. ר"ג אומר ר"ה ויוה"כ כרגלים וכ"ש עצרת שהיא כרגלים. אמר גידל בן מנשי אמר שמואל הלכה

חשק שלמה על ר"ח א) נראה דר"ל דלרב גם בחול א"צ להתעטף כעטיפת ישמעאלים ועי' בתוס' ד"ה ושמואל.

עין משפט נר מצוה

קנח א מיי' פ"ה מהל' אבל הל' א סמג עשין מד"ס ב:

קנט ב ג מיי' פ"ט שם הל' א סמג שם טוש"ע י"ד סי' ת סעי' א:

קס ד מיי' פ"ח שם הל' ג סמג שם טור י"ד סי' שמ:

קסא ה ו מיי' פ"ה שם הל' יט טוש"ע י"ד סי' שפו:

קסב ז מיי' פ"י שם הל' א טוש"ע י"ד סי' ת סעי' א:

קסג ח מיי' שם פ"ט הל' ח טוש"ע י"ד סי' שמ סעי' יד:

קסד ט מיי' פ"ג שם הל' י סמג שם טוש"ע י"ד סי' שנג סעי' ד:

מסורת הש"ס

א) [עי' תוס' ב"ק לה: ד"ה עוכר], ב) [כתובות ד.], ג) קידושין פ: שמחות פ"ג, ד) [אבל הגהי שם מי שאין לו חלוק לקרוע כו' ואולי גרי' אחרת היתה לפניהם ועיין במהרש"א], ה) [שייך במשנה דלעיל יט.], ו) [ג"ז שייך למשנ' דלעיל יט.], ז) [צ"ל דהמוכתה מקדש (ד' פג.) וע"ש תוספות פסחים ודף קנו: ד"ה ר' שמעון אומר ותוס' עירובין מח. ד"ה ר' יהודה].

גליון הש"ס

גמ' אסור אתמר ומשמיה דר"י אתמר. לא ידעתי מה חידש בזה הא איתא בברייתא לעיל דף כא ע"א ואלו דברים שאבל אסור בהם וכו' ובתשמיש:

תורה אור השלם

א) וַיֹּאמֶר מֹשֶׁה אֶל אַהֲרֹן וּלְאֶלְעָזָר וּלְאִיתָמָר בָּנָיו רָאשֵׁיכֶם אַל תִּפְרָעוּ וּבִגְדֵיכֶם לֹא תִפְרֹמוּ וְלֹא תָמֻתוּ וְעַל כָּל הָעֵדָה יִקְצֹף וַאֲחֵיכֶם כָּל בֵּית יִשְׂרָאֵל יִבְכּוּ אֶת הַשְּׂרֵפָה אֲשֶׁר שָׂרַף יְיָ: [ויקרא י, ו]

רש"י כת"י

חייב מיתה. בידי שמים. ראשיכם לא תפרעו ובגדיכם לא תפרומו ולא תמותו. הכי משמע אע"פ שבגדיכם לא תפרומו לא תמותו דלאו תורת אבילות עליכם מכלל שאם לא פרעו חייבין מיתה. באבל רבתי. במסכת אבל רבה ברייתא היא והיינו מסכת שמחות. גויתו. גופו. פריעת הראש. לאו גידול שער הוא אלא עטיפת הראש שמסיר עטיפת האבלות מעליו בשבת. להחזיר קרע לאחוריו. לא כנגד לבו. וזקיפת המטה. שכפה ממטת אבילות וחייב לזקפה בשבת. בחמין. כגון שהוחמו ערב שבת אבל [אם הוחמו בשבת] לכולי עלמא אסור. לאו כולי עלמא וכו'. לא נראה כנוהג אבילות בשבת. בשעת חימום. סמוך לשעת המיתה. כעטיפת ישמעאלים וכו'. הילכך כיון דכל השבוע שהוא אבל מתעטף כישמעאל אם אינו נוטלה בשבת נראה כנוהג אבילות כיון דכולי עלמא לא נהיגי בעטיפה זו אלא אבלים בלבד. מחוי רב נחמן עד גובי דדיקנא. גומות שבלחי למטה מפיו. לא שנו. (כנדרי) [מגין].

אֲבֵילוּת בְּשַׁבָּת – **Does the master not hold that there is no** observance of **mourning on the Sabbath?** אָמַר לֵיהּ – **[Rav Yosef] replied to him:** הָכִי אָמַר רַבִּי יוֹחָנָן – **Thus did R' Yochanan say:** דְּבָרִים שֶׁבְּצִינְעָא נוֹהֵג – Those **practices that are** expressed **in private [the mourner] observes** on the Sabbath.[40]

The next part of our Mishnah states:

רַבִּי אֱלִיעֶזֶר אוֹמֵר מִשֶּׁחָרַב בֵּית הַמִּקְדָּשׁ עֲצֶרֶת כְּשַׁבָּת וכו׳ – **R' ELIEZER SAYS: ONCE THE HOLY TEMPLE WAS DESTROYED, SHAVUOS IS LIKE THE SABBATH etc.** [Rabban Gamliel says: (Even) Rosh Hashanah and Yom Kippur are like the festivals. And the Sages say differently from either opinion. Rather, Shavuos is like the festivals, and Rosh Hashanah and Yom Kippur are like the Sabbath.][41]

The Gemara cites a ruling:

אָמַר רַב גִּידֵּל בַּר מְנַשְּׁיָא אָמַר שְׁמוּאֵל – **Rav Gidel bar Menashya said in the name of Shmuel:** הֲלָכָה כְּרַבָּן גַּמְלִיאֵל – **The halachah accords with Rabban Gamliel.**

An alternative version:

וְאִיכָּא דְּמַתְנֵי לְהָא דְּרַב גִּידֵּל בַּר מְנַשְּׁיָא אַהָא – **And there are those who teach this** decision as having been made **in reference to this** other matter:[42] כָּל שְׁלֹשִׁים יוֹם תִּינוֹק יוֹצֵא בְּחֵיק – A Baraisa states: If he dies **ANYTIME WITHIN THIRTY DAYS** of birth,[43] **AN INFANT IS TAKEN OUT** to the cemetery **IN THE BOSOM,**[44] וְנִקְבָּר בְּאִשָּׁה אַחַת וּשְׁנֵי אֲנָשִׁים – **AND IS BURIED BY ONE WOMAN AND TWO MEN,**[45] אֲבָל לֹא בְּאִישׁ אֶחָד וּשְׁתֵּי נָשִׁים – **BUT NOT BY ONE MAN AND TWO WOMEN.**[46]

NOTES

40. The word נוֹהֵג, *he observes,* indicates that he is *obligated* to observe inconspicuous mourning practices on the Sabbath (*Ritva;* cf. the reading of *R' Shlomo ben HaYasom*). Accordingly, R' Yochanan disputes Rav and Shmuel above, who consider the private observance on the Sabbath of the restrictions against wearing shoes, marital relations and washing to be *optional* (*Ritva;* but see there for a possible modification).

41. See above, 19a note 19 for a discussion of these opinions.

42. *Ritva* explains that this alternative version also agrees that the halachah in the first matter follows Rabban Gamliel. This version maintains, however, that it would be unnecessary for Rav Gidel to rule explicitly in the first matter, since the halachah automatically follows Rabban Gamliel as the proponent of the lenient position in a question of mourning (see there).

43. See 24b note 5.

44. I.e. one need not honor the dead infant by carrying him out in a coffin or bier. Rather, it is sufficient to carry the body out holding it in one's bosom (*Rashi* here and to *Kiddushin* 80b; *Shach, Yoreh Deah* 353:2; see, however, *Matzeves Moshe*).

45. I.e. it is unnecessary to have many people escorting the body to burial; it is enough that three people be in attendance (see *Meiri* here and *Rashi* to *Kiddushin,* loc. cit.). [These "three" may be composed of one woman and two men.]

46. For this would create the forbidden situation of two women being secluded with a man, since the cemeteries were not near inhabited areas (*Rashi* here and to *Kiddushin* loc. cit.). [The Mishnah in *Kiddushin* teaches that a man may not be secluded with even two women (because of the possibility of their coming to sin), but that two men may be secluded with one woman (see there for details).]

בעא מיניה ר' יוחנן משמואל יש אבילות בשבת או אין אבילות בשבת אמר ליה אין אבילות בשבת יתבי רבנן קמיה דרב פפא וקאמרי משמיה דשמואל אבל ששימש מטתו בימי אבלו חייב מיתה א"ל רב פפא ° אסור אתמר ומשמיה דר' יוחנן אתמר ואי שמיעא לכו משמיה דשמואל הכי שמיע לכו אמר רב תחליפא בר אבימי אמר שמואל א אבל שלא פרע ושלא פירם חייב מיתה שנאמר א) ראשיכם אל תפרעו ובגדיכם לא תפרומו ולא תמותו וגו' הא אחר שלא פרע ושלא פירם חייב מיתה אמר רפרם בר פפא תנא באבל רבתי אבל אסור לשמש מטתו בימי אבלו ומעשה באחד ששימש מטתו בימי אבלו ושמטו חזירים את גוייתו אמר שמואל ב פח"ז חובה נת"ר רשות פריעת הראש חזרת קרע לאחוריו זקיפת המטה חובה נעילת הסנדל תשמיש המטה רחיצת ידים ורגלים בחמין ערבית רשות ורב אמר ג אף פריעת הראש רשות ושמואל מאי שנא נעילת הסנדל דרשות דלאו כולי עלמא עבידי דסיימי מסאנייהו פריעת הראש נמי לאו כולי עלמא עבידי דמגלו רישייהו שמואל לטעמיה דאמר שמואל ד כל קרע שאינו בשעת חימום אינו קרע ה וכל עטיפה שאינה כעטיפת ישמעאלים אינה עטיפה מחוי ר"נ ו עד גובי דדיקנא א"ר יעקב א"ר יוחנן לא שנו אלא שאין לו מנעלים ברגליו אבל יש לו מנעלים ברגליו מנעליו מוכיחין עליו כל קרע שאינו בשעת חימום אינו קרע והא אמרו ליה לשמואל נח נפשיה דרב קרע עליה תריסר מני אמר אזל גברא דהוה מסתפינא מיניה א"ל לרבי יוחנן נח נפשיה דר' חנינא א) קרע עליה תליסר אצטלי מלתא אמר אזל גברא דהוה מסתפינא מיניה שאני רבנן דכיון דכל שעתא מדכרי שמעתייהו כשעת חימום דמי א"ל רבין בר אדא לרבא אמר תלמידך רב עמרם תניא אבל כל שבעה קורעו לפניו ואם בא להחליף מחליף וקורע ז בשבת קורעו לאחוריו ואם בא להחליף מחליף ואינו קורע כי תניא ההיא בכבוד אביו ואמו אותן קרעין מתאחין או אין מתאחין פליגי בה אבוה דרב אושעיא ובר קפרא ח חד אמר אין מתאחין וחד אמר מתאחין תסתיים דאבוה דרב אושעיא דאמר רב אושעיא אין מתאחין ממאן שמיע ליה לאו מאבוה לא מבר קפרא רביה שמיע ליה אמר רבא אבל מטייל באונקלי בתוך ביתו אביי אשכחיה לרב יוסף דפרים ליה סודרא ארישיה ואזיל ואתי בביתיה א"ל לאו סבר לה מר אין אבילות בשבת א"ל הכי א"ר יוחנן ב) דברים שבצינעא נוהג: ר"א אומר משחרב בית המקדש עצרת כשבת וכו': אמר רב גידל בר מנשיא אמר שמואל הלכה כר"ג ואיכא דמתני להא דרב גידל בר מנשיא אהא ט כל ל' יום ג) תינוק יוצא בחיק ונקבר באשה אחת ושני אנשים אבל לא באיש אחד ושתי נשים

רש"י

אבל רבתי. מסכת שמחות: גוייתו. כל גופו והיכא דאמרי אבל שלו: פריעת הראש. שמגלה האבל ראשו בשבת ואינו מתעטף וחזרת קרע לאחוריו וזקיפת המטה חובה בשבת: נעילת הסנדל. דלאו כולי עלמא סיימי מסאנייהו בשבת ולא מוכח דאבל הוא: לא כולי עלמא מגלי רישייהו. בשבת ואע"פ שמתעטף לא מיחזי כאבל: בשעת חימום. בשעת התחלת הצער בשעת מיתה: וכל עטיפה שאינה כעטיפת ישמעאלים. הלכך כיון דכל ימי שבוע שהוא אבל מתעטף כישמעאל אם אינו נוטלה בשבת נראה כנוהג אבילות דכ"ע לא נהיגי בעטיפה זו אלא אבלים בלבד: מחוי ר"נ. עטיפת ישמעאלים: גובי דיקנא. גומות שבלחי למטה מפיו: לא שנו. פריעת הראש בשבת דצריך לגלות חוטמו ושפמו וזקנו שהיה מכוסה בימי אבלו להודיע כי אין אבילות בשבת: אלא שאין מנעלים ברגליו אבל יש מנעלים ברגליו מנעליו מוכיחים עליו. דאינו אבל אבל לגלות ראשו אינו צריך ואם בא להתעטף בצינעא אפי' כעטיפת הישמעאלים אין בכך כלום: דמסתפינא מיניה. בקושיות: מחליף וקורע. אע"פ שאינו שעת חימום: כבוד אביו. שנו אבל לכולי עלמא אין קורע אלא בשעת חימום: ממאן שמיעא. לרב אושעיא הא דאמר אין מתאחין שמע מינה האי דאמר אין מתאחין אבוה דרב אושעיא: אונקלי. סייפינ"ש חלוק שקורעו: בתוך ביתו. שבצינעא מותר לנהוג אבילות בשבת: דפרים סודריה ארישיה. בשבת משום עטיפה דנהיג אבילות: כל ל' יום יוצא בחיק. בן ל' יום מוציאו בחיק לבית הקברות ולא בארון: אבל לא באיש אחד. שאין מתייחדין עם האשה:

חייב מיתה. בידי שמים. ראשיכם אל תפרעו ובגדיכם לא תפרומו ולא תמותו. הכי משמע אע"פ שבגדיכם לא תפרומו לא תמותו דאין תורת אבילות עליכם מכלל שאם לא פרעו חייבין מיתה. באבל רבתי. במסכת אבל רבא ברייתא היא והיינו מסכת שמחות. גויתו. גיד. פריעת הראש. לאו גידול שער הוא אלא גילוי הראש שמסיר עטיפת האבילות מעליו בשבת. להחזיר קרע לאחוריו. של בית הצואר שלהן היה מתוקן כדי להפוך חלוקו מה שלפניו לאחור. ולזקוף מטה. שכפה מחמת אבילות וחייב לזוקפה בשבת כתיקנה. בחמין. כגון שהוחמו ערב שבת אבל [אם הוחמו בשבת] לכולי עלמא אסור. לאו כולי עלמא וכו'. ואינו נראה כנוהג אבילות בשבת. בשעת חימום. סמוך לפטירת המת. כעטיפת ישמעאלים וכו'. הילכך כיון דכל השבו' שהוא אבל מתעטף כישמעאל אם אינו נוטלה בשבת נראה נוהג אבילותו כיון דכולי עלמא לא נהיגי בעטיפה זו אלא אבלים בלבד. מחוי רב נחמן. עטיפת ישמעאל. עד גובי דדיקנא. גומות שבלחי למטה מפיו. לא שנו. דכל הני חייב ליטול בשבת. (כנדי) [מני]. כלים שמניחן בהם חליפות בגדים דכל שעה שהיה לובש קורע אפילו שלא בשעת חימום דכל שעה שחוזר ולובש לאו שעת חימום הוא. דמיסתפינא מיניה. דהוו מקשי לי. איצטלי דמילתא סרבלין של מעיל כשעת חימום דמי ומשום הכי חשיבי קריעה ומילתא יתירתא הוא דעביד ולאו דלהוי חייב כולי האי. כל שבעה קורעין לפני אם בא להחליף. וללבוש חלוק אחר כגון מעיל (ולכן אינו יכול להחליף). מחליף וקורע. אע"ג דלאו שעת חימום. בכבוד אביו ואמו. ולא משום חיוב קריעה [אבל בשאר מתים אינו רשאי לקרוע וגם אינו רשאי להפסיק אבילותו ולכן אינו יכול להחליף] [ע"פ המכתם]. אותן קרעים. שבבגדים שנים שהוא מחליף. אבל מטייל בשבת באונקלי. חלוק שקרעו. בתוך ביתו. שבצנעה מותר לנהוג אבילות. דקא פרים סודרא. אבל היה ולא גלה ראשו לכבוד שבת אלא עומד בעטיפת אבילותו. דברים שבצנעה נוהג. בביתו שאין אחר רואהו. קטן שמת. בתוך שלשים. יוצא. לקברו. בחיק. כלומר שאין צריך מטה. ונקבר. בשלשה בני אדם אפילו שני אנשים ואשה אחת ואינו צריך עשרה לקברו. אבל לא באיש אחד ושתי נשים. דכיון דליכא אלא נער פורתא אתו לידי עבירה והכי אמרינן בעלמא (קידושין פ:) אשה אחת מתייחד' עם שני אנשים אבל לא איש אחד עם שתי נשים.

תוספות

בעא מיניה ר' יוחנן משמואל. מיהו ר' יוחנן לא קיבל משמואל דאיהו סבירא ליה דברים שבצינעא נוהג כדפרישית לעיל:

הא אחר שלא פרע כו'. אע"ג דפשטי' דקרא הא אחר פורע ופורם ואם הם יעשו ימותו נראה דאסמכתא בעלמא הוא דהא לא מייתי להו סוף פרק הנשרפין (סנהדרין דף פג.) גבי אלו שבמיתה:

ושמואל לטעמיה. פי' בתוספ' הרב דרב סבר דעטיפת הראש שאינה כעטיפת ישמעאלים הויא עטיפה ומסתמא רב ושמואל הלכה כרב יש מפרשין דרחיצת ידים דקאמר הכא רשות היינו כמ"ד פרק במה מדליקין (שבת דף כה:) דבלא אבילות הוא רשות אבל לר"נ בר יצחק דאמר התם ואני אומר מצוה באבל נמי הוי מצוה ולא רשות ונראה דלא צריך למימר הכי אלא הכי פירושו הכא דמשום אבילות אינו חובה להראות אבילות בשבת:

לא שנו שאין לו מנעלים ברגליו. תימה דכי היכי דמנעליו מוכיחין עליו אמאי לא אמרי' אחד מהני מוכיחין ונמצא דאינו חובה כי אם האחד ושמא במנעלים יש הוכחה יותר:

וכל קרע שאינו בשעת חימום אינו קרע. נראה דהא דאמר לעיל (דף כ:) מי שנזדמן לו חלוק בתוך ז' אע"פ שאינו שעת חימום שמא דוקא כגון שקרע כבר והכא מיירי בשלא קרע עדיין א"נ כגון שאין לו חלוק בשעה ראשונה חייב לקרוע כשיהיה לו אפי' שלא בשעת חימום ולי נראה דבכל שעה שיוכל להתחמם על מתו אפי' לזמן מרובה אחר מיתתו קרוי שפיר בשעת חימום כמו שאמרו ברבנן משום דמדכרי שמעתייהו הוא הדין נמי בכל מת שיוכל להתחמם עליו והא דפריך בסמוך ולא משני הכי משום דבלאו הכי משני שפיר:

כי תניא ההיא בכבוד אביו ואמו. ומכאן קשה לי על מה שפי' למעלה (דף כ:) ז) דגרסי' רבי חנניא מי שאין לו אלא חלוק אחד דמיירי בכה"ג דמחליף וקורע דהא גבי אביו ואמו אמר הכא מחליף וקורע כל שבעה ולעיל (שם) אמרי' על אביו ואמו קורע לעולם וצ"ע:

הכי א"ר יוחנן דברים שבצינעא נוהג. פסק בהלכות גדולות כר' יוחנן לאפוקי מרב ושמואל דאמרי לעיל תשמיש המטה רשות ודברים שבצינעא הוא ובפ"ק דכתובות (דף ד.) נמי קאמר עלה מסייע ליה לר' יוחנן דאביי ורבא סברי כוותיה ואע"ג דקיימא לן (לעיל דף יח. כג.) הלכה כדברי המיקל ה"מ במחלוקת של תנאים אבל במילתא דאמוראי לא אמרן מספקא לי כי היכי דשרי בתוך ביתו הני דברים דקריעה אי הוה אסור נעילת הסנדל בצנעא וכל שאר דברים:

עצרת כשבת. וכ"ש ר"ה ויוה"כ ר"ג אומר ר"ה ויוה"כ כרגלים וכ"ש עצרת לאחר חורבן ולישנא לא אתי שפיר דהוה ליה למתני ר"ג אומר אף ר"ה ויוה"כ כו':

ו) וחכמים אומרים לא כדברי זה כו'. ולא שייך למימר היינו תנא קמא דנימא כולהו אתו לפרש מילתא דתנא קמא כי ההיא דלא ירבה לו נשים בפרק ב' דסנהדרין (דף כא.) וההיא (דהמקדש ז)):

הלכה כר"ג. תימה כיון דאמר שמואל (לעיל דף יח. כג.) הלכה כדברי המיקל באבל אמאי איצטריך למיפסק הלכה כר"ג וי"ל דחומרא נמי היא דאם קברו סמוך לחשיכה ולא היה לו שעה אחת לנהוג בו אבילות או קברוהו נכרים ביום טוב או שמע שמועה קרובה ביום טוב אם הם כרגלים אינם עולים למנין שבעה ואם הם כשבת עולים:

א) [עי' תוס' כ"ק לא: ד"ה עוכרן], ב) [כתובות ד.], ג) קידושין פ: שמחות פ"ג, ד) אבל הגי' שם מי שאין לו חלוק לקרוע כו' ואולי גירס' אחרת היתה לפניהם ועיין במהרש"א, ה) [שייך במשנה דלעיל יט.], ו) [ג"ז שייך למשנה דלעיל יט.], ז) [צ"ל דהמוכחת מקדש (ד' סג.) וע"ש תוספות ספחים סג. ד"ה ר' שמעון אומר ודף קנח: ד"ה ונותנ ותוס' עירובין מח. ד"ה יהודה].

גליון הש"ס

גמ' אסור אתמר ומשמיה דר"י אתמר. לא ידעתי מה חידש כזה הא איתא בברייתא לעיל דף כא ע"א ואלו דברים שאבל אסור בהם וכו' ובתשמיש:

תורה אור השלם

א) וַיֹּאמֶר מֹשֶׁה אֶל אַהֲרֹן וּלְאֶלְעָזָר וּלְאִיתָמָר בָּנָיו רָאשֵׁיכֶם אַל תִּפְרָעוּ וּבִגְדֵיכֶם לֹא תִפְרֹמוּ וְלֹא תָמֻתוּ וְעַל כָּל הָעֵדָה יִקְצֹף וַאֲחֵיכֶם כָּל בֵּית יִשְׂרָאֵל יִבְכּוּ אֶת הַשְּׂרֵפָה אֲשֶׁר שָׂרַף יְיָ: [ויקרא י, ו]

רש"י כת"י (see above)

עין משפט נר מצוה

קנח א מיי' פ"ה מהל' אבל הל' א סמג עשין מד"ס ב:
קנט ב ג מיי' פ"י שם הל' א סמג שם טוש"ע י"ד סי' ת סעי' ג:
קס ד מיי' פ"ח שם הל' ג סמג שם טור י"ד סי' שמ:
קסא ה ו מיי' פ"ה שם הל' יט טוש"ע י"ד סי' שפו:
קסב ז מיי' פ"ט שם הל' ח טוש"ע י"ד סי' ת סעי' ח:
קסג ח מיי' פ"ט שם הל' א טוש"ע י"ד סי' שמ סעי' יד:
קסד ט מיי' פי"ב שם הל' י סמג שם טוש"ע י"ד סי' שנג סעי' ד:

רבינו חננאל

בעא מיני' ר' יוחנן משמואל יש אבילות בשבת אי לא. א"ל אין אבילות בשבת. אמרי רבנן משמיה דשמואל אבל ששימש מטתו חייב מיתה. א"ל רב פפא אסור אתמר ומשמיה דר' יוחנן אתמר אמר רב תחליפא אמר שמואל אבל שלא פרע ראשו ולא פירם בגדיו חייב מיתה שנאמר ראשיכם אל תפרעו ובגדיכם לא תפרומו ולא תמותו מכלל שאחר שלא פירע ושלא פירם חייב מיתה. אמר רפרם תנא באבל רבתי אבל אסור לשמש מטתו ומעשה באחד ששימש מטתו בימי אבלו ושמטו חזירים את גויתו. אמרו משמיה דשמואל פח"ז חובה. פריעת הראש. חזרת קרע לאחוריו. זקיפת המטה לעשותן בשבת [חובה] להודיע שאינו נוהג אבל בשבת. אבל נ'ת'ר'. נעילת סנדל. תשמיש המטה. רחיצת ידים ורגלים בחמין רשות. ורב אמר אף פריעת הראש בשבת רשות. מקשינן לשמואל מ"ש נעילת הסנדל דאמר רשות דלאו כ"ע מסגי במסני. פריעת הראש נמי לאו כ"ע עבידי דמגלי רישייהו. ופרקינן שמואל לטעמיה דאמר כל קרע שאינו בשעת חימום אינו קרע. וכל עטיפה שאינה כעטיפת ישמעאלים אינה עטיפה. פי' עטיפת ישמעאלים דאמר שמואל מכסה שפמו וזקנו וחוטמו במצנפתו או בטליתו. והוא אלמתה בלשון ערב. ובשבת צריך לגלות חוטמו ושפמו וזקנו שהיה מכסה בימי אבלו כי אין אבל בשבת אבל לגלות ראשו אין צריך. ועוד כמה מכסי מחוי רב נחמן עד גובי דדיקנא. א"ר יוחנן לא שנו אלא שאין מנעלין ברגליו אבל יש מנעלין ברגליו מנעליו מוכיחין עליו. וקיי"ל כרב דאמר פריעת הראש נמי בשבת רשות. ואם בא להתעטף בצנעא כעטיפת ישמעאלים אין בכך כלום א) ולא בעי עטיפה כולי האי. דהא רב יוסף דהוא בתרא עבד כרב. אמר רבא אבל מטייל באונקלי בתוך ביתו. ואונקלי היא מצנפת כגון מצנפת של כה"ג כדגרסינן בסוף מנחות. מעשה בחוני ושמעי בני שמעון הצדיק הלבישו באונקלי וחגרו בצלצול. אביי אשכחיה [לרב יוסף] דפריס סודרא ארישיה כעטיפת ישמעאלים וקאזיל ואתי בביתיה. א"ל לא סבר לה מר אין אבילות בשבת א"ל דברים שבצנעא נוהג. ומקשינן תוב לשמואל וכל קרע שאינו בשעת חימום אינו קרע. והא אמרו ליה לשמואל נח נפשיה דרב וקרע עליה תליסר כברי מאניה. ור' יוחנן קרע על ר' חנינא י"ג אצטלי דמלתא. א"ל אזל ליה גברא דהוה מסתפינא. הנה קרעו בשעת שמועה שלא בשעת חימום. ופרקינן שאני רבנן דכיון דכל שעתא מדכרי שמועתיה שעת שמועה כשעת חימום דמי. רבא אמר מהכא דתניא אבל כל שבעה קורעו לפניו ואם בא להחליף חלוקו מחליף וקורע החלוק שלובש הנה קריעתה שלא בשעת חימום. ופרקינן כי תניא ההיא שקורע כל חלוק שלובש אפילו כל שבעה בכבוד אביו ואמו: (ירושלמי הרי שהיה מחליף בגדיו) תשלום הברייתא ובשבת קורעו לאחוריו כדאמרן חזרת [קרע לאחוריו בשבת חובה] ואם בא בשבת להחליף חלוקו מחליף ואינו קורע. הרי שהיה מחליף בגדיו [כל] שבעה חייב לקרוע כולן. אותן קרעין מתאחין או אינן מתאחין. אסיקנא חלוקת אבוה דר' אושעיא ובר קפרא: ירושלמי אבל שבא מן הדרך והיה רגליו קיהות מותר לרחוץ שאין רחיצת צונן רחיצה. תני אבל ומנודה שהיו מהלכין בדרך מותרין בנעילת הסנדל. ולכשיבואו לעיר יחלוצו וכן בט' באב. וכן בתענית צבור. תני מקום שנהגו לשאול בשלום אבלים בשבת שואלין. ר' אושעיא חמא אבלין בשבת ואמר להו שלום עליכם כמנהג מקומנו. ר' יוסי בן חלפתא הוה משתבח בר"מ קומי ציפוראי. אדם גדול קדוש צנוע הוא. חד (יומא) זמן חמון ליה שאיל בשלום אבילא בשבת. ותו אמרו ליה ר' אהן הוא דאת משני שבחיה אמר להן [מה עביד] א"ל שאיל בשלום אבילייא בשבתא. אמר לון בעין אתון מידע חייליה. אתא להודעאן דאין אבלות בשבת דכתיב ברכת ה' היא תעשיר. זו ברכת שבת. ולא יוסיף עצב עמה. זו אבלות כמו דאמר נעצב המלך אל בנו. תני ארוסתו לא מתאבל ולא אונן עליה. תני כל שמתאבלין עליו מתאבלין עמו. רב מתה אחותו פקיד לחייא בריה כד תיסליק לגביי של נעליך מעל רגליך. ר' יונה סליק לגביה ר' גוריון בשבת בגו ז' ימי אבלו. נפיק לגביה לביש סנדלי. א"ל אנת דכר דילפון עובדא מינך דבשבת [מותר] בנעילת הסנדל לא ילפון עובדא מבר נש זעיר. ואין דובר עליו דבר. אפילו דבר תורה א"ר יוחנן שלא היו יודעין במה לפתוח אם ביסורין שבגופו אם בחסרון ממונו אם בנפש בניו ובנותיו: מתני' משחרב בית המקדש ר' אלעזר אומר עצרת כשבת. ר"ג אומר ר"ה ויוה"כ כרגלים מינה וכ"ש עצרת שהיא כרגלים. אמר גידל בן מנשי אמר שמואל הלכה

אבא שאול אומר אף באיש אחד ושתי נשים ואין עומדין עליו בשורה ואין אומרים עליו ברכת אבלים ותנחומי אבלים בן שלשים יוצא בדלוסקמא רבי יהודה אומר [א]לא דלוסקמא הניטלת בכתף אלא הניטלת באגפיים ועומדין עליו בשורה ואומרים עליו ברכת אבלים ותנחומי אבלים (א) [ב]בן י"ב חדש יוצא במטה ר"ע אומר הוא בן שנה ואבריו כבן שתים הוא בן שתים ואבריו כבן שנה יוצא במטה ר' שמעון בן אלעזר אומר [ג]היוצא במטה רבים מצהיבין עליו אינו יוצא במטה אין רבים מצהיבין עליו ר"א בן עזריה אומר [ד]ניכר לרבים רבים מתעסקים עמו אינו ניכר לרבים אין רבים מתעסקים עמו ומה הן בהספד רבי מאיר בשם רבי ישמעאל אומר עניים בני שלש עשירים בני חמש רבי יהודה אומר משמו [ה]עניים בני חמש עשירים בני שש ובני זקנים כבני עניים אמר רב גידל בר מנשיא אמר רב הלכה כרבי יהודה שאמר משום רבי ישמעאל דרש ר' ענני בר ששון אפיתחא דבי נשיאה [ו]יום אחד לפני עצרת ועצרת הרי כאן ארבעה עשר שמע רבי אמי ואיקפד אמר אטו דידיה היא דרבי אלעזר א"ר אושעיא היא דרש רבי יצחק נפחא אקילעא דריש גלותא יום אחד לפני עצרת ועצרת הרי כאן ארבעה עשר שמע רב ששת איקפד אמר אטו דידיה היא דר"א אמר ר' אושעיא היא דא"ר אלעזר א"ר אושעיא [ז]מנין (ג) לעצרת שיש לה תשלומין כל שבעה שנאמר (א) בחג המצות ובחג השבועות (א) מה חג המצות יש לה תשלומין כל שבעה אף חג השבועות יש לה תשלומין כל שבעה (ג) אדבריה רב פפא לרב אויא סבא ודרש [ח]יום אחד לפני ראש השנה וראש השנה הרי כאן ארבעה עשר אמר רבינא הלכך [ט]יום אחד לפני החג וחג ושמיני שלו הרי כאן עשרים ואחד יום רבינא איקלע לסורא דפרת א"ל (ד) רב חביבא מסורא דפרת לרבינא אמר מר יום אחד לפני ראש השנה וראש השנה הרי כאן ארבעה עשר אמר ליה אנא מסתברא כרבן גמליאל הוא דאמינא: **מתני'** [י]אין קורעין [כ]ולא חולצין [ל]ואין מברין אלא קרוביו של מת [מ]ואין מברין אלא על מטה זקופה: **גמ'**

דלוסקמא. ארון: ואין עומדין עליו בשורה. אין צריך לעמוד עליו בשורה כשחוזרין מבית הקברות עוברין לפני האבל בשורה וכל אחד אומר לו תתנחם: ברכת אבלים. ברכה שאומר ברחבה כדאמר בכתובות (ד' ח:): תנחומי אבלים. כל שבעה הולכין לנחמו בביתו: הניטלת בכתף. באדם אחד: באגפיים. בשני בני אדם דרך כבוד: ואבריו כבן שתים. שאבריו גדולים: מצהיבין. מרגישין ומצערין: ניכר לרבים. שהיו מכירין כבר שהיה רגיל לצאת מן הבית: מה הן בהספד. כמה יהא גדול שמלוה להספידו: עניים בני שלש. לפי שהעני מצטער על בניו יותר מן העשיר לפי שאין לו שמחה אחרת: יום אחד לפני עצרת. היה אבל: הרי כאן ארבעה עשר. דעצרת חשוב כשבעה וזהו יום שלפני עצרת חשוב ז' דסבר כי האי תנא דלעיל (ד' כ.) דאמר אפילו יום אחד אפילו שעה אחת וכמאן דאמר עצרת כרגלים: מתני' על מטה זקופה. יושבין המנחמין: חולצין. כתפיהן:

אבא שאול אומר אף באיש אחד ושתי נשים. מפורש במסכת קדושין (דף פ: ושם) אע"ג דאין איש אחד מתייחד עם שתי נשים בשעת אבילות דטרידא שרי:

ואין אומרים עליו ברכת אבלים. פירש בקונטרס דמיירי בלא כלו לו חדשיו ומיהו אפי' מיירי בכלו לו חדשיו נהי דמתאבלים עליו כדאיתא בפרק ר"א (שבת ד' קלו. ושם) ובפרק יש בכור לנחלה (בכורות דף מט.) מ"מ אין מחמירין עליו כל כך לצערו כדאשכחן בהני דסמוך דלפי מה שהוא גדול מחמירין לכבודו:

ברכת אבלים ותנחומי אבלים. שמנחמים אותו בדברים: לעיל (ע"א) פירש בקונטרס דאם בא להחליף בגדים שכבסו קודם הרגל ללבוש בגדים שהן מכובסין כי חלוק הוא מלבוש ומכאן (ה) משמע שר' שמעון היה מתיר בגדים שכבסו קודם הרגל ובתוס' פי' אם בא להחליף ללבוש בגדים שאינם מכובסים כי חלוק הוא מלבוש ורגילים ללובשו ולהחליף בלא כיבוס ור' יצחק זקיני סובר כך ועל פירש"י הקשה דאי שרי בגדים שכבסו קודם אבלו ומסתמא הכי נמי שרי בגדים המגוהצים קודם אבילות וא"כ מנין לו למעלה דאביי כרדי (ו) מנא ב"ר אלעזר בן שמעון שמא מקודם אבלו היו מגוהצין וי"ל דמדשרו הני דוקא ולא חדשים לגמרי ש"מ דסבירא להו הכי ומיהו זהו המנהג עתה שמלבישין אותו לאדם אחר יום או חצי יום ואין זה קרוי בגד מכובס לדידיה: **רבי** עקיבא אומר בן שנה כו'. ולא סגי בי"ב חדשים ובמסכת שמחות (ז) נראה לי ר"ע כו' פירוש דלא בעי ג' שנים ואם מת ביום שלשים פוסק בפ' יש בכור (בכורות ד' מט.) שלשים יום באדם אינו נפל ויום שלשים לענין אבילות כיום שלפניו ואינו מתאבל וה"ה מסתמא לענין בכור:

דרבי אלעזר א"ר אושעיא היא. והא דלא מייתי ברייתא דר"א בן יעקב דמפיק תשלומין מוקראתם ובקצרכם איזהו חג שאתה קורא וקוצר הוי אומר זה חג השבועות וריש לקיש אמר חג הקציר איזהו חג שאתה חוגג וקוצר בו הוי אומר זה עצרת ויש לומר דלא ידעינן כמה ימים אי לאו מדרבי אושעיא כדאיתא פרק אין דורשין (חגיגה דף יז: ושם) אלא קשיא מנא ליה דעצרת כרגלים בזמן הזה הא ליכא תשלומין ונהי דמתני' הכי משמע מדקאמרי עצרת כרגלים משמע לגמרי מיהו היא גופא מנא ליה י"ל כיון דעצרת חד יומא ונחשב כמו פסח וסוכות בזמן שבית המקדש קיים לענין תשלומין חשיב נמי לדידן כרגל דפסח וסוכות מיהו בר"ה ויום הכפורים משמע דלא סבירא להו הכי דליהוו חשיבי כשבעה ימים מדלא נקט אלא עצרת וליה ליה דרבן גמליאל ורב פפא דבסמוך דאמרי אפילו ר"ה ויוה"כ ישנן כרגלים דלעולם הוא במקום פסח וסוכות הקשה בתוספות הרב מה אנו צריכים שיהא ראש השנה כשבעה ימים בלאו הכי נמי מותר לגלח ערב יום כפורים דהוי קובר את מתו שמונה ימים קודם יום כפורים דבטלה הימנו גזרת שלשים ותירץ דנפקא מינה אם לא גילח ערב יום כפורים דאינו מגלח אחר יום כפורים אבל עתה דחשבינן ראש השנה כשבעה ויום הכפורים כשבעה וערב ראש השנה כשבעה ימים קודם ובין ראש השנה ליום כפורים שבעה ונקיט ליה בתר יום כפורים שני ימים ומגלח ואין נראה לי תירוץ זה דהא קיימא לן כאבא שאול דאמר לעיל (ד' יט:) מגלח אחר הרגל אלא יש לפרש דנפקא לן מינה לענין שמועה רחוקה דחשבינן לה שמועה רחוקה בהני שני ימים אחר יום כפורים וזהו דוחק גדול כי זה אינו מפורש בשום מקום שתחשב שמועה רחוקה פחות משלשים יום ויותר היה יכול לומר לענין דחשבינן אחר ראש השנה שבת שלישית דאמר לעיל יושב במקומו מיהו אין זה נראה שום קושיא כלל דהא דאמר שמונה ימים קודם הרגל בטלה ממנו גזרת שלשים יום היינו דוקא היכא דנהג אבילות שבעה ימים אבל זה שלא נהג אבילות כי אם יום אחד לא אמרינן יום כפורים תבטל שלשים ותמהתי למה לא פירש הרב כך כי דבר זה פשוט ובסמוך פירש כענין זה הרב יום אחד לפני החג וחג ושמיני שלו הרי כאן כ"א יום דדוקא בהני אומרים דשמיני עצרת הרי כ"א יום אבל מת ברגל שלא נהג אבילות קודם הרגל לא הוי שמיני עצרת כי אם יום אחד למנין שלשים כך נראה לי ואיני יודע הבירור כך פירש הרב ופירש בהלכות גדולות דהשתא דאית לן תרי יומי אי שכיב ליה שיכבא ביום טוב ראשון לא ינהוג אבילות עד מוצאי יום טוב שני (ימים) ואותו יום טוב שני עולה למנין שבעה ואי שכיב ביום שני ההוא יומא נוהג אבילות דכיון דיום טוב שני דרבנן אתי אבילות דאורייתא דיום ראשון דהוי מן התורה כדאמרינן בזבחים (ד' ק:) ומבטל יום שני דרבנן ואין נראה לר"י וגם אין נוהגין כלל ובמקום אחר פירשתי (ט):

אלא קרוביו. ירושלמי ובלבד קרובים הראוין להתאבל כהדא דרבי אבין דמך במועדא לא גמל ר' מנא חסדא אמר בתר מועדא ניעבדא ליה יקרא ואסיק חכם שמת הכל כקרוביו מברין עליו אלו ואלו נראה לי מכאן משמע שיש הבראה בלא אבילות (י) כגון ברגל ולקמן (ד' כה:) אמר אפי' רבו שלמדו חכמה אינו יושב עליו אלא יום אחד ותמיהני אם כן נצטרך הבראה לשמועה רחוקה ולא מצינו ברבי חייא שעשו לו הבראה אלא קאמר לעיל (דף כ:) והולך כלי אחרי לבית המרחץ ושמא לענין הבראה החמירו משום כבוד החכם:

וכף

עין משפט
נר מצוה

קסה א ב ג ד מיי' פי"ב מהל' אבל הל' י והל' יא טוש"ע יו"ד סי' שנג סעי' ה:
קסו ה מיי' שם הל' ט סמג עשין מד"ס ב טוש"ע י"ד סי' שמד סעיף ד:
קסז ו מיי' פ"י שם הל' ג סמג שם טוש"ע י"ד סי' שלט סעי' ח:
קסח ז מיי' פ"א מהל' חגיגה הלכה ז:
קסט ח מיי' פ"י מהל' אבל הל' ג סמג שם טוש"ע י"ד סי' שלט סעי' ט:
קע ט מיי' שם הל' ד טוש"ע שם סעי' יא:
קעא י מיי' פ"ז מהל' י"ט הל' כג ופי"א מהל' אבל הל' ב סמג שם ולאוין עה טוש"ע א"ח סי' תקמז סעי' ו וטוש"ע י"ד סי' תא סעי' ב:
קעב כ מיי' שם טוש"ע א"ח שם סעי' ז וי"ד שם סעי' ד:
קעג ל מ מיי' שם הל' ג טוש"ע א"ח שם סעי' ח וי"ד שם:

רבינו חננאל

כר"ג. איכא דאמרי להא דרב גידל אהא דתניא תינוק כל ל' יום יוצא בחיק ונקבר באשה אחת ובשני אנשים אבל לא באיש אחד ושתי נשים. אבא שאול אומר אף באיש אחד ובשתי נשים. ואין עומדין עליו בשורה ואין אומרין עליו ברכת אבלים ותנחומי אבלים. בן ל' יום יוצא בדלוסקמא. ר' יהודה אומר לא דלוסקמא הניטלת על הכתף אלא הניטלת על אגפיים. ועומדין עליו בשורה ואומרין עליו ברכת אבלים ותנחומי אבלי'. בן י"ב חודש יוצא במטה. ר' עקיבא אומר בן שנה ואבריו כבן שנתיים בן שנתיים ואבריו כבן שנה יוצא במטה. רבי שמעון בן אלעזר אומר היוצא במטה רבים מצהיבין עליו. ר' אלעזר בן עזריה אומר ניכר לרבים רבים מתעסקין בו. אין ניכר לרבים אין רבים מתעסקין בו מה הן בהספד. ר' מאיר אומר משום ר' ישמעאל עניים בני שלש. עשירים בני חמש. ר' יהודה אומר משום ר' ישמעאל עניים בני חמש. עשירים בני שש. ובני זקנים כבני עניים. אמר גידל בר מנשיא אמר שמואל הלכה כר' יהודה שאמר משום ר' ישמעאל: **ירושלמי** תני אין מראין פנים לא בר"ה ולא ביוה"כ. ר' חזקיה הוה ליה עובדא. סלקין רבנן למחמי ליה אפין בצומא רבא א) אמר לון כלום אמרו אין מראין פנים לא בר"ה ולא ביוה"כ לא מפני התפלה שנייה הוא יוה"כ שחל להיות בשבת. ב) דריש ר' ענני מי שקבר את מתו יום אחד לפני עצרת חשוב כשבעת ימי האבל ופסקו ז' ימי אבלו. ועצרת חשוב כשבעת ימי הרגל. דאמר ר' אלעזר מניין לעצרת שיש לה תשלומין שבעה שנאמר בחג המצות ובחג השבועות ובחג הסוכות. מה חג המצות יש לה תשלומין כל שבעה. שאם לא הקריב ביום הראשון יש לו להקריב כל ימי החג. כך עצרת יש לה תשלומין שבעה כחג המצות. הרי ז' לפני עצרת ועצרת ז' הרי י"ד משלים ט"ז יום והרי גמרו לו ל' ומותר בתספורת. אדבריה רב פפא לרב אויא סבא ודרש יום אחד לפני ר"ה ור"ה הרי י"ד אמר רבינא הלכך הקובר את מתו יום אחד לפני החג שבעה והחג שבעה. ושמיני שלו שהוא רגל בפ"ע הרי כאן כ"א יום וזהו שאמר רגל בפ"ע לענין פז"ר קש"ב. פירוש ג) רגל בפ"ע זהו כדי לחשב יום שמיני של חג הסוכות ד' ימים לאבל למנין שלשים: **מתני'** אין קורעין ואין חולצין כתף ולא מברין אלא קרובין של

חשק שלמה על ר"ח א) פי' ויוה"כ חל אז בשבת. ב) בירושלמי שם איתא שנייה הוא יוה"כ שחל להיות בחול ופי' דאין חילוק דבין שחל בשבת ובין שחל בחול לעולם אין מראין פנים. ג) דברי רבינו אלו הובאו בתוס' ר"ה דף ד' ע"ב ד"ה פז"ר קש"ב בשמו של רבינו ז"ל.

מסורת הש"ס

א) [שמחות פ"ג ע"ש], ב) חגיגה יז. ר"ה ד:, ג) [ע' פרש"י ביצה כט.], ד) בב"מ סא: הגי' רב חנינא, ה) משמע שרש"י היה מתיר בגדים שכבסו קודם האבל ובתוס' פי' כא"ל, ו) דאביי כרבי ורבא כראב"ש עי' רש"ש, ז) פ"ג גרסי' בן ג' שנים יוצא במטה ר' עקיבא כו' פי' דלא בעי ג' כו' כא"ל, ח) [עיין תוס' ברכות מז: ד"ה מלוה דרבים שאני].

הגהות הב"ח

(א) גמ' בחג המצות ובחג השבועות ובחג הסוכות מה חג המצות:

גליון הש"ס

תוס' ד"ה אלא כו' כגון ברגל. עיין לעיל דף כ ע"א תד"ה שכבר:

תורה אור השלם

א) שָׁלוֹשׁ פְּעָמִים בַּשָּׁנָה יֵרָאֶה כָל זְכוּרְךָ אֶת פְּנֵי יְיָ אֱלֹהֶיךָ בַּמָּקוֹם אֲשֶׁר יִבְחָר בְּחַג הַמַּצּוֹת וּבְחַג הַשָּׁבֻעוֹת וּבְחַג הַסֻּכּוֹת וְלֹא יֵרָאֶה אֶת פְּנֵי יְיָ רֵיקָם: [דברים טז, טז]

רש"י כת"י

ואין. צריך לעמוד בשורה כשחוזרין מבית הקברות עוברין לפני האבל בשורה וכל אחד אומר לו תתנחם. **ברכת אבלים.** ברכה שאומרין ברחבה כדאמרינן בכתובות (ח:). **תנחומי אבלים.** כל שבעה הולכין אל ביתו לנחמו. **דלוסקמא.** כלי שנקבר בו. **לא בדלוסקמא** קטנה כל כך הניטלת על הכתף באדם אחד. **אלא.** בין ידים אגפים בשני בני אדם דרך כבוד. **היוצא במטה רבים צווחין עליו.** אותו שחשבתו לצאת במטה כבוד גדול הוא שיהו רבים מתאנחין עליו אית ספרי דכתוב בהו מצהיבין כלומר משנין פנים ומצטערין כמו להבו פניו (מנחות יח.). **ניכר לרבים.** שהיה גדול כבר שהיה רגיל לצאת ולבוא לבית הכנסת. **רבים מתעסקין בו.** לקברו ולנחם את אביו. **ומהו בהספד.** כמה יהא גדול שמלוה להספידו. **עניים בני שלש.** מפני קורת רוח של עני שמצטער על בנו יותר מן העשיר לפי שבנו מסייעו וצריך לו. **ר' יהודה אומר משמו.** של ר' ישמעאל. **בני זקנים.** זקנים ממש. **כבני עניים.** לפי שלא (היו) יכולין לצאת ולבוא וביניהם מטפלין בהן. [וי"מ] זקנים תלמידי חכמים. **רב ענני.** נשיא בארץ ישראל ראש הגולה בבבל. **יום אחד לפני עצרת.** מבטלת גזירת שבעה אליבא דבית הלל דאמרי לעיל אפי' יום אחד אפילו שעה אחת נהג אבילות קודם הרגל רגל מפסיק ועצרת דהוה במקום ז' ימים הרי ארבע' עשר למנין שלשים דהא דאמרינן הרגלים אינן עולין היינו היכא דאתחיל אבילות ברגל דצריך שבעה אחר הרגל אבל למנין שלשים עולה לו כדאמ' לעיל בפרקין מנין לעצרת שאע"פ שאינו אלא יום אחד יש לו תשלומין כל שבעה לקרבן מ"ל בחג המצות וכו'. **וראש השנה הרי כאן י"ד.** דסברי לה כרבן גמליאל דאמ' ראש השנה כרגלים. **לפני חג.** הסוכות ושמיני רגל בפני עצמו. **סורא דפרת.** עיר היושבת על נהר פרת. **מסתברא.** כוותיה הוא דקאמ'. **ולא חולצין.** כתף. **ולא מברין.** שמברין את האבל סעודה ראשו' משל אחרים כדלקמן. **אלא קרוביו של מת.** המתאבלים עליו (כגון) [כמשה] מתי מצוה [כגון] אביו ואמו. **אלא על מטות זקופות.** שאין צריך לכפות המטות שמיסב עליה.

אַבָּא שָׁאוּל אוֹמֵר – ABBA SHAUL SAYS: אַף בְּאִישׁ אֶחָד וּשְׁתֵּי נָשִׁים – The burial may be done even BY ONE MAN AND TWO WOMEN.[1] וְאֵין עוֹמְדִין עָלָיו בְּשׁוּרָה – AND THEY DO NOT have to STAND ON [THE INFANT'S] ACCOUNT IN A ROW to console the mourners as they return from the grave,[2] וְאֵין אוֹמְרִים עָלָיו בִּרְכַּת אֲבֵלִים וְתַנְחוּמֵי אֲבֵלִים – AND THEY DO NOT RECITE THE MOURNERS' BLESSING[3] OR THE MOURNERS' CONDOLENCES[4] [ON THE INFANT'S ACCOUNT].[5] בֶּן שְׁלֹשִׁים יוֹצֵא בִּדְלוּסְקְמָא – A THIRTY-DAY-OLD, however, IS TAKEN OUT to burial IN A BOX. רַבִּי יְהוּדָה אוֹמֵר – R' YEHUDAH SAYS: לֹא דְלוּסְקְמָא הַנִּיטֶּלֶת בְּכָתֵף – NOT A BOX THAT IS CARRIED ON THE SHOULDER,[6] אֶלָּא הַנִּיטֶּלֶת בָּאֲגַפַּיִים – BUT ONE THAT IS CARRIED IN THE ARMS.[7] וְעוֹמְדִין עָלָיו בְּשׁוּרָה – AND THEY STAND IN A ROW ON [THE INFANT'S] ACCOUNT to console the mourners, וְאוֹמְרִים עָלָיו בִּרְכַּת אֲבֵלִים וְתַנְחוּמֵי אֲבֵלִים – AND THEY RECITE ON [THE INFANT'S] ACCOUNT THE MOURNERS' BLESSING AND MOURNERS' CONDOLENCES. בֶּן שְׁנֵים עָשָׂר חֹדֶשׁ יוֹצֵא בְּמִטָּה – A TWELVE-MONTH-OLD IS TAKEN OUT to burial ON A BIER.[8] רַבִּי עֲקִיבָא אוֹמֵר – R' AKIVA SAYS: הוּא בֶּן שָׁנָה וְאֵבָרָיו כְּבֶן שְׁתַּיִם – If HE IS A ONE-YEAR-OLD AND HIS LIMBS ARE LIKE A TWO-YEAR-OLD, הוּא בֶּן שְׁתַּיִם וְאֵבָרָיו כְּבֶן שָׁנָה – or if HE IS A TWO-YEAR-OLD AND HIS LIMBS ARE LIKE A ONE-YEAR-OLD, יוֹצֵא בְּמִטָּה – HE IS TAKEN OUT ON A BIER.[9] רַבִּי שִׁמְעוֹן בֶּן אֶלְעָזָר אוֹמֵר – R' SHIMON BEN ELAZAR SAYS: הַיּוֹצֵא בְּמִטָּה רַבִּים מִצְהִיבִין עָלָיו – In the case of [A CHILD] TAKEN OUT ON A BIER, THE PUBLIC GRIEVES OVER HIM;[10] אֵינוֹ יוֹצֵא בְּמִטָּה אֵין רַבִּים מִצְהִיבִין עָלָיו – IF HE IS NOT TAKEN OUT ON A BIER, THE PUBLIC NEED NOT GRIEVE OVER HIM. רַבִּי אֶלְעָזָר בֶּן עֲזַרְיָה אוֹמֵר – R' ELAZAR BEN AZARYAH SAYS: נִיכָּר לָרַבִּים רַבִּים מִתְעַסְּקִים עִמּוֹ – IF HE WAS already KNOWN TO THE PUBLIC,[11] THEN THE PUBLIC INVOLVES ITSELF WITH HIM.[12] אֵינוֹ נִיכָּר לָרַבִּים אֵין רַבִּים מִתְעַסְּקִים עִמּוֹ – IF HE WAS NOT yet KNOWN TO THE PUBLIC, THEN THE PUBLIC NEED NOT INVOLVE THEMSELVES WITH HIM.

The Baraisa continues to discuss the mourning customs in the case of a child's death:

וּמַה הֵן בְּהֶסְפֵּד – AND WHAT status do THEY have WITH REGARD TO EULOGIZING them? רַבִּי מֵאִיר בְּשֵׁם רַבִּי יִשְׁמָעֵאל אוֹמֵר – R' MEIR SAYS IN THE NAME OF R' YISHMAEL: עֲנִיִּים בְּנֵי שָׁלֹשׁ עֲשִׁירִים בְּנֵי חָמֵשׁ – In the case of a deceased child of THE POOR, eulogies are delivered for THREE-YEAR-OLDS and those older; in the case of THE WEALTHY, eulogies are delivered for FIVE-YEAR-OLDS and those older.[13] רַבִּי יְהוּדָה אוֹמֵר מִשְּׁמוֹ – R' YEHUDAH SAYS IN [R' YISHMAEL'S] NAME: עֲנִיִּים בְּנֵי חָמֵשׁ עֲשִׁירִים בְּנֵי שֵׁשׁ – In the case of THE POOR, eulogies are offered for FIVE-YEAR-OLDS and those older; in the case of THE WEALTHY, for SIX-YEAR-OLDS. וּבְנֵי זְקֵנִים כִּבְנֵי עֲנִיִּים – AND THE CHILDREN OF THE ELDERLY ARE LIKE THE CHILDREN OF THE POOR in this regard.[14] אָמַר רַב גִּידֵל בַּר מְנַשְּׁיָא אָמַר רַב[15] – And it was in reference to *this* dispute that **Rav Gidel bar Menashya said in the name of Rav:**[15] הֲלָכָה כְּרַבִּי יְהוּדָה שֶׁאָמַר מִשּׁוּם רַבִּי יִשְׁמָעֵאל – **The halachah accords with** the opinion of **R' Yehudah that** was **said in the name of R' Yishmael.**

The Gemara returns to the ramifications of the halachah following Rabban Gamliel that Shavuos, Rosh Hashanah and Yom Kippur are like festivals in that they too cut short the mourning period:[16]

דָּרַשׁ רַבִּי עֲנָנִי בַּר שָׂשׂוֹן אַפִּיתְחָא דְּבֵי נְשִׂיאָה – **R' Anani bar Sasson announced at the entrance to the *Nasi's* house:**[17] יוֹם אֶחָד לִפְנֵי עֲצֶרֶת וַעֲצֶרֶת – If **one day** of mourning is observed **before Shavuos and** then **Shavuos** itself passes, הֲרֵי כָּאן אַרְבָּעָה עָשָׂר – **you have here** the equivalent of a total of **fourteen** of the thirty days of mourning completed.[18]

NOTES

1. Although the seclusion of a man with two women is generally forbidden, Abba Shaul permits it at a time of mourning, since he maintains that one's preoccupation with his tragedy suppresses his evil inclination, making it unlikely that they will engage in sin (*Tosafos,* citing *Kiddushin* 80b). Even in this case, though, it is forbidden for one man to seclude himself with one woman (see *Ran*).

2. Ordinarily, upon returning from the burial, the people form a row and file past the mourner and offer consolations (*Rashi ms.;* see also *Rashi* to *Berachos* 16b ד״ה אין עומדין, ibid. 17b ד״ה לשורה, and to *Kesubos* 8b ד״ה בשורה).

3. This blessing was customarily recited during the mourner's meal that is served by friends and, in Mishnaic times, was eaten in the street (see *Rashi* and *Kesubos* 8b with *Rashi;* see also appendix to *Chidushei HaRan* for a lengthy discussion of the mourner's blessing).

4. These condolences are offered to the mourners in their home throughout the *shivah.*

5. *Tosafos* cite *Rashi* as explaining that the Baraisa refers to where the infant who died within thirty days of birth was not [known to be] full term [in which case his relatives do not observe the laws of mourning altogether – see end of *Shabbos* 136a; *Yoreh Deah* 374:8]. *Tosafos,* however, explain that the reference might indeed be to an infant who was [known to be] full term. Although the relatives in that case do observe the laws of mourning (*Shabbos* loc. cit.; *Yoreh Deah* loc. cit.), the practices enumerated here do not apply (see also *Yoreh Deah* 353:4).

6. And is thus carried by a single person (*Rashi*).

7. I.e. by at least two people, which is a respectful manner of carrying out the deceased (*Rashi; Rashi ms.*).

8. [Which is more respectful.]

9. [R' Akiva holds that in order to be taken out on a bier, the deceased infant must be like a two-year-old in some respect – either size or age.]

10. Literally: make [their faces] redden [from weeping] (see *Rashi ms., Talmid R' Yechiel MiParis* and *Ritva*). [Other texts read: מְצַוְּוחִין, *cry out* (ibid.).]

The child who is old enough to be accorded the honor of being taken out on a bier is the one who is old enough [to be accorded the honor] that the public should cause themselves to grieve over him (*Rashi ms.*).

11. I.e. he was a somewhat older child, who often left the house (see *Rashi*) and came to the synagogue (*Rashi ms.*).

12. [I.e. they cease their work (*Nimukei Yosef* folio 17b)] to attend to his burial and console his father (*Rashi ms.;* see above, end of 19b).

13. The eulogy gives some measure of satisfaction to the deceased's survivors (see *Rashi ms.*). [This is more necessary in the case of a poor person, since] a poor person grieves more over the death of his child, for his child is his sole source of joy (*Rashi*), or because he needs the child to assist him (*Rashi ms.*). [The poor are especially fond of their children, as they must deprive themselves of their own needs to provide for their children (see *Nimukei Yosef* folio 17b).]

14. Since the elderly cannot move about freely, and were counting on their child to care for them (see *Rashi ms.*). Alternatively, the elderly are particularly distraught over the loss of a child, since they do not know whether they will have additional children (*Ran;* see also *Nimukei Yosef* loc. cit.).

15. [Other texts have instead אָמַר שְׁמוּאֵל, *said in the name of "Shmuel"* (see *Rif, Rosh* and *Dikdukei Soferim*), which seems more correct, as the Gemara is now reporting a different version of the ruling that Rav Gidel bar Menashya issued in the name of Shmuel (above, 24a).]

16. See Mishnah 19a.

17. The *Nasi* was the leader of the Jewish community in Eretz Yisrael (*Rashi ms., R' Shlomo ben HaYasom*).

18. This ruling follows the view (above, 20a) that the remainder of *shivah* is canceled if a festival falls a day or even a moment after the mourning has begun. Hence, if the mourner has observed a day [or even a moment] of mourning before Shavuos, the arrival of Shavuos cancels the remainder of *shivah,* and it is as if seven days of mourning have already been observed. In addition, R' Anani innovates that Shavuos itself [which is Biblically – and in Eretz Yisrael, even Rabbinically – a one-day festival] takes the place of another seven days of the *sheloshim.* And it is thus as if a total of fourteen days have elapsed (see *Rashi; Ritva*). The mourner must then observe only another sixteen days of *sheloshim* after Shavuos, and is then permitted to cut his hair [and do the other activities that were forbidden during *sheloshim*] (*Rabbeinu Chananel*).

[Although we learned in the Mishnah that "the festivals . . . are not

עין משפט
נר מצוה

קסה א ב ג ד מיי' פי"ג מהל' אבל הל' י והל' יא טוש"ע יו"ד סי' שנג סעי' ה:
קסו ה מיי' שם הל' ט סמג עשין מד"ם ב טוש"ע י"ד סי' שמד סעיף ד:
קסז ו מיי' פ"י שם הל' ג סמג שם טוש"ע י"ד סי' שלט סעי' ח:
קסח ז מיי' פ"א מהל' חגיגה הלכה ז:
קסט ח מיי' פ"י מהל' אבל הל' ג סמג שם טוש"ע י"ד סי' שלט סעי' ט:
קע ט מיי' שם הל' ד טוש"ע שם סעי' יא:
קעא י מיי' פ"ז מהל' י"ט הל' כג ופי"א מהל' אבל הל' ב סמג שם ולאוין עה טוש"ע א"ח סי' תקמז סעי' ו וטוש"ע י"ד סי' תא סעי' ב:
קעב כ מיי' שם טוש"ע א"ח שם סעי' ז וי"ד שם סעי' ד:
קעג ל מ מיי' שם הל' ג טוש"ע א"ח שם סעי' ח וי"ד שם:

מסורת הש"ס

א) [שמחות פ"ג ע"ש], ב) חגיגה יח. ר"ה ד:, ג) [ע' פרש"י בילה כט.], ד) בב"מ סא: הגי' רב חנינא, ה) משמע שרש"י היה מתיר בגדים שכבסו קודם האבל ובתוס' פי' כנ"ל, ו) דאביי כרבי ורבא כראב"ש עי' רש"ש, ז) פ"ג גרסי' בן ג' שנים יוצא במטה ר' עקיבא כו' פי' דלא בעי ג' כו' כנ"ל, ח) [עיין תוס' ברכות מז: ד"ה מלוה דרבים שאני].

אבא שאול אומר אף באיש אחד ושתי נשים ואין עומדין עליו בשורה ואין אומרים עליו ברכת אבלים ותנחומי אבלים בן שלשים יוצא בדלוסקמא רבי יהודה אומר [א]לא דלוסקמא הניטלת בכתף אלא הניטלת באגפיים ועומדין עליו בשורה ואומרים עליו ברכת אבלים ותנחומי אבלים (א) [ב]בן י"ב חדש יוצא במטה ר"ע אומר הוא בן שנה ואבריו כבן שתים הוא בן שתים ואבריו כבן שנה יוצא במטה ר' שמעון בן אלעזר אומר [ג]היוצא במטה רבים מצהיבין עליו אינו יוצא במטה אין רבים מצהיבין עליו ר"א בן עזריה אומר [ד]ניכר לרבים רבים מתעסקים עמו אינו ניכר לרבים אין רבים מתעסקים עמו ומה הן בהספד רבי מאיר בשם רבי ישמעאל אומר עניים בני שלש עשירים בני חמש רבי יהודה אומר משמו [ה]עניים בני חמש עשירים בני שש ובני זקנים כבני עניים אמר רב גידל בר מנשיא אמר רב הלכה כרבי יהודה שאמר משום רבי ישמעאל דרש ר' ענני בר ששון אפיתחא דבי נשיאה [ו]יום אחד לפני עצרת ועצרת הרי כאן ארבעה עשר שמע רבי אמי ואיקפד אמר אטו דידיה היא דרבי אלעזר א"ר אושעיא היא דרש רבי יצחק נפחא אקילעא דריש גלותא יום אחד לפני עצרת ועצרת הרי כאן ארבעה עשר שמע רב ששת איקפד אמר אטו דידיה היא דר"א אמר ר' אושעיא היא דא"ר אלעזר א"ר אושעיא [ז]מנין [ב]לעצרת שיש לה תשלומין כל שבעה שנאמר [א]בחג המצות ובחג השבועות (א) מה חג המצות יש לה תשלומין כל שבעה אף חג השבועות יש לה תשלומין כל שבעה [ג]אדבריה רב פפא לרב אויא סבא ודרש [ח]יום אחד לפני ראש השנה וראש השנה הרי כאן ארבעה עשר אמר רבינא הלכך [ט]יום אחד לפני החג וחג ושמיני שלו הרי כאן עשרים ואחד יום רבינא איקלע לסורא דפרת א"ל [ד]רב חביבא מסורא דפרת לרבינא אמר מר יום אחד לפני ראש השנה וראש השנה הרי כאן ארבעה עשר אמר ליה אנא מסתברא כרבן גמליאל הוא דאמינא: **מתני'** [י]אין קורעין [כ]ולא חולצין [ל]ואין מברין אלא קרוביו של מת [מ]ואין מברין אלא על מטה זקופה: גמ'

רש"י

דלוסקמא. ארון: ואין עומדין עליו בשורה. אין צריך לעמוד עליו בשורה כשחוזרין מבית הקברות עוברין לפני האבל בשורה וכל אחד אומר לו תתנחם: ברכת אבלים. ברכה שאומר ברחבה כדאמר בכתובות (ד' ח:): תנחומי אבלים. כל שבעה הולכין לנחמו בביתו: הניטלת בכתף. באדם אחד: באגפיים. בשני בני אדם דרך כבוד: ואבריו כבן שתים. שאבריו גדולים: מצהיבין. מרגישין ומצערין: ניכר לרבים. שהיו מכירין כבר שהיה רגיל לצאת מן הבית: מה הן בהספד. כמה יהא גדול שמצוה להספידו: עניים בני שלש. לפי שהעני מצטער על בניו יותר מן העשיר לפי שאין לו שמחה אחרת: יום אחד לפני עצרת. היה אבל: הרי כאן ארבעה עשר. דעצרת חשוב כשבעה וההו יום שלפני עצרת חשוב ז' דסבר כי האי תנא דלעיל (ד' כ.) דאמר אפילו יום אחד אפילו שעה אחת וכמאן דאמר עצרת כרגלים: מתני' על מטה זקופה. יושבין המנחמין: חולצין. כתפיהן:

מפסיק ועצרת דהוה במקום ז' ימים הרי ארבע' עשר למנין שלשים דהא דאמרינן הרגלים אין עולין היינו היכא דמתחיל אבילות ברגל דצריך שבעה אחר הרגל אבל למנין שלשים עולה לו כדאמ' לעיל בפרקין מנין לעצרת שיש לו תשלומין כל שבעה לקרבן ת"ל בחג המצות וכו'. וראש השנה הרי כאן י"ד. דסברי לה כרבן גמליאל דאמ' ראש השנה כרגלים. לפני חג. הסוכות ושמיני רגל בפני עצמו. סורא דפרת. עיר היושבת על נהר פרת. מסתברא. כוותיה הוא דקאמ'. ולא חולצין. כתף. ולא מברין. שמברין את האבל סעודה ראשונה כדלקמן. אלא קרוביו של מת. המתאבלים עליו (כגון) [חמשה] מתי מצוה [כגון] אביו ואמו. אלא על מטות זקופות. שאין צריך לכפות המטות שמיסב עליה.

תוספות

אבא שאול אומר אף באיש אחד ושתי נשים. מפורש במסכת קדושין (דף פ: ושם) אע"ג דאין איש אחד מתייחד עם שתי נשים בשעת אבילות דטרידא שרי:

ואין אומרים עליו ברכת אבלים. פירש בקונטרס דמיירי בלא כלו לו חדשיו ומיהו אפי' מיירי בכלו לו חדשיו נהי דמתאבלים עליו כדאיתא בפרק ר"א (שבת ד' קלו. ושם) ובפרק יש בכור לנחלה (בכורות דף מט.) מ"מ אין מחמירין עליו כל כך לצערו כדאשכחן בהני דסמוך דלפי מה שהוא גדול מחמירין לכבודו:

ברכת אבלים ותנחומי אבלים. שמנחמים אותו בדברים:

לעיל (ע"א) פירש בקונטרס דאם בא להחליף בגדים שכבסו קודם הרגל ללבוש בגדים שהן מכובסין כי חלוק הוא מלבוש ומכאן [ה]משמע שר' שמעון היה מתיר בגדים שכבסו קודם הרגל ובתוס' פי' אם בא להחליף ללבוש בגדים שאינם מכובסים כי חלוק הוא מלבוש ורגילים ללובשו ולהחליף בלא כיבוס ור' יצחק זקיני סובר כך ועל פירש"י הקשה דאי שרי בגדים שכבסו קודם אבלו ומסתמא הכי נמי שרי בגדים המגוהצים קודם אבילות וא"כ מנין לו למעלה דאביי כרבי [ו]מנא ב"ר אלעזר בן שמעון שמא מקודם אבלו היו מגוהצין וי"ל דמדשרו הני דוקא ולא חדשים לבנים ש"מ דסבירא להו הכי ומיהו זהו המנהג עתה שמלבישין אותו לאדם אחר יום או חצי יום ואין זה קרוי בגד מכובס לדידיה: **רבי** עקיבא אומר בן שנה כו'. ולא סגי בי"ב חדשים ובמסכת שמחות [ז]נראה לי ר"ע כו' פירוש דלא בעי ג' שנים ואם מת ביום שלשים פוסק בפ' יש בכור (בכורות ד' מט.) שלשים יום באדם אינו נפל ויום שלשים לענין אבילות כיום שלפניו ואינו מתאבל וה"ה מסתמא לענין בכור:

דרבי אלעזר א"ר אושעיא היא. והא דלא מייתי ברייתא דר"א בן יעקב דמפיק תשלומין מוקראתם ובקצרכם איזהו חג שאתה קורא וקוצר הוי אומר זה חג השבועות וריש לקיש אמר חג הקציר איזהו חג שאתה חוגג וקוצר בו הוי אומר זה עצרת ויש לומר דלא ידעינן כמה ימים אי לאו מדרבי אושעיא כדאיתא פרק אין דורשין (חגיגה דף יז: ושם) אלא קשיא מנא ליה דעצרת כרגלים בזמן הזה הא ליכא תשלומין ונהי דמתני' הכי משמע מדקאמרי עצרת כרגלים משמע לגמרי מיהו היא גופא מנא ליה י"ל כיון דעצרת חד יומא ונחשב כמו פסח וסוכות בזמן שבית המקדש קיים לענין תשלומין חשיב נמי לדידן כרגל דפסח וסוכות מיהו בר"ה ויום הכפורים משמע דלא סבירא להו הכי דליהוו חשיבי כשבעה ימים מדלא נקט אלא עצרת ולית ליה דרבן גמליאל ורב פפא דבסמוך דאמרי אפילו ר"ה ויוה"כ ישנן כרגלים דלעולם הוא במקום פסח וסוכות הקשה בתוספות הרב מה אנו צריכים שיהא ראש השנה כשבעה ימים בלאו הכי נמי מותר לגלח ערב יום כפורים דהוי קובר את מתו שמונה ימים קודם יום כפורים דבטלה הימנו גזרת שלשים ותירץ דנפקא מינה אם לא גילח ערב יום כפורים דאינו מגלח אחר יום כפורים אבל עתה דחשבינן ראש השנה כשבעה ויום הכפורים כשבעה וערב ראש השנה כשבעה ימים קודם ובין ראש השנה ליום כפורים שבעה ונקיט ליה בתר יום כפורים שני ימים ומגלח ואין נראה לי תירוץ זה דהא קיימא לן כאבא שאול דאמר לעיל (ד' יט:) מגלח אחר הרגל אלא יש לפרש דנפקא לן מינה לענין שמועה רחוקה דחשבינן לה שמועה רחוקה בהני שני ימים אחר יום כפורים וזהו דוחק גדול כי זה אינו מפורש בשום מקום שתחשב שמועה רחוקה פחות משלשים יום ויותר היה יכול לומר לענין דחשבינן אחר ראש השנה שבת שלישית דאמר לעיל יושב במקומו מיהו אין זה נראה שום קושיא כלל דהא דאמר שמונה ימים קודם הרגל בטלה ממנו גזרת שלשים יום היינו דוקא היכא דנהג אבילות שבעה ימים אבל זה שלא נהג אבילות כי אם יום אחד לא אמרינן יום כפורים תבטל שלשים ותמהתי למה לא פירש הרב כך כי דבר זה פשוט ובסמוך פירש כענין זה הרב יום אחד לפני החג וחג ושמיני שלו הרי כאן כ"א יום דדוקא בהני אומרים דשמיני עצרת הרי כ"א יום אבל מת ברגל שלא נהג אבילות קודם הרגל לא הוי שמיני עצרת כי אם יום אחד למנין שלשים כך נראה לי ואיני יודע הבירור כך פירש הרב ופירש בהלכות גדולות דהשתא דאית לן תרי יומי אי שכיב ליה שיכבא ביום טוב ראשון לא ינהוג אבילות עד מוצאי יום טוב שני (ימים) ואותו יום טוב שני עולה למנין שבעה ואי שכיב ביום שני ההוא יומא נוהג אבילות דכיון דיום טוב שני דרבנן אתי אבילות דאורייתא דיום ראשון דהוי מן התורה כדאמרינן בזבחים (ד' ק:) ומבטל יום שני דרבנן ואין נראה לר"י וגם אין נוהגין כלל ובמקום אחר פירשתי[ח]:

אלא קרוביו. ירושלמי ובלבד קרובים הראוין להתאבל כהדא דרבי אבין דמך במועדא לא גמל ר' מנא חסדא אמר בתר מועדא ניעבדא ליה יקרא ואסיק חכם שמת הכל כקרוביו מברין עליו אלו ואלו נראה לי מכאן משמע שיש הבראה בלא אבילות [ט]כגון ברגל ולקמן (ד' כה:) אמר אפי' רבו שלמדו חכמה אינו יושב עליו אלא יום אחד ותמיהני אם כן נצטרך הבראה לשמועה רחוקה ולא מצינו ברבי חייא שעשו לו הבראה אלא קאמר לעיל (דף כ:) והולך כלי אחרי לבית המרחץ ושמא לענין הבראה החמירו משום כבוד החכם:

הגהות הב"ח

(א) גמ' בחג המצות ובחג השבועות ובחג הסוכות מה חג המצות:

גליון הש"ס

תוס' ד"ה אלא כו' כגון ברגל. עיין לעיל דף כ ע"א תד"ה שכבר:

תורה אור השלם

א) שָׁלוֹשׁ פְּעָמִים בַּשָּׁנָה יֵרָאֶה כָל זְכוּרְךָ אֶת פְּנֵי יְיָ אֱלֹהֶיךָ בַּמָּקוֹם אֲשֶׁר יִבְחָר בְּחַג הַמַּצּוֹת וּבְחַג הַשָּׁבֻעוֹת וּבְחַג הַסֻּכּוֹת וְלֹא יֵרָאֶה אֶת פְּנֵי יְיָ רֵיקָם: [דברים טז, טז]

רש"י כת"י

ואין. צריך לעמוד בשורה כשחוזרין מבית הקברות עוברין לפני האבל בשורה וכל אחד אומר לו תתנחם. ברכת אבלים. ברכה שאומרין ברחבה כדאמרינן בכתובות (ח:). תנחומי אבלים. כל שבעה הולכין אל ביתו לנחמו. דלוסקמא. כלי שנקבר בו. לא בדלוסקמא קטנה כל כך הניטלת על הכתף באדם אחד. אלא. בין ידים אגפים בשני בני אדם דרך כבוד. היוצא במטה רבים צווחין עליו. אותו שחשבתו לצאת במטה כבוד גדול הוא שיהו רבים מתאנחין עליו אית ספרי דכתוב בהו מצהיבין כלומר משנין פנים ומצטערין כמו להבו פניו (מנחות יח.). ניכר לרבים. שהיה גדול כבר שהיה רגיל לצאת ולבוא לבית הכנסת. רבים מתעסקין בו. לקברו ולנחם את אביו. ומהו בהספד. כמה יהא גדול שמצוה להספידו. עניים בני שלש. מפני קורת רוח של עני שמצטער על בנו יותר מן העשיר לפי שבנו מסייעו וצריך לו. ר' יהודה אומר משמו. של ר' ישמעאל. בני זקנים. זקנים ממש. כבני עניים. לפי שלא (היו) יכולין לצאת ולבוא ובניהם מטפלין בהן. [וי"מ] זקנים תלמידי חכמים. רב ענני. נשיא בארץ ישראל ראש הגולה בבבל. יום אחד לפני עצרת. מבטלת גזירת שבעה אליבא דבית הלל דאמרי לעיל אפי' יום אחד אפילו שעה אחת נהג אבילות קודם הרגל רגל

רבינו חננאל

כר"ג. איכא דאמרי להא דרב גידל אהא דתניא תינוק כל ל' יום יוצא בחיק ונקבר באשה אחת ובשני אנשים אבל לא באיש אחד ושתי נשים. אבא שאול אומר אף באיש אחד ובשתי נשים. ואין עומדין עליו בשורה ואין אומרין עליו ברכת אבלים ותנחומי אבלים. בן ל' יום יוצא בדלוסקמא. ר' יהודה אומר לא דלוסקמא הניטלת על הכתף אלא הניטלת על אגפיים. ועומדין עליו בשורה ואומרין עליו ברכת אבלים ותנחומי אבלי'. בן י"ב חודש יוצא במטה. ר' עקיבא אומר בן שנה ואבריו כבן שנתיים בן שנתיים ואבריו כבן שנה יוצא במטה. רבי שמעון בן אלעזר אומר היוצא במטה רבים מצהיבין עליו. ר' אלעזר בן עזריה אומר ניכר לרבים רבים מתעסקין בו. אין ניכר לרבים אין רבים מתעסקין בו מה הן בהספד. ר' מאיר אומר משום ר' ישמעאל עניים בני שלש. עשירים בני חמש. ר' יהודה אומר משום ר' ישמעאל עניים בני חמש. עשירים בני שש. ובני זקנים כבני עניים. אמר גידל בר מנשיא אמר שמואל הלכה כר' יהודה שאמר משום ר' ישמעאל: ירושלמי תני אין מראין פנים לא בר"ה ולא ביוה"כ. ר' חזקיה הוה ליה עובדא. סלקין רבנן למחמי ליה אפין בצומא רבא א) אמר לון כלום אמרו אין מראין פנים לא בר"ה ולא ביוה"כ לא מפני התפלה שנייה הוא יוה"כ שחל להיות בשבת. ב) דריש ר' ענני מי שקבר את מתו יום אחד לפני עצרת חשוב כשבעת ימי האבל ופסקו ז' ימי אבלו. ועצרת חשוב כשבעת ימי הרגל. דאמר ר' אלעזר מניין לעצרת שיש לה תשלומין שבעה שנאמר בחג המצות ובחג השבועות ובחג הסוכות. מה חג המצות יש לה תשלומין כל שבעה. שאם לא הקריב ביום הראשון יש לו להקריב כל ימי החג. כך עצרת יש לה תשלומין שבעה כחג המצות. הרי ז' לפני עצרת ועצרת ז' הרי י"ד משלים ט"ז יום והרי גמרו לו ל' ומותר בתספורת. אדבריה רב פפא לרב אויא סבא ודרש יום אחד לפני ר"ה ור"ה הרי י"ד אמר רבינא הלכך הקובר את מתו יום אחד לפני החג והחג שבעה. ושמיני שלו שהוא רגל בפ"ע הרי כאן כ"א יום וזהו שאמר רגל בפ"ע לענין פז"ר קש"ב. פירוש ג) רגל בפ"ע זהו כדי לחשב יום שמיני של חג הסוכות ז' ימים לאבל למנין שלשים: מתני' אין קורעין ואין חולצין כתף ולא מברין אלא קרובין של

חשק שלמה על ר"ח א) פי' ויוה"כ חל אז בשבת. ב) בירושלמי שם איתא שנייה הוא יוה"כ שחל להיות בחול ופי' דאין חילוק דבין שחל בשבת ובין שחל בחול לעולם אין מראין פנים. ג) דברי רבינו אלו הובא בתוס' ר"ה דף ד' ע"ב ד"ה פז"ר קש"ב בשמו של רבינו ז"ל.

The Gemara relates:

שָׁמַע רַבִּי אַמִּי וְאִיקְפַּד – **R' Ami heard** about R' Anani's exposition **and was indignant.** אָמַר אַטּוּ דִּידֵיהּ הִיא – **He said: Is it his own** exposition? דְּרַבִּי אֶלְעָזָר אָמַר רַבִּי אוֹשַׁעְיָא הִיא – Why, **it is** the exposition **of R' Elazar in the name of R' Oshaya!**[19]

The Gemara recounts a parallel occurrence in Babylonia:

דָּרַשׁ רַבִּי יִצְחָק נַפְחָא אַקִּילְעָא דְּרֵישׁ גָּלוּתָא – **R' Yitzchak Nafcha announced on the porch of** the house of **the** ***Reish Galusa:***[20] יוֹם אֶחָד לִפְנֵי עֲצֶרֶת וַעֲצֶרֶת – If **one day** of mourning is observed **before Shavuos and** then **Shavuos** itself passes, הֲרֵי כָּאן אַרְבָּעָה עָשָׂר – **you have here** the equivalent of a total of **fourteen** of the thirty days of mourning completed. שָׁמַע רַב שֵׁשֶׁת אִיקְפַּד – **Rav Sheishess heard** about R' Yitzchak Nafcha's exposition **and was indignant.** אָמַר אַטּוּ דִּידֵיהּ הִיא – **He said: Is it his own** exposition? דְּרַבִּי אֶלְעָזָר אָמַר רַבִּי אוֹשַׁעְיָא הִיא – Why, **it is** the exposition **of R' Elazar in the name of R' Oshaya!**

The Gemara now presents the exposition of R' Elazar in the name of R' Oshaya:

דְּאָמַר רַבִּי אֶלְעָזָר אָמַר רַבִּי אוֹשַׁעְיָא – **For R' Elazar said in the name of R' Oshaya:** מִנַּיִן לַעֲצֶרֶת שֶׁיֵּשׁ לָהּ תַּשְׁלוּמִין כָּל שִׁבְעָה – **From where** in Scripture do we derive **about Shavuos that it has** a **compensation** period that lasts **all seven** days?[21] שֶׁנֶּאֱמַר, ,,בְּחַג הַמַּצּוֹת וּבְחַג הַשָּׁבֻעוֹת . . .'' – **For it is stated:** *Three times a year all your males shall appear before Hashem, your God, in the place that He will choose,* ***on the Festival of Matzos, on the Festival of Shavuos*** *and on the Festival of Succos.*[22] The Torah thus compares the Festival of Shavuos to the Festival of Matzos (Pesach): מָה חַג הַמַּצּוֹת יֵשׁ לָהּ תַּשְׁלוּמִין כָּל שִׁבְעָה – **Just as the Festival of Matzos has** a **compensation** period that lasts **all seven** days (i.e. one may bring the Pesach *chagigah* on any of the seven days of the festival),[23] אַף חַג הַשָּׁבוּעוֹת יֵשׁ לָהּ תַּשְׁלוּמִין כָּל שִׁבְעָה – so **too the Festival of Shavuos has** a **compensation** period that lasts **all seven** days (i.e. one may bring the Shavuos *chagigah* on the one day of Shavuos and the next six days).[24]

The Gemara presents a similar ruling with regard to Rosh Hashanah:

אַדְבְּרֵיהּ רַב פַּפָּא לְרַב אַוְיָא סָבָא וְדָרַשׁ – **Rav Pappa guided Rav Avya the Elder** on a walk through the city streets[25] **and he announced:**[26] יוֹם אֶחָד לִפְנֵי רֹאשׁ הַשָּׁנָה וְרֹאשׁ הַשָּׁנָה – If **one day** of mourning is observed **before Rosh Hashanah and** then **Rosh Hashanah** itself passes, הֲרֵי כָּאן אַרְבָּעָה עָשָׂר – **you have here** the equivalent of a total of **fourteen** of the thirty days of mourning completed.[27]

Ravina carries this approach even further:

אָמַר רָבִינָא – **Ravina said:** הִלְכָּךְ – **Therefore,** in light of the above reasoning, יוֹם אֶחָד לִפְנֵי הֶחָג וְחָג וּשְׁמִינִי שֶׁלּוֹ – if **one day** of mourning is observed **before Succos and** then **Succos** itself **and its eighth day** [i.e. Shemini Atzeres] pass, הֲרֵי כָּאן עֶשְׂרִים וְאֶחָד יוֹם – **you have here** the equivalent of a total of **twenty-one** of the thirty days of mourning completed.[28]

NOTES

included'' in the count of days of mourning, that refers specifically to the count of *shivah.* The festivals do, however, count towards the days of *sheloshim,* as the Gemara concludes on 20a (*Rashi ms.*).]

19. [As the Gemara will cite below.] And R' Anani should have reported this ruling in the name of its author (*R' Shlomo ben HaYasom*).

20. The *Reish Galusa* [''Exilarch'' or: ''Head of the Diaspora''] was the leader of Babylonian Jewry, and the counterpart of the *Nasi* in Eretz Yisrael (see *Rashi ms.*).

21. Every adult Jewish male is required to bring a *shelamim* offering (called *shalmei chagigah*) on the first day of Pesach, Shavuos and Succos (see *Chagigah* 10b for a discussion of the Scriptural source). If one fails to bring his *chagigah* on the first day of Succos, he may bring it on the second through the seventh days of that festival, as derived in *Chagigah* 9a. It stands to reason that the same law applies on Pesach, since Pesach, too, is seven days long (*Rashi* to *Chagigah* 17a ד״ה מה חג המצות). Our Gemara seeks to prove that in the case of Shavuos as well, though it lasts only one day, there are seven days in which it is possible to offer the *chagigah* (i.e. the day of Shavuos and the next six days).

[Although the basic law of compensation is derived in reference to the *chagigah,* it also applies to the *olas re'iyah* (the *olah* offering the pilgrim is required to bring upon arriving at the Temple) (*Tosafos* to *Chagigah* 2a ד״ה תשלומין; *Rambam, Hil. Chagigah* 1:4).]

22. *Deuteronomy* 16:16. This verse discusses the obligation to come to Jerusalem to celebrate the pilgrimage festivals with offerings.

23. [The verse quoted here actually refers to the *olas re'iyah.* However, the laws of the *chagigah* and *olas re'iyah* are derived from one another.]

24. R' Ami and Rav Sheishess maintain that since Shavuos has compensation for seven days (with regard to the *chagigah*), it is considered like seven days with regard to the count of *sheloshim.* The rulings of R' Anani and R' Yitzchak Nafcha thus follow naturally from the statement of R' Elazar in the name of R' Oshaya (see *Ramban*).

[One might suggest that R' Anani and R' Yitzchak Nafcha had to state their rulings in order to indicate that Shavuos is like a festival even nowadays, when there is no Temple and thus no ''compensation period.'' Nevertheless, R' Ami and Rav Sheishess were indignant, because there was no need for the announcers to mention that either, as it emerges clearly from the view of the Sages stated in our Mishnah (*Ramban* ibid.; see also *Tosafos* and *Ritva* here).]

25. See *Rashi* to *Beitzah* 29a ד״ה אדבריה; see, however, *Rabbeinu Chananel* cited in next note.

26. I.e. Rav Pappa (*Tosafos* ד״ה דרבי אלעזר), or Rav Avya (*Ritva*). [According to *Rabbeinu Chananel* (*Beitzah* 29a), the meaning would be that Rav Pappa instructed Rav Avya the Elder to make the announcement that follows.]

27. The novelty of this ruling is that the law which applies to the pilgrimage festivals [רְגָלִים] applies to Rosh Hashanah as well, though it is only a festival [מוֹעֵד] but not a *pilgrimage* festival [and hence has no *chagigah* requirement, and thus no seven-day ''compensation period'' (see *Ramban*)]. Since Rabban Gamliel equates Rosh Hashanah with the pilgrimage festivals with regard to its ability to cut short the mourning period (Mishnah, 19a) [indeed, the Torah itself equates all the festivals – including Rosh Hashanah – to one another; see *Shevuos* 10a (*Ramban* ibid.)], it is also equated with them with regard to being considered the equivalent of seven days of the *sheloshim,* just like Shavuos (*Ritva*).

The Rishonim raise a major difficulty with this ruling. What difference does it make that Rosh Hashanah itself is considered like seven days? Even if it were *not* considered like seven days, the result would apparently be the same. For since the arrival of Rosh Hashanah cancels the *shivah,* the arrival of Yom Kippur (nine days later) would then cancel the *sheloshim* (since, according to Rabban Gamliel, on whose view this ruling is predicated, Rosh Hashanah and Yom Kippur are both the same as the festivals)! *Tosafos* (ד״ה דרבי אלעזר) consider various solutions. Among those solutions is the assertion that a festival [such as Yom Kippur] cancels *sheloshim* only if the seven days of *shivah* were actually observed. But if the *shivah* was *canceled* by one festival, as in the present case, the arrival of a second festival [such as Yom Kippur] does not cancel the *sheloshim.* See a similar approach in *Raavad,* cited by *Tos. HaRosh* and *Rosh* §28; see also *Meiri;* cf. *Ritva.* Another answer advanced by the Rishonim is that Yom Kippur *does* cancel the *sheloshim,* and there is, indeed, no practical significance in saying that Rosh Hashanah counts as seven days in this case. The main point of the announcer was to declare that the halachah follows Rabban Gamliel with regard to Rosh Hashanah, and the announcer simply formulated that declaration in the same words that R' Anani and R' Yitzchak Nafcha had used with regard to Shavuos (*Ritva* citing *Ri's* second explanation; *Ramban* [also cited in *Rosh* ibid.]; see also *Ramban's* lengthy synopsis of various approaches to this question).

[The latter approach – that Yom Kippur does indeed cancel the *sheloshim* – is the halachah, as ruled in *Orach Chaim* 548:14 and *Yoreh Deah* 399:9.]

28. If the mourner has observed a moment of mourning before Succos, the arrival of Succos cancels the remainder of *shivah,* and it is as if seven days of mourning have already been observed. The seven days of the

עין משפט
נר מצוה

קסה א ב ג ד מיי' פי"ב מהל' אבל הל' י והל' יא טוש"ע יו"ד סי' שנג סעי' ה:
קסו ה מיי' שם הל' ט סמג עשין מד"ס ב טוש"ע י"ד סי' שמד סעיף ד:
קסז ו מיי' פ"י שם הל' ג סמג שם טוש"ע י"ד סי' שלט סעי' ח:
קסח ז מיי' פ"א מהל' חגיגה הלכה ז:
קסט ח מיי' פ"י מהל' אבל הל' ג סמג שם טוש"ע י"ד סי' שלט סעי' ט:
קע ט מיי' שם הל' ד טוש"ע שם סעי' יא:
קעא י מיי' פ"ז מהל' י"ט הל' כג ופי"א מהל' אבל הל' ב סמג שם ולאוין עה טוש"ע א"ח סי' תקמז סעי' ו וטוש"ע י"ד סי' תא סעי' ב:
קעב כ מיי' שם טוש"ע א"ח שם סעי' ז וי"ד שם סעי' ד:
קעג ל מ מיי' שם הל' ג טוש"ע א"ח שם סעי' ח וי"ד שם:

רבינו חננאל

כר"ג. איכא דאמרי להא דרב גידל אהא דתניא תינוק כל ל' יום יוצא בחיק ונקבר באשה אחת ובשני אנשים אבל לא באיש אחד ושתי נשים. אבא שאול אומר אף באיש אחד ובשתי נשים. ואין עומדין עליו בשורה ואין אומרין עליו ברכת אבלים ותנחומי אבלים. בן ל' יום יוצא בדלוסקמא. ר' יהודה אומר לא דלוסקמא הניטלת על הכתף אלא הניטלת על אגפיים. ועומדין עליו בשורה ואומרין עליו ברכת אבלים ותנחומי אבלי'. בן י"ב חודש יוצא במטה. ר' עקיבא אומר בן שנה ואבריו כבן שנתיים בן שנתיים ואבריו כבן שנה יוצא במטה. רבי שמעון בן אלעזר אומר היוצא במטה רבים מצהיבין עליו. ר' אלעזר בן עזריה אומר ניכר לרבים רבים מתעסקין בו. אין ניכר לרבים אין רבים מתעסקין בו מה הן בהספד. ר' מאיר אומר משום ר' ישמעאל עניים בני שלש. עשירים בני חמש. ר' יהודה אומר משום ר' ישמעאל עניים בני חמש. עשירים בני שש. ובני זקנים כבני עניים. אמר גידל בר מנשיא אמר שמואל הלכה כר' יהודה שאמר משום ר' ישמעאל: **ירושלמי** תני אין מראין פנים לא בר"ה ולא ביוה"כ. ר' חזקיה הוה ליה עובדא. סלקין רבנן למחמי ליה אפין בצומא רבא א) אמר לון כלום אמרו אין מראין פנים לא בר"ה ולא ביוה"כ לא מפני התפלה שנייה הוא יוה"כ שחל להיות בשבת. ג) דריש ר' ענני מי שקבר את מתו יום אחד לפני עצרת חשוב כשבעת ימי האבל ופסקו ז' ימי אבלו. ועצרת חשוב כשבעת ימי הרגל. דאמר ר' אלעזר מניין לעצרת שיש לה תשלומין שבעה שנאמר בחג המצות ובחג השבועות ובחג הסוכות. מה חג המצות יש לה תשלומין כל שבעה. שאם לא הקריב ביום הראשון יש לו להקריב כל ימי החג. כך עצרת יש לה תשלומין שבעה כחג המצות. הרי ז' לפני עצרת ועצרת ד' הרי י"ד משלים ט"ז יום והרי גמרו לו ל' ומותר בתספורת. אדבריה רב פפא לרב אויא סבא ודרש יום אחד לפני ר"ה ור"ה הרי י"ד אמר רבינא הלכך הקובר את מתו יום אחד לפני החג שבעה והחג שבעה. ושמיני שלו שהוא רגל בפ"ע הרי כאן כ"א יום וזהו שאמר רגל בפ"ע לענין פז"ר קש"ב. פירוש ג) רגל בפ"ע זהו כדי לחשב יום שמיני של חג הסוכות ז' ימים לאבל למנין שלשים: מתני' אין קורעין ואין חולצין כתף ולא מברין אלא קרובין של

אבא שאול אומר אף באיש אחד ושתי נשים. מפורש במסכת קדושין (דף פ: ושם) אע"ג דאין איש אחד מתייחד עם שתי נשים בשעת אבילות דטרידא שרי:

ואין אומרים עליו ברכת אבלים. פירש בקונטרס דמיירי בלא כלו לו חדשיו ומיהו אפי' מיירי בכלו לו חדשיו נהי דמתאבלים עליו כדאיתא בפרק ר"א (שבת ד' קלו. ושם) ובפרק יש בכור לנחלה (בכורות דף מט.) מ"מ אין מחמירין עליו כל כך לצערו כדאשכחן בהני דסמוך דלפי מה שהוא גדול מחמירין לכבודו:

ברכת אבלים ותנחומי אבלים. שמנחמים אותו בדברים: לעיל (ע"א) פירש בקונטרס דאם בא להחליף בגדים שכבסו קודם הרגל ללבוש בגדים שהן מכובסין כי חלוק הוא מלבוש ומכאן ה) משמע שר' שמעון היה מתיר בגדים שכבסו קודם הרגל ובתוס' פי' אם בא להחליף ללבוש בגדים שאינם מכובסים כי חלוק הוא מלבוש ורגילים ללובשו ולהחליף בלא כיבוס ור' יצחק זקיני סובר כך ועל פירש"י הקשה דאי שרי בגדים שכבסו קודם אבלו ומסתמא הכי נמי שרי בגדים המגוהצים קודם אבילות וא"כ מנין לו למעלה דאביי כרבי ו) מנא ב"ר אלעזר בן שמעון שמא מקודם אבלו היו מגוהצין וי"ל דמדשרו הני דוקא ולא חדשים לבנים ש"מ דסבירא להו הכי ומיהו זהו המנהג עתה שמלבישין אותו לאדם אחר יום או בלי יום ואין זה קרוי בגד מכובס לדידיה: **רבי** עקיבא אומר בן שנה כו'. ולא סגי בי"ב חדשים ובמסכת שמחות ז) נראה לי ר"ע כו' פירוש דלא בעי ג' שנים ואם מת ביום שלשים פוסק בפ' יש בכור (בכורות ד' מט.) שלשים יום באדם אינו נפל ויום שלשים לענין אבילות כיום שלפניו ואינו מתאבל וה"ה מסתמא לענין בכור:

דרבי אלעזר א"ר אושעיא היא. והא דלא מייתי ברייתא דר"א בן יעקב דמפיק תשלומין מוקראתם ובקלרכס איזהו חג שאתה קורא וקולר הוי אומר זה חג השבועות וריש לקיש אמר חג הקליר איזהו חג שאתה חוגג וקולר בו הוי אומר זה עצרת ויש לומר דלא ידעינן כמה ימים אי לאו מדרבי אושעיא כדאיתא פרק אין דורשין (חגיגה דף יז: ושם) אלא קשיא מנא ליה דעצרת כרגלים בזמן הזה הא ליכא תשלומין ונהי דמתני' הכי משמע מדקאמרי עצרת כרגלים משמע לגמרי מיהו היא גופא מנא ליה י"ל כיון דעצרת חד יומא ונחשב כמו פסח וסוכות בזמן שבית המקדש קיים לענין תשלומין חשיב נמי לדידן כרגל דפסח וסוכות מיהו בר"ה ויום הכפורים משמע דלא סבירא להו הכי דליהוו חשיבי כשבעה ימים מדלא נקט אלא עצרת ולית ליה דרבן גמליאל ורב פפא דבסמוך דאמרי אפילו ר"ה ויוה"כ ישנן כרגלים דלעולם הוא במקום פסח וסוכות הקשה בתוספות הרב מה אנו צריכים שיהא ראש השנה כשבעה ימים בלאו הכי נמי מותר לגלח ערב יום כפורים דהוי קובר את מתו שמונה ימים קודם יום כפורים דבטלה הימנו גזרת שלשים ותירץ דנפקא מינה אם לא גילח ערב יום כפורים דאינו מגלח אחר יום כפורים אבל עתה דחשבינן ראש השנה כשבעה ויום הכפורים כשבעה וערב ראש השנה כשבעה ימים קודם ובין ראש השנה ליום כפורים שבעה ונקיט ליה בתר יום כפורים שני ימים ומגלח ואין נראה לי תירוץ זה דהא קיימא לן כאבא שאול דאמר לעיל (ד' יט:) מגלח אחר הרגל אלא יש לפרש דנפקא לן מינה לענין שמועה רחוקה דחשבינן לה שמועה רחוקה בהני שני ימים אחר יום כפורים וזהו דוחק גדול כי זה אינו מפורש בשום מקום שתחשב שמועה רחוקה פחות משלשים יום ויותר היה יכול לומר לענין דחשבינן אחר ראש השנה שבת שלישית דאמר לעיל יושב במקומו מיהו אין זה נראה שום קושיא כלל דהא דאמר שמונה ימים קודם הרגל בטלה ממנו גזרת שלשים יום היינו דוקא היכא דנהג אבילות שבעה ימים אבל זה שלא נהג אבילות כי אם יום אחד לא אמרינן יום כפורים תבטל שלשים ותמהתי למה לא פירש הרב כך כי דבר זה פשוט ובסמוך פירש כענין זה הרב יום אחד לפני החג וחג ושמיני שלו הרי כאן כ"א יום דדוקא בהני אומרים דשמיני עצרת הרי כ"א יום אבל מת ברגל שלא נהג אבילות קודם הרגל לא הוי שמיני עצרת כי אם יום אחד למנין שלשים כך נראה לי ואיני יודע הבירור כך פירש הרב ופירש בהלכות גדולות דהשתא דאית לן תרי יומי אי שכיב ליה שיכבא ביום טוב ראשון לא ינהוג אבילות עד מוצאי יום טוב שני (ימים) ואותו יום טוב שני עולה למנין שבעה ואי שכיב ביום שני ההוא יומא נוהג אבילות דכיון דיום טוב שני דרבנן אתי אבילות דאורייתא דיום ראשון דהוי מן התורה כדאמרינן בזבחים (ד' ק:) ומבטל יום שני דרבנן ואין נראה לר"י וגם אין נוהגין כלל ובמקום אחר פירשתי ח):

אלא קרוביו. ירושלמי ובלבד קרובים הראוין להתאבל כהדא דרבי אבין דמך במועדא לא גמל ר' מנא חסדא אמר בתר מועדא ניעבדא ליה יקרא ואסיק חכם שמת הכל כקרוביו מברין עליו אלו ואלו נראה לי מכאן משמע שיש הבראה בלא אבילות ט) כגון ברגל ולקמן (ד' כה:) אמר אפי' רבו שלמדו חכמה אינו יושב עליו אלא יום אחד ותמיהני אם כן נצטרך הבראה לשמועה רחוקה ולא מצינו ברבי חייא שעשו לו הבראה אלא קאמר לעיל (דף כ:) והולך כלי אחרי לבית המרחץ ושמא לענין הבראה החמירו משום כבוד החכם:

אבא שאול אומר אף באיש אחד ושתי נשים ואין עומדין עליו בשורה ואין אומרים עליו ברכת אבלים ותנחומי אבלים בן שלשים יוצא בדלוסקמא רבי יהודה אומר א) לא דלוסקמא הניטלת בכתף אלא הניטלת באגפיים ועומדין עליו בשורה ואומרים עליו ברכת אבלים ותנחומי אבלים (א) ב) בן י"ב חדש יוצא במטה ר"ע אומר הוא בן שנה ואבריו כבן שתים הוא בן שתים ואבריו כבן שנה יוצא במטה ר' שמעון בן אלעזר אומר ג) היוצא במטה רבים מצהיבין עליו אינו יוצא במטה אין רבים מצהיבין עליו ר"א בן עזריה אומר ד) ניכר לרבים רבים מתעסקים עמו אינו ניכר לרבים אין רבים מתעסקים עמו ומה הן בהספד רבי מאיר בשם רבי ישמעאל אומר עניים בני שלש עשירים בני חמש רבי יהודה אומר משמו ה) עניים בני חמש עשירים בני שש ובני זקנים כבני עניים אמר רב גידל בר מנשיא אמר רב הלכה כרבי יהודה שאמר משום רבי ישמעאל דרש ר' ענני בר ששון אפיתחא דבי נשיאה ו) יום אחד לפני עצרת ועצרת הרי כאן ארבעה עשר שמע רבי אמי ואיקפד אמר אטו דידיה היא דרבי אלעזר א"ר אושעיא היא דרש רבי יצחק נפחא אקילעא דריש גלותא יום אחד לפני עצרת ועצרת הרי כאן ארבעה עשר שמע רב ששת איקפד אמר אטו דידיה היא דר"א אמר ר' אושעיא היא דא"ר אלעזר א"ר אושעיא ז) מנין ג) לעצרת שיש לה תשלומין כל שבעה שנאמר א) בחג המצות ובחג השבועות (א) מה חג המצות יש לה תשלומין כל שבעה אף חג השבועות יש לה תשלומין כל שבעה ג) אדבריה רב פפא לרב אויא סבא ודרש ח) יום אחד לפני ראש השנה וראש השנה הרי כאן ארבעה עשר אמר רבינא הלכך ט) יום אחד לפני החג וחג ושמיני שלו הרי כאן עשרים ואחד יום רבינא איקלע לסורא דפרת א"ל ד) רב חביבא מסורא דפרת לרבינא אמר מר יום אחד לפני ראש השנה וראש השנה הרי כאן ארבעה עשר אמר ליה אנא מסתברא כרבן גמליאל הוא דאמינא: **מתני'** י) אין קורעין כ) ולא חולצין ל) ואין מברין אלא קרוביו של מת מ) ואין מברין אלא על מטה זקופה:

גמ'

דלוסקמא. ארון: ואין עומדין עליו בשורה. אין צריך לעמוד עליו בשורה כשחוזרין מבית הקברות עוברין לפני האבל בשורה וכל אחד אומר לו תתנחם: ברכת אבלים. ברכה שאומר ברחבה כדאמר בכתובות (ד' ח:): תנחומי אבלים. כל שבעה הולכין לנחמו בביתו: הניטלת בכתף. באדם אחד: באגפיים. בשני בני אדם דרך כבוד: ואבריו כבן שתים. שאבריו גדולים: מצהיבין. מרגישין ומצערין: ניכר לרבים. שהיו מכירין כבר שהיה רגיל לצאת מן הבית: מה הן בהספד. כמה יהא גדול שמצוה להספידו: עניים בני שלש. לפי שהעני מצטער על בניו יותר מן העשיר לפי שאין לו שמחה אחרת: יום אחד לפני עצרת. היה אבל: הרי כאן ארבעה עשר. דעצרת חשוב כשבעה וזהו יום שלפני עצרת חשוב ז' דסבר כי האי תנא דלעיל (ד' כ.) דאמר אפילו יום אחד אפילו שעה אחת וכמאן דאמר עצרת כרגלים: מתני' על מטה זקופה. יושבין המנחמין: חולצין. כתפיהן:

מסורת הש"ס

א) [שמחות פ"ג ע"ש], ב) חגיגה יז. ר"ה ד:, ג) [ע' פרש"י ביצה כט.], ד) בכ"מ סא: הגי' רב חנינא, ה) משמע שרש"י היה מתיר בגדים שכבסן קודם האבל ובתוס' פי' כל"ל, ו) דאביי כרבי ורבה כראב"ש עי' רש"ש, ז) פ"ג גרסי' בן ג' שנים יוצא במטה ר' עקיבא כו' פי' דלא בעי ג' כו' כל"ל, ח) [עיין תוס' ברכות מז: ד"ה מלוה דרבים שאני].

הגהות הב"ח

(א) גמ' בחג המצות ובחג השבועות ובחג הסוכות מה חג המצות:

גליון הש"ס

תוס' ד"ה אלא כו' כגון ברגל. עיין לעיל דף כ ע"א תד"ה שכבר:

תורה אור השלם

א) שָׁלוֹשׁ פְּעָמִים בַּשָּׁנָה יֵרָאֶה כָל זְכוּרְךָ אֶת פְּנֵי יְיָ אֱלֹהֶיךָ בַּמָּקוֹם אֲשֶׁר יִבְחָר בְּחַג הַמַּצּוֹת וּבְחַג הַשָּׁבֻעוֹת וּבְחַג הַסֻּכּוֹת וְלֹא יֵרָאֶה אֶת פְּנֵי יְיָ רֵיקָם: [דברים טז, טז]

רש"י כת"י

ואין. צריך לעמוד בשורה כשחוזרין מבית הקברות עוברין לפני האבל בשורה וכל אחד אומר לו תתנחם. ברכת אבלים. ברכה שאומרין ברחבה כדאמרינן בכתובות (ח:). תנחומי אבלים. כל שבעה הולכין אל ביתו לנחמו. דלוסקמא. כלי שנקבר בו. לא בדלוסקמא קטנה כל כך הניטלת על הכתף באדם אחד. אלא. בין ידים אגפים בשני בני אדם דרך כבוד. היוצא במטה רבים צווחין עליו. אותו שתובעו לצאת במטה כבוד גדול הוא שיהו רבים מתאבלין עליו אית ספרי דכתוב בהו מלהיבין כלומר משנין פנים ומצטערין כמו להבו פניו (מנחות יח.). ניכר לרבים. שהיה גדול כבר שהיה רגיל לצאת ולבוא לבית הכנסת. רבים מתעסקין בו. לקברו ולנחם את אביו. ומהו בהספד. כמה יהא גדול שמצוה להספידו. עניים בני שלש. מפני קורת רוח של עני שמצטער על בנו יותר מן העשיר לפי שבנו מסייעו וצריך לו. ר' יהודה אומר משמו. של ר' ישמעאל. בני זקנים. זקנים ממש. כבני עניים. לפי שלא (היו) יכולין לצאת ולבוא ובניהם מטפלין בהן. [וי"מ] זקנים תלמידי חכמים. רב ענני. נשיא בארץ ישראל ראש הגולה בבבל. יום אחד לפני עצרת. מבטלת גזירת שבעה אליבא דבית הלל דאמרי לעיל אפי' יום אחד אפילו שעה אחת נהג אבילות קודם הרגל רגל מפסיק ועצרת דהוה במקום ז' ימים הרי ארבע' עשר למנין שלשים דהא דאמרינן הרגלים אין עולין היינו היכא דאתחיל אבילות ברגל דצריך שבעה אחר הרגל אבל למנין שלשים עולה לו כדאמ' לעיל בפרקין מנין לעצרת שאע"פ שאינו אלא יום אחד יש לו תשלומין כל שבעה לקרבן מ"ל בחג המצות וכו'. וראש השנה הרי כאן י"ד. דסברי לה כרבן גמליאל דאמ' ראש השנה כרגלים. לפני חג. הסוכות ושמיני רגל בפני עצמו. סורא דפרת. עיר היושבת על נהר פרת. מסתברא. כוותיה הוא דקאמ'. ולא חולצין. כתף. ולא מברין. שמברין את האבל סעודה ראשונ' משל אחרים כדלקמן. אלא קרוביו של מת. המתאבלים עליו (כגון) [כמשה] מתי מצוה [כגון] אביו ואמו. אלא על מטות זקופות. שאין צריך לכפות המטות שמיסב עליה.

וכף

חשק שלמה על ר"ח א) פי' ויוה"כ של א' בשבת. ב) בירושלמי שם איתא שנייה הוא יוה"כ שחל להיות בחול ופי' דאין חילוק דבין שחל בשבת ובין שחל בחול לעולם אין מראין פנים. ג) דברי רבינו אלו הובאו בתוס' ר"ה דף ד' ע"ב ד"ה פז"ר קש"ב בשמו של רבינו ז"ל.

The Gemara continues:

רָבִינָא אִיקְלַע לְסוּרָא דִּפְרָת – **Ravina visited** the town of **Sura on the Euphrates.**[29] אָמַר לֵיהּ רַב חֲבִיבָא מִסּוּרָא דִּפְרָת לְרָבִינָא – **Rav Chaviva of Sura on the Euphrates said to Ravina:** אָמַר מָר יוֹם אֶחָד לִפְנֵי רֹאשׁ הַשָּׁנָה וְרֹאשׁ הַשָּׁנָה הֲרֵי כָּאן אַרְבָּעָה עָשָׂר – **Did the master** [i.e. you] **say** that if **one day** of mourning is observed **before Rosh Hashanah and** then **Rosh Hashanah** itself passes, **you have here** the equivalent of a total of **fourteen** of the thirty days of mourning completed?[30] אָמַר לֵיהּ – **[Ravina] replied to [Rav Chaviva]:** אֲנָא – **What I said was** מִסְתַּבְּרָא כְּרַבָּן גַּמְלִיאֵל הוּא דַּאֲמִינָא – **that the more reasonable** approach is **as Rabban Gamliel** maintains, that Rosh Hashanah is no different from the other festivals.[31]

Mishnah אֵין קוֹרְעִין – **None rend** their garments upon a death, וְלֹא חוֹלְצִין – **nor bare** their shoulders,[32] וְאֵין מַבְרִין – **nor do we serve the mourner's meal**[33] to any אֶלָּא קְרוֹבָיו שֶׁל מֵת – **but the relatives of the deceased.**[34] וְאֵין מַבְרִין אֶלָּא עַל מִטָּה זְקוּפָה – **Nor do we serve the mourner's meal except on an upright bed.**[35]

NOTES

Succos festival count as another seven days, and Shemini Atzeres – which is a festival in its own right (see *Rabbeinu Chananel* here, and *Tosafos* to *Rosh Hashanah* 4b ד״ה פז״ר) – counts as yet another seven days, for a total of twenty-one. Thus, after Shemini Atzeres the mourner must observe only another nine days of *sheloshim* (*Meiri*).

The Rishonim (*Ramban, Rosh* §28 and *Meiri*) ask why (according to the last approach cited in the preceding note) we do not say here as well that Shemini Atzeres cancels the *sheloshim* entirely. They answer that Shemini Atzeres cannot cancel the *sheloshim* entirely since the mourner has not yet [demonstrably] observed the *sheloshim* restrictions (i.e. refraining from haircutting, laundering and social gatherings), as haircutting and laundering are forbidden throughout the festival in any event. (See the elaboration of *Taz, Yoreh Deah* 399:6.) And the rule is that a festival cancels only a mourning period whose observance has already begun.

29. See above, 20a note 13.

30. [From the fact that Ravina said (as the Gemara has just quoted), "Therefore [in light of the above] . . .," it would seem that he agrees fully with Rav Pappa that the day before Rosh Hashanah plus Rosh Hashanah itself adds up to fourteen days of *sheloshim* completed.]

31. There are various interpretations as to what Ravina meant by his response. Some explain that he meant that he simply ruled in accordance with Rabban Gamliel (that Rosh Hashanah is the same as any other festival with regard to abbreviating the mourning period), but that he never said that, as a result, fourteen days of the *sheloshim* are complete and another sixteen must be observed. For in any event, Yom Kippur will come and cancel the rest of *sheloshim* entirely. And he thus meant to anticipate the difficulty raised above in note 27 (*Ramban;* see also *Ritva* here). Alternatively, Ravina meant only that he never ruled *in practice* that way, but had said only that Rabban Gamliel's view would *seem* to be the most reasonable (ibid.). Others explain that Ravina meant that he had ruled only that the halachah follows Rabban Gamliel that Rosh Hashanah is like the festivals in regard to cutting short the mourning period, but not that it counts as seven days of the *sheloshim,* as the other Amoraim above maintained. For Rosh Hashanah is different, as it does not have a seven-day "compensation period" associated with it [see beginning of note 27] (*Ramban,* in explanation of *Rambam*).

32. It was customary to tear one's clothes at the shoulder and walk before the bier with the shoulder exposed (*Rashi* to *Shabbos* 105b).

33. A mourner is forbidden to eat his own food at the first meal of his mourning period; rather, it is provided by others (*Rashi ms.*). This is based on a verse in *Ezekiel* (24:17): *And the food of [other] people you shall not eat.* Since the mourning prophet was instructed not to eat other people's food, the implication is that ordinary mourners should eat food provided by others (Gemara below, 27b). [*Tosafos* above (20a ד״ה שכבר) cite *Machzor Vitri,* who explains that this applies not only to the mourner's first meal but to any meals that he eats on the first day of mourning (see also *Rambam, Hil. Aveil* 4:8). *Shulchan Aruch* (*Yoreh Deah* 378:1,3) rules that it applies to the first meal, and only if that meal is eaten on the first day of mourning. If the mourner abstains from food that day, the next day he may eat even his first meal from his own food.]

[In Mishnaic times, the mourner's meal was served publicly, in the street (see 25a). The term מַבְרִין, or הַבְרָאָה, means literally *to serve a meal* [presumably, from the word בָּר, *food*] (see *Rashi, II Samuel* 3:35). *Radak* (there) suggests that it means to serve a small amount of food.]

34. Only an immediate relative of the deceased who must mourn for him – i.e. a child, sibling, parent or spouse – rends his garment, bares his shoulder and is served the mourner's meal [in public] (*Rashi ms.;* see 25a).

35. [The mourner sits on an overturned bed while eating this meal. However,] those who serve the meal and join the mourner in it sit on upright beds (*Rashi; Ri Gei'as* cited by *Ramban* and *Ritva*). Others explain that even the mourner sits on an upright bed during this meal, out of respect for those who join him in it (*Ramban* to 26b). [Most commentators have the reading עַל מִטּוֹת זְקוּפוֹת, *on upright beds,* in the plural form (see *Rif, Rashi ms., Ramban, Rosh, Ritva*), and not as we have it in our text, עַל מִטָּה זְקוּפָה, *on an upright bed,* in the singular form. This is the reading in the Gemara on 26b as well. *Ramban* points to the use of the plural "beds" as support for his view that both the comforters and the mourner sit on upright beds.]

Many commentators explain this Mishnah as referring to Chol HaMoed. The Mishnah teaches that on Chol HaMoed, when expressions of mourning must be kept to a minimum, it is forbidden for anyone other than an immediate relative to rend his garment, bare his shoulder or be served the mourner's meal in public, and the meal must be eaten on upright beds (*Rambam, Hil. Yom Tov* 6:23 and *Hil. Aveil* 11:2-3; *Ramban, Rosh*).

Others contend, based on *Yerushalmi* (3:9), that the mourner's meal is not served at all on Chol HaMoed; rather, the mourner eats even his first meal from his own food. Perforce, our Mishnah refers to a weekday and teaches that whenever someone dies only immediate relatives are *required* to rend, bare their shoulders and be served the mourner's meal, and that the meal *may* be eaten on upright beds (*Ritva*). According to *Tosafos* (20a ד״ה שכבר), this is *Rashi's* view as well.

Gemara The Gemara questions the Mishnah's limitation of the exhibitions of mourning to relatives of the deceased:

וַאֲפִילוּ חָכָם – Does this apply **even** if the deceased is **a sage?** וְהָתַנְיָא – **But it was taught in a Baraisa:** חָכָם שֶׁמֵּת הַכֹּל קְרוֹבָיו – Regarding A SAGE WHO DIED, ALL ARE HIS RELATIVES.

At first understanding the Baraisa literally, the Gemara interrupts to seek a clarification:

הַכֹּל קְרוֹבָיו סַלְקָא דַעְתָּךְ – **Do you think** that **all are** really **his relatives?**

The Gemara explains what the Baraisa means:

אֶלָּא הַכֹּל כִּקְרוֹבָיו – **Rather,** say: **All are** ***like*** **his relatives** in respect to their obligation to mourn for him.

The citation of the Baraisa resumes:

וְהַכֹּל קוֹרְעִין עָלָיו – ALL REND their garments OVER HIM, וְהַכֹּל מַבְרִין – חוֹלְצִין עָלָיו – ALL BARE THEIR SHOULDERS OVER HIM, עָלָיו בָּרְחָבָה – and ALL ARE FED THE MOURNER'S MEAL IN THE STREET OVER HIM.[1] – ? –

The Gemara answers:

לֹא צְרִיכָא דְּלָאו חָכָם הוּא – **[The Mishnah] is needed only where [the deceased] is not a sage.** In that case, it is only relatives who rend, bare their shoulders and are fed the mourner's meal in the street.

The Gemara asks further:

וְאִי אָדָם כָּשֵׁר הוּא – **But if [the deceased] was an upright person,** חִיּוּבֵי מִיחַיֵּיב לְמִיקְרַע – **one is surely obligated to rend** his garments over him.[2] דְּתַנְיָא – **For it was taught in a Baraisa:** מִפְּנֵי מָה בָּנָיו וּבְנוֹתָיו שֶׁל אָדָם מֵתִים כְּשֶׁהֵן קְטַנִּים – WHY DO A PERSON'S SONS AND DAUGHTERS DIE WHEN THEY ARE MINORS? כְּדֵי שֶׁיִּבְכֶּה וְיִתְאַבֵּל עַל אָדָם כָּשֵׁר – SO THAT HE WILL WEEP AND MOURN OVER AN UPRIGHT PERSON.

The Gemara interrupts its citation of the Baraisa to ask:

יִבְכֶּה וְיִתְאַבֵּל – You say "so that he *will* **weep and mourn**"! עֶרְבוֹנָא קָא שָׁקִיל מִינֵּיהּ – **Do they take a security from him** in advance in order to ensure that he mourns?

The Gemara explains what the Baraisa means:

אֶלָּא מִפְּנֵי שֶׁלֹּא בָּכָה וְהִתְאַבֵּל עַל אָדָם כָּשֵׁר – **Rather,** he is punished with the death of his children **because he did not weep and mourn over an upright person.**[3]

The citation of the Baraisa now continues:

שֶׁכָּל הַבּוֹכֶה וּמִתְאַבֵּל עַל אָדָם כָּשֵׁר – FOR ANYONE WHO WEEPS AND MOURNS OVER AN UPRIGHT PERSON, מוֹחֲלִין לוֹ עַל כָּל עֲוֹנוֹתָיו – THEY FORGIVE HIM FOR ALL OF HIS SINS בִּשְׁבִיל כָּבוֹד שֶׁעָשָׂה לוֹ – BECAUSE OF THE RESPECT THAT HE PAID TO [THAT PERSON]. Thus, we see that a person is obligated to mourn any upright person, even if he is not a relative.[4] – ? –

The Gemara answers:

דְּלָאו אָדָם כָּשֵׁר הוּא – The Mishnah refers to a case **where [the deceased] is not an upright person.**

The Gemara asks further:

אִי דְּקָאֵי הָתָם בִּשְׁעַת יְצִיאַת נְשָׁמָה – But **if one was standing there at the time of the departure of the soul,** חִיּוּבֵי מִיחַיֵּיב – **he is surely obligated** to rend his garments. דְּתַנְיָא – **For it was taught in a Baraisa:** רַבִּי שִׁמְעוֹן בֶּן אֶלְעָזָר אוֹמֵר – R' SHIMON BEN ELAZAR SAYS: הָעוֹמֵד עַל הַמֵּת בִּשְׁעַת יְצִיאַת נְשָׁמָה – ONE WHO STANDS BY A DEAD PERSON AT THE TIME OF THE DEPARTURE OF THE SOUL חַיָּיב לִקְרוֹעַ – IS OBLIGATED TO REND his garments.[5] לְמָה זֶה דּוֹמֶה – TO WHAT IS THIS ANALOGOUS? לְסֵפֶר תּוֹרָה שֶׁנִּשְׂרַף – TO A TORAH SCROLL THAT WAS BURNED, שֶׁחַיָּיב לִקְרוֹעַ – WHERE [THE ONE WHO WITNESSES IT] MUST REND his garments.[6]

The Gemara answers:

דְּלָא קָאֵי הָתָם בִּשְׁעַת יְצִיאַת נְשָׁמָה – The Mishnah refers to **one who was not standing there at the time of the departure of the soul.**

A related incident is cited:

כִּי נָח נַפְשֵׁיהּ דְּרַב סַפְרָא – **When Rav Safra passed away,**[7] לֹא קָרְעוּ רַבָּנָן עֲלֵיהּ – **the Rabbis did not rend** their garments **over him,** אָמְרֵי – for **they said:** לֹא גְּמִרִינַן מִינֵּיהּ – **We did not learn** anything **from him,** and are therefore not obliged to rend our garments on his account.[8] אָמַר לְהוּ אַבָּיֵי – **Abaye said to**

NOTES

1. This applies to a sage who is able to respond to halachic queries in any area of Talmudic law (*Rosh* §59; see *Shulchan Aruch, Yoreh Deah* 340:7 with *Shach* §17).

According to the opinion that our Mishnah is dealing with Chol HaMoed, we must say that the Gemara understands the Baraisa, too, as referring to a case where the sage passed away on Chol HaMoed. Thus, it contradicts the Mishnah, which rules – apparently unequivocally – that only relatives engage in public displays of mourning (*Ramban, Rosh*).

2. Even on Chol HaMoed. An "upright person" is someone who is not suspected of any transgression and who did not fail to fulfill any mitzvah that he could. Even though he is not a great Torah scholar, one is required to mourn for him. The difference is that for a sage anyone who hears the report of death within thirty days is required to rend, whereas for an upright person only one who is in his presence before the burial is required to rend (*Rosh; Shulchan Aruch, Yoreh Deah* ibid. §6-7; but see *Rama* ibid. §6 and *Shach* §12, who state that nowadays it is customary only for those who are present at the death of the upright person to rend their garments).

3. As a general rule, God does not punish children for the sins of their parents; rather, each person is punished for his own transgressions. This, indeed, is stated explicitly in Scripture: אִישׁ בְּחֶטְאוֹ יוּמָתוּ, *each man shall die for his [own] sin* (see *Deuteronomy* 24:16). *Rashi* (to *Deuteronomy* loc. cit.), however, explains that this applies only when one is, in the words of the verse, already a *man* – an independent adult. When one's children are minors, they are seen as elements of their parents' domain, and are indeed subject to harm as a result of their parents' misdeeds (see also *Rambam, Hil. Teshuvah* 6:1).

Our Gemara does not mean that one will lose his children as a punishment for not mourning. For the Gemara in *Shabbos* 32b lists other serious transgressions for which one is punished with loss of his children. Rather, the Baraisa means (as it proceeds to explain) that if he would mourn an upright person, that act would atone for his prior transgressions which made him liable to lose his children. Failing to take that opportunity for atonement will result in the loss of his children (*Riaf* in *Ein Yaakov* to *Shabbos* 105a; cf. *Chasam Sofer, Iyun Yaakov*).

4. Although the Baraisa mentions only crying and mourning for the upright person, the Gemara assumes that one is obligated to rend his garments as well, for rending results from the fervor of mourning (*Ritva*).

5. This applies to any Jew except an apostate and one who transgresses the Torah's precepts rebelliously, i.e. even when not succumbing to temptation (*Rosh*).

6. The Gemara below (26a) derives from Scripture that if someone sees a Torah scroll being burned he must rend his garments. The soul of any decent Jew is analogous to the Torah, for it is stated concerning the Torah (*Proverbs* 6:23): כִּי נֵר מִצְוָה וְתוֹרָה אוֹר, *For a commandment is a* ***lamp*** *and the Torah is a light;* and it is stated concerning a soul (ibid. 20:27): נֵר ה׳ נִשְׁמַת אָדָם, *A man's soul is the* ***lamp*** *of Hashem.* [The soul enables the person to fulfill the Torah's commandments. Thus, it is analogous to the precepts that are written in a Torah scroll] (*Rashi,* as elucidated by *Maharsha*). [Alternatively, a Jew's death is like the loss of a Torah scroll because if he had lived longer he could have studied more Torah (*Rashi* to *Rif*). Another reason is that even the most ignorant of Jews has studied some Torah and observed some of its commandments (*Rashi* to *Shabbos* 105b; see *Ramban* for yet another explanation, and see *Taz, Yoreh Deah* 340:2; see also *Rashash*).]

7. The term נָח נַפְשֵׁיהּ means literally: his soul rested. This is an expression of respect, and conveys that the deceased's soul finally came to rest from the tribulations of this world (*R' Shlomo ben HaYasom*).

8. The Rabbis misunderstood the Baraisa above, which states that when a sage dies everyone must rend on his account. They interpreted it as

גמ' ואפי' חכם והתניא [א] א חכם שמת הכל קרוביו הכל קרוביו סלקא דעתך אלא הכל כקרוביו ב הכל קורעין עליו ג והכל חולצין עליו ד והכל מברין עליו ברחבה לא צריכא דלאו חכם הוא ואי אדם כשר הוא ה חיובי מיחייב למיקרע דתניא מפני מה בניו ובנותיו של אדם מתים כשהן קטנים כדי שיבכה ויתאבל על אדם כשר יבכה ויתאבל ערבונא קא שקיל מיניה אלא מפני שלא בכה והתאבל על אדם כשר ו שכל הבוכה ומתאבל על אדם כשר מוחלין לו על כל עונותיו בשביל כבוד שעשה לו דלאו אדם כשר הוא אי דקאי התם בשעת יציאת נשמה חיובי מיחייב דתניא רבי שמעון בן אלעזר אומר [ב] ז העומד על המת בשעת יציאת נשמה חייב לקרוע למה זה דומה לספר תורה שנשרף ח שחייב לקרוע דלא קאי התם בשעת יציאת נשמה כי נח נפשיה דרב ספרא לא קרעו רבנן עליה אמרי לא גמרינן מיניה אמר להו אביי מי תניא הרב שמת חכם שמת תניא ועוד כל יומא שמעתתיה בפומין בבי מדרשא סבור מה דהוה הוה אמר להו אביי תנינא חכם כל זמן שעוסקין בהספד חייבין לקרוע סבור למיקרע לאלתר אמר להו אביי תניא ט חכם כבודו בהספדו כי נח נפשיה דרב הונא סבור לאותובי ספר תורה אפורייה אמר להו רב חסדא י מילתא דבחייה לא סבירא ליה השתא ליקום [ג] (ליה) ליעבד ליה דאמר רב תחליפא [ד] אנא חזיתיה לרב הונא דבעי למיתב אפוריי' והוה מנח ספר תורה עליה וכף כדא ארעא ואותיב ספר תורה עילויה אלמא קסבר כ אסור לישב על גבי מטה שספר תורה מונח עליה לא הוה נפיק פוריא מבבא סבור לשלשולי דרך גגין אמר להו רב חסדא הא גמירנא מיניה ל חכם כבודו דרך פתח סבור לאשנויי מפוריא לפוריא אמר להו רב חסדא הכי גמירנא מיניה מ חכם כבודו במטה ראשונה דאמר רב יהודה אמר רב מנין לחכם שכבודו במטה ראשונה שנאמר א) וירכיבו את ארון האלהים אל עגלה חדשה פרום בבא ואפקוה פתח עליה רבי אבא ראוי היה רבינו שתשרה עליו שכינה אלא שבבל גרמה ליה מתיב רב נחמן בר [ה] חסדא ואמרי לה רב חנן בר חסדא ב) היה היה דבר ה' אל יחזקאל בן בוזי הכהן בארץ כשדים [ו] טפח ליה אבוה בסנדליה א"ל לאו אמינא לך לא תיטרוד עלמא מאי היה שהיה כבר כי אסקוה להתם אמרו ליה לר' אמי ולר' אסי רב הונא אתי אמרו כי הוינן התם לא הוה לן לדלויי רישין מיניה השתא אתינן הכא אתא בתרין אמרו ([ז] ליה) ארונו בא ר' אמי ור' אסי נפוק ר' אילא ור' חנינא לא נפוק איכא דאמרי רבי אילא נפק ר' חנינא לא נפק דנפק מאי טעמיה דתניא ארון העובר ממקום למקום עומדים עליו בשורה ואומרים עליו ברכת אבלים ותנחומי אבלים דלא נפק מאי טעמא דתניא ארון העובר ממקום למקום אין עומדין עליו בשורה ואין אומרים עליו ברכת אבלים ותנחומי אבלים קשיין אהדדי לא קשיא כאן נ ששלדו קיימת כאן בשאין שלדו קיימת ורב הונא שלדו קיימת הוה דלא נפק לא סיימוה קמיה אמרי היכא ניגחיה רב הונא ריבץ תורה בישראל ור' חייא ריבץ תורה בישראל הוה מאן מעייל ליה אמר להו רב חגא אנא מעיילנא ליה דאוקמתיה לתלמודאי כי הוינא בר תמני סרי שנין ולא חזי לי קרי (א) ומשמע ליה קמיה וידעי בעובדיה דיומא חד אתהפיכא ליה רצועה דתפילין ויתיב עלה ארבעין תעניתא עייליה הוה גני יהודה מימיניה דאבוה וחזקיה משמאליה אמר ליה יהודה לחזקיה קום מדוכתיך דלאו אורח ארעא דקאים רב הונא בהדי דקאים קם בהדיה עמודא דנורא חזייה רב חגא איבעית זקפיה לארוניה ונפק אתא והאי דלא איענש משום דזקפיה לארוניה דרב הונא כי נח נפשיה דרב חסדא סבור לאותובי ספר תורה אפורייה אמר להו ר' יצחק ס מילתא דלרביה לא סבירא ליה אנן ניקום נעביד ליה סבור דלא למישלל קרעייהו אמר להו ר' יצחק בר אמי ע חכם כיון שהחזירו פניהם מאחורי המטה שוללין כי נח נפשי' דרבה בר הונא ורב המנונא אסקינהו להתם

כי

רש"י

גמ' לספר תורה. דתורה קרויה נר שנאמר (משלי ו) כי נר מצוה ותורה אור ונשמה נקראת נר דכתיב (שם כ) נר [ט] (אלהים) נשמת אדם: שמעתתיה בפומין. והוי כמאן דגמרינן מיניה: מאי דהוה הוה. הואיל דלא קרעו בשעת מיתה תו לא קרעי: למקרע לאלתר. בלא הספד: לאותובי ס"ת אפורייה. ולומר קיים זה מה שכתוב בזה: לא הוה נפיק פוריא מבבא. דזוטר הוה בבא: מפוריא לפוריא. לתתו במטה אחריתא קטנה שתלא דרך הפתח: אל עגלה חדשה. אותה עגלה שסיגרוהו פלשתים בה ובאותה עגלה הביאו דוד מבית אבינדב לעיר דוד: פרום בבא. שברו הפתח והרחיבוהו: בבל גרמה לו. שאין שכינה שורה בחוץ לארץ: טפח ליה אבוה. רב חסדא בסנדלא שטפח לו לרב נחמן על סנדלו כאדם שנוגע על רגל חבירו בחשאי כדי שלא ישמעו העומדים סביב מטתו דרב הונא ע"א הכהו בסנדלו: לא תטרוד עלמא. לא תטרח בקושיות: שהיה כבר. כלומר ההיא שעתא הוה ולא יותר ויש אומרים שהיה כבר בארץ ישראל ששרתה עליו רוח הקודש: כי אסקוה להתם. לארץ ישראל לקוברו שכל הנקבר שם נקבר בלא חטא [ט] שנאמר העם היושב בה נשוא עון כדאיתא בכתובות (דף קיא.): לדלויי רישין. דאדם חשוב היה והוה לן בושת לדלויי רישין: ואתי להכא. דסבורין שהוא חי: שלדו. גופו קיימת יואין: לא סיימוה קמיה. דשלדו הוה קיימת: רב הונא ריבץ תורה. כדאמרי' פרק שני דייני גזירות (כתובות דף קו.) כי קיימי רבנן מקמיה ומנפלי גלימייהו מכסי ליה ליומא באבקא: רבי חייא ריבץ תורה. כדאמרינן בבבא מציעא (דף פה:) אנא עבדי ליה לתורה דלא תשתכח מישראל: מאן מעייל ליה. מי ילך להכניסו לקבורה אצל רבי חייא: איתהפיכא ליה רצועה דתפילין. השחור בפנים דרצועה שחורה נראה בחוץ הלכה למשה מסיני: איבעית. נבעת ונפחד: זקפיה לארונא. דרב הונא לקמיה עמודא דנורא דלא ליזקיה:

הפתח דהא אמרי גדול אינו יוצא אלא במטה. לאשנויי פורייה. לתתו במטה אחרת קטנה שתלא דרך הפתח. אל עגלה חדשה. אותה שסיגרו פלשתים בה ובאותה עגלה הניח דוד הארון להביא מבית אבינדב לעיר דוד. פרום. כמו פרוסה שברו את הפתח והרחיבוהו. שבבל גרמא ליה. שאין שכינה שורה בחוצה לארץ. טפח ליה אבוה בסנדליה. רב חסדא לרב נחמן בסנדליה שטפח לו [אבוה] לרב נחמן על (אבוה ב)סנדליה. ל"א רב חסדא טפח בסנדלו. לא תטרוד עלמא בתשובות שאין כהן ממש. (ועכשיו היה) [שהיה כבר]. שרוי כבר מתחלה בארץ ישראל ועכשיו ניטנית בחוצה לארץ אבל לכתחלה אין שכינה שורה על האדם אלא בארץ. כי אסקיה. לרב הונא. התם. לקברו בארץ ישראל שכל מי שנקבר שם ממרקין לו עוונותיו שנ' (ישעיה לג) העם היושב בה נשוא עון ועוד דאין לו צער מחילות. דלוי רישין מיניה. לא היה לנו הרמת ראש מפני אימתו שסבורין היו שהוא חי ובא ברגליו. ארון העובר אין עומדין וכו'. הואיל ואינו סמוך לשעת מיתה. ששלדו קיימת. שהגוף קיים עדיין. אין שלדו קיימת. שעברו ימים רבים ונפרסו עצמותיו. לא סיימוה. לא היה יודע ששלדו קיימת. ריבץ. לשון מרבילין את הבית כך רב הונא ריבץ כדאמרינן בפרק שני דייני (גזלות) [גזירות] (כתובות קו.) כי קיימי רבנן מקמיה ומנפלי גלימייהו ומכסי ליה ליומא באבקא. ר' חייא ריביץ. כדאמרינן בבבא מציעא (פה:) אנא עבדי לתורה דלא תשתכח מישראל שהיה הולך ודורש בכל מקום מדינה ומדינה. ומאן מעייל ליה. מי ילך להכניסו בקבורה אצל ר' חייא. (קיריא) קרי ומשמע ליה קמיה. שמשתי לפני דר' חייא. וידענא עובדיה. אני בקיא בו ובמעשיו דאדם גדול הוא. איתהפיכא ליה רצועה דתפילין. דלא הוה לבר שצריך שיהיו אותיות של שדי נראות מבחוץ בקשר של רצועה. איבעית. נבעת [מפני האש]. [ורב] הונא [דרב הונא תפשו למגן] כנגדו. האי דלא איענש. ר' חגא שלא שרפו (ה)עמוד [האש] משום דזקפיה לארונה דרב הונא כנגדו [ולא היה יכול לעבור האש]. דלרביה. דרב חסדא לא סבירא ליה היינו [דרב הונא רביה] דרב חסדא דאמרינן לעיל אמ' רב [חסדא] הכי גמירנא מיניה. חכם. כלומר המקרע על חכם כיון שהחזיר פניו מאחורי המטה שולל.

תוספות

וכף כדא ארעא ואנח עליה ספר תורה. ונראה דאפילו הספר תורה מונח בגבוה ממנו לא שרי מדלא אותבוה לספר תורה בגבוה ממנו וכן פירשתי במנחות בפרק הקומץ רבה (דף לב:) [כ] ושם הארכתי:

ורבי חייא ריבץ תורה וכו'. והקשה בתוספות הרב דמשמע בירושלמי [ל] שרב הונא מת קודם רבי חייא דאמר ליה לרבי חייא ארונו בא והכא משמע שרבי חייא מת קודם רב הונא ונראה לי דרב הונא אחר היה ואותו שבימי רבי חייא אין זה רב הונא תלמידו דרב ע"כ ומיהו קשה בירושלמי קאמר בעובדא דהכא רב הונא ריש גלותא ולפי הענין של הירושלמי היה משמע דזקפיה ר' חגא לארוניה דרב הונא כדי שלא יהא יושב אצל הצדיקים והכי איתא בפי' רבינו חננאל דרב הונא ריש גלותא:

חכם כיון שהחזיר פניו. פירוש חכם שמת כיון שהחזיר פניו אותו שקרע וגרסינן אפילו חכם שקרע על החכם כיון שהחזיר פניו שולל לאלתר דמשום כבודו של חכם הקורע התירו דגנאי הוא לצאת בבגד קרוע ולא נהיר':

ספעו

עין משפט נר מצוה

קעד א ב מיי' פ"ט מהל' אבל הל' יא סמג עשין ב טוש"ע י"ד סי' שמ סעי' ז:
קעה ג מיי' שם טוש"ע שם סעיף יז:
קעו ד מיי' פי"א שם הלכה ב טוש"ע י"ד סי' תא סעיף ד:
קעז ה ו מיי' שם פ"ט הל' יא ופי"ב הל' ב טוש"ע י"ד סי' שמ סעיף ו:
קעח ז מיי' שם פ"ט הלכה יא טוש"ע שם סעיף ה:
קעט ח מיי' שם הלכ' ב טוש"ע שם סעי' לז:
קפ ט מיי' שם הל' יג טוש"ע שם סעי' ז:
קפא י מיי' פי"ב שם הלכה ג טוש"ע שם סי' שנג סעי' ב:
קפב כ מיי' פ"י מהל' תפילין הלכה ו טוש"ע שם סי' רפב סעיף ז:
קפג ל מ מיי' פי"ב מהל' אבל הל' ג טוש"ע שם סי' שנג סעי' ג:
קפד נ מיי' שם הלכה ז סמג עשין מד"ס ב טוש"ע שם סי' שמה סעיף ח:
קפה ס מיי' שם פ"ט הלכה יב טוש"ע שם סי' שמ סעיף יז:

רבינו חננאל

מת וא"ר ירמיה ובלבד הראויין להתאבל. אוקימנא למתני' באדם שאינו חכם ולא כשר ולא היה עומד שם בשעת יציאת נשמה. אבל בחכם ובכשר חייב לעולם אע"פ שלא היה שם. דתניא חכם שמת הכל חייבין עליו כקרוביו הכל קורעין הכל חולצין והכל מברין והכל עומדין ברחבה. ואי אדם כשר הוא אע"פ שאינו חכם חייב. דתניא מפני מה בניו ובנותיו של בני אדם מתים כשהן קטנים מפני שלא בכה והתאבל על אדם כשר. שכל הבוכה ומתאבל על אדם כשר מוחלין לו על כל עונותיו. ואי עומד על המת בשעת יציאת נשמה חייב. דתניא ר' שמעון בן אלעזר אומר העומד על אדם בשעת יציאת נשמה חייב לקרוע למה זה דומה לס"ת שנשרף שחייב לקרוע. כי נח נפשיה דרב ספרא לא קרעו רבנן עליה. אמרו לא גמרינן מיניה. אמר להו אביי מי תניא הרב שמת חכם שמת תניא. ועוד שמעתתיה בפומן כל יומא בבי מדרשא. סבור מאי דהוה הוה. אמר להו אביי תניא חכם כבודו בהספדו. כי נח נפשיה דרב הונא סבור לאחותי ס"ת אפורייה אמר להו מלתא דבחייה לא סבירא ליה כו'. לא הוה נפיק פורייה לבבא סבור לשלשולי כו'. ואסיקנא חכם כבודו להוציאו דרך פתחים ולא דרך גגות. וכבודו במטה ראשונה ולא ממטה למטה שנאמר וירכיבו את ארון האלהים אל עגלה חדשה. סתרו להו לבבי ואפקוה. פתח עליה ההוא ספדנא ראוי היה רבינו שתשרה עליו שכינה אלא שבבל גרמה לו. וההיא דכתיב היה היה דבר ה' אל יחזקאל בן בוזי הכהן בארץ כשדים על נהר כבר מאי היה היה שכבר הוה. תניא ארון העובר ממקום למקום עומדין עליו בשורה ואומרין עליו ברכת אבלים ותנחומי אבלים. אוקימנא בששלדו קיימת. אבל אין שלדו קיימת לא: ירושל' בתחלת משקין (הלכה ה) תני ליקוטי עצמות אין אומרים עליהן קינים ונהי ולא ברכת אבלים ולא תנחומי אבלים. ואלו הן ברכת אבלים א) (מה שאומרים בשורה. אבל אומרים עליהן דברי קילוסין. אמרו מנחייה גבמה בבית הכנסת. אלו הן תנחומי אבלים מה שאומרים בשורה. אבל אומרין עליהן דברי קילוסין): אמרי מנחייה גבי ר' חייא שריבץ תורה כמותו. אמרי מאן ניעייליה. א"ר חגא אנא מעיילנא דאוקימתיה לתלמודא כד הוינא בר תמני סרי ולא חזי לי קרי ומשמע לי קמיה וידענא עובדיה. יומא חד אתהפיכא ליה רצועא דתפילי ויתיב בתעניתא עייליה הוי גני יהודה בריה מימיניה וחזקיה משמאליה. א"ל יהודה לחזקיה קום מדוכתיך דלאו אורח ארעא דקאי רב הונא אבראי. בהדיה דקם. קם בהדיה עמודא דנורא חזייה רב חגא איבעית זקף לארוניה דרב הונא ונפק. והא דלאו מיענשו דבי ריש גלותא

חשק שלמה על ר"ח א) דברי רבינו כאן בשבוש וכל"ל ברכת אבלים מה שאומרים בבהכנ"ס אלו הן תנחומי אבלים מה שאומרים בשורה אבל אומרים עליהן דברי קילוסין [וכ"ה בירושלמי פסחים פ"ח ה"ח ובירושלמי דמכלתין נדפס בשבוש וגם חסר שם פירוש לתנחומי אבלים].

מסורת הש"ס

א) שבת קה: [תוספתא פ"ב], ב) [משמע ליה להש"ס דמיירי אפי' באינו כשר כ"כ תוס' בשבת שם ד"ה דתניא], ג) [בע"י ליתא], ד) [מנחות לג: ע"ש], ה) [צ"ל רב חסדא], ו) [ב"ק לג: ב"ב כב.], ז) [צ"ל להו], ח) [צ"ל ה'], ט) דכל הדר בא"י שרוי בלא עון, י) ומנין אף המתים ת"ל וכפר אדמתו עמו עיין בילקוט חלק ב סוף רמז תתלג. ובע"י בפרש"י לא גרס כדאיתא בכתובות והוסיף ואין ישיבה בארץ אלא לקבורה ע"ש, כ) [עיין שם בתוס' ד"ה אסור לישב], ל) [סוף כלאים ובכתובות פי"ב].

הגהות הב"ח

(א) גמ' ומשמע ליה קמיה. נ"ב פירוש הייתי משמש לפניו:

גליון הש"ס

גמ' מילתא דלרביה לא ס"ל אנן ניקום נעביד. עיין בבא קמא דף יז ע"א תד"ה אלא שהניחו:

תורה אור השלם

א) וַיַּרְכִּבוּ אֶת אֲרוֹן הָאֱלֹהִים אֶל עֲגָלָה חֲדָשָׁה וַיִּשָּׂאֻהוּ מִבֵּית אֲבִינָדָב אֲשֶׁר בַּגִּבְעָה וְעֻזָּא וְאַחְיוֹ בְּנֵי אֲבִינָדָב נֹהֲגִים אֶת הָעֲגָלָה חֲדָשָׁה: [שמואל ב' ו, ג]

ב) הָיֹה הָיָה דְבַר יְיָ אֶל יְחֶזְקֵאל בֶּן בּוּזִי הַכֹּהֵן בְּאֶרֶץ כַּשְׂדִּים עַל נְהַר כְּבָר וַתְּהִי עָלָיו שָׁם יַד יְיָ: [יחזקאל א, ג]

רש"י כת"י

לא צריכא. מתני' דקתני אין קורעין אלא דלאו חכם. לספר תורה. כספר תורה שנשרף [שעדיין היה יכול ללמוד והוי כס"ת שנשרף] [רש"י בר"ף]. מה דהוה הוה. הואיל ולא קרע בשעת (שימוש) שמועה שוב אין יכול לקרוע. כל זמן שעוסקין. בהספידו יכולין לקרוע. לאלתר. קודם שיתחילו בהספד דרב ספרא. חכם. שמת כבודו שקורעין עליו. ספר תורה אפוריה. משום כבוד כלומר קיים זה מה שכתוב בזה. וכף כדא. כפה הכד לארץ והניח ספר תורה עליו שלא רצה לישב סמוך לספר תורה. לא הוה נפיק. בבבא לא היו יכולין להוציא המטה דרך שער הבית שהיתה המטה רחבה והפתח קצר. לשלשולי. [לרב הונא במטתו דרך גגות ולא הוה אפשר להו לשלשולי] המטה דרך גגות והדר מפקי לרב הונא דרך

them: מִי תַנְיָא הָרַב שֶׁמֵּת – **Was it taught in the Baraisa** cited above that one must mourn **"a *teacher* who died"?** חָכָם שֶׁמֵּת תַּנְיָא – No! **A SAGE WHO DIED** is what **was taught in the Baraisa!** Thus, even if you truly had not learned anything from Rav Safra you would be obliged to rend. וְעוֹד כָּל יוֹמָא שְׁמַעְתָּתֵיהּ בְּפוּמִין בְּבֵי מִדְרְשָׁא – **And furthermore, every day his teachings are cited by us in the study hall,** so that you have in fact learned from him, albeit indirectly, and he is considered your teacher![9]

The narrative continues:

סְבוּר מַה דַּהֲוָה הֲוָה – **[The Rabbis] thought that whatever had been, had been.** That is, since they had not rent when they received the report of Rav Safra's death, they could no longer fulfill this obligation.[10] אָמַר לְהוּ אַבַּיֵּי – **Abaye said to them:** תָּנִינָא – **We learned in a Baraisa:** חָכָם – Regarding **A SAGE** who died, כָּל זְמַן שֶׁעוֹסְקִין בְּהֶסְפֵּד חַיָּיבִין לִקְרוֹעַ – **AS LONG AS THEY ARE ENGAGED IN EULOGIZING** him **THEY ARE** still **OBLIGATED TO REND** their garments on his account, if they did not do so previously.[11] Since eulogies are still being held for Rav Safra, the time for rending has not yet passed.

סְבוּר לְמִיקְרַע לְאַלְתַּר – Upon hearing this, **they intended to rend** their garments **immediately,** even though no eulogy was in progress at that hour. אָמַר לְהוּ אַבַּיֵּי – **Abaye said to them:** תַּנְיָא – **It was taught in** another **Baraisa:** חָכָם כְּבוֹדוֹ בְּהֶסְפֵּידוֹ – Regarding **A SAGE** who died, **HIS HONOR IS** served by the rending of garments **DURING HIS EULOGY.**[12] Thus, you must wait until the next eulogy takes place in order to rend.

The Gemara relates an account of the events surrounding Rav Huna's funeral:

כִּי נָח נַפְשֵׁיהּ דְּרַב הוּנָא – **When Rav Huna passed away,** סְבוּר לְאוֹתוּבֵי סֵפֶר תּוֹרָה אַפּוּרְיֵיהּ – **they intended to place a Torah scroll on his bier.**[13] אָמַר לְהוּ רַב חִסְדָּא – **Rav Chisda said to them:** מִילְּתָא דִּבְחַיֵּיהּ לֹא סְבִירָא לֵיהּ – **Something that [Rav Huna] did not consider correct during his lifetime,** i.e. to rest upon the same bed as a Torah scroll, הַשְׁתָּא לֵיקוּם (ליה) לֶיעֱבַד לֵיהּ – **now** that he died **shall we arise and do** it **to him?** דְּאָמַר רַב תַּחְלִיפָא – **For Rav Tachlifa recounted:** אֲנָא חֲזִיתֵיהּ לְרַב הוּנָא דְּבָעֵי לְמֵיתַב אַפּוּרְיֵיהּ – **I saw Rav Huna as he wanted to sit down upon his bed,** וַהֲוָה מֻנָּח סֵפֶר תּוֹרָה עֲלֵיהּ – **but a Torah scroll was resting on it,** וְכָף כַּדָּא אַאַרְעָא – **and** before seating himself **he inverted a jug on the ground** so that it formed a stand, וְאוֹתִיב סֵפֶר תּוֹרָה עִילָּוֵיהּ – **and he placed the Torah scroll upon it.** אַלְמָא קָסָבַר – **Thus, we see** that **[Rav Huna] holds** אָסוּר לֵישֵׁב עַל גַּבֵּי מִטָּה שֶׁסֵּפֶר תּוֹרָה מוּנָּח עָלֶיהָ – that **it is forbidden to sit upon a bed that has a Torah scroll resting on it.** It is therefore inappropriate that we place a Torah scroll upon his bier.[14]

The account of Rav Huna's funeral continues:

לֹא הֲוָה נָפֵיק פּוּרְיָא מִבָּבָא – His **bier could not pass through the doorway** of his house, because it was too wide. סְבוּר לְשַׁלְשׁוּלֵי דֶּרֶךְ גַּגִּין – **They considered lowering** it to the street with ropes **by way of** a large opening in **the roof.** אָמַר לְהוּ רַב חִסְדָּא – However, **Rav Chisda said to them:** הָא גְּמִירְנָא מִינֵּיהּ – **Why, I learned from [Rav Huna]** himself: חָכָם כְּבוֹדוֹ דֶּרֶךְ פֶּתַח – Regarding **a sage** who died, **his honor is** served by his being brought out **through a doorway.** סְבוּר לְאַשְׁנוּיֵי מִפּוּרְיָא לְפוּרְיָא – **They** then **considered transferring him from** the wide **bier to** a narrower **bier.** אָמַר לְהוּ רַב חִסְדָּא – **Rav Chisda said to them:** הָכִי גְּמִירְנָא מִינֵּיהּ – **I learned the following from [Rav Huna]:** חָכָם כְּבוֹדוֹ בְּמִטָּה רִאשׁוֹנָה – Regarding **a sage** who died, **his honor is** served by his being carried **on the first bier** upon which he is placed.[15]

A source for this ruling is cited:

דְּאָמַר רַב יְהוּדָה אָמַר רַב – **For Rav Yehudah said in the name of Rav:** מִנַּיִן לְחָכָם שֶׁכְּבוֹדוֹ בְּמִטָּה רִאשׁוֹנָה – **From where is it derived** regarding **a sage** who died, **that his honor is** served by his being carried **on the first bier** upon which he is placed? שֶׁנֶּאֱמַר – **For it is stated:** "וַיַּרְכִּבוּ אֶת־אֲרוֹן הָאֱלֹהִים אֶל־עֲגָלָה חֲדָשָׁה" – ***They placed the Ark of God upon a new wagon.***[16]

NOTES

referring only to a sage who is also one's teacher.

One might ask: Since Rav Safra was at the very least an "upright person," why did they not rend their garments for this reason? The answer is that, as stated in note 2, one is required to rend his garments on account of an upright person only if he was in the deceased's presence before the burial, but these Rabbis [who were Abaye's disciples] were not present at Rav Safra's funeral. [Rav Safra lived in Mechoza, Rava's town (see *Eruvin* 57b and *Pesachim* 113b), whereas Abaye and his yeshivah were in Pumbedisa (see 25b note 51)]. However, one is required to rend over the death of a sage even if he is not present. Therefore, they exempted themselves only due to the mistaken basis that Rav Safra was not their teacher (*Raavad,* cited by *Rosh* §59, *Ritva;* cf. *Ramban, Nimukei Yosef*).

9. Thus, even according to your erroneous interpretation of the Baraisa, you are required to rend (*Rosh* §59; cf. *Rabbeinu Meir,* cited there).

10. *Rashi ms.* Rending one's garment is appropriate only during the "time of fervor" (above, 24a). The Rabbis maintained that since the day they heard the report had passed, the obligation could no longer be fulfilled, even during the *shivah* period (*Rosh*).

11. That is, throughout the *shivah,* or even beyond that period if the eulogies continue (*Rosh, Meiri*). All this is considered the "time of fervor" (*Chidushei HaRan*).

12. Fervor is aroused *during* the eulogy (*R' Shlomo ben HaYasom*), so that only then is it appropriate for those who did not rend previously to do so.

13. The Gemara in *Bava Kamma* 17a relates that when King Chizkiyahu died he was honored in this manner: They placed a Torah scroll on his bier and announced, "This one (the deceased) fulfilled what is written in this one (the Torah scroll)." Rav Huna's disciples intended to do the same for him (*Rashi, Chidushei HaRan;* see *Maharsha*). [*Rashi ms.* and *Rashi* to the *Rif* state that they intended only to place the scroll alongside Rav Huna in order to *allude* that he fulfilled its precepts, but they did not intend to make the announcement. Indeed, the Gemara in *Bava Kamma* (ibid.) states that it is inappropriate to make such an announcement, as this unique honor was accorded only the great King Chizkiyahu.]

14. The Gemara in *Menachos* 32b cites the opposing view of R' Yochanan, who permits seating oneself upon a bed (or bench) that has a Torah scroll on it. However, the halachah follows Rav Huna, who forbids this (*Rambam, Hil. Sefer Torah* 10:6; *Shulchan Aruch, Yoreh Deah* 282:7; cf. *Tosafos, Menachos* ibid. ד״ה דאמר). [The same prohibition applies with regard to any sacred text (*Rama, Yoreh Deah* ibid.). See *Tosafos* here ד״ה וכף, *Ritva, Meiri,* and *Beis Yosef* and *Shach, Yoreh Deah* ibid., for a discussion of whether sitting on the bench is permitted when the sacred text is elevated somewhat and resting on something else that is on the bench.]

One might wonder, according to Rav Huna's stringent view, how a Torah scroll could have been placed on the bier of King Chizkiyahu. *Tosafos* (*Bava Kamma* ibid. ד״ה אלא) answer that it was appropriate to do so because of Chizkiyahu's extraordinary sagacity and noble deeds (cf. *Ritva*).

15. See *R' Shlomo ben HaYasom* and *Maharsha. Tos. HaRosh* and *Tur* (*Yoreh Deah* 353:3) explain this as meaning that the sage should be carried on the bier that is made especially in his honor when he dies.

16. *II Samuel* 6:3. This describes how David transported the Ark up from the house of Avinadav in Givah to the City of David. The term עֲגָלָה חֲדָשָׁה, *a new wagon,* appears also in *I Samuel* 6:7, where it describes the special wagon that the Philistines made many years earlier to transfer the Ark from their possession back to the Jews' possession. [In the case of David, the verse does not say that they *made* a new wagon, but that they *placed* the Ark upon a "new wagon."] This implies that he used the original wagon that had been built for this purpose, and upon which the Ark had rested all those years. We learn from this that it would have been inappropriate to transfer the Ark to another wagon. It is similarly

גמ' ואפי' חכם והתניא א) א חכם שמת הכל קרוביו הכל קרוביו סלקא דעתך אלא הכל כקרוביו ב הכל קורעין עליו ג והכל חולצין עליו ד והכל מברין עליו ברחבה לא צריכא דלאו חכם הוא ואי אדם כשר הוא ה חיובי מיחייב למיקרע דתניא מפני מה בניו ובנותיו של אדם מתים כשהן קטנים כדי שיבכה ויתאבל על אדם כשר יבכה ויתאבל ערבונא קא שקיל מיניה אלא מפני שלא בכה והתאבל על אדם כשר ו שכל הבוכה ומתאבל על אדם כשר מוחלין לו על כל עונותיו בשביל כבוד שעשה לו דלאו אדם כשר הוא אי דקאי התם בשעת יציאת נשמה חיובי מיחייב דתניא רבי שמעון בן אלעזר אומר ב) ז העומד על המת בשעת יציאת נשמה חייב לקרוע למה זה דומה לספר תורה שנשרף ח שחייב לקרוע דלא קאי התם בשעת יציאת נשמה כי נח נפשיה דרב ספרא לא קרעו רבנן עליה אמרי לא גמרינן מיניה אמר להו אביי מי תניא הרב שמת חכם שמת תניא ועוד כל יומא שמעתתיה בפומין בבי מדרשא סבור מה דהוה הוה אמר להו אביי תנינא חכם כל זמן שעוסקין בהספד חייבין לקרוע סבור למיקרע לאלתר אמר להו אביי תניא ט חכם כבודו בהספידו כי נח נפשיה דרב הונא סבור לאותובי ספר תורה אפורייה אמר להו רב חסדא י מילתא דבחייה לא סבירא ליה השתא ליקום ג) (ליה) ליעבד ליה דאמר רב תחליפא ד) אנא חזיתיה לרב הונא דבעי למיתב אפוריי' והוה מנח ספר תורה עליה וכף כדא ארעא ואותיב ספר תורה עילויה אלמא קסבר כ אסור לישב על גבי מטה שספר תורה מונח עליה לא הוה נפיק פוריא מבבא סבור לשלשולי דרך גגין אמר להו רב חסדא הא גמירנא מיניה ל חכם כבודו דרך פתח סבור לאשנויי מפוריא לפוריא אמר להו רב חסדא הכי גמירנא מיניה מ חכם כבודו במטה ראשונה דאמר רב יהודה אמר רב מנין לחכם שכבודו במטה ראשונה שנאמר א) וירכיבו את ארון האלהים אל עגלה חדשה פרום בבא ואפקוה פתח עליה רבי אבא ראוי היה רבינו שתשרה עליו שכינה אלא שבבל גרמה ליה מתיב רב נחמן בר ה) חסדא ואמרי לה רב חנן בר חסדא ב) היה היה דבר ה' אל יחזקאל בן בוזי הכהן בארץ כשדים ו) טפח ליה אבוה בסנדליה א"ל לאו אמינא לך לא תיטרוד עלמא מאי היה שהיה כבר כי אסקוה להתם אמרו ליה לר' אמי ולר' אסי רב הונא אתי אמרו כי הוינן התם לא הוה לן לדלויי רישין מיניה השתא אתינן הכא אתא בתרין אמרו (ז) ליה) ארונו בא ר' אמי ור' אסי נפוק ר' אילא ור' חנינא לא נפוק איכא דאמרי רבי אילא נפק ר' חנינא לא נפק דנפק מאי טעמיה דתניא ארון העובר ממקום למקום עומדים עליו בשורה ואומרים עליו ברכת אבלים ותנחומי אבלים דלא נפק מאי טעמא דתניא ארון העובר ממקום למקום אין עומדין עליו בשורה ואין אומרים עליו ברכת אבלים ותנחומי אבלים קשיין אהדדי לא קשיא כאן ששלדו קיימת כאן בשאין שלדו קיימת ורב הונא שלדו קיימת הוה דלא נפק לא סיימוה קמיה אמרי היכא ניניחיה רב הונא ריבץ תורה בישראל ור' חייא ריבץ תורה בישראל הוה מאן מעייל ליה אמר להו רב חגא אנא מעיילנא ליה דאוקמתיה לתלמודאי כי הוינא בר תמני סרי שנין ולא חזי לי קרי (א) ומשמע ליה קמיה וידעי בעובדיה דיומא חד אתהפיכא ליה רצועה דתפילין ויתיב עלה ארבעין תעניתא עייליה הוה גני יהודה מימיניה דאבוה וחזקיה משמאליה אמר ליה יהודה לחזקיה קום מדוכתיך דלאו אורח ארעא דקאים רב הונא בהדי דקאים קם בהדיה עמודא דנורא חזייה רב חגא איבעית זקפיה לארוניה ונפק אתא והאי דלא איענש משום דזקפיה לארוניה דרב הונא כי נח נפשיה דרב חסדא סבור לאותובי ספר תורה אפורייה אמר להו ר' יצחק ס מילתא דלרביה לא סבירא ליה אנן ניקום נעביד ליה סבור דלא למישלל קרעייהו אמר להו ר' יצחק בר אמי ס חכם כיון שהחזירו פניהם מאחורי המטה שוללין כי נח נפשי' דרבה בר הונא ורב המנונא אסקינהו להתם
כי

גמ' לספר תורה. דתורה קרויה נר שנאמר (משלי ו) כי נר מצוה ותורה אור ונשמה נקראת נר דכתיב (שם כ) נר ח) (אלהים) נשמת אדם: **שמעתתיה בפומין.** והוי כמאן דגמרינן מיניה: **מאי דהוה הוה.** הואיל דלא קרעו בשעת מיתה תו לא קרעי: **למקרע לאלתר.** בלא הספד: **לאותובי ס"ת אפורייה.** ולומר קיים זה מה שכתוב בזה: **לא הוה נפיק פוריא מבבא.** דזוטר הוה בבא: **מפוריא לפוריא.** לתתו במטה אחריתא קטנה שתלא דרך הפתח: **אל עגלה חדשה.** אותה עגלה שהיגרוהו פלשתים בה ובאותה עגלה הביאו דוד מבית אבינדב לעיר דוד: **פרום בבא.** שברו הפתח והרחיבוהו: **בבל גרמה לו.** שאין שכינה שורה בחוץ לארץ: **טפח ליה אבוה.** רב חסדא בסנדלא שטפח לו לרב נחמן על סנדלו כאדם שנוגע על רגל חבירו בחשאי כדי שלא ישמעו העומדים סביב מטתו דרב הונא ע"א הכהו בסנדלו: **לא תטרוד עלמא.** לא תטרח בקושיות: **שהיה כבר.** כלומר ההיא שעתא הוה ולא יותר ויש אומרים שהיה כבר בארץ ישראל ששרתה עליו רוח הקודש: **כי אסקוה להתם.** לארץ ישראל לקוברו שכל הנקבר שם נקבר בלא חטא ט) שנאמר העם היושב בה נשוא עון כדאיתא בכתובות (דף קיא.י): **לדלויי רישין.** דאדם חשוב היה והוה לן בושת לדלויי רישין: **ואתי להכא.** דסבורין שהוא חי: **שלדו.** גופו קיימת יולאין: **לא סיימוה קמיה.** דשלדו הוה קיימת: **רב הונא ריבץ תורה.** כדאמרי' פרק שני דייני גזירות (כתובות דף קו.) כי קיימי רבנן מקמיה ומנפצי גלימייהו מכסי ליה ליומא באבקא: **רבי חייא ריבץ תורה.** כדאמרינן בבבא מציעא (דף פה:) אנא עבדי ליה לתורה דלא תשתכח מישראל: **מאן מעייל ליה.** מי ילך להכניסו לקבורה אצל רבי חייא: **איתהפיכא ליה רצועה דתפילין.** השחור בפנים דרצועה שחורה נראה בחוץ הלכה למשה מסיני: **איבעית.** נבעת ונפחד: **זקפיה לארונא.** דרב הונא לקמיה עמודא דנורא דלא ליזקיה:
כי

וכף כדא ארעא ואנח עליה ספר תורה. ונראה דאפילו הספר תורה מונח בגבוה ממנו לא שרי מדלא אותבוה לספר תורה בגבוה ממנו וכן פירשתי במנחות בפרק הקומץ רבה (דף לג:) י) ושם הארכתי:

ורבי חייא ריבץ תורה וכו'. והקשה בתוספות הרב דמשמע בירושלמי א) שרב הונא מת קודם רבי חייא דאמר ליה לרבי חייא ארונו בא והכא משמע שרבי חייא מת קודם רב הונא ונראה לי דרב הונא אחר היה ואותו שבימי רבי חייא אין זה רב הונא תלמידו דרב ע"כ ומיהו קשה בירושלמי קאמר בעובדא דהכא רב הונא ריש גלותא ולפי הענין של הירושלמי היה משמע דזקפיה ר' חגא לארוניה דרב הונא כדי שלא יהא יושב אצל הצדיקים והכי איתא בפי' רבינו חננאל דרב הונא ריש גלותא:

חכם כיון שהחזיר פניו. פירוש חכם שמת כיון שהחזיר פניו אותו שקרע וגרסינן אפילו חכם שקרע על החכם כיון שהחזיר פניו שולל לאלתר דמשום כבודו של חכם הקורע התירו דגנאי הוא לצאת בבגד קרוע ולא נהיר':
שפעו

עין משפט נר מצוה

קעד א ב מיי' פ"ט מהל' אבל הל' יא סמג עשין ב טוש"ע י"ד סי' שמ סעי' ז:
קעה ג מיי' שם טוש"ע שם סעיף יח:
קעו ד מיי' פ"א שם הלכה ב טוש"ע י"ד סי' תא סעיף ד:
קעז ה ו מיי' שם פ"ט הל' יא ופי"ב הל' ב טוש"ע י"ד סי' שמ סעיף ו:
קעח ז מיי' שם פ"ט הלכה יא טוש"ע שם סעיף ה:
קעט ח מיי' שם הלכ' ב טוש"ע שם סעי' לו:
קפ ט מיי' שם הל' יג טוש"ע שם סעי' ז:
קפא י מיי' פי"ב שם הלכה ג טוש"ע שם סי' שנג סעי' ב:
קפב כ מיי' פ"י מהל' תפילין הלכה ו טוש"ע שם סי' רפב סעיף ז:
קפג ל מ מיי' פי"ב מהל' אבל הל' ג טוש"ע שם סי' שנג סעי' ג:
קפד נ מיי' שם הלכה ז סמג עשין מד"ס ב טוש"ע שם סי' שמה סעיף ח:
קפה ס מיי' שם פ"ט הלכה יב טוש"ע שם סי' שמ סעיף יז:

רבינו חננאל

מת וא"ר ירמיה ובלבד הראויין להתאבל. אוקימנא למתני' באדם שאינו חכם ולא כשר ולא היה עומד שם בשעת יציאת נשמה. אבל בחכם ובכשר חייב לעולם אע"פ שלא היה שם. דתניא חכם שמת הכל חייבין עליו כקרוביו הכל קורעין הכל חולצין והכל מברין והכל עומדין ברחבה. ואי אדם כשר הוא אע"פ שאינו חכם חייב. דתניא מפני מה בניו ובנותיו של בני אדם מתים כשהן קטנים מפני שלא בכה והתאבל על אדם כשר. שכל הבוכה ומתאבל על אדם כשר מוחלין לו על כל עונותיו. ואי עומד על המת בשעת יציאת נשמה חייב. דתניא ר' שמעון בן אלעזר אומר העומד על אדם בשעת יציאת נשמה חייב לקרוע למה זה דומה לס"ת שנשרף שחייב לקרוע. כי נח נפשיה דרב ספרא לא קרעו רבנן עליה. אמרו לא גמרינן מיניה. אמר להו אביי מי תניא הרב שמת חכם שמת תניא. ועוד שמעתתיה בפומן כל יומא בבי מדרשא. סבור מאי דהוה הוה. אמר להו אביי תניא חכם כבודו בהספדו. כי נח נפשיה דרב הונא סבור לאחותי ס"ת אפורייה אמר להו מלתא דבחייה לא סבירא ליה כו'. לא הוה נפיק פורייה לבבא סבור לשלשולי כו'. ואסיקנא חכם כבודו להוציאו דרך פתחים ולא דרך גגות. וכבודו במטה ראשונה ולא ממטה למטה שנאמר וירכיבו את ארון האלהים אל עגלה חדשה. סתרו להו לבבי ואפקוה. פתח עליה ההוא ספדנא ראוי היה רבינו שתשרה עליו שכינה אלא שבבל גרמה לו. והיא דכתיב היה היה דבר ה' אל יחזקאל בן בוזי הכהן בארץ כשדים על נהר כבר מאי היה היה שכבר הוה. תניא ארון העובר ממקום למקום עומדין עליו בשורה ואומרין עליו ברכת אבלים ותנחומי אבלים. אוקימנא בששלדו קיימת. ואם אין שלדו קיימת לא: ירושל' בתחלת משקין (הלכה ה) תני ליקוטי עצמות אין אומרים עליהן קינים ונהי ולא ברכת אבלים ולא תנחומי אבלים. ואלו הן ברכת אבלים א) (מה שאומרים בשורה. אבל אומרים עליהן דברי קילוסין. אמרו מנחייה בגבהה בבית הכנסת. אלו הן תנחומי אבלים מה שאומרים בשורה. אבל אומרין עליהן דברי קילוסין): אמרי מנחייה בבי ר' חייא שריבץ תורה כמותו. אמרי מאן ניעייליה. א"ר חנא אנא מעיילנא דאוקימתיה לתלמודא כד הוינא בר תמני סרי שנין ולא חזי לי קרי ומשמע לי קמיה וידענא עובדיה. יומא חד אתהפיכא ליה רצועא דתפילי ויתיב בתעניתא ארבעין יומין. עייליה הוה גני יהודה בריה מימיניה וחזקיה משמאליה. א"ל יהודה לחזקיה קום מדוכתיך דלאו אורח ארעא דקאי רב הונא אבראי. בהדיה דקם קם בהדיה עמודא דנורא חזייה רב חגא איבעית זקף לארוניה דרב הונא ונפק. והא דלאו מיענשו דבי ריש גלותא

חשק שלמה על ר"ח א) דברי רבינו כאן בשבוש וכצ"ל ברכת אבלים מה שאומרים בבהכנ"ס אלו הן תנחומי אבלים מה שאומרים בשורה אבל אומרים עליהן דברי קילוסין [וכ"ה בירושלמי פסחים פ"ח ה"ח ובירושלמי דמכלתין נדפס בשבוש וגם חסר שם פירוש לתנחומי אבלים].

מסורת הש"ס

א) שבת קה: [תוספתא פ"ב], ב) [משמע ליה להש"ס דמיירי אפי' באינו כשר כ"כ תוס' בשבת שם ד"ה דתניא], ג) [בע"י ליתא], ד) [מנחות לג: ע"ש], ה) [צ"ל רב חסדא], ו) [ב"ק לג: ב"ב כב.], ז) [צ"ל להו], ח) [צ"ל ה'], ט) דכל הדר בא"י שרוי בלא עון, י) ומנין אף המתים ת"ל וכפר אדמתו עמו עיין בילקוט חלק ב סוף רמז תתלג. ובע"י בפרש"י לא גרס כדאיתא בכתובות והוסיף ואין ישיבה בארץ אלא לקבורה ע"ש, כ) [עיין שם בתוס' ד"ה אסור לישב], ל) [סוף כלאים וכתובות פי"ב].

הגהות הב"ח

(א) גמ' ומשמע ליה קמיה. נ"ב פירוש הייתי משמש לפניו:

גליון הש"ס

גמ' מילתא דלרביה לא ס"ל אנן ניקום נעביד. עיין בבא קמא דף יז ע"א תד"ה אלא שהניחו:

תורה אור השלם

א) וַיַּרְכִּבוּ אֶת אֲרוֹן הָאֱלֹהִים אֶל עֲגָלָה חֲדָשָׁה וַיִּשָּׂאֻהוּ מִבֵּית אֲבִינָדָב אֲשֶׁר בַּגִּבְעָה וְעֻזָּא וְאַחְיוֹ בְּנֵי אֲבִינָדָב נֹהֲגִים אֶת הָעֲגָלָה חֲדָשָׁה: [שמואל ב' ו, ג]
ב) הָיֹה הָיָה דְבַר יְיָ אֶל יְחֶזְקֵאל בֶּן בּוּזִי הַכֹּהֵן בְּאֶרֶץ כַּשְׂדִּים עַל נְהַר כְּבָר וַתְּהִי עָלָיו שָׁם יַד יְיָ: [יחזקאל א, ג]

רש"י כת"י

לא צריכא. מתני' דקתני אין קורעין אלא דלאו חכם. **לספר תורה.** כספר תורה שנשרף [שעדיין היה יכול ללמוד והוי כס"ת שנשרף] [רש"י ברי"ף]. **מה דהוה הוה.** הואיל ולא קרע בשעת (תימוס) שמועה שוב אין יכול לקרוע. **כל זמן שעוסקין.** בהספידו יכולין לקרוע. **לאלתר.** קודס שיתחילו בהספד דרב ספרא. **חכם.** שמת כבודו שקורעין עליו. **ספר תורה אפורייה.** משום כבוד כלומר קיים זה מה שכתוב בזה. **וכף כדא.** כפא הכד לארץ והניח ספר תורה עליו שלא רצה לישב סמוך לספר תורה. **לא הוה נפיק.** בבבא לא היו יכולין להוציא המטה דרך שער הבית שהיתה המטה רחבה והפתח קצר. **לשלשולי.** [לרב הונא במטתו דרך גגות ולא הוה אפשר להו לשלשולי] המטה דרך גגות והדר מפקי לרב הונא דרך הפתח דהא אמרי גדול אינו יוצא אלא במטה. **לאשנויי פורייה.** לתתו במטה אחרת קטנה שתצא דרך הפתח. **אל עגלה חדשה.** אותה שהיגרו פלשתים בה ובאותה עגלה הניח דוד הארון להביא מבית אבינדב לעיר דוד. **פרום.** כמו פרוסה שברו את הפתח והרחיבוהו. **שבבל גרמא ליה.** שאין שכינה שורה בחוצה לארץ. **טפח ליה אבוה בסנדליה.** רב חסדא לרב נחמן בסנדליה שטפח לו [אבוה] לרב נחמן על (אבוה ב)סנדליה. ל"א רב חסדא טפח בסנדלו. **לא תטרוד עלמא** בתשובות שאין בהן ממש. (ועכשיו היה) **[שהיה כבר].** שרוי כבר מתחלה בארץ ישראל ועכשיו ניטנית בחוצה לארץ אבל לכתחלה אין שכינה שורה על האדם אלא בארץ. **כי אסקיה.** לרב הונא. **התם.** לקברו בארץ שראל שכל מי שנקבר שם ממרקין לו עוונותיו שנ' (ישעיה לג) העם היושב בה נשוא עון ועוד דאין לו לער מחילות. **דלוי רישין מיניה.** לא היה לנו הרמת ראש מפני אימתו סבורין היו שהוא חי ובא ברגליו. **ארון העובר אין עומדין וכו'.** הואיל ואינו סמוך לשעת מיתה. **ששלדו קיימת.** שהגוף קיים עדיין. **אין שלדו קיימת.** שעברו ימים רבים ונפרסו עצמותיו. **לא סיימוה.** לא היה יודע שלדו קיימת. **ריבץ.** לשון מרבילין את הבית רב הונא ריבץ כדאמרינן בפרק שני דייני (גזילות) [גזירות] (כתובות קו.) כי קיימי רבנן מקמיה ומנפלי גלימיהו ומכסי ליה ליומא באבקא. **ר' חייא ריביץ.** כדאמרינן בבבא מציעא (פה:) אנא עבדי לתורה דלא תשתכח מישראל שהיה הולך ודורש בכל מדינה ומדינה. **ומאן מעייל ליה.** מי ילך להכניסו בקבורה אצל ר' חייא. (קיריא) **קרי ומשמע ליה קמיה.** שמשתי לפניו דר' חייא. **וידענא עובדיה.** אני בקיא בו ובמעשיו דאדם גדול הוא. **איתהפיכא ליה רצועה דתפילין.** דלא הוה לגבר שצריך שיהיו אותיות של שדי נראות מבחוץ בקשר של רצועה. **איבעית.** נבעת [מפני האש]. **זקפיה לארונא.** [דרב הונא תפשו למגן] כנגדו. **האי דלא איענש.** ר' חנא שלא שרפו (ה)עמוד [האש] משום דזקפיה לארונא דרב הונא כנגדו [ולא היה יכול לעבור האש]. **דלרביה.** דרב חסדא לא סבירא ליה היינו [דרב הונא רביה] דרב חסדא דאמרינן לעיל אמ' רב [חסדא] הכי גמירנא מיניה. **חכם.** כלומר המקרע על חכם כיון שהחזיר פניו מאחורי המטה שולל.

The narrative resumes:

פְּרוּס בָּבָא וְאַפְּקוּהַ – Having no choice, **they broke open the doorway** and widened it, **and** then **brought [the bier] out.**

With the bier having been brought out, the eulogies began: פָּתַח עֲלֵיהּ רַבִּי אַבָּא – **R' Abba opened** the eulogy **over [Rav Huna]** as follows: רָאוּי הָיָה רַבֵּינוּ שֶׁתִּשְׁרֶה עָלָיו שְׁכִינָה – **Our teacher was worthy that the Divine Presence should rest upon him,** אֶלָּא שֶׁבָּבֶל גָּרְמָה לֵיהּ – **but** his residing in **Babylonia caused him** not to achieve this, for the Divine Presence does not rest upon any individual outside Eretz Yisrael.

R' Abba's statement was questioned:

מָתִיב רַב נַחְמָן בַּר [רַב] חִסְדָּא – **Rav Nachman bar [Rav] Chisda challenged** this statement, וְאָמְרֵי לָהּ רַב חָנָן בַּר חִסְדָּא – **and some say** that it was **Rav Chanan bar Chisda** who challenged it: "הָיֹה הָיָה דְבַר־ה׳ אֶל־יְחֶזְקֵאל בֶּן־בּוּזִי הַכֹּהֵן בְּאֶרֶץ כַּשְׂדִּים" – Scripture states: ***There was the Word of Hashem to Ezekiel son of Buzi, the Kohen, in the Land of the Chaldeans.***[17] Thus, we see that the Divine Presence did rest upon a person in Babylonia!

The challenger was silenced:

טָפַח לֵיהּ אֲבוּהַ בְּסַנְדָּלֵיהּ – **His father** (Rav Chisda) **tapped him on his sandal,**[18] אָמַר לֵיהּ – and **said to him:** לָאו אֲמִינָא לָךְ לֹא תִּיטְרוּד עָלְמָא – **Have I not told you, "Do not disturb people** with insubstantial challenges"?[19] Your question can readily be answered: מַאי "הָיָה" – **What is** the meaning of ***There was** the Word of Hashem*? שֶׁהָיָה כְּבָר – It means **that [the Word] had already been** to Ezekiel previously, when he was in Eretz Yisrael, and continued to visit him with prophecy in the land of the Chaldeans. However, the Divine Presence does not initially come to rest upon a person outside Eretz Yisrael.[20]

Rav Huna's bier was transported to Eretz Yisrael for burial:

כִּי אַסְקוּהַ לְהָתָם – **When they brought him up there** (to Eretz Yisrael),[21] אָמְרוּ לֵיהּ לְרַבִּי אַמִּי וּלְרַבִּי אַסִּי – **they told R' Ami and R' Assi:** רַב הוּנָא אָתֵי – **Rav Huna has arrived.** אָמְרוּ – Thinking that Rav Huna was still alive and had come to *reside* in Eretz Yisrael, **they said:** כִּי הֲוֵינַן הָתָם – **When we were there** (in Babylonia), לֹא הֲוָה לָן לְדַלּוּיֵי רֵישִׁין מִינֵּיהּ – **we were unable to raise our heads because of** the superiority of **[Rav Huna]!**[22] הַשְׁתָּא אָתֵינַן הָכָא – **Now** that **we have come here** (to Eretz Yisrael), אָתָא בַּתְרִין – **he follows us?**[23] אָמְרוּ (לֵיהּ) [לְהוּ] – Realizing the misunderstanding, **[the messengers] said to [R' Ami and R' Assi]:** אֲרוֹנוֹ בָּא – **[Rav Huna's] coffin has come!** רַבִּי אַמִּי וְרַבִּי אַסִּי נְפוּק – **R' Ami and R' Assi** thereupon **went out** to escort the coffin to its final resting place. רַבִּי אִילָא וְרַבִּי חֲנִינָא לֹא נְפוּק – However, **R' Ila and R' Chanina did not go out.** אִיכָּא דְּאָמְרֵי – **There are those who say** that רַבִּי אִילָא נְפַק – **R' Ila did go out,** רַבִּי חֲנִינָא לֹא נְפַק – and it was only **R' Chanina** who **did not go out.**

The Gemara explains why certain sages went out:

דִּנְפַק – The one **who did go out,** מַאי טַעְמֵיהּ – **what was his reason?** דְּתַנְיָא – It was **because it has been taught in a Baraisa:** אָרוֹן הָעוֹבֵר מִמָּקוֹם לְמָקוֹם – Concerning A COFFIN THAT PASSES FROM one PLACE TO another PLACE for burial and arrives at the second location some time after the death, עוֹמְדִים עָלָיו בְּשׁוּרָה – THEY are required to STAND IN LINE ON ITS ACCOUNT, וְאוֹמְרִים עָלָיו בִּרְכַּת אֲבֵלִים וְתַנְחוּמֵי אֲבֵלִים – AND THEY are also required to SAY ON ITS ACCOUNT THE MOURNERS' BLESSING AND THE MOURNERS' CONDOLENCES.[24] Thus, although Rav Huna had been dead for some time when the coffin arrived in Eretz Yisrael, the residents were required to attend his funeral and honor him and his mourners.

The Gemara proceeds to explain the other view:

דְּלֹא נְפַק – And the one **who did not go out,** מַאי טַעְמָא – **what was his reason?** דְּתַנְיָא – It was **because it has been taught in** another **Baraisa:** אָרוֹן הָעוֹבֵר מִמָּקוֹם לְמָקוֹם – Concerning A COFFIN THAT PASSES FROM one PLACE TO another PLACE for burial and arrives at the second location some time after the death, אֵין עוֹמְדִין עָלָיו בְּשׁוּרָה – THEY DO NOT STAND IN LINE ON ITS ACCOUNT,

NOTES

inappropriate to transfer the body of a sage from one bier to another (*Rashi, Rashi ms., Maharsha;* see also *R' Shlomo ben HaYasom*).

HaKoseiv in *Ein Yaakov* raises a difficulty: Scripture (*I Samuel* 6:14) states that following the original return of the Ark by the Philistines the boards of the wagon were chopped up and the cows that led it were brought as *olah* offerings. [Presumably, they used the chopped boards to fuel the Altar fire.] Hence, the original wagon no longer existed in David's times! To resolve the difficulty, *Matzeves Moshe* posits that they chopped up only the side boards of the wagon, which were superfluous because the Ark did not need to be supported (see *II Samuel* 6:6-7). The bed of the wagon remained intact until David's times.

A different explanation of our Gemara is provided by *Tos. HaRosh:* The "new wagon" was a wagon that had been made by David especially for this occasion. The verse implies that they transported the Ark on that special wagon and none other. We learn through analogy that a deceased sage should be carried on the bier that was made in his honor, and not any other (see previous note). For yet another explanation, see *Yaaros Devash* vol. I §16 (quoted by *Maharatz Chayes*).

17. *Ezekiel* 1:3.

18. He surreptitiously tapped on his son's sandal so as to avoid embarrassing him before those gathered around the bier (*Rashi,* first explanation; see *Rashi* to *Bava Basra* 22a ד״ה טפח). Alternatively, the meaning is that Rav Chisda kicked his son with his own sandal *(Rashi; Rashi, Bava Kamma* 32b).

19. *Rashi ms.* [Especially at a time like this (*R' Shlomo ben HaYasom*).]

20. *Rashi,* second explanation; *Rashi ms.* The double phrase הָיֹה הָיָה – literally: *There had been, there was* – implies that the reason Ezekiel merited prophecy in the Diaspora is that he had already been visited with it in Eretz Yisrael (*Maharsha,* citing *Yalkut Shimoni* ad loc.). Once the Divine presence rested upon him in Eretz Yisrael, it did not depart from him when he left the country (*Chidushei HaRan*). Cf. *Rashi's* first explanation.

21. It is meritorious to be buried in Eretz Yisrael, for Scripture states (*Deuteronomy* 32:43): וְכִפֶּר אַדְמָתוֹ עַמּוֹ, *and His land will atone for His people* (*Kesubos* 111a). [*Rashi, Rashi ms.* and *Rashi* to *Ein Yaakov* cite the verse (*Isaiah* 33:24): הָעָם הַיֹּשֵׁב בָּהּ נְשֻׂא עָוֹן, *the people dwelling there shall be forgiven of sin,* and explain that "dwelling" refers to burial. However, the Gemara in *Kesubos* ibid. states explicitly that this refers to those who reside in Eretz Yisrael during their lifetimes.]

Going from Babylonia (and in fact, from anywhere else) to Eretz Yisrael is called עֲלִיָּה, *ascending* (see Mishnah, *Kesubos* 110b), or in Aramaic, לְמֵיסַק. The reason is because the sages state (*Kiddushin* 69a-b): אֶרֶץ יִשְׂרָאֵל גְּבוֹהָה מִכָּל הָאֲרָצוֹת, *Eretz Yisrael is higher than all other lands.* For elaboration of this matter, see Schottenstein Edition of *Kiddushin,* 69a note 13.

22. R' Ami and R' Assi were originally among the greatest sages of Babylonia, but were humbly subservient to Rav Huna, who was the leader of the generation [see *Megillah* 22a] (*Rashi; Rashi ms.; R' Shlomo ben HaYasom*).

23. Although Rav Huna was their superior, it would not have been proper for him to encroach upon their jurisdiction, since they were worthy sages who had become established leaders in Eretz Yisrael. If he had actually come to reside in Eretz Yisrael, they would not have been obligated to defer to him. Thus, they meant that they should not be expected to submit to him there (*Meiri*).

24. I.e. when they inter the coffin in the place where they transported it [and there are mourners present], they follow all the customs that are normally observed at a funeral, even though some time has passed since the death (*Ritva;* see there for an alternative explanation; see also *Rambam, Hil. Aveil* 12:7 and *Ramban;* and see *Shulchan Aruch, Yoreh Deah* 345:8). The customs of standing in line and reciting the mourners' blessing are mentioned in the Mishnah below, 27a, and are described in the notes there. The mourners' condolences that are mentioned here are the condolences that are said during the standing in line (*Rif*).

גמ' ואפי' חכם והתניא חכם שמת הכל קרוביו הכל קרוביו סלקא דעתך אלא הכל כקרוביו הכל קורעין עליו והכל חולצין עליו והכל מברין עליו ברחבה לא צריכא דלאו חכם הוא ואי אדם כשר הוא חיובי מיחייב למיקרע דתניא מפני מה בניו ובנותיו של אדם מתים כשהן קטנים כדי שיבכה ויתאבל על אדם כשר יבכה ויתאבל ערבונא קא שקיל מיניה אלא מפני שלא בכה והתאבל על אדם כשר שכל הבוכה ומתאבל על אדם כשר מוחלין לו על כל עונותיו בשביל כבוד שעשה לו דלאו אדם כשר הוא אי דקאי התם בשעת יציאת נשמה חיובי מיחייב דתניא רבי שמעון בן אלעזר אומר העומד על המת בשעת יציאת נשמה חייב לקרוע למה זה דומה לספר תורה שנשרף שחייב לקרוע דלא קאי התם בשעת יציאת נשמה כי נח נפשיה דרב ספרא לא קרעו רבנן עליה אמרי לא גמרינן מיניה אמר להו אביי מי תניא הרב שמת חכם שמת תניא ועוד כל יומא שמעתתיה בפומין בבי מדרשא סבור מה דהוה הוה אמר להו אביי תנינא חכם כל זמן שעוסקין בהספד חייבין לקרוע סבור למיקרע לאלתר אמר להו אביי תניא חכם כבודו בהספידו כי נח נפשיה דרב הונא סבור לאותובי ספר תורה אפורייה אמר להו רב חסדא מילתא דבחייה לא סבירא ליה השתא ליקום (ליה) ליעבד ליה דאמר רב תחליפא אנא חזיתיה לרב הונא דבעי למיתב אפוריי' והוה מנח ספר תורה עליה וכף כדא ארעא ואותיב ספר תורה עילויה אלמא קסבר אסור לישב על גבי מטה שספר תורה מונח עליה לא הוה נפיק פוריא מבבא סבור לשלשולי דרך גגין אמר להו רב חסדא הא גמירנא מיניה חכם כבודו דרך פתח סבור לאשנויי מפוריא לפוריא אמר להו רב חסדא הכי גמירנא מיניה חכם כבודו במטה ראשונה דאמר רב יהודה אמר רב מנין לחכם שכבודו במטה ראשונה שנאמר וירכיבו את ארון האלהים אל עגלה חדשה פרוס בבא ואפקוה פתח עליה רבי אבא ראוי היה רבינו שתשרה עליו שכינה אלא שבבל גרמה ליה מתיב רב נחמן בר חסדא ואמרי לה רב חנן בר חסדא היה היה דבר ה' אל יחזקאל בן בוזי הכהן בארץ כשדים טפח ליה אבוה בסנדליה א"ל לאו אמינא לך לא תיטרוד עלמא מאי היה שהיה כבר כי אסקוה להתם אמרו ליה לר' אמי ולר' אסי רב הונא אתי אמרו כי הוינן התם לא הוה לן לדלויי רישין מיניה השתא אתינן הכא אתא בתרין אמרו (ליה) ארונו בא ר' אמי ור' אסי נפוק ר' אילא ור' חנינא לא נפוק איכא דאמרי רבי אילא נפק ר' חנינא לא נפק דנפק מאי טעמיה דתניא ארון העובר ממקום למקום עומדים עליו בשורה ואומרים עליו ברכת אבלים ותנחומי אבלים דלא נפק מאי טעמא דתניא ארון העובר ממקום למקום אין עומדין עליו בשורה ואין אומרים עליו ברכת אבלים ותנחומי אבלים קשיין אהדדי לא קשיא כאן ששלדו קיימת כאן בשאין שלדו קיימת ורב הונא שלדו קיימת הוה דלא נפק לא סיימוה קמיה אמרי היכא נינחיה רב הונא ריבץ תורה בישראל ור' חייא ריבץ תורה בישראל הוה מאן מעייל ליה אמר להו רב חגא אנא מעיילנא ליה דאוקמתיה לתלמודאי כי הוינא בר תמני סרי שנין ולא חזי לי קרי (א) ומשמע ליה קמיה וידעי בעובדיה דיומא חד אתהפיכא ליה רצועה דתפילין ויתיב עלה ארבעין תעניתא עייליה הוה גני יהודה מימיניה דאבוה וחזקיה משמאליה אמר ליה יהודה לחזקיה קום מדוכתיך דלאו אורח ארעא דקאים רב הונא בהדי דקאים קם בהדיה עמודא דנורא חזייה רב חגא איבעית זקפיה לארוניה ונפק אתא והאי דלא איענש משום דזקפיה לארוניה דרב הונא כי נח נפשיה דרב חסדא סבור לאותובי ספר תורה אפורייה אמר להו ר' יצחק מילתא דלרביה לא סבירא ליה אנן ניקום נעביד ליה סבור דלא למישלל קרעייהו אמר להו ר' יצחק בר אמי חכם כיון שהחזירו פניהם מאחורי המטה שוללין כי נח נפשי' דרבה בר הונא ורב המנונא אסקינהו להתם

כי

רש"י

גמ' לספר תורה. דתורה קרויה נר שנאמר (משלי ו) כי נר מצוה ותורה אור ונשמה נקראת נר דכתיב (שם כ) נר (אלהים) נשמת אדם: שמעתתיה בפומין. והוי כמאן דגמרינן מיניה: מאי דהוה הוה. הואיל דלא קרעו בשעת מיתה תו לא קרעי: למקרע לאלתר. בלא הספד: לאותובי ס"ת אפורייה. ולומר קיים זה מה שכתוב בזה: לא הוה נפיק פוריא מבבא. דזוטר הוה בבא: מפוריא לפוריא. לתתו במטה אחריתא קטנה שתצא דרך הפתח: אל עגלה חדשה. אותה עגלה שהיגרוהו פלשתים בה ובאותה עגלה הביאו דוד מבית אבינדב לעיר דוד: פרוס בבא. שברו הפתח והרחיבוהו: בבל גרמה לו. שאין שכינה שורה בחוץ לארץ: טפח ליה אבוה. רב חסדא בסנדלא שטפח לו לרב נחמן על סנדלו כאדם שנוגע על רגל חבירו בחשאי כדי שלא ישמעו העומדים סביב מטתו דרב הונא ע"א הכהו בסנדלו: לא תטרוד עלמא. לא תטרח בקושיות: שהיה כבר. כלומר ההיא שעתא הוה ולא יותר ויש אומרים שהיה כבר בארץ ישראל ששרתה עליו רוח הקודש: כי אסקוה להתם. לארץ ישראל לקוברו שכל הנקבר שם נקבר בלא חטא שנאמר העם היושב בה נשוא עון כדאיתא בכתובות (דף קיא.): לדלויי רישין. לאדם חשוב היה והוה לן בושת לדלויי רישין: ואתי להכא. דסבורין שהוא חי: שלדו. גופו קיימת יולאין: לא סיימוה קמיה. דשלדו הוה קיימת: רב הונא ריבץ תורה. כדאמרי' פרק שני דייני גזירות (כתובות דף קו.) כי קיימי רבנן מקמיה ומנפלי גלימייהו מכסי ליה ליומא באבקא: רבי חייא ריבץ תורה. כדאמרינן בבבא מציעא (דף פה:) אנא עבדי ליה לתורה דלא תשתכח מישראל: מאן מעייל ליה. מי ילך להכניסו לקבורה אצל רבי חייא: איתהפיכא ליה רצועה דתפילין. השחור בפנים דרצועה שחורה נראה בחוץ הלכה למשה מסיני: איבעית. נבעת ונפחד: זקפיה לארונא. דרב הונא לקמיה עמודא דנורא דלא ליזקיה:

כי

תוספות

וכף כדא ארעא ואנח עליה ספר תורה. ונראה דאפילו הספר תורה מונח בגבוה ממנו לא שרי מדלא אותבוה לספר תורה בגבוה ממנו וכן פירשתי במנחות בפרק הקומץ רבה (דף לג:) ושם הארכתי:

ורבי חייא ריבץ תורה וכו'. והקשה בתוספות הרב דמשמע בירושלמי שרב הונא מת קודם רבי חייא דאמר ליה לרבי חייא ארונו בא והכא משמע שרבי חייא מת קודם רב הונא ונראה לי דרב הונא אחר היה ואותו שבימי רבי חייא אין זה רב הונא תלמידו דרב ע"כ ומיהו קשה בירושלמי קאמר בעובדא דהכא רב הונא ריש גלותא ולפי הענין של הירושלמי היה משמע דזקפיה ר' חגא לארוניה דרב הונא כדי שלא יהא יושב אצל הצדיקים והכי איתא בפי' רבינו חננאל דרב הונא ריש גלותא:

חכם כיון שהחזיר פניו. פירוש חכם שמת כיון שהחזיר פניו אותו שקרע וגרסינן אפילו חכם שקרע על החכם כיון שהחזיר פניו שולל לאלתר דמשום כבודו של חכם הקורע התירו דגנאי הוא לצאת בבגד קרוע ולא נהיר':

שפעו

מסורת הש"ס

א) שבת קה: [תוספתא פ"ב], ב) [משמע ליה להש"ס דמיירי אפי' באינו כשר כ"כ תוס' בשבת שם ד"ה דתניא], ג) [בע"י ליתא], ד) [מנחות לג: ע"ש], ה) [צ"ל רב חסדא], ו) [ב"ק לג: ב"ב כב.], ז) [צ"ל להון], ח) [צ"ל ה'], ט) דכל הדר בא"י שרוי בלא עון, י) ומנין אף המתים ת"ל וכפר אדמתו עמו עיין בילקוט חלק ב סוף רמז תתלג. ובע"י בפרש"י לא גרס כדאיתא בכתובות והוסיף ואין ישיבה בארץ אלא לקבורה ע"ש, כ) [עיין שם בתוס' ד"ה אסור לישב], ל) [סוף כלאים ובכתובות פי"ב].

עין משפט נר מצוה

קעד א ב מיי' פ"ט מהל' אבל הל' יא סמג עשין ב טוש"ע י"ד סי' שמ סעי' ז:

קעה ג מיי' שם טוש"ע שם סעיף יז:

קעו ד מיי' פי"א שם הלכה ב טוש"ע י"ד סי' תא סעיף ד:

קעז ה ו מיי' שם פ"ט הל' יא ופי"ב הל' ב טוש"ע י"ד סי' שמ סעיף ו:

קעח ז מיי' שם פ"ט הלכה יא טוש"ע שם סעיף ה:

קעט ח מיי' שם הלכ' ב טוש"ע שם סעי' לו:

קפ ט מיי' שם הל' יג טוש"ע שם סעי' ז:

קפא י מיי' פי"ב שם הלכה ג טוש"ע שם סי' שנג סעי' ב:

קפב כ מיי' פ"י מהל' תפילין הלכה ו טוש"ע שם סי' רפב סעיף ז:

קפג ל מ מיי' פי"ב מהל' אבל הל' ג טוש"ע שם סי' שנג סעי' ג:

קפד נ מיי' שם הלכה ז סמג עשין מד"ס ב טוש"ע שם סי' שמה סעיף ח:

קפה ס מיי' שם פ"ט הלכה יב טוש"ע שם סי' שמ סעיף יז:

הגהות הב"ח

(א) גמ' ומשמע ליה קמיה. נ"ב פירוש הייתי משמש לפניו:

גליון הש"ס

גמ' מילתא דלרביה לא ס"ל אנן ניקום נעביד. עיין בבא קמא דף יז ע"א תד"ה אלא שהניחו:

תורה אור השלם

א) וַיַּרְכִּבוּ אֶת אֲרוֹן הָאֱלֹהִים אֶל עֲגָלָה חֲדָשָׁה וַיִּשָּׂאֻהוּ מִבֵּית אֲבִינָדָב אֲשֶׁר בַּגִּבְעָה וְעֻזָּא וְאַחְיוֹ בְּנֵי אֲבִינָדָב נֹהֲגִים אֶת הָעֲגָלָה חֲדָשָׁה: [שמואל ב' ו, ג]

ב) הָיֹה הָיָה דְבַר יְיָ אֶל יְחֶזְקֵאל בֶּן בּוּזִי הַכֹּהֵן בְּאֶרֶץ כַּשְׂדִּים עַל נְהַר כְּבָר וַתְּהִי עָלָיו שָׁם יַד יְיָ: [יחזקאל א, ג]

רש"י כת"י

לא צריכא. מתני' דקתני אין קורעין אלא דלאו חכם. לספר תורה. כספר תורה שנשרף [שעדיין היה יכול ללמוד והוי כס"ת שנשרף] [רש"י ברי"ף]. מה דהוה הוה. הואיל ולא קרע בשעת (חימום) שמועה שוב אין יכול לקרוע. כל זמן שעוסקין. בהספידו יכולין לקרוע. לאלתר. קודם שיתחילו בהספד דרב ספרא. חכם. שמת כבודו שקורעין עליו. ספר תורה אפורייה. משום כבוד כלומר קיים זה מה שכתוב בזה. וכף כדא. כפא הכד לארץ והניח ספר תורה עליו שלא רצה לישב סמוך לספר תורה. לא הוה נפיק. בבבא לא היו יכולין להוציא המטה דרך שער הבית שהיתה המטה רחבה והפתח קצר. לשלשולי. [לרב הונא במטתו דרך גגות ולא הוה אפשר להו לשלשולי] המטה דרך גגות והדר מפקי לרב הונא דרך הפתח דהא אמרי גדול אינו יוצא אלא במטה. לאשנויי פורייה. לתתו במטה אחרת קטנה שתצא דרך הפתח. אל עגלה חדשה. אותה שהיגרו פלשתים בה ובאותה עגלה הניח דוד הארון להביא מבית אבינדב לעיר דוד. פרוס. כמו פרוסה שברו את הפתח והרחיבוהו. שבבל גרמא ליה. שאין שכינה שורה בחוצה לארץ. טפח ליה אבוה בסנדליה. רב חסדא לרב נחמן בסנדליה שטפח לו [אבוה] לרב נחמן על (אבוה ב)סנדליה. ל"א רב חסדא טפח בסנדלו. לא תטרוד עלמא בתשובות שאין בהן ממש. (ועכשיו היה) [שהיה כבר]. שרוי כבר מתחלה בארץ ישראל ועכשיו נשנית בחוצה לארץ אבל לכתחלה אין שכינה שורה על האדם אלא בארץ. כי אסקיה. לרב הונא. התם. לקברו בארץ שראל שכל מי שנקבר שם ממרקין לו עוונותיו שנ' (ישעיה לג) העם היושב בה נשוא עון ועוד דאין לו לער מחילות. דלוי רישין מיניה. לא היה לנו הרמת ראש מפני אימתו סבורין היו שהוא חי ובא ברגליו. ארון העובר אין עומדין וכו'. הואיל ואינו סמוך לשעת מיתה. ששלדו קיימת. שהגוף קיים עדיין. אין שלדו קיימת. שעברו ימים רבים ונפרסו עצמותיו. לא סיימוה. לא היה יודע ששלדו קיימת. ריבץ. לשון מרבילין את הבית רב הונא ריבץ כדאמרינן בפרק שני דייני (גזילות) [גזירות] (כתובות קו.) כי קיימי רבנן מקמיה ומנפלי גלימיהו ומכסי ליה ליומא באבקא. ר' חייא ריבץ. כדאמרינן בבבא מציעא (פה:) אנא עבדי לתורה דלא תשתכח מישראל שהיה הולך ודורש בכל מדינה ומדינה. ומאן מעייל ליה. מי ילך להכניסו בקבורה אצל ר' חייא. (קיריא) קרי ומשמע ליה קמיה. שמשתי לפניו דר' חייא. וידענא עובדיה. אני בקיא בו ובמעשיו דאדם גדול הוא. איתהפיכא ליה רצועה דתפילין. דלא הוה לבר שצריך שיהיו אותיות של שדי נראות מבחוץ בקשר של רצועה. איבעית. נבעת [מפני האש]. זקפיה לארונא. [דרב הונא תפסו למגן] כנגדו. האי דלא איענש. ר' חגא שלא שרפו (ה)עמוד [האש] משום דזקפיה לארונא דרב הונא כנגדו [ולא היה יכול לעבור האש]. דלרביה. דרב חסדא לא סבירא ליה היינו [דרב הונא רביה] דרב חסדא דלאמר רב [חסדא] הכי גמירנא מיניה. חכם. כלומר המקרע על חכם כיון שהחזיר פניו מאחורי המטה שולל.

רבינו חננאל

מת וא"ר ירמיה ובלבד הראויין להתאבל. אוקימנא למתני' באדם שאינו חכם ולא כשר ולא היה עומד שם בשעת יציאת נשמה. אבל בחכם ובכשר חייב לעולם אע"פ שלא היה שם. דתניא חכם שמת הכל חייבין עליו כקרוביו הכל קורעין הכל חולצין והכל מברין והכל עומדין ברחבה. ואי אדם כשר הוא אע"פ שאינו חכם חייב. דתניא מפני מה בניו ובנותיו של בני אדם מתים כשהן קטנים מפני שלא בכה והתאבל על אדם כשר. שכל הבוכה ומתאבל על אדם כשר מוחלין לו על כל עונותיו. ואי עומד על המת בשעת יציאת נשמה חייב. דתניא ר' שמעון בן אלעזר אומר העומד על אדם בשעת יציאת נשמה חייב לקרוע למה זה דומה לס"ת שנשרף שחייב לקרוע. כי נח נפשיה דרב ספרא לא קרעו רבנן עליה. אמרו לא גמרינן מיניה. אמר להו אביי מי תניא הרב שמת חכם שמת תניא. ועוד שמעתתיה בפומן כל יומא בבי מדרשא. סבור מאי דהוה הוה. אמר להו אביי תניא חכם כבודו בהספדו. כי נח נפשיה דרב הונא סבור לאחותי ס"ת אפורייה אמר להו מלתא דבחייה לא סבירא ליה כו'. לא הוה נפיק פורייה לבבא סבור לשלשולי כו'. ואסיקנא חכם כבודו להוציאו דרך פתחים ולא דרך גגות. וכבודו במטה ראשונה ולא ממטה למטה שנאמר וירכיבו את ארון האלהים אל עגלה חדשה. סתרו להו לבבי ואפקוה. פתח עליה ההוא ספדנא ראוי היה רבינו שתשרה עליו שכינה אלא שבבל גרמה לו. וההיא דכתיב היה היה דבר ה' אל יחזקאל בן בוזי הכהן בארץ כשדים על נהר כבר מאי היה היה שכבר הוה. תניא ארון העובר ממקום למקום עומדין עליו בשורה ואומרין עליו ברכת אבלים ותנחומי אבלים. אוקימנא בששלדו קיימת. אבל אין שלדו קיימת לא: ירושל' בתחלת משקין (הלכה ה) תני ליקוטי עצמות אין אומרים עליהן קינים ונהי ולא ברכת אבלים ולא תנחומי אבלים. ואלו הן ברכת אבלים א) (מה שאומרים בשורה. אבל אומרים עליהן דברי קילוסין. אמרו מנחייה גבמה בבית הכנסת. אלו הן תנחומי אבלים מה שאומרים בשורה. אבל אומרין עליהן דברי קילוסין): אמרי מנחייה גבי ר' חייא שריבץ תורה כמותו. אמרי מאן ניעייליה. א"ר חגא אנא מעיילנא דאוקימתיה לתלמודא כד הוינא בר תמני סרי ולא חזי לי קרי ומשמע לי קמיה וידענא עובדיה. יומא חד אתהפיכא ליה רצועא דתפילי ויתיב בתעניתא עייליה הוי גני יהודה בריה מימיניה וחזקיה משמאליה. א"ל יהודה לחזקיה קום מדוכתיך דלאו אורח ארעא דקאי רב הונא אבראי. בהדיה דקם. קם בהדיה עמודא דנורא חזייה רב חגא איבעית זקף לארוניה דרב הונא ונפק. והא דלאו מיענשו דבי ריש גלותא

חשק שלמה על ר"ח א) דברי רבינו כאן בשבוש וכצ"ל ברכת אבלים מה שאומרים בבהכנ"ס אלו הן תנחומי אבלים מה שאומרים בשורה אבל אומרים עליהן דברי קילוסין [וכ"ה בירושלמי פסחים פ"ח ה"ח ובירושלמי דמכילתין נדפס בשבוש וגם חסר שם פירוש דתנחומי אבלים].

וְאֵין אוֹמְרִים עָלָיו בִּרְכַּת אֲבֵלִים וְתַנְחוּמֵי אֲבֵלִים – **NOR DO THEY SAY ON ITS ACCOUNT THE MOURNERS' BLESSING OR THE MOURNERS' CONDOLENCES.** Thus, there was no requirement to attend Rav Huna's funeral!

The Gemara reflects on this obvious incompatibility:

קַשְׁיָין אַהֲדָדֵי – **[The two Baraisos] are contradictory.** – ? –

The Gemara reconciles the contradiction:

לֹא קַשְׁיָא – There is **no difficulty,** for each Baraisa is correct in its own setting: כָּאן שֶׁשִּׁלְדּוֹ קַיֶּימֶת – **Here,** in the first Baraisa, we are dealing with a case **where the skeleton**[25] is still **intact.** כָּאן בְּשֶׁאֵין שִׁלְדּוֹ קַיֶּימֶת – But **here,** in the latter Baraisa, we are dealing with a case **where the skeleton is no** longer **intact.**[26] When the skeleton is intact, one must accord the deceased and his mourners the full honor that is normally given when a funeral takes place immediately, but when it is not intact there is no requirement to honor them in this manner.

The Gemara challenges this explanation:

וְרַב הוּנָא שִׁלְדּוֹ קַיֶּימֶת הֲוָה – **But** in the case of **Rav Huna,** we know that **his skeleton was** still **intact!** Hence, there was no excuse not to go out. – ? –

The Gemara answers:

דְּלֹא נָפַק – The one **who did not go out** לֹא סַיְּימוּהָ קַמֵּיהּ – **did not receive the full report** and was unaware that Rav Huna's skeleton was still intact.[27]

The Gemara continues its account of Rav Huna's funeral:

אָמְרֵי – **[The sages of Eretz Yisrael] said:** הֵיכָא נִינְחֵיהּ – **Where should we put him to rest,** i.e. what would be the appropriate location?[28] They reasoned: רַב הוּנָא רִיבֵּץ תּוֹרָה בְּיִשְׂרָאֵל – **Rav Huna disseminated Torah among the Jewish people,**[29] וְרַבִּי חִיָּיא רִיבֵּץ תּוֹרָה בְּיִשְׂרָאֵל הֲוָה – **and R' Chiya was a disseminator of Torah among the Jewish people.**[30] Thus, it is fitting to inter Rav Huna in R' Chiya's crypt.

They were now confronted with another problem:

מַאן מְעַיֵּיל לֵיהּ – **Who is** the rabbi who is meritorious enough **to** enter R' Chiya's crypt and **bring [Rav Huna] in?**[31] A certain sage stepped forward:

אָמַר לְהוּ רַב חַגָּא – **Rav Chaga said:** אֲנָא מְעַיֵּילְנָא לֵיהּ – **I will bring him in,** as I feel worthy of entering the crypt, דְּאוֹקַמְתֵּיהּ לְתַלְמוּדַאי כִּי הֲוֵינָא בַּר תַּמְנֵי סְרֵי שְׁנִין – **for I established my** thorough knowledge of the **Talmud**[32] **when I was** merely **eighteen years old;** וְלֹא חֲזֵי לִי קֶרִי – **and I did not experience a seminal emission;**[33] וּמְשַׁמַּע לֵיהּ קַמֵּיהּ – **I was an attendant of [R' Chiya]**[34] during his lifetime, וְיָדְעִי בְּעוֹבָדֵיהּ – **and I am acquainted with his** pious **deeds.** דְּיוֹמָא חַד אִתְהַפִּיכָא לֵיהּ רְצוּעָה דִּתְפִילִּין – **For,** as an example, **one day his tefillin strap turned over,**[35] and he, being unaware, wore it like that, וְיָתִיב עֲלָהּ אַרְבְּעִין תַּעֲנִיתָא – **and he fasted forty days** to atone **for this** inadvertent transgression.[36]

The responsibility of entering the crypt was indeed placed upon Rav Chaga:

עַיְּילֵיהּ – **[Rav Chaga] brought [Rav Huna] in.** הֲוָה גָּנֵי יְהוּדָה מִימִינֵיהּ דַּאֲבוּהּ – **Yehudah,** the elder of R' Chiya's two sons, **was lying on his father's right** side, וְחִזְקִיָּה מִשְּׂמָאלֵיהּ – **and Chizkiyah,** the younger son, **on his left** side. אָמַר לֵיהּ יְהוּדָה לְחִזְקִיָּה – **Yehudah told** his younger brother, **Chizkiyah:** קוּם מִדּוּכְתֵּיךְ – **"Arise from your place,** דְּלָאו אוֹרַח אַרְעָא דְּקָאִים רַב הוּנָא – **for it is not respectful that Rav Huna should stand** and wait to be buried."[37] בַּהֲדֵי דְּקָאִים – **As [Chizkiyah] arose,** קָם בַּהֲדֵיהּ עַמּוּדָא דְנוּרָא – **a pillar of fire arose with him.**[38] חַזְיֵיהּ רַב חַגָּא – **Rav Chaga saw [the pillar of fire],** אִיבְעִית – **and was seized with terror.** זַקְפֵּיהּ לַאֲרוֹנֵיהּ – **He raised [Rav Huna's] coffin** to shield himself from the fire, וְנָפַק אָתָא – **and exited** the crypt. וְהַאי דְּלֹא אִיעֲנַשׁ עֲנַשׁ – **And the reason he was not harmed**[39] by the pillar of fire **was** מִשּׁוּם דְּזַקְפֵּיהּ לַאֲרוֹנֵיהּ דְּרַב הוּנָא – **because he raised Rav Huna's coffin** in front of it.[40]

NOTES

25. *Rashi ms.* and *Meiri* seem to define שֶׁלֶד as the entire skeleton. *Rambam* (ibid.), however, defines it as the spine. See *Lechem Mishneh* ad loc. for a discussion of this interpretation. *Aruch* ע׳ שלד defines it as the spine and ribs.

26. Rather, so much time has passed since the death that the bones have come apart (*Rashi ms.*).

27. *Rashi;* cf. *R' Shlomo ben HaYasom.*

28. We do not bury a wicked person next to a righteous one (*Sanhedrin* 47a), nor do we bury an ordinary righteous person alongside an unusually great man (*Shulchan Aruch, Yoreh Deah* 362:5). The Rabbis therefore analyzed which deceased sage would be a fitting neighbor in burial for one as great as Rav Huna (see *R' Shlomo ben HaYasom*).

29. The Gemara in *Kesubos* 106a describes the number of Rav Huna's students as so great that when they stood up and brushed off their clothes "the cloud of dust obscured the sun" (*Rashi;* see *R' Shlomo ben HaYasom*).

30. R' Chiya once declared: "I make sure that the Torah is not forgotten by the Jewish people" (*Rashi,* citing *Bava Metzia* 85b; see there for a description of his outstanding efforts in this regard).

31. See *Bava Metzia* 85b for an account regarding a sage who was harmed through a similar incident involving R' Chiya.

32. The elucidation follows *Rashi* to *Megillah* 6b ד״ה לאוקמי.

33. People generally experience seminal discharges at night because they entertain indecent thoughts during the day (*Kesubos* 46a). Thus, Rav Chaga was pure not only in deed but even in thought. [*Maharsha* explains Rav Chaga's words as meaning that he had not experienced such an emission at the age of eighteen, even though that is the age for marriage and he postponed marriage on account of his devotion to Torah study.]

34. *Rashi ms.;* cf. *Rashi* to *Ein Yaakov.* [Regarding the merit of attending one's master, see *Berachos,* end of 7b.]

35. The straps of the tefillin must be dyed black on one side, and must be worn with the black side facing outward. This is *Halachah LeMoshe MiSinai* [a law taught orally to Moses at Sinai] (*Rashi;* see *Menachos* 35a-b with *Rashi* to 35b ד״ה ונוייהן – second explanation). Alternatively, the knots on the straps, which are designed to resemble the letters of the holy Name ש־ד־י, must face outward (*Rashi ms.; Rashi* to *Menachos* ibid. – first explanation). [Both interpretations are accepted in halachah; see *Shulchan Aruch, Orach Chaim* 27:10-11; see also *Mishnah Berurah* §38.]

36. There is no requirement to fast in this case. It is considered pious to fast [for *one* day] or "redeem" the fast by giving an appropriate amount to charity when this occurs (*Mishnah Berurah* 27:38). Fasting forty days was an outstanding form of penance (Responsa of *Gaon,* cited by *Rosh, Hil. Tefillin* §12; see there for another opinion; see also *Beis Yosef, Orach Chaim* 27:10). [See *R' Shlomo ben HaYasom* for the reason R' Chiya fasted specifically forty days. See also *Bava Metzia* 85a for other instances in which certain sages fasted this number of days.]

37. *Meiri* interprets this allegorically, as meaning that the sages decided that it was proper to disinter the body of Chizkiyah to make room for Rav Huna. Although a body is normally not disinterred to make room for another one, this was an unusual case due to the honor of the illustrious sage Rav Huna (*Meiri;* cf. *R' Shlomo ben HaYasom,* who interprets the incident literally). [Similar incidents are recorded in *Shabbos* 152b (but see *Maharal* there), *Kesubos* 103a (regarding R' Yehuda HaNasi) and *Bava Metzia* 84b (regarding R' Elazar the son of R' Shimon).]

38. This symbolizes that although the sages ordained the disinterment they did so with extraordinary difficulty, and in fear of being punished by the "flame" of the disinterred sage's merits (*Meiri*). [A pillar of fire accompanying a sage in death is a sign of unusual greatness (*Kesubos* 17a).]

39. Literally: punished (see previous note).

40. [Perhaps, this means that the merit of burying Rav Huna saved him from punishment for disturbing the remains of Chizkiyah.] The elucidation of the text follows *Rashi* and *Rashi ms.* See *Tosafos, Rabbeinu Chananel* and *R' Shlomo ben HaYasom* for a variant reading and

עין משפט נר מצוה

קעד א ב מיי' פ"ט מהל' אבל הל' יא סמג עשין ב טוש"ע י"ד סי' שמ סעי' ז:
קעה ג מיי' שם טוש"ע שם סעיף יז:
קעו ד מיי' פי"א שם הלכה ב טוש"ע י"ד סי' תא סעיף ד:
קעז ה ו מיי' שם פ"ט הל' יא ופי"ב הל' ב טוש"ע י"ד סי' שמ סעיף ו:
קעח ז מיי' שם פ"ט הלכה יא טוש"ע שם סעיף ה:
קעט ח מיי' שם הל' ב טוש"ע שם סעי' לו:
קפ ט מיי' שם הל' יג טוש"ע שם סעי' ז:
קפא י מיי' פי"ב שם הלכה ג טוש"ע שם סי' שנג סעי' ב:
קפב כ מיי' פ"י מהל' תפילין הלכה ו טוש"ע שם סי' רפב סעיף ז:
קפג ל מ מיי' פי"ב מהל' אבל הל' ג טוש"ע שם סי' שנג סעי' ג:
קפד נ מיי' שם הלכה ז סמג עשין מד"ם ב טוש"ע שם סי' שמה סעיף ח:
קפה ס מיי' שם פ"ט הלכה יב טוש"ע שם סי' שמ סעיף יז:

גמ' ואפי' חכם והתניא (א) א חכם שמת הכל קרוביו הכל קרוביו סלקא דעתך אלא הכל כקרוביו ב הכל קורעין עליו ג והכל חולצין עליו ד והכל מברין עליו ברחבה לא צריכא דלאו חכם הוא ואי אדם כשר הוא ה חיובי מיחייב למיקרע דתניא מפני מה בניו ובנותיו של אדם מתים כשהן קטנים כדי שיבכה ויתאבל על אדם כשר יבכה ויתאבל ערבונא קא שקיל מיניה אלא מפני שלא בכה והתאבל על אדם כשר ו שכל הבוכה ומתאבל על אדם כשר מוחלין לו על כל עונותיו בשביל כבוד שעשה לו דלאו אדם כשר הוא אי דקאי התם בשעת יציאת נשמה חובי מיחייב דתניא רבי שמעון בן אלעזר אומר ז העומד על המת בשעת יציאת נשמה חייב לקרוע למה זה דומה לספר תורה שנשרף ח שחייב לקרוע דלא קאי התם בשעת יציאת נשמה כי נח נפשיה דרב ספרא לא קרעו רבנן עליה אמרי לא גמרינן מיניה אמר להו אביי מי תניא הרב שמת חכם שמת תניא ועוד כל יומא שמעתתיה בפומין בבי מדרשא סבור מה דהוה הוה אמר להו אביי תנינא חכם כל זמן שעוסקין בהספד חייבין לקרוע סבור למיקרע לאלתר אמר להו אביי תניא ט חכם כבודו בהספידו כי נח נפשיה דרב הונא סבור לאותובי ספר תורה אפורייה אמר להו רב חסדא י מילתא דבחייה לא סבירא ליה השתא ליקום (ליה) ג ליעבד ליה דאמר רב תחליפא ד אנא חזיתיה לרב הונא דבעי למיתב אפוריי' והוה מנח ספר תורה עליה וכף כדא ארעא ואותיב ספר תורה עילויה אלמא קסבר כ אסור לישב על גבי מטה שספר תורה מונח עליה לא הוה נפיק פוריא מבבא סבור לשלשולי דרך גגין אמר להו רב חסדא הא גמירנא מיניה ל חכם כבודו דרך פתח סבור לאשנויי מפוריא לפוריא אמר להו רב חסדא הכי גמירנא מיניה מ חכם כבודו במטה ראשונה דאמר רב יהודה אמר רב מנין לחכם שכבודו במטה ראשונה שנאמר א וירכיבו את ארון האלהים אל עגלה חדשה פרום בבא ואפקוה פתח עליה רבי אבא ראוי היה רבינו שתשרה עליו שכינה אלא שבבל גרמה ליה מתיב רב נחמן בר ה חסדא ואמרי לה רב חנן בר חסדא ב היה היה דבר ה' אל יחזקאל בן בוזי הכהן בארץ כשדים ו טפח ליה אבוה בסנדליה א"ל לאו אמינא לך לא תיטרוד עלמא מאי היה שהיה כבר כי אסקוה להתם אמרו ליה לר' אמי ולר' אסי רב הונא אתי אמרו כי הוינן התם לא הוה לן לדלויי רישין מיניה השתא אתינן הכא אתא בתרין אמרו (ז ליה) ארונו בא לר' אמי ור' אסי נפוק ר' אילא ור' חנינא לא נפוק איכא דאמרי רבי אילא נפק ר' חנינא לא נפק דנפק מאי טעמיה דתניא ארון העובר ממקום למקום עומדים עליו בשורה ואומרים עליו ברכת אבלים ותנחומי אבלים דלא נפק מאי טעמא דתניא ארון העובר ממקום למקום אין עומדין עליו בשורה ואין אומרים עליו ברכת אבלים ותנחומי אבלים קשין אהדדי לא קשיא כאן נ בשלדו קיימת כאן בשאין שלדו קיימת ורב הונא שלדו קיימת הוה דלא נפק לא סיימוה קמיה אמרי היכא נינחיה רב הונא ריבץ תורה בישראל ור' חייא ריבץ תורה בישראל הוה מאן מעייל ליה אמר להו רב חגא אנא מעיילנא ליה דאוקמתיה לתלמודאי לי כי הוינא בר תמני סרי שנין ולא חזי לי קרי (א) ומשמע ליה קמיה וידעי בעובדיה דיומא חד אתהפיכא ליה רצועה דתפילין ויתיב עלה ארבעין תעניתא עייליה הוה גני יהודה מימיניה וחזקיה משמאליה אמר ליה יהודה לחזקיה קום מדוכתיך דלאו אורח ארעא דקאים רב הונא בהדי דקאים קם בהדיה עמודא דנורא חזייה רב חגא איבעית זקפיה לארוניה ונפק אתא והאי דלא איענש ענש משום דזקפיה לארוניה דרב הונא כי נח נפשיה דרב חסדא סבור לאותובי ספר תורה אפורייה אמר להו ר' יצחק ס מילתא דלרביה לא סבירא ליה אנן ניקום נעביד ליה סבור דלא למישלל קרעייהו אמר להו ר' יצחק בר אמי ס חכם כיון שהחזירו פניהם מאחורי המטה שוללין כי נח נפשי' דרבה בר הונא ורב המנונא אסקינהו להתם כי

רש"י

גמ' לספר תורה. דתורה קרויה נר שנאמר (משלי ו) כי נר מצוה ותורה אור ונשמה נקראת נר דכתיב (שם כ) נר (ה) (אלהים) נשמת אדם: **שמעתתיה בפומין.** והוי כמאן דגמרינן מיניה: **מאי דהוה הוה.** הואיל דלא קרעו בשעת מיתה תו לא קרעי: **למקרע לאלתר.** בלא הספד: **לאותובי ס"ת אפורייה.** ולומר קיים זה מה שכתוב בזה: **לא הוה נפיק פוריא מבבא.** דזוטר הוה בבא: **מפוריא לפוריא.** לתתו במטה אחריתא קטנה שתצא דרך הפתח: **אל עגלה חדשה.** אותה עגלה שהביאוהו פלשתים בה ובאותה עגלה הביאו דוד מבית אבינדב לעיר דוד: **פרום בבא.** שברו הפתח והרחיבוהו: **בבל גרמה לו.** שאין שכינה שורה בחוץ לארץ: **טפח ליה אבוה.** רב חסדא בסנדלא שטפח לו לרב נחמן על סנדלו כאדם שנוגע על רגל חבירו בחשאי כדי שלא ישמעו העומדים סביב מטתו דרב הונא ע"א הכהו בסנדלו: **לא תטרוד עלמא.** לא תטרח בקושיות: **שהיה כבר.** כלומר ההיא שעתא הוה ולא יותר ויש אומרים שהיה כבר בארץ ישראל שסרתה עליו רוח הקודש: **כי אסקוה להתם.** לארץ ישראל לקוברו שכל הנקבר שם נקבר בלא חטא (ט) שנאמר העם היושב בה נשוא עון כדאיתא בכתובות (דף קיא.(י)): **לדלויי רישין.** דאדם חשוב היה והוה לן בושת לדלויי רישין: **ואתי להכא.** דסבורין שהוא חי: **שלדו.** גופו קיימת יונאין: **לא סיימוה קמיה.** דשלדו הוה קיימת: **רב הונא ריבץ תורה.** כדאמרי' פרק שני דייני גזירות (כתובות דף קו.) כי קיימי רבנן מקמיה ומנפלי גלימייהו מכסי ליה ליומא באבקא: **רבי חייא ריבץ תורה.** כדאמרינן בבבא מציעא (דף פה:) אנא עבדי ליה לתורה דלא תשתכח מישראל: **מאן מעייל ליה.** מי ילך להכניסו לקבורה אצל רבי חייא: **איתהפיכא ליה רצועה דתפילין.** השחור בפנים דרצועה שחורה נראה בחוץ הלכה למשה מסיני: **איבעית.** נבעת ונפחד: **זקפיה לארונא.** דרב הונא לקמיה עמודא דנורא דלא ליזקיה: כי

תוספות

וכף כדא ארעא ואנח עליה ספר תורה. ונראה דאפילו הספר תורה מונח בגבוה ממנו לא שרי מדלא אותבוה לספר תורה בגבוה ממנו וכן פירשתי במנחות בפרק הקומץ רבה (דף לב:) (י) ושם הארכתי:

ורבי חייא ריבץ תורה וכו'. והקשה בתוספות הרב דמשמע בירושלמי (ל) שרב הונא מת קודם רבי חייא דאמר ליה לרבי חייא ארונו בא והכא משמע שרבי חייא מת קודם רב הונא ונראה לי דרב הונא אחר היה ואותו שבימי רבי חייא אין זה רב הונא תלמידו דרב ע"כ ומיהו קשה בירושלמי קאמר בעובדא דהכא רב הונא ריש גלותא ולפי הענין של הירושלמי היה משמע דזקפיה ר' חגא לארוניה דרב הונא כדי שלא יהא יושב אצל הצדיקים והכי איתא בפי' רבינו חננאל דרב הונא ריש גלותא:

חכם כיון שהחזיר פניו. פירוש חכם שמת כיון שהחזיר פניו אותו שקרע וגרסינן אפילו חכם שקרע על החכם כיון שהחזיר פניו שולל לאלתר דמשום כבודו של חכם הקורע התירו דגנאי הוא לצאת בבגד קרוע ולא נהיר' שפעו

רבינו חננאל

מת וא"ר ירמיה ובלבד הראויין להתאבל. אוקימנא למתני' באדם שאינו חכם ולא כשר ולא היה עומד שם בשעת יציאת נשמה. אבל בחכם ובכשר חייב לעולם אע"פ שלא היה שם. דתניא חכם שמת הכל חייבין עליו כקרוביו הכל קורעין הכל חולצין והכל מברין והכל עומדין ברחבה. ואי אדם כשר הוא אע"פ שאינו חכם חייב. דתניא מפני מה בניו ובנותיו של בני אדם מתים כשהן קטנים מפני שלא בכה והתאבל על אדם כשר. שכל הבוכה ומתאבל על אדם כשר מוחלין לו על כל עונותיו. ואי עומד על המת בשעת יציאת נשמה חייב. דתניא ר' שמעון בן אלעזר אומר העומד על אדם בשעת יציאת נשמה חייב לקרוע למה זה דומה לס"ת שנשרף שחייב לקרוע. כי נח נפשיה דרב ספרא לא קרעו רבנן עליה. אמרו לא גמרינן מיניה. אמר להו אביי מי תניא הרב שמת חכם שמת תניא. ועוד שמעתתיה בפומן כל יומא בבי מדרשא. סבור מאי דהוה הוה. אמר להו אביי תניא חכם כבודו בהספדו. כי נח נפשיה דרב הונא סבור לאחותי ס"ת אפורייה אמר להו מלתא דבחייה לא סבירא ליה כו'. לא הוה נפיק פורייה לבבא סבור לשלשולי כו'. ואסיקנא חכם כבודו להוציאו דרך פתחים ולא דרך גגות. וכבודו במטה ראשונה ולא ממטה למטה שנאמר וירכיבו את ארון האלהים אל עגלה חדשה. סתרו להו לבבי ואפקוה. פתח עליה ההוא ספדנא ראוי היה רבינו שתשרה עליו שכינה אלא שבבל גרמה לו. וההיא דכתיב היה היה דבר ה' אל יחזקאל בן בוזי הכהן בארץ כשדים על נהר כבר מאי היה היה שכבר הוה. תניא ארון העובר ממקום למקום עומדין עליו בשורה ואומרין עליו ברכת אבלים ותנחומי אבלים. אוקימנא בששלדו קיימת. אבל אין שלדו קיימת לא: **ירושל'** בתחלת משקין (הלכה ה) תני ליקוטי עצמות אין אומרים עליהן קינים ונהי ולא ברכת אבלים ולא תנחומי אבלים. ואלו הן ברכת אבלים א) (מה שאומרים בשורה. אבל אומרים עליהן דברי קילוסין. אמרו מנחייה גבמה בבית הכנסת. אלו הן תנחומי אבלים מה שאומרים בשורה. אבל אומרין עליהן דברי קילוסין): אמרי מנחייה גבי ר' חייא שריבץ תורה כמותו. אמרי מאן ניעייליה. א"ר חגא אנא מעיילנא דאוקימתיה לתלמודא כד הוינא בר תמני סרי ולא חזי לי קרי ומשמע לי קמיה וידענא עובדיה. יומא חד אתהפיכא ליה רצועא דתפילי ויתיב בתעניתא עייליה הוי גני יהודה בריה מימיניה וחזקיה משמאליה. א"ל יהודה לחזקיה קום מדוכתיך דלאו אורח ארעא דקאי רב הונא אבראי. בהדיה דקם. קם בהדיה עמודא דנורא חזייה רב חגא איבעית זקף לארוניה דרב הונא ונפק. והא דלאו מיענשו דבי ריש גלותא

חשק שלמה על ר"ח א) דברי רבינו כאן בשבוש וכל"ל ברכת אבלים מה שאומרים בבהכנ"ס אלו הן תנחומי אבלים מה שאומרים בשורה אבל אומרים עליהן דברי קילוסין [וכ"ה בירושלמי פסחים פ"ח ה"ח ובירושלמי דמכלתין נדפס בשבוש וגם חסר שם פירוש דתנחומי אבלים].

מסורת הש"ס

א) שבת קה: [תוספתא פ"ב], ב) [משמע ליה להש"ם דמיירי אפי' באינו כשר כ"כ תוס' בשבת שם ד"ה דתניא], ג) [בע"י ליתא], ד) [מנחות לב: ע"ש], ה) [צ"ל רב חסדא], ו) [ב"ק לב: ב"ב כב.], ז) [צ"ל להו], ח) [צ"ל ה'], ט) דכל הדר בא"י שרוי בלא עון, י) ומנין אף המתים ת"ל וכפר אדמתו עמו עיין ילקוט חלק ב סוף רמז תתלג. ובע"י בפרש"י לא גרס כדאיתא בכתובות והוסיף ואין ישיבה בארץ אלא לקבורה ע"ש, כ) [עיין שם בתוס' ד"ה אסור לישב], ל) [סוף כלאים ובכתובות פי"ב].

הגהות הב"ח

(א) גמ' ומשמע ליה קמיה. נ"ב פירוש הייתי משמש לפניו:

גליון הש"ס

גמ' מילתא דלרביה לא ס"ל אנן ניקום נעביד. עיין בבא קמא דף יז ע"א תד"ה אלא שהניחו:

תורה אור השלם

א) וַיַּרְכִּבוּ אֶת אֲרוֹן הָאֱלֹהִים אֶל עֲגָלָה חֲדָשָׁה וַיִּשָּׂאֻהוּ מִבֵּית אֲבִינָדָב אֲשֶׁר בַּגִּבְעָה וְעֻזָּא וְאַחְיוֹ בְּנֵי אֲבִינָדָב נֹהֲגִים אֶת הָעֲגָלָה חֲדָשָׁה: [שמואל ב' ו, ג]

ב) הָיֹה הָיָה דְבַר יְיָ אֶל יְחֶזְקֵאל בֶּן בּוּזִי הַכֹּהֵן בְּאֶרֶץ כַּשְׂדִּים עַל נְהַר כְּבָר וַתְּהִי עָלָיו שָׁם יַד יְיָ: [יחזקאל א, ג]

רש"י כת"י

לא צריכא. מתני' דקתני אין קורעין אלא דלאו חכם. **לספר תורה.** כספר תורה שנשרף [שעדיין היה יכול ללמוד והוי כס"ת שנשרף] [רש"י ברי"ף]. **מה דהוה הוה.** הואיל ולא קרע בשעת (חימום) שמועה שוב אין יכול לקרוע. **כל זמן שעוסקין.** בהספידו יכולין לקרוע. **לאלתר.** קודם שיתחילו בהספד דרב ספרא. **חכם.** שמת כבודו שקורעין עליו. **ספר תורה אפורייה.** משום כבוד כלומר קיים זה מה שכתוב בזה. **וכף כדא.** כפא הכד לארץ והניח ספר תורה עליו שלא רצה לישב סמוך לספר תורה. **לא הוה נפיק.** בבבא לא היו יכולין להוציא המטה דרך שער הבית שהיתה המטה רחבה והפתח קצר. **לשלשולי.** [לרב הונא במטתו דרך גגות ולא הוה אפשר להו לשלשולי] המטה דרך גגות והדר מפקי לרב הונא דרך הפתח דהא אמרי גדול אינו יוצא אלא במטה. **לאשנויי פורייה.** לתתו במטה אחרת קטנה שתצא דרך הפתח. **אל עגלה חדשה.** אותה שסיגרו פלשתים בה ובאותה עגלה הניח דוד הארון להביא מבית אבינדב לעיר דוד. **פרום.** כמו פרוסה שברו את הפתח והרחיבוהו. **שבבל גרמא ליה.** שאין שכינה שורה בחוצה לארץ. **טפח ליה אבוה בסנדליה.** רב חסדא לרב נחמן בסנדליה שטפח לו [אבוה] לרב נחמן על (אבוה ב)סנדליה. ל"א רב חסדא טפח בסנדלו. **לא תטרוד עלמא** בתשובות שאין בהן ממש. **(ועכשיו היה) [שהיה כבר].** שרוי כבר מתחלה בארץ ישראל ועכשיו נישנית בחוצה לארץ אבל לכתחלה אין שכינה שורה על האדם אלא בארץ. **כי אסקיה.** לרב הונא. **התם.** לקברו בארץ שראל שכל מי שנקבר שם ממרקין לו עוונותיו שנ' (ישעיה לג) העם היושב בה נשוא עון ועוד דאין לו צער מחילות. **דלוי רישין מיניה.** לא היה לנו הרמת ראש מפני אימתו סבורין היו שהוא חי ובא ברגליו. **ארון העובר אין עומדין וכו'.** הואיל ואינו סמוך לשעת מיתה. **ששלדו קיימת.** שהגוף קיים עדיין. **אין שלדו קיימת.** שעברו ימים רבים ונפרסו עצמותיו. **לא סיימוה.** לא היה יודע ששלדו קיימת. **ריבץ.** לשון מרבילין את הבית רב הונא ריבץ כדאמרינן בפרק שני דייני (גזילות) [גזירות] (כתובות קו.) כי קיימי רבנן מקמיה ומנפלי גלימיהו ומכסי ליה ליומא באבקא. **ר' חייא ריבץ.** כדאמרינן בבבא מציעא (פה:) אנא עבדי לתורה דלא תשתכח מישראל שהיה הולך ודורש בכל מדינה ומדינה. **ומאן מעייל ליה.** מי ילך להכניסו בקבורה אצל ר' חייא. (**קיריא**) קרי ומשמע ליה קמיה. שמשתי לפניו דר' חייא. **וידענא עובדיה.** אני בקיא בו ובמעשיו דאדם גדול הוא. **איתהפיכא ליה רצועה דתפילין.** דלא הוה לבר שצריך שיהיו אותיות של שדי נראות מבחוץ בקשר של רצועה. **איבעית.** נבעת [מפני האש]. **זקפיה לארונא.** [דרב הונא תפשו למגן] כנגדו. **האי דלא איענש.** ר' חגא שלא שרפו (ה)עמוד [האש] משום דזקפיה לארונא דרב הונא כנגדו [ולא היה יכול לעבור האש]. **דלרביה.** דרב חסדא לא סבירא ליה היינו [דרב הונא רביה] דרב חסדא דאמרינן לעיל אמ' רב [חסדא] הכי גמירנא מיניה. **חכם.** כלומר המקרע על חכם כיון שהחזיר פניו מאחורי המטה שולל.

A related incident is cited:

סָבוּר **כִּי נָח נַפְשֵׁיהּ דְּרַב חִסְדָּא – When Rav Chisda passed away,** לְאוֹתוּבֵי סֵפֶר תּוֹרָה אַפּוּרְיֵיהּ **– they intended to place a Torah scroll on his bier.**[41] **אָמַר לְהוּ רַבִּי יִצְחָק – R' Yitzchak said to them:** מִילְּתָא דִּלְרַבֵּיהּ לֹא סְבִירָא לֵיהּ **– Something that Rav Chisda's teacher,** Rav Huna, **did not consider correct,**[42] **אֲנַן נֵיקוּם נֶעֱבִיד לֵיהּ – shall we arise and do it to [Rav Chisda]?** Accordingly, they retracted.

The account continues:

סָבוּר דְּלֹא לְמִישְׁלַל קְרָעַיְיהוּ – After Rav Chisda's funeral, at which they rent their garments,[43] **they intended not to baste their rents. אָמַר לְהוּ רַבִּי יִצְחָק בַּר אַמִי – R' Yitzchak bar Ami said to them:** חָכָם – Concerning **a sage** who is not one's primary teacher,[44] the law is that **כֵּיוָן שֶׁהֶחֱזִירוּ פְּנֵיהֶם** מֵאֲחוֹרֵי הַמִּטָּה **– once they have turned their faces** to return **from escorting the bier,** שׁוֹלְלִין **– they** may **baste** the rent.[45]

The Gemara proceeds to cite different examples of eulogies, some appropriate and some inappropriate. By way of introduction, an incident is recorded, conveying how careful a person must be to accord the deceased his rightful honor:

כִּי נָח נַפְשַׁיְהוּ דְּרַבָּה בַּר הוּנָא וְרַב הַמְנוּנָא – When Rabbah Bar Huna and Rav Hamnuna passed away, אַסְקִינְהוּ לְהָתָם **– they were brought up there** (to Eretz Yisrael) for burial. The biers were carried side by side.

NOTES

explanation of the Gemara's final comments. According to their version Rav Huna's coffin remained standing in an upright position forever. [See *Yerushalmi Kilayim* 9:3, where the incident is recorded somewhat differently.]

41. See note 13.

42. As we learned above, when Rav Huna passed away, Rav Chisda himself cited Rav Huna as opposing this practice.

43. We learned above that rending is mandatory when a sage passes away.

44. *Nimukei Yosef;* see also *Rambam* cited in following note.

45. And they may mend it properly the next day (*Rambam, Hil. Aveil* 9:12; cf. *Hagahos Maimoniyos* ad loc., *Ramban;* see *Kesef Mishneh* ad loc.; see also *Tosafos* ד״ה חכם). [Regarding the laws of basting and mending a rent that was made over the death of one's primary teacher, see below, 26a-b. See also *Ramban* and *Ritva* at the top of this *amud.*]

גמ' ואפי' חכם והתניא חכם שמת הכל קרוביו הכל קרוביו סלקא דעתך אלא הכל כקרוביו הכל קורעין עליו והכל חולצין עליו והכל מברין עליו ברחבה לא צריכא דלאו חכם הוא ואי אדם כשר הוא חיובי מיחייב למיקרע דתניא מפני מה בניו ובנותיו של אדם מתים כשהן קטנים כדי שיבכה ויתאבל על אדם כשר יבכה ויתאבל ערבונא קא שקיל מיניה אלא מפני שלא בכה והתאבל על אדם כשר שכל הבוכה ומתאבל על אדם כשר מוחלין לו על כל עונותיו בשביל כבוד שעשה לו דלאו אדם כשר הוא אי דקאי התם בשעת יציאת נשמה חיובי מיחייב דתניא רבי שמעון בן אלעזר אומר העומד על המת בשעת יציאת נשמה חייב לקרוע למה זה דומה לספר תורה שנשרף שחייב לקרוע דלא קאי התם בשעת יציאת נשמה כי נח נפשיה דרב ספרא לא קרעו רבנן עליה אמרי לא גמרינן מיניה אמר להו אביי מי תניא הרב שמת חכם שמת תניא ועוד כל יומא שמעתתיה בפומין בבי מדרשא סבור מה דהוה הוה אמר להו אביי תנינא חכם כל זמן שעוסקין בהספד חייבין לקרוע סבור למיקרע לאלתר אמר להו אביי תניא חכם כבודו בהספידו כי נח נפשיה דרב הונא סבור לאותובי ספר תורה אפורייה אמר להו רב חסדא מילתא דבחייה לא סבירא ליה השתא ליקום (ליה) ליעבד ליה דאמר רב תחליפא אנא חזיתיה לרב הונא דבעי למיתב אפוריי' והוה מנח ספר תורה עליה וכף כדא ארעא ואותיב ספר תורה עילויה אלמא קסבר אסור לישב על גבי מטה שספר תורה מונח עליה לא הוה נפיק פוריא מבבא סבור לשלשולי דרך גגין אמר להו רב חסדא הא גמירנא מיניה חכם כבודו דרך פתח סבור לאשנויי מפוריא לפוריא אמר להו רב חסדא הכי גמירנא מיניה חכם כבודו במטה ראשונה דאמר רב יהודה אמר רב מנין לחכם שכבודו במטה ראשונה שנאמר וירכיבו את ארון האלהים אל עגלה חדשה פרום בבא ואפקוה פתח עליה רבי אבא ראוי היה רבינו שתשרה עליו שכינה אלא שבבל גרמה ליה מתיב רב נחמן בר חסדא ואמרי לה רב חנן בר חסדא היה היה דבר ה' אל יחזקאל בן בוזי הכהן בארץ כשדים טפח ליה אבוה בסנדליה א"ל לאו אמינא לך לא תיטרוד עלמא מאי היה שהיה כבר כי אסקוה להתם אמרו ליה לר' אמי ולר' אסי רב הונא אתי אמרו כי הוינן התם לא הוה לן לדלויי רישין מיניה השתא אתינן הכא אתא בתרין אמרו (ליה) ארונו בא ר' אמי ור' אסי נפוק ר' אילא ור' חנינא לא נפוק איכא דאמרי רבי אילא נפק ר' חנינא לא נפק דנפק מאי טעמיה דתניא ארון העובר ממקום למקום עומדים עליו בשורה ואומרים עליו ברכת אבלים ותנחומי אבלים דלא נפק מאי טעמא דתניא ארון העובר ממקום למקום אין עומדין עליו בשורה ואין אומרים עליו ברכת אבלים ותנחומי אבלים קשיין אהדדי לא קשיא כאן ששלדו קיימת כאן בשאין שלדו קיימת ורב הונא שלדו קיימת הוה דלא נפק לא סיימוה קמיה אמרי היכא ניניחיה רב הונא ריבץ תורה בישראל ור' חייא ריבץ תורה בישראל הוה מאן מעייל ליה אמר להו רב חגא אנא מעיילנא ליה דאוקמתיה לתלמודאי כי הוינא בר תמני סרי שנין ולא חזי לי קרי ומשמע ליה קמיה וידעי בעובדיה דיומא חד אתהפיכא ליה רצועה דתפילין ויתיב עלה ארבעין תעניתא עייליה הוה גני יהודה מימיניה דאבוה וחזקיה משמאליה אמר ליה יהודה לחזקיה קום מדוכתיך דלאו אורח ארעא דקאים רב הונא בהדי דקאים קם בהדיה עמודא דנורא חזייה רב חגא איבעית זקפיה לארוניה ונפק אתא והאי דלא איענש משום דזקפיה לארוניה דרב הונא כי נח נפשיה דרב חסדא סבור לאותובי ספר תורה אפורייה אמר להו ר' יצחק מילתא דלרביה לא סבירא ליה אנן ניקום נעביד ליה סבור דלא למישלל קרעייהו אמר להו ר' יצחק בר אמי חכם כיון שהחזירו פניהם מאחורי המטה שוללין כי נח נפשי' דרבה בר הונא ורב המנונא אסקינהו להתם כי

רש"י

גמ' לספר תורה. דתורה קרויה נר שנאמר (משלי ו) כי נר מצוה ותורה אור ונשמה נקראת נר דכתיב (שם כ) נר (אלהים) נשמת אדם: שמעתתיה בפומין. והוי כמאן דגמרינן מיניה: מאי דהוה הוה. הואיל דלא קרעו בשעת מיתה תו לא קרעי: למקרע לאלתר. בלא הספד: לאותובי ס"ת אפורייה. ולומר קיים זה מה שכתוב בזה: לא הוה נפיק פוריא מבבא. דזוטר הוה בבא: מפוריא לפוריא. לתתו במטה אחריתא קטנה שתצא דרך הפתח: אל עגלה חדשה. אותה עגלה שסיגרוהו פלשתים בה ובאותה עגלה הביאו דוד מבית אבינדב לעיר דוד: פרום בבא. שברו הפתח והרחיבוהו: בבל גרמה לו. שאין שכינה שורה בחוץ לארץ: טפח ליה אבוה. רב חסדא בסנדלא שטפח לו לרב נחמן על סנדלו כאדם שנוגע על רגל חבירו בחשאי כדי שלא ישמעו העומדים סביב מטתו דרב הונא ע"א הכהו בסנדלו: לא תטרוד עלמא. לא תטרח בקושיות: שהיה כבר. כלומר ההיא שעתא הוה ולא יותר ויש אומרים שהיה כבר בארץ ישראל ששרתה עליו רוח הקודש: כי אסקוה להתם. לארץ ישראל לקוברו שכל הנקבר שם נקבר בלא חטא שנאמר העם היושב בה נשוא עון כדאיתא בכתובות (דף קיא.): לדלויי רישין. דאדם חשוב היה והוה לן בושת לדלויי רישין: ואתי להכא. דסבורין שהוא חי: שלדו. גופו קיימת יוצאין: לא סיימוה קמיה. דשלדו הוה קיימת: רב הונא ריבץ תורה. כדאמרי' פרק שני דייני גזירות (כתובות דף קו.) כי קיימי רבנן מקמיה ומנפלי גלימייהו מכסי ליה ליומא באבקא: רבי חייא ריבץ תורה. כדאמרינן בבבא מציעא (דף פה:) אנא עבדי ליה לתורה דלא תשתכח מישראל: מאן מעייל ליה. מי ילך להכניסו לקבורה אצל רבי חייא: איתהפיכא ליה רצועה דתפילין. השחור בפנים דרצועה שחורה נראה בחוץ הלכה למשה מסיני: איבעית. נבעת ונפחד: זקפיה לארונא. דרב הונא לקמיה עמודא דנורא דלא ליזקיה: כי

תוספות

וכף כדא ארעא ואנח עליה ספר תורה. ונראה דאפילו הספר תורה מונח בגבוה ממנו לא שרי מדלא אותבוה לספר תורה בגבוה ממנו וכן פירשתי במנחות בפרק הקומץ רבה (דף לג:) ושם הארכתי:

ורבי חייא ריבץ תורה וכו'. והקשה בתוספות הרב דמשמע בירושלמי שרב הונא מת קודם רבי חייא דאמר ליה לרבי חייא ארונו בא והכא משמע שרבי חייא מת קודם רב הונא ונראה לי דרב הונא אחר היה ואותו שבימי רבי חייא אין זה רב הונא תלמידו דרב ע"כ ומיהו קשה בירושלמי קאמר בעובדא דהכא רב הונא ריש גלותא ולפי הענין של הירושלמי היה משמע דזקפיה ר' חגא לארוניה דרב הונא כדי שלא יהא יושב אצל הצדיקים והכי איתא בפי' רבינו חננאל דרב הונא ריש גלותא:

חכם כיון שהחזיר פניו. פירוש חכם שמת כיון שהחזיר פניו אותו שקרע וגרסינן אפילו חכם שקרע על החכם כיון שהחזיר פניו שולל לאלתר דמשום כבודו של חכם הקורע התירו דגנאי הוא ללכת בבגד קרוע ולא נהיר':

שפעו

רש"י כת"י

לא צריכא. מתני' דקתני אין קורעין אלא דלאו חכם. לספר תורה. כספר תורה שנשרף [שעדיין היה יכול ללמוד והוי כס"ת שנשרף] [רש"י ברי"ף]. מה דהוה הוה. הואיל ולא קרע בשעת (שימוש) שמועה שוב אין יכול לקרוע. כל זמן שעוסקין. בהספידו יכולין לקרוע. לאלתר. קודם שיתחילו בהספד דרב ספרא. חכם. שמת כבודו שקורעין עליו. ספר תורה אפורייה. משום כבוד כלומר קיים זה מה שכתוב בזה. וכף כדא. כפא הכד לארץ והניח ספר תורה עליו שלא רצה לישב סמוך לספר תורה. לא הוה נפיק. בבבא לא היו יכולין להוציא המטה דרך שער הבית שהיתה המטה רחבה והפתח קצר. לשלשולי. [לרב הונא במטתו דרך גגות ולא הוה אפשר להו לשלשולי] המטה דרך גגות והדר מפקי לרב הונא דרך הפתח דהא אמרי גדול אינו יוצא אלא במטה. לאשנויי פורייה. לתתו במטה אחרת קטנה שתצא דרך הפתח. אל עגלה חדשה. אותה שסיגרו פלשתים בה ובאותה עגלה הניח דוד הארון להביא מבית אבינדב לעיר דוד. פרום. כמו פרוסה שברו את הפתח והרחיבוהו. שבבל גרמא ליה. שאין שכינה שורה בחוצה לארץ. טפח ליה אבוה בסנדליה. רב חסדא לרב נחמן בסנדליה שטפח לו [אבוה] לרב נחמן על (אבוה ב)סנדליה. ל"א רב חסדא טפח בסנדלו. לא תטרוד עלמא בתשובות שאין בהן ממש. (ועכשיו היה) [שהיה כבר]. שרוי כבר מתחלה בארץ ישראל ועכשיו נישנית בחוצה לארץ אבל לכתחלה אין שכינה שורה על האדם אלא בארץ. כי אסקיה. לרב הונא. התם. לקברו בארץ ישראל שכל מי שנקבר שם ממרקין לו עוונותיו שנ' (ישעיה לג) העם היושב בה נשוא עון ועוד דאין לו צער מחילות. דלוי רישין מיניה. לא היה לנו הרמת ראש מפני אימתו סבורין היו שהוא חי ובא ברגליו. ארון העובר אין עומדין וכו'. הואיל ואינו סמוך לשעת מיתה. ששלדו קיימת. שהגוף קיים עדיין. אין שלדו קיימת. שעברו ימים רבים ונפרסו עצמותיו. לא סיימוה. לא היה יודע ששלדו קיימת. ריבץ. לשון מרביצין את הבית רב הונא ריבץ כדאמרינן בפרק שני דייני (גזילות) [גזירות] (כתובות קו.) כי קיימי רבנן מקמיה ומנפלי גלימייהו ומכסי ליה ליומא באבקא. ר' חייא ריבץ. כדאמרינן בבבא מציעא (פה:) אנא עבדי לתורה דלא תשתכח מישראל שהיה הולך ודורש בכל מדינה ומדינה. ומאן מעייל ליה. מי ילך להכניסו בקבורה אצל ר' חייא. (קיריא) קרי ומשמע ליה קמיה. שמשתי לפניו דר' חייא. וידענא עובדיה. אני בקיא בו ובמעשיו דאדם גדול הוא. איתהפיכא ליה רצועה דתפילין. דלא הוה לבר שצריך שיהיו אותיות של שדי נראות מבחוץ בקשר של רצועה. איבעית. נבעת [מפני האש]. זקפיה לארונא. [דרב הונא תפשו למגן] כנגדו. האי דלא איענש. ר' חגא שלא שרפו (ה)עמוד [האש] משום דזקפיה לארונא דרב הונא כנגדו [ולא היה יכול לעבור האש]. דלרביה. דרב חסדא לא סבירא ליה היינו [דרב הונא רביה] דרב חסדא דאמרי' לעיל אמ' רב [חסדא] הכי גמירנא מיניה. חכם. כלומר המקרע על חכם כיון שהחזיר פניו מאחורי המטה שולל.

רבינו חננאל

מת וא"ר ירמיה ולבלר הראוין להתאבל. אוקימנא למתני' באדם שאינו חכם ולא כשר ולא היה עומד שם בשעת יציאת נשמה. אבל בחכם ובכשר חייב לעולם אע"פ שלא היה שם. דתניא חכם שמת הכל חייבין עליו כקרוביו הכל קורעין הכל חולצין והכל מברין עליו עומדין ברחבה. ואי אדם כשר הוא אע"פ שאינו חכם חייב. דתניא מפני מה בניו ובנותיו של אדם מתים כשהן קטנים מפני שלא בכה והתאבל על אדם כשר. שכל הבוכה ומתאבל על אדם כשר מוחלין לו על כל עונותיו. ואי עומד על המת בשעת יציאת נשמה חייב. דתניא ר' שמעון בן אלעזר אומר העומד על אדם בשעת יציאת נשמה חייב לקרוע למה זה דומה לס"ת שנשרף שחייב לקרוע. כי נח נפשיה דרב ספרא לא קרעו רבנן עליה. אמרו לא גמרינן מיניה. אמר להו אביי מי תניא הרב שמת חכם שמת תניא. ועוד שמעתתיה בפומין כל יומא בבי מדרשא. סבור מאי דהוה הוה. אמר להו אביי תניא חכם כבודו בהספדו. כי נח נפשיה דרב הונא סבור לאותובי ס"ת אפורייה אמר להו רב חסדא מלתא דבחייה לא סבירא ליה כו'. לא הוה נפיק פוריא לבבא סבור לשלשולי כו'. ואסיקנא חכם כבודו להוציאו דרך פתחים ולא דרך גגות. וכבודו במטה ראשונה ולא למטה שנאמר וירכיבו את ארון האלהים אל עגלה חדשה. סתרו להו לבבי ואפקוה. פתח עליה ההוא ספדנא ראוי היה רבינו שתשרה עליו שכינה אלא שבבל גרמה לו. והדא היא דכתיב היה היה דבר ה' אל יחזקאל בן בוזי הכהן בארץ כשדים על נהר כבר מאי היה היה שכבר הוה. תניא ארון העובר ממקום למקום עומדין עליו בשורה ואומרין עליו ברכת אבלים ותנחומי אבלים. אוקימנא בששלדו קיימת. אבל אין שלדו קיימת לא: ירושל' בתחלת משקין (הלכה ה) תני ליקוטי עצמות אין אומרים עליהן קינים ונהי ולא ברכת אבלים ולא תנחומי אבלים. ואלו הן ברכת אבלים (מה שאומרים בשורה. אבל אומרים עליהן דברי קילוסין. איזו היא ברכת אבלים מה שאומרים) בבית הכנסת. אלו הן תנחומי אבלים מה שאומרים בשורה. אבל אומרין עליהן דברי קילוסין): אמרי היכא ניניחיה לרב הונא. אמרי גבי ר' חייא שריבץ תורה כמותו. אמרי מאן ניעייליה. א"ר חגא אנא מעיילנא דאוקימתיה לתלמודא כד הוינא בר תמני סרי שנין ולא חזי לי קרי ומשמע לי קמיה וידענא עובדיה. יומא חד אתהפיכא ליה רצועא דתפילי ויתיב בתעניתא עייליה הוה גני יהודה בריה מימיניה וחזקיה משמאליה. א"ל יהודה לחזקיה קום מדוכתיך דלאו אורח ארעא דקאי רב הונא אתה כו' קם בהדיה עמודא דנורא חזייה רב חגא איבעית זקף לארוניה דרב הונא ונפק. והא דלאו מיענשו דבי ריש גלותא...

חשק שלמה על ר"ח א) דברי רבינו כאן בשבוש וכצ"ל ברכת אבלים מה שאומרים בבהכנ"ס אלו הן תנחומי אבלים מה שאומרים בשורה אבל אומרים עליהן דברי קילוסין [וכ"ה בירושלמי פסחים פ"ח ה"ח ובירושלמי דמכילתין נדפס בשבוש וגם חסר תנחומי אבלים].

עין משפט נר מצוה

קעד א ב מיי' פ"ט מהל' אבל הל' יא סמג עשין ב טוש"ע י"ד סי' שמ סעי' ו:
קעה ג מיי' שם טוש"ע שם סעיף ז:
קעו ד מיי' פ"ט שם הלכה ג טוש"ע י"ד סי' תא סעיף ד:
קעז ה ו מיי' פ"ט שם הל' יא ופי"ד הל' ג טוש"ע י"ד שם סעיף ו:
קעח ז מיי' פ"ט שם הלכה יא טוש"ע שם סעיף ח:
קעט ח מיי' שם הל' ג טוש"ע שם סעי' ז:
קפ ט מיי' שם הל' יג טוש"ע שם סעי' ז:
קפא י מיי' פי"א שם הלכה ג טוש"ע שם סי' שנג סעי' ב:
קפב כ מיי' פ"ד מהל' תפילין הלכה ו טוש"ע שם סי' רפב סעיף ז:
קפג ל מ מיי' פ"ט מהל' אבל הל' ג טוש"ע שם סי' שנג סעי' ג:
קפד נ מיי' שם הלכה ד סמג עשין מ"ד ב טוש"ע שם סי' שמ סעיף ח:
קפה ס מיי' שם פ"ט הלכה יב טוש"ע שם סי' שמ סעיף יז:

מסורת הש"ס

א) שבת קה: [תוספתא פ"ב], ב) [משמע ליה להש"ס דמיירי אפי' באינו כשר כו"כ תוס' בשבת שם ד"ה דתניא], ג) [ע"ע ליתא], ד) [מנחות לג: ע"ש], ה) [נ"ל רב חסדא], ו) [ב"ק לג: כ"ב כג.], ז) [נ"ל להון], ח) [נ"ל ה'], ט) [דכל הדר שרי בלא עון], י) ומנין אף המתים וכפר אדמתו עמו עיין בילקוט חלק ב סוף רמז תתלג. ועיי' בפרש"י כתובות גרס כדאיתא בכתובות והוסיף ואין ישיבה בארץ אלא לנקבר ע"ש, כ) [עיין שם בתוס' ד"ה אסור לישב], ל) [סוף מו"ק ובכתובות פי"ב].

הגהות הב"ח

(א) גמ' ומשמע ליה קמיה. נ"ב פירוש שהיה משמש לפניו:

גליון הש"ס

גמ' מילתא דלרביה לא ס"ל אנן ניקום נעביד. עיין בבא קמא דף יז ע"א תד"ה אלא שמניחו:

תורה אור השלם

א) וַיַּרְכִּבוּ אֶת אֲרוֹן הָאֱלֹהִים אֶל עֲגָלָה חֲדָשָׁה וַיִּשָּׂאֻהוּ מִבֵּית אֲבִינָדָב אֲשֶׁר בַּגִּבְעָה וְעֻזָּא וְאַחְיוֹ בְּנֵי אֲבִינָדָב נֹהֲגִים אֶת הָעֲגָלָה חֲדָשָׁה: [שמואל ב' ו, ג]

ב) הָיֹה הָיָה דְבַר יְיָ אֶל יְחֶזְקֵאל בֶּן בּוּזִי הַכֹּהֵן בְּאֶרֶץ כַּשְׂדִּים עַל נְהַר כְּבָר וַתְּהִי עָלָיו שָׁם יַד יְיָ: [יחזקאל א, ג]

כי מטו אגישרא קמו גמלי אמר להו ההוא טייעא מאי האי אמרו ליה רבנן דקא עבדי יקרא אהדדי מר אמר מר ניעול ברישא ומר אמר מר ניעול ברישא אמר דינא הוא דרבה בר הונא ליעול ברישא חליף גמליה דרבה בר הונא נתור ככיה ושניה דההוא טייעא פתח עליה ההוא ינוקא גזע ישישים עלה מבבל ועמו ספר מלחמות א) קאת וקפוד הוכפלו לראות בשוד ושבר הבא משנער קצף על עולמו וחמס ממנו נפשות ושמח בהם ככלה חדשה רוכב ערבות שש ושמח בבא אליו נפש נקי וצדיק כי נח נפשיה דרבינא פתח עליה ההוא ספדנא תמרים הניעו ראש על צדיק כתמר נשים לילות כימים ב) [על משים לילות כימים] א"ל רב אשי לבר קיפוק ההוא יומא מאי אמרת אמר ליה אמינא אם בארזים נפלה שלהבת מה יעשו איזובי קיר לויתן בחכה הועלה מה יעשו דגי רקק בנחל שוטף נפלה חכה מה יעשו מי גבים א"ל בר אבין ח"ו דחכה ושלהבת בצדיקי אמינא ומאי אמרת אמינא בכו לאבלים ולא לאבידה שהיא למנוחה ואנו לאנחה חלש דעתיה עלייהו ואתהפוך כרעייהו ההוא יומא לא אתו לאספודיה והיינו דאמר רב אשי ג) לא בר קיפוק חליץ ולא בר אבין חליץ רבא כי הוה אתא לדגלת א"ל לבר אבין קום אימא מילתא קאי ואמר באו רוב שלישית במים זכור ורחם תעינו מאחריך כאשה מבעלה אל תזניחנו כאות מי מרה (חנין יוחנן זירא אבא יעקב יוסי שמואל חייא מנחם סימן) רבי חנין חתניה דבי נשיאה הוה לא קא הוו ליה בני בעא רחמי והוו ליה ההוא יומא דהוה ליה נח נפשיה פתח עליה ההוא ספדנא שמחה לתוגה נהפכה ששון ויגון נדבקו בעת שמחתו נאנח בעת חנינתו אבד חנינו אסיקו ליה חנן על שמיה כי נח נפשיה דר' יוחנן פתח עליה ר' יצחק בן אלעזר קשה היום לישראל כיום בא השמש בצהרים דכתיב ד) והיה ביום ההוא והבאתי השמש בצהרים ואמר ר' יוחנן זה יומו של יאשיהו כי נח נפשיה דר' יוחנן יתיב רבי אמי שבעה ושלשים אמר רבי אבא בריה דרבי חייא בר אבא רבי אמי ה) דעבד לגרמיה הוא דעבד דהכי אמר ר' חייא בר אבא אמר ר' יוחנן א) אפילו רבו שלימדו חכמה אינו יושב עליו אלא יום אחד ו) כי נח נפשיה דרבי זירא פתח עליה ההוא ספדנא ארץ שנער הרה וילדה ארץ צבי גידלה שעשועיה אוי נא לה אמרה רקת כי אבדה כלי חמדתה כי נח נפשיה דרבי אבהו אחיתו עמודי דקסרי מיא דרבי יוסי ז) שפעו מרזבי דציפורי דמא דרבי יעקב אתחמיאו כוכבי ביממא דר' אסי איעקרו כל אילניא דר' חייא נחיתו כיפי דנורא מרקיעא דר' מנחם ח) (בר' יוסי) אישתעו צלמנייא והוו למחלצייא דר' תנחום בר חייא איתקצצו כל אנדרטיא דר' אלישיב איתחרו שבעין מחתרתא בנהרדעא דרב המנונא נחיתו כיפי דברדא מרקיעא דרבה ורב יוסף נשוק כיפי דפרת אהדדי דאביי ורבא נשוק כיפי דדגלת אהדדי כי נח נפשיה דר' משרשיא טעון דיקלי שיצי ת"ר

ואלו

כי מטו אגישרא. כשהגיעו לעבור בדף של גשר קצר שעכשיו לא היו יכולין לעבור זה בצד זה אלא זה אחר זה: **קמו גמלי.** עמדו הגמלים נושאי המטות במקומן: **טייעא.** סוחר ישמעאלים: **רבנן.** דשיכבי רבה בר רב הונא ורב המנונא: **עבדי יקרא.** דהא לא בעי האי למיעל מקמי האי: **נתור ככי.** לחייו משום דבזי לרב המנונא: **ספר מלחמות.** ספר תורה לישנא אחרינא שנלחם רבה ורב המנונא ונתור ככי דההוא טייעא לישנא אחרינא גזע ישישים זה רבה בר רב הונא דהוא בן גדולים בן רב הונא דהוא ראש גולה ועדיף מנשיא דארץ ישראל ועמו ספר מלחמות עמו רב המנונא: **קאת וקיפוד הוכפלו.** קללה כמו וירשוה קאת וקיפוד (ישעיה לד) כלומר קללה באה והוכפלה בעולם: **לראות שוד ושבר.** זה שקלף הקב"ה על עולמו: **נשים לילות כימים.** בהספד על שם לילות כימים בתורה: **בר קיפוק ובר אבין.** הוו ספדני: (ההוא יומא. דנח נפשיה): **חלש דעתיה.** דהאי מדמי ליה לשלהבת והאי לאבידה: **וההוא יומא.** דנח נפשיה לא ספדוהו משום דאירע להו תקלה על ידו: **לא בר קיפוק ולא בר אבין חליץ.** משום דאיתהפכו כרעייהו ותנינא (יבמות דף קג.) האי מאן דמסגי אלוחתא דריגלא לא חליץ דהתורה אמרה וחלצה נעלו מעל רגלו ולא מתחת לרגלו: **אתי לדגלת.** חדקל: **רוב שלישית.** ישראל נקראו שלישית ורבא שקול כרוב ישראל ואמר ליה קום ואמור מילתא כלומר בקש רחמים: **כאות במי מרה.** שאשה סוטה נבדקת בהן: **בעת חנינתו.** דולד: **אבד חנינו.** אביו המתחננו: **והבאתי השמש בצהרים.** אשקיע השמש בצהרים: **יומו של יאשיה.** שנהרג יאשיה קרי יומו שמש: **לגרמיה.** לדעתיה: רבי זירא היה מבבל ובה נולד וגדל בארץ ישראל והיינו דקאמר ארץ שנער הרה וילדה ארץ צבי גדלה שעשועיה ואהכי קרי ליה רבי זירא ורב זירא ח): **אוי נא לה אמרה רקת.** יכולה לומר כן רקת היא טבריא: **אחיתו.** הורידו דמעות: **איתחמיאו כוכבי.** נראו הכוכבים שנשתנה העולם מרוב צער: **כיפי דנורא.** אבנים של אור: **אשתעו צלמנייא.** נימוחו פרצוף שלהן: **והוו למחלצייא.** כלומר נחלקה ונתמעכה כל צורת פרצוף של צלמים וצור' המטבעות מפני צורת החסיד שנשתנית: **דרבי מנחם.** בנן של קדושים שלא נסתכל אף בצורה של זוזא כדאמרינן בערבי פסחים (דף קד.): **והוו למחלצייא.** כמו שהוחלקה במעגל ובמחללים שבה מטחין טיט הכותל: **אנדרטא.** צורת הצלמים שעושין על שם המלך שמת: **שבעין מחתרין.** דגנבים דבזכותיה לא הוו אתו גנבים: **כיפי דברדא.** אבנים: **נשוק כיפי.** כיפאות של גשרים נשתברו ונשקו זו את זו: **שיצי.** קולים:

שפעו מרזבי דציפורי דמא. מפרש בירושלמי דיהב נפשיה על גזרתם פירוש נשפך דמו על יחוד השם תוספתא פ"א שנתן נפשו על המילה:

ט) **ועל** רבו שלמדו חכמה. בפרק אלו מציאות (ב"מ דף לג. ושם) פליגי רבי יהודה ורבי יוסי שרבי יהודה אומר כל שרוב חכמתו הימנו ורבי יוסי אומר אפילו לא האיר עיניו אלא במשנה אחת זהו רבו ומסיק שם עולא אמר תלמידי חכמים שבבבל קורעין זה על זה כרבי יוסי ס"ל ופוסק רב ששת כרבי יוסי ופי' רבינו חננאל דהכי הלכתא ובשאלתות דרב אחאי י) פוסק כרבי יהודה דאמר כל שרוב חכמתו הימנו ומפרש בפר' אלו מציאות בתוספתא דהיו קורעין קריעה כ) [דאין] מתאחה וכן פירש רבי יצחק בר יהודה ויותר היה נראה לי דמעשה רב דשמואל עבד כרבי יוסי כדאי' התם ורבא נמי מפרש מילתא דרבי יוסי ורבי אלעזר בירושלמי נמי עבד כוותיה ושמא היו מחמירין על עצמן:

ברכת

עין משפט
נר מצוה

קפו א מיי' פ"ט מהל' אבל הלכה יב טוש"ע י"ד סי' רמב סעיף כה:

רבינו חננאל

משום דזקיף ארוניה דרב הונא. כלומר זכותו מגינה עליהם דהוא מדבי ריש גלותא. א"ל רב אשי לרב קיפוק בהא יומא דנח נפשיה דרבינא מאי אמרת עליה. פירוש בר קיפוק הוה ספדנא וכן בר אבין ושאלינהו מהו ההספד שתספדו עליו. וכיון שאמר לו בר קיפוד בארזים נפלה שלהבת מה יעשו אזובי קיר. כלומר כ"ע לגביה כאזוב גבי ארז נינהו כולהו. ובר אבין אמר בכו לאובדין ולא לאבידה כו' חלש דעתיה דרב אשי אמר שויתון לגביה כאזוב של קיר והוא כארז מכלל שהוא גדול ממני. נעשה להן חולי ונהפכו רגליהן שאינן יכולין להלך ולא יצאו בהספד. וזהו שאמר רב אשי כיון שרגליהן של אלו הפוכות אינן ראוין לחליצה. כי נח נפשיה דר' יוחנן יתיב עליה ר' אמי שבעה ושלשים. ואסיקנא אפילו רבו שלמדו תורה אינו יושב עליו אלא יום אחד. וא"ר יצחק בר אמי א) תניא חכם כיון שהחזיר פניו מאחורי המטה שולל. פתח עליה ההוא ספדנא. ארץ שנער הרה וילדה. פי' שנער בבל. ארץ צבי א"י. רקת זו טבריא שמת בה.

חשק שלמה על ר"ח

א) לפנינו בגמ' איתא זה לעיל סוף עמוד א' ועי' בתוס' שם ד"ה חכם.

תורה אור השלם

א) וְהָיָה בַּיּוֹם הַהוּא נְאֻם אֲדֹנָי אֱלֹהִים וְהֵבֵאתִי הַשֶּׁמֶשׁ בַּצָּהֳרָיִם וְהַחֲשַׁכְתִּי לָאָרֶץ בְּיוֹם אוֹר: [עמוס ח, ט]

מסורת הש"ס

א) [פי' אפי' עופות רעות באות לראות כשמתו ערוך], ב) ס"א, ג) יבמות קג. [ע"ש], ד) [ברכות מח. וש"נ], ה) מגילה ו., ו) [סנהדרין קט.], ז) [נ"ל ברבי סימאי ועי' תוס' שבת קמט. ד"ה ודיוקני ותוס' פסחים קד. ד"ה דלא ותוס' ע"ז נ. ד"ה ה"ג], ח) [וע"ע רש"י כתובות מג: ד"ה אמר ר"ז ועי' תוס' מנחות מ: ד"ה ר"ז אמר], ט) [שייך לדף כו.], י) [פרשת קרח סי' קלא], כ) רש"א.

רש"י כת"י

כי מטו אגישרא. כשהגיעו לעבור דף הגשר שעכשיו לא יהו יכולין לעבור כנגד זה אלא זה לפני זה. **קמו גמלי.** עמדו הגמלים נושאי המטה במקומן. **טייעא.** סוחר ישמעאל. **רבנן** שכבי הוו עבדי יקרא להדדי שאין אחד רוצה [לעבור] לפני חבירו. **מר אמ'.** שיכבי אמרי להדדי. **בדינא.** הרי לפי דעתי. **גברא בר גברא ליעול.** ארי בן ארי [הגי' אצלנו דרבה בר הונא ליעול]. **נתור ככי דההוא טייעא.** מפני כבודו (דאבוה) דרב המנונא. **פתח עליה.** דרב המנונא. **ספר מלחמות.** ספר תורה. ל"א שנלחם רב (הונא) [המנונא] ונתור ככי דההוא טייעא. **קאת וקפוד.** קללה כמו וירישוה קאת וקפוד (ישעיה לד) כלומר באה והוכפלה בעולם להראות שוד ושבר זה. **קצף.** הקב"ה על עולמו. **הניעו ראש על צדיק כתמר.** שלא היה לו לב אחד לאביו שבשמים כתמר זה של לולבין. **והניעו ראש לשם לילות כימים.** לקונן עליו. **על משים לילות כימים.** [ללמוד (ל)תורה. **דההוא יומ'.** דנח נפשיה דרב אשי. **מאי אמרת.** רב אשי גופיה אמר לספדן במה יספדנו לישנא אחרינא דההוא יומא דנח נפשיה דרבינא מאי אמרת. *]**בארזים.** תלמידים. **שלהבת.** מיתה. **אזוב.** עץ שפל מאד עמי הארץ. **חכה.** רשת. **הועלה.** מן הים. **רקק.** אגם. **חכה ושלהבת.** לשון גנות.]* [רש"י בע"ין]. **בחכה הועלה.** אגמון. **בר קיפוף** ספדן הוה. **נפלה חכה.** למאון ושרב. **גבים.** גומות. **בכו לאובדים.** לנשארים שאבדו את הצדיק. **חלש דעתיה.** משום שניהם ספדי בלשון גנאי זה חכה ושלהבת וזה אבדה.

איתהפוך כרעיהו. נהפכו רגלם שהיו דורכים בגב הרגל שלא היו יכולים עוד על אדם להספיד. **וההוא יומא.** דנח רב אשי. **חלייך.** ליבמתו לפי שאין יכולין ליסמוך על רגליהם. **כי הוה אתי את"י דגלת.** כשהיה עובר בחדקל ל"א כשהיה חדקל (גדור) [גדול] וילא לשטוף את העולם. **אימא מילתא.** תפלה. רוב של ישראל רובה של שלישיה כדכתוב יהיה ישראל שלישיה למצרים ולאשור (ישעיה כט) רבא חשוב ליה (כבוד) כרובס של ישראל. **אל תזניחהו כאות מי מרה.** כאות שעושין המים המרים במעי סוטה. **חנינו.** ר' חנין. **והבאתי השמש** אשקיע השמש בצהרים. **יומו של יאשיהו.** יום שנהרג יאשיהו קרי שמש. **לגרמיה.** לדעתיה. **שלמדו חכמה.** שכל תורתו הימנו. ר' זירא נולד בבבל וגדל בארץ ישראל והיינו ארץ שנער הרה וילדה ארץ צבי גדלה שעשועיה דקא קרי רב [זירא] ורבי זירא. **אוי נא לה אמרה רקת** יכולה רקת לומר. **רקת.** זו טבריא. **אחיתו.** הורידו דמעה. **איתחמיאו כוכבי.** נשתנה העולם מרוב צער. **כיפי דנורא.** אבנים של אור. אישתניאו כל צלמניא והוו למחצליא. נחלקה ונתמעכה צורת כל פרצוף של צלמים וצורת מטבעות מפני צורת החסיד שנשתנית ר' מנחם בנן של קדושים שלא נסתכל בצורת מטבע כל ימיו כדמפרש בערבי פסחים (פסחים קד.). **והוו למחצליא** (כלי) [כמו] שנחלק במעגל ובמחצלים טיבלא שבה טמין טיט בכותל. **אינדרוטה.** צורת צלמים שעושין לשם מלך כשמת. **(איתערו) [איתחרו].** נפלו בתים מעצמם. **ברדא.** גלגל"א. **נשוק כיפי דפרת.** חומת שהגשמים בנויין עליהם ארק"ש בלע"ז. **נשקו.** נקרבו זה אל זה שנוי הוא שבא לעולם. **שיצו** קולים. [מכאן שייך לדף כו.] **שאין מתאחין.** לעולם. **שמועות רעות.** ששמעו רוב צבור שנהגו. **על ברכת השם** ששמע רשע שבירך את השם. **וקורע על המקדש.** אם ראה מקדש תחלה כגון שבא בקרון ולא הוליא ראשו עד שנכנס למקדש וכשיראה ירושלים יוסיף על הקרע. ועל ערי יהודה שראה בחורבנן. **אבי אבי.** שהיה שקול לו כאביו ואמו לכך נאמר ב' פעמים אבי אבי. ועל רבו. כדמתרגם רב יוסף רבי רבי. **ויחזק בבגדיו ויקרעם.** באלישע כתוב. **ממשמע שנ' ויקרעם איני יודע.** שהן שני קרעים. **אלא מלמד שקורעין (והולכין) [ועומדין] לעולם.** וה"ג לה בסנהדר' (ס.) בפרק ארבע מיתות. **אליהו חי הוא.** ולמה קרע עליו. **שאול זה נשיא מלך. זה אב ב"ד.** דחכם הוה. **על על הפסיק הענין.** דעל כל אחד (קרעו) [קורעין]. **מזיגת קיסרי.** כך שמה. **לא אמרו.** לקרוע אשמועות רעות אלא ברוב לבור כל ישראל. **כמעשה שהיה.** בשאול ויהונתן. **לקול יתירי.** לקול נימי כנורות ונבלים של מזיגת קיסרי שהיו מרקדין ומשוררין ומזמרין ומורדין במלכות. **פקע שורא דלודקיא.** [נבקע חומות לודקיא] [רש"י בע"ין]. **ויבא אליקים קרעי בגדים.** על דברי רבשקה שהיה מחרף ומגדף את השם כדכתוב באותה פרשה. **עדים אין צריכין לקרוע** בשעה שמעידין לפני בית דין פלוני בירך את השם. **שכבר קרעו בשעה ששמעו.** שבירך. **ספר תורה שנשרף.** קורעין מפני אזכרות שבו. **ויהי כקרא יהודי שלש דלתות.** [משו"ה קרי דלתות] שכל פסוק ופסוק של ספר קינות [פרשה לעצמה ו]צריך הפרש בין זה לזה ריוח. [**השלך אל האש.** ששרף וזרק לתוך האור] [רש"י בע"ין]. **מאי שלש דלתות וארבעה** שהיה קורע וזורק לאור למה אינו קורע דלת דלת ושורף. **אנא מלכא.** ולא איכפת לי איגלו אני אמלוך ולא אגלי [ואעפ"כ אנא מלכא]. **היו צריה לראש.** דשמע לא יהיה מלך. **מאן אמרה.** להאי נבואה. **יי' הוגה.** דברה. **קדר.** נוקב בסכין. **אימר משום.** הכי נבא משתעי בגנותיהו משום דלא קרעו דבעו למקרע אשמועות רעות דקא מבשר להו דליחריב מקדשא ולאו משום שריפת הספר. **אבי סדיא.** פילטר"י בלע"ז. **בת נעמיתא.** בת היענה. **איכו השתא.** איחייבו שתי קריעות [אי שקיל להו נעמיתא איבעי ליה למקרע על הגויל ועל הכתב דהוי כנשרף [רש"י בע"ין]. **אמר ליה מנא לך הא דהא בדידי הוה עובדא** וכו' **לא אמרו.** לקרוע על ספר תורה. **אלא בזרוע.** ורואה ששורפין אותו ואינו יכול להציל כמעשה דיהויקים אבל פתאום כי האי גונא לא. (ברש"י בע"י בנ"א) [לא אמרו אלא בזרוע. כשאדם מאבדו בידים. ל"א לא אמרו אלא בזרוע שיש להם זרוע ויכולת להציל כמעשה שהיה של אותם השרים העומדים על יהויקים שהיה בידם למחות ולא מיחו ואותם חייבים קריעה דכתיב ולא קרעו מכלל דאית להו למקרע]. **ויבאו האנשים וגו'.** אחר החורבן במעשה גדליהו שנהרג. **מגולחי זקן וקרועי בגדים.** שכבר היו ערי יהודה חריבות להביא מנחת בית יי' שנסעו קודם לכן ממקומן ולא היו יודעים שכבר נחרב הבית. **ביראה.** על שם מקומו. **אחד השומע.** שחרב באותן הימים מיירי שהיה הבית קיים. **ואחד הרואה.** כל הימים. **צופים.** מקום לפני ירושלים. ה"ג **וקורע על ירושלים בפני עצמה ועל מקדש בפני עצמו.** דמקדש לא סגי בתוספת קרע. **וכולן.** על כל הקרעים הללו שאמ' בהן שולל (ברש"י ברי"ף - שאמרו בהן אין מתאחין). **כולן ראשין לשולל.** תפירה רחבה בשטי"ר. **למוללן.** אוחז שני ראשי הקרע בין אצבעותיו וכורכן יחד כעין כריכת ספרים ותוחב במחט שתי תפירות. **ללוקטן.** אוגד בידו כל הקרע ראשו עם סופו ותוחב במחט שתים ושלשה פעמים (ברש"י ברי"ף - ותוחב שם שנים ושלשה תפירות). **לעשותן [כמין] סולמות.** כמעשה (ברש"י ברי"ף - כמעלות) סולם שתופר שתי תפירות ומפסיק וחוזר ותופר למטה שמניח בין תפירה לתפירה הפסק מעט כזה ... לישנא אחרינא סולמות כעין שלוקטין המתנים שקורין ירו"ם בלע"ז. **לאחותו.** תפירה יפה.

כִּי מָטוּ אַגִּישְׁרָא – **When they reached a** narrow **bridge** that they were unable to cross abreast, but only in single file, קָמוּ גַּמְלֵי – **the camels** carrying the biers **stood still** and refused to proceed. אָמַר לְהוּ הַהוּא טַיְיעָא – **The Arab merchant** who owned the camels[1] **said to [the mourners]:** מַאי הַאי – **What is this?** Why have the camels stopped? אָמְרוּ לֵיהּ – **They replied:** רַבָּנָן דְּקָא עָבְדֵי יְקָרָא אַהֲדָדֵי – It is **the** deceased **Rabbis who are honoring each other.** מַר אָמַר – One **master is saying** to the other, מַר נֵיעוּל בְּרֵישָׁא – **"Let the master go first!"** וּמַר אָמַר – **And** the other **master is saying** to the first one, מַר נֵיעוּל בְּרֵישָׁא – **"Let the master go first."**[2] אָמַר – **[The Arab] said:** דִּינָא הוּא דְּרַבָּה בַּר הוּנָא לֵיעוּל בְּרֵישָׁא – **It stands to reason that Rabbah bar Huna should go first.**[3] חָלִיף גַּמְלֵיהּ דְּרַבָּה בַּר הוּנָא – In accordance with the Arab's judgment, **the camel of Rabbah bar Huna** indeed **passed** in front, נָתוּר כָּבֵיהּ וְשִׁנֵּיהּ דְּהַהוּא טַיְיעָא – but **the Arab's molars**[4] **and teeth fell out.**[5]

The Gemara cites a eulogy that was said in honor of the deceased when the biers reached Eretz Yisrael:[6]

פָּתַח עָלֵיהּ הַהוּא יְנוּקָא – **A certain youngster opened** the eulogy **over [Rav Hamnuna]**[7] as follows: גֶּזַע יְשִׁישִׁים עָלָה מִבָּבֶל – **A disciple of sages has ascended from Babylonia,**[8] וְעִמּוֹ סֵפֶר מִלְחָמוֹת – **and with him a Book of Wars.**[9] קָאת וְקִפּוֹד הוּכְפְּלוּ – ***Kaas*** **and** ***Kippod*** **have combined**[10] לִרְאוֹת בְּשׁוֹד וָשֶׁבֶר הַבָּא מִשִּׁנְעָר – **to observe the plunder and calamity that has come from Shinar.**[11] קָצַף עַל עוֹלָמוֹ – **[God] became enraged at His**

NOTES

1. *R' Shlomo ben HaYasom.*

2. Even after their deaths they continue to honor each other, and each camel is obeying the innate will of the sage that he is carrying (see *Rashi*). [Both of these sages were exceedingly humble. The Gemara below, 28a, mentions עִנְוְתָנוּתֵיהּ דְּרַבָּה בַּר רַב הוּנָא, *"the humility of Rabbah bar Rav Huna."* And in *Yoma* 87b, the Gemara cites Rav Hamnuna's confession on Yom Kippur, which conveys a deep sense of self-effacement.]

The Gemara (*Berachos* 46b) states that we normally do not accord honor to a greater person by inviting him to proceed first on a road or over a bridge. However, that applies only when two travelers meet on the road. When they set out together, it is proper for one to honor the other with the first position when they reach a narrow pass (*Tosafos* ad loc. ד״ה אין מכבדין). In our case, therefore, each sage innately desired that the other proceed first.

3. Since he is a great man, and his father, Rav Huna, was also a great man (see *Rashi ms.* and *R' Shlomo ben HaYasom*). In *Ein Yaakov,* the text reads explicitly: אִי בְּדִינָא דִּידִי גַּבְרָא בַּר גַּבְרָא לֵיעוּל בְּרֵישָׁא, *If [it were decided] according to my reasoning, the "man" who is the son of a "man" should go first.* This seems to have been the version of *Rashi ms.*

4. The translation follows *Rashi* to *Gittin* 69a ד״ה לכבא; see also *Tosafos* to *Avodah Zarah* 28a ד״ה ככי. However, the printed text of *Rashi* here interprets this word as *jaws*. See *Melo HaRo'im.*

5. He was punished for slighting Rav Hamnuna (*Rashi* and *Rashi* to *Ein Yaakov*), or for slighting Rav Hamnuna's father [who was also a worthy person] (*Rashi ms.;* cf. *Iyun Yaakov*).

It seems puzzling, though, that the Arab deserved to be punished. After all, it is logical that if the sages are equal the one with superior ancestry should be given precedence. Moreover, his judgment was accepted as correct, since the camel of Rabbah bar Rav Huna did proceed first (*Iyun Yaakov*). *Maharsha* explains that although having a great father is a factor, being versed in Torah is paramount, as emerges from the Gemara in *Menachos* 53a. And since each sage sought to honor the other for his knowledge of Torah, introducing the factor of Rabbah bar Rav Huna's ancestry was considered a slight to Rav Hamnuna's Torah scholarship.

Another explanation is that the Arab, by using the words גַּבְרָא בַּר גַּבְרָא, a "man" the son of a "man" (see note 3), and not גַּבְרָא רַבָּה בַּר גַּבְרָא רַבָּה – a *great* man the son of a *great* man, slighted *all* the sages, including Rabbah bar Rav Huna and his father, as well as Rav Hamnuna. However, the greatest slight was to Rav Hamnuna's father, for the Arab implied that he was not even in the category of "a man" (*Matzeves Moshe*).

6. It is appropriate for a eulogist to recount the praiseworthy attributes and deeds of the deceased, elaborating on each of his fine qualities. The eulogizer must be careful not to deduct from nor to exaggerate the person's merits. However, it is appropriate to embellish slightly one's account of the deceased's observed qualities. This is not considered a falsehood because it is presumable that the deceased did not exhibit in public the full extent of his inner goodness (*Ritva; Meiri; Shulchan Aruch, Yoreh Deah* 344:1 with *Taz*). [The eulogists quoted below employed Scriptural phrases to allude to the deceased's merits and the loss that had been suffered. Every word in these eulogies is laden with meaning, both explicit and implicit. We will attempt to shed light on some of these allusions, but a full treatment of the subject is beyond the scope of this work.]

7. *Rashi ms.;* see first explanation of standard *Rashi*. See note 9 for *Rashi's* alternative explanation.

8. The term גֶּזַע (literally: stump) is used in *Isaiah* 11:1 – מִגֶּזַע יִשָׁי, *from the offspring of Jesse.* The word יְשִׁישִׁים appears in *Job* 12:12 – בִּישִׁישִׁים חָכְמָה, *In the aged is wisdom.* Thus, גֶּזַע יְשִׁישִׁים would seem to mean *a descendant of elderly sages.* Since it refers to Rav Hamnuna, who was not famous for his ancestry, we have translated it as *a disciple of the sages.*

The phrase עָלָה מִבָּבֶל, *has ascended from Babylonia,* is reminiscent of the verse (*Ezra* 7:6): הוּא עֶזְרָא עָלָה מִבָּבֶל וְהוּא־סֹפֵר מָהִיר בְּתוֹרַת מֹשֶׁה, *This Ezra ascended from Babylonia; he was a brilliant scholar of the Torah of Moses.* Thus, the eulogist placed Rav Hamnuna in a unique category of greatness.

[Since גֶּזַע literally means *stump* (see *Radak* to *Isaiah* loc. cit.), the eulogist alludes that the body of the dead sage is like a felled tree that is bereft of its beautiful foliage. Likewise, the sage's inspiring personality has been taken away and only the body remains.]

9. The Torah is poetically described in Scripture as סֵפֶר מִלְחֲמֹת ה׳, *The Book of Wars of Hashem* (see *Numbers* 21:14 with *Targum Yerushalmi;* cf. *Rashi* et al. ad loc.). Thus, the meaning is that when Rav Hamnuna's body arrived from Babylonia for burial, a "Torah scroll" [i.e. the knowledge that he amassed during his lifetime] accompanied it. Alternatively, the eulogist alludes to the "war" between Rav Hamnuna and Rabbah bar Rav Huna at the bridge, of which the Arab who slighted Rav Hamnuna was a casualty (*Rashi, Rashi ms.*).

Rashi cites another explanation, as follows: גֶּזַע יְשִׁישִׁים עָלָה מִבָּבֶל – *A descendant of Sages has ascended from Babylonia,* refers to *Rabbah bar Rav Huna,* who was the son of a great sage. וְעִמּוֹ סֵפֶר מִלְחָמוֹת – *and with him a Book of Wars,* refers to Rav Hamnuna, a "Torah scroll" who arrived for burial together with Rabbah bar Rav Huna.

[The printed text of *Rashi* identifies Rabbah bar Rav Huna as the son of Rav Huna the *Reish Galusa* (Exilarch). However, this is perplexing, for Rav Huna the Reish Galusa was a contemporary of Rebbi, who lived several generations earlier (see *Yerushalmi Kilayim* 9:3). Rather, the common view is that Rabbah bar Rav Huna was the son of the Rav Huna who became the head of the yeshivah in Sura after the passing of Rav, and who was thus one of the leading Babylonian Torah authorities of his time (*Iggeres Rav Sherira Gaon*). See *Yerushalmi* ibid., where the story of Rav Huna's burial – which also appears in our Gemara (above, 25a) – is recorded, and it is similarly attributed, inexplicably, to Rav Huna the *Reish Galusa.* However, *Rabbeinu Chananel* states above (as does *Rav Sherira Gaon*) that Rav Huna (Rav's disciple) was *of the family* of the *Reish Galusa.* See *Tosafos* 25a ד״ה ורבי חייא.]

10. These two creatures are birds that frequent deserts and desolate places (see *Isaiah* 34:11 and *Zephaniah* 2:14, with *Rashi* and *Metzudas Tziyon;* see also *Psalms* 102:7). Their names are used here to represent curse and affliction. Thus, the eulogist means: A double curse has befallen us [with the death of two great sages] (*Rashi*). [*Meiri* sees in the mention of these two birds, which characteristically howl and scream, an allusion to the many eulogists who gathered to bemoan the double tragedy.]

11. The phrase שֹׁד וָשֶׁבֶר is mentioned in *Isaiah* 60:18: לֹא־יִשָּׁמַע עוֹד חָמָס בְּאַרְצֵךְ שֹׁד וָשֶׁבֶר בִּגְבוּלָיִךְ, *No longer will violence be heard of in your land, [nor] plunder and calamity in your borders.* Shinar is another name for Babylonia (see *Genesis* 11:2,9). Thus, the eulogist states: All the creatures that inhabit desolate areas have come here to witness the calamity that has come our way from Babylonia (see *Rashi*).

The eulogist uses the name Shinar rather than Babylonia because this term is associated with calamity (*R' Shlomo ben HaYasom,* below). As the Gemara states (*Shabbos* 113b): לָמָּה נִקְרָא שְׁמָהּ שִׁנְעָר שֶׁכָּל מֵתֵי מַבּוּל נִנְעֲרוּ

עין משפט נר מצוה

קפו א מיי' פ"ט מהל' אבל הלכה יב טוש"ע י"ד סי' רמב סעיף כה:

תוספות

שפעו מרזבי דציפורי דמא. מפרש בירושלמי דיהב נפשיה על גזרתם פירוש נשפך דמו על יחוד השם תוספתא פ"א שנתן נפשו על המילה:

ט) **ועל** רבו שלמדו חכמה. בפרק אלו מציאות (ב"מ דף לג. ושם) פליגי רבי יהודה ורבי יוסי שרבי יהודה אומר כל שרוב חכמתו הימנו ורבי יוסי אומר אפילו לא האיר עיניו אלא במשנה אחת זהו רבו ומסיק שם עולא אמר תלמידי חכמים שבבבל קורעין זה על זה כרבי יוסי ס"ל ופוסק רב ששת כרבי יוסי ופי' רבינו חננאל דהכי הלכתא ובשאלתות דרב אחאי י) פוסק כרבי יהודה דאמר כל שרוב חכמתו הימנו ומפרש בפר' אלו מציאות בתוספתא דהיו קורעין קריעה כ) [דאין] מתאחה וכן פירש רבי יצחק בר יהודה ויותר היה נראה לי דמעשה רב דשמואל עבד כרבי יוסי כדאי' התם ורבא נמי מפרש מילתא דרבי יוסי ורבי אלעזר בירושלמי נמי עבד כוותיה ושמא היו מחמירין על עצמן:

ברכת

רש"י

כי מטו אגישרא. כשהגיעו לעבור בדף של גשר קצר שעכשיו לא היו יכולין לעבור זה בצד זה אלא זה אחר זה: קמו גמלי. עמדו הגמלים נושאי המטות במקומן: טייעא. סוחר ישמעאלים: רבנן. דשיכבי רבה בר רב הונא ורב המנונא: עבדי יקרא. דהא לא בעי האי למיעל מקמי האי: נתור ככי. לחייו משום דבזי לרב המנונא: ספר מלחמות. ספר תורה לישנא אחרינא שנלחם רבה ורב המנונא ונתור ככי דההוא טייעא לישנא אחרינא גזע ישישים זה רבה בר רב הונא דהוא בן גדולים בן רב הונא דהוא ראש גולה ועדיף מנשיא דארץ ישראל ועמו ספר מלחמות עמו רב המנונא: קאת וקיפוד הוכפלו. קללה כמו וירשוה קאת וקיפוד (ישעיה לד) כלומר קללה באה והוכפלה בעולם: לראות שוד ושבר. זה שקצף הקב"ה על עולמו: נשים לילות כימים. בהספד על ששם לילות כימים בתורה: בר קיפוק ובר אבין. הוו ספדני: (ההוא יומא. דנח נפשיה): חלש דעתיה. דהאי מדמי ליה לשלהבת והאי לאבידה: וההוא יומא. דנח נפשיה לא ספדוהו משום דאירע להו תקלה על ידו: לא בר קיפוק ולא בר אבין חליץ. משום דאיתהפכו כרעייהו ותניא (יבמות דף קג.) האי מאן דמסגי אלוחתא דריגלא לא חליץ דהתורה אמרה וחלצה נעלו מעל רגלו ולא מתחת לרגלו: אתי לדגלת. חדקל: רוב שלישית. ישראל נקראו שלישית ורבא שקול כרוב ישראל ואמר ליה קום ואמור מילתא כלומר בקש רחמים: כאות במי מרה. שאשה סוטה נבדקת בהן: בעת חנינתו. דולד: אבד חנינו. אביו המחננו: והבאתי השמש בצהרים. אשקיע השמש בצהרים: יומו של יאשיה. שנהרג יאשיה קרי יומו שמש: לגרמיה. לדעתיה: רבי זירא היה מבבל ובה נולד וגדל בארץ ישראל והיינו דקאמר ארץ שנער הרה וילדה ארץ צבי גדלה שעשועיה והכי קרי ליה רבי זירא ורב זירא מ): אוי נא לה אמרה רקת. יכולה לומר כן רקת היא טבריא: אחיתו. הורידו דמעות: איתחמיאו כוכבי. נראו הכוכבים שנשתנה העולם מרוב צער: כיפי דנורא. אבנים של אור: אשתעו צלמנייא. נימוחו פרצוף שלהן: והוו למחלצייא. כלומר נחלקה ונתמעכה כל צורת פרצוף של צלמים וצור' המטבעות מפני צורת החסיד שנשתנית: דרבי מנחם. בנן של קדושים שלא נסתכל אף בצורה של זוזא כדאמרינן בערבי פסחים (דף קד.): והוו למחלצייא. כמו שהוחלקה במעגל ובמחללים שבה מטחין טיט הכותל: אנדרטא. צורת הצלמים שעושין על שם המלך שמת: שבעין מחתרין. דגנבים דבזכותיה לא הוו אתו גנבים: כיפי דברדא. אבנים: נשוק כיפי. כיפאות של גשרים נשתברו ונשקו זו את זו: שיצי. קולים:

גמרא

כי מטו אגישרא קמו גמלי אמר להו ההוא טייעא מאי האי אמרו ליה רבנן דקא עבדי יקרא אהדדי מר אמר מר ניעול ברישא ומר אמר מר ניעול ברישא אמר דינא הוא דרבה בר הונא ליעול ברישא חליף גמליה דרבה בר הונא נתור ככיה ושניה דההוא טייעא פתח עליה ההוא ינוקא גזע ישישים עלה מבבל ועמו ספר מלחמות א) קאת וקפוד הוכפלו לראות בשוד ושבר הבא משנער קצף על עולמו וחמס ממנו נפשות ושמח בהם ככלה חדשה רוכב ערבות שש ושמח בבא אליו נפש נקי וצדיק כי נח נפשיה דרבינא פתח עליה ההוא ספדנא תמרים הניעו ראש על צדיק כתמר נשים לילות כימים ב) [על משים לילות כימים] א"ל רב אשי לבר קיפוק ההוא יומא מאי אמרת אמר ליה אמינא אם בארזים נפלה שלהבת מה יעשו איזובי קיר לויתן בחכה הועלה מה יעשו דגי רקק בנחל שוטף נפלה חכה מה יעשו מי גבים א"ל בר אבין ח"ו דחכה ושלהבת בצדיקי אמינא ומאי אמרת אמינא בכו לאבלים ולא לאבידה שהיא למנוחה ואנו לאנחה חלש דעתיה עלייהו ואתהפוך כרעייהו ההוא יומא לא אתו לאספודיה והיינו דאמר רב אשי ג) לא בר קיפוק חליץ ולא בר אבין חליץ רבא כי הוה אתא לדגלת א"ל לבר אבין קום אימא מילתא קאי ואמר באו רוב שלישית במים זכור ורחם תעינו מאחריך כאשה מבעלה אל תזיניחנו כאות מי מרה (חנין יוחנן זירא אבא יעקב יוסי שמואל חייא מנחם סימן) רבי חנין חתניה דבי נשיאה הוה לא קא הוו ליה בני בעא רחמי והוו ליה ההוא יומא דהוה ליה נח נפשיה פתח עליה ההוא ספדנא שמחה לתוגה נהפכה ששון ויגון נדבקו בעת שמחתו נאנח בעת חנינתו אבד חנינו אסיקו ליה חנן על שמיה כי נח נפשיה דר' יוחנן פתח עליה ר' יצחק בן אלעזר קשה היום לישראל כיום בא השמש בצהרים דכתיב א) והיה ביום ההוא והבאתי השמש בצהרים ואמר ר' יוחנן זה יומו של יאשיהו כי נח נפשיה דר' יוחנן יתיב רבי אמי שבעה ושלשים אמר רבי אבא בריה דרבי חייא בר אבא רבי אמי ד) דעבד לגרמיה הוא דעבד דהכי אמר ר' חייא בר אבא אמר ר' יוחנן א אפילו רבו שלימדו חכמה אינו יושב עליו אלא יום אחד ה) כי נח נפשיה דרבי זירא פתח עליה ההוא ספדנא ארץ שנער הרה וילדה ארץ צבי גידלה שעשועיה אוי נא לה אמרה רקת כי אבדה כלי חמדתה כי נח נפשיה דרבי אבהו אחיתו עמודי דקסרי מיא דרבי יוסי ו) שפעו מרזבי דציפורי דמא דרבי יעקב אתחמיאו כוכבי בימָמא דר' אסי איעקרו כל אילניא דר' חייא נחיתו כיפי דנורא מרקיעא דר' מנחם ז) (בר' יוסי) אישתעו צלמנייא והוו למחלצייא דר' תנחום בר חייא איתקצצו כל אנדרטיא דר' אלישיב איחתרו שבעין מחתרתא בנהרדעא דרב המנונא נחיתו כיפי דברדא מרקיעא דרבה ורב יוסף נשוק כיפי דפרת אהדדי דאביי ורבא נשוק כיפי דדגלת אהדדי כי נח נפשיה דר' משרשיא טעון דיקלי שיצי ת"ר

ואלו

[הגהות / שיטה]

איתהפוך כרעיהו. נהפכו רגלם שהיו דורכים בגב הרגל שלא היו יכולים עוד על אדם להספיד. וההוא יומא. דנח רב אשי. חליץ. ליבמתו לפי שאין יכולין ליסמוך על רגליהם. כי הוה אתי א/ת'י דגלת. כשהיה עובר בחדקל ל"א כשהיה חדקל (גדור) [גדול] ויצא לשטוף את העולם. אימא מילתא. תפלה. רוב של ישראל רובה של שלישיה כדכתיב יהיה ישראל שלישיה למצרים ולאשור (ישעיה כט) רבא חשוב ליה (כבוד) כרובם של ישראל. אל תזניחהו כאות מי מרה. כאות שעושין המים המרים במעי סוטה. חנינו. ר' חנין. והבאתי השמש בצהרים. יומו של יאשיהו. יום שנהרג יאשיהו קרי שמש. לגרמיה. לדעתיה. שלמדו חכמה. שכל תורתו הימנו. ר' זירא נולד בבבל וגדל בארץ ישראל והיינו ארץ שנער הרה וילדה ארץ צבי גדלה שעשועיה דקא קרי רב [זירא] ורבי זירא. אוי נא לה אמרה רקת יכולה רקת לומר. רקת. זו טבריא. אחיתו. הורידו דמעה. איתחמניאו כוכבי. נשתנה העולם מרוב צער. כיפי דנורא. אבנים של אור. אישתניאו כל צלמניא והוו למחללין. נחלקה ונתמעכה צורת כל פרצוף של צלמים וצורת מטבעות מפני צורת החסיד שנשתנית ר' מנחם בנן של קדושים שלא נסתכל בצורת מטבע כל ימיו כדמפרש בערבי פסחים (פסחים קד.). והוו למחצלייא (כלי) [כמו] שנחלק במעגל ובמחללים טיגלא שבה טחין טיט בכותל. אינדרוטה. צורת צלמים שעושין לשם מלך כשמת. (איתערו) [איחתרו]. נפלו בתים מעצמם. ברדא. גלגל"א. נשוק כיפי דפרת. חומת שהגשמים בנויין עליהם ארק"ש בלע"ז. נשקו. נקרבו זה אל זה שנוי הוא שבא לעולם. שיצו קוצים.

[מכאן שייך לדף כו.] שאין מתאחין. לעולם. שמועות רעות. ששמעו רוב צבור שנהגו. על ברכת השם ששמע רשע שבירך את השם. וקורע על המקדש. אם רואה מקדש תחלה כגון שבא בקרון ולא הוציא ראשו עד שנכנס למקדש וכשיראה ירושלים יוסיף על הקרע. ועל ערי יהודה שראה בחורבנן. אבי אבי. שהיה שקול לו כאביו ואמו לכך נאמר ב' פעמים אבי אבי. ועל רבו. כדמתרגם רב יוסף רבי רבי. ויחזק בבגדיו ויקרעם. באלישע כתוב. ממשמע שנ' ויקרעם איני יודע. שהן שני קרעים. אלא מלמד שקורעין (והולכין) [ועומדין] לעולם. וה"ג לה בסנהדר' (ס.) בפרק ארבע מיתות. אליהו חי הוא. ולמה קרע עליו. שאול זה נשיא מלך. זה אב ב"ד. דחכם הוה. על הפסיק הענין. דעל כל אחד (קרעו) [קורעין]. מזיגת קיסרי. כך שמה. לא אמרו. לקרוע אשמועות רעות אלא ברוב צבור כל ישראל. במעשה שהיה. בשאול ויהונתן. לקול יתירי. לקול נימי כנורות ונבלים של מזיגת קיסרי שהיו מרקדין ומשוררין ומזמרין ומורדין במלכות. פקע שורא דלודקיא. [נבקע חומות לודקיא] [רש"י בע"י]. ויבא אליקים קרעי בגדים. על דברי רבשקה שהיה מחרף ומגדף את השם כדכתוב באותה פרשה. עדים אין צריכין לקרוע בשעה שמעידין לפני בית דין פלוני בירך את השם. שכבר קרעו בשעה ששמעו. שבירך. ספר תורה שנשרף. קורעין מפני אזכרות שבו. ויהי כקרא יהודי שלש דלתות. [משו"ה קרי דלתות] שכל פסוק ופסוק של ספר קינות [פרשה לעצמה ו]צריך הפרש בין זה לזה ריוח. [השלך אל האש. שנשרף וזרק לתוך האור] [רש"י בע"י]. מאי שלש דלתות וארבעה שהיה קורא חוזרק לאור למה אינו קורע דלת דלת ושורף. אנא מלכא. ולא איכפת לי איגלו אני אמלוך ולא אגלי [ואעפ"כ אנא מלכא]. היו צריה לראש. דשמע לא יהיה מלך. מאן אמרה. להאי נבואה. יי' הוגה. דברה. קדר. נוקב בסכין. אימר משום. הכי נביא משמעי בנבואותיו משום דלא קרעו דבעו למקרע אשמועות רעות דקא מבשר להו לאיחייב מקדשא ולאו משום שריפת הספר. אבי סדיא. פילטר"י בלע"ז. בת נעמיתא. בת היענה. איכו השתא. איחייבו שתי קריעות [אי שקיל להו נעמיתא איבעי ליה למקרע על הגויל ועל הכתב דהוי כנשרף] [רש"י בע"י]. אמר ליה מנא לך הא דהא בדידי הוה עובדא וכו' לא אמרו. לקרוע על ספר תורה. אלא בזרוע. ורואה ששורפין אותו ואינו יכול להציל כמעשה דיהויקים אבל פתאום כי האי גונא לא. [לא לא אמרו אלא בזרוע] (ברש"י בע"א) כשאדם מאבדו בידים. ל"א לא אמרו אלא בזרוע שיש להם זרוע ויכולת להציל כמעשה שהיה של אותם הסריס העומדים על יהויקים שהיה בידם למחות ולא מיחו ואותם חייבים קריעה דכתיב ולא קרעו מכלל דאית להו למקרע]. ויבאו האנשים וגו'. אחר החורבן במעשה גדליהו שנהרג. מגולחי זקן וקרועי בגדים. שכבר היו ערי יהודה חריבות להביא מנחת בית יי' שנסעו קודם לכן ממקומן ולא היו יודעים שכבר נחרב הבית. בירה. על שם מקומו. אחד השומע. שמרב באותן הימים מיירי שהיה הבית קיים. ואחד הרואה. כל הימים. צופים. מקום לפני ירושלים. ה"ג וקורע על ירושלים בפני עצמה ועל מקדש בפני עצמו. דמקדש לא סגי בתוספת קרע. וכולן. על כל הקרעים הללו שאמ' בהן שולל (ברש"י ברי"ף - שאמרו בהן אין מתאחין). כולן ראשין לשוללן. תפירה רחבה בשט"י. למוללן. אוחז שני ראשי הקרע בין אצבעותיו וכורכן יחד כעין כריכת ספרים ותוחב במחט שתי תפירות. ללוקטן. אוגד בידו כל הקרע ראשו עם סופו ותוחב במחט שתים ושלש פעמים (ברש"י ברי"ף - והוחב שם שנים ושלשה תפירות). לעשותן [כמין] סולמות. כמעשה (ברש"י ברי"ף - כמעלות) קולם שתופר שתי תפירות ומפסיק וחוזר ותופר למטה ונראה בין תפירה לתפירה הפסק מעט כזה ... לישנא אחרינא סולמות כעין שלוקטין המתנים שקורין יירונ"ש בלע"ז. לאחותן. תפירה יפה.

מסורת הש"ס

א) [פי' אפי' עופות רעות באות לראות כשממו ערוך], ב) ס"א, ג) יבמות קג. [ע"ש], ד) [ברכות מח. וש"נ], ה) מגילה ו., ו) [סנהדרין קט.], ז) [נ"ל ברבי סימאי ועי' תוס' שבת קמט. ד"ה ודיוקני ותוס' פסחים קד. ד"ה דלא ותוס' ע"ז נ. ד"ה ה"ג], ח) [וע"ע רש"י כתובות מג: ד"ה אמר ר"ז ועי' תוס' מנחות מ: ד"ה ר"ז אמר], ט) [שייך לדף כו.], י) [פרשת קרח סי' קלא], כ) רש"א.

רש"י כת"י

כי מטו אגישרא. כשהגיעו לעבור דף הגשר שעכשיו לא יהו יכולין לעבור כנגד זה אלא זה לפני זה. קמו גמלי. עמדו הגמלים נושאי המטה במקומן. טייעא. סוחר ישמעאל. רבנן שכבי הוו עבדי יקרא להדדי שאין אחד רוצה [לעבור] לפני חבירו. מר אמ'. שיכבי אמרי להדדי. בדינא. הרי לפי דעתי. גברא בר גברא ליעול. ארי בן ארי [הגי' אצלנו דרבה בר הונא ליעול]. נתור ככי דההוא טייעא. מפני כבודו (דאבוה) דרב המנונא. פתח עליה. דרב המנונא. ספר מלחמות. ספר תורה. ל"א שנלחם רב (הונא) [המנונא] ונתור ככי דההוא טייעא. קאת וקפוד. קללה כמו וירישוה קאת וקפוד (ישעיה לד) כלומר באה והוכפלה בעולם להראות שוד ושבר זה. קצף. הקב"ה על עולמו. הניעו ראש על צדיק כתמר. שלא היה לו לב אחד לאביו שבשמים כתמר זה של לולבין. והניעו ראש לשם לילות כימים. לקונן עליו. על משים לילות כימים. [ללמוד] (ל)תורה. דההוא יומ'. דנח נפשיה דרב אשי. מאי אמרת. רב אשי גופיה אמר לספדן במה יספדנו לישנא אחרינא דההוא יומא דנח נפשיה דרבינא מאי אמרת. *]בארזים. תלמידים. שלהבת. מיתה. אזוב. עם שפל מאד עמי הארץ. חכה. רשת. הועלה. מן הים. רקק. אגם. חכה ושלהבת. לשון גנות.]* [רש"י בע"י]. בחכה הועלה. אגמון. בר קיפוף ספדן הוה. נפלה חכה. למאן ושרב. גבים. גומות. בכו לאובדים. לנשארים שאבדו את הצדיק. חלש דעתיה. משום שניהם ספדי בלשון גנאי זה חכה ושלהבת וזה אבדה.

רבינו חננאל

משום דזקיף ארוניה דרב הונא. כלומר זכותו מגינה עליהם דהוא מדבי ריש גלותא. א"ל רב אשי לרב קיפוק בהא יומא דנח נפשיה דרבינא מאי אמרת עליה. פירוש בר קיפוק הוה ספדנא וכן בר אבין ושאלינהו מהו ההספד שתספדו עליו. וכיון שאמר לו בר קיפוד בארזים נפלה שלהבת מה יעשו אזובי קיר. כלומר כ"ע לגביה כאזוב גבי ארז נינהו כולהו. ובר אבין אמר בכו לאובדין ולא לאבידה כו' חלש דעתיה דרב אשי אמר שויתון לגביה כאזוב של קיר והוא כארז מכלל שהוא גדול ממני. נעשה להן חולי ונהפכו רגליהן שאינן יכולין להלך ולא יצאו בהספד. וזהו שאמר רב אשי כיון שרגליהן של אלו הפוכות אינן ראוין לחליצה. כי נח נפשיה דר' יוחנן יתיב עליה ר' אמי שבעה ושלשים. ואסיקנא אפילו רבו שלמדו תורה אינו יושב עליו אלא יום אחד. וא"ר יצחק בר אמי א) תניא חכם כיון שהחזיר פניו מאחורי המטה שולל. פתח עליה ההוא ספדנא. ארץ שנער הרה וילדה. פי' שנער בבל. ארץ צבי א"י. רקת זו טבריא שמת בה.

חשק שלמה על ר"ח

א) לפנינו בגמ' איתא זה לעיל סוף עמוד א' ועי' בתוס' שם ד"ה חכם.

תורה אור השלם

א) וְהָיָה בַּיּוֹם הַהוּא נְאֻם אֲדֹנָי אֱלֹהִים וְהֵבֵאתִי הַשֶּׁמֶשׁ בַּצָּהֳרָיִם וְהַחֲשַׁכְתִּי לָאָרֶץ בְּיוֹם אוֹר: [עמוס ח, ט]

world **וְחָמַס מִמֶּנּוּ נְפָשׁוֹת – and snatched souls from it,**[12] **וְשָׂמֵחַ בָּהֶם כְּכַלָּה חֲדָשָׁה – but He rejoices with them as** one does with **a new bride.**[13] **רוֹכֵב עֲרָבוֹת שָׂשׂ וְשָׂמֵחַ – He who rides atop High Heavens is glad and rejoices בְּבֹא אֵלָיו נֶפֶשׁ נָקִי וְצַדִּיק – when an innocent and righteous soul comes to him.**[14]

Another instance of a fitting eulogy is cited:

כִּי נָח נַפְשֵׁיהּ דְּרָבִינָא – When Ravina passed away, פָּתַח עֲלֵיהּ הַהוּא סַפְדָּנָא – a certain eulogist opened the eulogy **over him** as follows: **תְּמָרִים הָנִיעוּ רֹאשׁ – Palm trees, wave** your **tops עַל צַדִּיק כַּתָּמָר – over** the demise of **a righteous person** who was **like a palm tree!**[15] **נָשִׂים לֵילוֹת כְּיָמִים – Let us render** our **nights like days** in unceasing lamentation **עַל מְשִׂים לֵילוֹת כְּיָמִים – over he who rendered** his **nights like days** in unceasing Torah study!

Having recorded these two insightful eulogies, the Gemara cites an instance in which the eulogies were considered inappropriate:

אֲמַר לֵיהּ רַב אַשִׁי לְבַר קִיפּוֹק – Rav Ashi said to the eulogist **Bar Kippok: הַהוּא יוֹמָא מַאי אָמְרַתְּ – On that day,** when I die, **what will you say** about me?[16] **אֲמַר לֵיהּ – [Bar Kippok] replied: אֲמֵינָא – I will say** the following: **אִם בַּאֲרָזִים נָפְלָה שַׁלְהֶבֶת – If upon cedar trees a flame has fallen, מַה יַּעֲשׂוּ אֵיזוֹבֵי קִיר – what shall the hyssops of the wall do?**[17] **לִוְיָתָן בְּחַכָּה הוּעֲלָה – A Leviathan was lifted** from the sea **with a fish hook; מַה יַּעֲשׂוּ דְּגֵי רְקָק – what shall the small fry do?**[18] **בְּנַחַל שׁוֹטֵף נָפְלָה חַכָּה – Into a rushing stream dryness**[19] **descended; מַה יַּעֲשׂוּ מֵי גְבִים – what shall the** stagnant **pond waters do?**[20]

Bar Kippok's eulogy is criticized:

אֲמַר לֵיהּ בַּר אָבִין – Bar Avin, another eulogist, **said to [Bar Kippok]: חַס וְשָׁלוֹם – Heaven forbid דְּחַכָּה וְשַׁלְהֶבֶת בְּצַדִּיקֵי אֲמֵינָא – that I should** ever **mention a fish hook or a flame with regard to the righteous!**[21]

Bar Kippok therefore asked Bar Avin:

וּמַאי אָמְרַתְּ – And what would you say, if you were to eulogize him?

Bar Avin replied:

אֲמֵינָא – I would say: בְּכוּ לָאֲבֵלִים – Cry for the mourners וְלֹא לָאֲבֵידָה – and not for the lost object (the soul of the deceased)! **שֶׁהִיא לִמְנוּחָה – For it** (the soul) **is** destined **for peace** in the Garden of Eden, **וְאָנוּ לַאֲנָחָה – whereas we** mourners **are** destined **for sighing** as a result of losing the great sage.[22]

NOTES

לְשֵׁם – *Why is [Babylonia] named "Shinar"? Because all the dead of the Great Flood were dumped (nin'aru) there.* Using this word in our context conveys the magnitude of the disaster.

12. When a generation is sinful, God takes away its righteous people (*R' Shlomo ben HaYasom,* based on *Shabbos* 33b). The word חָמַס, *snatched,* describes the loss from the perspective of those remaining alive, whose sense of emptiness is so profound that they feel as if they were robbed (*Meiri*).

[Interestingly, the root of חמס is also part of the verse (*Isaiah* 60:18) containing the words שֹׁד וָשֶׁבֶר (see previous note). Thus, this phrase is a continuation of the eulogist's previous allusion to the enormity of the calamity.]

13. I.e. although the "snatching" of the souls is a punishment for the generation, when they arrive before God in a state of purity He rejoices over their lifes' achievements. The phrase "new bride" parallels the Scriptural verse (*Deuteronomy* 24:5): כִּי־יִקַּח אִישׁ אִשָּׁה חֲדָשָׁה, *When a man marries a new wife* (*R' Shlomo ben HaYasom*). [That verse refers to one who marries his bride for the first time, as opposed to one who remarries his divorcee (see *Rashi* ad loc.). Here, perhaps the allusion is that although the soul had been with God before being sent to this world, when it returns in purity after a lifetime of accomplishment God rejoices with it as if it were completely "new" to Him.]

14. The phrase רוֹכֵב עֲרָבוֹת, *He who rides atop High Heavens,* is taken from *Psalms* 68:5. The Gemara in *Chagigah* 12b states that there are seven heavens, the highest of which is called עֲרָבוֹת. In this heaven, God stores the souls of the righteous and the dew that He will use to resurrect the dead (*Maharsha; Iyun Yaakov*). Thus, the eulogist imparted a twofold message: (a) The deceased were so great that their souls deserve to abide in the uppermost Heaven. (b) They are sure to be resurrected in the End of Days [in the merit of their Torah study; see *Kesubos* 111b].

[The phrase נָקִי וְצַדִּיק, *innocent and righteous,* is found in *Exodus* 23:7. Here, the implication might again be that the sages were taken away not because of any personal sins, but due to the iniquity of the generation.]

15. The phrase צַדִּיק כַּתָּמָר, *a righteous person like a palm tree,* is taken from *Psalms* 92:13. This metaphor is chosen because just as a palm tree has only one unbranched trunk, so too, the righteous person has only one undiluted goal – to serve God (*Rashi ms.* and to *Ein Yaakov; Maharsha;* see *Berachos* 57a). Also, the verse in *Psalms* continues: יִפְרָח, *will flourish,* and the eulogist alludes to the fact that although the righteous deceased has left this world he is not lost, but will continue to flourish in the World to Come (*Maharsha*).

The phrase הָנִיעוּ רֹאשׁ, literally: shake your heads, is a metaphor for a person's sharing his friend's pain and demonstrating his empathy by shaking his head (see *Job* 16:4 with *Metzudas David*). The image of tall palm trees waving their tops represents the colleagues of the deceased sage – who, like him, are represented by palm trees – mourning over him and shaking their heads in sadness (*R' Shlomo ben HaYasom*).

16. *Rashi, Rashi ms.* See *Yaaros Devash,* vol. I §12, for an explanation of why Rav Ashi was interested in knowing his own eulogy.

Another interpretation is that on the day of *Ravina's* death (which was just mentioned), Rav Ashi asked Bar Kippok how he intended to eulogize Ravina (*Rabbeinu Chananel;* see also *Rashi ms.*).

17. The cedar trees and the hyssops that grow out of the wall represent the grandest and lowliest of plants, respectively (see *I Kings* 5:13). Furthermore, in *Psalms* 92:13, the righteous person is compared to the *cedar* of Lebanon. Here, the eulogist likens the great deceased sage to the mighty cedar tree, and his survivors to the feeble hyssops of the wall.

The expression נָפְלָה שַׁלְהֶבֶת, *a flame has fallen,* alludes to a Godly fire. In *Job* 1:16 we read: אֵשׁ אֱלֹהִים נָפְלָה מִן־הַשָּׁמַיִם, *A fire of God **fell** from the Heavens* (see also *I Kings* 18:38). The word שַׁלְהֶבֶת is found in *Song of Songs* 8:6: שַׁלְהֶבֶתְיָה, *the flame of God.* Thus, Bar Kippok says: If the Godly flame of Death consumed even the greatest of sages, how can any others imagine escaping it?

18. Literally: What shall the fish of the shallow pool do? The phrase בְּחַכָּה הוּעֲלָה, *lifted with a fish hook,* is taken from *Habakkuk* 1:15. In adding the Leviathan to this metaphor, the eulogist alludes to *Job* 40:25, where God rhetorically asks Job: תִּמְשֹׁךְ לִוְיָתָן בְּחַכָּה, *Can you pull up the Leviathan with a fish hook?* Here the eulogist states that the inconceivable did happen: A Leviathan *was* "hooked" by the Angel of Death! This should send shudders of fear through the hearts of all the small fry!

19. The word חַכָּה in this context means *dryness,* as opposed to the previous clause, where it meant *fish hook* (*Rashi ms.*). Both definitions (among others) are cited by *Aruch* v. חך §1 and 5.

20. I.e. if the Angel of Death was able to dry up even the powerful rush of righteous deeds that flowed from this great sage, certainly he will make the stagnant "pond waters" of the common folk evaporate.

Others interpret the term חַכָּה as *fish hook* even in this context. Thus, Bar Kippok said: If the Angel of Death was able to hook a fish from a powerful stream, where the swift current (i.e. the righteous person's merits) worked against him, he can certainly succeed in capturing the fish of the stagnant ponds (*Iyei HaYam,* cited by *Eitz Yosef*).

When a righteous person dies, the primary obligation of his survivors is to examine their deeds and repent. This was the general message that the eulogist sought to convey (*Yaaros Devash,* vol. I §4,7; for elaboration of the eulogist's remarks, see *Yaaros Devash,* vol. I §12).

21. Both of these terms have negative connotations (*Rashi ms.* and *Rashi* to *Ein Yaakov*). The "flame" alludes to Gehinnom, which is definitely an inappropriate reference in connection with the righteous. As for the "fish hook," it alludes to an "evil" death that strikes suddenly, just as a small hook captures a great fish without its being aware of any danger [see *Sanhedrin* 81b and below, 28a] (*R' Shlomo ben HaYasom;* cf. *Maharsha*).

22. The elucidation of this eulogy follows *R' Shlomo ben HaYasom.*

כי מטו אגישרא קמו גמלי אמר להו ההוא טייעא מאי האי אמרו ליה רבנן דקא עבדי יקרא אהדדי מר אמר מר ניעול ברישא ומר אמר מר ניעול ברישא אמר דינא הוא דרבה בר הונא ליעול ברישא חליף גמליה דרבה בר הונא נתור ככיה ושניה דההוא טייעא פתח עליה ההוא ינוקא גזע ישישים עלה מבבל ועמו ספר מלחמות [א] קאת וקפוד הוכפלו לראות בשוד ושבר הבא משנער קצף על עולמו וחמס ממנו נפשות ושמח בהם ככלה חדשה רוכב ערבות שש ושמח בבא אליו נפש נקי וצדיק כי נח נפשיה דרבינא פתח עליה ההוא ספדנא תמרים הניעו ראש על צדיק כתמר נשים לילות כימים [ג] [על משים לילות כימים] א"ל רב אשי לבר קיפוק ההוא יומא מאי אמרת אמר ליה אמינא אם בארזים נפלה שלהבת מה יעשו איזובי קיר לויתן בחכה הועלה מה יעשו דגי רקק בנחל שוטף נפלה חכה מה יעשו מי גבים א"ל בר אבין ח"ו דחכה ושלהבת בצדיקי אמינא ומאי אמרת אמינא בכו לאבלים ולא לאבידה שהיא למנוחה ואנו לאנחה חלש דעתיה עלייהו ואתהפוך כרעייהו ההוא יומא לא אתו לאספודיה והיינו דאמר רב אשי [ג] לא בר קיפוק חליץ ולא בר אבין חליץ רבא כי הוה אתא לדגלת א"ל לבר אבין קום אימא מילתא קאי ואמר באו רוב שלישית במים זכור ורחם תעינו מאחריך כאשה מבעלה אל תזניחנו כאות מי מרה (חנין יוחנן זירא אבא יעקב יוסי שמואל חייא מנחם סימן) רבי חנין חתניה דבי נשיאה הוה לא קא הוו ליה בני בעא רחמי והוו ליה ההוא יומא דהוה ליה נח נפשיה פתח עליה ההוא ספדנא שמחה לתוגה נהפכה ששון ויגון נדבקו בעת שמחתו נאנח בעת חנינתו אבד חנינו אסיקו ליה חנן על שמיה כי נח נפשיה דר' יוחנן פתח עליה ר' יצחק בן אלעזר קשה היום לישראל כיום בא השמש בצהרים דכתיב [א] והיה ביום ההוא והבאתי השמש בצהרים ואמר ר' יוחנן זה יומו של יאשיהו כי נח נפשיה דר' יוחנן יתיב רבי אמי שבעה ושלשים אמר רבי אבא בריה דרבי חייא בר אבא רבי אמי [ד] דעבד לגרמיה הוא דעבד דהכי אמר ר' חייא בר אבא אמר ר' יוחנן [*] אפילו רבו שלימדו חכמה אינו יושב עליו אלא יום אחד [ה] כי נח נפשיה דרבי זירא פתח עליה ההוא ספדנא ארץ שנער הרה וילדה ארץ צבי גידלה שעשועיה אוי נא לה אמרה רקת כי אבדה כלי חמדתה כי נח נפשיה דרבי אבהו אחיתו עמודי דקסרי מיא דרבי יוסי [י] שפעו מרזבי דציפורי דמא דרבי יעקב אתחמיאו כוכבי בימָמא דר' אסי איעקרו כל אילניא דר' חייא נחיתו כיפי דנורא מרקיעא דר' מנחם [ז] (בר' יוסי) אישתעו צלמנייא והוו למחלצייא דר' תנחום בר חייא איתקצצו כל אנדרטיא דר' אלישיב איחתרו שבעין מחתרתא בנהרדעא דרב המנונא נחיתו כיפי דברדא מרקיעא דרבה ורב יוסף נשוק כיפי דפרת אהדדי דאביי ורבא נשוק כיפי דדגלת אהדדי כי נח נפשיה דר' משרשיא טעון דיקלי שיצי ת"ר

ואלו

שפעו מרזבי דציפורי דמא. מפרש בירושלמי דיהב נפשיה על גזרתם פירוש נשפך דמו על יחוד השם תוספתא פ"א שנתן נפשו על המילה:

[ט] **ועל** רבו שלמדו חכמה. בפרק אלו מציאות (ב"מ דף לג. ושם) פליגי רבי יהודה ורבי יוסי שרבי יהודה אומר כל שרוב חכמתו הימנו ורבי יוסי אומר אפילו לא האיר עיניו אלא במשנה אחת זהו רבו ומסיק שם עולא אמר תלמידי חכמים שבבבל קורעין זה על זה כרבי יוסי ס"ל ופוסק רב ששת כרבי יוסי ופי' רבינו חננאל דהכי הלכתא ובשאלתות דרב אחאי [י] פוסק כרבי יהודה דאמר כל שרוב חכמתו הימנו ומפרש בפר' אלו מציאות בתוספתא דהיו קורעין קריעה [י] [דאין] מתאחה וכן פירש רבי יצחק בר יהודה ויותר היה נראה לי דמעשה רב דשמואל עבד כרבי יוסי כדאי' התם ורבא נמי מפרש מילתא דרבי יוסי ורבי אלעזר בירושלמי נמי עבד כוותיה ושמא היו מחמירין על עצמן:

ברכת

כי מטו אגישרא. כשהגיעו לעבור בדף של גשר קצר שעכשיו לא היו יכולין לעבור זה בצד זה אלא זה אחר זה: קמו גמלי. עמדו הגמלים נושאי המטות במקומן: טייעא. סוחר ישמעאלים: רבנן. דשיכבי רבה בר רב הונא ורב המנונא: עבדי יקרא. דהא לא בעי האי למיעל מקמי האי: נתור ככי. לחייו משום דבזי לרב המנונא: ספר מלחמות. ספר תורה לישנא אחרינא שנלחם רבה ורב המנונא ונתור ככי דההוא טייעא לישנא אחרינא גזע ישישים זה רבה בר רב הונא דהוא בן גדולים בן רב הונא דהוא ראש גולה ועדיף מנשיא דארץ ישראל ועמו ספר מלחמות עמו רב המנונא: קאת וקיפוד הוכפלו. קללה כמו וירשוה קאת וקיפוד (ישעיה לד) כלומר קללה באה והוכפלה בעולם: לראות שוד ושבר. זה שקצף הקב"ה על עולמו: נשים לילות כימים. בהספד על שעשה לילות כימים בתורה: בר קיפוק ובר אבין. הוו ספדני: (ההוא יומא. דנח נפשיה): חלש דעתיה. דהאי מדמי ליה לשלהבת והאי לאבידה: וההוא יומא. דנח נפשיה לא ספדוהו משום דאירע להו תקלה על ידו: לא בר קיפוק ולא בר אבין חליץ. משום דאיתהפכו כרעייהו ותניא (יבמות דף קג.) האי מאן דמסגי אלוחתא דריגלא לא חלין דהתורה אמרה וחלצה נעלו מעל רגלו ולא מתחת לרגלו: אתי לדגלת. חדקל: רוב שלישית. ישראל נקראו שלישית ורבא שקול כרוב ישראל ואמר ליה קום ואמור מילתא כלומר בקש רחמים: כאות במי מרה. שאשה סוטה נבדקת בהן: בעת חנינתו. דולד: אבד חנינו. אביו המחננו: והבאתי השמש בצהרים. אשקיע השמש בצהרים: יומו של יאשיה. שנהרג יאשיה קרי יומו שמש: לגרמיה. לדעתיה: רבי זירא היה מבבל ובה נולד וגדל בארץ ישראל והיינו דקאמר ארץ שנער הרה וילדה ארץ צבי גדלה שעשועיה והכי קרי ליה רבי זירא ורב זירא [ח]: אוי נא לה אמרה רקת. יכולה לומר כן רקת היא טבריא: אחיתו. הורידו דמעות: איתחמיאו כוכבי. נראו הכוכבים שנשתנה העולם מרוב צער: כיפי דנורא. אבנים של אור: אשתעו צלמנייא. נימוחו פרצוף שלהן: והוו למחלצייא. כלומר נחלקה ונתמעכה כל צורת פרצוף של צלמים וצור' המטבעות מפני צורת החסיד שנשתנית: דרבי מנחם. בנן של קדושים שלא נסתכל אף בצורה של זוזא כדאמרינן בערבי פסחים (דף קד.): והוו למחלצייא. כמו שהוחלקה במעגל ובמחלצים שבה מטחין טיט הכותל: אנדרטא. צורת הצלמים שעושין על שם המלך שמת: שבעין מחתרין. דגנבים דבזכותיה לא הוו אתו גנבים: כיפי דברדא. אבנים: נשוק כיפי. כיפאות של גשרים נשתברו ונשקו זו את זו: שיצי. קוצים:

מסורת הש"ס

א) [פי' אפי' עופות רעות באות לראות כשמתו ערוך], ב) ס"א, ג) יבמות קג. [ע"ש], ד) [ברכות מח. וש"נ], ה) מגילה ו., ו) [סנהדרין קט.], ז) [נ"ל ברבי סימאי ועי' תוס' שבת קמט. ד"ה ודיוקני ותוס' פסחים קד. ד"ה דלא ותוס' ע"ז נ. ד"ה ה"ג], ח) [וע"ע רש"י כתובות מג: ד"ה אמר ר"ז ועי' תוס' מנחות מ: ד"ה ר"ז אמר], ט) [שייך לדף כו.], י) [פרשת קרח סי' קלא], כ) רש"א.

רש"י כת"י

כי מטו אגישרא. כשהגיעו לעבור דף הגשר שעכשיו לא יהו יכולין לעבור כנגד זה אלא זה לפני זה. קמו גמלי. עמדו הגמלים נושאי המטה במקומן. טייעא. סוחר ישמעאל. רבנן שכבי הוו עבדי יקרא להדדי שאין אחד רוצה [לעבור] לפני חבירו. מר אמ'. שיכבי אמרי להדדי. בדינא. הרי לפי דעתי. גברא בר גברא ליעול. ארי בן ארי [הגי' אצלנו דרבה בר הונא ליעול]. נתור ככי דההוא טייעא. מפני כבודו (דאבוה) דרב המנונא. פתח עליה. דרב המנונא. ספר מלחמות. ספר תורה. ל"א שנלחם רב (הונא) [המנונא] ונתור ככי דההוא טייעא. קאת וקפוד. קללה כמו וירישוה קאת וקפוד (ישעיה לד) כלומר באה והוכפלה בעולם להראות שוד ושבר זה. קצף. הקב"ה על עולמו. הניעו ראש על צדיק כתמר. שלא היה לו לב אחד לאביו שבשמים כתמר זה של לולבין. והניעו ראש לשם לילות כימים. לקונן עליו. על משים לילות כימים. [ללמוד (ל)תורה. דההוא יומ'. דנח נפשיה דרב אשי. מאי אמרת. רב אשי גופיה אמר לספדן במה יספדנו לישנא אחרינא דההוא יומא דנח נפשיה דרבינא מאי אמרת. *[בארזים. תלמידים. שלהבת. מיתה. אזוב. עץ שפל מאד עמי הארץ. חכה. רשת. הועלה. מן הים. רקק. אגם. חכה ושלהבת. לשון גנות.]* [רש"י בע"ין]. בחכה הועלה. אגמון. בר קיפוק ספדן הוה. נפלה חכה. למאון ושרב. גבים. גומות. בכו לאובדים. לנשארים שאבדו את הצדיק. חלש דעתיה. משום ששניהם ספדי בלשון גנאי זה חכה ושלהבת וזה אבדה.

עין משפט נר מצוה

קפו א מיי' פ"ט מהל' אבל הלכה יב טוש"ע י"ד סי' רמב סעיף כה:

רבינו חננאל

משום דזקיף ארוניה דרב הונא. כלומר זכותו מגינה עליהם דהוא מדבי ריש גלותא. א"ל רב אשי לרב קיפוק בהא יומא דנח נפשיה דרבינא מאי אמרת עליה. פירוש בר קיפוק הוה ספדנא וכן בר אבין ושאלינהו מהו ההספד שתספדו עליו. וכיון שאמר לו בר קיפוד בארזים נפלה שלהבת מה יעשו אזובי קיר. כלומר כ"ע לגביה כאזוב גבי ארז נינהו כולהו. ובר אבין אמר בכו לאובדין ולא לאבידה כו' חלש דעתיה דרב אשי אמר שויתון לגביה כאזוב של קיר והוא כארז מכלל שהוא גדול ממני. נעשה להן חולי ונהפכו רגליהן שאינן יכולין להלך ולא יצאו בהספד. וזהו שאמר רב אשי כיון שרגליהן של אלו הפוכות אינן ראוין לחליצה. כי נח נפשיה דר' יוחנן יתיב עליה ר' אמי שבעה ושלשים. ואסיקנא אפילו רבו שלמדו תורה אינו יושב עליו אלא יום אחד. וא"ר יצחק בר אמי א) תניא חכם כיון שהחזיר פניו מאחורי המטה שולל. פתח עליה ההוא ספדנא. ארץ שנער הרה וילדה. פי' שנער בבל. ארץ צבי א"י. רקת זו טבריא שמת בה.

חשק שלמה על ר"ח

א) לפנינו בגמ' איתא זה לעיל סוף עמוד א' ועי' בתוס' שם ד"ה חכם.

תורה אור השלם

א) וְהָיָה בַּיּוֹם הַהוּא נְאֻם אֲדֹנָי אֱלֹהִים וְהֵבֵאתִי הַשֶּׁמֶשׁ בַּצָּהֳרָיִם וְהַחֲשַׁכְתִּי לָאָרֶץ בְּיוֹם אוֹר: [עמוס ח, ט]

איתהפוך כרעיהו. נהפכו רגלם שהיו דורכים בגב הרגל שלא היו יכולים עוד על אדם להספיד. וההוא יומא. דנח רב אשי. חליץ. ליבמתו לפי שאין יכולין ליסמוך על רגליהם. כי הוה אתי א"ת"י דגלת. כשהיה עובר בחדקל ל"א כשהיה חדקל (גדול) [גדול] וילא לשטוף את העולם. אימא מילתא. תפלה. רוב של ישראל רובה של שלישיה כדכתוב יהיה ישראל שלישיה למצרים ולאשור (ישעיה כט) רבא חשוב ליה (כבוד) כרובם של ישראל. אל תזניחהו כאות מי מרה. כאות שעושין המים המרים במעי סוטה. חנינו. ר' חנין. והבאתי השמש בצהרים. יומו של יאשיהו. יום שנהרג יאשיהו קרי שמש. לגרמיה. לדעתיה. שלמדו חכמה. שכל תורתו הימנו. ר' זירא נולד בבבל וגדל בארץ ישראל והיינו ארץ שנער הרה וילדה ארץ צבי גדלה שעשועיה דקא קרי רב [זירא] ורבי זירא. אוי נא לה אמרה רקת יכולה רקת לומר. רקת. זו טבריא. אחיתו. הורידו למעה. איתחמיאו כוכבי. נשתנה העולם מרוב צער. כיפי דנורא. אבנים של אור. אישתניאו כל צלמניא והוו למחלצייא. נחלקה ונתמעכה צורת כל פרצוף של צלמים וצורת מטבעות מפני צורת החסיד שנשתנית ר' מנחם בנן של קדושים שלא נסתכל בצורת מטבע כל ימיו כדמפרש בערבי פסחים (פסחים קד.). והוו למחלציא (כלי) [כמון] שנחלק במעגל ובמחלצים טיבלא שבה טחין טיט בכותל. אינדרוטה. צורת צלמים שעושין לשם מלך כשמת. (איתערו) [איחתרו]. נפלו בתים מעצמם. ברדא. גלגל"א. נשוק כיפי דפרת. חומת שהגשמים בנויין עליהם ארק"ש בלע"ז. נשקו. נקרבו זה אל זה שנוי הוא שבא לעולם. שיצו קוצים.

[מכאן שייך לדף כו.] שאין מתאחין. לעולם. שמועות רעות. שמשמעו רוב צבור שנהגו. על ברכת השם ששמע רשע שבירך את השם. וקורע על המקדש. אם ראה מקדש תחלה כגון שבא בקרון ולא הוציא ראשו עד שנכנס למקדש וכשיראה ירושלים יוסיף על הקרע. ועל ערי יהודה שראה בחורבנן. אבי אבי. שהיה שקול לו כאביו ואמו לכך נאמר ב' פעמים אבי אבי. ועל רבו. כדמתרגם רב יוסף רבי רבי. ויחזק בבגדיו ויקרעם. באלישע כתוב. ממשמע שנ' ויקרעם איני יודע. שהן שני קרעים. אלא מלמד שקורעין (והולכין) [ועומדין] לעולם. וה"ג לה בסנהדר' (ס.) בפרק ארבע מיתות. אליהו חי הוא. ולמה קרע עליו. שאול זה נשיא מלך. זה אב ב"ד. דמכס הוה. על על הפסיק הענין. דעל כל אחד (קרעו) (קורעין). מזיגת קיסרי. כך שמה. לא אמרו. לקרוע אשמועות רעות אלא כרוב צבור כל ישראל. כמעשה שהיה. בשאול ויהונתן. לקול יתירי. לקול נימי כנורות ונבלים של מזיגת קיסרי שהיו מרקדין ומשוררין ומזמרין ומורדין במלכות. פקע שורא דלודקיא. [נבקע חומות לודקיא] [רש"י בע"ין]. ויבא אליקים קרעי בגדים. על דברי רבשקה שהיה מחרף ומגדף את השם כדכתוב באותה פרשה. עדים אין צריכין לקרוע בשעה שמעידין לפני בית דין פלוני בירך את השם. שכבר קרעו בשעה ששמעו. שבירך. ספר תורה שנשרף. קורעין מפני אזכרות שבו. ויהי כקרא יהודי שלש דלתות. [משו"ה קרי דלתות] שכל פסוק ופסוק של ספר קינות [פרשה לעצמה ו]צריך הפרש בין זה לזה ריוח. [השלך אל האש. שסרף וזרק לתוך האור] [רש"י בע"ין]. מאי שלש דלתות וארבעה שהיה קורע חורק לאור למה אינו קורע דלת דלת ושורף. אנא מלכא. ולא איכפת לי איגלו אני אמלוך ולא אגלי [ואעפ"כ אנא מלכא]. היו צריה לראש. דשמע לא יהיה מלך. מאן אמרה. להאי נבואה. יי' הוגה. דברה. קדר. נוקב בסכין. אימר משום. הכי נקיא משתעי בגנותיהו משום דלא קרעו דבעו למקרע אשמועות רעות דקא מבשר להו לאחריב מקדשא ולאו משום שריפת הספר. אבי סדיא. בת היענה. איכו השתא. לחייבו שתי קריעות בת נעמיתא. פילט"ר בלע"ז. [אי שקיל להו נעמיתא איבעי ליה למקרע על הגויל ועל הכתב דהוי כנשרף [רש"י בע"ין] אמר ליה מנא לך הא דהא בדידי הוה עובדא וכו' לא אמרו. לקרוע על ספר תורה. אלא בזרוע. ורואה ששורפין אותו ואינו יכול להציל כמעשה דיהויקים אבל פתאום כי האי גונא לא. [בפרש"י בע"א] [לא אמרו אלא בזרוע. כשאדם מאבדו בידים. ל"א לא אמרו אלא בזרוע שיש להם זרוע ויכולת להציל כמעשה שהיה של אותם השרים העומדים על יהויקים שהיה בידם למחות ולא מיחו ואותם חייבים קריעה דכתיב ולא קרעו מכלל דלאיה להו למקרע]. ויבאו האנשים וגו'. אחר החורבן במעשה גדליהו שנהרג. מגולחי זקן וקרועי בגדים. שכבר היו ערי יהודה חריבות להביא מנחת בית יי' שנסעו קודם לכן ממקומן ולא היו יודעים שכבר נחרב הבית. בירה. על שם מקומו. אחד השומע. שקרע באותן הימים מיירי שהיה הבית קיים. ואחד הרואה. כל הימים. צופים. מקום לפני ירושלים. ה"ג וקורע על ירושלים בפני עצמה ועל מקדש בפני עצמו. דמקדש לא סגי בתוספת קרע. וכולן. על כל הקרעים הללו שאמ' בהן שולל. (ברש"י בר"ף - שאמרו בהן אין מתאחין) כולן רשאין לשוללן. למוללן. תפירה רחבה בשטי"ר. למוללן. אוחז שני ראשי הקרע בין אצבעותיו ותוכן יחד כעין כריכת ספרים ותוחב במחט שתי תפירות. ללוקטן. אוגד בידו כל הקרע ראשו עם סופו ותוחב במחט שתים ושלשה פעמים (ברש"י בר"ף - ותוחב שם שנים ושלשה תפירות). לעשותן [כמין] סולמות. כמעשה (ברש"י בר"ף - כמעלות) סולם שתופר שתי תפירות ומפסיק וחוזר ותופר למטה שמניח בין תפירה לתפירה הפסק מעט כזה ... לישנא אחרינא סולמות כעין שלוקטין הממנים שקורין ייירונ"ש בלע"ז. לאחותן. תפירה יפה.

The Gemara records Rav Ashi's reaction and the subsequent events:

חָלַשׁ דַּעְתֵּיהּ עֲלַיְיהוּ – [Rav Ashi] felt dejected because of the remarks offered by **[the eulogists],**[23] **וְאִתְהַפּוּךְ כַּרְעַיְיהוּ – and** consequently, **their feet became inverted.**[24] **הַהוּא יוֹמָא – On that day** of Rav Ashi's passing **לֹא אָתוּ לְאַסְפּוּדֵיהּ – they** [Bar Kippok and Bar Avin] **did not come to eulogize him.**[25]

The Gemara inserts a final comment:

וְהַיְינוּ דְּאָמַר רַב אַשִׁי – And this is the meaning of **that which Rav Ashi said: לֹא בַּר קִיפּוֹק חָלִיץ וְלֹא בַּר אָבִין חָלִיץ – Neither Bar Kippok nor Bar Avin is** fit **to perform** ***chalitzah.***[26]

Another anecdote involving Bar Avin is recorded:

רָבָא כִּי הֲוָה אָתָא לְדִגְלַת – When Rava was approaching the Tigris river in order to cross it, **אָמַר לֵיהּ לְבַר אָבִין – he said to Bar Avin: קוּם אֵימָא מִילְּתָא – Arise and say something** in prayer, that I may cross these dangerous waters safely.[27] **קָאֵי וְאָמַר – [Bar Avin] arose and said: בָּאוּ רוֹב שְׁלִישִׁית בַּמַּיִם – The majority of "the third" has entered the water;**[28] **זְכוֹר וְרַחֵם – remember and have mercy! תָּעִינוּ מֵאַחֲרֶיךָ כְּאִשָּׁה מִבַּעְלָהּ – We have strayed from following You, like a wife** who strayed **from her husband; אַל תַּזְנִיחֵנוּ כְּאוֹת מֵי מָרָה** – nevertheless, **do not forsake us like the sign of the bitter waters.**[29]

The Gemara records additional eulogies, but first cites a memory aid containing the names of sages whose deaths are mentioned below:

(חָנִין יוֹחָנָן זֵירָא אַבָּא יַעֲקֹב יוֹסֵי שְׁמוּאֵל חִיָּיא מְנַחֵם סִימָן) – ("Chanin, Yochanan, Zeira, Abba, Yaakov, Yose, Shmuel, Chiya, Menachem" is a mnemonic.)[30]

The Gemara describes the background for the first eulogy:

רַבִּי חָנִין חַתְנֵיהּ דְּבֵי נְשִׂיאָה הֲוָה – R' Chanin was a son-in-law in the house of the ***Nasi,*** i.e. he was married to the *Nasi's* daughter, **לֹא קָא הֲווּ לֵיהּ בְּנֵי** – but **he did not have** any **children. בְּעָא רַחֲמֵי וַהֲווּ לֵיהּ – [R' Chanin] prayed, and** eventually **he had [a child]. הַהוּא יוֹמָא דַהֲוָה לֵיהּ נָח נַפְשֵׁיהּ – On that very day that he had** the child, **[R' Chanin] passed away. פְּתַח עֲלֵיהּ הַהוּא סַפְדָּנָא – A certain eulogist opened** the eulogy **over [R' Chanin]** as follows: **שִׂמְחָה לְתוּגָה נֶהֶפְכָה – Gladness has been turned about to sorrow;**[31] **שָׂשׂוֹן וְיָגוֹן נִדְבָּקוּ – joy and sadness became attached; בְּעֵת שִׂמְחָתוֹ נֶאֱנַח – at the time of his gladness he sighed;**[32] **בְּעֵת חֲנִינָתוֹ אָבַד חֲנִינוֹ – at the time [the child] was**

NOTES

23. Even Bar Avin's suggested eulogy was inappropriate, for he described the soul as *a lost object,* but the soul of a righteous person is not lost at all – rather, it remains alive eternally in the World to Come (*Maharsha;* see *Rashi* to *Psalms* 49:11; see *Geon Yaakov* for further insight).

R' Shlomo ben HaYasom explains further that instead of eagerly offering Rav Ashi samples of their planned eulogies they should have told him, "May you live many more years! Who can even imagine being able to eulogize you?"

[According to the explanation that Bar Kippok and Bar Avin were describing to Rav Ashi the eulogies that they intended to offer for Ravina (see note 16), the reason he became dejected was that they compared Ravina to a cedar tree and all others – including Rav Ashi – to insignificant hyssops of the wall (*Rabbeinu Chananel;* cf. *Menachem Meishiv Nefesh*).]

24. As retribution for causing the great sage distress (*R' Shlomo ben HaYasom*), they were stricken with a crippling illness that caused their feet to become twisted, so that the soles faced upwards. Had they attempted to walk, the tops of their feet rather than the soles would have touched the ground (*Rashi,* citing *Yevamos* 103a; *Rabbeinu Chananel;* see *Maharsha* for an explanation of why this particular punishment was appropriate; see also *Iyun Yaakov*).

25. They declined to offer a eulogy for Rav Ashi because they had been punished on account of him (*Rashi*). Alternatively, they were *unable* to come because their handicap prevented them from standing and eulogizing *anyone* (see *Rashi ms.* and *Rashi* to *Ein Yaakov*).

[According to the explanation that they had been discussing their planned eulogies for Ravina, the intent is that they were unable to attend the funeral that very day (*Rabbeinu Chananel*).]

26. The Torah declares that when a man who dies childless is survived by one or more brothers, his widow may not marry someone from the general population. Rather, a brother of the deceased must take her as his wife, in a process known as *yibum* (*Deuteronomy* 25:5). If he declines to perform *yibum,* however, the Torah provides a procedure known as *chalitzah* [taking off the shoe], by which the widow can be released from her restricted status (ibid. v. 9). A man whose foot is inverted is unfit for *chalitzah,* because the Torah states (ibid.): וְחָלְצָה נַעֲלוֹ מֵעַל רַגְלוֹ, *she shall remove his shoe from* ***upon*** *his foot,* and this excludes the case where the removal must be done from *beneath* his foot. If the foot is inverted the removal must be done from below, because the upper side of the foot (from where the shoe is removed) is now at the bottom (*Rashi;* cf. *Rashi* and *Tosafos* to *Yevamos* 103a).

27. An alternative reading is: רָבָא כִּי אָתֵי דִּגְלַת וכו׳, *Rava, when the Tigris came* etc. The meaning is that when the river rose to flood level, Rava [who lived in Mechoza, a city situated on the banks of the Tigris (see *Berachos* 59b; *Eruvin* 57b)] invited the famed eulogist and speaker to offer a public prayer on behalf of the people living in the low-lying areas (*Ein Yaakov* with *Rashi; Rashi ms.*).

[This incident occurred prior to the one described above, as Rava preceded Rav Ashi (see *Kiddushin,* top of 72b, but see *Hagahos R' Yaakov Emden*).]

28. The word שְׁלִישִׁית, *the third,* refers to the Jewish nation (*Rashi*), which is described by this term in Scripture – see *Isaiah* 19:24 (*Rashi ms.*). רוֹב שְׁלִישִׁית, *The majority of "the third,"* refers to Rava, who, because of his stature, is considered equal to the majority of the nation (*Rashi*). Alternatively, the righteous are called הַשְּׁלִישִׁית – see *Zechariah* 13:9 – and Rava is the most prominent of them (*R' Shlomo ben HaYasom;* see also *Chagigah* 14b; see *Chidushei HaRan* for other interpretations).

[According to the alternative reading cited in the previous note, the intent may be simply that the majority of the Jewish nation, which at that time resided primarily in Babylonia, was endangered by the rising waters. The intent may also be that Rava was among the endangered ones.]

29. The Jewish nation, when in a state of sin, is frequently compared in Scripture to a straying wife (e.g. *Jeremiah* 2:20, 3:1; *Ezekiel* ch. 23). Now, the Torah decrees that a suspected adulteress (*sotah*) be given "bitter waters" to drink, and if she is guilty the waters cause her stomach to become distended and her thigh to collapse (see *Numbers* 5:11-21). Bar Avin prayed that despite Israel's iniquities God would not harm it through the waters of the Tigris (see *Rashi;* see *R' Shlomo ben HaYasom,* who has a variant reading of the text here).

30. The eulogies for these sages, or extraordinary events that occurred upon their deaths, are cited below. Although the mnemonic is mainly accurate, it contains some inconsistencies: The mnemonic lists the name *Abba,* whereas the parallel name in the Gemara is *Abahu;* it lists *Yaakov* before *Yose,* but the order is reversed below; the name *Shmuel* appears in the mnemonic but is missing in the Gemara, whereas *R' Assi* appears in the Gemara but is missing from the mnemonic (cf. *Ein Yaakov,* where the death of *R' Shmuel bar Yitzchak* is mentioned in the text below, which explains the appearance of the name *Shmuel* in the mnemonic). In addition, the deaths of eight other sages who are missing from the mnemonic are mentioned below.

31. The eulogist played on the verse in *Esther* 9:22, which states that *sorrow* was turned about to *gladness.* See also *Proverbs* 14:13.

32. [At the time when R' Chanin should have rejoiced with the son that he craved, he instead sighed in the knowledge that he would not live to raise him.] *Maharsha* suggests that the eulogist's three references to the inversion of joy to sorrow allude to three contrasting events. The birth of a firstborn son brings with it three days of celebration – the day of the birth, the day of the circumcision (the eighth day) and the day of the firstborn's redemption (the thirtieth day). These dates coincided with three periods of mourning – the day of R' Chanin's death, the conclusion of the seven-day mourning period (*shivah*), and the conclusion of the thirty days of grief (*sheloshim*). Indeed, *R' Shlomo ben HaYasom* notes that the term שָׂשׂוֹן, *joy,* alludes to circumcision, as stated in *Shabbos* 130a and *Megillah* 16b.

כי מטו אגישרא קמו גמלי אמר להו ההוא טייעא מאי האי אמרו ליה רבנן דקא עבדי יקרא אהדדי מר אמר מר ניעול ברישא ומר אמר מר ניעול ברישא אמר דינא הוא דרבה בר הונא ליעול ברישא חליף גמליה דרבה בר הונא נתור ככיה ושניה דההוא טייעא פתח עליה ההוא ינוקא גזע ישישים עלה מבבל ועמו ספר מלחמות [א] קאת וקפוד הוכפלו לראות בשוד ושבר הבא משנער קצף על עולמו וחמס ממנו נפשות ושמח בהם ככלה חדשה רוכב ערבות שש ושמח בבא אליו נפש נקי וצדיק כי נח נפשיה דרבינא פתח עליה ההוא ספדנא תמרים הניעו ראש על צדיק כתמר נשים לילות כימים [ב] [על משים לילות כימים] א"ל רב אשי לבר קיפוק ההוא יומא מאי אמרת אמר ליה אמינא אם בארזים נפלה שלהבת מה יעשו איזובי קיר לויתן בחכה הועלה מה יעשו דגי רקק בנחל שוטף נפלה חכה מה יעשו מי גבים א"ל בר אבין ח"ו דחכה ושלהבת בצדיקי אמינא ומאי אמרת אמינא בכו לאבלים ולא לאבידה שהיא למנוחה ואנו לאנחה חלש דעתיה עלייהו ואתהפוך כרעייהו ההוא יומא לא אתו לאספודיה והיינו דאמר רב אשי [ג] לא בר קיפוק חליץ ולא בר אבין חליץ רבא כי הוה אתא לדגלת א"ל לבר אבין קום אימא מילתא קאי ואמר באו רוב שלישית במים זכור ורחם תעינו מאחריך כאשה מבעלה אל תזניחנו כאות מי מרה (חנין יוחנן זירא אבא יעקב יוסי שמואל חייא מנחם סימן) רבי חנין חתניה דבי נשיאה הוה לא קא הוו ליה בני בעא רחמי והוו ליה ההוא יומא דהוה ליה נח נפשיה פתח עליה ההוא ספדנא שמחה לתוגה נהפכה ששון ויגון נדבקו בעת שמחתו נאנח בעת חנינתו אבד חנינו אסיקו ליה חנן על שמיה כי נח נפשיה דר' יוחנן פתח עליה ר' יצחק בן אלעזר קשה היום לישראל כיום בא השמש בצהרים דכתיב [א] והיה ביום ההוא והבאתי השמש בצהרים ואמר ר' יוחנן זה יומו של יאשיהו כי נח נפשיה דר' יוחנן יתיב רבי אמי שבעה ושלשים אמר רבי אבא בריה דרבי חייא בר אבא רבי אמי [ד] דעבד לגרמיה הוא דעבד דהכי אמר ר' חייא בר אבא אמר ר' יוחנן *אפילו רבו שלימדו חכמה אינו יושב עליו אלא יום אחד [ה] כי נח נפשיה דרבי זירא פתח עליה ההוא ספדנא ארץ שנער הרה וילדה ארץ צבי גידלה שעשועיה אוי נא לה אמרה רקת כי אבדה כלי חמדתה כי נח נפשיה דרבי אבהו אחיתו עמודי דקסרי מיא דרבי יוסי [ו] שפעו מרזבי דציפורי דמא דרבי יעקב אתחמיאו כוכבי ביממא דר' אסי איעקרו כל אילניא דר' חייא נחיתו כיפי דנורא מרקיעא דר' מנחם [ז] (בר' יוסי) אישתעו צלמנייא והוו למחלצייא דר' תנחום בר חייא איתקצצו כל אנדרטיא דר' אלישיב איחתרו שבעין מחתרתא בנהרדעא דרב המנונא נחיתו כיפי דברדא מרקיעא דרבה ורב יוסף נשוק כיפי דפרת אהדדי דאביי ורבא נשוק כיפי דדגלת אהדדי כי נח נפשיה דר' משרשיא טעון דיקלי שיצי ת"ר

ואלו

רש"י

כי מטו אגישרא. כשהגיעו לעבור בדף של גשר קצר שעכשיו לא היו יכולין לעבור זה בצד זה אלא זה אחר זה: **קמו גמלי.** עמדו הגמלים נושאי המטות במקומן: **טייעא.** סוחר ישמעאלים: **רבנן.** דשיכבי רבה בר רב הונא ורב המנונא: **עבדי יקרא.** דהא לא בעי האי למיעל מקמי האי: **נתור ככי.** לחייו משום דבזי לרב המנונא: **ספר מלחמות.** ספר תורה לישנא אחרינא שנלחם רבה ורב המנונא ונתור ככי דההוא טייעא לישנא אחרינא גזע ישישים זה רבה בר רב הונא דהוא בן גדולים בן רב הונא דהוא ראש גולה ועדיף מנשיא דארץ ישראל ועמו ספר מלחמות עמו רב המנונא: **קאת וקיפוד הוכפלו.** קללה כמו וירשוה קאת וקיפוד (ישעיה לד) כלומר קללה באה והוכפלה בעולם: **לראות שוד ושבר.** זה שקצף הקב"ה על עולמו: **נשים לילות כימים.** בהספד על שעשה לילות כימים בתורה: **בר קיפוק ובר אבין.** הוו ספדני: (**ההוא יומא.** דנח נפשיה): **חלש דעתיה.** דהאי מדמי ליה לשלהבת והאי לאבידה: **וההוא יומא.** דנח נפשיה לא ספדוהו משום דאירע להו תקלה על ידו: **לא בר קיפוק ולא בר אבין חליץ.** משום דאיתהפכו כרעייהו ותניא (יבמות דף קג.) האי מאן דמסגי אלוחתא דריגלא לא חליץ דהתורה אמרה וחלצה נעלו מעל רגלו ולא מתחת לרגלו: **אתי לדגלת.** חדקל: **רוב שלישית.** ישראל נקראו שלישית ורבא שקול כרוב ישראל ואמר ליה קום ואמור מילתא כלומר בקש רחמים: **כאות במי מרה.** שאשה סוטה נבדקת בהן: **בעת חנינתו.** דולד: **אבד חנינו.** אביו המתחננו: **והבאתי השמש בצהרים.** אשקיע השמש בצהרים: **יומו של יאשיה.** שנהרג יאשיה קרי יומו שמש: **לגרמיה.** לדעתיה: רבי זירא היה מבבל ובה נולד וגדל בארץ ישראל והיינו דקאמר ארץ שנער הרה וילדה ארץ צבי גדלה שעשועיה ואהכי קרי ליה רבי זירא ורב זירא [ח]: **אוי נא לה אמרה רקת.** יכולה לומר כן רקת היא טבריא: **אחיתו.** הורידו דמעות: **איתחמיאו כוכבי.** נראו הכוכבים שנשתנה העולם מרוב צער: **כיפי דנורא.** אבנים של אור: **אשתעו צלמנייא.** נימוחו פרצוף שלהן: **והוו למחלצייא.** כלומר נחלקה ונתמעכה כל צורת פרצוף של צלמים וצור' המטבעות מפני צורת החסיד שנשתנית: **דרבי מנחם.** בנן של קדושים שלא נסתכל אף בצורה של זוזא כדאמרינן בערבי פסחים (דף קד.): **והוו למחלצייא.** כמו שהוחלקה במעגל ובמחללים שבה מטחין טיט הכותל: **אנדרטא.** צורת הצלמים שעושין על שם המלך שמת: **שבעין מחתרין.** דגנבים דבזכותיה לא הוו אתו גנבים: **כיפי דברדא.** אבנים: **נשוק כיפי.** כיפאות של גשרים נשתברו ונשקו זו את זו: **שיצי.** קולים:

תוספות

שפעו מרזבי דציפורי דמא. מפרש בירושלמי דיהב נפשיה על גזרתם פירוש נשפך דמו על יחוד השם תוספתא פ"א שנתן נפשו על המילה:

[ט] **ועל** רבו שלמדו חכמה. בפרק אלו מציאות (ב"מ דף לג. ושם) פליגי רבי יהודה ורבי יוסי שרבי יהודה אומר כל שרוב חכמתו הימנו ורבי יוסי אומר אפילו לא האיר עיניו אלא במשנה אחת זהו רבו ומסיק שם עולא אמר תלמידי חכמים שבבבל קורעין זה על זה כרבי יוסי ס"ל ופוסק רב ששת כרבי יוסי ופי' רבינו חננאל דהכי הלכתא ובשאלתות דרב אחאי [י] פוסק כרבי יהודה דאמר כל שרוב חכמתו הימנו ומפרש בפר' אלו מציאות בתוספתא דהיו קורעין קריעה [כ] [דאין] מתאחה וכן פירש רבי יצחק בר יהודה ויותר היה נראה לי דמעשה רב דשמואל עבד כרבי יוסי כדאי' התם ורבא נמי מפרש מילתא דרבי יוסי ורבי אלעזר בירושלמי נמי עבד כוותיה ושמא היו מחמירין על עצמן:

ברכת

רש"י כת"י

איתהפוך כרעיהו. נהפכו רגלים שהיו דורכים בגב הרגל שלא היו יכולים עוד על אדם להספיד. וההוא יומא. דנח רב אשי. חליץ. ליבמתו לפי שאין יכולין ליסמוך על רגליהם. כי הוה אתי א'ת'י דגלת. כשהיה עובר בחדקל ל"א כשהיה חדקל (גדור) [גדול] ויצא לשטוף את העולם. אימא מילתא. תפלה. רוב של ישראל רובה של שלישיה כדכתוב יהיה ישראל שלישיה למצרים ולאשור (ישעיה כט) רבא חשוב ליה (כבוד) כרובים של ישראל. אל תזניחהו כאות מי מרה. כאות שעושין המים המרים במעי סוטה. חנינו. ר' חנין. והבאתי השמש אשקיע השמש בצהרים. יומו של יאשיהו. יום שנהרג יאשיהו קרי שמש. לגרמיה. לדעתיה. שלמדו חכמה. שכל תורתו הימנו. ר' זירא נולד בבבל וגדל בארץ ישראל והיינו ארץ שנער הרה וילדה ארץ צבי גדלה שעשועיה דקא קרי רב [זירא] ורבי זירא. אוי נא לה אמרה רקת יכולה רקת לומר. רקת. זו טבריא. אחיתו. הורידו למעה. איתחמיאו כוכבי. נשתנה העולם מרוב צער. כיפי דנורא. אבנים של אור. אישתניאו כל צלמניא והוו למחלציא. נחלקה ונתמעכה צורת כל פרצוף של צלמים וצורת מטבעות מפני צורת החסיד שנשתנית ר' מנחם בנן של קדושים שלא נסתכל בצורת מטבע כל ימיו כדמפרש בערבי פסחים (פסחים קד.). והוו למחצלייא (כלי) [כמון] שנחלק במעגל ובמחללים טיבלא שבה טחין טיט בכותל. אינדרוטה. צורת צלמים שעושין לשם מלך כשמת. (איתערו) [איחתרו]. נפלו בתים מעצמם. בדרא. גלגל"א. נשוק כיפי דפרת. חומת שהגשמים בנויין עליהם ארקו"ש בלע"ז. נשקו. נקרבו זה אל זה שנוי הוא שבא לעולם. שיצו קולים.

[מכאן שייך לדף כו.] שאין מתאחין. לעולם. שמועות רעות. שמשמע רוב צבור שנהגו. על ברכת השם ששמע רשע שבירך את השם. וקורע על המקדש. אם ראה מקדש תחלה כגון שבא בקרון ולא הוציא ראשו עד שנכנס למקדש וכשיראה ירושלים יוסיף על הקרע. ועל ערי יהודה שראה במורבנן. אבי אבי. שהיה שקול לו כאביו ואמו לכך נאמר ב' פעמים אבי אבי. ועל רבו. כדמתרגם רב יוסף רבי רבי. ויחזק בבגדיו ויקרעם. באלישע כתוב. ממשמע שנ' ויקרעם איני יודע. שהן שני קרעים. אלא מלמד שקורעין (והולכין) [ועומדין] לעולם. וה"ג לה בסנהדר' (פ.) בפרק ארבע מיתות. אליהו חי הוא. ולמה קרע עליו. שאול זה נשיא מלך. זה אב ב"ד. דמכס הוה. על על הפסיק הענין. דעל כל אחד (קרעו) [קורעין]. מזיגת קיסרי. כך שמה. לא אמרו. לקרוע אשמועות רעות אלא ברוב צבור כל ישראל. כמעשה שהיה. בשאול ויהונתן. לקול יתירי. לקול נימי כנורות ונבלים של מזיגת קיסרי שהיו מרקדין ומשוררין ומזמרין ומודין במלכות. פקע שורא דלודקיא. [נבקע חומות לודקיא] [רש"י בע"ין]. ויבא אליקים קרעי בגדים. על דברי רבשקה שהיה מחרף ומגדף את השם כדכתוב באותה פרשה. עדים אין צריכין לקרוע בשעה שמעידין לפני בית דין פלוני בירך את השם. שכבר קרעו בשעה ששמעו. שבירך. ספר תורה שנשרף. קורעין מפני אזכרות שבו. ויהי כקרא יהודי שלש דלתות. [משו"ה קרי דלתות] שכל פסוק ופסוק של ספר קינות [פרשה לעצמה ו]צריך הפרש בין זה לזה ריוח. [השלך אל האש. ששרף וזרק לתוך האור] [רש"י בע"ין]. מאי שלש דלתות וארבעה שהיה קורע וזורק לאור למה אינו קורע דלת דלת ושורף. אנא מלכא. ולא איכפת לי איגלו אני אמלוך ולא אגלי [ואעפ"כ אנא מלכא]. היו צריה לראש. דשמע לא יהיה מלך. מאן אמרה. להאי נבואה. יי' הוגה. דברה. קדר. נוקב בסכין. אימר משום. הכי נביא משתעי בגנותיהו משום דלא קרעו דנעו למקרע אשמועות רעות דקא מבשר להו לאיחריב מקדשא ולאו משום שריפת הספר. אבי סדיא. פילטר"י בלע"ז. בת נעמיתא. בת היענה. איכו השתא. איחייבו שתי קריעות [אי שקיל להו נעמיתא איבעי ליה למקרע על הגויל ועל הכתב דהוי כנשרף [רש"י בע"ין]. אמר ליה מנא לך הא דהא בדידי הוה עובדא וכו' לא אמרו. לקרוע על ספר תורה. אלא בזרוע. ורואה ששורפין אותו ואינו יכול להציל כמעשה דיהויקים אבל פתאום כי האי גונא לא. [לא אמרו אלא בזרוע. כשאדם מאבדו בידים. ל"א לא אמרו אלא בזרוע שיש להם זרוע ויכולת להציל כמעשה שהיה של אותם השרים העומדים על יהויקים שהיה בידם למחות ולא מיחו ואותם חייבים קריעה דכתיב ולא קרעו מכלל דאית להו למקרע]. ויבאו האנשים וגו'. אחר החורבן כמעשה גדליהו שנהרג. מגולחי זקן וקרועי בגדים. שכבר היו ערי יהודה חריבות להביא מנחת בית יי' שנסעו קודם לכן ממקומן ולא היו יודעים שכבר נחרב הבית. ביראה. על שם מקומו. אחד השומע. שהרב באותן הימים מיירי שהיה הבית קיים. ואחד הרואה. כל הימים. צופים. מקום לפני ירושלים. ה"ג וקורע על ירושלים בפני עצמה ועל מקדש בפני עצמו. דמקדש לא סגי בתוספת קרע. וכולן. על כל הקרעים הללו שאמ' בהן שולל (ברש"י ברי"ף - שאמרו בהן אין מתאחין). כולן רשאין לשוללן. למוללן. תפירה רחבה בשטי"ר. למוללן. אוחז שני ראשי הקרע בין אצבעותיו וכורכן יחד כעין כריכת ספרים ותוחב במחט שתי תפירות. ללוקטן. אוגד בידו כל הקרע ראשו עם סופו ותוחב במחט שתים ושלשה פעמים (ברש"י ברי"ף - ותוחב שם שנים ושלשה תפירות). לעשותן [כמין] סולמות. כמעשה (ברש"י ברי"ף - כמעלות) סולם שתופר שתי תפירות ומפסיק וחוזר ותופר למטה שמניח בין תפירה לתפירה הפסק מעט כזה ... לישנא אחרינא סולמות כעין שלוקטין המתנים שקורין יירונ"ש בלע"ז. לאחותן. תפירה יפה.

עין משפט נר מצוה

קפו **א** מיי' פ"ט מהל' אבל הלכה יב טוש"ע י"ד סי' רמב סעיף כה:

רבינו חננאל

משום דזקיף ארוניה דרב הונא. כלומר זכותו מגינה עליהם דהוא מדבי ריש גלותא. א"ל רב אשי לרב קיפוק בהא יומא דנח נפשיה דרבינא מאי אמרת עליה. פירוש בר קיפוק הוה ספדנא וכן בר אבין ושאלינהו מהו ההספד שתספדו עליו. וכיון שאמר לו בר קיפוד בארזים נפלה שלהבת מה יעשו אזובי קיר. כלומר כ"ע לגביה כאזוב גבי ארז נינהו כולהו. ובר אבין אמר בכו לאובדין ולא לאבידה כו' חלש דעתיה דרב אשי אמר שויתון לגביה כאזוב של קיר והוא כארז מכלל שהוא גדול ממני. נעשה להן חולי ונהפכו רגליהן שאינן יכולין להלך ולא יצאו בהספד. וזהו שאמר רב אשי כיון שרגליהן של אלו הפוכות אינן ראוין לחליצה. כי נח נפשיה דר' יוחנן יתיב עליה ר' אמי שבעה ושלשים. ואסיקנא אפילו רבו שלמדו תורה אינו יושב עליו אלא יום אחד. וא"ר יצחק בר אמי [א] תניא חכם כיון שהחזיר פניו מאחורי המטה שולל. פתח עליה ההוא ספדנא. ארץ שנער הרה וילדה. פי' שנער בבל. ארץ צבי א"י. רקת זו טבריא שמת בה.

חשק שלמה על ר"ח

[א] לפנינו בגמ' איתא זה לעיל סוף עמוד א' ועי' בתוס' שם ד"ה חכם.

תורה אור השלם

א) וְהָיָה בַּיּוֹם הַהוּא נְאֻם אֲדֹנָי אֱלֹהִים וְהֵבֵאתִי הַשֶּׁמֶשׁ בַּצָּהֳרָיִם וְהַחֲשַׁכְתִּי לָאָרֶץ בְּיוֹם אוֹר: [עמוס ח, ט]

מסורת הש"ס

א) [פי' אפי' עופות רעות באות לראות כשמתו ערוך], ב) ס"א, ג) יבמות קג. [ע"ש], ד) [ברכות מח. וש"נ], ה) מגילה ו., ו) [סנהדרין קט.], ז) [צ"ל ברבי סימאי ועי' תוס' שבת קמט. ד"ה ודיוקני ותוס' פסחים קד. ד"ה דלא ותוס' ע"ז נ. ד"ה ה"ג], ח) [וע"ע רש"י כתובות מג: ד"ה אמר ר"ז ועי' תוס' מנחות מ: ד"ה ר"ז אמר], ט) [שייך לדף כו.], י) [פרשת קרח סי' קלא], כ) רש"א.

רש"י כת"י

כי מטו אגישרא. כשהגיעו לעבור דף הגשר שעכשיו לא יהו יכולין לעבור כנגד זה אלא זה לפני זה. **קמו גמלי.** עמדו הגמלים נושאי המטה במקומן. **טייעא.** סוחר ישמעאל. **רבנן** שכבי הוו עבדי יקרא להדדי שאין אחד רוצה [לעבור] לפני חבירו. **מר אמ'.** שיכבי אמרי להדדי. **בדינא.** הרי לפי דעתי. **גברא בר גברא ליעול.** ארי בן ארי [הגי' אצלנו דרבה בר הונא ליעול]. **נתור ככי דההוא טייעא.** מפני כבודו (דאבוה) דרב המנונא. **פתח עליה.** דרב המנונא. **ספר מלחמות.** ספר תורה. ל"א שנלחם רב (הונא) [המנונא] ונתור ככי דההוא טייעא. **קאת וקפוד.** קללה כמו וירישוה קאת וקפוד (ישעיה לד) כלומר באה והוכפלה בעולם להראות שוד ושבר זה. **קצף.** הקב"ה על עולמו. **הניעו ראש על צדיק כתמר.** שלא היה לו לב אחד לאביו שבשמים כתמר זה של לולבין. **והניעו ראש לשם לילות כימים.** לקונן עליו. **על משים לילות כימים.** [ללמוד] (ל)תורה. **דההוא יומ'.** דנח נפשיה דרב אשי. **מאי אמרת.** רב אשי גופיה אמר לספדן במה יספדו לישנא אחרינא דההוא יומא דנח נפשיה דרבינא מאי אמרת. ***[בארזים.** תלמידים. **שלהבת.** מיתה. **אזוב.** עץ שפל אחד עמי הארץ. **חכה.** רשת. **הועלה.** מן הים. **רקק.** אגם. **חכה ושלהבת.** לשון גנות.]* [רש"י בע"ין]. **בחכה הועלה.** אגמון. **בר קיפוף** ספדן הוה. **נפלה חכה.** למאון ושרב. **גבים.** גומות. **בכו לאובדים.** לנשארים שאבדו את הצדיק. **חלש דעתיה.** משום שנייהם ספדי בלשון גנאי זה חכה ושלהבת וזה אבדה.

favored with life, **the one who sought favor for him was lost.**[33]

The Gemara concludes its account of this tragic episode:

אַסִּיקוּ לֵיהּ חָנָן עַל שְׁמֵיהּ – **They named [the child] Chanan, after his** (the father's) **name.**

The eulogy for another sage is reported:

כִּי נָח נַפְשֵׁיהּ דְּרַבִּי יוֹחָנָן – **When R' Yochanan passed away,** פָּתַח עֲלֵיהּ רַבִּי יִצְחָק בֶּן אֶלְעָזָר – **R' Yitzchak ben Elazar opened** the eulogy **over him** as follows: קָשֶׁה הַיּוֹם לְיִשְׂרָאֵל – **This day is as difficult for the Jewish nation** כְּיוֹם בֹּא הַשֶּׁמֶשׁ בַּצָּהֳרַיִם – **as the day when the sun set at midday,** דִּכְתִיב – **as it is written:** ״וְהָיָה בַּיּוֹם הַהוּא . . . וְהֵבֵאתִי הַשֶּׁמֶשׁ בַּצָּהֳרָיִם״ – *AND IT SHALL BE ON THAT DAY ... THAT I WILL BRING DOWN THE SUN AT MIDDAY.*[34] וְאָמַר רַבִּי יוֹחָנָן – **And R' Yochanan said:** זֶה יוֹמוֹ שֶׁל יֹאשִׁיָּהוּ – **This** prophecy **is** a reference to **the day** of the demise **of** King **Yoshiyahu.**[35]

A related incident is cited:

כִּי נָח נַפְשֵׁיהּ דְּרַבִּי יוֹחָנָן – **When R' Yochanan passed away,** יָתִיב רַבִּי אַמִי שִׁבְעָה וּשְׁלֹשִׁים – his student **R' Ami observed** the **seven- and thirty**-day periods of mourning that one normally observes for a relative. אָמַר רַבִּי אַבָּא בְּרֵיהּ דְּרַבִּי חִיָּיא בַּר אַבָּא – **R' Abba, the son of R' Chiya bar Abba, said:** רַבִּי אַמִי דְּעָבַד – **R' Ami, who did this,** לְגַרְמֵיהּ הוּא דְּעָבַד – **acted in accordance with his personal opinion,** as nobody else rules that these mourning periods are observed for a teacher. דְּהָכִי אָמַר רַבִּי חִיָּיא בַּר אַבָּא אָמַר רַבִּי יוֹחָנָן – **For thus said R' Chiya bar Abba in the name of R' Yochanan:** אֲפִילוּ רַבּוֹ שֶׁלִּימְּדוֹ חָכְמָה – **Even** concerning **one's teacher who taught him wisdom,**[36] אֵינוֹ יוֹשֵׁב עָלָיו אֶלָּא יוֹם אֶחָד – **one does not sit** in mourning **over him but** for **one day.**[37]

The eulogy for yet another deceased sage is described:

כִּי נָח נַפְשֵׁיהּ דְּרַבִּי זֵירָא – **When R' Zeira passed away,** פָּתַח עֲלֵיהּ הַהוּא סַפְדָּנָא – **a certain eulogist opened** his eulogy **over him** as follows: אֶרֶץ שִׁנְעָר הָרָה וְיָלְדָה – **The land of Shinar** (Babylonia) **conceived and bore** R' Zeira, אֶרֶץ צְבִי גִּידְּלָה שַׁעֲשׁוּעֶיהָ – but **the coveted Land** (Eretz Yisrael) **raised her delights.**[38] אוֹי נָא לָהּ אָמְרָה רַקַּת – **"Woe to her," says Rakas** (Tiberias), כִּי אָבְדָה כְּלִי חֶמְדָּתָהּ – **for her precious instrument is lost.**[39]

The Gemara records extraordinary incidents that occurred in the wake of the demise of certain sages:[40]

כִּי נָח נַפְשֵׁיהּ דְּרַבִּי אַבָּהוּ – **When R' Abahu passed away,** אַחִיתוּ עַמּוּדֵי דְּקֵסָרֵי מַיָּא – **the pillars of Caesarea shed water.**[41] דְּרַבִּי יוֹסֵי – When **R' Yose** passed away, שָׁפְעוּ מַרְזָבֵי דְּצִיפּוֹרִי דְּמָא – **the gutters of Tzippori spouted blood.**[42] דְּרַבִּי יַעֲקֹב – When **R' Yaakov** passed away, אִתְחַמִּיאוּ כּוֹכָבֵי בִּימָמָא – **the stars were visible during the day.**[43] דְּרַבִּי אַסִּי – When **R' Assi** passed away, אִיעֲקַרוּ כָּל אִילָנַיָּא – **all the trees were uprooted.**[44] דְּרַבִּי חִיָּיא – When **R' Chiya** passed away, נְחִיתוּ כֵּיפֵי דְנוּרָא מֵרְקִיעָא – **fiery stones descended from the sky.**

NOTES

33. I.e. his father, whose supplications found favor before God and resulted in the child's birth, died (*Rashi*). The root חנן is associated in Scripture with the birth of children (see *Genesis* 33:5) as well as with finding favor through supplication (see *Deuteronomy* 3:23). The eulogist used two words stemming from this root, חֲנִינָתוֹ and חֲנִינוֹ, because these are phonetically reminiscent of the father's name, חָנִין. Thus, אָבַד חֲנִינוֹ can also be understood as: His Chanin (the child's father) was lost.

34. *Amos* 8:9.

35. Yoshiyahu was one of the most righteous kings in the history of Israel (see *II Kings* 23:25). As recounted in *II Kings* ch. 23-24 and *II Chronicles* ch. 34-35, his reign was characterized by the total abolition of the idolatry that had been prevalent before his time, and the revival of the widespread practice of the Torah's commandments. Tragically, Yoshiyahu was killed by the army of the Pharaoh Necho at the age of only thirty-nine years (see *II Kings* 22:1 and 23:29). R' Yochanan said that the prophecy of Amos regarding the setting of the sun at midday refers to the unexpected demise of King Yoshiyahu in the prime of his life. Yoshiyahu is referred to as the "sun" (see *Rashi ms.*). [Perhaps, this is because the throne of the House of David is compared in Scripture to the sun (*Psalms* 89:37), and Yoshiyahu was most worthy of ascending that throne.]

Upon R' Yochanan's death, the eulogist stated that *this* day is as awful as the one on which "the sun set at midday," thereby alluding that the loss was as devastating as the passing of King Yoshiyahu in his time. [R' Yochanan was quite advanced in years when he passed away (see *Seder HaDoros;* according to standard editions of *Iggeres Rav Sherira Gaon,* R' Yochanan stood at the head of his yeshivah for *eighty* years). See *Matzeves Moshe* for an explanation of why the eulogist nevertheless chose this particular metaphor. According to the *Ein Yaakov* version and *R' Shlomo ben HaYasom,* the sage to whom this eulogy was applied was R' Pedas.]

36. I.e. his primary teacher who taught him the bulk of his Torah knowledge (*Rashi ms.;* see *Bava Metzia* 33a, where R' Yochanan himself makes a similar observation).

37. Observing one day of mourning is a special form of honoring one's primary Torah teacher. On this day, all the regular rules of mourning are followed (*Hagahos Maimoniyos* §6 to *Rambam, Hil. Aveil* 9:12; see *Shulchan Aruch, Yoreh Deah* 242:25).

38. I.e. the delights of Babylonia (*Rashi* to *Megillah* 6a; cf. *R' Shlomo ben HaYasom*). R' Zeira was born in Babylonia, where he studied under the great masters Rav Huna (*Menachos* 29a) and Rav Yehudah (*Shabbos* 41a). He then moved to Eretz Yisrael (see *Kesubos* 110b-111a), where he attained greatness and received *semichah.* That is why he is sometimes called *Rav* Zeira [while in Babylonia] and sometimes *R'* Zeira [after receiving *semichah* in Eretz Yisrael] (*Rashi* here and to *Kesubos* 43b ד״ה אמר רב זירא; cf. *Tosafos* to *Menachos* 40b ד״ה ר׳ זירא).

[The origin of the name שִׁנְעָר, *Shinar,* was explained in note 11. The term אֶרֶץ צְבִי, *the coveted land,* is taken from *Jeremiah* 3:19: אֶרֶץ חֶמְדָּה נַחֲלַת צְבִי, *a cherished land, the coveted heritage.* Possibly, this special term was used in order to allude to R' Zeira's great desire to come to Eretz Yisrael (see *Kesubos* 112a), and absorb the Torah of its masters (see *Bava Metzia* 85a).]

39. R' Zeira died in Tiberias (*Rashi* to *Megillah* 6a; see there for the reason Tiberias was called Rakas). [The phrase אוֹי נָא לָהּ is taken from *Lamentations* 5:16. There, the full verse reads: נָפְלָה עֲטֶרֶת רֹאשֵׁנוּ אוֹי־נָא לָנוּ כִּי חָטָאנוּ – *The crown of our head has fallen; woe to us, for we have sinned.* As for the term כְּלִי חֶמְדָּתָהּ, *her precious instrument,* see *Avos* 3:18, where the Torah is called כְּלִי חֶמְדָּה, *a precious instrument.* Thus, R' Zeira personified the Torah. See *Sanhedrin* 37a for further discussion of the Tiberians' reaction to R' Zeira's passing.]

40. The elucidation follows *Rashi, Rashi ms.* and *Maharsha.* According to *Meiri,* however, the following statements are not accounts of events that occurred, but citations of eulogies that were delivered upon the sages' passing.

41. These were "tears" of mourning over R' Abahu (*Rashi*). The intent is that some moisture seeped out of the pillars, to symbolize that the loss was so great that "even the stones shed tears" (*R' Shlomo ben HaYasom;* see there for another interpretation; see also *Meiri* and *Maharsha*).

42. According to *Yerushalmi* (*Avodah Zarah* 3:1), the "blood" was symbolic of the fact that R' Yose had fearlessly championed the mitzvah of circumcision even during the Roman persecutions, when it was prohibited on pain of death. Cf. *Maharsha.* [The "blood" was actually discolored water that had taken on the appearance of blood (*Pnei Moshe* to *Yerushalmi* loc. cit.).]

43. Nature itself was transformed by the intense pain of his death (*Rashi*). [During the daytime, sunlight normally prevents the stars from being seen. Their becoming visible by day was reminiscent of "the sun setting at midday," and symbolized that the great luminary, R' Yaakov, had passed away and the world would from now on be enlightened only by lesser sages (*Maharsha;* see also *Meiri*).

44. I.e. a storm destroyed all the trees in R' Assi's town. This was indicative of God's tempest, which had caused R' Assi's demise (*R' Shlomo ben HaYasom;* cf. *Meiri; Yerushalmi* ibid.).

עין משפט
נר מצוה

קפו א מיי' פ"ט מהל' אבל הלכה יב טוש"ע י"ד סי' רמב סעיף כה:

שפעו מרזבי דציפורי דמא. מפרש בירושלמי דיהב נפשיה על גזרתם פירוש נשפך דמו על יחוד השם תוספתא פ"א שנתן נפשו על המילה:

ט) **ועל** רבו שלמדו חכמה. בפרק אלו מציאות (ב"מ דף לג. ושם) פליגי רבי יהודה ורבי יוסי שרבי יהודה אומר כל שרוב חכמתו הימנו ורבי יוסי אומר אפילו לא האיר עיניו אלא במשנה אחת זהו רבו ומסיק שם עולא אמר תלמידי חכמים שבבבל קורעין זה על זה כרבי יוסי ס"ל ופוסק רב ששת כרבי יוסי ופי' רבינו חננאל דהכי הלכתא ובשאלתות דרב אחאי י) פוסק כרבי יהודה דאמר כל שרוב חכמתו הימנו ומפרש בפר' אלו מציאות בתוספתא דהיו קורעין קריעה כ) [דאין] מתאחה וכן פירש רבי יצחק בר יהודה ויותר היה נראה לי דמעשה רב דשמואל עבד כרבי יוסי כדאי' התם ורבא נמי מפרש מילתא דרבי יוסי ורבי אלעזר בירושלמי נמי עבד כוותיה ושמא היו מחמירין על עצמן:

ברכת

כי מטו אגישרא קמו גמלי אמר להו ההוא טייעא מאי האי אמרו ליה רבנן דקא עבדי יקרא אהדדי מר אמר מר ניעול ברישא ומר אמר מר ניעול ברישא אמר דינא הוא דרבה בר הונא ליעול ברישא חליף גמליה דרבה בר הונא נתור ככיה ושניה דההוא טייעא פתח עליה ההוא ינוקא גזע ישישים עלה מבבל ועמו ספר מלחמות א) קאת וקפוד הוכפלו לראות בשוד ושבר הבא משנער קצף על עולמו וחמס ממנו נפשות ושמח בהם ככלה חדשה רוכב ערבות שש ושמח בבא אליו נפש נקי וצדיק כי נח נפשיה דרבינא פתח עליה ההוא ספדנא תמרים הניעו ראש על צדיק כתמר נשים לילות כימים ב) [על משים לילות כימים] א"ל רב אשי לבר קיפוק ההוא יומא מאי אמרת אמר ליה אמינא אם בארזים נפלה שלהבת מה יעשו איזובי קיר לויתן בחכה הועלה מה יעשו דגי רקק בנחל שוטף נפלה חכה מה יעשו מי גבים א"ל בר אבין ח"ו דחכה ושלהבת בצדיקי אמינא ומאי אמרת אמינא בכו לאבלים ולא לאבידה שהיא למנוחה ואנו לאנחה חלש דעתיה עלייהו ואתהפוך כרעייהו ההוא יומא לא אתו לאספודיה והיינו דאמר רב אשי ג) לא בר קיפוק חליץ ולא בר אבין חליץ רבא כי הוה אתא לדגלת א"ל לבר אבין קום אימא מילתא קאי ואמר באו רוב שלישית במים זכור ורחם תעינו מאחריך כאשה מבעלה אל תזניחנו כאות מי מרה (חנין יוחנן זירא אבא יעקב יוסי שמואל חייא מנחם סימן) רבי חנין חתניה דבי נשיאה הוה לא קא הוו ליה בני בעא רחמי והוו ליה ההוא יומא דהוה ליה נח נפשיה פתח עליה ההוא ספדנא שמחה לתוגה נהפכה ששון ויגון נדבקו בעת שמחתו נאנח בעת חנינתו אבד חנינו אסיקו ליה חנן על שמיה כי נח נפשיה דר' יוחנן פתח עליה ר' יצחק בן אלעזר קשה היום לישראל כיום בא השמש בצהרים דכתיב א) והיה ביום ההוא והבאתי השמש בצהרים ואמר ר' יוחנן זה יומו של יאשיהו כי נח נפשיה דר' יוחנן יתיב רבי אמי שבעה ושלשים אמר רבי אבא בריה דרבי חייא בר אבא רבי אמי ד) דעבד לגרמיה הוא דעבד דהכי אמר ר' חייא בר אבא אמר ר' יוחנן א) אפילו רבו שלימדו חכמה אינו יושב עליו אלא יום אחד ה) כי נח נפשיה דרבי זירא פתח עליה ההוא ספדנא ארץ שנער הרה וילדה ארץ צבי גידלה שעשועיה אוי נא לה אמרה רקת כי אבדה כלי חמדתה כי נח נפשיה דרבי אבהו אחיתו עמודי דקסרי מיא דרבי יוסי ו) שפעו מרזבי דציפורי דמא דרבי יעקב אתחמיאו כוכבי בימָמא דר' אסי איעקרו כל אילניא דר' חייא נחיתו כיפי דנורא מרקיעא דר' מנחם ז) (בר' יוסי) אישתעו צלמנייא והוו למחלצייא דר' תנחום בר חייא איתקצצו כל אנדרטיא דר' אלישיב איחתרו שבעין מחתרתא בנהרדעא דרב המנונא נחיתו כיפי דברדא מרקיעא דרבה ורב יוסף נשוק כיפי דפרת אהדדי דאביי ורבא נשוק כיפי דדגלת אהדדי כי נח נפשיה דר' משרשיא טעון דיקלי שיצי ת"ר

ואלו

כי מטו אגישרא. כשהגיעו לעבור בדף של גשר קצר שעכשיו לא היו יכולין לעבור זה בצד זה אלא זה אחר זה: קמו גמלי. עמדו הגמלים נושאי המטות במקומן: טייעא. סוחר ישמעאלים: רבנן. דשיכבי רבה בר רב הונא ורב המנונא: עבדי יקרא. דהא לא בעי האי למיעל מקמי האי: נתור ככי. לחייו משום דבזי לרב המנונא: ספר מלחמות. ספר תורה לישנא אחרינא שנלחם רבה ורב המנונא ונתור ככי דההוא טייעא לישנא אחרינא גזע ישישים זה רבה בר רב הונא דהוא בן גדולים בן רב הונא דהוא ראש גולה ועדיף מנשיא דארץ ישראל ועמו ספר מלחמות עמו רב המנונא: קאת וקיפוד הוכפלו. קללה כמו וירשוה קאת וקיפוד (ישעיה לד) כלומר קללה באה והוכפלה בעולם: לראות שוד ושבר. זה שקצף הקב"ה על עולמו: נשים לילות כימים. בהספד על ששם לילות כימים בתורה: בר קיפוק ובר אבין. הוו ספדני: (ההוא יומא. דנח נפשיה): חלש דעתיה. דהאי מדמי ליה לשלהבת והאי לאבידה: וההוא יומא. דנח נפשיה לא ספדוהו משום דאירע להו תקלה על ידו: לא בר קיפוק ולא בר אבין חליץ. משום דאיתהפכו כרעייהו ותנינא (יבמות דף קג.) האי מאן דמסגי אלוסתא דריגלא לא חליץ דהתורה אמרה וחלצה נעלו מעל רגלו ולא מתחת לרגלו: אתי לדגלת. חדקל: רוב שלישית. ישראל נקראו שלישית ורבא שקול כרוב ישראל ואמר ליה קום ואמור מילתא כלומר בקש רחמים: כאות במי מרה. שאשה סוטה נבדקת בהן: בעת חנינתו. דולד: אבד חנינו. אביו המחננו: והבאתי השמש בצהרים. אשקיע השמש בצהרים: יומו של יאשיה. שנהרג יאשיה קרי יומו שמש: לגרמיה. לדעתיה: רבי זירא היה מבבל ובה נולד וגדל בארץ ישראל והיינו דקאמר ארץ שנער הרה וילדה ארץ צבי גדלה שעשועיה ואהכי קרי ליה רבי זירא ורב זירא ח): אוי נא לה אמרה רקת. יכולה לומר כן רקת היא טבריא: אחיתו. הורידו דמעות: איתחמיאו כוכבי. נראו הכוכבים שנשתנה העולם מרוב צער: כיפי דנורא. אבנים של אור: אשתעו צלמנייא. נימוחו פרצוף שלהן: והוו למחלצייא. כלומר נחלקה ונתמעכה כל צורת פרצוף של צלמים וצור' המטבעות מפני צורת החסיד שנשתנית: דרבי מנחם. בנן של קדושים שלא נסתכל אף בצורה של זוזא כדאמרינן בערבי פסחים (דף קד.): והוו למחלצייא. כמו שהוחלקה במעגל ובמחללים שבה מטחין טיט הכותל: אנדרטא. צורת הצלמים שעושין על שם המלך שמת: שבעין מחתרין. דגנבים דבזכותיה לא הוו אתו גנבים: כיפי דברדא. אבנים: נשוק כיפי. כיפאות של גשרים נשתברו ונשקו זו את זו: שיצי. קוצים:

רבינו חננאל

משום דזקיף ארוניה דרב הונא. כלומר זכותו מגינה עליהם דהוא מדבי ריש גלותא. א"ל רב אשי לרב קיפוק בהא יומא דנח נפשיה דרבינא מאי אמרת עליה. פירוש בר קיפוק הוה ספדנא וכן בר אבין ושאלינהו מהו ההספד שתספדו עליו. וכיון שאמר לו בר קיפוד בארזים נפלה שלהבת מה יעשו אזובי קיר. כלומר כ"ע לגביה כאזוב גבי ארז נינהו כולהו. ובר אבין אמר בכו לאובדין ולא לאבידה כו' חלש דעתיה דרב אשי אמר שויתון לגביה כאזוב של קיר והוא כארז מכלל שהוא גדול ממני. נעשה להן חולי ונהפכו רגליהן שאינן יכולין להלך ולא יצאו בהספד. וזהו שאמר רב אשי כיון שרגליהן של אלו הפוכות אינן ראוין לחליצה. כי נח נפשיה דר' יוחנן יתיב עליה ר' אמי שבעה ושלשים. ואסיקנא אפילו רבו שלמדו תורה אינו יושב עליו אלא יום אחד. וא"ר יצחק בר אמי א) תניא חכם כיון שהחזיר פניו מאחורי המטה שולל. פתח עליה ההוא ספדנא. ארץ שנער הרה וילדה. פי' שנער בבל. ארץ צבי א"י. רקת זו טבריא שמת בה.

חשק שלמה על ר"ח

א) לפנינו בגמ' איתא זה לעיל סוף עמוד א' ועי' בתוס' שם ד"ה חכם.

תורה אור השלם

א) וְהָיָה בַּיּוֹם הַהוּא נְאֻם אֲדֹנָי אֱלֹהִים וְהֵבֵאתִי הַשֶּׁמֶשׁ בַּצָּהֳרָיִם וְהַחֲשַׁכְתִּי לָאָרֶץ בְּיוֹם אוֹר: [עמוס ח, ט]

מסורת הש"ס

א) [פי' אפי' עופות רעות באות לראות כשמתו ערוך], ב) ס"א, ג) יבמות קג. [ע"ש], ד) [ברכות מח. וש"נ], ה) מגילה ו., ו) [סנהדרין קט.], ז) [צ"ל ברבי סימאי ועי' תוס' שבת קמט. ד"ה ודיוקני ותוס' פסחים קד. ד"ה דלא ותוס' ע"ז נ. ד"ה ה"ג], ח) [וע"ע רש"י כתובות מג: ד"ה אמר ר"ז ועי' תוס' מנחות מ: ד"ה ר"ז אמר], ט) [שייך לדף כו.], י) [פרשת קרח סי' קלא], כ) רש"א.

רש"י כת"י

כי מטו אגישרא. כשהגיעו לעבור דף הגשר שעכשיו לא יהו יכולין לעבור כנגד זה אלא זה לפני זה. קמו גמלי. עמדו הגמלים נושאי המטה במקומן. טייעא. סוחר ישמעאל. רבנן שכבי הוו עבדי יקרא להדדי שאין אחד רוצה [לעבור] לפני חבירו. מר אמ'. שיכבי אמרי להדדי. בדינא. הרי לפי דעתי. גברא בר גברא ליעול. ארי בן ארי [הגי' אצלנו דרבה בר הונא ליעול]. נתור ככי דההוא טייעא. מפני כבודו (דאבוה) דרב המנונא. פתח עליה. דרב המנונא. ספר מלחמות. ספר תורה. ל"א שנלחם רב (הונא) [המנונא] ונתור ככי דההוא טייעא. קאת וקפוד. קללה כמו וירישוה קאת וקפוד (ישעיה לד) כלומר באה והוכפלה בעולם להראות שוד ושבר זה. קצף. הקב"ה על עולמו. הניעו ראש על צדיק כתמר. שלא היה לו לב אחד לאביו שבשמים כתמר זה של לולבין. והניעו ראש לשם לילות כימים. לקונן עליו. על משים לילות כימים. [ללמוד] (ל)תורה. דההוא יומ'. דנח נפשיה דרב אשי. מאי אמרת. רב אשי גופיה אמר לספדן במה יספדנו לישנא אחרינא דההוא יומא דנח נפשיה דרבינא מאי אמרת. *[בארזים. תלמידים. שלהבת. מיתה. אזוב. עץ שפל מאד עמי הארץ. חכה. רשת. הועלה, מן הים. רקק. אגם. חכה ושלהבת. לשון גנות.]* [רש"י בע"ין]. בחכה הועלה. אגמון. בר קיפוף ספדן הוה. נפלה חכה. למאון ושרב. גבים. גומות. בכו לאובדים. לנשארים שאבדו את הצדיק. חלש דעתיה. משום שניהם ספדי בלשון גנאי זה חכה ושלהבת וזה אבדה.

איתהפוך כרעיהו. נהפכו רגלם שהיו דורכים בגב הרגל שלא היו יכולים עוד על אדם להספיד. וההוא יומא. דנח רב אשי. חליץ. ליבמתו לפי שאין יכולין ליסמוך על רגליהם. כי הוה אתי א'ת'י דגלת. כשהיה עובר בחדקל ל"א כשהיה חדקל (גדור) [גדול] ויצא לשטוף את העולם. אימא מילתא. תפלה. רוב של ישראל רובה של שלישיה דכתוב יהיה ישראל שלישיה למצרים ולאשור (ישעיה כט) רבא חשוב ליה (ככוד) כרובם של ישראל. אל תזניחהו כאות מי מרה. כאות שעושין המים המרים במעי סוטה. חנינו. ר' חנין. והבאתי השמש בצהרים. אשקיע השמש בצהרים. יומו של יאשיהו. יום שנהרג יאשיהו קרי שמש. לגרמיה. לדעתיה. שלמדו חכמה. שכל תורתו הימנו. ר' זירא נולד בבבל וגדל בארץ ישראל והיינו ארץ שנער הרה וילדה ארץ צבי גדלה שעשועיה דקא קרי רב [זירא] ורבי זירא. אוי נא לה אמרה רקת יכולה רקת לומר. רקת. זו טבריא. אחיתו. הורידו למעה. איתחמניאו כוכבי. נשתנה העולם מרוב צער. כיפי דנורא. אבנים של אור. אישתניאו כל צלמניא והוו למחלליא. נחלקה ונתמעכה צורת כל פרצוף של צלמים וצורת מטבעות מפני צורת החסיד שנשתנית ר' מנחם בנן של קדושים שלא נסתכל בצורת מטבע כל ימיו כדמפרש בערבי פסחים (פסחים קד.). והוו למחצלייא (כלי) [כמון] שנחלק במעגל ובמחללים טיבלא שבה טחין טיט בכותל. אינדרוטא. צורת צלמים שעושין לשם מלך כשמת. (איתערו) [איחתרון]. נפלו בתים מעצמם. ברדא. גלגל"א. נשוק כיפי דפרת. חומת שהגשמים בנויין עליהם ארק"ש בלע"ז. נשקו. נקרבו זה אל זה שנוי הוא שבא לעולם. שיצו קוצים. [מכאן שייך לדף כו.] שאין מתאחין. לעולם. שמועות רעות. ששמעו רוב צבור שנהגו. על ברכת השם ששמע רשע שבירך את השם. וקורע על המקדש. אם ראה מקדש תחלה כגון שבא בקרון ולא הוציא ראשו עד שנכנס למקדש וכשיראה ירושלים יוסיף על הקרע. ועל ערי יהודה שראה בחורבנן. אבי אבי. שהיה שקול לו כאביו ואמו לכך נאמר ב' פעמים אבי אבי. ועל רבו. כדמתרגם רב יוסף רבי רבי. ויחזק בבגדיו ויקרעם. באלישע כתוב. ממשמע שנ' ויקרעם איני יודע. שהן שני קרעים. אלא מלמד שקורעין (והולכין) [ועומדין] לעולם. וה"ג לה בסנהדר' (ס.) בפרק ארבע מיתות. אליהו חי הוא. ולמה קרע עליו. שאול זה נשיא מלך. זה אב ב"ד. דחכם הוה. על על הפסיק הענין. דעל כל אחד (קרעו) [קורעין]. מזיגת קיסרי. כך שמה. לא אמרו. לקרוע אשמועות רעות אלא ברוב צבור כל ישראל. כמעשה שהיה. בשאול ויהונתן. לקול יתירי. לקול נימי כנורות ונבלים של מזיגת קיסרי שהיו מרקדין ומשוררין ומזמרין ומורדין במלכות. פקע שורא דלודקיא. [נבקע חומות לודקיא] [רש"י בע"ין]. ויבא אליקים קרעי בגדים. על דברי רבשקה שהיה מחרף ומגדף את השם כדכתוב באותה פרשה. עדים אין צריכין לקרוע בשעה שמעידין לפני בית דין פלוני בירך את השם. שכבר קרעו בשעה ששמעו. שבירך. ספר תורה שנשרף. קורעין מפני אזכרות שבו. ויהי כקרוא יהודי שלש דלתות. [משו"ה קרי דלתות] שכל פסוק ופסוק של ספר קינות [פרשה לעצמה ו]צריך הפרש בין זה לזה ריוח. [השלך אל האש. ששרף וזרק לתוך האור] [רש"י בע"ין]. מאי שלש דלתות וארבעה שהיה קורע חורק לאור למה אינו קורע דלת דלת ושורף. אנא מלכא. ולא איכפת לי איגלו אני אמלוך ולא אגלי [ואעפ"כ אנא מלכא]. היו צריה לראש. דשמע לא יהיה מלך. מאן אמרה. להאי נבואה. יי' הוגה. דברה. קדר. נוקב בסכין. אימר משום. הכי נקיט משתעי בגנותיהו משום דלא קרעו דבעו למקרע אשמועות רעות דקא מבשר להו לאיחריב מקדשא ולאו משום שריפת הספר. אבי סדיא. פילטר"י בלע"ז. בת נעמיתא. בת היענה. איכו השתא. איחייבו שתי קריעות [אי שקיל להו נעמיתא איבעי ליה למקרע על הגויל ועל הכתב דסוי כנשרף [רש"י בע"ין]. אמר ליה מנא לך הא דהא בדידי הוה עובדא וכו' לא אמרו. לקרוע על ספר תורה. אלא בזרוע. ורואה ששורפין אותו ואינו יכול להציל כמעשה דיהויקים אבל פתאום כי האי גונא לא. (ברש"י בע"י בנ"א) [לא אמרו אלא בזרוע שיש להם זרוע ויכולת להציל כמעשה שהיה של אותם השרים העומדים על יהויקים שהיה בידם למחות ולא מיחו ואותם חייבים קריעה דכתיב ולא קרעו מכלל דאית להו למקרע]. ויבאו האנשים וגו'. אחר החורבן במעשה גדליהו שנהרג. מגולחי זקן וקרועי בגדים. שכבר היו ערי יהודה חריבות להביא מנחת בית יי' שנסעו קודם לכן ממקומן ולא היו יודעים שכבר נחרב הבית. ביראה. על שם מקומו. אחד השומע. שחרב באותן הימים מיירי שהיה הבית קיים. ואחד הרואה. כל הימים. צופים. מקום לפני ירושלים. ה"ג וקורע על ירושלים בפני עצמה ועל מקדש בפני עצמו. דמקדש לא סגי בתוספת קרע. וכולן. על כל הקרעים הללו שאמ' בהן שולל (ברש"י ברי"ף - שאמרו בהן אין מתאחין). כולן רשאין לשוללן. למוללן. תפירה רחבה בשטי"ר. למוללן. אוחז שני ראשי הקרע בין אצבעותיו וכורכן יחד כעין כריכת ספרים ותוחב במחט שתי תפירות. ללוקטן. אוגד בידו כל הקרע ראשו עם סופו ותוחב במחט שתים ושלשה פעמים (ברש"י ברי"ף - ותוחב שם שנים ושלשה תפירות). לעשותן [כמין] סולמות. כמעשה (ברש"י ברי"ף - כמעלות) סולם שתופר שתי תפירות ומפסיק וחוזר ותופר למטה שמניח בין תפירה לתפירה הפסק מעט כזה ... לישנא אחרינא סולמות כעין שלוקטין המתמים שקורין יירונ"ש בלע"ז. לאחותן. תפירה יפה.

[סִימַאי] דְּרַבִּי מְנַחֵם בְּרַבִּי (יוסי) – When **R' Menachem the son of R' Simai**[45] passed away, אִישְׁתַּעוּ צַלְמָנַיָּא וַהֲווּ לְמַחְלְצַיָּא – **the graven images** of idols and those on coins **were flattened and became** like **slabs.**[46] דְּרַבִּי תַּנְחוּם בַּר חִיָּיא – When **R' Tanchum bar Chiya** passed away, אִיתְקְצִצוּ כָּל אַנְדַּרְטַיָּא – **all the monuments** of the deceased kings **were cut down.**[47] דְּרַבִּי אֶלְיָשִׁיב – When **R' Elyashiv** passed away, אִיחַתְרוּ שִׁבְעִין מַחְתַּרְתָּא בִּנְהַרְדְּעָא – **seventy burglaries were perpetrated in Nehardea.**[48] דְּרַב הַמְנוּנָא – When **Rav Hamnuna** passed away, נְחִיתוּ כֵּיפֵי דְּבַרְדָּא מֵרְקִיעָא – **hailstones descended from the sky.**[49] דְּרַבָּה וְרַב יוֹסֵף – When **Rabbah and Rav Yosef** passed away, נָשׁוּק כֵּיפֵי דִּפְרָת אַהֲדָדֵי – **the** supporting **arches of the** bridges over **the Euphrates** broke and **touched each other.**[50] דְּאַבַּיֵי וְרָבָא – When **Abaye and Rava** passed away, נָשׁוּק כֵּיפֵי דְּדִגְלַת אַהֲדָדֵי – **the** supporting **arches of** the bridges over the **Tigris** broke and **touched each other.**[51] כִּי נָח נַפְשֵׁיהּ דְּרַב מְשַׁרְשִׁיָּא – **When Rav Mesharshiya passed away,** טָעוּן דִּיקְלֵי שִׁיצֵי – **the palm trees produced thorns.**[52]

In connection with the Mishnah's mention of the mourners' rending of their garments, the Gemara introduces a discussion of this subject, including additional cases in which rending is obligatory:

תָּנוּ רַבָּנָן – **The Rabbis taught in a Baraisa:**

NOTES

45. The emendation follows *Mesoras HaShas;* see also *Tosafos* to *Pesachim* 104a ד״ה דלא.

46. This occurred because the image of the saintly deceased had dimmed upon his death. This sage always refrained even from gazing upon the image imprinted on a coin. For this reason, the Gemara (*Pesachim* 104a) calls him "the son of holy ones." It was therefore fitting that when he died the graven images in his vicinity were ruined in his honor (*Rashi; Tosafos* ibid.). [מַחְלְצַיָּא literally means *trowels.* The intent is that the idols and coins were flattened as if they had been smoothed over with trowels (*Rashi*).]

[According to the version cited in *Yerushalmi* (ibid.), when R' Menachem the son of R' Simai passed away the mourners *covered* all the paintings on the walls, for they said that since he never gazed at such images in his lifetime, let him not "gaze" upon them in death.]

47. These monuments were worshiped as idols (*R' Shlomo ben HaYasom;* see *Avodah Zarah* 40b). Here, too, this occurred in the merit of the deceased's saintliness during his lifetime (see *Maharsha;* cf. *Eitz Yosef*).

48. Literally: seventy tunnels were dug in Nehardea. During his lifetime, his merit protected the inhabitants of his town from crime (*Rashi*). Alternatively, the intent is that there was nobody left to admonish the public as he had and preclude them from sinning (*Meiri*).

49. And caused considerable damage. God brought about this calamity at that time in order to demonstrate His "distress" at the death of the righteous one (*R' Shlomo ben HaYasom*).

50. *Rashi, Rashi ms.* This was representative of the world's instability as a result of the sages' death (*Rashi ms.* and *Rashi* in *Ein Yaakov*; cf. *Chidushei HaRan*). [Rabbah and Rav Yosef were colleagues, and each of them at one point headed the Yeshivah of Pumbedisa, which was situated on the banks of the Euphrates. However, Rav Yosef died two and a half years later than Rabbah, as stated in *Berachos* 64a. Here, either the intent is that this incident occurred when the latter passed away, or that it occurred when each of them passed away (*R' Shlomo ben HaYasom*).]

51. Abaye led the Yeshivah of Pumbedisa after Rav Yosef's passing. When Abaye died, the students relocated to Mechoza, Rava's city (*Iggeres Rav Sherira Gaon*). Since Mechoza was located on the banks of the Tigris (see note 27), when the era of these sages ended the Tigris was shaken. [However, if we assume that the incident occurred when *each* of the sages died, it is unclear why upon Abaye's passing the Tigris and not the Euphrates shook.]

52. This signified that until then the crops had grown favorably in his merit (*Chidushei HaRan*). See also note 15.

וְאֵלּוּ קְרָעִין שֶׁאֵין מִתְאַחִין – **THESE ARE RENTS THAT MAY NOT** ever **BE MENDED:**[1] הַקּוֹרֵעַ עַל אָבִיו וְעַל אִמּוֹ – **ONE WHO RENDS** his garment **OVER** the death of **HIS FATHER OR MOTHER,** וְעַל רַבּוֹ שֶׁלִּימְּדוֹ תּוֹרָה – **OVER** the death of **HIS TEACHER WHO TAUGHT HIM TORAH,**[2] וְעַל נָשִׂיא – **OVER** the death of **THE RULER** of the nation,[3] וְעַל אַב בֵּית דִּין – **OVER** the death of **THE HEAD OF THE *BEIS DIN*,**[4] וְעַל שְׁמוּעוֹת הָרָעוֹת – **OVER BAD TIDINGS,**[5] וְעַל בִּרְכַּת הַשֵּׁם – **OVER** hearing **A "BLESSING"**[6] **OF THE NAME** of God, וְעַל סֵפֶר תּוֹרָה שֶׁנִּשְׂרַף – **OVER A TORAH SCROLL THAT WAS BURNED,**[7] וְעַל עָרֵי יְהוּדָה – **OVER** the ruins of **THE CITIES OF JUDAH,** וְעַל הַמִּקְדָּשׁ – **OVER** the ruins of **THE TEMPLE** וְעַל יְרוּשָׁלַיִם – **AND OVER** the ruins of **JERUSALEM.**[8]

The Baraisa concludes with a ruling concerning the final items on its list:

וְקוֹרֵעַ עַל מִקְדָּשׁ וּמוֹסִיף עַל יְרוּשָׁלַיִם – **ONE RENDS** his garment **OVER** the ruins of **THE TEMPLE** and **EXTENDS** the rent **OVER** the ruins of **JERUSALEM.**[9]

The Gemara cites the source for the requirement to rend one's garment in the first three cases mentioned by the Baraisa:

אָבִיו וְאִמּוֹ וְרַבּוֹ שֶׁלִּימְּדוֹ תּוֹרָה מְנָלַן – Concerning **one's father, mother, or teacher who taught him Torah, from where do we derive** that one must rend his garments upon their deaths? דִּכְתִיב – **For it is written,** concerning the passing of Elijah the prophet from the world:[10] "וֶאֱלִישָׁע רֹאֶה וְהוּא מְצַעֵק אָבִי אָבִי רֶכֶב יִשְׂרָאֵל וּפָרָשָׁיו" – ***And Elisha was watching and shouting: "Father! Father! Israel's chariot and horsemen!"*** *And then he saw him no more. He took hold of his garments and rent them into two torn pieces.* "אָבִי אָבִי" זֶה אָבִיו וְאִמּוֹ – ***"Father! Father!"*** **is** an allusion to the passing of **one's father and mother;**[11] "רֶכֶב יִשְׂרָאֵל וּפָרָשָׁיו" זֶה רַבּוֹ שֶׁלִּימְּדוֹ תּוֹרָה – ***"Israel's chariot and horsemen!"*** **is** a reference to the passing of **one's teacher who taught him Torah.**

The Gemara asks:

מַאי מַשְׁמַע – **What is the implication** that this refers to a teacher of Torah?

The Gemara answers:

כִּדְמְתַרְגֵּם רַב יוֹסֵף – It is **as Rav Yosef rendered** the verse **in** ***Targum:***[12] רַבִּי רַבִּי דְּטַב לְהוֹן לְיִשְׂרָאֵל בִּצְלוֹתֵיהּ מֵרְתִיכִין וּפָרָשִׁין – ***"Teacher! Teacher! – who is more beneficial to Israel with his prayers than chariots and horsemen!"***[13]

The Gemara further clarifies the Baraisa's ruling:

וְלֹא מִתְאַחִין מְנָלַן – **And** as for the rule that **[these rents] may not** ever **be mended, from where do we derive** it? דִּכְתִיב "וַיַּחֲזֵק בִּבְגָדָיו וַיִּקְרָעֵם לִשְׁנַיִם קְרָעִים" – **For it is written** at the end of the previously cited verse: ***he took hold of his garments and rent them into two torn pieces.*** מִמַּשְׁמַע שֶׁנֶּאֱמַר "וַיִּקְרָעֵם" – **From the implication of that which it says, *"and rent them,"*** אֵינִי יוֹדֵעַ שֶׁלִּשְׁנַיִם – **do I not know that** they were rent **into two** sections? Why must the verse state explicitly *into two torn pieces?* אֶלָּא מְלַמֵּד שֶׁקְּרוּעִים וְעוֹמְדִים לִשְׁנַיִם לְעוֹלָם – **Perforce, this teaches that they remained rent into two** torn sections[14] **forever** and were never mended. Thus, we learn that the rent that one makes over the death of a father, mother or Torah teacher may never be mended.

The Gemara cites a question concerning the basic premise that Elisha was obligated to rend:

אָמַר לֵיהּ רֵישׁ לָקִישׁ לְרַבִּי יוֹחָנָן – **Reish Lakish said to R' Yochanan:** אֵלִיָּהוּ חַי הוּא – But **Elijah is** still **alive!** He merely ascended to Heaven in a whirlwind, but did not die. Why, then, did Elisha need to rend his garments?[15]

R' Yochanan responds:

אָמַר לֵיהּ – **He said to [Reish Lakish]:** כֵּיוָן דִּכְתִיב "וְלֹא רָאָהוּ עוֹד" – **Since it is written** in the previously cited verse, ***And then he saw him no more,*** לְגַבֵּי דִּידֵיהּ כְּמֵת דָּמֵי – **with respect to him** (Elisha) **it was as though [Elijah] was dead.**[16]

Having uncovered the source for the requirement to make a permanent rent upon the death of a parent or Torah teacher, the Gemara proceeds to the Baraisa's next three laws:

נָשִׂיא וְאַב בֵּית דִּין וּשְׁמוּעוֹת הָרָעוֹת מְנָלַן – Concerning the death of **the *Nasi* or the head of the *Beis Din*, and bad tidings, from**

NOTES

1. I.e. they may not be repaired perfectly. However, they may be stitched crudely, after an allotted period of time has passed (see Baraisa at the end of this *amud*). [*Rambam* (*Hil. Aveil* 9:3) states that in all these cases the rent must expose one's heart. This is disputed by *Raavad* (*Hil. Taanis* 5:17) and *Ramban*. See *Kesef Mishneh* (*Hil. Aveil* loc. cit.) for a discussion of this matter.]

2. The requirement to make a *permanent* rent applies upon the death of one's primary teacher who taught him the bulk of his knowledge (*Yoreh Deah* 242:30 with *Taz* §16; see there and above, 25a, for discussion of the law pertaining to an ordinary teacher of Torah; see also *Tosafos* on 25b ד״ה ועל רבו, and 25b note 36).

3. I.e. the king or the *Nasi* (see Gemara below, and above, 22b; *Meiri*).

4. I.e. the chief justice of the Great Sanhedrin.

5. The Gemara specifies below what sort of bad tidings this refers to.

6. This is a euphemism for blasphemy. One is required to rend if he hears a *Jew* blaspheme. See *Tosafos* ד״ה ברכת השם for a discussion of whether this also applies if one hears an idolater blaspheme. See also *Yoreh Deah* 340:37 with *Shach* §53.

7. I.e. over having seen the actual burning (see note 40). We shall learn below that this pertains to any Scriptural text.

8. One must rend his garment upon seeing these ruins (see below). One rends over the first destroyed city of Judah that he sees, and need not rend over the others (*Rosh* §64). However, he must rend again when he sees the ruins of Jerusalem, even though this is one of the cities of Judah, since it has special significance. On the other hand, if he saw the ruins of Jerusalem first and rent his garment, he need not rend again upon seeing the ruins of the lesser cities of Judah (*Ramban, Ritva*).

One does not rend over the ruins of cities in Israel that are not in the Land of Judah, because these cities are not as significant as those of Judea (*Beis Yosef* and *Bach, Orach Chaim* 561:1).

9. I.e. one is not obligated to make a new rent upon seeing the ruins of Jerusalem, but may simply extend the original one that he made when he saw the Temple ruins. The Gemara below elaborates on this ruling.

10. *II Kings* 2:12.

11. Elisha considered his mentor Elijah like a father *and* mother to him, and he alluded to this by shouting "Father!" twice (*Rashi ms.*). Thus, we learn that one rends his garments – as Elisha did – over the death of either parent. [See *Hagahos Yavetz* for an explanation of why he said אָבִי, *Father,* when he meant "Mother."]

12. Rav Yosef was blind. In order to adhere to the prohibition against reciting Scripture by heart (see *Gittin* 60b), he used to render the verses into an Aramaic *Targum* (see *Tosafos* to *Shabbos* 115a ד״ה לא ניתנו with *Maharsha;* cf. *Tosafos* to *Bava Kamma* 3b ד״ה כדמתרגם רב יוסף).

13. Rav Yosef interpreted the words "Father! Father!" as "Teacher! Teacher!" – alluding to the fact that a teacher of Torah is considered like a father to his students (see *Rashi* to *Deuteronomy* 6:7). From this additional layer of meaning of Elisha's cry, we learn that one is required to rend his garments over the death of his Torah teacher (*Rashi ms.;* cf. *Maharsha*).

14. *Rashi ms.* omits the word לִשְׁנַיִם, *into two torn sections,* from the text. His reading conforms with the parallel text in *Sanhedrin* 60a, and is logical since the Gemara's point is merely to prove that the rent was not mended. *Rashash* suggests that the word was erroneously inserted here based on the text above, 22b, which derived from this verse that the rent must be visible so that the garment looks "like two pieces"; see there.

15. *Rashi ms.*

16. For since Elijah ascended to Heaven, Elisha was *sure* that he would never see him again. If one's teacher merely departs to a far-off land, one is not required to rend his garments even if he does not *expect* to see him again (*Ritva;* see also *Meiri*).

מסורת הש"ס

א) שמחות פ"ט, ב) [לעיל כב: ע"ש סנהדרין ס.], ג) [סנהדרין ס.], ד) [סנהדרין שם], ה) [נ"ל קם רבי אבא], ו) [בשאלתות איתא אמר ר' יהודה הרואה כו', ז) [נ"ל מאלישע].

הגהות הב"ח

(א) גמ' שלש דלתות וארבעה יקרעה בתער הסופר: (ב) תוס' ד"ה קדר כו' והא דיקרעה בתער: (ג) ד"ה משכם כו' דמגלחי זקן וקרועי בגדים ומתגודדים כו' דלא נילף כלל אפילו קריעה:

הגהות מהר"ב רנשבורג

א] גמ' רבי אבא ורב הונא בר חייא הוו יתבי קמיה דרבי אבא. נמחק תיבות קמיה דר' אבא ונ"ב קם ר' אבא. כך שמעתי ולאיתי יש מגיהים ולענ"ד אין צורך לזה דככר ביררו בס' באר שבע בהוריות דף ב' ע"א דלפעמים קמיה ר' אבא הוו יעוש"ה: ב] רש"י ד"ה אתיא קרע קרע מדוד עכ"ל. עיין שו"ת שער אפרים סי' נו שכתב דטעות הדפוס הוא ועיין עוד ספר יד דוד:

רש"י כת"י

[נדפס בדף כה:]

תורה אור השלם

א) וֶאֱלִישָׁע רֹאֶה וְהוּא מְצַעֵק אָבִי אָבִי רֶכֶב יִשְׂרָאֵל וּפָרָשָׁיו וְלֹא רָאָהוּ עוֹד וַיַּחֲזֵק בִּבְגָדָיו וַיִּקְרָעֵם לִשְׁנַיִם קְרָעִים: [מלכים ב' ב, יב]

ב) וַיַּחֲזֵק דָּוִד בִּבְגָדָיו וַיִּקְרָעֵם וְגַם כָּל הָאֲנָשִׁים אֲשֶׁר אִתּוֹ: וַיִּסְפְּדוּ וַיִּבְכּוּ וַיָּצֻמוּ עַד הָעָרֶב עַל שָׁאוּל וְעַל יְהוֹנָתָן בְּנוֹ וְעַל עַם יְיָ וְעַל בֵּית יִשְׂרָאֵל כִּי נָפְלוּ בֶּחָרֶב: [שמואל ב' א, יא-יב]

ג) וַיָּבֹא אֶלְיָקִים בֶּן חִלְקִיָּה אֲשֶׁר עַל הַבַּיִת וְשֶׁבְנָא הַסֹּפֵר וְיוֹאָח בֶּן אָסָף הַמַּזְכִּיר אֶל חִזְקִיָּהוּ קְרוּעֵי בְגָדִים וַיַּגִּדוּ לוֹ דִּבְרֵי רַבְשָׁקֵה: [מלכים ב' יח, לז]

ד) וַיְהִי כִּשְׁמֹעַ הַמֶּלֶךְ חִזְקִיָּהוּ וַיִּקְרַע אֶת בְּגָדָיו וַיִּתְכַּס בַּשָּׂק וַיָּבֹא בֵּית יְיָ: [מלכים ב' יט, א]

ה) וַיְהִי כִּקְרוֹא יְהוּדִי שָׁלֹשׁ דְּלָתוֹת וְאַרְבָּעָה יִקְרָעֶהָ בְּתַעַר הַסֹּפֵר וְהַשְׁלֵךְ אֶל הָאֵשׁ אֲשֶׁר אֶל הָאָח עַד תֹּם כָּל הַמְּגִלָּה עַל הָאֵשׁ אֲשֶׁר עַל הָאָח: [ירמיה לו, כג]

ו) אֵיכָה יָשְׁבָה בָדָד הָעִיר רַבָּתִי עָם הָיְתָה כְּאַלְמָנָה רַבָּתִי בַגּוֹיִם שָׂרָתִי בַּמְּדִינוֹת הָיְתָה לָמַס: [איכה א, א]

ז) בָּכוֹ תִבְכֶּה בַּלַּיְלָה וְדִמְעָתָהּ עַל לֶחֱיָהּ אֵין לָהּ מְנַחֵם מִכָּל אֹהֲבֶיהָ כָּל רֵעֶיהָ בָּגְדוּ בָהּ הָיוּ לָהּ לְאֹיְבִים: [איכה א, ב]

ח) גָּלְתָה יְהוּדָה מֵעֹנִי וּמֵרֹב עֲבֹדָה הִיא יָשְׁבָה בַגּוֹיִם לֹא מָצְאָה מָנוֹחַ כָּל רֹדְפֶיהָ הִשִּׂיגוּהָ בֵּין הַמְּצָרִים: [איכה א, ג]

ט) דַּרְכֵי צִיּוֹן אֲבֵלוֹת מִבְּלִי בָּאֵי מוֹעֵד כָּל שְׁעָרֶיהָ שׁוֹמֵמִין כֹּהֲנֶיהָ נֶאֱנָחִים בְּתוּלֹתֶיהָ נּוּגוֹת וְהִיא מַר לָהּ: [איכה א, ד]

י) הָיוּ צָרֶיהָ לְרֹאשׁ אֹיְבֶיהָ שָׁלוּ כִּי יְיָ הוֹגָהּ עַל רֹב פְּשָׁעֶיהָ עוֹלָלֶיהָ הָלְכוּ שְׁבִי לִפְנֵי צָר: [איכה א, ה]

כ) וְלֹא פָחֲדוּ וְלֹא קָרְעוּ אֶת בִּגְדֵיהֶם הַמֶּלֶךְ וְכָל עֲבָדָיו הַשֹּׁמְעִים אֵת כָּל הַדְּבָרִים הָאֵלֶּה: [ירמיה לו, כד]

ל) וַיְהִי דְבַר יְיָ אֶל יִרְמְיָהוּ אַחֲרֵי שְׂרֹף הַמֶּלֶךְ אֶת הַמְּגִלָּה וְאֶת הַדְּבָרִים אֲשֶׁר כָּתַב בָּרוּךְ מִפִּי יִרְמְיָהוּ לֵאמֹר: [ירמיה לו, כז]

מ) וַיָּבֹאוּ אֲנָשִׁים מִשְּׁכֶם מִשִּׁלוֹ וּמִשֹּׁמְרוֹן שְׁמֹנִים אִישׁ מְגֻלְּחֵי זָקָן וּקְרֻעֵי בְגָדִים וּמִתְגֹּדְדִים וּמִנְחָה וּלְבוֹנָה בְּיָדָם לְהָבִיא בֵּית יְיָ: [ירמיה מא, ה]

נ) עָרֵי קָדְשְׁךָ הָיוּ מִדְבָּר צִיּוֹן מִדְבָּר הָיָתָה יְרוּשָׁלַיִם שְׁמָמָה: [ישעיה סד, ט]

ס) בֵּית קָדְשֵׁנוּ וְתִפְאַרְתֵּנוּ אֲשֶׁר הִלְלוּךָ אֲבֹתֵינוּ הָיָה לִשְׂרֵפַת אֵשׁ וְכָל מַחֲמַדֵּינוּ הָיָה לְחָרְבָּה: [ישעיה סד, י]

רש"י

ואלו קרעין כו'. בחבל רבתי במסכת שמחות (פ"ט): ברוב צבור. רוב ישראל: וכמעשה שהיה. בשאול ויהונתן: גרמו לנפשייהו. דמרדו ביה והא דקאמר לא קטלי יהודי רוצה לומר בחנם: לקול יתירי. לקול כנורות שמרדו: בן אתיא קרע קרע (י) מדוד): שלש דלתות וארבעה. כלומר ארבעה פסוקים: אנא מלכא. ואמלכא לא כתיב כלום: היו צריה לראש. שהנכרי ראש ולא אתה: משום שמועות רעות. על הגלות איבעי למיקרע: את המגילה. זה הגויל: ואת הדברים. זה הכתב: השתא. אי שקיל להו נעמיתא איבעי לי למיקרע על הגויל ועל הכתב דהוי כנשרף: בזרוע. שאין יכול להצילו: וכמעשה שהיה. דיהויקים אבל דנעמיתא דמלי להציל לא מיקרע: הא דפגע במקדש ברישא. כגון שנכנס לירושלים בשידה תיבה ומגדל דלא ראה ירושלים עד שראה בית המקדש קורע על המקדש ומוסיף על ירושלים אבל בשלא נכנס בתיבה ופגע בירושלים ברישא קורע על ירושלים בפני עצמה ועל המקדש בפני עצמו: כל הקרעים ראשין למוללן. לקפל בגד בתפירה: כעין סולמות. שאין מלקטין זה סמוך לזה אבל זה רחוק מזה שמלקט ברוחב כעין מעלות סולמות: מתוך

תוספות

ברכת השם מנלן. ועל ברכת השם דנכרים פליגי הכא בירושלמי אית דאמרי רבשקה ישראל מומר הוה אבל דנכרי לא ואית דאמרי נכרי הוה ובפרק ארבע מיתות (סנהדרין דף ס.) נמי פליגי בה בש"ס שלנו ובירושלמי הוה ריש לקיש קורע על ברכת השם:

ואחד השומע מפי השומעים. פירש בתוס' כגון מן העדים שאומרים זה ואם הוא אומר יכה יוסי את יוסי אין קורעין על זה וכן משמע בפ"ד מיתות (שם דף נו.):

אתיא קריעה. תימה אם כן נילף כל קריעות שלא יתאחו מקריעה קריעה ושמא לא מיסתבר ליה:

קדר כל האזכרות. תימה והא (ב) דקרעה בתער הסופר משמע כל המגילה ובירושלמי לא גרסינן האזכרות:

לא אמרו אלא בזרוע. ובירושלמי גרס ששרפה מלך ישראל בזרוע:

משכם משילו. לא שייך הכא למיפרך ואימא עד דאיכא תלתא אבל קצת קשה דאימר מילתא יתירתא הוה דמגלחי זקן (ג) ומתגודדים כתיב בהאי קרא ויש לומר דלא שייך למימר דלא נילף כלל אלא קריעה ולעיל (ד' כא.) הכי קאמר נמי נהי דגמרת שפיר קריעה מ"מ לא תילף מינה מעומד:

ובאיחוי

גמרא

א) ואלו קרעין שאין מתאחין [א]הקורע על אביו ועל אמו [ב]ועל רבו שלימדו תורה ועל נשיא ועל אב ב"ד [ג]ועל שמועות הרעות ועל ברכת השם ועל ספר תורה שנשרף [ד]ועל ערי יהודה ועל המקדש ועל ירושלים [ה]וקורע על מקדש ומוסיף על ירושלים [ו]אביו ואמו [ז]ורבו שלימדו תורה מנלן דכתיב א) ואלישע ראה והוא מצעק אבי אבי רכב ישראל ופרשיו אבי אבי זה אביו ואמו רכב ישראל ופרשיו זה רבו שלימדו תורה מאי משמע כדמתרגם רב יוסף רבי רבי דטב להון לישראל בצלותיה מרתיכין ופרשין ולא מתאחין מנלן דכתיב א) ויחזק בבגדיו ויקרעם לשנים קרעים ממשמע שנאמר [ג] ויקרעם איני יודע שלשנים אלא מלמד שקרועים ועומדים לשנים לעולם אמר ליה ריש לקיש לרבי יוחנן אליהו חי הוא אמר ליה כיון דכתיב א) ולא ראהו עוד לגבי דידיה כמת דמי [ח]נשיא ואב בית דין [ט]ושמועות הרעות מנלן דכתיב ב) ויחזק דוד בבגדיו ויקרעם וגם כל האנשים אשר אתו ויספדו ויבכו ויצומו עד הערב על שאול ועל יהונתן בנו ועל עם ה' ועל בית ישראל כי נפלו בחרב שאול זה נשיא יהונתן זה אב ב"ד על עם ה' ועל בית ישראל אלו שמועות הרעות א"ל רב בר שבא לרב כהנא ואימא עד דהוו כולהו א"ל על על הפסיק הענין ומי קרעינן אשמועות הרעות והא אמרו ליה לשמואל קטל שבור מלכא תריסר אלפי יהודאי במזיגת קסרי ולא קרע לא אמרו אלא [י]ברוב צבור וכמעשה שהיה ומי קטל שבור מלכא יהודאי והא א"ל שבור מלכא לשמואל תיתי לי דלא קטלי יהודי מעולם התם אינהו גרמי לנפשייהו דא"ר אמי לקל יתירי דמזיגת קסרי פקע שורא דלודקיא [כ]על ברכת השם מנלן דכתיב ג) ויבא אליקים בן חלקיה אשר על הבית ושבנא הסופר ויואח בן אסף המזכיר אל חזקיהו קרועי בגדים [ג] ת"ר [ל]אחד השומע ואחד השומע מפי השומע חייב לקרוע והעדים אינן חייבין לקרוע שכבר קרעו בשעה ששמעו מאי הוי הא קא שמעי השתא לא ס"ד דכתיב ד) ויהי כשמוע המלך חזקיהו ויקרע את בגדיו המלך קרע והם לא קרעו ולא מתאחין מנלן [ד]אתיא קריעה קריעה [מ]ספר תורה שנשרף מנלן דכתיב ה) ויהי כקרא יהודי שלש דלתות וארבעה (א) ויקרעה בתער הסופר והשלך אל האש אשר אל האח וגו' מאי שלש דלתות וארבעה אמרו ליה ליהויקים כתב ירמיה ספר קינות אמר להו מה כתיב ביה ו) איכה ישבה בדד אמר להו אנא מלכא א"ל ז) בכה תבכה בלילה אנא מלכא ח) גלתה יהודה מעוני אנא מלכא ט) דרכי ציון אבלות אנא מלכא י) היו צריה לראש אמר להו מאן אמרה [י]כי ה' הוגה על רוב פשעיה מיד קדר כל אזכרות שבה ושרפן באש והיינו דכתיב כ) ולא פחדו ולא קרעו את בגדיהם מכלל דבעו למיקרע אמר ליה רב פפא לאביי אימר משום שמועות רעות בההיא שעתא מי הוו א"ר חלבו אמר רב הונא הרואה ספר תורה שנקרע חייב לקרוע [נ]שתי קריעות אחד על הגויל ואחד על הכתב שנאמר ל) אחרי שרוף המלך את המגלה ואת הדברים רבי אבא ורב הונא בר חייא הוו יתבי [ס] אן קמיה דרבי אבא בעא לאפנויי שקליה לטוטפתיה אחתיה אבי סדיא אתאי בת נעמיתא בעא למיבלעיה אמר השתא איחייבין לי שתי קריעות א"ל מנא לך הא והא בדידי הוה עובדא ואתאי לקמיה דרב מתנה ולא הוה בידיה אתאי לקמיה דרב יהודה ואמר לי הכי אמר שמואל לא אמרו [ס]אלא בזרוע וכמעשה שהיה ערי יהודה מנלן דכתיב מ) ויבאו אנשים משכם משילו ומשמרון שמונים איש מגולחי זקן וקרועי בגדים ומתגודדים ומנחה ולבונה בידם להביא בית ה' וגו' א"ר [י]חלבו אמר עולא ביראה [ע]אמר ר' אלעזר הרואה ערי יהודה בחורבנן אומר נ) ערי קדשך היו מדבר וקורע ירושלים בחורבנה אומר [נ] ציון מדבר היתה ירושלם שממה וקורע בית המקדש בחורבנו אומר ס) בית קדשנו ותפארתנו אשר הללוך אבותינו היה לשריפת אש וכל מחמדינו היה לחרבה וקורע: קורע על מקדש ומוסיף על ירושלים: ורמינהו [פ]אחד השומע ואחד הרואה כיון שהגיע לצופים קורע וקורע על מקדש בפני עצמו ועל ירושלים בפני עצמה לא קשיא [צ]הא דפגע במקדש ברישא הא דפגע בירושלים ברישא תנו רבנן [ק]וכולן רשאין לשוללן ולמוללן וללוקטן ולעשותן כמין סולמות אבל לא לאחותן אמר רב חסדא ובאיחוי

עין משפט נר מצוה

קפז א מיי' פ"ט מהל' אבל הלכה ב ג סמג עשין ב טוש"ע י"ד סי' שמ סעיף טו:

קפח ב מיי' שם הלכה ה טוש"ע שם סעיף יז:

קפט ג מיי' שם הלכה ו טוש"ע שם סעיף לו:

קצ ד מיי' שם הלכה י ופ"ה מהלכות תענית הלכה יז יח טוש"ע שם סעיף לא וטוש"ע א"ח סי' תקסא סעיף א:

קצא ה מיי' פ"ה מהל' תענית הלכה טז טוש"ע א"ח שם סעיף ב:

קצב ו מיי' פ"ח מהל' אבל הלכה ג ופ"ט הלכה ב טור ש"ע י"ד סי' שמ סעיף א:

קצג ז מיי' שם פ"ט הלכה ה ופ"ה מהלכות ת"ת הלכה ט סמג עשין ב טוש"ע שם סעיף ח וסי' רמב סעיף כה:

קצד ח מיי' פ"ט מהל' אבל הלכה ב ו טוש"ע י"ד סי' שמ סעיף יח:

קצה ט י מיי' שם טור ש"ע שם סעיף לו:

קצו כ ל מ נ ס מיי' שם הלכה ב ט טוש"ע שם סעיף לז:

קצז ע פ צ מיי' פ"ה מהלכות תענית הלכה טז טוש"ע א"ח סי' תקסא סעיף א ב:

קצח ק מיי' שם הלכה יז ופ"ט מהלכות אבל הלכה ג טוש"ע א"ח שם סעיף ד וטוש"ע י"ד סי' שמ סעיף לט:

רבינו חננאל

ת"ר אלו קרעין שאסורין באיחוי פי' עשרה קרעים הללו הקורע על אביו ועל אמו ועל רבו שלמדו חכמה. ועל נשיא ועל אב ב"ד. ועל שמועות הרעות. ועל ברכת השם. ועל ס"ת שנשרף ועל חורבן ערי יהודה ועל חורבן המקדש [ועל ירושלים] וקורע על חורבן בהמ"ק ומוסיף על חורבן ירושלים: אביו ואמו ורבו שלמדו חכמה מהכא ואלישע ראה והוא מצעק אבי אבי רכב ישראל ופרשיו. אבי אבי זה אביו ואמו. רכב ישראל ופרשיו זה רבו שלמדו חכמה. כדמתרגם רבי רבי דטב להון לישראל בצלותך מן רתיכין ופרשין. ואע"ג דאליהו חי הוא כיון דכתיב ביה ולא ראהו עוד כמת הוא לגביה: ירושלמי כשם שקורעין על החכמים כך קורעין על תלמידיהן איזהו ת"ח חזקיה אמר כל השונה הלכות א) ועד תורה. א"ר יוסי הדא דאת אמרו בראשונה אבל עכשיו אפילו הלכות. ר' אבהו בשם ר' יוחנן כל שמבטל עסקיו מפני משנתו. תני כל ששואלין אותו ומשיב. א"ר אושעיא כגון אנא דרבבינן משגיחין עלינו וכן מתיבין ליה. א"ר אבא בר ממל כל שיודע לבאר משנתו ואנן אפילו רבבינן לא יכלי לבאר משנתנו איזהו רבו כל שפתח לו תחלה דברי ר' מאיר. ר' יהודה אומר כל שרוב תלמודו ממנו. שמואל חלץ בההוא שהאיר במשנתו. פי' ביאר לו משנתו זו ששנינו בתמיד. ושתי מפתחות היו לו אחד יורד לאמת השחי ואחד פותח כיון. פי' היה מכניס ידו ומורדה עד שיחין שהוא אמה ואח"כ היה מגיע למנעול ופותחו. והאחד היה נכון לפניו מכניס ידו כנגדו ופותח: ולא מתאחין שנאמר ויקרעם לשנים קרעים. ממשמע שנאמר ויקרעם איני יודע שהקריעה לשנים היא אלא מה ת"ל לשנים מלמד שקרועין לעולם לשנים. נשיא ואב ב"ד ושמועת הרעות שנאמר ויחזק דוד בבגדיו ויקרעם וגם כל האנשים אשר אתו ויספדו ויבכו על שאול ועל יהונתן ועל עם ה' ועל בית ישראל כי נפלו בחרב. שאול זה נשיא יהונתן זה אב ב"ד. על עם ה' על בית ישראל אלו שמועות רעות. ומקשינן ואימא לא קרעינן עד דאיכא כולהו. ופרקינן על על הפסיק הענין למימרא דקרעינן על כל אחד ואחד בפ"ע. ואסיקנא לא אמרו דקרעינן על שמועות הרעות אלא ברוב צבור. וכמעשה דשאול דהא שמואל שמע דקטל שבור מלכא י"ב אלפי יהודאי ולא קרע. ועל ברכת השם אחד השומע. ואחד השומע מפי השומע חייבין לקרוע. והעדים אין חייבין לקרוע שכבר קרעו בעת ששמעו. שנאמר ויהי כשמוע המלך את דבריהם ויקרע את בגדיו המלך קרע והם לא קרעו עכשיו שכבר קרעו שנאמר ויבא אליקים בן חלקיהו אשר על הבית ושבנא הסופר ויואח בן אסף המזכיר אל חזקיהו קרועי בגדים ויגידו את דברי רבשקה. ולא מתאחין מנ"ל אתיא קריעה קריעה מהתם: ירושלמי מהו לקרוע בזמן הזה משום ר' יוחנן אמרו משרבו הגדפנין בטל מלקרוע. מהו לקרוע על הכנויים נשמעיניה מהדא. ר"ל הוה מהלך בדרך נזדמן לו כותי הוה מגדף והוא קורע נחת מן חמרא ויהב ליה מרתיקא גו ליביה [באבן או באגרוף תרגם מרתוק. פי' הכהו באגרוף על לבו] אמר ליה רשע אית מאנין לאמך מספקא לי אילין שקרעתי הדא אמרת שקורעין על כנויין בזמן הזה: על שריפת התורה. שנאמר ויהי כקרא יהודי שלש דלתות וארבעה יקרעה בתער הסופר והשלך על האש. מהו שלש דלתות וארבע. תלת וארבע פסוקין. ובכולהו אמר אנא מלכא כיון דשמע לפסוקי חמישי היו צריה לראש אמר להו מי אמר אמרו ליה כי ה' הוגה על רוב פשעיה מיד קרעה בתער הסופר. קדר כל האזכרות שבו ושרפן באש. וכתיב ולא פחדו ולא קרעו בגדיהם מכלל דהוה להו למקרע: ירושלמי א"ר יוסי בשם רב אין קורעין אלא על ס"ת ששרפו מלך בזרוע. כגון יהויקים בן יאשיהו וחביריו. הרואה ת"ח שמת כרואה ס"ת שנשרף א"ר אבהו יבא עלי אם טעמתי כלום כל אותו היום. ר' יונה הוה בצור שמע [דדמך] בריה דר' אבהו. ואע"ג דאכל גובנא ושתה מיא אסקוה צום כל ההוא יומא. א"ר חלבו אמר רב הונא הרואה ס"ת שנשרף חייב לקרוע שתים. אחת על המגילה ואחת על הדברים. שנאמר ויהי דבר ה' אל ירמיהו אחרי שרוף המלך את המגלה ואת הדברים באש ואסיקנא אמר שמואל אין חייבין לקרוע אלא בשרפת התורה בזרוע כמעשה שהיה. אבל אי בלעה נעמיתה תפילי כדאמר רב הונא בר חייא לא. ערי יהודה שנאמר ויבאו אנשים משכם משילו ומשומרון שמונים איש מגולחי זקן וקרועי בגדים. א"ר אלעזר הרואה ערי יהודה בחורבנן אומר ערי קדשך היו מדבר וקורע. הרואה ירושלים בחורבנה אומר ציון מדבר היתה וקורע. בהמ"ק חרב אומר בית קדשנו ותפארתנו אשר הללוך אבותינו היה לשרפת אש וכל מחמדנו היה לחרבה וקורע. ואחד השומע ואחד הרואה כיון שהגיע לצופים קורע. ואי פגע בירושלים תחלה קורע על ירושלים בפ"ע ועל מקדש בפ"ע. ואי פגע במקדש תחלה קורע על המקדש ומוסיף

חשק שלמה על ר"ח א) בירושלמי הגי' ועוד תורה וע"ש בפ"מ ובק"ע.

where do we derive that one must rend his garments on these occasions? דִּכְתִיב – For it is written:[17] ,,וַיַּחֲזֵק דָּוִד בִּבְגָדָיו וַיִּקְרָעֵם וְגַם כָּל־הָאֲנָשִׁים אֲשֶׁר אִתּוֹ – *David took hold of his garments and rent them, as did all the people who were with him.* וַיִּסְפְּדוּ וַיִּבְכּוּ וַיָּצֻמוּ עַד־הָעָרֶב – *They lamented and wept and fasted until the evening,* עַל־שָׁאוּל וְעַל־יְהוֹנָתָן בְּנוֹ וְעַל־עַם ה׳ וְעַל־בֵּית יִשְׂרָאֵל כִּי נָפְלוּ בֶּחָרֶב'' – *over Saul, over Jonathan his son, over the nation of Hashem, and over the House of Israel, for they had fallen by the sword.* ,,שָׁאוּל'' זֶה נָשִׂיא – *Saul* – this is the ruler of the nation; ,,יְהוֹנָתָן'' זֶה אַב בֵּית דִּין – *Jonathan* – this is the Head of the *Beis Din;* ,,עַל־עַם ה׳ וְעַל־בֵּית יִשְׂרָאֵל'' אֵלּוּ שְׁמוּעוֹת הָרָעוֹת – *over the nation of Hashem, and over the House of Israel, for they had fallen by the sword* – these are bad tidings.[18]

The derivation is questioned:

אָמַר לֵיהּ רַב בַּר שַׁבָּא לְרַב כָּהֲנָא – Rav bar Shaba said to Rav Kahana: וְאֵימָא עַד דְּהָווּ כּוּלְּהוּ – But perhaps we should say that one is not required to rend his garments unless all of [these things] occur together, as they did in the case described by the verse. – ? –

Rav Kahana responds:

אָמַר לֵיהּ – He said to [Rav bar Shaba]: ,,עַל'' ,,עַל'' הִפְסִיק הָעִנְיָן – The expressions *"over," "over"* interrupt the matter described by the verse, and indicate that David rent his garments over each calamity seperately.[19]

The Gemara asks:

וּמִי קָרְעִינַן אַשְּׁמוּעוֹת הָרָעוֹת – Do we actually rend our garments over bad tidings? וְהָא אָמְרוּ לֵיהּ לִשְׁמוּאֵל – Why, they reported to Shmuel: קָטַל שָׁבוּר מַלְכָּא תְּרֵיסַר אַלְפֵי יְהוּדָאֵי בְּמְזִיגַת קֵסָרִי – "King Shapur killed twelve thousand Jews in Mezigas Caesaria,"[20] וְלֹא קָרַע – and [Shmuel] did not rend his garments. – ? –

The Gemara answers:

לֹא אָמְרוּ אֶלָּא בְּרוֹב צִבּוּר – They did not say to rend one's garments over bad tidings except in the case of a tiding involving the majority of the congregation, וּכְמַעֲשֶׂה שֶׁהָיָה – as in the incident that occurred when Saul and his sons were killed in battle. It is stated there that "the nation of Hashem and the House of Israel" fell by the sword.[21]

The report just cited is questioned:

וּמִי קָטַל שָׁבוּר מַלְכָּא יְהוּדָאֵי – Did King Shapur ever kill Jews? וְהָא אָמַר לֵיהּ שָׁבוּר מַלְכָּא לִשְׁמוּאֵל – Why, King Shapur said to Shmuel: תֵּיתֵי לִי דְּלָא קְטָלִי יְהוּדִי מֵעוֹלָם – "I am deserving of reward for I never killed any Jew." – ? –

The Gemara answers:

הָתָם אִינְהוּ גָּרְמֵי לְנַפְשַׁיְיהוּ – There, in the incident reported above, [the Jews of Mezigas Caesaria] brought it upon themselves by rebelling against King Shapur.[22] דְּאָמַר רַבִּי אַמִי – For R' Ami said: לְקָל יְתֵירֵי דִמְזִיגַת קֵסָרִי – From the noise of the harpstrings of Mezigas Caesarea that were played gleefully when its citizens rebelled, פָּקַע שׁוּרָא דְלוּדְקְיָא – the wall of the city of Ludkia cracked.

The Gemara cites the source for the Baraisa's next rule:

עַל בִּרְכַּת הַשֵּׁם מְנָלַן – From where do we derive that one must rend his garments over hearing a "blessing" of the Name of God? דִּכְתִיב ,,וַיָּבֹא אֶלְיָקִים בֶּן־חִלְקִיָּה אֲשֶׁר־עַל־הַבַּיִת וְשֶׁבְנָא הַסֹּפֵר וְיוֹאָח בֶּן־אָסָף הַמַּזְכִּיר אֶל־חִזְקִיָּהוּ קְרוּעֵי בְגָדִים'' – For it is written: *Elyakim son of Chilkiyah, who was in charge of the palace, came, as well as Shevna the scribe and Yoach son of Asaf the recorder, to Chizkiyahu with rent garments.*[23]

A related Baraisa is cited:

תָּנוּ רַבָּנַן – The Rabbis taught in a Baraisa: אֶחָד הַשּׁוֹמֵעַ – WHETHER ONE HEARS the blasphemy himself, וְאֶחָד הַשּׁוֹמֵעַ מִפִּי הַשּׁוֹמֵעַ – OR ONE HEARS it FROM SOMEONE WHO HEARD IT originally, חַיָּיב לִקְרוֹעַ – ONE IS OBLIGATED TO REND his garments. וְהָעֵדִים אֵינָן חַיָּיבִין לִקְרוֹעַ – BUT THE WITNESSES ARE NOT OBLIGATED TO REND their garments when they repeat the blasphemy in court, שֶׁכְּבָר קָרְעוּ בְּשָׁעָה שֶׁשָּׁמְעוּ – BECAUSE THEY ALREADY RENT them WHEN THEY HEARD the actual blasphemy.[24]

The Gemara questions the last ruling of the Baraisa:

בְּשָׁעָה שֶׁשָּׁמְעוּ מַאי הָוֵי – Even if they rent their garments when they heard the blasphemy, what of it? הָא קָא שָׁמְעֵי הַשְׁתָּא – Why, they are hearing it anew now, when they repeat it to the judges. They should be required to rend again. – ? –

The Gemara answers:

לֹא סַלְקָא דַּעְתָּךְ – Do not think so. דִּכְתִיב ,,וַיְהִי כִּשְׁמֹעַ הַמֶּלֶךְ חִזְקִיָּהוּ וַיִּקְרַע אֶת־בְּגָדָיו'' – For it is written in the previously cited passage: *It came to pass when King Chizkiyahu heard: He rent his garments.*[25] הַמֶּלֶךְ קָרַע וְהֵם לֹא קָרְעוּ – The king rent his garments, but they (the ones who repeated it to him) did not rend their garments, because they had already done so when they heard

NOTES

17. *II Samuel* 1:11-12.

18. Israel suffered a terrible defeat in the battle in which Saul and his sons were killed (see below).

19. *Rashi ms. Ritva* points out that since David received all the reports at once he must have made only one rent over all of them, for this is analogous to being informed of two relatives' deaths in a single report, and we learn below (26b) that in this situation one makes only a single rent. However, since the verse interjects the word *over* before each calamity, it implies that each individual tragedy deserves a separate rent.

The Gemara does not cite a source for the rule that in these cases the rent may not be mended. However, *Rosh* §64 states that we derive it by comparing the verse cited here with the one cited above concerning Elisha's rending of his garments upon the passing of Elijah. In both instances, the verse states וַיַּחֲזֵק בִּבְגָדָיו וַיִּקְרָעֵם, *He took hold of his garments and rent them.* We may derive from the similar wording that just as Elisha's rent was never mended, so too was David's rent never mended. *Korban Nesanel* posits that *Rosh's* text of the Gemara spelled out this *gezeirah shavah*. Cf. *Hagahos Yavetz, Teshuvos Shaar Ephraim* §96.

20. This is the name of a place (*Rashi ms.*).

21. This does not mean that the majority of the nation was killed. Rather, the majority of the nation assembled to do battle, and it suffered a crushing defeat in which many Jews were killed (*Ramban,* cited by *Ritva; Tur* and *Shulchan Aruch, Yoreh Deah* 340:36). Alternatively, "the majority of the congregation" refers to the majority of one tribe of Israel, since each tribe can be called a "congregation" (see *Horayos* 5b). In Saul's final battle, the number of Jews killed was equal to more than half of the members of a single tribe, so that "the majority of a congregation" was in fact killed (*Ritva*). [Cf. *Rambam, Hil. Aveil* 9:6 with *Lechem Mishneh,* who implies that an actual majority of the Jewish nation fell in that battle.].

22. Thus, he meant to say to Shmuel: "I never killed any Jews senselessly" (*Rashi*).

23. *II Kings* 18:37. Earlier verses in the chapter describe the blasphemy that prompted them to rend their garments. [The Gemara will demonstrate below that the rent may never be mended.]

24. If a blasphemer is put on trial for his sin (which carries the death penalty), the witnesses who heard him blaspheme and testify to that fact must repeat the blasphemy verbatim in court. It is insufficient for them to merely state "So-and-so blasphemed." When they repeat the blasphemy they are not required to rend their garments again (*Ritva*). However, the judges are obligated to rend their garments, since they hear the blasphemy from one who heard it originally (Mishnah, *Sanhedrin* 56a; Gemara there, 60a).

25. Ibid. 19:1. This is the verse following the one cited above. Elyakim son of Chilkiyah, Shevna the scribe and Yoach son of Asaf came to Chizkiyahu with rent garments and repeated the blasphemy they had heard, and when Chizkiyahu heard it he rent his garments but they did not.

[א] ואלו קרעין שאין מתאחין [א] הקורע על אביו ועל אמו [ב] ועל רבו שלימדו תורה ועל נשיא ועל אב ב"ד [ג] ועל שמועות הרעות ועל ברכת השם ועל ספר תורה שנשרף [ד] ועל ערי יהודה ועל המקדש ועל ירושלים [ה] וקורע על מקדש ומוסיף על ירושלים [ו] אביו ואמו [ז] ורבו שלימדו תורה מנלן דכתיב א) ואלישע ראה והוא מצעק אבי אבי רכב ישראל ופרשיו אבי אבי זה אביו ואמו רכב ישראל ופרשיו זה רבו שלימדו תורה מאי משמע כדמתרגם רב יוסף רבי רבי דטב להון לישראל בצלותיה מרתיכין ופרשין ולא מתאחין מנלן דכתיב א) ויחזק בבגדיו ויקרעם לשנים קרעים ממשמע שנאמר ב) ויקרעם איני יודע שלשנים אלא מלמד שקרועים ועומדים לשנים לעולם אמר ליה ריש לקיש לרבי יוחנן אליהו חי הוא אמר ליה כיון דכתיב א) ולא ראהו עוד לגבי דידיה כמת דמי [ח] נשיא ואב בית דין [ט] ושמועות הרעות מנלן דכתיב ב) ויחזק דוד בבגדיו ויקרעם וגם כל האנשים אשר אתו ויספדו ויבכו ויצומו עד הערב על שאול ועל יהונתן בנו ועל עם ה' ועל בית ישראל כי נפלו בחרב שאול זה נשיא יהונתן זה אב ב"ד על עם ה' ועל בית ישראל אלו שמועות הרעות א"ל רב בר שבא לרב כהנא ואימא עד דהוו כולהו א"ל על על הפסיק הענין ומי קרעינן אשמועות הרעות והא אמרו ליה לשמואל קטל שבור מלכא תריסר אלפי יהודאי במזיגת קסרי ולא קרע לא אמרו אלא [י] ברוב צבור וכמעשה שהיה ומי קטל שבור מלכא יהודאי והא א"ל שבור מלכא לשמואל תיתי לי דלא קטלי יהודי מעולם התם אינהו גרמי לנפשייהו דא"ר אמי לקל יתירי דמזיגת קסרי פקע שורא דלודקיא [כ] על ברכת השם מנלן דכתיב ג) ויבא אליקים בן חלקיה אשר על הבית ושבנא הסופר ויואח בן אסף המזכיר אל חזקיהו קרועי בגדים [ג] ת"ר [ל] אחד השומע ואחד השומע מפי השומע חייב לקרוע והעדים אינן חייבין לקרוע שכבר קרעו בשעה ששמעו מאי הוי הא קא שמעי השתא לא ס"ד דכתיב ד) ויהי כשמוע המלך חזקיהו ויקרע את בגדיו המלך קרע והם לא קרעו ולא מתאחין מנלן [ד] אתיא קריעה קריעה [מ] ספר תורה שנשרף מנלן דכתיב ה) ויהי כקרא יהודי שלש דלתות וארבעה (א) ויקרעה בתער הסופר והשלך אל האש אשר אל האח וגו' מאי שלש דלתות וארבעה אמרו ליה ליהויקים כתב ירמיה ספר קינות אמר להו מה כתיב ביה ו) איכה ישבה בדד אמר להו אנא מלכא א"ל ז) בכה תבכה בלילה אנא מלכא ח) גלתה יהודה מעוני אנא מלכא ט) דרכי ציון אבלות אנא מלכא י) היו צריה לראש אמר להו מאן אמרה י) כי ה' הוגה על רוב פשעיה מיד קדר כל אזכרות שבה ושרפן באש והיינו דכתיב כ) ולא פחדו ולא קרעו את בגדיהם מכלל דבעו למיקרע אמר ליה רב פפא לאביי אימר משום שמועות הרעות א"ל שמועות רעות בההיא שעתא מי הוו א"ר חלבו אמר רב הונא הרואה ספר תורה שנקרע חייב לקרוע [נ] שתי קריעות אחד על הגויל ואחד על הכתב שנאמר ל) אחרי שרוף המלך את המגלה ואת הדברים רבי אבא ורב הונא בר חייא הוו יתבי [ה] אן קמיה דרבי אבא בעא לאפנויי שקליה לטוטפתיה אחתיה אבי סדיא אתאי בת נעמיתא בעא למיבלעיה אמר השתא איחייבין לי שתי קריעות א"ל מנא לך הא והא בדידי הוה עובדא ואתאי לקמיה דרב מתנה ולא הוה בידיה אתאי לקמיה דרב יהודה ואמר לי הכי אמר שמואל לא אמרו [ס] אלא בזרוע וכמעשה שהיה ערי יהודה מנלן דכתיב מ) ויבאו אנשים משכם משילו ומשמרון שמונים איש מגולחי זקן וקרועי בגדים ומתגודדים ומנחה ולבונה בידם להביא בית ה' וגו' א"ר [ו] חלבו אמר עולא בירא [ע] אמר ר' אלעזר הרואה ערי יהודה בחורבנן אומר נ) ערי קדשך היו מדבר וקורע ירושלים בחורבנה אומר נ) ציון מדבר היתה ירושלם שממה וקורע בית המקדש בחורבנו אומר ס) בית קדשנו ותפארתנו אשר הללוך אבותינו היה לשריפת אש וכל מחמדינו היה לחרבה וקורע: קורע על מקדש ומוסיף על ירושלים: ורמינהו [פ] אחד השומע ואחד הרואה כיון שהגיע לצופים קורע וקורע על מקדש בפני עצמו ועל ירושלים בפני עצמה לא קשיא [צ] הא דפגע במקדש ברישא הא דפגע בירושלים ברישא תנו רבנן [ק] וכולן רשאין לשוללן ולמוללן וללוקטן ולעשותן כמין סולמות אבל לא לאחותן אמר רב חסדא ובאיחוי

רש"י

ואלו קרעין כו'. באבל רבתי במסכת שמחות (פ"ט): ברוב צבור. רוב ישראל: וכמעשה שהיה. בשאול ויהונתן: גרמו לנפשייהו. דמרדו ביה והא דקאמר לא קטלי יהודי רוצה לומר בחנם: לקול יתירי. לקול כנורות שמרדו: בן אתיא קרע קרע (י) מדוד): שלש דלתות וארבעה. כלומר ארבעה פסוקים: אנא מלכא. ואמלכא לא כתיב כלום: היו צריה לראש. שהנכרי ראש ולא אתה: משום שמועות רעות. על הגלות איבעי למיקרע: את המגילה. זה הגויל: ואת הדברים. זה הכתב: השתא. אי שקיל להו נעמיתא איבעי לי למיקרע על הגויל ועל הכתב דהוי כנשרף: בזרוע. שאין יכול להצילו: וכמעשה שהיה. דיהויקים אבל דנעמיתא דמצי להציל לא מיקרע: הא דפגע במקדש ברישא. כגון שנכנס לירושלים בשידה תיבה ומגדל דלא ראה ירושלים עד שראה בית המקדש קורע על המקדש ומוסיף על ירושלים אבל בשלא נכנס בתיבה ופגע בירושלים ברישא קורע על ירושלים בפני עצמה ועל המקדש בפני עצמו: כל הקרעים רשאין למוללן. לקפל בגד בתפירה: כעין סולמות. שאין מלקטין זה סמוך לזה אבל זה רחוק מזה שמלקט ברוחב כעין מעלות סולמות: מתוך

תוספות

ברכת השם מנלן. ועל ברכת השם דנכרים פליגי הכא בירושלמי אית דאמרי רבשקה ישראל מומר הוה אבל דנכרי לא ואית דאמרי נכרי הוה ובפרק ארבע מיתות (סנהדרין דף ס.) נמי פליגי בה בש"ס שלנו ובירושלמי הוה ריש לקיש קורע על ברכת השם:

ואחד השומע מפי השומעים. פירש בתוס' כגון מן העדים שאומרים זה ואם הוא אומר יכה יוסי את יוסי אין קורעין על זה וכן משמע בפ"ד מיתות (שם דף נו.):

אתיא קריעה. תימה אם כן נילף כל קריעות שלא יתאחו מקריעה קריעה ושמא לא מיסתבר ליה:

קדר כל האזכרות. תימה והא (ב) דקרעה בתער הסופר משמע כל המגילה ובירושלמי לא גרסינן האזכרות:

לא אמרו אלא בזרוע. ובירושלמי גרס ששרפה מלך ישראל בזרוע:

משכם משילו. לא שייך הכא למיפרך ואימא עד דאיכא תלתא אבל קצת קשה דאימר מילתא יתירתא הוה דמגלחי זקן (ג) ומתגודדים כתיב בהאי קרא ויש לומר דלא שייך למימר דלא נילף כלל אלא קריעה ולעיל (ד' כא.) הכי קאמר נמי נהי דגמרת שפיר קריעה מ"מ לא תילף מינה מעומד: ובאיחוי

עין משפט נר מצוה

קפז א מיי' פ"ט מהל' אבל הלכה ג ב סמג עשין ב טוש"ע י"ד סי' שמ סעיף טו:
קפח ב מיי' שם הלכה ה טוש"ע שם סעיף יז:
קפט ג מיי' שם הלכה ו טוש"ע שם סעיף לו:
קצ ד מיי' שם הלכה י ופ"ה מהלכות תענית הלכה יז יח טוש"ע שם סעיף לח וטוש"ע א"ח סי' תקמא סעיף א:
קצא ה מיי' פ"ה מהל' תענית הלכה טז טוש"ע א"ח שם סעיף ב:
קצב ו מיי' פ"ט מהל' אבל הלכה ג ופ"ט הלכה ב טור ש"ע י"ד סי' שמ סעיף א:
קצג ז מיי' שם הלכה ה ופ"ה מהלכות ת"ח הלכה ט סמג עשין ב טוש"ע שם סעיף ח וסי' רמב סעיף כה:
קצד ח מיי' פ"ט מהל' אבל הלכה ג ו טוש"ע י"ד סי' שמ סעיף יז:
קצה ט י מיי' שם טור ש"ע שם סעיף לו:
קצו כ ל מ נ ס מיי' שם הלכה ג ט טוש"ע שם סעיף לז:
קצז ע פ צ מיי' פ"ה מהלכות תענית הלכה טז טוש"ע א"ח סי' תקמא סעיף א ב:
קצח ק מיי' שם הלכה יח ופ"ט מהלכות אבל הלכה ג טוש"ע א"ח שם סעיף ד וטוש"ע י"ד סי' שמ סעיף לט:

רבינו חננאל

ת"ר אלו קרעין שאסורין באיחוי פי' עשרה קרעים הללו הקורע על אביו ועל אמו ועל רבו שלמדו חכמה. ועל נשיא ועל אב ב"ד. ועל שמועות הרעות. ועל ברכת השם. ועל ס"ת שנשרף ועל חורבן ערי יהודה ועל חורבן המקדש [ועל ירושלים] וקורע על חורבן בהמ"ק ומוסיף על חורבן ירושלים: אביו ואמו ורבו שלמדו חכמה מהכא ואלישע ראה והוא מצעק אבי אבי רכב ישראל ופרשיו. אבי אבי זה אביו ואמו. רכב ישראל ופרשיו זה רבו שלמדו חכמה. כדמתרגם רבי רבי דטב להון לישראל בצלותהון מן רתיכין ופרשין. ואע"ג דאליהו חי הוא כיון דכתיב ביה ולא ראהו עוד כמת הוא לגביה: ירושלמי כשם שקורעין על החכמים כך קורעין על תלמידיהן איזהו ת"ח חזקיה אמר כל השונה הלכות א) ועד תורה. א"ר יוסי הדא דאת אמרו בראשונה אבל עכשיו אפילו הלכות. ר' אבהו בשם ר' יוחנן כל שמבטל עסקיו מפני משנתו. תני כל שישאלוהו אותו ומשיב. א"ר אושעיא כגון אנא דרבבינן משגיחין עלינו וכן מתיבין ליה. א"ר אבא בר ממל כל שיודע לבאר משנתו ואנן אפילו רבבינן לא יכלי לבאר משנתנו איזהו רבו כל שפתח לו תחלה דברי ר' מאיר. ר' יהודה אומר כל שרוב תלמודו ממנו. שמואל חלץ בההוא שהאיר במשנתו. פי' ביאר לו משנתו זו ששנינו בתמיד. ושתי מפתחות היו לו אחד יורד לאמת השחי ואחד פותח כיון. פי' היה מכניס ידו ומורדה עד שיחין שהוא אמה ואח"כ היה מגיע למנעול ופותחו. והאחד היה נכון לפניו מכניס ידו כנגדו ופותח: ולא מתאחין שנאמר ויקרעם לשנים קרעים. ממשמע שנאמר ויקרעם איני יודע שקרעים לשנים היא אלא מה ת"ל לשנים מלמד שקורעין לעולם לשנים. נשיא ואב ב"ד ושמועת הרעות שנאמר ויחזק דוד בבגדיו ויקרעם וגם כל האנשים אשר אתו ויספדו ויבכו על שאול ועל יהונתן ועל עם ה' ועל בית ישראל כי נפלו בחרב. שאול זה נשיא יהונתן זה אב ב"ד. על עם ה' על בית ישראל אלו שמועות רעות. ומקשינן ואימא לא קרעינן עד דאיכא כולהו. ופרקינן על על הפסיק הענין למימרא דקרעינן על כל אחד ואחד בפ"ע. ואסיקנא לא אמרו דקרעינן על שמועות הרעות אלא ברוב צבור. וכמעשה דשאול דהא שמואל שמע דקטל שבור מלכא י"ב אלפי יהודאי ולא קרע. ועל ברכת השם אחד השומע. ואחד השומע מפי השומע חייבין לקרוע. והעדים אין חייבין לקרוע שכבר קרעו בעת ששמעו. שנאמר ויהי כשמוע המלך את דבריהם ויקרע את בגדיו המלך קרע והם לא קרעו עכשיו שכבר קרעו שנאמר ויבא אליקים בן חלקיהו אשר על הבית ושבנא הסופר ויואח בן אסף המזכיר אל חזקיהו קרועי בגדים ויגידו את דברי רבשקה. ולא מתאחין מנ"ל אתיא קריעה קריעה מהתם: ירושלמי מהו לקרוע בזמן הזה משום ר' יוחנן אמרו משרבו הגדפנין בטל מלקרוע. מהו לקרוע על הכנויים נשמעיניה מהדא. ר"ל הוה מהלך בדרך נזדמן לו כותי הוה מגדף והוא קורע נחת מן חמרא ויהב ליה מרתיקא גו ליביה [באבן או באגרוף על לבו] אמר ליה רשע אית מאנין לאמך מספקא לי אילין שקרעתי הדא אמרת שקורעין על כנויין בזמן הזה: על שריפת התורה. שנאמר ויהי כקרא יהודי שלש דלתות וארבעה יקרעה בתער הסופר והשלך על האש. מהו שלש דלתות וארבע. תלת וארבע פסוקין. ובכולהו אמר אנא מלכא כיון דשמע לפסוקי חמישי היו צריה לראש אמר להו מי אמר אמרו ליה כי ה' הוגה על רוב פשעיה מיד קרעה בתער הסופר. קדר כל האזכרות שבו ושרפן באש. וכתיב ולא פחדו ולא קרעו בגדיהם מכלל דהוה להו למקרע: ירושלמי א"ר יוסי בשם רב אין קורעין אלא על ס"ת ששרפו מלך בזרוע. כגון יהויקים בן יאשיהו וחביריו. הרואה ת"ח שמת כרואה ס"ת שנשרף א"ר אבהו יבא עלי אם טעמתי כלום כל אותו היום. ר' יונה הוה בצור שמע [דדמך] בריה דר' אבהו. ואע"ג דאכל גובנא ושתה מיא אסקוה צום כל ההוא יומא. א"ר חלבו אמר רב הונא הרואה ס"ת שנשרף חייב לקרוע שתים. אחת על המגילה ואחת על הדברים. שנאמר ויהי דבר ה' אל ירמיהו אחרי שרוף המלך את המגלה ואת הדברים באש ואסיקנא אמר שמואל אין חייבין לקרוע אלא בשרפת התורה בזרוע כמעשה שהיה. אבל אי בלעה נעמיתה תפילי כדאמר רב הונא בר חייא לא. ערי יהודה שנאמר ויבאו אנשים משכם משילו ומשומרון שמונים איש מגולחי זקן וקרועי בגדים. א"ר אלעזר הרואה ערי יהודה בחורבנן אומר ערי קדשך היו מדבר וקורע. הרואה ירושלים בחורבנה אומר ציון מדבר היתה וקורע. בהמ"ק חרב אומר בית קדשנו ותפארתנו אשר הללוך אבותינו היה לשרפת אש וכל מחמדנו היה לחרבה וקורע. ואחד השומע ואחד הרואה כיון שהגיע לצופים קורע. ואי פגע בירושלים בפ"ע ועל מקדש בפ"ע. ואי פגע במקדש תחלה קורע על המקדש ומוסיף

חשק שלמה על ר"ח א) בירושלמי הגי' ועוד תורה וע"ש בפ"מ וקק"ע.

מסורת הש"ס

א) שמחות פ"ט, ב) [לעיל כב: ע"ש סנהדרין ס.], ג) [סנהדרין ס.], ד) [סנהדרין שם], ה) [נ"ל קם רבי אבא], ו) [בשאלתות איתא אמר ר' יהודה הרואה כו', ז) [נ"ל מאלישע].

הגהות הב"ח

(א) גמ' שלש דלתות וארבעה יקרעה בתער הסופר: (ב) תוס' ד"ה קדר כו' והא דיקרעה בתער: (ג) ד"ה משכם כו' דמגלחי זקן וקרועי בגדים ומתגודדים כו' דלא נילף כלל אפילו קריעה:

הגהות מהר"ב רנשבורג

אן גמ' רבי אבא ורב הונא בר חייא הוו יתבי קמיה דרבי אבא. נמחק תיבות קמיה דר' אבא וג"כ קם ר' אבא. כך שמעתי וראיתי יש מגיהים ולענ"ד אין צורך לזה דכבר בירר בס' באר שבע בהוריות דף ב' ע"א דלתלתא סתם ר' אבא הוו יעוש"ה: בן רש"י ד"ה אתיא קרע קרע מדוד עכ"ל. עיין שו"ת שער אפרים סי' לו שכתב דטעות הדפוס הוא ועיין עוד ספר יד דוד:

רש"י כת"י

[נדפס בדף כה:]

תורה אור השלם

א) וֶאֱלִישָׁע רֹאֶה וְהוּא מְצַעֵק אָבִי אָבִי רֶכֶב יִשְׂרָאֵל וּפָרָשָׁיו וְלֹא רָאָהוּ עוֹד וַיַּחֲזֵק בִּבְגָדָיו וַיִּקְרָעֵם לִשְׁנַיִם קְרָעִים: [מלכים ב' ב, יב]
ב) וַיַּחֲזֵק דָּוִד בִּבְגָדָיו וַיִּקְרָעֵם וְגַם כָּל הָאֲנָשִׁים אֲשֶׁר אִתּוֹ: וַיִּסְפְּדוּ וַיִּבְכּוּ וַיָּצֻמוּ עַד הָעָרֶב עַל שָׁאוּל וְעַל יְהוֹנָתָן בְּנוֹ וְעַל עַם יְיָ וְעַל בֵּית יִשְׂרָאֵל כִּי נָפְלוּ בֶּחָרֶב: [שמואל ב' א, יא-יב]
ג) וַיָּבֹא אֶלְיָקִים בֶּן חִלְקִיָּה אֲשֶׁר עַל הַבַּיִת וְשֶׁבְנָא הַסֹּפֵר וְיוֹאָח בֶּן אָסָף הַמַּזְכִּיר אֶל חִזְקִיָּהוּ קְרוּעֵי בְגָדִים וַיַּגִּדוּ לוֹ דִּבְרֵי רַבְשָׁקֵה: [מלכים ב' יח, לז]
ד) וַיְהִי כִּשְׁמֹעַ הַמֶּלֶךְ חִזְקִיָּהוּ וַיִּקְרַע אֶת בְּגָדָיו וַיִּתְכַּס בַּשָּׂק וַיָּבֹא בֵּית יְיָ: [מלכים ב' יט, א]
ה) וַיְהִי כִּקְרוֹא יְהוּדִי שָׁלֹשׁ דְּלָתוֹת וְאַרְבָּעָה יִקְרָעֶהָ בְּתַעַר הַסֹּפֵר וְהַשְׁלֵךְ אֶל הָאֵשׁ אֲשֶׁר אֶל הָאָח עַד תֹּם כָּל הַמְּגִלָּה עַל הָאֵשׁ אֲשֶׁר עַל הָאָח: [ירמיה לו, כג]
ו) אֵיכָה יָשְׁבָה בָדָד הָעִיר רַבָּתִי עָם הָיְתָה כְּאַלְמָנָה רַבָּתִי בַגּוֹיִם שָׂרָתִי בַּמְּדִינוֹת הָיְתָה לָמַס: [איכה א, א]
ז) בָּכוֹ תִבְכֶּה בַּלַּיְלָה וְדִמְעָתָהּ עַל לֶחֱיָהּ אֵין לָהּ מְנַחֵם מִכָּל אֹהֲבֶיהָ כָּל רֵעֶיהָ בָּגְדוּ בָהּ הָיוּ לָהּ לְאֹיְבִים: [איכה א, ב]
ח) גָּלְתָה יְהוּדָה מֵעֹנִי וּמֵרֹב עֲבֹדָה הִיא יָשְׁבָה בַגּוֹיִם לֹא מָצְאָה מָנוֹחַ כָּל רֹדְפֶיהָ הִשִּׂיגוּהָ בֵּין הַמְּצָרִים: [איכה א, ג]
ט) דַּרְכֵי צִיּוֹן אֲבֵלוֹת מִבְּלִי בָּאֵי מוֹעֵד כָּל שְׁעָרֶיהָ שׁוֹמֵמִין כֹּהֲנֶיהָ נֶאֱנָחִים בְּתוּלֹתֶיהָ נּוּגוֹת וְהִיא מַר לָהּ: [איכה א, ד]
י) הָיוּ צָרֶיהָ לְרֹאשׁ אֹיְבֶיהָ שָׁלוּ כִּי יְיָ הוֹגָהּ עַל רֹב פְּשָׁעֶיהָ עוֹלָלֶיהָ הָלְכוּ שְׁבִי לִפְנֵי צָר: [איכה א, ה]
כ) וְלֹא פָחֲדוּ וְלֹא קָרְעוּ אֶת בִּגְדֵיהֶם הַמֶּלֶךְ וְכָל עֲבָדָיו הַשֹּׁמְעִים אֵת כָּל הַדְּבָרִים הָאֵלֶּה: [ירמיה לו, כד]
ל) וַיְהִי דְבַר יְיָ אֶל יִרְמְיָהוּ אַחֲרֵי שְׂרֹף הַמֶּלֶךְ אֶת הַמְּגִלָּה וְאֶת הַדְּבָרִים אֲשֶׁר כָּתַב בָּרוּךְ מִפִּי יִרְמְיָהוּ לֵאמֹר: [ירמיה לו, כז]
מ) וַיָּבֹאוּ אֲנָשִׁים מִשְּׁכֶם מִשִּׁלוֹ וּמִשֹּׁמְרוֹן שְׁמֹנִים אִישׁ מְגֻלְּחֵי זָקָן וּקְרֻעֵי בְגָדִים וּמִתְגֹּדְדִים וּמִנְחָה וּלְבוֹנָה בְּיָדָם לְהָבִיא בֵּית יְיָ: [ירמיה מא, ה]
נ) עָרֵי קָדְשְׁךָ הָיוּ מִדְבָּר צִיּוֹן מִדְבָּר הָיָתָה יְרוּשָׁלַיִם שְׁמָמָה: [ישעיה סד, ט]
ס) בֵּית קָדְשֵׁנוּ וְתִפְאַרְתֵּנוּ אֲשֶׁר הִלְלוּךָ אֲבֹתֵינוּ הָיָה לִשְׂרֵפַת אֵשׁ וְכָל מַחֲמַדֵּינוּ הָיָה לְחָרְבָּה: [ישעיה סד, י]

the blasphemy originally.

The Gemara now further clarifies the original Baraisa's ruling: וְלֹא מִתְאַחִין מְנָלַן – **From where do we derive** that [**this rent**] **may not be mended?** אַתְיָא קְרִיעָה קְרִיעָה – **It is derived** through the *gezeirah shavah* of ***rending, rending.***[26]

The Gemara turns to the Baraisa's next rule:

סֵפֶר תּוֹרָה שֶׁנִּשְׂרַף מְנָלַן – Concerning **a Torah scroll that was burned, from where do we derive** that one who witnesses the tragedy must rend his garments? דִּכְתִיב ,,וַיְהִי כִּקְרוֹא יְהוּדִי שָׁלֹשׁ דְּלָתוֹת וְאַרְבָּעָה (ו)יִקְרָעֶהָ בְּתַעַר הַסֹּפֵר וְהַשְׁלֵךְ אֶל־הָאֵשׁ אֲשֶׁר אֶל־הָאָח וגו׳ ״ – **For it is written:** ***It happened that when Yehudi read three stanzas and four, [the king] cut it with a scribe's razor and threw it into the fire in the fireplace* etc.**[27]

The Gemara explains this verse:

מַאי ,,שָׁלֹשׁ דְּלָתוֹת וְאַרְבָּעָה״ – **What is** the meaning of ***three stanzas and four?*** I.e. why did the king cut and burn the scroll only after the reading of four verses? The incident unfolded as follows: אָמְרוּ לֵיהּ לִיהוֹיָקִים – **They said to** King **Yehoyakim:** כָּתַב יִרְמְיָה סֵפֶר קִינוֹת – **"Jeremiah wrote a Book of Lamentations** containing prophetic descriptions of doom." אָמַר לְהוּ מַה כְּתִיב בֵּיהּ – **He said to them: "What is written in it?"** ,,אֵיכָה יָשְׁבָה בָדָד״ – They recited the first verse: ***Alas! She sits in solitude!***[28] אָמַר לְהוּ אֲנָא מַלְכָּא – **[Yehoyakim] replied: "I am the king** [and will remain in power even if many of my subjects are exiled]!" Thus, he acted unfazed by this verse. אָמְרוּ לֵיהּ ,,בָּכוֹ תִבְכֶּה בַּלַּיְלָה״ – **They** then **told him** the next verse: ***She weeps bitterly in the night!***[29] אֲנָא מַלְכָּא – He replied: **"I am the king** [and will not be affected]!" ,,גָּלְתָה יְהוּדָה מֵעֹנִי״ – They told him the third verse: ***Judah has gone into exile amidst suffering!*** אֲנָא מַלְכָּא – He replied: **"I am the king!"** ,,דַּרְכֵי צִיּוֹן אֲבֵלוֹת״ – They read the fourth verse: ***The roads of Zion are mourning!*** אֲנָא מַלְכָּא – He replied: **"I am the king!"** ,,הָיוּ צָרֶיהָ לְרֹאשׁ״ – They then read the fifth verse: ***Her adversaries have become [her] master!*** This statement implied that he would lose the throne. אָמַר לְהוּ מַאן אָמְרָה – **He said to them: "Who said this?"** ,,כִּי־ה׳ הוֹגָה עַל־רֹב פְּשָׁעֶיהָ״ – They replied by reading further in that very verse: ***for Hashem has spoken [thus] of her, because of her abundant transgressions!***[30] מִיָּד קָדַר כָּל אַזְכָּרוֹת שֶׁבָּהּ וּשְׂרָפָן בָּאֵשׁ – **Immediately, he cut out all the Names** of God **that were in [the scroll] and burned them in the fire.**[31] וְהַיְינוּ דִּכְתִיב – **And this is** the meaning of **that which is written** critically, in the verse following the description of the burning:[32] ,,וְלֹא פָחֲדוּ וְלֹא קָרְעוּ אֶת־בִּגְדֵיהֶם״ – ***And they did not fear, nor did they rend their garments*** – *the king and all his servants.* מִכְּלָל דִּבְעוּ לְמִיקְרַע – **This implies that they were required to rend** their garments. Thus, we see that one is obligated to rend upon the burning of a Torah scroll or any other book of Scripture.[33]

This derivation is questioned:

אָמַר לֵיהּ רַב פָּפָּא לְאַבַּיֵי – **Rav Pappa said to Abaye:** אֵימַר מִשּׁוּם שְׁמוּעוֹת הָרָעוֹת – **One can say** that the reason the king and his servants were expected to rend their garments is **because of the bad tidings** of the impending destruction and exile that the scroll contained, and not because of its burning. – ? –

Abaye responds:

אָמַר לֵיהּ – **He said to [Rav Pappa]:** שְׁמוּעוֹת רָעוֹת בְּהַהִיא שַׁעְתָּא מִי הֲווּ – **Were the bad tidings** an actuality **at that time?** No, they were merely a prediction of future events, which could have been averted through repentance.[34] Therefore, the only possible cause for rending was the burning of the scroll.

A related teaching is cited:

אָמַר רַבִּי חֶלְבּוֹ אָמַר רַב הוּנָא – **R' Chelbo said in the name of Rav Huna:** הָרוֹאֶה סֵפֶר תּוֹרָה שֶׁנִּקְרַע – **One who sees a Torah scroll that is burned**[35] חַיָּיב לִקְרוֹעַ שְׁתֵּי קְרִיעוֹת – **is obligated to rend two rents** in his garment, אֶחָד עַל הַגְּוִיל – **one** of them **over the** destroyed **parchment,** וְאֶחָד עַל הַכְּתָב – **and** the other **one over the** eradicated **script.** שֶׁנֶּאֱמַר ,,אַחֲרֵי שְׂרֹף הַמֶּלֶךְ אֶת־הַמְּגִלָּה וְאֶת־הַדְּבָרִים״ – **For it is written** in the previously cited passage: ***after the king had burned the scroll and the words,*** and this

NOTES

26. The Gemara in *Sanhedrin* 60a explains as follows: Here, it is stated that Elyakim, Shevna and Yoach came to Chizkiyahu קְרוּעֵי בְגָדִים, *with rent garments,* and in the passage concerning Elisha it is written וַיִּקְרָעֵם לִשְׁנַיִם קְרָעִים, *and he rent them into two torn pieces.* Just as there the rent was never mended, so too here, the rent may never be mended.

Curiously, however, *Rashi* states that the *gezeirah shavah* links the rending of Chizkiyahu with the rending of *David* upon the death of Saul! *Ritva* explains that if the derivation would be from the passage of Elisha, merely linking the two occurences of the word *rent,* then we should derive from there that *any* rent may not be mended – not only the special rents mentioned in the Baraisa! [See also *Tosafos* ד״ה אתיא.] Rather, *Ritva* says, we derive the rent of a *king* (Chizkiyahu) that was made over a *report* (of blasphemy) from another rent of a *king* (David) that was made over a *report* (of Saul's death and the decimation of the House of Israel). It seems that *Rashi's* text of the Gemara stated explicitly that the linkage is between the rending of Chizkiyahu and that of David. Thus, our Gemara disagrees with the Gemara in *Sanhedrin* concerning the source of the law. *Rosh* §64 seems to have had yet another reading here (*Korban Nesanel;* cf. *Teshuvos Shaar Ephraim* §96, cited by *Korban Nesanel* and *Hagahos R' Betzalel Ronsburg*).

27. *Jeremiah* 36:23. The passage relates that Jeremiah had dictated to his disciple Baruch ben Neriah a dire prophecy of the calamities that would beset the nation with the impending destruction of the Temple, and Baruch had recorded it in a scroll. [This was the original version of the Scroll of *Eichah* (*Lamentations*). It contained what are today the first, second and fourth chapters of the Scroll. These were prophetically stated in advance of the event. Jeremiah later added the third and fifth chapters (*Rashi* to *Lamentations* 1:1).] The scroll was read publicly in the hope that this would trigger the Jews to repent, so that the destruction could be averted. Indeed, it had a great impact on those who heard it. However, when it was then read before King Yehoyakim, he coldly cut the scroll and burned it in the fire. The Gemara goes on to explain why he reacted thus after hearing "three stanzas and four." Later, the Gemara will conclude its proof that this situation called for the rending of garments.

In this context, a "stanza" is a verse (*Rashi;* cf. *R' Shlomo ben HaYasom*). It is called a stanza because when the scroll is read (on Tishah B'Av) the reader pauses slightly after each verse (*Rashi ms.;* see *Mishnah Berurah* 559:2).

28. *Lamentations* 1:1. "She" is the great city of Jerusalem, which – in the prohetic vision – is bereft of its citizens who have been exiled.

29. Ibid. v. 2.

30. The translation *for Hashem has spoken* follows *Rashi ms.* and reflects our Gemara's exposition of the verse. Accordingly, the word הוֹגָה is related to הֶגֶא, *speech.* However, הוֹגָה can also be related to יָגוֹן, *affliction,* which would lead to the translation *for Hashem has afflicted her* (*Rashi* to *Lamentations* 1:5).

31. [Thus, it was only when the *fifth* verse was read (*after* "three stanzas and four") that the king reacted.] *Tosafos* (ד״ה קדר) wonder why the Gemara states that he cut out and burned only the Names, when a simple reading of the verse indicates that he cut apart the entire scroll and burned it.

32. *Jeremiah* 36:24.

33. Once we know that a rent is required, we may apply the logic of *kal vachomer* to derive that it may never be mended. For if the rent over the death of one who *studied* the Torah (i.e. one's Torah teacher) may never be mended, certainly the rent over the burning of the Torah itself may never be mended (*Tos. HaRosh;* see further, *Rosh* §64 with *Tiferes Shmuel*).

34. *Ritva;* see also *Hagahos Yavetz* and *Sfas Emes.*

35. See *Rashash,* who emends שֶׁנִּקְרַע to שֶׁנִּשְׂרַף. See also *Shulchan Aruch* 340:37 with *Shach* §56 regarding a torn Torah scroll.

א) ואלו קרעין שאין מתאחין א הקורע על אביו ועל אמו ב ועל רבו שלימדו תורה ועל נשיא ועל אב ב"ד ג ועל שמועות הרעות ועל ברכת השם ועל ספר תורה שנשרף ד ועל ערי יהודה ועל המקדש ועל ירושלים ה וקורע על מקדש ומוסיף על ירושלים ו אביו ואמו ז ורבו שלימדו תורה מנלן דכתיב א) ואלישע ראה והוא מצעק אבי אבי רכב ישראל ופרשיו אבי אבי זה אביו ואמו רכב ישראל ופרשיו זה רבו שלימדו תורה מאי משמע כדמתרגם רב יוסף רבי רבי דטב להון לישראל בצלותיה מרתיכין ופרשין ולא מתאחין מנלן דכתיב א) ויחזק בבגדיו ויקרעם לשנים קרעים ממשמע שנאמר ג) ויקרעם איני יודע שלשנים אלא מלמד שקרועים ועומדים לשנים לעולם אמר ליה ריש לקיש לרבי יוחנן אליהו חי הוא אמר ליה כיון דכתיב א) ולא ראהו עוד לגבי דידיה כמת דמי ח נשיא ואב בית דין ט ושמועות הרעות מנלן דכתיב ב) ויחזק דוד בבגדיו ויקרעם וגם כל האנשים אשר אתו ויספדו ויבכו ויצומו עד הערב על שאול ועל יהונתן בנו ועל עם ה' ועל בית ישראל כי נפלו בחרב שאול זה נשיא יהונתן זה אב ב"ד על עם ה' ועל בית ישראל אלו שמועות הרעות א"ל רב בר שבא לרב כהנא ואימא עד דהוו כולהו א"ל על על הפסיק הענין ומי קרעינן אשמועות הרעות והא אמרו ליה לשמואל קטל שבור מלכא תריסר אלפי יהודאי במזיגת קסרי ולא קרע לא אמרו אלא י ברוב צבור וכמעשה שהיה ומי קטל שבור מלכא יהודאי והא א"ל שבור מלכא לשמואל תיתי לי דלא קטלי יהודי מעולם התם אינהו גרמי לנפשייהו דא"ר אמי לקל יתירי דמזיגת קסרי פקע שורא דלודקיא כ על ברכת השם מנלן דכתיב ג) ויבא אליקים בן חלקיה אשר על הבית ושבנא הסופר ויואח בן אסף המזכיר אל חזקיהו קרועי בגדים ג) ת"ר ל אחד השומע ואחד השומע מפי השומע חייב לקרוע והעדים אינן חייבין לקרוע שכבר קרעו בשעה ששמעו מאי הוי הא קא שמעי השתא לא ס"ד דכתיב ד) ויהי כשמוע המלך חזקיהו ויקרע את בגדיו המלך קרע והם לא קרעו ולא מתאחין מנלן ז) אתיא קריעה קריעה מ ספר תורה שנשרף מנלן דכתיב ה) ויהי כקרא יהודי שלש דלתות וארבעה (א) ויקרעה בתער הסופר והשלך אל האש אשר אל האח וגו' מאי שלש דלתות וארבעה אמרו ליה ליהויקים כתב ירמיה ספר קינות אמר להו מה כתיב ביה ו) איכה ישבה בדד אמר להו אנא מלכא א"ל ז) בכה תבכה בלילה אנא מלכא ח) גלתה יהודה מעוני אנא מלכא ט) דרכי ציון אבלות אנא מלכא י) היו צריה לראש אמר להו מאן אמרה י) כי ה' הוגה על רוב פשעיה מיד קדר כל אזכרות שבה ושרפן באש והיינו דכתיב כ) ולא פחדו ולא קרעו את בגדיהם מכלל דבעו למיקרע אמר ליה רב פפא לאביי אימר משום שמועות רעות א"ל שמועות רעות בההיא שעתא מי הוו א"ר חלבו אמר רב הונא הרואה ספר תורה שנקרע חייב לקרוע נ שתי קריעות אחד על הגויל ואחד על הכתב שנאמר ל) אחרי שרוף המלך את המגלה ואת הדברים רבי אבא ורב הונא בר חייא הוו יתבי ה) אן קמיה דרבי אבא בעא לאפנויי שקליה לטוטפתיה אחתיה אבי סדיא אתאי בת נעמיתא בעא למיבלעיה אמר השתא איחייבין לי שתי קריעות א"ל מנא לך הא והא בדידי הוה עובדא ואתאי לקמיה דרב מתנה ולא הוה בידיה אתאי לקמיה דרב יהודה ואמר לי הכי אמר שמואל לא אמרו ס אלא בזרוע וכמעשה שהיה ערי יהודה מנלן דכתיב מ) ויבאו אנשים משכם משילו ומשמרון שמונים איש מגולחי זקן וקרועי בגדים ומתגודדים ומנחה ולבונה בידם להביא בית ה' וגו' א"ר י) חלבו אמר עולא בירָאה ע אמר ר' אלעזר הרואה ערי יהודה בחורבנן אומר נ) ערי קדשך היו מדבר וקורע ירושלים בחורבנה אומר נ) ציון מדבר היתה ירושלם שממה וקורע בית המקדש בחורבנו אומר ס) בית קדשנו ותפארתנו אשר הללוך אבותינו היה לשריפת אש וכל מחמדינו היה לחרבה וקורע: קורע על מקדש ומוסיף על ירושלים: ורמינהו פ אחד השומע ואחד הרואה כיון שהגיע לצופים קורע וקורע על מקדש בפני עצמו ועל ירושלים בפני עצמה לא קשיא צ הא דפגע במקדש ברישא הא דפגע בירושלים ברישא תנו רבנן ק וכולן רשאין לשוללן ולמוללן וללוקטן ולעשותן כמין סולמות אבל לא לאחותן אמר רב חסדא ובאיחוי

רש"י

ואלו קרעין כו'. באבל רבתי במסכת שמחות (פ"ט): ברוב צבור. רוב ישראל: וכמעשה שהיה. בשאול ויהונתן: גרמו לנפשייהו. דמרדו ביה והא דקאמר לא קטלי יהודי רוצה לומר בחנם: לקול יתירי. לקול כנורות שמרדו: בן] אתיא קרע קרע (ז) מדוד): שלש דלתות וארבעה. כלומר ארבעה פסוקים: אנא מלכא. ואמלכא לא כתיב כלום: היו צריה לראש. שהנכרי ראש ולא אתה: משום שמועות רעות. על הגלות איבעי למיקרע: את המגילה. זה הגויל: ואת הדברים. זה הכתב: השתא. אי שקיל להו נעמיתא איבעי לי למיקרע על הגויל ועל הכתב דהוי כנשרף: בזרוע. שאין יכול להצילו: וכמעשה שהיה. דיהויקים אבל דנעמיתא דמלי להציל לא מיקרע: הא דפגע במקדש ברישא. כגון שנכנס לירושלים בשידה תיבה ומגדל דלא ראה ירושלים עד שראה בית המקדש קורע על המקדש ומוסיף על ירושלים אבל בשלא נכנס בתיבה ופגע בירושלים ברישא קורע על ירושלים בפני עצמה ועל המקדש בפני עצמו: כל הקרעים רשאין למוללן. לקפל בגד בתפירה: כעין סולמות. שאין מלקטין זה סמוך לזה אבל זה רחוק מזה שמלקט ברוחב כעין מעלות סולמות: מתוך

תוספות

ברכת השם מנלן. ועל ברכת השם דנכרים פליגי הכא בירושלמי אית דאמרי רבשקה ישראל מומר הוה אבל דנכרי לא ואית דאמרי נכרי הוה ובפרק ארבע מיתות (סנהדרין דף ס.) נמי פליגי בה בש"ס שלנו ובירושלמי הוה ריש לקיש קורע על ברכת השם:

ואחד השומע מפי השומעים. פירש בתוס' כגון מן העדים שאומרים זה ואם הוא אומר יכה יוסי את יוסי אין קורעין על זה וכן משמע בפ"ד מיתות (שם דף נו.):

אתיא קריעה. תימה אם כן נילף כל קריעות שלא יתאחו מקריעה קריעה ושמא לא מיסתבר ליה:

קדר כל האזכרות. תימה והא (ב) דקרעה בתער הסופר משמע כל המגילה ובירושלמי לא גרסינן האזכרות:

לא אמרו אלא בזרוע. ובירושלמי גרס ששרפה מלך ישראל בזרוע:

משכם משילו. לא שייך הכא למיפרך ואימא עד דאיכא תלתא אבל קצת קשה דאימר מילתא יתירתא הוה דמגלחי זקן (ג) ומתגודדים כתיב בההוא קרא ויש לומר דלא שייך למימר דלא נילף כלל אלא קריעה ולעיל (ד' כא.) הכי קאמר נמי נהי דגמרת שפיר קריעה מ"מ לא תילף מינה מעומד:

ובאיחוי

רבינו חננאל

ת"ר אלו קרעין שאסורין באיחוי פי' עשרה קרעים הללו הקורע על אביו ועל אמו ועל רבו שלמדו חכמה. ועל נשיא ועל אב ב"ד. ועל שמועות הרעות. ועל ברכת השם. ועל ס"ת שנשרף ועל חורבן ערי יהודה ועל חורבן המקדש [ועל ירושלים] וקורע על חורבן בהמ"ק ומוסיף על חורבן ירושלים: אביו ואמו ורבו שלמדו חכמה מהכא ואלישע ראה והוא מצעק אבי אבי רכב ישראל ופרשיו. אבי אבי זה אביו ואמו. רכב ישראל ופרשיו זה רבו שלמדו חכמה. כדמתרגם רבי רבי דטב להון לישראל בצלותך מן רתיכין ופרשין. ואע"ג דאליהו חי הוא כיון דכתיב ביה ולא ראהו עוד כמת הוא לגביה: ירושלמי כשם שקורעין על החכמים כך קורעין על תלמידיהן איזהו ת"ח חזקיה אמר כל השונה הלכות א) ועד תורה. א"ר יוסי הדא דאת אמרו בראשונה אבל עכשיו אפילו הלכות. ר' אבהו בשם ר' יוחנן כל שמבטל עסקיו מפני משנתו. תני כל ששואלין אותו ומשיב. א"ר אושעיא כגון אנא דרבבינן משגיחין עלינו וכן מתיבין ליה. א"ר אבא בר ממל כל שיודע לבאר משנתו ואנן אפילו רבבינן לא יכלי לבאר משנתנו איזהו רבו כל שפתח לו תחלה דברי ר' מאיר. ר' יהודה אומר כל שרוב תלמודו ממנו. שמואל חלץ בההוא שהאיר במשנתו. פי' ביאר לו משנתו זו ששנינו בתמיד. ושתי מפתחות היו לו אחד יורד לאמת השחי ואחד פותח כיון. פי' היה מכניס ידו ומורידה עד שיחין שהוא אמה ואח"כ היה מגיע למנעול ופותחו. והאחד היה נכון לפניו מכניס ידו כנגדו ופותח: ולא מתאחין שנאמר ויקרעם לשנים קרעים. ממשמע שנאמר ויקרעם איני יודע שהקריעה לשנים היא אלא מה ת"ל לשנים מלמד שקרועין לעולם לשנים. נשיא ואב ב"ד ושמועת הרעות שנאמר ויחזק דוד בבגדיו ויקרעם וגם כל האנשים אשר אתו ויספדו ויבכו על שאול ועל יהונתן ועל עם ה' ועל בית ישראל כי נפלו בחרב. שאול זה נשיא יהונתן זה אב ב"ד. על עם ה' על בית ישראל אלו שמועות רעות. ומקשינן ואימא לא קרעינן עד דאיכא כולהו. ופרקינן על על הפסיק הענין למימרא דקרעינן על כל אחד ואחד בפ"ע. ואסיקנא לא אמרו דקרעינן על שמועות הרעות אלא ברוב צבור. וכמעשה דשאול דהא שמואל שמע דקטל שבור מלכא י"ב אלפי יהודאי ולא קרע. ועל ברכת השם אחד השומע ואחד השומע מפי השומע חייבין לקרוע. והעדים אין חייבין לקרוע שכבר קרעו בעת ששמעו. שנאמר ויהי כשמוע המלך את דבריהם ויקרע את בגדיו המלך קרע והם לא קרעו עכשיו שכבר קרעו שנאמר ויבא אליקים בן חלקיהו אשר על הבית ושבנא הסופר ויואח בן אסף המזכיר אל חזקיהו קרועי בגדים ויגידו את דברי רבשקה. ולא מתאחין מנ"ל מאתיא קריעה קריעה מהתם: ירושלמי מהו לקרוע בזמן הזה משום ר' יוחנן אמרו משרבו הגדפנין בטל מלקרוע. מהו על הכנויים נשמעיניה מהדא. ר"ל הוה מהלך בדרך נזדמן לו כותי הוה מגדף והוא קורע נחת מן חמרא [illegible]

[illegible]

תורה אור השלם

א) ואלישע ראה והוא מצעק אבי אבי רכב ישראל ופרשיו ולא ראהו עוד ויחזק בבגדיו ויקרעם לשנים קרעים: [מלכים ב' ב, יב]

ב) ויחזק דוד בבגדיו ויקרעם וגם כל האנשים אשר אתו: ויספדו ויבכו ויצמו עד הערב על שאול ועל יהונתן בנו ועל עם ה' ועל בית ישראל כי נפלו בחרב: [שמואל ב' א, יא-יב]

ג) ויבא אליקים בן חלקיה אשר על הבית ושבנא הספר ויואח בן אסף המזכיר אל חזקיהו קרועי בגדים ויגדו לו דברי רבשקה: [מלכים ב' יח, לז]

ד) ויהי כשמע המלך חזקיהו ויקרע את בגדיו ויתכס בשק ויבא בית ה': [מלכים ב' יט, א]

ה) ויהי כקרוא יהודי שלש דלתות וארבעה יקרעה בתער הספר והשלך אל האש אשר אל האח עד תם כל המגלה על האש אשר על האח: [ירמיה לו, כג]

ו) איכה ישבה בדד העיר רבתי עם היתה כאלמנה רבתי בגוים שרתי במדינות היתה למס: [איכה א, א]

ז) בכו תבכה בלילה ודמעתה על לחיה אין לה מנחם מכל אהביה כל רעיה בגדו בה היו לה לאיבים: [איכה א, ב]

ח) גלתה יהודה מעני ומרב עבדה היא ישבה בגוים לא מצאה מנוח כל רדפיה השיגוה בין המצרים: [איכה א, ג]

ט) דרכי ציון אבלות מבלי באי מועד כל שעריה שוממין כהניה נאנחים בתולתיה נוגות והיא מר לה: [איכה א, ד]

י) היו צריה לראש איביה שלו כי ה' הוגה על רב פשעיה עולליה הלכו שבי לפני צר: [איכה א, ה]

כ) ולא פחדו ולא קרעו את בגדיהם המלך וכל עבדיו השמעים את כל הדברים האלה: [ירמיה לו, כד]

ל) ויהי דבר ה' אל ירמיהו אחרי שרף המלך את המגלה ואת הדברים אשר כתב ברוך מפי ירמיהו לאמר: [ירמיה לו, כז]

מ) ויבאו אנשים משכם משלו ומשמרון שמנים איש מגלחי זקן וקרעי בגדים ומתגדדים ומנחה ולבונה בידם להביא בית ה': [ירמיה מא, ה]

נ) ערי קדשך היו מדבר ציון מדבר היתה ירושלים שממה: [ישעיה סד, ט]

ס) בית קדשנו ותפארתנו אשר הללוך אבתינו היה לשרפת אש וכל מחמדינו היה לחרבה: [ישעיה סד, י]

מסורת הש"ס

א) שמחות פ"ט, ב) [לעיל כב: ע"ש סנהדרין ס.], ג) [סנהדרין ס.], ד) [סנהדרין ס], ה) [צ"ל קם רבי אבא], ו) [בשאלתות איתא אמר ר' יהודה הרואה כו'], ז) [צ"ל מלישנא].

עין משפט נר מצוה

קפז א מיי' פ"ט מהל' אבל הלכה ב ג סמג עשין ג טוש"ע י"ד סי' שמ סעיף טו:
קפח ב מיי' שם הלכה ה טוש"ע שם סעיף יז:
קפט ג מיי' שם הלכה ו טוש"ע שם סעיף לו:
קצ ד מיי' שם הלכה י ופ"ה מהלכות תענית הלכה יז יח טוש"ע א"ח סי' תקנד וטוש"ע שם סעיף לז:
קצא ה מיי' פ"ה מהל' תענית הלכה טז טוש"ע א"ח שם סעיף ב:
קצב ו מיי' פ"ט מהל' אבל הלכה ג ופ"ה מהלכות ג טור ש"ע י"ד סי' שם סעיף לח:
קצג ז מיי' שם הלכה ה ופ"ה מהלכות ת"ת הלכה ט סמג עשין ג טוש"ע י"ד סי' רמב סעיף כה:
קצד ח מיי' פ"ט מהל' אבל הלכה ג טוש"ע י"ד סי' שם סעיף יז:
קצה ט י מיי' שם טור ש"ע שם סעיף לז:
קצו כ ל מ נ ס מיי' שם הלכה ג ו טוש"ע שם סעיף לו:
קצז ע פ צ מיי' פ"ה מהלכות תענית הלכה טז טוש"ע א"ח סי' תקסא סעיף ג:
קצח ק מיי' שם הלכה יז ופ"ט מהלכות אבל הלכה ג טוש"ע א"ח שם סעיף ד וטוש"ע י"ד סי' שם סעיף לט:

הגהות הב"ח

(א) גמ' שלש דלתות וארבעה יקרעה בתער הסופר: (ב) תוס' ד"ה קדר כו' והא דיקרעה בתער: (ג) ד"ה משכם כו' דמגלחי זקן וקרועי בגדים ומתגודדים כו' דלא נילף כלל אפילו קריעה:

הגהות מהר"ב רנשבורג

אן גמ' רבי אבא ורב הונא בר חייא הוו יתבי קמיה דרבי אבא. נמחק תיבות קמיה דר' אבא וג"ב קם ר' אבא. כך שמעתי ולאיתי יש מגיהים ולענ"ד אין צורך לזה דכבר כ' בכ"מ בפי' שבע בהוריות דף יד ע"א דמלתא קמם ר' אבא הוו יתעו: בן רש"י ד"ה אתיא קרע קרע מדוד עכ"ל. עיין שו"ת שער אפרים בס"י ט שכתב דטעות הדפוס הוא ועיין עוד ספר יד דוד:

רש"י כת"י

[נדפס בדף כה:]

חשק שלמה על ר"ח א) בירושלמי הגי' ועד תורה וע"ש בפ"מ וקנ"ע.

implies that the burning of each, individually, was considered calamitous.[36]

A related incident is cited:

רַבִּי אַבָּא וְרַב הוּנָא בַּר חִיָּיא הֲווּ יָתְבֵי – R' Abba and Rav Huna bar Chiya were sitting together. (קמיה דרבי) [קָם רַבִּי] אַבָּא **– R' Abba arose**[37] בְּעָא לְאִפְּנוּיֵי **– for he needed to relieve himself.** שַׁקְלֵיהּ לְטוֹטַפְתֵּיהּ אַחְתֵּיהּ אַבֵּי סַדְיָא **– He removed his tefillin** and **placed them on a cushion.** אֲתַאי בַּת נַעֲמִיתָא בְּעָא לְמִיבְלְעֵיהּ **– An ostrich**[38] **came along and wanted to swallow them.** אָמַר הַשְׁתָּא אִיחַיְיבִין לִי שְׁתֵּי קְרִיעוֹת **– [R' Abba] said: Now,** if this had occurred, **I would have been obligated** to make **two rents** in my garment.[39] אָמַר לֵיהּ **– [Rav Huna bar Chiya] said to him:** מְנָא לָךְ הָא **– From where do you take this?** וְהָא בְּדִידִי הֲוָה עוּבְדָא **– Why, an incident** of this type **occurred with me,** myself, וַאֲתַאי לְקַמֵּיהּ דְּרַב מַתְּנָה **– and I came before Rav Masnah** to inquire whether I was obligated to rend, וְלָא הֲוָה בִּידֵיהּ **– and he did not know.** אֲתַאי לְקַמֵּיהּ דְּרַב יְהוּדָה **– I** then **came before Rav Yehudah** with my inquiry, וְאָמַר לִי **– and he told me:** הָכִי אָמַר שְׁמוּאֵל **– This is what Shmuel said:** לֹא אָמְרוּ אֶלָּא בִּזְרוֹעַ וּכְמַעֲשֶׂה שֶׁהָיָה **– They did not say** that one is required to rend over the destruction of a Scriptural passage, **except** where it is destroyed **forcibly, as in the incident that occurred** when Yehoyakim destroyed the Scroll of Lamentations and the onlookers were powerless to stop him. But where the destruction happens accidentally, rending is not required.[40]

The Gemara cites the source for the final laws of the original Baraisa:

עָרֵי יְהוּדָה מִנַּלָּן **–** Concerning the ruins of **the cities of Judah, from where do we derive** that one who sees them must rend his garments? דִּכְתִיב **– For it is written** concerning the period of the Destruction:[41] "וַיָּבֹאוּ אֲנָשִׁים מִשְּׁכֶם מִשִּׁלוֹ וּמִשֹּׁמְרוֹן **– *Men came from Shechem, from Shilo and from Shomron,*** שְׁמֹנִים אִישׁ מְגֻלְּחֵי זָקָן וּקְרֻעֵי בְגָדִים וּמִתְגֹּדְדִים **– *eighty men, with shaven beards and rent garments and having cut their flesh,*** וּמִנְחָה וּלְבוֹנָה בְּיָדָם לְהָבִיא בֵּית ה' וגו' " **– *with offering and frankincense in their hands to bring to the House of Hashem* etc.** These people were bringing offerings because they were unaware that the Temple had been destroyed, but they had rent their garments upon seeing the destroyed cities of Judah.[42]

The Gemara discusses in detail the procedure to be followed by one who sees the ruins of cities in Judah, Jerusalem and the Temple:

אָמַר רַבִּי חֶלְבּוֹ אָמַר עוּלָּא בִּירָאָה אָמַר רַבִּי אֶלְעָזָר **– R' Chelbo said in the name of Ulla Biraah, who said in the name of R' Elazar:** הָרוֹאֶה עָרֵי יְהוּדָה בְּחוּרְבָּנָן **– One who sees cities of Judah in their destroyed state**[43] אוֹמֵר "עָרֵי קָדְשְׁךָ הָיוּ מִדְבָּר" וְקוֹרֵעַ **– says: *Your holy cities have become a wilderness,***[44] **and** then **rends** his garment. יְרוּשָׁלַיִם בְּחוּרְבָּנָהּ **–** One who sees **Jerusalem in its destroyed state** אוֹמֵר "צִיּוֹן מִדְבָּר הָיָתָה יְרוּשָׁלַיִם שְׁמָמָה" וְקוֹרֵעַ **– says: *Zion has become a wilderness, Jerusalem a wasteland,***[45] **and rends** his garment. בֵּית הַמִּקְדָּשׁ בְּחוּרְבָּנוֹ **–** One who sees the site of **the Holy Temple in its destroyed state** אוֹמֵר "בֵּית קָדְשֵׁנוּ וְתִפְאַרְתֵּנוּ אֲשֶׁר הִלְלוּךָ אֲבֹתֵינוּ הָיָה לִשְׂרֵפַת אֵשׁ וְכָל־מַחֲמַדֵּינוּ הָיָה לְחָרְבָּה" וְקוֹרֵעַ **– says: *The Temple of our holiness and our splendor, where our fathers praised You, has become a fiery conflagration, and all that we desired has become a ruin,***[46] **and rends** his garment.

The Gemara quotes the final segment of the Baraisa it has been elucidating:

קוֹרֵעַ עַל מִקְדָּשׁ וּמוֹסִיף עַל יְרוּשָׁלַיִם **– ONE RENDS** his garment **OVER** the ruins of **THE TEMPLE** and **EXTENDS** the rent **OVER** the ruins of **JERUSALEM.**

A contradictory teaching is cited:

וּרְמִינְהוּ **– But contrast this with [the following Baraisa]** and note the contradiction: אֶחָד הַשּׁוֹמֵעַ **– WHETHER ONE HEARS** about the destruction of the Temple[47] וְאֶחָד הָרוֹאֶה **– OR ONE SEES** its ruins,[48] he is required to rend his garment. כֵּיוָן שֶׁהִגִּיעַ לְצוֹפִים קוֹרֵעַ **–** Concerning one who is traveling toward Jerusalem, **ONCE HE ARRIVES AT TZOFIM HE RENDS** his garment.[49] וְקוֹרֵעַ עַל

NOTES

36. "The scroll" refers to the parchment, and "the words" refers to the script (*Rashi*). The parchment of a book of Scripture is considered sacred in its own right (see *Yoreh Deah* 271:1).

As implied by the Gemara, the obligation to rend applies only to a person who witnesses the burning, not to one who hears a report of it (Tractate *Semachos* ch. 9; see also *Yoreh Deah* 340:37 with *Shach* §56; cf. *Meiri*).

37. The emendation of the text follows *Mesoras HaShas; cf. Hagahos R' Betzalel Ronsburg,* who preserves the original reading and explains it.

38. The translation is based on *Rashi ms.* and *Chizkuni* to *Leviticus* 11:16.

39. One over the parchment and the other over the script of the Torah passages that are contained in the tefillin. Even the destruction of a single passage of Scripture calls for rending, for we see that Yehoyakim and his servants were expected to rend over the burning of part of the scroll of *Eichah* (see *Rosh* §64 and *Shulchan Aruch, Yoreh Deah* 340:37; see also *Ritva,* and see *Darchei Moshe* 340:17 and *Pischei Teshuvah* 340:21). And although the ostrich would have *eaten* the tefillin and not burned them, rending would have been required, for one rends over the *destruction* of a Scriptural passage regardless of how this occurs (*Rashi; Bach, Yoreh Deah* 340:35, cited by *Taz* §24 and *Shach* §56; cf. *Beis Yosef* 340:37; see also *Tosafos* ד"ה לא אמרו).

40. *Rashi ms.* The reason one who sees the destruction of a Torah scroll must rend his garment is that he has witnessed a desecration of God's honor. This applies only where a person does the act wickedly, not where an accident occurs (*Bach* and *Shach* ibid.).

41. *Jeremiah* 41:5.

42. *Rashi ms.* The verse does not mean that they rent their garments upon seeing Shechem, Shilo and Shomron, for those are part of the Northern Kingdom of Israel, not Judea. Rather, it means that they *came* from those areas, but they rent their garments upon arriving in Mitzpah (see v. 1 of the cited chapter), which was one of the destroyed cities of Judea (*Beis Yosef* and *Bach, Orach Chaim* 561:1; cf. *Tosafos* ד"ה משכם).

Since we learn from here that one who sees the ruined cities of Judea must rend, we derive logically that one must certainly rend over the ruins of Jerusalem and the Temple (*Bach* ibid.).

As for the rule that the rent may never be mended, this is based on the fact that the verse says the eighty men were קְרֻעֵי בְגָדִים, *with rent garments,* which implies that the garments were permanently rent (*Tos. HaRosh*). This same phrase appears in the verse that was cited above concerning blasphemy (*II Kings* 18:37): King Chizkiyah's servants came before him קְרֻעֵי בְגָדִים, *with rent garments,* and we derived above that the garments were never allowed to be mended (see *Rosh* §64).

43. They are considered "in a destroyed state" as long as they are under foreign domination, even if they have physically been rebuilt and are inhabited by Jews (*Beis Yosef* and *Bach* ibid.; see *Igros Moshe, Orach Chaim* vol. 5 §37:1, for a discussion of the law nowadays).

44. *Isaiah* 64:9.

45. Ibid.

46. Ibid. v. 10. See *Bach, Orach Chaim* 561:4, and *Mishnah Berurah* 561:6, who cite additional lamentations that are appropriate for this occasion.

47. This refers to a person who was alive at the time of the Destruction (*Rashi ms.; see also Ritva; cf. Bach, Orach Chaim* 561:3; *Rashash*).

48. In any generation (*Rashi ms.*).

49. Tzofim is a village near Jerusalem from which one can see the Temple site (*Rashi* to *Pesachim* 49a). [Even if one can discern the Temple ruins before he arrives at Tzofim he should not rend his garment then, but should wait until reaching Tzofim, for from there he can see

ו) ואלו קרעין שאין מתאחין א הקורע על אביו ועל אמו ב ועל רבו שלימדו תורה ועל נשיא ועל אב ב"ד ג ועל שמועות הרעות ועל ברכת השם ועל ספר תורה שנשרף ד ועל ערי יהודה ועל המקדש ועל ירושלים ה וקורע על מקדש ומוסיף על ירושלים ו אביו ואמו ז ורבו שלימדו תורה מנלן דכתיב א) ואלישע ראה והוא מצעק אבי אבי רכב ישראל ופרשיו אבי אבי זה אביו ואמו רכב ישראל ופרשיו זה רבו שלימדו תורה מאי משמע כדמתרגם רב יוסף רבי רבי דטב להון לישראל בצלותיה מרתיכין ופרשין ולא מתאחין מנלן דכתיב א) ויחזק בבגדיו ויקרעם לשנים קרעים ממשמע שנאמר ג) ויקרעם איני יודע שלשנים אלא מלמד שקרועים ועומדים לשנים לעולם אמר ליה ריש לקיש לרבי יוחנן אליהו חי הוא אמר ליה כיון דכתיב א) ולא ראהו עוד לגבי דידיה כמת דמי ח נשיא ואב בית דין ט ושמועות הרעות מנלן דכתיב ב) ויחזק דוד בבגדיו ויקרעם וגם כל האנשים אשר אתו ויספדו ויבכו ויצומו עד הערב על שאול ועל יהונתן בנו ועל עם ה' ועל בית ישראל כי נפלו בחרב שאול זה נשיא יהונתן זה אב ב"ד על עם ה' ועל בית ישראל אלו שמועות הרעות א"ל רב בר שבא לרב כהנא ואימא עד דהוו כולהו א"ל על על הפסיק הענין ומי קרעינן אשמועות הרעות והא אמרו ליה לשמואל קטל שבור מלכא תריסר אלפי יהודאי במזיגת קסרי ולא קרע לא אמרו אלא י ברוב צבור וכמעשה שהיה ומי קטל שבור מלכא יהודאי והא א"ל שבור מלכא לשמואל תיתי לי דלא קטלי יהודי מעולם התם אינהו גרמי לנפשייהו דא"ר אמי לקל יתירי דמזיגת קסרי פקע שורא דלודקיא כ על ברכת השם מנלן דכתיב ג) ויבא אליקים בן חלקיה אשר על הבית ושבנא הסופר ויואח בן אסף המזכיר אל חזקיהו קרועי בגדים ל ת"ר ל אחד השומע ואחד השומע מפי השומע חייב לקרוע והעדים אינן חייבין לקרוע שכבר קרעו בשעה ששמעו מאי הוי הא קא שמעי השתא לא ס"ד דכתיב ד) ויהי כשמוע המלך חזקיהו ויקרע את בגדיו המלך קרע והם לא קרעו ולא מתאחין מנלן ד אתיא קריעה קריעה מ ספר תורה שנשרף מנלן דכתיב ה) ויהי כקרא יהודי שלש דלתות וארבעה (א) ויקרעה בתער הסופר והשלך אל האש אשר אל האח וגו' מאי שלש דלתות וארבעה אמרו ליה ליהויקים כתב ירמיה ספר קינות אמר להו מה כתיב ביה ו) איכה ישבה בדד אמר להו אנא מלכא א"ל ז) בכה תבכה בלילה אנא מלכא ח) גלתה יהודה מעוני אנא מלכא ט) דרכי ציון אבלות אנא מלכא י) היו צריה לראש אמר להו מאן אמרה י) כי ה' הוגה על רוב פשעיה מיד קדר כל אזכרות שבה ושרפן באש והיינו דכתיב כ) ולא פחדו ולא קרעו את בגדיהם מכלל דבעו למיקרע אמר ליה רב פפא לאביי אימר משום שמועות הרעות א"ל שמועות רעות בההיא שעתא מי הוו א"ר חלבו אמר רב הונא הרואה ספר תורה שנקרע חייב לקרוע נ שתי קריעות אחד על הגויל ואחד על הכתב שנאמר ל) אחרי שרוף המלך את המגלה ואת הדברים רבי אבא ורב הונא בר חייא הוו יתבי ס) א] קמיה דרבי אבא בעא לאפנויי שקליה לטוטפתיה אחתיה אבי סדיא אתאי בת נעמיתא בעא למיבלעיה אמר השתא איחייבין לי שתי קריעות א"ל מנא לך הא והא בדידי הוה עובדא ואתאי לקמיה דרב מתנה ולא הוה בידיה אתאי לקמיה דרב יהודה ואמר לי הכי אמר שמואל לא אמרו פ אלא בזרוע וכמעשה שהיה ערי יהודה מנלן דכתיב מ) ויבאו אנשים משכם משילו ומשמרון שמונים איש מגולחי זקן וקרועי בגדים ומתגודדים ומנחה ולבונה בידם להביא בית ה' וגו' א"ר י) חלבו אמר עולא ביראה ע אמר ר' אלעזר הרואה ערי יהודה בחורבנן אומר נ) ערי קדשך היו מדבר וקורע ירושלים בחורבנה אומר נ) ציון מדבר היתה ירושלם שממה וקורע בית המקדש בחורבנו אומר ס) בית קדשנו ותפארתנו אשר הללוך אבותינו היה לשריפת אש וכל מחמדינו היה לחרבה וקורע: קורע על מקדש ומוסיף על ירושלים: ורמינהו פ אחד השומע ואחד הרואה כיון שהגיע לצופים קורע וקורע על מקדש בפני עצמו ועל ירושלים בפני עצמה לא קשיא צ הא דפגע במקדש ברישא הא דפגע בירושלים ברישא תנו רבנן ק וכולן רשאין לשוללן ולמוללן וללוקטן ולעשותן כמין סולמות אבל לא לאחותן אמר רב חסדא ובאיחוי

רש"י

ואלו קרעין כו'. באבל רבתי במסכת שמחות (פ"ט): ברוב צבור. רוב ישראל: וכמעשה שהיה. בשאול ויהונתן: גרמו לנפשייהו. דמרדו ביה והא דקאמר לא קטלי יהודי רוצה לומר בחנם: לקול יתירי. לקול כנורות שמרדו: ב] אתיא קרע קרע (ז' מלוד): שלש דלתות וארבעה. כלומר ארבעה פסוקים: אנא מלכא. ואמלכא לא כתיב כלום: היו צריה לראש. שהנכרי ראש ולא אתה: משום שמועות רעות. על הגלות איבעי למיקרע: את המגילה. זה הגויל: ואת הדברים. זה הכתב: השתא. אי שקיל להו נעמיתא איבעי לי למיקרע על הגויל ועל הכתב דהוי כנשרף: בזרוע. שאין יכול להצילו: וכמעשה שהיה. דיהויקים אבל דנעמיתא דמצי להציל לא מיקרע: הא דפגע במקדש ברישא. כגון שנכנס לירושלים בשידה תיבה ומגדל דלא ראה ירושלים עד שראה בית המקדש קורע על המקדש ומוסיף על ירושלים אבל בשלא נכנס בתיבה ופגע בירושלים ברישא קורע על ירושלים בפני עצמה ועל המקדש בפני עצמו: כל הקרעים רשאין למוללן. לקפל בגד בתפירה: כעין סולמות. שאין מלקטין זה סמוך לזה אבל זה רחוק מזה שמלקט ברוחב כעין מעלות סולמות: מתוך

תוספות

ברכת השם מנלן. ועל ברכת השם דנכרים פליגי הכא בירושלמי אית דאמרי רבשקה ישראל מומר הוה אבל דנכרי לא ואית דאמרי נכרי הוה ובפרק ארבע מיתות (סנהדרין דף ס.) נמי פליגי בה בש"ס שלנו ובירושלמי הוה ריש לקיש קורע על ברכת השם:

ואחד השומע מפי השומעים. פירש בתוס' כגון מן העדים שאומרים זה ואם הוא אומר יכה יוסי את יוסי אין קורעין על זה וכן משמע בפ"ד מיתות (שם דף נו.):

אתיא קריעה. תימה אם כן נילף כל קריעות שלא יתאחו מקריעה קריעה ושמא לא מיסתבר ליה: קדר כל האזכרות. תימה והא (ב) דקרעה בתער הסופר משמע כל המגילה ובירושלמי לא גרסינן האזכרות: לא אמרו אלא בזרוע. ובירושלמי גרס ששרפה מלך ישראל בזרוע:

משכם משילו. לא שייך הכא למיפרך ואימא עד דאיכא תלתא אבל קצת קשה דאימר מילתא יתירתא הוה דמגלחי זקן (ג) ומתגודדים כתיב בהאי קרא ויש לומר דלא שייך למימר דלא נילף כלל אלא קריעה ולעיל (ד' כא.) הכי קאמר נמי נהי דגמרת שפיר קריעה מ"מ לא תילף מינה מעומד:

ובאיחוי

מסורת הש"ס

א) שמחות פ"ט, ב) [לעיל כב: ע"ש סנהדרין ס.], ג) [סנהדרין ס.], ד) [סנהדרין שם], ה) [נ"ל קם רבי אבא], ו) [בשאלתות איתא אמר ר' יהודה הרואה כו', ז) [נ"ל מאלישע].

הגהות הב"ח

(א) גמ' שלש דלתות וארבעה יקרעה בתער הסופר: (ב) תום' ד"ה קדר כו' והא דיקרעה בתער: (ג) ד"ה משכם כו' דמגלחי זקן וקרועי בגדים ומתגודדים כו' דלא נילף כלל אפילו קריעה:

הגהות מהר"ב רנשבורג

א] גמ' רבי אבא ורב הונא בר חייא הוו יתבי קמיה דרבי אבא. נמחק תיבות קמיה דר' אבא ונ"ב קם ר' אבא. כך שמעתי וראיתי יש מגיהים ולענ"ד אין צורך לזה דכבר בירר בס' באר שבע בהוריות דף ג' ע"א דתלתא הוו ר' אבא הוו יעוש"ה: ב] רש"י ד"ה אתיא קרע קרע מדוד עכ"ל. עיין שו"ת שער אפרים סי' נו שכתב דטעות הדפוס הוא ועיין עוד ספר יד דוד:

רש"י כת"י

[נדפס בדף כה:]

תורה אור השלם

א) וֶאֱלִישָׁע רֹאֶה וְהוּא מְצַעֵק אָבִי אָבִי רֶכֶב יִשְׂרָאֵל וּפָרָשָׁיו וְלֹא רָאָהוּ עוֹד וַיַּחֲזֵק בִּבְגָדָיו וַיִּקְרָעֵם לִשְׁנַיִם קְרָעִים: [מלכים ב' ב, יב]

ב) וַיַּחֲזֵק דָּוִד בִּבְגָדָיו וַיִּקְרָעֵם וְגַם כָּל הָאֲנָשִׁים אֲשֶׁר אִתּוֹ: וַיִּסְפְּדוּ וַיִּבְכּוּ וַיָּצֻמוּ עַד הָעָרֶב עַל שָׁאוּל וְעַל יְהוֹנָתָן בְּנוֹ וְעַל עַם יְיָ וְעַל בֵּית יִשְׂרָאֵל כִּי נָפְלוּ בֶּחָרֶב: [שמואל ב' א, יא-יב]

ג) וַיָּבֹא אֶלְיָקִים בֶּן חִלְקִיָּה אֲשֶׁר עַל הַבָּיִת וְשֶׁבְנָא הַסֹּפֵר וְיוֹאָח בֶּן אָסָף הַמַּזְכִּיר אֶל חִזְקִיָּהוּ קְרוּעֵי בְגָדִים וַיַּגִּדוּ לוֹ דִּבְרֵי רַבְשָׁקֵה: [מלכים ב' יח, לז]

ד) וַיְהִי כִּשְׁמֹעַ הַמֶּלֶךְ חִזְקִיָּהוּ וַיִּקְרַע אֶת בְּגָדָיו וַיִּתְכַּס בַּשָּׂק וַיָּבֹא בֵּית יְיָ: [מלכים ב' יט, א]

ה) וַיְהִי כִּקְרוֹא יְהוּדִי שָׁלֹשׁ דְּלָתוֹת וְאַרְבָּעָה יִקְרָעֶהָ בְּתַעַר הַסֹּפֵר וְהַשְׁלֵךְ אֶל הָאֵשׁ אֲשֶׁר אֶל הָאָח עַד תֹּם כָּל הַמְּגִלָּה עַל הָאֵשׁ אֲשֶׁר עַל הָאָח: [ירמיה לו, כג] ו) אֵיכָה יָשְׁבָה בָדָד הָעִיר רַבָּתִי עָם הָיְתָה כְּאַלְמָנָה רַבָּתִי בַגּוֹיִם שָׂרָתִי בַּמְּדִינוֹת הָיְתָה לָמַס: [איכה א, א] ז) בָּכוֹ תִבְכֶּה בַּלַּיְלָה וְדִמְעָתָהּ עַל לֶחֱיָהּ אֵין לָהּ מְנַחֵם מִכָּל אֹהֲבֶיהָ כָּל רֵעֶיהָ בָּגְדוּ בָהּ הָיוּ לָהּ לְאֹיְבִים: [איכה א, ב] ח) גָּלְתָה יְהוּדָה מֵעֹנִי וּמֵרֹב עֲבֹדָה הִיא יָשְׁבָה בַגּוֹיִם לֹא מָצְאָה מָנוֹחַ כָּל רֹדְפֶיהָ הִשִּׂיגוּהָ בֵּין הַמְּצָרִים: [איכה א, ג] ט) דַּרְכֵי צִיּוֹן אֲבֵלוֹת מִבְּלִי בָּאֵי מוֹעֵד כָּל שְׁעָרֶיהָ שׁוֹמֵמִין כֹּהֲנֶיהָ נֶאֱנָחִים בְּתוּלֹתֶיהָ נּוּגוֹת וְהִיא מַר לָהּ: [איכה א, ד] י) הָיוּ צָרֶיהָ לְרֹאשׁ אֹיְבֶיהָ שָׁלוּ כִּי יְיָ הוֹגָהּ עַל רֹב פְּשָׁעֶיהָ עוֹלָלֶיהָ הָלְכוּ שְׁבִי לִפְנֵי צָר: [איכה א, ה] כ) וְלֹא פָחֲדוּ וְלֹא קָרְעוּ אֶת בִּגְדֵיהֶם הַמֶּלֶךְ וְכָל עֲבָדָיו הַשֹּׁמְעִים אֵת כָּל הַדְּבָרִים הָאֵלֶּה: [ירמיה לו, כד] ל) וַיְהִי דְבַר יְיָ אֶל יִרְמְיָהוּ אַחֲרֵי שְׂרֹף הַמֶּלֶךְ אֶת הַמְּגִלָּה וְאֶת הַדְּבָרִים אֲשֶׁר כָּתַב בָּרוּךְ מִפִּי יִרְמְיָהוּ לֵאמֹר: [ירמיה לו, כז] מ) וַיָּבֹאוּ אֲנָשִׁים מִשְּׁכֶם מִשִּׁלוֹ וּמִשֹּׁמְרוֹן שְׁמֹנִים אִישׁ מְגֻלְּחֵי זָקָן וּקְרֻעֵי בְגָדִים וּמִתְגֹּדְדִים וּמִנְחָה וּלְבוֹנָה בְּיָדָם לְהָבִיא בֵּית יְיָ: [ירמיה מא, ה] נ) עָרֵי קָדְשְׁךָ הָיוּ מִדְבָּר צִיּוֹן מִדְבָּר הָיָתָה יְרוּשָׁלַיִם שְׁמָמָה: [ישעיה סד, ט] ס) בֵּית קָדְשֵׁנוּ וְתִפְאַרְתֵּנוּ אֲשֶׁר הִלְלוּךָ אֲבֹתֵינוּ הָיָה לִשְׂרֵפַת אֵשׁ וְכָל מַחֲמַדֵּינוּ הָיָה לְחָרְבָּה: [ישעיה סד, י]

עין משפט נר מצוה

קפז א מיי' פ"ט מהל' אבל הלכה ב ג סמג עשין ב טוש"ע י"ד סי' שמ סעיף טו:
קפח ב מיי' שם הלכה ה טוש"ע שם סעיף יז:
קפט ג מיי' שם הלכה ו טוש"ע שם סעיף לו:
קצ ד מיי' שם הלכה י ופ"ה מהלכות תענית הלכה יז יח טוש"ע שם סעיף לח וטוש"ע א"ח סי' תקסא סעיף א:
קצא ה מיי' פ"ה מהל' תענית הלכה טז טוש"ע א"ח שם סעיף ב:
קצב ו מיי' פ"ח מהל' אבל הלכה ג ופ"ט הלכה ב טור ש"ע י"ד סי' שמ סעיף א:
קצג ז מיי' שם פ"ט הלכה ה ופ"ה מהלכות ת"ת הלכה ט סמג עשין ב טוש"ע שם סעיף ח וסי' רמב סעיף כה:
קצד ח מיי' פ"ט מהל' אבל הלכה ב ו טוש"ע י"ד סי' שמ סעיף יז:
קצה ט י מיי' שם טור ש"ע שם סעיף לו:
קצו כ ל מ נ ס מיי' שם הלכה ב ט טוש"ע שם סעיף לז:
קצז ע פ צ מיי' פ"ה מהלכות תענית הלכה טז טוש"ע א"ח סי' תקסא סעיף א ב:
קצח ק מיי' שם הלכה יז ופ"ט מהלכות אבל הלכה ג טוש"ע א"ח שם סעיף ד וטוש"ע י"ד סי' שמ סעיף לט:

רבינו חננאל

ת"ר אלו קרעין שאסורין באיחוי פי' עשרה קרעים הללו הקורע על אביו ועל אמו ועל רבו שלמדו חכמה. ועל נשיא ועל אב ב"ד. ועל שמועות הרעות. ועל ברכת השם. ועל ס"ת שנשרף ועל חורבן ערי יהודה ועל חורבן המקדש [ועל ירושלים] וקורע על חורבן בהמ"ק ומוסיף על חורבן ירושלים: אביו ואמו ורבו שלמדו חכמה מהכא ואלישע ראה והוא מצעק אבי אבי רכב ישראל ופרשיו. אבי אבי זה אביו ואמו. רכב ישראל ופרשיו זה רבו שלמדו חכמה. כדמתרגם רבי רבי דטב להון לישראל בצלותך מן רתיכין ופרשין. ואע"ג דאליהו חי הוא כיון דכתיב ביה ולא ראהו עוד כמת הוא לגביה: ירושלמי כשם שקורעין על החכמים כך קורעין על תלמידיהן איזהו ת"ח חזקיה אמר כל השונה הלכות א) ועד תורה. א"ר יוסי הדא דאת אמרו בראשונה אבל עכשיו אפילו הלכות. ר' אבוה בשם ר' יוחנן כל שמבטל עסקיו מפני משנתו. תני כל ששואלין אותו ומשיב. א"ר אושעיא כגון אנא דרבבינן משגיחין עלינו וכן מתיבין ליה. א"ר אבא בר ממל כל שיודע לבאר משנתו ואנן אפילו רבבינן לא יכלי לבאר משנתנו איזהו רבו כל שפתח לו תחלה דברי ר' מאיר. ר' יהודה אומר כל שרוב תלמודו ממנו. שמואל חלץ בההוא שהאיר במשנתו. פי' ביאר לו משנתו זו ששנינו בתמיד. ושתי מפתחות היו לו אחד יורד לאמת השחי ואחד פותח כיון. פי' היה מכניס ידו ומורדה עד שיחין שהוא אמה ואח"כ היה מגיע למנעול ופותחו. והאחד היה נכון לפניו מכניס ידו כנגדו ופותח: ולא מתאחין שנאמר ויקרעם לשנים קרעים. ממשמע שנאמר ויקרעם איני יודע שהקריעה לשנים היא אלא מה ת"ל לשנים מלמד שקורעין לעולם לשנים. נשיא ואב ב"ד ושמועת הרעות שנאמר ויחזק דוד בבגדיו ויקרעם וגם כל האנשים אשר אתו ויספדו ויבכו על שאול ועל יהונתן ועל עם ה' ועל בית ישראל כי נפלו בחרב. שאול זה נשיא יהונתן זה אב ב"ד. על עם ה' על בית ישראל אלו שמועות רעות. ומקשינן ואימא לא קרעינן עד דאיכא כולהו. ופרקינן על על הפסיק הענין למימרא דקרעינן על כל אחד ואחד בפ"ע. ואסיקנא לא אמרו דקרעינן על שמועות הרעות אלא ברוב צבור. וכמעשה דשאול דהא שמואל שמע דקטל שבור מלכא י"ב אלפי יהודאי ולא קרע. ועל ברכת השם אחד השומע. ואחד השומע מפי השומע חייבין לקרוע. והעדים אין חייבין לקרוע שכבר קרעו בעת ששמעו. שנאמר ויהי כשמוע המלך את דבריהם ויקרע את בגדיו המלך קרע והם לא קרעו עכשיו שכבר קרעו שנאמר ויבא אליקים בן חלקיהו אשר על הבית ושבנא הסופר ויואח בן אסף המזכיר אל חזקיהו קרועי בגדים ויגידו את דברי רבשקה. ולא מתאחין מנ"ל אתיא קריעה קריעה מהתם: ירושלמי מהו לקרוע בזמן הזה משום ר' יוחנן אמרו משרבו הגדפנין בטל מלקרוע. מהו לקרוע על הכנויים נשמעיניה מהדא. ר"ל הוה מהלך בדרך נזדמן לו כותי הוה מגדף והוא קורע מגדף והוא קורע נחת מן חמרא ויהב ליה מרתיקא גו ליביה [באבן או באגרוף על לבו] אמר ליה רשע אית מאנין לאמך מספקא לי אילין שקרעתי הדא אמרת שקורעין על כנויין בזמן הזה: על שריפת התורה. שנאמר ויהי כקרא יהודי שלש דלתות וארבעה יקרעה בתער הסופר והשלך על האש. מהו שלש דלתות וארבעה. תלת וארבע פסוקין. ובכולהו אמר אנא מלכא כיון דשמע לפסוקי חמישי היו צריה לראש אמר להו מי אמר אמרו ליה כי ה' הוגה על רוב פשעיה מיד קרעה בתער הסופר. קדר כל האזכרות שבו ושרפן באש. וכתיב ולא פחדו ולא קרעו בגדיהם מכלל דהוה להו למקרע: ירושלמי א"ר יוסי בשם רב אין קורעין אלא על ס"ת ששרפו מלך בזרוע. כגון יהויקים בן יאשיהו וחביריו. הרואה ת"ח שמת כרואה ס"ת שנשרף א"ר אבהו יבא עלי אם טעמתי כלום כל אותו היום. ר' יונה הוה בצור שמע [דדמך] בריה דר' אבהו. ואע"ג דאכל גובנא ושתה מיא אסקוה צום כל ההוא יומא. א"ר חלבו אמר רב הונא הרואה ס"ת שנשרף חייב לקרוע שתים. אחת על המגילה ואחת על הדברים. שנאמר ויהי דבר ה' אל ירמיהו אחרי שרוף המלך את המגלה ואת הדברים באש ואסיקנא אמר שמואל אין חייבין לקרוע אלא בשרפת התורה בזרוע כמעשה שהיה. אבל אי בלעה נעמיתה תפילי כדאמר רב הונא בר חייא לא. ערי יהודה שנאמר ויבאו אנשים משכם משילו ומשומרון שמונים איש מגולחי זקן וקרועי בגדים. א"ר אלעזר הרואה ערי יהודה בחורבנן אומר ערי קדשך היו מדבר וקורע. הרואה ירושלים בחורבנה אומר ציון מדבר היתה וקורע. בהמ"ק חרב אומר בית קדשנו ותפארתנו אשר הללוך אבותינו היה לשרפת אש וכל מחמדנו היה לחרבה וקורע. ואחד השומע ואחד הרואה כיון שהגיע לצופים קורע. ואי פגע בירושלים תחלה קורע על ירושלים בפ"ע ועל מקדש בפ"ע. ואי פגע במקדש תחלה קורע על המקדש ומוסיף

חשק שלמה על ר"ח א) בירושלמי הגי' ועוד תורה וע"ש בפ"מ ובק"ע.

מִקְדָּשׁ בִּפְנֵי עַצְמוֹ – AND HE MUST REND it FOR THE TEMPLE BY ITSELF, וְעַל יְרוּשָׁלַיִם בִּפְנֵי עַצְמָהּ – AND FOR JERUSALEM BY ITSELF. This Baraisa teaches that a new rent is required for Jerusalem, and it is not sufficient to merely extend the original one. – ? –

The Gemara answers:

לֹא קַשְׁיָא – There is **no difficulty.** הָא דְּפָגַע בְּמִקְדָּשׁ בְּרֵישָׁא – **This** original **[Baraisa],** which teaches that extending the previous rent suffices, refers to the case **where one encounters the Temple** ruins **first** and those of Jerusalem later.[50] הָא דְּפָגַע בִּירוּשָׁלַיִם בְּרֵישָׁא – But **that** latter **[Baraisa],** which requires two separate rents, refers to the case **where one encounters** the ruins of **Jerusalem first** and those of the Temple later.[51]

The original Baraisa listed instances in which a rent may never be mended. Here, the Gemara cites a Baraisa that qualifies this rule: תָּנוּ רַבָּנָן – **The Rabbis taught in a Baraisa:** וְכוּלָּן – AND concerning ALL OF THEM [the rents mentioned above], רַשָּׁאִין לְשׁוֹלְלָן – ONE IS PERMITTED TO BASTE THEM,[52] וּלְמוֹלְלָן – TO FOLD THEM,[53] וּלְלוֹקְטָן – TO GATHER THEM,[54] וְלַעֲשׂוֹתָן כְּמִין סוּלָּמוֹת – OR TO STITCH THEM LIKE LADDERS,[55] אֲבָל לֹא לְאַחוֹתָן – BUT NOT TO MEND THEM.[56]

The Gemara explains what is meant by "mending":

אָמַר רַב חִסְדָּא – **Rav Chisda said:**

NOTES

the site clearly (*Beis Yosef, Orach Chaim* 561:2; cf. *Bach* ad loc., who explains that one is *allowed* to wait until he reaches Tzofim, but is not required to wait; see *Mishnah Berurah* 561:7).]

Others explain that "Tzofim" is not the name of a specific place, but means *lookout,* and refers to the furthest point in any direction from Jerusalem from which the Temple site is visible (*Tosafos* to *Pesachim* ibid.).

50. For example, he enters Jerusalem in a closed carriage and does not see its ruins until after he has seen the Temple ruins. It is sufficient for him to rend his garment over the Temple ruins and extend the rent when he notices those of Jerusalem (*Rashi;* see *Rambam* cited in following note).

51. If he is not enclosed in a carriage and sees the city's ruins upon entering it, he is immediately required to rend his garment. When he later sees the Temple ruins, it is not sufficient for him to extend the previous rent. The honor of the Temple demands its own distinct rent (*Rashi, Rashi ms.;* see *Nimukei Yosef*).

Rambam (*Hil. Taanis* 5:16) and *Ritva* explain that one who approaches Jerusalem from the Judean Desert in the east sees the Temple site before he can see the city of Jerusalem [since the Temple Mount is situated at the eastern end of the city]. He rends immediately, and merely extends the rent when he later observes the ruins of the city. One who approaches from other directions, however, sees the ruins of the city before those of the Temple. He must rend his garment twice.

52. I.e. with broad stitches (*Rashi ms.*).

53. I.e. to pull together the fabric on both sides of the rent, fold the two pieces like a book and stitch them together slightly (*Rashi, Rashi ms.;* cf. *Meiri, Nimukei Yosef*).

54. I.e. to gather all the fabric together and stitch it slightly (*Rashi ms.;* cf. *Meiri, Nimukei Yosef*).

55. I.e. to place stitches in the fabric at wide intervals, so that the stitches resemble the rungs of a ladder, which have spaces between them (*Rashi, Rashi ms.*). Alternatively, "stitching like ladders" means to make uneven stitches (*Tur Orach Chaim* 561:4; *Mishnah Berurah* 561:16).

56. I.e. one may not sew the fabric properly (*Rashi ms.*), as the Gemara goes on to explain.

In all the cases where a rent garment may not be mended, it may be stitched crudely by one of the methods mentioned here on the day *after* it is rent (*Rambam, Hil. Aveil* 9:12; *Nimukei Yosef;* see *Beur HaGra, Yoreh Deah* 340:52 and *Mishnah Berurah* 561:15). An exception is a garment rent upon the death of a parent; it may be stitched crudely only after thirty days. A garment rent upon the death of another relative may be stitched crudely after seven days and mended completely after thirty days (Gemara 22b).

א) שמחות פ"ט, ב) [לעיל כב: ע"ש סנהדרין ס.], ג) [סנהדרין ס.], ד) [סנהדרין ס:], ה) [נ"ע קס רבי אבא], ו) [בשאלתות איתא אמר ר' יהודה הרואה כו'], ז) [נ"ל מאלישע].

קפז א מיי' פ"ט מהל' אבל הלכה ב ג סמג עשין ב טוש"ע י"ד סי' שמ סעיף טו:
קפח ב מיי' שם הלכה ב טוש"ע שם סעיף יח:
קפט ג מיי' שם הלכה ו טוש"ע שם סעיף לו:
קצ ד מיי' פ"ט מהל' אבל הלכה י ופ"ה מהלכות תענית הלכה יז יח טוש"ע א"ח סי' תקסא וטוש"ע י"ד סי' שמ סעיף לז:
קצא ה מיי' פ"ט מהל' אבל הלכה טו טוש"ע א"ח שם סעיף ב:
קצב ו מיי' פ"ט מהל' אבל הלכה ג טוש"ע י"ד סי' שמ סעיף א:
קצג ז מיי' שם הלכה ה טוש"ע י"ד שם סעיף לח:
קצד ח מיי' פ"ט מהל' אבל הלכה ג ו טוש"ע י"ד סי' שמ סעיף יז:
קצה ט י מיי' שם טור ש"ע שם סעיף לו:
קצו כ ל מ נ ס מיי' שם הלכה ג ט טוש"ע שם סעיף לז:
קצז ע פ צ מיי' פ"ה מהלכות תענית הלכה טז טוש"ע א"ח סי' תקסא סעיף א ב:
קצח ק מיי' שם הלכה יז ופ"ט מהלכות אבל הלכה ג טוש"ע א"ח שם סעיף ד וטוש"ע י"ד סי' שמ סעיף לט:

[א] ואלו קרעין שאין מתאחין [א] הקורע על אביו ועל אמו [ב] ועל רבו שלימדו תורה ועל נשיא ועל אב ב"ד [ג] ועל שמועות הרעות ועל ברכת השם ועל ספר תורה שנשרף [ד] ועל ערי יהודה ועל המקדש ועל ירושלים [ה] וקורע על מקדש ומוסיף על ירושלים [ו] אביו ואמו [ז] ורבו שלימדו תורה מנלן דכתיב [א] ואלישע ראה והוא מצעק אבי אבי רכב ישראל ופרשיו אבי אבי זה אביו ואמו רכב ישראל ופרשיו זה רבו שלימדו תורה מאי משמע כדמתרגם רב יוסף רבי רבי דטב להון לישראל בצלותיה מרתיכין ופרשין ולא מתאחין מנלן דכתיב [א] ויחזק בבגדיו ויקרעם לשנים קרעים ממשמע שנאמר [ג] ויקרעם איני יודע שלשנים אלא מלמד שקרועים ועומדים לשנים לעולם אמר ליה ריש לקיש לרבי יוחנן אליהו חי הוא אמר ליה כיון דכתיב [א] ולא ראהו עוד לגבי דידיה כמת דמי [ח] נשיא ואב בית דין [ט] ושמועות הרעות מנלן דכתיב [ב] ויחזק דוד בבגדיו ויקרעם וגם כל האנשים אשר אתו ויספדו ויבכו ויצומו עד הערב על שאול ועל יהונתן בנו ועל עם ה' ועל בית ישראל כי נפלו בחרב שאול זה נשיא יהונתן זה אב ב"ד על עם ה' ועל בית ישראל אלו שמועות הרעות א"ל רב בר שבא לרב כהנא ואימא עד דהוו כולהו א"ל על על הפסיק הענין ומי קרעינן אשמועות הרעות והא אמרו ליה לשמואל קטל שבור מלכא תריסר אלפי יהודאי במזיגת קסרי ולא קרע לא אמרו אלא [י] ברוב צבור וכמעשה שהיה ומי קטל שבור מלכא יהודאי והא א"ל שבור מלכא לשמואל תיתי לי דלא קטלי יהודי מעולם התם אינהו גרמי לנפשייהו דא"ר אמי לקל יתירי דמזוגת קסרי פקע שורא דלודקיא [כ] על ברכת השם מנלן דכתיב [ג] ויבא אליקים בן חלקיה אשר על הבית ושבנא הסופר ויואח בן אסף המזכיר אל חזקיהו קרועי בגדים [ד] ת"ר [ל] אחד השומע ואחד השומע מפי השומע חייב לקרוע והעדים אינן חייבין לקרוע שכבר קרעו בשעה ששמעו מאי הוי הא קא שמעי השתא לא ס"ד דכתיב [ה] ויהי כשמוע המלך חזקיהו ויקרע את בגדיו המלך קרע והם לא קרעו ולא מתאחין מנלן [ז] אתיא קריעה קריעה [מ] ספר תורה שנשרף מנלן דכתיב [ה] ויהי כקרא יהודי שלש דלתות וארבעה (א) ויקרעה בתער הסופר והשלך אל האש אשר אל האח וגו' מאי שלש דלתות וארבעה אמרו ליה ליהויקים כתב ירמיה ספר קינות אמר להו מה כתיב ביה [ו] איכה ישבה בדד אמר להו אנא מלכא א"ל [ז] בכה תבכה בלילה אנא מלכא [ח] גלתה יהודה מעוני אנא מלכא [ט] דרכי ציון אבלות אנא מלכא [י] היו צריה לראש אמר להו מאן אמרה [י] כי ה' הוגה על רוב פשעיה מיד קדר כל אזכרות שבה ושרפן באש והיינו דכתיב [כ] ולא פחדו ולא קרעו את בגדיהם מכלל דבעו למיקרע אמר ליה רב פפא לאביי אימר משום שמועות הרעות א"ל שמועות רעות בההיא שעתא מי הוו א"ר חלבו אמר רב הונא הרואה ספר תורה שנקרע חייב לקרוע [נ] שתי קריעות אחד על הגויל ואחד על הכתב שנאמר [ל] אחרי שרוף המלך את המגלה ואת הדברים רבי אבא ורב הונא בר חייא הוו יתבי [ס] אן קמיה דרבי אבא בעא לאפנויי שקליה לטוטפתיה אחתיה אבי סדיא אתאי בת נעמיתא בעא למיבלעיה אמר השתא איחייבין לי שתי קריעות א"ל מנא לך הא והא בדידי הוה עובדא ואתאי לקמיה דרב מתנה ולא הוה בידיה אתאי לקמיה דרב יהודה ואמר לי הכי אמר שמואל לא אמרו [ס] אלא בזרוע וכמעשה שהיה ערי יהודה מנלן דכתיב [מ] ויבאו אנשים משכם משילו ומשמרון שמונים איש מגולחי זקן וקרועי בגדים ומתגודדים ומנחה ולבונה בידם להביא בית ה' וגו' א"ר [י] חלבו אמר עולא ביראה [ע] אמר ר' אלעזר הרואה ערי יהודה בחורבנן אומר [נ] ערי קדשך היו מדבר וקורע ירושלים בחורבנה אומר [נ] ציון מדבר היתה ירושלם שממה וקורע בית המקדש בחורבנו אומר [ס] בית קדשנו ותפארתנו אשר הללוך אבותינו היה לשריפת אש וכל מחמדינו היה לחרבה וקורע: קורע על מקדש ומוסיף על ירושלים: ורמינהו [פ] אחד השומע ואחד הרואה כיון שהגיע לצופים קורע וקורע על מקדש בפני עצמו ועל ירושלים בפני עצמה לא קשיא [צ] הא דפגע במקדש ברישא הא דפגע בירושלים ברישא תנו רבנן [ק] וכולן רשאין לשוללן ולמוללן וללוקטן ולעשותן כמין סולמות אבל לא לאחותן אמר רב חסדא
ובאיחוי

רש"י

ואלו קרעין כו'. באבל רבתי במסכת שמחות (פ"ט): ברוב צבור. רוב ישראל: וכמעשה שהיה. בשאול ויהונתן: גרמו לנפשייהו. דמרדו ביה והא דקאמר לא קטלי יהודי רוצה לומר בחנם: לקול יתירי. לקול כנורות שמרדו: בן] אתיא קרע קרע (י' מדוד): שלש דלתות וארבעה. כלומר ארבעה פסוקים: אנא מלכא. ואמלכא לא כתיב כלום: היו צריה לראש. שהנכרי ראש ולא אתה: משום שמועות רעות. על הגלות איבעי למיקרע: את המגילה. זה הגויל: ואת הדברים. זה הכתב: השתא. אי שקיל להו נעמיתא איבעי לי למיקרע על הגויל ועל הכתב דהוי כנשרף: בזרוע. שאין יכול להצילו: וכמעשה שהיה. דיהויקים אבל דנעמיתא דמצי להציל לא מיקרע: הא דפגע במקדש ברישא. כגון שנכנס לירושלים בשידה תיבה ומגדל דלא ראה ירושלים עד שראה בית המקדש קורע על המקדש ומוסיף על ירושלים אבל בשלא נכנס בתיבה ופגע בירושלים ברישא קורע על ירושלים בפני עצמה ועל המקדש בפני עצמו: כל הקרעים רשאין למוללן. לקפל בגד בתפירה: כעין סולמות. שאין מלקטין זה סמוך לזה אבל זה רחוק מזה שמלקט ברוחב כעין מעלות סולמות:
מתוך

תוספות

ברכת השם מנלן. ועל ברכת השם דנכרים פליגי הכא בירושלמי אית דאמרי רבשקה ישראל מומר הוה אבל דנכרי לא ואית דאמרי נכרי הוה ובפרק ארבע מיתות (סנהדרין דף ס.) נמי פליגי בה בש"ס שלנו ובירושלמי הוה ריש לקיש קורע על ברכת השם:

ואחד השומע מפי השומעים. פירש בתוס' כגון מן העדים שאומרים זה ואם הוא אומר יכה יוסי את יוסי אין קורעין על זה וכן משמע בפ"ד מיתות (שם דף נו.):

אתיא קריעה. תימה אם כן נילף כל קריעות שלא יתאחו מקריעה קריעה ושמא לא מיסתבר ליה:

קדר כל האזכרות. תימה והא (ב) דקרעה בתער הסופר משמע כל המגילה ובירושלמי לא גרסינן האזכרות:

לא אמרו אלא בזרוע. ובירושלמי גרס ששרפה מלך ישראל בזרוע:

משכם משילו. לא שייך הכא למיפרך ואימא עד דאיכא תלתא אבל קצת קשה דאימר מילתא יתירתא הוה דמגלחי זקן (ג) ומתגודדים כתיב בהאי קרא ויש לומר דלא שייך למימר דלא נילף כלל אלא קריעה ולעיל (ד' כא.) הכי קאמר נמי נהי דגמרת שפיר קריעה מ"מ לא תילף מינה מעומד:

ובאיחוי

הגהות הב"ח

(א) גמ' שלש דלתות וארבעה יקרעה בתער הסופר: (ב) תוס' ד"ה קדר כו' והא דיקרעה בתער: (ג) ד"ה משכם כו' דמגלחי זקן וקרועי בגדים ומתגודדים כו' דלא נילף כלל אפילו קריעה:

הגהות מהר"ב רנשבורג

אן גמ' רבי אבא ורב הונא בר חייא הוו יתבי קמיה דרבי אבא. נמחק תיבות קמיה דר' אבא. כך מצאתי ואולי יש מגיהים ולענ"ד אין צורך לזה דככר ביררו בס' באר שבע בחוריות דף ב ע"א דלפעמים הוי יעוש: בן רש"י ד"ה אתיא קרע קרע מדוד עכ"ל. עיין שו"ע שער אפרים סי' ו שכתב דטעות הדפוס הוא ועיין עוד ספר יד דוד:

רש"י כת"י

[נדפס בדף כה:]

תורה אור השלם

א) וֶאֱלִישָׁע רֹאֶה וְהוּא מְצַעֵק אָבִי אָבִי רֶכֶב יִשְׂרָאֵל וּפָרָשָׁיו וְלֹא רָאָהוּ עוֹד וַיַּחֲזֵק בִּבְגָדָיו וַיִּקְרָעֵם לִשְׁנַיִם קְרָעִים: [מלכים ב ב, יב]
ב) וַיַּחֲזֵק דָּוִד בִּבְגָדָיו וַיִּקְרָעֵם וְגַם כָּל הָאֲנָשִׁים אֲשֶׁר אִתּוֹ: וַיִּסְפְּדוּ וַיִּבְכּוּ וַיָּצֻמוּ עַד הָעֶרֶב עַל שָׁאוּל וְעַל יְהוֹנָתָן בְּנוֹ וְעַל עַם יְיָ וְעַל בֵּית יִשְׂרָאֵל כִּי נָפְלוּ בֶּחָרֶב: [שמואל ב א, יא-יב]
ג) וַיָּבֹא אֶלְיָקִים בֶּן חִלְקִיָּה אֲשֶׁר עַל הַבַּיִת וְשֶׁבְנָא הַסֹּפֵר וְיוֹאָח בֶּן אָסָף הַמַּזְכִּיר אֶל חִזְקִיָּהוּ קְרוּעֵי בְגָדִים וַיַּגִּדוּ לוֹ דִּבְרֵי רַבְשָׁקֵה: [מלכים ב יח, לז]
ד) וַיְהִי כִּשְׁמֹעַ הַמֶּלֶךְ חִזְקִיָּהוּ וַיִּקְרַע אֶת בְּגָדָיו וַיִּתְכַּס בַּשָּׂק וַיָּבֹא בֵּית יְיָ: [מלכים ב יט, א]
ה) וַיְהִי כִּקְרוֹא יְהוּדִי שָׁלֹשׁ דְּלָתוֹת וְאַרְבָּעָה יִקְרָעֶהָ בְּתַעַר הַסֹּפֵר וְהַשְׁלֵךְ אֶל הָאֵשׁ אֲשֶׁר אֶל הָאָח עַד תֹּם כָּל הַמְּגִלָּה עַל הָאֵשׁ אֲשֶׁר עַל הָאָח: [ירמיה לו, כג]
ו) אֵיכָה יָשְׁבָה בָדָד הָעִיר רַבָּתִי עָם הָיְתָה כְּאַלְמָנָה רַבָּתִי בַגּוֹיִם שָׂרָתִי בַּמְּדִינוֹת הָיְתָה לָמַס: [איכה א, א]
ז) בָּכוֹ תִבְכֶּה בַּלַּיְלָה וְדִמְעָתָהּ עַל לֶחֱיָהּ אֵין לָהּ מְנַחֵם מִכָּל אֹהֲבֶיהָ כָּל רֵעֶיהָ בָּגְדוּ בָהּ הָיוּ לָהּ לְאֹיְבִים: [איכה א, ב]
ח) גָּלְתָה יְהוּדָה מֵעֹנִי וּמֵרֹב עֲבֹדָה הִיא יָשְׁבָה בַגּוֹיִם לֹא מָצְאָה מָנוֹחַ כָּל רֹדְפֶיהָ הִשִּׂיגוּהָ בֵּין הַמְּצָרִים: [איכה א, ג]
ט) דַּרְכֵי צִיּוֹן אֲבֵלוֹת מִבְּלִי בָּאֵי מוֹעֵד כָּל שְׁעָרֶיהָ שׁוֹמֵמִין כֹּהֲנֶיהָ נֶאֱנָחִים בְּתוּלֹתֶיהָ נּוּגוֹת וְהִיא מַר לָהּ: [איכה א, ד]
י) הָיוּ צָרֶיהָ לְרֹאשׁ אֹיְבֶיהָ שָׁלוּ כִּי יְיָ הוֹגָהּ עַל רֹב פְּשָׁעֶיהָ עוֹלָלֶיהָ הָלְכוּ שְׁבִי לִפְנֵי צָר: [איכה א, ה]
כ) וְלֹא פָחֲדוּ וְלֹא קָרְעוּ אֶת בִּגְדֵיהֶם הַמֶּלֶךְ וְכָל עֲבָדָיו הַשֹּׁמְעִים אֵת כָּל הַדְּבָרִים הָאֵלֶּה: [ירמיה לו, כד]
ל) וַיְהִי דְבַר יְיָ אֶל יִרְמְיָהוּ אַחֲרֵי שְׂרֹף הַמֶּלֶךְ אֶת הַמְּגִלָּה וְאֶת הַדְּבָרִים אֲשֶׁר כָּתַב בָּרוּךְ מִפִּי יִרְמְיָהוּ לֵאמֹר: [ירמיה לו, כז]
מ) וַיָּבֹאוּ אֲנָשִׁים מִשְּׁכֶם מִשִּׁלוֹ וּמִשֹּׁמְרוֹן שְׁמֹנִים אִישׁ מְגֻלְּחֵי זָקָן וּקְרֻעֵי בְגָדִים וּמִתְגֹּדְדִים וּמִנְחָה וּלְבוֹנָה בְּיָדָם לְהָבִיא בֵּית יְיָ: [ירמיה מא, ה]
נ) עָרֵי קָדְשְׁךָ הָיוּ מִדְבָּר צִיּוֹן מִדְבָּר הָיָתָה יְרוּשָׁלַיִם שְׁמָמָה: [ישעיה סד, ט]
ס) בֵּית קָדְשֵׁנוּ וְתִפְאַרְתֵּנוּ אֲשֶׁר הִלְלוּךָ אֲבֹתֵינוּ הָיָה לִשְׂרֵפַת אֵשׁ וְכָל מַחֲמַדֵּינוּ הָיָה לְחָרְבָּה: [ישעיה סד, י]

רבינו חננאל

ת"ר אלו קרעין שאסורין באיחוי פי' עשרה קרעים הללו הקורע על אביו ועל אמו ועל רבו שלמדו חכמה. ועל נשיא ועל אב ב"ד. ועל שמועות הרעות. ועל ברכת השם. ועל ס"ת שנשרף ועל חורבן ערי יהודה ועל חורבן המקדש [ועל ירושלים] וקורע על חורבן בהמ"ק ומוסיף על חורבן ירושלים: אביו ואמו ורבו שלמדו חכמה מהכא ואלישע ראה והוא מצעק אבי אבי רכב ישראל ופרשיו. אבי אבי זה אביו ואמו. רכב ישראל ופרשיו זה רבו שלמדו חכמה. כדמתרגם רבי רבי דטב להון לישראל בצלותך מן רתיכין ופרשין. ואע"ג דאליהו חי הוא כיון דכתיב ביה ולא ראהו עוד כמת הוא לגביה: ירושלמי כשם שקורעין על החכמים כך קורעין על תלמידיהן איזהו ת"ח חזקיה אמר כל השונה הלכות א) ועד תורה. א"ר יוסי הדא דאת אמרו בראשונה אבל עכשיו אפילו הלכות. ר' אבוה בשם ר' יוחנן כל שמבטל עסקיו מפני משנתו. תני כל ששואלין אותו ומשיב. א"ר אושעיא כגון אנא דרבבינן משגיחין עלינו וכן מתיבין ליה. א"ר אבא בר ממל כל שיודע לבאר משנתו ואנן אפילו רבבינן לא יכלי לבאר משנתנו איזהו רבו כל שפתח לו תחלה דברי ר' מאיר. ר' יהודה אומר כל שרוב תלמודו ממנו. שמואל חלץ בההוא שהאיר במשנתו. פי' ביאר לו משנתו זו ששנינו בתמיד. ושתי מפתחות היו לו אחד יורד לאמת השחי ואחד פותח כיון. פי' היה מכניס ידו ומורידה עד שיחין שהוא אמה ואח"כ היה מגיע למנעול ופותחו. והאחד היה נכון לפניו מכניס ידו כנגדו ופותח: ולא מתאחין שנאמר ויקרעם לשנים קרעים. ממשמע שנאמר ויקרעם איני יודע שהקריעה לשנים

חשק שלמה על ר"ח א) בירושלמי הגי' ועד תורה וע"ש בפ"מ ובק"ע.

ובאיחוי אלכסנדרי ת"ר הקורע מתוך השלל מתוך המלל מתוך הלקט מתוך הסולמות לא יצא מתוך האיחוי יצא אמר רב חסדא ובאיחוי אלכסנדרי ת"ר רשאי להופכו למטה ולאחותו ר' שמעון בן אלעזר אוסר לאחותו וכשם שהמוכר אסור לאחותו כך הלוקח אסור לאחותו ולפיכך מוכר צריך להודיעו ללוקח ת"ר תחילת קריעה טפח ותוספת שלש אצבעות דברי רבי מאיר רבי יהודה אומר תחילת קריעה שלש אצבעות ותוספת כל שהו אמר עולא הלכה כרבי מאיר בקריעה והלכה כרבי יהודה בתוספת תניא נמי הכי רבי יוסי אומר תחילת קריעה טפח ותוספת כל שהו ת"ר אמרו לו מת אביו וקרע מת בנו והוסיף תחתון מתאחה עליון אינו מתאחה מת בנו וקרע מת אביו והוסיף עליון מתאחה תחתון אינו מתאחה מת אביו מת אמו מת אחיו מתה אחותו קורע קרע אחד לכולן רבי יהודה בן בתירה אומר על כולן קרע אחד על אביו ואמו קרע אחד לפי שאין מוסיפין על קרע אביו ואמו מאי טעמא אמר רב נחמן בר יצחק לפי שאינן בתוספת אמר שמואל הלכה כרבי יהודה בן בתירה ומי אמר שמואל הכי והאמר שמואל הלכה כדברי המיקל באבל אבילות לחוד קריעה לחוד עד היכן קורע עד טיבורו ויש אומרים עד לבו אע"פ שאין ראיה לדבר זכר לדבר שנאמר וקרעו לבבכם ואל בגדיכם הגיע לטיבורו מרחיק שלש אצבעות וקורע נתמלא מלפניו מחזירו לאחוריו נתמלא מלמעלה הופכו מלמטה והקורע מלמטה ומן הצדדין לא יצא אלא שכהן גדול פורם מלמטה פליגו בה רב מתנה ומר עוקבא ותרוייהו משמיה דאבוה דשמואל ולוי חד אמר כל שבעה קורע לאחר שבעה מוסיף וחד אמר כל שלשים קורע לאחר שלשים מוסיף מתקיף לה רבי זירא מאן דאמר כל שבעה קורע אמאי דלא ניתן לשוללו אלא הא דאמר מר האשה שוללתו לאלתר ה"נ התם משום כבוד אשה הוא מאן דאמר כל שלשים קורע אמאי דלא ניתן לאחותו אלא לאביו ולאמו דלא ניתן לאחותו לעולם ה"נ התם משום כבוד אביו ואמו הוא ת"ר היוצא בבגד קרוע לפני המת הרי זה גוזל את המתים ואת החיים רשב"ג אומר האומר לחבירו השאילני חלוקך ואלך ואבקר את אבא שהוא חולה והלך ומצאו שמת קורע ומאחו וכשיבא לביתו מחזיר לו חלוקו ונותן לו דמי קרעו ואם לא הודיעו הרי זה לא יגע בו ת"ר חולה שמת לו מת אין מודיעין אותו שמא תטרף דעתו עליו ואין מקרעין בפניו ומשתקין את הנשים מפניו ומקרעין לקטן מפני עגמת נפש וקורעין על חמיו ועל חמותו מפני כבוד אשתו ואמר רב פפא תנא באבל רבתי אבל לא יניח תינוק בתוך חיקו מפני שמביאו לידי שחוק ונמצא מתגנה על הבריות: ואין מברין על מטות זקופות: ת"ר ההולך לבית האבל אם היה לבו גס בו יברוהו על מטות כפויות ואם לאו יברוהו על מטות זקופות רבא איתרע ביה מילתא על לגביה אבא בר מרתא דהוא אבא בר מניומי רבא זקיף אבא בר מרתא כפי אמר כמה לית ביה דעתא להאי צורבא מרבנן תנו רבנן ההולך ממקום למקום אם

רש"י

מתוך השלל. שלא קרע אלא בשלל: מתוך האיחוי. מקרע האיחוי: ובאיחוי אלכסנדרי. דהוה כשלם: רשאי להפכו למטה. שהופך הקרע למטה והופך שלמטה למעלה ומאחהו ועושה בית הצואר ולובשו: ותוספת שלש. כגון שמוסיף קרע אחר על אותו קרע כגון שאירעו אבל אחר: עליון אין מתאחה. שקרעו על אביו ועל אמו: שאינן בתוספת. כלומר אין בדין שמוסיף עליהן: הגיע לטיבורו. ומת לו מת אחר: מרחיק שלש אצבעות. בצד אותו קרע וקורע: נתמלא. קרעים מלפניו מחזירו לאחוריו וחוזר וקורע לפניו: כל שבעה. אם מת לו מת קורע קריעה אחרת: לאחר שבעה מוסיף. על קרע ראשון: דלא ניתן לשוללו. תוך שבעה כלל ואי מוסיף ביה מיחזי כקרע אחד אבל לאחר שבעה דכבר שללו קורע כל השלילות ומוסיף כל שהו דמינכר דעל מת אחר קרע: אשה שוללתו לאלתר. אפילו תוך שבעה: הכי נמי. דמוסיף דקורע השלילה ומוסיף בה פורתא דקא מינכר וקא פסיק כל שבעה קורע ואפילו אשה: משום כבוד האשה הוא. ולא מן הדין: משום כבוד אביו. ולא מן הדין והוי כאיחוי לפיכך מוסיף בו לאחר שלשים: בבגד קרוע. קודם לכן גוזל הכל שמרמה הכל שמראה להן שקרע על המת: ואם לא הודיעו. שהולך לבקר את אביו: יברוהו. לאותו שבא על מטות כפויות: אבל ההולך ממקום למקום:
יגלגל

תוספות

ובאיחוי אלכסנדרי. בירושלמי איזהו איחוי כל שאין מקומו ניכר ובמסכת שמחות (פ"ט) מפרש כל שאחוהו כל צורכו:

כך הלוקח אסור לאחותו. לא שמעתי אם מותר למוכרו לנכרי נהי דלוקח אסור לאחותו אם הוא נכרי מותר ואע"פ דמוכר צריך להודיע ללוקח היינו כדי שלא יעשה לוקח איסור אבל אין אנו חוששין אם יתפרנו הנכרי ולכאורה היה מותר ז) ועוד צ"ע והאי וכשם שהמוכר כו' הוי פי' לתנא קמא דלא הפיכה ולר"ש בן אלעזר אפילו על ידי הפיכה ובמאי דפליגי נראה דהלכה כתנא קמא וכן פירש הר"א:

תחילת קריעה שלש אצבעות. לא ידענא ח) מנאי מפיק טעמא דלעיל (ד' כג:) מפקינן טפח מויחזק אין אחיזה פחות מטפח:

תניא נמי הכי. רבי יוסי סובר כן ורבי יוסי הלכה כמותו לגבי דרבי מאיר ורבי יהודה בפרק מי שהוציאוהו (עירובין ד' מו:) ועוד דה"ל מכריע:

קורע קרע אחד על כולן. במסכת שמחות (פ"ט) א"ל מת אביו וקרע והוא אינו אלא אמו יצא מתה אמו והוא אינו אלא אביו יצא מת אביו מתה אמו וקרע והוא אינו אלא אחד מן הקרובין יצא אחד מן הקרובין וקרע והוא אינו אלא אביו או אמו לא יצא ובירושלמי אמרו לו מת ראובן וקרע ואמרו שמעון היה יצא אמרו לו מת ראובן וקרע ואח"כ אמרו לו קיים היה ומת אית תנא לא יצא וכן קרע על אביו ונמצא בנו אם מת על אתר אין צריך לקרוע כמה הוא על אתר כדי דבור ובסוף פרק בתרא דנדרים (דף פז.) כמו כן היא שנויה:

אמר רב נחמן בר יצחק לפי שאינן בתוספת. תימה מאי מוסיף לפרש הטעם מן הברייתא ופירש הר"א בשם רבינו שמואל דלא גרסינן לפי שאין מוסיפין בברייתא והר"י הקשה בתוספות מאי שייך בתוספת נראה לי דמאי למימר דסבירא כמאן דאמר עד טיבורו אי נמי עד שיגלה את לבו אין זה כל כך כמו עד לבו מיהו יותר נראה לי דקאמר רב נחמן בר יצחק לפי שאינן בתוספת שצריך לקרוע עד לבו ואם אירע כך שלא קרע עד לבו מ"מ כיון דלא עשה כמו שהיה צריך אומר אין שייך תוספת מיהו לפירושו קסבר רב נחמן בר יצחק כיש אומרים עד לבו ואפילו למאן דאמר בסמוך עד טיבורו יש ליישב כמו שפי' שאין צריך לקרוע על אביו ועל אמו רק עד שיגלה את לבו מכל מקום אם קרע טפי שפיר משום כבוד אביו ואין כאן בל תשחית:

פורם מלמטה. בפ' בתרא דהוריות (ד' יב:) מפרש מה קורע למטה אם בצואר:

לפי שאין מוסיפין על אביו ואמו. פי' בקונטרס דאכולהו קאי דבין אם קרע על אביו קודם בין קרע על אחד מקרוביו קודם ולא ידענא מנא ליה דלישנא משמע דוקא על קרע אביו ואמו שהיה קודם:
אם

כר' יוחנן לישנא דכלה ולא ידענא מאי לישנא דכלה. קריעה לחוד. דלא אמרינן הלכה כדברי המקל בקריעה. עד היכן הוא קורע. שהולך ומוסיף וקורע עד כמה. קרעו לבבכם. אלמא קריעה עד הלב. הגיע לטיבורו. ושמע שמועה אחרת שוב אינו מוסיף על אותה קריעה [לא יצא] אלא חוזר ומתחיל מלמעלה אצל צידי בית הצואר ואם רבו לו שמועו' הולך וקורע ומרחיק ג' אצבעות בין קרע לקרע מאחר החלוק לצד הכתף. נתמלא. כל הכתף קריעות מלפניו מחזירו לאחוריו ומחזיר מה שלאחריו לפניו וקורע ולובשה [כל שעה]. נתמלא למעלה. אצל בית הצואר מחזיר חלוקו מה שלמעלה למטה ועושה בית צואר אחר וקורע האחרון ואינו מאחה הראשון שלמטה. מן הצדדין. מתניס. אלא שכהן גדול פורם. בגדיו מלמטה ולא מפני שכהן פרימה דהא כתוב ובגדיו לא יפרום אלא מפני עגמת נפש. ותרוייהו. פליגי משמיה [דאבוה] (ד)שמואל ולוי. שמע. שמועה כל שבעת ימי אבלו קורע קריעה חדשה. לאחר שבעה. קורע על קרע ראשון ודיו וגבי מתי מלוה קא מיירי. כיון דלא נתן רשות לשללו. לקרע ראשון כי מוסיף עליה קרע ראשון קא חשיב דהוי כאלו מרחיב קרא ראשון ולא יצא. אלא. כאשה דאמרינן לעיל בהאי פרקא אשה שקרעה על מתה שוללתו לאלתר אפילו תוך שבעה. הכי נמי. אם שמע שמועות תוך שבעה והוסיפה עליו דילתה ידי קריעה הואיל וניתן לשוללו. התם. נמי כלא ניתן רשות לשוללן דמי שאינה יכולה לעמוד בפריעת הלב. משום כבוד אביו ואמו הוא. וכמי שלא ניתן לאחותו דמי הילכך אם הוסיף על אביו ואמו הן בתוספת ולא סבירא ליה הלכתא ואע"ג דלעיל נפקא לן דקרע על אביו ואמו אינו מתאחה הכי משום כבוד אביו הוא. היוצא. לפני המת. בבגד קרוע. שנקרא קודם לכן. גוזל את החיים. שהם סבורים שעל המת קרע. ואת המתים. שלא קרע עליהן. אם לא הודיעם. שהולך לבקר את אביו שהוא חולה לחולה את בגדיו. משתקין את הנשים לפניו. שלא תהיינה מטפחות ומספידות פן ירגיש החולה לקטן. את בגדיו בשעת אבילות קא מיירי וליכא חולה מקרעין בגדיו מפני עגמת נפש כדי שיבכו הרואים לפי שאף קטן נקרע. על חמיו ועל חמותו מפני כבוד אשתו בשלא היה שם בשעת יציאת נשמה דאי הוה בשעת יציאת נשמה אפי' אחר נמי. באבל רבתי. במסכת שמחות. אבל לא יניח תינוק. בימי אבלו בחיקו. אם לבו גס בו. אם רוצין להניח כדרך שאר אבלים אלא שמת הוא. מברין. ויושבין המנחמין. על מטות כפויות. כדי שימר לבו (ברש"י ברי"ף - שירך לבו). לישנא אחרינא לבו גס בו ואם היה מכירהו קרובו או שושבינו ולבו גס בו יחד יושב לארץ אתו על מטה כפויה. (איתרמא) איתרע. מילתא אבילות. אבא בר מרת. מרת שמו. מניומי. אבוי. רבא. שהוא אבל. זקוף. על מטות זקופות. אמר. רבה לית ביה דעת באבא בר מרת והא לא חזי איהו דלבו גס בו. אבל ההולך ממקום למקום ולרעו אבל בדרך.

עין משפט נר מצוה

קצט א מיי' פ"ט מהל' אבל הלכה ג:
ר ב ג מיי' שם סמג עשין ב טוש"ע י"ד סי' שמ סעיף יד:
רא ד ה מיי' שם והלכה ד סמג שם טוש"ע שם סעיף יט:
רב ו מיי' שם פ"ח הלכה ב י סמג שם טוש"ע שם סעיף ג:
רג ז ח מיי' שם הלכה ט טוש"ע שם סעיף לג:
רד ט מיי' שם הלכה י טוש"ע שם סעיף לא:
רה י מיי' שם הלכה א טוש"ע שם סעיף ב:
רו כ מיי' שם פ"ט הלכה ו סמג שם וסמג לאוין קא ומיי' פ"ה מהל' כלי המקדש הלכה ה:
רז ל מיי' פ"ח מהלכות אבל הלכה ג סמג עשין ב טוש"ע י"ד סי' שמ סעיף כה:
רח מ מיי' שם הלכה ו סמג שם טוש"ע שם סעיף לג:
רט נ מיי' שם הלכה ה טוש"ע שם סעיף לד:
רי ס מיי' שם הלכה ז טוש"ע שם סי' שמ:
ריא ע מיי' שם הלכה ט טוש"ע שם סי' שמ סעיף ד:
ריב פ מיי' שם פ"ה הלכה כ טוש"ע שם וסי' שלא סעיף א:

רבינו חננאל

על ירושלים: ת"ר רשאי להופכו למטה ולעשות לו איחוי. פי' להפך החלוק לחתכו ולתת בית הצואר שלו שולים והשולים יעשה בית שפה. ר' שמעון בן אלעזר אוסר באיחוי בין מלמעלן בין מלמטה. וכשם שהבעלים אסורין לאחותו כן הלוקח אסור לאחותו. לפיכך צריך המוכר להודיע ללוקח שזה קרע אסור באיחוי הוא. ת"ר וכולן אלו הקרעין רשאין לשוללן למוללן ללוקטן לעשותן בתפירה אחת כעין סולמות שיהא ניכר הקרע. אבל אין רשאין לאחותן באיחוי אלכסנדרית שהוא כמין אריגה. ת"ר הקורע מתוך השלל או מתוך המלל או מתוך הליקוט או מתוך הסולמות לא יצא. אבל אם היה איחוי אלכסנדרית שהוא כאריגה יצא ידי קריעה: ירושלמי כד דמך ר' יוחנן אורי ר' חייא בר אבא לשלול הקרע בו ביום ולנעול הסנדל בו ביום. א"ל ר' תנחום ב"ר חייא לר' חיננא בר פפא ר' צלי עלן. א"ל יסוג תורעתך שכל אותה שנה הדין מתוח כנגד המשפחה דא"ר יוחנן כל שבעה החרב שלופה עד שלשים יום. ומשלשים היא רופפת ואינה חוזרת לתערה עד י"ב חודש. למה"ד לכיפת אבנים שנתרועעה אחת מהן נתרועעה כולן. א"ר אלעזר אם נולד להן בן באותה משפחה נתרפאת כל המשפחה כולה: ת"ר תחלת הקריעה טפח ואם קרע על המת ועוד מת לו מת אחר ובא לקרוע ולהוסיף על הקרע מוסיף ג' אצבעות דברי ר' מאיר א) ותחלת הקריעה ג' אצבעות ותוספת כל שהו. אמר עולא הלכה כר' מאיר בקריעה שתחלת קריעה טפח. והלכתא כר' יהודה בתוספת דדי לו אפילו כל שהו. תניא נמי הכי ר' יוסי אומר תחלת הקריעה טפח ותוספת כל שהו: ת"ר מת אביו וקרע. מת בנו והוסיף תחתיו מתאחה. עליון אין מתאחה. מת בנו וקרע מת אביו והוסיף כו'. ר' יהודה בן בתירה אומר על כולן כגון בנו ובתו אחיו ואחותו ואשתו קורעין להן קרע אחד על אביו ועל אמו קורע קרע אחר. לפי שאין מוסיפין על קרע אביו ואמו פי' לפי שאינו בתוספת מפני שקריעתו על אביו ועל אמו מבדיל קמי שפה שלו וקורע והולך עד שמגיע הקרע אל לבו ומגלה. ובשאר מתים קורע טפח ומוסיף כל שהו עד שמגיע אל לבו. ואע"פ שאין ראייה ברורה אשכחן זכר לדבר כדכתיב וקרעו לבבכם ואל בגדיכם. אמר שמואל הלכה כר' יהודה בן בתירה. איני והאמר שמואל הלכה כדברי המיקל באבל. ור' יהודה לגבי ת"ק מחמיר הוא. ופרקינן כי קאמר שמואל בענין אבלות. האי ענין קריעה הוא. הלכך הלכתא כר' יהודה בן בתירה. עד היכן קורע עד טיבורו הגיע לטיבורו מרחיק ג' אצבעות וקורע. נתמלא מלפניו מחזירו מלאחוריו נתמלא מלמעלה הופכו למטה (כנגד) כלומר מהפך ועושה שולי חלוקו בית הצואר וקורע למעלה. והקורע מלמטה מן השוליים ומן הצדדין לא יצא. אלא שכ"ג פורם מלמטה. פליגי ב) עליה משמיה דאבוה דשמואל ולוי. חד אמר כל שבעה קורע לאחר שבעה אם מת לו מת אחר מוסיף על הקרע הראשון כל שהו. וחד אמר כל שלשים יום אם ימות לו מת אחר קורע [קרע] אחר לאחר ל' יום מוסיף. מתקיף ליה ר' זירא מאן דאמר כל שבעה קורע אמאי אינו מוסיף דלא ניתן לשוללו בתוך ז'. אלא קרע של אשה ששוללתו לאלתר הכי נמי שמוספת לאלתר. ופרקינן התם משום כבוד אשה. מ"ד כל ל' יום אם קורע אמאי כו': ת"ר היוצא בבגד קרוע לפני המת הרי זה גוזל את החיים ואת המתים רשבג"א האומר לחבירו השאליני חלוקך כדי שאלך ואבקר את אבי שהוא חולה. ומצאו שמת קורעו. וכשיבא לביתו מאחו. ומחזירו לבעליו ונותן לו דמי קרעו. ואם לא הודיעו כי הולך לבקר את אביו לא יגע בו. ת"ר חולה שמת לו מת אין מודיעין אותו שמא תטרף דעתו של חולה ואין מקרעין לו ומשתקין הנשים מפניו ומקרעין לקטן פי' על אביו שמת או על אמו. וכיוצא בהן מפני עגמת נפש. וקורע על חמיו ועל חמותו מפני כבוד אשתו: תנא באבל רבתי אבל לא יניח תינוק בחיקו מפני הרבים מפני שמביאו לידי שחוק ונמצא מתגנה על הבריות. ואין מברין אלא על מטות זקופות. ת"ר ההולך לבית האבל אם היה לבו גס בו יברוהו על מטות כפויות. ואם לאו יברוהו על מטות זקופות. רבא איתרע ליה מלתא דאבלות על לגביה רבה וזקף המטה להברותו. על אבא בר מרתא וכפה. אמר לית ביה דעתא [להאי צורבא] מרבנן דכפה דהא אין לבי גס בו. ת"ר אבל ההולך ממקום למקום אם יכול למעט בעסקו כלומר שלא יקנה ולא ימכור [ימעט]. ואם לאו יגלגל עמהן כלומר

חשק שלמה על ר"ח א) חסר כאן וצ"ל ר"י אומר תחלת קריעה ג' אצבעות וכו'. ב) צ"ל פליגו בה רב מתנה וכו' משמיה דאבוה דשמואל וכו'.

מסורת הש"ס

א) לעיל יח. וש"נ עירובין מו., ב) לעיל כג:, ג) שמחות פ"ט, ד) שם [תוספתא ב"מ פ"ח], ה) לעיל יד:, ו) אלא, ז) ובמס' שמחות ספ"ט איתא דאסור, ח) [עי' כלים פכ"ד מ"ב ומ"ו] אולי צ"ל פכ"ז.

תורה אור השלם

א) וְקִרְעוּ לְבַבְכֶם וְאַל בִּגְדֵיכֶם וְשׁוּבוּ אֶל יְיָ אֱלֹהֵיכֶם כִּי חַנּוּן וְרַחוּם הוּא אֶרֶךְ אַפַּיִם וְרַב חֶסֶד וְנִחָם עַל הָרָעָה: [יואל ב, יג]

רש"י כת"י

ה"ג רשאי (לתופרן) [להופכו] למטה ור' שמעון בן אלעזר אוסר מאי קאמ' אמ' אביי הכי קאמ' רשאי (לתופרו) [להופכו] למטה ולאחותו. אם קרע בית הצואר כלפי למטה ורוצה להפוך החלוק מלמטה למעלה ולעשות בית צואר אחר (בין צואר ראשון בין רגליו) רשאי לאחות בית הצואר ראשון שהולך בין רגליו. ר' שמעון בן אלעזר אוסר. לאחותו ולאחר שבעה קא מיירי דאמרי' לעיל על כל המתים שולל לאחר שבעה על אביו ועל אמו לאחר שלשים דכיון דהופכו למטה [סבר ת"ק] רשאי לאחותו [ור"ש אוסר] עד לאחר שלשים בכל המתים ובאביו ואמו לעולם. ותוספת. שמת לו מת אחר וצריך לקרוע [און] כגון דאמרן מוסיף על ירושלים. ה"ג ר' יהודה אומר תחלת הקריעה שלש אצבעות. ולית ליה אין אחיזה פחות מטפח דנפקא לן לעיל (כג:) מויחזק דוד. תחתון. שקרע על בנו מתאחה לאחר שלשים. עליון. שקרע על אביו אינו מתאחה לעולם. מת אביו מתה אמו מת אחיו מתה אחותו. והכל בשרויה בבת אחת. על אביו ועל אמו קורע אחד ועל כולן קרע אחד. במקום אחד למעלה שלא כאותו קרע. לפי שאין מוספין בקרע של אביו. ואכולה פליג ר' יהודה מדקתני מת אביו (וקרע) [וקרע] מת בנו (אינו מוסיף) [והוסיף] ר' יהודה למימר קרע על אביו ומת בנו אינו מוסיף וקורע על בנו [או] קרע על בנו ומת אביו אינו מוסיף אלא [קורע] במקום [אחר קריעה] (ה)מיוחדת. מאי טעמ'. שאינו בתוספת כמו קרע על אביו אינו יכול להוסיף קרע עליו ואם קרע על בנו ומת אביו אינו עושה קריעת אביו תוספת אלא ספירי דכתב בהו הלכה

וּבְאִיחוּי אַלֶּכְּסַנְדְּרִי – **And** what is forbidden is to repair the rent **with the Alexandrian mending.**[1]

A related Baraisa is cited:

תָּנוּ רַבָּנָן – **The Rabbis taught in a Baraisa:** הַקּוֹרֵעַ – ONE WHO RENDS his garment מִתּוֹךְ הַשְּׁלָל – ON THE BASTING,[2] מִתּוֹךְ הַמְּלָל – ON THE FOLDING, מִתּוֹךְ הַלֶּקֶט – ON THE GATHERING, מִתּוֹךְ הַסּוּלָּמוֹת – or ON THE LADDER-STITCHES, לֹא יָצָא – HAS NOT DISCHARGED his obligation.[3] מִתּוֹךְ הָאִיחוּי – But if he rends it ON THE MENDING, יָצָא – HE HAS DISCHARGED his obligation.

The Gemara elaborates:

אָמַר רַב חִסְדָּא – **Rav Chisda said:** וּבְאִיחוּי אַלֶּכְּסַנְדְּרִי – **And** this refers to a case where it had been mended **with the Alexandrian mending.**[4]

The Gemara cites another related Baraisa:

תָּנוּ רַבָּנָן – **The Rabbis taught in a Baraisa:** רַשַּׁאי לְהוֹפְכוֹ לְמַטָּה וּלְאַחוּתוֹ – ONE who rent his garment IS PERMITTED TO INVERT [THE RENT PORTION] TO THE BOTTOM of the garment AND then MEND IT.[5] רַבִּי שִׁמְעוֹן בֶּן אֶלְעָזָר אוֹסֵר לְאַחוּתוֹ – R' SHIMON BEN ELAZAR FORBIDS MENDING IT even after it is inverted.

The Baraisa discusses the case of one who sells a garment that he had been forbidden to mend:

וּכְשֵׁם שֶׁהַמּוֹכֵר אָסוּר לְאַחוּתוֹ – AND JUST AS THE SELLER who originally rent the garment IS FORBIDDEN TO MEND IT, כָּךְ הַלּוֹקֵחַ אָסוּר לְאַחוּתוֹ – SO TOO IS THE BUYER FORBIDDEN TO MEND IT. וּלְפִיכָךְ מוֹכֵר צָרִיךְ לְהוֹדִיעוֹ לַלּוֹקֵחַ – THEREFORE, THE SELLER MUST INFORM THE BUYER that the rent may not be mended.[6]

We learned above that if someone sees the Temple ruins before those of Jerusalem, upon seeing the ruins of Jerusalem he may simply extend the original rent. We shall similarly learn below that if someone rent his garment over the death of a relative and after the mourning period had passed another relative died, he may simply extend the previous rent. The Gemara cites a Baraisa that elaborates this law:

תָּנוּ רַבָּנָן – **The Rabbis taught in a Baraisa:** תְּחִילַּת קְרִיעָה טֶפַח – THE INITIAL RENT must measure at least A *TEFACH,*[7] וְתוֹסֶפֶת שָׁלֹשׁ אֶצְבָּעוֹת – AND THE EXTENSION must measure at least THREE FINGERBREADTHS. דִּבְרֵי רַבִּי מֵאִיר – These are THE WORDS OF R' MEIR. רַבִּי יְהוּדָה אוֹמֵר – R' YEHUDAH SAYS: תְּחִילַּת קְרִיעָה שָׁלֹשׁ אֶצְבָּעוֹת – THE INITIAL RENT must measure at least THREE FINGERBREADTHS,[8] וְתוֹסֶפֶת כָּל שֶׁהוּ – AND THE EXTENSION may be ANY SIZE, even a minute amount.

A ruling concerning this dispute is cited:

אָמַר עוּלָּא – **Ulla said:** הֲלָכָה כְּרַבִּי מֵאִיר בִּקְרִיעָה – **The halachah follows R' Meir regarding the** initial **rent,** that it must measure a *tefach,* וַהֲלָכָה כְּרַבִּי יְהוּדָה בְּתוֹסֶפֶת – **and the halachah follows R' Yehudah regarding the extension,** that it may be any size.

Ulla's ruling is supported:

תַּנְיָא נַמִּי הָכִי – **It was taught similarly in a Baraisa:** רַבִּי יוֹסֵי אוֹמֵר – R' YOSE SAYS: תְּחִילַּת קְרִיעָה טֶפַח – THE INITIAL RENT must measure at least A *TEFACH,* וְתוֹסֶפֶת כָּל שֶׁהוּ – AND THE EXTENSION may be ANY SIZE.[9]

A related Baraisa is cited:

תָּנוּ רַבָּנָן – **The Rabbis taught in a Baraisa:** אָמְרוּ לוֹ מֵת אָבִיו וְקָרַע – IF THEY INFORMED [SOMEONE] THAT HIS FATHER DIED AND HE RENT his garment, מֵת בְּנוֹ וְהוֹסִיף – and after the mourning period had passed[10] they informed him that HIS SON DIED, AND HE EXTENDED the rent, תַּחְתּוֹן מִתְאַחָה – the extension at THE BOTTOM MAY BE MENDED,[11] עֶלְיוֹן אֵינוֹ מִתְאַחָה – but the initial

NOTES

1. The Alexandrians would sew the fabric from the inside of the garment, so that the exterior would appear even and the torn ends would protrude on the underside (*Raavad,* cited by *Ramban, Rosh* §65 and *Ritva*). To make the mend barely noticeable, they would add a set of small stitches on the outside and bring the edges close together (*Rosh;* see *Yoreh Deah* 340:20).

Others explain that in the Alexandrian method of mending the loose threads are *woven* together, so that nothing protrudes on either side of the fabric (*Ramban;* see *Shach, Yoreh Deah* 340:30 for yet another explanation).

2. I.e. on a previous tragic occasion he rent this garment, and he later basted the fabric as permitted. Now, he again had cause to rend and he simply tore the fabric where it had been basted (*Rashi, Meiri*).

3. [Since a rent that may *never* be mended may be stitched with one of these methods, it is obvious that once stitched the fabric is not considered "whole." Thus, one who tears it again has simply reopened the original rent, and has not made a new one.]

4. Since it is forbidden to repair a permanent rent with the Alexandrian method, this method obviously nullifies the tear and renders the garment "whole" (*Rashi*). Accordingly, when someone tears such a mend, he has made a new rent in the fabric and has discharged his obligation.

5. A garment must be rent at the top, near the neckline (Gemara below). The Baraisa teaches that if someone inverts the torn garment so that the hem is now at his neck and the neckline is the hem, he is allowed to mend the rent portion at the bottom (*Rashi*). This does not mean that he is permitted to mend it immediately. Rather, he waits the amount of time that is normally required for crude stitching – thirty days for the death of a parent, seven days for the death of another relative, and one day for any other tragedy – and may then mend it instead of merely stitching crudely (*Rashi ms.;* see next note).

6. According to *Tosafos* (ד"ה כך), this clause is unanimous. *Ramban,* however, maintains that it is a continuation of the opinion of R' Shimon ben Elazar. *Ramban* argues that since the Tanna Kamma permits the original owner to mend the garment after its inversion, we see that he does not require that it remain rent forever; he merely forbids the owner to publicly terminate his mourning by mending the rent. Once he inverts the garment and turns it into a "new" entity, the restriction no longer exists. Logic therefore dictates that the Tanna Kamma permits the buyer to mend the rent, since there is no reason for him to carry on the seller's demonstration of mourning. R' Shimon ben Elazar is the one who forbids even the buyer to mend it, because he requires that the *garment* remain rent forever. For further discussion of this rule, see *Tosafos, Ritva* and *Yoreh Deah* 340:19 with *Shach.*

7. A *tefach* consists of four fingerbreadths. The Gemara above, 22b, derived from the verse (*II Samuel* 1:11), *David took hold of his garments and rent them,* that the minimum measure of a rent is a *tefach,* for this is the amount of fabric that one grasps in his hand. [As mentioned on 22b, this applies to the rent for a relative other than one's parent. For a parent, one must rend his garments until he exposes his heart (see there).]

8. R' Yehudah disagrees with the assumption that one grasps a *tefach* of fabric in one's hand (*Rashi ms.*). [Rather, he holds that one grasps things primarily with three fingers, not with his full *tefach* [i.e. four fingers] (*Ritva;* cf. *Tosafos* ד"ה תחילת קריעה). Alternatively, perhaps R' Yehudah's reason is because the minimum measure of a "garment" with regard to being susceptible to *tumah* is three fingerbreadths square (see *Keilim* 27:2,10). Thus, R' Yehudah requires that one rent the measure that would itself qualify as a "garment" (see *Mesoras HaShas*).]

9. This supports Ulla's ruling because the halachah generally follows R' Yose vis-a-vis R' Meir and R' Yehudah. Furthermore, in this case his opinion is decisive because he sides with each of the other Tannaim regarding one law, thus combining with each of them to form a majority opinion against the other Tanna in that instance (*Tosafos* ד"ה תניא נמי הכי; see *Eruvin* 46b).

10. *Ritva.* The Gemara below cites a dispute about whether this means that seven or thirty days passed.

11. After thirty days (*Rashi ms.*), like any rent for a relative other than one's parent.

ובאיחוי אלכסנדרי ת"ר הקורע מתוך השלל מתוך המלל מתוך הלקט מתוך הסולמות לא יצא מתוך האיחוי יצא אמר רב חסדא ובאיחוי אלכסנדרי ת"ר רשאי להופכו למטה ולאחותו ר' שמעון בן אלעזר אוסר לאחותו וכשם שהמוכר אסור לאחותו כך הלוקח אסור לאחותו ולפיכך מוכר צריך להודיעו ללוקח ת"ר תחילת קריעה טפח ותוספת שלש אצבעות דברי רבי מאיר רבי יהודה אומר תחילת קריעה שלש אצבעות ותוספת כל שהו אמר עולא הלכה כרבי מאיר בקריעה והלכה כרבי יהודה בתוספת תניא נמי הכי רבי יוסי אומר תחילת קריעה טפח ותוספת כל שהו ת"ר אמרו לו מת אביו וקרע מת בנו והוסיף תחתון מתאחה עליון אינו מתאחה מת בנו וקרע מת אביו והוסיף עליון מתאחה תחתון אינו מתאחה מת אביו מת אמו מת אחיו מתה אחותו קורע קרע אחד לכולן רבי יהודה בן בתירה אומר על כולן קרע אחד על אביו ואמו קרע אחד לפי שאין מוסיפין על קרע אביו ואמו מאי טעמא אמר רב נחמן בר יצחק לפי שאינן בתוספת אמר שמואל הלכה כרבי יהודה בן בתירה ומי אמר שמואל הכי והאמר שמואל הלכה כדברי המיקל באבל אבילות לחוד קריעה לחוד עד היכן קורע עד טיבורו ויש אומרים עד לבו אע"פ שאין ראיה לדבר זכר לדבר שנאמר וקרעו לבבכם ואל בגדיכם הגיע לטיבורו מרחיק שלש אצבעות וקורע נתמלא מלפניו מחזירו לאחוריו נתמלא מלמעלה הופכו מלמטה והקורע מלמטה ומן הצדדין לא יצא אלא שכהן גדול פורם מלמטה פליגו בה רב מתנה ומר עוקבא ותרוייהו משמיה דאבוה דשמואל ולוי חד אמר כל שבעה קורע לאחר שבעה מוסיף וחד אמר כל שלשים קורע לאחר שלשים מוסיף מתקיף לה רבי זירא מאן דאמר כל שבעה קורע אמאי דלא ניתן לשוללו אלא הא דאמר מר האשה שוללתו לאלתר ה"נ התם משום כבוד אשה הוא מאן דאמר כל שלשים קורע אמאי דלא ניתן לאחותו אלא לאביו ולאמו דלא ניתן לאחותו לעולם ה"נ התם משום כבוד אביו ואמו הוא ת"ר היוצא בבגד קרוע לפני המת הרי זה גוזל את המתים ואת החיים רשב"ג אומר האומר לחבירו השאילני חלוקך ואלך ואבקר את אבא שהוא חולה והלך ומצאו שמת קורע ומאחו וכשיבא לביתו מחזיר לו חלוקו ונותן לו דמי קרעו ואם לא הודיעו הרי זה לא יגע בו ת"ר חולה שמת לו מת אין מודיעין אותו שמת שמא תטרף דעתו עליו ואין מקרעין בפניו ומשתקין את הנשים מפניו ומקרעין לקטן מפני עגמת נפש וקורעין על חמיו ועל חמותו מפני כבוד אשתו ואמר רב פפא תנא באבל רבתי אבל לא יניח תינוק בתוך חיקו מפני שמביאו לידי שחוק ונמצא מתגנה על הבריות: ואין מברין על מטות זקופות: ת"ר ההולך לבית האבל אם היה לבו גס בו יברוהו על מטות כפויות ואם לאו יברוהו על מטות זקופות רבא איתרע ביה מילתא על לגביה אבא בר מרתא דהוא אבא בר מניומי רבא זקיף אבא בר מרתא כפי אמר כמה לית ביה דעתא להאי צורבא מרבנן תנו רבנן ההולך ממקום למקום

אם

רש"י

מתוך השלל. שלא קרע אלא בשלל: מתוך האיחוי. מקרע האיחוי: ובאיחוי אלכסנדרי. דהוה כשלם: רשאי להפכו למטה. שהופך הקרע למטה והופך שלמטה למעלה ומאחהו ועושה בית הצואר ולובשו: ותוספת שלש. כגון שמוסיף קרע אחר על אותו קרע כגון שאירעו אבל אחר: עליון אין מתאחה. שקרעו על אביו ועל אמו: שאינן בתוספת. כלומר אין בדין שמוסיף עליהן: הגיע לטיבורו. ומת לו מת אחר: מרחיק שלש אצבעות. בצד אותו קרע וקורע: נתמלא. קרעים מלפניו מחזירו לאחוריו וחוזר וקורע לפניו: כל שבעה. אם מת לו מת קורע קריעה אחרת: לאחר שבעה מוסיף. על קרע ראשון: דלא ניתן לשוללו. תוך שבעה כלל ואי מוסיף ביה מיחזי כקרע אחד אבל לאחר שבעה דכבר שללו קורע כל השלילות ומוסיף כל שהו דמינכר דעל מת אחר קרע: אשה שוללתו לאלתר. אפילו תוך שבעה: הכי נמי. דמוסיף דקורע השלילה ומוסיף בה פורתא דקא מינכר וקא פסיק כל שבעה קורע ואפילו אשה: משום כבוד האשה הוא. ולא מן הדין: משום כבוד אביו. ולא מן הדין והוי כאיחוי לפיכך מוסיף בו לאחר שלשים: בבגד קרוע. קודם לכן גוזל הכל שמרמה הכל שמראה להן שקרע על המת: ואם לא הודיעו. שהולך לבקר את אביו: יברוהו. לאותו שבא על מטות כפויות: אבל ההולך ממקום למקום: יגלגל

תוספות

ובאיחוי אלכסנדרי. בירושלמי איזהו איחוי כל שאין מקומו ניכר ובמסכת שמחות (פ"ט) מפרש כל שאחוהו כל צורכו:

כך הלוקח אסור לאחותו. לא שמעתי אם מותר למוכרו לנכרי נהי דלוקח אסור לאחותו אם הוא נכרי מותר ואע"פ דמוכר צריך להודיע ללוקח היינו כדי שלא יעשה לוקח איסור אבל אין אנו חוששין אם יתפרנו הנכרי ולכאורה היה מותר [ז] ועוד צ"ע והאי וכשם שהמוכר כו' הוי פי' לתנא קמא בלא הפיכה ולר"ש בן אלעזר אפילו על ידי הפיכה ובמאי דפליגי נראה דהלכה כתנא קמא וכן פירש הר"א:

תחילת קריעה שלש אצבעות. לא ידענא [ח] ממאי מפיק טעמא דלעיל (ד' כב:) מפקינן טפח מויחזק אין אחיזה פחות מטפח:

תניא נמי הכי. רבי יוסי סובר כן ורבי יוסי הלכה כמותו לגבי דרבי מאיר ורבי יהודה בפרק מי שהוציאוהו (עירובין ד' מו:) ועוד דה"ל מכריע:

קורע קרע אחד על כולן. במסכת שמחות (פ"ט) א"ל מת אביו וקרע והוא אינו אלא אמו יצא מתה אמו והוא אינו אלא אביו יצא מת אביו מתה אמו וקרע והוא אינו אלא אחד מן הקרובין יצא אחד מן הקרובין וקרע והוא אינו אלא אביו או אמו לא יצא ובירושלמי אמרו לו מת ראובן וקרע ואמרו שמעון היה יצא אמרו לו מת ראובן וקרע ואח"כ אמרו לו קיים היה ומת אית תנא לא יצא וכן קרע על אביו ונמצא בנו אם מת על אחר אין צריך לקרוע כמה הוא על אחר כדי דבור ובסוף פרק בתרא דנדרים (דף פז.) כמו כן היא שנויה:

אמר רב נחמן בר יצחק לפי שאינן בתוספת. תימה מאי מוסיף לפרש הטעם מן הברייתא ופירש הר"א בשם רבינו שמואל דלא גרסינן לפי שאין מוסיפין בברייתא והר"י הקשה בתוספות מאי שייך בתוספת נראה לי דמצי למימר דסבירא כמאן דאמר עד טיבורו אי נמי עד שיגלה את לבו אין זה כל כך כמו עד לבו מיהו יותר נראה לי דקאמר רב נחמן בר יצחק לפי שאינן בתוספת שצריך לקרוע עד לבו ואם אירע כך שלא קרע עד לבו מ"מ כיון דלא עשה כמו שהיה צריך אומר אין שייך תוספת מיהו לפירושו קסבר רב נחמן בר יצחק כיש אומרים עד לבו ואפילו למאן דאמר בסמוך עד טיבורו יש ליישב כמו שפי' שאין צריך לקרוע על אביו ועל אמו רק עד שיגלה את לבו מכל מקום אם קרע טפי שפיר משום כבוד אביו ואין כאן בל תשחית:

פורם מלמטה. בפ' בתרא דהוריות (ד' יב:) מפרש מה קורע למטה אם בצואר:

לפי שאין מוסיפין על אביו ואמו. פי' בקונטרס דאכולהו קאי דבין אם קרע על אביו קודם בין קרע על אחד מקרוביו קודם ולא ידענא מנא ליה דלישנא משמע דוקא על קרע אביו ואמו שהיה קודם:

אם

עין משפט נר מצוה

קצט א מיי' פ"ט מהל' אבל הלכה ג:

ר ב ג מיי' שם סמג עשין ב טוש"ע י"ד סי' שמ סעיף כ:

רא ד ה מיי' שם והלכה ד סמג שם טוש"ע שם סעיף יט:

רב ו מיי' שם פ"ח הלכה ג י סמג שם טוש"ע שם סעיף ג:

רג ז ח מיי' שם הלכה ט טוש"ע שם סעיף כב:

רד ט מיי' שם הלכה י טוש"ע שם סעיף כא:

רה י מיי' שם הלכה א טוש"ע שם סעיף ב:

רו כ מיי' שם ופ"ז הלכה ו סמג שם וסמג לאוין שא ומיי' פ"ה מהל' כלי המקדש הלכה ו:

רז ל מיי' פ"ח מהלכות אבל הלכה י סמג עשין ב טוש"ע י"ד סי' שמ סעיף כא:

רח מ מיי' שם הלכה ו סמג שם טוש"ע שם סעיף לג:

רט נ מיי' שם הלכה ז טוש"ע שם סעיף לד:

רי ס מיי' שם הלכה ד טוש"ע שם סי' שלז:

ריא ע מיי' שם הלכה ה טוש"ע שם סי' שמ סעיף ד:

ריב פ מיי' שם פ"ה הלכה כ טוש"ע שם וסי' שלא סעיף א:

רבינו חננאל

על ירושלים: ת"ר רשאי להופכו למטה ולעשות לו איחוי. פי' להפך החלוק לחתכו ולתת בית הצואר שלו שולים והשולים יעשה בית שפה. ר' שמעון בן אלעזר אוסר באיחוי בין מלמעלן בין מלמטה. וכשם שהבעלים אסורין לאחותו כן הלוקח אסור לאחותו. לפיכך צריך המוכר להודיע ללוקח שזה קרע אסור באיחוי הוא. ת"ר וכולן אלו הקרעין רשאין לשוללן למוללן ללוקטן לעשותן בתפירה אחת כעין סולמות שיהא ניכר הקרע. אבל אין רשאין לאחותן באיחוי אלכסנדרית שהוא כמין אריגה. ת"ר הקורע מתוך השלל או מתוך המלל או מתוך הליקוט או מתוך הסולמות לא יצא. אבל אם היה איחוי אלכסנדרית שהוא כאריגה יצא ידי קריעה: ירושלמי כד דמך ר' יוחנן אורי ר' חייא בר אבא לשלול הקרע בו ביום ולנעול הסנדל בו ביום. א"ל ר' תנחום ב"ר חייא לר' חיננא בר פפא ר' צלי עלן. א"ל יסוג תורעתך שכל אותה שנה הדין מתוח כנגד המשפחה דא"ר יוחנן כל שבעה החרב שלופה עד שלשים יום. ומשלשים היא רופפת ואינה חוזרת לתערה עד י"ב חודש. למה"ד לכיפת אבנים שנתרועעה אחת מהן נתרועעו כולן. א"ר אלעזר אם נולד להן בן באותה משפחה נתרפאת כל המשפחה כולה: ת"ר תחלת הקריעה טפח ואם קרע על המת ועוד מת לו מת אחר ובא לקרוע ולהוסיף על הקרע מוסיף ג' אצבעות דברי ר' מאיר א) ותחלת הקריעה ג' אצבעות ותוספת כל שהו. אמר עולא הלכה כר' מאיר בקריעה שתחלת קריעה טפח. והלכתא כר' יהודה בתוספת דדי לו אפילו כל שהו. תניא נמי הכי ר' יוסי אומר תחלת הקריעה טפח ותוספת כל שהו: ת"ר מת אביו וקרע. מת בנו והוסיף תחתיו מתאחה. עליון אין מתאחה. מת בנו וקרע מת אביו והוסיף כו'. ר' יהודה בן בתירה אומר על כולן כגון בנו ובתו אחיו ואחותו ואשתו קורעין להן קרע אחד על אביו ועל אמו קורע קרע אחר. לפי שאין מוסיפין על קרע אביו ואמו פי' לפי שאינו בתוספת מפני שקריעתו על אביו ועל אמו מבדיל קמי שפה שלו וקורע והולך עד שמגיע הקרע אל לבו ומגלה. ובשאר מתים קורע טפח ומוסיף כל שהו עד שמגיע אל לבו. ואע"פ שאין ראייה ברורה אשכחן זכר לדבר כדכתיב וקרעו לבבכם ואל בגדיכם. אמר שמואל הלכה כר' יהודה בן בתירה. איני והאמר שמואל הלכה כדברי המיקל באבל. ור' יהודה לגבי ת"ק מחמיר הוא. ופרקינן כי קאמר שמואל בענין אבלות. האי ענין קריעה הוא. הלכך הלכתא כר' יהודה בן בתירה. עד היכן קורע עד טיבורו הגיע לטיבורו מרחיק ג' אצבעות וקורע. נתמלא מלפניו מחזירו מלאחוריו נתמלא מלמעלה הופכו למטה (כנגד) כלומר מהפך ועושה שולי חלוקו בית הצואר וקורע למעלה. והקורע מלמטה מן השוליים ומן הצדדין לא יצא. אלא שכ"ג פורם מלמטה. פליגי ב) עליה משמיה דאבוה דשמואל ולוי. חד אמר כל שבעה קורע לאחר שבעה אם מת לו מת אחר מוסיף על הקרע הראשון כל שהו. וחד אמר כל שלשים יום אם ימות לו מת אחר קורע [קרע] אחר לאחר ל' יום מוסיף. מתקיף ליה ר' זירא מאן דאמר כל שבעה קורע אמאי אינו מוסיף דלא ניתן לשוללו בתוך ז'. אלא קרע של אשה ששוללתו לאלתר הכי נמי שמוספת לאלתר. ופרקינן התם משום כבוד אשה. מ"ד כל ל' יום אם קורע אמאי כו': ת"ר היוצא בבגד קרוע לפני המת הרי זה גוזל את החיים ואת המתים רשבג"א האומר לחבירו השאילני חלוקך כדי שאלך ואבקר את אבי שהוא חולה. ומצאו שמת קורעו. וכשיבא לביתו מאחו. ומחזירו לבעליו ונותן לו דמי קרעו. ואם לא הודיעו כי הולך לבקר את אביו לא יגע בו. ת"ר חולה שמת לו מת אין מודיעין אותו שמא תטרף דעתו של חולה ואין מקרעין לו ומשתקין הנשים מפניו ומקרעין לקטן פי' על אביו שמת או על אמו. וכיוצא בהן מפני עגמת נפש. וקורע על חמיו ועל חמותו מפני כבוד אשתו: תנא באבל רבתי אבל לא יניח תינוק בחיקו מפני הרבים מפני שמביאו לידי שחוק ונמצא מתגנה על הבריות. ואין מברין אלא על מטות זקופות. ת"ר ההולך לבית האבל אם היה לבו גס בו יברוהו על מטות כפויות. ואם לאו יברוהו על מטות זקופות. רבא איתרע ליה מלתא דאבלות על לגביה רבה וזקף המטה להברותו. על אבא בר מרתא וכפה. אמר לית ביה דעתא [להאי צורבא] מרבנן דכפה דהא אין לבי גס בו. ת"ר אבל ההולך ממקום למקום אם יכול למעט בעסקו כלומר שלא יקנה ולא ימכור [ימעט]. ואם לאו יגלגל עמהן כלומר

מסורת הש"ס

א) לעיל יח. וש"נ עירובין מו., ב) לעיל כב:, ג) שמחות פ"ט, ד) שם [תוספתא ב"מ פ"ח], ה) לעיל יד:, ו) אלא, ז) ובמס' שמחות ספ"ט איתא דאסור, ח) [עי' כלים פכ"ד מ"ב ומ"י] אולי צ"ל פכ"ז.

תורה אור השלם

א) וְקִרְעוּ לְבַבְכֶם וְאַל בִּגְדֵיכֶם וְשׁוּבוּ אֶל יְיָ אֱלֹהֵיכֶם כִּי חַנּוּן וְרַחוּם הוּא אֶרֶךְ אַפַּיִם וְרַב חֶסֶד וְנִחָם עַל הָרָעָה: [יואל ב, יג]

רש"י כת"י

ה"ג רשאי (לתופרן) [להופכו] למטה ור' שמעון בן אלעזר אוסר מאי קאמ' אמ' אביי הכי קאמ' רשאי (לתופרו) [להופכו] למטה ולאחותו. אם קרע בית הצואר כלפי למטה ורוצה להפוך החלוק מלמטה למעלה ולעשות בית צואר אחר (בין צואר ראשון בין רגליו) ראשי לאחות בית הצואר ראשון שהולך בין רגליו. ר' שמעון בן אלעזר אוסר. לאחותו ולאחר שבעה קא מיירי דאמרי' לעיל על כל המתים שולל לאחר שבעה על אביו ועל אמו לאחר שלשים דכיון דהופכו למטה [סבר ת"ק] ראשי לאחותו [ור"ש אוסר] עד לאחר שלשים בכל המתים ובאביו ואמו לעולם. ותוספת. שמת לו מת אחר וצריך לקרוע [או] כגון דאמרן] מוסיף על ירושלים. ה"ג ר' יהודה אומר תחלת הקריעה שלש אצבעות. ולית ליה אין אחיזה פחות מטפח דנפקא לן לעיל (כב:) מויחזק דוד. תחתון. שקרע על בנו מתאחה לאחר שלשים. עליון. שקרע על אביו אינו מתאחה לעולם. מת אביו מתה אמו מת אחיו מתה אחותו. והכל בשרוהו בבת אחת. על אביו ועל אמו קורע אחד ועל כולן קרע אחד. במקום אחד למעלה שלא באותו קרע. לפי שאין מוסיפין בקרע של אביו. ואכולה פליג ר' יהודה מדקתני מת אביו (קורע) [וקרע] מת בנו (אינו מוסיף) [והוסיף] ואתא ר' יהודה למימר קרע על אביו ומת בנו אינו מוסיף וקורע על בנו [או] קרע על בנו ומת אביו אינו מוסיף אלא [קורע] במקום [אחר קריעה] (ה)מיוחדת. מאי טעמ'. שאינו כתוספת קרע על אביו אינו יכול להוסיף קרע עליו ואם קרע על בנו ומת אביו אינו עושה קריעת אביו תוספת איכה סיפרי דכתב בהו הלכה כר' יוחנן לישנא דכלה ולא ידענא מאי לישנא דכלה. קריעה לחוד. דלא אמרינן הלכה כדברי המקל בקריעה. עד היכן הוא קורע. שהולך ומוסיף וקורע עד כמה. קרעו לבבכם. אלמא קריעה עד הלב. הגיע לטיבורו. ושמע שמועה אחרת שוב אינו מוסיף על אותה קריעה [לא יצא] אלא חוזר ומתחיל מלמעלה אבל לידי בית הצואר ואם רבו לו שמועו' הולך וקורע ומרחיק ג' אצבעות בין קרע לקרע מאחר החלוק לצד הכתף. נתמלא. כל הכתף קריעות מלפניו מחזירו לאחוריו ומחזיר מה שלאחריו לפניו וקורע ולובשה [כל שעה]. נתמלא למעלה. אבל בית הצואר מחזיר חלוקו מה שלמעלה למטה ועושה בית צואר אחר וקורע האחרון ואינו מאחה הראשון שלמטה. מן הצדדין. מתניס. אלא שכהן גדול פורם. בגדיו מלמטה ולא מפני שהוא פרימה דהא כתוב ובגדיו לא יפרום אלא מפני עגמת נפש. ותרוידהו. פליגי משמיה [דאבוה] (ד)שמואל ולוי. שמע. שמועה כל שבעת ימי אבלו קורע קריעה חדשה. לאחר שבעה. קורע על קרע ראשון ודיו וגבי מתי מצוה קא מיירי. כיון דלא נתן רשות לשללו. לקרע ראשון כי מוסיף עליה קרע ראשון קא חשיב דהוי כאלו מרחיב קרא ראשון ולא יצא. אלא. באשה דאמרינן לעיל בהאי פרקא אשה שקרעה על מתה שוללתו לאלתר אפילו תוך שבעה. הכי נמי. אם שמע שמועות תוך שבעה והוסיפה עליו דילתה ידי קריעה הואיל וניתן לשוללו. התם. נמי כלא ניתן רשות לשוללן דמי שאינה אלא משום דאין כבודה לעמוד בפריעת הלב. משום כבוד אביו ואמו הוא. וכמי שלא ניתן לאחותו דמי הילכך אם הוסיף יצא וקסבר האי מתרך אביו ואמו הן בתוספת ולא סבירא ליה הלכתא ואע"ג דלעיל נפקא לן דקרע על אביו ואמו אינו מתאחה לעולם מאלישע ואפי' הכי משום כבוד אביו הוא. היוצא. לפני המת. בבגד קרוע. שנקרא קודם לכן. גוזל את החיים. שגונב דעתם דסבורין הן שעל המת קרע. ואת המתים. שלא קרע עליהן. אם לא הודיעו. שהולך לבקר את אביו שהוא חולה. ואין מקרעין. לחולה את בגדיו. משתקין את הנשים לפניו. שלא תהיינה מטפחות ומספידות פן ירגיש החולה ותטרף דעתו. ומקרעין לקטן. את בגדיו בשעת אבילות קא מיירי וליכא חולה מקרעין בגדיו מפני עגמת נפש כדי שיבכו הרואים לפי שאף הקטן נקרע. על חמיו ועל חמותו מפני כבוד אשתו בשלא היה שם בשעת יציאת נשמה דאי הוה בשעת יציאת נשמה אפי' אחר נמי. באבל רבתי. במסכת שמחות. אבל לא יניח תינוק. בימי אבלו בחיקו. אם לבו גס בו. אם רואין את האבל שאינו נוהג כדרך שאר אבלים אלא שמח הוא. מברין. ויושבין המנחמין. על מטות כפויות. כדי שימר לבו (ברש"י ברי"ף - שירך לבו). לישנא אחרינא לבו גס בו ואם היה מכירהו קרובו או שושבינו ולבו גם בו יחד יושב לארץ אתו או על מטה כפויה. (איתרמא) איתרע. מילתא אבילות. אבא בר מרת. מרת שמו. מניומי. אבוי. רבא. שהוא אבל. זקוף. על מטות זקופות. אמר. רבא לית ביה דעת באבא בר מרת והא לא חזי איהו דלבו גס בו. אבל ההולך ממקום למקום וארעו אבל בדרך.

חשק שלמה על ר"ח א) חסר כאן וצ"ל ר"י אומר תחלת קריעה ג' אצבעות וכו'. ב) נ"ל פליגו בה רב מתנה וכו' משמיה דאבוה דשמואל וכו'.

rent at THE TOP MAY NOT BE MENDED.[12] מֵת בְּנוֹ וְקָרַע – If they first informed him that HIS SON DIED AND HE RENT his garment, מֵת אָבִיו וְהוֹסִיף – and after the mourning period had passed they told him that HIS FATHER DIED AND HE EXTENDED the rent, עֶלְיוֹן מִתְאַחֶה – the initial rent at THE TOP MAY BE MENDED, תַּחְתּוֹן אֵינוֹ מִתְאַחֶה – but the extension at THE BOTTOM MAY NOT BE MENDED.[13] מֵת אָבִיו מֵת אִמּוֹ מֵת אָחִיו מֵתָה אֲחוֹתוֹ – If they informed him in one report that HIS FATHER, MOTHER, BROTHER AND SISTER DIED, קוֹרֵעַ קֶרַע אֶחָד לְכוּלָּן – HE MAY MAKE A SINGLE RENT FOR ALL OF THEM.[14] רַבִּי יְהוּדָה בֶּן בְּתֵירָה אוֹמֵר – R' YEHUDAH BEN BESEIRAH SAYS: עַל כּוּלָּן קֶרַע אֶחָד – FOR ALL OF THEM besides his parents he makes ONE collective RENT, עַל אָבִיו וְאִמּוֹ קֶרַע אֶחָד – and FOR HIS FATHER AND MOTHER he must make ONE separate RENT.[15] לְפִי שֶׁאֵין מוֹסִיפִין עַל קֶרַע אָבִיו וְאִמּוֹ – He may not rend for his parents and then extend the rent for the other relatives, BECAUSE ONE CANNOT EXTEND THE RENT that he made FOR HIS FATHER OR MOTHER.[16]

The Gemara wonders about R' Yehudah ben Beseirah's ruling: מַאי טַעְמָא – **What is the reason** that an entirely new rent is required? Let him first rend for the other relatives and then extend the rent for his father and mother.[17] – ? –

The Gemara answers:

אָמַר רַב נַחְמָן בַּר יִצְחָק – **Rav Nachman bar Yitzchak said:** לְפִי שֶׁאֵינָן בְּתוֹסֶפֶת – It is **because [parents] are not subject to** a mere **extension.**[18]

A ruling concerning this matter is cited:

אָמַר שְׁמוּאֵל – **Shmuel said:** הֲלָכָה כְּרַבִּי יְהוּדָה בֶּן בְּתֵירָה – **The halachah follows R' Yehudah ben Beseirah.**

The Gemara asks:

וּמִי אָמַר שְׁמוּאֵל הָכִי – **Did Shmuel** actually **say this?** וְהָאָמַר שְׁמוּאֵל – **But Shmuel said:** הֲלָכָה כְּדִבְרֵי הַמֵּיקֵל בְּאֵבֶל – **The halachah** always **follows the more lenient opinion in** matters of **mourning,** and in this case R' Yehudah ben Beseirah's opinion is the more stringent one. – ? –

The Gemara answers:

אֲבֵילוּת לְחוּד – **Mourning is** in a category **by itself,** קְרִיעָה לְחוּד – and **rending is** in a category **by itself.** Although Shmuel always rules leniently in matters of mourning, he does not necessarily do so in matters of rending.[19]

Another Baraisa dealing with the laws of rending is cited:[20]

עַד הֵיכָן קוֹרֵעַ – UNTIL WHERE MAY ONE REND his garment and still discharge his obligation?[21] עַד טִיבּוּרוֹ – UNTIL HIS NAVEL. וְיֵשׁ אוֹמְרִים עַד לִבּוֹ – BUT SOME SAY: UNTIL HIS HEART. אַף עַל פִּי שֶׁאֵין רְאָיָה לַדָּבָר – EVEN THOUGH THERE IS NO PROOF TO THIS RULE, זֵכֶר לַדָּבָר – there is AN ALLUSION TO THE RULE, שֶׁנֶּאֱמַר ,,וְקִרְעוּ לְבַבְכֶם וְאַל-בִּגְדֵיכֶם" – FOR IT IS STATED: *REND YOUR HEARTS AND NOT YOUR GARMENTS.*[22] הִגִּיעַ לְטִיבּוּרוֹ – If [THE RENT] REACHED ONE'S NAVEL[23] and another of his relatives died, so that he must rend again, מַרְחִיק שָׁלֹשׁ אֶצְבָּעוֹת וְקוֹרֵעַ – HE SHOULD MOVE OFF

NOTES

12. It may never be mended, like any rent for a parent (*Rashi ms.*). The Baraisa informs us that we need not be concerned that while mending the bottom the person will inadvertently mend the top as well (*Ritva*).

13. One might have thought that even the top may not be mended. For although the top was initially rent for a different relative, when this was extended for the parent the extension *combined* with the initial portion to form the parent's rent. Thus, even the top should be subject to the permanent ban on mending. The Baraisa informs us that this is not so; the top may be mended after thirty days from the death of the other relative (*Ritva*).

14. Since the reports arrived together, they obligate him in only one rent. If the reports would arrive separately, each one would call for a new rent or an extension of the previous one (depending upon whether the previous mourning period had ended).

Since the rent is for the sake of his parents among the other relatives, it must meet the requirement of a parental rent, i.e. it must reach until his heart rather than be a mere *tefach* in length (*Ritva;* see 22b).

15. The honor of his parents demands that he rend especially for them. However, one rent suffices for both his father and mother (*Ramban*). R' Yehudah ben Beseirah proceeds to explain why an entirely separate rent is required, rather than an extension of the first one. Although extending a rent is normally not permitted during the initial mourning period, in this case where all the reports arrived at once, this ought to be allowed (*Ritva*).

16. If the person would merely extend the rent that he had just made for his parents, it would appear as though he is still impassioned about their deaths and is rending his garment more than required. For one always makes a large rent in honor of his parents – as he is required to expose his heart – and people often rend even further than that. Thus, it would not be clear that the extension of the rent is in memory of another relative (*Ramban, Ritva*).

17. I.e. it is granted that one cannot rend first for his parents and extend the rent for his other relatives, because it would seem as though the extension is also in his parents' memory. But why can he not first rend his garment a *tefach* for his other relatives and then extend the rent until he exposes his heart for his parents? The extension would be clearly recognizable as having been made in honor of his parents (*Ramban, Ritva*).

18. It would be disrespectful to rend for other relatives and dismiss parents with a mere extension (*Rashi, Ritva*). This situation is analogous to the one discussed above, in which one encounters the ruins of Jerusalem first and those of the Temple later; he must make an entirely new rent in honor of the Temple (*Ramban*).

Rashi ms. states that R' Yehudah ben Beseirah disagrees even with the first clauses of the Baraisa. I.e. according to R' Yehudah ben Beseirah, it is *never* possible to extend a previous rent in memory of a parent, nor to extend a parental rent in memory of another relative. Others explain that R' Yehudah ben Beseirah requires separate rents only when one receives both reports at the same time. He concedes, however, that if the reports come separately, with the second one arriving after the conclusion of the first mourning period, one may discharge his obligation by extending the previous rent (*Ramban*). Yet others maintain that if the report of the parent's death came first and the report of the other relative's death came after the mourning period, an extension of the rent suffices. But if the opposite occurred an extension is insufficient, because it would be disrespectful to merely extend a rent in memory of a parent (*Rambam, Hil. Aveil* 8:10; *Shulchan Aruch, Yoreh Deah* 340:22-23). [See *Tosafos* ד״ה לפי and *Beis Yosef, Yoreh Deah* loc. cit. for a fourth opinion; and see *Tosafos* ד״ה אמר רב נחמן בר יצחק, *Ramban* and *Ritva* for alternative explanations of the Gemara.]

19. Rending is not part of the mourning process; rather, it is done before the onset of mourning. Furthermore, we note that although there is no mourning on a festival, even on Chol HaMoed, rending is performed on Chol HaMoed (*Nimukei Yosef;* see *Yoreh Deah* 340:31). And although mourning is never mentioned in the Torah, rending is mentioned [see *Leviticus* 10:6]. Therefore, Shmuel rules stringently in regard to rending (*Tos. HaRosh*).

20. *Ritva* has the reading here: תָּנוּ רַבָּנָן, *The Rabbis taught in a Baraisa.* See also *Be'er HaGolah, Yoreh Deah* 340:55.

21. I.e. how far down on the garment may one continue to expand a rent when additional relatives die. At what point must one begin again at the top with a new rent? (*Rashi ms.;* cf. *R' Shlomo ben HaYasom*). [The query is based on the Gemara's ruling below that one must rend his garment from the *top.*]

22. *Joel* 2:13. [The literal intent of the prophet is to call for inner repentance instead of outer signs of it. However,] his words allude that the garment is usually rent until the heart (*Rashi ms.*).

23. Here, the Baraisa follows the opinion of the Tanna Kamma. The halachah, too, follows this opinion (see *Yoreh Deah* 340:21). *Ritva* (above ד״ה ת״ר אמרו לו מת אביו) notes that the previous Baraisa also concurs with this view. For its Tanna Kamma stated that if one had rent his garment over the death of a parent he may later extend it over the death of another relative. Now, a parental rent *must* reach until one's heart. If this is the maximum allowable rent, the extension cannot possibly be valid! Perforce, that Baraisa considers a rent valid until it reaches the navel.

א ובאיחוי אלכסנדרי ת"ר ב הקורע מתוך השלל מתוך המלל מתוך הלקט מתוך הסולמות לא יצא מתוך האיחוי יצא אמר רב חסדא ג ובאיחוי אלכסנדרי ת"ר רשאי להופכו למטה ולאחותו ר' שמעון בן אלעזר ד אוסר לאחותו ה וכשם שהמוכר אסור לאחותו כך הלוקח אסור לאחותו ולפיכך מוכר צריך להודיעו ללוקח ת"ר תחילת קריעה טפח ותוספת שלש אצבעות דברי רבי מאיר רבי יהודה אומר תחילת קריעה שלש אצבעות ותוספת כל שהו אמר עולא הלכה כרבי מאיר בקריעה והלכה כרבי יהודה בתוספת תניא נמי הכי רבי יוסי אומר ו תחילת קריעה טפח ותוספת כל שהו ת"ר ז אמרו לו מת אביו וקרע מת בנו והוסיף תחתון מתאחה עליון אינו מתאחה מת בנו וקרע מת אביו והוסיף עליון מתאחה תחתון אינו מתאחה מת אביו מת אמו מת אחיו מתה אחותו קורע קרע אחד לכולן רבי יהודה בן בתירה אומר על כולן קרע אחד על אביו ואמו קרע אחד לפי שאין מוסיפין על קרע אביו ואמו מאי טעמא אמר רב נחמן בר יצחק לפי שאינן בתוספת אמר שמואל ח הלכה כרבי יהודה בן בתירה ומי אמר שמואל הכי והאמר שמואל א) הלכה כדברי המיקל באבל אבילות לחוד קריעה לחוד עד היכן קורע ט עד טיבורו ויש אומרים עד לבו אע"פ שאין ראיה לדבר זכר לדבר שנאמר א) וקרעו לבבכם ואל בגדיכם הגיע לטיבורו מרחיק שלש אצבעות וקורע נתמלא מלפניו מחזירו לאחוריו נתמלא מלמעלה הופכו מלמטה י והקורע מלמטה ומן הצדדין לא יצא כ אלא שכהן גדול פורם מלמטה פליגו בה רב מתנה ומר עוקבא ותרווייהו משמיה דאבוה דשמואל ולוי חד אמר ל כל שבעה קורע לאחר שבעה מוסיף וחד אמר כל שלשים קורע לאחר שלשים מוסיף מתקיף לה רבי זירא מאן דאמר כל שבעה קורע אמאי דלא ניתן לשוללו אלא הא דאמר מר ג) האשה שוללתו לאלתר ה"נ התם משום כבוד אשה הוא מאן דאמר כל שלשים קורע אמאי דלא ניתן לאחותו אלא לאביו ולאמו דלא ניתן לאחותו לעולם ה"נ התם משום כבוד אביו ואמו הוא ת"ר ג) מ היוצא בבגד קרוע לפני המת הרי זה גוזל את המתים ואת החיים ד) רשב"ג אומר נ האומר לחבירו השאילני חלוקך ואלך ואבקר את אבא שהוא חולה והלך ומצאו שמת קורע ומאחו וכשיבא לביתו מחזיר לו חלוקו ונותן לו דמי קרעו ואם לא הודיעו הרי זה לא יגע בו ת"ר ס חולה שמת לו מת אין מודיעין אותו שמת שמא תטרף דעתו עליו ואין מקרעין בפניו ומשתקין את הנשים מפניו ה) ומקרעין לקטן מפני עגמת נפש ע וקורעין על חמיו ועל חמותו מפני כבוד אשתו ואמר רב פפא תנא באבל רבתי פ אבל לא יניח תינוק בתוך חיקו מפני שמביאו לידי שחוק ונמצא מתגנה על הבריות: ואין מברין ו) על מטות זקופות: ת"ר ההולך לבית האבל אם היה לבו גס בו יברוהו על מטות כפויות ואם לאו יברוהו על מטות זקופות רבא איתרע ביה מילתא על לגביה אבא בר מרתא דהוא אבא בר מניומי רבא זקיף אבא בר מרתא כפי אמר כמה לית ביה דעתא להאי צורבא מרבנן תנו רבנן ההולך ממקום למקום
אם

רש"י

מתוך השלל. שלא קרע אלא בשלל: מתוך האיחוי. מקרע האיחוי: ובאיחוי אלכסנדרי. דהוה כשלם: רשאי להפכו למטה. שהופך הקרע למטה והופך שלמטה למעלה ומאחהו ועושה בית הצואר ולובשו: ותוספת שלש. כגון שמוסיף קרע אחר על אותו קרע כגון שאירעו אבל אחר: עליון אין מתאחה. שקרעו על אביו ועל אמו: שאינן בתוספת. כלומר אין בדין שמוסיף עליהן: הגיע לטיבורו. ומת לו מת אחר: מרחיק שלש אצבעות. בצד אותו קרע וקורע: נתמלא. קרעים מלפניו מחזירו לאחוריו וחוזר וקורע לפניו: כל שבעה. אם מת לו מת קורע קריעה אחרת: לאחר שבעה מוסיף. על קרע ראשון: דלא ניתן לשוללו. תוך שבעה כלל ואי מוסיף ביה מיחזי כקרע אחד אבל לאחר שבעה דכבר שללו קורע כל השלילות ומוסיף כל שהו דמינכר דעל מת אחר קרע: אשה שוללתו לאלתר. אפילו תוך שבעה: הכי נמי. דמוסיף דקורע השלילה ומוסיף בה פורתא דקא מינכר וקא פסיק כל שבעה קורע ואפילו אשה: משום כבוד האשה הוא. ולא מן הדין: משום כבוד אביו. ולא מן הדין והוי כאיחוי לפיכך מוסיף בו לאחר שלשים: בבגד קרוע. קודם לכן גוזל הכל שמרמה הכל שמראה להן שקרע על המת: ואם לא הודיעו. שהולך לבקר את אביו: יברוהו. לאותו שבא על מטות כפויות: אבל ההולך ממקום למקום: יגלגל

תוספות

ובאיחוי אלכסנדרי. בירושלמי איזהו איחוי כל שאין מקומו ניכר ובמסכת שמחות (פ"ט) מפרש כל שאחוהו כל צורכו:

כך הלוקח אסור לאחותו. לא שמעתי אם מותר למוכרו לנכרי נהי דלוקח אסור לאחותו אם הוא נכרי מותר ואע"פ דמוכר צריך להודיע ללוקח היינו כדי שלא יעשה לוקח איסור אבל אין אנו חוששין אם יתפרנו הנכרי ולכאורה היה מותר ז) ועוד צ"ע והאי וכשם שהמוכר כו' הוי פי' לתנא קמא בלא הפיכה ולר"ש בן אלעזר אפילו על ידי הפיכה ובמאי דפליגי נראה דהלכה כתנא קמא וכן פירש הר"א:

תחילת קריעה שלש אצבעות. לא ידענא ח) ממאי מפיק טעמא דלעיל (ד' כג:) מפקינן טפח מויחזק אין אחיזה פחות מטפח:

תניא נמי הכי. רבי יוסי סובר כן ורבי יוסי הלכה כמותו לגבי דרבי מאיר ורבי יהודה בפרק מי שהוציאוהו (עירובין ד' מו:) ועוד דה"ל מכריע:

קורע קרע אחד על כולן. במסכת שמחות (פ"ט) א"ל מת אביו וקרע והוא אינו אלא אמו יצא מתה אמו והוא אינו אלא אביו יצא מת אביו מתה אמו וקרע והוא אינו אלא אחד מן הקרובין יצא אחד מן הקרובין וקרע והוא אינו אלא אביו או אמו לא יצא ובירושלמי אמרו לו מת ראובן וקרע ואמרו שמעון היה יצא אמרו לו מת ראובן וקרע ואח"כ אמרו לו קיים היה ומת אית תנא לא יצא וכן קרע על אביו ונמצא בנו אם מת על אתר אין צריך לקרוע כמה הוא על אתר כדי דבור ובסוף פרק בתרא דנדרים (דף פז.) כמו כן היא שנויה:

אמר רב נחמן בר יצחק לפי שאינן בתוספת. תימה מאי מוסיף לפרש הטעם מן הברייתא ופירש הר"א בשם רבינו שמואל דלא גרסינן לפי שאין מוסיפין בברייתא והר"י הקשה בתוספות מאי שייך בתוספת נראה לי דמצי למימר דסבירא כמאן דאמר עד טיבורו אי נמי עד שיגלה את לבו אין זה כל כך כמו עד לבו מיהו יותר נראה לי דקאמר רב נחמן בר יצחק לפי שאינן בתוספת שצריך לקרוע עד לבו ואם אירע כך שלא קרע עד לבו מ"מ כיון דלא עשה כמו שהיה צריך אומר אין שייך תוספת מיהו לפירושו קסבר רב נחמן בר יצחק כיש אומרים עד לבו ואפילו למאן דאמר בסמוך עד טיבורו יש ליישב כמו שפי' שאין צריך לקרוע על אביו ועל אמו רק עד שיגלה את לבו מכל מקום אם קרע טפי שפיר משום כבוד אביו ואין כאן בל תשחית:

פורם מלמטה. בפ' בתרא דהוריות (ד' יב:) מפרש מה קורע למטה אם בצואר:

לפי שאין מוסיפין על אביו ואמו. פי' בקונטרס דאכולהו קאי דבין אם קרע על אביו קודם בין קרע על אחד מקרוביו קודם ולא ידענא מנא ליה דלישנא משמע דוקא על קרע אביו ואמו שהיה קודם:
אם

עין משפט נר מצוה

קצט א מיי' פ"ט מהל' אבל הלכה ג:

ר ב ג מיי' שם סמג עשין ב טוש"ע י"ד סי' שמ סעיף כ:

רא ד ה מיי' שם והלכה ד סמג שם טוש"ע שם סעיף יט:

רב ו מיי' שם פ"ח הלכה ב י סמג שם טוש"ע שם סעיף ג:

רג ז ח מיי' שם הלכה ט טוש"ע שם סעיף כב:

רד ט מיי' שם הלכה י טוש"ע שם סעיף כא:

רה י מיי' שם הלכה א טוש"ע שם סעיף ג:

רו כ מיי' שם ופ"ז הלכה ו סמג שם וסמג לאוין שא ומיי' פ"ה מהל' כלי המקדש הלכה ו:

רז ל מיי' פ"ח מהלכות אבל הלכה י סמג עשין ב טוש"ע י"ד סי' שמ סעיף כא:

רח מ מיי' שם הלכה ו סמג שם טוש"ע שם סעיף לג:

רט נ מיי' שם הלכה ז טוש"ע שם סעיף לד:

רי ס מיי' שם הלכה ד טוש"ע שם סי' שלז:

ריא ע מיי' שם הלכה ה טוש"ע שם סי' שמ סעיף ד:

ריב פ מיי' שם פ"ה הלכה כ טוש"ע שם וסי' שצא סעיף א:

מסורת הש"ס

א) לעיל יח. וש"נ עירובין מו., ב) לעיל כג:, ג) שמחות פ"ט, ד) שם [תוספתא ב"מ פ"ח], ה) לעיל יד:, ו) אלא, ז) ובמס' שמחות ספ"ט איתא דאסור, ח) [עי' כליס פכ"ד מ"ב ומ"י] אולי צ"ל פכ"ז.

תורה אור השלם

א) וְקִרְעוּ לְבַבְכֶם וְאַל בִּגְדֵיכֶם וְשׁוּבוּ אֶל יְיָ אֱלֹהֵיכֶם כִּי חַנּוּן וְרַחוּם הוּא אֶרֶךְ אַפַּיִם וְרַב חֶסֶד וְנִחָם עַל הָרָעָה: [יואל ב, יג]

רבינו חננאל

על ירושלים: ת"ר רשאי להופכו למטה ולעשות לו איחוי. פי' להפך החלוק לחתכו ולתת בית הצואר שלו שולים והשולים יעשה בית שפה. ר' שמעון בן אלעזר אוסר באיחוי בין מלמעלן בין מלמטה. וכשם שהבעלים אסורין לאחותו כן הלוקח אסור לאחותו. לפיכך צריך המוכר להודיע ללוקח שזה קרע אסור באיחוי הוא. ת"ר וכולן אלו הקרעין רשאין לשוללן למוללן ללוקטן לעשותן בתפירה אחת כעין סולמות שיהא ניכר הקרע. אבל אין רשאין לאחותן באיחוי אלכסנדרית שהוא כמין אריגה. ת"ר הקורע מתוך השלל או מתוך המלל או מתוך הליקוט או מתוך הסולמות לא יצא. אבל אם היה איחוי אלכסנדרית שהוא כאריגה יצא ידי קריעה: ירושלמי כד דמך ר' יוחנן אורי ר' חייא בר אבא לשלול הקרע בו ביום ולנעול הסנדל בו ביום. א"ל ר' תנחום ב"ר חייא לר' חיננא בר פפא ר' צלי עלן. א"ל יסוג תורעתך שכל אותה שנה הדין מתוח כנגד המשפחה דא"ר יוחנן כל שבעה החרב שלופה עד שלשים יום. ומשלשים היא רופפת ואינה חוזרת לתערה עד י"ב חודש. למה"ד לכיפת אבנים שנתרועעה אחת מהן נתרועעה כולן. א"ר אלעזר אם נולד להן בן באותה משפחה נתרפאת כל המשפחה כולה: ת"ר תחלת הקריעה טפח ואם קרע על המת ועוד מת לו מת אחר ובא לקרוע ולהוסיף על הקרע מוסיף ג' אצבעות דברי ר' מאיר א) ותחלת הקריעה ג' אצבעות ותוספת כל שהו. אמר עולא הלכה כר' מאיר בקריעה שתחלת קריעה טפח. והלכתא כר' יהודה בתוספת דדי לו אפילו כל שהו. תניא נמי הכי ר' יוסי אומר תחלת הקריעה טפח ותוספת כל שהו: ת"ר מת אביו וקרע. מת בנו והוסיף תחתיו מתאחה. עליון אין מתאחה. מת בנו וקרע מת אביו והוסיף כו'. ר' יהודה בן בתירה אומר על כולן כגון בנו ובתו אחיו ואחותו ואשתו קורעין להן קרע אחד על אביו ועל אמו קורע קרע אחר. לפי שאין מוסיפין על קרע אביו ואמו פי' לפי שאינו בתוספת מפני שקריעתו על אביו ועל אמו מבדיל קמי שפה שלו וקורע והולך עד שמגיע הקרע אל לבו ומגלה. ובשאר מתים קורע טפח ומוסיף כל שהו עד שמגיע אל לבו. ואע"פ שאין ראייה ברורה אשכחן זכר לדבר דכתיב וקרעו לבבכם ואל בגדיכם. אמר שמואל הלכה כר' יהודה בן בתירה. איני והאמר שמואל הלכה כדברי המיקל באבל. ור' יהודה לגבי ת"ק מחמיר הוא. ופרקינן כי קאמר שמואל בענין אבלות. האי ענין קריעה הוא. הלכך הלכתא כר' יהודה בן בתירה. עד היכן קורע עד טיבורו הגיע לטיבורו מרחיק ג' אצבעות וקורע. נתמלא מלפניו מחזירו מלאחוריו נתמלא מלמעלה הופכו למטה (כנגד) כלומר מהפך ועושה שולי חלוקו בית הצואר וקורע למעלה. והקורע מלמטה מן השוליים ומן הצדדין לא יצא. אלא שכ"ג פורם מלמטה. פליגי ב) עליה משמיה דאבוה דשמואל ולוי. חד אמר כל שבעה קורע לאחר שבעה אם מת לו מת אחר מוסיף על הקרע הראשון כל שהו. וחד אמר כל שלשים יום אם ימות לו מת אחר קורע [קרע] אחר לאחר ל' יום מוסיף. מתקיף ליה ר' זירא מאן דאמר כל שבעה קורע אמאי אינו מוסיף דלא ניתן לשוללו בתוך ד'. אלא קרע של אשה ששוללתו לאלתר הכי נמי שמוספת לאלתר. ופרקינן התם משום כבוד אשה. מ"ד כל ל' יום אם קורע אמאי כו': ת"ר היוצא בבגד קרוע לפני המת הרי זה גוזל את החיים ואת המתים רשבג"א האומר לחבירו השאילני חלוקך כדי שאלך ואבקר את אבי שהוא חולה. ומצאו שמת קורעו. וכשיבא לביתו מאחו. ומחזירו לבעליו ונותן לו דמי קרעו. ואם לא הודיעו כי הולך לבקר את אביו לא יגע בו. ת"ר חולה שמת לו מת אין מודיעין אותו שמא תטרף דעתו של חולה ואין מקרעין לו ומשתקין הנשים מפניו ומקרעין לקטן פי' על אביו שמת או על אמו. וכיוצא בהן מפני עגמת נפש. וקורע על חמיו ועל חמותו מפני כבוד אשתו: תנא באבל רבתי אבל לא יניח תינוק בחיקו מפני הרבים מפני שמביאו לידי שחוק ונמצא מתגנה על הבריות. ואין מברין אלא על מטות זקופות. ת"ר ההולך לבית האבל אם היה לבו גס בו יברוהו על מטות כפויות. ואם לאו יברוהו על מטות זקופות. רבא איתרע ליה מלתא דאבלות על לגביה רבה וזקף המטה להברותו. על אבא בר מרתא וכפה. אמר לית ביה דעתא [להאי צורבא] מרבנן דכפה דהא אין לבי גס בו. ת"ר אבל ההולך ממקום למקום אם יכול למעט בעסקו כלומר שלא יקנה ולא ימכור [ימעט]. ואם לאו יגלגל עמהן כלומר

רש"י כת"י

ה"ג רשאי (לתופרן) [להופכו] למטה ור' שמעון בן אלעזר אוסר מאי קאמ' אמ' אביי הכי קאמ' רשאי (לתופרו) [להופכו] למטה ולאחותו. אם קרע בית הצואר כלפי למטה ורוצה להפוך החלוק מלמטה למעלה ולעשות בית צואר אחר (בין צואר ראשון בין רגליו) רשאי לאחות בית הצואר ראשון שהולך בין רגליו. ר' שמעון בן אלעזר אוסר. לאחותו ולאחר שבעה קא מיירי דאמרי' לעיל על כל המתים שולל לאחר שבעה על אביו ועל אמו לאחר שלשים דכיון דהופכו למטה [סבר ת"ק] רשאי לאחותו [ור"ש אוסר] עד לאחר שלשים בכל המתים ובאביו ואמו לעולם. ותוספת. שמת לו מת אחר וצריך לקרוע [או] כגון דאמר(ן) מוסיף על ירושלים. ה"ג ר' יהודה אומר תחלת הקריעה שלש אצבעות. ולית ליה אין אחיזה פחות מטפח דנפקא לן לעיל (כג:) מויחזק דוד. תחתון. שקרע על בנו מתאחה לאחר שלשים. עליון. שקרע על אביו אינו מתאחה לעולם. מת אביו מתה אמו מת אחיו מתה אחותו. והכל בשרוהו בבת אחת. על אביו ועל אמו קורע אחד ועל כולן קרע אחד. במקום אחד למעלה שלא באותו קרע. לפי שאין מוסיפין בקרע של אביו. ואכולה פליג ר' יהודה מדקתני מת אביו (קורע) [וקרע] מת בנו (אינו מוסיף) [והוסיף] ואתא ר' יהודה למימר קרע על אביו ומת בנו אינו מוסיף וקורע על בנו [או] קרע על בנו ומת אביו אינו מוסיף אלא [קורע] במקום [אחר קריעה] (ה)מיוחדת. מאי טעמ'. שאינו כתוספת קרע על אביו אינו יכול להוסיף קרע עליו ואם קרע על בנו ומת אביו אינו עושה קריעת אביו תוספת איכא סיפרי דכתב בהו הלכה כר' יוחנן לישנא דכלה ולא ידענא מאי לישנא דכלה. קריעה לחוד. דלא אמרינן הלכה כדברי המקל בקריעה. עד היכן הוא קורע. שהולך ומוסיף וקורע עד כמה. קרעו לבבכם. אלמא קריעה עד הלב. הגיע לטיבורו. ושמע שמועה אחרת שוב אינו מוסיף על אותה קריעה [לא יצא] אלא חוזר ומתחיל מלמעלה אצל צידי בית הצואר ואם רבו לו שמועות הולך וקורע ומרחיק ג' אצבעות בין קרע לקרע לקרע מאחר החלוק לצד הכתף. נתמלא. כל הכתף קריעות מלפניו מחזירו לאחוריו וקורע ולובשו [כל שבעה]. נתמלא למעלה. אבל בית הצואר מחזיר חלוקו מה שלמעלה למטה וקורע האחרון ואינו מאחה הראשון שלמטה. מן הצדדין. מתניס. אלא שכהן גדול פורם. בגדיו פרימה דהא כתוב ובגדיו לא יפרום אלא מפני עגמת נפש. ותרויהו. פליגי משמיה [דאבוה] (ד)שמואל שבעת ימי אבלו קורע קריעה חדשה. לאחר שבעה. קורע על קרע ראשון ודיו וגבי מתי מצוה קא רשות לשללו. לקרע ראשון כי מוסיף עליה קרע ראשון קא חשיב דהוי כאלו מרחיב קרא ראשון דאמרינן לעיל בהאי פרקא אשה שקרעה על מתה שוללתו לאלתר אפילו תוך שבעה. הכי נמי. אם וסופיה עליו דילמא ידי קריעה הואיל וניתן לשוללו. התם. נמי כלא ניתן רשות לשוללן דמי שאינו לעמוד בפריעת הלב. משום כבוד אביו ואמו הוא. וכמי שלא ניתן לאחותו דמי הילכך אם הוסיף אביו ואמו הן בתוספת ולא סבירא ליה הלכתא ואע"ג דלעיל נפקא לן דקרע על אביו ואמו אינו מתאחה הכי משום כבוד אביו הוא. היוצא. לפני המת. בבגד קרוע. שנקרא קודם לכן. גוזל את החיים. שהוא שעל המת קרע. ואת המתים. שלא קרע עליהן. אם לא הודיעם. שהולך לבקר את אביו שהוא לחולה את בגדיו. משתקין את הנשים לפניו. שלא תסייעה מטפחות ומספידות פן ירגיש החולה. לקטן. את בגדיו בכסא אבילות קא מיירי וליכא חולה מקרעין בגדיו מפני עגמת נפש כדי שיבכו הרואין. על חמיו ועל חמותו מפני כבוד אשתו בשלא היה שם בשעת יציאת נשמה דאי הוה בשעת יציאת באבל רבתי. במסכת שמחות. אבל לא יניח תינוק. בימי אבלו בחיקו. אם לבו גס בו. אם רוצה כדרך שאר אבלים אלא שמת הוא. מברין. ויושבין המנחמין. על מטות כפויות. כדי שימצא לבו לישנא אחרינא לבו גס בו ואם היה מכירהו קרובו או שושבינו ולבו גס בו יחד יושב לארץ אתו על איתרע. מילתא אבילות. אבא בר מרת. מרת שמו. מניומי. אבוי. רבא. שהוא אבל. זקוף. על לית ביה דעת באבא בר מרת והא לא חזי איהו דלבו גס בו. אבל ההולך ממקום למקום

THE DISTANCE OF THREE FINGERBREADTHS from the first rent **AND REND** the garment there, at the top.[24] נִתְמַלֵּא מִלְּפָנָיו – If **[THE GARMENT] BECAME FILLED** with rents **IN THE FRONT,** מַחֲזִירוֹ לַאֲחוֹרָיו – **HE MAY TURN [THE RENT PORTION] AROUND TO THE BACK** and rend the portion that is now in front. נִתְמַלֵּא מִלְמַעְלָה – If **IT BECAME FILLED** with rents **ON TOP,** הוֹפְכוֹ מִלְּמַטָּה – **HE MAY INVERT IT** so that the rent portion is **ON THE BOTTOM,** and he may then rend that which became the top.[25] וְהַקּוֹרֵעַ מִלְּמַטָּה וּמִן הַצְּדָדִין לֹא יָצָא – **AND ONE WHO RENDS** his garment **ON THE BOTTOM OR ON THE SIDES HAS NOT DISCHARGED** his obligation, אֶלָּא שֶׁכֹּהֵן גָּדוֹל פּוֹרֵם מִלְּמַטָּה – **EXCEPT THAT THE KOHEN GADOL,** when his relative dies, **RENDS** his garment **ON THE BOTTOM.**[26]

The Gemara focuses on the law that when a second relative dies one may add to the previous rent:

פְּלִיגוּ בָּהּ רַב מַתְנָה וּמָר עוּקְבָא – **Rav Masnah and Mar Ukva are in disagreement concerning this** matter, וְתַרְוַיְיהוּ מִשְּׁמֵיהּ דַּאֲבוּהּ דִּשְׁמוּאֵל וְלֵוִי – **and both of them** stated their opinions **in the name of Shmuel's father and Levi.**[27] חַד אָמַר – **One** of them **said** that כָּל שִׁבְעָה קוֹרֵעַ – if the second relative's death is reported **anytime** during **the *shivah*** period for the first relative, **one must rend** his garment anew, לְאַחַר שִׁבְעָה מוֹסִיף – and if it is reported **after** the ***shivah*** **he may** simply **add** to the existing rent.[28] וְחַד אָמַר – **And** the other **one says** that כָּל שְׁלֹשִׁים קוֹרֵעַ – if the second death is reported **anytime** during **the *sheloshim*** period for the first relative **one must rend** his garment anew, לְאַחַר שְׁלֹשִׁים מוֹסִיף – and if it is reported **after** the ***sheloshim*** **he may** simply **add** to the existing rent.

The first opinion is challenged:

מַתְקִיף לָהּ רַבִּי זֵירָא – **R' Zeira objected to this** as follows: מַאן דְּאָמַר כָּל שִׁבְעָה קוֹרֵעַ – According to **the one who says** that if the second death is reported **anytime** during **the *shivah*** period for the first relative **one must rend** his garment anew, אַמַּאי – **why** is this so? דְּלֹא נִיתַּן לְשׁוֹלְלוֹ – Perforce, it is **because** permission **has not** yet **been granted to baste [the original rent],** and therefore, an extension of the rent would not be considered a new entity.[29] אֶלָּא הָא דְּאָמַר מַר – **But** consider, **then, that which the master said:**[30] הָאִשָּׁה שׁוֹלַלְתּוֹ לְאַלְתַּר – **A woman may baste [her rent] immediately,** even during the *shivah.* הָכִי נַמִּי – Is it **indeed so,** that if she receives the report of another death during the *shivah* she may simply extend the original rent?[31] But it was stated *unequivocally* above that during the *shivah* a new rent is required – implying that this pertains even to women. – ? –

The Gemara answers:

הָתָם מִשּׁוּם כְּבוֹד אִשָּׁה הוּא – **There, it is because of** the need to preserve **the woman's dignity** that we allow her to baste the rent during the *shivah.*[32] It is not because she mourns less than a man does. Accordingly, she is no more entitled than a man to extend the original rent during the *shivah.*[33]

The other opinion is now challenged:

מַאן דְּאָמַר כָּל שְׁלֹשִׁים קוֹרֵעַ – According to **the one who says** that if the second death is reported **anytime** during **the entire *sheloshim*** period for the first relative **one must rend** his garment anew, אַמַּאי – **why** is this so? דְּלֹא נִיתַּן לְאַחוֹתוֹ – Perforce, it is **because** permission **has not** yet **been granted to** fully **mend [the original rent],** and therefore, an extension of the rent would not be considered a new entity.[34] אֶלָּא – **But** consider **then,** the following: לְאָבִיו וּלְאִמּוֹ דְּלֹא נִיתַּן לְאַחוֹתוֹ לְעוֹלָם – If the original rent was **for one's father or mother, so that it may never be mended,** הָכִי נַמִּי – is it **indeed so,** that if another relative's death is reported one may not extend the first rent, even if more than thirty days have passed since the parent's death? But it was stated *unequivocally* above that if the second death is reported after the *sheloshim* an extension of the first rent suffices – implying that this pertains even to a rent over one's father or mother. – ? –

The Gemara answers:

הָתָם מִשּׁוּם כְּבוֹד אָבִיו וְאִמּוֹ הוּא – **There, it is because of the honor** that one owes **his father and mother** that he may not mend the rent after thirty days have passed. It is not because the basic mourning period is extended. Accordingly, there is no deterrent to enlarging the rent if a second death is reported.[35]

A related Baraisa is cited:

תָּנוּ רַבָּנָן – **The Rabbis taught in a Baraisa:** הַיּוֹצֵא בְּבֶגֶד קָרוּעַ

NOTES

24. And if the second rent eventually reaches his navel, he should again leave a space of three fingersbreadths and open another rent, and so forth (*Rashi ms.*).

25. I.e. after inverting it he alters it so that there is a fitted opening for the neck, and he may then rend it. The rent portion that is on bottom may not be mended (*Rashi ms.*). [*Rashi* follows the ruling of R' Shimon ben Elazar above. See also *Yoreh Deah* 340:19.]

26. This is not because the rent is a valid one – to the contrary, the Torah expressly *forbids* the Kohen Gadol to rend his garment (*Leviticus* 21:10). Rather, he tears the bottom of his garment to express his sorrow while technically adhering to the prohibition against "rending" (*Rashi ms.;* see *Horayos* 12b for further discussion of this rule).

27. Apparently, this means that one of them stated his opinion in the name of Shmuel's father and the other in the name of Levi (see *Rashi ms.*).

28. The Gemara explains below why the rent may not be extended if one learns of the second relative's death during the *shivah* period for the first one.

29. We learned on 22b that a rent that is made over the death of a relative may not be repaired at all until the end of the *shivah* period. It follows that if one extends the rent during that period he is not deemed to be making a new tear, but is simply enlarging that which must remain torn. Accordingly, he does not discharge his obligation to rend over the new death (*Rashi, Rashi ms.*). After the *shivah,* however, when he has basted the original rent, if he tears apart the basting and adds a little to the size of the previous rent it is obvious that he is rending over another relative (*Rashi*). [The other Rishonim (including *Rashi ms.* (ד״ה הכי נמי) imply that once the *shivah* has ended, even if he has not basted the original rent he may simply extend it over the death of another relative – since it was *fit* to be basted (see also *Shulchan Aruch, Yoreh Deah* 340:21; and see *Chidushei R' Akiva Eiger* and *Sfas Emes*).]

30. Above, 22b.

31. I.e. it would seem sufficient for her to tear open the basting and add a small amount to the previous rent (*Rashi*). [*Rashi ms.* explains the Gemara as arguing that since she was *allowed* to baste the rent she should now be able to simply add to it, even if she neglected to baste it (see note 29).]

32. Because it is unfitting that her bosom be exposed (*Rashi ms.*).

33. From the perspective of the laws of mourning, it is considered as though she has no permission to baste the rent (*Rashi ms.;* see also *Rashi*).

34. As we learned on 22b, the rent over a deceased relative (other than a father or mother) may be basted after seven days, but may not be mended properly for thirty days. The latter Amora holds that until it can be mended properly any extension is insignificant.

35. From the perspective of the law of mourning, it is considered as though one has permission to mend the rent. Therefore, enlarging it is tantamount to making a new rent (*Rashi, Rashi ms., Ritva*). [The Gemara here follows the Tanna who stated above that one is permitted to add to the rent that he made over his father or mother. However, above the Gemara concluded that the halachah follows R' Yehudah ben Beseirah, who ruled that such a rent may not be extended for another relative (*Rashi ms.*).]

א ובאיחוי אלכסנדרי ת"ר ב הקורע מתוך השלל מתוך המלל מתוך הלקט מתוך הסולמות לא יצא מתוך האיחוי יצא אמר רב חסדא ג ובאיחוי אלכסנדרי ת"ר רשאי להופכו למטה ולאחותו ר' שמעון בן אלעזר ד אוסר לאחותו ה וכשם שהמוכר אסור לאחותו כך הלוקח אסור לאחותו ולפיכך מוכר צריך להודיעו ללוקח ת"ר תחילת קריעה טפח ותוספת שלש אצבעות דברי רבי מאיר רבי יהודה אומר תחילת קריעה שלש אצבעות ותוספת כל שהו אמר עולא הלכה כרבי מאיר בקריעה והלכה כרבי יהודה בתוספת תניא נמי הכי רבי יוסי אומר ו תחילת קריעה טפח ותוספת כל שהו ת"ר ז אמרו לו מת אביו וקרע מת בנו והוסיף תחתון מתאחה עליון אינו מתאחה מת בנו וקרע מת אביו והוסיף עליון מתאחה תחתון אינו מתאחה מת אביו מת אמו מת אחיו מתה אחותו קורע קרע אחד לכולן רבי יהודה בן בתירה אומר על כולן קרע אחד על אביו ואמו קרע אחד לפי שאין מוסיפין על קרע אביו ואמו מאי טעמא אמר רב נחמן בר יצחק לפי שאינן בתוספת אמר שמואל ח הלכה כרבי יהודה בן בתירה ומי אמר שמואל הכי והאמר שמואל א) הלכה כדברי המיקל באבל אבילות לחוד קריעה לחוד עד היכן קורע ט עד טיבורו ויש אומרים עד לבו אע"פ שאין ראיה לדבר זכר לדבר שנאמר א) וקרעו לבבכם ואל בגדיכם הגיע לטיבורו מרחיק שלש אצבעות וקורע נתמלא מלפניו מחזירו לאחוריו נתמלא מלמעלה הופכו מלמטה י והקורע מלמטה ומן הצדדין לא יצא כ אלא שכהן גדול פורם מלמטה פליגו בה רב מתנה ומר עוקבא ותרוייהו משמיה דאבוה דשמואל ולוי חד אמר ל כל שבעה קורע לאחר שבעה מוסיף וחד אמר כל שלשים קורע לאחר שלשים מוסיף מתקיף לה רבי זירא מאן דאמר כל שבעה קורע אמאי דלא ניתן לשוללו אלא הא דאמר מר ג) האשה שוללתו לאלתר ה"נ התם משום כבוד אשה הוא מאן דאמר כל שלשים קורע אמאי דלא ניתן לאחותו אלא לאביו ולאמו דלא ניתן לאחותו לעולם ה"נ התם משום כבוד אביו ואמו הוא ת"ר ג) מ היוצא בבגד קרוע לפני המת הרי זה גוזל את המתים ואת החיים ד) רשב"ג אומר נ האומר לחבירו השאילני חלוקך ואלך ואבקר את אבא שהוא חולה והלך ומצאו שמת קורע ומאחו וכשיבא לביתו מחזיר לו חלוקו ונותן לו דמי קרעו ואם לא הודיעו הרי זה לא יגע בו ת"ר ס חולה שמת לו מת אין מודיעין אותו שמת שמא תטרף דעתו עליו ואין מקרעין בפניו ומשתקין את הנשים מפניו ה) ומקרעין לקטן מפני עגמת נפש ע וקורעין על חמיו ועל חמותו מפני כבוד אשתו ואמר רב פפא תנא באבל רבתי פ אבל לא יניח תינוק בתוך חיקו מפני שמביאו לידי שחוק ונמצא מתגנה על הבריות: ואין מברין ו) על מטות זקופות: ת"ר ההולך לבית האבל אם היה לבו גס בו יברוהו על מטות כפויות ואם לאו יברוהו על מטות זקופות רבא איתרע ביה מילתא על לגביה אבא בר מרתא דהוא אבא בר מניומי רבא זקיף אבא בר מרתא כפי אמר כמה לית ביה דעתא להאי צורבא מרבנן תנו רבנן ההולך ממקום למקום

אם

רש"י

מתוך השלל. שלא קרע אלא בשלל: מתוך האיחוי. מקרע האיחוי: ובאיחוי אלכסנדרי. דהוה כשלם: רשאי להפכו למטה. שהופך הקרע למטה והופך שלמטה למעלה ומאחהו ועושה בית הצואר ולובשו: ותוספת שלש. כגון שמוסיף קרע אחר על אותו קרע כגון שאירעו אבל אחר: עליון אין מתאחה. שקרעו על אביו ועל אמו: שאינן בתוספת. כלומר אין בדין שמוסיף עליהן: הגיע לטיבורו. ומת לו מת אחר: מרחיק שלש אצבעות. בלד אותו קרע וקורע: נתמלא. קרעים מלפניו מחזירו לאחוריו וחוזר וקורע לפניו: כל שבעה. אם מת לו מת קורע קריעה אחרת: לאחר שבעה מוסיף. על קרע ראשון: דלא ניתן לשוללו. תוך שבעה כלל ואי מוסיף ביה מיחזי כקרע אחד אבל לאחר שבעה דכבר שללו קורע כל השלילות ומוסיף כל שהו דמינכר דעל מת אחר קרע: אשה שוללתו לאלתר. אפילו תוך שבעה: הכי נמי. דמוסיף דקורע השלילה ומוסיף בה פורתא דקא מינכר וקא פסיק כל שבעה קורע ואפילו אשה: משום כבוד האשה הוא. ולא מן הדין: משום כבוד אביו. ולא מן הדין והוי כאיחוי לפיכך מוסיף בו לאחר שלשים: בבגד קרוע. קודם לכן גוזל הכל שמרמה הכל שמראה להן שקרע על המת: ואם לא הודיעו. שהולך לבקר את אביו: יברוהו. לאותו שבא על מטות כפויות: אבל ההולך ממקום למקום: יגלגל

אם

תוספות

ובאיחוי אלכסנדרי. בירושלמי איזהו איחוי כל שאין מקומו ניכר ובמסכת שמחות (פ"ט) מפרש כל שאחוהו כל צורכו:

כך הלוקח אסור לאחותו. לא שמעתי אם מותר למוכרו לנכרי נהי דלוקח אסור לאחותו אם הוא נכרי מותר ואע"פ דמוכר צריך להודיע ללוקח היינו כדי שלא יעשה לוקח איסור אבל אין אנו חוששין אם יתפרנו הנכרי ולכאורה היה מותר ז) ועוד צ"ע והאי וכשם שהמוכר כו' הוי פי' לתנא קמא בלא הפיכה ולר"ש בן אלעזר אפילו על ידי הפיכה ובמאי דפליגי נראה דהלכה כתנא קמא וכן פירש הר"א:

תחילת קריעה שלש אצבעות. לא ידענא ח) ממאי מפיק טעמא דלעיל (ד' כב:) מפקינן טפח מויחזק אין אחיזה פחות מטפח:

תניא נמי הכי. רבי יוסי סובר כן ורבי יוסי הלכה כמותו לגבי דרבי מאיר ורבי יהודה בפרק מי שהוליאוהו (עירובין ד' מו:) ועוד דה"ל מכריע:

קורע קרע אחד על כולן. במסכת שמחות (פ"ט) א"ל מת אביו וקרע והוא אינו אלא אמו יצא מתה אמו והוא אינו אלא אביו יצא מת אביו מתה אמו וקרע והוא אינו אלא אחד מן הקרובין יצא אחד מן הקרובין וקרע והוא אינו אלא אביו או אמו לא יצא ובירושלמי אמרו לו מת ראובן וקרע ואמרו שמעון היה יצא אמרו לו מת ראובן וקרע ואח"כ אמרו לו קיים היה ומת אית תנא לא יצא וכן קרע על אביו ונמצא בנו אם מת על אתר אין צריך לקרוע כמה הוא על אתר כדי דבור ובסוף פרק בתרא דנדרים (דף פז.) כמו כן היא שנויה:

אמר רב נחמן בר יצחק לפי שאינן בתוספת. תימה מאי מוסיף לפרש הטעם מן הברייתא ופירש הר"א בשם רבינו שמואל דלא גרסינן לפי שאין מוסיפין בברייתא והר"י הקשה בתוספות מאי שייך בתוספת נראה לי דמצי למימר דסבירא כמאן דאמר עד טיבורו אי נמי עד שיגלה את לבו אין זה כל כך כמו עד לבו מיהו יותר נראה לי דקאמר רב נחמן בר יצחק לפי שאינן בתוספת שצריך לקרוע עד לבו ואם אירע כך שלא קרע עד לבו מ"מ כיון דלא עשה כמו שהיה צריך אומר אין שייך תוספת מיהו לפירושו קסבר רב נחמן בר יצחק כיש אומרים עד לבו ואפילו למאן דאמר בסמוך עד טיבורו יש ליישב כמו שפי' שאין צריך לקרוע על אביו ועל אמו רק עד שיגלה את לבו מכל מקום אם קרע טפי שפיר משום כבוד אביו ואין כאן בל תשחית:

פורם מלמטה. בפ' בתרא דהוריות (ד' יג.) מפרש מה קורע למטה אם בצואר:

לפי שאין מוסיפין על אביו ואמו. פי' בקונטרס דאכולהו קאי דבין אם קרע על אביו קודם בין קרע על אחד מקרוביו קודם ולא ידענא מנא ליה דלישנא משמע דוקא על קרע אביו ואמו שהיה קודם:

אם

מסורת הש"ס

א) לעיל יח. וש"נ עירובין מו., ב) לעיל כב:, ג) שמחות פ"ט, ד) שם [תוספתא ב"מ פ"ח], ה) לעיל יד:, ו) אלא, ז) ובמס' שמחות ספ"ט איתא דאסור, ח) [עי' כליס פכ"ד מ"ב ומ"י] אולי צ"ל פכ"ז.

תורה אור השלם

א) וְקִרְעוּ לְבַבְכֶם וְאַל בִּגְדֵיכֶם וְשׁוּבוּ אֶל יְיָ אֱלֹהֵיכֶם כִּי חַנּוּן וְרַחוּם הוּא אֶרֶךְ אַפַּיִם וְרַב חֶסֶד וְנִחָם עַל הָרָעָה: [יואל ב, יג]

רש"י כת"י

ה"ג רשאי (לתופרן) [להופכו] למטה ור' שמעון בן אלעזר אוסר מאי קאמ' אמ' אביי הכי קאמ' רשאי (לתופרו) [להופכו] למטה ולאחותו. אם קרע בית הצואר כלפי למטה ורוצה להפוך החלוק מלמטה למעלה ולעשות בית צואר אחר (בין צואר ראשון בין רגליו) רשאי לאחות בית הצואר ראשון שהולך בין רגליו. ר' שמעון בן אלעזר אוסר. לאחותו ולאחר שבעה קא מיירי דאמרי' לעיל על כל המתים שולל לאחר שבעה על אביו ועל אמו לאחר שלשים דכיון דהופכו למטה [סבר ת"ק] רשאי לאחותו [ור"ש אוסר] עד לאחר שלשים בכל המתים ובאביו ואמו לעולם. ותוספת. שמת לו מת אחר וצריך לקרוע [או] כגון דאמר(ן) מוסיף על ירושלים. ה"ג ר' יהודה אומר תחלת הקריעה שלש אצבעות. ולית ליה אין אחיזה פחות מטפח דנפקא לן לעיל (כב:) מויחזק דוד. תחתון. שקרע על בנו מתאחה לאחר שלשים. עליון. שקרע על אביו אינו מתאחה לעולם. מת אביו מתה אמו מת אחיו מתה אחותו. והכל בשרוהו בבת אחת. על אביו ועל אמו קורע אחד ועל כולן קרע אחד. במקום אחד למעלה שלא באותו קרע. לפי שאין מוסיפין בקרע של אביו. ואכולה פליג ר' יהודה מדקתני מת אביו (קורע) [וקרע] מת בנו (אינו מוסיף) [והוסיף] ואתא ר' יהודה למימר קרע על אביו ומת בנו אינו מוסיף וקורע על בנו [או] קרע על בנו ומת אביו אינו מוסיף אלא [קורע] במקום [אחר קריעה] (ה)מיוחדת. מאי טעמ'. שאינו כתוספת קרע על אביו אינו יכול להוסיף קרע עליו ואם קרע על בנו ומת אביו אינו עושה קריעת אביו תוספת איכא סיפרי דכתב בהו הלכה כר' יוחנן לישנא דכלה ולא ידענא מאי לישנא דכלה. קריעה לחוד. דלא אמרינן הלכה כדברי המקל בקריעה. עד היכן הוא קורע. שהולך ומוסיף וקורע עד כמה. קרעו לבבכם. אלמא קריעה עד הלב. הגיע לטיבורו. ושמע שמועה אחרת שוב אינו מוסיף על אותה קריעה [לא יצא] אלא חוזר ומתחיל מלמעלה אצל לידי בית הצואר ואם רבו לו שמועו' הולך וקורע ומרחיק ג' אצבעות בין קרע לקרע מאחר החלוק לצד הכתף. נתמלא. כל הכתף קריעות מלפניו מחזירו לאחוריו ומחזיר מה שלאחריו לפניו וקורע ולובשה [כל שעה]. נתמלא למעלה. אצל בית הצואר מחזיר חלוקו מה שלמעלה למטה ועושה בית צואר אחר וקורע האחרון ואינו מאחה הראשון שלמטה. מן הצדדין. מתניס. אלא שכהן גדול פורם. בגדיו מלמטה ולא מפני שהוא פרימה דהא כתוב ובגדיו לא יפרום אלא מפני עגמת נפש. ותרויהו. פליגי משמיה [דאבוה] (ד)שמואל ולוי. שמע. שמועה כל שבעת ימי אבלו קורע קריעה חדשה. לאחר שבעה. קורע על קרע ראשון ודיו וגבי מתי מצוה קא מיירי. כיון דלא נתן רשות לשללו. לקרע ראשון כי מוסיף עליה קרע ראשון קא חשיב דהוי כאלו מרחיב קרע ראשון ולא יצא. אלא. באשה דאמרינן לעיל בהאי פרקא אשה שקרעה על מתה שוללתו לאלתר אפילו תוך שבעה. הכי נמי. אם שמע שמועות תוך שבעה והוסיפה עליו דילתה ידי קריעה הואיל וניתן לשוללו. התם. נמי כלא ניתן רשות לשוללן דמי שאינה אלא משום דאין כבודה לעמוד בפריעת הלב. משום כבוד אביו ואמו הוא. וכמי שלא ניתן לאחותו דמי הילכך אם הוסיף יצא וקסבר האי מתרץ אביו ואמו הן בתוספת ולא סבירא ליה הלכתא ואע"ג דלעיל נפקא לן דקרע על אביו ואמו אינו מתאחה לעולם מאלישע ואפי' הכי משום כבוד אביו הוא. היוצא. לפני המת. בבגד קרוע. שנקרא קודם לכן. גוזל את החיים. שגונב דעתם דסבורין הן שעל המת קרע. ואת המתים. שלא קרע עליהן. אם לא הודיעם. שהולך לבקר את אביו שהוא חולה. ואין מקרעין. לחולה את בגדיו. משתקין את הנשים לפניו. שלא תהיינה מטפחות ומספידות פן ירגיש החולה ותטרף דעתו. ומקרעין לקטן. את בגדיו בסתם אבילות קא מיירי וליכא חולה מקרעין בגדיו מפני עגמת נפש כדי שיבכו הרואים לפי שאף הקטן נקרע. על חמיו ועל חמותו מפני כבוד אשתו בשלא היה שם בשעת יציאת נשמה דאי הוה בשעת יציאת נשמה אפי' אחר נמי. באבל רבתי. במסכת שמחות. אבל לא יניח תינוק. בימי אבלו בחיקו. אם לבו גס בו. אם רואין את האבל שאינו נוהג כדרך שאר אבלים אלא שמת הוא. מברין. ויושבין המנחמין. על מטות כפויות. כדי שימר לבו (ברש"י בר"ף - שירך לבו). לישנא אחרינא לבו גס בו ואם היה מכירהו קרובו או שושבינו ולבו גס בו יחד יושב לארץ אתו על מטה כפויה. (איתרמא) איתרע. מילתא אבילות. אבא בר מרת. מרת שמו. מניומי. אבוי. רבא. שהוא אבל. זקוף. על מטות זקופות. אמר. רבא לית ביה דעת באבא בר מרת והא לא חזי איהו דלבו גס בו. אבל ההולך ממקום למקום ואירעו אבל בדרך.

עין משפט נר מצוה

קצט א מיי' פ"ט מהל' אבל הלכה ג:
ר ב ג מיי' שם סמג עשין ב טוש"ע י"ד סי' שמ סעיף כ:
רא ד ה מיי' שם והלכה ד סמג שם טוש"ע שם סעיף יט:
רב ו מיי' שם פ"ח הלכה ב י סמג שם טוש"ע שם סעיף ג:
רג ז ח מיי' שם הלכה ט טוש"ע שם סעיף כב:
רד ט מיי' שם הלכה י טוש"ע שם סעיף כא:
רה י מיי' שם הלכה א טוש"ע שם סעיף ב:
רו כ מיי' שם ופ"ז הלכה ו סמג שם וסמג לאוין שא ומיי' פ"ה מהל' כלי המקדש הלכה ו:
רז ל מיי' פ"ח מהלכות אבל הלכה י סמג עשין ב טוש"ע י"ד סי' שמ סעיף כא:
רח מ מיי' שם הלכה ו סמג שם טוש"ע שם סעיף לג:
רט נ מיי' שם הלכה ז טוש"ע שם סעיף לד:
רי ס מיי' שם הלכה ד טוש"ע שם סי' שלז:
ריא ע מיי' שם הלכה ה טוש"ע שם סי' שמ סעיף ד:
ריב פ מיי' שם פ"ה הלכה כ טוש"ע שם וסי' שלא סעיף א:

רבינו חננאל

על ירושלים: ת"ר רשאי להופכו למטה ולעשות לו איחוי. פי' להפך החלוק לחתכו ולתת בית הצואר שלו שולים והשולים יעשה בית שפה. ר' שמעון בן אלעזר אוסר באיחוי בין מלמעלן בין מלמטה. וכשם שהבעלים אסורין לאחותו כן הלוקח אסור לאחותו. לפיכך צריך המוכר להודיע ללוקח שזה קרע אסור באיחוי הוא. ת"ר וכולן אלו הקרעין רשאין לשוללן למוללן ללוקטן לעשותן בתפירה אחת כעין סולמות שיהא ניכר הקרע. אבל אין רשאין לאחותן באיחוי אלכסנדרית שהוא כמין אריגה. ת"ר הקורע מתוך השלל או מתוך המלל או מתוך הליקוט או מתוך הסולמות לא יצא. אבל אם היה איחוי אלכסנדרית שהוא כאריגה יצא ידי קריעה: ירושלמי כד דמך ר' יוחנן אורי ר' חייא בר אבא לשלול הקרע בו ביום ולנעול הסנדל בו ביום. א"ל ר' תנחום ב"ר חייא לר' חיננא בר פפא ר' צלי עלן. א"ל יסוג תורעתך שכל אותה שנה הדין מתוח כנגד המשפחה דא"ר יוחנן כל שבעה החרב שלופה עד שלשים יום. ומשלשים היא רופפת ואינה חוזרת לתערה עד י"ב חודש. למה"ד לכיפת אבנים שנתרועעה אחת מהן נתרועעה כולן. א"ר אלעזר אם נולד להן בן באותה משפחה נתרפאת כל המשפחה כולה: ת"ר תחלת הקריעה טפח ואם קרע על המת ועוד מת לו מת אחר ובא לקרוע ולהוסיף על הקרע מוסיף ג' אצבעות דברי ר' מאיר א) ותחלת הקריעה ג' אצבעות ותוספת כל שהו. אמר עולא הלכה כר' מאיר בקריעה שתחלת קריעה טפח. והלכתא כר' יהודה בתוספת דדי לו אפילו כל שהו. תניא נמי הכי ר' יוסי אומר תחלת הקריעה טפח ותוספת כל שהו: ת"ר מת אביו וקרע. מת בנו והוסיף תחתיו מתאחה. עליון אין מתאחה. מת בנו וקרע מת אביו והוסיף כו'. ר' יהודה בן בתירה אומר על כולן כגון בנו ובתו אחיו ואחותו ואשתו קורעין להן קרע אחד על אביו ועל אמו קורע קרע אחר. לפי שאין מוסיפין על קרע אביו ואמו פי' לפי שאינו בתוספת מפני שקריעתו על אביו ועל אמו מבדיל קמי שפה שלו וקורע והולך עד שמגיע הקרע אל לבו ומגלה. ובשאר מתים קורע טפח ומוסיף כל שהו עד שמגיע אל לבו. ואע"פ שאין ראיה ברורה אשכחן זכר לדבר כדכתיב וקרעו לבבכם ואל בגדיכם. אמר שמואל הלכה כר' יהודה בן בתירה. איני והאמר שמואל הלכה כדברי המיקל באבל. ור' יהודה לגבי ת"ק מחמיר הוא. ופרקינן כי קאמר שמואל בענין אבלות. האי ענין קריעה הוא. הלכך הלכתא כר' יהודה בן בתירה. עד היכן קורע עד טיבורו הגיע לטיבורו מרחיק ג' אצבעות וקורע. נתמלא מלפניו מחזירו מלאחוריו נתמלא מלמעלה הופכו למטה (כנגד) כלומר מהפך ועושה שולי חלוקו בית הצואר וקורע למעלה. והקורע מלמטה מן השוליים ומן הצדדין לא יצא. אלא שכ"ג פורם מלמטה. פליגי ב) עליה משמיה דאבוה דשמואל ולוי. חד אמר כל שבעה קורע לאחר שבעה אם מת לו מת אחר מוסיף על הקרע הראשון כל שהו. וחד אמר כל שלשים יום אם ימות לו מת אחר קורע [קרע] אחר לאחר ל' יום מוסיף. מתקיף ליה ר' זירא מאן דאמר כל שבעה קורע אמאי אינו מוסיף דלא ניתן לשוללו בתוך ז'. אלא קרע של אשה ששוללתו לאלתר הכי נמי שמוספת לאלתר. ופרקינן התם משום כבוד אשה. מ"ד כל ל' יום אם קורע אמאי כו': ת"ר היוצא בבגד קרוע לפני המת הרי זה גוזל את החיים ואת המתים רשבג"א האומר לחבירו השאליני חלוקך כדי שאלך ואבקר את אבי שהוא חולה. ומצאו שמת קורעו. וכשיבא לביתו מאחו. ומחזירו לבעליו ונותן לו דמי קרעו. ואם לא הודיעו כי הולך לבקר את אביו לא יגע בו. ת"ר חולה שמת לו מת אין מודיעין אותו שמא תטרף דעתו של חולה ואין מקרעין לו ומשתקין הנשים מפניו ומקרעין לקטן פי' על אביו שמת או על אמו. וכיוצא בהן מפני עגמת נפש. וקורע על חמיו ועל חמותו מפני כבוד אשתו: תנא באבל רבתי אבל לא יניח תינוק בחיקו מפני הרבים מפני שמביאו לידי שחוק ונמצא מתגנה על הבריות. ואין מברין אלא על מטות זקופות. ת"ר ההולך לבית האבל אם היה לבו גס בו יברוהו על מטות כפויות. ואם לאו יברוהו על מטות זקופות. רבא איתרע ליה מלתא דאבלות על לגביה רבה וזקף המטה להברותו. על אבא בר מרתא וכפה. אמר לית ביה דעתא [להאי צורבא] מרבנן דכפה דהא אין לבי גס בו. ת"ר אבל ההולך ממקום למקום אם יכול למעט בעסקו כלומר שלא יקנה ולא ימכור [ימעט]. ואם לאו יגלגל עמהן כלומר

חשק שלמה על ר"ח א) חסר כאן וצ"ל ר"י אומר תחלת קריעה ג' אצבעות וכו'. ב) צ"ל פליגו בה רב מתנה וכו' משמיה דאבוה דשמואל וכו'.

לִפְנֵי הַמֵּת — **ONE WHO GOES OUT IN A RENT GARMENT BEFORE THE DECEASED** הֲרֵי זֶה גּוֹזֵל אֶת הַמֵּתִים וְאֶת הַחַיִּים — **IS** deemed to be **ROBBING** both **THE DECEASED AND THE LIVING.**[36] רַבָּן שִׁמְעוֹן בֶּן גַּמְלִיאֵל אוֹמֵר — **RABBAN SHIMON BEN GAMLIEL SAYS:** הָאוֹמֵר לַחֲבֵירוֹ — **IF ONE TELLS HIS FELLOW,** הַשְׁאִילֵנִי חֲלוּקְךָ וְאֵלֵךְ וַאֲבַקֵּר אֶת אַבָּא שֶׁהוּא חוֹלֶה — **"LEND ME YOUR CLOAK, AND I WILL GO TO VISIT MY FATHER, WHO IS ILL,"** וְהָלַךְ וּמְצָאוֹ שֶׁמֵּת — **AND HE WENT AND FOUND THAT [HIS FATHER] HAD DIED,** קוֹרֵעַ וּמְאַחוֹ — **HE RENDS** the borrowed cloak **AND** then **MENDS IT,**[37] וּכְשֶׁיָּבֹא לְבֵיתוֹ מַחֲזִיר לוֹ חֲלוּקוֹ וְנוֹתֵן לוֹ דְּמֵי קִרְעוֹ — **AND WHEN HE COMES HOME HE RETURNS [HIS FELLOW'S] CLOAK TO HIM AND PAYS HIM THE AMOUNT** that it depreciated on account **OF HIS RENT.**[38] וְאִם לֹא הוֹדִיעוֹ — **BUT IF HE DID NOT INFORM [HIS FELLOW]** when he borrowed the cloak that he intended to visit his ill father, הֲרֵי זֶה לֹא יִגַּע בּוֹ — **HE MAY NOT TOUCH IT.**

Another related Baraisa is cited:

תָּנוּ רַבָּנָן — **The Rabbis taught in a Baraisa:** חוֹלֶה שֶׁמֵּת לוֹ מֵת — Concerning **AN ILL PERSON WHOSE RELATIVE DIED,**[39] אֵין מוֹדִיעִין אוֹתוֹ שֶׁמֵּת — **WE DO NOT INFORM HIM THAT [THE RELATIVE] DIED,** שֶׁמָּא תִּטָּרֵף דַּעְתּוֹ עָלָיו — **LEST HIS MIND BECOME MUDDLED;** וְאֵין מְקָרְעִין בְּפָנָיו — **AND WE DO NOT REND** our garments **IN HIS PRESENCE;** וּמְשַׁתְּקִין אֶת הַנָּשִׁים מִפָּנָיו — **AND WE SILENCE THE WOMEN FROM** lamenting in **HIS PRESENCE.**

The Baraisa states additional laws:

וּמְקָרְעִין לְקָטָן מִפְּנֵי עָגְמַת נֶפֶשׁ — **WE REND** the garment **FOR A MINOR** whose relative has died **BECAUSE OF GRIEF.**[40] וְקוֹרְעִין עַל חָמִיו וְעַל חֲמוֹתוֹ — **AND ONE RENDS** his garment **OVER** the death of **HIS FATHER-IN-LAW AND MOTHER-IN-LAW,** מִפְּנֵי כְּבוֹד אִשְׁתּוֹ — **OUT OF RESPECT FOR HIS WIFE.**[41]

A related teaching is cited:

וְאָמַר רַב פָּפָּא — **And Rav Pappa said:** תָּנָא בְּאֵבֶל רַבָּתִי — **It was taught in a Baraisa in** Tractate ***Eivel Rabbasi:***[42] אָבֵל לֹא יַנִּיחַ תִּינוֹק בְּתוֹךְ חֵיקוֹ — **A MOURNER SHOULD NOT PLACE A CHILD IN HIS LAP,** מִפְּנֵי שֶׁמְּבִיאוֹ לִידֵי שְׂחוֹק — **BECAUSE THIS CAN BRING HIM TO LAUGHTER** וְנִמְצָא מִתְגַּנֶּה עַל הַבְּרִיּוֹת — **AND HE WILL THUS BE DISGRACED BEFORE PEOPLE.**

The Mishnah stated:

וְאֵין מַבְרִין [אֶלָּא][43] עַל מִטּוֹת זְקוּפוֹת — **NOR DO WE SERVE THE MOURNER'S MEAL**[44] **EXCEPT ON UPRIGHT BEDS,** i.e. those who serve the meal and join the mourner in it sit on a bed in the upright position, and do not join the mourner in sitting on an overturned bed.[45]

The Gemara quotes a Baraisa that qualifies the ruling of the Mishnah:[46]

תָּנוּ רַבָּנָן — **The Rabbis taught in a Baraisa:** הַהוֹלֵךְ לְבֵית הָאָבֵל — **ONE WHO GOES TO A HOUSE OF A MOURNER** at the time that the mourner's meal is being served, אִם הָיָה לִבּוֹ גַּס בּוֹ — **IF HE FEELS CLOSE TO [THE MOURNER],**[47] יַבְרוּהוּ עַל מִטּוֹת כְּפוּיוֹת — **THEY SHOULD SERVE HIM** [the visitor][48] **THE MEAL ON OVERTURNED BEDS,** i.e. the visitor should join the mourner in eating the meal on an overturned bed. וְאִם לָאו — **BUT IF** the visitor is **NOT** so close to him, יַבְרוּהוּ עַל מִטּוֹת זְקוּפוֹת — **THEY SHOULD SERVE HIM THE MEAL ON UPRIGHT BEDS.**[49]

The Gemara relates an incident concerning the ruling just taught:

רָבָא אִיתְרַע בֵּיהּ מִילְּתָא — **An** unfortunate **thing occurred to Rava,** i.e. a family member died. עַל לְגַבֵּיהּ אַבָּא בַּר מָרְתָא דְּהוּא אַבָּא בַּר מַנְיוּמֵי — **Abba bar Marta, who was** also known as **Abba**

NOTES

36. The reference is to one who attends a funeral in a garment that was previously rent. He is "robbing" the living, because he deceives them into thinking that he rent it over this deceased (*Rashi*). And he is "robbing" the deceased, since he does not make a new rent in his honor (*Rashi ms., Ritva*). The latter pertains to a relative of the deceased, who is obligated to rend his garment. Besides neglecting to fulfill his obligation, he is deemed to be robbing his deceased kinsman of the proper honor (see *Nimukei Yosef*). Alternatively, it may refer to any person, since he *degrades* the deceased by acting as though he has rent the garment in his honor (see *Ritva* and *R' Shlomo ben HaYasom*).

Robbing a deceased person of his honor is a most grievous offense, since it can never be repaid (Baraisa, *Semachos* ch. 9, cited by *Ramban* and *Ritva*).

37. He is allowed to rend the borrowed cloak because, by lending it to him for the purpose of visiting his ill father, the fellow implicitly authorized him to rend it if necessary. And although one is normally not allowed to mend the rent that he makes over his father or mother, in this case it is permitted. The fellow authorized him to rend the cloak only so that he would not be embarrassed upon his father's death by being forced to wear an unrent garment, but he did not grant permission to inflict permanent damage (*Nimukei Yosef;* see *Beis Yosef, Yoreh Deah* 340:34; cf. *Rosh* §73).

38. Although he had implicit permission to rend the cloak, he must pay for the damage. Even if one explicitly tells his fellow, "You may tear my garment," the one who tears it is liable unless the owner added, "and you will be exempt" (*Ritva,* citing *Bava Kamma* 92a).

39. Literally: that a deceased died for him.

40. I.e. in order that those who see him should weep and lament over the loss, but not because the minor is obligated to mourn (*Rashi ms.; Rashi* above, 14b). [The reference is to a very young child. If the minor is mature enough to be trained in the performance of mitzvos, there is an inherent obligation to have him rend his garment (*Ri Gei'as,* cited by *Rosh* §74).]

41. See Gemara above, 20b.

42. This is the collection of Baraisos that is nowadays known as Tractate *Semachos* (*Rashi ms.;* see 24a note 8). However, the Baraisa cited here does not appear in our editions of the tractate.

43. Emendation follows *Mesoras HaShas.* This is the reading in the Mishnah (24b).

44. The first meal eaten by a mourner upon the onset of the period of mourning is called the סְעוּדַת הַבְרָאָה, *meal of havraah.* The mourner is not permitted to eat of his own food at this meal, and so the meal is served to him by his neighbors. See above, 24b note 33.

45. This follows the view of *Rashi* to the Mishnah (24b). Other Rishonim understand the Mishnah to mean that the mourner also sits on an upright bed for this meal, out of deference to those who come to join him. See note 35 there.

46. This is *Rashi's* understanding of the Baraisa that follows. [Many Rishonim, however, are of the opinion that the ruling of the Mishnah pertained only to Chol HaMoed, when open signs of mourning, such as sitting on an overturned bed, are forbidden. The Baraisa now quoted, however, discusses the general rule for the mourner's meal, when the period of mourning falls on an ordinary day (see 24b note 33). *Tosafos* (20a ד"ה שכבר) quote *Machzor Vitry* in the name of *Rashi* as ruling that the mourner's meal is not served at all on Chol HaMoed. It is therefore clear that according to *Rashi,* both the Mishnah and Baraisa refer to the general rule for serving the mourner's meal, and that Baraisa is simply clarifying the ruling of the Mishnah.]

47. [Literally: if his heart was thick with him.] That is, he is a relative or close friend (*Rashi ms.,* second explanation) who therefore does not object to joining the mourner in eating the meal on an overturned bed (*Nimukei Yosef*).

48. *Rashi; Nimukei Yosef.*

49. Because the visitor may feel uneasy about eating on an overturned bed in the manner of a mourner and consider it an evil omen (*Nimukei Yosef*). [Thus, in such a case the mourner sits on an overturned bed, while the visitors sit on upright beds (see *Rashi* to 24b ד"ה על מטה זקופה, and see note 45 above).]

Others explain the phrase לבו גס בו to refer to the mourner — i.e. if the mourner's heart was "thick" (callous) within him, and he displayed a sense of indifference to his loss, the visitors should join him in sitting on overturned beds for this meal so as to impress upon him a sense of grief (*Rashi ms.,* first explanation; see also *Ritva*).

ובאיחוי אלכסנדרי ת"ר הקורע מתוך השלל מתוך המלל מתוך הלקט מתוך הסולמות לא יצא מתוך האיחוי יצא אמר רב חסדא ובאיחוי אלכסנדרי ת"ר רשאי להופכו למטה ולאחותו ר' שמעון בן אלעזר אוסר לאחותו וכשם שהמוכר אסור לאחותו כך הלוקח אסור לאחותו ולפיכך מוכר צריך להודיעו ללוקח ת"ר תחילת קריעה טפח ותוספת שלש אצבעות דברי רבי מאיר רבי יהודה אומר תחילת קריעה שלש אצבעות ותוספת כל שהו אמר עולא הלכה כרבי מאיר בקריעה והלכה כרבי יהודה בתוספת תניא נמי הכי רבי יוסי אומר תחילת קריעה טפח ותוספת כל שהו ת"ר אמרו לו מת אביו וקרע מת בנו והוסיף תחתון מתאחה עליון אינו מתאחה מת בנו וקרע מת אביו והוסיף עליון מתאחה תחתון אינו מתאחה מת אביו מת אמו מת אחיו מתה אחותו קורע קרע אחד לכולן רבי יהודה בן בתירה אומר על כולן קרע אחד על אביו ואמו קרע אחד לפי שאין מוסיפין על קרע אביו ואמו מאי טעמא אמר רב נחמן בר יצחק לפי שאינן בתוספת אמר שמואל הלכה כרבי יהודה בן בתירה ומי אמר שמואל הכי והאמר שמואל הלכה כדברי המיקל באבל אבילות לחוד קריעה לחוד עד היכן קורע עד טיבורו ויש אומרים עד לבו אע"פ שאין ראיה לדבר זכר לדבר שנאמר וקרעו לבבכם ואל בגדיכם הגיע לטיבורו מרחיק שלש אצבעות וקורע נתמלא מלפניו מחזירו לאחוריו נתמלא מלמעלה הופכו מלמטה והקורע מלמטה ומן הצדדין לא יצא אלא שכהן גדול פורם מלמטה פליגו בה רב מתנה ומר עוקבא ותרוייהו משמיה דאבוה דשמואל ולוי חד אמר כל שבעה קורע לאחר שבעה מוסיף וחד אמר כל שלשים קורע לאחר שלשים מוסיף מתקיף לה רבי זירא מאן דאמר כל שבעה קורע אמאי דלא ניתן לשוללו אלא הא דאמר מר האשה שוללתו לאלתר ה"נ התם משום כבוד אשה הוא מאן דאמר כל שלשים קורע אמאי דלא ניתן לאחותו אלא לאביו ולאמו דלא ניתן לאחותו לעולם ה"נ התם משום כבוד אביו ואמו הוא ת"ר היוצא בבגד קרוע לפני המת הרי זה גוזל את המתים ואת החיים רשב"ג אומר האומר לחבירו השאילני חלוקך ואלך ואבקר את אבא שהוא חולה והלך ומצאו שמת קורע ומאחו וכשיבא לביתו מחזיר לו חלוקו ונותן לו דמי קרעו ואם לא הודיעו הרי זה לא יגע בו ת"ר חולה שמת לו מת אין מודיעין אותו שמת שמא תטרף דעתו עליו ואין מקרעין בפניו ומשתקין את הנשים מפניו ומקרעין לקטן מפני עגמת נפש וקורעין על חמיו ועל חמותו מפני כבוד אשתו ואמר רב פפא תנא באבל רבתי אבל לא יניח תינוק בתוך חיקו מפני שמביאו לידי שחוק ונמצא מתגנה על הבריות: ואין מברין על מטות זקופות: ת"ר ההולך לבית האבל אם היה לבו גס בו יברוהו על מטות כפויות ואם לאו יברוהו על מטות זקופות רבא איתרע ביה מילתא על לגביה אבא בר מרתא דהוא אבא בר מניומי רבא זקיף אבא בר מרתא כפי אמר כמה לית ביה דעתא להאי צורבא מרבנן תנו רבנן ההולך ממקום למקום אם

מתוך השלל. שלא קרע אלא בשלל: מתוך האיחוי. מקרע האיחוי: ובאיחוי אלכסנדרי. דהוה כשלם: רשאי להפכו למטה. שהופך הקרע למטה והופך שלמטה למעלה ומאחהו ועושה בית הצואר ולובשו: ותוספת שלש. כגון שמוסיף קרע אחר על אותו קרע כגון שאירעו אבל אחר: עליון אין מתאחה. שקרעו על אביו ועל אמו: שאינן בתוספת. כלומר אין בדין שמוסיף עליהן: הגיע לטיבורו. ומת לו מת אחר: מרחיק שלש אצבעות. בצד אותו קרע וקורע: נתמלא. קרעים מלפניו מחזירו לאחוריו וחוזר וקורע לפניו: כל שבעה. אם מת לו מת קורע קריעה אחרת: לאחר שבעה מוסיף. על קרע ראשון: דלא ניתן לשוללו. תוך שבעה כלל ואי מוסיף ביה מיחזי כקרע אחד אבל לאחר שבעה דכבר שללו קורע כל השלילות ומוסיף כל שהו דמינכר דעל מת אחר קרע: אשה שוללתו לאלתר. אפילו תוך שבעה: הכי נמי. דמוסיף דקורע השלילה ומוסיף בה פורתא דקא מינכר וקא פסיק כל שבעה קורע ואפילו אשה: משום כבוד האשה הוא. ולא מן הדין: משום כבוד אביו. ולא מן הדין והוי כאיחוי לפיכך מוסיף בו לאחר שלשים: בבגד קרוע. קודם לכן גוזל הכל שמראה הכל שמראה להן שקרע על המת: ואם לא הודיעו. שהולך לבקר את אביו: יברוהו. לאותו שבא על מטות כפויות: אבל ההולך ממקום למקום: יגלגל

ובאיחוי אלכסנדרי. בירושלמי איזהו איחוי כל שאין מקומו ניכר ובמסכת שמחות (פ"ט) מפרש כל שאחוהו כל צורכו: כך הלוקח אסור לאחותו. לא שמעתי אם מותר למוכרו לנכרי נהי דלוקח אסור לאחותו אם הוא נכרי מותר ואע"פ דמוכר צריך להודיע ללוקח היינו כדי שלא יעשה לוקח איסור אבל אין אנו חוששין אם יתפרנו הנכרי ולכאורה היה מותר ועוד צ"ע והאי וכשם שהמוכר כו' הוי פי' לתנא קמא בלא הפיכה ולר"ש בן אלעזר אפילו על ידי הפיכה ובמאי דפליגי נראה דהלכה כתנא קמא וכן פירש הר"א:

תחילת קריעה שלש אצבעות. לא ידענא ממאי מפיק טעמא דלעיל (ד' כב:) מפקינן טפח מויחזק אין אחיזה פחות מטפח:

תניא נמי הכי. רבי יוסי סובר כן ורבי יוסי הלכה כמותו לגבי דרבי מאיר ורבי יהודה בפרק מי שהוציאוהו (עירובין ד' מו:) ועוד דה"ל מכריע:

קורע קרע אחד על כולן. במסכת שמחות (פ"ט) א"ל מת אביו וקרע והוא אינו אלא אמו יצא מתה אמו והוא אינו אלא אביו יצא מת אביו מתה אמו וקרע והוא אינו אלא אחד מן הקרובין יצא אחד מן הקרובין וקרע והוא אינו אלא אביו או אמו לא יצא ובירושלמי אמרו לו מת ראובן וקרע ואמרו שמעון היה יצא אמרו לו מת ראובן וקרע ואח"כ אמרו לו קיים היה ומת אית תנא לא יצא וכן קרע על אביו ונמצא בנו אם מת על אתר אין צריך לקרוע כמה הוא על אתר כדי דבור ובסוף פרק בתרא דנדרים (דף פז.) כמו כן היא שנויה:

אמר רב נחמן בר יצחק לפי שאינן בתוספת. תימה מאי מוסיף לפרש הטעם מן הברייתא ופירש הר"א בשם רבינו שמואל דלא גרסינן לפי שאין מוסיפין בברייתא והר"י הקשה בתוספות מאי שייך בתוספת נראה לי דמצי למימר דסבירא כמאן דאמר עד טיבורו אי נמי עד שיגלה את לבו אין זה כל כך כמו עד לבו מיהו יותר נראה לי דקאמר רב נחמן בר יצחק לפי שאינן בתוספת שצריך לקרוע עד לבו ואם אירע כך שלא קרע עד לבו מ"מ כיון דלא עשה כמו שהיה צריך אומר אין שייך תוספת מיהו לפירושו קסבר רב נחמן בר יצחק כיש אומרים עד לבו ואפילו למאן דאמר בסמוך עד טיבורו יש ליישב כמו שפי' שאין צריך לקרוע על אביו ועל אמו רק עד שיגלה את לבו מכל מקום אם קרע טפי שפיר משום כבוד אביו ואין כאן בל תשחית:

פורם מלמטה. כפ' בתרא דהוריות (ד' יב:) מפרש מה קורע למטה אם בצואר:

לפי שאין מוסיפין על אביו ואמו. פי' בקונטרס דאכולהו קאי דבין אם קרע על אביו קודם בין קרע על אחד מקרוביו קודם ולא ידענא מנא ליה דלישנא משמע דוקא על קרע אביו ואמו שהיה קודם:

מסורת הש"ס

א) לעיל יח. וש"נ עירובין מו., ב) לעיל כב:, ג) שמחות פ"ט, ד) שם [תוספתא ב"מ פ"ח], ה) לעיל יד:, ו) אלא, ז) ובמס' שמחות ספ"ט איתא לאסור, ח) [עי' כליס פכ"ד מ"ב ומ"י] אולי צ"ל פכ"ז.

תורה אור השלם

א) וְקִרְעוּ לְבַבְכֶם וְאַל בִּגְדֵיכֶם וְשׁוּבוּ אֶל יְיָ אֱלֹהֵיכֶם כִּי חַנּוּן וְרַחוּם הוּא אֶרֶךְ אַפַּיִם וְרַב חֶסֶד וְנִחָם עַל הָרָעָה: [יואל ב, יג]

רש"י כת"י

ה"ג רשאי (לתופרן) [להופכו] למטה ור' שמעון בן אלעזר אוסר מאי קאמ' אמ' אביי הכי קאמ' רשאי (לתופרו) [להופכו] למטה ולאחותו. אם קרע בית הצואר כלפי למטה ורוצה להפוך החלוק מלמטה למעלה ולעשות בית צואר אחר (בין צואר ראשון בין רגליו) רשאי לאחות בית הצואר ראשון שהולך בין רגליו. ר' שמעון בן אלעזר אוסר. לאחותו ולאחר שבעה קא מיירי דאמרי' לעיל על כל המתים שולל לאחר שבעה על אביו ועל אמו לאחר שלשים דכיון דהופכו למטה [סבר ת"ק] רשאי לאחותו [ור"ש אוסר] עד לאחר שלשים בכל המתים ובאביו ואמו לעולם. ותוספת. שמת לו מת אחר וצריך לקרוע [או] כגון דאמר(ן) מוסיף על ירושלים. ה"ג ר' יהודה אומר תחלת הקריעה שלש אצבעות. ולית ליה אין אחיזה פחות מטפח דנפקא לן לעיל (כב:) מויחזק דוד. תחתון. שקרע על בנו מתאחה לאחר שלשים. עליון. שקרע על אביו אינו מתאחה לעולם. מת אביו מתה אמו מת אחיו מתה אחותו. והכל בשרוהו בבת אחת. על אביו ועל אמו קורע אחד ועל כולן קרע אחד. במקום אחד למעלה שלא באותו קרע. לפי שאין מוסיפין בקרע של אביו. ואכולה פליג ר' יהודה מדקתני מת אביו (קורע) [וקרע] מת בנו (אינו מוסיף) [והוסיף] ואתא ר' יהודה למימר קרע על אביו ומת בנו אינו מוסיף וקורע על בנו [או] קרע על בנו ומת אביו אינו מוסיף אלא [קורע] במקום [אחר קריעה] (ה)מיוחדת. מאי טעמ'. שאינו בתוספת קרע על אביו אינו יכול להוסיף קרע עליו ואם קרע על בנו ומת אביו אינו עושה קריעת אביו תוספת איכא סיפרי דכתב בהו הלכה כר' יוחנן לישנא דכלה ולא ידענא מאי לישנא דכלה. קריעה לחוד. דלא אמרינן הלכה כדברי המקל בקריעה. עד היכן הוא קורע. שהולך ומוסיף וקורע עד כמה. קרעו לבבכם. אלמא קריעה עד הלב. הגיע לטיבורו. ושמע שמועה אחרת שוב אינו מוסיף על אותה קריעה [לא יצא] אלא חוזר ומתחיל מלמעלה אצל צידי בית הצואר ואם רצו לו שמועו' הולך וקורע ומרחיק ג' אצבעות בין קרע לקרע מאחר החלוק לצד הכתף. נתמלא. כל הכתף קריעות מלפניו מחזירו לאחוריו ומחזיר מה שלאחריו לפניו וקורע ולובשה [כל שעה]. נתמלא למעלה. אצל בית הצואר מחזיר חלוקו מה שלמעלה למטה ועושה בית צואר אחר וקורע האחרון ואינו מאחה הראשון שלמטה. מן הצדדין. מתניס. אלא שכהן גדול פורם. בגדיו מלמטה ולא מפני שהוא פרימה דהא כתוב ובגדיו לא יפרום אלא מפני עגמת נפש. ותרויהו. פליגי משמיה [דאבוה] (ד)שמואל ולוי. שמע. שמועה כל שבעת ימי אבלו קורע קריעה חדשה. לאחר שבעה. קורע על קרע ראשון ודיו וגבי מתי מלוה קא איירי. כיון דלא נתן רשות לשללו. לקרע ראשון כי מוסיף עליה קרע ראשון קא חשיב דהוי כאלו מרחיב קרא ראשון ולא יצא. אלא. באשה דאמרינן לעיל בהאי פרקא אשה שקרעה על מתה שוללתו לאלתר אפילו תוך שבעה. הכי נמי. אם שמע שמועות תוך שבעה והוסיפה עליו דילתה ידי קריעה הואיל וניתן לשוללו. התם. נמי כלא ניתן רשות לשוללן דמי שאינה אלא משום דאין כבודה לעמוד בפריעת הלב. משום כבוד אביו ואמו הוא. וכמי שלא ניתן לאחותו דמי הילכך אם הוסיף יצא וקסבר האי מתרץ אביו ואמו הן בתוספת ולא סבירא ליה הלכתא ואע"ג דלעיל נפקא לן דקרע על אביו ואמו אינו מתאחה לעולם מאלישע ואפי' הכי משום כבוד אביו הוא. היוצא. לפני המת. בבגד קרוע. שנקרא קודם לכן. גוזל את החיים. שגונב דעתם דסבורין הן שעל המת קרע. ואת המתים. שלא קרע עליהן. אם לא הודיעם. שהולך לבקר את אביו שהוא חולה. ואין מקרעין. לחולה את בגדיו. משתקין את הנשים לפניו. שלא תהיינה מטפחות ומספידות פן ירגיש החולה ותטרף דעתו. ומקרעין לקטן. את בגדיו בסתם אבילות קא איירי וליכא חולה מקרעין בגדיו מפני עגמת נפש כדי שיבכו הרואים לפי שאף הקטן נקרע. על חמיו ועל חמותו מפני כבוד אשתו כשלא היה שם בשעת יציאת נשמה דאי הוה בשעת יציאת נשמה אפי' אחר נמי. באבל רבתי. במסכת שמחות. אבל לא יניח תינוק. בימי אבלו בחיקו. אם לבו גס בו. אם רואין את האבל שאינו נוהג כדרך שאר אבלים אלא שמח הוא. מברין. ויושבין המנחמין. על מטות כפויות. כדי שימר לבו (ברש"י ברי"ף - שירך לבו). לישנא אחרינא לבו גס בו ואם היה מכירהו קרובו או שושבינו ולבו גס בו יחד יושב לארץ אתו על מטה כפויה. (איתרמא) איתרע. מילתא אבילות. אבא בר מרת. מרת שמו. מניומי. אבוי. רבא. שהוא אבל. זקוף. על מטות זקופות. אמר. רבא לית ביה דעת באבא בר מרת והא לא חזי איהו דלבו גס בו. אבל ההולך ממקום למקום וארעו אבל בדרך.

עין משפט נר מצוה

קצט א מיי' פ"ט מהל' אבל הלכה ג:
ר ב ג מיי' שם סמג עשין ב טוש"ע י"ד סי' שמ סעיף כ:
רא ד ה מיי' שם והלכה ד סמג שם טוש"ע שם סעיף יט:
רב ו מיי' שם פ"ח הלכה ב י סמג שם טוש"ע שם סעיף ג:
רג ז ח מיי' שם הלכה ט טוש"ע שם סעיף כב:
רד ט מיי' שם הלכה י טוש"ע שם סעיף כא:
רה י מיי' שם הלכה א טוש"ע שם סעיף ב:
רו כ מיי' שם ופ"ז הלכה ו סמג שם וסמג לאוין שא ומיי' פ"ה מהל' כלי המקדש הלכה ו:
רז ל מיי' פ"ח מהלכות אבל הלכה י סמג עשין ב טוש"ע י"ד סי' שמ סעיף כא:
רח מ מיי' שם הלכה ו סמג שם טוש"ע שם סעיף לג:
רט נ מיי' שם הלכה ז טוש"ע שם סעיף לד:
רי ס מיי' שם הלכה ד טוש"ע שם סי' שלז:
ריא ע מיי' שם הלכה ה טוש"ע שם סי' שמ סעיף ז:
ריב פ מיי' שם פ"ה הלכה כ טוש"ע שם וסי' שלא סעיף א:

רבינו חננאל

על ירושלים: ת"ר רשאי להופכו למטה ולעשות לו איחוי. פי' להפך החלוק לחתכו ולתת בית הצואר שלו שולים והשולים יעשה בית שפה. ר' שמעון בן אלעזר אוסר באיחוי בין מלמעלן בין מלמטה. וכשם שהבעלים אסורין לאחותו כן הלוקח אסור לאחותו. לפיכך צריך המוכר להודיע ללוקח שזה קרע אסור באיחוי הוא. ת"ר וכולן אלו הקרעין רשאין לשוללן למוללן ללוקטן לעשותן בתפירה אחת כעין סולמות שיהא ניכר הקרע. אבל אין רשאין לאחותן באיחוי אלכסנדרית שהוא כמין אריגה. ת"ר הקורע מתוך השלל או מתוך המלל או מתוך הליקוט או מתוך הסולמות לא יצא. אבל אם היה איחוי אלכסנדרית שהוא כאריגה יצא ידי קריעה: ירושלמי כד דמך ר' יוחנן אורי ר' חייא בר אבא לשלול הקרע בו ביום ולנעול הסנדל בו ביום. א"ל ר' תנחום ב"ר חייא לר' חיננא בר פפא ר' צלי עלן. א"ל יסוג תורעתך שכל אותה שנה הדין מתוח כנגד המשפחה דא"ר יוחנן כל שבעה החרב שלופה עד שלשים יום. ומשלשים היא רופפת ואינה חוזרת לתערה עד י"ב חודש. למה"ד לכיפת אבנים שנתרועעה אחת מהן נתרועעה כולן. א"ר אלעזר אם נולד להן בן באותה משפחה נתרפאת כל המשפחה כולה: ת"ר תחלת הקריעה טפח ואם קרע על המת ועוד מת לו מת אחר ובא לקרוע ולהוסיף על הקרע מוסיף ג' אצבעות דברי ר' מאיר א) ותחלת הקריעה ג' אצבעות ותוספת כל שהו. אמר עולא הלכה כר' מאיר בקריעה שתחלת קריעה טפח. והלכתא כר' יהודה בתוספת דדי לו אפילו כל שהו. תניא נמי הכי ר' יוסי אומר תחלת הקריעה טפח ותוספת כל שהו: ת"ר מת אביו וקרע. מת בנו והוסיף תחתיו מתאחה. עליון אין מתאחה. מת בנו וקרע מת אביו והוסיף כו'. ר' יהודה בן בתירה אומר על כולן כגון בנו ובתו אחיו ואחותו ואשתו קורעין להן קרע אחד על אביו ועל אמו קורע קרע אחר. לפי שאין מוסיפין על קרע אביו ואמו פי' לפי שאינו בתוספת מפני שקריעתו על אביו ועל אמו מבדיל קמי שפה שלו וקורע והולך עד שמגיע הקרע אל לבו ומגלה. ובשאר מתים קורע טפח ומוסיף כל שהו עד שמגיע אל לבו. ואע"פ שאין ראייה ברורה אשכחן זכר לדבר כדכתיב וקרעו לבבכם ואל בגדיכם. אמר שמואל הלכה כר' יהודה בן בתירה. איני והאמר שמואל הלכה כדברי המיקל באבל. ור' יהודה לגבי ת"ק מחמיר הוא. ופרקינן כי קאמר שמואל בענין אבלות. האי ענין קריעה הוא. הלכך הלכתא כר' יהודה בן בתירה. עד היכן קורע עד טיבורו הגיע לטיבורו מרחיק ג' אצבעות וקורע. נתמלא מלפניו מחזירו מלאחוריו נתמלא מלמעלה הופכו למטה (כנגד) כלומר מהפך ועושה שולי חלוקו בית הצואר וקורע למעלה. והקורע מלמטה מן השוליים ומן הצדדין לא יצא. אלא שכ"ג פורם מלמטה. פליגי ב) עליה משמיה דאבוה דשמואל ולוי. חד אמר כל שבעה קורע לאחר שבעה אם מת לו מת אחר מוסיף על הקרע הראשון כל שהו. וחד אמר כל שלשים יום אם ימות לו מת אחר קורע [קרע] אחר לאחר ל' יום מוסיף. מתקיף ליה ר' זירא מאן דאמר כל שבעה קורע אמאי אינו מוסיף דלא ניתן לשוללו בתוך ז'. אלא קרע של אשה ששוללתו לאלתר הכי נמי שמוספת לאלתר. ופרקינן התם משום כבוד אשה. מ"ד כל ל' יום אם קורע אמאי כו': ת"ר היוצא בבגד קרוע לפני המת הרי זה גוזל את החיים ואת המתים רשבג"א האומר לחבירו השאליני חלוקך כדי שאלך ואבקר את אבי שהוא חולה. ומצאו שמת קורעו. וכשיבא לביתו מאחו. ומחזירו לבעליו ונותן לו דמי קרעו. ואם לא הודיעו כי הולך לבקר את אביו לא יגע בו. ת"ר חולה שמת לו מת אין מודיעין אותו שמא תטרף דעתו של חולה ואין מקרעין לו ומשתקין הנשים מפניו ומקרעין לקטן פי' על אביו שמת או על אמו. וכיוצא בהן מפני עגמת נפש. וקורע על חמיו ועל חמותו מפני כבוד אשתו: תנא באבל רבתי אבל לא יניח תינוק בחיקו מפני הרבים מפני שמביאו לידי שחוק ונמצא מתגנה על הבריות. ואין מברין אלא על מטות זקופות. ת"ר ההולך לבית האבל אם היה לבו גס בו יברוהו על מטות כפויות. ואם לאו יברוהו על מטות זקופות. רבא איתרע ליה מלתא דאבלות על לגביה רבה וזקף המטה להברותו. על אבא בר מרתא וכפה. אמר לית ביה דעתא [להאי צורבא] מרבנן דכפה דהא אין לבי גס בו. ת"ר אבל ההולך ממקום למקום אם יכול למעט בעסקו כלומר שלא יקנה ולא ימכור [ימעט]. ואם לאו יגלגל עמהן כלומר

חשק שלמה על ר"ח א) חסר כאן וצ"ל ר"י אומר תחלת קריעה ג' אצבעות וכו'. ב) צ"ל פליגו בה רב מתנה וכו' משמיה דאבוה דשמואל וכו'.

bar Manyumi, came in to him to provide him with the mourner's meal. רָבָא זָקִיף – **Rava righted** a bed for Abba bar Marta to sit on, אַבָּא בַּר מָרְתָא כָּפֵי – and **Abba bar Marta overturned** it.[50] אָמַר – **[Rava] said:** כַּמָּה לֵית בֵּיהּ דַּעְתָּא לְהַאי צוּרְבָא מֵרַבָּנַן – **How lacking in sense is this young Talmudic scholar.**[51]

The Gemara cites a Baraisa:

תָּנוּ רַבָּנָן – **The Rabbis taught in a Baraisa:** הַהוֹלֵךְ מִמָּקוֹם לְמָקוֹם – **Someone who was traveling from place to place** on business,[52] and while in transit was informed of the death of one of his relatives,[53] thus becoming a mourner,

NOTES

50. [According to the second view cited in note 45 this means that Rava himself sat on an upright bed (*Rashi ms.*) See *Rabbeinu Chananel* for another version of this incident.]

51. [For we are not so close that he should join me in sitting on an overturned bed.] According to the other explanation of this Gemara cited in note 49, he was lacking in sense for he saw no indication that Rava was insensitive to his loss (*Rashi ms.*).

[It seems, at first glance, unbefitting for an Amora like Rava to speak so derogatorily about another person, let alone a Torah scholar. A similar statement can be found in *Yevamos* (9a) and *Menachos* (80b), where Rebbi, upon hearing a comment made by Levi, exclaimed: כִּמְדוּמֶּה אֲנִי שֶׁאֵין לוֹ מוֹחַ בְּקָדְקֳדוֹ, *It seems to me that he has no brain in his skull. Chavos Yair* (responsum 152, quoted in its entirety in an appendix to *Chafetz Chaim*) explains this statement by citing the ruling of *Rambam* (*Talmud Torah* 4:5): "A teacher who sees that his students are being negligent in their studies and not applying themselves properly, and have as a result displayed a lack of comprehension, must be angry with them, and embarrass them so as to sharpen their minds." Rebbi, of whom it was said, "Upon the death of Rebbi, humility disappeared" (Mishnah, *Sotah* 49a), certainly did not make his comment about Levi out of anger or haughtiness. Rather, he was chastising his student, whom he knew to be a great man, for a mistake which could only have been the result of inattentiveness. Presumably, Rava admonished Abba bar Marta, who was a young Talmudic scholar, in a similar vein.]

52. *Tosafos* 27a ד״ה אם, in explanation of *Rashi;* see also *Rashi* 27a ד״ה יגלגל; see further, 27a note 4.

53. *Rashi,* cited by *Tosafos* 27a ד״ה אם.

אִם יָכוֹל לְמַעֵט בְּעִסְקוֹ – **if it is possible for him to restrict his business activity,**[1] יְמַעֵט – **he should restrict** it, since a mourner is prohibited to engage in business during *shivah;*[2] וְאִם לָאו – **and if not,** i.e. if he would sustain a loss were he to suspend all business activities, יְגַלְגֵּל עִמָּהֶן – **he may continue** doing business **in conjunction with [the others]** who are with him,[3] but not by himself.[4]

The Gemara returns to the subject of overturning beds during the period of mourning:

תָּנוּ רַבָּנָן – **The Rabbis taught in a Baraisa:** מֵאֵימָתַי כּוֹפִין אֶת הַמִּטּוֹת – FROM WHEN DO [THE MOURNERS] OVERTURN THE BEDS?[5] מִשֶּׁיֵּצֵא מִפֶּתַח בֵּיתוֹ – FROM WHEN the body of [THE DECEASED] LEAVES THE DOOR OF HIS HOUSE; דִּבְרֵי רַבִּי אֱלִיעֶזֶר – these are THE WORDS OF R' ELIEZER. רַבִּי יְהוֹשֻׁעַ אוֹמֵר – R' YEHOSHUA SAYS: מִשֶּׁיִּסָּתֵם הַגּוֹלֵל – FROM WHEN THE LID OF THE CASKET IS SEALED.[6]

The Baraisa records an incident concerning this disagreement: מַעֲשֶׂה שֶׁמֵּת רַבָּן גַּמְלִיאֵל הַזָּקֵן – IT HAPPENED THAT RABBAN GAMLIEL THE ELDER[7] DIED. כֵּיוָן שֶׁיָּצָא מִפֶּתַח בֵּיתוֹ – WHEN HE WENT OUT FROM THE DOOR OF HIS HOUSE (i.e. as his body was removed) אָמַר לָהֶם רַבִּי אֱלִיעֶזֶר – R' ELIEZER SAID TO THEM [Rabban Gamliel's family]: כְּפוּ מִטּוֹתֵיכֶם – OVERTURN YOUR BEDS, for the period of mourning has now begun. וְכֵיוָן שֶׁנִּסְתַּם הַגּוֹלֵל – WHEN THE LID OF THE CASKET WAS SEALED, [אָמַר לָהֶם] רַבִּי יְהוֹשֻׁעַ – R' YEHOSHUA SAID TO THEM: כְּפוּ מִטּוֹתֵיכֶם – OVERTURN YOUR BEDS.] אָמְרוּ לוֹ – THEY SAID TO HIM: כְּבָר כָּפִינוּ עַל פִּי זָקֵן – WE HAVE ALREADY OVERTURNED them ON THE WORD OF THE ELDER [R' Eliezer].

The Gemara continues elucidating the rules concerning overturning the beds:

תָּנוּ רַבָּנָן – **The Rabbis taught in a Baraisa:** מֵאֵימָתַי זוֹקְפִין אֶת הַמִּטּוֹת בְּעֶרֶב שַׁבָּת – FROM WHEN MAY [THE MOURNERS] RIGHT THE BEDS ON FRIDAY?[8] מִן הַמִּנְחָה וּלְמַעְלָה – FROM MINCHAH TIME AND ONWARDS.[9]

The Gemara interjects a qualification:

אָמַר רַבָּה בַּר הוּנָא – **Rabbah bar Huna said:** אַף עַל פִּי כֵן – **Even so,** אֵינוֹ יוֹשֵׁב עָלֶיהָ – **[the mourner] may not sit on [the upright bed]** עַד שֶׁתֶּחְשַׁךְ – **until it becomes dark** and the Sabbath actually begins, for the mourning requirements extend until the Sabbath.[10]

The Baraisa continues:

וּלְמוֹצָאֵי שַׁבָּת – AND ON THE NIGHT AFTER THE SABBATH, אַף עַל פִּי שֶׁאֵין לוֹ לֵישֵׁב אֶלָּא יוֹם אֶחָד – EVEN IF HE HAS ONLY ONE MORE DAY TO SIT in mourning (i.e. where Sunday is the seventh day of his *shivah*), חוֹזֵר וְכוֹפֶה – HE MUST nevertheless AGAIN OVERTURN the beds of his house, for he is still obli-

NOTES

1. I.e. to suspend *all* business activity (*Rabbeinu Chananel, Ritva;* see also *Tosafos'* explanation of *Rashi,* and *Shulchan Aruch, Yoreh Deah* 380:23; cf. *Tur* and *Beis Yosef, Yoreh Deah* 380).

2. *Rashi,* as explained by *Tosafos;* see further in note 4. [Actually, this is subject to a dispute of Rishonim, as explained on 22b note 1. *Shulchan Aruch* (*Yoreh Deah* 380:3) rules that a mourner is forbidden to engage in business activity during *shivah.*]

3. [I.e. with the people with whom he is traveling on business.]

4. We learned above (22a-b) that one who is in mourning for any relative other than a parent may engage in business to prevent a loss (see 22b note 1). Our Baraisa, which permits such activity only for one who was traveling on business at the time he became a mourner, must therefore refer to one who is in mourning for a parent. Although such a mourner must ordinarily refrain from business activity even in the face of a loss [unless it is a very substantial loss (see *Aruch HaShulchan, Yoreh Deah* 380:33)], the Sages extended a special leniency to one who already set out on a trip and expended much effort to transport his goods before learning of the death of his parent (*Tosafos,* in explanation of *Rashi;* see there for another explanation of *Rashi's* view).

[According to *Rashi,* therefore, this Baraisa refers to a merchant. Many Rishonim, however, understand this Baraisa to refer to any kind of traveler. The Baraisa teaches that one who learns of the death of a relative while traveling should, if possible, refrain from buying and selling anything unless he lacks the basic necessities to maintain himself on the trip [e.g. he has no food, or he needs to purchase supplies for the continuation of his trip and they will not be available later] (*Rabbeinu Chananel, Rif, Rosh, Rabbeinu Yosef,* cited in *Tosafos*). Although this rule applies even to mourners who are sitting at home, the Baraisa teaches it in the context of a traveler because it is common for a traveler to need to purchase necessities regularly, in contrast to a mourner sitting at home who often has sufficient supplies at hand or has family members (who are not in mourning) available to obtain them for him (*Nimukei Yosef;* see *Yoreh Deah* 380:23).]

5. I.e. when does the mourning period (and its attendant restrictions) take effect? Although the Gemara poses the question in regard to overturning the beds, it actually relates to all the laws of mourning (*Ramban, Nimukei Yosef;* see *Yoreh Deah* 375:1).

6. *Rashi* throughout the Talmud (*Kesubos* 4b ד״ה גולל, *Shabbos* 152b ד״ה גולל, et al.) translates the word גּוֹלֵל as *coffin lid. Ramban* (here) states that according to *Rashi,* the mourning period begins only when the casket is sealed for placement in the grave. Once this occurs, the mourning period begins even if the coffin has not yet been removed from the house. However, if the lid is merely placed on the casket to cover it, with the intention of later opening it, the mourning period does not yet begin. If a body is transported to the grave on a bed or in an open casket and then buried without a casket, the mourning period begins when the grave is closed.

Rashi's view is disputed by most Rishonim. According to *Rabbeinu Tam,* גולל is a tombstone placed over the grave. *Rabbeinu Chananel* and *Aruch* (cited by *Ramban*) state that it is a stone placed on top of the grave to close it. It need not even be a stone. Whatever is used in that locale to close the grave sets in motion the period of mourning (*Geonim,* cited by *Ramban;* see *Yoreh Deah* 375:1).

7. [The word הַזָּקֵן, *the Elder,* seems to be an error. The parallel text in *Yerushalmi* (*Berachos* 3:1) omits this word (see also manuscript cited in *Dikdukei Soferim*). R' Eliezer and R' Yehoshua were still quite young and had not yet attained prominence when Rabban Gamliel the Elder died, and it is very unlikely that they would have issued the rulings to his family concerning the onset of the mourning period. R' Eliezer, however, was the brother-in-law of Rabban Gamliel of Yavneh (see *Bava Metzia* 59b) and was indeed alive at the time of his death (ibid.). All the stories in the Talmud involving R' Eliezer, R' Yehoshua and Rabban Gamliel concern this latter Rabban Gamliel, who was a grandson of Rabban Gamliel the Elder (*Toldos Tannaim V'Amoraim* ע׳ רבן גמליאל הזקן).]

8. As we learned above (24a), there is an obligation to right the overturned beds for the Sabbath [so that there should not be any display of mourning on that day] (*Rashi ms.*).

9. [The regular afternoon offering was called the *minchah,* as in *II Kings* 16:15 – אֶת־עֹלַת־הַבֹּקֶר וְאֶת־מִנְחַת הָעֶרֶב, *the morning olah offering and the minchah of the afternoon* (see *Radak, Shorashim* נח). By association, the time period during which the afternoon offering was made acquired the name Minchah.]

The Minchah period extends from half an hour after noon (the earliest time the afternoon *tamid* could be offered) until sunset. This period is known as *minchah gedolah,* the Greater Minchah. The last two-and-a-half hours before sunset are known as *minchah ketanah,* the Lesser Minchah (see Schottenstein Edition of *Pesachim,* 99b note 2, for further elaboration; see *Aruch HaShulchan* 387:3). *Tosafos* question whether our Baraisa refers to *minchah gedolah,* which would allow righting the beds $5^1/_2$ hours before nightfall, or whether it refers to *minchah ketanah,* which would only permit the beds to be righted $2^1/_2$ hours before nightfall. *Nimukei Yosef* favors the latter position.

10. [Since the beds of the house must be righted before the Sabbath begins, the Rabbis had to permit doing so sometime on Friday. The time they gave for this was from the Minchah and onward – sufficient time for the mourner to make his preparations for the Sabbath. But since the entire day of Friday is subject to the requirements of mourning, there is no reason to permit the mourner to sit on an upright bed.]

אם יכול למעט בעסקו ימעט ואם לאו יגלגל עמהן תנו רבנן (א) מאימתי כופין את המטות משיצא מפתח ביתו דברי ר' אליעזר רבי יהושע אומר (ב) ב משיסתם הגולל מעשה שמת רבן גמליאל הזקן כיון שיצא מפתח ביתו אמר להם רבי אליעזר כפו מטותיכם וכיון שנסתם הגולל (ג) [אמר להם רבי יהושע כפו מטותיכם] אמרו לו כבר כפינו על פי זקן ת"ר ג מאימתי זוקפין את המטות בערב שבת מן המנחה ולמעלה אמר רבה בר הונא ד אף על פי כן אינו יושב עליה עד שתחשך ה ולמוצאי שבת אע"פ שאין לו לישב אלא יום אחד חוזר וכופה תנו רבנן ו הכופה מטתו לא מטתו בלבד הוא כופה אלא כל מטות שיש לו בתוך ביתו הוא כופה ואפילו יש לו עשר מטות בעשרה מקומות כופה את כולן ואפילו חמשה אחין ומת אחד כולן כופין ז ואם היתה מטה המיוחדת לכלים אין צריך לכפותה דרגש אין צריך לכפותו אלא זוקפו רבן שמעון בן גמליאל אומר ח דרגש מתיר את קרביטיו והוא נופל מאליו (ד) מאי דרגש אמר עולא ערסא דגדא אמר ליה רבה אלא מעתה גבי מלך (ה) דתנן ט כל העם מסובים על הארץ והוא מיסב על הדרגש מי איכא מידי דעד האידנא לא אותביניה והשתא מותבינן ליה מתקיף לה רב אשי מאי קושיא מידי דהוה אאכילה ושתיה דעד האידנא לא אוכליניה ולא אשקיניה השתא אוכליניה ואשקיניה אלא אי קשיא הא קשיא (ו) דתנן) דרגש אינו צריך לכפותו אלא זוקפו ואי ערסא דגדא אמאי אינו צריך לכפותו הא (ז) תנן) (ח) הכופה מטתו לא מטתו בלבד הוא כופה אלא כל מטות שיש לו בתוך ביתו כופה ומאי קשיא מידי דהוה אמטה המיוחדת לכלים דתניא אם היתה מטה המיוחדת לכלים אינו צריך לכפותה אלא אי קשיא הא קשיא רבן שמעון בן גמליאל אומר דרגש מתיר קרביטיו והוא נופל מאליו ואי סלקא דעתך ערסא דגדא מאי קרביטין אית ליה (ט) כי אתא רבין אמר ליה ההוא מרבנן ורב תחליפא בר מערבא שמיה דהוה שכיח בשוקא דגילדאי מאי דרגש ערסא דצלא [א] איתמר נמי אמר ר' ירמיה דרגש סירוגו מתוכו מטה סירוגה על גבה אמר רבי יעקב בר אחא אמר רבי יהושע בן לוי (י) הלכה כרבן שמעון בן גמליאל (כ) איתמר נמי) אמר רבי יעקב בר אחא אמר רבי אסי י מטה שנקליטיה יוצאין זוקפה ודיו (ל) תנו רבנן ישן על גבי כסא על גבי (מ) אודייני גדולה [ב] על גבי קרקע לא יצא ידי חובתו אמר רבי יוחנן שלא קיים כפיית המטה תנו רבנן כ מכבדין ומרביצין בבית האבל ומדיחין קערות וכוסות וצלוחיות וקיתוניות בבית האבל ל ואין מביאין את המוגמר ואת הבשמים לבית האבל איני והא תני בר קפרא אין מברכין לא על המוגמר ולא על הבשמים בבית האבל ברוכי הוא דלא מברכין הא אתויי מייתי' לא קשיא הא בבית האבל מ הא בבית המנחמין:

מתני' נ אין מוליכין לבית האבל לא בטבלא ולא באסקוטלא ולא בקנון אלא בסלים ס ואין אומרים ברכת אבלים במועד אבל עומדין בשורה ומנחמין ופוטרין את הרבים ע אין מניחין את המטה ברחוב שלא להרגיל את ההספד פ ולא של נשים לעולם מפני הכבוד: **גמ'** תנו רבנן בראשונה היו מוליכין בבית האבל עשירים בקלתות של כסף ושל זהב ועניים בסלי נצרים של ערבה קלופה והיו עניים מתביישים צ התקינו שיהו הכל מביאין בסלי נצרים של ערבה קלופה מפני כבודן של עניים תנו רבנן ק בראשונה היו משקין בבית האבל עשירים בזכוכית לבנה ועניים בזכוכית צבועה והיו עניים מתביישין התקינו שיהו הכל משקין בזכוכית צבועה מפני כבודן של עניים ר בראשונה היו מגלין פני עשירים ומכסין פני עניים מפני שהיו מושחרין פניהן מפני בצורת והיו עניים מתביישין התקינו שיהו מכסין פני הכל מפני כבודן של עניים (ס) בראשונה היו מוציאין עשירים בדרגש ועניים בכליכה

רש"י

אם יכול למעט בעסקו. בסחורתו. **יגלגל עמהם.** יעשה. **משיצא.** המת. **מאימתי זוקפין את המטות בערב שבת.** דאמרן לעיל פריעת הראש וזקיפת המטות בערב שבת מצוה. **אע"פ שאין לו לישב אלא יום אחד.** כגון שעברו ששת ימים. **חוזר וכופה.** למוצאי שבת. **עשרה מטות בעשרה מקומות.** דרך לישב עליהן אבל אם הם במקום אחד זו על גב זו לא. **מטה המיוחדת.** להניח עליה כלים ואינה מיוחדת לישיבה ולשכיבה. **דרגש.** לקמן מפרש. **וזוקפו.** על שני רגליו למעלה וזוקפו אצל הכותל. **קרביטיו.** לולאותיו ולקמן מפרש. **ערסא דגדא.** מטה שאין אדם יושב עליה ומיוחדת למזל כמו העורכים לגד שלחן (ישעיה סה). **וכשמברין אותו.** מלך שאירע לו אבילות עד השתא לא היה חשוב אותו מלך לאותוביה על אותה מטה השתא מותבינן ליה. **עד השתא לא אוכליניה.** משל אחרים כדאמרינן לקמן אבל אסור לאכול בסעודה ראשונה משלו. **אמאי אינו צריך לכפותו.** הא לא נשתנה משאר מטות אלא שמיוחדת למזל ואין יושבין עליה. **קרביטין מי אית ליה.** הא לא מפרקינן ליה לעולם אלא קבוע ועומד. **בר מערבא.** מארץ ישראל. **דגילדאי.** רצענין. **ערסא (דכלה) [דצלא].** מטה שעושין שרים לישא עמהן בדרך ונוקבין הארוכות שקורין אשפונדיי"ש ותולין בהן רצועות וגם בעור שפורסין עליו תלויין רצועות כנגד רצועות של ארוכות המטה וכשרוצין לתקנו עונבין רצועות העור ברצועות של ארוכות המטה ואחר כך תוקעין ארוכות בכרעים וכשרוצין לפורקן מתירין קרביטין והעור נופל מאליו. **דרגש סירוגו מתוכו.** כדפרישית לעיל שהרצועות תלויות מבפנים וקושרין אותן ברצועות העור. **מטה סירוגה מעל גבה.** [illegible] **מטה שנקליטיה יוצאין** [illegible] **יגלגל עמהן.** ואינו עושה סחורה בפני עצמו אלא עם חבורה: **אף על גב שאין לו.** לאבל אחר השבת אלא יום אחד: **קרביטיו.** רצועותיו שהוא כעין תרניפי"א: **ערסא דגדא.** מטה שמייחדים אותה למזל טוב ואין משתמשין בה כלום אלא מייחדין אותה לשרות מזל טוב עליה: **דצלא.** עור: **סירוגו מתוכו.** מכניס רצועות מן חורי עצי המטה: **על גבה.** והעור כפול על העץ: **נקליטי.** עצים יוצאין מתוקנין למראשותיו ולמרגלותיו ונותנין עץ ארוך עליהן ונותן הסדינין עליהם לשמור מהזבובים: **אין מברכין.** על הריח בבית האבל: **המנחמין.** קרוביו מביאין עניים של אוכלין: **מתני' אסקוטלא.** תמחוי: **פוטרין את הרבים.** שאומרים למנחמין לכו לבתיכם: **אין מניחין מטה במועד ברחוב.** להספידו: **ולא של נשים לעולם.** שסופעות זיבה: **גמ' כליכה**

תוספות

אם יכול למעט בעסקו ימעט. פירש בקונטרס בסחורתו ונראה דבדבר האבד קאמר וכן פי' לעיל (ד' כב.) גבי על כל המתים כולן רצה ממעט בעסקו רצה אינו ממעט וגם הרב פירש לעיל בדבר האבד עושה בצנעא בתוך ביתו נראה לפירושו דהכא מיירי באביו ואמו ומשום דהולך בדרך התירו לו שיגלגל עמהם אם אינו יכול למעט דבשאר מתים אינו ממעט כלל אם אינו רוצה ואי מיירי הכא בשאר מתים צריך לומר להפך הולך בדרך ואינו נוהג אבילות כל כך ומתנחם יותר אסור להרבות בעסקו יותר מאותו שיושב בביתו ואינו מתנחם וה"ר יוסף פירש דהכא ימעט בעסקו לקנות צורכי סעודה ולפי שהולך בדרך רגיל לקנות צורכי סעודה יותר מבביתו שיש לו קונים עבורו וגם מוצא בביתו הרבה משום הכי נקט הולך בדרך ומה שפירש בקונטרס דאיירי כשאמרו לו על מיתת קרוביו כשהיה בדרך לא ידענא אי בעי למימר דאיירי במוליך סחורתו ממקום למקום כדפי' בקונטרס ור"ל דשמא שרי ליה לדידיה למכור סחורתו דכיון דהוליך אותה כבר וטרח בה ולא פשע בהליכתו שלא היה יודע לישב בביתו שיכול לשומרה או שמא הקונטרס ר"ל משום דאמרינן לעיל (דף כג.) שבת ראשונה אינו יוצא מפתח ביתו וזה אינו קושיא דאע"פ שאינו יוצא מפתח ביתו בעיר הא אמרינן (לעיל דף טו:) יצא לדרך (ס) הולך ונכנס לעיר) אלמא מותר לצאת (בו) ושמא דוקא בדבר האבד מותר לצאת לדרך: **מן** המנחה ולמעלה. פי' בתוספות הרב דמספקא ליה אי מנחה גדולה אי מנחה קטנה דמקודם לכן אינו יושב עליה נראה לי דמכאן סמכו שלא לישב ע"ג כסא וספסל אע"פ שאין ראיה גמורה דשאני מטה הואיל וצריך כפייה ולא מצינו כפייה בכסא וספסל: **ואין** מוליכין לבית האבל. זאת המשנה על כרחין נסדרה בהיפך ושמא כל זה מן הברייתא דלמעלה כמו שפירש בתוספות בההיא דלעיל ותמיהני מדוע לא פירשו גם כאן כמו שפירש למעלה ושמא בספר הרב היתה כתובה מגוף הברייתא ולא הוצרך לפרשו או לא היה כתוב בספרו כלל ואין מוליכין כו' וכן מוכיח מתוך פירוש התוספות שפי' לא ידענא אי קאי האי בראשונה היו מוליכים אמוגמר ובשמים דאמר אין מברכין הא אתויי מייתינן אי אמתניתין קאי דקתני מברין ואותה הבראה היא בראשונה מוליכין כו' דאמתניתין קאי ועוד כיון שפירש התקינו שיהו הכל מוליכין כו' ומתניתין לאחר תקנה:

מסורת הש"ס

א) שמחות פי"א, ב) כתובות ד: סנהדרין מז: שבת קנב., ג) רש"א, ד) סנהדרין כ. ע"ש, ה) נדרים נו. ע"ש סנהדרין שם, ו) [צ"ל דתניא], ז) [צ"ל תניא] ח) ג"ז שם תענית ל: נדרים שם, ט) [נדרים נו. סנהדרין כ. ע"ש], י) [נדרים נו: סנהדרין כ: ע"ש], כ) רש"א מ"ז וגורס ואמר, ל) לעיל כא. ע"ש, מ) [עי' תוס' ב"ב קמד. ד"ה אודייני], נ) [תוספתא נדה פ"ט], ס) [צ"ל נועל נכנס לעיר חולך].

הגהות הגר"א

[א] גמ' ערסא דצלא אמר כו' כצ"ל. ומלות אתמר נמי ליתא בסנהד' ועי' הגירסא בנדרים: **[ב]** שם גדולה מזו ע"ג כו' כצ"ל:

עין משפט נר מצוה

ריג א מיי' פ"ו מהלכות אבל הלכה י טוש"ע י"ד סי' שפ סעיף כג:
ריד ב מיי' פ"א שם הלכה ב סמג עשין דרבנן ב טוש"ע שם סי' שעה סעיף א:
רטו ג ד ה מיי' שם פ"י הלכה ב טור י"ד סי' ת:
רטז ו ז ח מיי' שם פ"ה הלכה יח טור י"ד סי' שפו:
ריז ט מיי' שם פ"ז הלכה ח ופ"ב מהלכות מלכים הלכה ד:
ריח י מיי' פ"ה מהל' אבל הלכה יח טור י"ד שם:
ריט כ ל מיי' פי"ג שם הלכה ו סמג עשין שם טוש"ע שם סי' שעח סעיף ז:
רכ מ טוש"ע שם:
רכא נ מיי' שם הלכה ז טי"ד סי' תא:
רכב ס מיי' שם פי"א הלכה ג טי"ד שם:
רכג ע מיי' שם ופ"ו מהלכות י"ט הלכה כג טוש"ע י"ד סי' תא סעיף א וטוש"ע א"ח סי' תקמז סעיף א:
רכד פ מיי' שם פי"ב הלכה ה טוש"ע שם סי' שנה:
רכה צ ק מיי' שם פי"ג הלכה ז טי"ד סי' שעח:
רכו ר מיי' שם פ"ד הלכה א טוש"ע שם סי' שנג סעיף א:

רבינו חננאל

יקנה צרכי הדרך ודברי' שיש בהן חיי נפש: ת"ר מאימתי כופין המטות משיוציאו המת מן הבית. דברי ר' אליעזר ר' יהושע אומר משיסתם הגולל. וקיי"ל כר' יהושע דאין אבילות נוהגת אלא משיקבר המת ויסתום הגולל: ת"ר הכופה מטתו לא מטתו בלבד הוא כופה אלא כל מטות שיש בבית. ואפילו יש לו עשר מטות בעשר מקומות כופה את כולן. ואפילו ה' אחין ומת אחד מהן כולן כופין. ואם היתה מיוחדת לכלים ואינה עשויה לישן אין צריך לכפותה. דרגש א"צ לכפותו אלא זוקפו ודיו ואמר עולא האי דרגש ערסא דגדא הוא פירוש מטה העשויה לכבוד מזל הבית ואין אדם ישן עליה. ונדחו דבריו. ואסיקנא דרגש הוא ערסא דצלא. פירוש מטה של עור. כי פי' צלא עור הוא עור נטוי וקשור בחבלים על המלבנות ומסורגות מלבנות המטה בחבלים הללו והעור בתוכן. וכיון שמעמידין אותה ישנין ע"ג העור. ואמר רשב"ג דרגש מתיר קרביטין והוא נופל. אתמר נמי א"ר ירמיה דרגש סירוגו מתוכו. מטה שנקליטיה יוצאין זוקפה ודיו. כלומר אינו צריך לכפותה: ת"ר מאימתי זוקפין את המטות בע"ש מן המנחה ולמעלה. ואעפ"כ אסור לו לישן עליה עד שתחשך. ובמו"ש אע"פ שלא נשאר לו משבעת ימי אבלו אלא יום אחד בלבד חוזר וכופה מטותיו: ת"ר ישן ע"ג מטה. וע"ג אודייני וע"ג ספסל ע"ג קרקע לא יצא י"ח. וא"ר יוחנן מפני שלא קיים כפיית המטה: ת"ר מכבדין ומרביצין ומדיחין את הקערות כוסות וקיתוניות וצלוחיות בבית האבל. ואוקימנא הא דתני בר קפרא אין מברכין על המוגמר ועל הבשמים בבית האבל בהני דמייתי בבית המנחמין: מתני' אין אומרים ברכת אבלים במועד אבל עומדין בשורה ומנחמין ופוטרין את הרבים: ת"ר בראשונה היו מוליכין בבית האבל עשירים בקלתות של כסף ושל זהב ועניים בסלי נצרים [illegible] ובכל אלו היו העניים מתביישין. התקינו חכמים לעשות לעשירים כדרך שהן עושין לעניים שלא יהא [illegible]

רש"י (המשך)

ארוכות בכרעים וכשרוצין לפורקן מתירין קרביטין והעור נופל מאליו. **דרגש סירוגו מתוכו.** כדפרישית לעיל שהרצועות תלויות מבפנים וקושרין אותן ברצועות העור. **מטה סירוגה מעל גבה.** כגון אותן שלנו שאין נוקבין הארוכות אלא כורכין החבל סביבותיהן. **מטה שנקליטיה יוצאין** [illegible] **בטבלא.** דרך כבוד. **לא באסקוטלא.** [illegible] **קנון.** [illegible] **אלא בסלין.** [illegible] **ופוטרין את הרבים.** [illegible] **אין מניחין המטה ברחוב** [illegible] **קלתות.** [illegible] **בזכוכית.** [illegible] **היו מגלין פני עשירים.** [illegible]

gated to practice the laws of mourning for part of that seventh day.[11]

The Gemara cites another Baraisa pertaining to the rules of overturning beds:

תָּנוּ רַבָּנָן – **The Rabbis taught in a Baraisa:** הַכּוֹפֶה מִטָּתוֹ – ONE WHO is obligated to OVERTURN HIS BED לֹא מִטָּתוֹ בִּלְבַד הוּא כּוֹפֶה – MUST OVERTURN NOT ONLY HIS OWN BED, אֶלָּא כָּל מִטּוֹת שֶׁיֵּשׁ לוֹ בְּתוֹךְ בֵּיתוֹ הוּא כּוֹפֶה – BUT HE MUST OVERTURN ALL THE BEDS HE HAS IN HIS HOUSE.[12] וַאֲפִילוּ יֵשׁ לוֹ עֶשֶׂר מִטּוֹת בַּעֲשָׂרָה מְקוֹמוֹת – AND EVEN IF HE HAS TEN BEDS IN TEN PLACES, כּוֹפֶה אֶת כּוּלָּן – HE MUST OVERTURN THEM ALL.[13] וַאֲפִילוּ חֲמִשָּׁה אַחִין – AND EVEN if there were FIVE BROTHERS וּמֵת אֶחָד – AND ONE of them DIED, כּוּלָּן כּוֹפִין – THEY MUST ALL OVERTURN their beds, each in their respective homes.[14] וְאִם הָיְתָה מִטָּה הַמְיוּחֶדֶת לְכֵלִים – BUT IF IT WAS A BED DESIGNATED FOR holding UTENSILS, and not for sleep, אֵין צָרִיךְ לְכְפּוֹתָהּ – HE DOES NOT HAVE TO OVERTURN IT.[15]

The Baraisa discusses another exception:

דַּרְגָּשׁ אֵין צָרִיךְ לְכְפּוֹתוֹ – ONE DOES NOT HAVE TO OVERTURN A *DARGASH,*[16] אֶלָּא זוֹקְפוֹ – RATHER, ONE STANDS IT UPRIGHT on its end.[17] רַבָּן שִׁמְעוֹן בֶּן גַּמְלִיאֵל אוֹמֵר – RABBAN SHIMON BEN GAMLIEL SAYS: דַּרְגָּשׁ מַתִּיר אֶת קַרְבִּיטָיו וְהוּא נוֹפֵל מֵאֵילָיו – In the case of A *DARGASH,* ONE UNTIES ITS LOOPS AND IT FALLS in BY ITSELF.[18]

The Gemara asks:

מַאי דַּרְגָּשׁ – **What is a** ***dargash*****?**

The Gemara answers:

אָמַר עוּלָּא – **Ulla said:** עַרְסָא דְּגַדָּא – It is **a bed of** good **fortune.**[19]

The Gemara challenges this explanation:

אָמַר לֵיהּ רַבָּה – **Rabbah said to [Ulla]:** אֶלָּא מֵעַתָּה – **If so,** גַּבֵּי מֶלֶךְ דִּתְנַן – then **in regard to a king, where a Mishnah has taught:** כָּל הָעָם מְסוּבִּים עַל הָאָרֶץ – When the king is served the mourner's meal, ALL THE PEOPLE RECLINE ON THE GROUND, וְהוּא מֵיסֵב עַל הַדַּרְגָּשׁ – WHILE HE [the king] RECLINES ON A *DARGASH,*[20] does it make sense to say that the Mishnah is speaking of a bed of good fortune? מִי אִיכָּא מִידֵּי דְּעַד הָאִידָּנָא לֹא אוֹתְבִינֵיהּ – **Is** it plausible that **there** should be **anything that until today** (when he became a mourner) **we would not seat him upon it,** וְהַשְׁתָּא מוֹתְבִינַן לֵיהּ – **and now** that he is a mourner **we seat him upon it?**[21]

NOTES

11. Although the seventh day need not be observed in its entirety, because of the rule that מִקְצַת הַיּוֹם כְּכֻלּוֹ, *part of the day counts as an entire day,* it is still necessary to observe that part of the day with all the laws of mourning – including overturning the beds. Thus, the mourner must overturn his beds after the Sabbath even though he will observe only part of the night in mourning (*Ramban, Toras HaAdam,* cited by *Ritva*).

It emerges from *Ramban* that a mourner can conclude his *shivah* by observing just part of the seventh *night* [provided that new visitors are not expected on the seventh day; see there]. *Ritva* argues that if so, there would be no point in overturning the beds, since the mourner could conclude his *shivah* shortly after the end of the Sabbath – and he then has no need to sit or sleep on a bed at all! *Ritva* maintains that the reason he must overturn his bed after the Sabbath is because the rule that part of the day counts for a full day applies only to the daytime, but not to the night that precedes it (see also *Tosafos* above, 21b ד״ה אפילו). Thus, the *entire* night of the seventh day must be observed in mourning – and the mourner must therefore sit and sleep on an overturned bed. According to *Ritva,* this is indeed the point being made by the Baraisa – that the beds must be overturned because the entire night is subject to the laws of mourning.

12. I.e. all beds used for sitting (*Rashi ms.*) or sleeping (*Raavad, Ramban*).

According to *Raavad* (cited by *Ramban* and *Nimukei Yosef*), this ruling applies only to beds that are used by the wife and children of the mourner. Since they are required to join in his mourning (as we learned on 20b), their beds must also be overturned. Beds reserved for guests, however, need not be overturned. *Ramban* and *Ritva* dispute this and maintain that *all* beds in the house must be overturned, unless they are actually being used by guests. See *Rosh* §78.

13. Since they are situated in different parts [of the house], it is customary to use them. They must therefore be overturned. If, however, they are all merely stacked in one place, they need not be overturned (*Rashi ms.;* see also *Peirush L'Echad HaKadmonim,* printed in the *Kovetz Rishonim* published by *Mechon HaTalmud HaYisraeli*). Thus, this clause of the Baraisa is qualifying the previous ruling regarding "all the beds in his house."

Most Rishonim, however, explain this clause of the Baraisa to be stating a new law. The Baraisa speaks now of beds owned by the mourner in other houses and it teaches that even though the mourner sleeps mainly in the house of the deceased, he must nonetheless overturn the beds he has in the other houses he owns, provided he uses them on occasion (*Raavad,* cited by *Ramban;* cf. *Ritva*). The reason for this is that the purpose of overturning the beds is not to subject the mourner to discomfort when he sits or sleeps, but rather to symbolize the overturning of the "Divine image" that occurred through death (Gemara above, 15a-b). Thus, it applies to all the mourner's beds (*Tur, Yoreh Deah* 387; see *Aruch HaShulchan* ibid.).

14. Although the remaining brothers will each be sleeping in his own house and not in the house of the deceased, they must nonetheless overturn their beds. The requirement to overturn the beds is not the result of the death having occurred in the house, but an obligation incumbent upon the mourner, which thus applies to him wherever he stays (*Raavad,* cited by *Ramban*).

15. For such a bed is actually serving as a chest, not a bed (*Ramban*).

16. The Gemara will explain what a *dargash* is.

17. It is raised so that it rests on the sides of its legs, and is leaned against a wall, in a vertical position (*Rashi ms.*). [An overturned bed, however, is turned upside down, with its legs pointing upward; see 15a note 60.]

Obviously, the bed cannot be used in this position. The point of standing the bed on its side is to fulfill the obligation of overturning one's bed (*Nimukei Yosef*). The reason it is not completely overturned will be explained below; see note 26.

18. A *dargash* is constructed by stretching a sheet of material across a wooden frame and fastening it to the frame with loops. When the loops are untied, the sheet falls to the ground (*Rashi* on *Rif, Rashi ms.* to Gemara below; see note 26 and diagram there). [Thus, one fulfills the obligation of "overturning" by removing the sleeping surface of the bed.]

Nimukei Yosef (see also *Ramban*) explains that Rabban Shimon ben Gamliel's view is more stringent than the Tanna Kamma's, in that he holds that standing the *dargash* on end is not sufficient to fulfill the obligation of overturning; rather, one must completely remove the sleeping surface of the bed. *Ritva,* however, maintains that Rabban Shimon ben Gamliel means to be more lenient, ruling that it is sufficient to remove the sleeping surface without going to the length of standing the *dargash* on end. Rabban Shimon ben Gamliel would agree, though, that one could stand it on end rather than remove the sleeping surface.

19. [See *Isaiah* 65:11 where the word גַּד is used in this sense.] It was customary to set aside a bed to be left unused as a sign of good fortune (*Rashi; Rashi ms.;* see also *Rashi, Sanhedrin* 20a). [Some Rishonim question whether such a practice would be permitted, since it would seem to be a form of ניחוש, *augury,* which is forbidden by the Torah. To avoid this problem, *Ran* in *Nedarim* (56a ד״ה כולה שתא) suggests that the point of this practice was to designate the bed for the guardian angel of the house. Since it is being done to honor the angel, it is permissible (*Shitah Mekubetzes* ibid.; see further in *Chidushei HaRan* to *Sanhedrin* 20a; *Rosh* there; and *Margaliyos HaYam* there §16).]

20. *Sanhedrin* 20a. [To uphold the king's dignity, he is served the mourner's meal on a *dargash,* while the people sit before him on the floor.]

21. Before becoming a mourner, it would have been considered inappropriate to seat the king – despite his exalted station – on a bed of good fortune [for it is set aside for the guardian angel of the house (*Ran, Nedarim* 56a)]. How does it suddenly become more appropriate to do so once the king has become a mourner? (*Rashi ms.;* cf. *Rashi, Sanhedrin* 20a ד״ה עד השתא).

אם יכול למעט בעסקו ימעט ואם לאו יגלגל עמהן תנו רבנן [א] מאימתי כופין את המטות משיצא מפתח ביתו דברי ר' אליעזר רבי יהושע אומר [ב] משיסתם הגולל מעשה שמת רבן גמליאל הזקן כיון שיצא מפתח ביתו אמר להם רבי אליעזר כפו מטותיכם וכיון שנסתם הגולל [ג] [אמר להם רבי יהושע כפו מטותיכם] אמרו לו כבר כפינו על פי זקן ת"ר מאימתי זוקפין את המטות בערב שבת מן המנחה ולמעלה אמר רבה בר הונא אף על פי כן אינו יושב עליה עד שתחשך ולמוצאי שבת אע"פ שאין לו לישב אלא יום אחד חוזר וכופה תנו רבנן הכופה מטתו לא מטתו בלבד הוא כופה אלא כל מטות שיש לו בתוך ביתו הוא כופה ואפילו יש לו עשר מטות בעשרה מקומות כופה את כולן ואפילו חמשה אחין ומת אחד כולן כופין ואם היתה מטה המיוחדת לכלים אין צריך לכפותה דרגש אין צריך לכפותו אלא זוקפו רבן שמעון בן גמליאל אומר דרגש מתיר את קרביטיו והוא נופל מאיליו [ד] מאי דרגש אמר עולא ערסא דגדא אמר ליה רבה אלא מעתה גבי מלך [ה] דתנן כל העם מסובים על הארץ והוא מיסב על הדרגש מי איכא מידי דעד האידנא לא אותביניה והשתא מותבינן ליה מתקיף לה רב אשי מאי קושיא מידי דהוה אאכילה ושתיה דעד האידנא לא אוכליניה ולא אשקיניה השתא אוכליניה ואשקיניה אלא אי קשיא הא קשיא ([ו] דתנן) דרגש אינו צריך לכפותו אלא זוקפו ואי ערסא דגדא אמאי אינו צריך לכפותו הא ([ז] תנן) [ח] הכופה מטתו לא מטתו בלבד הוא כופה אלא כל מטות שיש לו בתוך ביתו כופה ומאי קשיא מידי דהוה אמטה המיוחדת לכלים דתניא אם היתה מטה המיוחדת לכלים אינו צריך לכפותה אלא אי קשיא הא קשיא רבן שמעון בן גמליאל אומר דרגש מתיר קרביטיו והוא נופל מאיליו ואי סלקא דעתך ערסא דגדא מאי קרביטין אית ליה [ט] כי אתא רבין אמר ליה ההוא מרבנן ורב תחליפא בר מערבא שמיה דהוה שכיח בשוקא דגילדאי מאי דרגש ערסא דצלא [א] איתמר נמי אמר ר' ירמיה דרגש סירוגו מתוכו מטה סירוגה על גבה אמר רבי יעקב בר אחא אמר רבי יהושע בן לוי [י] הלכה כרבן שמעון בן גמליאל ([כ] איתמר נמי) אמר רבי יעקב בר אחא אמר רבי אסי מטה שנקליטיה יוצאין זוקפה ודיו [ל] תנו רבנן ישן על גבי כסא על גבי [מ] אודייני גדולה [ב] על גבי קרקע לא יצא ידי חובתו אמר רבי יוחנן שלא קיים כפיית המטה תנו רבנן מכבדין ומרביצין בבית האבל ומדיחין קערות וכוסות וצלוחיות וקיתוניות בבית האבל ואין מביאין את המוגמר ואת הבשמים לבית האבל איני והא תני בר קפרא אין מברכין לא על המוגמר ולא על הבשמים בבית האבל ברוכי הוא דלא מברכין הא אתויי מייתי' לא קשיא הא בבית האבל הא בבית המנחמין: **מתני'** אין מוליכין לבית האבל לא בטבלא ולא באסקוטלא ולא בקנון אלא בסלים ואין אומרים ברכת אבלים במועד אבל עומדין בשורה ומנחמין ופוטרין את הרבים אין מניחין את המטה ברחוב שלא להרגיל את ההספד ולא של נשים לעולם מפני הכבוד: **גמ'** תנו רבנן בראשונה היו מוליכין בבית האבל עשירים בקלתות של כסף ושל זהב ועניים בסלי נצרים של ערבה קלופה והיו עניים מתביישים התקינו שיהו הכל מביאין בסלי נצרים של ערבה קלופה מפני כבודן של עניים תנו רבנן בראשונה היו משקין בבית האבל עשירים בזכוכית לבנה ועניים בזכוכית צבועה והיו עניים מתביישין התקינו שיהו הכל משקין בזכוכית צבועה מפני כבודן של עניים בראשונה היו מגלין פני עשירים ומכסין פני עניים מפני שהיו מושחרין פניהן מפני בצורת והיו עניים מתביישין התקינו שיהו מכסין פני הכל מפני כבודן של עניים בראשונה היו מוציאין עשירים בדרגש ועניים בכליכה

רש"י

יגלגל עמהן. ואינו עושה סחורה בפני עצמו אלא עם חבורה: אף על גב שאין לו. לאבל אחר השבת אלא יום אחד: קרביטיו. רלועותיו שהוא כעין תרניפני"א: ערסא דגדא. מטה שמייחדים אותה למזל טוב ואין משתמשין בה כלום אלא מייחדין אותה לשרות מזל טוב עליה: דצלא. עור: סירוגו מתוכו. מכניס רלועות מן חורי עלי המטה: על גבה. והעור כפול על העץ: נקליטי. עצים יוצאין מתוקנין למראשותיו ולמרגלותיו ונותנין עץ ארוך עליהן ונותן הסדינין עליהם לשמור מהזבובים: אין מברכין. על הריח בבית האבל: המנחמין. קרוביו מביאין עניים של אוכלין: **מתני'** אסקוטלא. תמחוי: פוטרין את הרבים. שאומרים למנחמין לכו לבתיכם: אין מניחין מטה במועד ברחוב. להספידו: ולא של נשים לעולם. שסופעות זיבה: **גמ'** כליכה

רש"י כת"י

אם יכול למעט בעסקו. בסחורתו. יגלגל עמהם. יעסה. משיצא. המת. מאימתי זוקפין את המטות בערב שבת. דאמרן לעיל פריעת הראש וקיפת המטות בערב שבת מלוה. אע"פ שאין לו לישב אלא יום אחד. כגון שעברו ששת ימים. חוזר וכופה. למוצאי שבת. עשרה מטות בעשרה מקומות. דלך לישב עליהן אבל אם הם במקום אחד זו על גב זו לא. מטה המיוחדת. להניח עליה כלים ואינה מיוחדת לישיבה ולשכיבה. דרגש. לקמן מפרש. וזוקפו. על שני רגליו למעלה חוקפו אצל הכותל. קרביטיו. לולותיו ולקמן מפרש. ערסא דגדא. מטה שאין אדם יושב עליה ומיוחדת למזל כמו העורכים לגד שלחן (ישעיה סה). וכשמברין אותו. מלך שאירע לו אבילות עד השתא לא היה מסוב אותו מלך לאותוביה על אותה מטה השתא מותבינן ליה. עד השתא לא אוכליניה. משל אחרים כדאמרינן לקמן אבל אסור לאכול בסעודה ראשונה משלו. אמאי אינו צריך לכפותו. הא לא נשתנה משאר מטות אלא שמיוחדת למזל ואי' יושבין עליה. קרביטין מי אית ליה. הא לא מפרקינן ליה לעולם אלא קבוע ועומד. בר מערבא. מארץ ישראל. דגילדאי. רלענין. ערסא (דכלה) [דצלא]. מטה שעושין שרים לישא עמהן בדרך ונוקבין הארוכות שקורין אשפונדייר"ש ותולין בהן רלועות וגם בעור ספורסין עליו תלויין רלועות כנגד רלועות של ארוכות המטה וכשרולין לתקנו עונבין רלועות העור ברלועות של ארוכות המטה ואחר כך תוחבין ארוכות בכרעים וכשרולין לפורקן מתירין קרביטין והעור נופל מאליו. דרגש סירוגו מתוכו. כדפרישית לעיל שהרלועות תלויות מבפנים וקושרין אותן ברלועות העור. מטה סירוגה מעל גבה. כגון אותן שלנו שאין נוקבין הארוכות אלא כורכין החבל סביבותיהן. מטה שנקליטיה יוצאין כלומר שארוכין וגבוהין למעלה מכרעי המטה נקליטין שנים עץ אחד ארוך למראשותי מטה וכראשו חריך וכן למרגלות המטה ונותנין קנה עליהן ופורסין יריעה עליהן להאהיל על המטה מפני החמה. זוקפה ודיו. הואיל ואי אפשר לכפותה מפני הנקליטין לישנא אחרינא זוקפו ודיו נוטל הנקליטין והיריעות ומניחה כשהיא זקופה ואין צריך לכפותה דנטילת יריעות ונקליטין זו היא כפייתה. (אבל) ישן על גבי המטה. אפילו לגדי מטה [בלא מלעות] ואם אינה כפויה לא יצא. מרביצין. דאינו חשיבות כל כך שכל אדם דרכו לרבץ בתים שלא יעלה עפר. לכבד. לנקות ואחר הכיבוד רבון (ברש"י ברי"ף - לנקותו אחר ריבוץ). מוגמר. כלי שנותנין בו גחלים ולבונה. אין מברכין כלומר במוצאי שבת. בבית (המתנחמין) [המנחמין]. מביאין מוגמר אם ירלו. ואין מוליכין מנחמין הסעודה לבית האבל. לא בטבלא. דרך כבוד. לא באיסקוטלא. שולחן [קטן יפה]. קנון. נפה שקורין וא"ן. אלא בסלין. שלא כדרך חשיבות. ופוטרין את הרבים. נותנין להם רשות לילך מיד ואין לריך להסב ולכך ברכת רחבה. ה"ג אין מניחין המטה ברחוב במועד ולא מטה של אשה מתה. אין מניחין ברחוב לעולם אפילו בחול ובגמרא מפרש טעמא'. קלתות. כלי זהב ואין דרך חשיבות כטבלא דאמרינן לעיל כשהן מביאין אין מביאין בטבלא וכו'. בזכוכית. בכלי זכוכית לבנה. היו מגלין פני עשירים. בשעת מיתתן כשעולא לקבר והיו פני עשירים אדמומיות ובריאות והיו עניים חיים מתביישין.

תוספות

אם יכול למעט בעסקו ימעט. פירש בקונטרס בסחורתו ונראה דבדבר האבד קאמר וכן פי' לעיל (ד' כג.) גבי על כל המתים כולן רלה ממעט בעסקו רלה אינו ממעט וגם הרב פירש לעיל בדבר האבד עושה בלנעה בתוך ביתו נראה לפירושו דהכא מיירי באביו ואמו ומשום דהולך בדרך התירו לו שיגלגל עמהם אם אינו יכול למעט דבשאר מתים אינו ממעט כלל אם אינו רולה ואי מיירי הכא בשאר מתים לריך לומר להפך הולך בדרך ואינו נוהג אבילות כל כך ומתנחם יותר אסור להרבות בעסקו יותר מאותו שיושב בביתו ואינו מתנחם וה"ר יוסף פירש דהכא ימעט בעסקו לקנות לורכי סעודה ולפי שהולך בדרך רגיל לקנות לורכי סעודה יותר מבביתו שיש לו קונים עבורו וגם מולא בביתו הרבה משום הכי נקט הולך בדרך ומה שפירש בקונטרס דאיירי כשאמרו לו על מיתת קרוביו כשהיה בדרך לא ידענא אי בעי למימר דאיירי במוליך סחורתו ממקום למקום כדפי' בקונטרס ור"ל דשמא שרי ליה לדידיה למכור סחורתו דכיון דהוליך אותה כבר וטרח בה ולא פשע בהליכתו שלא היה יודע לישב בביתו שיכול לשומרה או שמא הקונטרס ר"ל משום דאמרינן לעיל (דף כג.) שבת ראשונה אינו יולא מפתח ביתו וזה אינו קושיא דאע"פ שאינו יולא מפתח ביתו בעיר הא אמרינן (לעיל דף טו:) יולא לדרך ([פ] הולך ונכנס לעיר) אלמא מותר ללאת (בו) ושמא דוקא בדבר האבד מותר ללאת לדרך: **מן** המנחה ולמעלה. פי' בתוספות הרב דמספקא ליה אי מנחה גדולה אי מנחה קטנה דמקודם לכן אינו יושב עליה נראה לי דמכאן סמכו שלא לישב ע"ג כסא וספסל אע"פ שאין ראיה גמורה דשאני מטה הואיל ולריך כפייה ולא מלינו כפייה בכסא וספסל:

ואין מוליכין לבית האבל. זאת המשנה על כרחין נסדרה בהיפך ושמא כל זה מן הברייתא דלמעלה כמו שפירש בתוספות בההיא דלעיל ותמיהני מדוע לא פירשו גם כאן כמו שפירש למעלה ושמא בספר הרב היתה כתובה מגוף הברייתא ולא הולרך לפרשו או לא היה כתוב בספרו כלל ואין מוליכין כו' וכן מוכיח מתוך פירוש התוספות שפי' לא ידענא אי קאי האי בראשונה היו מוליכים אמוגמר ובשמים דאמר אין מברכין הא אתויי מייתינן אי אמתניתין קאי דקתני מברין ואותה הברכה היא בראשונה מוליכין כו' דאמתניתין קאי ועוד כיון שפירש התקינו שיהו הכל מוליכין כו' ומתניתין לאחר תקנה:

מסורת הש"ס

א) שמחות פי"א, ב) כתובות ד: סנהדרין מז: שבת קנב:, ג) רש"א, ד) סנהדרין כ. ע"ש, ה) נדרים נו. ע"ש סנהדרין שם, ו) [צ"ל דתניא], ז) [צ"ל תניא] ח) ג"ז שם תענית ל: נדרים שם, ט) [נדרים נו. סנהדרין כ. ע"ש], י) [נדרים נו: סנהדרין כ: ע"ש], כ) רש"א מ"ז וגורם ואמר, ל) לעיל כא. ע"ש, מ) [עי' תוס' ב"ב קמד. ד"ה אודייני], נ) [תוספתא נדה פ"ט], ס) [צ"ל נועל נכנס לעיר הולך].

הגהות הגר"א

[א] גמ' ערסא דצלא אמר כו' כצ"ל. ומלות אתמר נמי ליתא בסנהד' ועי' הגירסא בנדרים: [ב] שם גדולה מזו ע"ג כו' כצ"ל:

עין משפט נר מצוה

ריג א מיי' פ"ו מהלכות אבל הלכה י טוש"ע י"ד סי' שפ סעיף כג:
ריד ב מיי' פ"א שם הלכה ג סמג עשין דרבנן ב טוש"ע שם סי' שעה סעיף א:
רטו ג ד ה מיי' שם פ"י הלכה ב טור י"ד סי' ת:
רטז ו ז ח מיי' שם פ"ה הלכה יח טור י"ד סי' שפו:
ריז ט מיי' שם פ"ז הלכה ח ופ"ב מהלכות מלכים הלכה ד:
ריח י מיי' פ"ה מהל' אבל הלכה יח טור י"ד שם:
ריט כ ל מיי' פי"ג שם הלכה ו סמג עשין שם טוש"ע שם סי' שעח סעיף ז:
רכ מ טוש"ע שם:
רכא נ מיי' שם הלכה ז טי"ד סי' תא:
רכב ס מיי' שם פי"א הלכה ג טי"ד שם:
רכג ע מיי' שם ופ"ו מהלכות י"ט הלכה כג טוש"ע י"ד סי' תא סעיף א וטוש"ע א"ח סי' תקמז סעיף א:
רכד פ מיי' שם פי"ב הלכה ה טוש"ע שם סי' שנה:
רכה צ ק מיי' שם פי"ג הלכה ז טי"ד סי' שעח:
רכו ר מיי' שם פ"ד הלכה א טוש"ע שם סי' שנג סעיף א:

רבינו חננאל

יקנה צרכי הדרך ודברי' שיש בהן חיי נפש: ת"ר מאימתי כופין המטות משיוציאו המת מן הבית. דברי ר' אליעזר ר' יהושע אומר משיסתם הגולל. וקיי"ל כר' יהושע דאין אבילות נוהגת אלא משיקבר המת ויסתום הגולל: ת"ר הכופה מטתו לא מטתו בלבד הוא כופה אלא כל מטות שיש בבית. ואפילו יש לו עשר מטות בעשר מקומות כופה את כולן. ואפילו ה' אחין ומת אחד מהן כולן כופין. ואם היתה מיוחדת לכלים ואינה עשויה לישן אין צריך לכפותה. דרגש א"צ לכפותו אלא זוקפו ודיו ואמר עולא האי דרגש ערסא דגדא הוא פירוש מטה העשויה לכבוד מזל הבית ואין אדם ישן עליה. ונדחו דבריו. ואסיקנא דרגש הוא ערסא דצלא. פירוש מטה של עור. כי פי' צלא עור הוא עור נטוי וקשור בחבלים על המלבנות ומסורגות מלבנות המטה בחבלים הללו והעור בתוכן. וכיון שמעמידין אותה ישנין ע"ג העור. ואמר רשב"ג דרגש מתיר קרביטין והוא נופל. אתמר נמי א"ר ירמיה דרגש סירוגו מתוכו. מטה שנקליטיה יוצאין זוקפה ודיו. כלומר אינו צריך לכפותה: ת"ר מאימתי זוקפין את המטות בע"ש מן המנחה ולמעלה. ואעפ"כ אסור לו לישן עליה עד שתחשך. ובמו"ש אע"פ שלא נשאר לו משבעת ימי אבלו אלא יום אחד חוזר וכופה מטותיו: ת"ר ישן ע"ג מטה. וע"ג אודיני. וע"ג ספסל ע"ג קרקע לא יצא י"ח. וא"ר יוחנן מפני שלא קיים כפיית המטה: ת"ר מכבדין ומרביצין ומדיחין את הקערות כוסות וקיתוניות וצלוחיות בבית האבל. ואין מביאין מוגמר בבית האבל. ואוקימנא הא דתני בר קפרא אין מברכין על המוגמר ועל הבשמים של בית האבל בהני דמייתי בבית המנחמין: **מתני'** אין אומרים ברכת אבלים במועד. אבל עומדין בשורה ומנחמין ופוטרין את הרבים: ת"ר בראשונה היו מוליכין בבית האבל עשירים בקלתות של כסף ושל זהב ועניים בסלי נצרים כו' וכן היו משקין בבית האבל את העשירים בזכוכית לבנה. ואת העניים בזכוכית צבועה וכו'. וכן היו מגלין את מתין העשירים. והיו מכסין את פני העניים שהיו שחורין מן הרעב וכו'. וכן היו מוציאין מתי עשירים בדרגש ועניים בכליכה כו'. ובכל אלו היו העניים מתביישין. התקינו חכמים לעשות לעשירים כדרך שהן עושין לעניים שלא יהא

The Gemara rejects Rabbah's challenge:

מַתְקִיף לָהּ רַב אַשִׁי – **Rav Ashi challenged this** objection to Ulla's opinion, saying: מַאי קוּשְׁיָא – **What is the difficulty** in assuming that we accord a mourning king an honor he would not otherwise be accorded? מִידֵי דַּהֲוָה אַאֲכִילָה וּשְׁתִיָּה – **This can be compared to** the **eating and drinking** of the mourner's meal in the case of any mourner, דְּעַד הָאִידְנָא – **where until today** when he became a mourner, לֹא אוֹכַלְינֵיהּ וְלֹא אַשְׁקְינֵיהּ – **we did not feed him** our food, **and we did not give him to drink** from our drink, i.e. there was no obligation to feed him from the food of others. הַשְׁתָּא אוֹכַלְינֵיהּ וְאַשְׁקְינֵיהּ – yet **now** that he became a mourner **we feed him and give him to drink** our food and beverage![22] It should therefore not be surprising if we find another instance in which a mourner [the king] is treated with greater deference in his time of mourning than he would otherwise be treated!

Having rejected Rabbah's objection, the Gemara cites another challenge to Ulla's interpretation of *dargash:*

אֶלָּא אִי קַשְׁיָא הָא קַשְׁיָא – **Rather, if there is a difficulty** with Ulla's explanation, **this is the difficulty.** (דתנן) [דְּתַנְיָא] – **For we learned in the Baraisa** quoted above: דַּרְגָּשׁ אֵינוֹ צָרִיךְ לִכְפּוֹתוֹ – ONE DOES NOT HAVE TO OVERTURN A *DARGASH;* אֶלָּא זוֹקְפוֹ – RATHER, ONE STANDS IT UPRIGHT on its end. וְאִי עַרְסָא דְּגַדָּא – **Now if** *dargash* is **a bed of** good **fortune,** אַמַּאי אֵינוֹ צָרִיךְ לִכְפּוֹתוֹ – **why is [the mourner] not required to overturn it?** הָא (תנן) [תַּנְיָא] – **For we have learned in the Baraisa** quoted above: הַכּוֹפֶה מִטָּתוֹ – ONE WHO is obligated to OVERTURN HIS BED לֹא מִטָּתוֹ בִּלְבַד הוּא כּוֹפֶה – MUST OVERTURN NOT ONLY HIS OWN BED, אֶלָּא כָּל מִטּוֹת שֶׁיֵּשׁ לוֹ בְּתוֹךְ בֵּיתוֹ כּוֹפֶה – BUT HE MUST OVERTURN ALL THE BEDS HE HAS IN HIS HOUSE. Accordingly, he should have to overturn the *dargash* as well, since it is actually an ordinary bed, according to Ulla, and is therefore one of "the beds he has in his house." – ? –

The Gemara dismisses this objection, too:

וּמַאי קַשְׁיָא – **What is the difficulty?** מִידֵי דַּהֲוָה אַמִּטָּה הַמְיוּחֶדֶת לְכֵלִים – **This** bed of good fortune **can be compared to a bed that is designated for** holding **utensils,** דְּתַנְיָא – **of which it was taught in the Baraisa:** אִם הָיְתָה מִטָּה הַמְיוּחֶדֶת לְכֵלִים – IF IT WAS A BED DESIGNATED FOR holding UTENSILS, and not for sitting or sleeping, אֵינוֹ צָרִיךְ לִכְפּוֹתָהּ – HE DOES NOT HAVE TO OVERTURN IT. From this we see that the rule requiring all beds in the home to be overturned does not include those beds that are used for purposes other than sitting and sleeping. By the same token, a bed designated to serve as a sign for good fortune should also not be included in that obligation![23]

Having dismissed this objection as well, the Gemara poses yet another challenge to Ulla's interpretation of *dargash:*

אֶלָּא אִי קַשְׁיָא הָא קַשְׁיָא – **But if there is a difficulty** with Ulla's interpretation of *dargash,* **this is the difficulty.** The Baraisa concerning *dargash* continues: רַבָּן שִׁמְעוֹן בֶּן גַּמְלִיאֵל אוֹמֵר – RABBAN SHIMON BEN GAMLIEL SAYS: דַּרְגָּשׁ מַתִּיר קַרְבִּיטָיו וְהוּא נוֹפֵל מֵאֵילָיו – In the case of a *DARGASH,* ONE UNTIES ITS LOOPS AND IT FALLS BY ITSELF. וְאִי סַלְקָא דַּעְתָּךְ עַרְסָא דְּגַדָּא – **Now if you should think** that a *dargash* is constructed as an ordinary bed, and its only distinction is that **it is a bed** designated **for** good **fortune** and not for sleeping, מַאי קַרְבִּיטִין אִית לֵיהּ – **what loops does it have?** Since it is constructed as an ordinary bed it does not have such loops![24] – ? –

Ulla's interpretation of *dargash* has thus been refuted. The Gemara therefore presents a different interpretation of the word *dargash:*

כִּי אֲתָא רָבִין – **When Ravin came** from Eretz Yisrael to Babylonia, אָמַר לֵיהּ הַהוּא מֵרַבָּנָן וְרַב תַּחְלִיפָא בַּר מַעַרְבָא שְׁמֵיהּ – **a certain rabbi, by the name of Rav Tachalifa the Westerner,**[25] **said to him,** דַּהֲוָה שְׁכִיחַ בְּשׁוּקָא דְּגִילְדָּאֵי – and this Rav Tachalifa was one **who used to frequent the leathermakers' market** (and was thus knowledgeable of leather goods): מַאי דַּרְגָּשׁ – **What is a *dargash?*** עַרְסָא דִּצְלָא – **A bed of leather.**[26]

The Gemara further supports this conclusion that a *dargash* is an unusual type of bed:[27]

אִיתְּמַר נַמִּי – **It was also stated:** אָמַר רַבִּי יִרְמְיָה – **R' Yirmiyah said:** דַּרְגָּשׁ סֵירוּגוֹ מִתּוֹכוֹ – **A *dargash* has its bindings from within,** i.e. the leather straps that attach the leather sheet to the frame do so by means of loops inserted *through* holes in the sideboards of the frame.[28] מִטָּה סֵירוּגָהּ עַל גַּבָּהּ – **An** ordinary **bed has its bindings over it,** i.e. the ropes that form the support for the sleeping surface of the bed wrap *around* the sideboards of the frame and do not pass through it.[29]

The Gemara renders a decision in the dispute between the Tanna Kamma and Rabban Shimon ben Gamliel:

NOTES

22. For a mourner is forbidden to eat his first meal from his own food and must therefore be given food by others (*Rashi ms.*).

23. Nevertheless, the Baraisa ruled above that a *dargash* must be stood on its end, whereas a bed designated for utensils may be left in its usual position. This is because a bed with utensils is *clearly* not used for sleeping, whereas a *dargash* appears no different than a regular bed. Therefore it mus be stood upright lest it be confused with a regular bed (*Yad Ramah* to *Sanhedrin* 20a).

24. An ordinary bed is made of ropes wrapped around its frame. These are meant to remain permanently in place (*Rashi ms.*) and thus lack loops that can be released. (See note 26 below.)

25. I.e. from Eretz Yisrael (*Rashi ms.*). Eretz Yisrael is situated to the west of Babylonia, and natives of Eretz Yisrael would therefore be referred to in Babylonia as westerners.

26. These were collapsible beds used by the nobility in their travels. They consisted of wooden frames with holes in their sides, through which loops were hung. A leather sheet with straps at its ends would be suspended from this frame by looping its straps through the loops hanging from the frame. Legs would then be attached to the four corners of the frame to make a cot-like bed (*Rashi ms.*). [The קַרְבִּיטִין, *loops,* are the straps that tie to the permanent loops in the frame. See *Rashi, Sanhedrin* 20a who explains that these leather straps were looped directly through the holes in the frame.] See diagram.

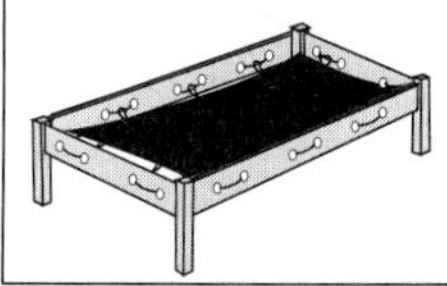

According to this explanation, though a *dargash* is used for sleeping like any ordinary bed, the Rabbis were lenient in exempting it from the requirement of overturning because its leather sheet would come in contact with the damp earth if it is overturned, and suffer damage (*Rashi, Sanhedrin* 20a ד״ה ערסא דצלא; *Ritva;* cf. *Meiri* and *Tosafos* to *Nedarim* 56b for another explanation).

27. This follows the reading in our texts, which begins the next statement with the words אִיתְּמַר נַמִּי, *it was also stated. Gra,* however, deletes these words, based on the parallel text in *Sanhedrin* 20a. Indeed, the following statement does not directly confirm Rav Tachalifa's explanation of a *dargash.*

28. See note 26 and diagram. [Our translation of the word סֵירוּגוֹ, *its bindings,* follows *Rashi, Sanhedrin* 20b ד״ה סירוגיו. The word סֵירוּג generally means something that repeats or continues with gaps or intervals in between (see, for example, *Megillah* 17a and *Gittin* 60a). Since the leather sheet that forms the sleeping surface of the bed is not attached to the sideboards along its entire length but merely at intervals, its bindings are known as סֵירוּגִין.]

29. An ordinary bed is made of ropes that extend across the entire length and the width of its frame at intervals. These ropes are held in place by being wrapped around the frame, and are interwoven in a woof-and-warp design (*Rashi, Sanhedrin* 20b; *Yad Ramah* ibid.; *Ran, Nedarim* 56b; see also *Rashi ms.* here). [Cushions are then placed over these ropes to create a mattress.] See diagram.

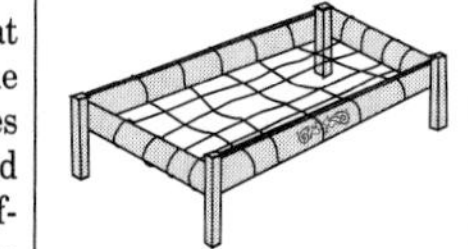

אם יכול למעט בעסקו ימעט ואם לאו יגלגל עמהן תנו רבנן (א) מאימתי כופין את המטות משיצא מפתח ביתו דברי ר' אליעזר רבי יהושע אומר (ב) ב משיסתם הגולל מעשה שמת רבן גמליאל הזקן כיון שיצא מפתח ביתו אמר להם רבי אליעזר כפו מטותיכם וכיון שנסתם הגולל (ג) [אמר להם רבי יהושע כפו מטותיכם] אמרו לו כבר כפינו על פי זקן ת"ר ג מאימתי זוקפין את המטות בערב שבת מן המנחה ולמעלה אמר רבה בר הונא ד אף על פי כן אינו יושב עליה עד שתחשך ה ולמוצאי שבת אע"פ שאין לו לישב אלא יום אחד חוזר וכופה תנו רבנן ו הכופה מטתו לא מטתו בלבד הוא כופה אלא כל מטות שיש לו בתוך ביתו הוא כופה ואפילו יש לו עשר מטות בעשרה מקומות כופה את כולן ואפילו חמשה אחין ומת אחד כולן כופין ז ואם היתה מטה המיוחדת לכלים אין צריך לכפותה דרגש אין צריך לכפותו אלא זוקפו רבן שמעון בן גמליאל אומר ח דרגש מתיר את קרביטיו והוא נופל מאיליו (ד) מאי דרגש אמר עולא ערסא דגדא אמר ליה רבה אלא מעתה גבי מלך (ה) דתנן ט כל העם מסובים על הארץ והוא מיסב על הדרגש מי איכא מידי דעד האידנא לא אותביניה והשתא מותבינן ליה מתקיף לה רב אשי מאי קושיא מידי דהוה אאכילה ושתיה דעד האידנא לא אוכליניה ולא אשקיניה השתא אוכליניה ואשקיניה אלא אי קשיא הא קשיא ((ו) דתנן) דרגש אינו צריך לכפותו אלא זוקפו ואי ערסא דגדא אמאי אינו צריך לכפותו הא ((ז) תנן) (ח) הכופה מטתו לא מטתו בלבד הוא כופה אלא כל מטות שיש לו בתוך ביתו כופה ומאי קשיא מידי דהוה אמטה המיוחדת לכלים דתניא אם היתה מטה המיוחדת לכלים אינו צריך לכפותה אלא אי קשיא הא קשיא רבן שמעון בן גמליאל אומר דרגש מתיר קרביטיו והוא נופל מאיליו ואי סלקא דעתך ערסא דגדא מאי קרביטין אית ליה (ט) כי אתא רבין אמר ליה ההוא מרבנן ורב תחליפא בר מערבא שמיה דהוה שכיח בשוקא דגילדאי מאי דרגש ערסא דצלא [א] איתמר נמי אמר ר' ירמיה דרגש סירוגו מתוכו מטה סירוגה על גבה אמר רבי יעקב בר אחא אמר רבי יהושע בן לוי (י) הלכה כרבן שמעון בן גמליאל ((כ) איתמר נמי) אמר רבי יעקב בר אחא אמר רבי אסי ל מטה שנקליטיה יוצאין זוקפה ודיו (ל) תנו רבנן ישן על גבי כסא על גבי (מ) אודייני גדולה [ב] על גבי קרקע לא יצא ידי חובתו אמר רבי יוחנן שלא קיים כפיית המטה תנו רבנן מ מכבדין ומרביצין בבית האבל ומדיחין קערות וכוסות וצלוחיות וקיתוניות בבית האבל נ ואין מביאין את המוגמר ואת הבשמים לבית האבל איני והא תני בר קפרא אין מברכין לא על המוגמר ולא על הבשמים בבית האבל ברוכי הוא דלא מברכין הא אתויי מייתי' לא קשיא הא בבית האבל ס הא בבית המנחמין:

מתני' נ אין מוליכין לבית האבל לא בטבלא ולא באסקוטלא ולא בקנון אלא בסלים ס ואין אומרים ברכת אבלים במועד אבל עומדין בשורה ומנחמין ופוטרין את הרבים ע אין מניחין את המטה ברחוב שלא להרגיל את ההספד פ ולא של נשים לעולם מפני הכבוד: **גמ'** תנו רבנן בראשונה היו מוליכין בבית האבל עשירים בקלתות של כסף ושל זהב ועניים בסלי נצרים של ערבה קלופה והיו עניים מתביישים צ התקינו שיהו הכל מביאין בסלי נצרים של ערבה קלופה מפני כבודן של עניים תנו רבנן ק בראשונה היו משקין בבית האבל עשירים בזכוכית לבנה ועניים בזכוכית צבועה והיו עניים מתביישין התקינו שיהו הכל משקין בזכוכית צבועה מפני כבודן של עניים ר בראשונה היו מגלין פני עשירים ומכסין פני עניים מפני שהיו מושחרין פניהן מפני בצורת והיו עניים מתביישין התקינו שיהו מכסין פני הכל מפני כבודן של עניים (ס) בראשונה היו מוציאין עשירים בדרגש ועניים בכליכה

רש"י

יגלגל עמהן. ואינו עושה סחורה בפני עצמו אלא עם חבורה: אף על גב שאין לו. לאבל אחר השבת אלא יום אחד: קרביטיו. רלועותיו שהוא כעין תרניפני"א: ערסא דגדא. מטה שמייחדים אותה למזל טוב ואין משתמשין בה כלום אלא מייחדין אותה לשרות מזל טוב עליה: דצלא. עור: סירוגו מתוכו. מכניס רלועות מן חורי עלי המטה: על גבה. והעור כפול על העץ: נקליטי. עלים יולאין מתוקנין למראשותיו ולמרגלותיו ונותנין עץ ארוך עליהן ונותן הסדינין עליהם לשמור מהזבובים: אין מברכין. על הריח בבית האבל: המנחמין. קרוביו מביאין עניים של אוכלין: מתני' אסקוטלא. תמחוי: פוטרין את הרבים. שאומרים למנחמין לכו לבתיכם: אין מניחין מטה במועד ברחוב. להספידו: ולא של נשים לעולם. שסופעות זיבה: גמ' כליכה

רש"י כת"י

אם יכול למעט בעסקו. בסחורתו. יגלגל עמהם. יעסה. משיצא. המת. מאימתי זוקפין את המטות בערב שבת. דאמרן לעיל פריעת הראש וזקיפת המטות בערב שבת מלוה. אע"פ שאין לו לישב אלא יום אחד. כגון שעברו ששת ימים. חוזר וכופה. למולאי שבת. עשרה מטות בעשרה מקומות. דרך לישב עליהן אבל אם הם במקום אחד זו על גב זו לא. מטה המיוחדת. להניח עליה כלים ואינה מיוחדת לישיבה ולשכיבה. דרגש. לקמן מפרש. וזוקפו. על שני רגליו למעלה וזוקפו אצל הכותל. קרביטיו. לולותיו ולקמן מפרש. ערסא דגדא. מטה שאין אדם יושב עליה ומיוחדת למזל כמו העורכים לגד שלחן (ישעיה סה). וכשמברין אותו. מלך שאירע לו אבילות עד השתא לא היה חשוב אותו מלך לאותוביה על אותה מטה השתא מותבינן ליה. עד השתא לא אוכליניה. משל אחרים כדאמרינן לקמן אבל אסור לאכול בסעודה ראשונה משלו. אמאי אינו צריך לכפותו. הא לא נשתנה משאר מטות אלא שמיוחדת למזל ואי' יושבין עליה. קרביטין מי אית ליה. הא לא מפרקין ליה לעולם אלא קבוע ועומד. בר מערבא. מארץ ישראל. דגילדאי. רלענין. ערסא (דכלה) [דצלא]. מטה שעושין שרים לישא עמהן בדרך ונוקבין הארוכות שקורין אשפונדייר"ש ותולין בהן רלועות וגם בעור שפורסין עליו תלויין רלועות כנגד רלועות של ארוכות המטה וכשרולין לתקנו עונבין רלועות העור ברלועות של ארוכות המטה ואחר כך תוחבין ארוכות בכרעים וכשרולין לפורקן מתירין קרביטין והעור נופל מאליו. דרגש סירוגו מתוכו. כדפרישית לעיל שהרלועות תלויות מבפנים וקושרין אותן ברלועות העור. מטה סירוגה מעל גבה. כגון אותן שלנו שאין נוקבין הארוכות אלא כורכין החבל סביבותיהן. מטה שנקליטיה יוצאין כלומר שארוכין וגבוהין למעלה מכרעי המטה נקליטין שניס עץ אחד ארוך למראשותי מטה וכראשו חריץ וכן למרגלות המטה ונותנין קנה עליהן ופורסין יריעה עליהן להאהיל על המטה מפני החמה. זוקפה ודיו. הואיל ואי אפשר לכפותה מפני הנקליטין לישנא אחרינא זוקפו ודיו נוטל הנקליטין והיריעות ומניחה כשהיא זקופה ואין לריך לכפותה דנטילת יריעות ונקליטין זו היא כפייתה. (אבל) ישן על גבי המטה. אפילו להדי מטה [כלא מלעות] ואם אינה כפויה לא יצא. מרביצין. דאינו חשיבות כל כך שכל אדם דרכן לרבץ בתים שלא יעלה עפר. לכבד. לנקות ואחר הכיבוד רבוץ (ברש"י ברי"ף - לנקותו אחר ריבוץ). מוגמר. כלי שנותנין בו גחלים ולבונה. אין מברכין כלומר במולאי שבת. בבית (המתנחמין) [המנחמין]. מביאין מוגמר אם ירלו. ואין מוליכין מנחמין הסעודה לבית האבל. לא בטבלא. דרך כבוד. לא באיסקוטלא. שולחן [קטן יפה]. לישנא אחרינא איסקוטלא מדה גדולה שמודדין בה חטין שטיי"ר (רש"י ברי"ף פירש זה על קנון). קנון. נפה שקורין ול"ן. אלא בסלין. שלא כדרך חשיבות. ופוטרין את הרבים. נותנין להם רשות לילך מיד ואין לריך להסב ולברך ברכת רחבה. ה"ג אין מניחין המטה ברחוב במועד ולא מטה של אשה מתה. אין מניחין ברחוב לעולם אפילו בחול ובגמרא מפרש טעמ'. קלתות. כלי זהב ואין דרך חשיבות כטבלא דאמרינן לעיל כשהן מביאין אין מביאין בטבלא וכו'. בזכוכית. בכלי זכוכית לבנה. היו מגלין פני עשירים. בשעת מיתתן כשיולא לקבר והיו פני עשירים אדמומיות ובריאות והיו עניים חיים מתביישין.

תוספות

אם יכול למעט בעסקו ימעט. פירש בקונטרס בסחורתו ונראה לדבר האבל קאמר וכן פי' לעיל (ד' כג.) גבי על כל המתים כולן רלה ממעט בעסקו רלה אינו ממעט וגם הרב פירש לעיל בדבר האבל עושה בלנעא בתוך ביתו נראה לפירושו דהכא מיירי באביו ואמו ומשום דהולך בדרך התירו לו שיגלגל עמהם אם אינו יכול למעט דבשאר מתים אינו ממעט כלל אם אינו רולה ואי מיירי הכא בשאר מתים לריך לומר להפך הולך בדרך ואינו נוהג אבילות כל כך ומתנחם יותר אסור להרבות בעסקו יותר מאותו שיושב בביתו ואינו מתנחם וה"ר יוסף פירש דהכא ימעט בעסקו לקנות לורכי סעודה ולפי שהולך בדרך רגיל לקנות לורכי סעודה יותר מבביתו שיש לו קונים עבורו וגם מולא בביתו הרבה משום הכי נקט הולך בדרך ומה שפירש בקונטרס דאיירי כשאמרו לו על מיתת קרוביו כשהיה בדרך לא ידענא אי בעי למימר דאיירי במוליך סחורתו ממקום למקום כדפי' בקונטרס ור"ל דשמא שרי ליה לדידיה למכור סחורתו דכיון דהוליך אותה כבר וטרח בה ולא פשע בהליכתו שלא היה יודע לישב בביתו שיכול לשומרה או שמא הקונטרס ר"ל משום דאמרינן לעיל (דף כג.) שבת ראשונה אינו יולא מפתח ביתו וזה אינו קושיא דאע"פ שאינו יולא מפתח ביתו בעיר הא אמרינן (לעיל דף טו:) יולא לדרך (ס) חולך ונכנס לעיר) אלמא מותר ללאת (בו) ושמא דוקא בדבר האבד מותר ללאת לדרך: **מן** המנחה ולמעלה. פי' בתוספות הרב דמספקא ליה אי מנחה גדולה אי מנחה קטנה דמקודם לכן אינו יושב עליה נראה לי דמכאן סמכו שלא לישב ע"ג כסא וספסל אע"פ שאין ראיה גמורה דשאני מטה הואיל ולריך כפייה ולא מלינו כפייה בכסא וספסל:

ואין מוליכין לבית האבל. זאת המשנה על כרחין נסדרה בהיפך ושמא כל זה מן הברייתא דלמעלה כמו שפירש בתוספות בההיא דלעיל ותמיהני מדוע לא פירשו גם כאן כמו שפירש למעלה ושמא בספר הרב היתה כתובה מגוף הברייתא ולא הולרך לפרשו או לא היה כתוב בספרו כלל ואין מוליכין כו' וכן מוכיח מתוך פירוש התוספות שפי' לא ידענא אי קאי האי בראשונה היו מוליכים אמוגמר ובשמים דאמר אין מברכין הא אתויי מייתינן אי אמתניתין קאי דקתני מברין ואותה הברכה היא בראשונה מוליכין כו' דאמתניתין קאי ועוד כיון שפירש התקינו שיהו הכל מוליכין כו' ומתניתין לאחר תקנה:

מסורת הש"ס

א) שמחות פי"א, ב) כתובות ד: סנהדרין מז: שבת קנב:, ג) רש"א, ד) סנהדרין כ. ע"ש, ה) נדרים נו. ע"ש סנהדרין שם, ו) [נ"ל דתניא], ז) [נ"ל תניא] ח) ג"ז שם תענית ל: נדרים שם, ט) [נדרים נו. סנהדרין כ. ע"ש], י) [נדרים נו: סנהדרין כ: ע"ש], כ) רש"א מ"ז וגורס ואמר, ל) לעיל כא. ע"ש, מ) [עי' תוס' ב"ב קמד. ד"ה אודייני], נ) [תוספתא נדה פ"ט], ס) [נ"ל נועל נכנס לעיר חולך].

הגהות הגר"א

[א] גמ' ערסא דצלא אמר כו' כנ"ל. ומלות אתמר נמי ליתא בסנהד' ועי' הגירסא בנדרים: **[ב]** שם גדולה מזו ע"ג כו' כנ"ל:

עין משפט נר מצוה

ריג א מיי' פ"ו מהלכות אבל הלכה י טוש"ע י"ד סי' שפ סעיף כג:
ריד ב מיי' פ"א שם הלכה ב סמג עשין דרבנן ב טוש"ע שם סי' שעה סעיף א:
רטו ג ד ה מיי' שם פ"ו הלכה ב טור י"ד סי' ת:
רטז ו ז ח מיי' שם פ"ה הלכה יח טור י"ד סי' שפז:
ריז ט מיי' שם פ"ז הלכה ח ופ"ב מהלכות מלכים הלכה ד:
ריח י מיי' פ"ה מהל' אבל הלכה יח טור י"ד שם:
ריט כ ל מיי' פי"ג שם הלכה ו סמג עשין שם טוש"ע שם סי' שעח סעיף ז:
רכ מ טוש"ע שם:
רכא נ מיי' שם הלכה ז טי"ד סי' תא:
רכב ס מיי' שם פי"א הלכה ג טי"ד שם:
רכג ע מיי' שם ופ"ו מהלכות י"ט הלכה כג טוש"ע י"ד סי' תא סעיף א וטוש"ע א"ח סי' תקמז סעיף א:
רכד פ מיי' שם פי"ב הלכה ה טוש"ע שם סי' שנה:
רכה צ ק מיי' שם פי"ג הלכה ז טי"ד סי' שעח:
רכו ר מיי' שם פ"ד הלכה א טוש"ע שם סי' שנג סעיף א:

רבינו חננאל

יקנה צרכי הדרך ודברי' שיש בהן חיי נפש: ת"ר מאימתי כופין המטות משיוציאו המת מן הבית. דברי ר' אליעזר ר' יהושע אומר משיסתם הגולל. וקיי"ל כר' יהושע דאין אבילות נוהגת אלא משיקבר המת ויסתום הגולל: ת"ר הכופה מטתו לא מטתו בלבד הוא כופה אלא כל מטות שיש בבית. ואפילו יש לו עשר מטות בעשר מקומות כופה את כולן. ואפילו ה' אחין ומת אחד מהן כולן כופין. ואם היתה מיוחדת לכלים ואינה עשויה לישן אין צריך לכפותה. דרגש א"צ לכפותו אלא זוקפו ודיו ואמר עולא האי דרגש ערסא דגדא הוא פירוש מטה העשויה לכבוד מזל הבית ואין אדם ישן עליה. ונדחו דבריו. ואסיקנא דרגש הוא ערסא דצלא. פירוש מטה של עור. כי פי' צלא עור הוא עור נטוי וקשור בחבלים על המלבנות ומסורגות מלבנות המטה בחבלים הללו והעור בתוכן. וכיון שמעמידין אותה ישנין ע"ג העור. ואמר רשב"ג דרגש מתיר קרביטין והוא נופל. אתמר נמי א"ר ירמיה דרגש סירוגו מתוכו. מטה שנקליטיה יוצאין זוקפה ודיו. כלומר אינו צריך לכפותה: ת"ר מאימתי זוקפין את המטות בע"ש מן המנחה ולמעלה. ואעפ"כ אסור לו לישן עליה עד שתחשך. ובמו"ש אע"פ שלא נשאר לו משבעת ימי אבלו אלא יום אחד בלבד חוזר וכופה מטותיו: ת"ר ישן ע"ג מטה. וע"ג אודיני. וע"ג ספסל ע"ג קרקע לא יצא י"ח. וא"ר יוחנן מפני שלא קיים כפיית המטה: ת"ר מכבדין ומרביצין ומדיחין את הקערות כוסות וקיתוניות וצלוחיות בבית האבל. ואין מביאין מוגמר בבית האבל. ואוקימנא הא דתני בר קפרא אין מברכין על המוגמר ועל הבשמים של בית האבל בהני דמייתי בבית המנחמין: **מתני'** אין אומרים ברכת אבלים במועד. אבל עומדין בשורה ומנחמין ופוטרין את הרבים: ת"ר בראשונה היו מוליכין בבית האבל עשירים בקלתות של כסף ושל זהב ועניים בסלי נצרים כו' וכן היו משקין בבית האבל את העשירים בזכוכית לבנה. ואת העניים בזכוכית צבועה וכו'. וכן היו מגלין את מתין העשירים. והיו מכסין את פני העניים שהיו שחורין מן הרעב וכו' וכן היו מוציאין מתי עשירים בדרגש ועניים בכליכה כו'. ובכל אלו היו העניים מתביישין. התקינו חכמים לעשות לעשירים כדרך שהן עושין לעניים שלא יהא

אָמַר רַבִּי יַעֲקֹב בַּר אַחָא אָמַר רַבִּי יְהוֹשֻׁעַ בֶּן לֵוִי – **R' Yaakov bar Acha said in the name of R' Yehoshua ben Levi:** הֲלָכָה כְּרַבָּן שִׁמְעוֹן בֶּן גַּמְלִיאֵל – **The law is in accord with** the view of **Rabban Shimon ben Gamliel,** that in the case of a *dargash* one unties its loops so that its sleeping surface falls to the ground.

The Gemara discusses another type of bed in regard to the requirement of overturning the beds:

(איתמר נמי)[30] אָמַר רַבִּי יַעֲקֹב בַּר אַחָא אָמַר רַבִּי אַסִּי – **R' Yaakov bar Acha said in the name of R' Assi:** מִטָּה שֶׁנַּקְלִיטֶיהָ יוֹצְאִין – **A bed whose double-posts protrude,** i.e. a two-poster canopy bed,[31] זוֹקְפָהּ וְדַיּוֹ – **one stands it upright,** i.e. on its end, **and that is sufficient.**[32]

The Gemara cites a Baraisa defining the requirement to overturn the beds during the period of mourning:

תָּנוּ רַבָּנָן – **The Rabbis taught in a Baraisa:** יָשַׁן עַל גַּבֵּי כִסֵּא – IF HE did not overturn his bed, but instead SLEPT ON A CHAIR, עַל גַּבֵּי אוּדְיָינֵי – or ON A large MORTAR, גְּדוֹלָה [מִזּוֹ][33] עַל גַּבֵּי קַרְקַע – or in EVEN GREATER discomfort, ON THE GROUND, לֹא יָצָא יְדֵי חוֹבָתוֹ – HE HAS NOT FULFILLED HIS OBLIGATION. What obligation has he failed to fulfill? אָמַר רַבִּי יוֹחָנָן – **R' Yochanan said:** שֶׁלֹּא קִיֵּים כְּפִיַּית הַמִּטָּה – **He has not fulfilled** the obligation **of overturning the bed.**[34]

Another Baraisa is cited by the Gemara:

תָּנוּ רַבָּנָן – **The Rabbis taught in a Baraisa:** מְכַבְּדִין – WE MAY SWEEP וּמְרַבִּיצִין – AND SPRINKLE WATER ON THE GROUND to settle the dust בְּבֵית הָאֵבֶל – IN A HOUSE OF MOURNING, and these are not considered inappropriate activities.[35] וּמְדִיחִין קְעָרוֹת וְכוֹסוֹת וּצְלוֹחִיּוֹת וְקִיתוֹנִיּוֹת בְּבֵית הָאֵבֶל – AND WE MAY RINSE PLATES AND CUPS AND JARS AND BOTTLES IN A HOUSE OF MOURNING.[36] וְאֵין מְבִיאִין אֶת הַמּוּגְמָר וְאֶת הַבְּשָׂמִים לְבֵית הָאֵבֶל – BUT WE MAY NOT BRING INCENSE AND SPICES TO A HOUSE OF MOURNING, because the use of aromatics is an indulgence unbefitting the state of mourning.[37]

The Gemara challenges this from another Baraisa:

אִינִי – **Is this indeed so?** וְהָא תָּנֵי בַּר קַפָּרָא – **But Bar Kappara has taught a Baraisa** that states: אֵין מְבָרְכִין לֹא עַל הַמּוּגְמָר וְלֹא עַל הַבְּשָׂמִים בְּבֵית הָאֵבֶל – ONE DOES NOT RECITE A BLESSING ON THE INCENSE AND ON THE SPICES IN A HOUSE OF MOURNING. This implies that בָּרוּכֵי הוּא דְּלֹא מְבָרְכִין – **it is only that one does not recite a blessing** on the incense and spices, הָא אַתּוּיֵי מַיְיתִינַן – **but one is** indeed **permitted to bring them.** This contradicts the previous Baraisa's ruling that it is prohibited even to bring incense and spices to a house of mourning. – ? –

The Gemara reconciles the two rulings:

לֹא קַשְׁיָא – **This is not a difficulty.** הָא בְּבֵית הָאֵבֶל – **This** Baraisa that prohibits bringing incense and spices refers to **the house** [i.e. room] **of the mourner** himself; since they are brought there for his pleasure, they are inappropriate. הָא בְּבֵית הַמְנַחֲמִין – However, **this** Baraisa of Bar Kappara that implies that it is permitted to bring incense and spices refers to **the house** [i.e. room] **of the consolers,** i.e. the room where the mourner sits while accepting condolences. In this room the incense and spices are permitted in deference to those offering the condolences, so as to counter any unpleasant odors that might be present.[38]

Mishnah אֵין מוֹלִיכִין לְבֵית הָאֵבֶל – **One does not deliver** food for the mourner's meal[39] **to a house of mourning** לֹא בְּטַבְלָא – **neither on a tray,**[40] וְלֹא בְּאִסְקוּטְלָא – **nor in a large bowl,**[41] וְלֹא

NOTES

R' Yirmiyah's distinction supports Rav Tachalifa's explanation of the *dargash,* because interior bindings were used only for leather beds, not for rope beds.

[However, *Rashi,* as printed in our Gemara, implies that even within leather beds there is a distinction between regular beds and *dargash* beds, with the leather being folded over the sideboards in the case of regular leather beds. See *Rashi* and *Tosafos* to *Nedarim* 56b for an explanation of the Gemara according to this view. See also *Meiri* here.]

30. *Maharsha* deletes these words.

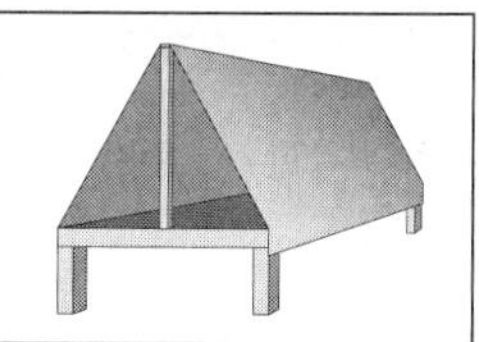

31. This type of bed has two tall posts centered at both ends of the bed, attached to the headboard and footboard respectively. These posts are notched on top, so that a pole can be placed across them from which a sheet can be draped. This sheet falls to the sides of the bed in a tent-like fashion, to protect the sleepers from flies (*Rashi*) and the sun (*Rashi ms.*). [See diagram.]

32. Since it has only two posts [one at each end], and its posts protrude over the top of the bed, it cannot be made to stand upside down. It therefore suffices to stand it on end [see note 17] (*Rashi ms.; Ramban;* see *Rashi ms.* for a second explanation; see also *Ritva*).

33. The word מזו has been added in accordance with the emendation of the *Gra.* This is also the reading of *Rif,* and *Rashi* on 21a.

34. I.e. even though he does not sleep in the comfort of a regular bed, he is still required to overturn his bed. The obligation for a mourner to overturn his bed is not so that he should sleep in discomfort, rather it is a requirement in its own right (*Ramban;* see note 13 above). Thus, even if a mourner sleeps on the floor rather than in an overturned bed, he has not fulfilled this obligation unless he overturns his bed as well. [Having done so, however, he is not obligated to sleep in the overturned bed. He may, if he wishes, sleep on the ground or on the mortar (*Raavad,* cited in *Nimukei Yosef; Ramban; Ritva;* cf. *Rambam, Hil. Aivel* 5:18).]

35. Since these are routine activities, performed in every home, they are permitted in a house of mourning (*Rashi ms.*).

An alternative explanation: These are tasks that a mourner is permitted to do himself. They are not considered work, which a mourner must refrain from doing (*Nimukei Yosef*).

36. I.e. immediately after the meal, even though he will not be using them again until later (*Ritva*).

37. *Nimukei Yosef.*

38. This explanation follows *Raavad* cited by *Tos. HaRosh,* and the second explanation in *Nimukei Yosef;* see also *Rashi ms.* and *Rabbeinu Chananel.*

Many Rishonim explain this differently. In their view, the Baraisa that *permits* bringing incense and spices speaks of the בֵּית הָאֵבֶל, *house of mourning.* This term refers to the mourner's house while the corpse is still present. [It is referred to as *the house of mourning* because as long as the corpse is not removed, people may not enter to offer condolences.] Incense and spices brought at this time are for the honor of the deceased, for they serve to mask any unpleasant odors emanating from the corpse. It is for this reason too that one does not recite a blessing on their pleasant scent, for one does not recite a blessing on spices brought specifically to mask an odor. The Baraisa that *forbids* bringing incense and spices to the house of a mourner speaks of the בֵּית הַמְנַחֲמִים, *house of the consolers,* which refers to the mourner's house once the corpse has been removed and buried, when people may enter to offer condolences. At this time it is deemed inappropriate to bring incense and spices, since these are obviously brought to provide pleasure to the mourners (*Rama,* cited by *Nimukei Yosef; Tos. HaRosh; Ritva*).

39. *Rashi ms.* 24b; *Nimukei Yosef.*

40. Which is an elegant way of sending food (*Rashi ms.* 24b, *Nimukei Yosef*). A טַבְלָא is actually a large board (see *Rambam, Commentary to the Mishnah* in *Shabbos* 143a; see also *Mishnah Berurah* 308:115). According to *Aruch* (ע׳ אסקוטלא) the טַבְלָא (in this context) is a small table of gold, silver or glass.

41. This follows the interpretation of *Rashi* (see *Rashi, Shabbos* 42b ד״ה תמחוי). A variant of this interpretation: a silver bowl (*Rav*). Alternatively: a small table (*Rashi ms., Nimukei Yosef,* first explanation) or platter (*Aruch*).

מסורת הש"ס

א) שמחות פי"א, ב) כתובות ד: סנהדרין מז: שבת קנב, ג) רש"ל, ד) סנהדרין כ. ע"ש, ה) נדרים נו. ע"ש סנהדרין שם, ו) [צ"ל דתניא], ז) [צ"ל תניא] ח) ג"ז שם תענית ל: נדרים שם, ט) [נדרים נו. סנהדרין כ: ע"ש], י) [נדרים נו: סנהדרין כ: ע"ש], כ) רש"א מ"ז וגורס ואמר, ל) לעיל כג. ע"ש, מ) [עי' תוס' ב"ב קמד. ד"ה אודייני], נ) [תוספתא נדה פ"ט], ס) [צ"ל נכנס לעיר חולך].

הגהות הגר"א

[א] גמ' ערסא דצלא אמר כו' כצ"ל. ומלות ואתמר נמי ליתא בסנהד' ועי' הגירסא בנדרים: [ב] שם גדולה מזו ע"ג כו' כצ"ל:

עין משפט נר מצוה

ריג א מיי' פ"ו מהלכות אבל הלכה י טוש"ע י"ד סי' שפ סעיף כג:
ריד ב מיי' פ"א שם הלכה ב סמג עשין דרבנן ב טוש"ע שם סי' שעה סעיף א:
רטו ג ד ה מיי' שם פ"ה הלכה ב טור י"ד סי' ת:
רטז ו ז ח מיי' שם פ"ה הלכה יח טור י"ד סי' שפז:
ריז ט מיי' שם פ"ז הלכה ח ופ"ב מהלכות מלכים הלכה ד:
ריח י מיי' פ"ה מהל' אבל הלכה יח טור י"ד שם:
ריט כ ל מיי' פי"ג שם הלכה ו סמג עשין שם טוש"ע שם סי' שעח סעיף ז:
רכ מ טוש"ע שם:
רכא נ מיי' שם הלכה ז טי"ד סי' תא:
רכב ס מיי' שם פי"א הלכה ג טי"ד שם:
רכג ע מיי' שם ופ"ו מהלכות י"ט הלכה כג טוש"ע י"ד סי' תא סעיף א וטוש"ע א"ח סי' תקמז סעיף א:
רכד פ מיי' שם פי"ב הלכה ה טוש"ע שם סי' שנה:
רכה צ ק מיי' שם פי"ג הלכה ז טי"ד סי' שעח:
רכו ר מיי' שם פ"ד הלכה א טוש"ע שם סי' שנג סעיף א:

רבינו חננאל

יקנה צרכי הדרך ודברי' שיש בהן חיי נפש: ת"ר מאימתי כופין המטות משיוציאו המת מן הבית. דברי ר' אליעזר ר' יהושע אומר משיסתם הגולל. וקיי"ל כר' יהושע דאין אבילות נוהגת אלא משיקבר המת ויסתום הגולל: ת"ר הכופה מטתו לא מטתו בלבד הוא כופה אלא כל מטות שיש בבית. ואפילו יש לו עשר מטות בעשר מקומות כופה את כולן. ואפילו ה' אחין ומת אחד מהן כולן כופין. ואם היתה מיוחדת לכלים ואינה עשויה לישן אין צריך לכפותה. דרגש א"צ לכפותו אלא זוקפו ודיו ואמר עולא האי דרגש ערסא דגדא הוא פירוש מטה העשויה לכבוד מזל הבית ואין אדם ישן עליה. ונדחו דבריו. ואסיקנא דרגש הוא ערסא דצלא. פירוש מטה של עור. כי פי' צלא עור הוא עור נטוי וקשור בחבלים על המלבנות ומסורגות מלבנות המטה בחבלים הללו והעור בתוכן. וכיון שמעמידין אותה ישנין ע"ג העור. ואמר רשב"ג דרגש מתיר קרביטין והוא נופל. אתמר נמי א"ר ירמיה דרגש סירוגו מתוכו. מטה שנקליטיה יוצאין זוקפה ודיו. כלומר אינו צריך לכפותה: ת"ר מאימתי זוקפין את המטות בע"ש מן המנחה ולמעלה. ואעפ"כ אסור לו לישן עליה עד שתחשך.

ובמו"ש אע"פ שלא נשאר לו משבעת ימי אבלו אלא יום אחד בלבד חוזר וכופה מטותיו: ת"ר ישן ע"ג מטה. וע"ג אודיני. וע"ג ספסל ע"ג קרקע לא יצא י"ח. וא"ר יוחנן מפני שלא קיים כפיית המטה: ת"ר מכבדין ומרביצין ומדיחין את הקערות כוסות וקיתוניות וצלוחיות בבית האבל. ואין מביאין מוגמר בבית האבל. ואוקימנא הא דתני בר קפרא אין מברכין על המוגמר ועל הבשמים של בית האבל בהני דמייתי בבית המנחמין: **מתני'** אין אומרים ברכת אבלים במועד. אבל עומדין בשורה ומנחמין ופוטרין את הרבים: ת"ר בראשונה היו מוליכין בבית האבל עשירים בקלתות של כסף ושל זהב ועניים בסלי נצרים כו' וכן היו משקין בבית האבל את העשירים בזכוכית לבנה. ואת העניים בזכוכית צבועה וכו'. וכן היו מגלין את מתין העשירים. והיו מכסין את פני העניים שהיו שחורין מן הרעב וכו' וכן היו מוציאין מתי עשירים בדרגש ועניים בכליכה כו'. ובכל אלו היו העניים מתביישין. התקינו חכמים לעשות לעשירים כדרך שהן עושין לעניים שלא יהא

תוספות

אם יכול למעט בעסקו ימעט. פירש בקונטרס בסחורתו ונראה דבדבר האבד קאמר וכן פי' לעיל (ד' כב.) גבי על כל המתים כולן רצה ממעט בעסקו רצה אינו ממעט וגם הרב פירש לעיל בדבר האבד עושה בצנעא בתוך ביתו נראה לפירושו דהכא איירי באביו ואמו ומשום דהולך בדרך התירו לו שיגלגל עמהם אם אינו יכול למעט דבשאר מתים אינו ממעט כלל אם אינו רוצה ואי איירי הכא בשאר מתים צריך לומר להפך הולך בדרך ואינו נוהג אבילות כל כך ומתנחם יותר אסור להרבות בעסקו יותר מאותו שיושב בביתו ואינו מתנחם וה"ר יוסף פירש דהכא ימעט בעסקו לקנות לצורכי סעודה ולפי שהולך בדרך רגיל לקנות לצורכי סעודה יותר מבביתו שיש לו קונים עבורו וגם מוצא בביתו הרבה משום הכי נקט הולך בדרך ומה שפירש בקונטרס דאיירי כשאמרו לו על מיתת קרוביו כשהיה בדרך לא ידענא אי בעי למימר דאיירי במוליך סחורתו ממקום למקום כדפי' בקונטרס ור"ל דשמא שרי ליה לדידיה למכור סחורתו דכיון דהוליך אותה כבר וטרח בה ולא פשע בהליכתו שלא היה יודע לישב בביתו שיכול לשומרה או שמא הקונטרס ר"ל משום דאמרינן לעיל (דף כג.) שבת ראשונה אינו יוצא מפתח ביתו וזה אינו קושיא דאע"פ שאינו יוצא מפתח ביתו בעיר הא אמרינן (לעיל דף טו:) יוצא לדרך (ס) חולך ונכנס לעיר) אלמא מותר לצאת (בו) ושמא דוקא בדבר האבד מותר לצאת לדרך: **מן** המנחה ולמעלה. פי' בתוספות הרב דמספקא ליה אי מנחה גדולה אי מנחה קטנה דמקודם לכן אינו יושב עליה נראה לי דמכאן סמכו שלא לישב ע"ג כסא וספסל אע"פ שאין ראיה גמורה דשאני מטה הואיל וצריך כפייה ולא מצינו כפייה בכסא וספסל:

ואין מוליכין לבית האבל. זאת המשנה על כרחין נסדרה בהיפך ושמא כל זה מן הברייתא דלמעלה כמו שפירש בתוספות בההיא דלעיל ותמיהני מדוע לא פירשו גם כאן כמו שפירש למעלה ושמא בספר הרב היתה כתובה מגוף הברייתא ולא הוצרך לפרשו או לא היה כתוב בספרו כלל ואין מוליכין כו' וכן מוכיח מתוך פירוש התוספות שפי' לא ידענא אי קאי האי בראשונה היו מוליכים אמוגמר ובשמים דאמר אין מברכין הא אתויי מייתינן אי אמתניתין קאי דקתני מברין ואותה הברייתא היא בראשונה מוליכין כו' דאמתניתין קאי ועוד כיון שפירש התקינו שיהו הכל מוליכין כו' ומתניתין לאחר תקנה:

רש"י

יגלגל עמהן. ואינו עושה סחורה בפני עצמו אלא עם חבורה: אף על גב שאין לו. לאבל אחר השבת אלא יום אחד: קרביטיו. רצועותיו שהוא כעין תרניפני"א: ערסא דגדא. מטה שמייחדים אותה למזל טוב ואין משתמשין בה כלום אלא מייחדין אותה לשרות מזל טוב עליה: דצלא. עור: סירוגו מתוכו. מכנים רצועות מן חורי עצי המטה: על גבה. והעור כפול על העץ: נקליטי. עצים יוצאין מתוקנין למראשותיו ולמרגלותיו ונותנין עץ ארוך עליהן ונותן הסדינין עליהם לשמור מהזבובים: אין מברכין. על הריח בבית האבל: המנחמין. קרוביו מביאין עניים של אוכלין: מתני' אסקוטלא. תמחוי: פוטרין את הרבים. שאומרים למנחמין לכו לבתיכם: אין מניחין מטה במועד ברחוב. להספידו: ולא של נשים לעולם. שפופעות זיבה: גמ' כליכה

גמרא

[א] אם יכול למעט בעסקו ימעט ואם לאו יגלגל עמהן תנו רבנן מאימתי כופין את המטות משיצא מפתח ביתו דברי ר' אליעזר רבי יהושע אומר [ב] משיסתם הגולל מעשה שמת רבן גמליאל הזקן כיון שיצא מפתח ביתו אמר להם רבי אליעזר כפו מטותיכם וכיון שנסתם הגולל [אמר להם רבי יהושע כפו מטותיכם] אמרו לו כבר כפינו על פי זקן ת"ר [ג] מאימתי זוקפין את המטות בערב שבת מן המנחה ולמעלה אמר רבה בר הונא [ד] אף על פי כן אינו יושב עליה עד שתחשך [ה] ולמוצאי שבת אע"פ שאין לו לישב אלא יום אחד חוזר וכופה תנו רבנן [ו] הכופה מטתו לא מטתו בלבד הוא כופה אלא כל מטות שיש לו בתוך ביתו הוא כופה ואפילו יש לו עשר מטות בעשרה מקומות כופה את כולן ואפילו חמשה אחין ומת אחד כולן כופין [ז] ואם היתה מטה המיוחדת לכלים אין צריך לכפותה דרגש אין צריך לכפותו אלא זוקפו רבן שמעון בן גמליאל אומר [ח] דרגש מתיר את קרביטיו והוא נופל מאליו מאי דרגש אמר עולא ערסא דגדא אמר ליה רבה אלא מעתה גבי מלך דתנן [ט] כל העם מסובים על הארץ והוא מיסב על הדרגש מי איכא מידי דעד האידנא לא אותביניה והשתא מותבינן ליה מתקיף לה רב אשי מאי קושיא מידי דהוה אאכילה ושתיה דעד האידנא לא אוכליניה ולא אשקיניה השתא אוכליניה ואשקיניה אלא אי קשיא הא קשיא (דתנן) דרגש אינו צריך לכפותו אלא זוקפו ואי ערסא דגדא אמאי אינו צריך לכפותו הא (תנן) הכופה מטתו לא מטתו בלבד הוא כופה אלא כל מטות שיש לו בתוך ביתו כופה ומאי קשיא מידי דהוה אמטה המיוחדת לכלים דתניא אם היתה מטה המיוחדת לכלים אינו צריך לכפותה אלא אי קשיא הא קשיא רבן שמעון בן גמליאל אומר דרגש מתיר קרביטיו והוא נופל מאיליו ואי סלקא דעתך ערסא דגדא מאי קרביטין אית ליה כי אתא רבין אמר ליה ההוא מרבנן ורב תחליפא בר מערבא שמיה דהוה שכיח בשוקא דגילדאי מאי דרגש ערסא דצלא [א] איתמר נמי אמר ר' ירמיה דרגש סירוגו מתוכו מטה סירוגה על גבה אמר רבי יעקב בר אחא אמר רבי יהושע בן לוי הלכה כרבן שמעון בן גמליאל (איתמר נמי) אמר רבי יעקב בר אחא אמר רבי אסי מטה שנקליטיה יוצאין זוקפה ודיו תנו רבנן ישן על גבי כסא על גבי אודייני גדולה [ב] על גבי קרקע לא יצא ידי חובתו אמר רבי יוחנן שלא קיים כפיית המטה תנו רבנן מכבדין ומרביצין בבית האבל ומדיחין קערות וכוסות וצלוחיות וקיתוניות בבית האבל ואין מביאין את המוגמר ואת הבשמים לבית האבל איני והא תני בר קפרא אין מברכין לא על המוגמר ולא על הבשמים בבית האבל ברוכי הוא דלא מברכין הא אתויי מייתי' לא קשיא הא בבית האבל הא בבית המנחמין:

מתני' אין מוליכין לבית האבל לא בטבלא ולא באסקוטלא ולא בקנון אלא בסלים ואין אומרים ברכת אבלים במועד אבל עומדין בשורה ומנחמין ופוטרין את הרבים אין מניחין את המטה ברחוב שלא להרגיל את ההספד ולא של נשים לעולם מפני הכבוד: **גמ'** תנו רבנן בראשונה היו מוליכין בבית האבל עשירים בקלתות של כסף ושל זהב ועניים בסלי נצרים של ערבה קלופה והיו עניים מתביישים התקינו שיהו הכל מביאין בסלי נצרים של ערבה קלופה מפני כבודן של עניים תנו רבנן בראשונה היו משקין בבית האבל עשירים בזכוכית לבנה ועניים בזכוכית צבועה והיו עניים מתביישין התקינו שיהו הכל משקין בזכוכית צבועה מפני כבודן של עניים בראשונה היו מגלין פני עשירים ומכסין פני עניים מפני שהיו מושחרין פניהן מפני בצורת והיו עניים מתביישין התקינו שיהו מכסין פני הכל מפני כבודן של עניים בראשונה היו מוציאין עשירים בדרגש ועניים בכליכה

רש"י כת"י

אם יכול למעט בעסקו. בסחורתו. יגלגל עמהם. יעשה. משיצא. המת. מאימתי זוקפין את המטות בערב שבת. דאמרן לעיל פריעת הראש וזקיפת המטות בערב שבת מצוה. אע"פ שאין לו לישב אלא יום אחד. כגון שעברו ששת ימים. חוזר וכופה. למוצאי שבת. עשרה מטות בעשרה מקומות. דרך לישב עליהן אבל אם הם במקום אחד זו על גב זו לא. מטה המיוחדת. להניח עליה כלים ואינה מיוחדת לישיבה ולשכיבה. דרגש. לקמן מפרש. וזוקפו. על שני רגליו למעלה וזוקפו אצל הכותל. קרביטיו. רצועותיו ולקמן מפרש. ערסא דגדא. מטה שאין אדם יושב עליה ומיוחדת למזל כמו העורכים לגד שלחן (ישעיה סה). וכשמברין אותו. מלך שאירע לו אבילות עד השתא לא היה חשוב אותו מלך לאותוביה על אותה מטה השתא מותבינן ליה. עד השתא לא אוכליניה. משל אחרים כדאמרינן לקמן אבל אסור לאכול בסעודה ראשונה משלו. אמאי אינו צריך לכפותו. הא לא נשתנה משאר מטות אלא שמיוחדת למזל ואי' יושבין עליה. קרביטין מי אית ליה. הא לא מפרקינן ליה לעולם אלא קבוע ועומד. בר מערבא. מארץ ישראל. דגילדאי. רצענין. ערסא (דכלה) [דצלא]. מטה שעושין שרים לישא עמהן בדרך ונוקבין הארוכות שקורין אשפונדיי"ש ותולין בהן רצועות וגם בעור שפורסין עליו תלויין רצועות כנגד רצועות של ארוכות המטה וכשרוצין לתקנו עונבין רצועות העור ברצועות של ארוכות המטה ואחר כך תוחבין ארוכות בכרעים וכשרוצין לפורקן מתירין קרביטין והעור נופל מאליו. דרגש סירוגו מתוכו. כדפרישית לעיל שהרצועות תלויות מבפנים וקושרין אותן ברצועות העור. מטה סירוגה מעל גבה. כגון אותן שלנו שאין נוקבין הארוכות אלא כורכין החבל סביבותיהן. מטה שנקליטיה יוצאין כלומר שארוכין וגבוהין למעלה מכרעי המטה נקליטין שנים עץ אחד ארוך למראשותי מטה ובראשו חריץ וכן למרגלות המטה ונותנין קנה עליהן ופורסין יריעה עליהן להאהיל על המטה מפני החמה. זוקפה ודיו. הואיל ואי אפשר לכפותה מפני הנקליטין לישנא אחרינא זוקפו ודיו נוטל הנקליטין והיריעות ומניחה כשהיא זקופה ואין צריך לכפותה דנטילת יריעות ונקליטין זו היא כפייתה. (אבל) ישן על גבי המטה. אפילו להדי מטה [בלא מצעות] ואם אינה כפויה לא יצא. מרביצין. דאינו חשיבות כל כך שכל אדם דרכן לרבץ בתים שלא יעלה עפר. לכבד. לנקות ואחר הכיבוד רבוץ (ברש"י ברי"ף - לנקותו אחר ריבוץ). מוגמר. כלי שנותנין בו גחלים ולבונה. אין מברכין כלומר במוצאי שבת. בבית (המתנחמין) [המנחמין]. מביאין מוגמר אם ירצו. ואין מוליכין מנחמין הסעודה לבית האבל. לא בטבלא. דרך כבוד. לא באיסקוטלא. שולחן [קטן יפה]. לישנא אחרינא איסקוטלא מדה גדולה שמודדין בה חטין שטיי"ר (רש"י ברי"ף פירש זה על קנון). קנון. נפה שקורין וא"ן. אלא בסלין. שלא כדרך חשיבות. ופוטרין את הרבים. נותנין להם רשות לילך מיד ואין צריך להסב ולברך ברכת רחבה. ה"ג אין מניחין המטה ברחוב במועד ולא מטה של אשה מתה. אין מניחין ברחוב לעולם אפילו בחול ובגמרא מפרש טעמ'. קלתות. כלי זהב ואין דרך חשיבות כטבלא דאמרינן לעיל כשהן מביאין אין מביאין בטבלא וכו'. בזכוכית. בכלי זכוכית לבנה. היו מגלין פני עשירים. בשעת מיתתן כשיוצא לקבר והיו פני עשירים אדמומיות ובריאות והיו עניים חיים מתביישין.

בְּקָנוֹן – **nor in a large basket,**[42] אֶלָּא בִּסְלִים – **but in** plain **baskets.**[43] אֲבָל עוֹמְדִין וְאֵין אוֹמְרִים בִּרְכַּת אֲבֵלִים בַּמּוֹעֵד – **We do not recite the mourners' blessing**[44] **on Chol HaMoed;** בְּשׁוּרָה וּמְנַחֲמִין – **but we do stand in a row and console,**[45] וּפוֹטְרִין אֶת הָרַבִּים – **and we** promptly **dismiss the public.**[46] אֵין מַנִּיחִין אֶת הַמִּטָּה בָּרְחוֹב – **We do not set down the bier in the street** on Chol HaMoed,[47] שֶׁלֹּא לְהַרְגִּיל אֶת הַהֶסְפֵּד – **so as not to encourage eulogies,** which are forbidden on Chol HaMoed.[48] וְלֹא שֶׁל נָשִׁים לְעוֹלָם – **Nor** are the biers **of women ever** set down in the street, מִפְּנֵי הַכָּבוֹד – **for** the sake of their **dignity.**[49]

Gemara The Gemara cites a Baraisa that explains the origin of the Mishnah's ruling concerning the way in which food may be delivered to a house of mourning:

תָּנוּ רַבָּנָן – **The Rabbis taught in a Baraisa:** בָּרִאשׁוֹנָה הָיוּ מוֹלִיכִין בְּבֵית הָאֵבֶל – ORIGINALLY, when THEY WOULD DELIVER food TO A HOUSE OF MOURNING, עֲשִׁירִים בְּקַלָּתוֹת שֶׁל כֶּסֶף וְשֶׁל זָהָב – THE WEALTHY would deliver it IN BASKETS OF SILVER AND GOLD, וַעֲנִיִּים בְּסַלֵּי נְצָרִים שֶׁל עֲרָבָה קְלוּפָה – AND THE POOR IN BASKETS OF PEELED WILLOW TWIGS, וְהָיוּ עֲנִיִּים מִתְבַּיְּישִׁים – AND THE POOR WOULD FEEL ASHAMED. הִתְקִינוּ שֶׁיְּהוּ הַכֹּל מְבִיאִין – [THE RABBIS] therefore INSTITUTED THAT ALL SHOULD BRING בְּסַלֵּי נְצָרִים שֶׁל עֲרָבָה קְלוּפָה – IN BASKETS OF PEELED WILLOW TWIGS, מִפְּנֵי כְּבוֹדָן שֶׁל עֲנִיִּים – OUT OF CONCERN FOR THE HONOR OF THE POOR.

The Gemara cites another Baraisa reflecting the same sensitivity:

תָּנוּ רַבָּנָן – **The Rabbis taught in a Baraisa:** בָּרִאשׁוֹנָה הָיוּ מַשְׁקִין בְּבֵית הָאֵבֶל – ORIGINALLY, when THEY WOULD SERVE DRINKS IN A HOUSE OF MOURNING, עֲשִׁירִים בִּזְכוּכִית לְבָנָה – THE WEALTHY would serve IN vessels of WHITE GLASS,[50] וַעֲנִיִּים בִּזְכוּכִית צְבוּעָה – AND THE POOR IN vessels of COLORED GLASS, וְהָיוּ עֲנִיִּים מִתְבַּיְּישִׁין – AND THE POOR WOULD FEEL ASHAMED. הִתְקִינוּ שֶׁיְּהוּ הַכֹּל מַשְׁקִין בִּזְכוּכִית צְבוּעָה – [THE RABBIS] therefore INSTITUTED THAT ALL who serve drinks at the mourners' home SHOULD SERVE them IN vessels of COLORED GLASS, מִפְּנֵי כְּבוֹדָן שֶׁל עֲנִיִּים – OUT OF CONCERN FOR THE HONOR OF THE POOR.

The Gemara quotes a Baraisa, with a series of rulings dictated by the same concern:

בָּרִאשׁוֹנָה הָיוּ מְגַלִּין פְּנֵי עֲשִׁירִים – ORIGINALLY, THEY WOULD leave UNCOVERED THE FACES OF THE WEALTHY who had died[51] וּמְכַסִּין פְּנֵי עֲנִיִּים – WHILE THEY WOULD COVER THE FACES OF THE POOR who had died, מִפְּנֵי שֶׁהָיוּ מוּשְׁחָרִין פְּנֵיהֶן מִפְּנֵי בַּצּוֹרֶת – FOR [THEIR FACES] WERE BLACKENED BY FAMINE; וְהָיוּ עֲנִיִּים מִתְבַּיְּישִׁין – AND THE POOR WOULD FEEL ASHAMED. הִתְקִינוּ שֶׁיְּהוּ מְכַסִּין פְּנֵי הַכֹּל – [THE RABBIS] therefore INSTITUTED THAT THEY SHOULD COVER THE FACES OF ALL who die, מִפְּנֵי כְּבוֹדָן שֶׁל עֲנִיִּים – OUT OF CONCERN FOR THE HONOR OF THE POOR.

The Baraisa continues:

בָּרִאשׁוֹנָה הָיוּ מוֹצִיאִין עֲשִׁירִים בְּדַרְגָּשׁ – ORIGINALLY, when THEY WOULD TAKE OUT corpses to be buried, THE WEALTHY would take them out ON A *DARGASH,* וַעֲנִיִּים – AND THE POOR would take them out

NOTES

42. Delivery of food in these vessels is a mark of elegance (*Nimukei Yosef*). The reason for not delivering food on elegant servers will be explained in the Gemara.

43. The exact type of basket will be explained by the Gemara.

[As noted above (24b note 35), it is the view of *Rashi* and others that the previous Mishnah, as well as this one, do not refer specifically to Chol HaMoed but define the general rules of mourning. However, even the Rishonim (cited there) who maintain that these Mishnahs speak of Chol HaMoed agree that this restriction on the types of servers that may be used applies throughout the year. Nonetheless, the Mishnah chose to state this ruling in connection with Chol HaMoed because one might have thought that it should be permitted to use more elegant servers on Chol HaMoed so that the delivery of food would look more like a gift rather than a ritual of mourning (*Nimukei Yosef*).]

44. Upon returning from the burial, it was customary to serve the mourner's meal [סְעוּדַת הַבְרָאָה] in the street. At this meal, a blessing concluding with בָּרוּךְ מְנַחֵם אֲבֵלִים, *Blessed is He Who consoles the mourners,* was recited (*Rashi, Kesubos* 8b ד״ה ברחבה). [This blessing was therefore also known as the בִּרְכַּת רְחָבָה, *the street blessing;* see Gemara there for the full text of this blessing. See also *Ran* (in his appendix to *Moed Katan – Kuntres Acharon*).] This blessing was recited only in the presence of a *minyan* (excluding the mourners), and was repeated during the *shivah* when people who had not been present at the original blessing came to offer condolences (Gemara ibid.). According to some, it was recited over a cup of wine (*Ramban, Toras HaAdam* p. 149-151; *Chidushei HaRan, Kuntres Acharon;* see there for another version of the text of this blessing). It is no longer the custom to recite this blessing (*Ramban* and *Ran* ibid.; see *Tur Yoreh Deah* 379 and *Shulchan Aruch* there).

45. After burial, those present file past the mourner and offer him condolences (*Rashi* above, 24b ד״ה ואין עומדין; *Ramban, Toras HaAdam* p. 153). [The custom today is for the people to form parallel rows and for the mourners to pass between them to receive condolences. See *Sanhedrin* 19a and *Yerushalmi, Berachos* 3:2.]

46. *Rashi ms.* and *Nimukei Yosef.* Since the usual practice of reciting the mourners' blessing in the street does not take place on Chol HaMoed, there is no reason for the public to remain any longer (ibid.). Others explain this to mean that by standing in a row and consoling the mourner on Chol HaMoed, the public is freed from having to come back and do this after Yom Tov (*Raavad,* quoted by *Nimukei Yosef; Meiri;* see *Chidushei HaRan* for yet another explanation).

47. To offer eulogies for a Torah scholar [who may be eulogized on Chol HaMoed, as the Gemara will state on 27b] (*Rashi,* as explained by *Rashash;* see next note).

48. I.e. so as not to encourage eulogies for ordinary people who died, for whom eulogies are forbidden on Chol HaMoed. Thus, although an exception to the ban on eulogies on Chol HaMoed is made for Torah scholars, the Mishnah teaches that they should not be eulogized in the street [where eulogies were commonly held] (*Rashash* in explanation of *Rashi*).

Other Rishonim explain the Mishnah to be referring to the funerals of ordinary people. The Mishnah teaches that their bier should not be set down in the street en route to burial, since that would encourage eulogies (*Meiri*) [since it was the custom for eulogies to be said in the street en route to the burial]. Therefore, before taking out the bier to the burial place, one must ascertain that the grave is prepared and ready (*Nimukei Yosef; Yoreh Deah* 401:1).

49. Because blood may flow from them [and stain their shrouds], which would be an embarrassment (*Rashi;* the Gemara, 28a, will discuss whether this is true for all women or only for those who die in childbirth; see note 2 there).

50. A type of precious glass (see *Berachos* 31a and *Rashi* ד״ה כסא דמוקרא). [Possibly, clear glass – see *Rashi* to the Mishnah in *Beitzah* 33a ד״ה מן המים. Clear glass was difficult to produce in the ancient world, and thus very expensive.]

51. This was to arouse people to weeping. They would say, "Look at how robust and handsome his face was, and now it will succumb to decay" (*Rav; Nimukei Yosef*).

מסורת הש"ס

א) שמחות פי"א, ב) כתובות ד: סנהדרין מז: שבת קנב:, ג) רש"א, ד) סנהדרין כ. ע"ש, ה) נדרים נו. ע"ש סנהדרין שם, ו) [צ"ל דתניא], ז) [צ"ל תניא] ח) ג"ז שם תענית ל: נדרים שם, ט) [נדרים נו. סנהדרין כ. ע"ש], י) [נדרים נו: סנהדרין כ: ע"ש], כ) רש"א מ"ז וגורס ואמר, ל) לעיל כא. ע"ש, מ) [עי' תוס' ב"ב קמד. ד"ה אודייני], נ) [תוספתא נדה פ"ט], ס) [צ"ל נועל נכנס לעיר הולך].

הגהות הגר"א

[א] גמ' ערסא דצלא אמר כו' כצ"ל. ומלות אתמר נמי ליתא בסנהד' ועי' הגירסא בנדרים: [ב] שם גדולה מזו ע"ג כו' כצ"ל:

[א] אם יכול למעט בעסקו ימעט ואם לאו יגלגל עמהן תנו רבנן (א) מאימתי כופין את המטות משיצא מפתח ביתו דברי ר' אליעזר רבי יהושע אומר (ב) [ב] משיסתם הגולל מעשה שמת רבן גמליאל הזקן כיון שיצא מפתח ביתו אמר להם רבי אליעזר כפו מטותיכם וכיון שנסתם הגולל (ג) [אמר להם רבי יהושע כפו מטותיכם] אמרו לו כבר כפינו על פי זקן ת"ר [ג] מאימתי זוקפין את המטות בערב שבת מן המנחה ולמעלה אמר רבה בר הונא [ד] אף על פי כן אינו יושב עליה עד שתחשך [ה] ולמוצאי שבת אע"פ שאין לו לישב אלא יום אחד חוזר וכופה תנו רבנן [ו] הכופה מטתו לא מטתו בלבד הוא כופה אלא כל מטות שיש לו בתוך ביתו הוא כופה ואפילו יש לו עשר מטות בעשרה מקומות כופה את כולן ואפילו חמשה אחין ומת אחד כולן כופין [ז] ואם היתה מטה המיוחדת לכלים אין צריך לכפותה דרגש אין צריך לכפותו אלא זוקפו רבן שמעון בן גמליאל אומר [ח] דרגש מתיר את קרביטיו והוא נופל מאליו (ד) מאי דרגש אמר עולא ערסא דגדא אמר ליה רבה אלא מעתה גבי מלך (ה) דתנן [ט] כל העם מסובים על הארץ והוא מיסב על הדרגש מי איכא מידי דעד האידנא לא אותביניה והשתא מותבינן ליה מתקיף לה רב אשי מאי קושיא מידי דהוה אאכילה ושתיה דעד האידנא לא אוכליניה ולא אשקיניה השתא אוכליניה ואשקיניה אלא אי קשיא הא קשיא ((ו) דתנן) דרגש אינו צריך לכפותו אלא זוקפו ואי ערסא דגדא אמאי אינו צריך לכפותו הא ((ז) תנן) (ח) הכופה מטתו לא מטתו בלבד הוא כופה אלא כל מטות שיש לו בתוך ביתו כופה ומאי קשיא מידי דהוה אמטה המיוחדת לכלים דתניא אם היתה מטה המיוחדת לכלים אינו צריך לכפותה אלא אי קשיא הא קשיא רבן שמעון בן גמליאל אומר דרגש מתיר קרביטיו והוא נופל מאיליו ואי סלקא דעתך ערסא דגדא מאי קרביטין אית ליה (ט) כי אתא רבין אמר ליה ההוא מרבנן ורב תחליפא בר מערבא שמיה דהוה שכיח בשוקא דגילדאי מאי דרגש ערסא דצלא [א] איתמר נמי אמר ר' ירמיה דרגש סירוגו מתוכו מטה סירוגה על גבה אמר רבי יעקב בר אחא אמר רבי יהושע בן לוי (י) הלכה כרבן שמעון בן גמליאל ((כ) איתמר נמי) אמר רבי יעקב בר אחא אמר רבי אסי [י] מטה שנקליטיה יוצאין זוקפה ודיו (ל) תנו רבנן ישן על גבי כסא על גבי (מ) אודייני גדולה [ב] על גבי קרקע לא יצא ידי חובתו אמר רבי יוחנן שלא קיים כפיית המטה תנו רבנן [כ] מכבדין ומרביצין בבית האבל ומדיחין קערות וכוסות וצלוחיות וקיתוניות בבית האבל [ל] ואין מביאין את המוגמר ואת הבשמים לבית האבל איני והא תני בר קפרא אין מברכין לא על המוגמר ולא על הבשמים בבית האבל ברוכי הוא דלא מברכין הא אתויי מייתי' לא קשיא הא בבית האבל [מ] הא בבית המנחמין:

מתני' [נ] אין מוליכין לבית האבל לא בטבלא ולא באסקוטלא ולא בקנון אלא בסלים [ס] ואין אומרים ברכת אבלים במועד אבל עומדין בשורה ומנחמין ופוטרין את הרבים [ע] אין מניחין את המטה ברחוב שלא להרגיל את ההספד [פ] ולא של נשים לעולם מפני הכבוד:

גמ' תנו רבנן בראשונה היו מוליכין בבית האבל עשירים בקלתות של כסף ושל זהב ועניים בסלי נצרים של ערבה קלופה והיו עניים מתביישים [צ] התקינו שיהו הכל מביאין בסלי נצרים של ערבה קלופה מפני כבודן של עניים תנו רבנן [ק] בראשונה היו משקין בבית האבל עשירים בזכוכית לבנה ועניים בזכוכית צבועה והיו עניים מתביישין התקינו שיהו הכל משקין בזכוכית צבועה מפני כבודן של עניים [ר] בראשונה היו מגלין פני עשירים ומכסין פני עניים מפני שהיו מושחרין פניהן מפני בצורת והיו עניים מתביישין התקינו שיהו מכסין פני הכל מפני כבודן של עניים (נ) בראשונה היו מוציאין עשירים בדרגש ועניים בכליכה

רש"י

יגלגל עמהן. ואינו עושה סחורה בפני עצמו אלא עם חבורה: אף על גב שאין לו. לאבל אחר השבת אלא יום אחד: קרביטיו. רצועותיו שהוא כעין תרניפני"א: ערסא דגדא. מטה שמייחדים אותה למזל טוב ואין משתמשין בה כלום אלא מייחדין אותה לשרות מזל טוב עליה: דצלא. עור: סירוגו מתוכו. מכניס רצועות מן חורי עצי המטה: על גבה. והעור כפול על העץ: נקליטי. עצים יוצאין מתוקנין למראשותיו ולמרגלותיו ונותנין עץ ארוך עליהן ונותן הסדינין עליהם לשמור מהזבובים: אין מברכין. על הריח בבית האבל: המנחמין. קרוביו מביאין עניים של אוכלין: מתני' אסקוטלא. תמחוי: פוטרין את הרבים. שאומרים למנחמין לכו לבתיכם: אין מניחין מטה במועד ברחוב. להספידו: ולא של נשים לעולם. ששופעות זיבה: גמ' כליכה

רש"י כת"י

אם יכול למעט בעסקו. בסחורתו. יגלגל עמהם. יעסק. משיצא. המת. מאימתי זוקפין את המטות בערב שבת. דאמרן לעיל פריעת הראש וזקיפת המטות בערב שבת מצוה. אע"פ שאין לו לישב אלא יום אחד. כגון שעברו ששת ימים. חוזר וכופה. למוצאי שבת. עשרה מטות בעשרה מקומות. דרך לישב עליהן אבל אם הם במקום אחד זו על גב זו לא. מטה המיוחדת. להניח עליה כלים ואינה מיוחדת לישיבה ולשכיבה. דרגש. לקמן מפרש. וזוקפו. על שני רגליו למעלה וזוקפו אצל הכותל. קרביטיו. לולאותיו ולקמן מפרש. ערסא דגדא. מטה שאין אדם יושב עליה ומיוחדת למזל כמו העורכים לגד שלחן (ישעיה סה). וכשמברין אותו. מלך שאירע לו אבילות עד השתא לא היה חשוב אותו מלך לאותוביה על אותה מטה השתא מותבינן ליה. עד השתא לא אוכליניה. משל אחרים כדאמרינן לקמן אבל אסור לאכול בסעודה ראשונה משלו. אמאי אינו צריך לכפותו. הא לא נשתנה משאר מטות אלא שמיוחדת למזל ואי' יושבין עליה. קרביטין מי אית ליה. הא לא מפרקין ליה לעולם אלא קבוע ועומד. בר מערבא. מארץ ישראל. דגילדאי. רצענין. ערסא (דכלה) [דצלא]. מטה שעושין שרים לישא עמהן בדרך ונוקבין הארוכות שקורין אשפונדייר"ש ותולין בהן רצועות וגם בעור שפורסין עליו תלויין רצועות כנגד רצועות של ארוכות המטה וכשרוצין לתקנו עונבין רצועות העור ברצועות של ארוכות המטה ואחר כך תוחבין ארוכות בכרעים וכשרוצין לפורקן מתירין קרביטין והעור נופל מאליו. דרגש סירוגו מתוכו. כדפרישית לעיל שהרצועות תלויות מבפנים וקושרין אותן ברצועות העור. מטה סירוגה מעל גבה. כגון אותן שלנו שאין נוקבין הארוכות אלא כורכין החבל סביבותיהן. מטה שנקליטיה יוצאין כלומר שארוכין וגבוהין למעלה מכרעי המטה נקליטין שנים עץ אחד ארוך למראשותי מטה ובראשו חריך וכן למרגלות המטה ונותנין קנה עליהן ופורסין יריעה עליהן להאהיל על המטה מפני החמה. זוקפה ודיו. הואיל ואי אפשר לכפותה מפני הנקליטין לישנא אחרינא זוקפו ודיו נוטל הנקליטין והיריעות ומניחה כשהיא זקופה ואין צריך לכפותה דנטילת יריעות ונקליטין זו היא כפייתה. (אבל) ישן על גבי המטה. אפילו להדי מטה [בלא מצעות] ואם אינה כפויה לא יצא. מרביצין. דאינו חשיבות כל כך שכל אדם דרכן לרבץ בתים שלא יעלה עפר. לכבד. לנקות ואחר הכיבוד רבוץ (ברש"י ברי"ף - לנקותו אחר ריבוץ). מוגמר. כלי שנותנין בו גחלים ולבונה. אין מברכין כלומר במוצאי שבת. בבית (המתנחמין) [המנחמין]. מביאין מוגמר אם ירצו. ואין מוליכין מנחמין הסעודה לבית האבל. לא בטבלא. דרך כבוד. לא באיסקוטלא. שולחן [קטן יפה]. לישנא אחרינא איסקוטלא מדה גדולה שמודדין בה חטין שטיי"ר (רש"י ברי"ף פירש זה על קנון). קנון. נפה שקורין וא"ן. אלא בסלין. שלא כדרך חשיבות. ופוטרין את הרבים. נותנין להם רשות לילך מיד ואין צריך להסב ולברך ברכת רחבה. ה"ג אין מניחין המטה ברחוב במועד ולא מטה של אשה מתה. אין מניחין ברחוב לעולם אפילו בחול וגמרא מפרש טעמ'. קלתות. כלי זהב ואין דרך חשיבות כטבלא דאמרינן לעיל כשהן מביאין אין מביאין בטבלא וכו'. בזכוכית. בכלי זכוכית לבנה. היו מגלין פני עשירים. בשעת מיתתן כשיוצא לקבר והיו פני עשירים אדמומיות ובריאות והיו עניים חיים מתביישין.

תוספות

אם יכול למעט בעסקו ימעט. פירש בקונטרס בסחורתו ונראה דבדבר האבד קאמר וכן פי' לעיל (ד' כג.) גבי על כל המתים כולן רצה ממעט בעסקו רצה אינו ממעט וגם הרב פירש לעיל בדבר האבד עושה בצנעא בתוך ביתו נראה לפירושו דהכא איירי באביו ואמו ומשום דהולך בדרך התירו לו שיגלגל עמהם אם אינו יכול למעט דבשאר מתים אינו ממעט כלל אם אינו רוצה ואי איירי הכא בשאר מתים צריך לומר להפך הולך בדרך ואינו נוהג אבילות כל כך ומתנחם יותר אסור להרבות בעסקו יותר מאותו שיושב בביתו ואינו מתנחם וה"ר יוסף פירש דהכא ימעט בעסקו לקנות צורכי סעודה ולפי שהולך בדרך רגיל לקנות צורכי סעודה יותר מבביתו שיש לו קונים עבורו וגם מוצא בביתו הרבה משום הכי נקט הולך בדרך ומה שפירש בקונטרס דאיירי כשאמרו לו על מיתת קרוביו כשהיה בדרך לא ידענא אי בעי למימר דאיירי במוליך סחורתו ממקום למקום כדפי' בקונטרס ור"ל דשמא שרי ליה לדידיה למכור סחורתו דכיון דהוליך אותה כבר וטרח בה ולא פשע בהליכתו שלא היה יודע לישב בביתו שיכול לשומרה או שמא הקונטרס ר"ל משום דאמרינן לעיל (דף כג.) שבת ראשונה אינו יוצא מפתח ביתו וזה אינו קושיא דאע"פ שאינו יוצא מפתח ביתו בעיר הא אמרינן (לעיל דף טו:) יצא לדרך (ס) הולך ונכנס לעיר) אלמא מותר לצאת (בו) ושמא דוקא בדבר האבד מותר לצאת לדרך: **מן** המנחה ולמעלה. פי' בתוספות הרב דמספקא ליה אי מנחה גדולה אי מנחה קטנה דמקודם לכן אינו יושב עליה נראה לי דמכאן סמכו שלא לישב ע"ג כסא וספסל אע"פ שאין ראיה גמורה דשאני מטה הואיל וצריך כפייה ולא מצינו כפייה בכסא וספסל: **ואין** מוליכין לבית האבל. זאת המשנה על כרחין נסדרה בהיפך ושמא כל זה מן הברייתא דלמעלה כמו שפירש בתוספות בההיא דלעיל ותמיהני מדוע לא פירשו גם כאן כמו שפירש למעלה ושמא בספר הרב היתה כתובה מגוף הברייתא ולא הוצרך לפרשו או לא היה כתוב בספרו כלל ואין מוליכין כו' וכן מוכיח מתוך פירוש התוספות שפי' לא ידענא אי קאי האי בראשונה היו מוליכים אמוגמר ובשמים דאמר אין מברכין הא אתויי מייתינן אי אמתניתין קאי דקתני מברין ואותה הבראה היא בראשונה מוליכין כו' לאמתניתין קאי ועוד כיון שפירש התקינו שיהו הכל מוליכין כו' ומתניתין לאחר תקנה:

עין משפט נר מצוה

ריג א מיי' פ"ו מהלכות אבל הלכה י טוש"ע י"ד סי' שפ סעיף כג:
ריד ב מיי' פ"ה שם הלכה ב וסמג עשין דרבנן ב טוש"ע שם סי' שעה סעיף ה:
רטו ג ד ה מיי' שם פ"ה הלכה ב טור י"ד סי' ת:
רטז ו ז ח מיי' שם פ"ו הלכה יח טור י"ד סי' שפו:
ריז ט מיי' שם פ"ו הלכה ח וס"ד מהלכות מלכים הלכה ד:
ריח י מיי' פ"ה מהל' אבל הלכה יח טור י"ד סי' שם:
ריט כ ל מיי' פי"ג שם הלכה ו סמג עשין דרבנן ב טוש"ע י"ד סי' שעח סעיף ז:
רכ מ טוש"ע שם:
רכא נ מיי' שם הלכה ז טו"ד סי' תח:
רכב ס מיי' שם פ"א הלכה ב טור י"ד סי' שפ:
רכג ע מיי' שם פ"ו מהלכות י"ט הלכה כג טוש"ע י"ד סי' תא סעיף א וטוש"ע א"ח סי' תקמז סעיף א:
רכד פ מיי' שם פי"א הלכה ה טוש"ע סי' שנה:
רכה צ ק מיי' שם פי"ג הלכה ז טו"ד סי' שעח:
רכו ר מיי' שם פ"ד הלכה א טוש"ע שם סי' שנג סעיף א:

רבינו חננאל

יקנה צרכי הדרך ודברי' שיש בהן חיי נפש: ת"ר מאימתי כופין המטות משיוציאו המת מן הבית. דברי ר' אליעזר ר' יהושע אומר משיסתם הגולל. וקיי"ל כר' יהושע דאין אבילות נוהגת אלא משיקבר המת ויסתום הגולל: ת"ר הכופה מטתו לא מטתו בלבד הוא כופה אלא כל מטות שיש בבית. ואפילו יש לו עשר מטות בעשר מקומות כופה את כולן. ואפילו ה' אחין ומת אחד מהן כולן כופין. ואם היתה מיוחדת לכלים ואינה עשויה לישן אין צריך לכפותה. דרגש א"צ לכפותו אלא זוקפו ודיו ואמר עולא האי דרגש ערסא דגדא הוא פירוש מטה העשויה לכבוד מזל הבית ואין אדם ישן עליה. ונדחו דבריו. ואסיקנא דרגש הוא ערסא דצלא. פירוש מטה של עור. כי פי' צלא עור הוא עור נטוי וקשור בחבלים על המלבנות ומסורגות מלבנות המטה בחבלים הללו והעור בתוכן. וכיון שמעמידין אותה ישנין ע"ג העור. ואמר רשב"ג דרגש מתיר קרביטין והוא נופל. אתמר נמי א"ר ירמיה דרגש סירוגו מתוכו. מטה שנקליטיה יוצאין זוקפה ודיו. כלומר אינו צריך לכפותה: ת"ר מאימתי זוקפין את המטות בע"ש מן המנחה ולמעלה. ואעפ"כ אסור לו לישן עליה עד שתחשך. ובמו"ש אע"פ שלא נשאר לו משבעת ימי אבלו אלא יום אחד בלבד חוזר וכופה מטותיו: ת"ר ישן ע"ג מטה. וע"ג אודיני. וע"ג ספסל ע"ג קרקע לא יצא י"ח. וא"ר יוחנן מפני שלא קיים כפיית המטה: ת"ר מכבדין ומרביצין ומדיחין את הקערות כוסות וקיתוניות וצלוחיות בבית האבל. ואין מביאין מוגמר בבית האבל. ואוקימנא הא דתני בר קפרא אין מברכין על המוגמר ועל הבשמים של בית האבל בהני דמייתי בבית המנחמין: מתני' אין אומרים ברכת אבלים במועד. אבל עומדין בשורה ומנחמין ופוטרין את הרבים: ת"ר בראשונה היו מוליכין בבית האבל עשירים בקלתות של כסף ושל זהב ועניים בסלי נצרים כו' וכן היו משקין בבית האבל את העשירים בזכוכית לבנה. ואת העניים בזכוכית צבועה וכו'. וכן היו מגלין את מתין העשירים. והיו מכסין את פני העניים שהיו שחורין מן הרעב וכו' וכן היו מוציאין מתי עשירים בדרגש ועניים בכליכה כו'. ובכל אלו היו העניים מתביישין. התקינו חכמים לעשות לעשירים כדרך שהן עושין לעניים שלא יהא

בכליכה והיו עניים מתביישין התקינו שיהו הכל מוציאין בכליכה מפני כבודן של עניים בראשונה היו מניחין את המוגמר תחת חולי מעים מתים והיו חולי מעים חיים מתביישין התקינו שיהו מניחין תחת הכל מפני כבודן של חולי מעים חיים א) בראשונה היו מטבילין את הכלים על גבי נדות מתות והיו נדות חיות מתביישות התקינו שיהו מטבילין על גבי כל הנשים מפני כבודן של נדות חיות בראשונה מטבילין על גבי זבין מתים והיו זבין חיים מתביישין התקינו שיהו מטבילין על גב הכל מפני כבודן של זבין חיים ב) בראשונה היתה הוצאת המת קשה לקרוביו יותר ממיתתו עד שהיו קרוביו מניחין אותו ובורחין עד שבא רבן גמליאל ונהג קלות ראש בעצמו ויצא בכלי פשתן א ונהגו העם אחריו לצאת בכלי פשתן אמר רב פפא והאידנא נהוג עלמא אפילו ג) בצרדא בר זוזא: אין מניחין את המטה ברחוב: אמר רב פפא ד) ב אין מועד בפני תלמיד חכם וכל שכן חנוכה ופורים ג והני מילי בפניו אבל שלא בפניו לא איני והא רב כהנא ספדיה לרב זביד מנהרדעא בפום נהרא אמר רב פפי ד יום שמועה הוה וכבפניו דמי אמר עולא ה) הספד על לב דכתיב א) על שדים סופדים טיפוח ביד קילוס ברגל תנו רבנן המקלם לא יקלס בסנדל אלא במנעל מפני הסכנה אמר רבי יוחנן ה אבל כיון שניענע ראשו שוב אין מנחמין רשאין לישב אצלו ואמר רבי יוחנן ו הכל חייבין לעמוד מפני נשיא חוץ מאבל וחולה ואמר ר' יוחנן ז לכל אומרים להם שבו חוץ מאבל וחולה אמר רב יהודה אמר רב ח אבל יום ראשון אסור לאכול לחם משלו מדאמר ליה רחמנא ליחזקאל ב) ולחם אנשים לא תאכל רבה ורב יוסף ט מחלפי סעודתייהו להדדי ואמר רב יהודה אמר רב י מת בעיר כל בני העיר אסורין בעשיית מלאכה רב המנונא איקלע לדרומתא שמע קול שיפורא דשכבא חזא הנך אינשי דקא עבדי עבידתא אמר להו ליהוו הנך אינשי בשמתא לא שכבא איכא במתא אמרו ליה חבורתא איכא במתא אמר להו כ אי הכי שריא (א) לכו ואמר רב יהודה אמר רב ל כל ו) המתקשה על מתו יותר מדאי על מת אחר הוא בוכה ההיא איתתא דהות בשיבבותיה דרב הונא הוו לה שבעה בני מת חד מינייהו הוות קא בכיא ביתירתא עליה שלח לה רב הונא לא תעבדי הכי לא אשגחה ביה שלח לה אי צייתת מוטב ואי לא צבית ז) זוודתא לאידך מית ומיתו כולהו לסוף אמר לה תימוש זוודתא לנפשיך ומיתא ג) אל תבכו למת ואל תנודו לו אל תבכו למת יותר מדאי ואל תנודו לו יותר מכשיעור הא כיצד מ שלשה ימים לבכי ושבעה להספד ושלשים לגיהוץ ולתספורת מכאן ואילך אמר הקדוש ברוך הוא אי אתם רחמנים בו יותר ממני ג) בכו בכו להולך ח) אמר רב יהודה להולך בלא בנים רבי יהושע בן לוי לא אזל לבי ט) אבלא אלא למאן דאזיל בלא בני דכתיב בכו בכו להולך כי לא ישוב עוד וראה את ארץ מולדתו רב הונא אמר זה שעבר עבירה ושנה בה רב הונא לטעמיה י) דאמר רב הונא כיון שעבר אדם עבירה ושנה בה הותרה לו הותרה לו סלקא דעתך אלא אימא נעשית לו כהיתר אמר רבי לוי נ אבל שלשה ימים הראשונים יראה את עצמו כאילו חרב מונחת לו בין שתי (כ) יריכותיו) משלשה עד שבעה כאילו מונחת לו כנגדו בקרן זוית מכאן ואילך כאילו עוברת כנגדו בשוק: ולא של נשים לעולם מפני הכבוד: אמרי נהרדעי לא שנו

בכליכה. גרס בערוך בשני כפי"ן ואית דגרסי כליכה בצי"ת השניה כמו הללו חוזרין לכלובן (ביצה דף כד.) וכמו ככלוב מלא עוף (ירמיה ה) אי נמי כמו מכליב (לעיל דף י.) ופירש הקונטרס כעין סולם והיינו כעין תפירות רחוקות זו מזו ומביא הא דאמרינן במדרש נטלו את הכרובים ונתנום בכליכה ואם כן צריך לגרוס בפיוט של חרבן בית המקדש בתשעה באב עמון ומואב הוציאו את הכרובים וכליכה היו בם מסובבים וגרס בב' כפי"ן לגירסת הערוך וכל זה שלא לביים מי שאין לו וכן איתא במסכת בכורים (פ"ג מ"ז) בראשונה מי שהיה יודע לקרו' כו' ומאותה הלכ' ס) מביאין ראיה להא דאמר שמנה פסוקים שבתורה יחיד קורא אותם דלא בעי למימר שלא יקרא שליח צבור עמו כי בימיהם לא היה קורא שליח צבור עם הקורא ומה שרגילים עתה לקרות זהו מפני כבודו של קורא שלא לביים מי שאינו יודע וכדאמר גבי בכורים בראשונה מי שהיה יודע לקרות קורא ומי שאינו יודע לקרות (אינו קורא) מקרין אותו נמנעו מלהביא בכורים התקינו שיהו מקרין את הכל (בכורים פ"ג מ"ז): **ונהג** קלות ראש בעצמו. שצוה כן בשעת פטירתו וי"מ לאחד מבני ביתו בחייו ולשון בעצמו משמע כפירוש ראשון:

ע) **אבל** לא מטפחות. פירוש סופק כפיו זו בזו וא"ת הא תנן פרק משילין (ביצה דף לו:) אין מטפחין ביו"ט ופי' בקונטרס בפרק המביא כדי יין (שם דף ל. בד"ה מרקדין) משום שיר או משום אבל ומאי איריא בי"ט ומשום שמא יתקן כלי שיר אפילו בחולו של מועד אסור משום צער וצ"ל דמשום שיר קתני ולא משום אבל: **טפוח** ביד. כדפרישית סופק כפיו זו על זו והכי משמע בהוריות בירושלמי כשתפס רבי יהודה את ריש לקיש שרי רבי יוחנן טפח בחדא ידיה [א"ל] ובחדא ידיה טפחין כו' ומספקין פירש בקונטרס בביצה (דף לו:) כף על ירך ואם כן ויספק את כפיו (במדבר כד) על ירך הן שתי כפים על שתי ירכים וצ"ע:

ה"ג ר"ח **לא** יקלס במנעל ולא בסנדל מפני הסכנה. פירוש דיחף שרי טפי דנזהר היטב פן ינזק:

ה"ג ר"ח **לכל** אומרים להן שבו חוץ מאבל וחולה. פירוש תלמידי חכמים שעומדין צריך לומר שבו אבל וחולה אפילו עמדו אין צריך לומר שבו דלא די שעמדו שאין צריכין לעמוד ואם כן פשיטא שישבו בלא רשות: **יום** ראשון אסור לאכול משלו. פירשתי למעלה אפילו אוכל כמה פעמים באותו יום דלא קתני סעודה ראשונה: **אסורין** בעשיית מלאכה. משמע דבתלמוד תורה שרי ולא אסור אלא חכם שמת דבית מדרשו בטל מ) מיהו בשעת הוצאת מת אז מבטלין ת"ת כדאמרינן פ' שני דכתובות (דף יז: ושם) ובפ"ק דמגילה (דף ג:) מבטלין ת"ת להוצאת המת ולהכנסת כלה ומיהו היכא דאיכא חבורתא מספקא ליה ועוד האריך רבי יצחק בתשובה והביא ראיה מן הירושלמי: **לגיהוץ** ולתספורת. למעלה י) פי' ריב"א היה אומר [שגרסינן] לכבוס ולתספורת ופירש למעלה ס) דאשה מותרת בנטילת שער לאחר ז' ובתוספות פירש דלא ידע מנא ליה: **מכאן** ואילך כאילו עוברת כנגדו בשוק. עד י"ב חדש והכי איתא בירושלמי כל שבעה החרב היא שלופה עד שלשים היא רופפת לאחר י"ב חודש היא חוזרת לתערה ולמה הדבר דומה לכפה של אבנים כיון שנזדעזעה אחת מהן נזדעזעו כולם ובש"ס דידן נמי אמרינן (שבת דף קה:) אחד מן האחין שמת ידאגו כל האחין כו':

מה

בכליכה. מטה של מתים: **על גבי נדות מתות.** הכלים שנשתמשו בהן בעודן בחיים שנטמאו בנגיעתן שהנדה מטמאה בנגיעתה אדם וכלים: **והיו נדות חיות מתביישות.** שעושין בהן מה שאין עושין לשאר מתות: **קשה לקרוביו.** בתכריכין טובים: **צרדא.** קנבוס: **בר זוזא.** הנקנה בזוז: **אין מועד** לפני חכמים. שיכולין להספידו: **על לב.** מטפח כנגד הלב: **ביד.** קופץ יד זו לזו: **ברגל.** מכה רגלו בקרקע: **מפני הסכנה.** שהופך הסנדל ושובר רגלו: **ניענע ראשו.** שנראה שניחם מעצמו: **לכל אומרים שבו.** כשעומדין לפני הנשיא: **חבורתא איכא.** חבורות הן שאלו קוברין מתים שלהם לבדם ואלו קוברין מתים שלהם לבדם: **ולא ישוב עוד וגו'.** משמע מכאן ואילך לא יעשה לעולם תשובה: אלא

נהרא. רחוק היה משם. **יום שמועה.** שבאתה שמועה בו ביום שמת. **הספד.** שמטפח על לבו. **קילוס.** כעין הספד. **ברגל.** חובט ברגל על הקרקע. **לא יקלס במנעל אלא בסנדל מפני הסכנה.** שמנעל הוא של עור ודק הוא ושמא יהיה בקרקע צרור או עצם ונוקב המנעל ונוקב ברגליו אבל בסנדל ליכא למיחש דשל עץ הוא. ואית דגרסי לא יקלס לא במנעל ולא בסנדל מפני הסכנה סנדל שמא יגלגל ברגליו מנעל שמא ינקבנו עצם ונוקב המנעל ונכנס ברגליו ושיבוש הוא דאם כן במנעל יקלס יחף נפיש סכנתיה. **אבל.** כיון דמנענע ראשו מיחזי כמאן דמנחם נפשיה ואומ' הכל הולך אל מקום אחד ואין המנחמין רשאין לישב אצלו שהרי ניחם עצמו. **ואמר ר' יוחנן הכל חייבין לעמוד בפני נשיא חוץ מאבל וחולה.** שאין חייבין אבל אם עמדו עמדו. **ואמ' ר' יוחנן לכל אומרים להם שבו.** כשנכנס לבי' המדרש ואין יושבין עד שאומרין להם שבו חוץ מאבל וחולה דאין צריך לומר להם. ואיכא למיפרך פשיטא דאין צריך לומר להם דאפילו לעמוד אין חייבין ולמאן (גרסינן) [דגרס] איכא דאמרי אמ' ר' יוחנן וכו' [אתי שפיר]. **לחם אנשים לא.** מכלל דכולי עלמא בעו מיכל לחם אנשים. **מחלפו סעודתיה.** כשזה אבל זה מסעדו סעודה ראשונה. **דרומתא.** שם העיר. **חבורתא איכא.** לחבורות נחלקו אנשי העיר שאין לאנשי חבורה זו מתעסקין במתי חבורה זו שכל חבורה וחבורה יש להן בית הכנסת בפני עצמן. **שרו לכו.** שמתא. ל"א שרו לכו מלאכה. **מקשיר.** לשון וקשרו מספד (מדרש איכה, פתיחתא). **על (מספד) מת אחר הוא בוכה.** (שכל הנמשך אחר הצער יותר מדאי לצער נמשך אחריו. **ביתירתא.** יותר מדאי. **תימוש.** תתקן. **זוודתא.** לידה למת תכריכין. **מתו כולהו.** אגב בכיה יתירתא. אין אתם צריכין לרחם עליו יותר ממני שמעשה ידי הוא והרגתיו ברשע[ו] (נ"א - בפשעו). **בכו בכו להולך.** סיפיה דקרא הוא כי לא ישוב עוד בכו גם לרשע מי שלא ישוב לעולם בתשובה ונמצא נטרד מן העולם. **יראה.** אדם עצמו וכו' ויתנהג בשפל ראש מכאן ואילך כאילו חרב עוברת נגדו בשוק.

עין משפט נר מצוה

רכז א מיי' פ"ד מהל' אבל הלכה א טור ש"ע י"ד סי' שנג סעיף א ב:

רכח ב ג ד מיי' פי"א שם הלכה ה ופ"ו מהלכות ת"ת הלכה כב סמג עשין ג ולאוין עה טוש"ע שם סי' תא סעיף ה:

רכט ה מיי' פי"ג מהל' אבל הלכה ג סמג עשין ב טוש"ע י"ד סי' שצ סעיף א:

רל ו ז מיי' שם הלכה ה סמג שם טוש"ע שם סעיף א בהג"ה וסעיף ג:

רלא ח ט מיי' שם פ"ד הלכה ט סמג שם טוש"ע שם סי' שעח סעיף א:

רלב י כ מיי' שם פי"ד הלכה י סמג שם טוש"ע שם סי' שמג סעי' א וסי' שפא סעיף ג:

רלג ל מ מיי' שם פי"ג הלכה יא סמג שם טוש"ע שם סי' שלד סעיף א:

רלד נ מיי' שם הלכה יב טוש"ע שם סעי' ד:

רבינו חננאל

יהא הפרש בין עשירים לעניים: ת"ר בראשונה היו מניחין מוגמר תחת מתים בחולי מעיים כו' וכך היו מטבילין את הכלים ע"ג הנשים שהיו מתות נדות וכו' וכך היו מטבילין הכלים ע"ג המתים כשהן זבין והיו בכל אלו החיים מתביישין התקינו שיהו עושין כן לכל. בראשונה היתה הוצאת המת קשה לקרוביו שהיו מוציאין בתכריכין ממון רב והיתה קשה עליהן הוצאתם יותר ממיתתם עד שהיו מניחין ובורחין עד שבא ר"ג וניהג קלות בעצמו וצוה להוציאו בכלי פשתן ונהגו כל העם לצאת בכלי פשתן כמותו. והאידנא נהוג עלמא אפילו בצורא בר זוזא. פי' בחלוק בר זוזא: **מתני'** אין מניחין במועד את המטה ברחוב שלא להרגיל ההספד. אמר רבה בר רב הונא אין מועד בפני ת"ח וכ"ש חנוכה ופורים אלא מספידין בהן. וה"מ בפניו אבל שלא בפניו לא. ויום שמועה כבפניו דמי ומותר אפילו במועד. אמר עולא הספד על לב. שנאמר על שדים סופדים. א) טיפוח ביד. קילוס ברגל שנאמר (יחזקאל ו) הכה בכפך ורקע ברגלך: ת"ר [המקלס] לא יקלס לא במנעל ולא בסנדל מפני הסכנה. א"ר יוחנן אבל כיון שנענע בראשו שוב אין המנחמין רשאין לישב אצלו. ואמר ר"י הכל חייבין לעמוד לפני נשיא חוץ מאבל וחולה. ואמר ר' יוחנן לכל אומר' להן שבו חוץ מאבל וחולה. אמר רב יהודה אמר רב אבל אסור לאכול ביום ראשון משלו שנאמר ולחם אנשים לא תאכל. רבה ורב יוסף בימי אבלם היו מחלפין סעודתן בהדדי. אמר רב יהודה אמר רב מת בעיר כל בני העיר אסורין בעשיית מלאכה עד שינתן לקבורתו. וכל המתקשה על מתו יותר מדאי על מת אחר הוא בוכה. דההיא אתתא דהוו לה ז' בני ומת חד מינייהו והוות מתקשת יותר מדאי. ושלח לה רב הונא ולא אשגחה ביה ומיתו לה כולהו ומתה היא נמי: ת"ר אל תבכו למת יותר מדאי. ואל תנודו לו יותר מכשיעור. הא כיצד ג' לבכי וז' להספד. ל' לגיהוץ ולתספורת מיכן ואילך הרי הוא קישוי. בכו בכה להולך. אמר רב להולך בלא בנים. ר' יהושע בן לוי לא הוה אזיל לבי אבילא אלא אמאן דשכיב בלא בני. כי לא ישוב עוד וראה את ארץ מולדתו. זה שעבר עבירה ושנה בה. מיכן ואילך שאינו מהרהר בתשובה מפני שנעשית לו כהיתר: א"ר לוי אבל ג' ימים הראשונים יראה עצמו כאילו חרב מונחת לו בין כתיפיו. מג' ועד ז' כאילו חרב מונחת בקרן זוית. מיכן ואילך כאילו חרב כנגדו בשוק. ואין מניחין מטה של נשים ברחוב לעולם

חשק שלמה על ר"ח א) עי' בערוך ערך טפח ד'.

מסורת הש"ס

א) נדה עא. [תוספ' נדה פ"ט ע"ש עי' תוס' שם ד"ה אלא טעמי'], ב) כתובות ח: [תוספתא שם], ג) [גי' הערוך צרדא ועי' ב"מ נא. דאיתא התם צדרייתא פרש"י בגדי קנבוס], ד) [מגילה ג: ע"ש], ה) [תוספתא פ"ב], ו) [נ"ל המקשיר הכי איתא בע"י ופרש"י לשון וקשרו מספד], ז) [פי' תכריכין עי' רש"י עירובין מא: ובע"ז יז. ד"ה בזוודתא], ח) ב"ב קטז. ע"ש, ט) [שם], י) יומא פו: פז. ע"ש קידושין מ. סוטה כב. ערכין ל:, כ) [בשאלתות אי' כתיפיו], ל) שייך למתני' דף כח ע"ב, מ) [לעיל כב:], נ) [דף כב. ד"ה כלן], ס) [דף יח. בד"ה ובגנוסטרי וע' ברא"ש סי' ק].

הגהות הב"ח

(א) גמ' אי הכי שריא (לכו). תז"מ ונ"ב ס"א לכו:

גליון הש"ס

תוס' ד"ה בכליכה וכו' מביאין ראיה להא דאמר ב"ב ד' טו ע"א:

תורה אור השלם

א) עַל שָׁדַיִם סֹפְדִים עַל שְׂדֵי חֶמֶד עַל גֶּפֶן פֹּרִיָּה: [ישעיה לב, יב]

ב) הֵאָנֵק דֹּם מֵתִים אֵבֶל לֹא תַעֲשֶׂה פְּאֵרְךָ חֲבוֹשׁ עָלֶיךָ וְנַעֲלֶיךָ תָּשִׂים בְּרַגְלֶיךָ וְלֹא תַעְטֶה עַל שָׂפָם וְלֶחֶם אֲנָשִׁים לֹא תֹאכֵל: [יחזקאל כד, יז]

ג) אַל תִּבְכּוּ לְמֵת וְאַל תָּנֻדוּ לוֹ בְּכוּ בָכוֹ לַהֹלֵךְ כִּי לֹא יָשׁוּב עוֹד וְרָאָה אֶת אֶרֶץ מוֹלַדְתּוֹ: [ירמיה כב, י]

רש"י כת"י

בכליבא. כעין סולם ליירל. **מניחין מוגמר** תחת מתי חולי מעים. לפי (שמורחין) [שמסריחין] קשה. והיו חולי מעיים חיין מתביישין. ומרין לכשימותו ויניחו מתחתיהן המוגמר ידעו הכל שמתו בחולי מעים. **מטבילין [את] כלים על גבי נדות מתות.** אותן בגדים שנגעו בהן קודם מיתתן לפי שטומאתן בנגיעה שנדות היו. **יציאתו של מת** לקבורה. לפי שלא היו לקרוביו תכריכין הראוין ומניחין אותו ובורחין מרוב חרפה. **בצרדא בר זוזא.** שאין מוכרין האמה אלא זוז אחד. **אין מועד.** מבטל עינוי וטפוח מפני תלמיד חכם. **בפניו.** בפני המטה. **ספדיה לרב זביד** שנפטר בנהרדעא. **בפום**

בִּכְלִיכָה – ON A BIER,[1] וְהָיוּ עֲנִיִּים מִתְבַּיְּישִׁין – AND THE POOR would feel ASHAMED. הִתְקִינוּ שֶׁיְּהוּ הַכֹּל מוֹצִיאִין בִּכְלִיכָה – [THE RABBIS] therefore INSTITUTED THAT EVERYONE SHOULD TAKE OUT their corpses ON A BIER, מִפְּנֵי כְּבוֹדָן שֶׁל עֲנִיִּים – OUT OF CONCERN FOR THE HONOR OF THE POOR.

The Baraisa continues:

בָּרִאשׁוֹנָה הָיוּ מְנִיחִין אֶת הַמּוּגְמָר תַּחַת חוֹלֵי מֵעַיִם מֵתִים – ORIGINALLY, THEY WOULD PLACE INCENSE UNDER THOSE WHO HAD DIED WITH INTESTINAL DISORDERS[2] וְהָיוּ חוֹלֵי מֵעַיִם חַיִּים מִתְבַּיְּישִׁין – AND THE LIVING WHO WERE afflicted WITH INTESTINAL DISORDERS WOULD FEEL ASHAMED.[3] הִתְקִינוּ שֶׁיְּהוּ מְנִיחִין תַּחַת הַכֹּל – [THE RABBIS] therefore INSTITUTED THAT THEY SHOULD PLACE INCENSE UNDER EVERYONE, מִפְּנֵי כְּבוֹדָן שֶׁל חוֹלֵי מֵעַיִם חַיִּים – OUT OF CONCERN FOR THE HONOR OF THE LIVING WHO WERE afflicted WITH INTESTINAL DISORDERS.

The Baraisa continues:

בָּרִאשׁוֹנָה הָיוּ מַטְבִּילִין אֶת הַכֵּלִים עַל גַּבֵּי נִדּוֹת מֵתוֹת – ORIGINALLY, THEY WOULD IMMERSE UTENSILS ON ACCOUNT OF MENSTRUATING WOMEN WHO HAD DIED, i.e. they would immerse the utensils used by them before they died,[4] וְהָיוּ נִדּוֹת חַיּוֹת מִתְבַּיְּישׁוֹת – AND LIVING MENSTRUANTS WOULD FEEL ASHAMED.[5] הִתְקִינוּ שֶׁיְּהוּ מַטְבִּילִין עַל גַּבֵּי כָּל הַנָּשִׁים – [THE RABBIS] therefore INSTITUTED THAT THEY SHOULD IMMERSE utensils ON ACCOUNT OF ALL WOMEN who died, מִפְּנֵי כְּבוֹדָן שֶׁל נִדּוֹת חַיּוֹת – OUT OF CONCERN FOR THE HONOR OF THE LIVING MENSTRUANTS.

The Baraisa cites another example:

בָּרִאשׁוֹנָה מַטְבִּילִין עַל גַּבֵּי זָבִין מֵתִים – ORIGINALLY, THEY WOULD IMMERSE UTENSILS ON ACCOUNT OF *ZAVIM*[6] WHO HAD DIED, i.e. they would immerse utensils used by them before they died, וְהָיוּ זָבִין חַיִּים מִתְבַּיְּישִׁין – AND LIVING *ZAVIM* WOULD FEEL ASHAMED. הִתְקִינוּ שֶׁיְּהוּ מַטְבִּילִין עַל גַּב הַכֹּל – [THE RABBIS] therefore INSTITUTED THAT THEY SHOULD IMMERSE utensils ON ACCOUNT OF ALL who had died, מִפְּנֵי כְּבוֹדָן שֶׁל זָבִין חַיִּים – OUT OF CONCERN FOR the HONOR OF LIVING *ZAVIM*.

The Baraisa continues:

בָּרִאשׁוֹנָה הָיְתָה הוֹצָאַת הַמֵּת קָשָׁה לִקְרוֹבָיו יוֹתֵר מִמִּיתָתוֹ – ORIGINALLY, THE EXPENSE OF TAKING OUT (i.e. burying) THE DECEASED WAS EVEN HARDER ON THE RELATIVES THAN HIS DEATH, עַד שֶׁהָיוּ קְרוֹבָיו מַנִּיחִין אוֹתוֹ וּבוֹרְחִין – TO THE POINT THAT HIS RELATIVES WOULD LEAVE HIM AND FLEE;[7] עַד שֶׁבָּא רַבָּן גַּמְלִיאֵל וְנָהַג קַלּוּת רֹאשׁ בְּעַצְמוֹ – UNTIL RABBAN GAMLIEL CAME AND TREATED HIMSELF LIGHTLY וְיָצָא בִּכְלֵי פִשְׁתָּן – BY GOING OUT (i.e. by being buried) IN plain LINEN GARMENTS.[8] וְנָהֲגוּ הָעָם אַחֲרָיו לָצֵאת בִּכְלֵי פִּשְׁתָּן – FOLLOWING HIS EXAMPLE THE PEOPLE WENT OUT (i.e. were buried) IN plain LINEN GARMENTS.

The Gemara comments upon the last statement of the Baraisa:

אָמַר רַב פָּפָּא – **Rav Pappa said:** וְהָאִידָּנָא נָהוּג עָלְמָא אֲפִילוּ בְּצַרְדָּא בַּר זוּזָא – **Nowadays, it is the custom of the people** – to dress the dead **even in** coarse **canvas worth** just **a *zuz*.**

The Mishnah states:

אֵין מְנִיחִין אֶת הַמִּטָּה בָּרְחוֹב – THE BIER IS NOT PLACED IN THE STREET during Chol HaMoed, so as not to encourage eulogies.

The Gemara teaches the rule regarding eulogies for a Torah scholar during Chol HaMoed:

אָמַר רַב פָּפָּא – **Rav Pappa said:** אֵין מוֹעֵד בִּפְנֵי תַלְמִיד חָכָם – **Chol HaMoed does not stand in the way of a deceased Torah scholar,** i.e. the prohibition to eulogize on Chol HaMoed does not apply in the case of a Torah scholar who died;[9] וְכָל שֶׁכֵּן חֲנוּכָּה וּפוּרִים – **and surely Chanukah and Purim** do not stand in his way.[10] וְהָנֵי מִילֵּי בְּפָנָיו – **However, this is so** only **in his presence,** i.e. in the presence of his bier, אֲבָל שֶׁלֹּא בְּפָנָיו לֹא – **but when he is not present, it is prohibited.**

The Gemara asks:

אֵינִי – **Is this indeed so?** וְהָא רַב כַּהֲנָא סַפְדֵיהּ לְרַב זְבִיד מִנְּהַרְדְּעָא בְּפוּם נַהֲרָא – **But Rav Kahana eulogized Rav Zevid of Nehardea in** the city of **Pum Nahara,** on Chol HaMoed.[11]

The Gemara answers:

אָמַר רַב פַּפִּי – **Rav Pappi said:** יוֹם שְׁמוּעָה הֲוָה – Although it was not in the presence of Rav Zevid, **it was the day** on which they received **the report** of his death, וְכִבְפָנָיו דָּמֵי – **which is** treated as the **equivalent to** being **in the presence [of the deceased].**[12]

The Gemara proceeds to define various terms associated with eulogy:

NOTES

1. *Rashi;* cf. *Rashi ms.* and *Rashi,* cited by *Tosafos.*

2. To mask the unpleasant odors emanating from the corpse.

3. For they realized this would need to be done for them when they died and proclaim to the world that they were afflicted with this disease (*Rashi ms.*).

4. A utensil touched by a *niddah* (menstruating woman) becomes *tamei.* The utensil is purified of its *tumah* by immersion in a *mikveh.*

5. That they, as a class, were being treated differently from other deceased women (*Rashi*). Alternatively, that their *tumah* should be remembered even after their deaths (*Meiri*).

6. A *zav* [a man who has become *tamei* because of a specific type of seminal emission; see Glossary] renders *tamei* any utensil he touches.

7. The wealthy would bury their dead in shrouds costing a thousand *zuz* and more. The poor, who could not afford such shrouds, felt so embarrassed at not being able to provide dignified shrouds for their relatives that they would abandon the corpses of their relatives and flee out of shame, effectively transferring the responsibility of burying the dead to the public (*Nimukei Yosef, Rashi ms.*).

8. At the time of his death he ordered that he be dressed in [inexpensive] shrouds of plain linen (*Rabbeinu Chananel; Tosafos*). Alternatively, Rabban Gamliel instituted this practice when it fell upon him to bury one of his relatives (*Tosafos,* second explanation).

9. *Rashi.* Nor is there a prohibition to clap and engage in lamentations for him (*Ritva;* see *Rashi ms.*), though such expressions of grief are prohibited for others on Chol HaMoed (see Mishnah 28a). [See *Megillah* 3b.]

10. [Because Chanukah and Purim are lesser festivals than Chol HaMoed,] as can be seen from the fact that there is no prohibition against labor on these days, whereas there is such a prohibition on Chol HaMoed (*R' Shlomo ben HaYasom*). Additionally, all the laws of mourning apply on Chanukah and Purim, in contrast to Chol HaMoed, when mourning is observed only in private matters [דְּבָרִים שֶׁבְּצִינְעָא] (*Ritva*).

[*Ritva's* assertion that the laws of mourning apply in full on Chanukah and Purim is the subject of a dispute. *Rosh* §85 cites the opinion of *Sefer Miktzo'os* (ascribed to *Rabbeinu Chananel*) that Purim is treated as Yom Tov. Thus, mourning is not observed on Purim, and if *shivah* began before Purim, it is canceled by Purim. This is the opinion of *She'iltos,* as cited by *Tur* (*Orach Chaim* 696). *Rosh,* however, agrees with the opinion of *Maharam of Rotenburg* that the laws of mourning are observed in private on Purim. *Rambam* (*Hil. Aivel* 11:3) rules that mourning is observed on Purim and Chanukah even in public matters. See *Shulchan Aruch, Orach Chaim* 686:4 and *Yoreh Deah* 401:7. On Chanukah, all agree that mourning is observed in full, even in regard to public matters (*Mishnah Berurah* 670:12).

[As a practical matter, the Poskim rule that our present-day Torah scholars do not possess the qualifications needed to qualify for this leniency, and we therefore do not eulogize Torah scholars on Chol HaMoed nowadays (*Beur Halachah, Orach Chaim* 547 ד"ה שמותר). Nevertheless, we do permit them to be eulogized on Chanukah and Purim (*Gesher HaChaim* ch. 13).

11. Rav Kahana delivered the eulogy in Pum Nahara, whereas Rav Zevid died [and was buried] in his place of residence, Nehardea (*Rashi ms.*).

12. This is so even for a distant city [where the report does not arrive until after the day of burial] (see *Rashi ms.;* cf. *Nimukei Yosef* and *Meiri*), and even if the report is delayed [by more than thirty days] (*Rambam, Hil. Aivel* 11:5; *Shulchan Aruch, Yoreh Deah* 401:5).

עין משפט
נר מצוה

רכז א מיי׳ פ״ד מהל׳ אבל הלכה א טור ש״ע י״ד סי׳ שנג סעיף א ב:
רכח ב ג ד מיי׳ פי״א שם הלכה ה ופ״ו מהלכות י״ט הלכה כב סמג עשין ג ולאוין עה טוש״ע שם סי׳ תא סעיף ה:
רכט ה מיי׳ פי״ג מהל׳ אבל הלכה ג סמג עשין ג טוש״ע י״ד סי׳ שעו סעיף א:
רל ו ז מיי׳ שם הלכה ה סמג שם טוש״ע שם סעיף א בהג״ה וסעיף ב:
רלא ח ט מיי׳ שם פ״ד הלכה ט סמג שם טוש״ע שם סי׳ שעח סעיף א:
רלב י כ מיי׳ שם פי״ד הלכה י סמג שם טוש״ע שם סי׳ שמג סעי׳ א וסי׳ שסא סעיף ב:
רלג ל מ מיי׳ שם פי״ג הלכה יא סמג שם טוש״ע שם סי׳ שלד סעיף א:
רלד נ מיי׳ שם הלכה יב טוש״ע שם סעי׳ ד:

רבינו חננאל

יהא הפרש בין עשירים לעניים: ת״ר בראשונה היו מניחין מוגמר תחת מתים בחולי מעיים כו׳ וכך היו מטבילין את הכלים ע״ג הנשים שהיו מתות נדות וכו׳ וכך היו מטבילין הכלים ע״ג המתים כשהן זבין והיו בכל אלו החיים מתביישין התקינו שיהו עושין כן לכל. בראשונה היתה הוצאת המת קשה לקרוביו שהיו מוציאין בתכריכין ממון רב והיתה קשה עליהן הוצאתם יותר ממיתתם עד שהיו מניחין ובורחין עד שבא ר״ג וניהג קלות בעצמו וצוה להוציאו בכלי פשתן ונהגו כל העם לצאת בכלי פשתן כמותו. והאידנא נהוג עלמא אפילו בצררא בר זוזא. פי׳ בחלוק בר זוזא: **מתני׳** אין מניחין במועד את המטה ברחוב שלא להרגיל ההספד. אמר רבה בר רב הונא אין מועד בפני ת״ח וכ״ש חנוכה ופורים אלא מספידין בהן. וה״מ בפניו אבל שלא בפניו לא. ויום שמועה כבפניו דמי ומותר אפילו במועד. אמר עולא הספד על לב. שנאמר על שדים סופדים. א) טיפוח ביד. קילוס ברגל שנאמר (יחזקאל ו) הכה בכפך ורקע ברגלך: ת״ר [המקלס] לא יקלס לא במנעל ולא בסנדל מפני הסכנה. א״ר יוחנן אבל כיון שנענע בראשו שוב אין המנחמין רשאין לישב אצלו. ואמר ר״י הכל חייבין לעמוד לפני נשיא חוץ מאבל וחולה. ואמר ר׳ יוחנן לכל אומר׳ להן שבו חוץ מאבל וחולה. אמר רב יהודה אמר רב אבל אסור לאכול ביום ראשון משלו שנאמר ולחם אנשים לא תאכל. רבה ורב יוסף בימי אבלם היו מחלפין סעודתן בהדדי. אמר רב יהודה אמר רב מת בעיר כל בני העיר אסורין בעשיית מלאכה עד שינתן לקבורתו. וכל המתקשה על מתו יותר מדאי על מת אחר הוא בוכה. דההיא אתתא דהוו לה ז׳ בני ומת חד מינייהו והוות מתקשת יותר מדאי. ושלח לה רב הונא ולא אשגחה ביה ומיתו לה כולהו ומתה היא נמי: ת״ר אל תבכו למת יותר מדאי. ואל תנודו לו יותר מכשיעור. הא כיצד ג׳ לבכי וז׳ להספד. ל׳ לגיהוץ ולתספורת מיכן ואילך הרי הוא קישוי. בכו בכה להולך. אמר רב להולך בלא בנים. ר׳ יהושע בן לוי לא הוה אזיל לבי אבילא אלא אמאן דשכיב בלא בני. כי לא ישוב עוד וראה את ארץ מולדתו. זה שעבר עבירה ושנה בה. מיכן ואילך שאינו מהרהר בתשובה מפני שנעשית לו כהיתר: א״ר לוי אבל ג׳ ימים הראשונים יראה עצמו כאילו חרב מונחת לו בין כתיפיו. מג׳ ועד ז׳ כאילו חרב מונחת בקרן זוית. מיכן ואילך כאילו חרב כנגדו בשוק. ואין מניחין מטה של נשים ברחוב לעולם

חשק שלמה על ר״ח א) עי׳ בערוך ערך טפח ד׳.

בבליכה. גרס בערוך בשני כפי״ן ואית דגרסי כליבה בבי״ת השניה כמו הללו חוזרין לכלובן (ביצה דף כד.) וכמו ככלוב מלא עוף (ירמיה ה) אי נמי כמו מכליב (לעיל דף י.) ופירש הקונטרס כעין סולם והיינו כעין תפירות רחוקות זו מזו ומביא הא דאמרינן במדרש נטלו את הכרובים ונתנום בכליבה ואם כן צריך לגרוס בפיוט של חרבן בית המקדש בתשעה באב עמון ומואב הוציאו את הכרובים וכליבה היו בם מסובבים וגרס בב׳ כפי״ן לגירסת הערוך וכל זה שלא לבייש מי שאין לו וכן איתא במסכת בכורים (פ״ג מ״ז) בראשונה מי שהיה יודע לקרו׳ כו׳ ומאותה הלכ׳ [ס] מביאין ראיה להא דאמר שמנה פסוקים שבתורה יחיד קורא אותם דלא בעי למימר שלא יקרא שליח צבור עמו כי בימיהם לא היה קורא שליח צבור עם הקורא ומה שרגילים עתה לקרות זהו מפני כבודו של קורא שלא לבייש מי שאינו יודע וכדאמר גבי בכורים בראשונה מי שהיה יודע לקרות קורא ומי שאינו יודע לקרות (אינו קורא) מקרין אותו נמנעו מלהביא בכורים התקינו שיהו מקרין את הכל (בכורים פ״ג מ״ז): **ונהג** קלות ראש בעצמו. שצוה כן בשעת פטירתו וי״מ לאחד מבני ביתו בחייו ולשון בעצמו משמע כפירוש ראשון:

[ל] **אבל** לא מטפחות. פירוש סופק כפיו זו בזו וא״ת הא תנן פרק משילין (ביצה דף לו:) אין מטפחין ביו״ט ופי׳ בקונטרס בפרק המביא כדי יין (שם דף ל. בד״ה מרקדין) משום שיר או משום אבל ומאי איריא בי״ט ומשום שמא יתקן כלי שיר אפילו בחולו של מועד אסור משום צער וי״ל דמשום שיר קתני ולא משום אבל: **טפוח** ביד. כדפרישית סופק כפיו זו על זו והכי משמע בהוריות בירושלמי כשתפס רבי יהודה את ריש לקיש שרי רבי יוחנן טפח בחדא ידיה [א״ל] ובחדא ידיה טפחין כו׳ ומספקין פירש בקונטרס בבילה (דף לו:) כף על ירך ואם כן ויספק את כפיו (במדבר כד) על ירך הן שתי כפים על שתי ירכים וצ״ע:

ה״ג ר״ח **לא** יקלס במנעל ולא בסנדל מפני הסכנה. פירוש דיתף שרי טפי דנזהר היטב פן ינזק:

ה״ג ר״ח **לכל** אומרים להן שבו חוץ מאבל וחולה. פירוש תלמידי חכמים שעומדין צריך לומר שבו אבל וחולה אפילו עמדו אין צריך לומר שבו דלא די שעמדו שאין צריכין לעמוד ואם כן פשיטא שישבו בלא רשות: **יום** ראשון אסור לאכול משלו. פירשתי למעלה אפילו אוכל כמה פעמים באותו יום דלא קתני סעודה ראשונה: **אסורין** בעשיית מלאכה. משמע דבתלמוד תורה שרי ולא אסור אלא חכם שמת דבית מדרשו בטל [מ] מיהו בשעת הוצאת מת אז מבטלין ת״ת כדאמרינן פ׳ שני דכתובות (דף יז: ושם) ובפ״ק דמגילה (דף ג:) מבטלין ת״ת להוצאת המת ולהכנסת כלה ומיהו היכא דאיכא חבורתא מספקא ליה ועוד האריך רבי יצחק בתשובה והביא ראיה מן הירושלמי: **לגיהוץ** ולתספורת. למעלה [נ] פי׳ ריב״א היה אומר [שגרסינן] לכבוס ולתספורת ופירש למעלה [ס] דאשה מותרת בנטילת שער לאחר ז׳ ובתוספות פירש דלא ידע מנא ליה: **מכאן** ואילך כאילו עוברת כנגדו בשוק. עד י״ב חדש והכי איתא בירושלמי כל שבעה החרב היא שלופה עד שלשים היא רופפת לאחר י״ב חודש היא חוזרת לתערה ולמה הדבר דומה לכפה של אבנים כיון שנזדעזעה אחת מהן נזדעזעו כולם ובש״ס דידן נמי אמרינן (שבת דף קה:) אחד מן האחין שמת ידאגו כל האחין כו׳:

בבליכה והיו עניים מתביישין התקינו שיהו הכל מוציאין בבליכה מפני כבודן של עניים בראשונה היו מניחין את המוגמר תחת חולי מעים מתים והיו חולי מעים חיים מתביישין התקינו שיהו מניחין תחת הכל מפני כבודן של חולי מעים חיים [א] בראשונה היו מטבילין את הכלים על גבי נדות מתות והיו נדות חיות מתביישות התקינו שיהו מטבילין על גבי כל הנשים מפני כבודן של נדות חיות בראשונה מטבילין על גבי זבין מתים והיו זבין חיים מתביישין התקינו שיהו מטבילין על גב הכל מפני כבודן של זבין חיים [ב] בראשונה היתה הוצאת המת קשה לקרוביו יותר ממיתתו עד שהיו קרוביו מניחין אותו ובורחין עד שבא רבן גמליאל ונהג קלות ראש בעצמו ויצא בכלי פשתן [א] ונהגו העם אחריו לצאת בכלי פשתן אמר רב פפא והאידנא נהוג עלמא אפילו [ג] בצרדא בר זוזא: אין מניחין את המטה ברחוב: אמר רב פפא [ד] [ב] אין מועד בפני תלמיד חכם וכל שכן חנוכה ופורים [ג] והני מילי בפניו אבל שלא בפניו לא איני והא רב כהנא ספדיה לרב זביד מנהרדעא בפום נהרא אמר רב פפי [ד] יום שמועה הוה וכבפניו דמי אמר עולא [ה] הספד על לב דכתיב [א] על שדים סופדים טיפוח ביד קילוס ברגל תנו רבנן המקלס לא יקלס בסנדל אלא במנעל מפני הסכנה אמר רבי יוחנן [ה] אבל כיון שניענע ראשו שוב אין מנחמין רשאין לישב אצלו ואמר רבי יוחנן [ו] הכל חייבין לעמוד מפני נשיא חוץ מאבל וחולה ואמר ר׳ יוחנן [ז] לכל אומרים להם שבו חוץ מאבל וחולה אמר רב יהודה אמר רב [ח] אבל יום ראשון אסור לאכול לחם משלו מדאמר ליה רחמנא ליחזקאל [ב] ולחם אנשים לא תאכל רבה ורב יוסף [ט] מחלפי סעודתייהו להדדי ואמר רב יהודה אמר רב [י] מת בעיר כל בני העיר אסורין בעשיית מלאכה רב המנונא איקלע לדרומתא שמע קול שיפורא דשכבא חזא הנך אינשי דקא עבדי עבידתא אמר להו ליהוו הנך אינשי בשמתא לא שכבא איכא במתא אמרו ליה חבורתא איכא במתא אמר להו [כ] אי הכי שריא (א) לכו ואמר רב יהודה אמר רב [ל] כל [ו] המתקשה על מתו יותר מדאי על מת אחר הוא בוכה ההיא איתתא דהות בשיבבותיה דרב הונא הוו לה שבעה בני מת חד מינייהו הוות קא בכיא ביתירתא עליה שלח לה רב הונא לא תעבדי הכי לא אשגחה ביה שלח לה אי צייתת מוטב ואי לא צבית [ז] זוודתא לאידך מית ומיתו כולהו לסוף אמר לה תימוש זוודתא לנפשיך ומיתא [ג] אל תבכו למת ואל תנודו לו אל תבכו למת יותר מדאי ואל תנודו לו יותר מכשיעור הא כיצד [מ] שלשה ימים לבכי ושבעה להספד ושלשים לגיהוץ ולתספורת מכאן ואילך אמר הקדוש ברוך הוא אי אתם רחמנים בו יותר ממני [ג] בכו בכו להולך [ח] אמר רב יהודה להולך בלא בנים רבי יהושע בן לוי לא אזל לבי [ט] אבלא אלא למאן דאזיל בלא בני דכתיב בכו בכו להולך כי לא ישוב עוד וראה את ארץ מולדתו רב הונא אמר זה שעבר עבירה ושנה בה רב הונא לטעמיה [י] דאמר רב הונא כיון שעבר אדם עבירה ושנה בה הותרה לו הותרה לו סלקא דעתך אלא אימא נעשית לו כהיתר אמר רבי לוי [נ] אבל שלשה ימים הראשונים יראה את עצמו כאילו חרב מונחת לו בין שתי ([ס] יריכותיו) משלשה עד שבעה כאילו מונחת לו כנגדו בקרן זוית מכאן ואילך כאילו עוברת כנגדו בשוק: ולא של נשים לעולם מפני הכבוד: אמרי נהרדעי לא שנו

בליכה. מטה של מתים: על גבי נדות מתות. הכלים שנשתמשו בהן בעודן בחיים שנטמאו בנגיעתן שהנדה מטמאה בנגיעתה אדם וכלים: והיו נדות חיות מתביישות. שעושין בהן מה שאין עושין לשאר מתות: קשה לקרוביו. בתכריכין טובים: צרדא. קנבוס: בר זוזא. הנקנה בזוז: אין מועד לפני חכמים. שיכולין להספידו: על לב. מטפח כנגד הלב: ביד. קופץ יד זו לזו: ברגל. מכה רגלו בקרקע: מפני הסכנה. שהופך הסנדל ושובר רגלו: ניענע ראשו. שנראה שניחם מעלמו: לכל אומרים שבו. כשעומדין לפני הנשיא: חבורתא איכא. חבורות הן שאלו קוברין מתים שלהם לבדם ואלו קוברין מתים שלהם לבדם: ולא ישוב עוד וגו׳. משמע מכאן ואילך לא יעשה לעולם תשובה:
אלא

מה

מסורת הש״ס

א) נדה עא. [תוספ׳ נדה פ״ט עי׳ תוס׳ שם ד״ה אלא טעמי׳], ב) כתובות ח: [תוספתא שם], ג) [גי׳ הערוך צדרא ועי׳ ב״מ נא. דאיתא התם צדרייתא פרש״י בגדי קנבוס], ד) [מגילה ג: ע״ש], ה) [תוספתא פ״ב], ו) [נ״ל המקשיר הכי איתא בע״י ופרש״י לשון וקשרו מספד], ז) [פי׳ תכריכין עי׳ רש״י עירובין מא: ובע״ז יז. ד״ה בזוודתא], ח) ב״ב קטז. ע״ש, ט) [שם], י) יומא פו: פז. ע״ש קידושין כ. מ. סוטה כב. ערכין ל:, כ) [בשאלתות אי׳ כתיפיו], ל) שייך למתני׳ דף כח ע״ב, מ) [לעיל כב:], נ) [דף כג. ד״ה כל], ס) [דף יח. בד״ה וכגנוסטרי וע׳ ברא״ש סי׳ ק].

הגהות הב״ח

(א) גמ׳ אי הכי שריא (לכו). תז״מ ונ״ב ס״א להו:

גליון הש״ס

תוס׳ ד״ה בבליכה וכו׳ מביאין ראיה להא דאמר ב״ב ד׳ טו ע״א:

תורה אור השלם

א) עַל שָׁדַיִם סֹפְדִים עַל שְׂדֵי חֶמֶד עַל גֶּפֶן פֹּרִיָּה: [ישעיה לב, יב]
ב) הֵאָנֵק דֹּם מֵתִים אֵבֶל לֹא תַעֲשֶׂה פְּאֵרְךָ חֲבוֹשׁ עָלֶיךָ וּנְעָלֶיךָ תָּשִׂים בְּרַגְלֶיךָ וְלֹא תַעְטֶה עַל שָׂפָם וְלֶחֶם אֲנָשִׁים לֹא תֹאכֵל: [יחזקאל כד, יז]
ג) אַל תִּבְכּוּ לְמֵת וְאַל תָּנֻדוּ לוֹ בְּכוּ בָכוֹ לַהֹלֵךְ כִּי לֹא יָשׁוּב עוֹד וְרָאָה אֶת אֶרֶץ מוֹלַדְתּוֹ: [ירמיה כב, י]

רש״י כת״י

בכליבא. כעין סולם ליירא. **מניחין מוגמר** תחת מתי חולי מעים. לפי (שמורסיין) [שמסריחין] קסס. והיו חולי מעיים חיין מתביישין. ואמרין לכשימותו ויניחו תחתיהן המוגמר ידעו הכל שמתו בחולי מעים. **מטבילין [את] כלים על גבי נדות מתות.** אותן בגדים שנגעו בהן קודם מיתתן לפי שטימאתן בנגיעה שנדות היו. **יציאתו של מת** לקבורה. לפי שלא היו לקרוביו תכריכין הראוין ומניחין אותו ובורחין מרוב חרפה. **בצרדא בר זוזא.** שאין מוכרין האמה אלא זוז אחד. **אין מועד.** מבטל עינוי וטפוח מפני תלמיד חכם. **בפניו.** בפני המטה. **ספדיה לרב זביד** שנפטר בנהרדעא. **בפום נהרא.** רחוק היה משם. **יום שמועה.** שבאתה שמועה בו ביום שמת. **הספד.** שמטפח על לבו. **קילוס.** כעין הספד. **ברגל.** מוכה ברגל על הקרקע. **לא יקלס במנעל אלא בסנדל מפני הסכנה.** שמנעל הוא של עור ודק הוא ושמא יהיה בקרקע צרור או עלס ונוקב המנעל ונוקב ברגליו אבל בסנדל ליכא למיחש דשל עץ הוא. ואית דגרסי לא יקלס לא במנעל ולא בסנדל מפני הסכנה סנדל שמא יגלגל ברגליו מנעל שמא ינקבנו עלס ונוקב המנעל ונכנס ברגליו ושיבוש הוא דאם כן במאי יקלס כל שכן שאם יקלס יתף נפיש סכנתיה. **אבל.** כיון דמנענע ראשו מיחזי כמאן דמנחם נפשיה ואומ׳ הכל הולך אל מקום אחד ואין המנחמין רשאין לישב אלא שהרי ניחם עצמו. **ואמר ר׳ יוחנן הכל חייבין לעמוד בפני נשיא חוץ מאבל וחולה.** שאין חייבין אבל אם עמדו עמדו. **ואמ׳ ר׳ יוחנן לכל אומרים להם שבו.** כשנכנס לבי׳ המדרש ואין יושבין עד שאומרין להם שבו חוץ מאבל וחולה דאין צריך לומר להם. ואיכא למיפרך פשיטא דאין צריך לומר להם דאפילו לעמוד אין חייבין ולמאן (גרסינן) [דגרס] איכא דאמרי אמ׳ ר׳ יוחנן וכו׳ [אתי שפיר]. **לחם אנשים לא.** מכלל דכולי עלמא בעו מיכל לחם אנשים. **מחלפו סעודתיה.** כשזה אבל זה מסעדו סעודה ראשונה. **דרומתא.** שם העיר. **חבורתא איכא.** לחבורות נחלקו אנשי העיר שאין אנשי חבורה זו מתעסקין במתי חבורה זו שכל חבורה וחבורה יש להן בית הכנסת בפני עצמן. **שרו לכו.** שמתא. ל״א שרו לכו מלאכה. **מקשיר.** לשון וקשרו מספד (מדרש איכה, פתיחתא). **על (מספד) מת אחר הוא בוכה.** (שכל הנמשך אחריו הוא בוכה) שכל הנמשך אחר הצער יותר מדאי נער נמשך אחריו. **ביתירתא.** יותר מדאי. **תימוש.** תתקן. **זוודתא.** צידה למת תכריכין. **מתו כולהו.** אגב בכיה יתירתא. אין אתם צריכין לרחם עליו יותר ממני שמעשה ידי הוא והרגתיו ברשע[ו] (נ״א - בפשעו). **בכו בכו להולך.** סיפיה דקרא הוא כי לא ישוב עוד בכו גם לרשע מי שלא ישוב לעולם בתשובה ונמצא נטרד מן העולם. **נעשית לו כהתר.** ואינו חוזר בתשובה לעולם. **יראה.** אדם עצמו וכו׳ ויתנהג בשפל ראש מכאן ואילך כאילו חרב עוברת נגדו בשוק.

אָמַר עוּלָא – **Ulla said:** הֶסְפֵּד עַל לֵב – When the term *hesped* is mentioned in Scripture,[13] it refers to beating **upon the chest,** דִּכְתִיב ,,עַל שָׁדַיִם סֹפְדִים" – **as it is written:** ***Upon the breasts they [will] beat*** *(sofdim).*[14] טִיפּוּחַ בְּיָד – When the term ***tipuach*** is used in Mishnah,[13] it refers to clapping **with the hand,** i.e. clapping the hands together.[15] קִילּוּס בְּרֶגֶל – When the term ***kilus*** is mentioned in Scripture,[16] it refers to stamping **with the foot** on the ground.[17]

The Gemara cites a Baraisa concerning *kilus:*

תָּנוּ רַבָּנָן – **The Rabbis taught in a Baraisa:** הַמְקַלֵּס לֹא יְקַלֵּס בְּסַנְדָּל אֶלָּא בְּמִנְעָל – ONE WHO STAMPS his foot in mourning SHOULD NOT STAMP WITH A SANDAL; RATHER he should stamp WITH A SHOE, מִפְּנֵי הַסַּכָּנָה – BECAUSE OF THE DANGER of breaking his foot.[18]

The Gemara proceeds to enumerate various laws regarding mourning:

אָמַר רַבִּי יוֹחָנָן – **R' Yochanan said:** אָבֵל כֵּיוָן שֶׁנִּיעֲנַע רֹאשׁוֹ – Concerning **a mourner, once he nods his head,** indicating that he has been comforted, שׁוּב אֵין מְנַחֲמִין רַשָּׁאִין לֵישֵׁב אֶצְלוֹ – **the comforters are no longer permitted to sit beside him.**[19]

Another teaching of R' Yochanan:

וְאָמַר רַבִּי יוֹחָנָן – **And R' Yochanan said:** הַכֹּל חַיָּיבִין לַעֲמוֹד מִפְּנֵי נָשִׂיא – **All are obligated to rise before the** ***Nasi,*** חוּץ מֵאָבֵל וְחוֹלֶה – **except for a mourner and an ill person.**[20]

A third teaching of R' Yochanan:

וְאָמַר רַבִּי יוֹחָנָן – **And R' Yochanan said:** לַכֹּל אוֹמְרִים לָהֶם שְׁבוּ – **All are told, "Be seated,"** after rising for the *Nasi,* and must remain standing until so instructed, חוּץ מֵאָבֵל וְחוֹלֶה – **except for a mourner and an ill person.** Since they are not required to rise in the first place, if they do rise they may sit without permission.[21]

The Gemara continues with another law concerning mourning:

אָמַר רַב יְהוּדָה אָמַר רַב – **Rav Yehudah said in the name of Rav:** אָבֵל יוֹם רִאשׁוֹן – **A mourner on** his **first day** of mourning אָסוּר לֶאֱכוֹל לֶחֶם מִשֶּׁלּוֹ – **is forbidden to eat of his own bread.**[22] מִדְּאָמַר לֵיהּ רַחֲמָנָא לִיחֶזְקֵאל – We learn this **from that which the Merciful One said to Yechezkel:**[23] ,,וְלֶחֶם אֲנָשִׁים לֹא תֹאכֵל" – ***and the bread of [other] people you shall not eat.*** This implies that ordinarily a mourner eats the bread of others and not his own.[24]

NOTES

13. *Minchas Bikkurim* to *Tosefta Moed Katan* 2:9.

14. *Isaiah* 32:12. [The prophet calls to the women to come out and express their grief over the great tragedy that will befall Israel. Since one does not "eulogize on the breasts," the word סֹפְדִים, *sofdim,* in this phrase must mean to express grief by pounding on the breast. See note 17.]

15. *Rashi;* see Mishnah on 28a. *Tosafos* cite *Rashi's* commentary to *Beitzah* 36b, where he defines *tipuach* as clapping the hand against the thigh.

16. As in *II Kings* 2:23, *Psalms* 44:14 et al. (*Minchas Bikkurim* ibid.).

17. It was the practice in ancient times to beat one's chest, clap the hands together and stamp one's feet, as an expression of grief, as can be seen from *Ezekiel* 6:11: הַכֵּה בְכַפְּךָ וּרְקַע בְּרַגְלְךָ וֶאֱמָר־אָח, *clap with your hand and beat with your feet and say, "Alas!"* (*R' Shlomo ben HaYasom;* see also *Rabbeinu Chananel*). These were commonly done during the funeral (see Mishnah 28a). *R' Shlomo ben HaYasom* records that such was still the custom in Eretz Yisrael in his day.

18. *Rashi.* [A shoe is fitted to the foot, and cannot slip out of position. A sandal, however, is merely strapped around the top of the foot. Thus, there is concern that the force of the stamping will cause the sandal to alter its position and expose the bare foot to the ground, where the impact might break it.]

Rashi ms. has the reverse reading: One should not stamp with a shoe, rather with a sandal. Since a shoe is made of soft leather, during the course of stamping, a foreign object might pierce the shoe and cause injury. The sole of a sandal, however, is made of wood, and therefore there is no such concern.

19. The mourner's nodding of his head indicates his recognition of the inevitability of death and demonstrates that he has come to terms with his loss. Since he has consoled himself, it is improper for others to continue to comfort him (*Rashi ms.;* see *Nimukei Yosef* for a similar interpretation).

Others explain the Gemara from a different perspective. Since a mourner is forbidden to greet his visitors (above, 15a), he is also unable to offer them good wishes that will send them on their way (e.g. "Go peacefully"). Accordingly, when he nods and bows slightly in their direction, this is his manner of dismissing them. They are bidden to heed this hint and leave as requested (*Ri Gei'as* cited by *Ritva; Shulchan Aruch, Yoreh Deah* 376:1). [Nowadays, when this manner of dismissal is uncommon, the comforters must note on their own when the mourner desires to be left alone, and depart from his presence (*Aruch HaShulchan, Yoreh Deah* 376:3).]

20. Certainly, they are not obligated to rise before a lesser person than the *Nasi* (*Rama, Yoreh Deah* 376:1). The reason is that one is commanded to rise before a Torah scholar or elder only where this affords him honor and reverence (*Kiddushin* 32b), and a mourner's rising from the ground or an ill person's rising from his sickbed is not considered reverential. It follows that on Tishah B'Av, too, one does not rise from the ground in honor of a sage (*Teshuvos Shevus Yaakov* §26, cited by *Chidushei R' Akiva Eiger, Yoreh Deah* ibid.; cf. *Levush, Yoreh Deah* ibid.).

21. Although a mourner and an ill person are not required to rise before the *Nasi,* they are not *forbidden* to rise. Should they rise, they may sit down at will (*Rashi ms., Tosafos* ד״ה לכל). *Rashi ms.* wonders why this teaching is necessary – it is obvious that since the mourner was not obligated to rise he may sit without receiving permission! *Rashi ms.* therefore notes that there is a variant text which introduces this teaching with the phrase: אִיכָּא דְּאָמְרֵי אָמַר רַבִּי יוֹחָנָן, *Some say: R' Yochanan said.* Thus, this is *another version* of R' Yochanan's previous teaching.

Others explain the current teaching as meaning that it is *improper* to tell a mourner or ill person, "Be seated," because this implies that he should remain in his state of mourning or illness. Rather, if he rises one should say, "You need not trouble yourself" (*Rosh* §89; *Nimukei Yosef; Shulchan Aruch, Yoreh Deah* 376:2; see *Nimukei Yosef* for yet another explanation).

22. The term "bread" is used because it is the main staple of the meal. However, all foods are likewise prohibited (*Teshuvos Divrei Malkiel* vol. II §96; cf. *Aruch HaShulchan* 378:2). *Rif, Rosh* and *Shulchan Aruch* (*Yoreh Deah* 378:1) omit the word "bread."

See 24b note 33 for discussion of whether this rule applies the entire first day of mourning or only to the mourner's first meal.

23. *Ezekiel* 24:17.

24. The passage states that God told Ezekiel that his wife would presently die, but he should not observe any of the practices of a mourner. This was intended to symbolize to the Jews that the Temple would shortly be destroyed, and they would not have the opportunity to mourn and be consoled over its loss (see *Rashi* to v. 22 there; see 15a note 10). From each detail that God instructed Ezekiel *not* to do, we derive what a mourner ordinarily *should* do (see above, 15a-b at length). Since he was instructed not to eat the bread of others, we learn that a mourner is normally expected to eat food provided by others rather than his own (*Rashi ms.*).

This is the סְעוּדַת הַבְרָאָה, *mourner's meal.* The reason the mourner must eat food provided by others is that if he was left to eat his own food, he, in his grief, might neglect to eat (*Rabbeinu Yerucham,* cited by *Beis Yosef,* end of *Yoreh Deah* 378). He was *forbidden* to eat his own food in order that others should be *forced* to bring him his meals. Thus, they will see to it that he eats, and will at the same time offer him comfort (*Igros Moshe, Yoreh Deah* vol. II §168). However, if nobody brings the mourner food he is not required to fast (*Taz, Yoreh Deah* 378:1). *Yerushalmi* (3:5, cited by *Rosh* §89) states: *Let a curse befall neighbors who force a mourner to eat his own food or to perform labor* [in order to earn money for food].

עין משפט
נר מצוה

רכז א מיי' פ"ד מהל' אבל הלכה א טור ש"ע י"ד סי' שנב סעיף א:

רכח ב ג ד מיי' פי"א שם הלכה ה ופ"ו מהלכות ת"ת הלכה כב סמג עשין ב ולאוין עה טוש"ע שם סי' תא סעיף ה:

רכט ה מיי' פי"ג מהל' אבל הלכה ג סמג עשין ב טוש"ע י"ד סי' שעו סעיף א:

רל ו ז מיי' שם הלכה ה סמג שם טוש"ע שם סעיף א בהג"ה וסעיף ב:

רלא ח ט מיי' שם פ"ד הלכה ט סמג שם טוש"ע שם סי' שעח סעיף א:

רלב י כ מיי' שם פי"ד הלכה י סמג שם טוש"ע שם סי' שמג סעי' א וסי' שעה סעיף ב:

רלג ל מ מיי' שם פי"ג הלכה יא סמג שם טוש"ע שם סי' שצד סעיף א:

רלד נ מיי' שם הלכה יב טוש"ע שם סעי' ד:

מסורת הש"ס

א) נדה עא. [תוספ' נדה פ"ט ע"ש תוס' שם ד"ה אלא טעמי"ן], ב) כתובות ח: [תוספתא שם], ג) [ג' הערוך צדרא וער' ע"ש כא. דאיתא התם צדרייתא פרש"י בגדי קנבוס], ד) [מגילה ג: ע"ש], ה) [תוספתא פ"ב], ו) [ל"ל המקשיר הכי איתא בע"י ופרש"י לשון וקשרו מספד], ז) [פי' תכריכין ע' רש"י עירובין מא: וב"ק יז. ד"ה בזוודא], ח) ב"ב קנט. ע"ש, ט) יומא פו: ע"ש קידושין כ. מ. סוטה כב. ערכין ל:, כ) [בשאלתות א' כתיפיו], ל) צריך למתני' דף כח ע"ב, מ) [לעיל כב:], נ) [דף כב. ד"ה כל], ס) [דף יח. ד"ה ובגנוסטרי וע' ברא"ש סי' קן].

בכליכה. גרס בערוך בשני כפי"ן ואית דגרסי כליבה בבי"ת השניה כמו הללו חוזרין לכלובן (ביצה דף כד.) וכמו ככלוב מלא עוף (ירמיה ה) אי נמי כמו מכליב (לעיל דף י.) ופירש הקונטרס כעין סולם והיינו כעין תפירות רחוקות זו מזו ומביא ראיה דאמרינן במדרש נטלו את הכרובים ונתנום בכליכה ואם כן צריך לגרוס בפיוט של חרבן בית המקדש בתשעה באב עמון ומואב הוציאו את הכרובים וכליכה היו בם מסובבים וגרס בב' כפי"ן לגירסת הערוך וכל זה שלא לבייש מי שאין לו וכן איתא במסכת בכורים (פ"ג מ"ז) בראשונה מי שהיה יודע לקרו' כו' ומאותה הלכ' מביאין ראיה להא דאמר שמנה פסוקים שבתורה יחיד קורא אותם דלא בעי למימר שלא יקרא שליח צבור עמו כי בימיהם לא היה קורא שליח צבור עם הקורא ומה שרגילים עתה לקרות זהו מפני כבודו של קורא שלא לבייש מי שאינו יודע וכדאמר גבי בכורים בראשונה מי שהיה יודע לקרות קורא ומי שאינו יודע לקרות (אינו קורא) מקרין אותו נמנעו מלהביא בכורים התקינו שיהו מקרין את הכל (בכורים פ"ג מ"ז): **ונהג** קלות ראש בעצמו. שלוה כן בשעת פטירתו וי"מ לאחד מבני ביתו בחייו ולשון בעצמו משמע כפירוש ראשון:

אבל לא מטפחות. פירוש סופק כפיו זו בזו וא"ת הא תנן פרק משילין (ביצה דף לו:) אין מטפחין ביו"ט ופי' בקונטרס בפרק המביא כדי יין (שם דף ל. בד"ה מרקדין) משום שיר או משום אבל ומאי איריא בי"ט ומשום שמא יתקן כלי שיר אפילו בחולו של מועד אסור משום לער וי"ל דמשום שיר קתני ולא משום אבל: **טפוח** ביד. כדפרישית סופק כפיו זו על זו והכי משמע בהוריות בירושלמי כשתפס רבי יהודה את ריש לקיש שרי רבי יוחנן טפח בחדא ידיה [א"ל] ובחדא ידיה טפחין כו' ומספקין פירש בקונטרס בבילה (דף לו:) כף על ירך ואם כן ויספק את כפיו (במדבר כד) על ירך הן שתי כפים על שתי ירכים וצ"ע:

ה"ג ר"ח **לא** יקלס במנעל ולא בסנדל מפני הסכנה. פירוש דיחף שרי טפי דנזהר היטב פן ינזק:

ה"ג ר"ח **לכל** אומרים להן שבו חוץ מאבל וחולה. פירוש תלמידי חכמים שעומדין צריך לומר שבו אבל וחולה אפילו עמדו אין צריך לומר שבו דלא די שעמדו שאין צריכין לעמוד ואם כן פשיטא שישבו בלא רשות: **יום** ראשון אסור לאכול משלו. פירשתי למעלה אפילו אוכל כמה פעמים באותו יום דלא קתני סעודה ראשונה: **אסורין** בעשיית מלאכה. משמע דבתלמוד תורה שרי ולא אסור אלא חכם שמת דבית מדרשו בטל [מ] מיהו בשעת הוצאת מת אז מבטלין ת"ת כדאמרינן פ' שני דכתובות (דף יז: ושם) ובפ"ק דמגילה (דף ג:) מבטלין ת"ת להוצאת המת ולהכנסת כלה ומיהו היכא דאיכא חבורתא מספקא ליה ועוד האריך רבי ילחק בתשובה והביא ראיה מן הירושלמי: **לגיהוץ** ולתספורת. למעלה [נ] פי' ריב"א היה אומר [שגרסינן] לכבוס ולתספורת ופירש למעלה [ס] דאשה מותרת בנטילת שער לאחר ז' ובתוספות פירש דלא ידע מנא ליה: **מכאן** ואילך כאילו עוברת כנגדו בשוק. עד י"ב חדש והכי איתא בירושלמי כל שבעה החרב היא שלופה עד שלשים היא רופפת לאחר י"ב חודש היא חוזרת לתערה ולמה הדבר דומה לכפה של אבנים כיון שנזדעזעה אחת מהן נזדעזעו כולם וגש"ס דידן נמי אמרינן (שבת דף קה:) אחד מן האחין שמת ידאגו כל האחין כו':

בכליכה והיו עניים מתביישין התקינו שיהו הכל מוציאין בכליכה מפני כבודן של עניים בראשונה היו מניחין את המוגמר תחת חולי מעים מתים והיו חולי מעים חיים מתביישין התקינו שיהו מניחין תחת הכל מפני כבודן של חולי מעים חיים [א] בראשונה היו מטבילין את הכלים על גבי נדות מתות והיו נדות חיות מתביישות התקינו שיהו מטבילין על גבי כל הנשים מפני כבודן של נדות חיות בראשונה מטבילין על גבי זבין מתים והיו זבין חיים מתביישין התקינו שיהו מטבילין על גב הכל מפני כבודן של זבין חיים [ב] בראשונה היתה הוצאת המת קשה לקרוביו יותר ממיתתו עד שהיו קרוביו מניחין אותו ובורחין עד שבא רבן גמליאל ונהג קלות ראש בעצמו ויצא בכלי פשתן [א] ונהגו העם אחריו לצאת בכלי פשתן אמר רב פפא והאידנא נהוג עלמא אפילו [ג] בצרדא בר זוזא: אין מניחין את המטה ברחוב: אמר רב פפא [ד] [ב] אין מועד בפני תלמיד חכם וכל שכן חנוכה ופורים [ג] והני מילי בפניו אבל שלא בפניו לא איני והא רב כהנא ספדיה לרב זביד מנהרדעא בפום נהרא אמר רב פפי [ד] יום שמועה הוה וכבפניו דמי אמר עולא [ה] הספד על לב דכתיב (א) על שדים סופדים טיפוח ביד קילוס ברגל תנו רבנן המקלס לא יקלס בסנדל אלא במנעל מפני הסכנה אמר רבי יוחנן [ה] אבל כיון שניענע ראשו שוב אין מנחמין רשאין לישב אצלו ואמר רבי יוחנן [ו] הכל חייבין לעמוד מפני נשיא חוץ מאבל וחולה ואמר ר' יוחנן [ז] לכל אומרים להם שבו חוץ מאבל וחולה אמר רב יהודה אמר רב [ח] אבל יום ראשון אסור לאכול לחם משלו מדאמר ליה רחמנא ליחזקאל (ב) ולחם אנשים לא תאכל רבה ורב יוסף [ט] מחלפי סעודתייהו להדדי ואמר רב יהודה אמר רב [י] מת בעיר כל בני העיר אסורין בעשיית מלאכה רב המנונא איקלע לדרומתא שמע קול שיפורא דשכבא חזא הנך אינשי דקא עבדי עבידתא אמר להו ליהוו הנך אינשי בשמתא לא שכבא איכא במתא אמרו ליה חבורתא איכא במתא אמר להו [כ] אי הכי שריא (א) לכו ואמר רב יהודה אמר רב [ל] כל [ו] המתקשה על מתו יותר מדאי על מת אחר הוא בוכה ההיא איתתא דהות בשיבבותיה דרב הונא הוו לה שבעה בני מת חד מינייהו הוות קא בכיא ביתירתא עליה שלח לה רב הונא לא תעבדי הכי לא אשגחה ביה שלח לה אי צייתת מוטב ואי לא צבית [ז] זוודתא לאידך מית ומיתו כולהו לסוף אמר לה תימוש זוודתא לנפשיך ומיתא [ג] אל תבכו למת ואל תנודו לו אל תבכו למת יותר מדאי ואל תנודו לו יותר מכשיעור הא כיצד [מ] שלשה ימים לבכי ושבעה להספד ושלשים לגיהוץ ולתספורת מכאן ואילך אמר הקדוש ברוך הוא אי אתם רחמנים בו יותר ממני [ג] בכו בכו להולך [ח] אמר רב יהודה להולך בלא בנים רבי יהושע בן לוי לא אזל לבי [ט] אבלא אלא למאן דאזיל בלא בני דכתיב בכו בכו להולך כי לא ישוב עוד וראה את ארץ מולדתו רב הונא אמר זה שעבר עבירה ושנה בה רב הונא לטעמיה [י] דאמר רב הונא כיון שעבר אדם עבירה ושנה בה הותרה לו סלקא דעתך אלא אימא נעשית לו כהיתר אמר רבי לוי [נ] אבל שלשה ימים הראשונים יראה את עצמו כאילו חרב מונחת לו בין שתי ([כ] יריכותיו) משלשה עד שבעה כאילו מונחת לו כנגדו בקרן זוית מכאן ואילך כאילו עוברת כנגדו בשוק: ולא של נשים לעולם מפני הכבוד: אמרי נהרדעי לא שנו

מה

רש"י

כליכה. מטה של מתים: על גבי נדות מתות. הכלים שנשתמשו בהן בעודן בחיים שנטמאו בנגיעתן שהנדה מטמאה בנגיעתה אדם וכלים: והיו נדות חיות מתביישות. שעושין בהן מה שאין עושין לשאר מתות: קשה לקרוביו. בתכריכין טובים: צרדא. קנבוס: בר זוזא. הנקנה בזוז: אין מועד לפני חכמים. שיכולין להספידו: על לב. מטפח כנגד הלב: ביד. קופץ יד זו לזו: ברגל. מכה רגלו בקרקע: מפני הסכנה. שהופך הסנדל ושובר רגלו: ניענע ראשו. שנראה שניחם מעצמו: לכל אומרים שבו. כשעומדין לפני הנשיא: חבורתא איכא. חבורות הן שאלו קוברין מתים שלהם לבדם ואלו קוברין מתים שלהם לבדם: ולא ישוב עוד וגו'. משמע מכאן ואילך לא יעשה לעולם תשובה:

אלא

נהרדא. רחוק היה משם. יום שמועה. שבאתה שמועה בו ביום שמת. הספד. שמטפח על לבו. קילוס. כעין הספד. ברגל. חובט ברגל על הקרקע. לא יקלס במנעל אלא בסנדל מפני הסכנה. שמנעל הוא של עור ודק הוא ושמא יהיה בקרקע צרור או עלם ונוקב המנעל ונוקב ברגליו אבל בסנדל ליכא למיחש דשל עץ הוא. ואית דגרסי לא יקלס לא במנעל ולא בסנדל מפני הסכנה סנדל שמא יגלגל ברגליו מנעל שמא ינקבנו עלם ונוקב המנעל ונכנס ברגליו ושיבוש הוא דאם כן במאי יקלס כל שכן שאם יקלס יחף נפיש סכנתיה. אבל. כיון דמנענע ראשו מיחזי כמאן דמנחם נפשיה ואומ' הכל הולך אל מקום אחד ואין המנחמין רשאין לישב אצלו שהרי ניחם עצמו. ואמר ר' יוחנן הכל חייבין לעמוד בפני נשיא חוץ מאבל וחולה. שאין חייבין אבל אם עמדו עמדו. ואמ' ר' יוחנן לכל אומרים להם שבו. כשנכנס לבי' המדרש ואין יושבין עד שאומרין להם שבו חוץ מאבל וחולה דאין צריך לומר להם. ואיכא למיפרך פשיטא דאין צריך לומר להם דאפילו לעמוד אינן חייבין ולמאן (גרסינן) [דגרס] איכא דאמרי אמ' ר' יוחנן וכו' [אתי שפיר]. לחם אנשים לא. מכלל דכולי עלמא בעו מיכל לחם אנשים. מחלפו סעודתיה. כשזה אבל זה מסעדו סעודה ראשונה. דרומתא. שם העיר. חבורתא איכא. לחבורות נחלקו אנשי העיר שאין אנשי חבורה זו מתעסקין במתי חבורה זו שכל חבורה וחבורה יש להן בית הכנסת בפני עצמן. שרו לכו. שמתא. ל"א שרו לכו מלאכה. מקשיר. לשון וקשרו מספד (מדרש איכה, פתיחתא). על (מספד) מת אחר הוא בוכה. (שכל הנמשך אחריו הוא בוכה) שכל הנמשך אחר הצער יותר מדאי צער נמשך אחריו. ביתירתא. יותר מדאי. תימוש. תתקן. זוודתא. צידה למת תכריכין. מתו כולהו. אגב בכיא יתירתא. אין אתם צריכין לרחם עליו יותר ממני שמעשה ידי הוא והרגתיו ברשעו[ו] (נ"א - בפשעו). בכו בכו להולך. סיפיה דקרא הוא כי לא ישוב עוד בכו גם לרשע מי שלא ישוב לעולם בתשובה ומנלא נטרד מן העולם. נעשית לו כהתר. ואינו חוזר בתשובה לעולם. יראה. אדם עצמו וכו' ויתנהג בשפל ראש מכאן ואילך כאילו חרב עוברת נגדו בשוק.

רש"י כת"י

בכליבא. כעין סולם לייל. מניחין מוגמר תחת מתי חולי מעים. לפי [שמסריחין] קשה. והיו חולי מעים חיין מתביישין. ותקנו לכשימותו ויניחו תחתיהן המוגמר ידעו הכל שמתו כחולי מעים. מטבילין [את] כלים על גבי נדות מתות. לוגן בגדים שנגעו בהן קודם מיתתן או לפי שטימאתן בנגיעתה שנדות היו. יציאתו של מת לקבורה. לפי שלא היו לקרוביו תכריכין הלאמין ומניחין אותו ובורחין מרוב חרפה. בצרדא בר זוזא. בכלי מוכרין הלאמה לזוז אחד. אין מועד. מבטל עיטור ועטיפת מלכה. בפניו. בפני המטה. ספדיה לרב זביד שנפטר בנהרדעא. בפום

רבינו חננאל

יהא הפרש בין עשירים לעניים: ת"ר בראשונה היו מניחין מוגמר תחת חולי מעיים כו' וכך היו מטבילין את הכלים ע"ג הנשים שהיו מתות נדות וכו' וכך היו מטבילין הכלים ע"ג המתים כשהן זבין והיו בכל אלו החיים מתביישין התקינו שיהו עושין כן לכל. בראשונה היתה הוצאת המת קשה לקרוביו שהיו מוציאין בתכריכין ממון רב והיתה קשה עליהן הוצאתם יותר ממיתתו עד שהיו מניחין ובורחין עד שבא ר"ג וניהג קלות בעצמו וצוה להוציאו בכלי פשתן ונהגו כל העם לצאת בכלי פשתן כמותו. והאידנא נהוג עלמא אפילו בצררא בר זוזא. פי' בחלוק בר זוזא: מתני' אין מניחין במועד את המטה ברחוב שלא להרגיל ההספד. אמר רבה בר רב הונא אין מועד בפני ת"ח וכ"ש חנוכה ופורים אלא מספידין בהן. וה"מ בפניו אבל שלא בפניו לא. ויום שמועה כבפניו דמי ומותר אפילו במועד. אמר עולא הספד על לב. שנאמר על שדים סופדים. (א) טיפוח ביד. קילוס ברגל שנאמר (יחזקאל ו) הכה בכפך ורקע ברגלך: ת"ר [המקלס] לא יקלס לא במנעל ולא בסנדל מפני הסכנה. א"ר יוחנן אבל כיון שנענע בראשו שוב אין המנחמין רשאין לישב אצלו. ואמר ר"י הכל חייבין לעמוד לפני נשיא חוץ מאבל וחולה. ואמר ר' יוחנן לכל אומר' להן שבו חוץ מאבל וחולה. אמר רב יהודה אמר רב אבל אסור לאכול ביום ראשון משלו שנאמר ולחם אנשים לא תאכל. רבה ורב יוסף בימי אבלם היו מחלפין סעודתן בהדדי. אמר רב יהודה אמר רב מת בעיר כל בני העיר אסורין בעשיית מלאכה עד שינתן לקבורתו. וכל המתקשה על מתו יותר מדאי על מת אחר הוא בוכה. דההיא אתתא דהוו לה ז' בני ומת חד מינייהו והוות מתקשת יותר מדאי. ושלח לה רב הונא ולא אשגחה ביה ומיתו לה כולהו ומתה היא נמי: ת"ר אל תבכו למת יותר מדאי. ואל תנודו לו יותר מכשיעור. הא כיצד ג' לבכי וז' להספד. ל' לגיהוץ ולתספורת מיכן ואילך הרי הוא קישוי. בכו בכה להולך. אמר רב להולך בלא בנים. ר' יהושע בן לוי לא הוה אזיל לבי אבילא אלא אמאן דשכיב בלא בני. כי לא ישוב עוד וראה את ארץ מולדתו. זה שעבר עבירה ושנה בה. מיכן ואילך שאינו מהרהר בתשובה מפני שנעשית לו כהיתר: א"ר לוי אבל ג' ימים הראשונים יראה עצמו כאילו חרב מונחת לו בין כתיפיו. מג' ועד ז' כאילו חרב מונחת בקרן זוית. מיכן ואילך כאילו חרב כנגדו בשוק. ואין מניחין מטה של נשים ברחוב לעולם

חשק שלמה על ר"ח א) עי' בערוך ערך טפח ד'.

הגהות הב"ח

(א) גמ' אי הכי שריא (לכו). תו"מ ונ"ב ס"א להו:

גליון הש"ס

תוס' ד"ה בכליכה וכו' מביאין ראיה להא דאמר ב"ב ד' טו ע"א:

תורה אור השלם

א) עַל שָׁדַיִם סֹפְדִים עַל שְׂדֵי חֶמֶד עַל גֶּפֶן פֹּרִיָּה: [ישעיה לב, יב]

ב) הֵאָנֵק דֹּם מֵתִים אֵבֶל לֹא תַעֲשֶׂה פְּאֵרְךָ חֲבוֹשׁ עָלֶיךָ וּנְעָלֶיךָ תָּשִׂים בְּרַגְלֶיךָ וְלֹא תַעְטֶה עַל שָׂפָם וְלֶחֶם אֲנָשִׁים לֹא תֹאכֵל: [יחזקאל כד, יז]

ג) אַל תִּבְכּוּ לְמֵת וְאַל תָּנֻדוּ לוֹ בְּכוּ בָכוֹ לַהֹלֵךְ כִּי לֹא יָשׁוּב עוֹד וְרָאָה אֶת אֶרֶץ מוֹלַדְתּוֹ: [ירמיה כב, י]

The Gemara describes how certain Amoraim observed this rule: רַבָּה וְרַב יוֹסֵף מְחַלְּפֵי סְעוּדָתַיְיהוּ לַהֲדָדֵי – **Rabbah and Rav Yosef exchanged their meals with each other.** Whenever one of them was in mourning, the other would send him his meal.[25]

Having cited a teaching of Rav Yehudah in the name of Rav concerning mourning, the Gemara continues with a teaching of his concerning the preparation for burial:

וְאָמַר רַב יְהוּדָה אָמַר רַב – **And Rav Yehudah said in the name of Rav:** מֵת בָּעִיר – If there is **a dead person in a town,** כָּל בְּנֵי הָעִיר אֲסוּרִין בַּעֲשִׂיַּית מְלָאכָה – **all the residents of the town are forbidden to engage in work** until the funeral.[26]

The Gemara cites an incident which brings to light a qualification of the preceding rule:

רַב הַמְנוּנָא אִיקְלַע לְדָרוּמָתָא – **Rav Hamnuna arrived in Darumasa** שָׁמַע קוֹל שִׁיפּוּרָא דְּשִׁכְבָא – and **heard the sound of a shofar** trumpeting the news **of a death.** חָזָא הָנָךְ אִינְשֵׁי דְּקָא עָבְדֵי עֲבִידְתָּא – Subsequently, **he saw certain people engaged in work.** אָמַר לְהוּ – **He said to them:** לֶיהֱווּ הָנָךְ אִינְשֵׁי בְּשַׁמְתָּא – **May those people,** i.e. you, **be in** a state of **excommunication!**[27] לֹא שִׁכְבָא אִיכָּא בְּמָתָא – **Is there not a dead person in town** that needs to be buried? אָמְרוּ לֵיהּ – **They replied:** חֲבוּרָתָא אִיכָּא בְּמָתָא – **There are** different **societies in the town,** each responsible for the burial of its own dead, and the deceased does not belong to our society.[28] אָמַר לְהוּ – Thereupon, **[Rav Hamnuna] said to them:** אִי הָכִי שַׁרְיָא לְכוּ – **If so, [the excommunication] is released for you.**[29]

Another teaching reported by Rav Yehudah in the name of Rav:

וְאָמַר רַב יְהוּדָה אָמַר רַב – **And Rav Yehudah said in the name of Rav:** כָּל הַמִּתְקַשֶּׁה עַל מֵתוֹ יוֹתֵר מִדַּאי – **Anyone who grieves over his dead to excess**[30] עַל מֵת אַחֵר הוּא בּוֹכֶה – **will** ultimately **weep for another deceased.**[31]

This teaching is illustrated by an incident:

הַהִיא אִיתְּתָא דַּהֲוַת בְּשִׁיבְבוּתֵיהּ דְּרַב הוּנָא – There was **a certain woman in Rav Huna's neighborhood** הֲווּ לָהּ שִׁבְעָה בְּנֵי – **who had seven sons.** מֵת חַד מִינַּיְיהוּ – **One of them died** הֲוַות קָא בַּכְיָא בִּיתֵירְתָא עֲלֵיהּ – and **she wept excessively for him.** שְׁלַח לָהּ רַב הוּנָא – **Rav Huna sent her** the following message: לֹא תַּעַבְדִי הָכִי – **"Do not do so."** לֹא אַשְׁגְּחָה בֵּיהּ – **She paid no atttention to him.** שְׁלַח לָהּ – **He** then **sent her** this message: אִי צַיְיתַּתְּ מוּטָב – **"If you listen** to me, **fine;** וְאִי לֹא – **but if not,** צְבִית זְוַודְתָּא לְאִידָךְ – **do you want** to make **provisions** [i.e. shrouds][32] **for another one?"** מִית – **[Another son] died,** וּמִיתוּ כּוּלְּהוּ – **and** eventually **they all died.**[33] לְסוֹף אָמַר לָהּ – **In the end, he said to her:** תִּימוּשׁ זְוַודְתָּא לְנַפְשִׁיךְ – **"You are preparing provisions for yourself."** וּמִיתָא – **And she died.**

The Scriptural source:

,,אַל־תִּבְכּוּ לְמֵת וְאַל־תָּנֻדוּ לוֹ" – ***Do not cry for a deceased, and do not shake your head for him.***[34] This is interpreted to mean: ,,אַל־תִּבְכּוּ לְמֵת" יוֹתֵר מִדַּאי – ***Do not cry for a deceased*** **to excess;** ,,וְאַל־תָּנֻדוּ לוֹ" יוֹתֵר מִכַּשִּׁיעוּר – ***and do not shake your head for him*** **beyond the measure.** הָא כֵּיצַד – **How so?** What is the measure for mourning? שְׁלֹשָׁה יָמִים לִבְכִי – **Three days for weeping,**[35] וְשִׁבְעָה לְהֶסְפֵּד – **seven** days **for lamenting** וּשְׁלֹשִׁים לְגִיהוּץ וּלְתִסְפּוֹרֶת – **and thirty** days **to** refrain from **pressing** clothes[36] **and haircutting.**[37] מִכָּאן וְאֵילָךְ – **From**

NOTES

25. *Rashi ms.;* cf. *Shach* 378:2. Thus, neither of them ate his own food [but each had the meal provided when he needed it] (*Nimukei Yosef*). However, this was permitted only because they did not stipulate, in advance that they would exchange meals. Had they stipulated, it would be as though each was eating his own food, since it would be served in exchange for a meal that he was committed to provide (*Rabbeinu Meir,* cited by *Rosh* §84). [*Rabbeinu Meir* notes that the mourner's meal may never be provided by one who is under obligation to feed the mourner, such as a husband to his wife or a master to his apprentice. However, it may be provided by a person who always hosts the mourner without obligation, such as one who voluntarily raises an orphan in his home. Although the orphan always eats at his table, this is considered "the food of other people," since the host is not under obligation to provide it.]

26. This ensures that they will attend to the burial needs of the deceased (*Nimukei Yosef;* but see *Aruch HaShulchan, Yoreh Deah* 343:2). However, those who are engaged in Torah study may continue as usual, unless there is nobody else who can attend to the deceased (*Tosafos* ד״ה אסורין; *Ritva; Shulchan Aruch, Yoreh Deah* 361:2).

27. [It is common to speak in the third person form when placing a curse upon others.] See above, 15a ff, for the laws of excommunication.

28. *Rashi.* Each society consisted of the members of a specific congregation (*Rashi ms.*). Others explain that the town had a designated burial society, and thus, the general populace was not needed to attend to burial preparations (*Nimukei Yosef*). Similarly, if the deceased has relatives who are attending to his needs, the other townspeople are released of this obligation (*Rif*). [For further discussion of rules pertaining to a burial society, see *Magen Avraham, Orach Chaim* 153:41, and *Pischei Teshuvah, Yoreh Deah* 361:1.]

29. The translation follows the first explanation of *Rashi ms.* In his second explanation, *Rashi ms.* translates Rav Hamnuna's statement as: *If so, it is permitted for you* [to engage in work].

The permit to engage in work applies only during the time of the funeral *preparations,* which can adequately be carried out by those who are designated for the task. However, during the funeral, all citizens of the town are required to halt their work and accompany the bier (*Tosafos* to *Kesubos* 17a ד״ה להוצאת; *Shulchan Aruch* ibid.). Concerning the obligation to halt even Torah study for the purpose of participating in a funeral, see *Tosafos* here ד״ה אסורין and to *Kesubos* 17b ד״ה אבל, and *Shulchan Aruch* ibid.

[Nowadays, every town has a burial society, so the populace is permitted to engage in work when a person dies. During a funeral, it is customary that when the bier of a prominent person is carried down a street the stores on that street close until the bier passes. If a communal leader (e.g. the town Rabbi) dies, all stores are closed until after the funeral (*Aruch HaShulchan, Yoreh Deah* 343:3; see *Teshuvos Minchas Elazar* vol. I §26 who struggles to reconcile the custom with the stated halachah; see also *Gesher HaChaim* 14:8 and II:10:2).]

30. That is, he observes the laws of mourning for longer than the required periods (*Nimukei Yosef* folio 18a). *R' Shlomo ben HaYasom* explains that he magnifies the pain beyond its true extent.

31. [He will suffer another bereavement.] Whoever chooses to wallow in grief will be paid with further grief (*Rashi* on *Ein Yaakov*). As God said to those who wept upon hearing the spies' report about Eretz Yisrael: "You cried for nothing, so I will give you something to cry about for generations" (*Taanis* 29a, cited by *Iyun Yaakov*).

One who grieves excessively appears to be complaining against Divine justice. Heaven therefore examines his deeds [and if they are found to be wanting, he is punished] (*Ritva;* see also *Rambam, Hil. Aveil* 13:11).

32. Shrouds are the provisions required by one who is embarking on his final journey (*Rashi ms.;* see *Rashi* to *Avodah Zarah* 17a ד״ה בזוודתא). Rav Huna was warning the mother that if she continues to indulge in excessive grief, she might be punished with the loss of another son.

33. As punishment for her excessive wailing (*Rashi ms.*).

34. *Jeremiah* 22:10. The entire verse reads: אַל־תִּבְכּוּ לְמֵת וְאַל־תָּנֻדוּ לוֹ בְּכוּ בָכוֹ לַהֹלֵךְ כִּי לֹא יָשׁוּב עוֹד וְרָאָה אֶת־אֶרֶץ מוֹלַדְתּוֹ, *Do not cry for a deceased, and do not shake your head for him; [rather,] cry intensely for one who leaves, because he will not return again and see the land of his birthplace.* [According to its plain meaning, the verse contrasts King Yehoyakim, who was killed in his own land, to his successors, Yehoyachim and Tzidkiyahu, who died in exile (*Rashi* ad loc.; see *Rif* on *Ein Yaakov*).]

35. This is the primary period of mourning (*Rashi* and *Tosafos* to 19a). For the halachic differences between the first three days and the remainder of the seven-day period, see above, 21b.

36. See 23a with note 21.

37. A mourner is forbidden to cut his hair for at least thirty days.

עין משפט נר מצוה

רכז א מיי' פ"ד מהל' אבל הלכה א טור ש"ע י"ד סי' שנב סעיף א ב:

רכח ב ג ד מיי' פי"א שם הלכה ה ופ"ו מהלכות י"ט הלכה כב סמג עשין ב ולאוין עה טוש"ע שם סי' תא סעיף ה:

רכט ה מיי' פי"ג מהל' אבל הלכה ג סמג עשין ב טוש"ע י"ד סי' שעו סעיף א:

רל ו ז מיי' שם הלכה ה סמג שם טוש"ע שם סעיף א בהג"ה וסעיף ב:

רלא ח ט מיי' שם פ"ד הלכה ט סמג שם טוש"ע שם סי' שעח סעיף א:

רלב י כ מיי' שם פי"ד הלכה י סמג שם טוש"ע שם סי' שמג סעי' א וסי' שסא סעיף ב:

רלג ל מ מיי' שם פי"ג הלכה יא סמג שם טוש"ע שם סי' שלד סעיף א:

רלד נ מיי' שם הלכה יב טוש"ע שם סעי' ד:

בכליבה והיו עניים מתביישין התקינו שיהו הכל מוציאין בכליבה מפני כבודן של עניים בראשונה היו מניחין את המוגמר תחת חולי מעים מתים והיו חולי מעים חיים מתביישין התקינו שיהו מניחין תחת הכל מפני כבודן של חולי מעים חיים א) בראשונה היו מטבילין את הכלים על גבי נדות מתות והיו נדות חיות מתביישות התקינו שיהו מטבילין על גבי כל הנשים מפני כבודן של נדות חיות בראשונה מטבילין על גבי זבין מתים והיו זבין חיים מתביישין התקינו שיהו מטבילין על גב הכל מפני כבודן של זבין חיים ב) בראשונה היתה הוצאת המת קשה לקרוביו יותר ממיתתו עד שהיו קרוביו מניחין אותו ובורחין עד שבא רבן גמליאל ונהג קלות ראש בעצמו ויצא בכלי פשתן ונהגו העם אחריו לצאת בכלי פשתן אמר רב פפא והאידנא נהוג עלמא אפילו ג) בצרדא בר זוזא: אין מניחין את המטה ברחוב: אמר רב פפא ד) אין מועד בפני תלמיד חכם וכל שכן חנוכה ופורים והני מילי בפניו אבל שלא בפניו לא איני והא רב כהנא ספדיה לרב זביד מנהרדעא בפום נהרא אמר רב פפי יום שמועה הוה וכבפניו דמי אמר עולא ה) הספד על לב דכתיב א) על שדים סופדים טיפוח ביד קילוס ברגל תנו רבנן המקלס לא יקלס בסנדל אלא במנעל מפני הסכנה אמר רבי יוחנן אבל כיון שניענע ראשו שוב אין מנחמין רשאין לישב אצלו ואמר רבי יוחנן הכל חייבין לעמוד מפני נשיא חוץ מאבל וחולה ואמר ר' יוחנן לכל אומרים להם שבו חוץ מאבל וחולה אמר רב יהודה אמר רב אבל יום ראשון אסור לאכול לחם משלו מדאמר ליה רחמנא ליחזקאל ב) ולחם אנשים לא תאכל רבה ורב יוסף ט) מחלפי סעודתייהו להדדי ואמר רב יהודה אמר רב מת בעיר כל בני העיר אסורין בעשיית מלאכה רב המנונא איקלע לדרומתא שמע קול שיפורא דשכבא חזא הנך אינשי דקא עבדי עבידתא אמר להו ליהוו הנך אינשי בשמתא לא שכבא איכא במתא אמרו ליה חבורתא איכא במתא אמר להו אי הכי שריא (א) לכו ואמר רב יהודה אמר רב כל המתקשה על מתו יותר מדאי על מת אחר הוא בוכה ההיא איתתא דהות בשיבבותיה דרב הונא הוו לה שבעה בני מת חד מינייהו הוות קא בכיא ביתירתא עליה שלח לה רב הונא לא תעבדי הכי לא אשגחה ביה שלח לה אי צייתת מוטב ואי לא צבית זוודתא לאידך מית ומיתו כולהו לסוף אמר לה תימוש זוודתא לנפשיך ומיתא ג) אל תבכו למת ואל תנודו לו אל תבכו למת יותר מדאי ואל תנודו לו יותר מכשיעור הא כיצד שלשה ימים לבכי ושבעה להספד ושלשים לגיהוץ ולתספורת מכאן ואילך אמר הקדוש ברוך הוא אי אתם רחמנים בו יותר ממני בכו בכו להולך אמר רב יהודה להולך בלא בנים רבי יהושע בן לוי לא אזל לבי אבלא אלא למאן דאזיל בלא בני דכתיב בכו בכו להולך כי לא ישוב עוד וראה את ארץ מולדתו רב הונא אמר זה שעבר עבירה ושנה בה רב הונא לטעמיה דאמר רב הונא כיון שעבר אדם עבירה ושנה בה הותרה לו הותרה לו סלקא דעתך אלא אימא נעשית לו כהיתר אמר רבי לוי אבל שלשה ימים הראשונים יראה את עצמו כאילו חרב מונחת לו בין שתי (יריכותיו) משלשה עד שבעה כאילו מונחת לו כנגדו בקרן זוית מכאן ואילך כאילו עוברת כנגדו בשוק: ולא של נשים לעולם מפני הכבוד: אמרי נהרדעי לא שנו

מה

רש"י

כליבה. מטה של מתים: על גבי נדות מתות. הכלים שנשתמשו בהן בעודן בחיים שנטמאו בנגיעתן שהנדה מטמאה בנגיעתה אדם וכלים: והיו נדות חיות מתביישות. שעושין בהן מה שאין עושין לשאר מתות: קשה לקרוביו. בתכריכין טובים: צרדא. קנבוס: בר זוזא. הנקנה בזוז: אין מועד לפני חכמים. שיכולין להספידו: על לב. מטפח כנגד הלב: ביד. קופץ יד זו לזו: ברגל. מכה רגלו בקרקע: מפני הסכנה. שהופך הסנדל ושובר רגלו: ניענע ראשו. שנראה שניחם מעלמו: לכל אומרים שבו. כשעומדין לפני הנשיא: חבורתא איכא. חבורות הן שאלו קוברין מתים שלהם לבדם ואלו קוברין מתים שלהם לבדם: ולא ישוב עוד וגו'. משמע מכאן ואילך לא יעשה לעולם תשובה: אלא

תוספות

בכליבה. גרס בערוך בשני כפי"ן ואית דגרסי כליבה בבי"ת השניה כמו הללו חוזרין לכלובן (ביצה דף כד.) וכמו ככלוב מלא עוף (ירמיה ה) אי נמי כמו מכליב (לעיל דף י.) ופירש הקונטרס כעין סולם והיינו כעין תפירות רחוקות זו מזו ומביא הא דאמרינן במדרש נטלו את הכרובים ונתנום בכליבה ואם כן צריך לגרוס בפיוט של חרבן בית המקדש בתשעה באב עמון ומואב הוציאו את הכרובים וכליבה היו בם מסובבים וגרס בב' כפי"ן לגירסת הערוך וכל זה שלא לבייש מי שאין לו וכן איתא במסכת בכורים (פ"ג מ"ז) בראשונה מי שהיה יודע לקרו' כו' ומאותה הלכ' ° מביאין ראיה להא דאמר שמנה פסוקים שבתורה יחיד קורא אותם דלא בעי למימר שלא יקרא שליח צבור עמו כי בימיהם לא היה קורא שליח צבור עם הקורא ומה שרגילים עתה לקרות זהו מפני כבודו של קורא שלא לבייש מי שאינו יודע וכדאמר גבי בכורים בראשונה מי שהיה יודע לקרות קורא ומי שאינו יודע לקרות (אינו קורא) מקרין אותו נמנעו מלהביא בכורים התקינו שיהו מקרין את הכל (בכורים פ"ג מ"ז): **ונהג** קלות ראש בעצמו. שצוה כן בשעת פטירתו וי"מ לאחד מבני ביתו בחייו ולשון בעצמו משמע כפירוש ראשון:

ג) **אבל** לא מטפחות. פירוש סופק כפיו זו בזו וא"ת הא תנן פרק משילין (ביצה דף לו:) אין מטפחין ביו"ט ופי' בקונטרס בפרק המביא כדי יין (שם דף ל. בד"ה מרקדין) משום שיר או משום אבל ומאי איריא בי"ט ומשום שמא יתקן כלי שיר אפילו בחולו של מועד אסור משום צער וי"ל דמשום שיר קתני ולא משום אבל: **טפוח** ביד. כדפרישית סופק כפיו זו על זו והכי משמע בהוריות בירושלמי כשתפס רבי יהודה את ריש לקיש שרי רבי יוחנן טפח בחדא ידיה [א"ל] ובחדא ידיה טפחין כו' ומספקין פירש בקונטרס בביצה (דף לו:) כף על ירך ואם כן ויספק את כפיו (במדבר כד) על ירך הן שתי כפים על שתי ירכים וצ"ע:

ה"ג ר"ח **לא** יקלס במנעל ולא בסנדל מפני הסכנה. פירוש דיחף שרי טפי דנזהר היטב פן ינזק:

ה"ג ר"ח **לכל** אומרים להן שבו חוץ מאבל וחולה. פירוש תלמידי חכמים שעומדין צריך לומר שבו אבל וחולה אפילו עמדו אין צריך לומר שבו דלא די שעמדו שאין צריכין לעמוד ואם כן פשיטא שישבו בלא רשות: **יום** ראשון אסור לאכול משלו. פירשתי למעלה אפילו אוכל כמה פעמים באותו יום דלא קתני סעודה ראשונה: **אסורין** בעשיית מלאכה. משמע דבתלמוד תורה שרי ולא אסור אלא חכם שמת דבית מדרשו בטל ת) מיהו בשעת הוצאת מת אז מבטלין ת"ת כדאמרינן פ' שני דכתובות (דף יז: ושם) ובפ"ק דמגילה (דף ג:) מבטלין ת"ת להוצאת המת ולהכנסת כלה ומיהו היכא דאיכא חבורתא מספקא ליה ועוד האריך רבי יצחק בתשובה והביא ראיה מן הירושלמי: **לגיהוץ** ולתספורת. למעלה י) פי' ריב"א היה אומר [שגרסינן] לכבוס ולתספורת ופירש למעלה ס) דאשה מותרת בנטילת שער לאחר ז' ובתוספות פירש דלא ידע מנא ליה: **מכאן** ואילך כאילו עוברת כנגדו בשוק. עד י"ב חדש והכי איתא בירושלמי כל שבעה החרב היא שלופה עד שלשים היא רופפת לאחר י"ב חודש היא חוזרת לתערה ולמה הדבר דומה לכפה של אבנים כיון שנזדעזעה אחת מהן נזדעזעו כולם ובש"ס דידן נמי אמרינן (שבת דף קה:) אחד מן האחין שמת ידאגו כל האחין כו':

מסורת הש"ס

א) נדה עא. [תוספ' נדה פ"ט עי' תוס' שם ד"ה אלא טעמי'], ב) כתובות ח: [תוספתא שם], ג) [גי' הערוך צדרא ועי' ב"מ נא. דאיתא התם צדרייתא פרש"י בגדי קנבוס], ד) [מגילה ג: ע"ש], ה) [תוספתא פ"ב], ו) [נ"ל המקשיר הכי איתא בע"י ופרש"י לשון וקשרו מספד], ז) [פי' תכריכין עי' רש"י עירובין מא: ובע"ז יז. ד"ה בזוודתא], ח) ב"ב קטז. ע"ש, ט) [שם], י) יומא פו: פז. ע"ש קידושין כ. מ. סוטה כב. ערכין ל:, כ) [בשאלתות אי' כתיפיו], ל) שייך למתני' דף כח ע"ב, מ) [לעיל כב:], נ) [דף כג. ד"ה כל], ס) [דף יח. בד"ה ובגנוסטרי ועי' ברא"ש סי' ק].

הגהות הב"ח

(א) גמ' אי הכי שריא (לכו). תז"מ ונ"ב ס"א להו:

גליון הש"ס

תוס' ד"ה בכליבה וכו' מביאין ראיה להא דאמר ב"ב ד' טו ע"א:

תורה אור השלם

א) עַל שָׁדַיִם סֹפְדִים עַל שְׂדֵי חֶמֶד עַל גֶּפֶן פֹּרִיָּה: [ישעיה לב, יב]

ב) הֵאָנֵק דֹּם מֵתִים אֵבֶל לֹא תַעֲשֶׂה פְּאֵרְךָ חֲבוֹשׁ עָלֶיךָ וּנְעָלֶיךָ תָּשִׂים בְּרַגְלֶיךָ וְלֹא תַעְטֶה עַל שָׂפָם וְלֶחֶם אֲנָשִׁים לֹא תֹאכֵל: [יחזקאל כד, יז]

ג) אַל תִּבְכּוּ לְמֵת וְאַל תָּנֻדוּ לוֹ בְּכוּ בָכוֹ לַהֹלֵךְ כִּי לֹא יָשׁוּב עוֹד וְרָאָה אֶת אֶרֶץ מוֹלַדְתּוֹ: [ירמיה כב, י]

רש"י כת"י

בכליבא. כעין סולם ליירא. מניחין מוגמר תחת מתי חולי מעים. לפי (שמורסיין) [שמסריחין] קשה. והיו חולי מעיים חיין מתביישין. ואמרין לכשימותו ויניחו תחתיהן המוגמר ידעו הכל שמתו בחולי מעים. **מטבילין [את] כלים על גבי נדות מתות.** אותן בגדים שנגעו בהן קודם מיתתן לפי שטימאתן בנגיעה שנדות היו. **יציאתו של מת לקבורה.** לפי שלא היו לקרוביו תכריכין הראוין ומניחין אותו ובורחין מרוב חרפה. **בצרדא בר זוזא.** שאין מוכרין האמה אלא זוז אחד. **אין מועד.** מבטל עינוי וטפוח מפני תלמיד חכם. **בפניו.** בפני המטה. **ספדיה לרב זביד** שנפטר בנהרדעא. **בפום** נהרא. רחוק היה משם. **יום שמועה.** שבאתה שמועה בו ביום שמת. **הספד.** שמטפח על לבו. **קילוס.** כעין הספד. **ברגל.** חובט ברגל על הקרקע. **לא יקלס במנעל אלא בסנדל מפני הסכנה.** שמנעל הוא של עור ודק הוא ושמא יהיה בקרקע צרור או עלס ונוקב המנעל ונוקב ברגליו אבל בסנדל ליכא למיחש דשל עץ הוא. ואית דגרסי לא יקלס לא במנעל ולא בסנדל מפני הסכנה סנדל שמא יגלגל ברגליו מנעל שמא ינקבנו עלס ונוקב המנעל ונכנס ברגליו ושיבוש הוא דאם כן במאי יקלס כל שכן שאם יקלס יחף נפיש סכנתיה. **אבל.** כיון דמנענע ראשו מיחזי כמאן דמנחם נפשיה ואומ' הכל הולך אל מקום אחד ואין המנחמין רשאין לישב אלא שהרי ניחם עצמו. **ואמר ר' יוחנן הכל חייבין לעמוד בפני נשיא חוץ מאבל וחולה.** שאין חייבין אבל אם עמדו עמדו. **ואמ' ר' יוחנן לכל אומרים להם שבו.** כשנכנס לבי' המדרש ואין יושבין עד שאומרין להם שבו חוץ מאבל וחולה דאין צריך לומר להם. ואיכא למיפרך פשיטא דאין צריך לומר להם דאפילו לעמוד אינן חייבין ולמאן (גרסינן) [דגרס] איכא דאמרי אמ' ר' יוחנן וכו' [אתי שפיר]. **לחם אנשים לא.** מכלל דכולי עלמא בעו מיכל לחם אנשים. **מחלפו סעודתיה.** כשזה אבל זה מסעדו סעודה ראשונה. **דרומתא.** שם העיר. **חבורתא איכא.** לחבורות נחלקו אנשי העיר שאין אנשי חבורה זו מתעסקין במתי חבורה זו שכל חבורה וחבורה יש להן בית הכנסת בפני עצמן. **שרו לכו.** שמתא. ל"א שרו לכו מלאכה. **מקשיר.** לשון וקשרו מספד (מדרש איכה, פתיחתא). **על (מספד) מת אחר הוא בוכה.** (שכל הנמשך אחריו הוא בוכה) שכל הנמשך אחר הצער יותר מדאי צער נמשך אחריו. **ביתירתא.** יותר מדאי. **תימוש.** תתקן. **זוודתא.** צידה למת תכריכין. **מתו כולהו.** אגב בכיה יתירתא. אין אתם צריכין לרחם עליו יותר ממני שמעשה ידי הוא והרגתיו ברשע[ו] (נ"א - בפשעו). **בכו בכו להולך.** סיפיה דקרא הוא כי לא ישוב עוד בכו גם לרשע חי שלא ישוב לעולם בתשובה ונמצא נטרד מן העולם. **נעשית לו כהתר.** ואינו חוזר בתשובה לעולם. **יראה.** אדם עצמו וכו' ויתנהג בשפל ראש מכאן ואילך כאילו חרב עוברת נגדו בשוק.

רבינו חננאל

יהא הפרש בין עשירים לעניים: ת"ר בראשונה היו מניחין מוגמר תחת מתים בחולי מעיים כו' וכך היו מטבילין את הכלים ע"ג הנשים שהיו מתות נדות וכו' וכך היו מטבילין הכלים ע"ג המתים כשהן זבין והיו בכל אלו החיים מתביישין התקינו שיהו עושין כן לכל. בראשונה היתה הוצאת המת קשה לקרוביו שהיו מוציאין בתכריכין ממון רב והיתה קשה עליהן הוצאתם יותר ממיתתם עד שהיו מניחין ובורחין עד שבא ר"ג וניהג קלות בעצמו וצוה להוציאו בכלי פשתן ונהגו כל העם לצאת בכלי פשתן כמותו. והאידנא נהוג עלמא אפילו בצרדא בר זוזא. פי' בחלוק בר זוזא: **מתני'** אין מניחין במועד את המטה ברחוב שלא להרגיל ההספד. אמר רבה בר רב הונא אין מועד בפני ת"ח וכ"ש חנוכה ופורים אלא מספידין בהן. וה"מ בפניו אבל שלא בפניו לא. ויום שמועה כבפניו דמי ומותר אפילו במועד. אמר עולא הספד על לב. שנאמר על שדים סופדים. א) טיפוח ביד. קילוס ברגל שנאמר (יחזקאל ו) הכה בכפך ורקע ברגלך: ת"ר [המקלס] לא יקלס לא במנעל ולא בסנדל מפני הסכנה. א"ר יוחנן אבל כיון שנענע בראשו שוב אין המנחמין רשאין לישב אצלו. ואמר ר"י הכל חייבין לעמוד לפני נשיא חוץ מאבל וחולה. ואמר ר' יוחנן לכל אומר' להן שבו חוץ מאבל וחולה. אמר רב יהודה אמר רב אבל אסור לאכול ביום ראשון משלו שנאמר ולחם אנשים לא תאכל. רבה ורב יוסף בימי אבלם היו מחלפין סעודתן בהדדי. אמר רב יהודה אמר רב מת בעיר כל בני העיר אסורין בעשיית מלאכה עד שינתן לקבורתו. וכל המתקשה על מתו יותר מדאי על מת אחר הוא בוכה. דההיא אתתא דהוו לה ז' בני ומת חד מינייהו והוות מתקשת יותר מדאי. ושלח לה רב הונא ולא אשגחה ביה ומיתו לה כולהו ומתה היא נמי: ת"ר אל תבכו למת יותר מדאי. ואל תנודו לו יותר מכשיעור. הא כיצד ג' לבכי וז' להספד. ל' לגיהוץ ולתספורת מיכן ואילך הרי הוא קישוי. בכו בכה להולך. אמר רב להולך בלא בנים. ר' יהושע בן לוי לא הוה אזיל לבי אבילא אלא אמאן דשכיב בלא בני. כי לא ישוב עוד וראה את ארץ מולדתו. זה שעבר עבירה ושנה בה. מיכן ואילך שאינו מהרהר בתשובה מפני שנעשית לו כהיתר: א"ר לוי אבל ג' ימים הראשונים יראה עצמו כאילו חרב מונחת לו בין כתיפיו. מג' ועד ד' כאילו חרב מונחת בקרן זוית. מיכן ואילך כאילו חרב כנגדו בשוק. ואין מניחין מטה של נשים ברחוב לעולם

חשק שלמה על ר"ח א) עי' בערוך ערך טפח ד'.

that point and on, אָמַר הַקָּדוֹשׁ בָּרוּךְ הוּא – the Holy One, Blessed is He, says: אִי אַתֶּם רַחֲמָנִים בּוֹ יוֹתֵר מִמֶּנִּי – "You are not more compassionate on [the deceased] than I am."[38]

The Gemara interprets the continuation of the verse:

,,בְּכוּ בָכוֹ לַהֹלֵךְ'' – *cry intensely for one who leaves.*[39] אָמַר רַב יְהוּדָה – Rav Yehudah said: לְהוֹלֵךְ בְּלֹא בָנִים – This refers to one who leaves the world without sons.[40] רַבִּי יְהוֹשֻׁעַ בֶּן לֵוִי לֹא אָזַל לְבֵי אֶבְלָא – Indeed, R' Yehoshua ben Levi would not visit a house of mourning,[41] אֶלָּא לְמַאן דְּאָזִיל בְּלֹא בְּנֵי – except for one who had departed without any surviving sons. He would mourn the death of one who died without sons, דִּכְתִיב – because it is written: ,,בְּכוּ בָכוֹ לַהֹלֵךְ כִּי לֹא יָשׁוּב עוֹד וְרָאָה אֶת־אֶרֶץ מוֹלַדְתּוֹ'' – *cry intensely for one who leaves, because he will not return again and see the land of his birthplace.*[42]

A different interpretation of this verse:

רַב הוּנָא אָמַר – Rav Huna says: זֶה שֶׁעָבַר עֲבֵירָה וְשָׁנָה בָּהּ – This refers to one who committed a sin and repeated it.[43]

The Gemara explains:

רַב הוּנָא לְטַעְמֵיהּ – This statement by Rav Huna follows his reasoning stated elsewhere, דְּאָמַר רַב הוּנָא – for Rav Huna has said: כֵּיוָן שֶׁעָבַר אָדָם עֲבֵירָה וְשָׁנָה בָּהּ – Once a person commits a sin and repeats it, הוּתְּרָה לוֹ – it becomes permitted to him.

The last point is clarified:

הוּתְּרָה לוֹ סַלְקָא דַּעְתָּךְ – Can it enter your mind that [the sin] becomes permitted to him? אֶלָּא אֵימָא נַעֲשֵׂית לוֹ כְּהֶיתֵּר – Rather, say Rav Huna means that it becomes to him as though it were permissible.[44]

Another teaching related to the stages of mourning:

אָמַר רַבִּי לֵוִי – R' Levi said: אָבֵל שְׁלֹשָׁה יָמִים הָרִאשׁוֹנִים יִרְאֶה אֶת עַצְמוֹ – For the first three days a mourner should view himself כְּאִילּוּ חֶרֶב מוּנַּחַת לוֹ בֵּין שְׁתֵּי יְרֵיכוֹתָיו – as though a sword is lying between his thighs;[45] מִשְּׁלֹשָׁה עַד שִׁבְעָה – from the three-day period through the seven-day period, he should view himself כְּאִילּוּ מוּנַּחַת לוֹ כְּנֶגְדּוֹ בְּקֶרֶן זָוִית – as though [a sword] is lying in front of him in a corner;[46] מִכָּאן וְאֵילָךְ – from then on[47] he should view himself כְּאִילּוּ עוֹבֶרֶת כְּנֶגְדּוֹ בַּשּׁוּק – as though [a sword] is passing in front of him in the street.[48]

The Mishnah (27a) concluded:

וְלֹא שֶׁל נָשִׁים לְעוֹלָם מִפְּנֵי הַכָּבוֹד – AND the biers OF WOMEN are NEVER set down in the street, FOR THE SAKE OF DIGNITY.[49]

This ruling is qualified:

אָמְרֵי נְהַרְדְּעֵי – The [scholars] of Nehardea said: לֹא שָׁנוּ – They did not teach that a woman's bier is never set down

NOTES

38. No mortal has greater compassion on the deceased than his own Creator does. Thus, if God took a person's life [prematurely], that person was surely deserving of death. It is consequently inappropriate to mourn the loss to excess (*Rashi ms.; Rashi* on *Ein Yaakov;* see also *Meiri*).

39. See note 34.

40. The beginning of the verse reads: אַל־תִּבְכּוּ לְמֵת, *Do not cry for a deceased.* Therefore, when the verse continues, *cry intensely for one who leaves,* it is understood to be referring to one who leaves the world completely, i.e. one who is not survived by a son.

41. He did not want to stop studying Torah (*Rashbam* to *Bava Basra* 116a ד"ה לא הוה עייל).

42. [I.e. he did not leave a son to perpetuate the heritage of his family. (See, however, *Eitz Yosef.*)]

43. Rav Huna understands the phrase לֹא יָשׁוּב עוֹד, *he will not return again,* as meaning that he will never repent (*Rashi; Rashi ms.*). [The word תְּשׁוּבָה, *repentance,* derives from שׁוּב, *return,* for the essence of repentance is returning to God.] The verse could thus refer to one who committed a sin more than once, because he is unlikely ever to repent, since his repetition of the sin causes him to lose his inhibitions against it, and it even becomes permissible in his eyes.

According to this exposition, הֹלֵךְ, literally: *one who goes,* refers to one who goes after his heart's desires (*Ritva, Ran*). The verse's continuation, *he will not see the land of his birthplace,* means that he will not enter Heaven, the place where his soul originated (*Eitz Yosef*).

44. See previous note.

45. Authoritative sources read: כְּתֵפָיו, *his shoulders* (*Rif, Rabbeinu Chananel,* et al.; see *Dikdukei Soferim* §8). One whose family has suffered a bereavement should hold his head low [i.e. carry himself humbly] (*Rashi ms.*), as though a sword is suspended over him, ready to pierce him should he raise his head (*Ran*).

Once death has been visited on one member of a family or other group, all the surviving members are in danger of being stricken (see *Shabbos* 105a-b, cited by *Tosafos*). It therefore behooves them to examine their deeds and resolve to repent (*Tos. HaRosh*).

46. *Ran* reads וְקוּפָה כְּנֶגְדּוֹ, *it is standing upright in front of him.* [Although the sword is not as dangerously close as before, it is still within striking distance.]

47. Until twelve months have passed (*Tosafos, Meiri*). Alternatively, this refers only to the remainder of the thirty-day mourning period (*Ran; Tur* and *Shulchan Aruch, Yoreh Deah* 394:4; see *Maharsha*). *Bach* ibid. (ד"ה א"ר לוי) maintains that the first opinion applies to one who lost a parent, in which case the mourning period is twelve months, whereas the second opinion applies to other bereavements.

48. The sword is within sight but at some distance from him. He still needs to act with caution, but not to the same extent as before (*Ran*).

49. See 27a notes 47-49.

אֶלָּא חַיָּה – **except** regarding **a woman who had given birth,** i.e. she died in childbirth.[1] אֲבָל שְׁאָר נָשִׁים מְנִיחִין – **But** the biers of **other women *are* set down.**

A dissenting opinion:

רַבִּי אֶלְעָזָר אָמַר – **R' Elazar says:** אֲפִילּוּ שְׁאָר הַנָּשִׁים – **Even** the biers of **other women are not set down.**[2] דִּכְתִיב – **For it is written:** "וַתָּמָת שָׁם מִרְיָם וַתִּקָּבֵר שָׁם", – ***Miriam died there and was buried there.***[3] סָמוּךְ לְמִיתָה קְבוּרָה – The verse implies that **soon after** Miriam's **death was** her **burial.** Evidently, they did not delay Miriam's burial by setting down her bier, although she had not died in childbirth.

Another teaching by R' Elazar about the death of Miriam:

וְאָמַר רַבִּי אֶלְעָזָר – **And R' Elazar said:** אַף מִרְיָם בִּנְשִׁיקָה מֵתָה – **Miriam also died through a "kiss"** from God.[4] אַתְיָא "שָׁם" "שָׁם" מִמֹּשֶׁה – This **emerges from** an analogy between the word ***there*** written in connection with the death of Miriam, and the word ***there*** written in reference to the death of **Moses.**[5] וּמִפְּנֵי מָה לֹא נֶאֱמַר בָּהּ "עַל־פִּי ה'" – **And why** is the phrase, ***by the mouth of Hashem,*** **not stated** explicitly **in connection with [Miriam]?**[6] מִפְּנֵי שֶׁגְּנַאי הַדָּבָר לְאוֹמְרוֹ – **Because it would be indelicate to say such a thing.**

Another teaching about the death of Miriam:

אָמַר רַבִּי אַמִּי – **R' Ami said:** לָמָּה נִסְמְכָה מִיתַת מִרְיָם לְפָרָשַׁת פָּרָה אֲדוּמָה – **Why is the death of Miriam juxtaposed to the passage about the *parah adumah*?**[7] לוֹמַר לָךְ – This serves **to tell you** that מַה פָּרָה אֲדוּמָה מְכַפֶּרֶת – **just as the *parah adumah* provides atonement,**[8] אַף מִיתָתָן שֶׁל צַדִּיקִים מְכַפֶּרֶת – **so do the deaths of the righteous provide atonement.**[9]

A similar teaching:

אָמַר רַבִּי אֶלְעָזָר – **R' Elazar said:** לָמָּה נִסְמְכָה מִיתַת אַהֲרֹן לְבִגְדֵי כְּהוּנָּה – **Why is the death of Aaron juxtaposed to** a mention of **the Kohanic vestments?**[10] This tells you that מַה בִּגְדֵי כְהוּנָּה מְכַפְּרִין – **just as the Kohanic vestments provide atonement,**[11] אַף מִיתָתָן שֶׁל צַדִּיקִים מְכַפֶּרֶת – **so do the deaths of the righteous provide atonement.**[12]

A Baraisa enumerates the types of death that manifest the Divine punishment of *kares:*[13]

תָּנוּ רַבָּנַן – **The Rabbis taught in a Baraisa:** מֵת פִּתְאוֹם – If ONE DIED SUDDENLY, זוֹ הִיא מִיתָה חֲטוּפָה – THAT IS AN ABRUPT[14] DEATH. חָלָה יוֹם אֶחָד וּמֵת – If HE WAS SICK FOR ONE DAY AND then DIED, זוֹ הִיא מִיתָה דְחוּפָה – THAT IS A HASTENED[15] DEATH.

A different opinion:

רַבִּי חֲנַנְיָא בֶּן גַּמְלִיאֵל אוֹמֵר – But R' CHANANYA BEN GAMLIEL SAYS: זוֹ הִיא מִיתַת מַגֵּפָה – If he was sick for one day and died, THAT IS DEATH BY PLAGUE. שֶׁנֶּאֱמַר – FOR IT IS STATED: "בֶּן־אָדָם הִנְנִי לֹקֵחַ מִמְּךָ אֶת־מַחְמַד עֵינֶיךָ בְּמַגֵּפָה", – *SON OF MAN, BEHOLD, I AM*

NOTES

1. Out of respect for the deceased woman, we do not set down her bier lest blood flow from the corpse (*Rashi ms.*).

2. Blood could flow from them too (*Rashi* to Mishnah 27a, as explained by *Bach, Yoreh Deah* 355 and *Aruch HaShulchan* ibid.). Alternatively, it is degrading for a living woman to have a deceased woman clad only in burial shrouds set down before men (*Nimukei Yosef* folio 17a [end]).

3. *Numbers* 20:1.

4. A Baraisa (*Bava Basra* 17a) names six people whose lives were taken not by the Angel of Death, but by God Himself, through a "kiss." They were: Abraham, Isaac, Jacob, Moses, Aaron and Miriam. The Gemara there provides the Scriptural sources for the first five. Regarding Moses and Aaron it is written that they died עַל־פִּי ה', *by the mouth of Hashem* (*Deuteronomy* 34:5; *Numbers* 33:38); however, this is not stated with respect to Miriam. R' Elazar teaches how we know that Miriam too died by Divine kiss.

5. Regarding Miriam it is written: וַתָּמָת שָׁם מִרְיָם וַתִּקָּבֵר שָׁם, *Miriam died there and was buried there* (*Numbers* 20:1). In reference to Moses, it is written: וַיָּמָת שָׁם מֹשֶׁה, *Moses died there* (*Deuteronomy* 34:5). The appearance of the same word [שָׁם, *there*] in both verses establishes a homiletic connection between them, from which it is derived that just as Moses died through a kiss from God so did Miriam.

6. As it is stated regarding Moses and Aaron (see note 4).

7. *Numbers* ch. 19 records the laws of the *parah adumah* (red cow); it is immediately followed by the acount of the death of Miriam (20:1 ff.).

A *parah adumah* is a cow which is completely red and unblemished and has never done any work. Its ashes are essential for the purification of people and utensils that have contracted *tumah* from a corpse.

8. Although the *parah adumah* is not a sacrificial offering in the conventional sense, the Torah calls it "a *chatas*" (*Numbers* 19:9), which is an offering that atones for sin (*Rabbeinu Chananel;* see *Rashi* ad loc. and *Maharsha*). *Tosafos* (based on the Midrash) explain that it atones for the sin of the Golden Calf.

Furthermore, the *parah adumah* atones in the sense that it purifies those who are *tamei* (*Rabbeinu Chananel*).

9. They provide atonement for the generation (*Rashi ms.*). *Meiri* explains that when a saintly person dies, the people are moved to examine their own deeds and repent for their sins.

10. Moses removed Aaron's Kohanic vestments immediately before Aaron died and placed them on Aaron's son, Elazar (*Numbers* 20:28). The Gemara explains why Aaron was required to wear the Kohanic vestments at that time (*Rashi ms.;* cf. *Rif* on *Ein Yaakov*).

11. [I.e. the wearing of the vestments by the Kohanim engaged in *avodah* effects atonement for certain sins] in conjunction with repentance by those guilty of the sins (*Tosafos* to *Sanhedrin* 37b סד"ה מיום; see also *Shitah Mekubetzes* to *Arachin* 16a §9).

The Gemara (*Zevachim* 88b, *Arachin* 16a) specifies the sin for which each of the Kohanic vestments provides atonement. For example, the חֹשֶׁן מִשְׁפָּט, *breastplate of justice,* atones for miscarriages of justice; the מְעִיל, *robe* (which makes a ringing sound with the bells attached to its hem), atones for the harmful sounds of derogatory speech [*lashon hara*] (*Rashi ms.*).

Since the Kohanim do the *avodah* on behalf of all Jews, their wearing of the vestments can atone for the sins of others. Furthermore, since these vestments are worn "for glory and splendor" (*Exodus* 28:2), they introduce a sense of loftiness in Israel that counteracts the degradation of sin (*Maharal* in *Chidushei Aggados* to *Zevachim* 88b).

The Kohanic vestments do not necessarily atone for the sinner himself; rather, they protect the community that harbored and tolerated him (see *Rashi* to *Zevachim* ibid. ד"ה ידיע and to *Arachin* ibid. ד"ה אהנו מעשיו וד"ה קשיא). In this sense, they are an appropriate model for the death of the righteous, which likewise brings atonement not to individuals, but to the community as a whole (*Rif* on *Ein Yaakov*).

12. The commentators propose explanations why both of these teachings are required to convey that the death of the righteous provides atonement (see *Iyun Yaakov, Ben Yehoyada, Keren Orah* and *Kli Yakar* to *Numbers* 20:2).

13. The Torah mandates the punishment of *kares* (literally: excision) for certain severe transgressions. One liable to this punishment dies either suddenly or below a certain age. The Baraisa begins by defining how sudden a death must be to constitute *kares.*

Kares also entails the loss of one's [young] children (*Rashi* to *Shabbos* 25b ד"ה כרת; cf. *Riva* cited by *Tosafos* ibid. 25a ד"ה כרת; see *Tosafos* to *Yevamos* 2a ד"ה אשת). Furthermore, the sinner suffers repercussions even following death [unless he repented in his lifetime] (see *Rambam, Hil. Teshuvah* 8:1 with *Kesef Mishneh; Rav MiBartenura* to *Sanhedrin* 9:6). [See *Rabbeinu Bachya* to *Leviticus* 18:29 for a full discussion of *kares.*]

[There is no basis for assuming that everyone who dies young was subject to *kares.* Many other factors affect the duration of a person's life; see, for example, note 25 (see *Shaarei Teshuvah* 3:124; see also notes 31 and 37).]

14. Literally: snatched.

15. Literally: pushed. *Tosafos* wonder what difference it makes whether the death is called חֲטוּפָה or דְחוּפָה [or any of the other terms used below].

מסורת הש"ס

א) [ב"ב יז.], ב) שמחות פ"ג, ג) [שבת לה: סנהד' עו: ע"ש], ד) שמחות פ"ג תענית ה:, ה) [סנהדרין לו:], ו) [בערוך ערך זוא ב' פי' שם האדם ועי' תוס' נדה כה: ד"ה זוזא], ז) [עתו' ר"ה יח. ד"ה רבה ותוס' יבמות קה. ד"ה רבא], ח) [בב"מ עג: אי' רב שעורים אחוה דרבא בסמ"ך], ט) [ע' פרש"י שבת קכט. וכסנהד' לג:], י) [בערוך רקע ז"ל הערוך במ"ק מאן חשיב מאן ספין מאן רקוע כלומר מי יכול להתפשט ולהתגבר באות' שעה עכ"ל לע"ק למעיין בערוך ערך רקע השני], כ) [גירסת הערוך איתרח], ל) [פסחים נ. ב"ב י:], מ) [ברכות מח: וש"נ], נ) [בב"ב קכה: עתוס' שם ד"ה יום שכלו בו מתי מדבר], ס) [צ"ל סופנה], ע) [ועי' בערוך ערך ספן ב], פ) [ערך ספן ג].

הגהות מהר"ב רנשבורג

א] גמ' א"ל מאן חשיב מאן ספון מאן רקיע. פי' מי הוא חשוב בעיניו ומאן ספון מי הוא אדם ראוי דליסתפו מיניה וחייש לדיבוריה ומאן רקיע מי מתוקן אלנו. מפי' ע"י קטן: **ב]** שם א"ל תרומה קא אכילנא ולאו קדש איקרי. פי' לאו תרומה אכילנא דאיקרי קודש ואי קטלית לי קא מטמיא וכתיב את משמרת תרומותי שצריך לשומרה בטהרה חלפא ליה שעתא ולא מת באותו פרק. מפי' הנ"ל:

רש"י כת"י

(ושל) **[אלא]** חיה. יולדת שמתה מחמת לידה לפי שנשפעת דם לאחר מיתה. **ותמת. ותקבר** סמוך למיתה קבורה מיד. **אף מרים.** מתה בנשיקה כמשה ואהרן ילפינן שם שם ממשה שמת בנשיקה על פי הקב"ה דכתוב על פי י"י. **אף מיתתן של צדיקים מכפרת.** על אותו הדור. **מיתת אהרן לבגדי כהונה.** דכתי' והפשט את אהרן את בגדיו מאי בעו בגדי כהונה בהאי שעתא. **בגדי כהונה מכפרין.** חושן משפט על עיוות הדין וכו' פעמון על לשון הרע בסדר יומא. **זו היא מיתה חטופה.** דאמרינן למות מולאות והן [תשע מאות ושלשה] מיני מיתה מולאות בגימטריא. **זו היא מיתת כל אדם.** וכדרכו מת מיתה טובה. **מת בחמשים שנה מיתת כרת.** גרסינן. **בחמשים ושתים שנה מיתתו של שמואל הרמתי.** דכתוב וישב שם עד עולם (שמואל א א) עד עולמו של...

אלא חיה. שמתה מחמת וולד שהיא שופעת: מת פתאום. שלא חלה: מחמשים שנה. ולמעלה: והאי דלא חשיב ליה. בהדי כרת דיומי. שמא ימות מיתה חטופה: פלגא. דמכרת דשני מיהא פלטי לי: מנמנם. גוסס: א"ל. רבא לרב שעורים: לימא מר. למלאך המות דלא לצעורי: שושביניה. דמלאך המות: דאימסר מזליה. איתרע מזליה: ליתחזי לי מר. בתר מיתה: מר לאו אדם חשוב. לימא ליה מר: ספין רקיע. מתוקן למיבעי מיניה: ביעתותיה. דמלאך המות: רגליה דבר נתן. למיהוי נשיא: אמאי לא מרחם. דמתפקדנא למייתי ליה למר בההוא עלמא: אחוי ליה שוטא דנורא. וידע דהוא מלאך המות:

אלא חיה אבל שאר נשים מניחין ר' אלעזר אמר [א] אפילו שאר הנשים דכתיב א) ותמת שם מרים ותקבר שם סמוך למיתה קבורה ואמר ר' אלעזר [ב] אף מרים בנשיקה מתה אתיא שם שם ממשה ומפני מה לא נאמר בה על פי ה' מפני שגנאי הדבר לאומרו א"ר אמי למה נסמכה מיתת מרים לפרשת פרה אדומה לומר לך מה פרה אדומה מכפרת אף מיתתן של צדיקים מכפרת א"ר אלעזר למה נסמכה מיתת אהרן לבגדי כהונה מה בגדי כהונה מכפרין אף מיתתן של צדיקים מכפרת ת"ר [ג] מת פתאום זו היא מיתה חטופה חלה יום אחד ומת זו היא מיתה דחופה ר' חנניא בן גמליאל אומר זו היא מיתת מגפה שנאמר ב) בן אדם הנני לוקח ממך את מחמד עיניך במגפה וכתיב ג) ואדבר אל העם בבקר ותמת אשתי בערב שני ימים ומת זו היא מיתה דחויה ג' גערה ארבעה נזיפה חמשה זו היא מיתת כל אדם א"ר חנין מאי קרא ד) הן קרבו ימיך למות הן חד קרבו תרי ימיך תרי הא חמשה הן חד [ה] שכן בלשון יוני קורין לאחת הן מת בחמשים שנה זו היא מיתת כרת [ו] חמשים ושתים שנה זו היא מיתתו של שמואל הרמתי ששים זו היא מיתה בידי שמים אמר מר זוטרא מאי קרא דכתיב ה) תבא בכלח אלי קבר בכלח בגימטריא שיתין הוו שבעים שיבה שמונים גבורות דכתיב ו) ימי שנותינו בהם שבעים שנה ואם בגבורות שמונים שנה אמר רבה מחמשים ועד ששים שנה זו היא מיתת כרת והאי דלא חשיב להו משום כבודו של שמואל הרמתי רב יוסף כי הוה בר שיתין עבד להו יומא טבא לרבנן אמר נפקי לי מכרת א"ל אביי נהי דנפק ליה מר מכרת דשני מכרת דיומי מי נפיק מר א"ל [ז] נקוט לך מיהא פלגא בידך רב הונא נח נפשיה פתאום הוו קא דייגי רבנן תנא להו [ח] זוגא דמהדייב לא שנו אלא שלא הגיע לגבורות אבל הגיע לגבורות זו היא מיתת נשיקה אמר רבא חיי בני ומזוני לא בזכותא תליא מילתא אלא במזלא תליא מילתא דהא [ט] רבה ורב חסדא תרוייהו רבנן צדיקי הוו מר מצלי ואתי מיטרא ומר מצלי ואתי מיטרא רב חסדא חיה תשעין ותרתין שנין רבה חיה ארבעין בי רב חסדא שיתין הלולי בי רבה שיתין תיכלי בי רב חסדא סמידא לכלבי ולא מתבעי בי רבה נהמא דשערי לאינשי ולא משתכח ואמר רבא הני תלת מילי בעאי קמי שמיא תרתי יהבו לי חדא לא יהבו לי חוכמתיה דרב הונא ועותריה דרב חסדא ויהבו לי ענותנותיה דרבה בר רב הונא לא יהבו לי רב [י] שעורים אחוה דרבא הוה יתיב קמיה דרבא חזייה דהוה קא מנמנם א"ל לימא ליה מר דלא לצערן א"ל מר לאו שושביניה הוא א"ל כיון דאימסר מזלא לא אשגח בי א"ל ליתחזי לי מר איתחזי ליה א"ל הוה ליה למר צערא א"ל [כ] כי ריבדא דכוסילתא רבא הוה יתיב קמיה דר"נ חזייה דקא מנמנם א"ל לימא ליה מר דלא לצערן א"ל מר לאו אדם חשוב הוא א] א"ל מאן חשיב מאן ספין מאן [ל] רקיע א"ל ליתחזי לי מר אתחזי ליה א"ל ה"ל למר צערא א"ל כמישחל בניתא מחלבא ואי אמר לי הקב"ה זיל בההוא עלמא כד הוית לא בעינא דנפיש ביעתותיה רבי אלעזר הוה קאכיל תרומה איתחזי ליה ב] א"ל תרומה קא אכילנא ולאו קודש איקרי חלפא ליה שעתא רב ששת איתחזי ליה בשוקא אמר ליה כבהמה איתא לגבי ביתא רב אשי איתחזי ליה בשוקא א"ל [מ] איתרח לי תלתין יומין ואהדרי לתלמודאי דאמריתו [נ] אשרי מי שבא לכאן ותלמודו בידו ביום תלתין אתא אמר ליה מאי כולי האי קא דחקא רגליה דבר נתן [ס] ואין מלכות נוגעת בחבירתה אפילו כמלא נימא רב חסדא לא הוה יכיל ליה דלא הוה שתיק פומיה מגירסא סליק יתיב בארזא דבי רב פקע ארזא ושתק ויכיל ליה ר' חייא לא הוה מצי למיקרבא ליה יומא חד אידמי ליה כעניא אתא טריף אבבא א"ל אפיק לי ריפתא אפיקו ליה א"ל ולאו קא מרחם מר אעניא אההוא גברא אמאי לא קא מרחם מר גלי ליה אחוי ליה שוטא דנורא אמצי ליה נפשיה:

מתני'

תוספות

מה פרה אדומה מכפרת. פירוש על מעשה העגל וכדאמרינן במדרש משל לבן השפחה שטינף פלטירין של מלך אומר המלך תבא אמו וכו': **מיתת** אהרן לבגדי כהונה. דכתיב (במדבר כ) והפשט את אהרן את בגדיו ואהרן יאסף ומת שם וכן פי' בקונטרס ואין לפרש מיתת בני אהרן לבגדי קדש ילבש לפי שאינו סמוך כ"כ: **מה** בגדי כהונה מכפרין. בזבחים כו' (דף פח:): **חטופה** ודחופה. לא ידענא מאי שנא הוא ומנא ליה: **ואדבר** אל העם בבקר. פי' וחלתה ומתה: **הן** קרבו וכו'. לאו דוקא דלא אשכחנא דמשה היה חולה וביום מותו כתב הרבה (סוטה יג:) ופסע כמה פסיעות בבת אחת כדפירש בפירוש חומש: **מת** בחמשים זו היא מיתת כרת. בירושלמי (פ"ב דביכורים) דייק מאל תכריתו שבט הקהתי (במדבר ד) ועבודתם עד חמשים דכתיב (שם ח) מבן חמשים שנה ישוב מצבא העבודה ועוד מימי שנותיו ע' שנה דל עשרין דלא איענש עליהן נשתיירו חמשים (כדאי' שבת פט:) ותימה לפי' דהא משמע בשמעתין דבחמשים משנולד קאמר ועוד יהא חמשים לאחר שנתחייב כרת והוא מיתת כל אדם: **ומיתה** בידי שמים בששים. בירושלמי מפיק ממתי מדבר דאמרינן [י] לא מת אחד מהן פחות מבן ששים ומיתה דהכא משמע זו היא מיתה בידי שמים וכרת בחמשים עד ששים ולא ששים בכלל והו שזרעו נכרת וי"מ דחמשים היא מיתה שבידי שמים וכי איתא בהדי זרעו הוי כרת וששים מיתת כל אדם ובשבת פרק שני (כה. בד"ה כרת) וברים יבמות (ב. בד"ה אשת אחיו) הארכתי: **אלא** במזלא תליא מילתא. והקשו בתוספות הא דאמרן בסוף שבת (דף קנו. ושם) אין מזל לישראל וי"ל דלפעמים משתנה ע"י מזל כי הנהו דהתם ופעמים שאין משתנה כדאמרינן בתענית (דף כה.) גבי רבי אלעזר בן פדת דא"ל ניחא לך דאחריב עלמא דאולי אברי' בעידנא דמזוני: **שתין** הלולי. יש מפרשים לאו דוקא: **ספין.** חשוב למחר (הוא ו) היא מתה ואין כל בריה [ס] ספונה (כתובות עב.) פירוש [ע] חשובה ובמדרש ילמדנו אין העובדי כוכבים ספונים כלום שנא' (ישעיה מ) כל הגוים כאין נגדו וכן פירש בערוך [פ] והביא עדיין ראיות אחרות: **מאן** רקיע. פי' מתוקן ותפור ונעלות בלות ומטולאות (יהושע ט) תרגום בלן ומרוקעים למתפרות כסתות (יחזקאל יג) תרגומו דמחטטים רקיעי חשוך והוא לשון ישמעאל חתיכת בגד תפורה על הקרע בערוך ועוד הביא דאמרינן בפ' לא יחפור (ב"ב דף כ.) חזי למרקע לבוש מיהו יש ספרים כתוב שם לקרעא:

בלע

עין משפט נר מצוה

רלה א מיי' פי"ב מהל' אבל הלכה ה סמג עשין ב טוש"ע י"ד סי' שנה:

תורה אור השלם

א) וַיָּבֹאוּ בְנֵי יִשְׂרָאֵל כָּל הָעֵדָה מִדְבַּר צִן בַּחֹדֶשׁ הָרִאשׁוֹן וַיֵּשֶׁב הָעָם בְּקָדֵשׁ וַתָּמָת שָׁם מִרְיָם וַתִּקָּבֵר שָׁם: [במדבר כ, א]

ב) בֶּן אָדָם הִנְנִי לֹקֵחַ מִמְּךָ אֶת מַחְמַד עֵינֶיךָ בְּמַגֵּפָה וְלֹא תִסְפֹּד וְלֹא תִבְכֶּה וְלוֹא תָבוֹא דִּמְעָתֶךָ: [יחזקאל כד, טז]

ג) וָאֲדַבֵּר אֶל הָעָם בַּבֹּקֶר וַתָּמָת אִשְׁתִּי בָּעָרֶב וָאַעַשׂ בַּבֹּקֶר כַּאֲשֶׁר צֻוֵּיתִי: [יחזקאל כד, יח]

ד) וַיֹּאמֶר יְיָ אֶל מֹשֶׁה הֵן קָרְבוּ יָמֶיךָ לָמוּת קְרָא אֶת יְהוֹשֻׁעַ וְהִתְיַצְּבוּ בְּאֹהֶל מוֹעֵד וַאֲצַוֶּנּוּ וַיֵּלֶךְ מֹשֶׁה וִיהוֹשֻׁעַ וַיִּתְיַצְּבוּ בְּאֹהֶל מוֹעֵד: [דברים לא, יד]

ה) תָּבוֹא בְכֶלַח אֱלֵי קָבֶר כַּעֲלוֹת גָּדִישׁ בְּעִתּוֹ: [איוב ה, כו]

ו) יְמֵי שְׁנוֹתֵינוּ בָהֶם שִׁבְעִים שָׁנָה וְאִם בִּגְבוּרֹת שְׁמוֹנִים שָׁנָה וְרָהְבָּם עָמָל וָאָוֶן כִּי גָז חִישׁ וַנָּעֻפָה: [תהלים צ, י]

רבינו חננאל

מפני הכבוד. אמרי נהרדעי לא שנו אלא חיה דשכיח טינוף אבל של שאר נשים מניחין ר' אלעזר אומר אפילו של שאר נשים אין מניחין שנאמר ותמת שם מרים ותקבר שם תיכף שם למיתה קבורה א"ר אלעזר אף מרים בנשיקה מתה. אתיא שם שם כתיב הכא ותמת שם מרים וכתיב וימת שם משה עבד ה' מה משה בנשיקה אף מרים בנשיקה. ומפני מה לא נאמר במיתת מרים על פי ה' מפני שגנאי הדבר לאומרו באשה. א"ר אמי למה נסמכה מיתת מרים לפרשת פרה אדומה מה פרה זו מטהרת חטאים ונקראת חטאת וכל חטאת מכפרת עון כך מיתתן של נשים צדקניות מטהרת ומכפרת עונותיהן של ישראל. וכ"ש מיתתן של צדיקים שמכפרת: **ירושלמי** בתחלת יוה"כ א"ר יודן בר שלום למה נסמכה מיתת אהרן לשבירת הלוחות ללמדך שמיתתן של צדיקים קשה לפני הקב"ה כשבירת הלוחו' כתיב ובני ישראל נסעו מבארת בני יעקן מוסרה שם מת אהרן. וכי אהרן במוסרה מת והלא בהור ההר מת. אלא כיון שמת אהרן נסתלקו ענני הכבוד וכו' ובקשו ישראל לחזור למצרים וחזרו ח' מסעות ורץ שבט לוי והרג מהן ח' משפחות וגם הם הרגו מן הלוים ד' משפחות לעמרמי ליצהרי לחברוני לעוזיאלי כו'. אמרו על מה אירע לנו זה על שלא נתעסקנו בהספדו של צדיק כראוי. מיד ישבו במוסרה והספידו וגמלו לו חסד בהספד כראוי והעלה להן הכתוב כאילו במוסרה מת כו'. א"ר אלעזר למה נסמכה מיתת אהרן לבגדי כהונה לומר לך מה בגדי כהונה מכפרין כדגרסינן (בזבחים דף פח:) אף מיתת אהרן מכפרת: ת"ר מת פתאום זו מיתה חטופה. חלה יום אחד ומת זו מיתה דחופה. ר' חנינא בן גמליאל אומר זו היא מיתת מגפה שנאמר בן אדם הנני לוקח את מחמד עיניך במגפה וכתיב ואדבר אל העם בבקר ותמת אשתי בערב. חלה יומים ומת זו מיתה דחויה חלה ג' ומת זו מיתת גערה. חלה ד' ומת זו היא מיתת נזיפה. חלה ה' ימים ומת זו היא מיתת כל אדם. שמעינן לה מהאי קרא ויאמר ה' אל משה הן קרבו ימיך למות. קרבו תרי. ימיך תרי הן חד הרי ה' ימים. שמת בן חמשים זו היא מיתת כרת. בן נ"ב זו היא מיתתו של שמואל הרמתי. בן ששים זו היא מיתה בידי שמים. מהאי קרא תבא בכלח אלי קבר. בכל"ח בגימטריא שיתין הוו. בן שבעים שיבה. בן שמונים גבורות שנאמר ימי שנותינו בהם שבעים שנה ואם בגבורות שמונים שנה. אמר רבא מי שמת מחמשים ועד ששים מיתת כרת היא. והא דלא חשיב לה משום כבודו של שמואל הרמתי. רב יוסף כי הוה בר שיתין אמר כבר נפקית מכרת דשני. רב הונא נח נפשיה פתאום. הוו רבנן דייגי טובא. תנא להו זווא דמהדייב פי' שם חכם. לא שנו דמיתת פתאום היא מיתה חטופה אלא בשלא הגיע לגבורות אבל מי שהגיע לגבורות זו היא מיתת נשיקה. אמר רבא חיי בני ומזוני לאו בזכותא תליא מילתא אלא במזלא. רבה ורב חסדא תרוייהו צדיקי גמורי נינהו מר מצלי ואתי מיטרא ומר מצלי ואתי מיטרא. רב חסדא חיה צ"ב שנה. ורבה חיה מ' שנה. בי רב חסדא שיתין הילולי. בי רבה שיתין תכלי. בי רב חסדא נהמא דסמידא לכלבי. בי רבה נהמא דשערי לאינשי לא משתכח אמר רבא תלתא בעאי מקמי שמיא. תרי הבו לי וחד לא הבו לי חכמתיה דרב הונא ועותריה דרב חסדא הבו לי ענוותנותיה דרבה בר רב הונא לא הבו לי. רבה הוה יתיב קמיה דרב נחמן והוה רב נחמן גוסס בעי למינח נפשיה. א"ל בעי רחמי דלא ליצערן מלאכא דמיתותא. א"ל ואנת לאו גברא חשיבא גבי שמיא אנת בעי רחמי. א"ל מאן חשיב מן ספון מן רקיע פי' כלומר כיון שנמסר אדם ביד מלאך המות אין שם חשיבותו. א"ל אחרי מיתתך אתחזי לי. ולאחר מיתתו ביקש מן הקב"ה כדי שיתראה לו בחלום ונתראה לו. אמר לו היה לך צער בשעת מיתה. א"ל כמו שמוציאים נימא של שיער מתוך החלב. א"ל אילו היה הקב"ה אומר לי לך חזור וחיי כאשר היית בחייך הייתי ירא שאע"פ שלא היה [לי] צער. אימתו של מה"מ גדולה היא מאד. רבא אתחזי ליה בחלמיה לרב שעורים אחוה ... צערא ואמר לי כי ריבדא דכוסילתא. פי' כמו שריטה ששורטין האומנין בצואר למצוץ דמו. כך היה לו צער יציאת הנשמה מן הגוף. רב ששת אתחזי ליה מלאך המות בשוק. א"ל כבהמה איתא לגבי ביתא. רב אשי אתחזי ליה מלאך המות. א"ל אתרח לי ל' יומין דאהדריה לתלמודי. דאמריתו אשרי מי שבא לכאן ותלמודו בידו. ביום שלשים אתא. א"ל מאי כולי האי. א"ל דקא דחקא רגליה דבר נתן:

רש"י כת"י (המשך)

עד עולמו של שמואל יובל נ' שנה כדאמרינן בסדר עול' (פי"ג). **והאי דלא חשיב ליה.** לעיל בהדיה איך [דכרת] גבי מיתת שמואל דהוי בין חמשי' לששים. **משום כבודו.** והייתו דקאמ' זו היא מיתתו של שמואל הרמתי כלומר דמשום כבודו ליכא למימר דמשמע מנ' עד ס' הוא דמחייב בכרת. **מכרת דיומא.** כגון הנך דלעיל מת יום אחד וכו' דחופה דחויה וגערה. **נקוט לך מיהא מפלגא.** מכרת דשני נפקי לי. **זוגא דמהדיב.** שני תלמידי חכמים שבאו משם. **חיי.** אריכות חיים ורוב מזונות שנותנין לו לאדם. **גבורות.** שנתגברו חייו. **שיתין הלולי.** ששים חופות ראה (מבחון) מזונו עשיר. **שיתין תיכלי.** ששים אבילות מבניו ומבני בניו. **חוכמתיה דרב הונא.** היינו רב הונא דאמרן לעיל שריבה תורה בכנסת בפרק שני דייני (גזילות) [גזירות] (כתובות קו.) כי הוו מפטרי מבי רב הונא הוו פייסן תמני מאה רבנן בפרקין דריש בתליסר אמוראי וכי קיימו רבנן מקמיה מנפלי גלימייהו וסליק אבקא ומכסי ליה ליומא. יתיב קמיה דרבא מטתו שהיה חולה. **חזייה.** רב שעורים לרבא. **דקא מנמנם.** ליטנא מעליא נקט. **אמ' ליה.** רבא לרב שעורים אחיו. **לימא ליה.** למלאך המות. **דלא ליצערן.** יותר מדאי. **ומר לאו אושפיזה.** והלא אתה מכירו אמור לו דאתה רגיל ביניהם. **אמ' ליה כיון דאימסיר מזלא.** דגוסס הוא לא אשגח בו. **אמר ליה.** רב שעורים אנא מבקש ממך לאחר מיתתך אחוי לי נפשיך והודע לי אם נצערת. **כי מית איתחזי ליה כריבדא** דכוסילתא. לצערי מעט כאדם שמקיז דם. **רב נחמן הוה מנמנם.** גוסס. **מאן חשוב.** מי הוא חשוב בעיניו. ומאן ספין. אדם ילא (ברש"י ברי"ף - אדם ראוי) דליסתפו מיניה וחייש לדיבוריה. **ומאן רקיע.** מתוקן אלנו לשון ... הוה בעיניו. **כמשחל ביניתא מחלבא.** כמו[שך] שער [שנפל] בחלב דליכא צערא כלל. **דנפיש.** ואי אמר לי הקב"ה זיל ליהוי בההיא עלמא חי כמעיקרא לא בעינא משום ביעתותא דמלאכא שלא ימיתני פעם אחרת. **תרומה קא אכילנא.** ואי קטלת לה מר מטמיא וכתוב את משמרת תרומותי שצריך לשמרה בטהרה. דחשיבו כולי האי. **חלפא שעתא.** ולא מת באותו הפרק. **איתרחי.** המתן לי. **דאמריתו.** אשרי מי שבא לכאן ותלמודו בידו. בגירסא. במסכת פסחים בפרק אלו עוברין (נ.). **מאי כולי האי.** שאתה רודפני היה לך להמתין עד שלשים כולן. (ע"כ יש בכת"י) *[**דקא דחקת רגליה דבר נתן.** הונא בר נתן דקא דחקת רגליה והכי אמרינן בפרק אד"מ בסנהדרין (לו.) מימות ר' ועד רב אשי לא מצינו תורה וגדולה במקום אחד בה והא הוה הונא בר נתן מיכף כייף ליה לרב אשי. **לא הוה יכיל ליה.** מלאך המות. **יתיב בארזא דבי רב.** של ארז שסמוך למדרשו של רב. ושתק. רב [חסדא] מגרסיה מקול הארז שפקע. **טרף.** לשון בילוס טרופתא. **קא מרחם מר אעניא.** דכתוב הייתי שאני עני נודד ללחם ושולח לי. **אהוא גברא.** כלומר עלי מדוע לא תרחם ותן לי נפשך כמה פעמים דמתפקדנא למייתי ליה למר בההוא עלמא. **אחוי ליה.** מה"מ שוטא דנורא וגלי ליה דהוא מה"מ והמציא ליה ר' חייא את עצמו [רש"י בע"ין].*

TAKING FROM YOU THE DARLING OF YOUR EYES IN A PLAGUE.[16] וּכְתִיב – AND then IT IS WRITTEN: ״וָאֲדַבֵּר אֶל־הָעָם בַּבֹּקֶר וַתָּמָת אִשְׁתִּי בָּעֶרֶב״ – *I TOLD THIS TO THE PEOPLE IN THE MORNING; AND IN THE EVENING MY WIFE DIED.*[17]

The Tanna Kamma of the Baraisa continues:

שְׁנֵי יָמִים וּמֵת – If he was sick for TWO DAYS AND DIED, זוֹ הִיא מִיתָה דְּחוּיָה – THAT IS A HURRIED[18] DEATH. שְׁלֹשָׁה גְּעָרָה – If he was sick for THREE days, that is death by REBUKE. אַרְבָּעָה נְזִיפָה – If he was sick for FOUR days, that is death by SCORN. חֲמִשָּׁה זוֹ הִיא מִיתַת כָּל אָדָם – If he was sick for FIVE days, THAT IS THE DEATH OF EVERY PERSON, i.e. it is not Divine retribution.[19]

The Gemara provides the Scriptural source for the last point:

אָמַר רַבִּי חָנִין – **R' Chanin said:** מַאי קְרָא – **What is the verse?** ״הֵן קָרְבוּ יָמֶיךָ לָמוּת״ – ***Behold, your days are drawing near to die.***[20] ״הֵן״ חַד – The word ***hein*** (*behold*) counts as **one;** ״קָרְבוּ״ תְּרֵי – the word ***karvu*** (*are drawing near*) counts as **two;** ״יָמֶיךָ״ תְּרֵי – the word ***yamecha*** (*your days*) counts as **two.**[21] הָא חֲמִשָּׁה – **Thus,** we have a total of **five.**[22] ״הֵן״ חַד – We say that ***hein*** counts as **one,** שֶׁכֵּן בִּלְשׁוֹן יְוָנִי קוֹרִין לְאַחַת הֵן – **because in the Greek language they refer to** the number **one as *hein.***[23]

The Baraisa continues:

מֵת בַּחֲמִשִּׁים שָׁנָה – If one died AT the age of FIFTY YEARS, זוֹ הִיא מִיתַת כָּרֵת – THAT IS DEATH OF *KARES.*[24] חֲמִשִּׁים וּשְׁתַּיִם שָׁנָה – If he died at FIFTY-TWO YEARS, זוֹ הִיא מִיתָתוֹ שֶׁל שְׁמוּאֵל הָרָמָתִי – THAT IS THE DEATH OF SAMUEL THE RAMATHITE.[25] שִׁשִּׁים – If one died at SIXTY years, זוֹ הִיא מִיתָה בִּידֵי שָׁמַיִם – THAT IS DEATH AT THE HANDS OF HEAVEN.[26]

The Gemara provides the Scriptural source for the last point:

אָמַר מַר זוּטְרָא – **Mar Zutra said:** מַאי קְרָא – **What is the verse?** דִּכְתִיב – **For it is written:** ״תָּבוֹא בְכֶלַח אֱלֵי־קָבֶר״ – ***You will go to the grave at a mature age.***[27] ״בְּכֶלַח״ בְּגִימַטְרִיָּא שִׁיתִּין הָווּ – The word ***vechelach*** (*at a mature age*) **has the numerical value of sixty.**[28]

The Baraisa continues:

שִׁבְעִים שֵׂיבָה – Death at SEVENTY or older IS death in OLD AGE;[29] שְׁמוֹנִים גְּבוּרוֹת – at EIGHTY or older IS death in the age of STRENGTH. דִּכְתִיב – FOR IT IS WRITTEN: ״יְמֵי־שְׁנוֹתֵינוּ בָהֶם שִׁבְעִים שָׁנָה וְאִם בִּגְבוּרֹת שְׁמוֹנִים שָׁנָה״ – *THE DAYS OF OUR YEARS AMONG THEM ARE SEVENTY YEARS, AND IF WITH STRENGTH, EIGHTY YEARS.*[30]

The Baraisa stated that death at the age of fifty is *kares.* This point is clarified:

אָמַר רַבָּה – **Rabbah said:** מֵחֲמִשִּׁים וְעַד שִׁשִּׁים שָׁנָה – Actually, if one died **between fifty and sixty years** of age,[31] זוֹ הִיא מִיתַת כָּרֵת – **that is death of *kares.*** וְהַאי דְּלָא חָשֵׁיב לְהוּ – **And the reason why [the Baraisa] did not reckon them** (i.e. the years between fifty and sixty) in connection with *kares* מִשּׁוּם כְּבוֹדוֹ שֶׁל שְׁמוּאֵל הָרָמָתִי – is **because** it seeks to protect **the honor of Samuel the Ramathite,** who died at fifty-two.[32]

A related incident:

רַב יוֹסֵף כִּי הֲוָה בַּר שִׁיתִּין – **When Rav Yosef reached the age of sixty,** עֲבַד לְהוּ יוֹמָא טָבָא לְרַבָּנָן – **he made a festive day for the rabbinic students.** אָמַר – **He said:** נְפָקִי לִי מִכָּרֵת – **"I have left** the range of ***kares!"***[33] אָמַר לֵיהּ אַבַּיֵּי – **Abaye said to him:** נְהִי דְּנָפַק לֵיהּ מַר מִכָּרֵת דִּשְׁנֵי – **"Granted that master has left** the range of ***kares* of years;** מִכָּרֵת דְּיוֹמֵי מִי נָפִיק מַר – but **has**

NOTES

16. *Ezekiel* 24:16. The prophet Ezekiel was told by God that his wife would die. [This is the bereavement discussed above (15a), for which Ezekiel was prohibited to express the usual signs of mourning.]

17. Ibid. v. 18. After Ezekiel spoke to the people, his wife fell ill and then died that same day (*Tosafos*). Since God had told him that she would be taken *in a plague,* the term "death by plague" is used to describe death precipitated by an illness of a day.

18. Literally: pushed.

19. Since he was warned five days in advance, his death cannot be regarded as sudden. This is in contrast to a death preceded by fewer than five days of illness (such as those enumerated above: "abrupt death," "hastened death," etc.), which is a sudden death, and thus could have been occasioned by *kares.* [See further, note 37.]

20. *Deuteronomy* 31:14. God tells Moses that his death is imminent.

21. The words קָרְבוּ, *karvu* (are drawing near), and יָמֶיךָ, *yamecha* (your days), each count as two, because they are in the plural form.

22. God alluded to Moses that he had five days left to live. We thus see that advance notice of five days suffices for a death not to be deemed sudden (*Ritva;* cf. *Tosafos* and *Tos. HaRosh*).

23. The word הֵן, *hein,* is phonetically similar to the Greek for the number one [ευα], which is pronounced *eihna* (*R' Shlomo ben HaYasom*).

24. [Even if he did not die suddenly.] In fact, death at any age between fifty and sixty could be *kares.* The Gemara will explain why the Baraisa did not say this.

25. Although Samuel was not deserving of *kares,* God took his life prematurely so that he would not live to witness the death of his disciple King Saul (see *Taanis* 5b). The reason why the Baraisa mentions the death of Samuel is given below.

Rashi (ibid. ד״ה ימיו של שמואל) shows how it is derived from Scripture that Samuel died at the age of fifty-two.

26. The phrase מִיתָה בִּידֵי שָׁמַיִם, *death at the hands of Heaven,* usually connotes a type of Divine retribution that, like *kares,* takes the form of premature death. However, it is not as severe as *kares.* Whereas *kares* carries the twofold penalty of premature death and childlessness, death at Heaven's hands involves only premature death (*Rashi* to *Shabbos* 25a ד״ה וכרת, 25b ד״ה כרת; see *Rav MiBartenura* to *Sanhedrin* 9:6 for another difference).

A different version of the text is found in authoritative sources: שִׁשִּׁים זוֹ הִיא מִיתַת כָּל אָדָם, [If one dies at] *sixty, that is the death of every person,* i.e. it is a normal death unaffected by punishment (*Ein Yaakov, Rabbeinu Chananel, R' Shlomo ben HaYasom;* see *Tosafos*). This reading appears to be primary in light of the exposition cited next by the Gemara, which describes one who passes away at sixty as dying at a "mature age" (*Dikdukei Soferim;* see *Maharsha*). [According to this version, the Baraisa does not refer at all to "death at the hands of Heaven." Some Rishonim maintain that this punishment does not have a fixed limit (see *Tosafos* to *Shabbos* 25a ד״ה כרת; cf. *Tosafos* to *Yevamos* 2a ד״ה אשת and *Shaarei Teshuvah* 3:124; see also *Tosafos* here).]

Hagahos Yavetz asserts that even our text, which reads מִיתָה בִּידֵי שָׁמַיִם, *death at the hands of Heaven,* does not refer to the Divine punishment of this name. Rather, it connotes death by natural causes, as opposed to murder and the like. Used in this sense, it carries the same meaning as "the death of every person."

27. *Job* 5:26.

28. [ב = 2; כ = 20; ל = 30; ח = 8.] This Scriptural allusion shows that death at sixty [or older] is not premature (see note 26).

29. At eighty a person is no longer supported by his natural powers but by the strengh of God (*Rashi* to *Pirkei Avos* ibid.).

30. *Psalms* 90:10.

31. Excluding the sixtieth year itself (*Tosafos* ד״ה ומיתה; see Gemara below with note 33).

The *kares* of premature death occurs only between the ages of fifty and sixty. One who expires below fifty presumably died for some other reason (*Hagahos Yavetz*).

32. If the Baraisa would have said that *kares* is inflicted between the ages of fifty and sixty, it would have implied that Samuel, who died at fifty-two, was also subject to this punishment. It therefore stated only that death at *fifty* constitutes *kares* and it omitted the other years. The Baraisa alluded to this omission and the reason for it by adding the clause: "fifty-two years, that is the death of Samuel" (*Rashi ms.;* cf. *Emes LeYaakov*).

33. As taught above, *kares* is inficted between the ages of fifty and sixty.

אלא חיה אבל שאר נשים מניחין ר' אלעזר אמר א אפילו שאר הנשים דכתיב א) ותמת שם מרים ותקבר שם סמוך למיתה קבורה ואמר ר' אלעזר ה) אף מרים בנשיקה מתה אתיא שם שם ממשה ומפני מה לא נאמר בה על פי ה' מפני שגנאי הדבר לאומרו א"ר אמי למה נסמכה מיתת מרים לפרשת פרה אדומה לומר לך מה פרה אדומה מכפרת אף מיתתן של צדיקים מכפרת א"ר אלעזר למה נסמכה מיתת אהרן לבגדי כהונה מה בגדי כהונה מכפרין אף מיתתן של צדיקים מכפרת ת"ר ג) מת פתאום זו היא מיתה חטופה חלה יום אחד ומת זו היא מיתה דחופה ר' חנניא בן גמליאל אומר זו היא מיתת מגפה שנאמר ב) בן אדם הנני לוקח ממך את מחמד עיניך במגפה וכתיב ג) ואדבר אל העם בבקר ותמת אשתי בערב שני ימים ומת זו היא מיתה דחויה ג' גערה ארבעה נזיפה חמשה זו היא מיתת כל אדם א"ר חנין מאי קרא ד) הן קרבו ימיך למות הן חד קרבו תרי ימיך תרי הא חמשה הן חד ו) שכן בלשון יוני קורין לאחת הן מת בחמשים שנה זו היא מיתת כרת ז) חמשים ושתים שנה זו היא מיתתו של שמואל הרמתי ששים זו היא מיתה בידי שמים אמר מר זוטרא מאי קרא דכתיב ה) תבא בכלח אלי קבר בכלח בגימטריא שיתין הוו שבעים שיבה שמונים גבורות דכתיב ו) ימי שנותינו בהם שבעים שנה ואם בגבורות שמונים שנה אמר רבה מחמשים ועד ששים שנה זו היא מיתת כרת והאי דלא חשיב להו משום כבודו של שמואל הרמתי רב יוסף כי הוה בר שיתין עבד להו יומא טבא לרבנן אמר נפקי לי מכרת א"ל אביי נהי דנפק ליה מר מכרת דשני מכרת דיומי מי נפיק מר א"ל ה) נקוט לך מיהא פלגא בידך רב הונא נח נפשיה פתאום הוו קא דייגי רבנן תנא להו ו) זוגא דמהדייב לא שנו אלא שלא הגיע לגבורות אבל הגיע לגבורות זו היא מיתת נשיקה אמר רבא חיי בני ומזוני לא בזכותא תליא מילתא אלא במזלא תליא מילתא דהא ז) רבה ורב חסדא תרוייהו רבנן צדיקי הוו מר מצלי ואתי מיטרא ומר מצלי ואתי מיטרא רב חסדא חיה תשעין ותרתין שנין רבה חיה ארבעין בי רב חסדא שיתין הלולי בי רבה שיתין תיכלי בי רב חסדא סמידא לכלבי ולא מתבעי בי רבה נהמא דשערי לאינשי ולא משתכח ואמר רבא הני תלת מילי בעאי קמי שמיא תרתי יהבו לי חדא לא יהבו לי חוכמתיה דרב הונא ועותריה דרב חסדא ויהבו לי ענותנותיה דרבה בר רב הונא לא יהבו לי רב ח) שעורים אחוה דרבא הוה יתיב קמיה דרבא חזייה דהוה קא מנמנם א"ל לימא ליה מר דלא לצערן א"ל מר לאו שושביניה הוא א"ל כיון דאימסר מזלא לא אשגח בי א"ל ליתחזי לי מר איתחזי ליה א"ל הוה ליה למר צערא א"ל ט) כי ריבדא דכוסילתא רבא הוה יתיב קמיה דר"נ חזייה דקא מנמנם א"ל לימא ליה מר דלא לצערן א"ל מר לאו אדם חשוב הוא א) א"ל מאן חשיב מאן ספין מאן י) רקיע א"ל ליתחזי לי מר אתחזי ליה א"ל ה"ל למר צערא א"ל כמישחל בניתא מחלבא ואי אמר לי הקב"ה זיל בההוא עלמא כד הוית לא בעינא דנפיש ביעתותיה רבי אלעזר הוה קאכיל תרומה איתחזי ליה ב) א"ל תרומה קא אכילנא ולאו קודש איקרי חלפא ליה שעתא רב ששת איתחזי ליה בשוקא אמר ליה בשוקא כבהמה איתא לגבי ביתא רב אשי איתחזי ליה בשוקא א"ל כ) איתרח לי תלתין יומין ואהדרי לתלמודאי דאמריתו ל) אשרי מי שבא לכאן ותלמודו בידו ביום תלתין אתא אמר ליה מאי כולי האי קא דחקא רגליה דבר נתן מ) ואין מלכות נוגעת בחבירתה אפילו כמלא נימא רב חסדא לא הוה יכיל ליה דלא הוה שתיק פומיה מגירסא סליק יתיב בארזא דבי רב פקע ארזא ושתק ויכיל ליה ר' חייא לא הוה מצי למיקרבא ליה יומא חד אידמי ליה כעניא אתא טריף אבבא א"ל אפיק לי ריפתא אפיקו ליה א"ל ולאו קא מרחם מר אעניא אהה גברא אמאי לא קא מרחם מר גלי ליה אחוי ליה שוטא דנורא אמצי ליה נפשיה:

מתני'

רש"י

אלא חיה. שמתה מחמת וולד שהיא שופעת: מת פתאום. שלא חלה: מחמשים שנה. ולמעלה: והאי דלא חשיב ליה. בהדי כרת דיומי. שלא ימות מיתה חטופה: פלגא. דמכרת דשני מיהא פלטי לי: מנמנם. גוסס: א"ל. רבא לרב שעורים: לימא מר. למלאך המות דלא לצעורי: שושביניה. דמלאך המות: דאימסר מזליה. איתרע מזליה: ליתחזי לי מר. בתר מיתה: מר לאו אדם חשוב. לימא ליה מר: ספין רקיע. מתוקן למיבעי מיניה: ביעתותיה. דמלאך המות: רגליה דבר נתן. למיהוי נשיא: אמאי לא מרחם. דמתפקדנא למייתי ליה למר בההוא עלמא: אחוי ליה שוטא דנורא. וידע דהוא מלאך המות:

תוספות

מה פרה אדומה מכפרת. פירוש על מעשה העגל וכדאמרינן במדרש משל לבן השפחה שטינף פלטירין של מלך אומר המלך תבא אמו וכו': מיתת אהרן לבגדי כהונה. דכתיב (במדבר כ) והפשט את אהרן את בגדיו ואהרן יאסף ומת שם וכן פי' בקונטרס ואין לפרש מיתת בני אהרן לבגדי קדש ילבש לפי שאינו סמוך כ"כ:

מה בגדי כהונה מכפרין. בזבחים כו' (דף פח:):

חטופה ודחופה. לא ידענא מאי שנא הוא ומנא ליה: ואדבר אל העם בבקר. פי' וחלתה ומתה: הן קרבו וכו'. לאו דוקא דלא אשכחנא דמשה היה חולה וביום מותו כתב הרבה (סוטה יג:) ופסע כמה פסיעות בבת אחת כדפירש בפירוש חומש: מת בחמשים זו היא מיתת כרת. בירושלמי (פ"ב דביכורים) דייק מאל תכריתו שבט הקהתי (במדבר ד) ועבודתם עד חמשים דכתיב (שם ח) מבן חמשים שנה ישוב מצבא העבודה ועוד מימי שנותיו ע' שנה דל עשרין דלא איענש עליהן נשתיירו חמשים (כדאי' שבת פט:) ותימה לפי' דהא משמע בשמעתין דבחמשים משנולד קאמר ועוד יהא חמשים לאחר שנתחייב כרת והוא מיתת כל אדם: ומיתה בידי שמים בששים. בירושלמי מפיק ממתי מדבר דאמרינן י) לא מת אחד מהן פחות מבן ששים ומיתה דהכא משמע זו היא מיתה בידי שמים וכרת בחמשים עד ששים ולא ששים בכלל והיו שזרעו נכרת וי"מ דחמשים היא מיתה שבידי שמים וכי איתא בהדי זרעו הוי כרת וששים מיתת כל אדם ובשבת פרק שני (כה. בד"ה כרת) וברים יבמות (ב. בד"ה אשת אחיו) הארכתי: אלא במזלא תליא מילתא. והקשו בתוספות הא דאמרן בסוף שבת (דף קנו. ושם) אין מזל לישראל וי"ל דלפעמים משתנה ע"י מזל כי הנהו דהתם ופעמים שאין משתנה כדאמרינן בתענית (דף כה.) גבי רבי אלעזר בן פדת דא"ל ניחא לך דאחריב עלמא דאולי אברי' בעידנא דמזוני: שתין הלולי. יש מפרשים לאו דוקא: ספין. חשוב למחר (הוא ו) היא מתה ואין כל בריה פ) ספונה (כתובות עב.) פירוש ע) חשובה ובמדרש ילמדנו אין העובדי כוכבים ספונים כלום שנא' (ישעיה מ) כל הגוים כאין נגדו וכן פירש בערוך פ) והביא עדיין ראיות אחרות: מאן רקיע. פי' מתוקן ותפור ונעלות בלות ומטולאות (יהושע ט) תרגום בלן ומרוקעים למתפרות כסתות (יחזקאל יג) תרגומו דמחטטים רקיעי חשוך והוא לשון ישמעאל חתיכת בגד תפורה על הקרע בערוך ועוד הביא דאמרינן בפ' לא יחפור (ב"ב דף כ.) חזי למרקע לבוש מיהו יש ספרים כתוב שם לקרעא:

בלע

רש"י כת"י

(ושל) [אלא] חיה. יולדת שמתה מחמת לידה לפי ששופעת דם לאחר מיתה. ותמת. ותקבר סמוך למיתה קבורה מיד. אף מרים. מתה בנשיקה כמשה ואהרן ילפינן שם שם ממשה שמת בנשיקה על פי הקב"ה דכתוב על פי יי'. אף מיתתן של צדיקים מכפרת. על אותו הדור. מיתת אהרן לבגדי כהונה. דכתו' ויפשט את אהרן את בגדיו מאי בעו בגדי כהונה בהאי שעתא. בגדי כהונה מכפרין. חושן משפט על עיוות הדין וכו' פעמון על לשון הרע בסדר יומא. זו היא מיתה חטופה. דאמרינן למות תוצאות והן [תשע מאות ושלשה] מיני מיתה תוצאות בגימטריא. זו היא מיתת כל אדם. ודרכו מת מיתה טובה. מת בחמשים שנה מיתת כרת. גרסינן. בחמשים ושתים שנה מיתתו של שמואל הרמתי. דכתוב וישב שם עד עולם (שמואל א א) עד עולמו של שמואל יובל נ' שנה כדאמרינן בסדר עול' (פי"ג). והאי דלא חשיב ליה. לעיל בהדיא איך [דכרת] גבי מיתת שמואל דהוי בין חמשי' לששים. משום כבודו. והיינו דקאמ' זו היא מיתתו של שמואל הרמתי כלומר דמשום כבודו ליכא למימר דמשמת מנ' עד ס' הוא דמחייב בכרת. מכרת דיומא. כגון הנך דלעיל מת יום אחד וכו' דחופה דחויה גערה וכו'. נקוט מיהא מפלגא. מכרת דשני נפקי לי. זוגא דמהדיב. שני תלמידי חכמים שבאו משם. חיי. אריכות חיים ורוב ימים ורוב מזונות שנותנין לו לאדם. גבורות. שנתגברו חייו. שיתין הלולי. ששים חופות ראה (מבחון) מבניו ומבני בניו. שיתין תיכלי. ששים אבילות מבניו ומבני בניו. חוכמתיה דרב הונא. היינו רב הונא דאמרן לעיל שריבץ תורה לישראל וכדגמרינן בפרק שני דייני (גזילות) [גזירות] (כתובות קו.) כי הוו מפטרי מבי רב הונא הוו פיישן תמני מאה רבנן בביתא וכי דריש ר' בפרקין דריש בתליסר אמוראי וכי קיימו רבנן מקמיה מנפלי גלימייהו וסליק אבקא ומכסי ליה ליומא. יתיב קמיה דרבא לפני מטתו שהיה חולה. חזייה. רב שעורים לרבא. דקא מנמנם. לישנא מעליא נקט. אמ' ליה. רבא לרב שעורים אחוה. לימא ליה. למלאך המות. דלא ליצערן. יותר מדאי. ומר לאו אושפיזה. והלא אתה מכירו אמור לו אתה מלאך המות היה רגיל ביניהם. אמ' ליה כיון דאימסיר מזלא. דגוסס הוא לא אשגח בו. אמר ליה. רב שעורים אנא מפייסיה דלא ליצערך ובמטו מינך לאחר מיתתך אחוי לי נפשך והודע לי אם צערך. כי מית איתחזי ליה כריבדא דכוסילתא. כהקזת דם לצערי מעט כאדם שמקיז דם. רב נחמן הוה מנמנם. גוסס. מאן חשוב. מי הוא חשוב בעיניו. ומאן ספין. ומי הוא אדם ירא (ברש"י ברי"ף - אדם ראוי) דליסתפו מיניה וחייש לדיבוריה. ומאן רקיע. מתוקן אלנו לשון רקועי פחים לישנא מי גבוה בעיניו. כמשחל ביניתא מחלבא. כמו[שה] שער [שנפל] בחלב דליכא צערא כלל. דנפיש ביעתותא. אי אמ' לי הקב"ה זיל ליהוי בההיא עלמא מי כמעיקרא לא בעינא משום ביעתותא דמלאכא שלא ימיתני פעם אחרת אע"פ שלא ליערי. ולאו תרומה קא אכילנא. ולאי קטלת לה מר מטמיא וכתוב את משמרת תרומותי שצריך לשמרה בטהרה. ולא קדש איקרו. דחשיבו כולי האי. חלפא שעתא. ולא מת באותו הפרק. איתרחי. המתן לי. דאמריתו. בשמים. אשרי מי שבא לכאן ותלמודו בידו. בגירסא. במסכת פסחים בפרק אלו עוברין (נ.). מאי כולי האי. שאתה רודפני כל כך בתוך הזמן היה לך להמתין עד שלשים כולן. (ע"כ יש בכת"י) *[דקא דחקת רגליה דבר נתן. הונא בר נתן מטא זימניה להיות נשיא וקא דחקת רגליה והכי אמרינן בפרק אד"מ בסנהדרין (לו.) מימות ר' ועד רב אשי לא מצינו תורה וגדולה במקום אחד והוינן בה והא הוה הונא בר נתן מיכף כייף ליה לרב אשי. לא הוה יכיל ליה. מלאך המות. יתיב בארזא דבי רב. עמוד של ארז שסמוך למדרשו של רב. ושתק. רב [חסדא] מגרסיה מקול הארז שפקע. טרף. לשון בילים טרופות. קא מרחם מר אעניא. דכסבור הייא שאני עני נודד ללחם ושולח לי. אהוא גברא. כלומר עלי מדוע לא תרחם ותן לי נפשך ולא תטריחני לבא כמה פעמים דמתפקדנא למייתי ליה למר בההוא עלמא. אחוי ליה. מה"מ שוטא דנורא וגלי ליה דהוא מה"מ והמציא ליה ר' חייא את עצמו (רש"י בע"ין).]*

מסורת הש"ס

א) [כ"ב יז.], ב) שמחות פ"ג, ג) [שבת לא: סנהד' עו: ע"ש], ד) שמחות פ"ג תענית ה., ה) [סנהדרין ל:], ו) [בערוך ערך זווא ב' פי' שם האדם ועי' תוס' נדה כא: ד"ה זווא], ז) [עתו' ר"ה יח. ד"ה רבה ותוס' יבמות קה. ד"ה רבה], ח) [בב"מ עג: א' רב שעורים אחוה דרבא בסמ"ך], ט) [ע' פרש"י שבת קכט. ובסנהד' לג:], י) [בערוך רקע ז"ל הערוך במ"ק מאן חשיב מאן ספין מאן רקיע כלומר מי יכול להתפשט ולהתגבר כאות' שעה עכ"ל לע"ק למעיין בערוך ערך רקע השני], כ) [גירסת הערוך איתרה], ל) [פסחים נ. ב"ב י:], מ) [כתובות עז:], מ) [ברכות מח: וש"נ], נ) [בב"ב קכא: עתוס' שם ד"ה יום שכלו בו מתי מדבר], ס) [נ"ל סופנה], ע) [ועי' בערוך ערך ספן ב], פ) [ערך ספן ג].

הגהות מהר"ב רנשבורג

א] גמ' א"ל מאן חשיב מאן ספון מאן רקיע. פי' מי הוא חשוב בעיניו ומאן ספון מי הוא אדם ראוי דליסתפו מיניה וחייש לדיבוריה ומאן רקיע מי מתוקן אצלו. מפי' ע"י קטן: ב] שם א"ל תרומה קא אכילנא ולאו קדש איקרי. פי' לאו תרומה אכילנא דאיקרי קודש ואי קטלית לי קא מטמיא וכתיב את משמרת תרומתי שצריך לשומרה בטהרה חלפא ליה שעתא ולא מת באותו פרק. מפי' הנ"ל:

עין משפט נר מצוה

רלה א מיי' פי"ג מהל' אבל הלכה ה סמג עשין ב טוש"ע י"ד סי' שנה:

תורה אור השלם

א) וַיָּבֹאוּ בְנֵי יִשְׂרָאֵל כָּל הָעֵדָה מִדְבַּר צִן בַּחֹדֶשׁ הָרִאשׁוֹן וַיֵּשֶׁב הָעָם בְּקָדֵשׁ וַתָּמָת שָׁם מִרְיָם וַתִּקָּבֵר שָׁם: [במדבר כ, א]

ב) בֶּן אָדָם הִנְנִי לֹקֵחַ מִמְּךָ אֶת מַחְמַד עֵינֶיךָ בְּמַגֵּפָה וְלֹא תִסְפֹּד וְלֹא תִבְכֶּה וְלוֹא תָבוֹא דִּמְעָתֶךָ: [יחזקאל כד, טז]

ג) וָאֲדַבֵּר אֶל הָעָם בַּבֹּקֶר וַתָּמָת אִשְׁתִּי בָּעָרֶב וָאַעַשׂ בַּבֹּקֶר כַּאֲשֶׁר צֻוֵּיתִי: [יחזקאל כד, יח]

ד) וַיֹּאמֶר יְיָ אֶל מֹשֶׁה הֵן קָרְבוּ יָמֶיךָ לָמוּת קְרָא אֶת יְהוֹשֻׁעַ וְהִתְיַצְּבוּ בְּאֹהֶל מוֹעֵד וַאֲצַוֶּנּוּ וַיֵּלֶךְ מֹשֶׁה וִיהוֹשֻׁעַ וַיִּתְיַצְּבוּ בְּאֹהֶל מוֹעֵד: [דברים לא, יד]

ה) תָּבוֹא בְכֶלַח אֱלֵי קָבֶר כַּעֲלוֹת גָּדִישׁ בְּעִתּוֹ: [איוב ה, כו]

ו) יְמֵי שְׁנוֹתֵינוּ בָהֶם שִׁבְעִים שָׁנָה וְאִם בִּגְבוּרֹת שְׁמוֹנִים שָׁנָה וְרָהְבָּם עָמָל וָאָוֶן כִּי גָז חִישׁ וַנָּעֻפָה: [תהלים צ, י]

רבינו חננאל

מפני הכבוד. אמרי נהרדעי לא שנו אלא חיה דשכיח טינוף אבל של שאר נשים מניחין ר' אלעזר אומר אפילו של שאר נשים אין מניחין שנאמר ותמת שם מרים ותקבר שם תיכף למיתה קבורה א"ר אלעזר אף מרים בנשיקה מתה. אתיא שם שם כתיב הכא ותמת שם מרים וכתיב וימת שם משה עבד ה' מה משה בנשיקה אף מרים בנשיקה. ומפני מה לא נאמר במיתת מרים על פי ה' מפני שגנאי הדבר לאומרו באשה. א"ר אמי למה נסמכה מיתת מרים לפרשת פרה אדומה מה פרה זו מטהרת חטאים ונקראת חטאת וכל חטאת מכפרת עון כך מיתתן של נשים צדקניות מטהרת ומכפרת עונותיהן של ישראל. וכ"ש מיתתן של צדיקים שמכפרת: ירושלמי בתחלת יוה"כ א"ר יודן בר שלום למה נסמכה מיתת אהרן לשבירת הלוחות ללמדך שמיתתן של צדיקים קשה לפני הקב"ה כשבירת הלוחו' כתיב ובני ישראל נסעו מבארת בני יעקן מוסרה שם מת אהרן. וכי אהרן במוסרה מת והלא בהור ההר מת. אלא כיון שמת אהרן נסתלקו ענני הכבוד וכו' ובקשו ישראל לחזור למצרים וחזרו ח' מסעות ורץ שבט לוי והרג מהן ח' משפחות וגם הם הרגו מן הלוים ד' משפחות לעמרמי ליצהרי לחברוני לעוזיאלי כו'. אמרו על מה אירע לנו זה על שלא נתעסקנו בהספדו של צדיק כראוי. מיד ישבו במוסרה והספידו וגמלו לו חסד בהספד כראוי והעלה להן הכתוב כאילו במוסרה מת כו'. א"ר אלעזר למה נסמכה מיתת אהרן לבגדי כהונה לומר לך מה בגדי כהונה מכפרין כדגרסינן (בזבחים דף פ"ח:) אף מיתת אהרן מכפרת: ת"ר מת פתאום זו מיתה חטופה. חלה יום אחד ומת זו מיתה דחופה. ר' חנינא בן גמליאל אומר זו מיתת מגפה שנאמר בן אדם הנני לוקח את מחמד עיניך במגפה וכתיב ואדבר אל העם בבקר ותמת אשתי בערב. חלה יומים ומת זו מיתה דחויה חלה ג' ומת זו מיתת גערה. חלה ד' ומת זו היא מיתת נזיפה. חלה ה' ימים ומת זו היא מיתת כל אדם. שמעינן לה מהאי קרא ויאמר ה' אל משה הן קרבו ימיך למות. קרבו תרי. ימיך תרי הן חד הרי ה' ימים. ואח"כ כתיב למות. מי שמת בן חמשים זו היא מיתת כרת. בן נ"ב זו היא מיתתו של שמואל הרמתי. בן ששים זו היא מיתת כל אדם. א"ר זירא מהאי קרא תבא בכלח אלי קבר. בכל"ח בגימטריא שיתין הוו. בן שבעים שיבה. בן שמונים בגבורות שנא' ימי שנותינו בהם שבעים שנה ואם בגבורות שמונים שנה. אמר רבא מי שמת מחמשים ועד ששים מיתת כרת היא. והא דלא חשיב לה משום כבודו של שמואל הרמתי. רב יוסף כי הוה בר שיתין אמר כבר נפקית מכרת דשני. רב הונא נח נפשיה פתאום. הוו רבנן דייגי טובא. תנא להו זווא דמהדייב פי' שם חכם. לא שנו דמיתת פתאום היא מיתה חטופה אלא במי שלא הגיע לגבורות אבל מי שהגיע לגבורות זו היא מיתת נשיקה. אמר רבא חיי בני ומזוני לאו בזכותא תליא מלתא אלא במזלא. דהא רבה ורב חסדא תרוייהו צדיקי גמורי נינהו מר מצלי ואתי מיטרא ומר מצלי ואתי מיטרא. רב חסדא חי' צ"ב שנה. ורבה חיה מ' שנה. בי רב חסדא שיתין הילולי. בי רבה שיתין תכלי. בי רב חסדא נהמא דסמידא לכלבי. בי רבה [נהמא] דשערי לאינשי לא משתכח אמר רבא תלתא בעאי מקמי שמיא. תרי הבו לי וחד לא הבו לי חכמתיה דרב הונא ועותריה דרב חסדא הבו לי ענוותנותיה דרבה בר רב הונא לא הבו לי. רבה הוה יתיב קמיה דרב נחמן והוה רב נחמן גוסס בעי למינח נפשיה. א"ל בעי רחמי דלא ליצערן מלאכא דמיתותא. א"ל ואנת לאו גברא חשיבא גבי שמיא אנת בעי רחמי עלך א"ל מאן חשוב מן ספון מן רקיע פי' כלומר כיון שנמסר אדם ביד מלאך המות אין שם חשיבותו. א"ל אחרי מיתתו אולי תתראה לי בחלום. ביקש מן הקב"ה כדי שיתראה לו בחלום ונתראה לו. אמר לו היה לך צער בשעת מיתה. א"ל לאו ומשל לו משל כהרמת נימא של שיער מתוך החלב. א"ל אילו היה הקב"ה אומר לי לך חזור וחיי כאשר היית בחייך ואח"כ תמות לא הייתי רוצה שאע"פ שלא היה [לין] צער. אימתו של מה"מ גדולה היא מאד. רבא אתחזי ליה בחלמיה לרב שעורים אחוה. וא"ל הוה לך צערא ואמר לי כי ריבדא דכוסילתא. פי' כמו שריטה ששורטין האומנין בצואר למצוץ דמו. כגון אותו הצער היה לי בעת יציאת הנשמה מן הגוף. רב ששת אתחזי ליה מלאך המות בשוק. א"ל כבהמה איתא לגבי ביתא. רב אסי אתחזי ליה מלאך המות. א"ל אתרח לי ל' יומין דאהדריה לתלמודי. דאמריתו אשרי מי שבא לכאן ותלמודו בידו. ביום שלשים אתא. א"ל מאי כולי האי. א"ל דקא דחקא רגליה דבר נתן:

master left the range of *kares* **of days?"**[34] אָמַר לֵיהּ – **He said to [Abaye]:** נְקוֹט לָךְ מִיהָא פַּלְגָא בִּידָךְ – **"Take, at any rate, half** the matter **in your hand."** Avoiding *kares* of years is itself worthy of celebration.

Another incident:
רַב הוּנָא נָח נַפְשֵׁיהּ פִּתְאוֹם – **Rav Huna passed away suddenly** הֲווּ קָא דָיְיגֵי רַבָּנָן – and **the rabbinical students were worried.**[35] תָּנָא לְהוּ זוּגָא דְּמֵהַדְיַיב – Thereupon, **a pair** of Torah scholars **from Hadayab**[36] **taught them** the following **Baraisa:** לֹא שָׁנוּ – THEY DID NOT TEACH that sudden death might be *kares* אֶלָּא שֶׁלֹּא הִגִּיעַ לִגְבוּרוֹת – EXCEPT WHERE [THE DECEASED] HAD NOT REACHED the age of STRENGTH, i.e. eighty; אֲבָל הִגִּיעַ לִגְבוּרוֹת – BUT if he died suddenly after HE REACHED the age of STRENGTH, זוֹ הִיא מִיתַת נְשִׁיקָה – THAT IS DEATH BY A KISS.[37]

The Gemara introduces another factor that affects the length of a person's life:
אָמַר רָבָא – **Rava said:** חַיֵּי בְּנֵי וּמְזוֹנֵי – The length of a person's **life,** the number of his **children and** the extent of his **sustenance:** לֹא בִּזְכוּתָא תַּלְיָא מִילְתָא – Each **matter is not dependent on** his **merit;** אֶלָּא בְּמַזָּלָא תַּלְיָא מִילְתָא – **rather, the matter is dependent on** ***mazal.***[38]

Rava offers an observation as evidence:
דְּהָא רַבָּה וְרַב חִסְדָּא תַּרְוַיְיהוּ רַבָּנָן צַדִּיקֵי הֲווּ – **For Rabbah and Rav Chisda were both righteous rabbis,** as is evident from the fact that מַר מְצַלֵּי וְאָתֵי מִיטְרָא – one **master would pray** for rain **and rain would fall,** וּמַר מְצַלֵּי וְאָתֵי מִיטְרָא – **and** the other **master would** also **pray** for rain **and rain would fall.**[39] רַב חִסְדָּא חָיָה תִּשְׁעִין וְתַרְתֵּין שְׁנִין – Yet **Rav Chisda lived ninety-two years,** רַבָּה חָיָה אַרְבְּעִין – whereas **Rabbah lived** only **forty** years. בֵּי רַב חִסְדָּא שִׁיתִּין הִלּוּלֵי – **Rav Chisda's household** celebrated **sixty weddings,**[40] בֵּי רַבָּה שִׁיתִּין תִּיכְלֵי – whereas **Rabbah's household** suffered **sixty bereavements.**[41] בֵּי רַב חִסְדָּא סְמִידָא לְכַלְבֵּי וְלֹא מִתְבָּעֵי – **Rav Chisda's household** fed bread of **fine flour to** their **dogs and it was not needed,**[42] בֵּי רַבָּה נַהֲמָא דְּשַׂעֲרֵי לְאִינָשֵׁי וְלֹא מִשְׁתַּכַּח – whereas **Rabbah's household** fed bread of **barley flour to people and not** enough of it could be **found.**[43]

Another statement by Rava:
וְאָמַר רָבָא – **And Rava said:** הָנֵי תְּלָת מִילֵּי בְּעַאי קַמֵּי שְׁמַיָּא – For **these three things I entreated Heaven;** תַּרְתֵּי יָהֲבוּ לִי – **two were given to me,** חֲדָא לֹא יָהֲבוּ לִי – and **one was not given to me:** חוּכְמְתֵיהּ דְּרַב הוּנָא – I asked for **the wisdom of Rav Huna**[44] וְעוּתְרֵיהּ דְּרַב חִסְדָּא – **and the wealth of Rav Chisda,** וְיָהֲבוּ לִי – **and I was given** both.[45] עִנְוְתָנוּתֵיהּ דְּרַבָּה בַּר רַב הוּנָא – I asked for **the humility of Rabbah bar Rav Huna**[46] לֹא יָהֲבוּ לִי – but **I was not given** it.

NOTES

34. *Kares* can take the form not only of premature death ["*kares* of years"], but also of sudden death ["*kares* of days"], as we learned in the Baraisa above: מִיתָה חֲטוּפָה, *abrupt death,* מִיתָה דְחוּפָה, *hastened death,* etc. (*Rashi ms.*). Hence, even one who has reached sixty could still succumb to some form of *kares.*

35. They were worried that his death might have been a sudden one [with respect to *kares*] (*R' Shlomo ben HaYasom*).

36. *Rashi ms.* Some read זְוָוא (or זווא) instead of זוּגָא and explain this to be the name of a particular scholar who hailed from Hadayeb (*Rabbeinu Chananel, Aruch* ע' זווא [ב]; see *Tosafos* to *Niddah* 21b ד״ה זווא).

הַדְיֵיב, *Hadayeb,* is probably the ancient kingdom of Adiabene, in what is today northern Iraq (see Schottenstein Edition of *Kiddushin,* 72a note 16).

37. We learned above that Moses, Aaron and Miriam were put to death by a Divine "kiss". Although each of their deaths was sudden (i.e. not preceded by sickness), it was certainly not *kares.* The Baraisa therefore uses the metaphor of a "kiss" to teach that one who dies over the age of eighty, even if he expired suddenly, was not punished with *kares.*

In summary, death cannot possibly be deemed *kares* except in one of the following two circumstances: (a) It occurred at the ages of fifty through fifty-nine; (b) it occurred at the ages of sixty throught seventy-nine *and* was sudden (e.g. the deceased was sick fewer than five days). Death at eighty or older is never *kares.* [Regarding death under fifty, see note 31.]

38. מַזָּל, *mazal,* in this context refers to the influence that celestial bodies have over events in this world (see *Shabbos* 156a-b, cited by *Tosafos* and *Ran;* cf. *Hagahos Ben Aryeh* in the name of *Gra*).

The Gemara in *Shabbos* (ibid.) records a dispute as to whether prayer or good deeds can change the influence of *mazal.* Rava's statement in our Gemara apparently accords with the opinion of R' Chanina, who views the influence of *mazal* as inescapable. However, the primary view is that of R' Yochanan who maintains that prayer or good deeds can improve one's fortune (*Ran* here; *Meiri* ibid.; cf. *Tosafos* and *Ritva* here, who reconcile the views of Rava and R' Yochanan; see also note 45). [There is no question, though, that a sinner who is liable to be put to death (e.g. *kares*) will die before the time his *mazal* had dictated for him.]

It is difficult to understand how Rava [and R' Chanina] can be of the opinion that the length of a person's life, his children and livelihood are determined by *mazal,* and not by merit. In several places the Torah promises an abundance of these blessings to those who obey God's will, and the converse to those who disobey. Therefore, we must say that Rava considers *mazal* only a factor, albeit the main one, in determining a person's fate. He agrees that its effect can be mitigated, at least in part, by one's deeds (*Ran;* see *Ritva*). Others answer that the dispute revolves only around individuals; all concede that the celestial signs hold no sway over the Jewish people collectively (*Teshuvos Rashba* I:148,409; *Maharsha* ibid.).

For further discussion of this issue, see Schottenstein Edition of *Shabbos,* 156a note 49 and the sources cited there.

39. Both were able to have a Divine decree rescinded through prayer.

40. He witnessed sixty weddings of children and grandchildren (*Rashi ms.*).

Alternatively, some suggest that the number sixty is not intended here to be precise (*Tosafos*). [This number is sometimes used by the Sages in an allegorical sense, to emphasize a large amount (see *Rashi* and *Tosafos* to *Bava Kamma* 92b; *Rashi* to *Shabbos* 90b ד״ה שיתין; see also *Chullin* 90b; essay by *R' Avraham ben HaRambam* recorded in the introductory section of *Ein Yaakov; Pirkei DeR' Eliezer,* ch. 42).]

41. Deaths of children and grandchildren (*Rashi ms.*).

42. The dogs would not eat it (*R' Shlomo ben HaYasom*).

43. Although they were both saintly, Rabbah and Rav Chisda differed considerably in the lengths of their lives, the number of their [surviving] progeny and their financial resources. Rava therefore concluded that these three matters are determined by *mazal,* and not merit. [See *Tosafos* to *Rosh Hashanah* 18a ד״ה רבה.]

As mentioned above, the accepted view is that *mazal* does *not* hold sway over a person's fate (see note 38). Rather, one can completely change the influence of his *mazal* by engaging in prayer and good deeds. The differences between the lives of Rav Chisda and Rabbah do not contradict this principle, because Divine distribution of reward and punishment is based on many complex factors which are not known to us (*Meiri* here and to *Shabbos* 156a). [The matter of the suffering of the righteous is discussed in *Berachos* 7a; see also Schottenstein Edition *Berachos* ibid., note 50 and 5a note 38.]

44. See above, 25a note 29.

45. Although, according to Rava himself, wealth is among the matters determined by *mazal,* he agrees that one can improve his fate through prayer of exceptional devotion and intensity (*Maharsha*).

46. This request is difficult to understand in view of the Talmudic axiom הַכֹּל בִּידֵי שָׁמַיִם חוּץ מִירְאַת שָׁמַיִם, *Everything is in the hands of Heaven except for the fear of Heaven* (*Berachos* 33b, *Megillah* 25a). That is, every aspect of a person's situation in life (e.g. lifespan, children, wealth, intelligence) is in God's hand; but whether he will be God fearing or not is given to man himself (see *Rashi* to *Berachos* ibid. and *Tosafos* to *Megillah* ibid. ד״ה הכל בידי שמים). This rule includes the totality of moral virtues, all of which are in man's own hands (*Rambam, Hil. Teshuvah* 5:1 ff.). How,

אלא חיה. שמתה מחמת וולד שהיא שופעת: מת פתאום. שלא חלה: מחמשים שנה. ולמעלה: והאי דלא חשיב ליה. בהדי כרת דיומי. שלא ימות מיתה חטופה: פלגא. דמכרת דשני מיהא פלטי לי: מנמנם. גוסס: א"ל. רבא לרב שעורים: לימא מר. למלאך המות דלא לצעורי: שושביניה. דמלאך המות: דאימסר מזליה. איתרע מזליה: ליתחזי לי מר. בתר מיתה: מר לאו אדם חשוב. לימא ליה מר: ספין רקיע. מתוקן למיבעי מיניה: ביעתותיה. דמלאך המות: רגליה דבר נתן. למיהוי נשיא: אמאי לא מרחם. דמתפקדנא למייתי ליה למר בההוא עלמא: אחוי ליה שוטא דנורא. וידע דהוא מלאך המות:

אלא חיה אבל שאר נשים מניחין ר' אלעזר אמר [א]אפילו שאר הנשים דכתיב (א) ותמת שם מרים ותקבר שם סמוך למיתה קבורה ואמר ר' אלעזר (א) אף מרים בנשיקה מתה אתיא שם שם ממשה ומפני מה לא נאמר בה על פי ה' מפני שגנאי הדבר לאומרו א"ר אמי למה נסמכה מיתת מרים לפרשת פרה אדומה לומר לך מה פרה אדומה מכפרת אף מיתתן של צדיקים מכפרת א"ר אלעזר למה נסמכה מיתת אהרן לבגדי כהונה מה בגדי כהונה מכפרין אף מיתתן של צדיקים מכפרת ת"ר (ב) מת פתאום זו היא מיתה חטופה חלה יום אחד ומת זו היא מיתה דחופה ר' חנניא בן גמליאל אומר זו היא מיתת מגפה שנאמר (ב) בן אדם הנני לוקח ממך את מחמד עיניך במגפה וכתיב (ג) ואדבר אל העם בבקר ותמת אשתי בערב שני ימים ומת זו היא מיתה דחויה ג' גערה ארבעה נזיפה חמשה זו היא מיתת כל אדם א"ר חנין מאי קרא (ד) הן קרבו ימיך למות הן חד קרבו תרי ימיך תרי הא חמשה הן חד (ג) שכן בלשון יוני קורין לאחת הן מת בחמשים שנה זו היא מיתת כרת (ד) חמשים ושתים שנה זו היא מיתתו של שמואל הרמתי ששים זו היא מיתה בידי שמים אמר מר זוטרא מאי קרא דכתיב (ה) תבא בכלח אלי קבר בכלח בגימטריא שיתין הוו שבעים שיבה שמונים גבורות דכתיב (ו) ימי שנותינו בהם שבעים שנה ואם בגבורות שמונים שנה אמר רבה מחמשים ועד ששים שנה זו היא מיתת כרת והאי דלא חשיב להו משום כבודו של שמואל הרמתי רב יוסף כי הוה בר שיתין עבד להו יומא טבא לרבנן אמר נפקי לי מכרת א"ל אביי נהי דנפק ליה מר מכרת דשני מכרת דיומי מי נפיק מר א"ל (ה) נקוט לך מיהא פלגא בידך רב הונא נח נפשיה פתאום הוו קא דייגי רבנן תנא להו (ו) זוגא דמהדייב לא שנו אלא שלא הגיע לגבורות אבל הגיע לגבורות זו היא מיתת נשיקה אמר רבא חיי בני ומזוני לא בזכותא תליא מילתא אלא במזלא תליא מילתא דהא (ז) רבה ורב חסדא תרוייהו רבנן צדיקי הוו מר מצלי ואתי מיטרא ומר מצלי ואתי מיטרא רב חסדא חיה תשעין ותרתין שנין רבה חיה ארבעין בי רב חסדא שיתין הלולי בי רבה שיתין תיכלי בי רב חסדא סמידא לכלבי ולא מתבעי בי רבה נהמא דשערי לאינשי ולא משתכח ואמר רבא הני תלת מילי בעאי קמי שמיא תרתי יהבו לי חדא לא יהבו לי חוכמתיה דרב הונא ועותריה דרב חסדא ויהבו לי ענותנותיה דרבה בר רב הונא לא יהבו לי רב (ח) שעורים אחוה דרבא הוה יתיב קמיה דרבא חזייה דהוה קא מנמנם א"ל לימא ליה מר דלא לצערן א"ל מר לאו שושביניה הוא א"ל כיון דאימסר מזלא לא אשגח בי א"ל ליתחזי לי מר איתחזי ליה א"ל הוה ליה למר צערא א"ל (ט) כי ריבדא דכוסילתא רבא הוה יתיב קמיה דר"נ חזייה דקא מנמנם א"ל לימא ליה מר דלא לצערן א"ל מר לאו אדם חשוב הוא א] א"ל מאן חשיב מאן ספין מאן (י) רקיע א"ל ליתחזי לי מר אתחזי ליה א"ל ה"ל למר צערא א"ל כמישחל בניתא מחלבא ואי אמר לי הקב"ה זיל בההוא עלמא כד הוית לא בעינא דנפיש ביעתותיה רבי אלעזר הוה קאכיל תרומה איתחזי ליה ב] א"ל תרומה קא אכילנא ולאו קודש איקרי חלפא ליה שעתא רב ששת איתחזי ליה בשוקא אמר ליה בשוקא כבהמה איתא לגבי ביתא רב אשי איתחזי ליה בשוקא א"ל (כ) איתרח לי תלתין יומין ואהדרי לתלמודאי דאמריתו (ל) אשרי מי שבא לכאן ותלמודו בידו ביום תלתין אתא אמר ליה מאי כולי האי קא דחקא רגליה דבר נתן (מ) ואין מלכות נוגעת בחבירתה אפילו כמלא נימא רב חסדא לא הוה יכיל ליה דלא הוה שתיק פומיה מגירסא סליק יתיב בארזא דבי רב פקע ארזא ושתק ויכיל ליה ר' חייא לא הוה מצי למיקרבא ליה יומא חד אידמי ליה כעניא אתא טריף אבבא א"ל אפיק לי ריפתא אפיקו ליה א"ל ולאו קא מרחם מר אעניא אההוא גברא אמאי לא קא מרחם מר גלי ליה אחוי ליה שוטא דנורא אמציה ליה נפשיה:

מתני'

רש"י (המשך): הרמתי. דכתוב וישב שם עד עולם (שמואל א א)עד עולמו של שמואל יובל נ' שנה כדאמרינן בסדר עול' (פי"ג). והאי דלא חשיב ליה. לעיל בהדיה אינך [דכרת] גבי מיתת שמואל דהוי בין חמשי' לששים. משום כבודו. והיינו דקאמ' זו היא מיתתו של שמואל הרמתי כלומר דמשום כבודו ליכא למימר דמשמת מנ' עד ס' הוא דמחייב בכרת. מכרת דיומא. כגון הנך דלעיל מת יום אחד וכו' דחופה דחויה גערה וכו'. נקוט מיהא מפלגא. מכרת דשני נפקי לי. זוגא דמהדיב. שני תלמידי חכמים שבאו משם. חיי [illegible] ורוב מזונות שנותנין לו לאדם. גבורות. שנתגברו חייו. שיתין הלולי. ששים חופות ראה (מבחון) [illegible]ין תיכלי. ששים אבילות מבניו ומבני בניו. חוכמתיה דרב הונא. היינו רב הונא דאמרן לעיל שריכן [illegible]ן בפרק שני דייני (גזילות) [גזירות] (כתובות קו.) כי הוו מפטרי מבי רב הונא הוו פיישן תמני מאה [illegible]' בפרקין דריש בתליסר אמוראי וכי קיימו רבנן מקמיה מנפלי גלימייהו וסליק אבקא ומכסי ליה ליומא. [illegible] לפני מטתו שהיה חולה. חזייה. רב שעורים לרבא. דקא מנמנם. לישנא מעליא נקט. אמ' ליה. רבא [illegible]א ליה. למלאך המות. דלא ליצערן. יותר מדאי. ומר לאו אושפיזה. והלא אתה מכירו אמור לו [illegible] רגיל ביניהם. אמ' ליה כיון דאימסיר מזלא. דגוסס הוא לא אשגח בו. אמר ליה. רב שעורים אנא [illegible] וכמטו מינך לאחר מיתתך אחוי לי נפשיך והודע לי אם נצערך. כי מית איתחזי ליה כריבדא [illegible]ם לעקרי מעט כאדם שמקיז דם. רב נחמן הוה מנמנם. גוסס. מאן חשוב. מי הוא חשוב בעיניו. [illegible] אדם ירא (ברש"י ברי"ף - אדם ראוי) דליסתפו מיניה וחייש לדיבוריה. ומאן רקיע. מתוקן אלנו לשון [illegible] גבוה בעיניו. כמשחל ביניתא מחלבא. כמו[שן] שער [שנפלן] בחלב דליכא צערא כלל. דנפיש [illegible] הקב"ה זיל ליהוי בההיא עלמא חי כמעיקרא לא בעינא משום ביעתותא דמלאכא שלא ימיתני פעם אחרת [illegible]לאו תרומה קא אכילנא. ואי קטלת לה מר מטמיא וכתוב את משמרת תרומותי שצריך לשמרה [illegible]יקרו. דהשיבו כולי האי. חלפא שעתא. ולא מת באותו הפרק. איתרחי. המתן לי. דאמריתו. [illegible]בא לכאן ותלמודו בידו. בגירסא. במסכת פסחים בפרק אלו עוברין (נ.). מאי כולי האי. שאתה [illegible]מן היה לך להמתין עד שלשים כולן. (ע"כ יש בכת"י) דקא דחקת רגליה דבר נתן. הונא בר נתן [illegible] וקא דחקת רגליה והכי אמרינן בפרק אד"מ בסנהדרין (לו.) מימות ר' ועד רב אשי לא מצינו תורה [illegible]וינן בה והא הוה הונא בר נתן מיכף כייף ליה לרב אשי. לא הוה יכיל ליה. מלאך המות. יתיב [illegible]וד של ארז שסמוך למדרשו של רב. ושתק. רב [חסדא] מגרסיה מקול הארז שפקע. טרף. לשון בילים [illegible]ר אעניא. דכסבור היית שאני עני נודד ללחם ושולח לי. אהוא גברא. כלומר עלי מדוע לא תרחם ותן [illegible]לא כמה פעמים דמתפקדנא למייתי ליה למר בההוא עלמא. אחוי ליה. מה"מ שוטא דנורא וגלי ליה דהוא מה"מ והמציא ליה ר' חייא את עצמו [רש"י בע"ין].*

מה פרה אדומה מכפרת. פירוש על מעשה העגל וכדאמרינן במדרש משל לבן השפחה שטינף פלטירין של מלך אומר המלך תבא אמו וכו': מיתת אהרן לבגדי כהונה. דכתיב (במדבר כ) והפשט את אהרן את בגדיו ואהרן יאסף ומת שם וכן פי' בקונטרס ואין לפרש מיתת בני אהרן לבגדי קדש ילבש לפי שאינו סמוך כ"כ:

מה בגדי כהונה מכפרין. בזבחים כו' (דף פח:):

חטופה ודחופה. לא ידענא מאי שנא הוא ומנא ליה: ואדבר אל העם בבקר. פי' וחלתה ומתה: הן קרבו וכו'. לאו דוקא דלא אשכחנא דמשה היה חולה וביום מותו כתב הרבה (סוטה יג:) ופסע כמה פסיעות בבת אחת כדפירש בפירוש חומש: מת בחמשים זו היא מיתת כרת. בירושלמי (פ"ב דביכורים) דייק מאל תכריתו שבט הקהתי (במדבר ד) ועבודתם עד חמשים דכתיב (שם ח) מבן חמשים שנה ישוב מצבא העבודה ועוד מימי שנותיו ע' שנה דל עשרין דלא איענש עליהן נשתיירו חמשים (כדאי' שבת פט:) ותימה לפי' דהא משמע בשמעתין דבחמשים משנולד קאמר ועוד יהא חמשים לאחר שנתחייב כרת והוא מיתת כל אדם:

ומיתה בידי שמים בששים. בירושלמי מפיק ממתי מדבר דאמרינן (נ) לא מת אחד מהן פחות מבן ששים ומיתה דהכא משמע זו היא מיתה בידי שמים וכרת בחמשים עד ששים ולא ששים בכלל וזהו שזרעו נכרת וי"מ דחמשים היא מיתה שבידי שמים וכי איתא בהדי זרעו הוי כרת וששים מיתת כל אדם ובשבת פרק שני (כה. בד"ה כרת) וריש יבמות (ב. בד"ה אשת אחיו) הארכתי:

אלא במזלא תליא מילתא. והקשו בתוספות הא דאמרן בסוף שבת (דף קנו. ושם) אין מזל לישראל וי"ל דלפעמים משתנה ע"י מזל כי הנהו דהתם ופעמים שאין משתנה כדאמרינן בתענית (דף כה.) גבי רבי אלעזר בן פדת דא"ל ניחא לך דאחריב עלמא דאולי אברי' בעידנא דמזוני:

שתין הלולי. יש מפרשים לאו דוקא:

ספין. חשוב למחר (הוא ו) היא מתה ואין כל בריה (ס) ספונה (כתובות עב.) פירוש (ע) חשובה ובמדרש ילמדנו אין העובדי כוכבים ספונים כלום שנא' (ישעיה מ) כל הגוים כאין נגדו וכן פירש בערוך (פ) והביא עדיין ראיות אחרות:

מאן רקיע. פי' מתוקן ותפור ונעלות בלות ומטולאות (יהושע ט) תרגום בלן ומרוקעים למתפרות כסתות (יחזקאל יג) תרגומו דמחטטים רקיעי חשוך והוא לשון ישמעאל חתיכת בגד תפורה על הקרע בערוך ועוד הביא דאמרינן בפ' לא יחפור (ב"ב דף כ.) חזי למרקע לבוש מיהו יש ספרים כתוב שם לקרעא:

בלע

מסורת הש"ס

א) [ב"ב יז.], ב) שמחות פ"ג, ג) [שבת לא: סנהד' עו: ע"ש], ד) שמחות פ"ג תענית ה:, ה) [סנהדרין ל:], ו) [בערוך ערך זווא ב' פי' שם האדם ועי' תוס' נדה כא: ד"ה זווא], ז) [עתו' ר"ה יח. ד"ה רבה ותוס' יבמות קה. ד"ה רבא], ח) [בב"מ עג: אי' רב שעורים אחוה דרבא בסמ"ך], ט) [ע' פרש"י שבת קלט. ובסנהד' לג:], י) [בערך רקע ז"ל הערוך במ"ק מאן חשיב מאן ספין מאן רקוע כלומר מי יכול להתפשט ולהתגבר באות' שעה עכ"ל לע"ק למעיין בערוך ערך רקע השני], כ) [גירסת הערוך איתרה], ל) [פסחים נ. ב"ב י: כתובות עז:], מ) [ברכות מח: וש"נ], נ) [בב"ב קכא: עתוס' שם ד"ה יום שכלו בו מתי מדבר], ס) [נ"ל סופנה], ע) [ועי' בערוך ערך ספן ב'], פ) [ערך ספן ג'].

עין משפט נר מצוה

רלה א מיי' פי"ב מהל' אבל הלכה ה סמג עשין ב טוש"ע י"ד סי' שנה:

תורה אור השלם

א) וַיָּבֹאוּ בְנֵי יִשְׂרָאֵל כָּל הָעֵדָה מִדְבַּר צִן בַּחֹדֶשׁ הָרִאשׁוֹן וַיֵּשֶׁב הָעָם בְּקָדֵשׁ וַתָּמָת שָׁם מִרְיָם וַתִּקָּבֵר שָׁם: [במדבר כ, א]

ב) בֶּן אָדָם הִנְנִי לֹקֵחַ מִמְּךָ אֶת מַחְמַד עֵינֶיךָ בְּמַגֵּפָה וְלֹא תִסְפֹּד וְלֹא תִבְכֶּה וְלוֹא תָבוֹא דִּמְעָתֶךָ: [יחזקאל כד, טז]

ג) וָאֲדַבֵּר אֶל הָעָם בַּבֹּקֶר וַתָּמָת אִשְׁתִּי בָּעָרֶב וָאַעַשׂ בַּבֹּקֶר כַּאֲשֶׁר צֻוֵּיתִי: [יחזקאל כד, יח]

ד) וַיֹּאמֶר יְיָ אֶל מֹשֶׁה הֵן קָרְבוּ יָמֶיךָ לָמוּת קְרָא אֶת יְהוֹשֻׁעַ וְהִתְיַצְּבוּ בְּאֹהֶל מוֹעֵד וַאֲצַוֶּנּוּ וַיֵּלֶךְ מֹשֶׁה וִיהוֹשֻׁעַ וַיִּתְיַצְּבוּ בְּאֹהֶל מוֹעֵד: [דברים לא, יד]

ה) תָּבוֹא בְכֶלַח אֱלֵי קָבֶר כַּעֲלוֹת גָּדִישׁ בְּעִתּוֹ: [איוב ה, כו]

ו) יְמֵי שְׁנוֹתֵינוּ בָהֶם שִׁבְעִים שָׁנָה וְאִם בִּגְבוּרֹת שְׁמוֹנִים שָׁנָה וְרָהְבָּם עָמָל וָאָוֶן כִּי גָז חִישׁ וַנָּעֻפָה: [תהלים צ, י]

רבינו חננאל

מפני הכבוד. אמרי נהרדעי לא שנו אלא חיה דשכיח טינוף אבל של שאר נשים מניחין ר' אלעזר אומר אפילו של שאר נשים אין מניחין שנאמר ותמת שם מרים ותקבר שם תיכף למיתה קבורה א"ר אלעזר אף מרים בנשיקה מתה. אתיא שם שם כתיב הכא ותמת שם מרים וכתיב וימת שם משה עבד ה' מה משה בנשיקה אף מרים בנשיקה. ומפני מה לא נאמר במיתת מרים על פי ה' מפני שגנאי הדבר לאומרו באשה. א"ר אמי למה נסמכה מיתת מרים לפרשת פרה אדומה מה פרה זו מטהרת חטאים ונקראת חטאת וכל חטאת מכפרת עון כך מיתתן של נשים צדקניות מטהרת ומכפרת עונותיהן של ישראל. וכ"ש מיתתן של צדיקים שמכפרת: ירושלמי בתחלת יוה"כ א"ר יודן בר שלום למה נסמכה מיתת אהרן לשבירת הלוחות ללמדך שמיתתן של צדיקים קשה לפני הקב"ה כשבירת הלוחו' כתיב ובני ישראל נסעו מבארת בני יעקן מוסרה שם מת אהרן. וכי אהרן במוסרה מת והלא בהור ההר מת. אלא כיון שמת אהרן נסתלקו ענני הכבוד וכו' ובקשו ישראל לחזור למצרים וחזרו ח' מסעות ורץ שבט לוי והרג מהן ח' משפחות וגם הם הרגו מן הלוים ד' משפחות לעמרמי ליצהרי לחברוני לעוזיאלי כו'. אמרו על מה אירע לנו זה על שלא נתעסקנו בהספדו של צדיק כראוי. מיד ישבו במוסרה והספידו וגמלו לו חסד בהספד כראוי והעלה להן הכתוב כאילו במוסרה מת כו'. א"ר אלעזר למה נסמכה מיתת אהרן לבגדי כהונה לומר לך מה בגדי כהונה מכפרין כדגרסינן (בזבחים דף פ"ח:) אף מיתת אהרן מכפרת: ת"ר מת פתאום זו מיתה חטופה. חלה יום אחד ומת זו מיתה דחופה. ר' חנינא בן גמליאל אומר זו מיתת מגפה שנאמר בן אדם הנני לוקח את מחמד עיניך במגפה וכתיב ואדבר אל העם בבקר ותמת אשתי בערב [illegible] מיתה דחויה חלה ג' ומת זו מיתת גערה. חלה ד' ומת זו היא מיתת נזיפה. חלה ה' ימים ומת זו היא מי[illegible] לה מהאי קרא ויאמר ה' אל משה הן קרבו ימיך למות. קרבו תרי. ימיך תרי הן חד הרי ה' ימים. וא[illegible] שמת בן חמשים זו היא מיתת כרת. בן נ"ב זו היא מיתתו של שמואל הרמתי. בן ששים זו היא מיתה [illegible] מהאי קרא תבא בכלח אלי קבר. בכל"ח בגימטריא שיתין הוו. בן שבעים שיבה. בן שמונים בגבורו[ת] [illegible] בהם שבעים שנה ואם בגבורות שמונים שנה. אמר רבא מי שמת מחמשים ועד ששים מיתת כרת היא. [illegible] משום כבודו של שמואל הרמתי. רב יוסף כי הוה בר שיתין אמר כבר נפקית מכרת דשני. רב הונא נח [נפשיה] [illegible] רבנן דייגי טובא. תנא להו זווא דמהדייב פי' שם חכם. לא שנו דמיתת פתאום היא מיתה חטופה א[לא] [illegible] לגבורות אבל מי שהגיע לגבורות זו היא מיתת נשיקה. אמר רבא חיי בני ומזוני לאו בזכותא תליא מלת[א] [illegible] רבה ורב חסדא תרוייהו צדיקי גמורי נינהו מר מצלי ואתי מיטרא ומר מצלי ואתי מיטרא. רב חסדא [illegible] חיה מ' שנה. בי רב חסדא שיתין הילולי. בי רבה שיתין תכלי. בי רב חסדא נהמא דסמידא לכלבי. בי [רבה] [illegible] לאינשי לא משתכח אמר רבא תלתא בעאי מקמי שמיא. תרי הבו לי וחד לא הבו לי חכמתיה דרב הונא [illegible] הבו לי ענוותנותיה דרבה בר רב הונא לא הבו לי. רבה הוה יתיב קמיה דרב נחמן והוה רב נחמן גוסס [illegible] א"ל בעי רחמי דלא ליצערן מלאכא דמיתותא. א"ל ואנת לאו גברא חשיבא גבי שמיא אנת בעי רחמי [illegible] מן ספון מן רקיע פי' כלומר כיון שנמסר אדם ביד מלאך המות אין שם חשיבותו. א"ל אחרי מיתתו אול[י] [illegible] ביקש מן הקב"ה כדי שיתראה לו בחלום ונתראה לו. אמר לו היה לך צער בשעת מיתה. א"ל לאו ומ[illegible] נימא של שיער מתוך החלב. א"ל אילו היה הקב"ה אומר לי לך חזור וחיי כאשר היית בחייך ואח"כ [illegible] שאע"פ שלא היה [לין] צער. אימתו של מה"מ גדולה היא מאד. רבא אתחזי ליה בחלמיה לרב שעורים [illegible] צערא ואמר לי כי ריבדא דכוסילתא. פי' כמו שריטה ששורטין האומנין בצואר למצוץ דמו. כגון אות[ו] [illegible] יציאת הנשמה מן הגוף. רב ששת אתחזי ליה מלאך המות בשוק. א"ל כבהמה איתא לגבי ביתא. רב א[שי] [illegible] המות. א"ל אתרח לי ל' יומין דאהדריה לתלמודי. דאמריתו אשרי מי שבא לכאן ותלמודו בידו. ביום [illegible] מאי כולי האי. א"ל דקא דחקא רגליה דבר נתן:

הגהות מהר"ב רנשבורג

א] גמ' א"ל מאן חשיב מאן ספון מאן רקיע. פי' מי הוא חשוב בעיניו ומאן ספון מי הוא אדם ראוי דליסתפו מיניה וחייש לדיבוריה ומאן רקיע מי מתוקן אצלו. מפי' ע"י קטן: ב] שם א"ל תרומה קא אכילנא ולאו קדש איקרי. פי' לאו תרומה אכילנא דאיקרי קודש ואי קטלית לי קא מטמיא וכתיב את משמרת תרומתי שצריך לשומרה בטהרה חלפא ליה שעתא ולא מת באותו פרק. מפי' הנ"ל:

רש"י כת"י

(ושל) [אלא] חיה. יולדת שמתה מחמת לידה לפי ששופעת דם לאחר מיתה. ותמת. ותקבר סמוך למיתה קבורה מיד. אף מרים. מתה בנשיקה כמשה ואהרן ילפינן שם שם ממשה שמת בנשיקה על פי הקב"ה דכתוב על פי יי'. אף מיתתן של צדיקים מכפרת. על אותו הדור. מיתת אהרן לבגדי כהונה. דכתו' ויפשט את אהרן את בגדיו מאי בעו בגדי כהונה בהאי שעתא. בגדי כהונה מכפרין. חושן משפט על עיוות הדין וכו' פעמון על לשון הרע בסדר יומא. זו היא מיתה חטופה. דאמרינן למות תוצאות והן [תשע מאות ושלשה] מיני מיתה תוצאות בגימטריא. זו היא מיתת כל אדם. וכדרכו מת מיתה טובה. מת בחמשים שנה מיתת כרת. גרסינן. בחמשים ושתים שנה מיתתו של שמואל הרמתי. דכתוב וישב שם

The Gemara records several encounters between a sage and the Angel of Death:

רַב שְׂעוֹרִים אֲחוּהַ דְּרָבָא הֲוָה יָתִיב קַמֵּיהּ דְּרָבָא – **Rav Seorim, the brother of Rava, was sitting before Rava,**[47] חַזְיֵיה דַּהֲוָה קָא מְנַמְנֵם – when **he saw that [Rava] was slipping into slumber,** i.e. death. אָמַר לֵיהּ – **[Rava] asked him:** לֵימָא לֵיהּ מַר דְּלָא לִצַעֲרָן – **"May master tell him** [the Angel of Death] **not to hurt me."** אָמַר לֵיהּ – **He answered [Rava]:** מַר לָאו שׁוֹשְׁבִינֵיהּ הוּא – **"Is master not his friend?"**[48] אָמַר לֵיהּ – **[Rava] said to him:** כֵּיוָן דְּאִימְּסַר מַזָּלָא לָא אַשְׁגַּח בִּי – **"Since** my *mazal* **has been delivered** to the Angel of Death,[49] **he will pay no attention to me."** אָמַר לֵיהּ – **He asked [Rava]:** לִיתְחֲזֵי לִי מַר – **"May master appear to me** after he dies."[50] – אִיתְחֲזֵי לֵיהּ – After Rava passed away, **he appeared to [Rav Seorim],** אָמַר לֵיהּ – and **[Rav Seorim] asked him:** הֲוָה לֵיהּ לְמַר צַעֲרָא – **"Did master feel pain?"** אָמַר לֵיהּ – **He answered him:** כִּי רִיבְדָּא דְּכוּסִילְתָּא – "It was **like a puncture from a** bloodletter's **lancet."**[51]

The Gemara relates another encounter between a sage and the Angel of Death:

רָבָא הֲוָה יָתִיב קַמֵּיהּ דְּרַב נַחְמָן – **Rava was sitting before Rav Nachman,** חַזְיֵיה דְּקָא מְנַמְנֵם – when **he saw that [Rav Nachman] was slipping into slumber,** i.e. death. אָמַר לֵיהּ – **[Rav Nachman] asked him,** לֵימָא לֵיהּ מַר דְּלָא לִצַעֲרָן – **"May master tell him** [the Angel of Death] **not to hurt me."** אָמַר לֵיהּ – **He answered [Rav Nachman]:** מַר לָאו אָדָם חָשׁוּב הוּא – **"Is master not an important person?"**[52] Let master speak to the Angel of Death himself. אָמַר לֵיהּ – **[Rav Nachman] said to him:** מַאן חָשִׁיב מַאן סְפִין מַאן רְקִיעַ – **"Who is important, who is awesome,**[53] **who is exalted**[54] before the Angel of Death?"[55] אָמַר לֵיהּ – **He asked [Rav Nachman]:** לִיתְחֲזֵי לִי מַר – **"May master appear to me** after he dies." אִיתְחֲזֵי לֵיהּ – After Rav Nachman passed away, **he appeared to [Rava]** אָמַר לֵיהּ – and **[Rava] asked him:** הֲוָה לֵיהּ לְמַר צַעֲרָא – **"Did master feel pain?"** אָמַר לֵיהּ – **He answered him:** כְּמִישְׁחַל בִּנִיתָא מֵחַלְבָא – "It was **like a hair being drawn from milk.**[56] וְאִי אָמַר לִי הַקָּדוֹשׁ בָּרוּךְ הוּא – **But if the Holy One, Blessed is He, would say to me,** זִיל בְּהַהוּא עָלְמָא כִּד הֲוֵית – **'Go** back **to that world,** living there **as you were** before, and then die again,' לָא בְּעֵינָא דִּנְפִישׁ בִּיעֲתוּתֵיהּ – **I would not want** to, **because the fear of [the Angel of Death] is great."**

Another encounter between a sage and the Angel of Death:

רַבִּי אֶלְעָזָר הֲוָה קָאָכִיל תְּרוּמָה – **R' Elazar was eating** ***terumah*** אִיתְחֲזֵי לֵיהּ – when **[the Angel of Death] appeared to him.** אָמַר לֵיהּ – **[R' Elazar] said to him:** תְּרוּמָה קָא אָכִילְנָא וְלָאו קוֹדֶשׁ אִיקְּרֵי – **"I am eating** ***terumah.***[57] **Is it not called 'sacred'?"** חַלְפָא לֵיהּ שַׁעְתָּא – **The moment passed** without the Angel of Death taking his life.

Another encounter with the Angel of Death:

רַב שֵׁשֶׁת אִיתְחֲזֵי לֵיהּ בְּשׁוּקָא – **[The Angel of Death] appeared to Rav Sheishess in the marketplace.** אָמַר לֵיהּ – **[Rav Sheishess] said to him:** בְּשׁוּקָא כִּבְהֵמָה – "Would you have me die **in the marketplace like an animal?** אִיתָא לְגַבֵּי בֵּיתָא – **Come into the house!"**[58]

A similar encounter:

רַב אַשִׁי אִיתְחֲזֵי לֵיהּ בְּשׁוּקָא – **[The Angel of Death] appeared to Rav Ashi in the marketplace.** אָמַר לֵיהּ – **[Rav Ashi] said to him:** אִיתְרַח לִי תְּלָתִין יוֹמִין – **"Wait thirty days for me,** וְאֶהְדְרִי לְתַלְמוּדָאי – **and I will review my studies,** דְּאָמְרִיתוּ – **because you say** in Heaven: אַשְׁרֵי מִי שֶׁבָּא לְכָאן וְתַלְמוּדוֹ בְּיָדוֹ – **'Fortunate is one who comes here with his learning in his hand.' "**[59] בְּיוֹם תְּלָתִין אָתָא – **On the thirtieth day,** before the end of the day, **[the Angel of Death] came** back to Rav Ashi. אָמַר לֵיהּ – **[Rav Ashi] asked him:** מַאי כּוּלֵּי הַאי – **"What is all this** urgency?"[60] קָא דָחֲקָא רִגְלֵיהּ דְּבַר נָתָן – The Angel of Death answered: **"He** [Rav Ashi] **is pushing the foot of Bar Nassan** (i.e. the time has arrived for Bar Nassan to take over Rav Ashi's position)[61] וְאֵין מַלְכוּת נוֹגַעַת בַּחֲבֵירְתָּהּ אֲפִילּוּ כִּמְלֹא נִימָא – **and the reign of one king may not encroach upon the reign of another by even a hairbreadth."**[62]

NOTES

then, could Rava pray for the virtue of humility? *Maharsha* answers that Rava did not seek to be granted humility as a gift, without any effort on his part to attain it. Rather, he sought that God help him in his struggle to achieve it himself. Such a request is valid in light of the principle (*Shabbos* 104a): בָּא לִיטַהֵר מְסַיְּיעִים אוֹתוֹ, *One who comes to purify himself will be helped [by Heaven].*

47. He sat before Rava's bed as Rava lay deathly ill (*Rashi ms.*).

48. Rava was acquainted with the Angel of Death. [It was not unusual for the Angel of Death to communicate with the Sages of the Talmud.] Therefore, Rav Seorim proposed that Rava address him directly (*Rashi ms.*).

49. For I am dying (*Rashi ms.*). [In this context מַזָּל, *mazal,* presumably refers to one's guardian angel, as in *Shabbos* 53a, *Megillah* 3a et al.]

50. Rav Seorim agreed to appease the Angel of Death on Rava's behalf; he asked Rava to appear to him after death [in a dream] and report whether the death was painful (*Rashi ms.*). [*Iyun Yaakov* wonders why this request is not forbidden under the commandment (*Deuteronomy* 18:10-11): *There shall not be found among you . . . one who seeks out the dead* (see *Sanhedrin* 65b and *Rambam, Hil. Avodah Zarah* 11:13).]

51. It caused little pain (*Rashi ms.;* see 29a note 2).

52. I.e. important in the eyes of Heaven (*Rabbeinu Chananel*).

53. *Rashi ms.;* cf. *Tosafos.*

54. Literally: refined (i.e. purified of character flaws). The word רָקִיעַ carries this sense in the verse: רִקֻּעֵי פַחִים, *hammered-out sheets* [*Numbers* 17:3] (*Rashi ms.;* see *Tosafos*).

55. Who commands sufficient awe and respect to make demands of the Angel of Death? (*Rashi* on *Ein Yaakov*). *Rabbeinu Chananel* explains that once a person has been delivered into the hand of the Angel of Death, all his importance counts for nothing.

56. It did not hurt at all (*Rashi ms.*).

57. The Torah (*Numbers* 18:8) requires one to prevent *terumah* [and other sacred foods] from becoming *tamei.* Therefore, I should try to stop you taking my life, because if you do kill me, the *terumah* I am eating will become *tamei* from my corpse (see *Rashi ms.*).

58. Rav Sheishess sought to die on his bed in an honorable fashion (*R' Shlomo ben HaYasom*).

59. This refers to one who reviewed his learning and remembers it by heart; or to one who practiced all that he learned (*Rabbeinu Chananel* to *Pesachim* 50a).

Maharsha (*Bava Basra* 10b) interprets "in his hand" as a reference to the original insights and explanations that a Torah scholar commits to writing. Thus, fortunate indeed is the scholar who records his Torah thoughts, for his primary learning – and that which makes the greatest impression on him – occurs when he composes those works. For that reason Torah scholars are called סוֹפְרִים, *scribes.*

60. Why are you pursuing me before the time we agreed upon? You should have waited until the end of the thirty days (*Rashi ms.*). [See *Ben Yehoyada,* who wonders why the Angel of Death initially agreed to give Rav Ashi an extra thirty days, but then returned before the time had passed.]

61. This refers to Rav Huna bar Nassan, who succeeded Rav Ashi as leader of the [Babylonian] community, as implied by the Gemara in *Sanhedrin* 36a (*Rashi* on *Ein Yaakov; Ran*).

62. Heaven does not allow the reign of one leader to extend for even a moment into the term designated for his successor. Thus, Rav Ashi had

אלא חיה אבל שאר נשים מניחין ר' אלעזר אמר א אפילו שאר הנשים דכתיב א) ותמת שם מרים ותקבר שם סמוך למיתה קבורה ואמר ר' אלעזר ב) אף מרים בנשיקה מתה אתיא שם שם ממשה ומפני מה לא נאמר בה על פי ה' מפני שגנאי הדבר לאומרו א"ר אמי למה נסמכה מיתת מרים לפרשת פרה אדומה לומר לך מה פרה אדומה מכפרת אף מיתתן של צדיקים מכפרת א"ר אלעזר למה נסמכה מיתת אהרן לבגדי כהונה מה בגדי כהונה מכפרין אף מיתתן של צדיקים מכפרת ת"ר ג) מת פתאום זו היא מיתה חטופה חלה יום אחד ומת זו היא מיתה דחופה ר' חנניא בן גמליאל אומר זו היא מיתת מגפה שנאמר ב) בן אדם הנני לוקח ממך את מחמד עיניך במגפה וכתיב ג) ואדבר אל העם בבקר ותמת אשתי בערב שני ימים ומת זו היא מיתה דחויה ג' גערה ארבעה נזיפה חמשה זו היא מיתת כל אדם א"ר חנין מאי קרא ד) הן קרבו ימיך למות הן חד קרבו תרי ימיך תרי הא חמשה הן חד ה) שכן בלשון יוני קורין לאחת הן מת בחמשים שנה זו היא מיתת כרת ו) חמשים ושתים שנה זו היא מיתתו של שמואל הרמתי ששים זו היא מיתה בידי שמים אמר מר זוטרא מאי קרא דכתיב ה) תבא בכלח אלי קבר בכלח בגימטריא שיתין הוו שבעים שיבה שמונים גבורות דכתיב ו) ימי שנותינו בהם שבעים שנה ואם בגבורות שמונים שנה אמר רבה מחמשים ועד ששים שנה זו היא מיתת כרת והאי דלא חשיב להו משום כבודו של שמואל הרמתי רב יוסף כי הוה בר שיתין עבד להו יומא טבא לרבנן אמר נפקי לי מכרת א"ל אביי נהי דנפק ליה מר מכרת דשני מכרת דיומי מי נפיק מר א"ל ס) נקוט לך מיהא פלגא בידך רב הונא נח נפשיה פתאום הוו קא דייגי רבנן תנא להו י) זוגא דמהדייב לא שנו אלא שלא הגיע לגבורות אבל הגיע לגבורות זו היא מיתת נשיקה אמר רבא חיי בני ומזוני לא בזכותא תליא מילתא אלא במזלא תליא מילתא דהא ז) רבה ורב חסדא תרוייהו רבנן צדיקי הוו מר מצלי ואתי מיטרא ומר מצלי ואתי מיטרא רב חסדא חיה תשעין ותרתין שנין רבה חיה ארבעין בי רב חסדא שיתין הלולי בי רבה שיתין תיכלי בי רב חסדא סמידא לכלבי ולא מתבעי בי רבה נהמא דשערי לאינשי ולא משתכח ואמר רבא הני תלת מילי בעאי קמי שמיא תרתי יהבו לי חדא לא יהבו לי חוכמתיה דרב הונא ועותריה דרב חסדא ויהבו לי ענותנותיה דרבה בר רב הונא לא יהבו לי רב ח) שעורים אחוה דרבא הוה יתיב קמיה דרבא חזייה דהוה קא מנמנם א"ל לימא ליה מר דלא לצערן א"ל מר לאו שושביניה הוא א"ל כיון דאימסר מזלא לא אשגח בי א"ל ליתחזי לי מר איתחזי ליה א"ל הוה ליה למר צערא א"ל ט) כי ריבדא דכוסילתא רבא הוה יתיב קמיה דר"נ חזייה דקא מנמנם א"ל לימא ליה מר דלא לצערן א"ל מר לאו אדם חשוב הוא א) א"ל מאן חשיב מאן ספין מאן י) רקיע א"ל ליתחזי לי מר אתחזי ליה א"ל ה"ל למר צערא א"ל כמישחל בניתא מחלבא ואי אמר לי הקב"ה זיל בההוא עלמא כד הוית לא בעינא דנפיש ביעתותיה רבי אלעזר הוה קאכיל תרומה איתחזי ליה ב) א"ל תרומה קא אכילנא ולאו קודש איקרי חלפא ליה שעתא רב ששת איתחזי ליה בשוקא אמר ליה בשוקא כבהמה איתא לגבי ביתא רב אשי איתחזי ליה בשוקא א"ל כ) איתרח לי תלתין יומין ואהדרי לתלמודאי דאמריתו ל) אשרי מי שבא לכאן ותלמודו בידו ביום תלתין אתא אמר ליה מאי כולי האי קא דחקא רגליה דבר נתן מ) ואין מלכות נוגעת בחבירתה אפילו כמלא נימא רב חסדא לא הוה יכיל ליה דלא הוה שתיק פומיה מגירסא סליק יתיב בארזא דבי רב פקע ארזא ושתק ויכיל ליה ר' חייא לא הוה מצי למיקרבא ליה יומא חד אידמי ליה כעניא אתא טריף אבבא א"ל אפיק לי ריפתא אפיקו ליה א"ל ולאו קא מרחם מר אעניא אההוא גברא אמאי לא קא מרחם מר גלי ליה אחוי ליה שוטא דנורא אמצי ליה נפשיה:

מתני'

רש"י

אלא חיה. שמתה מחמת וולד שהיא שופעת: מת פתאום. שלא חלה: מחמשים שנה. ולמעלה: והאי דלא חשיב ליה. בהדי כרת: כרת דיומי. שלא ימות מיתה חטופה: פלגא. דמכרת דשני מיהא פלטי לי: מנמנם. גוסס: א"ל. רבא לרב שעורים: לימא מר. למלאך המות דלא לצעורי: שושביניה. דמלאך המות: דאימסר מזליה. איתרע מזליה: ליתחזי לי מר. בתר מיתה: מר לאו אדם חשוב. לימא ליה מר: ספין רקיע. מתוקן למיבעי מיניה: ביעתותיה. דמלאך המות: רגליה דבר נתן. למיהוי נשיא: אמאי לא מרחם. דמתפקדנא למייתי ליה למר בההוא עלמא: אחוי ליה שוטא דנורא. וידע דהוא מלאך המות:

תוספות

מה פרה אדומה מכפרת. פירוש על מעשה העגל וכדאמרינן במדרש משל לבן השפחה שטינף פלטירין של מלך אומר המלך תבא אמו וכו': מיתת אהרן לבגדי כהונה. דכתיב (במדבר כ) והפשט את אהרן את בגדיו ואהרן יאסף ומת שם וכן פי' בקונטרס ואין לפרש מיתת בני אהרן לבגדי קדש ילבש לפי שאינו סמוך כ"כ: מה בגדי כהונה מכפרין. בזבחים כו' (דף פח:): חטופה ודחופה. לא ידענא מאי שנא הוא ומנא ליה: ואדבר אל העם בבקר. פי' וחלתה ומתה: הן קרבו וכו'. לאו דוקא דלא אשכחנא דמשה היה חולה וביום מותו כתב הרבה (סוטה יג:) ופסע כמה פסיעות בבת אחת כדפירש בפירוש חומש: מת בחמשים זו היא מיתת כרת. בירושלמי (פ"ב דביכורים) דייק מהא תכריתו שבט הקהתי (במדבר ד) ועבודתם עד חמשים דכתיב (שם ח) מבן חמשים שנה ישוב מצבא העבודה ועוד מימי שנותיו ע' שנה דל עשרין דלא איענש עליהן נשתיירו חמשים (כדאי' שבת פט:) ותימה לפי' דהא משמע בשמעתין דבחמשים משנולד קאמר ועוד יהא חמשים לאחר שנתחייב כרת והוא מיתת כל אדם: ומיתה בידי שמים בששים. בירושלמי מפיק ממתי מדבר דאמרינן י) לא מת אחד מהן פחות מבן ששים ומיתה דהכא משמע זו היא מיתה בידי שמים וכרת בחמשים עד ששים ולא ששים בכלל וזהו שזרעו נכרת וי"מ דחמשים היא מיתה שבידי שמים וכי איתא בהדי זרעו הוי כרת וששים מיתת כל אדם ובשבת פרק שני (כה. בד"ה כרת) ובריש יבמות (ב. בד"ה אשת אחיו) הארכתי: אלא במזלא תליא מילתא. והקשו בתוספות הא דאמרן בסוף שבת (דף קנו. ושם) אין מזל לישראל וי"ל דלפעמים משתנה ע"י מזל כי הנהו דהתם ופעמים שאין משתנה כדאמרינן בתענית (דף כה.) גבי רבי אלעזר בן פדת דא"ל ניחא לך דאחריב עלמא דאולי אברי' בעידנא דמזוני: שתין הלולי. יש מפרשים לאו דוקא: ספין. חשוב למאר (הוא ו) היא מתה ואין כל בריה פ) ספונה (כתובות עב.) פירוש ע) חשובה ובמדרש ילמדנו אין העובדי כוכבים ספונים כלום שנא' (ישעיה מ) כל הגוים כאין נגדו וכן פירש בערוך פ) והביא עדיין ראיות אחרות: מאן רקיע. פי' מתוקן ותפור ונעלות בלות ומטולאות (יהושע ט) תרגום בלן ומרוקעים למתפרות כסתות (יחזקאל יג) תרגומו דמחטטים רקיעי חשוך והוא לשון ישמעאל חתיכת בגד תפורה על הקרע בערוך ועוד הביא דאמרינן בפ' לא יחפור (ב"ב דף כ.) חזי למרקע לבוש מיהו יש ספרים כתוב שם לקרעא: בלע

עין משפט נר מצוה

רלה א מיי' פי"ב מהל' אבל הלכה ה סמג עשין ב טוש"ע י"ד סי' שנה:

תורה אור השלם

א) וַיָּבֹאוּ בְנֵי יִשְׂרָאֵל כָּל הָעֵדָה מִדְבַּר צִן בַּחֹדֶשׁ הָרִאשׁוֹן וַיֵּשֶׁב הָעָם בְּקָדֵשׁ וַתָּמָת שָׁם מִרְיָם וַתִּקָּבֵר שָׁם: [במדבר כ, א]

ב) בֶּן אָדָם הִנְנִי לֹקֵחַ מִמְּךָ אֶת מַחְמַד עֵינֶיךָ בְּמַגֵּפָה וְלֹא תִסְפֹּד וְלֹא תִבְכֶּה וְלוֹא תָבוֹא דִּמְעָתֶךָ: [יחזקאל כד, טז]

ג) וָאֲדַבֵּר אֶל הָעָם בַּבֹּקֶר וַתָּמָת אִשְׁתִּי בָּעָרֶב וָאַעַשׂ בַּבֹּקֶר כַּאֲשֶׁר צֻוֵּיתִי: [יחזקאל כד, יח]

ד) וַיֹּאמֶר יְיָ אֶל מֹשֶׁה הֵן קָרְבוּ יָמֶיךָ לָמוּת קְרָא אֶת יְהוֹשֻׁעַ וְהִתְיַצְּבוּ בְּאֹהֶל מוֹעֵד וַאֲצַוֶּנּוּ וַיֵּלֶךְ מֹשֶׁה וִיהוֹשֻׁעַ וַיִּתְיַצְּבוּ בְּאֹהֶל מוֹעֵד: [דברים לא, יד]

ה) תָּבוֹא בְכֶלַח אֱלֵי קָבֶר כַּעֲלוֹת גָּדִישׁ בְּעִתּוֹ: [איוב ה, כו]

ו) יְמֵי שְׁנוֹתֵינוּ בָהֶם שִׁבְעִים שָׁנָה וְאִם בִּגְבוּרֹת שְׁמוֹנִים שָׁנָה וְרָהְבָּם עָמָל וָאָוֶן כִּי גָז חִישׁ וַנָּעֻפָה: [תהלים צ, י]

מסורת הש"ס

א) [ב"ב יז.], ב) שמחות פ"ג, ג) [שבת לא: סנהד' עו: ע"ש], ד) שמחות פ"ג תענית ה:, ה) [סנהדרין לו:], ו) [בערוך ערך זווא ב' פי' שם האדם ועי' תוס' נדה כא: ד"ה זווא], ז) [עמו' ר"ה יח. ד"ה רבה ותוס' יבמות קה. ד"ה רבא], ח) [בב"מ עג: אי' רב סעורים אחוה דרבא בסמ"ך], ט) [ע' פרש"י שבת קכט. ובסנהד' נג:], י) [בערוך רקע ז"ל הערוך במ"ק מאן חשיב מאן ספין מאן רקוע כלומר מי יכול להתפשט ולהתגבר באות' שעה עכ"ל לע"ק למעיין בערוך ערך רקע השני], כ) [גירסת הערוך איתרחה], ל) [פסחים נ. ב"ב י:, כתובות עז:], מ) [ברכות מח: וש"נ], נ) [בב"ב קכא: עתוס' שם ד"ה יום שכלו בו מתי מדבר], ס) [נ"ל סופנה], ע) [ועי' בערוך ערך ספן ב], פ) [ערך ספן ג].

הגהות מהר"ב רנשבורג

א] גמ' א"ל מאן חשיב מאן ספון מאן רקיע. פי' מי הוא חשוב בעיניו ומאן ספון מי הוא אדם ראוי דליסתפו מיניה וחייש לדיבוריה ומאן רקיע מי מתוקן אללו. מפי' ע"י קטן: ב] שם א"ל תרומה קא אכילנא ולאו קדש איקרי. פי' לאו תרומה אכילנא דאיקרי קודש ואי קטלית לי קא מטמיא וכתיב את משמרת תרומתי שצריך לשומרה בטהרה חלפא ליה שעתא ולא מת באותו פרק. מפי' הנ"ל:

רש"י כת"י

(ושל) [אלא] חיה. יולדת שמתה מחמת לידה לפי ששופעת דם לאחר מיתה. ותמת. ותקבר סמוך למיתה קבורה מיד. אף מרים. מתה בנשיקה כמשה ואהרן ילפינן שם שם ממשה שמת בנשיקה על פי הקב"ה דכתוב על פי יי'. אף מיתתן של צדיקים מכפרת. על אותו הדור. מיתת אהרן לבגדי כהונה. דכתו' ויפשט את אהרן את בגדיו מאי בעו בגדי כהונה בהאי שעתא. בגדי כהונה מכפרין. חושן משפט על עיוות הדין וכו' פעמון על לשון הרע בסדר יומא. זו היא מיתה חטופה. דאמרינן למות תוצאות והן [תשע מאות ושלשה] מיני מיתה תוצאות בגימטריא. זו היא מיתת כל אדם. וכדרכו מת מיתה טובה. מת בחמשים שנה מיתת כרת. גרסינן. בחמשים ושתים שנה מיתתו של שמואל הרמתי. דכתוב וישב שם עד עולם (שמואל א א)עד עולמו של שמואל יובל נ' שנה כדאמרינן בסדר עול' (פי"ג). והאי דלא חשיב ליה. לעיל בהדיא איכך [דכרת] גבי מיתת שמואל דהוי בין חמשי' לששים. משום כבודו. והיינו דקאמ' זו היא מיתתו של שמואל הרמתי כלומר דמשום כבודו ליכא למימר דמשמת מנ' עד ס' הוא דמחייב בכרת. מכרת דיומא. כגון הנך דלעיל מת יום אחד וכו' דחופה דחויה גערה וכו'. נקוט מיהא מפלגא. מכרת דשני נפקי לי. זוגא דמהדיב. שני תלמידי חכמים שבאו משם. חיי. אריכות חיים ורוב ימים ורוב מזונות שנותנין לו לאדם. גבורות. שנתגברו חייו. שיתין הלולי. ששים חופות ראה (מבחון) מבניו ומבני בניו. שיתין תיכלי. ששים אבילות מבניו ומבני בניו. חוכמתיה דרב הונא. היינו רב הונא דאמרן לעיל שריבץ תורה לישראל וכדגמרינן בפרק שני דייני (גזילות) [גזירות] (כתובות קו.) כי הוו מפטרי מבי רב הונא הוו פיישן תמני מאה רבנן בביתא וכי דריש ר' בפרקין דריש בתליסר אמוראי וכי קיימו רבנן מקמיה מנפצי גלימייהו וסליק אבקא ומכסי ליה ליומא. יתיב קמיה דרבא לפני מטתו שהיה חולה. חזייה. רב שעורים לרבא. דקא מנמנם. לישנא מעליא נקט. אמ' ליה. רבא לרב שעורים אחוה. לימא ליה. למלאך המות. דלא ליצערן. יותר מדאי. ומר לאו אושפיזה. והלא אתה מכירו אמור לו אתה מלאך המות היה רגיל ביניהם. אמ' ליה כיון דאימסיר מזלא. דגוסס הוא לא אשגח בו. אמר ליה. רב שעורים אנא מפייסיה דלא ליצערך ובמטו מינך לאחר מיתתך אחוי לי נפשך והודע לי אם נצערת. כי מית איתחזי ליה כריבדא דכוסילתא. כהקזת דם לצערי מעט כאדם שמקיז דם. רב נחמן הוה מנמנם. גוסס. מאן חשוב. מי הוא חשוב בעיניו. ומאן ספין. ומי הוא אדם ירא (ברש"י ברי"ף - אדם ראוי) דליסתפו מיניה וחייש לדיבוריה. ומאן רקיע. מתוקן אללו לשון רקועי פחים לישנא מי גבוה בעיניו. כמישחל ביניתא מחלבא. כמו[שן] שער [שנפל] בחלב דליכא צערא כלל. דנפיש ביעתותא. אי אמ' לי הקב"ה זיל ליהוי בההיא עלמא חי כמעיקרא לא בעינא משום ביעתותא דמלאכא שלא ימיתני פעם אחרת אע"פ שלא ליצערי. ולאו תרומה קא אכילנא. ואי קטלת לה מר מטמיא וכתוב את משמרת תרומותי שצריך לשמרה בטהרה. ולא קדש איקרו. דחשיבו כולי האי. חלפא שעתא. ולא מת באותו הפרק. איתרחי. הממתן לי. דאמריתו. בשמים. אשרי מי שבא לכאן ותלמודו בידו. בגירסא. במסכת פסחים בפרק אלו עוברין (נ.). מאי כולי האי. שאתה רודפני כל כך בתוך הזמן היה לך להמתין עד שלשים כולן. (ע"כ יש בכת"י) *]דקא דחקת רגליה דבר נתן. הונא בר נתן מטא זימניה להיות נשיא וקא דחקת רגליה והכי אמרינן בפרק אד"מ בסנהדרין (לו.) מימות ר' ועד רב אשי לא מצינו תורה וגדולה במקום אחד והוינן בה והא הוה הונא בר נתן מיכף כייף ליה לרב אשי. לא הוה יכיל ליה. מלאך המות. יתיב בארזא דבי רב. עמוד של ארז שסמוך למדרשו של רב. ושתק. רב [חסדא] מגרסיה מקול הארז שפקע. טרף. לשון בילים טרופות. קא מרחם מר אעניא. דכסבור היית שאני עני נודד ללחם ושולח לי. אהוא גברא. כלומר עלי מדוע לא תרחם ותן לי נפשך ולא תטריחני לבא כמה פעמים דמתפקדנא למייתי ליה למר בההוא עלמא. אחוי ליה. מה"מ שוטא דנורא וגלי ליה דהוא מה"מ והמציא ליה ר' חייא את עצמו [רש"י בע"ין.]*.

רבינו חננאל

מפני הכבוד. אמרי נהרדעי לא שנו אלא חיה דשכיח טינוף אבל של שאר נשים מניחין ר' אלעזר אומר אפילו של שאר נשים אין מניחין שנאמר ותמת שם מרים ותקבר שם תיכף למיתה קבורה א"ר אלעזר אף מרים בנשיקה מתה. אתיא שם שם כתיב הכא ותמת שם מרים וכתיב וימת שם משה עבד ה' מה משה בנשיקה אף מרים בנשיקה. ומפני מה לא נאמר במיתת מרים על פי ה' מפני שגנאי הדבר לאומרו באשה. א"ר אמי למה נסמכה מיתת מרים לפרשת פרה אדומה מה פרה זו מטהרת חטאים ונקראת חטאת וכל חטאת מכפרת עון כך מיתתן של נשים צדקניות מטהרת ומכפרת עונותיהן של ישראל. וכ"ש מיתתן של צדיקים שמכפרת: ירושלמי בתחלת יוה"כ א"ר יודן בר שלום למה נסמכה מיתת אהרן לשבירת הלוחות ללמדך שמיתתן של צדיקים קשה לפני הקב"ה כשבירת הלוחו' כתיב ובני ישראל נסעו מבארת בני יעקן מוסרה שם מת אהרן. וכי אהרן במוסרה מת והלא בהור ההר מת. אלא כיון שמת אהרן נסתלקו ענני הכבוד וכו' ובקשו ישראל לחזור למצרים וחזרו ח' מסעות ורץ שבט לוי והרג מהן ח' משפחות וגם הם הרגו מן הלוים ד' משפחות לעמרמי ליצהרי לחברוני לעוזיאלי כו'. אמרו על מה אירע לנו זה על שלא נתעסקנו בהספדו של צדיק כראוי. מיד ישבו במוסרה והספידו וגמלו לו חסד בהספד כראוי והעלה להן הכתוב כאילו במוסרה מת כו'. א"ר אלעזר למה נסמכה מיתת אהרן לבגדי כהונה לומר לך מה בגדי כהונה מכפרין כדגרסינן (בזבחים דף פ"ח:) אף מיתת אהרן מכפרת: ת"ר מת פתאום זו מיתה חטופה. חלה יום אחד ומת זו מיתה דחופה. ר' חנינא בן גמליאל אומר זו מיתת מגפה שנאמר בן אדם הנני לוקח את מחמד עיניך במגפה וכתיב ואדבר אל העם בבקר ותמת אשתי בערב. חלה יומים ומת זו מיתה דחויה חלה ג' ומת זו מיתת גערה. חלה ד' ומת זו היא מיתת נזיפה. חלה ה' ימים ומת זו היא מיתת כל אדם. שמעינן לה מהאי קרא ויאמר ה' אל משה הן קרבו ימיך למות. קרבו תרי. ימיך תרי הן חד הרי ה' ימים. ואח"כ כתיב למות. מי שמת בן חמשים זו היא מיתת כרת. בן נ"ב זו היא מיתתו של שמואל הרמתי. בן ששים זו היא מיתת כל אדם. א"ר זירא מהאי קרא תבא בכלח אלי קבר. בכל"ח בגימטריא שיתין הוו. בן שבעים שיבה. בן שמונים בגבורות שנא' ימי שנותינו בהם שבעים שנה ואם בגבורות שמונים שנה. אמר רבא מי שמת מחמשים ועד ששים מיתת כרת היא. והא דלא חשיב לה משום כבודו של שמואל הרמתי. רב יוסף כי הוה בר שיתין אמר כבר נפקית מכרת דשני. רב הונא נח נפשיה פתאום. הוו רבנן דייגי טובא. תנא להו זווא דמהדייב פי' שם חכם. לא שנו דמיתת פתאום היא מיתה חטופה אלא במי שלא הגיע לגבורות אבל מי שהגיע לגבורות זו היא מיתת נשיקה. אמר רבא חיי בני ומזוני לאו בזכותא תליא מלתא אלא במזלא. דהא רבה ורב חסדא תרוייהו צדיקי גמורי נינהו מר מצלי ואתי מיטרא ומר מצלי ואתי מיטרא. רב חסדא חי' צ"ב שנה. ורבה חיה מ' שנה. בי רב חסדא שיתין הילולי. בי רבה שיתין תכלי. בי רב חסדא נהמא דסמידא לכלבי. בי רבה [נהמא] דשערי לאינשי לא משתכח אמר רבא תלתא בעאי מקמי שמיא. תרי הבו לי וחד לא הבו לי חכמתיה דרב הונא ועותריה דרב חסדא הבו לי ענוותנותיה דרבה בר רב הונא לא הבו לי. רבה הוה יתיב קמיה דרב נחמן והוה רב נחמן גוסס בעי למינח נפשיה. א"ל בעי רחמי דלא ליצערן מלאכא דמיתותא. א"ל ואנת לאו גברא חשיבא גבי שמיא אנת בעי רחמי עלך א"ל מאן חשוב מן ספון מן רקיע פי' כלומר כיון שנמסר אדם ביד מלאך המות אין שם חשיבותו. א"ל אחרי מיתתו אולי תתראה לי בחלום. ביקש מן הקב"ה כדי שיתראה לו בחלום ונתראה לו. אמר לו היה לך צער בשעת מיתה. א"ל לאו ומשל לו משל כהרמת נימא של שיער מתוך החלב. א"ל אילו היה הקב"ה אומר לי לך חזור וחיי כאשר היית בחייך ואח"כ תמות לא הייתי רוצה שאע"פ שלא היה [לי] צער. אימתו של מה"מ גדולה היא מאד. רבא אתחזי ליה בחלמיה לרב שעורים אחוה. וא"ל הוה לך צערא ואמר לי כי ריבדא דכוסילתא. פי' כמו שריטה ששורטין האומנין בצואר למצוץ דמו. כגון אותו הצער היה לי בעת יציאת הנשמה מן הגוף. רב ששת אתחזי ליה מלאך המות בשוק. א"ל כבהמה איתא לגבי ביתא. רב אסי אתחזי ליה מלאך המות. א"ל אתרח לי ל' יומין דאהדריה לתלמודי. דאמריתו אשרי מי שבא לכאן ותלמודו בידו. ביום שלשים אתא. א"ל מאי כולי האי. א"ל דקא דחקא רגליה דבר נתן:

Another encounter with the Angel of Death:
רַב חִסְדָּא לֹא הֲוָה יָכִיל לֵיהּ – [The Angel of Death] was unable to approach **Rav Chisda, דְּלֹא הֲוָה שָׁתִיק פּוּמֵיהּ מִגִּירְסָא – because his mouth never fell silent from learning** Torah.[63] **סָלִיק יָתִיב בְּאַרְזָא דְּבֵי רַב – He went up** and **sat on a cedar by** Rav Chisda's **house of study. פְּקַע אַרְזָא וְשָׁתַק – The cedar split and [Rav Chisda] fell silent;**[64] **וְיָכִיל לֵיהּ – then [the Angel of Death] was able to** prevail **over him.**

Another encounter:
רַבִּי חִיָּיא לֹא הֲוָה מָצֵי לְמִיקְרְבָא לֵיהּ – [The Angel of Death] could not approach R' Chiya. יוֹמָא חַד אִידְמֵי לֵיהּ כְּעַנְיָא – One day he disguised himself as a pauper. אָתָא טָרִיף אַבָּבָא – He went, knocked on R' Chiya's **door אָמַר לֵיהּ – and said to him: אַפִּיק לִי רִיפְתָּא – "Bring me** some **bread." אַפִּיקוּ לֵיהּ – They** [members of R' Chiya's household] **brought him** some **bread. אָמַר לֵיהּ – He said to [R' Chiya]: וְלַאו קָא מְרַחֵם מַר אַעַנְיָא – "Does master not have mercy on the poor?** Clearly he does. **אַהַהוּא גַּבְרָא אַמַּאי לֹא קָא מְרַחֵם מַר** – So **why does master not have mercy on that man** [referring to his role as the Angel of Death]?"[65] **גַּלֵּי לֵיהּ אַחֲוֵי לֵיהּ שׁוֹטָא דְנוּרָא – He** then **revealed himself to [R' Chiya], showing him a rod of fire;**[66] **אַמְצֵי לֵיהּ נַפְשֵׁיהּ** – and **[R' Chiya] surrendered his life to him.**

NOTES

to die to make way for the ascension of Rav Huna bar Nassan.

63. The study of Torah protects one from death (*Rashi* to *Shabbos* 30b ד״ה כל יומא דשבתא, based on *Sotah* 21a).

64. [The fall interrupted his train of thought, and, for a moment, he was diverted from the study of Torah.]

65. I have been ordered to bring master to the Next World (*Rashi*). Do not trouble me to make many attempts to carry out my mission (*Rashi* on *Ein Yaakov;* see *Anaf Yosef*).

66. R' Chiya thus realized its true identity (*Rashi*).

From these narratives we can discern the sublime value of studying Torah and how dearly God loves the righteous, who are free from all sin (*R' Shlomo ben HaYasom*).

אלא חיה אבל שאר נשים מניחין ר' אלעזר אמר אפילו שאר הנשים דכתיב (א) ותמת שם מרים ותקבר שם סמוך למיתה קבורה ואמר ר' אלעזר (ו) אף מרים בנשיקה מתה אתיא שם שם ממשה ומפני מה לא נאמר בה על פי ה' מפני שגנאי הדבר לאומרו א"ר אמי למה נסמכה מיתת מרים לפרשת פרה אדומה לומר לך מה פרה אדומה מכפרת אף מיתתן של צדיקים מכפרת א"ר אלעזר למה נסמכה מיתת אהרן לבגדי כהונה מה בגדי כהונה מכפרין אף מיתתן של צדיקים מכפרת ת"ר (ב) מת פתאום זו היא מיתה חטופה חלה יום אחד ומת זו היא מיתה דחופה ר' חנניא בן גמליאל אומר זו היא מיתת מגפה שנאמר (ב) בן אדם הנני לוקח ממך את מחמד עיניך במגפה וכתיב (ג) ואדבר אל העם בבקר ותמת אשתי בערב שני ימים ומת זו היא מיתה דחויה ג' גערה ארבעה נזיפה חמשה זו היא מיתת כל אדם א"ר חנין מאי קרא (ד) הן קרבו ימיך למות הן חד קרבו תרי ימיך תרי הא חמשה הן חד (ה) שכן בלשון יוני קורין לאחת הן מת בחמשים שנה זו היא מיתת כרת (ז) חמשים ושתים שנה זו היא מיתתו של שמואל הרמתי ששים זו היא מיתה בידי שמים אמר מר זוטרא מאי קרא דכתיב (ה) תבא בכלח אלי קבר בכלח בגימטריא שיתין הוו שבעים שיבה שמונים גבורות דכתיב (ו) ימי שנותינו בהם שבעים שנה ואם בגבורות שמונים שנה אמר רבה מחמשים ועד ששים שנה זו היא מיתת כרת והאי דלא חשיב להו משום כבודו של שמואל הרמתי רב יוסף כי הוה בר שיתין עבד להו יומא טבא לרבנן אמר נפקי לי מכרת א"ל אביי נהי דנפק ליה מר מכרת דשני מכרת דיומי מי נפיק מר א"ל (ח) נקוט לך מיהא פלגא בידך רב הונא נח נפשיה פתאום הוו קא דייגי רבנן תנא להו (ו) זוגא דמהדייב לא שנו אלא שלא הגיע לגבורות אבל הגיע לגבורות זו היא מיתת נשיקה אמר רבא חיי בני ומזוני לא בזכותא תליא מילתא אלא במזלא תליא מילתא דהא (ז) רבה ורב חסדא תרויהו רבנן צדיקי הוו מר מצלי ואתי מיטרא ומר מצלי ואתי מיטרא רב חסדא חיה תשעין ותרתין שנין רבה חיה ארבעין בי רב חסדא שיתין הלולי בי רבה שיתין תיכלי בי רב חסדא סמידא לכלבי ולא מתבעי בי רבה נהמא דשערי לאינשי ולא משתכח ואמר רבא הני תלת מילי בעאי קמי שמיא תרתי יהבו לי חדא לא יהבו לי חוכמתיה דרב הונא ועותריה דרב חסדא ויהבו לי ענותנותיה דרבה בר רב הונא לא יהבו לי רב (ח) שעורים אחוה דרבא הוה יתיב קמיה דרבא חזייה דהוה קא מנמנם א"ל לימא ליה מר דלא לצערן א"ל מר לאו שושביניה הוא א"ל כיון דאימסר מזלא לא אשגח בי א"ל ליתחזי לי מר איתחזי ליה א"ל הוה ליה למר צערא א"ל (ט) כי ריבדא דכוסילתא רבא הוה יתיב קמיה דר"נ חזייה דקא מנמנם א"ל לימא ליה מר דלא לצערן א"ל מר לאו אדם חשוב הוא (א) א"ל מאן חשיב מאן ספין מאן (י) רקיע א"ל ליתחזי לי מר אתחזי ליה א"ל ה"ל למר צערא א"ל כמישחל בניתא מחלבא ואי אמר לי הקב"ה זיל בההוא עלמא כד הוית לא בעינא דנפיש ביעתותיה רבי אלעזר הוה קאכיל תרומה איתחזי ליה (ב) א"ל תרומה קא אכילנא ולאו קודש איקרי חלפא ליה שעתא רב ששת איתחזי ליה בשוקא אמר ליה בשוקא כבהמה איתא לגבי ביתא רב אשי איתחזי ליה בשוקא א"ל (כ) איתרח לי תלתין יומין ואהדרי לתלמודאי דאמריתו (ל) אשרי מי שבא לכאן ותלמודו בידו ביום תלתין אתא אמר ליה מאי כולי האי קא דחקא רגליה דבר נתן (מ) ואין מלכות נוגעת בחבירתה אפילו כמלא נימא רב חסדא לא הוה יכיל ליה דלא הוה שתיק פומיה מגירסא סליק יתיב בארזא דבי רב פקע ארזא ושתק ויכיל ליה ר' חייא לא הוה מצי למיקרבא ליה יומא חד אידמי ליה כעניא אתא טריף אבבא א"ל אפיק לי ריפתא אפיקו ליה א"ל ולאו קא מרחם מר אעניא אהוא גברא אמאי לא קא מרחם מר גלי ליה אחוי ליה שוטא דנורא אמצי ליה נפשיה:

מתני'

רש"י

אלא חיה. שמתה מחמת וולד שהיא שופעת: מת פתאום. שלא חלה: מחמשים שנה. ולמעלה: והאי דלא חשיב ליה. בהדי כרת דיומי. שמא ימות מיתה חטופה: פלגא. דמכרת דשני מיהא פלטי לי: מנמנם. גוסס: א"ל. רבא לרב שעורים: לימא מר. למלאך המות דלא לצעורי: שושביניה. דמלאך המות: דאימסר מזליה. איתרע מזליה: ליתחזי לי מר. בתר מיתה: מר לאו אדם חשוב. לימא ליה מר: ספין רקיע. מתוקן למיבעי מיניה ביעתותיה. דמלאך המות: רגליה דבר נתן. למיהוי נשיא: אמאי לא מרחם. דמתפקדנא למייתי ליה למר בההוא עלמא: אחוי ליה שוטא דנורא. וידע דהוא מלאך המות:

תוספות

מה פרה אדומה מכפרת. פירוש על מעשה העגל וכדאמרינן במדרש משל לבן השפחה שטינף פלטירין של מלך אומר המלך תבא אמו וכו': מיתת אהרן לבגדי כהונה. דכתיב (במדבר כ) והפשט את אהרן את בגדיו ואהרן יאסף ומת שם וכן פי' בקונטרס ואין לפרש מיתת בני אהרן לבגדי קדש ילבש לפי שאינו סמוך כ"כ: מה בגדי כהונה מכפרין. בזבחים כו' (דף פח:): חטופה ודחופה. לא ידענא מאי שנא הוא ומנא ליה: ואדבר אל העם בבקר. פי' וחלתה ומתה: הן קרבו וכו'. לאו דוקא דלא אשכחנא דמשה היה חולה וביום מותו כתב הרבה (סוטה יג:) ופסע כמה פסיעות בבת אחת כדפירש בפירוש חומש: מת בחמשים זו היא מיתת כרת. בירושלמי (פ"ב דביכורים) דייק מאל תכריתו שבט הקהתי (במדבר ד) ועבודתם עד חמשים דכתיב (שם ח) מבן חמשים שנה ישוב מצבא העבודה ועוד מימי שנותיו ע' שנה דל עשרין דלא איענש עליהן נשתיירו חמשים (כדאי' שבת פט:) ותימה לפי' דהא משמע בשמעתין דבחמשים משנולד קאמר ועוד יהא חמשים לאחר שנתחייב כרת והוא מיתת כל אדם: ומיתה בידי שמים בששים. בירושלמי מפיק ממתי מדבר דאמרינן (י) לא מת אחד מהן פחות מבן ששים ומיתה דהכא משמע זו היא מיתה בידי שמים וכרת בחמשים עד ששים ולא ששים בכלל וזהו שורעו נכרת וי"מ דחמשים היא מיתה שבידי שמים וכי איתא בהדי זרעו הוי כרת וששים מיתת כל אדם ובשבת פרק שני (כה. בד"ה כרת) ובריש יבמות (ב. בד"ה אשת אחיו) הארכתי: אלא במזלא תליא מילתא. והקשו בתוספות הא דאמרן בסוף שבת (דף קנו. ושם) אין מזל לישראל וי"ל דלפעמים משתנה ע"י מזל כי הנהו דהתם ופעמים שאין משתנה כדאמרינן בתענית (דף כה.) גבי רבי אלעזר בן פדת דא"ל ניחא לך דאחריב עלמא דאולי אברי' בעידנא דמזוני: שתין הלולי. יש מפרשים לאו דוקא: ספין. חשוב למחר (הוא ו) היא מתה ואין כל בריה (ס) ספונה (כתובות עב.) פירוש (ע) חשובה ובמדרש ילמדנו אין העובדי כוכבים ספונים כלום שנא' (ישעיה מ) כל הגוים כאין נגדו וכן פירש בערוך (פ) והביא עדיין ראיות אחרות: מאן רקיע. פי' מתוקן ותפור ונעלות בלות ומטולאות (יהושע ט) תרגום בלן ומרוקעים למתפרות כסתות (יחזקאל יג) תרגומו דמחטטים רקיעי חשוך והוא לשון ישמעאל חתיכת בגד תפורה על הקרע בערוך ועוד הביא דאמרינן בפ' לא יחפור (ב"ב דף כ.) חזי למרקע לבוש מיהו יש ספרים כתוב שם לקרעא:

בלע

רש"י כת"י

(ושל) [אלא] חיה. יולדת שמתה מחמת לידה לפי ששופעת דם לאחר מיתה. ותמת. ותקבר סמוך למיתה קבורה מיד. אף מרים. מתה בנשיקה כמשה ואהרן ילפינן שם שם ממשה שמת בנשיקה על פי הקב"ה דכתוב על פי ה'. אף מיתתן של צדיקים מכפרת. על אותו הדור. מיתת אהרן לבגדי כהונה. דכתו' ויפשט את אהרן את בגדיו מאי בעו בגדי כהונה בהאי שעתא. בגדי כהונה מכפרין. חושן משפט על עיוות הדין וכו' פעמון על לשון הרע בסדר יומא. זו היא מיתה חטופה. דאמרינן למות תוצאות והן [תשע מאות ושלשה] מיני מיתה תוצאות בגימטריא. זו היא מיתת כל אדם. וכדרכו מת מיתה טובה. מת בחמשים שנה מיתת כרת. גרסינן. בחמשים ושתים שנה מיתתו של שמואל הרמתי. דכתוב וישב שם עד עולם (שמואל א א) עד עולמו של שמואל יובל נ' שנה כדאמרינן בסדר עול' (פי"ג). והאי דלא חשיב ליה. לעיל בהדיה איך [דכרת] גבי מיתת שמואל דהוי בין חמשי' לששים. משום כבודו. והיינו דקאמ' זו היא מיתתו של שמואל הרמתי כלומר דמשום כבודו ליכא למימר דמשמת מנ' עד ס' הוא דמחייב בכרת. מכרת דיומא. כגון הנך דלעיל מת יום אחד וכו' דחופה דחויה גערה וכו'. נקוט מיהא מפלגא. מכרת דשני נפקי לי. זוגא דמהדיב. שני תלמידי חכמים שבאו משם. חיי. חיי אריכות חיים ורוב ימים ורוב מזונות שנותנין לו לאדם. גבורות. שנתגברו חייו. שיתין הלולי. ששים חופות רצה (מבחון) מבניו ומבני בניו. שיתין תיכלי. ששים אבילות מבניו ומבני בניו. חוכמתיה דרב הונא. היינו רב הונא דאמרן לעיל שריבץ תורה לישראל וכדגמרינן בפרק שני דייני (גזילות) [גזירות] (כתובות קו.) כי הוו מפטרי מבי רב הונא הוו פייש תמני מאה רבנן בביתא וכי דריש ר' בפרקין דריש בתליסר אמוראי וכי קיימו רבנן מקמיה מנפלי גלימייהו וסליק אבקא ומכסי ליה ליומא. יתיב קמיה דרבא לפני מטתו שהיה חולה. חזייה. רב שעורים לרבא. דקא מנמנם. לישנא מעליא נקט. אמ' ליה. רבא לרב שעורים אחוה. לימא ליה. למלאך המות. דלא ליצערן. יותר מדאי. ומר לאו אושפיזה. והלא אתה מכירו אמור לו אתה מלאך המות היה רגיל ביניהם. אמ' ליה כיון דאימסיר מזלא. דגוסס הוא לא אשגח בו. אמר ליה. רב שעורים אנא מפייסיה דלא ליצערך ובמטו מינך לאחר מיתתך אחוי לי נפשך והודע לי אם נצערך. כי מית איתחזי ליה כריבדא דכוסילתא. כהקזת דם לנערי מעט כאדם שמקיז דם. רב נחמן הוה מנמנם. גוסס. מאן חשוב. מי הוא חשוב בעיניו. ומאן ספין. ומי הוא אדם ירא (ברש"י ברי"ף - אדם ראוי) דליקתפו מיניה וחייש לדיבוריה. ומאן רקיע. מתוקן אלנו לשון רקועי פחים לישנא מי גבוה בעיניו. כמשחל ביניתא מחלבא. כמו[שן] שער [שנפל] בחלב דליכא נערא כלל. דנפיש ביעתותא. אי אמ' לי הקב"ה זיל ליהוי בההיא עלמא חי כמעיקרא לא בעינא משום ביעתותא דמלאכא שלא ימיתני פעם אחרת אע"פ שלא ליערי. ולאו תרומה קא אכילנא. ואי קטלת לה מר מטמיא וכתוב את משמרת תרומותי שצריך לשמרה בטהרה. ולא קדש איקרו. דחשיבו כולי האי. חלפא שעתא. ולא מת באותו הפרק. איתרחי. המתן לי. דאמריתו. בשמים. אשרי מי שבא לכאן ותלמודו בידו. בגירסא. במסכת פסחים בפרק אלו עוברין (נ.). מאי כולי האי. שאתה רודפני כל כך בתוך הזמן היה לך להמתין עד שלשים כולן. (ע"כ יש בכת"י) *[דקא דחקת רגליה דבר נתן. הונא בר נתן מטא זימניה להיות נשיא וקא דחקת רגליה והכי אמרינן בפרק אד"מ בסנהדרין (לו.) מימות ר' ועד רב אשי לא מצינו תורה וגדולה במקום אחד והוינן בה והא הוה הונא בר נתן מיכף כייף ליה לרב אשי. לא הוה יכיל ליה. מלאך המות. יתיב בארזא דבי רב. עמוד של ארז שסמוך למדרשו של רב. ושתק. רב [חסדא] מגרסיה מקול הארז שפקע. טרף. לשון בילים טרופות. קא מרחם מר אעניא. דכסבור היית שאני עני נודד ללחם ושולח לי. אהוא גברא. כלומר עלי מדוע לא תרחם ותתן לי נפשך ולא תטריחני לבא כמה פעמים דמתפקדנא למייתי ליה למר בההוא עלמא. אחוי ליה. מה"מ שוטא דנורא וגלי ליה דהוא מה"מ והמציא ליה ר' חייא את עצמו (רש"י בע"ין.)]*.

עין משפט נר מצוה

רל"ה א מיי' פי"ג מהל' אבל הלכה ה סמג עשין ב טוש"ע י"ד סי' שנה:

תורה אור השלם

א) וַיָּבֹאוּ בְנֵי יִשְׂרָאֵל כָּל הָעֵדָה מִדְבַּר צִן בַּחֹדֶשׁ הָרִאשׁוֹן וַיֵּשֶׁב הָעָם בְּקָדֵשׁ וַתָּמָת שָׁם מִרְיָם וַתִּקָּבֵר שָׁם: [במדבר כ, א]

ב) בֶּן אָדָם הִנְנִי לֹקֵחַ מִמְּךָ אֶת מַחְמַד עֵינֶיךָ בְּמַגֵּפָה וְלֹא תִסְפֹּד וְלֹא תִבְכֶּה וְלוֹא תָבוֹא דִּמְעָתֶךָ: [יחזקאל כד, טז]

ג) וָאֲדַבֵּר אֶל הָעָם בַּבֹּקֶר וַתָּמָת אִשְׁתִּי בָּעָרֶב וָאַעַשׂ בַּבֹּקֶר כַּאֲשֶׁר צֻוֵּיתִי: [יחזקאל כד, יח]

ד) וַיֹּאמֶר יְיָ אֶל מֹשֶׁה הֵן קָרְבוּ יָמֶיךָ לָמוּת קְרָא אֶת יְהוֹשֻׁעַ וְהִתְיַצְּבוּ בְּאֹהֶל מוֹעֵד וַאֲצַוֶּנּוּ וַיֵּלֶךְ מֹשֶׁה וִיהוֹשֻׁעַ וַיִּתְיַצְּבוּ בְּאֹהֶל מוֹעֵד: [דברים לא, יד]

ה) תָּבוֹא בְכֶלַח אֱלֵי קָבֶר כַּעֲלוֹת גָּדִישׁ בְּעִתּוֹ: [איוב ה, כו]

ו) יְמֵי שְׁנוֹתֵינוּ בָהֶם שִׁבְעִים שָׁנָה וְאִם בִּגְבוּרֹת שְׁמוֹנִים שָׁנָה וְרָהְבָּם עָמָל וָאָוֶן כִּי גָז חִישׁ וַנָּעֻפָה: [תהלים צ, י]

רבינו חננאל

מפני הכבוד. אמרי נהרדעי לא שנו אלא חיה דשכיח טינוף אבל של שאר נשים מניחין ר' אלעזר אומר אפילו של שאר נשים אין מניחין שנאמר ותמת שם מרים ותקבר שם תיכף למיתה קבורה א"ר אלעזר אף מרים בנשיקה מתה. אתיא שם שם כתיב הכא ותמת שם מרים וכתיב וימת שם משה עבד ה' מה משה בנשיקה אף מרים בנשיקה. ומפני מה לא נאמר במיתת מרים על פי ה' מפני שגנאי הדבר לאומרו באשה. א"ר אמי למה נסמכה מיתת מרים לפרשת פרה אדומה מה פרה זו מטהרת חטאים ונקראת חטאת וכל חטאת מכפרת עון כך מיתתן של נשים צדקניות מטהרת ומכפרת עונותיהן של ישראל. וכ"ש מיתתן של צדיקים שמכפרת: ירושלמי בתחלת יוה"כ א"ר יודן בר שלום למה נסמכה מיתת אהרן לשבירת הלוחות ללמדך שמיתתן של צדיקים קשה לפני הקב"ה כשבירת הלוחו' כתיב ובני ישראל נסעו מבארת בני יעקן מוסרה שם מת אהרן. וכי אהרן במוסרה מת והלא בהור ההר מת. אלא כיון שמת אהרן נסתלקו ענני הכבוד וכו' ובקשו ישראל לחזור למצרים וחזרו ח' מסעות ורץ שבט לוי והרג מהן ח' משפחות וגם הם הרגו מן הלוים ד' משפחות לעמרמי ליצהרי לחברוני לעוזיאלי כו'. אמרו על מה אירע לנו זה על שלא נתעסקנו בהספדו של צדיק כראוי. מיד ישבו במוסרה והספידו וגמלו לו חסד בהספד כראוי והעלה להן הכתוב כאילו במוסרה מת כו'. א"ר אלעזר למה נסמכה מיתת אהרן לבגדי כהונה לומר לך מה בגדי כהונה מכפרין כדגרסינן (בזבחים דף פ"ח:) אף מיתת אהרן מכפרת: ת"ר מת פתאום זו מיתה חטופה. חלה יום אחד ומת זו מיתה דחופה. ר' חנינא בן גמליאל אומר זו מיתת מגפה שנאמר בן אדם הנני לוקח את מחמד עיניך במגפה וכתיב ואדבר אל העם בבקר ותמת אשתי בערב. חלה יומים ומת זו מיתה דחויה חלה ג' ומת זו מיתת גערה. חלה ד' ומת זו היא מיתת נזיפה. חלה ה' ימים ומת זו היא מיתת כל אדם. שמעינן לה מהאי קרא ויאמר ה' אל משה הן קרבו ימיך למות. קרבו תרי. ימיך תרי הן חד הרי ה' ימים. ואח"כ כתיב למות. מי שמת בן חמשים זו היא מיתת כרת. בן נ"ב זו היא מיתתו של שמואל הרמתי. בן ששים זו היא מיתת כל אדם. א"ר זירא מהאי קרא תבא בכלח אלי קבר. בכל"ח בגימטריא שיתין הוו. בן שבעים שיבה. בן שמונים בגבורות שנא' ימי שנותינו בהם שבעים שנה ואם בגבורות שמונים שנה. אמר רבא מי שמת מחמשים ועד ששים מיתת כרת היא. והא דלא חשיב לה משום כבודו של שמואל הרמתי. רב יוסף כי הוה בר שיתין אמר כבר נפקית מכרת דשני. רב הונא נח נפשיה פתאום. הוו רבנן דייגי טובא. תנא להו זווא דמהדייב פי' שם חכם. לא שנו דמיתת פתאום היא מיתה חטופה אלא במי שלא הגיע לגבורות אבל מי שהגיע לגבורות זו היא מיתת נשיקה. אמר רבא חיי בני ומזוני לאו בזכותא תליא מלתא אלא במזלא. דהא רבה ורב חסדא תרוייהו צדיקי גמורי נינהו מר מצלי ואתי מיטרא ומר מצלי ואתי מיטרא. רב חסדא חי' צ"ב שנה. ורבה חיה מ' שנה. בי רב חסדא שיתין הילולי. בי רבה שיתין תכלי. בי רב חסדא נהמא דסמידא לכלבי. בי רבה [נהמא] דשערי לאינשי לא משתכח אמר רבא תלתא בעאי מקמי שמיא. תרי הבו לי וחד לא הבו לי חכמתיה דרב הונא ועותריה דרב חסדא הבו לי ענוותנותיה דרבה בר רב הונא לא הבו לי. רבה הוה יתיב קמיה דרב נחמן והוה רב נחמן גוסס בעי למינח נפשיה. א"ל בעי רחמי דלא ליצערן מלאכא דמיתותא. א"ל ואנת לאו גברא חשיבא גבי שמיא אנת בעי רחמי עלך א"ל מאן חשוב מן ספון מן רקיע פי' כלומר כיון שנמסר אדם ביד מלאך המות אין שם חשיבותו. א"ל אחרי מיתתו אולי תתראה לי בחלום. ביקש מן הקב"ה כדי שיתראה לו בחלום ונתראה לו. אמר לו היה לך צער בשעת מיתה. א"ל לאו ומשל לו משל כהרמת נימא של שיער מתוך החלב. א"ל אילו היה הקב"ה אומר לי לך חזור וחיי כאשר היית בחייך ואח"כ תמות לא הייתי רוצה שאע"פ שלא היה [לי] צער. אימתו של מה"מ גדולה היא מאד. רבא אתחזי ליה בחלמיה לרב שעורים אחוה. וא"ל הוה לך צערא ואמר לי כי ריבדא דכוסילתא. פי' כמו שריטה ששורטין האומנין בצואר למצוץ דמו. כגון אותו הצער היה לי בעת יציאת הנשמה מן הגוף. רב ששת אתחזי ליה מלאך המות בשוק. א"ל כבהמה איתא לגבי ביתא. רב אסי אתחזי ליה מלאך המות. א"ל אתרח לי ל' יומין דאהדריה לתלמודי. דאמריתו אשרי מי שבא לכאן ותלמודו בידו. ביום שלשים אתא. א"ל מאי כולי האי. א"ל דקא דחקא רגליה דבר נתן:

מסורת הש"ס

א) [כ"כ יז.], ב) שמחות פ"ג, ג) [שבת לא: סנהד' עו: ע"ש], ד) שמחות פ"ג תענית ה:, ה) [סנהדרין ל:], ו) [בערוך ערך זוא ב' פי' שם האדם ועי' תוס' נדה כא: ד"ה זואו], ז) [עתו' ר"ה יח. ד"ה רבה ותוס' יבמות קה. ד"ה רבא], ח) [בב"מ עג: אי' רב שעורים אחוה דרבא בסמ"ך], ט) [ע' פרש"י שבת קכט. ובסנהד' לג:], י) [בערוך רקע ז"ל הערוך במ"ק מאן חשיב מאן ספין מאן רקוע כלומר מי יכול להתפשט ולהתגבר באום' שעה עכ"ל לע"ק למעיין בערוך ערך רקע השני], כ) [גירסת הערוך איתרחה], ל) [פסחים נ. ב"ב י: כתובות עז:], מ) [ברכות מח: וש"נ], נ) [בב"ב קכא: עתוס' שם ד"ה יום שכלו בו מתי מדבר], ס) [צ"ל סופנה], ע) [ועי' בערוך ערך ספן ב], פ) [ערך ספן ג].

הגהות מהר"ב רנשבורג

א] גמ' א"ל מאן חשיב מאן ספון מאן רקיע. פי' מי הוא חשוב בעיניו ומאן ספון מי הוא אדם ראוי דליסתפו מיניה וחייש לדיבוריה ומאן רקיע מי מתוקן אצלו. מפי' ע"י קטן: ב] שם א"ל תרומה קא אכילנא ולאו קדש איקרי. פי' לאו תרומה אכילנא דאיקרי קודש ואי קטלית לי קא מטמיא וכתיב את משמרת תרומתי שצריך לשומרה בטהרה חלפא ליה שעתא ולא מת באותו פרק. מפי' הנ"ל:

מתני' [א] א נשים במועד מענות אבל לא מטפחות ר' ישמעאל אומר הסמוכות למטה מטפחות בראשי חדשים בחנוכה ובפורים מענות ומטפחות בזה וזה לא מקוננות נקבר המת לא מענות ולא מטפחות איזהו עינוי שכולן עונות כאחת קינה שאחת מדברת וכולן עונות אחריה שנא' א) ולמדנה בנותיכם נהי ואשה רעותה קינה אבל לעתיד לבא הוא אומר ב) בלע המות לנצח ומחה ה' אלהים דמעה מעל כל פנים וגו': **גמ'** מאי אמרן א] אמר רב ויי לאזלא ויי לחבילא אמר רבא נשי דשכנציב אמרן הכי ויי לאזלא ויי לחבילא ואמר רבא נשי דשכנציב אמרן [ב] גוד גרמא מכבא ונמטי מיא לאנטיכי ואמר רבא נשי דשכנציב אמרן ב] [ג] עטוף וכסו טורי דבר רמי ובר רברבי הוא ואמר רבא נשי דשכנציב אמרן שייול אצטלא דמלתא לבר חורין דשלימו זוודיה ואמר רבא נשי דשכנציב אמרן ג] רהיט ונפיל אמעברא ויזופתא יזיף ואמר רבא נשי דשכנציב אמרן ד] אחנא תגרי אזבזגי מיבדקו ואמר רבא נשי דשכנציב אמרן ה] מותא כי מותא ומרעין חיבוליא [ד] תניא היה ר"מ אומר ג) טוב ללכת אל בית אבל וגו' עד והחי יתן אל לבו דברים של מיתה דיספד יספדוניה דיקבר יקברוניה דיטען יטענוניה דידל ידלוניה ואיכא דאמרי דלא ידל ידלוניה דכתיב ד) כי טוב אמר לך עלה הנה וגו' ת"ר כשמתו בניו של רבי ישמעאל נכנסו ד' זקנים לנחמו ר' טרפון ור' יוסי הגלילי ור' אלעזר בן עזריה ור"ע אמר להם ר' טרפון דעו שחכם גדול הוא ובקי באגדות אל יכנס אחד מכם לתוך דברי חבירו אמר ר"ע ואני אחרון פתח רבי ישמעאל ואמר רבו עונותיו תכפוהו אבליו הטריח רבותיו פעם ראשונה ושניה נענה ר"ט ואמר ה) ואחיכם כל בית ישראל יבכו את השריפה והלא דברים ק"ו ומה נדב ואביהוא שלא עשו אלא מצוה אחת דכתיב ו) ויקריבו בני אהרן את הדם אליו כך בניו של ר' ישמעאל על אחת כמה וכמה נענה ר' יוסי הגלילי ואמר ז) וספדו לו כל ישראל וקברו אותו והלא דברים ק"ו ומה אביה בן ירבעם שלא עשה אלא דבר אחד טוב דכתיב ביה ז) יען נמצא בו דבר טוב כך בניו של ר' ישמעאל על אחת כמה וכמה מאי דבר טוב ר' זירא ור' חיננא בר פפא חד אמר שביטל [ה] משמרתו ועלה לרגל וחד אמר שביטל פרדסאות שהושיב ירבעם אביו על הדרכים שלא יעלו ישראל לרגל נענה ר' אלעזר בן עזריה ואמר ח) בשלום תמות ובמשרפות אבותיך המלכים הראשונים [אשר היו לפניך כן] ישרפו לך והלא דברים ק"ו ומה צדקיהו מלך יהודה שלא עשה אלא מצוה אחת שהעלה ירמיה מן הטיט כך בניו של ר' ישמעאל על אחת כמה וכמה נענה ר"ע ואמר ט) ביום ההוא יגדל המספד בירושלם כמספד הדדרימון [בבקעת מגידון] [ו] ואמר רב יוסף אלמלא [ז] תרגומיה דהאי קרא לא הוה ידענא מאי קאמר בעידנא ההוא יסגי מספדא בירושלם כמספדא דאחאב בר עמרי דקטל יתיה הדדרימון בר טברימון וכמספד דיאשיה בר אמון דקטל יתיה פרעה חגירא בבקעת מגידו והלא דברים ק"ו ומה אחאב מלך ישראל שלא עשה אלא דבר אחד טוב דכתיב י) והמלך היה מעמד במרכבה נכח ארם כך בניו של ר' ישמעאל על אחת כמה וכמה א"ל רבא לרבה בר מרי כתיב ביה בצדקיהו בשלום תמות וכתיב כ) ואת עיני צדקיהו עור א"ל הכי א"ר יוחנן שמת נבוכדנאצר בימיו ואמר רבא לרבה בר מרי כתיב ביה ביאשיהו ל) לכן הנני אוסיפך על אבותיך ונאספת אל קברותיך בשלום וכתיב מ) ויורו היורים למלך יאשיהו [ח] ואמר רב יהודה אמר רב שעשאוהו ככברה א"ל הכי א"ר יוחנן שלא חרב בית המקדש בימיו א"ר יוחנן ב אין מנחמין רשאין לומר דבר עד שיפתח אבל שנאמר [ט] ג נ) אחרי כן פתח איוב את פיהו והדר ס) ויען אליפז התימני [י] א"ר אבהו ג מנין לאבל שמיסב בראש שנאמר ע) אבחר דרכם ואשב ראש ואשכון כמלך בגדוד כאשר אבלים ינחם אחריני משמע אמר רב נחמן בר יצחק ינחם כתיב מר זוטרא אמר מהכא פ) וסר מרזח סרוחים מרזח נעשה שר לסרוחים אמר ר' חמא בר חנינא מנין לחתן שמיסב בראש שנאמר צ) כחתן יכהן פאר מה כהן בראש אף חתן בראש וכהן גופיה מנלן [כ] דתנא דבי ר' ישמעאל ק) וקדשתו ד לכל דבר שבקדושה [ל] לפתוח ראשון ולברך ראשון וליטול מנה יפה ראשון א"ר חנינא קשה יציאת נשמה מן הגוף כציפורי

תוספות

בלע המות. כדי לסיים בדבר הטוב משום דמועד קטן הוא סוף סדר מועד ומה"ט מתרץ הרב רבי יעקב מאורלינ"ש הא דלאתחיל סדר נשים בט"ו נשים אע"ג דלאתחיל בפורענותא לא מתחיל כדאמרינן בית נוטלין (ב"ב דף קח.) ותירץ דסומכין פורענות דמועד קטן אלא פורענות דיבמות דסמכינן פורענותא לפורענותא ונחמתא לנחמתא [י]:

צדקיהו מלך יהודה. לדיק גמור היה [ס] אלא במקרא לא מלינו יותר כי אם שלוה להעלות ירמיהו מן הטיט:

ינחם כתיב. בכתובות (דף סט:[ע]) פירשנו בענין אחר שלא כפירוש הקונטרס דהכא:

וליטול מנה יפה ראשון. פי' יש לישראל ליתן לו אבל הוא אין לו ליטול כדאמרינן פ' מקום שנהגו (פסחים דף ג:) הנותן עיניו בחלק יפה כו' מיהו נראה לי דכהן כיון שזהו דינו יכול לראות סימן ברכה ואע"פ שאומרים בפ' הזרוע (חולין קלג.) ונתן ולא שיטול מעלמו אין זה לוקח מתנות כי אם רואה שפיר מה שהוא רוצה ואומר ליתן לו: [וע' תוס' גיטין נט: בד"ה וליטול מנה]:

הדרן עלך ואלו מגלחין

וסליקא לה מסכת מועד קטן

רש"י

מתני' [מ] בלא פירוש: **גמ'** לחבילא. חבלא: גוד גרמא מכבא. נפלו הלחיים: נמטו מיא לאמטיכי. כלומר הדרי מיא למפרע כלפי למעלה: שייול איצטלא דמלתא. כלומר יפה מיתה כמלבוש של מילת: דשלימו זוודיה. שכלו לו מזונותיו שהוא עני: עטוף. חושך: אזבזגי. קנייה: מותא. כל אדם מת: (מרעא חבילא). מרעין חיבולייא. האיסורין הן בבית: דידל ידלוניה. כלומר מגביהין בהספד למי שמגביה קולו להספד אחרים: הטריח רבותיו. שבאין לנחמו: משמרתו. שהושיב ירבעם שלא לעלות לרגל: מעמד במרכבה. שלא יכשלו: ינחם אחרים משמע. שמנחמין יושבין בראש: סרוחים. לשון רבים: לפתוח בראש. לקרות בס"ת: ולברך. ברכת המזון: כליפורי

עין משפט נר מצוה

רלז א מיי' פ"ו מהלכות י"ט הלכה כד ופי"א מהל' אבל הלכה ד סמג עשין ג טוש"ע א"ח סי' תקמז סעיף ג וטוש"ע י"ד סי' תא סעיף ה:

רלז ב ג מיי' פי"ג מהלכות אבל הלכה ג סמג עשין ג טוש"ע י"ד סי' שעו סעיף א:

רלח ד מיי' פ"ד מהל' כלי המקדש הלכה ב טוש"ע א"ח סי' קסז סעיף יד בהג"ה וסי' רא סעיף ב:

רבינו חננאל

מתני' נשים במועד מענות אבל לא מטפחות מאי אמרן. אמר רבא ויי לאזלא ויי לחבלא. פירוש נשי דשכנציב היו חכמות והיו מענות ואומרות אוי להולך כדכתיב כי הולך האדם אל בית עולמו וסבבו וגו' ואוי למי שהוא ממושכן ונתבע לשלם הפקדון שאצלו. כלומר האדם מתמשכן להשלים רוחו שהוא אצלו פקדון לבעליה. פי' חבלא משכון. פירוש גוד גרמא מכבא ונמטי מיא לאנטוכיא חתוך המאכל מן השיניים ויגיע חמות המים באנטיכי. כלומר כיון שנחתך המאכל מפי החולה בוערת בו חמות ומחממת מי רגליו כחמות אנטיכי. דתנן אנטיכי אע"פ שגרופה אין שותין הימנה מפני שמחממת הרבה. פי' שייול אצטלא דמלתא לבר חורי דשלימו זוודיה. כלומר דומה כאצטלא של מילת לבנה לבן טובים שירד מנכסיו. ושלמה הצידה שלו הקבורה טובה לו מחיים. ויש שאומרים מי שאין לו בגדים ללבוש ישאל וילך ללות בן טובים של מת ושלמו ימי חייו. עטוף וכסוי טורי דבר רברבי ובר רמי הוה. פי' כמו אדם האומר להרים התעטפו והתכסו במלבושיכם הנאים כי זה האיש הבא להקבר אצלכם בן גדולים הוא. וי"א לבני אדם אומרים התעטפו והתכסו במלבושיכן ועמדו על ההרים וכסו אותן בשעת קבורתו כי בן גדולים ורמים הוא. אחאנא תגרי דעל זבוגי מיבדקי. פי' אחינו התגרים שעל קניינם מיבדקי. כלומר במקום סחורתן נבדקין הנאמנים הם אם לאו. כמו שאומרים (בעירובין סה) בג' דברים אדם ניכר בכוסו בכיסו ובכעסו. רהיט ונפיל א) בר אודי ואמבדי יוזפתא יזיף. פי' רץ בכל כחו ונופל בין האובדים ועל המעברות מלוה לוה. פי' כמו משל הוא. כלומר אע"פ שאדם רץ בכל כחו כל ימיו כשנופל בין האובדים בין אובדי הדרכים. או כשיגיע לעבור בנהר מתחנן למי שמעבירו ואם אין לו נוטל בהלואה ואינו מוצא. מותא כי מותא. ומרעא חבוליא. פי' המות של זה כמיתת כל אדם. ואריכות חוליו תוספת כמו הרבית על המלוה. שיש מי שפורע חובו היא המלוה שנתנה לו ודיו. ויש מי שפורע ב) המלוה היא נשמתו ותוספת על נשמתו צער חליו. תניא היה ר"מ אומר מ"ד טוב ללכת את בית אבל וגו' והחי יתן אל לבו דברים של מיתה. דיספד יספדוניה דיקבר יקברוניה דטעון יטעוניה דידל ידלוניה. איכא דאמרי לא ידל דאדלוניה כדכתיב כי טוב אמר לך עלה הנה מהשפילך לפני נדיב אשר ראו עיניך. כשמתו בניו של ר' ישמעאל נכנסו ד' זקנים לנחמו. ר' יוסי הגלילי. ור' אלעזר בן עזריה ור' עקיבא ור' טרפון. אמר להן ר' טרפון ראו כי חכם גדול ובקי בהגדות הוא אל יכנס אחד לתוך דברי חבירו אמר להן ר' עקיבא ואני אחרון. פתח ר' ישמעאל ואמר רבו עונותיו תכפוהו אבליו הטריח רבותיו פעמים רבות. נענה ר"ט ואמר ואחיכם כל בית ישראל יבכו את השרפה וגו' ומה בני אהרן שלא עשו אלא מצוה אחת שנאמר ויקריבו בני אהרן את הדם אליו. בניו של רבי [ישמעאל] עאכו"כ שחייבין כל ישראל לבכותם. ראב"ע אומר מהכא שנאמר בשלום תמות ובמשרפות אבותיך המלכים הראשונים אשר היו לפניך כן ישרפו לך הוי אדון יספדו לך וגו' והלא דברים ק"ו ומה צדקיה שלא עשה אלא מצוה אחת שהעלה ירמיה מן הטיט זכה לכך. בניו של ר' עאכו"כ. ריה"ג אומר מהכא וספדו לו כל ישראל וקברו אותו כי זה לבדו יבא לירבעם אל קבר יען נמצא בו דבר טוב. והלא דברים ק"ו ומה אביה בן ירבעם שלא עשה אלא דבר אחד שביטל משמרתו ועלה לרגל. וי"א שביטל פרדסאות שהושיב ירבעם שלא יעלו ישראל לרגל כך. בניו של ר' שעשו כמה מצות עאכו"כ. ר"ע אומר מהכא ביום ההוא יגדל המספד בירושלם כמספד הדרימון בבקעת מגידו. ואמר רב יוסף אלמלא תרגומא דהאי קרא לא הוינן ידעי מאי קאמר בעידנא ההיא יסגא מספדא בירושלם כמספד אחאב דקטל יתיה הדרימון בן טברימון. וכמספד יאשיהו בן אמון דקטל יתיה פרעה חגירא בבקעת מגידו. ומה זה שלא עשה אלא דבר אחד דכתיב והמלך היה מעמד במרכבה נוכח ארם עד הערב החזיק בעצמו שלא יאמרו גוסס הוא ויברחו ישראל ותחלת נפילה ניסה בניו של ר' עאכו"כ שכל ישראל חייב לספוד ולבכות עליהם. א"ל רבא לרבה בר מרי כתיב ביה בצדקיהו

חשק שלמה על ר"ח א) אולי צ"ל בייני אודי ואמעברי וכו'. ב) נראה דצ"ל ויש מי שפורע גם רבית המלוה היא נשמתו וכו'.

מסורת הש"ס

א) מגילה ג:, ב) [בערוך ערך גד שני נמצא פירוש ע"ז], ג) [כאדם האומר להרים התעטפו והתכסו במלבושים נאים כי זה האיש הבא להקבר אצלכם בן גדולים הוא. ערוך], ד) נדרים פג: כתובות עב., ה) [שהושיבו אביו שומר שלא יעלה איש לרגל ובטל משמרתו ועלה. ז"ל רש"י במלכים], ו) מגילה ג., ז) [ועי' תוס' ב"ק ג: ד"ה כדמתרגם], ח) תענית כב: [סנהדרין מח:], ט) [ואין דובר אליו דבר וכתיב אחרי כן פתח איוב את פיהו וענו חביריו כך מצאתי הגי' בתורת האדם להרמב"ן ז"ל], י) כתובות סט., כ) הוריות יב: נדרים סב. גיטין נט:, ל) [עי' תוס' חולין פז. ד"ה וחייבו], מ) פרש"י על כל עמוד זה תמצא בעין יעקב ע"ש, נ) [כדאיתא ב"ב יד:], ס) [שבת קמט: ערכין יז.], ע) [בד"ה אמר ר"נ].

הגהות מהר"ב רנשבורג

א] גמ' אמר רב ויי לאזלא ויי לחבילא. פי' אוי לה להליכה כזו שאינה חוזרת ואוי לה למשאוי כזה שנושאים את המת. פ"א אוי להולך לממושכנים עליו: ב] שם עטוף וכסו טורא. פי' התעטפו והתכסו ההרים בחשך שבן גדולים ובן גבוהים היה המת הזה: ג] שם רהיט ונפיל אמעברא ויזופתא יזיף. פי' רהיט תגר וטרחן היה כל ימיו ועכשיו נפל ריקם בלי ממון למעברא כשביקש לעבור מן העולם וצריך ללוות ממון לתכריכין: ד] שם אחנא תגרי אזבזגי מיבדקו. פי' אחינו הסוחרים דאזוזגי מיבדקו באחריתם נראה עשרם כגון זה שאין לו עכשיו במה לקבור ועל מת עני אומרים אותו כדי שירחמו עליו. מע"י קטן: ה] שם מותא כי מותא ומרעין חיבוליא. פי' דמיתתו היה כמיתת כל אדם שהכל מתים. אמנם מרעין חיבוליא שיסורים קשים הו"ל יותר משאר ב"א. ג"ז מצאתי בע"י קטן. ונלע"ד לפי"ז דברש"י בד"ה מרעא חבילא וכו' צ"ל היסורין הן בבית עכ"ל וכצ"ל ופי' דבריו דהיסורים הם בפנים ואינן ניכרין אף דמיתתו היתה שלימה כמיתת אחרים ודו"ק:

תורה אור השלם

א) כִּי שְׁמַעְנָה נָשִׁים דְּבַר יְיָ וְתִקַּח אָזְנְכֶם דְּבַר פִּיו וְלַמֵּדְנָה בְנוֹתֵיכֶם נֶהִי וְאִשָּׁה רְעוּתָהּ קִינָה: [ירמיה ט, יט] ב) בִּלַּע הַמָּוֶת לָנֶצַח וּמָחָה אֲדֹנָי אֱלֹהִים דִּמְעָה מֵעַל כָּל פָּנִים וְחֶרְפַּת עַמּוֹ יָסִיר מֵעַל כָּל הָאָרֶץ כִּי יְיָ דִּבֵּר: [ישעיה כה, ח] ג) טוֹב לָלֶכֶת אֶל בֵּית אֵבֶל מִלֶּכֶת אֶל בֵּית מִשְׁתֶּה בַּאֲשֶׁר הוּא סוֹף כָּל הָאָדָם וְהַחַי יִתֵּן אֶל לִבּוֹ: [קהלת ז, ב] ד) כִּי טוֹב אֲמָר לְךָ עֲלֵה הֵנָּה מֵהַשְׁפִּילְךָ לִפְנֵי נָדִיב אֲשֶׁר רָאוּ עֵינֶיךָ: [משלי כה, ז] ה) וַיֹּאמֶר מֹשֶׁה אֶל אַהֲרֹן וּלְאֶלְעָזָר וּלְאִיתָמָר בָּנָיו רָאשֵׁיכֶם אַל תִּפְרָעוּ וּבִגְדֵיכֶם לֹא תִפְרֹמוּ וְלֹא תָמֻתוּ וְעַל כָּל הָעֵדָה יִקְצֹף וַאֲחֵיכֶם כָּל בֵּית יִשְׂרָאֵל יִבְכּוּ אֶת הַשְּׂרֵפָה אֲשֶׁר שָׂרַף יְיָ: [ויקרא י, ו] ו) וַיַּקְרִבוּ בְּנֵי אַהֲרֹן אֶת הַדָּם אֵלָיו וַיִּטְבֹּל אֶצְבָּעוֹ בַּדָּם וַיִּתֵּן עַל קַרְנוֹת הַמִּזְבֵּחַ וְאֶת הַדָּם יָצַק אֶל יְסוֹד הַמִּזְבֵּחַ: [ויקרא ט, ט] ז) וְסָפְדוּ לוֹ כָל יִשְׂרָאֵל וְקָבְרוּ אֹתוֹ כִּי זֶה לְבַדּוֹ יָבֹא לְיָרָבְעָם אֶל קָבֶר יַעַן נִמְצָא בוֹ דָּבָר טוֹב אֶל יְיָ אֱלֹהֵי יִשְׂרָאֵל בְּבֵית יָרָבְעָם: [מלכים א' יד, יג] ח) בְּשָׁלוֹם תָּמוּת וּבְמִשְׂרְפוֹת אֲבוֹתֶיךָ הַמְּלָכִים הָרִאשֹׁנִים אֲשֶׁר הָיוּ לְפָנֶיךָ כֵּן יִשְׂרְפוּ לָךְ וְהוֹי אָדוֹן יִסְפְּדוּ לָךְ כִּי דָבָר אֲנִי דִבַּרְתִּי נְאֻם יְיָ: [ירמיה לד, ה] ט) בַּיּוֹם הַהוּא יִגְדַּל הַמִּסְפֵּד בִּירוּשָׁלִַם כְּמִסְפַּד הֲדַדְ רִמּוֹן בְּבִקְעַת מְגִדּוֹן: [זכריה יב, יא] י) וַתַּעֲלֶה הַמִּלְחָמָה בַּיּוֹם הַהוּא וְהַמֶּלֶךְ הָיָה מָעֳמָד בַּמֶּרְכָּבָה נֹכַח אֲרָם וַיָּמָת בָּעֶרֶב וַיִּצֶק דַּם הַמַּכָּה אֶל חֵיק הָרָכֶב: [מלכים א' כב, לה] כ) וְאֶת עֵינֵי צִדְקִיָּהוּ עִוֵּר וַיַּאַסְרֵהוּ בַּנְחֻשְׁתַּיִם לָבִיא אֹתוֹ בָּבֶלָה: [ירמיה לט, ז] ל) לָכֵן הִנְנִי אֹסִפְךָ עַל אֲבֹתֶיךָ וְנֶאֱסַפְתָּ אֶל קִבְרֹתֶיךָ בְּשָׁלוֹם וְלֹא תִרְאֶינָה עֵינֶיךָ בְּכֹל הָרָעָה אֲשֶׁר אֲנִי מֵבִיא עַל הַמָּקוֹם הַזֶּה וַיָּשִׁיבוּ אֶת הַמֶּלֶךְ דָּבָר: [מלכים ב' כב, כ] מ) וַיֹּרוּ הַיֹּרִים לַמֶּלֶךְ יֹאשִׁיָּהוּ וַיֹּאמֶר הַמֶּלֶךְ לַעֲבָדָיו הַעֲבִירוּנִי כִּי הָחֳלֵיתִי מְאֹד: [דברי הימים ב' לה, כג] נ) אַחֲרֵי כֵן פָּתַח אִיּוֹב אֶת פִּיהוּ וַיְקַלֵּל אֶת יוֹמוֹ: [איוב ג, א] ס) וַיַּעַן אֱלִיפַז הַתֵּימָנִי וַיֹּאמַר: [איוב ד, א] ע) אֶבְחַר דַּרְכָּם וְאֵשֵׁב רֹאשׁ וְאֶשְׁכּוֹן כְּמֶלֶךְ בַּגְּדוּד כַּאֲשֶׁר אֲבֵלִים יְנַחֵם: [איוב כט, כה] פ) לָכֵן עַתָּה יִגְלוּ בְּרֹאשׁ גֹּלִים וְסָר מִרְזַח סְרוּחִים: [עמוס ו, ז] צ) שׂוֹשׂ אָשִׂישׂ בַּייָ תָּגֵל נַפְשִׁי בֵּאלֹהַי כִּי הִלְבִּישַׁנִי בִּגְדֵי יֶשַׁע מְעִיל צְדָקָה יְעָטָנִי כֶּחָתָן יְכַהֵן פְּאֵר וְכַכַּלָּה תַּעְדֶּה כֵלֶיהָ: [ישעיה סא, י] ק) וְקִדַּשְׁתּוֹ כִּי אֶת לֶחֶם אֱלֹהֶיךָ הוּא מַקְרִיב קָדֹשׁ יִהְיֶה לָּךְ כִּי קָדוֹשׁ אֲנִי יְיָ מְקַדִּשְׁכֶם: [ויקרא כא, ח]

רש"י כת"י

מטפחות בראשי חדשים. [על לבן] מספקות כף אל כף. **קינה ועינוי.** כדמפרש בסמוך. ומדכתיב ולמדנה בנותיכם נהי אלמא זאת אומרת קינה וחבירתה עונה. **אשה רעותה קינה. אבל לעתיד לבוא ובלע המות [לנצח] ומחה ה' דמעה מעל כל פנים.** [שיבלע הקב"ה את המות וכולן עונות שירה שאין מיתה ואין דמעה] והאי דנקט אבל לעתיד לבוא משום אל תעמוד בדבר רע מפני שזה סיום [נ"א - סילוק] כל סדר מועד דסדר המשנה מועד קטן בסוף כל המועד. *[**מאי אמרן.** נשים כשהן מענות. **ויי לאזלא ויי לחבילא.** אוי לה להליכה כזאת שאינה חוזרת ואוי למשוי כזה שנושאים את המת. **גוד גרמא מכבא.** נפלו הלחיים. **ונמטי מיא לאנטיכי.** כלומר הדרי מיא למפרע כלפי מעלה. **שייול.** גולל בלשון נשי דשכנציב. [המשך בדף כח:]

Mishnah This Mishnah defines which expressions of mourning are permitted at a funeral on Chol HaMoed: נָשִׁים בַּמּוֹעֵד מְעַנּוֹת – **Women may chant an elegy** (*innuy*)[1] **on Chol HaMoed** אֲבָל לֹא מְטַפְּחוֹת – **but they may not clap.**[2] רַבִּי יִשְׁמָעֵאל אוֹמֵר – However, **R' Yishmael says:** הַסְּמוּכוֹת לַמִּטָּה מְטַפְּחוֹת – **Those who are near the bier**[3] **may clap.**[4]

The Tanna Kamma continues:

בְּרָאשֵׁי חֳדָשִׁים בַּחֲנוּכָּה וּבַפּוּרִים מְעַנּוֹת וּמְטַפְּחוֹת – **On Rosh Chodesh, Chanukah and Purim, they may chant a dirge and clap.**[5] בָּזֶה וָזֶה לֹא מְקוֹנְנוֹת – But both **on this** occasion [Chol HaMoed] **and on the other** occasions [Rosh Chodesh, Chanukah and Purim] **they may not respond in lamentation** (*kinah*).[6] נִקְבַּר הַמֵּת לֹא מְעַנּוֹת וְלֹא מְטַפְּחוֹת – **Once the deceased has been buried, they may neither chant an elegy nor clap.**[7]

The Mishnah defines two of the terms used above:

אֵיזֶהוּ עִינּוּי – **What is an elegy** (*innuy*)? שֶׁכּוּלָּן עוֹנוֹת כְּאַחַת – **Where all of them chant together.** קִינָה – What is **lamentation** (*kinah*)? שֶׁאַחַת מְדַבֶּרֶת וְכוּלָּן עוֹנוֹת אַחֲרֶיהָ – **Where one speaks and the others respond after her;** שֶׁנֶּאֱמַר – **as it is stated:** ,,וְלַמֵּדְנָה בְנֹתֵיכֶם נֶהִי וְאִשָּׁה רְעוּתָהּ קִינָה" – ***and teach your daughters mourning, and each woman a lamentation to her friend*** (*kinah*).[8]

The Mishnah ends on a positive note:

אֲבָל לֶעָתִיד לָבֹא הוּא אוֹמֵר – **But** concerning **the future to come**[9] **it says:** ,,בִּלַּע הַמָּוֶת לָנֶצַח וּמָחָה ה׳ אֱלֹהִים דִּמְעָה מֵעַל כָּל פָּנִים וגו׳ " – ***He will eliminate death forever, and Hashem the Lord will erase tears from all faces,* etc.**[10]

Gemara The Gemara gives an example of an elegy:

מַאי אָמְרָן – **What do they say?** אָמַר רַב – **Rav stated:** וַיי לְאַזְלָא וַיי לַחֲבִילָא – **"Woe over the journey, woe over the security."**[11]

Rava quotes seven elegies uttered by the women of Shechantziv,[12] beginning with the one already cited:

אָמַר רָבָא – **Rava stated:** נְשֵׁי דְשָׁכַנְצִיב אָמְרָן הָכִי – **The woman of Shechantziv said thus:** וַיי לְאַזְלָא וַיי לַחֲבִילָא – **"Woe over the journey, woe over the security."**

וְאָמַר רָבָא – **And Rava stated:** נְשֵׁי דְשָׁכַנְצִיב אָמְרָן – **The women of Shechantziv said:** גוד גַּרְמָא מִכַּכָּא וְנִמְטֵי מַיָּא לְאַנְטִיכֵי – **"Cut bone from tooth; bring water to the kettle."**[13]

וְאָמַר רָבָא – **And Rava stated:** נְשֵׁי דְשָׁכַנְצִיב אָמְרָן – **The women of Shechantziv said:** עַטוּף וְכַסּוּ טוּרֵי דְּבַר רָמֵי וּבַר רַבְרְבֵי הוּא – **"Wrap and cover** [yourselves], **O mountains, for he was**

NOTES

1. [This term is defined below.] Women are especially conscientious in attending to the dead (see *Rivav,* end of folio 17a); thus, it was they who typically engaged in these expressions of mourning. The Mishnah's laws, however, apply to men as well (*Matzeves Moshe*).

2. I.e. they may not strike one hand against the other as a sign of sorrow (*Rashi ms.* on 27b; *Meiri* ibid.; *Tosafos* to *Megillah* 3b; see 27b note 15; see also *Rashi* to *Beitzah* 30a ד״ה מטפחין).

Alternatively, this refers to beating the chest (*Nimukei Yosef* [folio 17b]; *Rashi* to *Megillah* ibid. ד״ה ולא מטפחות; see *Rashi* to *Shabbos* 148b ד״ה מטפחין).

3. I.e. the dead is [directly] in front of them (*Nimukei Yosef* on *Rif* folio 17b).

4. The Tanna Kamma, though, does not differentiate between those next to the bier and those distant from it – all are forbidden to clap.

5. Rosh Chodesh, Chanukah and Purim are treated less stringently than Chol HaMoed, because the prohibitions against labor applicable on Chol HaMoed do not apply on these occasions (*Nimukei Yosef*).

6. This is a more intense expression of grief than chanting an elegy (which is permitted even on Chol HaMoed) and clapping (which is permitted on Rosh Chodesh, Chanukah and Purim).

7. [It goes without saying that lamentation is forbidden.] Once the dead has been buried, all these expressions of mourning are prohibited even on Rosh Chodesh, Chanukah and Purim, and certainly on Chol HaMoed (*Nimukei Yosef*).

8. *Jeremiah* 9:19. The words "woman . . . to her friend" imply that one woman leads and the others follow (*Rashi* on *Rif; Nimukei Yosef;* see, however, *Rashi ms.* [27b]).

9. See next note.

10. *Isaiah* 25:8. This verse refers not to death by natural causes but to death at the hand of man. It promises the Jewish people that the death and sorrow they had suffered as a result of their exile among the other nations will come to a complete end (*Radak* ad loc.). However, *Ran* (27b ד״ה אבל לעתיד) explains the verse to mean that death will be abolished and people will live forever. [It appears that *Radak* interprets the verse as referring to the Messianic era, whereas *Ran* places it in the context of the Resurrection of the Dead or the World to Come (see Schottenstein ed. of *Sanhedrin* vol. 3, Appendix).]

The Mishnah quotes this verse here so that the Order of *Moed* does not end on a sorrowful note (*Rashi ms.* [27b]; *Rashi* on *Rif; Tosafos; Nimukei Yosef*). [These Rishonim state that *Moed Katan* is the last tractate in the Order of *Moed.* According to *Rambam,* however, the Order ends with Tractate *Chagigah* (*Rambam's Introduction to the Mishnah* ד״ה והחלק הששי).]

11. Cry "woe" over the deceased who is embarking on a journey from which he shall not return (*Rashi* on *Ein Yaakov*). And cry "woe" over him because he must repay the security that had been entrusted to him – that is, he must return his soul to its Owner (*Rabbeinu Chananel;* see also *Darash Moshe, Mili DeHespeida, derush* §6).

Here, and in the examples cited below, the Gemara quotes only part of the elegy. The eulogizers would expand on the matter as they saw fit (*Meiri* [27b]; see, however, *Iyun Yaakov*).

The dirges quoted here do not praise the deeds of the deceased, as a eulogy typically does. The reason might be that these elegies were used on occasions such as Chol HaMoed, when a regular eulogy is forbidden (*Matzeves Moshe*).

12. The women of Shechantziv were wise (*Rabbeinu Chananel*). [Using riddles, they would convey sensitive messages in a tactful manner.] The meaning of these riddles is not entirely clear; several interpretations have been suggested by the commentators (*R' Shlomo ben HaYasom*). In our elucidation, we have drawn primarily from *Rashi* [here and on *Ein Yaakov*] and *Rabbeinu Chananel;* but see also *Tos. HaRosh, Ran, Meiri* [27b], *Aruch, R' Shlomo ben HaYasom* and the commentaries on *Ein Yaakov.*

The Gemara in *Pesachim* (112b) reports that Rebbi instructed his sons not to live in Shechantziv because its residents were prone to mockery. Nevertheless, the Gemara here deems it acceptable to record some of their finer utterances. An alternative explanation is that Shechantziv's negative reputation applied only to its men, not its women (*Hagahos Yavetz*).

13. "Cut bone from tooth" refers to the opening of the mouth, where the gap between the jawbone and upper teeth widens. "Bring water to the kettle" means that water leaves the person's mouth and returns to the vessel from which he had drunk. This describes the reverse of drinking. Instead of flowing down from the vessel into one's mouth, the water moves upward from the mouth back into the vessel (see *Rashi*). [The point of this analogy is possibly that when a person dies the natural course of events are reversed – the deceased surrenders his soul, which flies upward to its Heavenly source.]

The other commentators offer interpretations that are more literal; see *Rabbeinu Chananel, Aruch* [ע׳ גד [ב], et al.

עין משפט
נר מצוה

רלז א מיי' פ"ו מהלכות י"ט הלכה כד ופי"א מהל' אבל הלכה ד סמג עשין ב טוש"ע א"ח סי' תקמז סעיף ב וטוש"ע י"ד סי' תא סעיף ה:
רלז ב ג מיי' פי"ג מהלכות אבל הלכה ג סמג עשין ב טוש"ע י"ד סי' שעו סעיף א:
רלח ד מיי' פ"ד מהל' כלי המקדש הלכה ב טוש"ע א"ח סי' קסז סעיף יד בהג"ה וסי' רא סעיף ב:

מתני' א נשים במועד מענות אבל לא מטפחות ר' ישמעאל אומר הסמוכות למטה מטפחות בראשי חדשים בחנוכה ובפורים מענות ומטפחות בזה וזה לא מקוננות נקבר המת לא מענות ולא מטפחות איזהו עינוי שכולן עונות כאחת קינה שאחת מדברת וכולן עונות אחריה שנא' א) ולמדנה בנותיכם נהי ואשה רעותה קינה אבל לעתיד לבא הוא אומר ב) בלע המות לנצח ומחה ה' אלהים דמעה מעל כל פנים וגו': **גמ'** מאי אמרן

א] אמר רב ויי לאזלא ויי לחבילא אמר רבא נשי דשכנציב אמרן הכי ויי לאזלא ויי לחבילא ואמר רבא נשי דשכנציב אמרן ב) גוד גרמא מכבא ונמטי מיא לאנטיכי ואמר רבא נשי דשכנציב אמרן ב] ג) עטוף וכסו טורי דבר רמי ובר רברבי הוא ואמר רבא נשי דשכנציב אמרן שייול אצטלא דמלתא לבר חורין דשלימו זוודיה ואמר רבא נשי דשכנציב אמרן ג] רהיט ונפיל אמעברא ויזופתא יזיף ואמר רבא נשי דשכנציב אמרן ד] אחנא תגרי אזבזגי מיבדקו ואמר רבא נשי דשכנציב אמרן ה] מותא כי מותא ומרעין חיבוליא ו) תניא היה ר"מ אומר ג) טוב ללכת אל בית אבל וגו' עד והחי יתן אל לבו דברים של מיתה דיספד יספדוניה דיקבר יקברוניה דיטען יטענוניה דידל ידלוניה ואיכא דאמרי דלא ידל ידלוניה דכתיב ד) כי טוב אמר לך עלה הנה וגו' ת"ר כשמתו בניו של רבי ישמעאל נכנסו ד' זקנים לנחמו ר' טרפון ור' יוסי הגלילי ור' אלעזר בן עזריה ור"ע אמר להם ר' טרפון דעו שחכם גדול הוא ובקי באגדות אל יכנס אחד מכם לתוך דברי חבירו אמר ר"ע ואני אחרון פתח רבי ישמעאל ואמר רבו עונותיו תכפוהו אבליו הטריח רבותיו פעם ראשונה ושניה נענה ר"ט ואמר ה) ואחיכם כל בית ישראל יבכו את השריפה והלא דברים ק"ו ומה נדב ואביהוא שלא עשו אלא מצוה אחת דכתיב ו) ויקריבו בני אהרן את הדם אליו כך בניו של ר' ישמעאל על אחת כמה וכמה נענה ר' יוסי הגלילי ואמר ז) וספדו לו כל ישראל וקברו אותו והלא דברים ק"ו ומה אביה בן ירבעם שלא עשה אלא דבר אחד טוב דכתיב ביה ח) יען נמצא בו דבר טוב כך בניו של ר' ישמעאל על אחת כמה וכמה מאי דבר טוב ר' זירא ור' חיננא בר פפא חד אמר שביטל ה) משמרתו ועלה לרגל וחד אמר שביטל פרדסאות שהושיב ירבעם אביו על הדרכים שלא יעלו ישראל לרגל נענה ר' אלעזר בן עזריה ואמר ח) בשלום תמות ובמשרפות אבותיך המלכים הראשונים [אשר היו לפניך כן] ישרפו לך והלא דברים ק"ו ומה צדקיהו מלך יהודה שלא עשה אלא מצוה אחת שהעלה ירמיה מן הטיט כך בניו של ר' ישמעאל על אחת כמה וכמה נענה ר"ע ואמר ט) ביום ההוא יגדל המספד בירושלם כמספד הדדרימון [בבקעת מגידון] ו) ואמר רב יוסף אלמלא ז) תרגומיה דהאי קרא לא הוה ידענא מאי קאמר בעידנא ההוא יסגי מספדא בירושלם כמספדא דאחאב בר עמרי דקטל יתיה הדדרימון בר טברימון וכמספד דיאשיה בר אמון דקטל יתיה פרעה חגירא בבקעת מגידו והלא דברים ק"ו ומה אחאב מלך ישראל שלא עשה אלא דבר אחד טוב דכתיב י) והמלך היה מעמד במרכבה נכח ארם כך בניו של ר' ישמעאל על אחת כמה וכמה א"ל רבא לרבה בר מרי כתיב ביה בצדקיהו בשלום תמות וכתיב כ) ואת עיני צדקיהו עור א"ל הכי א"ר יוחנן שמת נבוכדנאצר בימיו ואמר רבא לרבה בר מרי כתיב ביה ביאשיהו ל) לכן הנני אוסיפך על אבותיך ונאספת אל קברותיך בשלום וכתיב מ) ויורו היורים למלך יאשיהו ח) ואמר רב יהודה אמר רב שעשאוהו ככברה א"ל הכי א"ר יוחנן שלא חרב בית המקדש בימיו א"ר יוחנן ב אין מנחמין רשאין לומר דבר עד שיפתח אבל שנאמר ט) נ) אחרי כן פתח איוב את פיהו והדר ס) ויען אליפז התימני י) א"ר אבהו ג מנין לאבל שמיסב בראש שנאמר ע) אבחר דרכם ואשב ראש ואשכון כמלך בגדוד כאשר אבלים ינחם אמר רב נחמן בר יצחק ינחם כתיב מר זוטרא אמר מהכא פ) וסר מרזח סרוחים מרזח נעשה שר לסרוחים אמר ר' חמא בר חנינא מנין לחתן שמיסב בראש שנאמר צ) כחתן יכהן פאר מה כהן בראש אף חתן בראש וכהן גופיה מנלן כ) דתנא דבי ר' ישמעאל ק) וקדשתו ד לכל דבר שבקדושה ל) לפתוח ראשון ולברך ראשון וליטול מנה יפה ראשון א"ר חנינא קשה יציאת נשמה מן הגוף כציפורי

מתני' מ) בלא פירוש: **גמ'** לחבילא. חבלא: **גוד גרמא מכבא.** נפלו הלחיים: **נמטו מיא לאמטיכי.** כלומר הדרי מיא למפרע כלפי למעלה: **שייול איצטלא דמלתא.** כלומר יפה מיתה כמלבוש של מילת: **דשלימו זוודיה.** שכלו לו מזונותיו שהוא עני: **עטוף.** חוסך: **אזבזגי.** קינה: **מותא.** כל אדם מת: (מרעא חבילא). **מרעין חיבולייא.** האיסורין הן בבית: **דידל ידלוניה.** כלומר מגביהין בהספד למי שמגביה קולו להספד אחרים: **הטריח רבותיו.** שבאין לנחמו: **משמרתו.** שהושיב ירבעם שלא לעלות לרגל: **מעמד במרכבה.** שלא יכשלו: **ינחם** אחרים משמע. שמנחמין יושבין בראש: **סרוחים.** לשון רבים: **לפתוח בראש.** לקרות בס"ת: **ולברך.** ברכת המזון: **כליפורי**

בלע המות. כדי לסיים בדבר הטוב משום דמועד קטן הוא סוף סדר מועד ומה"ט מתרץ הרב רבי יעקב מאורלינ"ש הא דאתחיל סדר נשים בט"ו נשים אע"ג דאתחיל בפורענותא לא מתחיל כדאמרינן ביש נוחלין (ב"ב דף קח.) ותירץ דסומכין פורענות דמועד קטן אלא פורענות דיבמות דסמכינן פורענותא לפורענותא ונחמתא לנחמתא ו):

צדקיהו מלך יהודה. לדיק גמור היה ס) אבל במקרא לא מלינו יותר כי אם שלוה להעלות ירמיהו מן הטיט:

ינחם כתיב. בכתובות (דף סט:ע) פירשנו בענין אחר שלא כפירוש הקונטרס דהכא:

וליטול מנה יפה ראשון. פי' יש לישראל ליתן לו אבל הוא אין לו ליטול כדאמרינן פ' מקום שנהגו (פסחים דף נ:) הנותן עיניו בחלק יפה כו' מיהו נראה לי דכהן כיון שזהו דינו יכול לראות סימן ברכה ואע"פ שאומרים בפ' הזרוע (חולין קלג.) ונתן ולא שיטול מעצמו אין זה לוקח מתנות כי אם רואה שפיר מה שהוא רוצה ואומר ליתן לו: [וע' תוס' גיטין נט: בד"ה וליטול מנה]:

הדרן עלך ואלו מגלחין

וסליקא לה מסכת מועד קטן

רבינו חננאל

מתני' נשים במועד מענות אבל לא מטפחות מאי אמרן. אמר רבא ויי לאזלא ויי לחבלא. פירוש נשי דשכנציב היו חכמות והיו מענות ואומרות אוי להולך כדכתיב כי הולך האדם אל בית עולמו וסבבו וגו' ואוי למי שהוא ממושכן ונתבע לשלם הפקדון שאצלו. כלומר האדם מתמשכן להשלים רוחו שהוא אצלו פקדון לבעליה. פי' חבלא משכון. פירוש גוד גרמא מכבא ונמטי מיא לאנטוכיא חתוך המאכל מן השיניים ויגיע חמות המים באנטיכי. כלומר כיון שנחתך המאכל מפי החולה בוערת בו חמות ומחממת מי רגליו כחמות אנטיכי. דתנן אנטיכי אע"פ שגרופה אין שותין הימנה מפני שמחממת הרבה. פי' שייול אצטלא דמלתא לבר חורי דשלימו זוודיה. כלומר דומה כאצטלא של מילת לבנה לבן טובים שירד מנכסיו. ושלמה הצידה שלו הקבורה טובה לו מחיים. ויש שאומרים מי שאין לו בגדים ללבוש ישאל וילך ללות בן טובים של מת ושלמו ימי חייו. עטוף וכסוי טורי דבר רברבי ובר רמי הוה. פי' כמו אדם האומר להרים התעטפו והתכסו במלבושיכם הנאים כי זה האיש הבא להקבר אצלכם בן גדולים הוא. וי"א לבני אדם אומרים התעטפו והתכסו במלבושיכן ועמדו על ההרים וכסו אותן בשעת קבורתו כי בן גדולים ורמים הוא. אחאנא תגרי דעל זבוגי מיבדקי. פי' אחינו התגרים שעל קניינם מיבדקי. כלומר במקום סחורתן נבדקין חנאמנים הם אם לאו. כמו שאומרים (בעירובין סה) בג' דברים אדם ניכר בכוסו בכיסו ובכעסו. רהיט ונפיל א) בר אודי ואמבדי יוזפתא יזיף. פי' רץ בכל כחו ונופל בין האובדים ועל המעברות מלוה לוה. פי' כמו משל הוא. כלומר אע"פ שאדם רץ בכל כחו כל ימיו כשנופל בין האובדים בין אובדי הדרכים. או כשיגיע לעבור בנהר מתחנן למי שמעבירו ואם אין לו נוטל בהלואה ואינו מוצא. מותא כי מותא. ומרעא חבוליא. פי' המות של זה כמיתת כל אדם. ואריכות חוליו תוספת כמו הרבית על המלוה. שיש מי שפורע חובו היא המלוה שנתנה לו ודיו. ויש מי שפורע ב) המלוה היא נשמתו ותוספת על נשמתו צער חליו. תניא היה ר"מ אומר מ"ד טוב ללכת את בית אבל וגו' והחי יתן אל לבו דברים של מיתה. דיספד יספדוניה דיקבר יקברוניה דטעון יטעוניה דידל ידלוניה. איכא דאמרי לא ידל דאדלוניה כדכתיב כי טוב אמר לך עלה הנה מהשפילך לפני נדיב אשר ראו עיניך. כשמתו בניו של ר' ישמעאל נכנסו ד' זקנים לנחמו. ר' יוסי הגלילי. ור' אלעזר בן עזריה ור' עקיבא ור' טרפון. אמר להן ר' טרפון ראו כי חכם גדול ובקי בהגדות הוא אל יכנס אחד לתוך דברי חבירו אמר להן ר' עקיבא ואני אחרון. פתח ר' ישמעאל ואמר רבו עונותיו תכפוהו אבליו הטריח רבותיו פעמים רבות. נענה ר"ט ואמר ואחיכם כל בית ישראל יבכו את השרפה וגו' ומה בני אהרן שלא עשו אלא מצוה אחת שנאמר ויקריבו בני אהרן את הדם אליו. בניו של רבי [ישמעאל] עאכו"כ שחייבין כל ישראל לבכותם. ראב"ע אומר שחייבין כל ישראל לבכות מהכא שנאמר בשלום תמות ובמשרפות אבותיך המלכים הראשונים אשר היו לפניך כן ישרפו לך הוי אדון יספדו לך וגו' והלא דברים ק"ו ומה צדקיה שלא עשה אלא מצוה אחת שהעלה ירמיה מן הטיט זכה לכך. בניו של ר' עאכו"כ. ריה"ג אומר מהכא וספדו לו כל ישראל וקברו אותו כי זה לבדו יבא לירבעם אל קבר יען נמצא בו דבר טוב. והלא דברים ק"ו ומה אביה בן ירבעם שלא עשה אלא דבר אחד שביטל משמרתו ועלה לרגל. וי"א שביטל פרדסאות שהושיב ירבעם שלא יעלו ישראל לרגל כך. בניו של ר' שעשו כמה מצות עאכו"כ. ר"ע אומר מהכא ביום ההוא יגדל המספד בירושלם כמספד הדרימון בבקעת מגידו. ואמר רב יוסף אלמלא תרגומא דהאי קרא לא הוינן ידעי מאי קאמר בעידנא ההיא יסגא מספדא בירושלם כמספד אחאב דקטל יתיה הדרימון בן טברימון. וכמספד יאשיהו בן אמון דקטל יתיה פרעה חגירא בבקעת מגידו. ומה זה שלא עשה אלא דבר אחד דכתיב והמלך היה מעמד במרכבה נוכח ארם עד הערב החזיק בעצמו שלא יאמרו גוסס הוא ויברחו ישראל ותחלת נפילה ניסה בניו של ר' עאכו"כ שכל ישראל חייב לספוד ולבכות עליהם. א"ל רבא לרבה בר מרי כתיב ביה בצדקיהו

חשק שלמה על ר"ח א) אולי צ"ל בירי אובדי ואמעברי וכו'. ב) נראה דצ"ל ויש מי שפורע גם רבית המלוה היא נשמתו וכו'.

מסורת הש"ס

א) מגילה ג:, ב) [בערוך ערך גד שני נמצא פירוש ע"ז], ג) [כאדם האומר להרים התעטפו והתכסו במלבושים נאים כי זה האיש הבא להקבר אצלכם בן גדולים הוא. ערוך], ד) נדרים פג: כתובות עב., ה) [שהושיבו אביו שומר שלא יעלה איש לרגל ובטל משמרתו ועלה. ז"ל רש"י במלכים], ו) מגילה ג., ז) [ועי' תוס' ב"ק ג: ד"ה כדמתרגם], ח) תענית כב: [סנהדרין מח:], ט) [ואין דובר אליו דבר וכתיב אחרי כן פתח איוב את פיהו וענו חביריו כך מצאתי הגי' בתורת האדם להרמב"ן ז"ל], י) כתובות סט., כ) הוריות יב: נדרים סב. גיטין נט:, ל) [עי' תוס' חולין פז. ד"ה ומייבו], מ) פרש"י על כל עמוד זה תמצא בעין יעקב ע"ש, נ) [כדאיתא ב"ב יד:], ס) [שבת קמט: ערכין יז.], ע) [בד"ה אמר ר"נ].

הגהות מהר"ב רנשבורג

א] גמ' אמר רב ויי לאזלא ויי לחבילא. פי' אוי לה להליכה כזו שאינה חוזרת ואוי לה למשאוי כזה שנושאים את המת. פ"א אוי להולך לממושכנים עליו: ב] שם עטוף וכסו טורא. פי' התעטפו והתכסו ההרים כחשך שבן גדולים ובן גבוהים היה המת הזה: ג] שם רהיט ונפיל אמעברא ויזופתא יזיף. פי' רהיט תגר וטרחן היה כל ימיו ועכשיו נפל ריקם בלי ממון אמעברא כשביקש לעבור מן העולם וצריך ללוות ממון לתכריכין: ד] שם אחנא תגרי אזבזגי מיבדקו. פי' אחינו הסוחרים לאזוגי מיבדקו באחריתם נראה עשרם כגון זה שאין לו עכשיו במה לקבור ועל מת עני אומרים אותו כדי שירחמו עליו. מע"י קטן: ה] שם מותא כי מותא ומרעין חיבוליא. פי' דמיתתו היה כמיתת כל אדם שהכל מתים. אמנם מרעין חיבוליא שיסורים קשים הו"ל יותר משאר ב"א. ג"ז מצאתי בע"י קטן. ונלע"ד לפי"ז דברש"י בד"ה מרעא חבילא וכו' צ"ל היסורין הן בבית עכ"ל וכל"ל ופי' דבריו דהיסורים הם בפנים ואינן ניכרין אף דמיתתו היתה שלימה כמיתת אחרים ודו"ק:

תורה אור השלם

א) כִּי שְׁמַעְנָה נָשִׁים דְּבַר יְיָ וְתִקַּח אָזְנְכֶם דְּבַר פִּיו וְלַמֵּדְנָה בְנֹתֵיכֶם נֶהִי וְאִשָּׁה רְעוּתָהּ קִינָה: [ירמיה ט, יט] ב) בִּלַּע הַמָּוֶת לָנֶצַח וּמָחָה אֲדֹנָי אֱלֹהִים דִּמְעָה מֵעַל כָּל פָּנִים וְחֶרְפַּת עַמּוֹ יָסִיר מֵעַל כָּל הָאָרֶץ כִּי יְיָ דִּבֵּר: [ישעיה כה, ח] ג) טוֹב לָלֶכֶת אֶל בֵּית אֵבֶל מִלֶּכֶת אֶל בֵּית מִשְׁתֶּה בַּאֲשֶׁר הוּא סוֹף כָּל הָאָדָם וְהַחַי יִתֵּן אֶל לִבּוֹ: [קהלת ז, ב] ד) כִּי טוֹב אֲמָר לְךָ עֲלֵה הֵנָּה מֵהַשְׁפִּילְךָ לִפְנֵי נָדִיב אֲשֶׁר רָאוּ עֵינֶיךָ: [משלי כה, ז] ה) וַיֹּאמֶר מֹשֶׁה אֶל אַהֲרֹן וּלְאֶלְעָזָר וּלְאִיתָמָר בָּנָיו רָאשֵׁיכֶם אַל תִּפְרָעוּ וּבִגְדֵיכֶם לֹא תִפְרֹמוּ וְלֹא תָמֻתוּ וְעַל כָּל הָעֵדָה יִקְצֹף וַאֲחֵיכֶם כָּל בֵּית יִשְׂרָאֵל יִבְכּוּ אֶת הַשְּׂרֵפָה אֲשֶׁר שָׂרַף יְיָ: [ויקרא י, ו] ו) וַיַּקְרִבוּ בְּנֵי אַהֲרֹן אֶת הַדָּם אֵלָיו וַיִּטְבֹּל אֶצְבָּעוֹ בַּדָּם וַיִּתֵּן עַל קַרְנוֹת הַמִּזְבֵּחַ וְאֶת הַדָּם יָצַק אֶל יְסוֹד הַמִּזְבֵּחַ: [ויקרא ט, ט] ז) וְסָפְדוּ לוֹ כָל יִשְׂרָאֵל וְקָבְרוּ אֹתוֹ כִּי זֶה לְבַדּוֹ יָבֹא לְיָרָבְעָם אֶל קָבֶר יַעַן נִמְצָא בוֹ דָּבָר טוֹב אֶל יְיָ אֱלֹהֵי יִשְׂרָאֵל בְּבֵית יָרָבְעָם: [מלכים א' יד, יג] ח) בְּשָׁלוֹם תָּמוּת וּבְמִשְׂרְפוֹת אֲבוֹתֶיךָ הַמְּלָכִים הָרִאשֹׁנִים אֲשֶׁר הָיוּ לְפָנֶיךָ כֵּן יִשְׂרְפוּ לָךְ וְהוֹי אָדוֹן יִסְפְּדוּ לָךְ כִּי דָבָר אֲנִי דִבַּרְתִּי נְאֻם יְיָ: [ירמיה לד, ה] ט) בַּיּוֹם הַהוּא יִגְדַּל הַמִּסְפֵּד בִּירוּשָׁלִַם כְּמִסְפַּד הֲדַדְ רִמּוֹן בְּבִקְעַת מְגִדּוֹן: [זכריה יב, יא] י) וַתַּעֲלֶה הַמִּלְחָמָה בַּיּוֹם הַהוּא וְהַמֶּלֶךְ הָיָה מָעֳמָד בַּמֶּרְכָּבָה נֹכַח אֲרָם וַיָּמָת בָּעֶרֶב וַיִּצֶק דַּם הַמַּכָּה אֶל חֵיק הָרָכֶב: [מלכים א' כב, לה] כ) וְאֶת עֵינֵי צִדְקִיָּהוּ עִוֵּר וַיַּאַסְרֵהוּ בַּנְחֻשְׁתַּיִם לָבִיא אֹתוֹ בָּבֶלָה: [ירמיה לט, ז] ל) לָכֵן הִנְנִי אֹסִפְךָ עַל אֲבֹתֶיךָ וְנֶאֱסַפְתָּ אֶל קִבְרֹתֶיךָ בְּשָׁלוֹם וְלֹא תִרְאֶינָה עֵינֶיךָ בְּכֹל הָרָעָה אֲשֶׁר אֲנִי מֵבִיא עַל הַמָּקוֹם הַזֶּה וַיָּשִׁיבוּ אֶת הַמֶּלֶךְ דָּבָר: [מלכים ב' כב, כ] מ) וַיֹּרוּ הַיֹּרִים לַמֶּלֶךְ יֹאשִׁיָּהוּ וַיֹּאמֶר הַמֶּלֶךְ לַעֲבָדָיו הַעֲבִירוּנִי כִּי הָחֳלֵיתִי מְאֹד: [דברי הימים ב' לה, כג] נ) אַחֲרֵי כֵן פָּתַח אִיּוֹב אֶת פִּיהוּ וַיְקַלֵּל אֶת יוֹמוֹ: [איוב ג, א] ס) וַיַּעַן אֱלִיפַז הַתֵּימָנִי וַיֹּאמַר: [איוב ד, א] ס) אֶבְחַר דַּרְכָּם וְאֵשֵׁב רֹאשׁ וְאֶשְׁכּוֹן כְּמֶלֶךְ בַּגְּדוּד כַּאֲשֶׁר אֲבֵלִים יְנַחֵם: [איוב כט, כה] ע) לָכֵן עַתָּה יִגְלוּ בְּרֹאשׁ גֹּלִים וְסָר מִרְזַח סְרוּחִים: [עמוס ו, ז] פ) שׂוֹשׂ אָשִׂישׂ בַּייָ תָּגֵל נַפְשִׁי בֵּאלֹהַי כִּי הִלְבִּישַׁנִי בִּגְדֵי יֶשַׁע מְעִיל צְדָקָה יְעָטָנִי כֶּחָתָן יְכַהֵן פְּאֵר וְכַכַּלָּה תַּעְדֶּה כֵלֶיהָ: [ישעיה סא, י] צ) וְקִדַּשְׁתּוֹ כִּי אֶת לֶחֶם אֱלֹהֶיךָ הוּא מַקְרִיב קָדֹשׁ יִהְיֶה לָּךְ כִּי קָדוֹשׁ אֲנִי יְיָ מְקַדִּשְׁכֶם: [ויקרא כא, ח]

רש"י כת"י

מטפחות בראשי חדשים. [על לבן] מספקות כף אל כף. **קינה ועינוי.** כדמפרש בסמוך. ומדכתיב ולמדנה בנותיכם נהי אלמא זאת אומרת קינה וחבירתה עונה. **אשה רעותה קינה.** **אבל לעתיד לבוא ובלע המות [לנצח] ומחה ד' דמעה מעל כל פנים.** [שיבלע הקב"ה את המות וכולן עונות שירה שאין מיתה ואין דמעה] והאי דנקט אבל לעתיד לבוא משום אל תעמוד בדבר רע מפני שזה סיום [נ"א - סילוק] כל סדר מועד דסדר המשנה מועד קטן בסוף כל המועד. *[**מאי אמרן.** נשים כשהן מענות. **ויי לאזלא ויי לחבילא.** אוי לה להליכה כזאת שאינה חוזרת ואוי למשוי כזה שנושאים את המת. **גוד גרמא מכבא.** נפלו הלחיים. **ונמטי מיא לאנטיכי.** כלומר הדרי מיא למפרע כלפי מעלה. **שייול.** גולל בלשון נשי דשכנציב. [המשך בדף כח:]

a man of distinction and greatness.''[14]

וְאָמַר רָבָא – And Rava stated: נְשֵׁי דְשָׁכַנְצִיב אָמְרָן – The women of Shechantziv said: שִׁיוּל אִצְטְלָא דְמֵלָתָא לְבַר חוֹרִין דִשְׁלִימוּ זְוָודֵיהּ – "The coffin[15] **is a robe of fine silk**[16] **to a free man whose provisions are depleted."**[17]

וְאָמַר רָבָא – And Rava stated: נְשֵׁי דְשָׁכַנְצִיב אָמְרָן – The women of Shechantziv said: [18]**רָהִיט וְנָפִיל אַמַּעְבָּרָא וִיזוּפְתָא יָזִיף – "He runs and falls; at the crossing he borrows."**[19]

וְאָמַר רָבָא – And Rava stated: נְשֵׁי דְשָׁכַנְצִיב אָמְרָן – The women of Shechantziv said: אַחֲנָא תַגָּרֵי אַזְבְזְגֵי מִיבַּדְקוּ – "Our brothers, the merchants, nests[20] **will be searched."**[21]

וְאָמַר רָבָא – And Rava stated: נְשֵׁי דְשָׁכַנְצִיב אָמְרָן – The women of Shechantziv said: מוֹתָא כִּי מוֹתָא וּמַרְעִין חִיבּוּלַיָא – "One death is like another; suffering is the interest payment."[22]

The reward for those who eulogize the dead:

תַּנְיָא – It was taught in a Baraisa: הָיָה רַבִּי מֵאִיר אוֹמֵר – R' MEIR WOULD SAY: ,,טוֹב לָלֶכֶת אֶל־בֵּית־אֵבֶל וגו' '' עַד ,,וְהַחַי יִתֵּן אֶל־לִבּוֹ'' – [Scripture states]: ***IT IS BETTER TO GO TO THE HOUSE OF MOURNING THAN TO GO TO THE HOUSE OF FEASTING,*** **etc., UNTIL:** ***AND THE LIVING SHOULD TAKE [IT] TO HEART.***[23] What should the living take to heart? **דְּבָרִים שֶׁל מִיתָה – MATTERS OF DEATH.**

The Gemara explains what is meant by "matters of death": **דְּיִסְפַּד יִסְפְּדוּנֵיהּ – If one eulogizes** the dead, **[others] will eulogize him.**[24] **דְּיִקְבַּר יִקְבְּרוּנֵיהּ – If one buries** the dead, **they will bury him. דְּיִטְעַן יִטְעֲנוּנֵיהּ – If one carries** the dead,[25] **they will carry him. דְּיִדַל יִדְלוּנֵיהּ – If one raises** himself for the dead, **they will raise** themselves for **him.**[26]

A different opinion:

וְאִיכָּא דְאָמְרֵי – But there are those **who say: דְּלָא יִדַל יִדְלוּנֵיהּ – If one does *not* raise** himself, **they will raise** him.[27] **דִּכְתִיב – As it is written:** ,,כִּי טוֹב אֲמָר־לְךָ עֲלֵה הֵנָּה וגו' '' – ***For it is better that it should be said to you, "Come up here,"*** **etc.**[28]

A related narrative:[29]

תָּנוּ רַבָּנָן – The Rabbis taught in a Baraisa: כְּשֶׁמֵּתוּ בָּנָיו שֶׁל רַבִּי יִשְׁמָעֵאל – WHEN THE SONS OF R' YISHMAEL DIED נִכְנְסוּ אַרְבָּעָה זְקֵנִים לְנַחֲמוֹ – FOUR SAGES ENTERED TO CONSOLE HIM: רַבִּי טַרְפוֹן וְרַבִּי יוֹסֵי הַגְּלִילִי וְרַבִּי אֶלְעָזָר בֶּן עֲזַרְיָה וְרַבִּי עֲקִיבָא – R' TARFON, R' YOSE HAGLILI, R' ELAZAR BEN AZARYAH AND R' AKIVA. אָמַר לָהֶם רַבִּי טַרְפוֹן – R' TARFON SAID TO THEM: דְּעוּ שֶׁחָכָם גָּדוֹל הוּא וּבָקִי בָּאֲגָדוֹת – "KNOW THAT HE IS A GREAT SAGE AND AN EXPERT IN AGGADOS. אַל יִכָּנֵס אֶחָד מִכֶּם לְתוֹךְ דִּבְרֵי חֲבֵירוֹ – ONE OF YOU SHOULD NOT USURP THE WORDS OF HIS FELLOW."[30] **אָמַר רַבִּי עֲקִיבָא – R' AKIVA SAID: וַאֲנִי אַחֲרוֹן – "I WILL BE LAST."**[31] **פָּתַח**

NOTES

14. The sky over the mountains should darken as a sign of mourning for the worthy deceased (see *Rashi* and *Hagahos R' Betzalel Ronsburg*).

Some commentators render the words to mean: "Dress in fine clothes, O mountains, for a great person is coming to be buried in you" (*Rabbeinu Chananel* and *Aruch* [ע' עטף [ג). *Aruch* also suggests that "mountains" are a metaphor for the leaders of the community.

Alternatively, this dirge is addressed to the general populace, urging them to attend the funeral: "Wrap yourselves in clothing and [come in such great numbers that you] cover the mountains, etc." (*Rabbeinu Chananel*).

15. שִׁיוּל means גּוֹלֵל, *lid of a coffin,* in the language used by the women of Shechantziv (*Rashi* on *Ein Yaakov*). *Aruch* relates this word to שְׁאוֹל, *grave.* [Cf. the definition given by *Rabbeinu Chananel, Ran* and *Tos. HaRosh.*]

16. *Rashi* on *Ein Yaakov; Ran.* (See, however, *Shabbos* 54a, which indicates that מֵילָת includes wool.)

17. Death was welcome to this once affluent person, who became so poor that he lacked food to eat (see *Rashi* and *Rabbeinu Chananel*). Alternatively, the words should be rendered: "[Provide] a coffin [and] garment of fine silk for [this] free man whose provisions are depleted" (*Rashi* on *Ein Yaakov;* see *Meiri*).

According to either interpretation, the intent was that the deceased did not leave enough money to cover his funeral costs. The women of Shechantziv thus appealed to the people to have compassion on him and provide a coffin and shrouds for him (see *Rashi* on *Ein Yaakov*).

18. In other versions of the text, the ו prefix (*and*) appears before אַמַּעְבָּרָא, rather than before יְזוּפְתָא, thus yielding: רָהִיט וְנָפִיל וְאַמַּעְבָּרָא יְזוּפְתָא יָזִיף (see *Ein Yaakov, Rabbeinu Chananel* and *Dikdukei Soferim* אות מ'; cf. *Maharsha*).

19. He was a busy tradesman all his life, but recently fell on hard times. Now, as he crosses over from this world to the next, he is compelled to "borrow" to pay for burial shrouds (*Rashi* on *Ein Yaakov;* cf. *Rabbeinu Chananel;* see also *R' Shlomo ben HaYasom*). [This too is an appeal to the community on behalf of an indigent.]

20. I.e. their places of business (*Aruch* ע' זבזגי; *Rabbeinu Chananel*). Some versions of the text read זְבוּנֵי (or זְבִינֵי), *financial transactions* (*Rashi* on *Ein Yaakov; Meiri; Dikdukei Soferim* אות נ').

21. The women warn the local merchants that their places of business will be examined [by Heaven when they die] to determine whether their dealings were honest (*Rabbeinu Chananel;* cf. *Meiri* and *Tos. HaRosh*).

Alternatively, this means that although the merchants of the community are currently rich, they might be found to be poor when they die and their financial affairs are examined. They too could suffer the fate of the deceased, who died without leaving anything for his burial. The women of Shechantziv said this so that the people would know they have to contribute to the departed's burial needs (*Rashi* on *Ein Yaakov*).

22. All deaths are the same insofar as the deceased must return his soul to its Maker. This may be compared to the payment of a loan. The additional suffering that some people undergo is thus the interest on the loan (*Rabbeinu Chananel, Rabbeinu Gershom, Tos. HaRosh, R' Shlomo ben HaYasom, Aruch* [ע' מת [ב). This dirge was uttered in reference to one who had suffered greatly (*Rashi* on *Ein Yaakov*). [*Rashi* (here) is consistent with this approach, according to an emendation of his text which replaces הָאִיסוּרִין הֵן בַּבַּיִת with הַיִּסוּרִין הֵן רִבִּית, *the suffering is interest* (*Hagahos Yavetz, Hagahos Maharsham;* cf. *Hagahos R' Betzalel Ronsburg*).]

23. *Ecclesiastes* 7:2.

24. One should not refrain from assisting and honoring the dead even if he is not a relative. He should impress upon himself ("take it to heart") that he too will eventually die and will be in need of such kindnesses. Consequently, he will do his utmost to take care of the dead, for whatever he does is liable to be returned to him in kind (*Rashi* on *Ein Yaakov; Rashi* ad loc.). For it is the way of the world to treat someone in the way he treated others. Furthermore, as a reward for his kindness, God will arrange that he die in a place where he will be treated likewise (*Ritva*). [See *Ritva* and *Meiri* for a different interpretation of the Gemara.]

25. On the way to burial (*Rashi* on *Ein Yaakov*).

26. That is, if he raises his voice to eulogize the dead, others will raise their voices to eulogize him (*Rashi; Rashi* on *Ein Yaakov*).

27. If one does not act haughtily, but attends to the dead [quietly], he will be raised by Heaven (*Rashi* on *Ein Yaakov*). *Maharsha* maintains that this opinion does not speak to the matter of honoring the deceased.

28. *Proverbs* 25:7. The passage reads: *Do not glorify yourself in the presence of the king, and do not stand in the place of the great, for it is better that it should be said to you, "Come up here," than that you be demoted before the prince.*

29. [Like the previous teaching, this narrative conveys that a person who benefited others in his lifetime is treated honorably in his death.]

30. That is, one rabbi shoud not repeat the words of another (*Ran*). Being an expert in Aggados, R' Yishmael will surely take comfort from every different exposition presented to him (*Ben Yehoyada*).

Alternatively, R' Tarfon meant that no one should *interrupt* his fellow. If one scholar challenges what another has said, R' Yishmael might be tempted to participate in the dispute. He would then be guilty of violating the ban against a mourner discussing words of the Torah (*Maharsha*).

31. R' Akiva volunteered to speak last, because he was confident that he would present an original exposition even after the others had

עין משפט נר מצוה

רלו א מיי' פ"ו מהלכות י"ט הלכה כד ופי"א מהל' אבל הלכה ד סמג עשין ב טוש"ע א"ח סי' תקמז סעיף ג וטוש"ע י"ד סי' תא סעיף ה:

רלז ב ג מיי' פי"ג מהלכות אבל הלכה ג סמג עשין ב טוש"ע י"ד סי' שעו סעיף א:

רלח ד מיי' פ"ד מהל' כלי המקדש הלכה ב טוש"ע א"ח סי' קמז סעיף יד בהג"ה וסי' רא סעיף ג:

רבינו חננאל

מתני' נשים במועד מענות אבל לא מטפחות מאי אמרן. אמר רבא ויי לאזלא ויי לחבלא. פירוש נשי דשכנציב היו חכמות והיו מענות ואומרות אוי להולך כדכתיב כי הולך האדם אל בית עולמו וסבבו וגו' ואוי למי שהוא ממושכן ונתבע לשלם הפקדון שאצלו. כלומר האדם מתמשכן להשלים רוחו שהוא אצלו פקדון לבעליה. פי' חבלא משכון. פירוש גוד גרמא מכבא ונמטי מיא לאנטוכיא חתוך המאכל מן השיניים ויגיע חמות המים באנטיכי. כלומר כיון שנחתך המאכל מפי החולה בוערת בו חמות ומחממת מי רגליו כחמות אנטיכי. דתנן אנטיכי אע"פ שגרופה אין שותין הימנה מפני שמחממת הרבה. פי' שייול אצטלא דמלתא לבר חורי דשלימו זוודיה. כלומר דומה כאצטלא של מילת לבנה לבן טובים שירד מנכסיו. ושלמה הצידה שלו הקבורה טובה לו מחיים. ויש שאומרים מי שאין לו בגדים ללבוש ישאל וילך ללות בן טובים של מת ושלמו ימי חייו. עטוף וכסוי טורי דבר רברבי ובר רמי הוה. פי' כמו אדם האומר להרים התעטפו והתכסו במלבושיכם הנאים כי זה האיש הבא להקבר אצלכם בן גדולים הוא. וי"א לבני אדם אומרים התעטפו והתכסו במלבושיכן ועמדו על ההרים וכסו אותן בשעת קבורתו כי בן גדולים ורמים הוא. אחאנא תגרי דעל זבוגי מיבדקי. פי' אחינו התגרים שעל קניינם מיבדקי. כלומר במקום סחורתן נבדקין הנאמנים הם אם לאו. כמו שאומרים (בעירובין סה) בג' דברים אדם ניכר בכוסו בכיסו ובכעסו. רהיט ונפיל א) בר אודי ואמבדי יוזפתא יזיף. פי' רץ בכל כחו ונופל בין האובדים ועל המעברות מלוה לוה. פי' כמו משל הוא. כלומר אע"פ שאדם רץ בכל כחו כל ימיו כשנופל בין האובדים בין אובדי הדרכים. או כשיגיע לעבור בנהר מתחנן למי שמעבירו ואם אין לו נוטל בהלואה ואינו מוצא. מותא כי מותא. ומרעא חבוליא. פי' המות של זה כמיתת כל אדם. ואריכות חוליו תוספת כמו הרבית על המלוה. שיש מי שפורע חובו היא המלוה שנתנה לו ודיו. ויש מי שפורע ב) המלוה היא נשמתו ותוספת על נשמתו צער חליו. תניא היה ר"מ אומר מ"ד טוב ללכת אל בית אבל וגו' והחי יתן אל לבו דברים של מיתה. דיספד יספדוניה דיקבר יקברוניה דטעון יטעוניה דידל דאדלוניה. איכא דאמרי לא ידל דאדלוניה כדכתיב כי טוב אמר לך עלה הנה מהשפילך לפני נדיב אשר ראו עיניך. כשמתו בניו של ר' ישמעאל נכנסו ד' זקנים לנחמו. ר' יוסי הגלילי. ור' אלעזר בן עזריה ור' עקיבא ור' טרפון. אמר להן ר' טרפון ראו כי חכם גדול ובקי בהגדות הוא אל יכנס אחד לתוך דברי חבירו אמר להן ר' עקיבא ואני אחרון. פתח ר' ישמעאל ואמר רבו עונותיו תכפוהו אבליו הטריח רבותיו פעמים רבות. נענה ר"ט ואמר ואחיכם כל בית ישראל יבכו את השרפה וגו' ומה בני אהרן שלא עשו אלא מצוה אחת שנאמר ויקריבו בני אהרן את הדם אליו. בניו של רבי [ישמעאל] עאכו"כ שחייבין כל ישראל לבכותם. ראב"ע אומר שחייבין כל ישראל לבכות מהכא שנאמר בשלום תמות ובמשרפות אבותיך המלכים הראשונים אשר היו לפניך כן ישרפו לך הוי אדון יספדו לך וגו' והלא דברים ק"ו ומה צדקיה שלא עשה אלא מצוה אחת שהעלה ירמיה מן הטיט זכה לכך. בניו של ר' עאכו"כ. ריה"ג אומר מהכא וספדו לו כל ישראל וקברו אותו כי זה לבדו יבא לירבעם אל קבר יען נמצא בו דבר טוב. והלא דברים ק"ו ומה אביה בן ירבעם שלא עשה אלא דבר אחד שביטל משמרתו ועלה לרגל. וי"א שביטל פרדסאות שהושיב ירבעם שלא יעלו ישראל לרגל כך. בניו של ר' שעשו כמה מצות עאכו"כ. ר"ע אומר מהכא ביום ההוא יגדל המספד בירושלם כמספד הדרימון בבקעת מגידו. ואמר רב יוסף אלמלא תרגומא דהאי קרא לא הוינן ידעי מאי קאמר בעידנא ההיא יסגא מספדא בירושלם כמספד אחאב דקטל יתיה הדרימון בן טברימון. וכמספד יאשיהו בן אמון דקטל יתיה פרעה חגירא בבקעת מגידו. ומה זה שלא עשה אלא דבר אחד דכתיב והמלך היה מעמד במרכבה נוכח ארם עד הערב החזיק בעצמו שלא יאמרו גוסס הוא ויברחו ישראל ותחלת נפילה ניסה בניו של ר' עאכו"כ שכל ישראל חייב לספוד ולבכות עליהם. א"ל רבא לרבה בר מרי כתיב ביה בצדקיהו

חשק שלמה על ר"ח א) אולי צ"ל בין אובדי ואמעברי וכו'. ב) נראה דל"ל ויש מי שפורע גם רבית המלוה היא נשמתו וכו'.

תוספות

בלע המות. כדי לסיים בדבר הטוב משום דמועד קטן הוא סוף סדר מועד ומה"ט מתרץ הרב רבי יעקב מאורלינ"ש הא דאתחיל סדר נשים בט"ו נשים אע"ג דאתחיל בפורענותא לא מתחיל כדאמרינן בית נוטלין (ב"ב דף קח.) ותירך דסומכין פורענות דמועד קטן אלא פורענות דיבמות דסמכינן פורענותא לפורענותא ונחמתא לנחמתא [ו]:

צדקיהו מלך יהודה. לדיק גמור היה [פ] אבל במקרא לא מלינו יותר כי אם שלוה להעלות ירמיהו מן הטיט:

ינחם כתיב. בכתובות (דף סט:[ע]) פירשנו בענין אחר שלא כפירוש הקונטרס דהכא:

וליטול מנה יפה ראשון. פי' יש לישראל ליתן לו אבל הוא אין לו ליטול כדאמרינן פ' מקום שנהגו (פסחים דף נ:) הנותן עיניו בחלק יפה כו' מיהו נראה לי דכהן כיון שזהו דינו יכול לראות סימן ברכה ואע"פ שאומרים בפ' הזרוע (חולין קלג.) ונתן ולא שיטול מעצמו אין זה לוקח מתנות כי אם רואה שפיר מה שהוא רוצה ואומר ליתן לו: [וע' תוס' גיטין נט: בד"ה וליטול מנה]:

הדרן עלך ואלו מגלחין

וסליקא לה מסכת מועד קטן

משנה וגמרא

מתני' [א] ^א^ נשים במועד מענות אבל לא מטפחות ר' ישמעאל אומר הסמוכות למטה מטפחות בראשי חדשים בחנוכה ובפורים מענות ומטפחות בזה וזה לא מקוננות נקבר המת לא מענות ולא מטפחות איזהו עינוי שכולן עונות כאחת קינה שאחת מדברת וכולן עונות אחריה שנא' [א] ולמדנה בנותיכם נהי ואשה רעותה קינה אבל לעתיד לבא הוא אומר [ב] בלע המות לנצח ומחה ה' אלהים דמעה מעל כל פנים וגו': **גמ'** מאי אמרן א] אמר רב ויי לאזלא ויי לחבילא אמר רבא נשי דשכנציב אמרן הכי ויי לאזלא ויי לחבילא ואמר רבא נשי דשכנציב אמרן [ב] גוד גרמא מככא ונמטי מיא לאנטיכי ואמר רבא נשי דשכנציב אמרן ב] [ג] עטוף וכסו טורי דבר רמי ובר רברבי הוא ואמר רבא נשי דשכנציב אמרן שייול אצטלא דמלתא לבר חורין דשלימו זוודיה ואמר רבא נשי דשכנציב אמרן ג] רהיט ונפיל אמעברא ויזופתא יזיף ואמר רבא נשי דשכנציב אמרן ד] אחנא תגרי אזבזגי מיבדקו ואמר רבא נשי דשכנציב אמרן ה] מותא כי מותא ומרעין חיבוליא [ד] תניא היה ר"מ אומר [ג] טוב ללכת אל בית אבל וגו' עד והחי יתן אל לבו דברים של מיתה דיספד יספדוניה דיקבר יקברוניה דיטען יטענוניה דידל ידלוניה ואיכא דאמרי דלא ידל ידלוניה דכתיב [ד] כי טוב אמר לך עלה הנה וגו' ת"ר כשמתו בניו של רבי ישמעאל נכנסו ד' זקנים לנחמו ר' טרפון ור' יוסי הגלילי ור' אלעזר בן עזריה ור"ע אמר להם ר' טרפון דעו שחכם גדול הוא ובקי באגדות אל יכנס אחד מכם לתוך דברי חבירו אמר ר"ע ואני אחרון פתח רבי ישמעאל ואמר רבו עונותיו תכפוהו אבליו הטריח רבותיו פעם ראשונה ושניה נענה ר"ט ואמר [ה] ואחיכם כל בית ישראל יבכו את השריפה והלא דברים ק"ו ומה נדב ואביהוא שלא עשו אלא מצוה אחת דכתיב [ו] ויקריבו בני אהרן את הדם אליו כך בניו של ר' ישמעאל על אחת כמה וכמה נענה ר' יוסי הגלילי ואמר [ז] וספדו לו כל ישראל וקברו אותו והלא דברים ק"ו ומה אביה בן ירבעם שלא עשה אלא דבר אחד טוב דכתיב ביה [ח] יען נמצא בו דבר טוב כך בניו של ר' ישמעאל על אחת כמה וכמה מאי דבר טוב ר' זירא ור' חיננא בר פפא חד אמר שביטל [ה] משמרתו ועלה לרגל וחד אמר שביטל פרדסאות שהושיב ירבעם אביו על הדרכים שלא יעלו ישראל לרגל נענה ר' אלעזר בן עזריה ואמר [ח] בשלום תמות ובמשרפות אבותיך המלכים הראשונים [אשר היו לפניך כן] ישרפו לך והלא דברים ק"ו ומה צדקיהו מלך יהודה שלא עשה אלא מצוה אחת שהעלה ירמיה מן הטיט כך בניו של ר' ישמעאל על אחת כמה וכמה נענה ר"ע ואמר [ט] ביום ההוא יגדל המספד בירושלם כמספד הדדרימון [בבקעת מגידו] [ו] ואמר רב יוסף אלמלא [ז] תרגומיה דהאי קרא לא הוה ידענא מאי קאמר בעידנא ההוא יסגי מספדא בירושלם כמספדא דאחאב בר עמרי דקטל יתיה הדדרימון בר טברימון וכמספד דיאשיה בר אמון דקטל יתיה פרעה חגירא בבקעת מגידו והלא דברים ק"ו ומה אחאב מלך ישראל שלא עשה אלא דבר אחד טוב דכתיב [י] והמלך היה מעמד במרכבה נכח ארם כך בניו של ר' ישמעאל על אחת כמה וכמה א"ל רבא לרבה בר מרי כתיב ביה בצדקיהו בשלום תמות וכתיב [כ] ואת עיני צדקיהו עור א"ל הכי א"ר יוחנן שמת נבוכדנאצר בימיו ואמר רבא לרבה בר מרי כתיב ביה ביאשיהו [ל] לכן הנני אוסיפך על אבותיך ונאספת אל קברותיך בשלום וכתיב [מ] ויורו היורים למלך יאשיהו [ח] ואמר רב יהודה אמר רב שעשאוהו ככברה א"ל הכי א"ר יוחנן שלא חרב בית המקדש בימיו א"ר יוחנן ^ב^ אין מנחמין רשאין לומר דבר עד שיפתח אבל שנאמר [ט] [נ] אחרי כן פתח איוב את פיהו והדר [ס] ויען אליפז התימני [י] א"ר אבהו ^ג^ מנין לאבל שמיסב בראש שנאמר [ע] אבחר דרכם ואשב ראש ואשכון כמלך בגדוד כאשר אבלים ינחם אחריני משמע אמר רב נחמן בר יצחק ינחם כתיב מר זוטרא אמר מהכא [פ] וסר מרזח סרוחים מרזח נעשה שר לסרוחים אמר ר' חמא בר חנינא מנין לחתן שמיסב בראש שנאמר [צ] כחתן יכהן פאר מה כהן בראש אף חתן בראש וכהן גופיה מנלן [כ] דתנא דבי ר' ישמעאל [ק] וקדשתו ^ד^ לכל דבר שבקדושה [ל] לפתוח ראשון ולברך ראשון וליטול מנה יפה ראשון א"ר חנינא קשה יציאת נשמה מן הגוף כציפורי

רש"י

מתני' [ה] בלא פירוש: גמ' לחבילא. חבלא: גוד גרמא מכבא. נפלו הלחיים: נמטו מיא לאמטיכי. כלומר הדרי מיא למפרע כלפי למעלה: שייול איצטלא דמלתא. כלומר יפה מיתה כמלבוש של מילת: דשלימו זוודיה. שכלו לו מזונותיו שהוא עני: עטוף. חושך: אזבזגי. קייה: מותא. כל אדם מת: (מרעא חבילא). מרעין חיבולייא. האיסורין הן בבית: דידל ידלוניה. כלומר מגביהין בהספד למי שמגביה קולו להספד אחרים: הטריח רבותיו. שבאין לנחמו: משמרתו. שהושיב ירבעם שלא לעלות לרגל: מעמד במרכבה. שלא יכשלו: ינחם אחרים משמע. שמנחמין יושבין בראש: סרוחים. לשון רבים: לפתוח בראש. לקרות בס"ת: ולברך. ברכת המזון:

כליפורי

מסורת הש"ס

א) מגילה ג:, ב) [בערוך ערך גד שני נמצא פירוש ע"ז], ג) [כאדם האומר להרים התעטפו והתכסו במלבושים נאים כי זה האיש הבא להקבר אצלכם בן גדולים הוא. ערוך], ד) נדרים פג: כתובות עב., ה) [שהושיבו אביו שומר שלא יעלה איש לרגל וביטל משמרתו ועלה. ז"ל רש"י במלכים], ו) מגילה ג., ז) [ועי' תוס' ב"ק ג: ד"ה כדמתרגם], ח) תענית כב: [סנהדרין מח:], ט) [ואין דובר אליו דבר וכתיב אחרי כן פתח איוב את פיהו ויענו חביריו כך מצאתי הגי' בתורת האדם להרמב"ן ז"ל], י) כתובות סט., כ) הוריות יב: נדרים סב. גיטין נט:, ל) [עי' תוס' חולין פז. ד"ה ומייבו], מ) פרש"י על כל עמוד זה תמצא בעין יעקב ע"ש, נ) [כדאיתא ב"ב יד:], ס) [שבת קמט: ערכין יז.], ע) [בד"ה אמר ר"נ].

הגהות מהר"ב רנשבורג

א] גמ' אמר רב ויי לאזלא ויי לחבילא. פי' אוי לה להליכה כזו שאינה חוזרת ואוי לה למשאוי כזה שנושאים את המת. פ"א אוי להולך לממושכנים עליו: ב] שם עטוף וכסו טורא. פי' התעטפו והתכסו ההרים בחשך שבן גדולים ובן גבוהים היה המת הזה: ג] שם רהיט ונפיל אמעברא ויזופתא יזיף. פי' רסיט תגר וטרחן היה כל ימיו ועכשיו נפל ריקם בלי ממון אמעברא כשביקש לעבור מן העולם וצריך ללוות ממון לתכריכין: ד] שם אחנא תגרי אזבזגי מיבדקו. פי' אחינו הסוחרים דאזוגי מיבדקו באחריתם נראה עשרם כגון זה שאין לו עכשיו במה לקבור ועל מת עני אומרים אותו כדי שירחמו עליו. מע"י קטן: ה] שם מותא כי מותא ומרעין חיבוליא. פי' דמיתתו היה כמיתת כל אדם שהכל מתים. אמנם מרעין חיבוליא שיסורים קשים הו"ל יותר משאר ב"א. ג"ז מצאתי בע"י קטן. ונלע"ד לפ"ז דברש"י בד"ה מרעא חבילא וכו' צ"ל היסורין הן בבית עכ"ל וכל"ל ופי' דבריו דהיסורים הם בפנים ואינן ניכרין אף דמיתתו היתה שלימה כמיתת אחרים ודו"ק:

תורה אור השלם

א) כִּי שְׁמַעְנָה נָשִׁים דְּבַר יְיָ וְתִקַּח אָזְנְכֶם דְּבַר פִּיו וְלַמֵּדְנָה בְנוֹתֵיכֶם נֶהִי וְאִשָּׁה רְעוּתָהּ קִינָה: [ירמיה ט, יט] ב) בִּלַּע הַמָּוֶת לָנֶצַח וּמָחָה אֲדֹנָי אֱלֹהִים דִּמְעָה מֵעַל כָּל פָּנִים וְחֶרְפַּת עַמּוֹ יָסִיר מֵעַל כָּל הָאָרֶץ כִּי יְיָ דִּבֵּר: [ישעיה כה, ח] ג) טוֹב לָלֶכֶת אֶל בֵּית אֵבֶל מִלֶּכֶת אֶל בֵּית מִשְׁתֶּה בַּאֲשֶׁר הוּא סוֹף כָּל הָאָדָם וְהַחַי יִתֵּן אֶל לִבּוֹ: [קהלת ז, ב] ד) כִּי טוֹב אֲמָר לְךָ עֲלֵה הֵנָּה מֵהַשְׁפִּילְךָ לִפְנֵי נָדִיב אֲשֶׁר רָאוּ עֵינֶיךָ: [משלי כה, ז] ה) וַיֹּאמֶר מֹשֶׁה אֶל אַהֲרֹן וּלְאֶלְעָזָר וּלְאִיתָמָר בָּנָיו רָאשֵׁיכֶם אַל תִּפְרָעוּ וּבִגְדֵיכֶם לֹא תִפְרֹמוּ וְלֹא תָמֻתוּ וְעַל כָּל הָעֵדָה יִקְצֹף וַאֲחֵיכֶם כָּל בֵּית יִשְׂרָאֵל יִבְכּוּ אֶת הַשְּׂרֵפָה אֲשֶׁר שָׂרַף יְיָ: [ויקרא י, ו] ו) וַיַּקְרִבוּ בְּנֵי אַהֲרֹן אֶת הַדָּם אֵלָיו וַיִּטְבֹּל אֶצְבָּעוֹ בַּדָּם וַיִּתֵּן עַל קַרְנוֹת הַמִּזְבֵּחַ וְאֶת הַדָּם יָצַק אֶל יְסוֹד הַמִּזְבֵּחַ: [ויקרא ט, ט] ז) וְסָפְדוּ לוֹ כָל יִשְׂרָאֵל וְקָבְרוּ אֹתוֹ כִּי זֶה לְבַדּוֹ יָבֹא לְיָרָבְעָם אֶל קָבֶר יַעַן נִמְצָא בוֹ דָּבָר טוֹב אֶל יְיָ אֱלֹהֵי יִשְׂרָאֵל בְּבֵית יָרָבְעָם: [מלכים א' יד, יג] ח) בְּשָׁלוֹם תָּמוּת וּבְמִשְׂרְפוֹת אֲבוֹתֶיךָ הַמְּלָכִים הָרִאשֹׁנִים אֲשֶׁר הָיוּ לְפָנֶיךָ כֵּן יִשְׂרְפוּ לָךְ וְהוֹי אָדוֹן יִסְפְּדוּ לָךְ כִּי דָבָר אֲנִי דִבַּרְתִּי נְאֻם יְיָ: [ירמיה לד, ה] ט) בַּיּוֹם הַהוּא יִגְדַּל הַמִּסְפֵּד בִּירוּשָׁלַ‍ִם כְּמִסְפַּד הֲדַדְ רִמּוֹן בְּבִקְעַת מְגִדּוֹן: [זכריה יב, יא] י) וַתַּעֲלֶה הַמִּלְחָמָה בַּיּוֹם הַהוּא וְהַמֶּלֶךְ הָיָה מָעֳמָד בַּמֶּרְכָּבָה נֹכַח אֲרָם וַיָּמָת בָּעֶרֶב וַיִּצֶק דַּם הַמַּכָּה אֶל חֵיק הָרָכֶב: [מלכים א' כב, לה] כ) וְאֶת עֵינֵי צִדְקִיָּהוּ עִוֵּר וַיַּאַסְרֵהוּ בַּנְחֻשְׁתַּיִם לְבִיא אֹתוֹ בָּבֶלָה: [ירמיה לט, ז] ל) לָכֵן הִנְנִי אֹסִפְךָ עַל אֲבֹתֶיךָ וְנֶאֱסַפְתָּ אֶל קִבְרֹתֶיךָ בְּשָׁלוֹם וְלֹא תִרְאֶינָה עֵינֶיךָ בְּכֹל הָרָעָה אֲשֶׁר אֲנִי מֵבִיא עַל הַמָּקוֹם הַזֶּה וַיָּשִׁיבוּ אֶת הַמֶּלֶךְ דָּבָר: [מלכים ב' כב, כ] מ) וַיֹּרוּ הַיֹּרִים לַמֶּלֶךְ יֹאשִׁיָּהוּ וַיֹּאמֶר הַמֶּלֶךְ לַעֲבָדָיו הַעֲבִירוּנִי כִּי הָחֳלֵיתִי מְאֹד: [דברי הימים ב' לה, כג] נ) אַחֲרֵי כֵן פָּתַח אִיּוֹב אֶת פִּיהוּ וַיְקַלֵּל אֶת יוֹמוֹ: [איוב ג, א] ס) וַיַּעַן אֱלִיפַז הַתֵּימָנִי וַיֹּאמַר: [איוב ד, א] ע) אֶבְחַר דַּרְכָּם וְאֵשֵׁב רֹאשׁ וְאֶשְׁכּוֹן כְּמֶלֶךְ בַּגְּדוּד כַּאֲשֶׁר אֲבֵלִים יְנַחֵם: [איוב כט, כה] פ) לָכֵן עַתָּה יִגְלוּ בְּרֹאשׁ גֹּלִים וְסָר מִרְזַח סְרוּחִים: [עמוס ו, ז] צ) שׂוֹשׂ אָשִׂישׂ בַּייָ תָּגֵל נַפְשִׁי בֵּאלֹהַי כִּי הִלְבִּישַׁנִי בִּגְדֵי יֶשַׁע מְעִיל צְדָקָה יְעָטָנִי כֶּחָתָן יְכַהֵן פְּאֵר וְכַכַּלָּה תַּעְדֶּה כֵלֶיהָ: [ישעיה סא, י] ק) וְקִדַּשְׁתּוֹ כִּי אֶת לֶחֶם אֱלֹהֶיךָ הוּא מַקְרִיב קָדֹשׁ יִהְיֶה לָּךְ כִּי קָדוֹשׁ אֲנִי יְיָ מְקַדִּשְׁכֶם: [ויקרא כא, ח]

רש"י כת"י

מטפחות בראשי חדשים. [על לבן] מספקות כף אל כף. קינה ועינוי. כדמפרש בסמוך. אשה רעותה קינה. ומדכתיב ולמדנה בנותיכם נהי אלמא זאת אומרת קינה וחבירתה עונה. אבל לעתיד לבוא ובלע המות [לנצח] ומחה ד' דמעה מעל כל פנים. [שיבלע הקב"ה את המות וכולן עונות שירה שאין מיתה ואין דמעה] והאי דנקט אבל לעתיד לבוא משום אל תעמוד בדבר רע מפני שזה סיום [נ"א - סילוק] כל סדר מועד דסדר המשנה מועד קטן בסוף כל המועד. *[מאי אמרן. נשים כשהן מענות. ויי לאזלא ויי לחבילא. אוי לה להליכה כזאת שאינה חוזרת ואוי למשוי כזה שנושאים את המת. גוד גרמא מככא. נפלו הלחיים. ונמטי מיא לאנטיכי. כלומר הדרי מיא למפרע כלפי מעלה. שייול. גולל בלשון נשי דשכנציב. [המשך בדף כח:]

רַבִּי יִשְׁמָעֵאל וְאָמַר – R' YISHMAEL OPENED the conversation[32] BY SAYING in reference to himself: רַבּוּ עֲוֹנוֹתָיו – "HIS SINS ARE MANY; תְּכֵפוּהוּ אֲבָלָיו – HIS BEREAVEMENTS CAME IN CLOSE SUCCESSION;[33] הִטְרִיחַ רַבּוֹתָיו פַּעַם רִאשׁוֹנָה וּשְׁנִיָּה – HE HAS BOTHERED HIS TEACHERS A FIRST TIME AND A SECOND TIME."[34]

The rabbis consoled R' Yishmael:

נַעֲנָה רַבִּי טַרְפוֹן וְאָמַר – R' TARFON SPOKE UP AND SAID: ,,וַאֲחֵיכֶם כָּל־בֵּית יִשְׂרָאֵל יִבְכּוּ אֶת־הַשְּׂרֵפָה'' – The Torah states regarding the deaths of Nadav and Avihu: *AND YOUR BRETHREN, THE ENTIRE HOUSE OF ISRAEL, SHALL BEWAIL THE CONFLAGRATION.*[35] וַהֲלֹא דְּבָרִים קַל וָחוֹמֶר – NOW, do these WORDS NOT provide the basis for A *KAL VACHOMER*? וּמָה נָדָב וַאֲבִיהוּא שֶׁלֹּא עָשׂוּ אֶלָּא מִצְוָה אַחַת – IF NADAV AND AVIHU, WHO DID ONLY ONE MITZVAH, דִּכְתִיב ,,וַיַּקְרִבוּ בְּנֵי אַהֲרֹן אֶת־הַדָּם אֵלָיו'' – AS IT IS WRITTEN: *THE SONS OF AARON BROUGHT THE BLOOD TO HIM,*[36] כָּךְ – were accorded SUCH honor when they died (viz. that the entire nation was commanded to mourn their deaths), בָּנָיו שֶׁל רַבִּי יִשְׁמָעֵאל עַל אַחַת כַּמָּה וְכַמָּה – then THE SONS OF R' YISHMAEL, who did many mitzvos,[37] ALL THE MORE SO should they be accorded such honor at their deaths.

The second consolation offered to R' Yishmael:

נַעֲנָה רַבִּי יוֹסֵי הַגְּלִילִי וְאָמַר – R' YOSE HAGLILI SPOKE UP AND SAID: ,,וְסָפְדוּ־לוֹ כָל־יִשְׂרָאֵל וְקָבְרוּ אֹתוֹ'' – Scripture states regarding the death of Aviyah the son of Yarovam: *ALL OF ISRAEL WILL LAMENT HIM AND BURY HIM.*[38] וַהֲלֹא דְּבָרִים קַל וָחוֹמֶר – NOW, do these WORDS NOT provide the basis for A *KAL VACHOMER*? וּמָה אֲבִיָּה בֶּן יָרָבְעָם שֶׁלֹּא עָשָׂה אֶלָּא דָּבָר אֶחָד טוֹב – IF AVIYAH THE SON OF YAROVAM WHO DID ONLY ONE GOOD THING, דִּכְתִיב בֵּיהּ ,,יַעַן נִמְצָא בוֹ דָּבָר טוֹב'' – AS IT IS WRITTEN: *BECAUSE A GOOD THING IS FOUND IN HIM,*[39] כָּךְ – was accorded SUCH honor when he died, בָּנָיו שֶׁל רַבִּי יִשְׁמָעֵאל עַל אַחַת כַּמָּה וְכַמָּה – then THE SONS OF R' YISHMAEL, who did many good things, ALL THE MORE SO should they be accorded such honor!

The Gemara explains:

מַאי דָּבָר טוֹב – **What** was the one **good thing** done by Aviyah the son of Yarovam? רַבִּי זֵירָא וְרַבִּי חִינָּנָא בַּר פָּפָּא – **R' Zeira and R' Chinana bar Pappa** offer differing opinions: חַד אָמַר שֶׁבִּיטֵּל מִשְׁמַרְתּוֹ וְעָלָה לָרֶגֶל – **One said that he abandoned his station and ascended** to the Temple **for the pilgrimage festivals.**[40] וְחַד אָמַר שֶׁבִּיטֵּל פַּרְדְּסָאוֹת[41] – **And** the other **one said that he abolished the sentries** שֶׁהוֹשִׁיב יָרָבְעָם אָבִיו עַל הַדְּרָכִים שֶׁלֹּא יַעֲלוּ יִשְׂרָאֵל לָרֶגֶל – **that Yarovam his father had posted on the roads to prevent Jews from ascending** to the Temple **for the pilgrimage festivals.**[42]

The Gemara resumes its quotation of the Baraisa:

נַעֲנָה רַבִּי אֶלְעָזָר בֶּן עֲזַרְיָה וְאָמַר – R' ELAZAR BEN AZARYAH SPOKE UP AND SAID: ,,בְּשָׁלוֹם תָּמוּת וּבְמִשְׂרְפוֹת אֲבוֹתֶיךָ הַמְּלָכִים הָרִאשֹׁנִים אֲשֶׁר הָיוּ לְפָנֶיךָ כֵּן] יִשְׂרְפוּ לָךְ'' – Scripture states regarding King Tzidkiyahu: *YOU WILL DIE PEACEFULLY, AND LIKE THE BURNINGS*[43] *PERFORMED FOR YOUR FOREFATHERS, THE EARLIER KINGS WHO WERE BEFORE YOU, SO WILL THEY BURN FOR YOU, and they will lament for you, saying, "Woe, master!"*[44] וַהֲלֹא דְּבָרִים קַל וָחוֹמֶר – NOW, do these WORDS NOT provide the basis for A *KAL VACHOMER*? וּמָה צִדְקִיָּהוּ מֶלֶךְ יְהוּדָה שֶׁלֹּא עָשָׂה אֶלָּא מִצְוָה אַחַת – IF TZIDKIYAHU KING OF JUDAH, WHO DID ONLY ONE MITZVAH,[45] שֶׁהֶעֱלָה יִרְמְיָה מִן הַטִּיט – namely, THAT HE RAISED JEREMIAH FROM THE pit of MUD,[46] כָּךְ – was accorded SUCH honor when he died,

NOTES

spoken (*Ran;* see previous note).

Maharsha explains that R' Akiva sought to be last because he did not deem himself worthy to precede the others.

32. Those who come to console a mourner may not say anything until the mourner speaks (*Maharsha,* from Gemara below).

33. Soon after the death of one son, R' Yishmael suffered the loss of another.

34. His teachers [viz. R' Tarfon and the other sages] had come twice to console him for the deaths of his two sons (*Rashi* on *Ein Yaakov*).

35. *Leviticus* 10:6. On the first day of the service in the Mishkan, Nadav and Avihu (sons of Aaron) were put to death by Heaven after they offered "a strange fire that had not been commanded" (vs. 1,2). God ordered the entire nation to grieve over their deaths.

36. Ibid. 9:9. In the inaugural service of the Mishkan, Nadav and Avihu carried blood from one of the offerings to Aaron, who then applied it to the Altar.

Nadav and Avihu certainly did many other mitzvos in their lifetimes. The Baraisa means that the merit of this one mitzvah – which they performed in close proximity to their deaths and which benefited all the people – sufficed for them to be mourned by the entire nation (*Rashi* on *Ein Yaakov;* see *Maharsha*).

37. The sons of R' Yishmael performed many mitzvos that benefited the community [in the merit of which they deserve to be publically eulogized] (*Maharsha*).

38. *I Kings* 14:13. King Yarovam was an evil despot who attempted to turn his subjects away from God and introduced idols in the land (see ibid. 12:25-33). Achiyahu the prophet warned Yarovam that his entire family would perish at the hand of Heaven and their corpses would be left out in the open to be consumed by wild beasts. He added, however, that Aviyah the son of Yarovam would be buried honorably, because of one good thing he had done. The Gemara identifies this deed.

39. Ibid.

40. Yarovam was the first king of the northern kingdom of Israel. He stationed sentries on the roads to prevent his subjects from traveling to the Temple in Jerusalem, which stood in the rival kingdom of Judah. He appointed his son Aviyah as one of the sentries (*Rashi* ad loc.), but Aviyah abandoned his position and went himself to Jerusalem for the pilgrimage festivals (see *Rashi*).

An alternative explanation: Yarovam sought to prevent his subjects from visiting the Temple because he did not want them to see the kings of Judah, who were descended from David, sit in the Temple Courtyard whereas he had to stand there. [No one may sit in the Temple Courtyard except kings of the Davidic line (see *Rashi* to *Yoma* 25a, *Sotah* 40b and *Sanhedrin* 101b).] Yarovam was afraid that if the people would observe the higher status of the Davidic kings, they might rebel against him and seek the country's reunification (see *I Kings* 12:26 and *Sanhedrin* ibid.). His son Aviyah, however, did not share this concern and he made pilgrimages to the Temple. According to this explanation, when the Gemara says that Aviyah "abandoned his station" it means that he was not concerned for the glory and status of his father's house (*Rashi* on *Ein Yaakov; see Rabbeinu Gershom*).

41. In *Taanis* 30b this word is spelled פְּרוֹסְדִיוֹת (see also 28a ibid. and *R' Shlomo ben HaYasom*).

42. When the time came for Aviyah's brigade to stand guard on the roads, he abolished its shift. Thus, at that time, whoever wanted to travel to Jerusalem was free to do so (*Rashi* on *Ein Yaakov*).

43. It was customary to burn the bed and other personal effects of a deceased king (*Rashi* ad loc.; *Rashi* on *Ein Yaakov; see Avodah Zarah* 11a).

This practice does not violate the prohibition against destroying useful things [בַּל תַּשְׁחִית; see *Rambam, Hil. Melachim* 6:10], because it served the purpose of according the king honor by demonstrating that no one else is fit to use his personal effects (*Tosafos* to *Avodah Zarah* ibid. ד״ה עוקרין; *Taz, Yoreh Deah* 348:1). However, this is permitted only for a king or *Nasi.* To burn the possessions of a commoner would be pretentious and wasteful (*Tur* and *Shulchan Aruch* ibid.; cf. *Meiri,* at end of tractate ד״ה אע״פ שביארנו).

44. *Jeremiah* 34:5.

45. Tzidkiyahu, king of Judah, was a perfectly righteous man with innumerable accomplishments to his credit (*Tosafos;* see above, 16b; see also *Arachin* 17a). The Baraisa means that it was on account of one particular deed, performed near the end of his life, that he merited honorable treatment at his death (*Rashi* on *Ein Yaakov; Ran;* see *Maharsha;* cf. *Tosafos*).

46. Officers of the government had cast Jeremiah into a pit and left him to die there for daring to prophesy that the people of Jerusalem would perish if they would not surrender to the Babylonians who were then

עין משפט
נר מצוה

רלז א מיי' פ"ו מהלכות י"ט הלכה כד ופי"א מהל' אבל הלכה ד סמג עשין ג טוש"ע א"ח סי' תקמז סעיף ג וטוש"ע י"ד סי' תא סעיף ה:
רלז ב ג מיי' פי"ג מהלכות אבל הלכה ג סמג עשין ג טוש"ע י"ד סי' שעו סעיף א:
רלח ד מיי' פ"ד מהל' כלי המקדש הלכה ב טוש"ע א"ח סי' קסז סעיף יד בהג"ה וסי' רא סעיף ב:

בלע המות. כדי לסיים בדבר הטוב משום דמועד קטן הוא סוף סדר מועד ומה"ט מתרץ הרב רבי יעקב מאורלינ"ש הא דאתחיל סדר נשים בט"ו נשים אע"ג דאתחיל בפורענותא לא מתחיל כדאמרינן ביש נוחלין (ב"ב דף קח.) ותירץ דסומכין פורענות דמועד קטן אלא פורענות דיבמות דסמכינן פורענותא לפורענותא ונחמתא לנחמתא[י]:

צדקיהו מלך יהודה. לדיק גמור היה [פ] אבל במקרא לא מלינו יותר כי אם שלוה להעלות ירמיהו מן הטיט:

ינחם כתיב. בכתובות (דף סט:[ע]) פירשנו בענין אחר שלא כפירוש הקונטרס דהכא:

וליטול מנה יפה ראשון. פי' יש לישראל ליתן לו אבל הוא אין לו ליטול כדאמרינן פ' מקום שנהגו (פסחים דף נ:) הנותן עיניו בחלק יפה כו' מיהו נראה לי דכהן כיון שזהו דינו יכול לראות סימן ברכה ואע"פ שאומרים בפ' הזרוע (חולין קלג.) ונתן ולא שיטול מעלמו אין זה לוקח מתנות כי אם רואה שפיר מה שהוא רולה ואומר ליתן לו: [וע' תוס' גיטין נט: בד"ה וליטול מנה]:

הדרן עלך ואלו מגלחין

וסליקא לה מסכת מועד קטן

מתני' [מ] בלא פירוש: **גמ'** לחבילא. חבלא: **גוד גרמא מכבא.** נפלו הלחיים: **נמטו מיא לאמטיכי.** כלומר הדרי מיא למפרע כלפי למעלה: **שייול איצטלא דמלתא.** כלומר יפה מיתה כמלבוש של מילת: **דשלימו זוודיה.** שכלו לו מזונותיו שהוא עני: **עטוף.** חושך: **אזבזגי.** קייה: **מותא.** כל אדם מת: (**מרעא חבילא**). **מרעין חיבולייא.** האיסורין הן בבית: **דידל ידלוניה.** כלומר מגביהין בהספד למי שמגביה קולו להספד אחרים: **הטריח רבותיו.** שבאין לנחמו: **משמרתו.** שהושיב ירבעם שלא לעלות לרגל: **מעמד במרכבה.** שלא יכשלו: **ינחם אחרים משמע.** שמנחמין יושבין בראש: **סרוחים.** לשון רבים: **לפתוח בראש.** לקרות בס"ת: **ולברך.** ברכת המזון: כליפורי

מתני' [א] א נשים במועד מעננות אבל לא מטפחות ר' ישמעאל אומר הסמוכות למטה מטפחות בראשי חדשים בחנוכה ובפורים מעננות ומטפחות בזה וזה לא מקוננות נקבר המת לא מעננות ולא מטפחות איזהו עינוי שכולן עונות כאחת קינה שאחת מדברת וכולן עונות אחריה שנא' [א] ולמדנה בנותיכם נהי ואשה רעותה קינה אבל לעתיד לבא הוא אומר [ב] בלע המות לנצח ומחה ה' אלהים דמעה מעל כל פנים וגו': **גמ'** מאי אמרן

א] אמר רב ויי לאזלא ויי לחבילא אמר רבא נשי דשכנציב אמרן הכי ויי לאזלא ויי לחבילא ואמר רבא נשי דשכנציב אמרן [ב] גוד גרמא מכבא ונמטי מיא לאנטיכי ואמר רבא נשי דשכנציב אמרן ב] [ג] עטוף וכסו טורי דבר רמי ובר רברבי הוא ואמר רבא נשי דשכנציב אמרן שייול אצטלא דמלתא לבר חורין דשלימו זוודיה ואמר רבא נשי דשכנציב אמרן ג] רהיט ונפיל אמעברא ויזופתא יזיף ואמר רבא נשי דשכנציב אמרן ד] אחנא תגרי אזבזגי מיבדקו ואמר רבא נשי דשכנציב אמרן ה] מותא כי מותא ומרעין חיבוליא [ו] תניא היה ר"מ אומר [ג] טוב ללכת אל בית אבל וגו' עד והחי יתן אל לבו דברים של מיתה דיספד יספדוניה דיקבר יקברוניה דיטען יטענוניה דידל ידלוניה ואיכא דאמרי דלא ידל ידלוניה דכתיב [ד] כי טוב אמר לך עלה הנה וגו' ת"ר כשמתו בניו של רבי ישמעאל נכנסו ד' זקנים לנחמו ר' טרפון ור' יוסי הגלילי ור' אלעזר בן עזריה ור"ע אמר להם ר' טרפון דעו שחכם גדול הוא ובקי באגדות אל יכנס אחד מכם לתוך דברי חבירו אמר ר"ע ואני אחרון פתח רבי ישמעאל ואמר רבו עונותיו תכפוהו אבליו הטריח רבותיו פעם ראשונה ושניה נענה ר"ט ואמר [ה] ואחיכם כל בית ישראל יבכו את השריפה והלא דברים ק"ו ומה נדב ואביהוא שלא עשו אלא מצוה אחת דכתיב [ו] ויקריבו בני אהרן את הדם אליו כך בניו של ר' ישמעאל על אחת כמה וכמה נענה ר' יוסי הגלילי ואמר [ז] וספדו לו כל ישראל וקברו אותו והלא דברים ק"ו ומה אביה בן ירבעם שלא עשה אלא דבר אחד טוב דכתיב ביה [ז] יען נמצא בו דבר טוב כך בניו של ר' ישמעאל על אחת כמה וכמה מאי דבר טוב ר' זירא ור' חיננא בר פפא חד אמר שביטל [ה] משמרתו ועלה לרגל וחד אמר שביטל פרדסאות שהושיב ירבעם אביו על הדרכים שלא יעלו ישראל לרגל נענה ר' אלעזר בן עזריה ואמר [ח] בשלום תמות ובמשרפות אבותיך המלכים הראשונים [אשר היו לפניך כן] ישרפו לך והלא דברים ק"ו ומה צדקיהו מלך יהודה שלא עשה אלא מצוה אחת שהעלה ירמיה מן הטיט כך בניו של ר' ישמעאל על אחת כמה וכמה נענה ר"ע ואמר [ט] ביום ההוא יגדל המספד בירושלם כמספד הדדרימון [בבקעת מגידו] [ו] ואמר רב יוסף אלמלא [ז] תרגומיה דהאי קרא לא הוה ידענא מאי קאמר בעידנא ההוא יסגי מספדא בירושלם כמספדא דאחאב בר עמרי דקטל יתיה הדדרימון בר טברימון וכמספד דיאשיה בר אמון דקטל יתיה פרעה חגירא בבקעת מגידו והלא דברים ק"ו ומה אחאב מלך ישראל שלא עשה אלא דבר אחד טוב דכתיב [י] והמלך היה מעמד במרכבה נכח ארם כך בניו של ר' ישמעאל על אחת כמה וכמה א"ל רבא לרבה בר מרי כתיב ביה בצדקיהו בשלום תמות וכתיב [כ] ואת עיני צדקיהו עור א"ל הכי א"ר יוחנן שמת נבוכדנאצר בימיו ואמר רבא לרבה בר מרי כתיב ביה ביאשיהו [ל] לכן הנני אוסיפך על אבותיך ונאספת אל קברותיך בשלום וכתיב [מ] ויורו היורים למלך יאשיהו [ח] ואמר רב יהודה אמר רב שעשאוהו ככברה א"ל הכי א"ר יוחנן שלא חרב בית המקדש בימיו א"ר יוחנן ב אין מנחמין רשאין לומר דבר עד שיפתח אבל שנאמר [ט] [נ] אחרי כן פתח איוב את פיהו והדר [ס] ויען אליפז התימני [י] א"ר אבהו ג מנין לאבל שמיסב בראש שנאמר [ע] אבחר דרכם ואשב ראש ואשכון כמלך בגדוד כאשר אבלים ינחם אחריני משמע אמר רב נחמן בר יצחק ינחם כתיב מר זוטרא אמר מהכא [פ] וסר מרזח סרוחים מרזח נעשה שר לסרוחים אמר ר' חמא בר חנינא מנין לחתן שמיסב בראש שנאמר [צ] כחתן יכהן פאר מה כהן בראש אף חתן בראש וכהן גופיה מנלן [כ] דתנא דבי ר' ישמעאל [ק] וקדשתו ד לכל דבר שבקדושה [ל] לפתוח ראשון ולברך ראשון וליטול מנה יפה ראשון א"ר חנינא קשה יציאת נשמה מן הגוף כציפורי

רבינו חננאל

מתני' נשים במועד מעננות אבל לא מטפחות מאי אמרן. אמר רבא ויי לאזלא ויי לחבלא. פירוש נשי דשכנציב היו חכמות והיו מעננות ואומרות אוי להולך כדכתיב כי הולך האדם אל בית עולמו וסבבו וגו' ואוי למי שהוא ממושכן ונתבע לשלם הפקדון שאצלו. כלומר האדם מתמשכן להשלים רוחו שהוא אצלו פקדון לבעליה. פי' חבלא משכון. פירוש גוד גרמא מכבא ונמטי מיא לאנטוכיא חתוך המאכל מן השיניים ויגיע חמות המים באנטיכי. כלומר כיון שנחתך המאכל מפי החולה בוערת בו חמות ומחממת מי רגליו כחמות אנטיכי. דתנן אנטיכי אע"פ שגרופה אין שותין הימנה מפני שמחממת הרבה. פי' שייול אצטלא דמלתא לבר חורי דשלימו זוודיה. כלומר דומה כאצטלא של מילת לבנה לבן טובים שירד מנכסיו. ושלמה הצידה שלו הקבורה טובה לו מחיים. ויש שאומרים מי שאין לו בגדים ללבוש ישאל וילך ללות בן טובים של מת ושלמו ימי חייו. עטוף וכסוי טורי דבר רברבי ובר רמי הוה. פי' כמו אדם האומר להרים התעטפו והתכסו במלבושיכם הנאים כי זה האיש הבא להקבר אצלכם בן גדולים הוא. וי"א לבני אדם אומרים התעטפו והתכסו במלבושיכן ועמדו על ההרים וכסו אותן בשעת קבורתו כי בן גדולים ורמים הוא. אחאנא תגרי דעל זבוגי מיבדקי. פי' אחינו התגרים שעל קניינם מיבדקי. כלומר במקום סחורתן נבדקין הנאמנים הם אם לאו. כמו שאומרים (בעירובין סה) בג' דברים אדם ניכר בכוסו בכיסו ובכעסו. רהיט ונפיל [א] בר אודי ואמבדי יוזפתא יזיף. פי' רץ בכל כחו ונופל בין האובדים ועל המעברות מלוה לוה. פי' כמו משל הוא. כלומר אע"פ שאדם רץ בכל כחו כל ימיו כשנופל בין אובדי הדרכים. או כשיגיע לעבור בנהר מתחנן למי שמעבירו ואם אין לו נוטל בהלואה ואינו מוצא. מותא כי מותא. ומרעא חבוליא. פי' המות של זה כמיתת כל אדם. ואריכות חוליו תוספת כמו הרבית על המלוה. שיש מי שפורע חובו היא המלוה שנתנה לו ודיו. ויש מי שפורע [ב] המלוה היא נשמתו ותוספת על נשמתו צער חליו. תניא היה ר"מ אומר מ"ד טוב ללכת את בית אבל וגו' והחי יתן אל לבו דברים של מיתה. דיספד יספדוניה דיקבר יקברוניה דטעון יטעוניה דידל ידלוניה. איכא דאמרי לא ידל דאדלוניה כדכתיב כי טוב אמר לך עלה הנה מהשפילך לפני נדיב אשר ראו עיניך. כשמתו בניו של ר' ישמעאל נכנסו ד' זקנים לנחמו. ר' יוסי הגלילי. ור' אלעזר בן עזריה ור' עקיבא ור' טרפון. אמר להן ר' טרפון ראו כי חכם גדול ובקי בהגדות הוא אל יכנס אחד לתוך דברי חבירו אמר להן ר' עקיבא ואני אחרון. פתח ר' ישמעאל ואמר רבו עונותיו תכפוהו אבליו הטריח רבותיו פעמים רבות. נענה ר"ט ואמר ואחיכם כל בית ישראל יבכו את השרפה וגו' ומה בני אהרן שלא עשו אלא מצוה אחת שנאמר ויקריבו בני אהרן את הדם אליו. בניו של רבי [ישמעאל] עאכו"כ שחייבין כל ישראל לבכותם. ראב"ע אומר שחייבין כל ישראל לבכות מהכא שנאמר בשלום תמות ובמשרפות אבותיך המלכים הראשונים אשר היו לפניך כן ישרפו לך הוי אדון יספדו לך וגו' והלא דברים ק"ו ומה צדקיה שלא עשה אלא מצוה אחת שהעלה ירמיה מן הטיט זכה לכך. בניו של ר' עאכו"כ. ריה"ג אומר מהכא וספדו לו כל ישראל וקברו אותו כי זה לבדו יבא לירבעם אל קבר יען נמצא בו דבר טוב. והלא דברים ק"ו ומה אביה בן ירבעם שלא עשה אלא דבר אחד שביטל משמרתו ועלה לרגל. וי"א שביטל פרדסאות שהושיב ירבעם שלא יעלו ישראל לרגל כך. בניו של ר' שעשו כמה מצות עאכו"כ. ר"ע אומר מהכא ביום ההוא יגדל המספד בירושלם כמספד הדרימון בבקעת מגידו. ואמר רב יוסף אלמלא תרגומא דהאי קרא לא הוינן ידעי מאי קאמר בעידנא ההיא יסגא מספדא בירושלם כמספד אחאב דקטל יתיה הדרימון בן טברימון. וכמספד יאשיהו בן אמון דקטל יתיה פרעה חגירא בבקעת מגידו. ומה זה שלא עשה אלא דבר אחד דכתיב והמלך היה מעמד במרכבה נוכח ארם עד הערב החזיק בעצמו שלא יאמרו גוסס הוא ויברחו ישראל ותחלת נפילה ניסה בניו של ר' עאכו"כ שכל ישראל חייב לספוד ולבכות עליהם. א"ל רבא לרבה בר מרי כתיב ביה בצדקיהו

מסורת הש"ס

א) מגילה ג., ב) [בערוך ערך גד שני נמלא פירוש ע"ז], ג) [כאדם האומר להרים התעטפו והתכסו במלבושים נאים כי זה האיש הבא להקבר אצלכם בן גדולים הוא. ערוך], ד) נדרים פג: כתובות עב., ה) [שהושיבו אביו שומר שלא יעלה איש לרגל ובטל משמרתו ועלה. ז"ל רש"י במלכים], ו) מגילה ג., ז) [ועי' תוס' ב"ק ג: ד"ה כדמתרגם], ח) תענית כב: [סנהדרין מח:], ט) [ואין דובר אליו דבר וכתיב אחרי כן פתח איוב את פיהו וענו חביריו כך מלאתי הגי' בתורת האדם להרמב"ן ז"ל], י) כתובות סט., כ) הוריות יב: נדרים סב. גיטין נט:, ל) [עי' תוס' חולין פז. ד"ה ומייבו], מ) פרש"י על כל עמוד זה תמלא בעין יעקב ע"ש, נ) [כדאיתא ב"ב יד:], ס) [שבת קמט: ערכין יז.], ע) [בד"ה אמר ר"נ].

הגהות מהר"ב רנשבורג

א] גמ' אמר רב ויי לאזלא ויי לחבילא. פי' אוי לה להליכה כזו שאינה חוזרת ואוי לה למשאוי כזה שנושאים את המת. פ"א אוי להולך לממושכנים עליו: **ב] שם עטוף וכסו טורא.** פי' התעטפו והתכסו ההרים בחשך שבן גדולים ובן גבוהים היה המת הזה: **ג] שם רהיט ונפיל אמעברא ויזופתא יזיף.** פי' רהיט תגר וטרחן היה כל ימיו ועכשיו נפל ריקם בלי ממון אמעברא כשביקש לעבור מן העולם ולריך ללוות ממון לתכריכין: **ד] שם אחנא תגרי אזבזגי מיבדקו.** פי' אחינו הסוחרים לאזבזגי מיבדקו באחריתם נראה עשרם כגון זה שאין לו עכשיו במה לקבור ועל מת עני אומרים אותו כדי שירחמו עליו. מע"י קטן: **ה] שם מותא כי מותא ומרעין חיבוליא.** פי' דמיתתו היה כמיתת כל אדם שהכל מתים. אמנם מרעין חיבוליא שיסורים קשים הו"ל יותר משאר ב"א. ג"ז מלאתי בע"י קטן. ונלע"ד לפ"ז דברש"י בד"ה מרעא חבילא וכו' צ"ל היסורין הן בבית עכ"ל וכל"ל ופי' דבריו דהיסורים הם בפנים ואינן ניכרין אף דמיתתו היתה שלימה כמיתת אחרים ודו"ק:

תורה אור השלם

א) כִּי שְׁמַעְנָה נָשִׁים דְּבַר יְיָ וְתִקַּח אָזְנְכֶם דְּבַר פִּיו וְלַמֵּדְנָה בְנוֹתֵיכֶם נֶהִי וְאִשָּׁה רְעוּתָהּ קִינָה: [ירמיה ט, יט] ב) בִּלַּע הַמָּוֶת לָנֶצַח וּמָחָה אֲדֹנָי אֱלֹהִים דִּמְעָה מֵעַל כָּל פָּנִים וְחֶרְפַּת עַמּוֹ יָסִיר מֵעַל כָּל הָאָרֶץ כִּי יְיָ דִּבֵּר: [ישעיה כה, ח] ג) טוֹב לָלֶכֶת אֶל בֵּית אֵבֶל מִלֶּכֶת אֶל בֵּית מִשְׁתֶּה בַּאֲשֶׁר הוּא סוֹף כָּל הָאָדָם וְהַחַי יִתֵּן אֶל לִבּוֹ: [קהלת ז, ב] ד) כִּי טוֹב אֲמָר לְךָ עֲלֵה הֵנָּה מֵהַשְׁפִּילְךָ לִפְנֵי נָדִיב אֲשֶׁר רָאוּ עֵינֶיךָ: [משלי כה, ז] ה) וַיֹּאמֶר מֹשֶׁה אֶל אַהֲרֹן וּלְאֶלְעָזָר וּלְאִיתָמָר בָּנָיו רָאשֵׁיכֶם אַל תִּפְרָעוּ וּבִגְדֵיכֶם לֹא תִפְרֹמוּ וְלֹא תָמֻתוּ וְעַל כָּל הָעֵדָה יִקְצֹף וַאֲחֵיכֶם כָּל בֵּית יִשְׂרָאֵל יִבְכּוּ אֶת הַשְּׂרֵפָה אֲשֶׁר שָׂרַף יְיָ: [ויקרא י, ו] ו) וַיַּקְרִבוּ בְּנֵי אַהֲרֹן אֶת הַדָּם אֵלָיו וַיִּטְבֹּל אֶצְבָּעוֹ בַּדָּם וַיִּתֵּן עַל קַרְנוֹת הַמִּזְבֵּחַ וְאֶת הַדָּם יָצַק אֶל יְסוֹד הַמִּזְבֵּחַ: [ויקרא ט, ט] ז) וְסָפְדוּ לוֹ כָל יִשְׂרָאֵל וְקָבְרוּ אֹתוֹ כִּי זֶה לְבַדּוֹ יָבֹא לְיָרָבְעָם אֶל קָבֶר יַעַן נִמְצָא בוֹ דָּבָר טוֹב אֶל יְיָ אֱלֹהֵי יִשְׂרָאֵל בְּבֵית יָרָבְעָם: [מלכים א' יד, יג] ח) בְּשָׁלוֹם תָּמוּת וּבְמִשְׂרְפוֹת אֲבוֹתֶיךָ הַמְּלָכִים הָרִאשֹׁנִים אֲשֶׁר הָיוּ לְפָנֶיךָ כֵּן יִשְׂרְפוּ לָךְ וְהוֹי אָדוֹן יִסְפְּדוּ לָךְ כִּי דָבָר אֲנִי דִבַּרְתִּי נְאֻם יְיָ: [ירמיה לד, ה] ט) בַּיּוֹם הַהוּא יִגְדַּל הַמִּסְפֵּד בִּירוּשָׁלִַם כְּמִסְפַּד הֲדַדְ רִמּוֹן בְּבִקְעַת מְגִדּוֹן: [זכריה יב, יא] י) וַתַּעֲלֶה הַמִּלְחָמָה בַּיּוֹם הַהוּא וְהַמֶּלֶךְ הָיָה מָעֳמָד בַּמֶּרְכָּבָה נֹכַח אֲרָם וַיָּמָת בָּעֶרֶב וַיִּצֶק דַּם הַמַּכָּה אֶל חֵיק הָרָכֶב: [מלכים א' כב, לה] כ) וְאֶת עֵינֵי צִדְקִיָּהוּ עִוֵּר וַיַּאַסְרֵהוּ בַנְחֻשְׁתַּיִם לָבִיא אֹתוֹ בָּבֶלָה: [ירמיה לט, ז] ל) לָכֵן הִנְנִי אֹסִפְךָ עַל אֲבֹתֶיךָ וְנֶאֱסַפְתָּ אֶל קִבְרֹתֶיךָ בְּשָׁלוֹם וְלֹא תִרְאֶינָה עֵינֶיךָ בְּכֹל הָרָעָה אֲשֶׁר אֲנִי מֵבִיא עַל הַמָּקוֹם הַזֶּה וַיָּשִׁיבוּ אֶת הַמֶּלֶךְ דָּבָר: [מלכים ב' כב, כ] מ) וַיֹּרוּ הַיֹּרִים לַמֶּלֶךְ יֹאשִׁיָּהוּ וַיֹּאמֶר הַמֶּלֶךְ לַעֲבָדָיו הַעֲבִירוּנִי כִּי הָחֳלֵיתִי מְאֹד: [דברי הימים ב' לה, כג] נ) אַחֲרֵי כֵן פָּתַח אִיּוֹב אֶת פִּיהוּ וַיְקַלֵּל אֶת יוֹמוֹ: [איוב ג, א] ס) וַיַּעַן אֱלִיפַז הַתֵּימָנִי וַיֹּאמַר: [איוב ד, א] ע) אֶבְחַר דַּרְכָּם וְאֵשֵׁב רֹאשׁ וְאֶשְׁכּוֹן כְּמֶלֶךְ בַּגְּדוּד כַּאֲשֶׁר אֲבֵלִים יְנַחֵם: [איוב כט, כה] פ) לָכֵן עַתָּה יִגְלוּ בְּרֹאשׁ גֹּלִים וְסָר מִרְזַח סְרוּחִים: [עמוס ו, ז] צ) שׂוֹשׂ אָשִׂישׂ בַּייָ תָּגֵל נַפְשִׁי בֵּאלֹהַי כִּי הִלְבִּישַׁנִי בִּגְדֵי יֶשַׁע מְעִיל צְדָקָה יְעָטָנִי כֶּחָתָן יְכַהֵן פְּאֵר וְכַכַּלָּה תַּעְדֶּה כֵלֶיהָ: [ישעיה סא, י] ק) וְקִדַּשְׁתּוֹ כִּי אֶת לֶחֶם אֱלֹהֶיךָ הוּא מַקְרִיב קָדֹשׁ יִהְיֶה לָּךְ כִּי קָדוֹשׁ אֲנִי יְיָ מְקַדִּשְׁכֶם: [ויקרא כא, ח]

חשק שלמה על ר"ח א) אולי צ"ל בידי אובדי ואמעברי וכו'. ב) נראה דל"ל ויש מי שפורע גם רבית המלוה היא נשמתו וכו'.

רש"י כת"י

מטפחות בראשי חדשים. [על לבן] מספקות כף אל כף. **קינה ועינוי.** כדמפרש בסמוך. **אשה רעותה קינה.** ומדכתיב ולמדנה בנותיכם נהי אלמא זאת אומרת קינה וחבירתה עונה. **אבל לעתיד לבוא ובלע המות [לנצח] ומחה ד' דמעיה מעל כל פנים.** [שיבלע הקב"ה את המות וכולן עונות שירה שאין מיתה ואין דמעה] והאי דנקט אבל לעתיד לבוא משום אל תעמוד בדבר רע מפני שזה סיום [נ"א - סילוק] כל סדר מועד דסדר המשנה מועד קטן בסוף כל המועד. *[**מאי אמרן.** נשים כשהן מענות. **ויי לאזלא ויי לחבילא.** אוי לה להליכה כזאת שאינה חוזרת ואוי למשוי כזה שנושאים את המת. **גוד גרמא מכבא.** נפלו הלחיים. **ונמטי מיא לאנטיכי.** כלומר הדרי מיא למפרע כלפי מעלה. **שייול.** גולל בלשון נשי דשכנציב. [המשך בדף כח:]

בָּנָיו שֶׁל רַבִּי יִשְׁמָעֵאל עַל אַחַת כַּמָּה וְכַמָּה – then THE SONS OF R' YISHMAEL, who did many mitzvos, ALL THE MORE SO should they be accorded such honor.

The fourth consolation offered to R' Yishmael:

נַעֲנָה רַבִּי עֲקִיבָא וְאָמַר – R' AKIVA SPOKE UP AND SAID: ,,בַּיּוֹם הַהוּא יִגְדַּל הַמִּסְפֵּד בִּירוּשָׁלַםִ כְּמִסְפַּד הֲדַדְרִמּוֹן [בְּבִקְעַת מְגִדּוֹן]'' – Scripture states: *ON THAT DAY SHALL THERE BE A GREAT MOURNING IN JERUSALEM, LIKE THE MOURNING OF HADADRIMMON IN THE VALLEY OF MEGIDDON.*[47]

Before continuing with R' Akiva's statement, the Gemara explains the verse:

וְאָמַר רַב יוֹסֵף – And Rav Yosef said: אִלְמָלֵא תַּרְגּוּמֵיהּ דְּהַאי קְרָא לֹא הֲוָה יָדְעָנָא מַאי קָאָמַר – **Were it not for the** ***Targum***[48] **of this verse we would not have known what it meant.** The verse indicates that there once had been a mourning for a man named Hadadrimmon in the valley of Megiddon, but such an incident is not recorded anywhere in Scripture. The Targum renders the verse as follows: בְּעִידָּנָא הַהוּא יִסְגֵּי מִסְפְּדָא בִּירוּשְׁלֵם – ***On that day shall there be a great mourning in Jerusalem,*** כְּמִסְפְּדָא דְּאַחְאָב בַּר עָמְרִי דְּקָטַל יָתֵיהּ הֲדַדְרִמּוֹן בַּר טַבְרִימּוֹן – ***like the mourning over Ahab the son of Omri, who was killed by "Hadadrimmon" the son of Tavrimmon,***[49] וּכְמִסְפַּד דְּיֹאשִׁיָּה בַּר אָמוֹן דְּקָטַל יָתֵיהּ פַּרְעֹה חֲגִירָא בְּבִקְעַת מְגִידּוֹ – ***and like the mourning over Yoshiyah the son of Ammon, who was killed by Pharaoh the lame "in the valley of Megiddo."***[50]

R' Akiva's statement is continued:

וַהֲלֹא דְּבָרִים קַל וָחוֹמֶר – NOW, do these WORDS NOT provide the basis for A *KAL VACHOMER?* וּמָה אַחְאָב מֶלֶךְ יִשְׂרָאֵל שֶׁלֹּא עָשָׂה אֶלָּא דָּבָר אֶחָד טוֹב – IF AHAB, KING OF ISRAEL, WHO DID ONLY ONE GOOD THING, דִּכְתִיב ,,וְהַמֶּלֶךְ הָיָה מָעֳמָד בַּמֶּרְכָּבָה נֹכַח אֲרָם'' – AS IT IS WRITTEN: *THE KING WAS PROPPED UP IN HIS CHARIOT IN THE PRESENCE OF ARAM,*[51] כָּךְ – was accorded SUCH honor when he died,[52] בָּנָיו שֶׁל רַבִּי יִשְׁמָעֵאל עַל אַחַת כַּמָּה וְכַמָּה – then THE SONS OF R' YISHMAEL, who did many mitzvos, ALL THE MORE SO should they be accorded such honor.

The Gemara notes a difficulty with one of the verses quoted above:

אֲמַר לֵיהּ רָבָא לְרַבָּה בַּר מָרִי – **Rava said to Rabbah bar Mari:** כְּתִיב בֵּיהּ בְּצִדְקִיָּהוּ – **It is written in connection with Tzidkiyahu:** ,,בְּשָׁלוֹם תָּמוּת'' – ***You will die peacefully.***[53] וּכְתִיב – **But it is** also **written:** ,,וְאֶת־עֵינֵי צִדְקִיָּהוּ עִוֵּר'' – ***Then he*** [Nebuchadnezzar] ***blinded Tzidkiyahu's eyes.***[54] –?–

Rabbah bar Mari answers:

אֲמַר לֵיהּ – **He said to [Rava]:** הָכִי אָמַר רַבִּי יוֹחָנָן – **This** is what **R' Yochanan taught:** The prediction, *you will die peacefully,* was fulfilled שֶׁמֵּת נְבוּכַדְנֶאצַּר בְּיָמָיו – **for Nebuchadnezzar died in [Tzidkiyahu's] lifetime.**[55]

A similar exchange:

וַאֲמַר רָבָא לְרַבָּה בַּר מָרִי – **And Rava said to Rabbah bar Mari:** כְּתִיב בֵּיהּ בְּיֹאשִׁיָּהוּ – **It is written in connection with** King **Yoshiyahu:** ,,לָכֵן הִנְנִי אֹסִפְךָ עַל־אֲבֹתֶיךָ וְנֶאֱסַפְתָּ אֶל־קִבְרֹתֶיךָ בְּשָׁלוֹם'' – ***Therefore, behold, I will gather you in to your forefathers; you will be gathered to your grave in peace.***[56] וּכְתִיב – **But it is** also **written:** ,,וַיֹּרוּ הַיֹּרִים לַמֶּלֶךְ יֹאשִׁיָּהוּ'' – The archers shot at King Yoshiyahu.[57] וְאָמַר רַב יְהוּדָה אָמַר רַב – **And Rav Yehudah said in the name of Rav:** שֶׁעֲשָׂאוּהוּ כִּכְבָרָה – **[This verse] teaches that** they pierced him with so many arrows that **they made him resemble a sieve.**[58] –?–

Rabbah bar Mari answers:

אֲמַר לֵיהּ – **He said to [Rava]:** הָכִי אָמַר רַבִּי יוֹחָנָן – **This is what R' Yochanan taught:** The prediction, *you will be gathered to your grave in peace,* was fulfilled שֶׁלֹּא חָרַב בֵּית הַמִּקְדָּשׁ בְּיָמָיו – **for the Temple was not destroyed in [Yoshiyahu's] lifetime.**[59]

A law that pertains to consoling a mourner:[60]

NOTES

laying siege to the city. When King Tzidkiyahu heard of Jeremiah's plight he arranged for his rescue (see *Jeremiah* ch. 38).

47. *Zechariah* 12:11. The Gemara in *Succah* (52a) records a dispute whether the mourning described in this passage is over the death of מָשִׁיחַ בֶּן יוֹסֵף, *the Messiah descended from Joseph,* or the death of the יֵצֶר הָרַע, *the evil inclination.*

48. I.e. *Targum Yonasan* – an interpretive translation of the Prophets into Aramaic, written by Yonasan ben Uzziel, a student of Hillel (*Megillah* 3a).

49. King Ahab fought against Aram to recapture the city of Ramoth-Gilead; he was killed in battle by an Aramean soldier (*I Kings* 22:1-40), whom the *Targum* on our verse identifies as Hadadrimmon the son of Tavrimmon. Ahab's death was publicly lamented, as it is written (v. 36): *the cry went out in the camp* (*Ritva; Rashi* to *Zechariah* ibid.).

50. Necho king of Egypt ("Pharaoh the lame") led his army through the Land of Israel on the way to wage war against Assyria. King Yoshiyah of Judah confronted Necho's army in the Valley of Megiddo and was killed (*II Kings* 23:29; see also *II Chronicles* 35:20-25). All of Judah mourned Yoshiyahu's death (*II Chronicles* ibid.).

Thus, our verse, *like the mourning of Hadadrimmon in the valley of Megiddon,* refers to two incidents of mourning: "Hadadrimmon" alludes to the mourning over King Ahab, and "the valley of Megiddon" to the mourning over King Yoshiyah.

51. *I Kings* 22:35. After being fatally wounded in the battle against Aram (note 49), Ahab forced himself to stand up in his chariot so that his soldiers would not realize his condition, become demoralized and flee. The disorderly flight of an army can lead to its wholesale slaughter (*Rashi* ad loc.; *Rashi* on *Ein Yaakov*).

This was not the only good deed Ahab performed in his life. Upon hearing Elijah rebuke him for his sins, Ahab humbled himself before God, as recorded in *I Kings* 21:27,28. The Baraisa, however, is concerned only with the deed through which he merited honor at his death (*Rashi* on *Ein Yaakov*).

52. This is evidenced by the verse quoted by R' Akiva, which uses the grieving over Ahab's death as a paradigm of great public lamentation: "On that day there shall be a great mourning in Jerusalem *like* the mourning of Hadadrimmon [i.e. Ahab, who was killed by Hadadrimmon]."

53. *Jeremiah* 34:5.

54. Ibid. 39:7. The Babylonians conquered Jerusalem and took King Tzidkiyahu into captivity (as Jeremiah had predicted; note 46). Nebuchadnezzar, the Babylonian king, slaughtered Tzidkiyahu's sons before his eyes and then blinded him. Tzidkiyahu remained in captivity until the day of his death (ibid. 52:11).

55. As long as Nebuchadnezzar was alive, he did not release any of his captives. On the day of Nebuchadnezzar's death, Tzidkiyahu was freed; he died the next day. [Thus, Tzidkiyahu did not actually die in captivity] (*Rashi* to *Jeremiah* 34:5).

56. *II Kings* 22:20. When Yoshiyahu was on the throne, Chuldah the prophetess foretold the downfall of Jerusalem and its inhabitants, but she added that Yoshiyahu himself would die in peace.

57. *II Chronicles* 35:23. [The circumstances of Yoshiyahu's death were mentioned above, note 50.]

58. This is derived from the words: וַיֹּרוּ הַיֹּרִים, which literally means: *the shooters shot* (*Rashi* to *Taanis* 22b ד״ה מלמד; see *Hagahos HaBach* ibid. §2). [The verse could have just stated: וַיֹּרוּ, *they shot.* By using the double expression, *the shooters shot,* it implies that they shot and struck him repeatedly.]

59. In context, the verse means that Yoshiyahu would not witness the destruction of Jerusalem and its Temple (*Maharsha;* see note 56). [The Temple was destroyed 22 years after his death, during the reign of Tzidkiyahu.]

60. Authoritative versions of the text add the following statement at this point:

אָמַר רַב יְהוּדָה אָמַר רַב – **Rav Yehudah said in the name of Rav:** אֵין

מתני' א) נשים במועד מענות אבל לא מטפחות ר' ישמעאל אומר הסמוכות למטה מטפחות בראשי חדשים בחנוכה ובפורים מענות ומטפחות בזה וזה לא מקוננות נקבר המת לא מענות ולא מטפחות איזהו עינוי שכולן עונות כאחת קינה שאחת מדברת וכולן עונות אחריה שנא' א) ולמדנה בנותיכם נהי ואשה רעותה קינה אבל לעתיד לבא הוא אומר ב) בלע המות לנצח ומחה ה' אלהים דמעה מעל כל פנים וגו': **גמ'** מאי אמרן

א] אמר רב ויי לאזלא ויי לחבילא אמר רבא נשי דשכנציב אמרן הכי ויי לאזלא ויי לחבילא ואמר רבא נשי דשכנציב אמרן ב) גוד גרמא מכבא ונמטי מיא לאנטיכי ואמר רבא נשי דשכנציב אמרן ב] ג) עטוף וכסו טורי דבר רמי ובר רברבי הוא ואמר רבא נשי דשכנציב אמרן שייול אצטלא דמלתא לבר חורין דשלימו זוודיה ואמר רבא נשי דשכנציב אמרן ג] רהיט ונפיל אמעברא ויזופתא יזיף ואמר רבא נשי דשכנציב אמרן ד] אחנא תגרי אזבזגי מיבדקו ואמר רבא נשי דשכנציב אמרן ה] מותא כי מותא ומרעין חיבוליא ו) תניא היה ר"מ אומר ג) טוב ללכת אל בית אבל וגו' עד והחי יתן אל לבו דברים של מיתה דיספד יספדוניה דיקבר יקברוניה דיטען יטענוניה דידל ידלוניה ואיכא דאמרי דלא ידל ידלוניה דכתיב ד) כי טוב אמר לך עלה הנה וגו' ת"ר כשמתו בניו של רבי ישמעאל נכנסו ד' זקנים לנחמו ר' טרפון ור' יוסי הגלילי ור' אלעזר בן עזריה ור"ע אמר להם ר' טרפון דעו שחכם גדול הוא ובקי באגדות אל יכנס אחד מכם לתוך דברי חבירו אמר ר"ע ואני אחרון פתח רבי ישמעאל ואמר רבו עונותיו תכפוהו אבליו הטריח רבותיו פעם ראשונה ושניה נענה ר"ט ואמר ה) ואחיכם כל בית ישראל יבכו את השריפה והלא דברים ק"ו ומה נדב ואביהוא שלא עשו אלא מצוה אחת דכתיב ו) ויקריבו בני אהרן את הדם אליו כך בניו של ר' ישמעאל על אחת כמה וכמה נענה ר' יוסי הגלילי ואמר ז) וספדו לו כל ישראל וקברו אותו והלא דברים ק"ו ומה אביה בן ירבעם שלא עשה אלא דבר אחד טוב דכתיב ביה ז) יען נמצא בו דבר טוב כך בניו של ר' ישמעאל על אחת כמה וכמה מאי דבר טוב ר' זירא ור' חיננא בר פפא חד אמר שביטל ה) משמרתו ועלה לרגל וחד אמר שביטל פרדסאות שהושיב ירבעם אביו על הדרכים שלא יעלו ישראל לרגל נענה ר' אלעזר בן עזריה ואמר ח) בשלום תמות ובמשרפות אבותיך המלכים הראשונים [אשר היו לפניך כן] ישרפו לך והלא דברים ק"ו ומה צדקיהו מלך יהודה שלא עשה אלא מצוה אחת שהעלה ירמיה מן הטיט כך בניו של ר' ישמעאל על אחת כמה וכמה נענה ר"ע ואמר ט) ביום ההוא יגדל המספד בירושלם כמספד הדדרימון [בבקעת מגידו] ו) ואמר רב יוסף אלמלא ז) תרגומיה דהאי קרא לא הוה ידענא מאי קאמר בעידנא ההוא יסגי מספדא בירושלם כמספדא דאחאב בר עמרי דקטל יתיה הדדרימון בר טברימון וכמספד דיאשיה בר אמון דקטל יתיה פרעה חגירא בבקעת מגידו והלא דברים ק"ו ומה אחאב מלך ישראל שלא עשה אלא דבר אחד טוב דכתיב י) והמלך היה מעמד במרכבה נכח ארם כך בניו של ר' ישמעאל על אחת כמה וכמה א"ל רבא לרבה בר מרי כתיב ביה בצדקיהו בשלום תמות וכתיב כ) ואת עיני צדקיהו עור א"ל הכי א"ר יוחנן שמת נבוכדנאצר בימיו ואמר רבא לרבה בר מרי כתיב ביה ביאשיהו ל) לכן הנני אוסיפך על אבותיך ונאספת אל קברותיך בשלום וכתיב מ) ויורו היורים למלך יאשיהו ח) ואמר רב יהודה אמר רב שעשאוהו ככברה א"ל הכי א"ר יוחנן שלא חרב בית המקדש בימיו א"ר יוחנן ב) אין מנחמין רשאין לומר דבר עד שיפתח אבל שנאמר ט) ג) נ) אחרי כן פתח איוב את פיהו והדר ס) ויען אליפז התימני י) א"ר אבהו ג) מנין לאבל שמיסב בראש שנאמר ע) אבחר דרכם ואשב ראש ואשכון כמלך בגדוד כאשר אבלים ינחם אחריני משמע אמר רב נחמן בר יצחק ינחם כתיב מר זוטרא אמר מהכא פ) וסר מרזח סרוחים מרזח נעשה שר לסרוחים אמר ר' חמא בר חנינא מנין לחתן שמיסב בראש שנאמר צ) כחתן יכהן פאר מה כהן בראש אף חתן בראש וכהן גופיה מנלן כ) דתנא דבי ר' ישמעאל ק) וקדשתו ד) לכל דבר שבקדושה ל) לפתוח ראשון ולברך ראשון וליטול מנה יפה ראשון א"ר חנינא קשה יציאת נשמה מן הגוף כציפורי

מתני' מ) בלא פירוש: **גמ'** לחבילא. חבלא: **גוד גרמא מכבא.** נפלו הלחיים: **נמטו מיא לאמטיכי.** כלומר הדרי מיא למפרע כלפי למעלה: **שייול איצטלא דמלתא.** כלומר יפה מיתה כמלבוש של מילת: **דשלימו זוודיה.** שכלו לו מזונותיו שהוא עני: **עטוף.** חושך: **אזבזגי.** קנייה: **מותא.** כל אדם מת: (מרעא חבילא). **מרעין חיבולייא.** האיסורין הן בבית: **דידל ידלוניה.** כלומר מגביהין בהספד למי שמגביה קולו להספד אחרים: **הטריח רבותיו.** שבאין לנחמו: **משמרתו.** שהושיב ירבעם שלא לעלות לרגל: **מעמד במרכבה.** שלא יכשלו: **ינחם אחרים משמע.** שמנחמין יושבין בראש: **סרוחים.** לשון רגיס: **לפתוח בראש.** לקרות בס"ת: **ולברך.** ברכת המזון: כלי פורי

בלע המות. כדי לסיים בדבר הטוב משום דמועד קטן הוא סוף סדר מועד ומה"ט מתרץ הרב רבי יעקב מאורליינ"ש הא דאתחיל סדר נשים בט"ו נשים אע"ג דאתחיל בפורענותא לא מתחיל כדאמרינן בים נוחלין (ב"ב דף קח.) ותירץ דסומכין פורענות למועד קטן אלא פורענות דיבמות דסמכין פורענותא לפורענותא ונחמתא לנחמתא י):

צדקיהו מלך יהודה. לדיק גמור היה ס) אבל במקרא לא מלינו יותר כי אם שלוה להעלות ירמיהו מן הטיט:

ינחם כתיב. בכתובות (דף סט:ע) פירשנו בענין אחר שלא כפירוש הקונטרס דהכא:

וליטול מנה יפה ראשון. פי' יש לישראל ליתן לו אבל הוא אין לו ליטול כדאמרינן פ' מקום שנהגו (פסחים דף נ:) הנותן עיניו בחלק יפה כו' מיהו נראה לי דכהן כיון שזהו דינו יכול לראות סימן ברכה ואע"פ שאומרים בפ' הזרוע (חולין קלג.) ונתן ולא שיטול מעצמו אין זה לוקח מתנות כי אם רואה שפיר מה שהוא רוצה ואומר ליתן לו:

[וע' תוס' גיטין נט: בד"ה וליטול מנה]

הדרן עלך ואלו מגלחין

וסליקא לה מסכת מועד קטן

עין משפט
נר מצוה

רלו א מיי' פ"ו מהלכות י"ט הלכה כד ופי"א מהל' אבל הלכה ד סמג עשין ג טוש"ע א"ח סי' תקמז סעיף ג וטוש"ע י"ד סי' תא סעיף ה:

רלז ב ג מיי' פי"ג מהלכות אבל הלכה ג סמג עשין ג טוש"ע י"ד סי' שעו סעיף א:

רלח ד מיי' פ"ד מהל' כלי המקדש הלכה ב טוש"ע א"ח סי' קסז סעיף יד בהג"ה וסי' רא סעיף ב:

רבינו חננאל

מתני' נשים במועד מענות אבל לא מטפחות מאי אמרן. אמר רבא ויי לאזלא ויי לחבלא. פירוש נשי דשכנציב היו חכמות והיו מענות ואומרות אוי להולך כדכתיב כי הולך האדם אל בית עולמו וסבבו וגו' ואוי למי שהוא ממושכן ונתבע לשלם הפקדון שאצלו. כלומר האדם מתמשכן להשלים רוחו שהוא אצלו פקדון לבעליה. פי' חבלא משכון. פירוש גוד גרמא מכבא ונמטי מיא לאנטוכיא חתוך המאכל מן השיניים ויגיע חמות המים באנטיכי. כלומר כיון שנחתך המאכל מפי החולה בוערת בו חמות ומחממת מי רגליו כחמות אנטיכי. דתנן אנטיכי אע"פ שגרופה אין שותין הימנה מפני שמחממת הרבה. פי' שייול אצטלא דמלתא לבר חורי דשלימו זוודיה. כלומר דומה כאצטלא של מילת לבנה לבן טובים שירד מנכסיו. ושלמה הצידה שלו הקבורה טובה לו מחיים. ויש שאומרים מי שאין לו בגדים ללבוש ישאל וילך ללות בן טובים של מת ושלמו ימי חייו. עטוף וכסוי טורי דבר רברבי ובר רמי הוה. פי' כמו אדם האומר להרים התעטפו והתכסו במלבושיכם הנאים כי זה האיש הבא להקבר אצלכם בן גדולים הוא. וי"א לבני אדם אומרים התעטפו והתכסו במלבושיכן ועמדו על ההרים וכסו אותן בשעת קבורתו כי בן גדולים ורמים הוא. אחאנא תגרי דעל זבוגי מיבדקי. פי' אחינו התגרים שעל קניינם מיבדקי. כלומר במקום סחורתן נבדקין הנאמנים הם אם לאו. כמו שאומרים (בעירובין סה) בג' דברים אדם ניכר בכוסו בכיסו ובכעסו. רהיט ונפיל א) בר אודי ואמבדי יוזפתא יזיף. פי' רץ בכל כחו ונופל בין האובדים ועל המעברות מלוה לוה. פי' כמו משל הוא. כלומר אע"פ שאדם רץ בכל כחו כל ימיו כשנופל בין האובדים בין אובדי הדרכים. או כשיגיע לעבור בנהר מתחנן למי שמעבירו ואם אין לו נוטל בהלואה ואינו מוצא. מותא כי מותא. ומרעא חבוליא. פי' המות של זה כמיתת כל אדם. ואריכות חוליו תוספת כמו הרבית על המלוה. שיש מי שפורע חובו היא המלוה שנתנה לו ודיו. ויש מי שפורע ב) המלוה היא נשמתו ותוספת על נשמתו צער חליו. תניא היה ר"מ אומר מ"ד טוב ללכת את בית אבל וגו' והחי יתן אל לבו דברים של מיתה. דיספד יספדוניה דיקבר יקברוניה דטעון יטעוניה דידל ידלוניה. איכא דאמרי לא ידל דאדלוניה כדכתיב כי טוב אמר לך עלה הנה מהשפילך לפני נדיב אשר ראו עיניך. כשמתו בניו של ר' ישמעאל נכנסו ד' זקנים לנחמו. ר' יוסי הגלילי. ור' אלעזר בן עזריה ור' עקיבא ור' טרפון. אמר להן ר' טרפון ראו כי חכם גדול ובקי בהגדות הוא אל יכנס אחד לתוך דברי חבירו אמר להן ר' עקיבא ואני אחרון. פתח ר' ישמעאל ואמר רבו עונותיו תכפוהו אבליו הטריח רבותיו פעמים רבות. נענה ר"ט ואמר ואחיכם כל בית ישראל יבכו את השרפה וגו' ומה בני אהרן שלא עשו אלא מצוה אחת שנאמר ויקריבו בני אהרן את הדם אליו. בניו של רבי [ישמעאל] עאכו"כ שחייבין כל ישראל לבכותם. ראב"ע אומר שחייבין כל ישראל לבכות מהכא שנאמר בשלום תמות ובמשרפות אבותיך המלכים הראשונים אשר היו לפניך כן ישרפו לך הוי אדון יספדו לך וגו' והלא דברים ק"ו ומה צדקיה שלא עשה אלא מצוה אחת שהעלה ירמיה מן הטיט זכה לכך. בניו של ר' עאכו"כ. ריה"ג אומר מהכא וספדו לו כל ישראל וקברו אותו כי זה לבדו יבא לירבעם אל קבר יען נמצא בו דבר טוב. והלא דברים ק"ו ומה אביה בן ירבעם שלא עשה אלא דבר אחד שביטל משמרתו ועלה לרגל. וי"א שביטל פרדסאות שהושיב ירבעם שלא יעלו ישראל לרגל כך. בניו של ר' שעשו כמה מצות עאכו"כ. ר"ע אומר מהכא ביום ההוא יגדל המספד בירושלם כמספד הדרימון בבקעת מגידו. ואמר רב יוסף אלמלא תרגומא דהאי קרא לא הוינן ידעי מאי קאמר בעידנא ההיא יסגא מספדא בירושלם כמספד אחאב דקטל יתיה הדרימון בן טברימון. וכמספד יאשיהו בן אמון דקטל יתיה פרעה חגירא בבקעת מגידו. ומה זה שלא עשה אלא דבר אחד דכתיב והמלך היה מעמד במרכבה נוכח ארם עד הערב החזיק בעצמו שלא יאמרו גוסס הוא ויברחו ישראל ותחלת נפילה ניסה בניו של ר' עאכו"כ שכל ישראל חייב לספוד ולבכות עליהם. א"ל רבא לרבה בר מרי כתיב ביה בצדקיהו

חשק שלמה על ר"ח א) אולי צ"ל בין אובדי ואמעברי וכו'. ב) נראה דל"ל ויש מי שפורע גם רבית המלוה היא נשמתו וכו'.

מסורת הש"ס

א) מגילה ג:, ב) [בערוך ערך גד שני נמצא פירוש ע"ז], ג) [כאדם האומר להרים התעטפו והתכסו במלבושים נאים כי זה האיש הבא להקבר אצלכם בן גדולים הוא. ערוך], ד) נדרים פג: כתובות עב., ה) [שהושיבו אביו שומר שלא יעלה איש לרגל ובטל משמרתו ועלה. ז"ל רש"י במלכים], ו) מגילה ג., ז) [ועי' תוס' ב"ק ג: ד"ה כדמתרגם], ח) תענית כב: [סנהדרין מח:], ט) [ואין דובר אליו דבר וכתיב אחרי כן פתח איוב את פיהו וענו חביריו כך מצאתי הגי' בתורת האדם להרמב"ן ז"ל], י) כתובות סט., כ) הוריות יב: נדרים סב. גיטין נט:, ל) [עי' תוס' חולין פז. ד"ה וחייבו], מ) פרש"י על כל עמוד זה תמצא בעין יעקב ע"ש, נ) [כדאיתא ב"ב יד:], ס) [שבת קמט: ערכין יז.], ע) [בד"ה אמר ר"נ].

הגהות מהר"ב רנשבורג

א] גמ' אמר רב ויי לאזלא ויי לחבילא. פי' אוי לה להליכה כזו שאינה חוזרת ואוי לה למשאוי כזה שנושאים את המת. פ"א אוי להולך לממושכנים עליו: **ב] שם עטוף וכסו טורא.** פי' התעטפו והתכסו ההרים בחשך שבן גדולים ובן גבוהים היה המת הזה: **ג] שם רהיט ונפיל אמעברא ויזופתא יזיף.** פי' רהיט תגר וטרחן היה כל ימיו ועכשיו נפל ריקם בלי ממון אמעברא כשביקש לעבור מן העולם וצריך ללוות ממון לתכריכין: **ד] שם אחנא תגרי אזבזגי מיבדקו.** פי' אחינו הסוחרים דאזובזגי מיבדקו באחריתם נראה עשרם כגון זה שאין לו עכשיו במה לקבור ועל מת עני אומרים אותו כדי שירחמו עליו. מע"י קטן: **ה] שם מותא כי מותא ומרעין חיבוליא.** פי' דמיתתו היה כמיתת כל אדם שהכל מתים. אמנם מרעין חיבוליא שיסורים קשים הו"ל יותר משאר ב"א. ג"ז מצאתי בע"י קטן. ונלע"ד לפ"ז דברש"י בד"ה מרעא חבילא וכו' צ"ל היסורין הן בבית עכ"ל וכל"ל ופי' דבריו דהיסורים הם בפנים ואינן ניכרין אף דמיתתו היתה שלימה כמיתת אחרים ודו"ק:

תורה אור השלם

א) כִּי שְׁמַעְנָה נָשִׁים דְּבַר יְיָ וְתִקַּח אָזְנְכֶם דְּבַר פִּיו וְלַמֵּדְנָה בְנוֹתֵיכֶם נֶהִי וְאִשָּׁה רְעוּתָהּ קִינָה: [ירמיה ט, יט] ב) בִּלַּע הַמָּוֶת לָנֶצַח וּמָחָה אֲדֹנָי אֱלֹהִים דִּמְעָה מֵעַל כָּל פָּנִים וְחֶרְפַּת עַמּוֹ יָסִיר מֵעַל כָּל הָאָרֶץ כִּי יְיָ דִּבֵּר: [ישעיה כה, ח] ג) טוֹב לָלֶכֶת אֶל בֵּית אֵבֶל מִלֶּכֶת אֶל בֵּית מִשְׁתֶּה בַּאֲשֶׁר הוּא סוֹף כָּל הָאָדָם וְהַחַי יִתֵּן אֶל לִבּוֹ: [קהלת ז, ב] ד) כִּי טוֹב אֲמָר לְךָ עֲלֵה הֵנָּה מֵהַשְׁפִּילְךָ לִפְנֵי נָדִיב אֲשֶׁר רָאוּ עֵינֶיךָ: [משלי כה, ז] ה) וַיֹּאמֶר מֹשֶׁה אֶל אַהֲרֹן וּלְאֶלְעָזָר וּלְאִיתָמָר בָּנָיו רָאשֵׁיכֶם אַל תִּפְרָעוּ וּבִגְדֵיכֶם לֹא תִפְרֹמוּ וְלֹא תָמֻתוּ וְעַל כָּל הָעֵדָה יִקְצֹף וַאֲחֵיכֶם כָּל בֵּית יִשְׂרָאֵל יִבְכּוּ אֶת הַשְּׂרֵפָה אֲשֶׁר שָׂרַף יְיָ: [ויקרא י, ו] ו) וַיַּקְרִבוּ בְּנֵי אַהֲרֹן אֶת הַדָּם אֵלָיו וַיִּטְבֹּל אֶצְבָּעוֹ בַּדָּם וַיִּתֵּן עַל קַרְנוֹת הַמִּזְבֵּחַ וְאֶת הַדָּם יָצַק אֶל יְסוֹד הַמִּזְבֵּחַ: [ויקרא ט, ט] ז) וְסָפְדוּ לוֹ כָל יִשְׂרָאֵל וְקָבְרוּ אֹתוֹ כִּי זֶה לְבַדּוֹ יָבֹא לְיָרָבְעָם אֶל קָבֶר יַעַן נִמְצָא בוֹ דָּבָר טוֹב אֶל יְיָ אֱלֹהֵי יִשְׂרָאֵל בְּבֵית יָרָבְעָם: [מלכים א' יד, יג] ח) בְּשָׁלוֹם תָּמוּת וּבְמִשְׂרְפוֹת אֲבוֹתֶיךָ הַמְּלָכִים הָרִאשֹׁנִים אֲשֶׁר הָיוּ לְפָנֶיךָ כֵּן יִשְׂרְפוּ לָךְ וְהוֹי אָדוֹן יִסְפְּדוּ לָךְ כִּי דָבָר אֲנִי דִבַּרְתִּי נְאֻם יְיָ: [ירמיה לד, ה] ט) בַּיּוֹם הַהוּא יִגְדַּל הַמִּסְפֵּד בִּירוּשָׁלִַם כְּמִסְפַּד הֲדַדְ רִמּוֹן בְּבִקְעַת מְגִדּוֹן: [זכריה יב, יא] י) וַתַּעֲלֶה הַמִּלְחָמָה בַּיּוֹם הַהוּא וְהַמֶּלֶךְ הָיָה מָעֳמָד בַּמֶּרְכָּבָה נֹכַח אֲרָם וַיָּמָת בָּעֶרֶב וַיִּצֶק דַּם הַמַּכָּה אֶל חֵיק הָרָכֶב: [מלכים א' כב, לה] כ) וְאֶת עֵינֵי צִדְקִיָּהוּ עִוֵּר וַיַּאַסְרֵהוּ בַּנְחֻשְׁתַּיִם לָבִיא אֹתוֹ בָּבֶלָה: [ירמיה לט, ז] ל) לָכֵן הִנְנִי אֹסִפְךָ עַל אֲבֹתֶיךָ וְנֶאֱסַפְתָּ אֶל קִבְרֹתֶיךָ בְּשָׁלוֹם וְלֹא תִרְאֶינָה עֵינֶיךָ בְּכֹל הָרָעָה אֲשֶׁר אֲנִי מֵבִיא עַל הַמָּקוֹם הַזֶּה וַיָּשִׁיבוּ אֶת הַמֶּלֶךְ דָּבָר: [מלכים ב' כב, כ] מ) וַיֹּרוּ הַיֹּרִים לַמֶּלֶךְ יֹאשִׁיָּהוּ וַיֹּאמֶר הַמֶּלֶךְ לַעֲבָדָיו הַעֲבִירוּנִי כִּי הָחֳלֵיתִי מְאֹד: [דברי הימים ב' לה, כג] נ) אַחֲרֵי כֵן פָּתַח אִיּוֹב אֶת פִּיהוּ וַיְקַלֵּל אֶת יוֹמוֹ: [איוב ג, א] ס) וַיַּעַן אֱלִיפַז הַתֵּימָנִי וַיֹּאמַר: [איוב ד, א] ע) אֶבְחַר דַּרְכָּם וְאֵשֵׁב רֹאשׁ וְאֶשְׁכּוֹן כְּמֶלֶךְ בַּגְּדוּד כַּאֲשֶׁר אֲבֵלִים יְנַחֵם: [איוב כט, כה] פ) לָכֵן עַתָּה יִגְלוּ בְּרֹאשׁ גֹּלִים וְסָר מִרְזַח סְרוּחִים: [עמוס ו, ז] צ) שׂוֹשׂ אָשִׂישׂ בַּייָ תָּגֵל נַפְשִׁי בֵּאלֹהַי כִּי הִלְבִּישַׁנִי בִּגְדֵי יֶשַׁע מְעִיל צְדָקָה יְעָטָנִי כֶּחָתָן יְכַהֵן פְּאֵר וְכַכַּלָּה תַּעְדֶּה כֵלֶיהָ: [ישעיה סא, י] ק) וְקִדַּשְׁתּוֹ כִּי אֶת לֶחֶם אֱלֹהֶיךָ הוּא מַקְרִיב קָדֹשׁ יִהְיֶה לָּךְ כִּי קָדוֹשׁ אֲנִי יְיָ מְקַדִּשְׁכֶם: [ויקרא כא, ח]

רש"י כת"י

מטפחות בראשי חדשים. [על לבן] מספקות כף אל כף. **קינה ועינוי.** כדמפרש בסמוך. **אשה רעותה קינה.** ומדכתיב ולמדנה בנותיכם נהי אלמא זאת אומרת קינה וחבירתה עונה. **אבל לעתיד לבוא ובלע המות [לנצח] ומחה ד' דמעה מעל כל פנים.** [שיבלע הקב"ה את המות וכולן עונות שירה שאין מיתה ואין דמעה] והאי דנקט אבל לעתיד לבוא משום דלא תעמוד בדבר רע מפני שזה סיום [נ"א - סילוק] כל סדר מועד לסדר המשנה מועד קטן בסוף כל המועד. *[**מאי אמרן.** נשים כשהן מענות. **ויי לאזלא ויי לחבילא.** אוי לה להליכה כזאת שאינה חוזרת ואוי למשוי כזה שנושאים את המת. **גוד גרמא מכבא.** נפלו הלחיים. **ונמטי מיא לאנטיכי.** כלומר הדרי מיא למפרע כלפי מעלה. **שייול.** גולל בלשון נשי דשכנציב. [המשך בדף כח:]

אָמַר רַבִּי יוֹחָנָן – R' Yochanan said: אֵין מְנַחֲמִין רַשָּׁאִין לוֹמַר דָּבָר עַד שֶׁיִּפְתַּח אָבֵל – Those who come to console a mourner are not allowed to speak until the mourner begins; שֶׁנֶּאֱמַר – for it is stated regarding the friends of Job who came to console him: ,,אַחֲרֵי־כֵן פָּתַח אִיּוֹב אֶת־פִּיהוּ'' – *They sat with him on the ground for seven days . . . no one said a word to him . . .* ***After that, Job opened his mouth.***[61] וְהָדַר – And subsequently it is written: ,,וַיַּעַן אֱלִיפַז הַתֵּימָנִי'' – ***Eliphaz the Temanite then spoke up.***[62]

A related law:

אָמַר רַבִּי אַבָּהוּ – R' Abahu said: מִנַּיִן לְאָבֵל שֶׁמֵּיסֵב בָּרֹאשׁ – From where do we know that the mourner reclines at the head?[63] שֶׁנֶּאֱמַר – For it is stated: ,,אֶבְחַר דַּרְכָּם וְאֵשֵׁב רֹאשׁ וְאֶשְׁכּוֹן כְּמֶלֶךְ בַּגְּדוּד כַּאֲשֶׁר אֲבֵלִים יְנַחֵם'' – ***I would choose their way; I would sit at the head, I would rest like a king among his troops, as one who consoles*** *[yenacheim]* ***mourners.***[64]

The Gemara asks:

,,יְנַחֵם'' אַחֲרִינֵי מַשְׁמַע – But *yenacheim* means one who consoles others. Thus, it refers not to the mourner himself, but to those who console him. It is they who sit at the head!

The Gemara answers:

אָמַר רַב נַחְמָן בַּר יִצְחָק – Rav Nachman bar Yitzchak said: יְנֻחַם כְּתִיב – It is written *yinacheim,* which means "he will be comforted," referring to the mourner.[65] The verse may thus be interpreted to mean that the mourner sits at the head.

An alternative source for this law:

מַר זוּטְרָא אָמַר מֵהָכָא – Mar Zutra said that it is derived from here: ,,וְסָר מִרְזַח סְרוּחִים'' – ***excessive mourning will approach,***[66] which can be rendered to mean: מִרְזָח נַעֲשֶׂה שַׂר לִסְרוּחִים – The mourner becomes prince of the exalted ones [who come to console him].[67]

A parallel law:

אָמַר רַבִּי חָמָא בַּר חֲנִינָא – R' Chama bar Chanina said: מִנַּיִן לְחָתָן שֶׁמֵּיסֵב בָּרֹאשׁ – From where do we know that a bridegroom reclines at the head of the table?[68] שֶׁנֶּאֱמַר – For it is stated: ,,כֶּחָתָן יְכַהֵן פְּאֵר'' – ***like a bridegroom who is as splendid as a Kohen.***[69] This verse draws an analogy between a bridegroom and a Kohen, which teaches that מָה כֹּהֵן בָּרֹאשׁ – just as a Kohen sits at the head, אַף חָתָן בָּרֹאשׁ – so too does a bridegroom sit at the head.

The Gemara asks:

וְכֹהֵן גּוּפֵיהּ מְנָלַן – And from where do we know that the Kohen himself sits at the head? דְּתָנָא דְּבֵי רַבִּי יִשְׁמָעֵאל – For a Baraisa was taught in the academy of R' Yishmael, which interprets the following verse: ,,וְקִדַּשְׁתּוֹ'' – *YOU SHALL SANCTIFY HIM . . . and he shall be holy to you.*[70] This verse teaches that the Kohen takes precedence לְכָל דָּבָר שֶׁבִּקְדוּשָּׁה – FOR EVERY MATTER OF SANCTITY, including: לִפְתּוֹחַ רִאשׁוֹן – TO BEGIN reading the Torah FIRST.[71] וּלְבָרֵךְ רִאשׁוֹן – TO RECITE THE BLESSING FIRST at a meal,[72] וְלִיטּוֹל מָנָה יָפָה רִאשׁוֹן – AND TO TAKE A PREFERRED PORTION FIRST.[73]

Another teaching about death:

אָמַר רַבִּי חֲנִינָא – R' Chanina said: קָשָׁה יְצִיאַת נְשָׁמָה מִן הַגּוּף – The departure of the soul from the body is as severe

---

הַמְנַחֲמִין רַשָּׁאִין לֵישֵׁב אֶלָּא עַל גַּבֵּי קַרְקַע – **Those who console** a mourner **are not permitted to sit except on the ground,** שֶׁנֶּאֱמַר – **for it is stated:** ,,וַיֵּשְׁבוּ אִתּוֹ לָאָרֶץ'' – ***They sat with him on the ground*** (*Job* 2:13). [This is the reading presented by *Rif, Rosh, Rabbeinu Chananel* et al.; see *Beur HaGra, Yoreh Deah* 387:2.]

61. *Job* 2:14. In a different version of the text, the Gemara also quotes the words: ,,וְאֵין־דֹּבֵר אֵלָיו דָּבָר, *No one said a word to him* (ibid. v. 13). See the marginal gloss, *Rif* and *Rosh*.

62. Ibid. 4:1. Eliphaz remained silent until Job had spoken.

63. When people console a mourner, they must seat him at the head.

64. Ibid. 29:25. Job longs for his bygone days of respect and comfort. [The derivation from the verse is explained below.]

65. The actual reading is יְנַחֵם, *he will console.* The text, however, is not vocalized; therefore, it can be read יְנֻחַם, *he will be consoled.* If Scripture sought to clarify that it refers only to those who console, it would have stated מְנַחֵם, *consoler,* with a מ. By using the ambiguous spelling ינחם (which could be read either יְנַחֵם, *he will console,* or יְנֻחַם, *he will be consoled*), the verse signals that it could be interpreted as speaking of the mourner (see *Tosafos* to *Kesubos* 69b; see also *Ritva* here; cf. *Rashi* ibid.).

66. *Amos* 6:7. סָר means *approach,* as in the verse: אָסֻרָה־נָּא וְאֶרְאֶה, *I will approach and see* (*Exodus* 3:3). מִרְזָח denotes mourning or a mourner (*Radak;* cf. *Rashi* ad loc. and *Ibn Ezra*). [The Gemara (*Kesubos* 69b) divides this word into two: מַר וְזָח, *bitter and disturbed* (see *Rabbeinu Chananel*).]

סְרוּחִים signifies excess, as we find elsewhere: וְסֶרַח הָעֹדֵף, *the excess of the overhang* [*Exodus* 26:12] (*Metzudos*).

67. סָר is homiletically read as שַׂר, *prince.* In this interpretation, סְרוּחִים (literally: excessive ones) is understood as referring to the nobility and aristocracy who come to console a mourner – even they must accord him honor and seat him at the head (see *Rashi* to *Kesubos* 69b with *Hagahos Yavetz*).

68. Deference should be shown to one who is experiencing intense emotion, whether sorrow, as in the case of a mourner, or joy, as in the case of a bridegroom (*Meiri*).

69. *Isaiah* 61:10.

70. *Leviticus* 21:8. The verse's concluding phrase, *he shall be holy to you,* teaches that the Kohen's sanctity places him first in every respect (*Rashi* ad loc.). This applies not only to matters of ritual, but to any situation in which an order of precedence must be determined (see *Rosh* to *Nedarim* 62a ד״ה לכל).

71. A Kohen reads first from the Torah scroll in the synagogue (*Rashi*); he is followed by a Levi and then a Yisrael (*Mishnah, Gittin* 59a).

Alternatively, the Baraisa means that a Kohen opens every assemblage with the first address, whether the assemblage was convened for Torah study or for other purposes (*Rashi* to *Gittin* 59b).

72. The Kohen leads *Bircas HaMazon* [Grace After Meals] (*Rashi;* see *Shulchan Aruch, Orach Chaim* 201:2). He also recites the blessing of *hamotzi* on the bread at the beginning of the meal (*Rashi* ibid.), in a case where the master of the house is not present (see *Rama, Orach Chaim* 167:14).

73. When an item must be divided by a Yisrael (or Levi) and a Kohen, they apportion it into equal shares and the Yisrael is then obligated to let the Kohen take the portion that he favors (*Rashi* ibid.; see *Tosafos* and *Ritva;* see also *Magen Avraham* 201:4).

כְּצִיפּוֹרֵי בְּפִי הַוּוֹשֶׁט – **as knotted ropes** pulled **through a hole.**[1]

A different version of this teaching:

רַבִּי יוֹחָנָן אָמַר – **R' Yochanan says:** כִּפְטִירֵי בְּפִי וֵושֶׁט – **It is like cables** pulled **through a hole.**[2]

The correct words to say when taking leave of either a deceased or living person:

וְאָמַר רַבִּי לֵוִי בַּר חַיְתָא – **And**[3] **R' Levi bar Chayasa said:** הַנִּפְטָר מִן הַמֵּת – **One who parts from a dead person**[4] לֹא יֹאמַר לוֹ לֵךְ לְשָׁלוֹם – **should not say to him "Go to peace,"** אֶלָּא לֵךְ בְּשָׁלוֹם – **but "Go in peace."**[5] הַנִּפְטָר מִן הַחַי – **One who parts from a living person,** לֹא יֹאמַר לוֹ לֵךְ בְּשָׁלוֹם – **should not say to him "Go in peace,"** אֶלָּא לֵךְ לְשָׁלוֹם – **but "Go to peace."**[6]

The Scriptural sources:

הַנִּפְטָר מִן הַמֵּת – **One who parts from a dead person** לֹא יֹאמַר לוֹ לֵךְ לְשָׁלוֹם – **should not say to him "Go to peace,"** אֶלָּא לֵךְ בְּשָׁלוֹם – **but "Go in peace,"** שֶׁנֶּאֱמַר – **for it is stated** in a prophecy regarding the death of Abraham: "וְאַתָּה תָּבוֹא אֶל־אֲבֹתֶיךָ בְּשָׁלוֹם" – ***You shall come to your ancestors in peace.***[7] הַנִּפְטָר מִן הַחַי – **One who parts from a living person** לֹא יֹאמַר לוֹ לֵךְ בְּשָׁלוֹם – **should not say to him "Go in peace,"** אֶלָּא לֵךְ לְשָׁלוֹם – **but "Go to peace,"** שֶׁהֲרֵי דָּוִד שֶׁאָמַר לְאַבְשָׁלוֹם "לֵךְ בְּשָׁלוֹם" – **for when David said to Absalom, *"Go in peace,"***[8] הָלַךְ וְנִתְלָה – **he went and was hanged,**[9] יִתְרוֹ שֶׁאָמַר לְמֹשֶׁה "לֵךְ לְשָׁלוֹם" – **but when Yisro said to Moses, *"Go to peace,"***[10] הָלַךְ וְהִצְלִיחַ – **he went and was successful.**

A related teaching:

וְאָמַר רַבִּי לֵוִי – **And R' Levi said:** כָּל הַיּוֹצֵא מִבֵּית הַכְּנֶסֶת לְבֵית הַמִּדְרָשׁ – **Whoever goes** directly **from the synagogue to the study hall**[11] וּמִבֵּית הַמִּדְרָשׁ לְבֵית הַכְּנֶסֶת – **and from the study hall to the synagogue**[12] זוֹכֶה וּמְקַבֵּל פְּנֵי שְׁכִינָה – **will merit to greet the face of the Divine Presence.** שֶׁנֶּאֱמַר – **As it is stated:** "יֵלְכוּ מֵחַיִל אֶל־חָיִל יֵרָאֶה אֶל־אֱלֹהִים בְּצִיּוֹן" – ***They go from multitude to multitude, [each] appears before God in Zion.***[13] This refers to the "multitudes" in the synagogue and the "multitudes" in the study hall. One who goes directly from one place to the other will merit to appear before God in Zion.[14]

A similar teaching based on this verse:

אָמַר רַב חִיָּיא בַּר אַשִׁי אָמַר רַב – **Rav Chiya bar Ashi said in the**

NOTES

1. I.e. it is like the removal of a knotted rope from the mast of a ship (*Rashi*). [A rope is passed through a ring attached to the mast (*R' Shlomo ben HaYasom*), and a knot is tied in its end to prevent it from slipping out. Thus, the rope can be removed only by exerting force. So too when a person dies, his soul is removed from his body in a forceful and painful way.]

In this context, פִּי וֶשֶׁט (literally: opening of a gullet) means a hole that is round *like* the opening of a gullet (*Rashi* to *Berachos* 8a).

2. פְּטִירֵי are cables used to connect two ships (*Rashi*).

An alternative explanation: Some ships were made without any metal nails. In their place, ropes were threaded through holes in the ship's wooden sections to attach one section to the other. These ropes completely filled the holes and had to be inserted with force (*Rashi* to *Berachos* ibid.).

We learned above (28a) that the departure of the soul from the body can be as painless as the removal of a hair from milk. That referred to the death of the righteous, whereas the Gemara here speaks of ordinary people (*Maharsha*). *R' E. E. Dessler* explains that the severity of an individual's death is dependent on his righteousness, because a truly spiritual person has little connection to the physical world. He happily accepts the decree to divest himself of his bodily garment. However, a wicked person, who spent his life indulging in the physical pleasures of this world, experiences death as being inherently difficult (*Michtav MeEliyahu* IV, p. 169).

3. A marginal gloss deletes the conjunctive ו, *and* [because R' Levi bar Chayasa was not quoted above].

4. When a coffin carrying a dead person was brought from one place to another for burial, the people of the city from which it was being taken would accompany it to the next city, whose residents would relieve them [and in turn accompany the coffin to a third city, and so on until it reached its destination]. Before each group returned home, they would beg leave of the departed (*Rashi* to *Berachos* 64a).

5. As long as a person is alive, he can still perform the will of God with his every deed and thought, constantly earning additional reward in the eternal peace of the World to Come. Once he has died, however, he is no longer capable of attaining reward. In this sense, he is already "in" the peace he earned in his lifetime (*HaKoseiv* [*Ein Yaakov*] to *Berachos* 64a; *Maharal, Nesivos Olam* v. 1, p. 216; see *Ritva;* cf. *Maharsha* to *Berachos* ibid and *Nimukei Yosef* ד״ה לך בשלום).

Consequently, one should not say to the departed "Go *to* peace," because one thereby implies that he has not yet earned ultimate peace, but must still strive to obtain it (*HaKoseiv* ibid.), or that he must first undergo various tribulations, such as Gehinnom or transmigration of the soul [גִּלְגּוּל נְשָׁמָה] (*Birkas Rosh* to *Berachos* 64a; *Gilyonei HaShas* ibid. 19a).

6. "Go *in* peace" implies a wish to see the traveler accompanied by peace on his journey, but not to find it at his destination (*Ran, Nimukei Yosef;* see *Ritva*). One should rather say "Go *to* peace," blessing him with peace and success at his destination (*Maharsha* to *Berachos* ibid.). [Some Rishonim state that the expression "Go in peace" is not harmful except to one who regards it as such (*Ran, Nimukei Yosef;* see also *Matzeves Moshe* with *Eretz Tzvi* §171; see, however, note 9).]

Alternatively, one who says "Go *in* peace" implies that the person has already earned his full measure of Heavenly reward, and cannot add to it (see previous note). But one who says "Go *to* peace" blesses his fellow that he will increase his reward all the days of his life (*HaKoseiv* and *Maharal* ibid.; see also *Eitz Yosef* to *Tanchuma, Shemos* §21).

7. *Genesis* 15:15. God describes Abraham's death as "[coming] *in* peace" rather than "*to* peace." [This was addressed to Abraham while he was alive; nevertheless, since it speaks of his death, it is relevant to one who takes leave of a dead person.]

8. *II Samuel* 15:9. King David said these words to his son Absalom when the latter declared his intent to travel to Hebron. [Though David did not know it at the time, this journey marked the beginning of Absalom's rebellion against him.]

9. Absalom met his end when the mule he rode into battle passed beneath a tree, and his long hair became entangled in its branches. The mule continued on, and Absalom was left hanging by his hair, easy prey for the spears of King David's general, Yoav (ibid. 18:9-15).

[David certainly did not intend to curse his son. Nevertheless, his words had that effect, for "A covenant has been made with the lips" (above, 18a), i.e. anything pronounced by the lips, even if not meant, might come to pass (see also *Berachos* 19a, 60a [אַל יִפְתַּח אָדָם פִּיו לְשָׂטָן]; *Sefer Chasidim* §479). See *Ben Yehoyada* (*Berachos* 64a), who wonders why David used the improper expression.]

10. *Exodus* 4:18. Yisro said this when Moses sought his permission to leave Midian and return to Egypt.

11. That is, he pursues the study of Torah with all his energy, not wasting a minute; as soon as he finishes his prayers, he goes to study (*R' Shlomo ben HaYasom;* see *Shulchan Aruch, Orach Chaim* 155 and *Mishnah Berurah* ibid. §1).

12. When the time arrives for the Minchah prayer, he returns to the synagogue (*R' Shlomo ben HaYasom*). Thus, he is constantly engaged in the service of Heaven, whether in the form of prayer or Torah study.

13. *Psalms* 84:8. Translation follows *Maharsha* to *Berachos* 64a; see also *Rashi* and *Ibn Ezra* ad loc.

14. That is, one who devotes his every act to the service of God will certainly succeed (*Meiri* to *Berachos* 64a).

Maharsha (ibid.) understands the exposition as referring to one who always performs his devotions with a "multitude" – by praying with a congregation (as advocated in *Berachos* 8a) and by studying with a group (as advocated ibid. 63b). He will merit to join the multitude of Jews fulfilling the obligation to appear before God in the Temple on the pilgrimage festivals (*Deuteronomy* 16:16).

א) [ל"ל אמר], ב) ברכות סד. [ע"ש], ג) [ברכות סד. ע"ש], ד) ברכות שם.

כציפורי בפי הוושט רבי יוחנן אמר כפטורי בפי וושט א) ואמר ג) רבי לוי בר חיתא הנפטר מן המת לא יאמר לו לך לשלום אלא לך [א] בשלום הנפטר מן החי לא יאמר לו לך בשלום אלא לך [ב] לשלום הנפטר מן המת לא יאמר לו לך לשלום אלא לך בשלום שנאמר א) ואתה תבא אל אבותיך בשלום הנפטר מן החי לא יאמר לו לך בשלום אלא לך לשלום שהרי דוד שאמר לאבשלום ב) לך בשלום הלך ונתלה יתרו שאמר למשה ג) לך לשלום הלך והצליח ג) ואמר רבי לוי כל היוצא מבית הכנסת לבית המדרש ומבית המדרש לבית הכנסת זוכה ומקבל פני שכינה שנאמר ד) ילכו מחיל אל חיל יראה אל אלהים בציון אמר רב חייא בר אשי אמר רב ד) תלמידי חכמים אין להם מנוחה אפילו לעולם הבא שנאמר ילכו מחיל אל חיל יראה אל אלהים בציון:

הדרן עלך ואלו מגלחין וסליקא לה מסכת מועד קטן

כציפורי בפי הוושט. כחבל שיש בו קשר ויולא בקושי מן התורן: פיטורי. שקושרין שתי ספינות ביחד: ילכו מחיל אל חיל. שילכו מבית המדרש לבית הכנסת ומבית הכנסת לבית המדרש אחר יראה אל אלהים בליון יזכנו אל עליון:

הדרן עלך ואלו מגלחין

וסליקא לה מסכת מועד קטן

תורה אור השלם

א) וְאַתָּה תָּבוֹא אֶל אֲבֹתֶיךָ בְּשָׁלוֹם תִּקָּבֵר בְּשֵׂיבָה טוֹבָה: [בראשית טו, טו]

ב) וַיֹּאמֶר לוֹ הַמֶּלֶךְ לֵךְ בְּשָׁלוֹם וַיָּקָם וַיֵּלֶךְ חֶבְרוֹנָה: [שמואל ב' טו, ט]

ג) וַיֵּלֶךְ מֹשֶׁה וַיָּשָׁב אֶל יֶתֶר חֹתְנוֹ וַיֹּאמֶר לוֹ אֵלְכָה נָּא וְאָשׁוּבָה אֶל אַחַי אֲשֶׁר בְּמִצְרַיִם וְאֶרְאֶה הַעוֹדָם חַיִּים וַיֹּאמֶר יִתְרוֹ לְמֹשֶׁה לֵךְ לְשָׁלוֹם: [שמות ד, יח]

ד) יֵלְכוּ מֵחַיִל אֶל חָיִל יֵרָאֶה אֶל אֱלֹהִים בְּצִיּוֹן: [תהלים פד, ח]

[א] [רמב"ם פ"ד מהל' אבל ה"ד]:
[ב] [מג"א סי' קי סק"ט]:

רבינו חננאל

בשלום תמות. וכתיב ואת עיני צדקיהו עור. א"ל הכי א"ר יוחנן שמת נבוכדנצר בחייו. א"ל ביאשיהו כתיב לכן הנני אוסיפך (אל) [על] אבותיך [וגו'] בשלום וכתיב ויורו המורים למלך יאשיהו. ואמר רב יהודה א"ר שעשאוהו ככברה. א"ל הכי א"ר יוחנן שלא חרב ביהמ"ק בימיו. אמר רב יהודה אמר רב א) המנחמין רשאין לומר לישב אלא על הקרקע שנאמר וישבו אתו לארץ וכתיב אחרי כן פתח איוב את פיהו וגו'. ואחרי כן ויען אליפז התימני. א"ר אבהו מניין לאבל שיושב בראש שנאמר אבחר דרכם ואשב ראש ב). מר זוטרא אמר מהכא וסר מרזח סרוחים. מרזח נעשה סר לסרוחים. המרזח הוא האבל כלומר הניזח במרירות ומפורש בכתובות (דף סט). הנפטר מן המת לא יאמר לו לך לשלום אלא לך בשלום שנא' ואתה תבא אל אבותיך בשלום והנפטר מן החי לא יאמר לו לך בשלום אלא לך לשלום. שהרי דוד אמר לאבשלום לך בשלום הלך ונתלה באילן ונהרג. יתרו שאמר למשה לך לשלום הלך והצליח. א"ר חמא בר חנינא מניין לחתן שיושב בראש שנאמר כחתן יכהן פאר וגו'. מה כהן בראש דתני דבי ר' ישמעאל וקדשתו לכל דבר שבקדושה לפתוח ראשון ולברך ראשון וכו' כך חתן בראש. א"ר לוי כל היוצא מן הכנסת למדרש ומבית המדרש לבית הכנסת זוכה ומקבל פני שכינה שנאמר ילכו מחיל אל חיל יראה אל אלהים בציון:

חשק שלמה על ר"ח א) ט"ס נפל כאן בדברי רבינו וכל"ל אין המנחמין רשאין לישב אלא ע"ג קרקע שנאמר וישבו אתו לארץ ואמר רב יהודה אמר רב אין המנחמין רשאין לומר דבר עד שיפתח האבל שנאמר ואין דובר אליו דבר וכתיב אחרי כן פתח איוב וכו' וכ"ה גי' הרי"ף והרא"ש כאן וכגי' הש"ס שלפנינו חסר מימרא קמייתא דרב יהודה א"ר. ב) ל"ל ואשב ראש וגו' כאשר אבלים ינחם מר זוטרא אמר מהכא.

הדרן עלך ואלו מגלחין במועד. וסליקא לה מסכת מועד קטן בס"ד

רש"י כת"י

אצטלא דמלתא. תכריכי משי יקרים למאן אמרו הכי. **לבר חורין דשלימו זוודיה.** לבן חורין שירד מנכסיו אומרים הספד זה כדי שירחמו עליו לעשות לו ארון ותכריכין. **רהיט ונפיל וכו'.** תגר וטרחן היה כל ימיו ועכשיו נפל ריקן בלא ממון. **אחנא תגרי.** אחינו הסוחרים. **אזבזגי מיבדקו.** באחריתם נראה עשרם כגון זה שאין לו עכשיו במה ליקבר ועל מת עני אומרות אותו כדי שירחמו עליו. **ויזופתא יזיף.** עכשיו שמבקש לעבור מן העולם לריך ללות ממון לתכריכין ל"א רהיט ונפיל בדיורי בלאגה ויגון. **מותא כי מותא.** מיתתו של זה כמיתת אחרים שהכל מתים. **ומרעין חיבוליא.** אבל חיבול גדול חולי גדול היה לו ויסורים קשין יותר משאר בני אדם חיבולים (רבים) [רבית] [הגהת מהרא"ז מרגליות עיי"ש בע"ין] נחשב אליו חולי זה שנחלה חולי גדול משאר מתים. **דברים של מיתה.** וקא מפרש תלמודא מאי ניניהו דברים של מיתה. **דיספד יספדוניה.** שלא יאמר מה לי להספיד על מת שאינו קרובי אלא יחשוב בלב שאם יספוד יספדוהו. **דיטען.** אחרים לקבורה. **דידל.** המרים קול בהספד. **איכא דאמרי דלא ידל וכו'.** מי שלא מרים עלמו בגסות אבל הוא מטפל למתים מרימין לו מן השמים. **דכתיב כי טוב אמר לך עלה הנה וגו'.** טוב תעלה ברשות ולא בגאוה שלא ברשות וישפילוך וירחיקוך מאללם. **הטריח רבותיו.** שבאין לנחמו. **ראשונה ושניה.** ב' בנים מתו לו בב' פעמים. **שלא עשו אלא מצוה אחת.** ביום שמתו ועל שם אותה מלוה שעשו בו ביום שהוא היה יום הראשון למלאת ידם נאמר ואחיכם כל בית ישראל יבכו בניו של רבי שלמדו ולימדו תורה וקיימו מלות על אחת כמה וכמה שאנו ראויים לספדם. **מה אביה.** בנו של ירבעם. **שלא עשה אלא דבר אחד.** וע"ש אותה מלוה שעשה משבחו הכתוב ואומר וספדו לו כל ישראל יען נמלא בו דבר טוב. **שביטל משמרתו.** אביה בן ירבעם בטל משמרתו וגדולתו אומנות המלך. **ועלה לרגל.** ולא הקפיד על מה שהקפיד אביו דכתיב עתה תשוב הממלכה לבית דוד אם ילכו ישראל לרגל ויראו מלכות בית דוד יושבין בעזרה ואני לא אשב בעזרה שאין ישיבה בעזרה אלא למלכות בית דוד בלבד. **פרדסאות.** אורבים כדי שיבו לעולים ואביה לא הקפיד בכך וכשהגיעה משמרתו לשמור הדרך ביטלה והיו יכולין לעלות כל הרולים לעלות. **ובמשרפות אבותיך.** ששורפין על המלכים לאחר מיתתן כל כלי תשמישן. **ומה צדקיה מלך יהודה שלא עשה אלא מצוה אחת.** סמוך למיתתו וע"ש אותה מלוה שהעלה ירמיהו מן הטיט זכה למשרפות אבותיו ולמות בשלום וספדו עליו הוי אדון והאי מלוה דקא חשיב לא קאמר אלא אותן מלות שסמוך למיתה שבשביל אותן מלות זכו להספד לדקיה ונדב ואביהו הרבה מלות קיימו בישראל ואחאב נמי קיים מלות דהא אשכחן ביה מלוה דלא חשיב לה דכתיב וישם שק על בשרו וילום וישכב בשק ויהלך אט וכתיב הראית כי נכנע אחאב. **אלמלא תרגומיה וכו'.** דמשמע הספד הדדרימון בבקעת מגדו חדא מלתא הוא. **והמלך היה מעמד במרכבה נכח ארם.** אעפ"כ היה מחזיק עלמו במלחמה כדי שלא ינוסו ישראל ולא יהרגו בנוסס [רש"י בע"ין]. **שיפתח אבל.** בלערו. **אבל מיסב בראש.** כשמברין אותו יושב באמלע כדרך גדול כדמפרשינן דרך הסיבה בברכות (מו:) כילד סדר הסבה הגדול באמלע. **אבחר דרכם וכו'.** עד שלא בא עלי לער זה הייתי בוחר דרכם ואמר להם כך וכך תעשו והייתי מברר להם דרכם והייתי שוכן כמלך בגדוד וגו' **ינחם אחריני משמע.** ינחם לאחרינא דהמנחם את האבלים הוא מיסב בראש. ומשני ינחם כתיב. יו"ד ארוכה מעט דמשמע ויושב בראש כאשר יונחם כלומר כאבל המתנחם. ל"א ינחם כתיב דמשמע אבל המתנחם דסוגיא דקרא משמע להדיא טפי ינחם. **לפתוח ראשון.** בבית הכנסת בתורה או בדין. **ולברך ראשון.** ברכת המוליא וברהמ"ז בסעודה. **וליטול מנה יפה ראשון.** אם חולק עם ישראל כלום [רש"י ברי"ף]. [ע"כ שייך לדף כח:] **כציפורי בפי הושט.** כחבל שיש בו קשר ויולא בקושי מן התורן. **פיטורי.** שקושרין שתי ספינות ביחד. **אין להם מנוחה.** לשבת קאמר והולכין מגן עדן לרקיע ומרקיע לגן עדן ולשמוח שנאמר ילכו מחיל אל חיל יראה אל אלהים בציון [רש"י בע"ין].*.

name of Rav: תַּלְמִידֵי חֲכָמִים אֵין לָהֶם מְנוּחָה אֲפִילּוּ לָעוֹלָם הַבָּא – **Torah scholars have no rest even in the World to Come.**[15] שֶׁנֶּאֱמַר – **As it is stated:** ,,יֵלְכוּ מֵחַיִל אֶל־חָיִל יֵרָאֶה אֶל־אֱלֹהִים בְּצִיּוֹן" – ***They go from multitude to multitude, [each] appears before God in Zion.*** The reference is to the "multitudes" studying Torah before the Divine Presence in the World to Come. Thus, even there, scholars do not cease to engage in the study of Torah.

הדרן עלך ואלו מגלחין

WE SHALL RETURN TO YOU, VE'EILU MEGALCHIN

וסליקא לה מסכת מועד קטן

AND TRACTATE MOED KATAN IS CONCLUDED

NOTES

15. For they toil in the study of Torah even in the World to Come (*Tos. HaRosh, Ran, Nimukei Yosef,* et al.; see *Rashi* to *Berachos* ibid.). Upon entering the World to Come, Torah scholars certainly enjoy rest from the travail and tribulations of this world (see 25a note 7). However, they do not experience "rest" in the sense of terminating an activity, because the very pursuit to which they devoted themselves in this world – namely, the study of Torah – occupies them there as well (*Maharsha* ibid.; see also *Maharal, Nesivos Olam* v. 1 p. 40; *Chidushei HaGra* ibid.; *Tzlach* ibid. ד״ה יהי שלום).

Some Rishonim explain the Gemara to mean that Torah scholars wander from one level to another in Heaven, basking and delighting in the radiance of the Divine Presence (*Rashi* on *Ein Yaakov; Ritva*). [This is not inconsistent with the previous explanation, because "delighting in the radiance of the Divine Presence" is an intellectual experience related to the study of Torah (see *Maharsha* ibid.).]

According to this interpretation of the verse, its mention of Zion denotes the Jerusalem of Heaven – the celestial counterpart of the earthly Jerusalem [*Taanis* 5a] (*Tos. HaRosh; Ran; Rif* and *Eitz Yosef* on *Ein Yaakov*).

כציפורי בפי הוושט רבי יוחנן אמר כפטורי בפי וושט א) ואמר ג) רבי לוי בר חיתא הנפטר מן המת לא יאמר לו לך לשלום אלא לך [א]בשלום הנפטר מן החי לא יאמר לו לך בשלום אלא לך [ב]לשלום הנפטר מן המת לא יאמר לו לך לשלום אלא לך בשלום שנאמר א) ואתה תבא אל אבותיך בשלום הנפטר מן החי לא יאמר לו לך בשלום אלא לך לשלום שהרי דוד שאמר לאבשלום ב) לך בשלום הלך ונתלה יתרו שאמר למשה ג) לך לשלום הלך והצליח ג) ואמר רבי לוי כל היוצא מבית הכנסת לבית המדרש ומבית המדרש לבית הכנסת זוכה ומקבל פני שכינה שנאמר ד) ילכו מחיל אל חיל יראה אל אלהים בציון אמר רב חייא בר אשי אמר רב ד) תלמידי חכמים אין להם מנוחה אפילו לעולם הבא שנאמר ילכו מחיל אל חיל יראה אל אלהים בציון:

הדרן עלך ואלו מגלחין וסליקא לה מסכת מועד קטן

בציפורי בפי הוושט. כחבל שיש בו קשר ויוצא בקושי מן התורן: פיטורי. שקושרין שתי ספינות ביחד: ילכו מחיל אל חיל. שילכו מבית המדרש לבית הכנסת ומבית הכנסת לבית המדרש אחר יראה אל אלהים בציון יזכו אל עליון:

הדרן עלך ואלו מגלחין

וסליקא לה מסכת מועד קטן

רש״י כת״י

אצטלא דמלתא. תכריכי משי יקרים למאן אמרו הכי. לבר חורין דשלימו זוודיה. לבן חורין שירד מנכסיו אומרים הספד זה כדי שירחמו עליו לעשות לו ארון ותכריכין. רהיט ונפיל וכו׳. תגר וטרחן היה כל ימיו ועכשיו נפל ריקן בלא ממון. אחנא תגרי. אחינו הסוחרים. אזבזגי מיבדקו. באחריתם נראה עשרם כגון זה שאין לו עכשיו במה ליקבר ועל מת עני אומרות אותו כדי שירחמו עליו. ויזופתא יזיף. עכשיו שמבקש לעבור מן העולם צריך ללות ממון לתכריכין ל״א רהיט ונפיל בדיורי בדאגה ויגון. מותא כי מותא. מיתתו של זה כמיתת אחרים שהכל מתים. ומרעין חיבוליא. אבל חיבול גדול חולי גדול היה לו ויסורים קשין יותר משאר בני אדם חיבולים (רבים) [רבית] [הגהת מהרא״ז מרגליות עיי״ש בע״ין] נחשב אליו חולי זה שנחלה חולי גדול משאר מתים. דברים של מיתה. וקא מפרש תלמודא מאי ניהו דברים של מיתה. דיספד יספדוניה. שלא יאמר מה לי להספיד על מת שאינו קרובי אלא יחשוב בלב שאם יספוד יספדוהו. דיטען. אחרים לקבורה. דידל. המרים קול בהספד. איכא דאמרי דלא ידל׳ וכו׳. מי שלא מרים עצמו בגסות אבל הוא מטפל למתים מרימין לו מן השמים. דכתיב כי טוב אמר לך עלה הנה וגו׳. טוב תעלה ברשות ולא בגאוה שלא ברשות ויספילוך וירחיקוך מאצלם. הטריח רבותיו. שבאין לנחמו. ראשונה ושניה. ב׳ בנים מתו לו בב׳ פעמים. שלא עשו אלא מצוה אחת. ביום שמתו ועל שם אותה מצוה שעשו בו ביום שהוא היה יום הראשון למלא את ידם נאמר ואחיכם כל בית ישראל יבכו בניו של רבי שלמדו ולימדו תורה וקיימו מצות על אחת כמה וכמה שאנו ראויים לספדם. מה אביה. בנו של ירבעם. שלא עשה אלא דבר אחד. וע״ש אותה מצוה שעשה משבחו הכתוב ואומר וספדו לו כל ישראל יען נמצא בו דבר טוב. שביטל משמרתו. אביה בן ירבעם בטל משמרתו וגדולתו אומנות המלך. ועלה לרגל. ולא הקפיד על מה שהקפיד אביו דכתיב עתה תשוב הממלכה לבית דוד אם ילכו ישראל לרגל ויראו מלכות בית דוד יושבין בעזרה ואני לא אשב בעזרה שאין ישיבה בעזרה אלא למלכות בית דוד בלבד. פרדסאות. אורבים כדי שיהו לעולים ואביה לא הקפיד בכך וכשהגיעה משמרתו לשמור הדרך ביטלה והיו יכולין לעלות כל הרוצים לעלות. ובמשרפות אבותיך. ששורפין על המלכים לאחר מיתתן כל כלי תשמישן. ומה צדקיה מלך יהודה שלא עשה אלא מצוה אחת. סמוך למיתתו וע״ש אותה מצוה שהעלה ירמיהו מן הטיט זכה למשרפות אבותיו ולמות בשלום וספדו עליו הוי אדון והאי מצוה דקא חשיב לא קאמר אלא אותן מצות שסמוך למיתה שבשביל אותן מצות זכו להספד לצדקיה ונדב ואביהו הרבה מצות קיימו בישראל ואחאב נמי קיים מצות דהא אשכחן ביה מצוה דלא חשיב לה דכתיב וישם שק על בשרו ויצום וישכב בשק ויהלך אט וכתיב הראית כי נכנע אחאב. אלמלא תרגומיה וכו׳. דמשמע הספד הדדרימון בבקעת מגדו חדא מלתא הוא. והמלך היה מעמד במרכבה נכח ארם. אעפ״כ היה מחזיק עצמו במלחמה כדי שלא ינוסו ישראל ולא יהרגו בנוסם [רש״י בע״ין]. שיפתח אבל. בצערו. אבל מיסב בראש. כשמברין אותו יושב באמצע כדרך גדול כדמפרשינן דרך הסיבה בברכות (מו:) כיצד סדר הסבה הגדול באמצע. אבחר דרכם וכו׳. עד שלא בא עלי צער זה הייתי בוחר דרכם ואמר להם כך וכך תעשו והייתי מברר להם דרכם והייתי שוכן כמלך בגדוד וגו׳ ינחם אחריני משמע. ינחם לאחרינא דהמנחם את האבלים הוא מיסב בראש. ומשני ינחם כתיב. יו״ד ארוכה מעט דמשמע ויושב בראש כאשר ינחם כלומר כאבל המתנחם. ל״א ינחם כתיב דמשמע אבל המתנחם דסוגיא דקרא משמע להדיא טפי ינחם. לפתוח ראשון. בבית הכנסת בתורה או בדין. ולברך ראשון. ברכת המוציא וברהמ״ז בסעודה. וליטול מנה יפה ראשון. אם חולק עם ישראל כלום [רש״י ברי״ף]. [ע״כ שייך לדף כח:] בציפורי בפי הושט. כחבל שיש בו קשר ויוצא בקושי מן התורן. פיטורי. שקושרין שתי ספינות ביחד. אין להם מנוחה. לשבת קאמר והולכין מגן עדן לרקיע ומרקיע לגן עדן ולשמוע שנאמר ילכו מחיל אל חיל יראה אל אלהים בציון [רש״י בע״ין].]*.

מסורת הש״ס

א) [נ״ל אמר], ב) ברכות סד. [ע״ש], ג) [ברכות סד. ע״ש], ד) ברכות שם.

תורה אור השלם

א) וְאַתָּה תָּבוֹא אֶל אֲבֹתֶיךָ בְּשָׁלוֹם תִּקָּבֵר בְּשֵׂיבָה טוֹבָה: [בראשית טו, טו]

ב) וַיֹּאמֶר לוֹ הַמֶּלֶךְ לֵךְ בְּשָׁלוֹם וַיָּקָם וַיֵּלֶךְ חֶבְרוֹנָה: [שמואל ב׳ טו, ט]

ג) וַיֵּלֶךְ מֹשֶׁה וַיָּשָׁב אֶל יֶתֶר חֹתְנוֹ וַיֹּאמֶר לוֹ אֵלְכָה נָּא וְאָשׁוּבָה אֶל אַחַי אֲשֶׁר בְּמִצְרַיִם וְאֶרְאֶה הַעוֹדָם חַיִּים וַיֹּאמֶר יִתְרוֹ לְמֹשֶׁה לֵךְ לְשָׁלוֹם: [שמות ד, יח]

ד) יֵלְכוּ מֵחַיִל אֶל חָיִל יֵרָאֶה אֶל אֱלֹהִים בְּצִיּוֹן: [תהלים פד, ח]

עין משפט נר מצוה

[א] [רמב״ם פ״ד מהל׳ אבל ה״ד]:

[ב] [מג״א סי׳ קי סק״ט]:

רבינו חננאל

בשלום תמות. וכתיב ואת עיני צדקיהו עור. א״ל הכי א״ר יוחנן שמת נבוכדנצר בחייו. א״ל ביאשיהו כתיב לכן הנני אוסיפך (אל) [על] אבותיך [וגו׳] בשלום וכתיב ויורו המורים למלך יאשיהו. ואמר רב יהודה א״ר שעשאוהו ככברה. א״ל הכי א״ר יוחנן שלא חרב ביהמ״ק בימיו. אמר רב יהודה אמר רב א) המנחמין רשאין לומר לישב אלא על הקרקע שנאמר וישבו אתו לארץ וכתיב אחרי כן פתח איוב את פיהו וגו׳. ואחרי כן ויען אליפז התימני. א״ר אבהו מניין לאבל שיושב בראש שנאמר אבחר דרכם ואשב ראש ב). מר זוטרא אמר מהכא וסר מרזח סרוחים. מרזח נעשה סר לסרוחים. המרזח הוא האבל כלומר הניזח במרירות ומפורש בכתובות (דף סט). הנפטר מן המת לא יאמר לו לך לשלום אלא לך בשלום שנא׳ ואתה תבא אל אבותיך בשלום והנפטר מן החי לא יאמר לו לך בשלום אלא לך לשלום. שהרי דוד אמר לאבשלום לך בשלום הלך ונתלה באילן ונהרג. יתרו שאמר למשה לך לשלום הלך והצליח. א״ר חמא בר חנינא מניין לחתן שיושב בראש שנאמר כחתן יכהן פאר וגו׳. מה כהן בראש דתני דבי ר׳ ישמעאל וקדשתו לכל דבר שבקדושה לפתוח ראשון ולברך ראשון וכו׳ כך חתן בראש. א״ר לוי כל היוצא מן הכנסת למדרש ומבית המדרש לבית הכנסת זוכה ומקבל פני שכינה שנאמר ילכו מחיל אל חיל יראה אל אלהים בציון:

חשק שלמה על ר״ח א) ט״ס נפל בכאן בדברי רבינו וכצ״ל אין המנחמין רשאין לישב אלא ע״ג קרקע שנאמר וישבו אתו לארץ ואמר רב יהודה אמר רב אין המנחמין רשאין לומר דבר עד שיפתח האבל שנאמר ואין דובר אליו דבר וכתיב אחרי כן פתח איוב וכו׳ וכ״ה גי׳ הרי״ף והרא״ש בכאן ובגי׳ הש״ס שלפנינו חסר מימרא קמייתא דרב יהודה א״ר. ב) נ״ל ואשב ראש וגו׳ כאשר אבלים ינחם מר זוטרא אמר מהכא.

הדרן עלך ואלו מגלחין במועד. וסליקא לה מסכת מועד קטן בס״ד

אחר השלמת המסכת יאמר זה ויועיל לזכרון בעזרת השם יתברך:

*)**הדרן** עלך מסכת מועד קטן והדרך עלן דעתן עלך מסכת מועד קטן ודעתך עלן לא נתנשי מינך מסכת מועד קטן ולא תתנשי מינן לא בעלמא הדין ולא בעלמא דאתי:

הדרן עלך מסכת מועד קטן והדרך עלן דעתן עלך מסכת מועד קטן ודעתך עלן לא נתנשי מינך מסכת מועד קטן ולא תתנשי מינן לא בעלמא הדין ולא בעלמא דאתי:

הדרן עלך מסכת מועד קטן והדרך עלן דעתן עלך מסכת מועד קטן ודעתך עלן לא נתנשי מינך מסכת מועד קטן ולא תתנשי מינן לא בעלמא הדין ולא בעלמא דאתי:

יהי רצון מלפניך יי אלהינו ואלהי אבותינו שתהא תורתך אומנותנו בעולם הזה ותהא עמנו לעולם הבא**) חנינא בר פפא רמי בר פפא נחמן בר פפא אחאי בר פפא אבא מרי בר פפא רפרם בר פפא רכיש בר פפא סורחב בר פפא אדא בר פפא דרו בר פפא:

הערב נא יי אלהינו את דברי תורתך בפינו ובפיפיות עמך בית ישראל ונהיה כולנו אנחנו וצאצאינו וצאצאי עמך בית ישראל כולנו יודעי שמך ולומדי תורתך: מאויבי תחכמני מצותיך כי לעולם היא לי: יהי לבי תמים בחוקיך למען לא אבוש: לעולם לא אשכח פקודיך כי בם חייתני: ברוך אתה יי למדני חקיך: אמן אמן אמן סלה ועד:

מודים אנחנו לפניך יי אלהינו ואלהי אבותינו ששמת חלקנו מיושבי בית המדרש ולא שמת חלקנו מיושבי קרנות שאנו משכימים והם משכימים אנו משכימים לדברי תורה והם משכימים לדברים בטלים אנו עמלים והם עמלים אנו עמלים ומקבלים שכר והם עמלים ואינם מקבלים שכר אנו רצים והם רצים אנו רצים לחיי העולם הבא והם רצים לבאר שחת שנאמר ואתה אלהים תורידם לבאר שחת אנשי דמים ומרמה לא יחצו ימיהם ואני אבטח בך:

יהי רצון מלפניך יי אלהי כשם שעזרתני לסיים מסכת מועד קטן כן תעזרני להתחיל מסכתות וספרים אחרים ולסיימם ללמוד וללמד לשמור ולעשות ולקיים את כל דברי תלמוד תורתך באהבה. וזכות כל התנאים ואמוראים ותלמידי חכמים יעמוד לי ולזרעי שלא תמוש התורה מפי ומפי זרעי וזרע זרעי עד עולם. ותתקיים בי בהתהלכך תנחה אותך בשכבך תשמור עליך והקיצות היא תשיחך: כי בי ירבו ימיך ויוסיפו לך שנות חיים: אורך ימים בימינה בשמאלה עושר וכבוד: יי עוז לעמו יתן יי יברך את עמו בשלום:

יתגדל ויתקדש שמיה רבא בעלמא דהוא עתיד לאתחדתא ולאחיא מתיא ולאסקא לחיי עלמא ולמבני קרתא דירושלם ולשכלל היכליה בגוה ולמעקר פולחנא נוכראה מארעא ולאתבא פולחנא דשמיא לאתריה וימליך קודשא בריך הוא במלכותיה ויקריה בחייכון וביומיכון ובחיי דכל בית ישראל בעגלא ובזמן קריב ואמרו אמן: יהא שמיה רבא מברך לעלם ולעלמי עלמיא. יתברך וישתבח ויתפאר ויתרומם ויתנשא ויתהדר ויתעלה ויתהלל שמיה דקודשא בריך הוא. לעילא מן כל (בעשי"ת: מכל) ברכתא ושירתא תושבחתא ונחמתא דאמירן בעלמא ואמרו אמן: על ישראל ועל רבנן ועל תלמידיהון ועל כל תלמידי תלמידיהון ועל כל מאן דעסקין באורייתא די באתרא (קדישא) הדין ודי בכל אתר ואתר. יהא להון ולכון שלמא רבא מן שמיא חנא וחסדא ורחמי וחיי אריכי ומזוני רויחי ופורקנא מן קדם אבוהון דבשמיא וארעא ואמרו אמן: יהא שלמא רבא מן שמיא וחיים עלינו ועל כל ישראל ואמרו אמן: עושה שלום (בעשי"ת: השלום) במרומיו הוא יעשה שלום עלינו ועל כל ישראל ואמרו אמן:

*) [פי' הגון ע"ז תמצא בספר החיים שחיבר אחי הגאון מהר"ל מפראג בספר זכיות ח"א פ"ב].

וז"ל ישראל אינם מהודרים לפני השם יתברך רק בשביל התורה שבעל פה, שהוא הסימן המובהק המבדיל בין ישראל לעמים וכו', על כן אנו נוהגין לומר בכל סיום מסכתא "הדרן עלך והדרך עלן". וגם אין מי שנותן דעתו על התורה שבעל פה שלא תשכח ח"ו רק אנו, וזהו "דעתן עלך".
וכן התורה שבעל פה היא המגינה על ישראל, ולכך נקרא "גמרא" שהוא ר"ת של ג'בריאל מ'יכאל ר'פאל א'וריאל, לומר כי העוסק בגמרא חונה מלאך ה' סביב לו להצילו, מימינו מיכאל, ומשמאלו גבריאל, ומלפניו אוריאל, ומאחוריו רפאל, ועל ראשו שכינת אל הבוחר בדברי חכמים. וזהו "דעתך עלן", כלומר השגחתך עלן. והואיל וישראל והתורה שבעל פה הן שני תאמי צביה, ראוי ש"לא יתנשו זה מזה לא בעלמא דין ולא בעלמא דאתי".
ולהיות שתלמוד אינו חביב ומהודר כל כך רק אצל בעלי התורה אבל לא אצל יושבי הקרנות, על כן אנו מודים "ששם חלקנו מיושבי בית המדרש ולא שם חלקנו מיושבי הקרנות".

**) [בסיומא בסוף תשובת הרמ"א ז"ל וכן בסוף יש"ש בב"ק כתוב רמזים על הזכרת שמות הללו]:

[ולפנינו נדפס בים של שלמה סוף פרק מרובה הן דברי הים של שלמה והן דברי הרמ"א. וז"ל הים של שלמה: הא לך דין הסיום: גרסינן בפרק כל כתבי, אמר אביי תיתי לי דכי חזינא צורבא מדרבנן דשלים מסכתא, עבידנא יומא טבא לרבנן. מכאן נהגו כל ישראל לסיים בשמעתא, וליתן שבח והודיה למקום, ולפרסם אותה שמחה שזכה לכך, שעושין סעודה בעת שמסיימין. וראייה ממסכת תענית ומביאו נמי בריש פרק יש נוחלין. לא היו ימים טובים לישראל כיום הכיפורים וט"ו באב. ומסיק בגמרא בשלמא יום כיפור יום סליחה ומחילה הוא. אלא ט"ו באב מאי טעמא. ומפרש כמה טעמים. עד דמסיק לבסוף, רבה ורב יוסף דאמרי תרוייהו יום שפוסקים בו מלכרות עצים למערכה כו', ופירושו, לפי שפסקו אותו היום להשלים מצוה גדולה היו שמחים ונחשב להם ליום טוב. ואם כן השלמת הספר אין לך מצוה גדולה מזו. ובפרט היכא שדעתו להתחיל אחר כך ספר אחר. וכן כתב לשם הר"ן שמהא שמעינן שמנהג ישראל הוא לשמוח ולעשות יום טוב בהשלמת המצוה. ומהא דפרק כל כתבי משמע, דאפילו מי שלא סיים מסכתא זו, מצוה רבה שישמח עם המסיים. דהא אביי אע"ג דהוא גופא לא סיים, אפילו הכי עביד יומא טבא לרבנן. ומשמע שהיה מזמן אף אחרים עמו, דהא לא אמר עבידנא ליה יומא טבא אלא לרבנן קאמר. ומה שפירש רש"י לפי שהיה אביי ראש ישיבה, לאו משום דאחר לא היה עושה. אלא דקשה לרש"י וכי לא היה בדורו של אביי שום אחד שהיה מהדר ועושה זולתו מאחר שהיא מצוה רבה. על כן פירש משום שהיה ראש ישיבה והוא קודם למצוה זולתו. והנה פקח עינך וראה אף שאביי היה אחד מן החולים, ומצמצם ביותר כדאיתא בפרק במה מדליקין אביי חש בהדרנוקא. אמר רבא ידענא ביה בנחמני דמכפין נפשיה כו'. אפילו הכי עביד יומא טבא לרבנן, מחמת רוב חיבת המצוה. ומשמע נמי מהא דאביי דאפילו יחיד שסיים מחוייבים אחרים לסיים עמו, כהאי עובדא דאביי. ואין לומר דהתם איירי שהצורבא מרבנן סיים עם כל המתיבתא בכה"ג עביד ליה אביי סיום. זה אינו, חדא דלישנא צורבא מדרבנן משמע תלמיד חכם ותיק יחידי ולא ריש מתיבתא. דאל"כ הל"ל ריש מתיבתא. ועוד מסתמא איירי דומיא דאינך דמסיק תיתי לי דכי חזינא צורבא מרבנן כו' עד דלא מהפכי, א"כ כותיה דאיירי בצורבא מרבנן לחוד. ועוד נראה היכא דאמר תלמודא צורבא מרבנן משמע דוקא איהו לחוד'. מדאמר תלמודא אמר רבא שרי צורבא מדרבנן לאודעיה נפשיה באתריה דלא ידעי ליה. ואי לישנא דצורבא מדרבנן משמע עם כל המתיבתא. אם כן מה צריך לאודעיה נפשיה. הלא מסתמא כבר יודעין אותו. אלא ש"מ עיקר כדפירשתי. ולעיל בסימן ל"ו כתבתי שהיא סעודת מצוה ממש וע"ש: סליק דין הסיום

וכתב שם המגיה וז"ל: והואיל שדין הסיום אתא לידן, וכאן הוא מקומו, גם אמרתי לצרף ולחבר לזה דרוש נאה אף נעים ויפה ומקובל שהעתקתי בימי חורפי מגדול וחכם אחד שהעתיקו בשם שארו וקרובו של הגאון המחבר ספר הגדול הזה. הלא הוא מרנא ורבנא המאיר עיני ישראל בחיבוריו הגאון הגדול כמהור"ר משה איסרל"ז זצ"ל ומש"ה אל אלהים על"ה ומה טוב ומה נעים שבת אחי"ם גם יחד בישיבה של מעלה. הנאהבים והנעימים בחייהם ובמותם לא נפרדו. אי"ש אי"ש לפי מדרגת מחיצתו ופרגדו: וז"ל: דרוש נאה וכונה גדולה. לסיום מסכתא מהמאור הגולה: הנה מה שנוהגין ורגילין אנו להזכיר בסיום כל מסכתא רב פפא עם עשרה בניו שהיו מאירים וגדולים בתורה ע"י שהיה עושה להם סעודה בסיום המסכתא כי עשיר היה והיה מחזיק לעוסקי התורה. לכן זכה שמזכירין אותו עם עשרה בניו הרומזים כאלו הוזכרו עשרת הדברות, כי מלת רב פפא הוא רמז על מעלת משה רבינו ע"ה שנאמר בו דבר אתה עמנו ונשמעה. ועיקר מעלתו של משה רבינו שדבר עם השי"ת פ"ה אל פ"ה שהוא אותיות פפ"א. ואיתא במדרש לחד מאן דאמר דאנכי אינו בכלל הדברות, ופתח באנכי רק להודיע מי הוא המצוה. על כן בא מלת פפ"א להוציא מלבו של אותו המאן דאמר כי נוטרי"קון של פפ"א פת"ח פ"א, שבגימטריא אנכ"י. נגד מצות לא יהיה לך וגו', שנאמר בעובדי עבודה זרה לא תחנם, והוא בהיפך משאר בני אדם שראוי לחננם ולרחם עליהם, כמו שדרשו ז"ל והלכת בדרכיו מה הוא חנון אף אתה תהא חנון. לכן נקרא האחד חנינא. נגד לא תעשה לך פסל, שלבסוף אחר העשייה ינחם על העשייה, שרואה שפה להם ולא ידברו, והם הן הם פשוטי וגולמי כלי עץ. נקרא האחד נחמן מלשון נחמתי כי עשיתים. נגד לא תשא, שהוא לשון רוממות והתנשאות, שלא יחשוב האדם שבזה מנשא ומכבד השם שנשבע בשמו וכמו שנשבע יוסף בחי פרעה. וכן מצינו שהיו נשבעין בחיי המלך. נקרא האחד רמי שהוא לשון רוממות. נגד מצות זכור את יום השבת, נקרא האחד אד"א, שבגימטריא שש, נגד ששת ימי המעשה. ונגד כבד [את אביך ואת אמך], נקרא האחד אבא מורי, שהוא הכבוד שהבן קורא לאביו אבא מורי. נגד לא תרצח נקרא האחד אחאי (לאן) [לשון] אחוה. כי כשיחשוב כל אחד לחבירו כאח לא ינצחנו, וכמו שנאמר ואהבת לרעך כמוך. ואף כי הרציחה הראשונה שהיתה בעולם היתה בשני אחים, שקין הרג את הבל אחיו. וכנגד לא תנאף שדרך המנאפים לקרוץ ולרמוז בעינים, כמו שנאמר קורץ בעיניו, נקרא האחד רפרם, מלשון רפרף בעיניו. ונגד לא תגנוב, נקרא האחד רכיש, מלשון רכוש, כי הגונב אפילו נפשות גונב כדי למוכרו. נגד לא תענה, נקרא האחד סורחב, מלשון סרח בת אשר, שהיא העידה ליעקב שיוסף חי אמר לה כה תחיי. וכנגד לא תחמוד, שנאמר בו בית ואשת רעיך, נקרא האחד דרו, מלשון דירת בית, וגם האשה נקראת בית, כמו שאמר רבי יוסי מעולם לא קריתי לאשתי אלא ביתי כו': וכמו שמתחילין אחר סיום התורה בשמחת תורה בראשית, שאין עומדין על הפרק וכן בסיום התורה אין עומדים כדי שלא ליתן פתחון פה לשטן לקטרג לומר שכבר סיימו התורה ומבטלין ח"ו מהתורה. לכן מתחילין מיד וחוזרין לעסוק בתורה לקרות מבראשית. ולזה ירמזו בני רב פפא בעשרה שמות אלו נגד העשרה מאמרות שבהן נברא העולם בשביל התורה הנקראת ראשית. וארז"ל בראשית נמי מאמר א' הוא. ולהיות כי העולם נברא בחסד וחנינא מאת השם כמו שנאמר עולם בחסד יבנה לכן נקרא אחד חנינא. ונגד ויאמר אלהים יהי אור וגו', שארז"ל שאור שנברא ביום ראשון גנזו הקב"ה לצדיקים לעתיד לבא, נקרא האחד רמי, מלשון תרומות והבדלה. ונגד ויאמר אלהים יהי רקיע, שאמרו חז"ל, שהמים התחתונים בוכים עד שנחמן הקב"ה ואמר להן שעתידין להתקרב על גבי המזבח נקרא האחד נחמן. וכנגד ויאמר יקוו המים וגו' שאמרו רז"ל שים אוקינוס מקיף הארץ והארץ נראה מתוכן, נקרא האחד סורחב מלשון סרח המשכן. וכנגד מאמר תדשא הארץ דשא וגו', ונאמר וכל שיח השדה טרם יהיה בארץ עד ואד יעלה מן הארץ, נקרא האחד אדא, מלשון אד. ונגד מאמר יהיו מאורות שנבראו מתחלה שניהם גדולים, הרומזים על יעקב ועשו שהיו אחים. ולכן הגוים מונים לחמה וישראל ללבנה. ועל זה אמרו רז"ל שהמאורות לוקין על שני אחים שנשפך דמם כמים כו', לכן נקרא האחד אחא. ונגד מאמר ישרצו המים שרץ נפש חיה, והדגים פרים ורבים יותר מכל בעלי חיים, לכן נקרא האחד רפרם, מלשון פריה ורביה. ונגד מאמר תוצא הארץ נפש חיה וגו', והם נבראו לעבוד עבודת משא, בכתף ישאו כל צרכי בני אדם, לכן נקרא האחד דרו, מלשון דרו באגדה. ונגד מאמר נעשה אדם בצלמנו שנברא האדם יחיד והוא היה אב לכל הבאים אחריו, נקרא האחד אבא מורי. ונגד מאמר הנה נתתי לכם את כל עשב זורע זרע, וזה הוא עיקר ממונם ורכושם של אדם שהיה להם לאכול זרע השדה, לכן נקרא האחד רכיש. עכ"ל דברי הגאון הגדול כמהר"ר משה איסרל"ז זצ"ל:

☙ Hadran – הַדְרָן ❧

Hadran – הַדְרָן

Upon the סִיוּם, *completion*, of the study of an entire tractate, a festive meal (which has the status of a *seudas mitzvah*) should be eaten – preferably with a *minyan* in attendance. The following prayers of thanksgiving are recited by those who have completed the learning. [The words in brackets are inserted according to some customs.]

The first paragraph is recited three times.

הַדְרָן עֲלָךְ מַסֶּכֶת מוֹעֵד קָטָן וְהַדְרָךְ עֲלָן. דַּעְתָּן עֲלָךְ מַסֶּכֶת מוֹעֵד קָטָן וְדַעְתָּךְ עֲלָן. לָא נִתְנְשֵׁי מִנָּךְ מַסֶּכֶת מוֹעֵד קָטָן וְלָא תִתְנְשֵׁי מִנָּן – לָא בְּעָלְמָא הָדֵין וְלָא בְּעָלְמָא דְּאָתֵי.

הַדְרָן *We shall return*[1] *to you, Tractate Moed Katan, and you shall return to us. Our thoughts are on you, Tractate Moed Katan, and your thoughts are on us. We will not forget you, Tractate Moed Katan, and you will not forget us – neither in This World, nor in the World to Come.*

יְהִי רָצוֹן מִלְּפָנֶיךָ יי אֱלֹהֵינוּ וֵאלֹהֵי אֲבוֹתֵינוּ, שֶׁתְּהֵא תוֹרָתְךָ אֻמָּנוּתֵנוּ בָּעוֹלָם הַזֶּה וּתְהֵא עִמָּנוּ לָעוֹלָם הַבָּא. חֲנִינָא בַּר פָּפָּא, רָמִי בַּר פָּפָּא, נַחְמָן בַּר פָּפָּא, אַחָאי בַּר פָּפָּא, אַבָּא מָרִי בַּר פָּפָּא, רַפְרַם בַּר פָּפָּא, רָכִישׁ בַּר פָּפָּא, סוּרְחָב בַּר פָּפָּא, אַדָּא בַּר פָּפָּא, דָּרוּ בַּר פָּפָּא.

יְהִי רָצוֹן *May it be Your will,* H*ASHEM, our God, and the God of our forefathers, that Your Torah be our preoccupation in This World, and may it remain with us in the World to Come. Chanina bar Pappa,*[2] *Rami bar Pappa, Nachman bar Pappa, Achai bar Pappa, Abba Mari bar Pappa, Rafram bar Pappa, Rachish bar Pappa, Surchav bar Pappa, Adda bar Pappa, Daru bar Pappa.*

הַעֲרֶב נָא יי אֱלֹהֵינוּ אֶת דִּבְרֵי תוֹרָתְךָ בְּפִינוּ וּבְפִיפִיּוֹת עַמְּךָ בֵּית יִשְׂרָאֵל. וְנִהְיֶה [כֻּלָּנוּ,] אֲנַחְנוּ וְצֶאֱצָאֵינוּ [וְצֶאֱצָאֵי צֶאֱצָאֵינוּ] וְצֶאֱצָאֵי עַמְּךָ בֵּית יִשְׂרָאֵל, כֻּלָּנוּ יוֹדְעֵי שְׁמֶךָ וְלוֹמְדֵי תוֹרָתֶךָ [לִשְׁמָהּ]. מֵאֹיְבַי תְּחַכְּמֵנִי מִצְוֹתֶךָ, כִּי לְעוֹלָם הִיא לִי. יְהִי לִבִּי תָמִים בְּחֻקֶּיךָ, לְמַעַן לֹא אֵבוֹשׁ. לְעוֹלָם לֹא אֶשְׁכַּח פִּקּוּדֶיךָ, כִּי בָם חִיִּיתָנִי. בָּרוּךְ אַתָּה יי, לַמְּדֵנִי חֻקֶּיךָ. אָמֵן אָמֵן אָמֵן, סֶלָה וָעֶד.

הַעֲרֶב נָא *Please,* H*ASHEM, our God, sweeten the words of Your Torah in our mouth and in the mouths of Your people, the House of Israel, and may [we all –] we, our offspring, [the offspring of our offspring,] and the offspring of Your people, the House of Israel, all of us – know Your Name and study Your Torah. Your commandment makes me wiser than my enemies, for it is forever with me.*[3] *May my heart be perfect in Your statutes, so that I not be shamed.*[4] *I will never forget Your precepts, for through them You have preserved me.*[5] *Blessed are You,* H*ASHEM, teach me Your statutes.*[6] *Amen. Amen. Amen. Selah! Forever!*

מוֹדִים אֲנַחְנוּ לְפָנֶיךָ יי אֱלֹהֵינוּ וֵאלֹהֵי אֲבוֹתֵינוּ, שֶׁשַּׂמְתָּ חֶלְקֵנוּ מִיּוֹשְׁבֵי בֵּית הַמִּדְרָשׁ, וְלֹא שַׂמְתָּ חֶלְקֵנוּ מִיּוֹשְׁבֵי קְרָנוֹת. שֶׁאָנוּ מַשְׁכִּימִים וְהֵם מַשְׁכִּימִים, אָנוּ מַשְׁכִּימִים לְדִבְרֵי תוֹרָה, וְהֵם מַשְׁכִּימִים לִדְבָרִים בְּטֵלִים. אָנוּ עֲמֵלִים וְהֵם עֲמֵלִים, אָנוּ עֲמֵלִים וּמְקַבְּלִים שָׂכָר, וְהֵם עֲמֵלִים וְאֵינָם מְקַבְּלִים שָׂכָר. אָנוּ רָצִים וְהֵם רָצִים, אָנוּ רָצִים לְחַיֵּי הָעוֹלָם הַבָּא, וְהֵם רָצִים לִבְאֵר שַׁחַת, שֶׁנֶּאֱמַר: וְאַתָּה אֱלֹהִים, תּוֹרִדֵם לִבְאֵר שַׁחַת, אַנְשֵׁי דָמִים וּמִרְמָה לֹא יֶחֱצוּ יְמֵיהֶם, וַאֲנִי אֶבְטַח בָּךְ.

מוֹדִים *We express gratitude before You,* H*ASHEM, our God, and the God of our forefathers, that You have established our portion with those who dwell in the study hall, and have not established our portion with idlers. For we arise early and they arise early; we arise early for the words of Torah, while they arise early for idle words. We toil and they toil; we toil and receive reward, while they toil and do not receive reward. We run and they run; we run to the life of the World to Come, while they run to the well of destruction, as it is said: But You, O God, You will lower them into the well of destruction, men of bloodshed and deceit shall not live out half their days; and I will trust in You.*[7]

---

1. הַדְרָן עֲלָךְ – *We shall return to you* . . . We express the hope that we will review constantly what we have learned and that, in the merit of our desire to learn, the Torah itself will long to return to us, as it were. Thus, the word is derived from הָדַר, *to return.* This is in the spirit of the Talmudic dictum that תּוֹרָה מַחֲזֶרֶת עַל אַכְסַנְיָא שֶׁלָּהּ, *the Torah returns to its inn*, i.e., the place or people where it was made welcome (*Bava Metzia* 88a).

According to *Sefer HaChaim*, the term is derived from the word הָדָר, *glory.* Thus, whatever glory we have attained is due to the Torah, and we pray that the Torah shed its glory upon us.

2. חֲנִינָא בַּר פָּפָּא – *Chanina bar Pappa* . . . In the simple sense, Rav Pappa was a very wealthy man who, whenever he completed a tractate, used to make great celebrations to which he invited his ten sons, as well as many others. As a result, he brought glory to the Torah, which was reflected in the scholarly attainments of his sons. The nation, therefore, honors Rav Pappa and his family by mentioning them at every *siyum*. Furthermore, esoterically, Rav Pappa symbolizes Moses and the names of his sons symbolize the Ten Commandments (*Teshuvos HaRema; Yam Shel Shelomo, Bava Kamma,* end of ch. 7).

3. *Psalms* 119:98. 4. 119:80. 5. 119:93. 6. 119:12. 7. 55:24.

יְהִי רָצוֹן לְפָנֶיךָ יי אֱלֹהַי, כְּשֵׁם שֶׁעֲזַרְתַּנִי לְסַיֵּים מַסֶּכֶת מוֹעֵד קָטָן כֵּן תְּעַזְרֵנִי לְהַתְחִיל מַסֶּכְתּוֹת וּסְפָרִים אֲחֵרִים וּלְסַיְּמָם, לִלְמוֹד וּלְלַמֵּד לִשְׁמוֹר וְלַעֲשׂוֹת וּלְקַיֵּם אֶת כָּל דִּבְרֵי תַלְמוּד תּוֹרָתֶךָ בְּאַהֲבָה. וּזְכוּת כָּל הַתַּנָּאִים וַאֲמוֹרָאִים וְתַלְמִידֵי חֲכָמִים יַעֲמוֹד לִי וּלְזַרְעִי, שֶׁלֹּא תָמוּשׁ הַתּוֹרָה מִפִּי וּמִפִּי זַרְעִי וְזֶרַע זַרְעִי עַד עוֹלָם. וְתִתְקַיֶּם בִּי: בְּהִתְהַלֶּכְךָ תַּנְחֶה אֹתָךְ, בְּשָׁכְבְּךָ תִּשְׁמֹר עָלֶיךָ, וַהֲקִיצוֹתָ הִיא תְשִׂיחֶךָ. כִּי בִי יִרְבּוּ יָמֶיךָ, וְיוֹסִיפוּ לְךָ שְׁנוֹת חַיִּים. אֹרֶךְ יָמִים בִּימִינָהּ, בִּשְׂמֹאלָהּ עֹשֶׁר וְכָבוֹד. יי עֹז לְעַמּוֹ יִתֵּן, יי יְבָרֵךְ אֶת עַמּוֹ בַשָּׁלוֹם.

יְהִי רָצוֹן *May it be Your will, Hashem, my God, that just as You have helped me complete Tractate Moed Katan, so may You help me to begin other tractates and books, and to complete them; to learn and to teach, to safeguard and to perform, and to fulfill all the words of Your Torah's teachings with love. May the merit of all the Tannaim, Amoraim, and Torah scholars stand by me and my children, that the Torah shall not depart from my mouth and from the mouth of my children and my children's children forever. May there be fulfilled for me the verse: When you walk, it (i.e., the Torah) will guide you; when you lie down, it will watch over you; and when you wake up, it will converse with you.*[8] *For because of me (i.e., the Torah), your days will increase, and years of life will be added to you.*[9] *Long days are in its right hand, and in its left hand are wealth and honor.*[10] *Hashem will give might to His people, Hashem will bless His people with peace.*[11]

If a *minyan* is present, the following version of the Rabbis' *Kaddish* is recited by one or more of those present. It may be recited even by one whose parents are still living.

יִתְגַּדַּל וְיִתְקַדַּשׁ שְׁמֵהּ רַבָּא. (Cong. – אָמֵן.) בְּעָלְמָא דִּי הוּא עָתִיד לְאִתְחַדָּתָא, וּלְאַחֲיָאָה מֵתַיָּא, וּלְאַסָּקָא יָתְהוֹן לְחַיֵּי עָלְמָא, וּלְמִבְנֵא קַרְתָּא דִירוּשְׁלֵם, וּלְשַׁכְלָלָא הֵיכְלֵהּ בְּגַוַּהּ, וּלְמֶעְקַר פָּלְחָנָא נֻכְרָאָה מִן אַרְעָא, וְלַאֲתָבָא פָּלְחָנָא דִי שְׁמַיָּא לְאַתְרֵהּ, וְיַמְלִיךְ קֻדְשָׁא בְּרִיךְ הוּא בְּמַלְכוּתֵהּ וִיקָרֵהּ, [וְיַצְמַח פֻּרְקָנֵהּ וִיקָרֵב מְשִׁיחֵהּ (Cong. – אָמֵן)] בְּחַיֵּיכוֹן וּבְיוֹמֵיכוֹן וּבְחַיֵּי דְכָל בֵּית יִשְׂרָאֵל, בַּעֲגָלָא וּבִזְמַן קָרִיב. וְאִמְרוּ: אָמֵן.

(Cong. – אָמֵן. יְהֵא שְׁמֵהּ רַבָּא מְבָרַךְ לְעָלַם וּלְעָלְמֵי עָלְמַיָּא.)

יְהֵא שְׁמֵהּ רַבָּא מְבָרַךְ לְעָלַם וּלְעָלְמֵי עָלְמַיָּא.

יִתְבָּרַךְ וְיִשְׁתַּבַּח וְיִתְפָּאַר וְיִתְרוֹמַם וְיִתְנַשֵּׂא וְיִתְהַדָּר וְיִתְעַלֶּה וְיִתְהַלָּל שְׁמֵהּ דְּקֻדְשָׁא בְּרִיךְ הוּא (Cong. – בְּרִיךְ הוּא) °לְעֵלָּא מִן כָּל (From Rosh Hashanah to Yom Kippur substitute – °לְעֵלָּא וּלְעֵלָּא מִכָּל) בִּרְכָתָא וְשִׁירָתָא תֻּשְׁבְּחָתָא וְנֶחֱמָתָא, דַּאֲמִירָן בְּעָלְמָא. וְאִמְרוּ: אָמֵן. (Cong. – אָמֵן.)

עַל יִשְׂרָאֵל וְעַל רַבָּנָן, וְעַל תַּלְמִידֵיהוֹן וְעַל כָּל תַּלְמִידֵי תַלְמִידֵיהוֹן, וְעַל כָּל מָאן דְּעָסְקִין בְּאוֹרַיְתָא, דִּי בְאַתְרָא הָדֵין וְדִי בְכָל אֲתַר וַאֲתַר. יְהֵא לְהוֹן וּלְכוֹן שְׁלָמָא רַבָּא, חִנָּא וְחִסְדָּא וְרַחֲמִין, וְחַיִּין אֲרִיכִין, וּמְזוֹנֵי רְוִיחֵי, וּפֻרְקָנָא מִן קֳדָם אֲבוּהוֹן דִּי בִשְׁמַיָּא [וְאַרְעָא]. וְאִמְרוּ: אָמֵן. (Cong. – אָמֵן.)

יְהֵא שְׁלָמָא רַבָּא מִן שְׁמַיָּא, וְחַיִּים [טוֹבִים] עָלֵינוּ וְעַל כָּל יִשְׂרָאֵל. וְאִמְרוּ: אָמֵן. (Cong. – אָמֵן.)

Take three steps back. Bow left and say . . . עֹשֶׂה; bow right and say . . . הוּא; bow forward and say וְעַל כָּל . . . אָמֵן. Remain standing in place for a few moments, then take three steps forward.

עֹשֶׂה שָׁלוֹם בִּמְרוֹמָיו, הוּא בְּרַחֲמָיו יַעֲשֶׂה שָׁלוֹם עָלֵינוּ, וְעַל כָּל יִשְׂרָאֵל. וְאִמְרוּ: אָמֵן. (Cong. – אָמֵן.)

יִתְגַּדַּל *May His great Name grow exalted and sanctified* (Cong. – *Amen*) *in the world that will be renewed and where He will resuscitate the dead and raise them up to eternal life, and rebuild the city of Jerusalem and complete His Temple within it, and uproot alien worship from the earth, and return the service of Heaven to its place, and may the Holy One, Blessed is He, reign in His sovereignty and splendor [and cause salvation to sprout and bring near His Messiah* (Cong. – *Amen*)*] in your lifetimes and in your days, and in the lifetimes of the entire House of Israel, swiftly and soon. Now respond: Amen.*

(Cong. – *Amen. May His great Name be blessed forever and ever.*)

May His great Name be blessed forever and ever.

Blessed, praised, glorified, exalted, extolled, mighty, upraised, and lauded be the Name of the Holy One, Blessed is He (Cong. – *Blessed is He*), (From Rosh Hashanah to Yom Kippur add: *exceedingly*) *beyond any blessing and song, praise, and consolation that are uttered in the world. Now respond: Amen.* (Cong. – *Amen.*)

Upon Israel, upon the teachers, upon their disciples and upon all of their disciples' disciples and upon all those who engage in the study of Torah, who are here or anywhere else; may they and you have abundant peace, grace, kindness, and mercy, long life, ample nourishment, and salvation, from before their Father Who is in Heaven [and on earth]. Now respond: Amen. (Cong. – *Amen.*)

May there be abundant peace from Heaven, and [good] life upon us and upon all Israel. Now respond: Amen. (Cong. – *Amen.*)

Take three steps back. Bow left and say, *'He Who makes peace . . .'*; bow right and say, *'may He . . .'*; bow forward and say, *'and upon all Israel . . . Amen.'* Remain standing in place for a few moments, then take three steps forward.

He Who makes peace in His heights, may He, in His compassion, make peace upon us, and upon all Israel. Now respond: Amen. (Cong. – *Amen.*)

8. *Proverbs* 6:22. 9. 9:11. 10. 3:16. 11. *Psalms* 29:11.

⥐ Likutei Rashi

⥐ Glossary

⥐ Scriptural Index

ליקוטי רש"י על מסכת מועד קטן

[דף ב ע"א - ו ע"א]

פרק ראשון

דף ב' ע"א

בית השלחין. ארץ יבשה קרויה בית השלחין וצריך להשקותה תמיד ושדה בית הבעל יפה הימנה [שיר השירים ד, יג]. קרקע יבישה דלא דייה במי הגשמים וממעיין שבה משקה אותה [ב"מ קג:]. הקילון. ולהשקות בהמות ורחילת בגדים וכלים הוא ואין גדול כל כך [רשב"ם ב"ב צט:]. **עוגיות.** חופר גומא תחת הגפן ליתן בו מים [לקמן ג.]. עגול סביב כמו עג עוגה ועמד בתוכה (תענית יט.) ובדידין נמי הן גומות [שם ד:]. גומא [חולין מא.]. **את האמה.** אמת המים המביאה מים מן הנהר לשדות [גיטין נט:]. **קלקולי המים.** כגון אבנים שנפלו מחמת הכור [לקמן ה.]. **חוטטין.** נפלו צרורות בקרקעית הבור מעלה אותן במועד [לקמן ה.]. **(מקוות) [מקואות] המים.** מקואות המים של ארבעים סאה שחוטטין אותן מן הזבל שנכנס לתוכן כל ימות הגשמים [שם ו.]. **ומציינין את הקברות.** שעושין סימנים על הקברות בסיד כדאמר במרובה (ב"ק סט.) של קברות בסיד דחוור כעצמות כדי שלא ילכו אוכלי תרומה לשם [שם ה.]. שלא יכשלו כהנים לעבור עליהן ולהאהיל שלא תארע תקלה על ידי צדיקים [ב"מ פה:]. סימן שיש כאן עצם של מת כדי שיפרשו ממנו הולכי דרכים ועושי טהרות [יחזקאל לט, טו]. **בית הבעל.** שדה בית הבעל אתר בית שקיא דמיא [שופטים א, טו]. המסתפקת במי גשמים [ב"ב כח.]. קרקע שאינה צריכה להשקות דסגי ליה במטר השמים [סוכה לג:]. **דצחותא.** לשון צמא דמתרגמינן לחותא [ירמיה ד, יא]. צמא (שמות יז) מתרגם לחותא [סוטה מח.]. **ואתה עיף ויגע.** עיף בצמא דכתיב ויצמא שם העם למים וכתיב אחריו ויבא עמלק [דברים כה, יח]. **מושכין את המים מאילן לאילן.** דהוי כשדה בית השלחין דפסידא יתירא איכא אבל לא ישקה את השדה כולה שדה בית הבעל [לקמן ו:].

דף ב' ע"ב

המנכש. סרקלי"ר בלעז [ב"מ עה.]. שעוקר מביניהן שאינן יפות [שם פט. עי"ש]. עוקר עשבים רעים כדי שיגדלו האחרים יותר [מכות כא:]. **זומר.** שקוצצין זמורותיה [ויקרא כה, ד]. מחתך ענפים יבשין של גפן. שדרכו של זומר לאמוחי פירי מורע [לקמן ג.]. להצמיח הגפן. זומר חייב משום תולדת נוטע דלאמוחי עביד. **וצריך לעצים.** להסקה משום דצריך להם הויא תולדה דקוצר דצריך נמי לקצור [שבת עג:]. **המנכש והמחפה.** ולא גרסינן דתנן דברייתא היא ולא משנה [מכות שם]. **המנכש והמחפה.** לאחר זריעתן חופה עפר עליהן כדרך כל הזורעים. **לוקה.** דהיינו נמי זורע דמה דרכו של זורע לאמוחי פירי מכוין הא נמי לאמוחי פירי מכוין [ע"ז סד.]. **רבי עקיבא אומר אף המקיים.** כולה רבי עקיבא קאמר לה המנכש והמחפה בכלאים לוקה דמקיים הוא שר"ע כו' והכי משני ליה וכו' ורבנן דפליגי עליה דרבי עקיבא סבירא להו מחפה אינו לוקה דמאן דפטר במקיים פטר במחפה והמנכש עוקר עשבים רעים כדי שיגדלו האחרים יותר לוקה דחשיב מורע כלאים [מכות שם]. דאם זרען אחר ובא זה ועשה להן סייג וגדר כדי לקיימן לוקה [ע"ז שם]. **דתניא שדך לא תזרע כלאים.** בהמתך לא תרביע כלאים שדך לא תזרע כלאים. ושמעינן ליה הכי כלאים שדך לא דעקרינן ליה מפסקיה לדרשא דהוה מצי למיכתב בהמתך כלאים לא תרביע ומדסמך כלאים לשדה שמע מינה להכי הוא דאתא [מכות שם ועי"ש בב"ח]. כלאים דהרבעה קא דריש מדסמך כלאים דלא תרביע גבי שדה דרשינן (מו"ק ב:) כלאים שדך לא מדלא כתיב בהמתך לא תרביע כלאים ולא תזרע שדך כלאים ש"מ שדך אכלאים דלעיל נמי דרשינן ומשמע דמזהיר הכתוב שלא יהו כלאים בשדה [ע"ז שם ועי"ש בב"ח]. **ובזמן שאי אתה משמט קרקע.** כגון עכשיו שבטלה קדושת הארץ [גיטין לו.]. כגון במדבר ולאחר שגלו [קידושין לח:]. **אי אתה משמט כספים.** ואף על פי שהשמטת כספים חובת הגוף היא ואינה תלויה בארץ ילפינן בהיקשא דלא נהגא [גיטין שם].

דף ג' ע"א

ניכוש. תולש עשבים רעים מתוך הטובים וכי עקרי להו למאי הני טפי [לעיל ב:]. סרקלי"ר בלעז [ב"מ עה.]. **שעוקר מביניהן שאינן יפות** [שם פט.]. עוקר עשבים רעים כדי שיגדלו האחרים יותר [מכות כא:]. **עידור.** לשון חפירת כרם היא [ישעיה ה, ו]. **כיסוח.** שקוצצין וכו' ותרגומו לא תכסח ודומה לו (ישעיה לג) קוצים כסוחים (תהלים פ) שרופה באש כסוחה [ויקרא כה, ד]. **כסוחים.** קצוצים כסוחים כמו (ויקרא כה) לא תזמור ת"א לא תכסח [ישעיה לג, יב ובע"ז תהלים פ]. **מקרסמין.** קוצץ ענפים יבשים מן אילן לתקנו [שבת קג.]. קיסמין יבשין שבאילן [ע"ז מט:]. **מזרדין.** זרדין לחין חדשים של שנה זו ופעמים שהן מרובין ומכחישים האילן וממייבשין וקוצצין אותם ממנו [שבת שם]. **מפסגין.** כשיש בהן ענפים יותר מדאי קוצץ אחת מבינתים והיינו פיסוג לשון דילוג והרחבה [רשב"ם ב"ב קיט:]. מנתק זמורות [שם פא.]. **עוגיות.** עגול סביב כמו עג עוגה ועמד בתוכה (תענית יט.) ובדידין נמי הן גומות [לקמן ד:]. גומא [חולין מא.]. **יקשקש.** חפירה תחת הזיתים [ע"ז נ:]. **עודרין** [סוכה מד:]. לכסות שרשים המגולים [ב"מ פט:]. **נקעים.** שקורין פוסי"ן בלע"ז כמו אגני דארעא מקרי שהמים נאספי' שם מן ההרי' [ישעיה לג כ]. והגבים הם נקעים שהמים נאספים בהם [יחזקאל מז יא]. גומא העשויה מששת ימי בראשית ואילא"ה [סוכה כה.]. הנקעים כמין גומות וכו' שהמים מתמלאין לתוכן [קידושין סא.]. **מלפקל.** להשליך אבנים לחוץ. **חד אברויי אילני.** והבריא. לשון ניקוב [חולין מג:]. כמו וברא אותם בחרבותם (יחזקאל כג) לנקוב העפר שעל השרשים ולהזיזו שיהא רך ותיחוח והאילן משביח כך שמעתי. לישנא אחרינא להבריא את האילן ולהשביחו [סוכה מד:]. מחזיקו ומשביחו [ע"ז שם]. **פתומי פילי.** שהשרשים מגולים וצריך לכסותם שלא ייבש האילן ואוקומי אילני הוא שלא ימות ואינו עושה להשביחן אלא לקיימן שרי [סוכה שם]. אם נתגלו שרשי האילן שרי דאוקומי הוא שלא יתקלקל מכמות שהוא אבל אינו משביחו [ע"ז שם]. שסותם סדקי הארץ [תענית ד.]. **פילי.** בקעים [סוכה שם וחולין קיב.]. בקעים סדקים מחמת החול [שבת לג:]. נקעים. פילי כמו פילאי [רשב"ם ב"ב נד.]. **אסמכתא בעלמא** ורבנן אסמכתא בעלמא אסמכוה [נדה לב.].

דף ג' ע"ב

בחריש ובקציר תשבות. למה נזכר חריש וקציר יש מרבותינו אומרים על חריש של ערב שביעית הנכנס לשביעית וקציר של שביעית היוצא למוצאי שביעית ללמדך שמוסיפין מחול על הקדש (ר"ה ט) וכך משמעו ששת ימים תעבוד וביום השביעי תשבות ועבודת ו' הימים שהתרתי לך יש שנה שהחריש והקציר אסור ואין צ"ל חריש וקציר של שביעית שהרי כבר נאמר (ויקרא כה) שדך לא תזרע וגו' [שמות לד, כא]. **שדה הלבן.** שדה זרע [שופטים ד, ה]. **בית הבעל** [לקמן ו:]. **אשתומם.** שתק [דניאל ד טז]. השימות. לשון שתיקה כמו אשתומם וכמו שומו שמים (ירמיה ב) שתקו והתמהו [איוב טז, ז]. שתק והיה מחשב מה יענה [חולין כא.]. אשטורדישו"ן [חולין פד:]. **עשר נטיעות ערבה וניסוך המים הלכה למשה מסיני.** אלו שלשה נשאלו בבית המדרש מנין להם מן התורה והשיבו שהלכה למשה מסיני הם ושמע השומע וגרסם כסדר ששמעם וכן שיעורים וחציצין ומחיצין (סוכה ה:) שמען השומע וסדרן כסדר ששמען וכן בכל מקום עשר נטיעות משנה היא בסדר זרעים (שביעית פ"א מ"ו) עשר נטיעות המפוזרות בתוך בית סאה שאין בין זו לזו אלא כמה שיש בין זו לחברתה ותפסו בית סאה שהוא נ' אמה על נ' אמה מפוזרות לאורך ורוחב בשוה חורשין כל בית סאה בשבילן ערב שביעית עד ר"ה אף על פי שמצוה מן התורה להוסיף מחול על הקדש כדנפקא לן מבחריש ובקציר תשבות חריש של ערב שביעית הנכנס לשביעית ואסור לחרוש שלשים יום לפני ר"ה כדאמרינן בשמעתא קמייתא דמועד קטן מקראי בנטיעות נאמר למשה מסיני שמותר לחרוש תחתיהם עד ר"ה כדי שלא יבשו ואם עשר הן ומפוזרות כהלכתן בתוך בית סאה נאמר למשה שיונקות בבית סאה כולה ומותר לחרוש את כולן בשבילן אבל אם אינם עשר או שאינן מפוזרות כהלכתן חורש תחת כל אחת ואחת כשיעור יניקתה לפי חשבון עשר לבית סאה ובאילנות זקנים נאסר ל' יום לפני ר"ה כדאמרינן במועד קטן לר' ישמעאל מהלכתא ולר"ע מקראי וחכמים עשו סייג לתורה ואסרו בשדה הלבן מפסח ואילך ובשדה האילן בזקנים מעצרת ואילך ואמרו בזקנים מפני שיונקים הרבה שלש אילנות (ממטע עשרה) לבית סאה הרי אלו מצטרפים וחורשים כל בית סאה בשבילן עד עצרת לפי שכולו צריך להן ויצאה מתורת שדה לבן ונעשית שדה אילן ואם אינם שלש חורש לכל אחד תחתיו לפי חשבון עד עצרת והשאר אסור מפסח ואילך [סוכה לד.]. עשר נטיעות המפוזרות בתוך בית סאה חורשין כל בית סאה ערב שביעית עד ר"ה אע"ג דשאר שדות אין חורשין לפני שביעית ל' יום זה חורשין דהואיל אם אין חורשין סביבן מפסידין [תענית ג.]. **ערבה.** למקדש דאילו ערבה ללולב מקרא נפקא. **וניסוך המים.** לתמידין של שחר שבעת ימי החג כדאמרינן בפרק לולב וערבה (סוכה מח.) והתם מפרש כיצד מנסכין בין מים בין יין וכל קרבנות כל ימות השנה אין נסכיהם אלא יין חוץ מן החג בתמיד של שחר שצריך שני ניסוכין [סוכה שם]. כל שבעה [תענית שם]. **אין צריך לומר חריש וקציר של שביעית.** דעל כרחך אע"ג דרישא דקרא בשבת קאי דכתיב ששת ימים תעבוד סיפיה אשביעית קאי דאי אשבת חריש וקציר הוא דאסור שאר מלאכות מי שרו [ר"ה ט.]. דעל כרחך בשביעית דשמיטה הכתוב מדבר דאי כדכתיב דאיום השביעי קאי מאי שנא חריש וקציר דנקט אלא ה"ק ששת ימים תעבוד ובשביעי תשבות והששה שאתה עובד בהן בחריש ובקציר תשבות [מכות ח:]. **חריש של ערב שביעית.** שלא יחרוש שדה אילן ערב שביעית חריש שיועיל לשביעית [ר"ה שם].

דף ד' ע"א

שנכנס לשביעית. (וחריש של שביעית) שלא יחרוש בששית חרישה המועלת לשביעית. **וקציר של שביעית שיצא למוצאי שביעית.** שאם הביאה שליש בשביעית מאז היא ראויה ליקצר ואם קצרה בשמינית צריך לנהוג בה קדושת שביעית [מכות ח:]. כגון תבואה שהביאה שליש בשביעית אתה נוהג בה מנהג שביעית בשמינית. **ר' ישמעאל אומר מה חריש רשות כו'.** ולא דבר הכתוב אלא לענין שבת דכתיב ביה וביום השביעי תשבות בחריש ובקציר תשבות בא ללמדך מה חריש אין לך חריש של מצוה ואפילו לזרוע לצורך עומר ושתי הלחם שהרי אם מצא חרוש אינו חורש ואני אוסרו לך בשבת אף קציר שאני אוסר לך בשל רשות אני אוסר לך [ר"ה ט.]. ובשבת קאי ולהכי נקט חריש וקציר לומר לך מה החריש שאני אוסר לך בשבת חריש של רשות הוא שאין לנו חריש של מצוה אף קציר איני אוסר לך אלא של רשות יצא קציר העומר [מכות שם]. **יצא קציר העומר שהוא מצוה.** שאפי' מצא קצור מצוה לקצור ויש לך ללמוד מכאן שדוחה את השבת [ר"ה שם]. **בריכות.** מקום כינוס מים חפור בקרקע בידי אדם ארוך ורחב [ישעיה לו, ב]. חריץ רחב [עירובין פח:]. **מדלין.** מים [ביצה יח.].

דף ד' ע"ב

אי תניא תניא. שמעתי אני וכו' מה שאמרתי אבל אתם הואיל ויש משנה בידכם לכו אחריה [נדה כג:]. **אגפיה.** סביביה [יחזקאל לח, ו].

דף ה' ע"א

האסטרטאות. איסרטיא הוא סרטיא [שבת ק.]. סרטיא.מסילה שהולכין בה מעיר לעיר [שם ו.]. דרך הילוך בני אדם [עירובין ז.]. **וראה עצם אדם ובנה אצלו ציון.** סימן שיש כאן עצם של מת כדי שיפרשו ממנו הולכי דרכים ועושי טהרות עד באו אנשי התמיד המובדלים לחקור וקברו אותן [יחזקאל לט, טו]. **דבר זה.** [לקמן] קאמר לה וכו' (זבחים כב:) אמתני' דקתני ערל מחלל עבודה [זבחים יח:]. **כל בן נכר.** שנתנכרו מעשיו לאביו שבשמים שהוא ערל לב [יומא עא:]. כהן משומד שנתנכרו מעשיו לאביו שבשמים וערל לבו [סנהדרין כב:]. כהן מומר לעבודת כוכבים שהוא ערל לב ונתנכרו מעשיו לאביו שבשמים [שם פג:]. שנתנכרו מעשיו מחמת ערלת לבו שהוא ערל לב רשע [זבחים שם]. **וערל בשר.** וכן ערל בשר שמתו אחיו מחמת מילה לא יבא אל המקדש [יומא שם וסנהדרין כב: ופד.]. (בזבחים כב:) יליף בה חילול בהדיא [זבחים שם]. **מאן אמר.** מאין למדו דבר זה ששנינו בפרק שני דזבחים (טו:) שהכהן ערל עבודתו פסולה [יומא שם]. **וטמא טמא יקרא.** משמיע שהוא טמא ויפרשו ממנו [ויקרא יג, מה]. הוא עצמו אומר טמא רחקו מעלי [שבת סז.]. כלומר סורו מעליו שטמא הוא [סוטה לב:]. צועק ואומר טמא הוא [חולין עח.]. **והזרתם.** אין נזירה אלא פרישה וכן (ישעיה א) נזורו אחור וכן (בראשית מח) נזיר אחיו [ויקרא טו, לא]. והפרשתם כמו וינזרו [שבועות יח:]. **ושמרתם את משמרתי.** גבי עריות כתיב [יבמות כא.]. **עשו משמרת.** כלומר גזרה למשמרתי לתורתי [ביצה ב:]. **השם אורחותיו.** מחשב הפסד מצוה כנגד שכרה [סוטה ה:]. **ושם דרך.** השב אלי אני מלמד ושם דרך לחוטאים לשוב אלי אני אראנו בישועתי [תהלים נ, כג]. **בשבתא דריגלא.** שלשים יום קודם הרגל דשואלין ודורשין בהלכות הרגל כדאמרינן במגילה (ז.) [בכורות מד:]. שבת ששואלין בו בהלכות הרגל והיינו שלשים יום קודם הרגל [סנהדרין ז:]. שבת [שהיו] דורשין בהלכות הרגל כדקיי"ל (פסחים ו.) שואלין בהלכות הפסח קודם הפסח ל' יום [מנחות לז:].

דף ה' ע"ב

רוב בנין. דשני שוקיים וירך אחד הוי רוב גובה הגוף בלא הראש דלגבי בנין המת לא חשיב ראשו בברייתא דאהלות דקתני איזהו בנינו השוקיים והירכיים (הגוף) [הצלעות] והשדרה. **רוב מנין.** קכ"ה דזהו רוב מנין אברי המת דאברי המת רמ"ח ורוב מניינו של מת מטמא באהל [בכורות מה.]. **סככות ופרעות.** בגמ' מפרש להו וספק ניניהו ומדרבנן [נדה נז:]. **אילן המיסך על הארץ.** שנופו נוטה למטה מכל צדדיו סביב [עירובין צט:]. נופו גדול מאד וראשי הנוף כפופין סביב על הארץ [סוכה כד:]. והוא סמוך לדרך בית הקברות וזימנין דמיתרמי בין השמשות וקברי התם ואם הענפים מובדלים שאין האהל שלם וידוע ודאי שיש קבר תחת [אחד] האהלות ואין ידוע איזה הוא [נדה נז.]. ויש טומאה תחת נוף בא' מהן ואינו ידוע כנגד מי. **אבנים פרועות.** היוצאות חוץ מן הגדר וטומאה תחת אחת מהן ואינו ידוע לאדם והלך נזיר תחתיהן [נזיר נד.]. [אבנים] גדולות ובולטות מן הגדר וקברו תחת אחת מהן ואין אנו יודעין תחת איזהו מהן [נדה שם]. **ובית הפרס.** שדה שנאבד בה קבר ונחרש [נזיר שם]. לשון דבר שבור ופרוס על שם שנפרסו העצמות. **החורש את הקבר וכו'.** שדה שנחרש בה קבר ואוקמי רבנן (על) [כל] סביבות הקבר מאה אמה בספק טומאה שדיקדקה המחרישה את העצמות ומגלגלתן [נדה שם]. החורש את הקבר הרי זה עושה בית הפרס מאה אמה שכך שיערו שהמחרישה מולכת את עצמות המת ודלמא נגע או הסיט המהלך בו את עצם כשעורה שמטמא במגע ובמשא [כתובות כח:]. וחשו חכמים עד מאה אמה דלדלה מחרישה את כתיתי העצמות ושמא יעבור על עצם כשעורה ויסיטנו [ע"ז יג.]. דלא מטמא אלא מדרבנן והוא שדה שנחרש בו קבר וחשו חכמים שמא דלדלו כלי המחרישה את העצמות והדורס עליהן מסיטן ועצם כשעורה מטמא במגע ובמשא ולא באהל. **מנפח.** לפניו שאם היה שם עצם ירחנו דאי דאורייתא הוא לא הוינן מזלזלין ביה כולי האי למיסמך אנפיחה והך בדיקה לעושה פסח אישתרי ולא לאוכלי תרומה כדאמרינן בחומר בקדש (חגיגה כה:) [ברכות יט:]. שדה שנחרש בה קבר דכולה ספיקא משום עצמות היא ועצמות בלא בשר אינו מטמא באהל וכשמנפח לפני רגליו אם יש שם עצם גדול נראה מאליו ועצם קטן נראה בנפיחה ואינו מסיטו ברגליו [עירובין ל:]. הוא שדה שנחרש בה קבר כדתנן (אהלות פרק י"ז מ"א) החורש בית הקבר הרי זה עושה בית הפרס מלא מענה מאה אמה וגזור רבנן שמא כיתתה מחרישה את העצמות ופיזרתן באורך המענה ויש כאן עצם כשעורה ויעבור ויסיטנו ועצם כשעורה מטמאה במגע ובמשא דהיינו היסט הלכך מנפחו בפיו ואם יש עצם גדול יראנו ועצם כשעורה נדחה בנפיחתו ואהל אין מטמאו דהא אין טומאת אהל בעצמות אלא רוב בנין ורוב מנין [פסחים צב:]. בודקו בנפיחה ואם יש עצם כשעורה רואהו ונשמט ממנו ועצם כשעורה אינו מטמא באהל אלא במגע ובמשא לפיכך בודק בנפיחה שלא יסיטנו ברגלו [חגיגה כה:]. וסומך על כך שאם יש עצם רואהו ואע"ג דמאהיל לא חיישינן דאין עצם כשעורה מטמא באהל עד דאיכא שדרה או גולגולת שלמה או רוב בנין או רוב מנין [כתובות שם]. דעצם כשעורה מטמא במגע ובמשא ולא באהל וכי מנפח ליה מדחיא [ליה] מקמיה ולא נגע ביה ומיהו בתרומה לא מצי אכיל דאמרינן בחגיגה בפרק חומר בקודש (כה:) בודקין לעושי פסח ואין בודקין לאוכלי תרומה וההוא בודקין מפרש התם דבהך בדיקה דבית הפרס קאמר [בכורות כט.]. דבשר ליכא ועצם כשעורה לא מטמא אלא במגע ובמשא הלכך מנפח כדי שלא יגעו רגליו בו והולך. **שנידש.** ברגלי אדם שהרגלים נושאים את העצמות ושחקום [נדה שם]. ברגלים [ברכות שם]. בדריסת רגלי בני אדם [עירובין שם]. דישה רבה ברגלים הרבה [כתובות שם]. שדשוהו בני אדם ברגליהם [בכורות שם]. **טהור.** שדריסת הרגלים העבירתן והבא לעשות פסחו יבדוק אם נידש ויעבור אבל לאכילת תרומה לא סמכי' עלה שיכול להמתין ובית הפרס מדבריהם ולא העמידום במקום כרת דפסח [פסחים שם]. שכבר נידשו עצמות שבו ונפחתו מכשעורה [עירובין שם]. דתלינן לקולא ואמרינן כל העצמות נכתתו לפחות מכשיעור [כתובות שם]. שאי אפשר לעצם כשעורה שלא יהא נידש ברגל ובית הפרס אין בו שום ספק אלא משום עצם כשעורה דבית הפרס היינו שדה שנחרש בו קבר [בכורות שם].

דף ו' ע"א

דאיקפל. שנקלף. איקפל כמו ונקלף ודומה לו וקיפלו את האבנים (סוטה לו.) [חולין

מד. ועי' בב"ח בסוגיין]. **משמיעין על השקלים.** בית דין מכריזין שיביאו שקלים למקדש [מגילה יג:]. בהכרזת בית דין [שם כט.]. **ועל הכלאים.** שגדלו הזרעים קלת ונילן ניכר ועוקרין אותן משדותיהן בהכרזת בית דין [שם יג:]. לעקור כלאי הזרעים הניכרין בין התבואה [שם כט.]. **לקווץ את הדרכים.** לפנות קוצים שבדרכים [לעיל ה.]. **בכיר.** ראשונה [תענית ו.]. **אפיל.** מאוחרות [שמות ט, לב]. אחרונה כמו כי אפילות הנה (שמות ט) [תענית שם]. **כל סאה שיש בה וכו'.** תבואה שיש בה רובע הקב ממין אחר ימעט דלא ליהוי רובע ואח"כ יזרענו וכן פי' רבינו חננאל. א"נ זרעו אלא שלא נשרשו עדיין ימעט אבל אם נשרשו אין להם עוד תקנה שכבר נאסרו בהשרשה כדנפקא לן בפסחים בפרק כל שעה (כה.) מהמלאה והזרע זרוע מעיקרו בהשרשה ובספרי נמי תניא לה בהדיא התבואה משתשריש [רשב"ם ב"ב צד.].

דף ו' ע"ב

מושכין את המים מאילן לאילן. בחולו של מועד אם יש מים תחת אילן אחד עושין דרך קטן מאילן לאילן כדי שימשכו המים מאילן זה לאילן אחר. **שלא ישקה את השדה כולה.** בבית הבעל קמיירי דהרווחה היא אלמא דהרווחה דמילתא אסר ר' אליעזר [לעיל ב.]. **גריד.** לשון יובש שהארץ יבשה ואין גשמים יורדין [ב"מ עה:]. שהארץ חלולה ומנוקבת ככברה [בראשית מח ז]. **תרביצא.** גינה שבלד הטרקלין [ב"ב ז.]. גינה (אי נמי בית המדרש) [ברכות נז.]. על שם שמרבילין אותו תמיד במים להשכיב האבק קרי ליה תרבץ [ב"ב צח:]. **שבלול.** יש פותרין לימצ"א בלע"ז. ויש פותרין כמו שבולת מים (תהלים סט) וכפל הלמ"ד כמו מן ימל קלירו (איוב יח) ימולל (תהלים ל). [תהלים נח, ט]. החמט. לימצ"א [ויקרא ל, יא]. החמט. אומר אני שהוא מין שרץ שקורין לימג"א הגדל בקליפה ההולכת ומעגלת תמיד כל כמה שגדל [חגיגה יא.]. **תמס.** נמס והולך תמס שם דבר הוא המ"ם יסוד ועיקר הוא והתי"ו בו יסוד נופל כמו תי"ו של תבל עשו (ויקרא כ). **נפל אשת.** טלפ"א בלע"ז שאין לה עינים והיא תנשמת דמתרגמינן אשותא כך פירשוהו רבותינו. ויש פותרין נפל של אשה כמו אשת הזמה (יחזקאל כג) ויש תי"ו בלא דבקות כמו (משלי ד) עטרת תפארת תמגנך כמו נפל של אשה שלא חזו הנפלים שמש. וללשון ראשון הוי נפל ואשת כמו ואני ככבש אלוף (ירמיה יא) שהוא כמו כבש ואלוף. ופי' מנחם ככבש ואלוף הוא שור אף כאן נפל ואשת (לוה להגיה סא"א) [תהלים שם].

דף ז' ע"א

קורדום. כישנוא"ה [ב"מ פב:]. **בהוצא ודפנא.** הוצא לולבי דקל דפנא ענפי עץ שקורין לורי"ר וגדל בו פרי שקורין באיי"ש [סוכה כג.]. בהוצא לולבי דקלים ודפנא ענפי עץ ערמונים שקורין לו"ר ופרי שלו קורין ביי"ש [ב"ב ד.]. **הוצא.** גדר קוצים או לולבים [שבת עז: וכעי"ז ב"ב ד:]. **הגוחה.** מוטות כמו כותל הגוחה לרשות הרבים דפרק קמא דמועד קטן [סוכה מה.]. גוחי. כרעי ושחי על גחונך וכן בלשון משנה כותל הגוחה לרשות הרבים [מיכה ד, י]. **מוסגר.** שאם לא ימצא ביום שבעה סימני טומאה שער לבן או פסיון יטהרנו ואף על פי שנגעו עומד עליו [מגילה ח:]. **מוחלט.** וטמאו הכהן. ומשטמאו הרי הוא מוחלט וחקוק לצפרים ולתגלחת ולקרבן האמור בפרשה זאת [ויקרא יג, ח]. לאחר שכלו ימי ההסגר ונראה בו סימני טומאה האמורין בו [מגילה שם].

דף ז' ע"ב

חתן שנולד בו נגע. דנגע האחרון נולד לו בימי חתנות. **נותנין לו.** שלא יראה כהן את הנגע (דכל) [וכל] כמה דלא חזי ליה כהן ולא מטמא ליה לא הוי טמא דבכהן תלא רחמנא. **לכסותו.** טליתו אם נולדו בה נגעי בגדים [בכורות לד:]. **ופנו את הבית אם ממתינים.** בתורת כהנים נפקא לן מלוה הכהן ופנו את הבית בטרם יבא הכהן לראות את הנגע ולא יטמא וגו' א"ר מאיר וכי מה מטמא לן שאמרה תורה להמתין שלא יראה הכהן את הנגע ולא יאמר טמא עד שיהו הכלים נפנין וא"ת כלי עליו בגדיו ומתכת מטבילן והם טהורים ועל מה חסה תורה על כלי חרס ופכו שאין להן טהרה אלא שבירה [חולין מט:]. על מה חסה תורה על פכין של כלי חרס שאין להם טהרה במקוה [יומא לט. וכעי"ז ר"ה כז.]. שכל זמן שאין כהן נזקק לו אין שם תורת טומאה. (ת"כ) שאם לא יפנהו ויבא הכהן ויראה הנגע נזקק להסגר וכל מה שבתוכו יטמא ועל מה חסה תורה אם על כלי שטף יטבילם ויטהרו ואם על אוכלין ומשקין יאכלם בימי טומאתו הא לא חסה התורה אלא על כלי חרס שאין להם טהרה במקוה [ויקרא יד, לו].

דף ח' ע"א

למעוטי סומא. כהן שחשך מאורו [ויקרא יג יב].

דף ח' ע"ב

כוכין. כוך קבר שחופרין בקירות מערה ארכו ד' ורחבו ז' טפחים [ברכות יד:]. **נברכת.** בריכה. מקום כינוס מים חפור בקרקע בידי אדם ארוך ורחב [ישעיה לו, ב]. חריץ רחב [עירובין פח:]. **ההדיוט.** שאינו אומן בכך [פסחים נה:]. **תופר כדרכו.** בחולו של מועד. **האומן.** החייט. **מכליב.** מפסיע. שאינו תופר ביושר אלא מפוזר התפירה ולהכי קרי מכליב שדומין תפורי המחט לשיני הכלב רחוקות זו מזו כשיני הכלב. **כלבתא.** שאינו תופר כדרכו (תוחב) [לתחוב] זה בסמוך זה אלא שתוחב המחט פעם אחת למעלה ופעם אחת למטה ולהכי קרי ליה כלבתא דהכי קיימי שיני הכלב שן אחד גבוה מחבירו. **מסרגין.** אורגין מטה של חבלים [לקמן י.].

דף ט' ע"א

שבעת ימים. של חינוך. **ושבעת ימים.** חג הסוכות נמלא שאכלו ושתו ביום הכיפורים [מלכים א ח, סה]. **באמה כליא עורב.** להכי נקט אמה דאמרי' בפרק בתרא דמנחות (קז.) הרי עלי ברזל לא יפחות מאמה על אמה לכליא עורב שהיו מביאין טבלאות של ברזל אמה על אמה ובהן מסמרות גבוהין אמה קבועין ומחפין בהן ראש הגג של היכל לגרש את העורבים שלא ישכנו שם כליא לשון [מגרש] שמגרש את העורבין כמו כייל דודבי כייל פרוחי דאמר במסכת נדה (יז. ע"ש) שהיה מגרש זבובין ממטתו בשעת תשמיש משום לניעות דאסור לשמש מטתו בפני כל חי. ל"א כליא עורב מונע העורבים כמו (תהלים מ) לא תכלא רחמיך [ערכין ו.]. טבלאות של אמה [על אמה] היו עושין והן חדין כסכין סביבותיהם ומסמרין חדין בכולן ומחפין בהן גגו של היכל למנוע את העורבים מלישב [שבת צ.]. מסמרות חדין תוחבין בראש גג ההיכל לכלות העורבין שלא ישבו עליו [מנחות קז.]. **לדוד עבדו.** להודיע שמחל לו עונותיו כדאיתא במועד קטן בשעה שבקש שלמה להכניס הארון לבית קדשי הקדשים דבקו שערים זה בזה. **ולישראל עמו.** שמחל להם על עון יום הכפורים ויצתה בת קול ואמרה כולכם מזומנים לחיי העולם הבא [מלכים א ח, סו]. **עון יום הכפורים.** שאכלו ושתו בחנוכת הבית כדכתיב את החג שבעת ימים ושבעת ימים. **דבקו שערים.** של בית קדשי הקדשים [שבת ל.]. ולא היו מניחין להכניס ארון לבית קדשי הקדשים. **עשרים וארבע רננות.** בפרשת ויעמוד שלמה (מלכים א ח) רנה תפלה תחנה כלהון כ"ד איכא [ברכות כט.]. רנה תפלה תחינה כתובים בתפלת שלמה עד כ"ד וי"א כ"ד ברכות דתענית ולא נהירא [שבת שם ועי"ש במסוה"ש]. בין תפלה תחנה ורנה איכא עשרים וארבע [סנהדרין קז:]. **על אותו עון.** דבת שבע [שבת שם]. **באורתא.** תחלת הלילה [ברכות ג:]. **וביום עשרים ושלשה לחדש השביעי שלח את העם.** שהוא ט' לחנוכת הבית ובמלכים (א ח) כתוב וביום השמיני שהוא כ"ב לחדש פתרון ביום ח' נתן להם רשות לילך לאחר החג ולמחר כשילא החג אז הלכו כולם יחד ע"א ביום ח' נתן להם רשות ושלא אותם היושבים בתוך תחום שבת וכל מי שירלה ליסע ולילך באותו היום באותו התחום ולמחר שלא כל העם כולו ובב"ר מפרש נטלו רשות ממנו והמתינו עוד שם יום אחד וחזרו ונטלו רשות עוד למחר פעם שניה לכך נאמר ביום כ"ג בחדש [דה"י ב ז, י]. **פלס מעגל רגלך.** שקול דרכך הפסד מלוה כנגד שכרה ושכר עבירה כנגד הפסדה ואז כל דרכיך יכונו [משלי ד, כו]. **אורח חיים פן תפלס.** כך דרשוהו חכמים סלסל הקב"ה מתן שכרן של מלות ולא פירשן כדי שלא יראה אדם מלוה שמתן שכרה מרובה וידבק בה ויניח שאר המלות וזה פתרונו כדי שלא תפלס אורחות התורה אי זו ליקח ואי זו להניח לכך נעו מעגלותיה הניע הקב"ה נתיבותיה ולא הודיעם זהו מדרש אגדה [שם ה, ו].

דף ט' ע"ב

מפנינים. מרגליות [משלי ח, יא]. **וכל חפציך.** כל חמדותיך. **לא ישוו בה.** לא יהיו שוין בשויה ודמיהן בדמיה [שם ג, טו]. **לא ישוו בה.** לא ידמו לשויה [שם ח, יא]. **כוחלת.** עיניה [שבת צד:]. כחלת. מין לבע ושמו כחול ולובעות בו עיניהם אוקליר"א בלע"ז [יחזקאל כג, מ]. **פוקסת.** יש מרבותי אומרים מתקנת שערה במסרק או בידיה. ויש שמפרשין טחה כמין בלק על פניה וכשנוטלו מאדים הבשר [שבת שם]. שרק שעל פניה טינפאנ"ל בלע"ז והוא אדום [שם סד: וכעי"ז כתובות ד:]. **סרק.** לבע אדום הוא הבא בקנים שקורין טיפוני"ן [שבת צה.]. **לא תסוד.** לא תתן סיד על פניה במועד. **מפני שניוול הוא לה.** בעודו על פניה ואף על פי כשנוטלתו מאדימה ומלהיל פניה כיון דהנאה זו אינה אלא עד לאחר המועד וניוול בתוך המועד אסור. **שמחה הוא לאחר זמן.** כל מה שהתירו לעשות במועד מילר הוא באותה שעה כגון שחיטה ותיקון סעודה והתירו לו משום שמחה דלאחר זמן שבתוך המועד [ע"ז ו:]. למחר [שם ב.]. **שהגיעו לפרקן ולא הגיעו.** שהביאו שתי שערות ולא באו לכלל שנים הראויות לכך ומתביישות בדבר [שבת פ:]. שיש להן שערות כאילו הגיעו לפרקן והן לא הגיעו לכלל שנים ובושות על כך [פסחים מג.]. **טופלות.** מושחות [שבת שם]. **בסולת.** ומשיר את השער. **ספכת.** לא איתפרש [פסחים שם]. שקורין בלשמ"א [מנחות פו.]. **אנפיקינון.** דתנן במנחות (פה:) אין מביאין אנפיקנון הוא שמן זית שלא הביא שליש [שבת שם וכעי"ז פסחים שם]. **ולמה סכין אותו.** היינו שמן המור [שבת שם]. **ומעדן את הבשר.** אשקלייר"א [פסחים שם]. מלהיב [מגילה יג.]. **טפלה בסיד.** **שקל בה ד' מאה זוזי.** שנתייפה וקפצו עליה המהוגנין לה ונתנו (לה) [לו] ממון. **דשתי שכרא.** השכר משחיר ומרבה שיער [שבת שם].

דף י' ע"א

אימרא. לשון שפה [ויקרא יג, נב ותענית יא:]. **חפת.** שפת חלוקו [יומא עז:]. **מנקר.** מנקה [סוטה יא:].

דף י' ע"ב

אקרפיטא. ספסל [קידושין ע.]. **לכסכוסי.** משפשפה בין שתי ידיו [שבת קמ.]. דמי למכבס [שם קמא.]. אנפריי"ר בלעז כמי סובין [ב"מ ס:]. משפשף לדו זה על לדו [של] זה כדרך המכבס בגדים אוחז הבגד בשתי ידיו ומשפשף [זבחים צד:]. **קירמי.** בגדים המצויירים אוברי"ן בלעז [ב"מ שם]. **דמתקיל.** מסיר המכשולות ומשוה פני הקרקע שתהא חלקה ולא תכשל המחרישה ותשבר. **דבי דרי.** גורן לדוש שם תבואה דכיון דקרקע זה לחרישה עומד ולא לגורן ואף לאחר שיסליקנו לגורן ויחבוט שם חטין יהא לריך (שם לחרוש) [לחרוש שם] ולזרוע נמלא שאין גורן זה כאן כי אם קלקול ואין זה מתקן השדה כי אם מקלקל וכל תיקון שסופו לסתור אינו אלא קלקול ומעיקרא לא מתקן הוא [רשב"ם ב"ב נד.]. **מוליא.** גבשושית [שם ב"ב קנא.]. תל. **נצא.** גומא. **מוליא במוליא ונצא בנצא.** התל הרחיב במקומו והשפילו ונותן מגבהו סביבתו לצדדין שלא יהא זקוף כל כך וכן נגא בנגא שפתי הגומא השפיל וגדר לאמלעיתה ונעשית הגומא חלקה הרי הג ומות לבד והתלים לבד והרי יש כאן מקומות מקומות חלקים כל אחד לבדו. **אדעתא דבי דרי.** ראוי הוא לחבוט חטים ולא לחרישה. **שקל מוליא ושדא בנצא אדעתא דארעא.** לקח התל והשליך בגומא נמלא שהשוה כל הקרקע איכא למימר דלחרוש עשה שלא תתעכב המחרישה. **האי מאן דזכי זיבי.** מכבד ומטהר את השדה מקיסמים ועשבים רעים. **אדעתא דציבי.** ללקט עלים לשרוף לא קני דכל לקיטת פירות לא קני. **אדעתא דארעא.** שתהא נוחה לחרוש. **שקל רברבי וזוטרי.** איכא למיתלי אדעתא דארעא אבל שבק זוטרי ליכא למיתלי אלא אדעתא דליבי לחוד דגדולים הראוין לשריפה מלקט. **דפתח מיא.** שיכנסו בשדה. **פתח תרי בבי.** אחד לצד הנהר ליכנס המים ואחד לצד שני לצאת. **אדעתא דכוורי.** לצוד דגים נתכוין ולא להשקות השדה דאי להשקות השדה מתכוין היה לו לעשות פתח אחד ויתעכבו שם המים וגם הדגים יהו נצודין שם מאיליהן [רשב"ם ב"ב נד.]. **דפשח.** בוקע [שמואל א טו, לג]. נתקו [יבמות קכב:]. אייסברי"ר כשמסעף בידו ענפים מעץ גדול כמו ויפשחני (איכה ג) [ביצה לג:]. **דפשח דיקלא.** נוטל מן הענפים ויש שמפשחין אותו לצורך הדקל לפי שענפיו מרובים ואין מניחין אותו ליגדל ומהניא ליה הפשיחא כזימור בכרם. **אדעתא דחיותא.** אם מפשיחו לצורך בהמותיו להאכילן ואינו מתכוין להנאת הדקל. **אדעתא דדיקלא.** כדי שיגדל. **היכי דמי.** מנא ידעינן אי אדעתא דדיקלא או אדעתא דחיותא עבד. **בוליה מחד גיסא.** מקלקל הוא את האילן שמגלהו כולו מלד אחד וההוא ודאי אדעתא דחיותא לחוד מכוין דלאילן לא חייש. **מהאי גיסא ומהאי גיסא.** אם מכל לדדין ליקט כאן מעט וכאן מעט אדעתא דדיקלא שכן מנהג לעשות דכי האי גוונא הוא דאיכא למימר אדעתא דדיקלא [רשב"ם שם]. **אקרא.** מקום מעבר הנהר ובלע"ז פורט"ו [מגילה ו.]. נמל שקורין פור"ט [יומא עז. וחולין צה:]. ובלשון המשנה נמל [ר"ה כג.]. **אקרא דשנואתה.** שנואתא שם הנהר. אקרא קונטריא"ה בלע"ז. יושבים על שפת אותו נהר [ב"מ עג:].

דף י"א ע"א

ליריד. ודרך העובדי כוכבים להיות להם יום שוק ויריד ביום אידם [ע"ז יב:]. שוק הנקבע ליום חג של גוים ולוקחין מהן בתים ושדות מפני שממעיטן אי נמי משום ישוב ארץ ישראל. **בהמה ועבדים ושפחות.** מפני שמכניסן לקדושה. ומעלה. השטר [עירובין מז.]. **וכותב.** שטרות [ע"ז יג.]. **בערכאות שלהן.** לפני דייניהן לחתום ואף על פי שהוא חשיבות להן ואיכא למיחש דלמא אזלי ומודו אפילו הכי שרי [עירובין שם]. מקום גדוליהן ושופטיהן ומעלה שטרותיו לפניהם לחתום ואף על פי שכבוד ותפארת היא להם ואיכא למימר דאזיל ומודה [ע"ז שם]. **מפני שהוא כמציל מידן.** שלא יחזור העובד כוכבים [עירובין שם]. שמתוך כך יהיו לו עדים ומסייעין (להציל) [אותו להצילו] מן העוררין [ע"ז שם]. **למיגדל אוהרי.** לשון גדלין ולשון התלמוד לומר לכל אומן בדבר לשון זה כגון הך דבפרק משקין למגדלי אוהרי ולמגדלי תנורי בחולו של מועד הא למדת שפירוש לשון זה לשון עשיה ותקון [סוכה לז.]. **אוהרי.** של גמי יונקייר"ש בלע"ז. **איזלי.** רשתות של חוטין שיש להם תוך [גיטין ס:]. **מרפסת.** אלדויי"ר בלע"ז. דיורי עליות סמוכות זו לזו ופתוחות לחלר ועושין מרפסת על פני אורך עליות, ופותחין לה פתחי כולן ועולין ויורדין דרך סולם של מרפסת לחלר [עירובין נט: וכעי"ז סוכה ג: ויומא יא: וב"ב יא:]. **במעגילה.** כלי אומנות של בונים ובלע"ז טרואיל"ה [מכות ט:]. טחין היו גגותיהן בטיט והגגות לא היו משופעין אבל הטיט משפעין מעט כדי שיזובו המים וטחין אותן בחתיכת עץ עבה וחלקה ובה בית יד ודוחפה לצד השיפוע וחוזר ומושכה אליו וחוזר ודוחפה (לצד) והטיט מתמרח ומחליק ובדחיפתו קורהו מעגל ובמשיכתו קורהו מושך ושם העץ מעגילה [מכות ז.]. כמו שהוחלקה במעגל ובמחללים שבה מטחין טיט הכותל [לקמן כה:]. **בהוצא ודפנא.** הוצא לולבי דקל דפנא ענפי עץ שקורין לורי"ר וגדל בו פרי שקורין באיי"ש [סוכה כג.]. בהוצא לולבי דקלים ודפנא ענפי עץ ערמונים שקורין לו"ר ופרי שלו קורין ביי"ש [ב"ב ד.]. **הוצא.** גדר קוצים או לולבים [שבת עז: וכעי"ז ב"ב ד:]. **עד ימיו היה פטיש מכה בירושלים.** בבית הנפחים בחולו של מועד לעשות מלאכת דבר האבד שמותרת במועד ועמד הוא וגזר על הנפחים אפילו בדבר האבד מפני שקולן נשמע למרחוק ואין הכל יודעין שהיא לדבר האבד [סוטה מז:]. **חציני.** מגלות [יומא לז:]. **דולדורי"א** [ע"ז טז.]. **כוורא.** דג [רשב"ם ב"ב עג:].

פרק שני

דף י"א ע"ב

זולף. שואף (ס"א שופך) עד המלוי אגוטי"ר בלע"ז [יומא נח.]. **ומרביצים.** להשקות לשון אין מכבדין ואין מרבילין היינו השקאה פורתא כדי שיגדלו הירקות וכדמפרש באידך ברייתא לקמיה ומשקין היינו השקאה גמורה של בית השלחין [לעיל ו:]. **בכיר.** ראשונה [תענית ו.]. **אפל.** מאוחרות [שמות ט, לב]. אחרונה כמו כי אפילות הנה (שמות ט) [תענית שם]. **ובלן.** מחמם מרחאות [קידושין פב.].

דף י"ב ע"א

אפדנא. טרקלין של מלכים [שבת עז:]. **שרשויי.** מרויחו [כתובות קח.]. נהנה [גיטין מד.]. **עושה לו לימודים.** נסרים. לוחין לבור של יין לכסותו [ברכות לח.]. לסדר נסרים על פי הבור [שבת קכה:]. **סיני.** היו קורין לרב יוסף שהיה בקי בברייתות הרבה [ברכות סד.]. קרי רב יוסף לפי שהיה בקי במשניות ובברייתות [עירובין ל.]. קרו ליה סיני לפי שהיו משניות וברייתות סדורות לו כנתינתן מהר סיני אבל לא היה מפולפל כרבה [הוריות יד.]. **אמרה לי אם.** אומנתו היתה [כתובות לט:]. **כוזתא.** כוזא. כלי חרס קטן [שבת עז:]. פך קטנה מחבית [ע"ז עא:]. **נקטינן.** מסורת מאבותינו מנהג מרבותינו [עירובין ה.]. מסורת מאבותינו [גיטין נב:]. מרבותינו [רשב"ם ב"ב פ.].

דף י"ב ע"ב

מטילין. ברשיי"ר בלעז. **במועד.** בחולו של מועד. **מערים ושותה מן החדש.** אלמא בלא שום הוכחה מותר להערים [שבת קלט:]. **אדם חשוב שאני.** שהרואה אותו שהוא מיקל עומד ומיקל יותר [שבת נא.]. **לפי שלמדין הימנו** [כתובות פו.]. **בחומרתא דמדושא.** טבעת שחותמה ממין אחר ואמרינן במסכת שבת (נט:) היא של אלמוג וחותמה של מתכת אסור לצאת בה חומרתא חותם מדושא לא אתפרש ובדקתי במס' שבת ולא נשנית שם לענין שבת אלא לענין טומאה ואומר אני חומרתא דמדושא קשר של בושם אחד ממיני הבשמים וכי האי גוונא אמרינן בשבת (סב:) דאין יוצאין בחומרתא דפילון וחייב עליו חטאת משום דמשאוי הוא ואינו תכשיט אדם [עירובין סט.]. **מיא דאחים קפילא ארמאה.** שהחמן נחמם נכרי ובחול ולאשמועינן דאין בהם משום בשולי נכרים

[שבת שם]. נחתום עובד כוכבים [חולין צז.]. **השירין.** אצעדות [שבת מו:]. צמידין [ע"ז מג:]. אצעדה מתרגמינן שירין (במדבר לא) [קידושין מח.]. **הרי הן ככל הכלים.** אע"פ שאסור לצאת בהן לרה"ר כדאמרי' בפרק במה אשה יוצאה (שבת נט:) גזירה דילמא שלפא ומחויא מיהו תורת כלי עליהן ומותר לטלטלן שלא כדרך מלבוש [שבת שם]. **נרגא.** גרזן [סוכה יב.]. **כיתנא.** פשתן [עירובין קד:]. **כשותא.** הומלו"ן וגדל מתוך ההיזמי מריח הקרקע שההיזמי יונק ממנו [שבת קז:]. הימלו"ן שגדל על ההגא [שם קלט:]. גדל בהיזמי ואין לו שורש בקרקע אלא מהיזמי למה [עירובין כח:]. הומלו"ן שמטילין לתוך השכר [ב"מ מב:]. **לנזיי.** לשון כמוש פליסטר"א [ויקרא יט, יט]. **כשורי.** קורות [שבת סז.]. **וכולן אם כוונו מלאכתן במועד יאבדו.** שיכול לעשות קודם המועד או להניחה מלהתחיל בה עד לאחר המועד וכיון דנמלך להתחיל בה סמוך למועד שאם לא יגמרנה במועד יהא דבר האבד ויהיה מותר לגומרה ותנן וכו' וכולן אם כוונו מלאכתן במועד יאבדו [גיטין מד:]. המכוין [לעשות] מלאכתו במועד דמניח כרמו לבצור ואומר במועד אבצירנה שהרי דבר האבוד הוא והתירוהו חכמים במועד תאבד ולא יבצרנה הואיל ולכך נתכוין. **מהו שיקנסו בנו אחריו.** ומיבעיא לן וכו' אם מת קודם המועד מהו לקנוס בנו אחריו ולא יבצרנה במועד [בכורות לד:].

דף י"ג ע"א

צרם אזן בכור. ומת הגורם מהו לקנוס בנו אחריו שלא יאכל מאותו בכור עולמית. **דאיסורא דאורייתא.** דמטיל מום בקדשים. **ואם תמצי לומר מכר עבדו וכו'.** במסכת גיטין דהמוכר עבדו לעובד כוכבים דקיימא לן קונסין אותו לפדותו עד עשרה בדמיו ומיבעיא לן התם אם מת המוכר מהו לקנוס בנו אחריו אם תימצי לומר ולמיפשט בההיא דקונסין התם דינא הוא דכל יומא מפקע ליה ממצות. **ממונא קא קנים.** לבכור [בכורות לד:]. לפדותו מנכסיו. **והא איתיה.** ביד בנו. **שנתקווצה.** ניטלו ממנו קוצים ובקוצין ליפותה ואין זו עבודת קרקע מן התורה לא קנסוהו ותזרע למוצאי שביעית [גיטין מד.]. שנטל קוציה ממנה שהיו תלושין ומפוזרין בה [בכורות שם]. **נטייבה.** מזבלה על ידי עגלות ומשאות מזבלה והוליך לה זבל בעגלות ומשאות [גיטין שם]. מזבלה ע"י עגלות ומשואות של זבל [בכורות שם]. **נדיירה.** על ידי דיר בהמה לזבלה עבודת קרקע היא וקונסין אותו [גיטין שם]. על ידי דיר בהמות שמעמידין ומשכיבין אותה חדש או חדשים כדי לזבלה. **תזרע למוצאי שביעית.** דליכא למיקנס מידי דהא לא עבד בשביעית עבודה חשובה [בכורות שם]. **לא תזרע.** קנסינן דעבד עבודה חשובה בשביעית [בכורות שם]. **נקטינן.** מסורת מאבותינו מנהג מרבותינו [עירובין ה.]. מסורת מאבותינו [גיטין נב:]. מרבותינו [רשב"ם ב"ב פ.]. **טימא וכו' לא קנסו בנו אחריו.** לשלם ואע"ג שהוא חייב לשלם כדתנן בהניזקין (גיטין נג:) המטמא והמדמע והמנסך שוגג פטור ומזיד חייב [גיטין שם]. לשלם אע"ג דלדידיה קנסו כדאמרי' בפ' ארבעה אבות נזיקין (ב"ק ד). **שאינו ניכר.** שהרי (טהרות) טהרותיו. מונחות לפניו ואין היזק ניכר בהן [בכורות שם]. שלא נשתנו מכמות שהיו [גיטין נג.]. **לא שמיה היזק.** לחייב נכסיו מן התורה [גיטין שם]. לחיוביה אפי' לדידיה מדאורייתא [בכורות לח.]. **ואם אינו מאמינו.** המלוה ללוה. **או שאין לו מה יאכל.** לסופר [לקמן יח:]. **שלש אומניות עושין מלאכה.** בכל מקום וטעמא מפרש בגמרא [פסחים נה.]. **החייטין.** משום הכי שרו בארבעה עשר בכל מקום שכן מצינו בהן קולא משאר אומניות גבי חולו של מועד. **שכן ההדיוט תופר כדרכו.** משנה היא במועד קטן (ח:) הדיוט שאינו אומן בכך הלכך בארבעה עשר דקיל מחולו של מועד אפי' אומן נמי שרי. **שכן הבאין ממדינת הים וכו'.** וכיון דאשכחן בהן היתר קצת בחולו של מועד הלכך בארבעה עשר דקיל שרי לכולי עלמא [שם:]. **כותל הגודה.** מוטות כמו כותל הגוחה לרשות הרבים דפרק קמא דמועד קטן [סוכה מה.]. גוחי. כרעי ושחי על גחונך וכן בלשון משנה כותל הגוחה לרשות הרבים [מיכה ד, י]. **לבלר.** סופר [סוטה כ.]. **קידושי נשים.** שכתב בשטר הרי את מקודשת לי דאשה נקנית בשטר [לקמן יח:]. **לחצר אחרת.** אבל האומן אבל לא יביאם לביתו שרחוק מבית האומן מפני הטורח. בדק לן. מנסה אותנו. **במאמינו.** לאומן שלא יתכרס אין מביאין ל"א מאמינו שלא יתבע שכרו פעם אחרת והוא צריך לשכרו עכשיו [פסחים שם].

דף י"ג ע"ב

והתניא. בניחותא. כגון כד מבית הכדר וכוס מבית הזגג. שצריכין למועד. זגג. עושה כלי זכוכית. **אבל לא צמר.** שאין צורך המועד. **ואם אינו מאמינו וכו'.** אלמא שאני לן בין מאמינו לשאין מאמינו. **תרצת מביאין.** דמתני'

ואין מביאין דמועד קטן תרוייהו בחולו של מועד ומתניתין דהכא בשלא מאמינו אבל מוליכין קשיא דקתני מתניתין מוליכין והתם מאי אין מאמינו איכא וההיא קתני אין מביאין וכ"ש דאין מוליכין. **מעיקרא.** מתניתין בי"ד וההיא בחולו של מועד [פסחים נה:]. **הקציעות.** תאנים יבשים כותשין אותן ועושין מהן עגולין [תענית כח.]. תאנים שנתייבשו בשדה וקצען במקצוע והוא שם כלי העשוי לכך ומותכין בו עוקצי התאנים ואחר כך דורסים אותם בכלי עגול והן נדבקין יחד ונעשין כגבינה והוא נקרא עגולי דבילה וכשבאין למוכרן מפרידן במגריפה [ביצה ג:]. תאנים שקוצצין אותם באיזמל ומוהל שלהן זב ושוטחן בשדה ליבש [ב"מ כא:]. שקיצעם באיזמל בכלי ששמו מקצוע [זבחים עג.]. מקצוע. כלי (שנותנין) [שעושין] בו הגרוגרות ועל שם כלי קרי להו קציעות בכמה דוכתין [מנחות נד:]. מקצוע. איזמל שמחתכין בו דבלה יעשהו במקצועות מתרגמינן באיזמליהון (ישעיהו מד) [שבת קכג:]. **והגרוסות.** גרס. לשון שבירה וטחינה גורסה בריסים של גרוסות כמו (איכה ג) ויגרס בחצץ וכן גרסה נפשי (תהלים קיט) [ויקרא ב, יד]. גרסה. לשון גרש וכרמל (ויקרא ב) שלא היה טוחן הדק אלא כריסים של גרוסות המחלקין חיטה לשנים או לארבע [לצורך] מאכל [ע"ז יט. ועי' רש"י מנחות סו.]. **חילקא.** חטי דמתברי באסיתא חדא לתרתי [ברכות לז.]. **הנודר מן הדגן אסור אף בפול המצרי יבש.** דכיון דמידגן שעושין ממנו דגן סבירא ליה לר' מאיר לדגן מיקרי [ר"ן נדרים נה.]. **ומותר בלח וכו' ובטיסני.** ולהכי שרי שכבר נשתנה החטה [נדרים נה:]. **לסטיו.** מקום איצטבאות שיושבים סוחרים [שבת ה:]. מקום מוקף איצטבאות לישב [שבת צא:].

פרק שלישי

דף י"ד ע"א

מטפחות הידים. שמנגבין בהן ידים משום דמאיס. **ומטפחות הספג.** שמנגבין בהן עצמן כשיוצאין מבית המרחץ. **העולין מטומאה.** במועד [לקמן יח.]. **מטפחות.** מפות [ישעיה ג, כב]. סודר [יומא עח.]. **אנשי משמר.** כהנים ולוים העובדין [תענית יב.]. אותן עשרים וארבעה שהיו בעריהן [שם כז:]. **ואנשי מעמד.** ישראל העומדים בשליחות הצבור על הקרבן שנאמר (במדבר כח) תשמרו להקריב לי מלוה שיהיו משמרים ועומדים על קרבנם הכי דריש ליה בספרי ובמסכת תענית (כו.) [יומא לז:]. אחד כהנים ולוים וישראלים הקבועים ועומדין ומתפללין על קרבן אחיהם שיקבל לרצון ועומדים לשם בשעת עבודה דהיאך קרבנו של אדם קרב והוא אינו עומד על גביו וכולהו מפרש בפרק אחרון (כו.) [תענית טו:]. **כשהן מגוולין.** שלא יהו סומכין על יום אחד מימי שבת ואין מסתפרין בשבת שעברה [שם יז.]. **יאמרו כל הסריקין אסורין סריקי בייתוס מותרין.** שהרי רוב נחתומין אין להם אותו דפוס [פסחים לז.]. לענין מצות דפסח תנא אין עושין סריקין המצויירין בפסח מפני שהאשה שוהה עליהן ומחמצתן ונחתום אחד ובייתוס שמו היה לו דפוס אחד מצוייר והיה מושיב לתוכו את הסריק והוא מצוייר מיד אמר להם אפשר יעשנה בדפוס ויקבענה מיד אמרו לו א"כ יאמרו כל הסריקין אסורין וסריקי בייתוס מותרין. **איזורו מוכיח עליו.** האיזור תמיד הוא קבוע בחלוקו וכשהוא פושט חלוקו ולובש חלוק אחר נוטל האיזור מזה וקובעו בזה וזה שאין לו אחר מכבסו עם איזורו והרואה כשהוא מכבסו ואיזורו עמו יודע שאין לו חלוק אחר ולכך התירו לו חכמים [חולין קח.].

דף י"ד ע"ב

על הדם. על הנרצח ומסברא מוקמינן לה אהרוגי בית דין שנהרגין על עונש שלא ינהגו בהם כבוד משום כפרה [סנהדרין סג.]. **מטומאתו לטהרתו.** נזיר טמא כשעלה מטומאתו ושוב אינו משמר נזרו ומגלח וכן מצורע שעלה מטומאתו מגלח ברגל לפי שלא היה להם פנאי לגלח קודם הרגל [לעיל יג:]. **מקריב אונן.** מן המקדש לא יצא. ועוד מכאן למדו רבותינו שכהן גדול מקריב אונן וכן משמעו אף אם מתו אביו ואמו אינו צריך לצאת מן המקדש אלא עובד עבודה. ולא יחלל את מקדש. שאינו מחלל בכך את העבודה שהתיר לו הכתוב הא כהן הדיוט שעבד אונן חל [ויקרא כא, יב]. דכתיב לאביו ולאמו לא יטמא ומן המקדש לא יצא אם מת אביו ואמו דהוי אונן אפילו הכי מקדושתו לא יצא ולא יחלל כלומר דעבודתו שיעבוד באנינות לא תתחלל [ב"ק קי.]. דכתיב ביה לאביו ולאמו לא יטמא ומן המקדש לא יצא אינו צריך לצאת מן המקדש ביום מיתת אביו ואמו שעבודתו אינה מחוללת הא אחר הדיוט שלא יצא חילל [זבחים צט.]. **ואינו אוכל.** שלא הותרה כאן אלא עבודה וקדשים אסורין לאונן קל וחומר ממעשר הקל שאמרה תורה (דברים כו) לא אכלתי באוני ממנו [יומא יג:]. **ראשיכם אל תפרעו.** אל תגדלו שער מכאן שאבל אסור בתספורת (מ"ק טו) [ויקרא י, ו]. הא שאר אבלים חייבים משמע [לקמן יט:].

דף ט"ו ע"א

ועל שפם יעטה. שפם. שער השפתים גרינו"ן בלע"ז [ויקרא יג, מה]. **מדקאמר ליה רחמנא ליחזקאל וכו'.** שנאמר בהם פאר ליחזקאל פארך חבוש עליך וגו' וכיון דבעו פאר ואבל מתגולל בצערו בעפר אין זה פאר [ברכות יא.]. דקאמר ליה רחמנא הנני לוקח ממך את מחמד עיניך במגפה וגו' האנק דום מתים אבל לא תעשה לא תתאבל עליה פארך חבוש על ראשך שלא כדרך שאר אבלים לפי שאני עושה אותך אות ומופת לישראל שכך עתידין למות מתיהן ואין איש מתאבל עליהם אלמא אבל אסור בתפילין [סוכה כה:]. פארך חבוש עליך (יחזקאל כד) ואבל מעולל בעפר קרנו וראשו ואין זה פאר לתפילין [כתובות ו:]. **לרבות כ"ג.** שנוהג בו לרעת [לעיל יד:]. **האנק דום.** המתקמקם בשתיקה שוא"ש דמוני"ך בלע"ז [יחזקאל כד, יז]. אנקה. לשון אנחה שאדם מצטער בלבו דמוניש"א בלע"ז ואב לכולם האנק דום (יחזקאל כד) ואם אנקה לשון צעקה היכן הדממה ותרגומו דמדנקין וכן תרגם (יחזקאל כד) ונקוטתם בפניכם ותדנקון לשון אדם הנוהם ומצטער בעצמו [מלאכי ב, יג]. **אסור בדברי תורה.** מדאמר רחמנא ליחזקאל האנק דום והא דאמר (סוכה כה.) אבל חייב בכל המצות האמורות בתורה חוץ מן התפילין התם שאר מצות בעלמא אבל הני אית בהו שמחה [לקמן כא.]. **מה להלן באימה.** דכתיב וירא העם וינועו וגו' (שמות כ). **מכאן אמרו.** כל הטמאים מותרים בתורה שאף הם יכולים להיות באימה וברתת אבל בעל קרי אינו אלא מתוך קלות ראש וחוות הדעת. **ובועלי נדות.** אם טבלו לקריין לדברי תורה הטבילה אינה עולה להם לטהרם מטומאת בועל נדה שהיא שבעת ימים אבל לתקנת עזרא עולה להם כדתנן במתניתין זב שראה קרי ונדה כו' צריכין טבילה [ברכות כב.]. **בש"ס.** משנה. כגון משנה וברייתא של ששה סדרים. גמרא. זו היא סברא שהיו התנאים אחרונים מדקדקים בדברי הראשונים הסתומים לפרש וליתן בהן טעם כמו שעשו האמוראים אחר התנאים שפירשו דברי התנאים שלפניהן וקבעו בהן גמרא ואותו דיוק שבימי התנאים נקרא תלמוד. **הלכות.** הלכה למשה מסיני כגון גוד וגבוד ודופן עקומה שיעורין חצילין מחילין עשר נטיעות ערבה וניסוך המים [סוכה כח.]. **אגדות.** מדרשי פסוק כגון תנחומא וב"ר ויקרא רבה [רשב"ם ב"ב קלד.]. **אבל אסור בתכבוסת.** אבל אין אסור בתכבוסת אלא שבעה ימים דכל שלשים יום לגיהוץ תנן (מו"ק כג.) אבל כיבוס לא דהא תספורת גופא אי לאו דאתיא פרע פרע מנזיר (לעיל יט:) לא מיתסרא [יבמות מג. ועיי"ש בגלה"ש ולקמן יט.]. **תכבוסת.** העברת סממנין [נדה סב.]. **וישלח יואב תקועה וגו'.** אמרו רבותינו (מנחות פה:) כי שמן זית מצוי שם לכך חכמה מצויה שם [שמואל ב יד ב]. **כפיית המטה.** על פניה ולא יישן עליה [תענית כו:].

דף ט"ו ע"ב

כשאמרו אסור בעשיית מלאכה. גבי תענית צבור לא אמרו אלא ביום אבל בלילה מותר מהכא משמע דבלילי תשעה באב מותר במלאכה ואין ביטול אלא ביום אבל אין מפרסמין הדבר [תענית יג. וע"ש במסוה"ש]. **וכאבל ואסור בתשמיש המטה.** כמאן דאמר במועד קטן (לעיל ז:) ימי ספירו וקל וחומר לימי חלוטו. **שובו לכם לאהליכם.** לנשותיכם שאסרתים לכם ואמרתי אל תגשו אל אשה (שמות יט) [חולין קמא.].

דף ט"ז ע"א

העיני האנשים ההם תנקר וגו'. אפי' אתה שולח לנקר את עינינו אם לא נעלה אליך לא נעלה. **האנשים ההם.** כאדם התולה קללתו בחבירו [במדבר טז, יד]. **לשלשת הימים.** לסוף שלשת הימים [עזרא י, ח]. **יחרם כל רכושו.** רשות לבית דין לקנוס ממון ולעשותו הפקר כדאמרינן ביבמות (פט:) מנין שהפקר בית דין הפקר שנאמר וכל אשר לא יבא לשלשת הימים וגו' יחרם כל רכושו וגו' [ר"ה כב:]. **דיכולין** בית דין להתיר ולהפקיר חלקם של ישראל דקי"ל (יבמות פט:) הפקר בית דין היה הפקר [יבמות עט:]. **ואכה מהם.** נתתי להם מלקיות להלקותם כדי להוכיחם ולהזכירם [נחמיה יג, כה]. **הן למות.** להרג. **הן לשרושי.** אם לעקרו מן העולם אותו ואת זרעו ואת משפחתו לשרושי לישראלי"ר בלע"ז. **הן לענוש נכסין.** אם לענשו בממון. **ולאסורין.** או לייסרו בייסורין עד כאן מכתב האגרת אשר נתן דריוש המלך לעזרא הסופר למען ישאהו לירושלים להראותו אל הכהנים והלוים וגזברי המלך למען יחזיקו לקיים המצות ולעבוד ה' בבית המקדש ולשמור התורה כמשפט [עזרא ז, כו].

חמוקי ירכיך וכו'. הנסתרים כירך שכבוד התורה בצנעא ולא להיות יושב ושונה בגובה של עיר ולא לשנות לתלמידיו בשוק כדאמר במועד קטן [סוכה מט:].

דף ט"ז ע"ב

לשני בני אחיו. אייבו אביו של רב אחיו של ר' חייא היה מן האב כדאמרינן בפרק קמא דסנהדרין (ה.) אייבו וחנא ושילא ומרתא ור' חייא כולהו בני דר' אחא מכפרי הוו ואימא שהיתה אמו של רב אחותו של ר' חייא היתה מן האם [פסחים ד.]. **עייא.** ר' חייא ובלשון גנאי קאמר ליה [כריתות ח.]. **ברצות ה' דרכי איש גם אויביו ישלים אתו.** ירצה לו שיהיו שלימים עמו [משלי טז, ז]. **חכמות בחוץ תרונה.** הרי חכמותיה של תורה בחוצותיה מזעקנה להזהירכם לסור עליהם ומה הן חוצותיה בתי מדרשות [שם א כ]. **לא שנית.** לא חזרת עליו פעם שנית כדי שתתבונן בו [ברכות יח.]. **בציפתא.** מחצלת [שבת קמ: גיטין סח. ועוד]. **לישרי לי מר בתיגריה.** פטור אותו מלפניך זה לשון הגמרא מישריה ליה תיגריה כשממהר לעשות בקשת האיש או דינו כדי להפטר ממנו [קידושין ע:]. **חושלאי שעורים קלופים** ב"מ קטז. וסנהדרין כז. ועוד]. **ואלה דברי דוד האחרונים.** ומי הם הראשונים דברי השירה האמורים למעלה אבל בכל שירות ותשבחות שאמר אין נקראים דברים [שמואל ב כג, א]. **שגיון לדוד.** מנחם אמר שגם זה אחד משמות הזמר ע"ש הכלי וכן פי' על שגיונות ורבותינו פירשו לשון משגה שנתודה ונתפלל על השגיון שאמר שירה על מפלתו של שאול כמו שנאמר וידבר דוד לה' וגו' (שמואל ב כב) אבל ענין המזמור אינו מוכיח על כך ואומר אני שאמרו על עסקי ישבי בנוב (שמואל ב כא) שבא עליו על עונשו של שאול כמו שפירשו רבותינו שאמר לו הקב"ה על ידך נטרד דואג האדומי על ידך נהרג שאול ובניו כו' (כדאית' בחלק שגיאות שבקש דוד להקב"ה להמסר ביד שונא ולא יכלה זרעו סא"א) והפך דוד את תפלתו והתפלל שלא יפול ביד אויב וכן פתרונו משגה שר דוד לה' על ששגג לומר להקב"ה למוסרו ביד אויב על דברי שאול שנהרג על ידו ד"א על שגיון כנף המעיל אשר כרת לשאול. **כוש.** מה כושי משונה בעורו אף שאול משונה במעשיו [תהלים ז, א]. **כושי.** שם אדם שחור וקורין מא"ר בלעז [ירמיה יג, כג]. **במעשיו.** משונה בלדקו מכל דורו [שם לח, ז]. **לי דבר צור ישראל.** אלי דבר וצוה צור ישראל שאהיה מושל באדם בישראל שנקראו אדם שנאמר (יחזקאל לד לא) אדם אתם (יבמות סא.) ואהיה צדיק מושל ירא אלהים. ורבותינו פירשוהו בלשון אחר אמר דוד אלהי ישראל לי דבר אלי דבר צור ישראל מושל באדם אני ומי מושל בי צדיק שאני גוזר גזירה והוא מבטלה. אבל לפי ישוב המקראות הראשון הוא פשוטו של מקרא [שמואל ב כג, ג]. **עירא היאירי.** עירא בן עיקש התקועי ויאירי נקרא על שם ששנינו במנחות (פה:) תקוע אלפא לשמן ששמן זית מצוי לשם שממנו מדליקין הנרות. היה כהן לדוד. לו היה נותן כל מתנות כהונה שלו כך אמרו רבותינו (עירובין סג.) ופשוטו של מקרא שעשאו שר ושופט [שם כ, כו]. **רבו** הוה כדכתיב היה כהן לדוד רב לדוד [עירובין סג.]. גדול בתורה היה כדאמרינן דהוה מתני להו לרבנן על גבי כרים וכסתות [גיטין נט.]. **ודוד היה מנהיגו** עליו לראש דכתיב (שמואל ב כ) עירא היאירי היה כהן לדוד [סנהדרין לו.].

דף י"ז ע"א

שנידה לכבודו. ולא לשם שמים אלא שהתריז נגדו ודאי כיון דתני אין מנודה לרב ודאי לא נידה אלא בשביל כבודו דאי במילי דאיסורא הוי כמי שמנודה לרב דאין חכמה ואין עצה וגו' (משלי כא) וקתני אין מנודה לרב אבל לכולי עלמא מנודה [לעיל טז.]. **אין חכמה וגו'.** אין כל חכם ונבון חשוב לנגד ה' כל מקום שיש חלול השם אין חולקין כבוד לרב [משלי כא, ל]. **חשובה נגד ה'** [ברכות יט: ושבועות ל:]. אין תורת חכמה וכבוד ותבונה ויועץ עומדת כנגד חילול השם [עירובין סג. וכעי"ז סנהדרין פב.]. **סנו שומעניה.** שיוצאות עליו שמועות רעות ושנואות שהוא נואף [מגילה כה:]. **כי שפתי כהן.** עליהם מוטל לשמור דעת למה שהרי תורה יבקשו מפיה שכבר דבר זה מסור להם יורו משפטיך ליעקב (דברים לג). **כי מלאך.** שלוחו של הקב"ה כמלאכי השרת לשרת לפניו וליכנס לפנים במחילתו [מלאכי ב, ז]. **לא מסתייך.** לא די [חולין קז: וקלא.]. **זיבורא.** צירעה [ע"ז יב:]. **ילבש שחורים.** שלא יראה עצמו בכבודו אולי ירך לבבו בכך וגם אם יחטא אין אדם נותן לב לפי שאינו חשוב בעיניהם לכן ילבש שחורים [קידושין מ.]. **באושא התקינו.** כמה שנים אחר חורבן כדאמרינן בראש השנה (לא.) גבי עשרה מסעות נסעה שכינה [שבת טו:]. כשישבו סנהדרי גזית באושא שהיא אחת מעשר גליות שגלתה סנהדרין[כתובות מט:]. שגלתה סנהדרין לאושא כדאמרינן בראש השנה (לא.) עשר גליות גלתה סנהדרין כו' מיבנה לאושא מאושא כו' [ב"ב כח.].

שרי ליה לנפשיה. שלא נידהו בפניו [נדרים ז:]. כדי שלא יצטרכו בני ביתו להתרחק ממנו ומהא משמע דמנודה אפילו בני ביתו נוהגין בו נידוי דאי לא מאי כי עייל לביתיה ומיהו הרא"ש ז"ל כתב דאשתו אינה חייבת לנהוג בו נדוי וטעמא דמילתא משום דאשתו כגופו ודייק לה מדאיבעיא לן בפרק ואלו מגלחין (מ"ק טו:) מנודה מהו בתשמיש המטה דאם אשתו חייבת לנהוג בו נדוי מאי קמבעיא ליה פשיטא דאפי' קירוב בעלמא אסור אלא ודאי אשתו מותרת ואפשר לדחות ראיה זו דאפי' אם תימצי לומר דאשתו חייבת לנהוג בו נדוי משכחת לה להאיה בעיא במנודה לעיר אחרת שאינו מנודה לעירו ואפי' הכי הוא עצמו מנודה הוא ואם איתא דמנודה אסור בתשמיש המטה הוא עצמו אסור בכך אף על פי שאשתו מותרת. ת"ח מנדה **לעצמו ומיפר לעצמו.** כתב הרשב"א ז"ל דדוקא היכא דלא הוי בר נדוי כי הא דמר זוטרא דממדת חסידות בעלמא משום יקרא דבר בי רב הוה משמת נפשיה אבל כשנדה עצמו על דבר שהיה חייב עליו נדוי לא כל הימנו להתיר עצמו. והקשו עליו אם כן היכי מקשי ליה הש"ס פשיטא מקמי דאמר כי הא דמר זוטרא אדרבה הל"ל אמאי. לפיכך אמרו דבכל ענין שנדה את עצמו מיפר לעצמו וכן דעת הרמב"ם ז"ל בפרק ז' מהלכות ת"ת (הל' יא) וראיתי למקצת מפרשים שכתבו דלא גרסינן פשיטא אלא ה"ג ומיפר לעצמו כי הא ולמי שגורס כן דברי הרשב"א נכונין בטעמם [ר"ן נדרים ז: וח.]. **מימנו אנגידא דצורבא מרבנן.** תלמיד שסרח היו נמנין להלקותו ולא לנדותו משום דשמתא חמורה וחוששין לכבוד התורה [פסחים נב.].

דף י"ז ע"ב

כל מקום שנתנו חכמים עיניהם. לאדם שנידו או מת או נופל בעניות [נדרים ז:]. **או מיתה או עוני.** אלמא שוו להדדי [ר"ן שם]. **ויום שביעי עולה לו לכאן ולכאן.** דחשיב נמי שמיני [לקמן יט:]. **בשלשה פרקים.** בשלשה רגלים. **באימורי הרגלים.** בעורות של עולות ובחזה ושוק של שלמי חגיגה הבאות מחמת הרגל ובגמרא מפרש מאי לשון אימורים דקתני. **ובחילוק לחם הפנים.** אם אירעה שבת ברגל שבשבת מסלקין אותו ומסדרין לחם אחר תחתיו כדכתיב (ויקרא כד) ביום השבת יערכנו [סוכה נה:]. **תכפוהו אבליו.** בזה אחר זה כדקתני שמתו בניו שניהם ולפיכך התירו לו כדאשכחן גבי שיער. **מיקל בתער.** דשקיל פורתא מינייהו. **אמר רב חסדא בתער.** דרך שינוי. **בנתר ואהל.** דרך לכבס שיתלבן [תענית יג.]. מין כיבוס הוא שמעביר את הגיעול וכן נתר [זבחים פא.]. **נתר.** קרקע הוא או אבן כעין שקורין קרי"א בלעז [תענית שם]. מין אדמה שחפין ושפין בה את הבגדים [ירמיה ב כב]. מין אדמה רכה כגון אדמה שלנו הנקרא קריד"א [משלי כה, כ]. מין אדמה לבנה [שבת טז.]. שקורין ניטר"א [שם פט: וסנהדרין מט:]. **אהל.** שורש עשב ששמו אהל [שבת נ:]. אלויי"ן [שם קי:]. **אבל אסור בתכבוסת.** אבל אין אסור בתכבוסת אלא שבעה ימים דכל שלשים יום לגיהוץ תנן (מו"ק כג.) אבל כיבוס לא דהא תספורת גופא אי לאו דאתיא פרע פרע מנזיר (לעיל יט:) לא מיתסרא [יבמות מג. ועי' בגלה"ש שם ולקמן יט.]. **תכבוסת.** העברת סממנין [נדה סב.].

דף י"ח ע"א

טופרי. לפורן [גיטין סט.]. **כשגגה שיוצא מלפני השליט.** דומה הוא לשליט שהוציא דבר שגגה מפיו שוגג ואי אפשר לחזור כך אומר הקב"ה ואין להשיב [קהלת י, ה]. **שורפן חסיד.** עדיף מלדיק כשקוברן איכא למיחש דהדרי ומגלו [נדה יז.]. **מי שאין לו אלא חלוק אחד.** דאין לו להחליף. **בחולו של מועד.** שאין לו אלא חלוק אחד דלא סגיא דלא מכבס מפני הכינמה ואפילו כיבס לפני המועד מותר לכבסה במועד [תענית כט:]. **מטפחות.** מפות [ישעיה ג, כב]. **סודר** [יומא עח.].

דף י"ח ע"ב

ושוברין. פרעון שטר. **דייתיקי.** צואת שכיב מרע ולשון דייתיקי דא תיקו זאת תיקום דדברי שכיב מרע ככתובין וכמסורין דמי [ב"מ יג.]. צוואת שכ"מ דא תהא למיקם ולהיות [גיטין כז. וכעי"ז רשב"ם ב"ב קלה:]. **מתנה.** מתנת בריא [ב"מ וגיטין שם]. **ופרוזבולין.** תנן במסכת גיטין (לו.) הלל תיקן פרוזבול שראה שנמנעו העם מלהלוות מפני השביעית המשמטת ועוברים על מה שכתוב השמר לך פן יהיה דבר וגו' עמד והתקין תקנה שלא תשמט שיהא מוסר שטרותיו לבית דין וכותב עליהן פרוזבול וזה גופו של פרוזבול מוסר אני לכם פלוני ופלוני הדיינים שבמקום פלוני שכל חוב שיש לי אצל פלוני שאגבנו כל זמן שארצה ותו לא משמטת ליה שביעית דלא קרינא ביה לא יגוש שאין תובע חובו

אלא מב"ד והתם מוקמינן לה בשביעית בזמן הזה דרבנן [ב"ב כז. וכעי"ז רשב"ם שם ועי' רשב"ם ב"ב סה:]. **שטרי פסיקתא.** החתן והכלה פוסקין תנאים שביניהם בשני עדים והעדים חותמים עדות גמורה [כתובות קב.]. התנאים שביניהם וממון שפוסקין זה לזה. **באמירה.** בלא קנין שהקידושין הן גמר הדבר דבהכיא הנאה דקא מתחתני אהדדי גמרי ומקני [קידושין ט:]. **מה' יצא דבר.** לא נוכל דבר אליך. למאן בדבר הזה לא על ידי תשובת דבר רע ולא ע"י תשובת דבר הגון לפי שניכר שמה' יצא הדבר לפי דבריך שזימנה לך (ב"ר) [בראשית כד, נ]. **ויחפאו.** בדאו [מלכים ב יז, ט]. **קינא לאשתו ממשה.** אל (הסתר) [תסתרי] עם משה קנוי היינו התראה [סנהדרין קי.]. **אמרה לי אם..** אומנתו היתה [כתובות לט: ועי"ש בב"ח]. **דומי דמתא.** חשודי העיד ל"א דומי דלא ידעי ודאי אלא אמרי בדדמי לשון מורי [יבמות כה.]. **דומה.** נטענת ונדברת בפי כל על ניאופיה דומה לשון קלסה ודיבור כדאמרי' בנדה (סו.) דומת עירך עלתה ביך וההוא לאו חשד הוא אלא דיבור יתר שהיו נדברים בה על חביבותה של בעלה ואף קלסה לשון דיבור יתר הוא לפיכך הוא נהפך ללשון שבח וללשון גנאי כדאמר (שמקלסין אותו) [סוטה כז.]. **נבט.** שמתחיל לבלבך ולעלות [תענית ד.].

דף י"ט ע"א

פלך. פוסי"ל בלע"ז [משלי לא, יט]. **פוזי"ל בלע"ז** שהגשים טוות בו [סוכה לז.]. **שלשה ימים קודם לרגל בטלה ממנו גזירת שבעה.** שאין צריך להשלים אחר הרגל ז' ימי אבילות דכיון דעיקר האבילות דהיינו ג' ימים ראשונים כדאמרינן במועד קטן הוו קודם לרגל ביטל הרגל את האחרונים. **שמונה בטלו הימנו גזירת שלשים.** אם קברו ח' ימים לפני הרגל כיון דיום אחד של שלשים היה קודם הרגל ביטל הרגל ממנו גזירת שלשים [נזיר טו.]. **רגלים מפסיקין ואינן עולין.** ואף על גב דגבי קובר את מתו ברגל תנן מונה שבעה אחר הרגל ולא אמרינן הואיל ונדחו ידחו התם לא אידחו להו לגמרי שהרי עסקי רבים נוהג ברגל שמנחמין אותו כל הרגל כדאמרינן התם (מו"ק כ.) כל שהוא משום עסקי רבים אין הרגל מפסיקן [סנהדרין מז: עי"ש].

דף י"ט ע"ב

ומגלח ערב הרגל. משום כבוד הרגל. **אסור לגלח אחר הרגל.** עד שלשים [נזיר טו.]. **אבא שאול אומר כו'.** מצות אבילות הנוהגת שלשה ימים הראשונים כיון שעשאם קודם הרגל בטל הימנו גזירת ז' לגמרי כך מצות ז' כיון שנעשו קודם הרגל שוב הרגל מבטל גזירת ל' לגמרי. גזירת ל' גלוח וכיבוס [ועי' גלה"ש יבמות מג. ולקמן יט.]. קסבר **אבא שאול.** דאמר דיום ז' מבטלת גזירת ז' ול' והא לא שימר עדיין מיום ל' כלום קודם הרגל אפי' יום אחד דבשלמא לת"ק דאמר שמנה היינו משום דיום שמיני עולה למנין ל' אלא לאבא שאול מ"ט לאו משום דקסבר (דיום) שביעי עולה לכאן ולכאן למנין ז' ולמנין ל' וכמאן דעבר עליו יום אחד מגזירת ל' דמי ומש"ה מתבטלת [שם:]. **הלכה כאבא שאול.** דאפילו לא קבר אלא שבעה ימים קודם הרגל בטלה ממנו גזרת שלשים. **ומודים חכמים לאבא שאול.** אע"ג דבעו שמונה. כשחל שמיני להיות בשבת ערב הרגל. דהוי אנוס. שמותר לגלח בערב שבת. שהוא שביעי [לעיל יז:]. **ראשיכם אל תפרעו.** אל תגדלו שער מכאן שאבל אסור בתספורת (מ"ק טו) [ויקרא י, ו]. גידול שער והאי קרא גבי מיתת נדב ואביהוא כתיב ומדאצטריך קרא למישרי להו מכלל דאחריני אסורין [לעיל יד:].

דף כ' ע"א

כפיית המטה. על פניה ולא יישן עליה [תענית כו:]. **אקילעא.** לפני הבית כעין בית שער וקורין פורי"א [פסחים עב:]. **כניסת ביתך** [ר"ן נדרים כג.]. פרק"א שלפני הבית [ב"ק יט:]. פורק"א לפני הטרקלין [ע"ז כד.]. **שמועה קרובה נוהגת שבעה.** לרחילה ולתכבוסת ושלשים לתספורת ולגיהוץ מיום שנשמע לו [עירובין מו.]. **רב בר אחוה דר' חייא דהוא בר אחתיה דר' חייא.** איבו אביו של רב אחיו של ר' חייא היה מן האב כדאמרינן בפרק קמא דסנהדרין (ה.) איבו וחנא ושילא ומרתא ור' חייא כולהו בני דר' אחא מכפרי הוו ואימא שהיתה אמו של רב אחותו של ר' חייא היתה מן האם. **כי סליק.** רב מעירו מבבל לארץ ישראל שהיה ר' חייא שם. **אמר ליה.** ר' חייא לרב איבו אביך הוא קיים [פסחים ד.].

דף כ' ע"ב

אמר ליה. רב. **אימא קיימת.** בלשון שאלה כלומר עד שאתה משאיל על אבי שאל על

אמי שאף היא אחותך. **א"ל.** עוד ר' חייא לרב ואימא אחותי קיימת אמר ליה רב. **אבא קיים.** ואבי כלום קיים הוא עדיין לא השיבותיך עליו ומאליו הבין ויש אומרים בניחותא היה משיבו רב על מי שאינו שואל כדי שיבין מן הכלל וקשה בעיני לומר שיוליא רב דבר שקר מפיו. **חלוץ לי מנעלי.** להתאבל על אחי ואחותי. **והולך אחרי כלי לבית המרחץ.** ללמד הלכה לתלמידים נתכוון שאין שמועה רחוקה שלאחר שלשים יום נוהגת אלא יום אחד ומקצתו ככולו ואינו צריך לישב כל היום כולו מדאמר ליה והולך לי כלי אחרי לבית המרחץ ולא המתין עד למחר אלמא שעה אחת די [פסחים ד.]. **עמו בבית.** דאין אבילותו מוטל עליה אלא בפניו משום כבודו. **כדאמר ליה רב לחייא בריה.** כשמת חמיו באפה נהוג אבילותא כו'. **אינו רשאי לכוף את אשתו.** בימי אבלה כשמת אביה או אמה [כתובות ד:]. **כוחלת.** עיניה [שבת צד:]. כחלת. מין לבע ושמו כחול ולובעות בו עיניהם אוקליר"א בלע"ז [יחזקאל כג, מ]. נותנת כחול בין עיניה כדי שדומות נאים [לעיל ט:]. **פוקסת.** יש מרבותי אומרים מתקנת שערה במסרק או בידיה ויש שמפרשין טחה כמין בלק על פניה וכשנוטלו מאדים הבשר [שבת שם]. שרק שעל פניה טינפאל"ל בלע"ז והוא אדום [שם סד: וכעי"ז כתובות שם]. מחלקת שערה לכאן ולכאן [לעיל ט:]. **מוזגת לו.** להושיט לו. ולא חיישינן להרגל דבר [כתובות שם].

דף כ"א ע"א

ויגז את ראשו. לשון תלישת שער [מיכה א, טז]. גזי נזרך. תלשי שערך כמו ויגז שלוים (במדבר ט) ויגז את ראשו (איוב א) [ירמיה ז, כט]. ויגז. תלש כמו (ירמיה ו) גזי נזרך ומתרגמינן תלישה וכמו (תהלים עא) ממעי אמי אתה גוזי מושכי [איוב א כ]. **אודייני.** בור וכיסוי [רשב"ם ב"ב קמד.].

דף כ"א ע"ב

פלך. פוסי"ל בלע"ז [משלי לא, יט]. **פוזי"ל בלע"ז** שהנשים טוות בו [סוכה לז.]. **ג' ימים הראשונים.** של אבלות. **בא ממקום קרוב.** אם לא היה אחד מן האבלים בבית והיה במקום קרוב בתוך מהלך יום אחד ורארי הוא לדעת בו ביום אע"פ שלא ידע חל אבלות עליו ובלבד שיבא בתוך שלשה ימים ומונה אבלותו מיום ראשון [חולין נ.].

דף כ"ב ע"א

ערסא. מטה [לקמן כז. ועוד]. **אבולא.** שערי העיר [עירובין ו:]. **גמירי חבריא דר' אבא בר חייא מר' אבא.** הא שמעתא לקמן דרבי אבא בריה דרבי חייא ולאו היינו רבי אבא קמא. **וליחה.** מבפנים היא. **שירקא דמעיא.** גליד"א ואדוקה בהן מבפנים ומוליאין אותה מהם בדוחק. [חולין נ.]. ליחה האדוקה במעים שיוצא מהן בדוחק בסכין בלע"ז לימו"ן [פסחים סח.]. **מאן דהוא.** אחד מן התלמידים ולא היו זכורין אלו שסידרו הגמרא מי הוה. **איזבי ואסיק.** לארעא דישראל לאחריה דרבי אבא בריה דרבי חייא בר אבא [חולין שם]. יהי רצון שאזכה לעלות לארץ ישראל [ביצה כז.]. **ואגמרא.** לשמעתא [מפומיה] דרבי חייא בר אבא ואגמרה משמיה אי אמר הלכה כר' שמעון (או) [אי] לא. **ואין הלכה כרשב"ג.** הש"ס קא פסיק לה [חולין שם].

דף כ"ב ע"ב

רצה חולץ. חלוני כתף חלוקו קרוע עד שכתיפו חלולה ערומה [שבת קה:]. כמו וחללה נעלו (דברים כה) שקרעו בגדיהם עד שנראו כתפיהם [ב"ק יז.]. **והאשה שוללתו לאלתר.** אפילו תוך שבעה [לקמן כו:]. **כפי אסיתא.** מכתש. אסיתא מורטיו"ר בלע"ז [משלי כז, כב]. כפו מכתשת על פיה ויעמוד זה על גב שוליה בגובה [כתובות מט:].

דף כ"ג ע"א

שלשים יום לגיהוץ. אבל כיבוס לא [דאבל אין אסור בתכבוסת אלא שבעה ימים] דהא תספורת גופא אי לאו דאתיא פרע פרע מנזיר (לעיל יט:) לא מיתסרא [יבמות מג. ועי' גלה"ש שם ולעיל יט.]. **בגרדא דסרבלא.** פלוקי"ר בגדים [ב"ק צט.].

דף כ"ג ע"ב

מוטל לפניו. כגון הוא בבית אחד והמת בבית [ע"פ רש"י]. **אוכל בבית אחר.** דנראה כלועג לרש וכו'. **ואינו מיסב.** כדרך המסובים בחשיבות על לדו השמאלית ובמטה. **ואין מברך.** ואינו לריך לברך ברכת המוליא. **ואין מזמן.** אינו לריך לברך ברכת המזון [ברכות יז:]. **ואין מברכין עליו.** אין לריך שיברכו לו אחרים בברכת הלחם. **ואין מזמנין עליו.** אין מלטרף עם שלשה לזימון. **תשמיש המטה איכא בינייהו.** לר"ש חייב אבל בעונה בשבת [שם יח.].

דף כ"ד ע"א

ראשיכם אל תפרעו. אל תגדלו שער מכאן שאבל אסור בתספורת (מ"ק טו) [ויקרא י, ו]. גידול שער והאי קרא גבי מיתת נדב ואביהוא כתיב ומדאצטריך קרא למישרי להו מכלל דאחריני אסורין [לעיל יד:]. הא שאר אבלים חייבים משמע [שם יט:]. **דברים שבצינעא.** שאינו ניכר לבריות שהוא אבל בכך [כתובות ד.]. **כל ל' יום תינוק יוצא בחיק.** ולד שמת בתוך שלשים יום אין לריך לכבדו במותו להוליאו לקבורה לא במטה ולא בכליכה אלא בחיק. **ונקבר באשה אחת ושני אנשים.** וא"ל רבים ללוותו אלא ג'. **אבל לא באיש אחד ושתי נשים.** משום יחוד שלא היו בתי הקברות סמוכין לעיר [קידושין פ:].

דף כ"ד ע"ב

אדבריה. הנהיגו ומטייל עמו במבואות העיר [ביצה כט.]. **חולצין.** יולאים לפניו חלולי כתף חלוקו קרוע עד שכתיפו חלולה ערומה [שבת קה:]. כמו וחללה נעלו (דברים כה) שקרעו בגדיהם עד שנראו כתפיהם [ב"ק יז.]. **מברין.** שהיו מברין האבלין סעודה ראשונה שאבל אוכל אינו אוכל משלו ואסור דקאמר ליה רחמנא ליחזקאל (כד) לחם אנשים לא תאכל [שבת שם]. ובישל יעקב עדשים להברות את האבל ולמה עדשים שדומות לגלגל שהאבלות גלגל החוזר בעולם (ועוד מה עדשים אין להם פה שאסור לדבר ולפיכך המנהג להברות את האבל בתחלת מאכלו ביצים שהם עגולים ואין להם פה כך אבל אין לו פה כדאמרינן במועד קטן (כא:) אבל כל שלשה ימים הראשונים אינו משיב שלום לכל אדם וכ"ש שאינו שואל בתחלה מג' ועד ז' משיב ואינו שואל וכו' ברש"י ישן) [בראשית כה, ל].

דף כ"ה ע"א

חולצין. יולאים לפניו חלולי כתף חלוקו קרוע עד שכתיפו חלולה ערומה [שבת קה:]. כמו וחללה נעלו (דברים כה) שקרעו בגדיהם עד שנראו כתפיהם [ב"ק יז.]. **מברין עליו ברחבה.** שהיו מברין האבלין ברחבה סעודה ראשונה שאבל אוכל אינו אוכל משלו ואסור דקאמר ליה רחמנא ליחזקאל (כד) לחם אנשים לא תאכל. **ערבונא קא שקיל.** קודם שימטא נטלו משכונו. **לספר תורה שנשרף.** הרואה ס"ת שנשרף חייב לקרוע כדאמרינן במועד קטן (כו.) במגילה ששרף יהויקים דכתיב לא פחדו ולא קרעו (בגדים) [בגדיהם] אף נשמת ישראל הניטלת דומה לו שאין לך ריק בישראל שאין בו תורה ומלות [שבת שם]. **וכף כדא ארעא.** כפה כד על הארץ. **ואותיב ספר תורה עליו.** לפי שהיה ס"ת מונח על ראשה והיה רוצה לישב על המיטה [מנחות לב:]. **טפח ליה אבוה בסנדליה.** הכהו על סנדלו ל"א בעט בסנדלו [ב"ק לב:]. הכהו על סנדלו במקל דרך שחוק כשם שמכין למי שאינו חשוב [ב"ב כב.].

דף כ"ה ע"ב

טייעא. סוחר ערבי [ברכות ו:]. **קאת וקפוד.** חיות ועופות רעים [שם נח.]. עופות [צפניה ב, יד]. **קפוד.** הריצו"ן בלע"ז [ישעיה יד, כג]. עוף הפורח בלילה צואיט"א בלע"ז [שם לד, יא]. חיה שדומה לקוף ויש לה זנב ארוך ושמה מרטינ"א [ברכות נז:]. **רקק.** גרוויל"א ומים לפין עליו [שבת ח:]. גרבי"ל אשר יש בה מים ויבשה [חולין כז:]. **ואתהפוך כרעייהו.** דאחלשו לדעתיה דרב אשי [יבמות קג.]. **לגרמיה הוא דעבד.** אין אדם מודה לו [ברכות מח.]. יחיד הוא בדבר ואין הלכה כמותו [שבת לח:]. **לעצמו דרש** [תענית יד:]. **והבאתי השמש בצהרים וכו'.** כשיהא להם שלום גדול תבא מפלה פתאום ואמרו רבותינו זה יומו של יאשיהו שמת בחרב של שלום כמו שאמרו רבותינו (תענית כב.) אין לך חרב של שלום יותר מפרעה נכה שאמר לו ליאשיה (דה"י ב לה) מה לי ולך לא עליך אתה היום לא עליך אני בא היום כי אם לעבור דרך ארצך אל בית מלחמתי וגו'. השמש. מלכות בית דוד נמשלה כשמש שנא' (תהלים פט) וכסאו כשמש נגדי [עמוס ח, ט]. **ארץ צבי.** ארץ ישראל. **גידלה שעשועיה.** של שנער [מגילה ו.]. **שפעו מרזבי דציפורי דמא.** דאדם גדול הוה [סנהדרין קט.].

דף כ"ו ע"א

שבור מלכא. מלך פרס היה [סוכה נג.]. עובד כוכבים היה [ע"ז עו:]. **קרועי בגדים.** על

שׁשמעו גידופי השם [מלכים ב יח, לז]. **על גדופין** ששמעו מפי רבשקה כדכתיב (מלכים ב יט) אשר שלחו מלך אשור אדניו לחרף אלהים חי. **והעדים.** בשעה שמעידין בפירוש מה ששמעו אנן חייבין לקרוע. **הא קא שמעי השתא.** מפי עלמן [סנהדרין ס.]. **לאפנויי.** לנקבים [בכורות כז.]. **בי סדיא.** לבדין פולטר"א להניח תחת מראשותיו [שבת קיח.]. הכר שבמראשותיו כמו שמתרגם מראשותיו איסדוהי [עירובין קב:]. **בת נעמיתא.** בת היענה [שבת קי:]. **צופים.** מקום שיכול לראות בהמ"ק [ברכות מט:]. מקום שיכולין לראות משם הר הבית [שם סא:]. שם כפר שיכול לראות בית המקדש משם [פסחים מט.]. מקום שיכול לראות משם הבירה [שם פא:]. **לשוללן.** באשטיר"י. **לאחותן.** קנט"ר תופר כדרכו [לעיל כב:].

דף כ"ו ע"ב

שוללתו. באשטיר"י. **לאחותו.** קנט"ר תופר כדרכו [לעיל כב:]. **מקרעין לקטן.** את בגדיו. **מפני עגמת נפש.** שיבכו הרואין וירבו בכבוד המת ולא מפני שהוא אבל [לעיל יד:]. **מברין.** שהיו מברין האבלין סעודה ראשונה שאבל אוכל אינו אוכל משלו ואסור דקאמר ליה רחמנא ליחזקאל (כד) לחם אנשים לא תאכל [שבת קה:]. **ובישל יעקב** עדשים להברות את האבל ולמה עדשים שדומות לגלגל שהאבלות גלגל החוזר בעולם (ועוד מה עדשים אין להם פה שאסור לדבר ולפיכך המנהג להברות את האבל בתחלת מאכלו ביצים שהם עגולים ואין להם פה כך אבל אין לו פה כדאמרינן במועד קטן (כא:) אבל כל שלשה ימים הראשונים אינו משיב שלום לכל אדם וכ"ש שאינו שואל בתחלה מג' ועד ז' משיב ואינו שואל וכו' ברש"י ישן) [בראשית כה, ל].

דף כ"ז ע"א

גולל. זהו כסוי של ארון המת [כתובות ד: ושבת קנב: וחולין עב.]. **ערסא דגדא.** נוהגין היו לערוך מטה ושלחן בבית ולא היו משתמשין בהן כלל אלא למזל הבית מונחת משום ניחוש גדא מזל ודומה [לו] גד גדי וסנוק לא (שבת סז:) [סנהדרין כ.]. מיטה שעורכין אותה למזל ואין שום אדם ישן עליה [נדרים נו.]. נוהגין היו להציע מטה למזל הבית גדא מזל ודומה לו בסוף פרק במה אשה יוצאה (שבת סז:) גד גדי וסנוק לא [ר"ן שם]. **גבי מלך.** כשהיו מברין אותו. (לכהן גדול) [נ"ל למלך] שאירע לו אבל ומתני' היא בפרק כהן גדול [ר"ן שם]. כדקיימא לן (במו"ק כז:) אבל סעודה ראשונה אסור לאכול משלו. **מסובים על הארץ.** הן מבירין ומתאבלין על נערו והוא מיסב בכבוד על הספסל [סנהדרין יח.]. **מי איכא מידי וכו' והשתא מותבינן ליה.** בתמיה מכלל דדרגש לאו ערסא דגדא הוא [נדרים שם]. **עד עכשיו** לא ישב על אותו מטה שהרי מונחת היא לשר הבית והשתא דאבל הוא יתיב עלה מהיכא תיפוק לן [ר"ן שם]. עד הנה לא ישב על אותה מיטה שהרי מונחת היא לגני הבית [סנהדרין כ.]. **השתא אוכליניה ואשקיניה.** משום דכתיב ויין למרי נפש (משלי לא) ה"נ אף על גב דכולא שתא לא יתיב עליה השתא יתיב נדרים שם]. דאבל הוא בעינן לאותביה עלה מהיכא תיפוק לן השתא מוכלינן ליה משל אחרים. **אלא אי קשיא.** אדעולא הא קשיא עלה דתניא בעלמא דרגש אין צריך האבל לכפותו [סנהדרין שם]. **אינו צריך לכפותו.** ממש הכרעים מלמעלה. **אלא זוקפו.** שדמעמידו על שני כרעיו ודיו. **ואי ערסא דגדא וכו'.** דמיטה חשובה היא כ"כ אמאי אין צריך לכפותה. **הא [תניא] וכו' אלא כל מטות וכו'.** חו נמי הואיל ומיטה חשובה היא צריך לכפותה אלא שמע מינה דרגש לאו ערסא דגדא הוא [נדרים שם]. **המיוחדת לכלים.** ליתן עליה כלים והואיל ואין ישנים עליה אין צריך לכפותה. **מתיר קרביטיו.** לולאות שבו [נדרים שם:]. בימי אבלו קרביטין לולאות [ר"ן שם:]. **מאי קרביטין אית ליה.** הכי קים להו דלא הוו להו קרביטין שאינה עשויה להתפרק אלא עומדת מולעת לעולם [נדרים שם]. הלא כשאר מטות עושין אותה מטה. **גילדאי.** רלענין [סנהדרין כ.]. **מעבדי** עורות [ר"ן שם:]. **ערסא דצלא.** מטה של עור ותולין רלועות בשפת העור סביב וכשרולין לנטותו עונבין הרלועות בארוכות המטה וכשמתירין אותה הוא נופל והן הן קרביטין וחם הוא עליו לכפותו שלא יתקלקל העור בלחלוח הקרקע שלא היו ראשי כרעיו גבוהין מסירוגו למעלה וקאמר ת"ק זוקפו על דופן הכרעים וארוכותיו למעלה ואמר ליה רבן שמעון מתיר קרביטין והגא נופל [סנהדרין שם]. של עור שישן עליה אבל אינה חשובה כל כך ולהכי הואיל ואינה חשובה לא היה כופה אלא זוקפה ודיו והלכך אמרי' במתני' דמותר בדרגש שאינה מטה חשובה וערסא דלא אית לה קרביטין ופליג רשב"ג בגמרא ואמר דבעי כפיה כל כך שמתיר קרביטין והעור נופל מאליו לפי שיש רלועות סביב לעור ומותחין אותו בין ארוכות המטה וקושרין הרלועות בארוכות ושוכבין עליו וכשמתירין הרלועות והעור נופל אין לך כפיה גדולה מזו [נדרים שם]. מטה של עור ותולין רלועות בשפת העור סביב וכשרולים לנטותו עונבין הרלועות בארוכות המטה וכשמתירין אותן נופל מאליו והן הן קרביטיו וכדי שלא יתקלקל העור בלחלוח הקרקע שלא היו ראשי כרעיו גבוהין מסרוגו למעלה אמר תנא קמא דאינו כופהו וקאמר (ר"ג) [רשב"ג] דמתיר קרביטיו והוא נופל [ר"ן שם]. **סירוגו.** קשירתו. **מתוכו.** שיש נקבים (בארכבותיו) [בארוכותיו] ותוחבין בהן ראשי רלועות התלויות בעור ועונבים ואין מרכיבין הרלועה על גבי ארוכות המטה [סנהדרין שם:]. נקובים ומכניסין המשיחות שבבגד או שבעור לתוך אותן נקבים [נדרים שם ע"פ ב"ח]. שיש נקבים בארוכותיו ותוחבים בהן ראשי רלועות התלויות בעור ועונבין ואין מרכיבין הרלועות ע"ג ארוכות המטה [ר"ן שם]. **סירוגה על גבה.** החבלים מרכיבין על ארוכות המטה מיכן ומיכן ואורג והוא סירוג [סנהדרין שם]. שכורכין הבגד או העור שישנים עליו סביב אותם עלים שעומדים מראשותיו ומרגלותיו [נדרים שם]. החבלים מרכיבים על ארוכות המטה [ר"ן שם]. **שנקליטיה יוצאין.** נקליטין שני עלים ארוכים ומעמידין אותן באמלע דופני המטה אחד מראשותיה ואחד מרגלותיה ומפוללין הן בראשותיהן ומניחין קנה מזה לזה ועליו פורסין הכילה ויש שמחברין אותן נקליטין למטה והיינו יולאין שמחוברין ויולאין מן המטה ואין יכול לכפותה מפני נקליטיה [סנהדרין שם]. **כדאמרי' התם** נקליטין שנים ואותה מטה אין אדם יכול לכפותה מפני נקליטיה אלא זוקפה על ב' מרגלותיה ומניחה ודיו [נדרים שם]. נקליטין ב' עלים ארוכין שמעמידין אותם במטה אחד במראשותיה ואחד במרגלותיה ומופללין הן בראשיהן ומניחין קנה מזה ומזה ועליו פורסין הכילה ויש שמחברין אותן נקליטין למטה והיינו [יולאים] שמחוברין ויולאין מן המטה עלמה ואין יכול לכפותה מפני נקליטיה ומשום הכי זוקפה ודיו [ר"ן שם]. **זוקפה.** על מראשותיה או על מרגלותיה (וארכובותיה) [וארוכותיה] למעלה ודיו [סנהדרין שם]. **הלכה ברבן שמעון בן גמליאל.** דאמר מתיר קרביטין [נדרים שם]. **מכבדין ומרביצין.** לאחר שמכבדין מולפין את המים להרביץ את האבק [מגילה כח:]. במים להרביץ את האבק שלא יעלה [שבת צה.]. **אודייני.** מכתשת גדולה [לעיל כא.]. בור וכיסוי ושוכרין אותו להשקות שדות ממימיו [רשב"ם ב"ב קמד.]. **המוגמר.** לבונה ומיני בשמים נותנין על האש וכו' שיהא ריחן נודף [שבת יח.]. בשמים על האש לגמר את הכלים ואת הבגדים [כתובות ז.]. שהיו רגילין להביא לפניהם אחר האכילה אבקת רוכלין על האש במחתות לריח טוב ומברכים עליו בורא עלי בשמים [ברכות מב:]. **קנון.** כלי עץ שעושין כעין לינור רחב מלאחריו וקלר מלפניו ובעלי מטבע עושים אותו והבורר בו קטנית וכו' [שבת עד.]. כלי הוא ראשו אחד רחב והשני עשוי כעין מרזב קלר ונותן הקטניות בתוך הרחב ומנענע והאוכל מתגלגל דרך המרזב והפסולת נשאר בכלי. **תמחוי.** קערה גדולה [ביצה יב:].

דף כ"ז ע"ב

הכלים. אף הכלים של קודם למיתה. **מתביישין.** שאפילו במיתתן הם משונין מכל אדם [נדה עא.]. **הוצאת המת.** שהיו קוברים אותו בכלים יקרים כגון שיראין וסרקות. **בצרדא בר זוזא.** בגד קנבוס שאינו שוה אלא דינר [כתובות ח:]. **על שדים סופדים.** יטפחו על לבם [ישעיה לב, יב]. **צבית זוודתא.** לזמן תכריכין [עירובין מא:]. הכינו לו לדה לדרך מה היא לידת המתים תכריכין [ר"ה יז.]. תכריכין לידה לדרך (בראשית מב) מתרגמינן זוודין לאורחא ותכריכין הן לידה לדרך מתים [ע"ז יז.]. **ומיתו כולהו וכו' ומיתא.** שקשתה על מתה יותר מדאי עד שמתו ז' בניה והיא אחריהם מחמת שנתאוננה על מידותיו [קידושין פ:]. **לבי אבלא.** לבית המת להתאבל עליו כדתנן וכו' לפי שלא היה רולה להתבטל מלמודו [רשב"ם ב"ב קטז.]. **נעשית לו כהיתר.** שהעבירה דומה עליו היתר [יומא פז.]. דומה בעיניו היתר [סוטה כב. וערכין לב.].

דף כ"ח ע"א

בנשיקה. שלא שלט בהן מלאך המות. אלא מתו בנשיקה על פי שכינה [ב"ב יז.]. **מחמד עיניך.** אשתך כמו שהענין מוכיח בסופו [יחזקאל כד, טז]. **זו מיתתו של שמואל הרמתי.** (ולא) [מיתת] כרת היא במסכת שמחות (פרק ג') מפרש מת בכך שנים זו היא מיתת כרת בכך וכך זו היא מיתת אסכרה. ימיו של שמואל חמישים ושתים שנה. דכתיב עד יגמל הנער וגו' דשיבירי"ר בלע"ז וכ"ד חדשים נקרא תינוק וכתיב (שמואל א א) וישב שם עד עולם עולמו של לוי חמשים שנה שנאמר (במדבר ח) ומבן חמשים שנה ישוב מצבא העבודה (בבכורות) [בבכורים פ"ב] ירושלמי ובסדר עולם חמלא כשני דפין תוספת על זה [תענית ה:]. **סמידא.** סלת [גיטין נו. וברכות לז.]. **ריבדא דכוסילתא.** נקבי כלי האומן שבבשרו פלימ"א [שבת קכט.]. פולטוויי"א דפלמוא"ה בלע"ז. ריבדא. ניקור. כוסילתא. כלי אומן מקיז ואית דגרסי כי תרפתא דסיכורי והיא היא [כתובות לט:]. כלי אומן המקיז בכתפים ריבדא מכת הכלי ובלעז פיינדר"א [ע"ז כז. וע"ע סנהדרין צג: מכות כא. ונדה סז.]. **כמישחל בניתא מחלבא.** כמושך נימת שער מתוך החלב [ברכות ח.]. **פקע ארזא.** נשבר העמוד שבית המדרש נשען עליו [ב"מ כ:]. **טריף אבבא.** הקיש על הדלת באגרופו והשמיע קול [עירובין קד.].

דף כ"ח ע"ב

מענות. הספד על המת. **ולא מטפחות. על לבן. לא מקוננות.** והתם מפרש איזהו עינוי ואיזהו קינה עינוי שכולן עונות כאחת קינה אחת אומרת וכולן עונות אחריה [מגילה ג:]. **טוב ללכת אל בית אבל וגו'.** מדה הנוהגת בחיים ובמתים. מללכת אל בית משתה. שהיא מדה שאינה נוהגת אלא בחיים. באשר הוא סוף כל האדם. בשביל שהאבל הוא סוף כל האדם סופו של כל אדם לבא לידי כך לפיכך החי יתן אל לבו כל מה שאגמול חסד עם המת אלטרך אני שיגמלו לי במותי דידל ידלוניה דיטען יטענוניה דיספד יספדוניה דילוה ילויניה. ד"א באשר הוא סוף כל האדם שהמיתה היא סוף כל ימי האדם ואם לא עכשיו גומל לו חסד לא יגמול לו עוד אבל בית המשתה זימנו ולא הלך יוכל לומר לו סופך שיולד לך בן ושם אהיה עמך תבא לך שמחת חתונת בניך ושם אלך. והחי יתן אל לבו. הדבר הזה שאם לא עכשיו יגמול לו חסד לא יגמול לו עוד [קהלת ז, ב]. **דיספד יספדוניה.** יתן אל לבו שאף הוא יספדוהו ואל ירע לו אם נהג כן [כתובות עב.]. כלומר יספוד לאינשי כי היכי דיספדון ליה והיינו והחי יתן אל לבו שישתדל לעשות עם אחרים כדי שיזכה ויעשה לו כמו כן ולעיל מיניה כתיב טוב ללכת בית אבל וגו' [נדרים פג:]. **דיטען.** ליוה את המטה מבית האבל לקבר [כתובות שם]. **דידל.** הרים קולו בבכי ובמספד [כתובות שם]. **שביטל משמרתו.** שהושיבו אביו שומר שלא יעלה איש לרגל ובטל משמרתו ועלה [מלכים א יד, יג]. **פרדסאות.** שומרים [גיטין פח. ותענית כח.]. **כמספד הדדרימון בבקעת מגידו.** אין ענין הדדרימון בבקע' מגדון אלא שני מספדות הן כמספדא דאחאב בר עמרי דקטל יתיה הדדרמון בר טברימון ברמות גלעד שנאמר (מלכים א כב) ותעבור הרנה במחנה והוא הספד וכמספדא דיאשיהו בר אמון דקטל יתיה פרעה חגירא בבקעת מגידון שנאמר (דה"י ב לה) ויקונן שם ירמיהו וגו' ויאמרו כל השרים והשרות בקינותיהם וגו' [זכריה יב, יא]. **אלמלא תרגומיה דהאי קרא וכו'.** שלא מלינו בכל המקרא הספד להדדרימון בבקעת מגידו ויונתן תרגמו לשני הספידות הדדרימון ברמות גלעד (מלכים א כב) ויאשיהו בבקעת מגידו כדמפרש בספר מלכים (ב כג) [מגילה שם.]. **דמשמע** הספד הדדרימון בבקעת מגדו חדא מלתא הוא. **ויורו היורים.** מדכתיב ויורו המורים דמשמע יריות רבות יורו המורים [תענית כב:]. **ככברה.** חורין חורין כמין רשת [שמות כז, ד]. נקבים נקבים ככברה ורשת של דגים [זבחים סב.]. **ינחם כתיב.** אין לך לומר פתח בשום אות אא"כ אל"ף או ה' סמוכין לו או ע"פ הנקודה שתחתיה והיא באה במקום אות כאילו כתוב ינאחם וכיון שלא כתיב כאן אל"ף על כרחך ע"פ מסורת הכתב אתה קורא ינחם וחהו המנוחם עלמו כלומר כאבל המתנחם. **מרזח.** מר חח. מי שנפשו מרה ודעתו זחה ומעותקה מעליו. **נעשה שר לסרוחים.** לגדולים הבאים לנחמו [כתובות סט:]. **מיסב בראש.** כלומר תחילה על מטתו [ברכות מו:]. **וקדשתו.** כי את וגו'. **לפתוח ראשון.** בכל דבר כבוד בין בתורה בין בישיבה הוא ידבר בראש [גיטין נט:]. לקרות בתורה [הוריות יב: וכעי"ז נדרים סב:]. שקורא ראשון [ר"ן נדרים סב:]. **ולברך ראשון.** בסעודה [גיטין שם]. בברכת המוליא ובברכת המזון [נדרים שם]. ברכת המזון שהוא קודם לכל אדם [ר"ן שם]. בזמון [הוריות שם]. **טול מנה יפה ראשון.** אם בא לחלוק עם ישראל בכל דבר לאחר שיחלקו בשוה אומר לו ברור וטול איזה שתרלה [גיטין שם]. כשחולק עם אחיו הכהנים בלחם הפנים [נדרים שם]. אם בא לחלוק דבר עם ישראל עושה ישראל ממנו שני חלקים שוים וכהן בורר אי זו מהן שירלה [ר"ן שם].

דף כ"ט ע"א

כפיטורי בפי וושט. יש אוקיינוס יש בו מקומות שאינו מקבל ברזל ומחברין לוחי הספינה על ידי חבלים ועקלים שתוחבין בנקביו ותוקעין אותו בדוחק לפי שהם גסים כמדת הנקב. **פיטורי.** חבלים דמתרגמינן ופטורי ליצים (מלכים א ו) אטונין [ברכות ח.]. **פטורי.** לשון חבלים [מלכים א ו, יח]. **בפי וושט.** הוא הנקב שהוא עגול כפי ושט [ברכות שם]. **הנפטר מן המת.** כשהיו מוליכים ארונות ממקום למקום לקבורה היו מלוים אותו מעיר לעיר וחוזרים אלו ואחרים מלוים אותו משם והלאה והחוזרים קרי נפטרים נוטלין רשות להפטר ממנו. **אין להם מנוחה.** מישיבה לישיבה וממדרש למדרש [שם סד.]. **ילכו מחיל אל חיל.** אותם הנזכרים למעלה יושבי ביתך אשר מסילות בלבבם. מחיל אל חיל. מבית המדרש לב"ה ויראה לבאם וחילם אל הקב"ה בליון [תהלים פד, ח].

Glossary

abandoned corpse – a human corpse found with no one to attend to its burial. The Torah obligates the one who finds it to bury it, and allows even a **nazir** or **Kohen Gadol** to do so.

Adar Sheni – lit. the second **Adar.** When it is deemed necessary for a leap year to be designated, an extra month is added. When this occurs there are two Adars, the second of which is *Adar Sheni.*

agency – the principle that an agent may act as a proxy of a principal and have his actions legally accepted on behalf of the principal.

Aggadah, aggadata – the homiletical teachings of the Sages and all non-halachic Rabbinic literature found in the Talmud.

Altar – the great *Altar*, which stands in the Courtyard of the **Beis HaMikdash.** Certain portions of every offering are burnt on the *Altar*. The blood of most offerings is applied to the walls of the *Altar*. See also **Inner Altar.**

amah [pl. **amos**] – cubit; a linear measure equaling six **tefachim.** Opinions regarding its modern equivalent range between 18 and 22.9 inches.

am haaretz [pl. **amei haaretz**] – a common, ignorant person who, possibly, is not meticulous in his observance of **halachah.**

Amora [pl. **Amoraim**] – sage of the **Gemara;** cf. **Tanna.**

aninus – the state of being an **onein.** Upon the death of one's seven closest relatives a person enters a state of mourning. The first stage of the mourning period is called *aninus.* This stage (during which the mourner is known as an *onein*) lasts until the end of the day on which the death occurred. When burial is delayed the Rabbis extend the *aninus* period until the end of that day.

Anshei Knesses HaGedolah – See **Men of the Great Assembly.**

aravos – see **four species.**

asham [pl. **ashamos**] – guilt offering, an offering brought to atone for one of several specific sins; in addition, a part of certain purification offerings. It is one of the **kodshei kodashim.**

asham for a doubt – See **ashum talui.**

asham talui – an *asham* offering brought by a person who is unsure whether he has inadvertently committed a **kares**-bearing sin. It does not atone for the *kares* penalty but serves only to suspend punishment until the person confirms that he has committed the transgression and brings a **chatas** for atonement.

asheirah – a tree either designated for worship or under which an idol is placed.

asmachta – lit. reliance. (a) a conditional commitment made by a party who does not really expect to have to honor it; (b) a verse cited by the **Gemara** not as a Scriptural basis for the law but rather as an allusion to a Rabbinic law.

Assembly – This event took place on the evening following the first day of Succos, in the year following the **shemittah** year. The entire nation would gather in one of the Temple Courtyards to hear the king read from the Book of *Deuteronomy.*

Av – (a) fifth month of the Hebrew calendar. (b) l.c. [pl. **avos]** see **melachah.**

av beis din – chief of the court. This position was second in importance to the **Nasi** who served as head of the **Sanhedrin.**

av [pl. **avos**] **hatumah** – lit. father of **tumah.** See **tumah.**

avi avos hatumah – lit. father of fathers of **tumah.** See **tumah.**

avodah [pl. **avodos**] – the sacrificial service, or any facet of it. There are four critical *avodos* in the sacrificial service. They are **shechitah, kabbalah, holachah** and **zerikah.**

avodah zarah – idol worship, idolatry.

azharah – (a) Scriptural warning; the basic prohibition stated in the Torah, which serves to warn the potential sinner against incurring the punishment prescribed for a particular action; (b) term Gemara uses to refer to a negative commandment, the transgression of which is punished by **kares.**

baal keri [pl. **baalei keri**] – one who experienced a seminal emission. He is **tamei** (ritually impure) and must immerse himself in a **mikveh.**

bamah [pl. **bamos**] – lit. high place; altar. This refers to any altar other than the Altars of the **Tabernacle** or **Temple.** During certain brief periods of Jewish history, it was permitted to offer sacrifices on a *bamah*. There are two types of *bamah.* The *communal* (or *major*) *bamah* was the altar of the public and was the only *bamah* on which communal offerings could be sacrificed. Private voluntary offerings could be brought even on a *private* (or *minor*) *bamah* which was an altar erected anywhere by an individual for private use.

Baraisa [pl. **Baraisos**] – the statements of **Tannaim** not included by **Rebbi** in the **Mishnah.** R' Chiya and R' Oshaya, the students of Rebbi, researched and reviewed the *Baraisa* and compiled an authoritative collection of them.

bechor – (a) firstborn male child; (b) a firstborn male kosher animal. Such an animal is born with sacrificial sanctity, and must be given to a **Kohen** who then offers it (if unblemished) as a *bechor* sacrifice in the **Temple** and eats its sacred meat. Unlike other sacrifices, the *bechor* is automatically sacred from birth even without designation.

bedek habayis – **Temple** Treasury.

bedi'avad – after the fact. See **lechatchilah.**

beheimah – domesticated species, livestock. In regard to various laws, the Torah distinguishes between *beheimah,* domestic species, e.g. cattle, sheep, goats; and, **chayah,** wild species, e.g. deer, antelope.

bein hashemashos – the twilight period preceding night. The legal status of *bein hashemashos* as day or night is uncertain.

beis av [pl. **batei avos**] – lit. fathers house. See **mishmar.**

beis din – court; Rabbinical court comprised minimally of three members. Such a court is empowered to rule on civil matters. See also **Sanhedrin.**

beis habaal – a field in a valley which can subsist on rainwater alone and does not require supplementary watering to prevent damage to the crops.

beis hamidrash – a **Torah** study hall.

beis hapras – a field in which a grave we plowed over.

Beis HaMikdash – Holy **Temple** in Jerusalem. The **Temple** edifice comprised (a) the Antechamber or **Ulam**; (b) the **Holy** or **Heichal**; and (c) the **Holy of Holies**. See **Sanctuary**.

bereirah – retroactive clarification. This principle allows for the assignment of a legal status to a person or object whose identity is as yet undetermined, but which will be retroactively clarified by a subsequent choice.

bikkurim – the first-ripening fruits of any of the seven species (wheat, barley, grapes, figs, pomegranates, olives, dates), with which the Torah praises Eretz Yisrael. They are brought to the **Temple** where certain rites are performed, and given to the **Kohanim**.

binyan av – one of the thirteen principles of Biblical hermeneutics. This is exegetical derivation based on a logical analogy between different areas of law. Whenever a commonality of law or essence is found in different areas of **Torah** law, an analogy is drawn between them, and the laws that apply to one can therefore be assumed to apply to the others as well. This principle is also called **mah matzinu.**

birah – Temple mount

Bircas HaMazon – the blessings recited after a meal.

Bircas Kohanim – See **Priestly Blessing**.

bitul (or **bitul b'rov**) – the principle of nullification in a majority. Under certain circumstances, a mixture of items of differing legal status assumes the status of its majority component.

bi'ur – During *sheviis* one who acquires *sheviis* produce may retain and use it as long as that species of produce is still available in the fields of wild animals to forage. Once that species of produce is no longer available in the fields, one must remove his stock of that species from his house and declare it ownerless. Thereafter, he is permitted to reclaim and use it as before. This procedure is known as *biur.*

Bris Milah – ritual circumcision.

bull for the communal error – the **chatas** offering brought on behalf of the community when the majority of the people of Israel sinned as a result of an erroneous ruling of the **Sanhedrin.**

Canaanite slave – a non-Jewish slave owned by a Jew. His term of servitude is for life. While owned by the Jew, he is obligated in all the **mitzvos** incumbent upon a Jewish woman. Upon being freed, he becomes a full-fledged Jew, with a status similar to that of a convert.

chadash – new crop of any of the **five grains**. *Chadash* may not be eaten until the **omer** offering is brought on the second day of **Pesach**, **Shavuos** and **Succos.** It is one of the **kodashim kalim**, specifically a type of **shelamim** offering.

chagigah offering – festival offering. Every adult Jewish male is required to bring a *chagigah* offering on the first day of the festivals of **Pesach, Shavuos** and **Succos.** It is one of the **kodashim kalim**, specifically, a type of **shelamim** offering.

chalal [f: **chalalah**] – lit. desecrated. If a **Kohen** cohabits with any woman specifically forbidden to **Kohanim,** the child of that union is a *chalal* who does not possess the sanctity of a *Kohen*. The *chalal* neither enjoys the privileges of the **Kehunah** nor is subject to its restrictions.

chalitzah – See **yibum**.

challah – (a) portion removed from a dough of the **five grains,** given to a **Kohen;** if *challah* is not taken, the dough is **tevel** and may not be eaten. The minimum amount of dough from which *challah* must be separated is the volume-equivalent of 43.2 eggs, which is one **issaron.** Nowadays the *challah* is removed and burned. (b) Special twisted loaves of bread eaten on the Sabbath or Festive meals.

chametz – leavened products of the five species of grain. *Chametz* is forbidden on **Pesach**.

chatas [pl. **chataos**] – sin offering; an offering generally brought in atonement for the inadvertent transgression of a prohibition punishable by **kares** when transgressed deliberately. A *chatas* is also brought as one of various purification offerings. It is one of the **kodshei kodashim**.

chatas cow – See **parah adumah**.

chatzeir [pl. **chatzeiros**] – courtyard.

chatzitzah – lit. an interposition; foreign matter attached or adhering to the person or object to be immersed in the **mikveh,** which prevents the water from coming in contact with the whole of their surface; this invalidates the immersion.

chaver [pl. **chaverim**] – (a) one who observes the laws of ritual purity even regarding non-consecrated foodstuffs; (b) a Torah scholar, scrupulous in his observance of **mitzvos**. Regarding tithes, **tumah** and other matters, such as the necessity for **hasraah,** he is accorded a special status.

chavitin – a **minchah** offering that consists of flour and oil and is baked in a **machavas**. Half of it is offered with the morning **tamid** and half with the afternoon *tamid.* It is completely burned on the Altar.

chayah – See **beheimah**.

chazakah – (a) legal presumption that conditions remain unchanged unless proven otherwise; (b) one of the methods of acquiring real estate; it consists of performing an act of improving the property, such as enclosing it with a fence or plowing it in preparation for planting; (c) "established rights"; uncontested usage of another's property establishes the right to such usage; since the owner registered no protest, acquiescence is assumed; (d) uncontested holding of real property for three years as a basis for claiming acquisition of title from the prior owner.

Cheil – a ten-**amah**-wide area between the **soreg** and the **Women's Courtyard** into which non-Jews and those contaminated with corpse **tumah** were not permitted to enter.

cheilev – The Torah forbids certain fats of cattle, sheep and goats for human consumption. These are primarily the hind fats (suet) placed on the **Altar.** See **shuman**.

cherem – (a) a vow in which one uses the expression "*cherem*" to consecrate property, placing it under jurisdiction of the Temple; (b) land or property upon which a ban has been declared, forbidding its use to anyone, e.g. the city of Jericho. (c) a more stringent **shamta,** a full excommunication.

cheresh – lit. a deaf person; generally used for a deaf-mute who can neither hear nor speak. A *cheresh* is legally deemed mentally incompetent; his actions or commitments are not legally significant or binding.

Cheshvan – See **Marcheshvan**.

chilul Hashem – lit. profanation of God's Name. (a) behavior which casts Jews in a negative light; (b) violation of a Torah prohibition done in the presence of ten male Jews.

Chol HaMoed – the Intermediate Days of the festivals of **Pesach** and **Succos**; these enjoy a quasi-**Yom Tov** status.

chullin – lit. profane things; any substance that is not sanctified. See **kodesh**.

chupah – (a) the bridal canopy; (b) a procedure for effecting **nisuin,** the final stage of marriage.

chut hasikrah – a red line which circled the **Outer Altar** midway between the Courtyard floor and the top of the horns.

common characteristic – See **tzad hashaveh**.

Cutheans – a non-Jewish tribe brought by the Assyrians to settle the part of **Eretz Yisrael** left vacant by the exile of the Ten Tribes. Their subsequent conversion to Judaism was considered questionable and their observance of many laws was lax.

daf [pl. **dapim**] – folio (two sides) in the **Gemara**.

dayyo – lit. it is sufficient; principle which limits the application of a **kal vachomer** argument, for it states: When a law is derived from case A to case B, its application to B cannot exceed its application to A.

death penalty – this refers to a court-imposed death penalty, in contrast to one imposed by Heaven.

decapitated calf – see **eglah arufah.**

demai – lit. what is this; produce of **Eretz Yisrael** that is obtained from an unlearned person. By Rabbinic enactment it must be tithed since a doubt exists as to whether its original owner tithed it. However, it is assumed that **terumah** was separated from the produce.

dichui – lit. pushing aside; the principle of permanent disqualification. In the context of sacrifices, this principle dictates that once an animal (or sacrificial item) becomes disqualified as an offering, it retains its disqualified status forever. Even where the reason for disqualification no longer exists, the animal may still not be offered upon the **Altar.**

dinar – a coin. The silver content of the coin was equivalent to ninety-six grains of barley. It was worth 1/25 the value of a gold *dinar.*

dofen akumah – [literally: bent wall]. A **Halachah LeMoshe MiSinai** teaches that if disqualified **s'chach** is within four **amos** of one of the succah's walls, it does not disqualifty the succah, for we view the succah as if its wall is bent, with the disqualified **s'chach** forming part of the extended wall.

donated offering – There is a difference between a נֶדֶר, **neder** (vowed offering), and a נְדָבָה, **nedavah** (donated offering). In the case of a *neder,* the vower declares הֲרֵי עָלַי קָרְבָּן, "It is hereby incumbent upon me to bring a sacrifice." He fulfills his vow by later designating a specific animal as the sacrifice and offering it. In the case of a **nedavah**, the vower declares הֲרֵי זוּ קָרְבָּן, "This [animal] is a sacrifice," designating from the very start the particular animal he wishes to bring as an offering. In the case of a *neder,* if the designated animal is lost or dies, the vower must bring another in its place, since he has not yet fulfilled his vow "to bring a sacrifice." In the case of **a nedavah,** however, if anything happens to the designated animal the vower need not replace it since his vow was only to bring "*this* animal."

donos – intentional sin.

eglah arufah – *decapitated calf;* when a murder victim is found and the murderer is not known, the **beis din** measures to determine the city closest to where the corpse lies. The elders of that city are required to decapitate a calf, in accordance with the laws outlined in *Deuteronomy* 21:1-9.

Elohim – (a) a Name of God; (b) [l.c.] sometimes used to refer to a mortal power or the authority of an ordained judge.

Elul – sixth month of the Hebrew calendar.

emurin – Sacrificial parts (*emurin*) are the parts of the animal that are burned on the Altar. They are the same for all animal offerings except the **olah.** They consist of the fat that drapes around the body cavity and the fats upon the stomach, kidneys and flanks, as well as the kidneys themselves, the diaphragm, and part of the liver. In a sheep the tail is also a sacrificial part. In the case of an *olah,* however, the entire animal is dismembered and burned on the Altar. See also **Matnos Kehunah**

encumbered property – land owned by a debtor at the time he incurred a debt, but which he later sold or gave to a third party. Such land is encumbered by the debt; the creditor can retrieve it from the current owner to satisfy the debt, if the debtor defaults.

ephah [pl. **ephos**] – a measure of volume equal to three **se'ah**.

ephod – See **Kohen Gadol's vestments.**

erech [pl. **arachin**] – a fixed valuation. The *erech* of a person is the amount fixed by the **Torah** for each of eight different groupings classified by age and gender. All individuals included in the same broad grouping have the identical *erech* valuation, regardless of their value on the slave market.

Eretz Yisrael – Land of Israel.

erusin – betrothal, the first stage of marriage. This is effected by the man giving the woman an object of value, in the presence of witnesses, to betroth her. At this point the couple is not yet permitted to have conjugal relations, but is nonetheless considered legally married in most respects and the woman requires a divorce before she can marry again. See **nisuin**.

eruv – popular contraction of **eruvei chatzeiros, eruvei tavshilin** or **eruvei techumin**.

eruvei chatzeiros – a legal device which merges several separate ownerships **(reshus hayachid)** into a single joint ownership. Each resident family of a **chatzeir** contributes food to the *eruv,* which is then placed in one of the dwellings of the *chatzeir.* This procedure allows us to view all the houses opening into the courtyard as the property of a single consortium (composed of all the residents of the courtyard). This permits all the contributing residents of the *chatzeir* to carry items during the Sabbath from the houses into the *chatzeir* and from one house to another.

eruvei tavshilin – the prepared food set aside prior to a **Yom Tov** that falls on Friday to serve as token food for the Sabbath that follows. Once this token food has been set aside, the person is allowed to complete his preparations for Sabbath on *Yom Tov.* Such preparation is generally forbidden otherwise.

eruvei techumin – merging of boundaries; a legal device that allows a person to shift his Sabbath residence from which the 2,000-**amah techum** is measured. This is accomplished by placing a specific amount of food at the desired location before the start of the Sabbath. The place where the food has been placed is then viewed as his Sabbath residence, and his *techum*-limit is measured from there. This does not extend his **techum** Shabbos, but merely shifts the point from which it is measured.

ervah [pl. **arayos**] – (a) matters pertaining to sexual relationships forbidden under penalty of **kares** or death, as enumerated in *Leviticus* Ch. 18; (b) a woman forbidden to a man under pain of one of these penalties.

esrog – citron; one of the **four species.**

for its own sake – offering a sacrifice for the sake of its own type of sacrifice, e.g. an *olah* for the sake of an *olah*.

forty lashes – See **malkus**.

four species – (a) **aravos** – willow branches; (b) **esrog** – citron; (c) **hadasim** – myrtle twigs; (d) **lulav** – palm branches; we are commanded to hold these **four species** in hand on the Festival of **Succos.**

Gemara – portion of the Talmud which disucsses the **Mishnah;** also, loosely, a synonym for the Talmud as a whole.

gematria – A method of Biblical exegisis based on the numeric valuation of the Hebrew alphabet.

get [pl. **gittin**] – bill of divorce; the document that – when it is placed in the wife's possession – effects the dissolution of a marriage.

gezeirah shavah – one of the thirteen principles of Biblical hermeneutics. If a similar word or phrase occurs in two otherwise unrelated passages in the **Torah,** the principle of *gezeirah shavah* teaches that these passages are linked to one another, and the laws of one passage are applied to the other. Only those words which are designated by the Oral Sinaitic Law for this purpose may serve as a basis for a *gezeirah shavah.*

gifts to the poor – These include **leket, shich'chah, pe'ah, peret, oleilos** and **maaser ani**.

Golden Altar – See **Inner Altar**.

Great Court – See **Sanhedrin**.

hadasim – see **four species.**

hagashah – presentation to the **Altar.**

hagbahah – lifting. One of the methods of acquisition used for movable objects.

Hakheil – assemble; see **Assembly.**

halachah [pl. **halachos**] – (a) a **Torah** law; (b) [u.c.] the body of Torah law; (c) in cases of dispute, the position accepted as definitive by the later authorities and followed in practice; (d) a **Halachah LeMoshe MiSinai**.

Halachah LeMoshe MiSinai – laws taught orally to Moses at Sinai, which cannot be derived from the Written Torah.

half-shekel – While the Temple stood, every adult male Jew was required to donate a half-*shekel* annually to fund the purchase of the various communal offerings (including, among others, the daily **tamid** offerings and the holiday **mussaf** offerings).

Hashem – lit. the Name; a designation used to refer to God without pronouncing His Ineffable Name.

hasraah – warning. One does not incur the death penalty or lashes unless he was warned, immediately prior to commission, of the forbidden nature of the crime and the punishment to which he would be liable.

Havdalah – lit. distinction; the blessing recited at the conclusion of the Sabbath.

hazaah – sprinkling. Examples of this include: the sprinkling of the blood of a bird **chatas** on the **Altar;** the sprinkling of the oil of a **metzora's** purification offering and the sprinkling of the blood of the **inner chatas.**

Hebrew maidservant – a Jewish girl between the age of six and twelve who has been sold by her father into servitude.

Hebrew servant – a Jewish man who is sold as an indentured servant, generally for a period of six years. He is either sold by the court because he was convicted of stealing and lacks the funds to make restitution, or he sells himself for reasons of poverty.

hechsher l'tumah – rendering a food susceptible to **tumah** contamination by contact with one of seven liquids: water, dew, milk, bee honey, oil, wine or blood. **hefker** – ownerless.

Heichal – See **Beis HaMikdash**.

hekdesh – (a) items consecrated to the **Temple** treasury or as offerings. *Hekdesh* can have two levels of sanctity: **monetary sanctity** and **physical sanctity.** Property owned by the Temple treasury is said to have monetary sanctity. Such property can be redeemed or can be sold by the *hekdesh* treasurers, and the proceeds of the redemption or sale become *hekdesh* in its place. Consecrated items that are fit for the Temple service (e.g. unblemished animals or sacred vessels) are deemed to have physical sanctity; (b) the state of consecration; (c) the **Temple** treasury.

hekeish – an exegetical derivation based on a connection that Scripture makes (often through juxtaposition) between different areas of law. By making this connection, Scripture teaches that the laws that apply to one area can be applied to the other area as well.

hin – liquid measure equal to twelve **lugin**.

ho'il – lit. since. The principle of *ho'il* states that the law applicable in a given situation is effected by the possibility of a change in the situation, even if the change is not expected. I.e., *since* there is a possibility of a new circumstance arising, it must be taken into account in determining the present law.

holachah – one of the four essential blood **avodos.** It involves conveying the blood of the offering to the **Altar**.

Holy – anterior chamber of the **Temple** edifice (**Heichal**) containing the **Shulchan, Inner Altar** and **Menorah**.

Holy Ark – the Ark holding the Tablets of the Ten Commandments and the Torah Scroll written by Moses. It stood in the **Holy of Holies**.

Holy of Holies – interior chamber of the **Temple** edifice (**Heichal**). During most of the First Temple era, it contained the **Holy Ark;** later it was empty of any utensil. Even the **Kohen Gadol** is prohibited from entering there except on **Yom Kippur**.

hoshana – bundle consisting of the **lulav, hadasim** and **aravos**. It is called by this name because it is held in one's hand on Succos while the *hoshana* prayer is recited.

inherent sanctity – see monetary sanctity.

Inner Altar – the gold-plated Altar which stood in the **Sanctuary.** It was used for the daily incense service and for the blood applications of **inner chataos**.

inner chatas [pl. **chataos**] – special cases of a communal chatas (sin offering) whose blood is applied to areas inside the Sanctuary – specifically, in the **Holy** and on the **Inner Altar,** and sometimes in the **Holy of Holies** as well. The **emurin** (sacrificial parts), however, are burnt on the **Outer Altar.** The rest of the offering (meat, hide, etc.) is burnt in a designated place outside of Jerusalem. The *inner chatas* offerings are:

(a) The bull of the Anointed Kohen (Kohen Gadol);
(b) The Communal Error Bull.
(c) The He-Goat of (communal) Idolatry
(d) The bull of Yom-Kippur.
(e) The he-goat of Yom Kippur.

ir hanidachas – If most of the residents of a city in **Eretz Yisrael** worshiped idols, the town is designated by the **Great Sanhedrin** as a *subverted city*. The residents guilty of idolatry are beheaded (not stoned, the usual punishment for idolatry). The buildings in the city and the property of all its residents are destroyed.

Israelite Courtyard – an area in the **Temple** Courtyard, extending eleven **amos** from the eastern Courtyard wall into the Courtyard, and abutted on its west side by the **Kohanim's Courtyard.** It reached across the entire width of the Courtyard from north to south.

issaron – a dry measure equal to one-tenth of an **ephah** or approximately (depending on the conversion factor) as little as eleven or as much as twenty-one cups.

issur – prohibition.

Iyar – second month of the Hebrew calendar.

Jubilee – See **Yovel**.

kabbalah – (a) term used throughout the Talmud to refer to the books of the **Prophets.** It derives from the Aramaic root – to complain or cry out. It thus refers primarily to the admonitory passages of these books; (b) receiving in a **kli shareis** the blood of a sacrificial animal that is slaughtered; one of the four blood **avodos**.

kal vachomer – lit. light and heavy, or lenient and stringent; an *a fortiori* argument. It is one of the thirteen principles of Biblical hermeneutics. It involves the following reasoning: If a particular stringency applies in a usually lenient case, it must certainly apply in a more serious case; the converse of this argument is also a *kal vachomer.*

kapores – the Ark cover.

kappos temarim – lit. branches of date palms; term used to describe a **lulav**.

kares – excision; Divinely imposed premature death decreed by the **Torah** for certain classes of transgression.

karmelis – Any area at least four **tefachim** square which cannot be classified as either a public domain (because it is not set aside for public use) or a private domain (because it does not have the required partitions), e.g. a field, empty lot, or an elevation of at least three *tefachim* above the ground level of a public domain.

kav [pl. **kabim**] – a measure equal to four **lugin**.

kebeitzah – an egg's volume.

Kehunah – priesthood; the state of being a **Kohen**.

kemitzah – the first of four essential services of a **minchah** offering. The **Kohen** closes the middle three fingers of his right hand over his palm and scoops out flour from the *minchah* to form the **kometz** that is burned on the **Altar**.

kesubah – (a) marriage contract; the legal commitments of a husband to his wife upon their marriage, the foremost feature of which is the payment awarded her in the event of their divorce or his death; (b) document in which this agreement is recorded.

Kesuvim – Hagiographa – Holy Writings. It consists of eleven volumes: *Psalms, Proverbs, Job, Song of Songs, Ruth, Lamentations, Ecclesiastes, Esther, Daniel, Ezra-Nehemiah, Chronicles.*

ketores service – incense service. The incense was a specific mixture of spices that was burned on the **Inner Altar** every morning and every evening.

kezayis – the volume of an olive; minimum amount of food whose consumption is considered "eating."

Kiddush – (a) the benediction recited over wine before the evening and morning meals on the **Sabbath** and **Yom Tov**; (b) sanctification of **mei chatas**.

kiddushin [betrothal] – Jewish marriage consists of two stages: **erusin** and **nisuin.** *Kiddushin* is the procedure which establishes the first stage of marriage ***[erusin].***

kilayim – various forbidden mixtures, including: **shaatnez** (cloth made from a blend of wool and linen); cross-breeding of animals; cross-breeding (or side-by-side planting) of certain food crops; working with different species of animals yoked together; and mixtures of the vineyard.

kilei hakerem – forbidden mixtures of the vineyard. See **kilayim**.

kinyan [pl. **kinyanim**] – formal act of acquisition; an action that causes an agreement or exchange to be legally binding.

kinyan chatzeir – the acquisition of movable property by virtue of it being in the premises of the person acquiring it.

kinyan chazakah – See **chazakah (b)**.

kinyan sudar – See **kinyan chalifin (b)**.

Kislev – ninth month of the Hebrew calendar.

Kiyor – the laver used by the **Kohanim** in the **Temple** Courtyard to wash their hands and feet before performing the **avodah.**

kli shareis [pl. **klei shareis**] – service vessel(s); a vessel sanctified for use in the sacrificial service.

kodashim kalim – offerings of lesser holiness (one of the two classifications of sacrificial offerings). They may be eaten anywhere in Jerusalem by any **tahor** person. They include the **todah,** regular **shelamim, bechor, nazir's ram, maaser** and **pesach offerings.** This category of offerings is not subject to the stringencies applied to **kodshei kodashim**.

kodesh – (a) any consecrated object; (b) the anterior chamber of the **Temple** – the **Holy;** (c) portions of sacrificial offerings.

kodshei kodashim – most-holy offerings (one of the two classifications of sacrificial offerings). They may be eaten only in the Temple Courtyard and only by male **Kohanim.** They include the **olah** (which may not be eaten at all), **chatas, asham** and communal **shelamim.** These are subject to greater stringencies than **kodashim kalim**.

korah – a crossbeam, at least one **tefach** wide, reaching across a **mavoi** to serve as a rudimentary partition or a reminder of the *mavoi's* halachic status.

Kohanim's Courtyard – eleven-**amah**-wide area in the Courtyard of the **Beis HaMikdash** abutting the **Israelite Courtyard** on its east side, and the **Altar** on its west side. It reached across the entire width of the Courtyard from north to south.

Kohen [pl. **Kohanim**] – member of the priestly family descended in the male line from Aaron. The Kohen is accorded the special priestly duties and privileges associated with the **Temple** service and is bound by special laws of sanctity.

Kohen Gadol – High Priest.

kol d'alim g'var – lit. let whoever is stronger prevail. In certain cases where neither litigant advances conclusive proof to support his claim, the court withdraws and allows the stronger party to take possession of the contested property.

kometz [pl. **kematzim**] – See **kemitzah**.

kor – large dry measure; a measure of volume consisting of thirty **se'ah**.

korban – a sacrificial offering brought in the **Beis HaMikdash**.

kri u'ksiv – a word in Scripture written one way but read differently – by special directive to Moses at Sinai.

lashes – See **malkus** and **makkas mardus**.

lavud – a **Halachah LeMoshe MiSinai** that allows a gap of less than three **tefachim** (as between two sections of a wall) to be viewed as if it were actually closed.

Laws of Mourning – these laws must be observed upon the death of a parent, child, spouse, or sibling. For most relatives, the laws apply at two distinct periods of time and diminish in severity. The first and stricter period is *shivah,* the initial seven-day period; the second extends from *shivah's* conclusion to the end of *sheloshim* (thirty days). For children mourning their parents there is a third mourning period, extending to the end of a full year.

leaning – See **semichah**.

lechatchilah – (a) before the fact; (b) performance of a **mitzvah** or procedure in the proper manner.

lechem hapanim – show bread. Twelve loaves of bread were placed on the **Shulchan** in the Temple each Sabbath, where they remained for the entire week. They were baked in a special shape, and were accompanied by two spoonfuls of **levonah**.

leket – gleanings; one of the various portions of the harvest which the Torah grants to the poor. *Leket* refers to one or two stalks of grain that fall from the reaper when he gathers the harvest. See **shich'chah, pe'ah** and **peret**.

lesech – one half of a **kor**.

Levi [pl. **Leviim**] – male descendant of the tribe of *Levi* in the male line, who is sanctified for auxiliary services in the **Beis HaMikdash.** The *Leviim* were the recipients of **maaser rishon**.

levonah – frankincense. Two spoons containing *levonah* were kept on the **Shulchan** together with the **lechem hapanim.** Each Sabbath these spoons would be removed and taken outside to the **Altar** where the *levonah* would be burned. At that point the *lechem hapanim* would become permitted for consumption.

libation – See **nesachim**.

linah – past its time. If **blood,** meat, or sacrificial parts are left beyond their prescribed time, they are disqualified. For blood, this is the sundown following the slaughter and for the sacrificial parts it is dawn of the next morning. The time for the meat varies according to the offering. If all the essential **avodos** have been

performed properly, this disqualification does not negate the validity of the offering as a whole. Thus the owner has fulfilled his obligation and received atonement.

lishmah – **for its own sake.**

litra – (a) a liquid measure equal to the volume of six eggs; (b) a unit of weight.

log [pl. **lugin**] – a liquid measure equal to the volume of six eggs, between 16 and 21 ounces in contemporary measure.

lulav – See **four species**.

ma'ah [pl. **maos**] – the smallest silver unit in Talmudic coinage. Thirty-two copper **perutos** equal one *ma'ah* and six *ma'ahs* equal a silver **dinar**.

Maariv – the evening prayer service.

maaser [pl. **maasros**] – tithe. It is a Biblical obligation to give two tithes, each known as *maaser,* from the produce of the Land of Israel. The first tithe (**maaser rishon**) is given to a **Levi.** The second tithe (**maaser sheni**) is taken to Jerusalem and eaten there, or redeemed with coins which are then taken to Jerusalem for the purchase of food to be eaten there. In the third and sixth years of the seven-year **shemittah** cycle, the *maaser sheni* obligation is replaced with **maaser ani,** the tithe for the poor.

maaser ani – See **maaser**.

maaser beheimah – the animal tithe. The newborn kosher animals born to one's herds and flocks are gathered into a pen and made to pass through an opening one at a time. Every tenth animal is designated as **maaser.** It is brought as an offering in the **Temple** and is eaten by the owner.

maaser of animals – See **maaser beheimah**.

maaser rishon – See **maaser**.

maaser sheni – See **maaser**.

mah hatzad – See **tzad hashaveh.**

mah matzinu – lit. just as we find; a **binyan av** from one verse. Just as one particular law possesses aspect A and aspect B, so any other law that possesses aspect A should also possess aspect B. See *binyan av.*

makkas mardus – lashes for rebelliousness. This is the term used for lashes incurred by Rabbinic – rather than Biblical – law.

malkus – the thirty-nine lashes (forty minus one) imposed by the court for violations of Biblical prohibitions, where a more severe punishment is not indicated.

mamzer [pl. **mamzerim**] [f. **mamzeress**] – (a) offspring of most illicit relationships punishable by **kares** or capital punishment; (b) offspring of a *mamzer* or *mamzeress.*

mamzerus – state of being a **mamzer**.

maneh – (a) equivalent to 100 **zuz;** (b) a measure of weight, equal to 17 ounces.

Marcheshvan – eighth month of the Hebrew calendar

matanos [or **matnos kehunah**] – lit. gifts. The Torah commands that we give the right foreleg, jaws and maw of an ox, sheep or goat that are slaughtered (for non-sacrificial purposes) to the **Kohen.** These are referred to as the "gifts."

matzah – unleavened bread; any loaf made from dough that has not been allowed to ferment or rise. One is Biblically obligated to eat *matzah* on the night of the 15th of Nissan.

mavoi – alley; specifically an alley into which courtyards open. See **shitufei mevo'os**.

mayim chayim – living water. Springwater generally has the status of *mayim chayim*. It is so designated because it issues out of the ground with a natural force which makes it "alive" and moving. It is fit to be used for three purposes for which the Torah specifies *mayim chayim*: (a) the immersion of **zavim,** (b) the sprinkling for **metzoraim,** (c) to consecrate therefrom **mei chatas**.

mayim sheuvin – drawn water; water that flows out of a vessel is designated as *sheuvin* and is unfit for use to constitute the forty **se'ah** of a **mikveh**.

mazal – fortune.

meal of havraah – the first meal eaten by a mourner upon the onset of the period of mourning.

mechussar kapparah [pl. **mechussar kippurim**] – lit. lacking atonement; the status accorded to a **tevul yom** in the interim between sunset of the day of his immersion and the time he brings his offerings. During that interval, he retains a vestige of his earlier **tumah** and is thus forbidden to enter the **Temple** Courtyard or partake of the offerings.

mei chatas – springwater consecrated by the addition of ashes of a **parah adumah.** This was used to purify individuals or objects of **tumas meis**.

me'ilah – unlawfully benefiting from **Temple** property or removing such property from Temple ownership. As a penalty one must pay the value of the misappropriated item plus an additional one-fifth of the value. He must also bring an **asham** offering.

meis mitzvah – See **abandoned corpse**.

melachah [pl. **melachos**] – labor; specifically, one of the thirty-nine labor categories whose performance is forbidden by the Torah on the Sabbath and **Yom Tov.** These prohibited categories are known as ***avos*** *melachah.* Activities whose prohibition is derived from one of these thirty-nine categories are known as **tolados** (s. *toladah*) – secondary labor.

melikah – the unique manner in which bird offerings were slaughtered. *Melikah* differs from **shechitah** in two respects: (a) The cut is made with the **Kohen's** thumbnail rather than with a knife. (b) The neck is cut from the back rather than from the throat. Only birds for sacrificial purposes may be slaughtered by *melikah;* all others require *shechitah.* See **shechitah**.

menachos – See **minchah**.

Men of the Great Assembly – a group of 120 sages active at the end of the Babylonian exile and during the early years of the Second Temple. They were responsible for the formulation of our prayers and many other enactments.

Menorah – the seven-branched gold candelabrum which stood in the **Holy**.

metzora – A *metzora* is a person who has contracted **tzaraas** (erroneously described as leprosy), an affliction mentioned in *Leviticus* (Chs. 13,14). *Tzaraas* manifests itself (on people) as white or light-colored spots on the body.

mezuzah [pl. **mezuzos**] – a small scroll, containing the passages of *Deuteronomy* 6:4-9 and 11:13-21, that is affixed to the right doorpost.

midras – If someone who is **tamei** as a result of a bodily emission (e.g. a **zav, zavah, niddah,** woman who has given birth) sits or leans on a bed, couch or chair, it acquires the same level of **tumah** as the person from whom the *tumah* emanates (i.e. **av hatumah**). This form of *tumah* transmission is called *midras.*

migo – lit. since; a rule of procedure. If one makes a claim that on its own merits the court would reject, it nonetheless will be accepted "since" had he wished to tell an untruth he would have chosen a claim that certainly is acceptable to the court.

mikveh – ritualarium; a body of standing water containing at least forty **se'ah.** It is used to purify (by immersion) people and utensils of their **tumah**-contamination. A *mikveh* consists of waters naturally collected, without direct human intervention. Water drawn in a vessel is not valid for a *mikveh.*

mil – 2,000 **amos;** a measure of distance between 3,000 and 4,000 feet.

minchah – (a) [cap.] the afternoon prayer service; (b) [pl. **menachos**] a flour offering, generally consisting of fine wheat flour, oil and frankincense, part of which is burnt on the **Altar.** See **kemitzah**.

minyan – quorum of ten adult Jewish males necessary for the communal prayer service and other matters.

Mishkan – predecessor of the **Temple.** See **Tabernacle**.

mishmar – [pl. **mishmaros**] – lit. watch; one of the twenty-four watches of **Kohanim** and **Leviim** who served in the **Temple** for a week at a time on a rotating basis. These watches were subdivided into family groups, **batei avos** each of which served on one day of that week.

Mishnah [pl. **Mishnahs**] – (a) the organized teachings of the **Tannaim** compiled by **R' Yehudah HaNasi;** (b) a paragraph of that work.

mitzvah [pl. **mitzvos**] – a **Torah** command, whether of Biblical or Rabbinic origin.

mi'un – By Rabbinic enactment, an underaged orphan girl may be given in marriage by her mother or brothers. She may annul the marriage anytime before reaching majority by declaring, before a **beis din** of three judges, her unwillingness to continue in the marriage. This declaration and process is called *mi'un*.

mixtures of the vineyard – See **kilayim**.

monetary law – law dealing with financial matters rather than matters of ritual prohibition.

monetary sanctity – There are two degrees of sanctity to which an animal can be consecrated. The lower level is *kedushas damim, monetary sanctity,* meaning that the animal is not fit to be offered, but is merely Temple property that may be sold and the proceeds will go to the Temple treasury. Once sold, the animal returns to its previous unconsecrated state **(chullin)** and there are no restrictions on its use. The higher level of sanctity is *kedushas haguf, inherent sanctity,* meaning that the animal is worthy of being offered on the Altar. If an animal was inherently consecrated and it developed a permanent physical blemish which disqualifies it from being offered on the Altar, it too may be redeemed for money (i.e. sold). Its sanctity is then transferred to the money and the animal becomes deconsecrated. However, since the animal had been inherently consecrated, there are restrictions on its use even after it is deconsecrated. It may be slaughtered and eaten like ordinary unconsecrated animals, but its wool may not be shorn, its milk is forbidden, and it may not be used for work.

movables, movable property – property that is transportable, in contrast to real estate.

muchzak – one who has physical possession of an object and who is therefore assumed to be in legal possession of it.

muktzeh – lit. set aside; (a) a class of objects which, in the normal course of events, do not stand to be used on the Sabbath or **Yom Tov.** The Rabbis prohibited moving such objects on the Sabbath or *Yom Tov;* (b) an animal set aside to be sacrificed for idolatry.

mum [pl. **mumim**] – physical defects that render a **Kohen** or sacrifice unfit.

mussaf – (a) additional sacrifices offered on the Sabbath, **Rosh Chodesh** or **Yom Tov;** (b) [cap.] the prayer service which is recited in lieu of these sacrifices.

Nasi [pl. **Nesiim**] – the Prince. He serves as the head of the **Sanhedrin** and de facto as the spiritual leader of the people.

nazir [f. **nezirah**] – a person who takes the vow of **nezirus,** which prohibits him to drink wine, eat grapes, cut his hair or contaminate himself with the **tumah** of a corpse.

nedavah – See **donated offering**.

neder – a vow which renders objects, in contradistinction to actions, prohibited. There are two basic categories of vows: (a) restrictive vows; (b) vows to donate to **hekdesh.** See **hekdesh,** see also **donated offering**.

negaim – spots that appear on the skin of a **metzora**.

nesachim – a libation, generally of wine, which is poured upon the **Altar.** It accompanies certain offerings and may be donated separately as well.

neveilah [pl. **neveilos**] – the carcass of an animal that was not slaughtered according to procedure prescribed by the Torah. A *neveilah* may not be eaten. It is an **av hatumah**.

Neviim – Prophets; The second of the written Tanach. It consists of the following books: *Joshua, Judges, Samuel, Kings, Jeremiah, Ezekiel, Isaiah,* **Twelve Prophets**.

nezifah – a state of rebuke for one who incurs the displeasure of his teacher or a great person.

nezirus – the state of being a **nazir**.

niddah – a woman who has menstruated but has not yet completed her purification process, which concludes with immersion in a **mikveh**.

nidui – One of the punishments available to a **beis din** is the *nidui* ban. When the court pronounces a *nidui* ban upon an offender, the community is enjoined to avoid being within four **amos** (6-8 feet) of the person, and to refrain from eating and drinking with him. The offender is obligated to conduct himself in most matters like a mourner (e.g. he is forbidden to cut his hair or launder his clothes). In general, a term of *nidui* lasts thirty days.

Nissan – first month of the Hebrew calendar.

nisuin – second stage of marriage. It is effected by a procedure called **chupah.** See **kiddushin**.

Noahide laws – the seven commandments given to Noah and his sons, which are binding upon all gentiles. These laws include the obligation to have a body of civil law, and the prohibitions against idolatry, immorality, bloodshed, blasphemy, stealing and robbing, and eating limbs from a live animal.

nossar – part of a **korban** left over after the time to eat it has passed.

ohel – roof or shelter

olah [pl. **olos**] – burnt or elevation offering; an offering which is consumed in its entirety by the **Altar** fire. It is one of the **kodshei kodashim**.

Olah Altar – See **Outer Altar.**

olas re'iyah – **olah** of appearance. Every adult Jewish male is commanded to appear at the **Beis HaMikdash** during the three pilgrimage festivals of **Pesach, Shavuos** and **Succos.** He may not appear empty handed, but must bring an *olah* called *olas re'iyah* as sacrifice.

Omer – an obligatory **minchah** offering brought on the sixteenth of **Nissan.** It was forbidden to eat from the new grain crop (**chadash**) before this offering was brought.

onein [f. **onenes**] [pl. **onenim**] – See **aninus**.

one who lacks atonement – See **mechussar kapparah**.

orlah – lit. sealed; fruit that grows on a tree during the first three years after it has been planted (or transplanted). The Torah prohibits any benefit from such fruit.

Outer Altar – the **Altar** that stood in the Courtyard of the **Beis HaMikdash,** to which the blood of most offerings is applied, and on which the offerings are burned.

outer chatas – The usual case of a sin-offering, whose blood is applied to the four horns of the **Outer Altar**. Its sacrificial parts are burned on the same Altar, and its meat is eaten by the **Kohanim** within the main **Temple** Courtyard. It can be either a

communal or a personal offering. It is never offered on a voluntary basis.

parah adumah – lit. red cow. The ashes of the *parah adumah* are mixed with springwater. The resulting mixture is known as **mei chatas** and is used in the purification process of people or objects who have contracted **tumah** from a human corpse.

Paroches – curtain: specifically, the curtain that divided the **Holy** from the **Holy of Holies**.

parsah [pl. **parsaos**] – measure of length equal to 8,000 **amos**.

pasul – lit. invalid. (a) any **tamei** object that cannot convey its **tumah**; (b) as in the phrase "render *pasul*": something that renders a person *tamei* by Rabbinic decree. See **tumah**.

peace offering – See **shelamim**.

pe'ah – the portion of the crop, generally the corner of the field, that must be left unreaped as a gift to the poor.

peras – (a) measure equal to four eggs; (b) generic term meaning *half.*

peret – individual grapes which fell during harvesting. The Torah grants these to the poor. See **shich'chah, leket** and **pe'ah**.

perutah [pl. **perutos**] – smallest coin used in Talmudic times. In most cases its value is the minimum that is legally significant.

Pesach – Passover, the **Yom Tov** that celebrates the Exodus of the Jewish nation from Egypt.

pesach offering – sacrifice offered on the afternoon of the fourteenth day of **Nissan** and eaten after nightfall. It is one of the **kodashim kalim**.

physical sanctity – See **hekdesh**.

piggul – lit. rejected; an offering rendered invalid by means of an improper intent – by the one performing one of the four essential **avodos** – to eat of it or place it on the **Altar** after its allotted time. The intention must have been present during one of the four blood **avodos.** Consumption of *piggul* is punishable by **kares**.

pikadon – an object deposited with a custodian for safekeeping.

pikuach nefesh – lit. saving a life; a life-threatening situation. All prohibitions (except for murder, immorality and idolatry) are waived, if necessary, in such situations.

pilgrimage festival – the title for the holidays of **Pesach, Shavuos** and **Succos,** when all Jewish males were obligated to appear at the **Beis HaMikdash** in Jerusalem.

plag haminchah – one and a quarter hours before night.

positive commandment – a Torah commandment expressed as a requirement *to do.*

poskim – authoritative decisors of Torah law.

Priestly Blessing – the blessing the **Kohanim** are obligated to confer upon the congregation. It consists of the verses designated for this purpose by the Torah (*Numbers* 6:24-26). It is recited aloud by the **Kohanim**, toward the conclusion of the **Shemoneh Esrei**.

prohibition – a negative commandment, which the Torah expresses as a command *not to do.*

prohibitory law – refers to the category of Torah law which deals with questions of permissible or forbidden status, as opposed to questions of **monetary law.**

Prophets – See **Neviim**.

prosbul – the Torah requires all loans to be canceled by **shemittah.** The Rabbis enacted a law allowing for loans to be collected after the Sabbatical year through a process whereby the lender authorizes the court in advance of *shemitah* to collect all his debts. The document which authorizes the court to assume responsibility for the collection of those debts is called a *prosbul.*

p'sik reisha – an action that is essentially permitted but has a direct and inevitable consequence that is prohibited.

pundyon – a coin.

purification waters – See **mei chatas**.

rasha – (a) a wicked person; (b) a person disqualified from serving as a witness by his commission of certain transgressions.

Rebbi – R' Yehudah HaNasi; the redactor of the **Mishnah**.

red cow – See **parah adumah**.

Reish Galusa (pl. **Reishei Galusa)** – Exilarch in Babylonia he was a descendant of King David and enjoyed autonomy and a semi-royal status.

reshus harabim – lit. public domain; any unroofed, commonly used street, public area or highway at least sixteen **amos** wide and open at both ends. According to some, it must be used by at least 600,000 people.

reshus hayachid – lit. private domain; any area measuring at least four **tefachim** by four *tefachim* and enclosed by partitions at least ten *tefachim* high. According to most opinions, it needs to be enclosed only on three sides to qualify as a *reshus hayachid*. Private ownership is not a prerequisite.

resident alien – See **ger toshav**.

revai – fruit produced by a tree in its fourth year. This is consecrated in the same manner as **maaser sheni** and must be eaten in Jerusalem or be redeemed with money which is spent in Jerusalem on food to be eaten there. See **orlah**.

revii l'tumah – See **tumah**.

reviis – a quarter of a **log**.

Rishon [pl. **Rishonim**] – a **Torah** authority of the period following the Geonim (approx. 1000-1500 C.E.).

rishon l'tumah – first degree of acquired **tumah**. See **tumah**.

Rosh Chodesh – (a) festival celebrating the new month; (b) the first of the month.

Rosh Hashanah – the **Yom Tov** that celebrates the new year. It falls on the first and second days of **Tishrei**.

R' – Rabbi; specifically a **Tanna,** or **Amora** of **Eretz Yisrael**.

rov – majority; a principle used in halachah to determine the origin or status of a particular object. An object of undetermined origin or status is assumed to partake of the same origin or status as that of the majority. See also **bitul b'rov**.

rova [pl. **revaim**] – a quarter-**kav** ($^1/_{24}$ of a **se'ah**). This is identical to a log.

ruach hakodesh – (lit. holy spirit) – a spiritual connection between man and God that is a lesser level than prophecy.

Sadducees – heretical sect active during the Second **Temple** era named after Tzaddok, a disciple of Antigenos of Socho. They denied the Divine origin of the **Oral Law** and refused to accept the Sages' interpretation of the **Torah**.

Sages – (a) the collective body of Torah authorities in the Mishnaic era; (b) the anonymous majority opinion in a **Mishnah** or **Baraisa;** (c) [l.c.] Torah scholar and authority.

Sanctuary – a term applied to the Temple building that housed the **Holy** and the **Holy of Holies**.

Sanhedrin – (a) the High Court of Israel; the Supreme Court consisting of seventy-one judges whose decisions on questions of Torah law are definitive and binding on all courts; (b) [l.c.] a court of twenty-three judges authorized to adjudicate capital and corporal cases.

s'chach – covering of a succah; must be made of material which grew from the ground and is now detached, but has not been formed into a utensil.

se'ah – a Mishnaic measure of volume; six **kav**.

Seder [pl. **Sedarim]** – lit. order. (a) The Mishnah is divided into six *sedarim*: *Zeraim* (Plants), *Moed* (Festivals), *Nashim* (Women), *Nezikin* (Damages), *Kodashim* (Sacred Things) and *Taharos* (Ritual Purities); (b) [l.c.] ritual festive meal on **Pesach**.

sekilah – lit. stoning; one of the four forms of death penalty imposed by the court.

sela [pl. **sela'im**] – a silver coin having the weight of 384 grains of barley. This is the equivalent of four **dinars**.

semichah – (a) Rabbinical ordination empowering one to serve as a judge. This ordination stretches back in an unbroken chain to Moses; (b) a rite performed with almost all personal sacrificial offerings. The owner of the offering places both his hands on the top of the animal's head and presses down with all his might. In the case of a **chatas** or an **asham,** he makes his confession during *semichah*. In the case of a **shelamim** or **todah** offering, he praises and thanks God.

semuchin [pl. **semuchim**] – Scriptural juxtaposition. This principle states that two consecutive verses or passages may be compared for purposes of inferring law from one to the other. It is one of the rules of exegesis employed by the Sages.

Seventeenth of Tammuz – a fast day. Among the tragedies that occurred on this day were: (a) Moses descended from Mount Sinai and smashed the Tablets of the Ten Commandments when he saw the people worshiping the Golden Calf. (b) Jerusalem's walls were breached by the invading Roman army three weeks before the final destruction of the Second **Temple** (on **Tishah B'Av**).

shaatnez – See **kilayim**.

Shabbos – (a) the Sabbath; (b) the Talmudic tractate that deals with the laws of the Sabbath.

Shacharis – the morning prayer service.

shalmei chagigah – In addition to the command to appear at the Holy Temple on the three pilgrimage festvals with an **olas re'iyah,** one must bring a *shalmei chagigah* offesring. see **chagigah offering.**

shamta – A more stringent **nidui** (sometimes a *nidui* accompanied by a curse).

shaos zemaniyos – seasonal or variable hours. According to this reckoning, the day (or night) – regardless of its length – is divided into twelve equal units (hours).

Shavuos – Pentecost; the festival that celebrates the giving of the **Torah** to the Jewish nation at Mount Sinai.

Shechinah – Divine Presence.

shechitah – (a) ritual slaughter; the method prescribed by the **Torah** for slaughtering a kosher animal to make it fit for consumption. It consists of cutting through most of the esophagus and windpipe from the front of the neck with a specially sharpened knife that is free of nicks. (b) One of the four essential blood **avodos**.

shekatzim – abominable creatures. Those creatures referred to by the Torah as "abominable." These include unkosher fish and sea creatures such as seals and frogs; unkosher birds; insects such as flies, bees and mosquitoes, reptiles and rodents.

shekel [pl. **shekalim, shekels**] – Scriptural coin equivalent to the Aramaic **sela** or four **dinars.** In Mishnaic terminology, the Scriptural half-*shekel* is called a *shekel,* and the Scriptural *shekel* is called by its Aramaic name, **sela**.

shelamim – peace offering; generally brought by an individual on a voluntary basis; part is burnt on the **Altar,** part is eaten by a **Kohen** (and the members of his household) and part is eaten by the owner. It is one of the **kodashim kalim**.

shelichus – See **agency**.

shelishi l'tumah – See **tumah**.

shelo lishmah – not for its own sake; i.e. intending a sacrifice for the sake of a different type of sacrifice, e.g. an *olah* for the sake of a *shelamim.*

Shemini Atzeres – the eighth and concluding day of the **Succos** celebration. In many respects, it is a **Yom Tov** in its own right.

shemittah – the Sabbatical year, occurring every seventh year, during which the land of **Eretz Yisrael** may not be cultivated.

Shemoneh Esrei – also called **Amidah;** the silent, standing prayer, which is one of the main features of the daily prayer services.

sheni l'tumah – See **tumah**.

sheretz [pl. **sheratzim**] – one of eight rodents or reptiles, listed by the Torah, whose carcasses transmit **tumah.** A *sheretz* is an **av hatumah.** See **tumah**.

Shevat – eleventh month of the Hebrew calendar.

sheviis – See **shemittah**.

shevuah oaths – a formula with which one may make a self-imposed prohibition. A *shevuah oath* renders actions, in contradistinction to objects, forbidden.

shich'chah – sheaves forgotten in the field during their removal to the threshing floor as well as standing produce that the harvester overlooked. The Torah grants these to the poor. See **leket, pe'ah**.

shisin – The water and wine libations which were poured onto the top of the **Altar** were drained off into deep subterranean cavities called *shisin.*

shitufei mevo'os – incorporation of the alleys; a provision similar to **eruvei chatzeiros,** instituted to permit carrying from a courtyard into an alley on the Sabbath. It merges the different courtyards in a common ownership of a **mavoi**.

sh'liach tzibur – lit. messenger of the congregation; the individual leading the prayer service.

shofar – trumpet formed from the horn of a ram or certain other animals. It is a Biblical obligation to hear the blowing of a *shofar* on **Rosh Hashanah**.

shogeg – An inadvertent transgressor in which the transgression knew what he was doing but was unaware of the prohibited nature of his deed.

shomer [pl. **shomrim**] – one who has assumed custodial responsibility for another's property.

shtei halechem – lit. two loaves; the offering of two wheat loaves that must be brought on **Shavuos.** It is accompanied by two lambs with which it is waved, and whose offering permits it for consumption by the **Kohanim.** In addition to these lambs, the **Torah** mandates another group of offerings to be brought in conjunction with the *shtei halechem,* one of which is the **chatas**.

Shulchan – lit. table; the golden Table for the **lechem hapanim,** located in the **Holy**.

Shalmei chagigah – see *chagigah* offering.

shuman – animal fats that are permitted for consumption. See **cheilev**.

Sifra – lit. the book; the primary collection of Tannaic exegesis, mainly halachic in nature, on the Book of *Leviticus.* It is also known as *Toras Kohanim.*

Sifri (or Sifrei) – lit. the books; the counterpart of the **Sifra;** it expounds on the Books of *Numbers* and *Deuteronomy.*

sitama – the absence of specific intent.

Sivan – third month of the Hebrew calendar.

soreg – a low lattice fence encompassing the Temple Courtyard which marked the point beyond which gentiles and Jews who were **tamei** from a corpse, were Rabbinically prohibited to proceed. It was located 10 **amos** from the Courtyard wall.

sotah – an adulteress or a woman whose suspicious behavior has made her suspected of adultery. The **Torah** prescribes, under specific circumstances, that her guilt or innocence be established by having her drink specially prepared water.

sprinkling – See **hazaah**.

stoning – See **sekilah**.

succah – (a) the temporary dwelling in which one must live during the festival of **Succos;** (b) [cap.] the Talmudic tractate that deals with the laws that pertain to the festival of **Succos.**

Succos – one of the three **pilgrimage festivals;** on Succos one must dwell in a **succah**.

Tabernacle – a portable **Sanctuary** for the sacrificial service used during the forty years of national wandering in the Wilderness and the first fourteen years after entry into **Eretz Yisrael**.

taharah – a halachically defined state of ritual purity; the absence of **tumah**-contamination.

tahor – person or object in a state of **taharah**.

tamei – person or object that has been contaminated by **tumah** and that can convey *tumah* to another object of its genre.

tamid [pl. **temidim**] – communal **olah,** offered twice daily.

Tammuz – fourth month of the Hebrew calendar.

Tanach – acronym for the written portion of the Torah. TaNaCH (TaNeK) stands for Torah, Neviim, Kesuvim.

Tanna [pl. **Tannaim**] – Sage of the Mishnaic period whose view is recorded in a **Mishnah** or **Baraisa.**

Tanna Kamma – the anonymous first opinion of a **Mishnah** or **Baraisa**.

Targum – lit. translation; the Aramaic interpretive translation of Scripture.

techum [pl. **techumim**] – Sabbath boundary; the distance of 2,000 **amos** from a person's Sabbath residence which he is permitted to travel on the Sabbath or **Yom Tov**. See **eruvei techumim**.

tefach [pl. **tefachim**] – handbreadth; a measure of length equal to the width of four thumbs.

tefillah – (a) prayer; (b) in Talmudic usage, **tefillah** invariably refers to **Shemoneh Esrei**.

tefillin – phylacteries; two black leather casings, each of which contains Torah passages written on parchment. It is a **mitzvah** for adult males to wear one on the head and one on the arm.

temei'ah – female for **tamei**.

Temple – See **Beis HaMikdash**.

Temple Mount – the site of the Holy **Temple.** See **Beis HaMikdash**.

temurah – The **Torah** forbids a person to even verbally substitute a different animal for an already consecrated sacrificial animal. This is forbidden even if the second animal is superior. If one violates this prohibition, both the animals are sacred. Both the act of substitution and the animal substituted are known as a *temurah.*

tenufah – lit. waving. The breast and right hind thigh of certain offerings are held by the **Kohen** and owner together, who wave them in all four directions of the compass and then up and down. These parts become the Kohen's portion. See also **shtei halechem**.

tereifah [pl. **tereifos**] – (a) a person, animal or bird that possesses one of a well-defined group of eighteen defects which will certainly cause its death. Any of these defects renders the animal or bird prohibited for consumption even if it was ritually slaughtered; (b) a generic term for all non-kosher food.

terumah [pl. **terumos**] – the first portion of the crop separated and given to a **Kohen,** usually between 1/40 and 1/60 of the total crop. It is separated prior to **maaser,** and upon separation attains a of state sanctity which prohibits it from being eaten by a non-**Kohen,** or by a **Kohen** in a state of **tumah**.

terumah gedolah – See **terumah**.

terumas maaser – the tithe portion separated by the **Levi** from the **maaser rishon** he receives, and given to **Kohen**.

tevel – produce of **Eretz Yisrael** that has become subject to the obligation of **terumah** and **tithes;** it is forbidden for consumption until *terumah* and all tithes have been designated.

Teves – tenth month of the Hebrew calendar.

tevilah – immersion in a **mikveh** for the purpose of purification from **tumah**-contamination.

tevul yom – lit. one who has immersed that day. This is a person who had been rendered ritually impure with a Biblical **tumah** from which he purified himself with immersion in a **mikveh.** A residue of the *tumah* lingers until nightfall of the day of his immersion, leaving him *tamei* in regard to sacrifices, **terumah** and entering the **Temple** Courtyard. A person in this reduced state of *tumah* is known as a *tevul yom,* and he renders *terumah* and *kodashim* invalid through contact.

Tishah B'Av – lit. the Ninth of Av; the fast day that commemorates the destruction of the First the Second **Beis HaMikdash** and as well as other national tragedies.

Tishrei – seventh month of the Hebrew calendar.

todah [pl. **todos**] – thanksgiving offering brought when a person survives a potentially life-threatening situation. It is unique in that forty loaves of bread accompany it.

toladah [pl. **tolados**] – lit. offspring; subcategory of an **av** (pl. **avos**). See **melachah**.

Torah – the Five Books of Moses; the Chumash or Pentateuch.

Tosefta – a written collection of **Baraisos**.

tumah [pl. tumos] – legally defined state of ritual impurity affecting certain people or objects. The strictest level of *tumah, avi avos hatumah* [literally: father of fathers of *tumah*], is limited to a human corpse. The next, and far more common level, is known as *av hatumah,* primary [literally: father] *tumah.* This category includes: one who touched a human corpse; **sheretz,** the carcass of one of the eight species of creeping creatures listed in *Leviticus* 11:29-30; the carcass of a **neveilah,** an animal that died by some means other than a valid ritual slaughter; or one who is a **zav, zavah, niddah** or **metzora**.

An object that is contaminated by an **av hatumah** [primary *tumah*] becomes a **rishon l'tumah** (*first degree of* [acquired] *tumah*). This degree of contamination is also called *v'lad hatumah* (*secondary tumah*) [literally: child (as opposed to *av,* father) of *tumah*]. An object contracting *tumah* from a *rishon* becomes a *sheni l'tumah* (second degree *of* [acquired] *tumah*) – (or *v'lad v'lad hatumah, child of child of tumah*). In the case of *chullin, unsanctified food,* contamination can go no further than a *sheni;* thus, if a *sheni* touches unsanctified food, that food acquires no degree of contamination whatsoever.

Commensurate with the respectively greater degrees of stringency associated with **terumah** and sacrifices, their levels of contamination can go beyond that of *sheni.* Thus, if a *sheni* touches *terumah,* it becomes a *shelishi l'tumah* (third degree of [acquired] *tumah*) but the *tumah* of *terumah* goes no further than this degree. Sacrificial items can go a step further, to *revii l'tumah* (fourth degree of [acquired] *tumah*).

As a general rule, the word **tamei,** *contaminated,* is applied to an object that can convey its *tumah* to another object of its genre. An object that cannot convey its *tumah* in this way is called, **pasul,** (invalid,) rather than *tamei.*

tumas meis – the **tumah** of a human corpse.

tumas midras – See **midras**.

tumah of the deep – refers to the possibility of there being a hidden source of *tumah.*

tumas ohel – lit. roof **tumah;** the *tumah* conveyed to objects or persons when they are under the same roof as certain *tumah* conveyors, generally a human corpse.

tzad hashaveh – An exegetical derivation based on the presumption that a law found in two contexts results from characteristics common to both rather than from characteristics unique to each. Any other context possessing these common characteristics is also subject to the common law, even if the third context differs from the first two in regard to their *unique* features.

tzaraas – See **metzora**.

tzitzis – the fringes that by **Torah** law must be placed on a four-cornered garment.

Ulam – Antechamber

Urim VeTumim – a slip of parchment upon which *the Ineffable Name* was written. This parchment was inserted into the **Kohen Gadol's** breastplate, one of the eight vestments he wore while performing the **Temple** service. Twelve precious stones were attached to the front of the breastplate in four rows of three stones each. Each of these stones was inscribed with the name of one of the twelve tribes in the order of their birth. Whenever the *Urim VeTumim* was consulted, the letters etched on the stones lit up and spelled out a message.

variable [chatas] offering – a special type of **chatas** offering whose quality varies in accordance with the sinner's financial resources. He is liable to a regular *chatas* offering of a female lamb or kid only if he is a person of means. Should he be poor, he is required to bring only two turtledoves or two young pigeons, one as a *chatas* and the other as an **olah.** If he is very poor, he brings a tenth of an **ephah** of fine flour for a **minchah**.

v'lad hatumah – derivate **tumah;** see **tumah**.

v'lad v'lad hatumah – See **tumah**.

Water-Drawing Ceremony – see **Simchas Beis Hasho'eivah.**

Women's Courtyard – the Courtyard of the **Temple** that faced the eastern wall of the main Courtyard.

yavam – See **yibum**.

yetzer hara – Evil Inclination.

ye'ush – abandonment. This refers to an owner's despairing of recovering his lost or stolen property.

yevamah – See **yibum**.

yibum – levirate marriage. When a man dies childless, the **Torah** provides for one of his brothers to marry the widow. This marriage is called *yibum*. Pending this, the widow is forbidden to marry anyone else. The surviving brother, upon whom theobligation to perform the **mitzvah** of *yibum* falls, is called the *yavam*. The widow is called the *yevamah. Yibum* is effected only through cohabitation. If the brother should refuse to perform *yibum*, he must release her from her *yibum*-bond by performing the alternate rite of **chalitzah,** in which she removes his shoe before the court and spits before him and declares: *So should be done to the man who will not build his brother's house* (*Deuteronomy* 25:5-10).

Yisrael [pl. **Yisraelim**] – (a) Jew; (b) Israelite (in contradistinction to **Kohen** or **Levi**).

Yom Kippur – Day of Atonement; a day of prayer, penitence, fasting and abstention from **melachah**.

Yom Tov [pl. **Yamim Tovim**] – holiday; the festival days on which the Torah prohibits **melachah**. Specifically, it refers to the first and last days of **Pesach,** the first day of **Succos, Shemini Atzeres, Shavuos, Yom Kippur** and the two days of **Rosh Hashanah**. Outside of **Eretz Yisrael,** an additional day of **Yom Tov** is added to each of these festivals, except **Yom Kippur** and **Rosh Hashanah**.

Yovel – fiftieth year [Jubilee]; the year following the conclusion of a set of seven **shemittah** cycles. On **Yom Kippur** of that year, the **shofar** is sounded to proclaim freedom for the Jewish servants, and to signal the return to the original owner of fields sold in **Eretz Yisrael** during the previous forty-nine years.

zav [pl. **zavim**] – a man who has become **tamei** because of a specific type of seminal emission. If three emissions were experienced during a three-day period, the man must bring offerings upon his purification.

zavah [pl. **zavos**] – After a woman concludes her seven days of **niddah,** there is an eleven-day period during which any menseslike bleeding renders her a *minor zavah*. If the menstruation lasts for three consecutive days, she is a *major zavah* and must bring offerings upon her purification.

zechiyah – rule which states that one can act as a person's agent without his prior knowledge or consent if the act is clearly advantageous to the beneficiary.

zerikah [pl. **zerikos**] – throwing; applying the blood of an offering to the Outer **Altar** in the prescribed manner. It is one of the four essential blood **avodos**.

zevach – sacrifice.

zivah – lit. seepage or flow; the type of discharge which if repeated renders one to be a **zav** or **zavah**.

zuz [pl. **zuzim**] – (a) monetary unit equal to a **dinar;** (b) a coin of that value; (c) the weight of a *zuz* coin.

Scriptural Index

MW00697331